THE
CAMBRIDGE
GREEK LEXICON

THE CAMBRIDGE GREEK LEXICON

VOLUME I
A–I

Edited by
J. Diggle (Editor-in-Chief)
B. L. Fraser
P. James
O. B. Simkin
A. A. Thompson
S. J. Westripp

CAMBRIDGE
UNIVERSITY PRESS

University Printing House, Cambridge CB2 8BS, United Kingdom

One Liberty Plaza, 20th Floor, New York, NY 10006, USA

477 Williamstown Road, Port Melbourne, VIC 3207, Australia

314–321, 3rd Floor, Plot 3, Splendor Forum, Jasola District Centre, New Delhi – 110025, India

103 Penang Road, #05-06/07, Visioncrest Commercial, Singapore 238467

Cambridge University Press is part of the University of Cambridge.

It furthers the University's mission by disseminating knowledge in the pursuit of education, learning, and research at the highest international levels of excellence.

www.cambridge.org

Information on this title: www.cambridge.org/9780521826808
DOI: 10.1017/9781139050043

© The Faculty Board of Classics of the University of Cambridge 2021

This publication is in copyright. Subject to statutory exception and to the provisions of relevant collective licensing agreements, no reproduction of any part may take place without the written permission of Cambridge University Press.

First published 2021
Reprinted 2021

Printed in the United Kingdom by TJ Books Limited, Padstow, Cornwall

A catalogue record for this publication is available from the British Library.

Set ISBN 978-0-521-82680-8 Hardback
Volume I ISBN 978-1-108-83699-9 Hardback
Volume II ISBN 978-1-108-83698-2 Hardback

Cambridge University Press has no responsibility for the persistence or accuracy of URLs for external or third-party internet websites referred to in this publication and does not guarantee that any content on such websites is, or will remain, accurate or appropriate.

Contents

Preface   vii
Structure and Content of Entries   xi
Authors and Editions   xv
Abbreviations   xxi

THE CAMBRIDGE GREEK LEXICON   1

Preface

This Lexicon owes its origin, and much of its method, to Dr John Chadwick (1920–98), a pioneer in the study of Linear B with a lifelong interest in lexicography extending from his service on the staff of the *Oxford Latin Dictionary* (1946–52) to the publication of *Lexicographica Graeca: Contributions to the Lexicography of Ancient Greek* in 1996.

In 1997 Dr Chadwick proposed to The Faculty Board of Classics in Cambridge that it should oversee a project to revise the *Intermediate Greek–English Lexicon* of H. G. Liddell and R. Scott. This Lexicon was published in 1889 and has remained continuously in print, but, unlike its parent, the *Greek–English Lexicon* (first published in 1843), has never been revised.

The Faculty Board formally established the Greek Lexicon Project in 1998, with financial support from John Chadwick and other sources. It appointed a Management Committee, under the chairmanship of Professor Pat Easterling, and an Advisory Committee, under the chairmanship of Professor James Diggle. Dr Anne Thompson, who had worked as assistant to Dr Peter Glare, Editor of the *Revised Supplement* to the *Greek–English Lexicon* of Liddell–Scott–Jones (LSJ), and had greatly assisted John Chadwick in formulating plans for the project and in securing support both at home and abroad, was appointed as the Lexicon's first editor.

It was hoped that the project might be completed within five years. However, it soon became clear that the plan, as originally conceived, was problematic. The *Intermediate Greek–English Lexicon* was antiquated in concept and in detail, and required more than revision. Following John Chadwick's unexpected death, The Faculty Board of Classics accepted a proposal by the Management Committee to widen the scope of the project, and to compile a new and independent Lexicon. This would still be of intermediate size and designed primarily to meet the needs of modern students, but it would also be designed to be of interest to scholars, in so far as it would be based upon a fresh reading of the Greek texts, and on principles differing from those of LSJ.

Additional staff were needed. In addition to Dr Thompson (who continued working on the project until 2016), the following have served as members of the writing and editorial team: Dr Bruce Fraser (2000–16), Dr Oliver Simkin (2004–10 and 2014–16), Dr Patrick James (2007–16) and Mr Simon Westripp (2014–20). Professor Diggle, who from the outset had taken on the task of reading and commenting on all the draft entries as they were produced, soon took on the additional task of writing entries himself, and then assumed chief editorial responsibility.

Detailed description of the format of entries, texts covered and editions used, together with other technical matter, is given after this Preface. A brief description of the purpose and scope of the Lexicon is given here.

The coverage of the Lexicon extends from Homer to the early second century AD (ending with Plutarch's *Lives*). Most of the major authors who fall within that period are included. Some selection was necessary for reasons of space and the availability of time. Entries are organised not primarily according to chronological or grammatical criteria, but according to meaning, with a view to showing (where it is relevant) the developing senses of words and the relationships between those senses. For some longer entries (especially verbs), an introductory summary indicates the reasoning behind the grouping or sequence of sections. Where necessary, explanatory definitional phrases are given, in addition to translations. Other explanatory or contextual material is also included, so as to indicate the typical circumstances in which a word may be used. Liberal use is made of cross-references (of the type 'εἶλον (aor.2): see αἱρέω'). Quotations, when they are given, are always translated. Translations are given in contemporary English.

The attestation of a word or sense is indicated by author abbreviations, not by citation of precise references to specific passages. Nor, for the most part, are Greek quotations given. The omission of such citations and quotations allows room for the inclusion of a great deal of additional material, in particular for fuller description of meanings and for illustration of usage in a wider range of passages. Citation of specific passages, especially if they are not translated, can be unhelpful to the learner, and, by their very selectivity, are in danger of giving a partial or distorted picture.

Reading of the texts afresh would not have been possible without the aid of computer technology. Professor Jeffrey Rydberg-Cox of the Perseus Digital Library created an electronic database containing the corpus of texts to be covered, with each word in its context and matched with an accompanying translation. This was an invaluable resource in the first years, to be succeeded in time by the *Thesaurus Linguae Graecae* when that became fully lemmatised and available online. In addition, Dr Fraser created a tagging system in XML (Extensible Markup Language) which was tailor-made to suit the distinctive style of the Lexicon's entries. This gave each entry, as it was composed, the shape which it would have on the printed page, and ensured a precise regularity of structure in individual entries as well as a coherence of methodology throughout.

Over the years since the project began a very large number of individuals and institutions have provided support, both practical and financial. An especial debt of gratitude is owed to The Faculty Board of Classics, which was called upon to make a financial commitment far exceeding expectation. The Board, and its successive Chairs, showed unfailing confidence in the project and great patience in the face of delays. Thanks are especially owed to Professor Malcolm Schofield, under whose chairmanship the project was established, and who has continued to take a close interest in its progress, and to Professor Pat Easterling, who steered the project with prudence and dedication through many difficult challenges for more than a decade. Professor Richard Hunter, her successor as Chairman of the Management Committee, kept the project on course with equal skill. Ms Pauline Hire, as project co-ordinator for the Press, worked far beyond her brief. Of those who have given academic help, especial thanks are owed to Dr Robert Crellin for his work on a specific section of entries. Of individual benefactors, Mr Brian Buckley has been generous to a surpassing degree. The project has been very fortunate in its institutional benefactors, and particular thanks are due to The Arts and Humanities Research Council and The Andrew W. Mellon Foundation. The continued support of the Classical Association, throughout the length of the project, is also deeply appreciated.

Thanks for support, advice and help of practical kinds are owed to: Professor Paul Cartledge, Professor James Clackson (third Chairman of the Management Committee), Professor Gregory Crane, Professor Coulter George, Dr Peter Jones, Professor John Killen, Mr Gerry Leonidas (for the typographic design), Professor Stephen Oakley (fourth and final Chairman of the Management Committee), Oxford University Press, and in particular Ms Vivian Marr (for support and advice in the early stages), Professor Maria Pantelia and the *Thesaurus Linguae Graecae*, RefineCatch Limited (of Bungay, Suffolk, for exemplary efficiency and despatch in typesetting), and Professor Jeffrey Rydberg-Cox and the Perseus Digital Library. The support of the Classics Faculty Library, Cambridge, and its Librarian, Ms Lyn Bailey, is greatly appreciated. At Cambridge University Press, thanks are owed to Mr Richard Fisher and Dr Michael Sharp for their encouragement and patience, and, for technical help, to Mr Chris Hamilton-Emery, Dr Caroline Murray, Ms Christina Sarigiannidou and Ms Sarah Starkey. Throughout the whole period of the composition of the Lexicon, preliminary proofs were read (and more than proof-read) by Mr Anthony Bowen, Mr John Easterling, Dr Ralph Hawtrey, Ms Pauline Hire and Dr Neil Hopkinson. Final proofs were read by Mr Henry Maas, as reader for the Press. In the very early days several students and postgraduates helped in the sorting (and sometimes the drafting) of material, and thereby gained (as was hoped) some useful experience of lexicography; grateful acknowledgement for this is owed to Ms Vassiliki Afentoulidou, Dr Toni Badnall, Dr David Butterfield, Dr Amy Coker, Mr Toby Hudson, Mr Ben Norris, Ms Artemis Papakostouli, Dr Antonia Ruppel and Mr John Shinkwin, as well as to Dr Robert Crellin, Dr Patrick James and Mr Simon Westripp, who later became members of the writing team.

Warmest gratitude for financial and material support is owed to the following individual benefactors: Mr Maurice Balme, Mr Lawrence Banks (in memory of Margaret Alford), Mr Robert Bass, Mr R. Bostock, Mr Brian Buckley, Dr John Chadwick, Mr Gifford Combs, Professor Elaine Fantham, Mr Graham Guest, Mr Philip Hooker, Dr John Kemp, Mr and Mrs Graham Kentfield, Sir Jeremy Morse, Mrs Tessa Smith, Mrs Mary Stigant, Mr Bill Walker, and anonymous donors.

In addition to the many generous supporters mentioned above, the following institutions are also gratefully acknowledged: Brill Academic Publishers; The Cambridge Philological Society; The J. F. Costopoulos Foundation; Duckworth Publishers; The Esmée Fairbairn Foundation; The European Commission Information Society Technologies Program; The Faculty of Classics, University of Oxford; Friends of Classics; The Gladys Krieble Delmas Foundation; The Grace Trust; The Greek Ministry of Education; The Hellenic Foundation; The Hellenic Foundation for Culture; The Institute of Classical Studies, University of London; The Isaac Newton Trust; JACT Publications (Greek Project); The Jowett Copyright Trustees, University of Oxford; The A. G. Leventis Foundation; The Loeb Classical Library Foundation and Harvard University Press; The Mercers' Company; Oxbow Books; The Society for the Promotion of Hellenic Studies; The Stavros Niarchos Foundation; and Trinity College, Cambridge.

Structure and Content of Entries

As a simple illustration of the typical components and typographical features of an entry, the first part of the entry for the verb ἀλλάσσω is given below. A brief explanation of these features is given after the entry. A more detailed explanation of these and other features follows after that.

> **ἀλλάσσω**, Att. **ἀλλάττω** *vb.* [ἄλλος] | fut. ἀλλάξω | aor. ἤλλαξα ‖ PASS.: aor. ἠλλάχθην, aor.2 ἠλλάγην | pf. ἤλλαγμαι ‖ The sections are grouped as: (1) change, (2–8) exchange (one thing for another), (9) give or receive in return or requital, (10–11) make a commercial exchange, (12) change or exchange places, (13) alternate. |
> **1** make a change (in the appearance or nature of things); **change, alter** —*one's form* Emp. Pl. —*one's colour or complexion* E. Men. —*laws, decisions, customs, one's lifestyle* NT. Plu. ‖ MID. **change** —*one's thinking* Plu. ‖ PASS. (of the body of Zeus) be transformed (into a swan) E.; (of a will) be altered Is.
> **2** make an exchange (of one thing for another); **change, exchange** —*one's marriage bed* (*i.e. take a new husband*) E. —*one's clothes* Plu.
> **3** ‖ MID. exchange (like for like); **exchange** —*beauty* (W. ἀντί + GEN. *for beauty*) Pl. —*property* (W. πρός + ACC. *for other property*) D.
> **4** (intr., of things) **interchange** (w. each other) Emp.

(i)   The entry begins with a *head-group*: i.e. headword, part of speech and derivation. The headword **ἀλλάσσω** is given in bold (heavy) font, together with a dialect form, the Attic **ἀλλάττω**. These are followed by the abbreviated part of speech, *vb.* (*verb*), in italic. Then comes the word from which the verb is derived: [ἄλλος].

(ii) Next, a *form-group* lists the most significant forms of the tenses. These are given between vertical lines.

(iii) Since this verb has several distinct and yet overlapping uses, and requires a long entry (13 sections), an *introductory summary* of these uses is given, to help the reader to see at which points in the entry a significant change of sense occurs.

(iv) The main part of the entry consists of numbered *sense-sections*. These often begin with a definitional phrase in roman (light) font. Translation words are given in bold font. Different types of information are conveyed in different styles and fonts. When a verb takes a direct object in the accusative case, that is given in italic preceded by a dash, as in section **1**: '**change, alter** —*one's form* Emp. Pl. —*one's colour or complexion* E. Men.'. Later in this section the move to a middle use of the verb is indicated by ‖ MID., and the translation is given in bold. The move to a passive use is indicated by ‖ PASS., and the translation is given in roman. Roman is used for all passives and other secondary forms that are not a direct equivalent of the form of the headword (for example, a plural use of a singular headword). The subject of a verb is always introduced in parentheses, in the form '(of x)', as, towards the end of section **1**: '(of the body of Zeus)'. Where a subject is not indicated (as in the earlier parts of this section), it may be assumed that '(of a person)' or '(of persons)' is to be understood. In section **3**, the verb and its object are accompanied by a prepositional phrase, and this is given in italic in parentheses after the object: '**exchange** —*beauty* (w. ἀντί + GEN. *for beauty*) Pl. —*property* (w. πρός + ACC. *for other property*) D.'. In section **4**, the abbreviation 'intr.' marks the introduction of an intransitive use of the verb (after the transitive uses in sections **1**–**3**).

Hyphenation of headwords
A hyphen in a headword indicates that the headword is neither a simple word nor a derivative either of a simple word or of a compound. For example, **ἱππ-αρχος** is hyphenated, because it is a compound of **ἵππος** and an element derived from the verb **ἄρχω**. By contrast, **ἱππαρχέω**, **ἱππαρχία** and **ἱππαρχικός** are not hyphenated, because they are derived from the compound **ἱππ-αρχος**.

Homonymous headwords
Homonymous headwords are distinguished from each other by a superscript number: for example, **ἅ¹**, **ἅ²**.

Sub-entries
Certain types of word are treated in a sub-entry, and are given at the foot of the entry for the headword to which they are related, preceded by a dash. Adverbs are given at the foot of the entry for the corresponding adjective. For example, **ἀβεβαίως** appears in a sub-entry beneath **ἀβέβαιος**, and not as a separate entry. A participle used adverbially is given under the related verb: for example, **ἠμελημένως** is given under **ἀμελέω** (with a cross-reference at **ἠ–**). Words derived from proper names are usually given in sub-entries (sometimes several in a series, so that they may be seen as a related unit). In such cases strict alphabetical order may be slightly overridden in order to create the most logical sequence: for example, see under **Ἀθῆναι**. Diminutives are often given in sub-entries: for example, **ἀμφορείδιον**.

Contracted verbs
Contracted verbs are listed in their uncontracted forms: for example, **ποιέω**, not **ποιῶ**.

Related words
After the headword and part of speech, square brackets enclose the word or words from which the headword is derived, or to which it is most closely related. Headwords that are not followed by such bracketed words either have no clearly related words or are related to the immediately preceding entry and/or its related words.

Author lists and abbreviations
Authors are listed in chronological order. Usually not more than six are given for any single item. If a list is abbreviated after the sixth (or earlier) item, the symbol + indicates that the word or usage is found in other later authors. In the case of words which occur widely from the earliest authors onwards, a list may be curtailed, for example, to Hom. +. Collective or genre labels are also used (for example, Lyr., Att.orats.). For a list of these (and for the use of Hom. and hHom.), see p. xviii below.

Quotations
Very occasionally a Greek quotation is used as an illustrative example of what has already been described in general terms. Such quotations are introduced by a bullet-point •: for example, see **ἅμα**. These are to be distinguished from quoted phrases which themselves require explanation: for example, see **ἄδηλος**. These are not preceded by •. All quotations are translated in italic.

Use of | and ||
A single vertical | is used to divide off sections within lists conveying morphological information (especially tenses of verbs). A double vertical || is used to indicate a significant change within such a list, for example || MID. or || PASS. It is also used within the numbered sections to mark a significant departure from the headword: for example, to mark || MID. or || PASS., or (in a substantival entry) a change of number, such as || PL., or (in an adjectival entry) a change of function, such as || NEUT.SB.

Spelling of Greek proper names
Names are usually given in transliterated form, except those that are more familiar in English or Latinate spelling: for example, Akastos (not Acastus), but Ajax (not Aias).

Authors and Editions

The following list records all the authors who are cited in this Lexicon, the works for which they are cited (if they are cited for only a selection), their abbreviated names, and the editions which have been taken as providing the standard text. It does not include commented editions of parts of these authors, unless they also contain what is taken as the standard text.

Some of these editions were published during the course of the Lexicon's composition, so that only partial use of them has been possible. Thus, while West's *Iliad* has been taken as the standard text since its publication, not all traces of an outdated text may have been eradicated from work done before that date. The same is true, to a much greater extent, of his *Odyssey*, and of Wilson's Herodotus. In the case of some authors, no one text has been treated as standard, more than one edition is listed, and independent judgement has been applied.

There are some limitations to the coverage of authors in this list. Very brief fragments of verse are usually ignored. So too are fragments of the orators and of Aristophanes. Coverage of tragic fragments is limited to the selection in the OCT; of Aristotle, to the seven works listed; of the New Testament, to Gospels and Acts; of the Presocratics (Heraclitus, Parmenides, Empedocles, Democritus), to those quoted (other than merely referred to) in Kirk–Raven–Schofield. A few other exclusions are noted under the author names.

(i) Collections frequently cited

Budé	Collection Budé, Les Belles Lettres, Paris
Kirk–Raven–Schofield	G. S. Kirk, J. E. Raven, M. Schofield, *The Presocratic Philosophers*, 2nd edn, Cambridge 1983 (1st edn G. S. Kirk and J. E. Raven, 1957)
OCT	Oxford Classical Text, Oxford
Teubner	Bibliotheca Teubneriana, Stuttgart/Leipzig/Berlin
Page, *PMG*	D. L. Page, *Poetae Melici Graeci*, Oxford 1962
Page, *SLG*	D. L. Page, *Supplementum Lyricis Graecis*, Oxford 1974
West, *IEG*	M. L. West, *Iambi et Elegi Graeci*, 2nd edn, Oxford 1989–92

(ii) Authors, abbreviated names, editions

A.	Aeschylus	D. L. Page, OCT 1972; M. L. West, Teubner 1990
A.*fr.*		J. Diggle, *Tragicorum Graecorum Fragmenta Selecta*, OCT 1998
Aeschin.	Aeschines	M. R. Dilts, Teubner 1997
Alc.	Alcaeus	E. Lobel–D. L. Page, *Poetarum Lesbiorum Fragmenta*, Oxford 1955; Page, *SLG* pp. 77–102
Alcm.	Alcman	Page, *PMG* pp. 2–91, *SLG* pp. 1–3
Anacr.	Anacreon	Page, *PMG* pp. 172–235, *SLG* pp. 103–4; West, *IEG* vol. 2, pp. 30–4

Anan.	Ananius	West, *IEG* vol. 2, pp. 34–6
And.	Andocides	G. Dalmeyda, Budé 1930
Antipho	Antiphon	L. Gernet, Budé 1923
Apollod.Lyr.	Apollodorus	Page, *PMG* p. 364
Ar.	Aristophanes	N. G. Wilson, OCT 2007
AR.	Apollonius Rhodius	H. Fränkel, OCT 1961
Archil.	Archilochus	West, *IEG* vol. 1, pp. 1–108
Ariphron	Ariphron	Page, *PMG* pp. 422–3
Arist.	Aristotle	*Athenaion Politeia*, M. Chambers, Teubner 1986; *Ethica Eudemia*, R. R. Walzer–J. M. Mingay, OCT 1991; *Ethica Nicomachea*, I. Bywater, OCT 1894; *Metaphysica*, W. Jaeger, OCT 1957; *De Arte Poetica*, R. Kassel, OCT 1965; *Politica*, W. D. Ross, OCT 1957; *Ars Rhetorica*, W. D. Ross, OCT 1959
Arist.*eleg.*		West, *IEG* vol. 2, pp. 44–5
Arist.*lyr.*		Page, *PMG* pp. 444–5
Asius	Asius	West, *IEG* vol. 2, p. 46
B.	Bacchylides	H. Maehler, 11th edn, Teubner 2003
Bion	Bion	A. S. F. Gow, *Bucolici Graeci*, OCT 1952, pp. 153–65; J. D. Reed, Cambridge 1997
Call.	Callimachus	R. Pfeiffer, Oxford 1949–53; H. Lloyd-Jones–P. Parsons, *Supplementum Hellenisticum*, Berlin–New York 1983, pp. 89–144; *Hecale*, A. S. Hollis, 2nd edn, Oxford 2009; *Aetia*, A. Harder, Oxford 2012; *The Fifth Hymn*, A. W. Bulloch, Cambridge 1985; *Hymn to Demeter*, N. Hopkinson, Cambridge 1984
Call.*epigr.*		A. S. F. Gow–D. L. Page, *Hellenistic Epigrams*, Cambridge 1965, vol. 1, pp. 57–74
Callin.	Callinus	West, *IEG* vol. 2, pp. 47–50
Carm.Pop.	Carmina Popularia	Page, *PMG* pp. 450–70
Castorio	Castorion	Page, *PMG* p. 447
Corinn.	Corinna	Page, *PMG* pp. 326–45
Critias	Critias	West, *IEG* vol. 2, pp. 52–6
D.	Demosthenes	M. R. Dilts, OCT 2002–9 (excl. 61 *Erotikos*); W. Rennie, OCT vol. 3, 1931 (*Exordia*)
Democr.	Democritus	Kirk–Raven–Schofield pp. 402–33
Demod.	Demodocus	West, *IEG* vol. 2, pp. 56–8
Diagor.	Diagoras	Page, *PMG* pp. 382–3
Din.	Dinarchus	N. C. Conomis, Teubner 1975
Dionys.Eleg.	Dionysius Chalcus	West, *IEG* vol. 2, pp. 58–60
E.	Euripides	J. Diggle, OCT 1981–94
E.*Cyc.* (*Cyclops*)		ibid.
E.*fr.*		J. Diggle, *Tragicorum Graecorum Fragmenta Selecta*, OCT 1998
E.*lyr.fr.*		Page, *PMG* p. 391
Eleg.adesp.	Elegiaca adespota	West, *IEG* vol. 2, pp. 7–15
Emp.	Empedocles	Kirk–Raven–Schofield pp. 280–321
Eumel.	Eumelus	Page, *PMG* p. 361
Even.	Evenus	West, *IEG* vol. 2, pp. 63–7
Hdt.	Herodotus	C. Hude, 3rd edn, OCT 1927; N. G. Wilson, OCT 2015

Heraclit.	Heraclitus	Kirk–Raven–Schofield pp. 181–212
Hermipp.	Hermippus	West, *IEG* vol. 2, pp. 67–9
Hermoloch.	Hermolochus	Page, *PMG* p. 447
Hes.	Hesiod	*Theogony*, M. L. West, Oxford 1966; *Works and Days*, M. L. West, Oxford 1978; *Scutum*, F. Solmsen, OCT 1970
Hes.*fr.*		R. Merkelbach–M. L. West, *Fragmenta Hesiodea*, Oxford 1967
hHom.	Homeric Hymns	M. L. West, Loeb Classical Library, Harvard University Press, Cambridge MA 2003 (excl. Hymn 8 to Ares). See also section (iii) below.
Hippon.	Hipponax	West, *IEG* vol. 1, pp. 109–71; H. Degani, 2nd edn, Teubner 1991
Hom.	Homer	See Il. and Od. The label is sometimes used to include hHom. (see section (iii) below).
Hyp.	Hyperides	F. G. Kenyon, OCT 1907
Iamb.adesp.	Iambica adespota	West, *IEG* vol. 2, pp. 16–28
Ibyc.	Ibycus	Page, *PMG* pp. 144–69, *SLG* pp. 44–73
Il.	Homer, Iliad	T. W. Allen, Oxford 1931; M. L. West, Teubner 1998–2000
Ion	Ion	Page, *PMG* pp. 383–6; West, *IEG* vol. 2, pp. 79–82
Is.	Isaeus	W. Wyse, Cambridge 1904; P. Roussel, Budé 1922
Isoc.	Isocrates	G. Mathieu–E. Brémond, Budé 1928–62; B. G. Mandilaras, Teubner 2003
Lamprocl.	Lamprocles	Page, *PMG* pp. 379–80
Lasus	Lasus	Page, *PMG* pp. 364–6
Licymn.	Licymnius	Page, *PMG* pp. 396–8
Lycophronid.	Lycophronides	Page, *PMG* p. 446
Lycurg.	Lycurgus	N. C. Conomis, Teubner 1970
Lyr.adesp.	Lyrica adespota	Page, *PMG* pp. 484–551, *SLG* pp. 106–51
Lys.	Lysias	C. Carey, OCT 2007
Melanipp.	Melanippides	Page, *PMG* pp. 392–5
Men.	Menander	H. Sandbach, 2nd edn, OCT 1990
Mimn.	Mimnermus	West, *IEG* vol. 2, pp. 83–92
Mosch.	Moschus	A. S. F. Gow, *Bucolici Graeci*, OCT 1952, pp. 132–52
NT.	New Testament	Gospels and Acts, E. Nestle–K. Aland, *Novum Testamentum Graece*, 28th edn, Stuttgart 2012
Od.	Homer, Odyssey	T. W. Allen, 2nd edn, OCT 1917–19; M. L. West, Teubner 2017
Panarces	Panarces	West, *IEG* vol. 2, pp. 93–4
Parm.	Parmenides	Kirk–Raven–Schofield pp. 239–62
Philox.Cyth.	Philoxenus Cytherius	Page, *PMG* pp. 423–32
Philox.Leuc.	Philoxenus Leucadius	Page, *PMG* pp. 433–41
Pi.	Pindar	B. Snell–H. Maehler, 8th edn, Teubner 1987
Pi.*fr.*		H. Maehler, Teubner 1989
Pl.	Plato	C. A. Duke et al., OCT vol. 1 1995; J. Burnet, OCT vols 2–5 1901–7; *Respublica*, S. R. Slings, OCT 2003
Plb.	Polybius	T. Büttner-Wobst, Teubner 1882–1905 (excl. book 34)
Plu.	Plutarch	*Vitae Parallelae*, K. Ziegler, 2nd, 3rd or 4th edn, Teubner 1964–71
Pratin.	Pratinas	Page, *PMG* pp. 367–9
Praxill.	Praxilla	Page, *PMG* pp. 386–90

S.	Sophocles	H. Lloyd-Jones–N. G. Wilson, 2nd edn, OCT 1990; R. D. Dawe, 3rd edn, Teubner 1996
S.*eleg.*		West, *IEG* vol. 2, pp. 165–6
S.*fr.*		J. Diggle, *Tragicorum Graecorum Fragmenta Selecta*, OCT 1998
S.*Ichn.* (*Ichneutai*)		ibid.
S.*lyr.fr.*		Page, *PMG* pp. 380–1
Sapph.	Sappho	E. Lobel–D. L. Page, *Poetarum Lesbiorum Fragmenta*, Oxford 1955; Page, *SLG* pp. 74–6, 87–102
Scol.	Scolia	Page, *PMG* (Carmina Convivialia) pp. 472–82
Semon.	Semonides	West, *IEG* vol. 2, pp. 98–114
Simon.	Simonides	Page, *PMG* pp. 238–323; West, *IEG* vol. 2, pp. 114–37
Sol.	Solon	West, *IEG* vol. 2, pp. 139–65
Stesich.	Stesichorus	Page, *PMG* pp. 95–141, *SLG* pp. 5–43; M. Davies–P. J. Finglass, Cambridge 2014
Telesill.	Telesilla	Page, *PMG* pp. 372–4
Telest.	Telestes	Page, *PMG* pp. 419–22
Terp.	Terpander	Page, *PMG* pp. 362–3
Th.	Thucydides	H. S. Jones–J. E. Powell, OCT 1942
Theoc.	Theocritus	A. S. F. Gow, 2nd edn, Cambridge 1952
Theoc.*epigr.*		A. S. F. Gow–D. L. Page, *Hellenistic Epigrams*, Cambridge 1965, vol. 1, pp. 183–91
Thgn.	Theognis	West, *IEG* vol. 1, pp. 172–241
Thphr.	Theophrastus	*Characters*, J. Diggle, Cambridge 2004
Tim.	Timotheus	Page, *PMG* pp. 399–418; J. H. Hordern, Oxford 2002
Timocr.	Timocreon	Page, *PMG* pp. 375–8
Tyrt.	Tyrtaeus	West, *IEG* vol. 2, pp. 169–84
X.	Xenophon	E. C. Marchant, OCT 1900–20
Xenoph.	Xenophanes	West, *IEG* vol. 2, pp. 184–91

(iii) *Further conventions used in citations*

Authors cited by collective or genre labels

Att.orats.	Attic orators	3 or more orators
Eleg.	Elegy	3 or more authors (as in West, *IEG*); occasionally 2
Hellenist.poet.	Hellenistic poets	3 or more of Call., AR., Theoc., Mosch., Bion
Iamb.	Iambic	2 or more authors (as in West, *IEG*)
Lyr.	Lyric	3 or more authors
Trag.	Tragedy	A., S., E. (all three)

Use of Hom. *and* hHom.
The label Hom. indicates both Il. and Od. The label Il. + excludes Od., while Od. + excludes Il. The label Hom. is sometimes also used to cover hHom., but only when Hom. is immediately followed by Hes. A list beginning Hom. Hes. hHom. (all of the same genre) would allow only three further citations (on the principle that a list will be limited to six), and curtailment of hHom. allows more room for citation of authors representing different genres.

Authors citing other authors or texts
When an author or text not included in the above list is cited by an author who is included, a label indicating the source of the quotation is generally added to the name of the quoting author. Thus,

Plu.(quot.com.) indicates a quotation by Plutarch from a comic poet (for example, a fragment of Aristophanes, a fragment of Menander not covered by the edition cited above [Sandbach 1990], or a fragment of a different comic poet); and Aeschin.(quot.epigr.) indicates a quotation by Aeschines of an epigram by an author not included in that list. Similarly, Plu.(quot. E.) indicates a quotation of a fragment of Euripides not covered by the edition cited above [Diggle 1998]. Quotations from non-literary sources are given in a similar style: for example, Hdt.(oracle), D.(law).

Abbreviations

For the abbreviations of authors' names, see the Authors and Editions section above.

•	introduces a Greek quotation giving an illustrative example of what has already been described in general terms	com.	comic, comedy (as a genre)
		compar.	comparative
		compl.cl.	complement clause
		concr.	concrete
		conj.	conjunction
abstr.	abstract	connot.	connotation
acc.	accusative	constr.	construction
acc.pers.	accusative of person	contr.	contracted, contraction
act.	active (voice)	contrastv.	contrastive meaning or emphasis
AD	*anno domini*	copul.	copulative
adj.	adjective	correlatv.	correlative
adjl.	adjectival	cpd.	compound
adv.	adverb	ctxt.	context
advbl.	adverbial		
Aeol.	Aeolic (dialect)	dat.	dative
aor.	aorist	dbl.	double
aor.2	second aorist	def.art.	definite article
app.	apparently	demonstr.	demonstrative
appos.w.	in apposition with	derog.	derogatory
approx.	approximately	desideratv.	desiderative
archit.	architectural term	dial.	dialect(al)
art.	(definite) article	diect.	diectasis
assoc.w.	associated with	dimin.	diminutive
astron.	astronomical term	dir.	direct
athem.	athematic	dir.q.	direct question
Att.	Attic (dialect)	dir.sp.	direct speech
		disyllab.	disyllabic
BC	before Christ	du.	dual
betw.	between	dub.	dubious reading
Boeot.	Boeotian (dialect)	dub.cj.	dubious conjecture
C.	century	E.	east
c.	circa	el.	element
causatv.	causative	eleg.	elegy (as a genre)
cf.	compare (Lat. *confer*)	ellipt.	elliptical(ly)
cj.	conjecture	emph.	emphasis, emphatic
cl.	clause	enclit.	enclitic
cogn.acc.	cognate accusative	ep.	epic (dialect or genre)
collectv.	collective	epigr.	epigram
colloq.	colloquial(ly)	ep.Ion.	epic-Ionic

epith.	epithet	lit.	literal(ly)
equiv.	equivalent	loanwd.	loanword
esp.	especially	loc.	locative
etym.	see pop.etym.	log.	term in logic
euphem.	euphemism, euphemistic(ally)	lyr.	lyric (as a genre)
excl.	excluding		
exclam.	exclamation	m.	masculine noun or proper name
		masc.	masculine
f.	feminine noun or proper name	math.	mathematical term
fem.	feminine	medic.	medical term
fig.	figurative(ly)	Megar.	Megarian (dialect)
fr.	from	meton.	metonymical(ly)
fr.	fragment	*metri grat.*	*metri gratia* (for the sake of the metre)
freq.	frequent(ly)		
fut.	future	mid.	middle (voice)
		mid.pass.	middle–passive
gen.	genitive	mid.sens.	middle sense (of a passive form)
gener.	general(ly)	milit.	military term
geom.	geometrical term	mock-ep.	comic use of epic language or creation of epic forms
Gk.	Greek (language)		
gramm.	grammatical term	mock-trag.	comic use of tragic vocabulary
		mod.	modern
hyperbol.	hyperbole, hyperbolic(ally)	monosyllab.	monosyllabic
		movt.	movement
imperatv.	imperative	Mt.	Mount
impers.	impersonal	mt.	mountain
impf.	imperfect	mus.	musical term
incl.	including	mythol.	in mythology, mythological
indecl.	indeclinable		
indef.	indefinite	N.	north
indic.	indicative	n.	neuter noun or proper name
indir.	indirect	naut.	nautical term
indir.q.	indirect question	neg.	negative
indir.sp.	indirect speech	neut.	neuter
inf.	infinitive	nom.	nominative
instr.	instrumental	nr.	near
intensv.	intensive	num.	numeral, numerical
interj.	interjection		
intern.acc.	internal accusative	occas.	occasionally
interpr.	interpretation, interpreted	oft.	often
interrog.	interrogative	opp.	as opposed to
intr.	intransitive	opt.	optative
Ion.	Ionic (dialect)	orig.	original(ly)
Iran.	Iranian (languages)	oxymor.	oxymoron
iron.	ironic(ally)		
irreg.	irregular	parenth.	parenthetic(ally)
iteratv.	iterative	parox.	paroxytone
		partitv.	partitive
kg	kilogram	pass.	passive (voice)
		pass.sens.	passive sense (of a middle form)
Lacon.	Laconian (dialect)	patronym.	patronymic
Lat.	Latin (language)	pcl.	particle
leg.	legal term		

pejor.	pejorative	S.	south
perh.	perhaps	*satyr.fr.*	satyric fragment
periphr.	periphrasis, periphrastic	sb.	substantive
pers.	person(al)	Semit.	Semitic (languages)
personif.	personified, personification	sens.	sense
pf.	perfect	sg.	singular
philos.	philosophical term	shd.	should
phr.	phrase	sim.	similar(ly)
pl.	plural	sp.	speech
pleon.	pleonastic(ally)	specif.	specific(ally)
plpf.	pluperfect	statv.	stative
poet.	in poetic language	sthg.	something
poet.pl.	poetic plural	sts.	sometimes
pop.etym.	(by) popular etymology	subj.	subjunctive
possessv.	possessive	superl.	superlative
postpos.	postpositive	syllab.	syllable, syllabic
predic.	predicate, predicative(ly)		
prep.	preposition(al)	tm.	in tmesis, tmetic
pres.	present	tr.	transitive
prfx.	prefix	trag.	tragedy (as a genre)
privatv.	privative	transf.epith.	transferred epithet
prob.	probably	transl.	translating, translation (of)
pron.	pronoun	trisyllab.	trisyllabic
proparox.	proparoxytone		
provb.	proverb	uncert.	uncertain
provbl.	proverbial(ly)	uncontr.	uncontracted
ptcpl.	participle, participial	understd.	understood
		usu.	usual(ly)
q.	question		
quadrisyllab.	quadrisyllabic	var.	variant
quinquesyllab.	quinquesyllabic	vb.	verb
quot.	quoting, quotation	vbl.	verbal
		v.l.	variant reading (Lat. *varia lectio*)
		voc.	vocative
R.	River		
redupl.	reduplicated	W.	west
ref. to	referring to, in reference to	w.	with
reflexv.	reflexive	wd.	word
relatv.	relative	wkr.sens.	weaker sense
reltd.	related to		
rhet.	rhetorical term		

Α α

ἅ[1] (neut.pl.relatv.pron.): see ὅς[1]
ἅ[2] *neut.pl.relatv.adv.*: see under ὅς[1]
ἁ (dial.fem.art.): see ὁ
ἁ (Aeol.fem.art. and relatv.pron.): see ὁ and ὅς[1]
ἅ (dial.fem.relatv.pron.): see ὅς[1]
ᾁ *dial.fem.relatv.adv.*: see under ὅς[1]
ἆ *interj.* **1** (exclam. of pity or contempt, w. δειλέ, τάλας *poor wretch*, or sim.) **oh!** Hom. Semon. Thgn. B. S.*Ichn.* Hellenist.poet.
2 (w. μάκαρ *happy one*, or sim.) **ah!** Hippon. Thgn. B.
3 (in a wish) **oh!** Call.
4 (exclam. of horror, anguish or astonishment, freq. repeated) **ah!** Trag.
5 (of admonition or protest, freq. repeated) **hey!, no!, stop!** Trag. Ar. Pl. Call.
6 (of admiration) **ah!, wow!** Ar.
7 (of excited anticipation, repeated twice) **yes, yes, yes!** E.*Cyc.*
ἀ-ᾱτος, also ἀᾱ́ατος, ον *ep.adj.* [privatv.prfx., perh. ἀάω]
1 app., not able to be led into error; (of the waters of the Styx, by which a deity swears an oath) **infallible** Il. [or perh. 2nd el.reltd. ἥλιος, i.e. *sunless, gloomy*]
2 (of a contest) **infallible** (as a test) Od. [or perh. *formidable*]
3 (of a boxer) app. **invincible** (W.ACC. in strength) AR.
ἀ-ᾱγής ές *adj.* [ἄγνυμι] | ep.neut.acc.sg. ἀᾱγές (AR.) | (of a weapon) **unbreakable, unbroken** Od. AR.; (of chariots) Theoc.
ἄ-απτος ον *adj.* [ἅπτω] (of the hands of gods or mortals) app., untouchable, **irresistible, formidable** Hom. Hes.
ἀάσχετος *ep.adj.*: see ἄσχετος
ἄαται (ep.3sg.mid.): see ἀω
ἀάτη *f.*: see ἄτη
ἄ-ατος, also ἆτος, ον *adj.* [ᾱ̓άω] **1** (of Ares, a hero, a monster) **with an insatiable appetite** (W.GEN. for conflict) Il. Hes.; (of Odysseus, for tricks and toil) Hom.
2 (of arrogance, necessity) **insatiable** AR.
ἀάω *ep.contr.vb.* [reltd. ἄτη] | aor. ἄασα, also ἆσα, 3pl. ἄᾱσαν || MID.: 3sg. ἄαται | aor. ἀᾱσάμην, 3sg. ἀᾱ́σατο, ἀᾱ́σατο, ἄσατο || PASS.: aor. ἀᾱ́σθην |
1 (of Zeus, an evil fate, untrustworthy colleagues, sleep, wine) **lead astray** —*a person* Hom. —(W.COGN.DAT. *w. delusion*) Il.; (of a man) **befuddle** —*his wits* (W.DAT. *w. wine*) Od. || MID. (of Ate) **lead astray, blind, delude** —*everyone* Il.
2 || MID. and AOR.PASS. (of men or gods) **act with blindness or in delusion, be led disastrously astray** (sts. W.DAT. in their mind) Hom. Hes. hHom. AR. —W.DAT. *by Ate* Il. —W.COGN.ACC. *w. delusion* AR.
ἄβᾱ *dial.f.*, ἄβᾱ *Aeol.f.*: see ἥβη
ἀβακέω *contr.vb.* [ἀβακής] app. **take no notice** Od.

ἀ-βακής ές *adj.* [privatv.prfx., perh.reltd. βάζω] | Aeol.acc.sg. ἀβάκην | (of a person's mind) **quiet, undisturbed, tranquil** Sapph.
ἀβακίζομαι *mid.vb.* perh., **cause no disturbance, be quiet** Anacr.
ἀβάκιον ου *n.* [dimin. ἄβαξ] flat board with lines and pebbles or counters for calculation, **small abacus** Plb. Plu.
ἀ-βάκχευτος ον *adj.* [privatv.prfx., βακχεύω] **uninitiated in the rites of Bacchus** E.; (oxymor., of Erinyes, envisaged as a group of Bacchic worshippers) E.
ἀ-βακχίωτος ον *adj.* [βάκχιος] (of water, ref. to sea-spray) not Bacchic (i.e. unrelated to wine), **undrinkable** Tim.
Ἄβαντες ων *m.pl.* **Abantes** (a people fr. Euboea) Il. Ion Hdt. Call. Plu.
—Ἀβαντίς ίδος, also Ἀβαντιάς άδος (Call.) *fem.adj.* (of Euboea, a mountain, a river) of the Abantes (or in their territory), **Abantian** Hes.*fr.* E. Call. AR. Plu.
ἄβαξ ακος *m.* [loanwd.] **abacus, reckoning-board** (w. holes in which jurors' ballots were placed to be counted) Arist.
ἀ-βάπτιστος ον *adj.* [privatv.prfx., βαπτίζω] (of a cork floating in the sea) **not submerged** Pi.
ἀ-βαρής ές *adj.* [βάρος] without weight, **weightless** Arist.
Ἄβας αντος *m.* **Abas** (mythical king of Argos, grandson of Danaos) Hes.*fr.* Pi. B. AR.
—Ἀβαντιάδης ου (ep. ᾱο), dial. Ἀβαντιάδᾱς ᾱ *m.* **son of Abas** B. AR.
ἀ-βασάνιστος ον *adj.* [privatv.prfx., βασανίζω] **1** (of a crime) **uninvestigated** Antipho
2 (of a tactic) **untried, unattempted** Plb.
—ἀβασανίστως *adv.* **uncritically, without challenge** —*ref. to accepting traditional stories* Th.
ἀ-βασίλευτος ον *adj.* [βασιλευτός] (of a people) **not ruled by a king** Th. X. Plu.; (of a kind of government) Plu.
ἀ-βάστακτος ον *adj.* [βαστάζω] (of a burden, ref. to a responsibility) **unbearable** Plu.
ἀβᾱτᾱ́ς *dial.masc.adj.*: see ἡβητής
ἄ-βατος ον (dial. ᾱ ον Pi.) *adj.* [βατός] **1** (of mountains, terrain, rivers, or sim.) affording no passage, **impassable** Hdt. S. E. Pl. X. +; (fig., of an argument, envisaged as a river) Pl.; (of thorns, fig.ref. to a man's stubble) E.
2 (of a region, sea, building) affording no access, **inaccessible** (sts. W.DAT. to persons or activities) Isoc. Pl. Plb. Plu.; (of the aither) E.
3 (fig., of an aspiration) **unattainable** (W.DAT. by wise men and fools alike) Pi.
4 (of a sea) **untravelled** Pi.
5 (of sacred places or terrain) not to be entered or trodden, **forbidden** E. Ar. Pl. Plu. || NEUT.SB. sanctuary Plb.; (pl.) forbidden ground S.
6 (of foliage, sacred to a god) **inviolate** S.; (fig., of a soul) **undefiled** Pl.

ἀββα *indecl.m.* [Semit.loanwd.] **father** (ref. to God) NT.
Ἄβδηρα ων *n.pl.* **Abdera** (Greek city on the coast of Thrace) Hdt. Th.
—**Ἀβδηρίτης** ου (Ion. εω) *m.* man from Abdera, **Abderite** Hdt. Th. Pl. D. Plu.
ἀ-βέβαιος ον *adj.* [privatv.prfx.] (of persons, their character) **unpredictable, fickle** D. Arist.(dub.) Plu.; (of things) **unreliable** Arist. Men. Plb. Plu.
—**ἀβεβαίως** *adv.* **precariously, riskily** Men.
ἀβεβαιότης ητος *f.* **unreliability** (of a person, fortune) Plb.
ἀ-βέβηλος ον *adj.* (of places) **not to be trodden, sacrosanct** Plu. ‖ NEUT.PL.SB. **sacred objects** Plu.
ἀβελτερίᾱ ᾱς *f.* [ἀβέλτερος] **stupidity, folly** Pl. Aeschin. D. +
ἀ-βέλτερος ᾱ ον *adj.* | superl. ἀβελτερώτατος (Ar.) | (of persons) **stupid, foolish** Ar. Pl. D. Men. Plu.; (of a disposition, action, desire) D. Plu.
ἀ-βίαστος ον *adj.* [βιάζομαι] (of air) **not under pressure** Pl.
ἄ-βιος ον *adj.* [βίος] (of shame) **impossible to live with** Pl.
ἀ-βίοτος ον *adj.* **1** such that there is no life; (of the destruction of a person's life) **fatal** E.
2 (of grief) **that makes life unliveable** E.
ἀ-βίωτος ον *adj.* [βιωτός] (of life or continued existence) **unliveable, intolerable** (sts. W.DAT. for a person) E. Ar. Att.orats. Pl. X. ‖ NEUT.IMPERS. (w. ἐστί, sts.understd.) it is **impossible to go on living** E. Pl. X.
—**ἀβιώτως** *adv.* (w. ἔχειν or διατίθεσθαι) **have no wish to live** Plu.; **have no hope of survival** Plu.
ἀβλάβεια ᾱς, Ion. **ἀβλαβίη** ης *f.* [ἀβλαβής] **harmlessness** hHom. A.
ἀ-βλαβής ές *adj.* [βλάβος] | Aeol.acc.sg. ἀβλάβην |
1 (of persons) **not causing harm, harmless** (sts. W.DAT. to others) A. Pl. X. +; (of situations, states of mind, activities) **safe** A. Pl. X. +; (of pleasures) **innocent** Pl. Arist. Plu.
2 (of projectiles, a blow) **ineffective** Plb. Plu.
3 (of persons) not suffering harm, **unharmed, safe** Sapph. A. Pi. S. Pl. +; (of a life, a journey) **free from harm** S. Plb.
4 (of a land, a city) **undamaged** Plb.; (of limbs) **healthy** Plb.; (of a wound) **healed** Theoc.
5 (of the master of a murdered slave) **without loss** (as a result of compensation) Pl.
6 (of a treaty) **not violated** Th.(treaty)
7 (of water) unadulterated, **pure** (w.connot. of holiness) Theoc.
—**ἀβλαβῶς**, Ion. **ἀβλαβέως** *adv.* **1** without causing harm, **harmlessly** Plu.
2 safely, securely hHom.(dub.) Thgn. Plb.; **without injury** (W.DAT. to oneself) —*ref. to grooming or approaching a horse* X.; **without suffering** Plb.
3 without any violation —*ref. to honouring a treaty* Th.(oath)
ἀβλαβίη *Ion.f.*: see ἀβλάβεια
ἀβλεπτέω *contr.vb.* [βλεπτός] **have no concern for, disregard** —*an appropriate course of action* Plb.
ἀ-βλής ῆτος *masc.fem.adj.* [βάλλω] (of an arrow) **not shot** Il. AR.
ἄ-βλητος ον *adj.* [βλητός] (of a warrior) **not struck** (W.DAT. by a spear) Il.
ἀ-βληχρός ή όν *Ion.adj.* [copul.prfx.] **1** (of death in old age) **gentle** Od.
2 (of a goddess's wounded hand, the torpor of a starved person) **helpless** Il. AR.; (derog., of defensive walls) **useless** Il.
ἀ-βοᾱτί *dial.adv.* [privatv.prfx., βοάω] without a call or summons, **willingly** Pi.

ἀ-βοήθητος ον *adj.* [βοηθέω] **1** (of a lost boy) **helpless** Plu.
2 (of ulcers and tumours) **incurable** Plb.; (of damage to a ship, the effects of a fire) **irreparable** Plb.
ἀβολέω *contr.vb.* | ep.3pl.aor. ἀβόλησαν | **meet** (sts. W.DAT. w. someone) Call. AR.
ἄ-βολος ον *adj.* [privatv.prfx., βάλλω] **not having shed** (one's first teeth); (of a colt) **young** Pl.
ἀ-βουκόλητος ον *adj.* [βουκολέω] **not grazed upon**; (fig., of a matter) **not considered** (W.DAT. by a person's mind) A.
ἀβουλέω *contr.vb.* [ἄβουλος] **have no intention** —W.INF. *of doing sthg.* Pl.
ἀ-βούλητος ον *adj.* [βουλητός] **1** (of circumstances or events) **unwanted** Plu.
2 [app.reltd. ἄβουλος] (of behaviour) **rash, reckless** Plu.
ἀβουλίᾱ ᾱς, Ion. **ἀβουλίη** ης *f.* [ἄβουλος] | dial.gen.pl. ἀβουλιᾶν | **1** lack of forethought or consideration, **folly, thoughtlessness, recklessness** Pi. Hdt. Trag. Th. Att.orats. +
2 indecisiveness, irresolution Th.; **aimlessness** Plb.
ἄ-βουλος ον *adj.* [βουλή] **1** without forethought or consideration, **reckless, careless** S. Th. Men. Plu.; (of a city or land) S. E.; (of a quarrel) S.; (of the haste of anger) Plu.
2 (of Zeus) **thoughtless** (W.DAT. towards his offspring) S.
—**ἀβούλως** *adv.* **recklessly, heedlessly** Hdt. E. Antipho Plb.; **through one's foolishness** —*ref. to dying* E.
ἀ-βούτης εω *Ion.m.* **one who does not have an ox** (appos.w. ἀνήρ) Hes.
ἀβρά *neut.pl.adv.*: see under ἁβρός
ἄβρᾱ ᾱς *f.* [perh. ἁβρός] **favourite female slave** (of the mistress of the house) Men.
ἄ-βρεκτος ον *adj.* [privatv.prfx., βρέχω] (of a child's knee, a cow's hooves) **not made wet** (when crossing a river or sea) Call. Mosch.
ἀ-βρῑθής ές *adj.* [βρῖθος] (of a burden) **not heavy** E.
ἁβρο-βάτης ου, dial. **ἁβροβάτᾱς** ᾱ *m.* [ἁβρός, βαίνω] one who steps daintily or gracefully, **soft-stepper** (ref. to a Persian) A.; (ref. to an attendant w. oriental footwear) B.
ἁβρό-βιος ον *adj.* [βίος] (of the Ionians) **with a luxurious lifestyle** B.; (of the lifestyle of kings) **luxurious** Plu.
ἁβρό-γοος ον *adj.* [γόος] (of Persian women) **wailing copiously** A.
ἁβρο-δίαιτος ον *adj.* [δίαιτα] (of a Lydian army) **with a luxurious lifestyle** A. ‖ NEUT.SB. **luxurious way of life** Th.
ἁβρο-κόμᾱς ᾱ *dial.masc.adj.* [κόμη] (of a palm tree) **with delicate** or **luxuriant foliage** E.
ἄ-βρομος ον *adj.* [βρόμος] **1** [copul.prfx.] (quasi-advbl., of troops advancing) **with a collective roar** Il.
2 [privatv.prfx.] (of a wave) **noiseless** AR.
ἁβρο-πάρθενος ον *adj.* [ἁβρός, παρθένος] (of choruses) **of dainty** or **graceful maidens** Lyr.adesp.
ἁβρο-πενθής ές *adj.* [πένθος] (of Persian women) **grieving copiously** A.
ἁβρόπηνος *adj.*: see ἁβρότιμος
ἁβρό-πλουτος ον *adj.* [πλοῦτος] (of hair) **of luxuriant richness** E.
ἁβρός ά (Ion. ή) όν, Aeol. **ἄβρος** ᾱ ον *adj.* **1** (of youthful persons, their bodies, limbs, hair) **graceful, elegant, refined** Hes.fr. Lyr. S. E. +; (of the Graces) Sapph.; (of that which is lovable) Pl.
2 (of a long-maned mare) **luxuriant** Semon.; (of a garland) Pi.
3 (of a people, their way of life) **luxurious, indulgent** Hdt.
4 (of a possession) **exquisite** X.; (of oil) **luxurious** Call.; (of wealth, glory, praise) **splendid** Pi.
—**ἁβρόν** *neut.sg.adv.* **gracefully** —*ref. to stepping* E.

—**ἁβρά** *neut.pl.adv.* **1 luxuriously** —*ref. to living* Sol. Thgn. Pi.*fr.*
2 gracefully E.
—**ἁβρῶς**, Aeol. **ἄβρως** *adv.* **1 elegantly, luxuriously** Lyr.
2 gracefully E.
ἁβροσύνη ης, Aeol. **ἁβροσύνᾱ** ᾱς *f.* **1 loveliness** Sapph.
2 luxurious appearance (of a king) E. || PL. luxurious ways Xenoph.
ἁβροτάζω *vb.* [reltd. ἁμαρτάνω] | ep.1pl.aor.subj. ἁβροτάξομεν | (of persons) **fail to meet** —W.GEN. *w. each other* Il.
ἁβρότης ητος, dial. **ἁβρότᾱς** ᾱτος *f.* [ἁβρός] **1 refinement, luxury, indulgence** Pi. B.*fr.* Fl. X. Plu.
2 pampering (by a mother) E.
3 delicacy of manners or **feelings** E.
ἁβρό-τῑμος ον *adj.* [τῑμή] (of veils) **of expensive luxury** A.(dub., cj. ἁβρόπηνος *of delicate weaving*)
ἄ-βροτος ον (also ep. η ον) *adj.* [privatv.prfx., βροτός] | see also ἄμβροτος | **1** (of night) **immortal, divine** Il.
2 (of a wasteland) **uninhabited by mortals** A.
3 (of the darkness of the cap of Hades) **not associated with mortals, superhuman** S.*satyr.fr.*
ἁβρο-χίτων ωνος *masc.fem.adj.* [ἁβρός, χιτών] (of a bed) **with a luxurious covering** A.
ἄ-βροχος ον *adj.* [privatv.prfx., βρέχω] **1** (of a reed) **not soaked** Aeschin.
2 (of a region) **without rain** E. Call.
3 (of the Great Bear) **not moistened** (W.GEN. by the waters of Okeanos, i.e. never sinking below the horizon) Call.
ἁβρύνω *vb.* [ἁβρός] **1** treat indulgently, **pamper** —*a person* A.
2 || MID. **have delicate feelings, be coy** A. —W.DAT. *over one's situation* E.
3 || MID. **act proudly** or **arrogantly** S.; **put on airs** Pl.; **pride oneself** —W.DAT. *on a character trait* X.
ἀβρωσίᾱ ᾱς *f.* [privatv.prfx., βιβρώσκω] **abstinence from food, fasting** E.(cj.)
ἄ-βρωτος ον *adj.* (of lentil soup) **inedible** Thphr.; (of parts of a sacrificial animal) Men.
Ἄβῡδος ου *f.* **Abydos** (Greek city in the Troad, facing Sestos) Il. Hdt. Th. +
—**Ἀβῡδηνός** ή όν *adj.* (of persons) **of** or **from Abydos** Hdt. + || MASC.PL.SB. men of Abydos, Abydenes Hdt. + || FEM.SG.SB. territory of Abydos X.
—**Ἀβῡδόθεν** *adv.* **from Abydos** Il.
—**Ἀβῡδόθι** *adv.* **at Abydos** Il.
ἄ-βυσσος ον *adj.* [privatv.prfx., βυσσός] **1** (of springs) **bottomless** Hdt.; (of a lake in Hades) Ar.; (of the chasms of Tartaros) E.; (of a sea of ruin) A.; (of the view into Zeus' mind) A. || FEM.SB. **abyss** (as the abode of demons) NT.
2 (of money, wealth) **boundless** A. Ar.
ἄγ *dial.prep.*: see ἀνά
ἀγᾶ *dial.f.*: see ἄγη[1]
ἀγάασθαι (ep.mid.inf.), **ἀγάασθε** (ep.2pl.): see ἄγαμαι
ἀγαγεῖν (aor.2 inf.), **ἄγαγον** (ep.aor.2), **ἄγαγον** (dial.aor.2): see ἄγω
ἀγάζω *vb.* [reltd. ἄγᾱν, ἄγαμαι] **1** act in an excessive way, **expect too much** —W.ACC. *in relation to the gods* A.
2 || MID. **honour very greatly** —*a deity* (W.DAT. *w. offerings*) Pi.
ἀγάθεος *dial.adj.*: see ἠγάθεος
ἀγαθοδαιμονισταί ῶν *m.pl.* [ἀγαθός, δαίμων] those who drink only the toast to the Spirit of Good Luck (at the end of a meal); **men of the Good Spirit** (ref. to moderate drinkers) Arist.
ἀγαθο-ειδής ές *adj.* [εἶδος[1]] **having the appearance of the Good** Pl.
ἀγαθοεργίη ης *Ion.f.* [ἀγαθοεργός] **good service** Hdt.
ἀγαθο-εργός οῦ *m.* [ἔργον] **one who performs good service, benefactor** (ref. to an elected magistrate at Sparta) Hdt.
ἀγαθοποιέω *contr.vb.* **benefit** —*someone* NT.; **do good** NT.
ἀγαθός ή (dial. ἄ) όν *adj.* | Lacon.masc.acc.pl. ἀγασώς (Ar.) || The compar. is supplied by ἀμείνων, ἀρείων, βελτίων (also βέλτερος), κρείσσων, λῴων (also λωίτερος) and φέρτερος. | The superl. is supplied by ἄριστος, βέλτιστος (also βέλτατος), κράτιστος (ep. κάρτιστος), λῷστος and φέριστος (also φέρτατος). |
1 (of persons, esp. in the performance of a specific role or duty) **good, capable** Hom. +; (W.ACC. at an activity or in some regard) Hom. +; (W.INF. at doing sthg.) Hdt. +; (W.DAT. or PREP.PHR. at sthg.) Lys. Pl. X.
2 (w.connot. of high birth) **noble** Hom. +; (w.connot. of morality) **good** Thgn. +; (of a virtue) Od. Hes.
3 (of persons) **trustworthy, loyal** (to family, friends, political allies, or sim.) Hdt. X.
4 (of thoughts, words, advice, or sim.) **good, useful** (sts. W.DAT. for someone or sthg.) Hom. +; (of land, a day, a meal) Hom. +; (of a treatment, W.GEN. for a condition) X.
5 (of a deity) without wickedness, **beneficent, benevolent** Pl. Men.
6 (as the title of a deity, to whom a toast was made at the end of a meal) **good** Ar.; (as the title of a goddess, at Rome) Plu.
7 (iron., of a ruler) **esteemed, worthy** S.
8 (in voc. address, friendly or sarcastic) ὦ ἀγαθέ (or ὦγαθέ) *my good man* Ar. Pl. +
—**ἀγαθόν** οῦ *n.* **1** that which does good or is desirable, **benefit, advantage** (ref. to a person or thing) Hom. +; (prep.phr.) ἐπ᾽ ἀγαθῷ *for the good or to the advantage* (sts. W.GEN. or DAT. *of someone or sthg.*) Hdt. Th. Ar. + || PL. goods or valuables Hdt. +; good foods Od. Thgn. Hdt. Ar.; prosperity Ar.; good qualities or features (of a person or animal) Isoc. + || NEUT.IMPERS. (w. ἐστί, sts.understd.) it is advantageous or desirable —W.INF. *to do sthg.* Hom. +
2 (philos.) τὸ ἀγαθόν *the Good* Pl. Arist.
—**ἀγαθῶς** *adv.* in a good or useful manner, **well** Arist.
ἀγαθουργέω *contr.vb.* [ἀγαθοεργός] (of God) **do good, be a benefactor** NT.
ἀγαίομαι *mid.vb.* [reltd. ἄγαμαι] | only pres. | **1 think** (w.ACC. a person's behaviour) **infuriating** Od.; **be very angry** —W.DAT. *w. someone* Hes.
2 resent —*the gods' actions* (*towards someone*) Archil.; **be resentful** —W.DAT. *towards someone* Hdt.
3 revel or **exult** —W.DAT. *in a situation* AR.
4 be amazed, feel wonder Hes.*fr.* AR.
ἀγα-κλεής ές *adj.* [reltd. μέγας; κλέος] | dial.acc. ἀγακλέα | ep.gen. ἀγακλῆος, dial. ἀγακλέος | (of persons, an island, sanctuary, paean, a person's fate) **very famous** Il. Pi. B.
ἀγα-κλειτός ή όν *adj.* (of persons) **very famous** Hom. Hes. hHom. B.; (of a wall) Hes.*fr.*; (app. of Herakles' body or suffering) S.; (of a sacrificial offering) Od.
ἀγα-κλυτός όν *adj.* (of a warrior, deity, building) **very famous, illustrious** Hom. Hes. Lyr.adesp.
ἀγα-κτίμενος ᾱ ον *dial.pass.ptcpl.adj.* [κτίζω] (of a city) **very well situated** or **founded** Pi.

ἀ-γάλακτος ον *adj.* [privatv.prfx., γάλα] **1** (of a lion cub reared by a man) **not suckled** (by its mother) A.
2 (of a mother's breasts) **milkless, dry** E.(cj.)

ἀ-γάλαξ ακτος *masc.fem.adj.* (of ewes) **milkless** Call.

ἀγαλλίασις εως *f.* [ἀγαλλιάω] **great rejoicing, celebration** NT.

ἀγαλλιάω *contr.vb.* [reltd. ἀγάλλω] | aor. ἠγαλλίᾱσα || aor.mid. ἠγαλλιᾱσάμην || aor.pass. (w.mid.sens.) ἠγαλλιάθην | (act. and mid.) **rejoice greatly, celebrate** NT.

ἀγαλλίς ίδος *f.* a kind of flower; perh. **iris** hHom.

ἀγάλλω *vb.* | fut. ἀγαλῶ | aor.inf. ἀγῆλαι || impf.mid. ἠγαλλόμην | **1** (of a god) **honour, glorify** —*a person* (w. *a gift of a chariot and horses*) Pi.; (of a person) —*kinsmen* (*by an athletic victory*) Pi. —*a god or goddess, their statues* E. Ar. Pl. —*parents* Pl.; (of a mother) —*the ritual bath, marriage bed and bride* (*at her children's weddings*) E.; (mid., of devotees) —*a god* (W.ACC. *w. joyful cries*) E.
2 || PASS. (of language) **be embellished** —W.DAT. *by stylistic features* Plu.
3 || MID. (of persons) **glory, take pride** (in doing or achieving sthg.) Il. Hes. Archil. Hdt. E. Th. +
4 || MID. (of persons, gods, animals, personif. things) **take pride, pleasure** or **delight** —W.DAT. or PREP.PHR. *in achievements, honours, acquisitions, or sim.* Hom. Hes. Archil. Pi.*fr.* B. Hdt. +

ἄγαλμα ατος *n.* **1 adornment** or **source of delight; delight** or **adornment** (ref. to an object) Hom. +; (W.GEN. of a house, a parent, ref. to a child) A. E.; (of a mortal bride, ref. to a divine husband) S.; (of a chorus, ref. to a god) Lyr.adesp.; (of night, ref. to the evening star) Bion; (fig.ref. to an ode, a city, hard work, virtue) A. Pi. B. E.
2 offering, gift (for the gods, ref. to an animal or object) Od. Hdt.
3 image, statue, monument (esp. of a deity, usu. made of stone, sts. offered at a shrine) hHom. Lyr. Emp. Hdt. Trag. +; (W.GEN. of Hades, ref. to a grave marker) Pi.; (pejor., fig.ref. to a wife) E.
4 image (W.GEN. of a corpse, ref. to an enslaved woman) E. || PL. imitations or copies (of divine justice, ref. to a city's laws) Pl.
5 (pejor.) that which is merely for show, **ornament, mere decoration** (ref. to a beautiful but empty-headed person, an empty bag) E. Ar.

—**ἀγαλμάτιον** ου *n.* [dimin.] **figurine, statuette** Plu.

ἀγαλματο-ποιός οῦ *m.* [ποιέω] **maker of figures** or **statues, sculptor** Hdt. Pl. Arist.

ἄγαμαι *mid.vb.* [reltd. μέγας] | 2pl. ἄγασθε, ep. ἀγάασθε | ep.inf. ἀγάασθαι | impf. ἠγάμην, ep.2pl. ἠγᾶσθε | ep.fut. ἀγάσσομαι | aor. ἠγασάμην, ep.3sg. ἠγάσσατο, also ἀγάσσατο, ep.3pl. ἀγάσαντο || aor.pass. (w.mid.sens.) ἠγάσθην |
1 admire, respect —*persons, their speech, actions, or sim.* Hom. +
2 be full of admiration Hom. Pl. —W.GEN. *for persons, their wisdom, courage, words, or sim.* Pi.*fr.* Hdt. E. Ar. Pl. +
3 be amazed or **puzzled** Od. Pl.; app. **be baffled** or **stunned** Sol.(dub.)
4 admire with gratitude —*a person's goodwill and forethought* Hdt.
5 admire with approval —*a person, a horse, philosophy, rhetoric* Pl. X. Call.
6 be delighted —W.DAT. *w. someone* or *sthg.* Hdt. Pl. X.
7 be satisfied or **content** —W.ACC. *w. oneself* X.
8 bear a grudge (usu. W.DAT. against someone) Hom.; **resent** —W.DAT. + INF. *someone doing sthg.* Od.; **begrudge** —W.DAT. *someone* (W.GEN. *his fame*) AR.
9 feel an emotion strongly; be passionate —W. περί + GEN. *for victory* Il.; (of a person, his spirit) **be very angry** or **indignant** Hom. —W.DAT. *w. someone* Od. Hes.*fr.* —W.ACC. *at someone's behaviour* Od.

—**ἀγαμένως** *mid.ptcpl.adv.* **with admiration** or **respect** Pl. Arist.

Ἀγαμέμνων ονος *m.* **Agamemnon** (leader of the Greeks against Troy) Hom. +

—**Ἀγαμεμνονίδης** ου (Ion. εω), dial. **Ἀγαμεμνονίδᾱς** ᾱ *m.* **son of Agamemnon** (ref. to Orestes) Od. Hdt.(oracle) S.

—**Ἀγαμεμνόνιος** (also **Ἀγαμεμνόνειος** E.) ᾱ ον, Ion. **Ἀγαμεμνόνεος** η ον *adj.* (of a relative, the family, a horse, ship, tent, or sim.) **of Agamemnon** Hom. A. Pi. E.

ἀγάμιον ου *n.* [ἄγαμος] (leg.) **failure to marry** (as a punishable offence for a Spartan man) Plu.

ἄ-γαμος ον *adj.* [privatv.prfx., γάμος] **1** (of a man or woman) **not married** Hom. +
2 (oxymor., of a marriage) **not a marriage** S. E.

ἄγᾱν *adv.* [μέγας] **to excess, excessively** Thgn. Pi. Hdt. Trag. Th. +; (modifying an adj.) Sapph. Simon. Pi. Trag. Th. +; (modifying an adv.) Hdt. Trag. Th. X.; (quasi-adjl.) **excessive** Trag. Th. Ar. Pl. +; (as a maxim) μηδὲν ἄγαν *nothing too much, not to excess* Pi.*fr.* E. Pl. +

ἀγανακτέω *contr.vb.* **1 feel annoyance** or **resentment, be aggrieved** or **distressed** (sts. W.DAT. or PREP.PHR. at events, circumstances, another's actions or words) Th. Ar. Att.orats. Pl. + —W.ACC. *in one's guts* Ar.
2 (of a soul sprouting wings) **feel discomfort, ache** Pl.

ἀγανάκτησις εως *f.* **1 annoyance, resentment** Th. Pl. Plu.
2 irritation, distress (caused by pain) Pl.

ἀγανακτητικός ή όν *adj.* (of an element in a person's character) **liable to feel annoyance** or **resentment, irritable, fretful** Pl.

ἀγανακτητός ή όν *adj.* || NEUT.SB. **cause of annoyance** or **resentment** Pl.

ἀγά-ννιφος ον *ep.adj.* [μέγας, νίφα] (of Olympos) **heavily snow-covered** Il. Hes.*fr.* hHom.

ἀγανο-βλέφαρος ον *adj.* [ἀγανός, βλέφαρον] (of Peitho) **with soft** or **gentle eyelids** Ibyc.

ἀγαν-όμματος ον *adj.* [ὄμμα] (of Mnemosyne) **with gentle** or **kindly eyes** Scol.

ἀγανός ή (dial. ἅ) όν, Aeol. **ἄγανος** ᾱ ον *adj.* [perh.reltd. γάνος] **1** (of words) **smooth, gentle, soft** (usu. w.connot. of gaining compliance) Hom. Pi. AR. Theoc.; (of the arrows of Apollo and Artemis that bring a painless death) Hom.; (of a person's hands, brow, voice) Pi. AR.; (of a flower) hHom.; (fig., of praise) Pi.
2 (of a person, deity, city) **kind, friendly** Od. Hes. Sapph. Ar. AR.; (of repayment, a courtesy) Pi. AR.
3 (of prayers, sacrifices, initiations) **humble, thankful** Hom. AR.

—**ἀγανῶς** *adv.* **1 gently** Anacr. E.
2 alluringly —*ref. to looking* Ar.

ἀγανοφροσύνη ης *f.* [ἀγανόφρων] **gentle character** (of a person) Hom.

ἀγανό-φρων ον, gen. ονος *adj.* [φρήν] (of a warrior, a deity) **gentle-minded** Il. Pi.*fr.* Ar.; (of the respect shown by a deity) AR. | see also μεγαλόφρων 1

ἀγάνωρ *dial.masc.adj.*: see ἀγήνωρ

ἀγάομαι *mid.contr.vb.* [reltd. ἄγαμαι] **envy** —*a person's courage and appearance* Hes.

ἀγαπάζω vb. [reltd. ἀγαπάω] | dial.3pl. ἀγαπάζοντι (Pi.) | dial.3pl.impf.mid. ἀγαπάζοντο (Pi.) | **1** treat with affection, welcome —*someone* (sts. W.DAT. *w. kind words*) Hom. Pi.; (fig., of an athlete's honours) —*a joyful victory* Pi. ‖ MID. (of servants) **show affection** (to their master) Od.; **welcome** —*a visitor* Od.
2 embrace —*someone* AR.; (of a mother) —*her son's corpse* E.
3 ‖ MID. **entice** —*someone* (W.DAT. *w. gifts*) AR.
ἀγαπᾱτός dial.adj.: see ἀγαπητός
ἀγαπάω contr.vb. [ἀγάπη] | aor. ἠγάπησα, ep. ἀγάπησα | pf. ἠγάπηκα ‖ neut.impers.vbl.adj. ἀγαπητέον | **1 treat with affection** —*a person, a corpse* Od. E.
2 hold dear or **regard with affection**; **cherish** —*someone* Att.orats. Pl. X. + —*an animal* Aeschin. Plu. —*a place* X.; (of wolves) —*lambs* Pl.(quot.poet.) ‖ PASS. **be cherished** Pi. Isoc. +
3 value, prize —*someone* Aeschin. —*possessions, honours, achievements* Isoc. Pl. + —*a practice, circumstance, statement, or sim.* Isoc. Pl. —*justice, that which is good* Pl. ‖ PASS. (of things) **be prized** Isoc. Pl. X.
4 be glad or **delighted** Isoc. Pl. X. + —W.COMPL.CL. *if such and such is the case* Pl.; **enjoy** —*spectacles, activities, a way of life, an outcome* Att.orats. Pl. + —*falsehood* Pl.
5 be content Pl. —W.COMPL.CL. *that (or if) sthg. is the case* Od. Th. Ar. Att.orats. Pl. + —W.PTCPL. *to be such and such* Ar. Att.orats. Pl. + —W.INF. Isoc. —W.DAT. *w. one's wealth, achievements* Lys. D. —W.ACC. *w. a situation, statement, or sim.* Att.orats. Pl. +
6 tolerate —*an undesirable person* And. ‖ PASS. (of oligarchs) **be tolerated** X.
7 prefer —*someone or sthg.* (W.ADVBL. OR PREP.PHR. *to someone or sthg. else*) X. D.
8 love —*God, Jesus* NT. —*a community, one's neighbour, enemy, benefactor* NT.; (of God) —*His Son, the world* NT.; (of Jesus) —*God, his disciples* NT. ‖ PASS. **be loved** (by God) NT.
ἀγάπη ης *f.* **love** (betw. God and humans or betw. Christians) NT.
ἀγάπημα ατος *n.* **delight** Lyr.adesp.
ἀγαπ-ήνωρ ορος ep.masc.adj. [ἀνήρ] (of a warrior) **welcoming men, hospitable** Hom.
ἀγάπησις εως *f.* **love, affection** (w. πρός + ACC. *towards women*) Plu.; **esteem, high regard** (W.GEN. *for the senses*) Arist.
ἀγαπητικός ή όν adj. (of a capacity of the soul) **concerned with affection** Plu.
ἀγαπητός ή όν, dial. **ἀγαπᾱτός** ά όν adj. **1** (of persons, esp. children, sts. specif. an only child) **beloved, cherished, dear** Hom. Lyr. Ar. Pl. X. +; (of Jesus, as God's son) NT. ‖ NEUT.SB. **that which is cherished** or **held dear** Arist.
2 (of a person's character) **lovable, admirable** X.
3 (of things or circumstances) **welcome, desirable** Pl. X. Arist. Theoc. Plu. ‖ NEUT.PL.IMPERS. (w. ἐστί understd.) **it is pleasing** —W.ACC. + INF. *for someone to do sthg.* Pi.
4 (of a sheep, purchased at a certain price) **acceptable, satisfactory** Men.; (of a circumstance) Pl. D. Arist.; (of an evil) **to be acquiesced in** And.
5 ‖ NEUT.IMPERS. (w. ἐστί, usu.understd.) **it is acceptable, satisfactory** or **sufficient** (sts. W.DAT. *for someone*) Arist. —W.CL. *if sthg. is the case* Att.orats. Pl. X. Arist. —W.INF. *to do sthg.* Pl. X. D. Arist. Plu.
—**ἀγαπητῶς** adv. **1 in circumstances that are pleasing** or **satisfying, gladly** or **welcomely** Att.orats. Pl. Plu.
2 with satisfaction or **relief, contentedly** Lys. Pl.
—**ἀγαπώντως** ptcpl.adv. **gladly** Pl.

ἀγά-ρροος ον adj. [μέγας, ῥόος] (of a sea) **with a strong current** Il. hHom.
ἀγάσσατο (ep.3sg.aor.mid.), **ἀγάσσομαι** (ep.fut.mid.): see ἄγαμαι
ἀγά-στονος ον adj. [μέγας, στόνος] **1** (epith. of a sea goddess) **loud-groaning** Od. hHom.
2 (of persons) **loudly lamenting** A.
ἀγαστός ή όν adj. [ἄγαμαι] **1** (of persons, their characters or actions) **admirable** Pl. X. Plu.; (of a prancing horse) X.
2 (of life) **desirable** E.
3 (of a sight) **remarkable** Plu.
—**ἀγαστῶς** adv. **in an admirable way** X.
ἀγασώς (Lacon.masc.acc.pl.): see ἀγαθός
ἀγανός ή (dial. ά) όν adj. **1** (of persons, deities, peoples) **illustrious, noble, glorious** Hom. Hes. Lyr.adesp. A. Pi. +; (of a city) AR.; (of a gift) hHom.; (of a song) Pi.*fr*.
2 (of a deity) **remarkable, extraordinary** hHom.
ἀγαυρός ή όν Ion.adj. [perh.reltd. γαῦρος] (of a bull) **proud, lordly** Hes.
—**ἀγαυρότατα** superl.adv. **very proudly** or **imperiously** Hdt.
ἀγά-φθεγκτος ον adj. [μέγας, φθέγγομαι] (of songs) **loud-voiced** Pi.
ἀγγαρεύω vb. [ἄγγαρος] **press (a person) into service** (as a courier); (gener.) **force, compel** —*someone* (*to do sthg.*) NT. ‖ PASS. (of a person) **be put to work** Men.
ἀγγαρήιον ου Ion.n. **system of mounted couriers** (in the Persian empire, w. relays of horses and riders) Hdt.
ἀγγαρήιος ου Ion.m. **mounted courier** Hdt.
ἄγγαρος ου *m.* [prob. Iran.loanwd.] (appos.w. πῦρ *fire*) **courier** (fig.ref. to a beacon that relays a message) A.
ἀγγεῖον, Ion. **ἀγγήιον**, ου *n.* [dimin. ἄγγος] **1 vessel, container** (made of various materials, for holding liquid or dry substances) Hdt. Th. Lys. Ar. Pl. X. +
2 (gener., sts. in fig.ctxt.) **container, receptacle** (of any size or nature, for persons, animals, material or non-material things) Pl. X. Arist. Plb. Plu.
ἀγγελίᾱ ᾱς, Ion. **ἀγγελίη** ης *f.* [ἄγγελος] | Some instances of Ion. ἀγγελίης and ἀγγελίην in Il. may also be taken as nom. and acc. masc.sb. *messenger*. |
1 message, announcement, news Hom. Hes. Thgn. Pi. B. Hdt. +; (phr.) ἀγγελίην ἐλθόντα *having come with a message* (*or as a messenger*) Il.
2 (personif., as daughter of Hermes) **Angelia** Pi.
3 command, order Pi. Hdt.
ἀγγελιη-φόρος ου Ion.m. [φέρω] **message-bearer** (ref. to an usher to the Persian king) Hdt.; (ref. to a courier) Hdt.
ἀγγελιώτης εω Ion.m. **messenger** (ref. to a person or bird) Call.; (fig.ref. to a fart) hHom.
—**ἀγγελιῶτις** ιδος *f.* **messenger** (ref. to a goddess) Call.
ἀγγέλλω vb. [ἄγγελος] | fut. ἀγγελῶ, Ion. ἀγγελέω | aor. ἤγγειλα | pf. ἤγγελκα ‖ PASS.: aor. ἠγγέλθην, aor.2 ἠγγέλην (Plu.) | pf. ἤγγελμαι |
1 act as a messenger, carry a message (sts. W.DAT. *to someone*) Hom. + —W.INF. or ACC. + INF. *to do sthg.* or *that someone shd. do sthg.* Hom. E. Th.; (fig., of a beacon) A.
2 make a report or **an announcement** Pi. S. Th. +
3 report, announce (sts. W.DAT. or PREP.PHR. *to someone*) —*sthg.* Hom. + —W.COMPL.CL. *that sthg. is the case* Il. Hdt. S. E. Th. + —W.ACC. + INF. Th. Ar. Plu. —W.INDIR.Q. *what is the case* Ar. Pl.
4 ‖ PASS. (of an event or circumstance) **be reported** E. Th. Ar. X. Plu. —W.INF. *as taking place* or *as having been such and such* E. Pl.; (of a city) —*as being betrayed* Th.; (of ships) —W.PTCPL. *as doing sthg.* Th. ‖ IMPERS.PASS. **it is reported**

ἄγγελμα

Th. —W.COMPL.CL. *that sthg. is the case* Hdt. S. E. Th. + —W.ACC. + INF. E. Th. Plu. ‖ NEUT.PL.PASS.PTCPL.SB. (pres., aor., pf.) news or reports A. Hdt. Th. +

5 give news of —*an absent person* Od.; **report** —*a person (i.e. their name,* W.DAT. *to someone*) Antipho Pl. —(W.PREDIC.ADJ. *as being such and such*) E. —(W.PTCPL. *or* ὡς + PTCPL. *as doing or having done sthg.*) S. E. Plu. ‖ MID. **declare oneself** —W.INF. *to be such and such* S. ‖ PASS. (of a person) **be reported** —W.PREDIC.ADJ. *as being such and such* E. —W.PTCPL. *as doing or having done sthg.* E. Th. Plu. —*as being alive or dead* S. X. Is. D. Plu. —W.INF. *to be doing sthg.* Pl. X. Plu.

6 (of the morning star) announce the arrival of, **herald** —*the light of dawn* Od.

7 (fig., of clothes) announce —*their wearer* (W.PREDIC.ADJ. *as being of a certain nationality*) E.

ἄγγελμα ατος *n.* **message, announcement, news** E. Th. Plu.

ἄγγελος ου *m.f.* **1** one who conveys news or a message; (ref. to a person or deity) **messenger** (sts. W.GEN. fr. someone or of sthg.) Hom. +

2 (gener. or fig.) **messenger** (ref. to a beacon-fire) Thgn. A.; (ref. to a bird, esp. bird of omen, sts. W.GEN. of Zeus or Apollo) Hom. hHom. Stesich. B. S. AR.; (W.GEN. of the Muses, ref. to a poet) Thgn.

3 announcer (W.GEN. of corpses, ref. to an owl) Hippon.; (of an army, ref. to dust) A.; (of a season, a time for ploughing, ref. to a bird) Sapph. Thgn. Simon.

4 communicator (W.GEN. of words, ref. to the tongue) E.; (of fear, ref. to a shout) E.

5 messenger (fr. God), **angel** NT.

ἀγγήιον *Ion.n.*: see ἀγγεῖον

ἄγγος εος (ους) *n.* **1 jar, pot** (for storage, esp. of liquids or food) Hom. +; (for payments of tribute) Hdt.; (for funerary ashes) S.

2 vessel (ref. to a large cup) Alcm.; (fig.ref. to a person's stomach) Tim.

3 basket (for carrying a baby) Hdt. E.

4 casket, box (for a robe) S.

—**ἄγγοσδε** *adv.* **into a jar** Emp.

ἀγείρω *vb.* | impf. ἤγειρον, ep. ἄγειρον | aor. ἤγειρα, ep. ἄγειρα, ep.1pl.subj. ἀγείρομεν ‖ MID.: ep.3pl. ἀγέρονται (AR.), ep.inf. ἀγέρεσθαι (Od., unless aor.2 ἀγερέσθαι) | aor.1 ptcpl. (w.act.sens.) ἀγειράμενος (AR.) | ep.aor.2: 3pl. ἀγέροντο (unless impf.), ptcpl. ἀγρόμενος | ep.3pl.plpf. ἀγηγέρατο ‖ PASS.: aor. (w.mid.sens.) ἠγέρθην, ep. ἀγέρθην, 3pl. ἤγερθεν, ep. ἄγερθεν |

1 cause to assemble, **gather together** —*people, armies, animals, or sim.* Hom. Hdt. S. E. Th. Pl. +; (also aor.1 mid.) AR.

2 ‖ MID. and AOR.PASS. (of people, gods, animals) **gather together, assemble** Hom. Hes. hHom. Call. NT.

3 collect (usu. by requesting fr. others) —*goods, gifts, money, or sim.* Od. Hdt. E. D. AR. Plu.; (of a beggar) —*pieces of bread* Od.; (of a bird) —*food (for its young)* Theoc. ‖ MID. **hold a collection** Od.

4 (specif., of women, a begging priestess) **collect gifts** or **alms** —W.DAT. *for deities* A.*fr.* Hdt. Pl.; (of women engaging in ritual play at a festival, a man masquerading as a priest) **take a collection** (fr. bystanders) Plu. | cf. ἀγύρτης

5 (fig.) **put together** —*a series of tales* A.; (of a whirlwind) **gather up** —*a dust-storm* S.(cj., see αἴρω 9)

6 ‖ AOR.PASS. (of a person's spirit) be rallied —W.PREP.PHR. *in their chest or heart* Hom.

ἀγείρως *Boeot.adj.*: see ἀγήραος

ἀ-γείτων ον, gen. ονος *adj.* [privatv.prfx.] with no one or nothing nearby; (of a house) **isolated** (W.GEN. fr. friends) E.; (of a rock) **lonely** A.

ἀγελᾱ *dial.f.*: see ἀγέλη

ἀγελαιο-κομικός ή όν *adj.* [ἀγελαῖος, κομέω] ‖ FEM.SB. art of looking after herds Pl.

ἀγελαῖος ᾱ (Ion. η) ον *adj.* [ἀγέλη] **1** (of animals, esp. cattle) **in a herd** or **flock** Hom. S. E. Pl. +; ‖ NEUT.PL.SB. herds or flocks Pl.; packs (of wild animals) Arist.

2 (of fish) of the type that swim in a shoal, **shoaling** Hdt.

3 (of people) of the common crowd, **ordinary** Pl.; (of sophists) Isoc.

ἀγελαιοτροφίᾱ ᾱς *f.* [τρέφω] **rearing** or **caring for herds** Pl.

ἀγελαιοτροφικός ή όν *adj.* (of the art) **of rearing** or **caring for herds** Pl. ‖ FEM.SB. art of rearing herds Pl.

ἀγελαρχέω *contr.vb.* [ἀγελάρχης] (of a woman) **be leader of a group** —W.GEN. *of concubines* Plu.

ἀγελ-άρχης ου *m.* [ἄρχω] **company commander** Plu.

ἀ-γέλαστος ον *adj.* [privatv.prfx., γελάω] (of persons, their faces) without laughter, **serious** hHom. A. Plu.; (of disasters) **joyless** A.; (perh., of actions) Od.(v.l. γελαστός)

—**ἀγελαστί** *adv.* without laughter, **seriously** Pl.

ἀγε-λείη ης *Ion.f.* [ἄγω, perh. λείᾱ] (epith. of Athena) **bringer** or **taker of spoils** Hom. Hes. [or perh. 2nd el.reltd. λαός *leader of the army*]

ἀγέλη ης, dial. **ἀγέλᾱ** ᾱς *f.* **1 herd** or **pack** (of animals) Hom. Hes. Pi. B. S. E. +; (fig., of prostitutes, maenads, men) Pi.*fr.* E. Pl.; (of bucolic Muses) Theoc.*epigr.*; **flock** (of birds) S. Ar. Pl.

2 (fig.) **pack** (W.GEN. of troubles) E.

3 (specif.) **company** (of youths, on Crete and at Sparta) Plu.

—**ἀγεληδόν** *adv.* **in a pack** or **herd** Il. Theoc.; **in a shoal** Hdt.

—**ἀγέληθεν** *adv.* **from a herd** AR.

ἀγέ-μαχος ον *dial.adj.* [ἡγέομαι, μάχη] (of the Greeks) **leading in battle** Simon.

ἀγέμεν (ep.inf.): see ἄγω

ἀγεμόνευμα ατος *dial.n.* [ἡγεμονεύω] **escort** (W.DAT. for the dead) E.

ἀγεμονεύω *dial.vb.*, **ἀγεμών** *dial.m.*: see ἡγεμονεύω, ἡγεμών

ἄγεν (ep.3pl.aor.2 pass.): see ἄγνυμι

ἀγένεια ᾱς *f.* [ἀγενής] **low birth, humble origin** Arist.

ἀ-γένειος ον *adj.* [privatv.prfx., γένειον] (esp. of an adolescent boy) **beardless** Alcm. Lys. Ar. Pl. X. + ‖ MASC.PL.SB. youths (ref. to a class in an athletic competition) Pi. Pl. Plu.

ἀ-γενής ές *adj.* [γένος, γίγνομαι] (of the universe) **not created** Pl.

ἀ-γένητος ον *adj.* **1** (of an action, event, or outcome that has occurred) made as if not to have happened, **undone** S. Pl. Arist.(quot.trag.)

2 (of consequences) that did not happen, **not enacted** Isoc.

3 (of events) that do not or cannot happen, **impossible** Plu.

4 (of accusations) that have no origin (in the truth), **groundless** Aeschin.

5 (philos., of that which exists or is first, primordial or eternal, or sim.) **not generated** Parm. Pl. Arist.

ἀγέννεια (also **ἀγεννίᾱ** Plb.) ᾱς *f.* [ἀγεννής] weakness of character, **spinelessness** Plb. Plu.

ἀ-γεννής ές *adj.* [γέννα] **1** (of persons) not of noble birth, **common, base** Hdt. Pl. X. +; (of a cockerel, a dog) Pl. D.

2 characteristic of the common people; (of a custom, behaviour, emotion, verbal expression, or sim.) **vulgar, ignoble** Hdt. Ar. Pl. Aeschin. D. +

3 (of an indictment) **petty, mean, trivial** Pl.

4 (of a child, a man's beard) **unimpressive** Plu.

—**ἀγεννῶς** *adv.* in a base, demeaning or cowardly manner, **not nobly, unimpressively** E. Pl. D. Men. +

ἀ-γέννητος ον *adj.* [γεννητός] **1** (of a person) **not yet born** S.; (of a creature) **not yet created** (by the creator god) Pl.
2 (of a slave) not nobly born, **lowly** S.
3 (of a deity) not begotten, **eternal** Plu.; (philos., of a Form) having no origin or birth, **not created** Pl.

ἀγεννίᾱ *f.*: see ἀγέννεια

ἀγέομαι *dial.mid.contr.vb.*: see ἡγέομαι

ἀ-γέραστος ον *adj.* [γέρας] **1** (of a commander) **without a prize** or **reward** (fr. battle) Il. Plu.; (of a singer) **unpaid** Bion; (of singing) **unrewarded** Mosch.; (of a hero's tomb, i.e. without offerings) E.
2 (of a deity) **without honour** or **privilege** Hes.; (W.GEN. in sacrifices) AR.
3 (of the name of a deity) **not honoured** E.

ἀγερέσθαι (ep.aor.2 mid.inf.), **ἀγέρεσθαι** (ep.mid.inf.), **ἀγέρθην** (ep.aor.pass.), **ἀγέρονται** (ep.3pl.mid.), **ἀγέροντο** (ep.3pl.aor.2 mid.): see ἀγείρω

ἀγερμός οῦ *m.* [ἀγείρω] **gathering** (of military forces) Arist.

ἄγερσις ιος *Ion.f.* **mustering** (W.GEN. of an army) Hdt.

ἀγερωχίᾱ ᾱς *f.* [ἀγέρωχος] **arrogance** Sapph. Ar.(cj.) Plb.

ἀγέρωχος ον *adj.* | dial.acc.pl. ἀγερώχως | **1** (of a person, a people) app. **noble, lordly, proud** Hom. Hes.*fr.* Alcm. B.; (of a prize, achievements) Pi.
2 (of a warrior) **dauntless, high-mettled** (in battle) Plu.
|| NEUT.SB. high temper, mettle (shown in battle) Plu.
3 pejor., of persons) **arrogant, fierce** Plu.

—**ἀγερώχως** *adv.* **in an arrogant** or **disdainful manner** Plb.

Ἀγεσί-λᾱς ᾱ *dial.m.* [ἡγέομαι, λαός] **Leader of Men, Hagesilas** (title of Hades, as Leader of the Dead) Call.

ἀγέ-στρατος ον *adj.* [ἄγω, στρατός] (of Athena) **leading the army** Hes.

ἄ-γευστος ον *adj.* [privatv.prfx., γευστός] **1** not tasting or having tasted; (fig., of persons) **without a taste** (W.GEN. of troubles, pleasure, freedom, friendship) S. Pl. X. Arist.
2 (of animals, vegetables) **not previously tasted** Plu.

ἀγέ-χορος ον *dial.adj.* [ἡγέομαι, χορός] (of Apollo) **leading the dance** or **chorus** Ar.(cj.)

ἀ-γεώργητος ον *adj.* [privatv.prfx., γεωργέω] (of land) **uncultivated** Plu.; (of fruit) Plu.

ἀγή ῆς *f.* [ἄγνυμι] | ἀ- in AR., indeterminate in S. E. |
1 (periphr.) **breakage** (W.GEN. of an oar, i.e. broken oar) A.; (of a chariot, i.e. wrecked chariot) E.
2 breaking (W.GEN. of surf, i.e. breaking surf) AR.

ἄγη[1] ης, dial. **ἄγᾱ** ᾱς *f.* [reltd. ἄγαμαι] **1 amazement** Hom.
2 resentment A. Hdt.

ἄγη[2] (ep.3sg.aor.2 pass.): see ἄγνυμι

ἀγηγέρατο (ep.3pl.plpf.mid.): see ἀγείρω

ἀ-γηθής ές *adj.* [privatv.prfx., γηθέω] (of a person) **joyless** S.(cj.)

ἀγηλατέω *contr.vb.* [ἄγος, ἐλαύνω] **drive out pollution** S.; (tr.) **drive out** (W.ACC. families) **as polluted** Hdt. Arist.

ἄγημα (unless **ἅγημα**) ατος *dial.n.* [ἡγέομαι] that which is led; **division, corps** (in Spartan and Macedonian armies) X. Plb. Plu.

ἀγηνορίη ης *Ion.f.* [ἀγήνωρ] **valour** (of a warrior or wild animal) Il.; (pejor.) **arrogance** Il. AR.

ἀγήνωρ, dial. **ἀγάνωρ**, ορος *masc.adj.* [ἄγω, ἀνήρ] **1** (of persons, esp. warriors, their spirit) **valiant** Hom. Hes. Mimn. A. AR. Theoc.; (of a god) Hes.; (of a horse) Pi.
2 (of a life-and-death struggle) **gallant** Pi.
3 (of a reward, wealth, praise) **pre-eminent, exceptional** Pi.
4 (pejor., of persons, their spirit) **arrogant** Od. Hes. Thgn.

ἀγηόχει (3sg.plpf.): see ἄγω

ἀ-γήραος ον, also **ἀγήρως** (Boeot. **ἀγείρως**) ων *adj.* [privatv.prfx., γῆρας] | acc. ἀγήρων, also ἀγήρω | du. ἀγήρω || PL.: nom. ἀγήρω, Boeot. ἀγείρω | acc. ἀγήρω | dat. ἀγήρως | (of deities, persons made immortal, possessions or creations of the gods) **unageing, ageless** Hom. Hes. Lyr. S. Ar. Theoc.; (of the order of nature, the world) E.*fr.* Pl.; (of a kind of stone) Pl.; (of the soul seemingly possessed by a work of art) Plu.; (of praise, glory, ambition, gratitude, a quality, or sim.) Pi. E. Th. Pl. D. Plu.

ἀ-γήρατος ον *adj.* (of the world, its resources) **unageing, ageless** X.; (of remembrance of the dead, fame, ambition, strength of soul) E. Lys. X. Hyp. Plu.

ἄ-γηρος ον *adj.* (of the deified Herakles) **unageing** Hes.*fr.*

ἀγήρως *adj.*: see ἀγήραος

ἁγησί-χορος ον *dial.adj.* [ἡγέομαι, χορός] (of a lyre prelude) **leading on the dance** Pi.

ἀγητήρ *dial.m.*: see ἡγητήρ

ἀγητός ή (dial. ά) όν *adj.* [reltd. ἄγαμαι] **1** (of a person or goddess) **admirable** (W.ACC. in bodily form) Hom. hHom.; (of a person's form) Il.
2 (of a person, tomb) **admired** (W.DAT. by someone) AR. Theoc.
3 (of persons) **envied** (W.DAT. for their wealth) Sol.

ἀγήτωρ *dial.m.*: see ἡγήτωρ

ἄγι (Aeol.imperatv.): see ἄγω

ἁγιάζω *vb.* [ἅγιος] **regard** or **treat as holy** —*a person* NT.; (of a sanctuary, an altar) **make holy** —*an offering* NT. || PASS. (of a person) be sanctified NT.; (of God's name) be treated as holy NT.

ἁγίζω *vb.* **consecrate** —*an altar* S.; (iron., of a priest) —*cakes* (W.PREP.PHR. *into his sack, i.e. steal them*) Ar. || PASS. (of altars) be consecrated Pi.

ἀγῑνέω *Ion.contr.vb.* [ἄγω] | 3pl. and dat.pl.ptcpl. ἀγῑνεῦσι, ep.inf. ἀγῑνέμεναι | impf. ἠγίνεον, ep. ἀγίνεον, iteratv. ἀγίνεσκον | fut. ἀγῑνήσω **1 bring, take** —*persons, animals, offerings, objects* (sts. W.DAT., ADV. or PREP.PHR. *to a person or god, to or fr. a place*) Hom. Hes. hHom. Hdt. Call. AR.
2 || MID. **have** (W.ACC. persons) **brought** —W.PREP.PHR. *to a place* Hdt.
3 || PASS. (of a festival) be held Call.

ἅγιος ᾱ (Ion. η) ον *adj.* [reltd. ἁγνός] **1** (of places, objects and activities assoc.w. the gods or their worship) **holy, sacred, venerable** Simon. Hdt. Ar. Isoc. Pl. X. +
2 (of birds, envisaged as deities) **holy** Ar.
3 (of one's homeland) **hallowed, revered** Pl.; (of that which is perfectly real) Pl.; (of particular legal matters) **sacred, solemn** Pl. D.
4 (of God, Jesus, the Spirit, persons, places or things assoc.w. God and His worship) **holy** NT.

—**ἁγίως** *adv.* **reverently** Isoc.

ἁγιστείᾱ ᾱς, Ion. **ἁγιστείη** ης *f.* [ἁγιστεύω] **sacred ritual** Isoc. Call.(cj.) Plu.

ἁγιστεύω *vb.* [reltd. ἁγίζω] **1 be holy** or **reverent** —W.ACC. in one's way of life E.; (of a priestess) **lead a holy life** D.(oath)
2 (of a priest) **perform one's holy office** Pl.

ἁγιστύς ύος *f.* **ritual, festival** Call.

ἀγκάζομαι *mid.vb.* [ἀγκάς] **lift up in one's arms** —*a corpse* Il.

ἄγκαθεν[1] *adv.* [reltd. ἀγκών] **1 in one's arms** —*ref. to embracing a statue* A.
2 on one's arms or **elbows** —*ref. to lying* A.

ἄγκαθεν[2] *dial.adv.*: see ἀνέκαθεν

ἀγκαλέω *dial.contr.vb.*: see ἀνακαλέω

ἀγκάλη ης *f.* [reltd. ἀγκύλος] **1 bent arm, arm** (of a person carrying a child or large bird) Hdt. Pl. Men.
2 ‖ PL. bent arms (carrying or embracing); **arms** or **embrace** Archil. A. E. Pl. X. +
3 (fig., usu.pl.) **embrace** (W.ADJ. *rocky*, ref. to an entombing chasm) A.; (of Okeanos, ref. to his encirclement of the world) E.; (W.GEN. of the waves) Archil. Ar.; (W.ADJ. *of the sea*) A. E.; (ref. to the welcome given to dancing maidens by a meadow) Lyr.adesp.

ἀγκαλίζομαι *mid.vb.* [ἀγκαλίς] **embrace** —*a woman* Semon.

ἀγκαλίς ίδος *f.* | ep.dat.pl. ἀγκαλίδεσσι | **1** ‖ PL. **bent arms** or **embrace** Il. Call. AR.
2 armful (W.GEN. of hay or wood) Plu.

ἀγκάλισμα ατος *n.* [ἀγκαλίζομαι] **that which is embraced**; (iron., ref. to the sea) **darling** (W.GEN. of the wind) Tim.

ἄγκαλος ου *m.* [ἀγκάλη] **armful** (W.GEN. of twigs) hHom.(dub.)

ἀγκαρύσσω *dial.vb.*: see ἀνακηρύσσω

ἀγκάς *adv.* [reltd. ἀγκών] **in the arms** Hom. AR. Theoc.

ἄγκειμαι *dial.mid.pass.vb.*: see ἀνάκειμαι

ἀγκέχυται (ep.3sg.pf.pass.): see ἀναχέω

ἀγκιστρεία ᾱς *f.* [ἄγκιστρον] **fishing with a hook, angling** Pl.

ἀγκιστρευτικός ή όν *adj.* (of an activity) **of the barb-fishing kind** Pl.

ἄγκιστρον ου *n.* [reltd. ἀγκύλος] **1 fish-hook** Od. Hdt. Pl. Theoc. NT. Plu.
2 barb (of a trident) Pl.
3 hook (on a spindle, to which fibres are attached) Pl.
—**ἀγκίστριον** ω *dial.n.* [dimin.] **barb** (of a fish-hook) Theoc.

ἀγκιστρόομαι *pass.contr.vb.* (of arrow-heads) **be fitted with a barb** Plu.

ἀγκιστρωτός ή όν *adj.* (of a weapon) **barbed** Plb.

ἀγκλαίω *dial.vb.*: see ἀνακλαίω

ἀγκλέπτω *dial.vb.*: see ἀνακλέπτω

ἀγκλίνω *ep.vb.*: see ἀνακλίνω

ἄγκοιναι ᾶν, Aeol. **ἄγκονναι** ᾶν *f.pl.* [reltd. ἀγκών] | Ion.dat.pl. ἀγκοίνῃσι | **1 arms, embrace** (of a lover or nurse) Il. Hes.*fr.* hHom. AR. Theoc.
2 ropes fastened around a ship's mast (app. as part of the rigging), perh. **wooldings** Alc.(cj.)

ἀγκομίζω *dial.vb.*: see ἀνακομίζω

ἄγκος εος (ους) *n.* [reltd. ἀγκών] **1 bend** or **hollow** (in the landscape); **valley, glen** Hom. Hes. E. Pl. X. Hellenist.poet.
2 indentation or **dip** (in the ground, in which water collects) Hdt.

ἀγκουλομείτᾱς *Boeot.masc.adj.*: see ἀγκυλομήτης

ἀγκρεμάννῡμι *ep.vb.*: see ἀνακρεμάννῡμι

ἄγκρισις *dial.f.*: see ἀνάκρισις

ἀγκρούω *dial.vb.*: see ἀνακρούω

ἀγκυλ-ένδετος ον *adj.* [ἀγκύλη, ἐνδέω¹] (of a projectile) **fitted with a looped thong** Tim.

ἀγκύλη ης, dial. **ἀγκύλᾱ** ᾱς *f.* [ἀγκύλος] **1 bent wrist** or **bending of the wrist** (in making a throw in the game of kottabos) Anacr. B.*fr.*
2 looped rope E.; **looped thong** X. Plb.
3 (specif.) **looped thong** (attached to the middle of a javelin, enabling the thrower to impart spin) Plu.; (giving spin to a missile discharged fr. a sling-device) Plb.
4 perh. **sling** E.
5 bowstring S.

ἀγκύλια ων *n.pl.* [Lat.loanwd.] *ancilia* (small Roman figure-of-eight shields, copies of the sacred shield of Mars) Plu.

ἀγκυλο-μήτης ου (Ion. εω), Boeot. **ἀγκουλομείτᾱς** ᾱο *masc.adj.* [app. μῆτις] (of Kronos) app. **of crooked** or **devious thoughts** Hom. Hes. hHom. Corinn.; (of Prometheus) Hes.

ἀγκυλόομαι *pass.contr.vb.* | pf.ptcpl. ἠγκυλωμένος | **be made crooked** ‖ PF.PTCPL. (of a bird of prey) having (W.ACC. its talons) **bent** (for action) Ar.

ἀγκυλό-πους πουν, gen. ποδος *masc.adj.* [πούς] (of the seat of a Roman aedile) **with bent legs** Plu.

ἀγκύλος η ον *adj.* **1** (of an archer's bow) **bent, curved** Hom. AR.
2 (of a chariot, prob.ref. to its front) **curved** Il.
3 (of the shape of a figure-of-eight shield) **curved** or **bending** Plu.
4 (of an angler's rod) **bending** (under the weight of a fish) Theoc.
5 (of a river, its course) **winding** Call.
6 (of an eagle's head) app. **hooked** (i.e. w. a hooked beak) Pi.; (of a person's hands, envisaged as an eagle's talons) Ar.

ἀγκυλό-τοξος ον *adj.* [τόξον] **with a curved bow** Il. Lyr.

ἀγκυλο-χείλης εω *Ion.masc.adj.* [χεῖλος] (of an eagle) **with a hooked beak** Od.; (of a vulture, v.l. -χήλης) Hom. Hes.

ἀγκυλο-χήλης ου (Ion. εω) *masc.adj.* [χηλή] (of an eagle, fig.ref. to a politician) **with hooked talons** Ar.(oracle) | see ἀγκυλοχείλης

ἀγκυλωτός ή όν *adj.* (of a javelin) **fitted with a looped thong** E.

ἄγκῡρα, Aeol. **ἄγκυρρα**, ᾱς *f.* [reltd. ἀγκύλος] **1 anchor** (of a ship) Alc.(dub., cj. ἄγκονναι) Thgn. A. Pi. Hdt. E. +; (two providing greater security than one, sts. in fig.ctxt.) Pi. D. Plu.; (three) E.*fr.*
2 (in fig.ctxts., as a symbol of security, ref. to a child, husband, council) **anchor, mainstay, safeguard** (sts. W.GEN. of a person, house, city) E. Pl. Call. Plu.

ἀγκυρίζω *vb.* (fig., as a wrestling term) **put** (W.ACC. a person) **in an anchor-hold** Ar.

ἀγκυρουχίᾱ ᾱς *f.* [ἔχω] **holding of an anchor** (by the sea-bed), **secure anchoring** A.

ἀγκών ῶνος *m.* [reltd. ἀγκύλος] | dial.dat.pl. ἀγκώνεσσι (Pi.) | **1 place where the arm bends, elbow** Hom. Pi. E.*Cyc.* X. D. Call. +; (of a hound, ref. to a joint in the hind leg) X.
2 arm that is bent (in an embrace), **arm** Thgn. S. ‖ PL. **arms** or **embrace** Pi. E.
3 angle or **corner** (of a wall) Il.; **bend** or **curve** (of a wall) Hdt.
4 bend (of the Nile) Hdt. Pl.(dub.)
5 bend (in a coastline) AR.; **headland** AR.; (fig.) **elbow** (ref. to a spit of land projecting fr. a headland) Plu.
6 perh., recess in a coastline, **bay, cove** S.
7 point (of an island, ref. to its narrowest end) AR.
8 (provb.) γλυκὺς ἀγκών *sweet bend* (app.ref. to an expression which shd. be understd. in a sense different fr. its literal meaning) Pl.

ἀγλα-έθειρος ον *adj.* [ἀγλαός, ἔθειρα] (of Pan) **with splendid hair** hHom.

ἀγλαΐᾱ ᾱς, Ion. **ἀγλαΐη** ης *f.* | ep.Ion.gen.dat.sg.pl. ἀγλαΐηφι | **1** (sg. and pl.) **splendour, magnificence, brilliance, glory** (of persons, their activities or achievements) Od. Pi. S. AR.; (of a horse) Il. X.; (W.GEN. of a rose) Mosch.
2 (sg. and pl.) **festive joy, festivity** Hes. hHom. Pi. B.*fr.* E.
3 attractiveness, glamour (of a woman) Od.; **finery** (of dress) E. AR.; **adornment** (W.GEN. for a house, ref. to a tiled roof) AR.

4 (pejor.) **outward show, display** Od. ‖ PL. fine clothes or fancy airs Od.
5 (personif.) **Aglaia** (one of the Graces, wife of Hephaistos) Hes.; (assoc.w. victory in the games) Pi. B.
ἀγλαΐζω vb. | dial.aor. ἀγλάισα | fut.mid.inf. ἀγλαϊεῖσθαι |
1 glorify, honour —*a god* B. ‖ PASS. (of a person) be glorified —W.PREP.PHR. *in song* Pi.
2 offer as an honour (W.DAT. to a god) —*a song* Carm.Pop.; (of a cliff) —*a particular plant* Theoc.*epigr*.
3 ‖ MID. **glory** or **delight** —W.DAT. *in sthg.* Il. Semon.
ἀγλάισμα ατος n. **1 embellishment, luxury** (W.DAT. for a house, ref. to incense) A.
2 gift of honour, ornament (for a tomb, ref. to an offering placed on it) Trag.
3 glory, delight, darling (W.GEN. of a mother or house, ref. to a daughter) E.
ἀγλαό-γυιος ον adj. [γυῖα] (epith. of Hebe) **radiant-limbed** Pi.
ἀγλαό-δενδρος ον adj. [δένδρεον] (of a city) **with splendid trees** Pi.
ἀγλαό-δωρος ον adj. [δῶρον] (epith. of Demeter) **with splendid gifts** hHom.
ἀγλαό-θρονος ον adj. [θρόνος] (of the Muses, legendary women) **splendidly enthroned** Pi. B.
ἀγλαό-καρπος ον adj. [καρπός¹] (of trees) **with splendid fruits** Od. hHom.; (of Sicily) Pi.*fr*.; (of Demeter, the Horai) hHom. Pi.*fr*.
ἀγλαό-κολπος ον adj. [κόλπος] (of Thetis) **with radiant bosom** Pi.
ἀγλαό-κουρος ον dial.adj. [κόρος²] (of a city) **with splendid youths** Pi.
ἀγλαό-κωμος ον adj. [κῶμος] (of a singer's voice) **glorifying the victory revel** Pi.
ἀγλαός ή (dial. ά) όν (also ός όν), Aeol. **ἄγλαος** ᾱ ον adj. [perh.reltd. ἀγάλλομαι] (of deities, persons, esp. sons, their attributes or activities) **splendid, glorious, radiant** Hom. Hes. Archil. Eleg. Lyr. AR.; (of places, natural phenomena, concrete things, abstr. concepts) Hom. Hes. Eleg. Lyr. S. E. Hellenist.poet.; (of the race of bees) Hes.*fr*.
—**ἀγλαῶς** adv. **splendidly** —*ref. to being nurtured by a city* Ar.
Ἀγλαο-τρίαινα ᾱ dial.m. | only acc. Ἀγλαοτρίαιναν | (title of Poseidon) **Lord of the splendid trident** Pi.
ἀγλα-ώψ ῶπος masc.fem.adj. (of a torch) **with radiant appearance, gleaming** S.
ἀ-γλευκέστερον neut.compar.adv. [privatv.prfx., γλεῦκος] **with a more distasteful attitude** X.
ἄγλῑθες (unless **ἀγλῖθες**) ων f.pl. **bulbs** or **heads** (of garlic) Ar. Call.
ἄ-γλωσσος ον adj. [privatv.prfx., γλῶσσα] **1** without the ability to speak well, **not eloquent** Pi.
2 (of a land) without (the Greek) language, **barbarian** S.
ἄγμα ατος n. [ἄγνῡμι] **fragment** (of a javelin) Plu.
ἀγμός οῦ m. **1** broken piece (of rock), **crag, cleft** E.
2 break, gap (W.GEN. in a burial mound, made by tearing away stones) S.(cj.)
ἄ-γναμπτος, also **ἄκναμπτος** (Pi. B.), ον adj. [privatv.prfx., γναμπτός] (of Ares, the mind of Zeus, strength, designs, desires) **unbending, inflexible, unyielding** A. Pi. B.
‖ NEUT.SB. inflexibility (of attitude) Plu.
—**ἀκναμπτεί** adv. **inflexibly** Pi.*fr*.
ἄ-γναφος ον adj. [reltd. κνάπτω] (of a piece of cloth) not treated by the fuller, **not fulled** (w.connots. new and unshrunken) NT.

ἁγνείᾱ ᾱς f. [ἁγνεύω] **1 holiness, sanctity** (W.GEN. of the gods, their precincts) Antipho
2 reverence, piety, purity (of persons) Pl.; (W.GEN. in words and deeds) S. ‖ PL. performances of holy office (by priests) Isoc. Pl.
3 ritual chastity (of Vestal Virgins) Plu.
ἅγνευμα ατος n. **freedom from religious impurity; purity** (of a virgin priestess) E.; (of a person abstaining fr. sex) E.
ἁγνεύω vb. [ἁγνός] | pf. ἥγνευκα | **1** avoid or be free from religious impurity, **be pure** A. E. Lys. Ar. Pl. D.
2 (tr.) **keep pure** —*oneself, one's hands* E. Antipho —*one's life* (W.GEN. *of certain practices*) D.; **make pure** —*a city* (*by punishing a murderer*) Antipho
3 maintain a state of purity, **keep free from pollution** —W.INF. *so as not to kill living creatures* (*i.e. by not doing so*) Hdt.
4 (of a chin) **be unsullied** —W.GEN. *by hair* Call.
ἁγνίζω vb. | fut. ἁγνιῶ | aor. ἥγνισα ‖ PASS.: aor. ἡγνίσθην | pf. ἥγνισμαι | neut.impers.vbl.adj. ἁγνιστέον |
1 make free from religious impurity, **purify, cleanse** —*a person* E. Plu. —*oneself, one's body* NT. Plu. —*one's hands* E.(also mid.) —*another's hands* (W.GEN. *of pollution*) E. —*a sanctuary, statue, city, the ground* E. Plu. ‖ PASS. (of a person) be purified E. NT. —W.ACC. *of the blood on one's hands* E.
2 make acceptable to the gods; **sanctify, consecrate** —*a corpse* S. —*sacrificial offerings* AR.; (of a sword) —*a lock of hair* E. ‖ PASS. (of corpses) be sanctified —W.DAT. *by fire* E.; (of a human sacrificial victim) be consecrated —W.DAT. *for death* E.
3 cleanse away —*one's impurities* S.
ἅγνισμα ατος n. **sacrifice offering purification** (W.GEN. fr. murder) A.
ἁγνισμός οῦ m. process of purifying, **purification** NT.
ἀγνοέω, ep. **ἀγνοιέω** contr.vb. [ἀγνώς] | ep.3sg.subj. ἀγνοιῇσι | impf. ἠγνόουν | fut. ἀγνοήσω | aor. ἠγνόησα, ep. ἠγνοίησα | iterativ.aor.2 ἀγνώσασκον | pf. ἠγνόηκα ‖ PASS.: fut. ἀγνοήσομαι | aor. ἠγνοήθην | pf. ἠγνόημαι |
1 not recognise —*someone or sthg.* Hom. Hes. S. E. Th. Isoc. + ‖ PASS. (of persons) not be recognised Th.
2 not realise —W.COMPL.CL. *that sthg. is the case* Il.
3 be in a state of ignorance, **be unaware** or **ignorant** Th. Att.orats. +
4 not have knowledge of, **not know, be unaware of** —*sthg.* Trag. Att.orats. + ‖ PASS. (of things) be not known Th. Att.orats. +; (of an opportunity) be overlooked D.; (of persons) be unknown Aeschin. D.
5 not know, be unaware —W.COMPL.CL. or INDIR.Q. *that* (*or what or whether*) *sthg. is the case* Att.orats. Pl. + —W.PTCPL. *that one is doing sthg.* Pl. D. —W.ACC. + PTCPL. *that sthg. is the case* Pl. X. +
6 be unaware of the true nature or character of, **not know** or **understand** —*a person, oneself* X. Aeschin. D.
7 not understand —*sthg.* Hdt. S.*Ichn*. Att.orats. + ‖ PASS. (of things) not be understood Isoc. Pl. X.; (of a person) be misunderstood Isoc.
8 (w. moral connot.) **do wrong** Plb.
‖ NEUT.PL.PF.PASS.PTCPL.SB. wrongdoings Plb.
ἀγνοητικός ή όν adj. (of actions) **performed in ignorance** Arist.
ἄγνοια (also **ἀγνοίᾱ**) ᾱς, Ion. **ἀγνοίη** ης f. **1 failure to recognise** (persons or things) A. S. Ar. D. Plu.
2 lack of knowledge or understanding, **ignorance, incomprehension, misconception** (of facts or situations) A. Hdt.(cj.) S. Th. Ar. Att.orats. +; (as a deity) **Ignorance** Men.
3 misguided behaviour, mistake, error D. Plb.

ἀγνοιέω *ep.contr.vb.*: see ἀγνοέω

ἀγνό-ρυτος ον *adj.* [ἁγνός, ῥυτός] (of rivers) **pure-flowing** A.

ἁγνός ή (dial. ά) όν, Aeol. **ἅγνος** ᾶ ον *adj.* [reltd. ἅγιος, ἅζομαι] **1** (of female deities) deserving reverence, **reverend, holy** Od. Hes. hHom. Archil. Lyr. A. +; (of male deities) Stesich. A. Pi.; (of heroes) Pi.*fr.*
2 (of a shrine, enclosure, grove, altar, other places frequented by the gods) **venerable, sacred** Hes.(dub.) hHom. Lyr. A. E.
3 (of sacrifices, rites, festivals, other things assoc.w. the gods or their worship) **hallowed, holy** Od. Xenoph. Lyr. Trag. Ar. Call.
4 (of rivers, springs, their waters) **sacred, holy, pure** Simon. A. Pi. E.*fr.*; (of streams of fire) Pi.; (of light) Pi.*fr.* S.
5 (of a mother's womb) **sacrosanct** A.; (of an oath) **sacred** E.
6 respectful of the gods or free from religious impurity; (of a person) **pious, reverent** or **pure** Lyr. A. E. Theoc.*epigr.*; (w.ACC. in hand, mind) E.; (of a life) E.*fr.*; (of lips, speech) A.
7 (specif.) free from blood-guilt; (of a person) **without taint** S. E.; (W.GEN. of murder) Pl.; (of hands, W.GEN. of blood) E.
8 (of bloodless sacrifices) **pure** Pl.
9 free from sexual impurity; (of a woman) **pure** Ar. Plu.; (w.ACC. in body) E.; (of a man or woman, their body, W.GEN. of sex) E. Men.; (of animals and birds) Pl.; (of spiritual friendship) X.
10 (of the body of a person fasting) not sullied by food, **pure** E.
11 (of a cow) not sullied by yoking, **pure** A.
12 not entailing impurity (for another); (in neg.phr., of a person) **not a source of pollution** (W.DAT. to one's killer) E.; (of a place, W.INF. to walk in) S.

—**ἁγνῶς** *adv.* **in a holy manner, reverently** Hes. hHom. Ion X.

ἄγνος ου *f.* **willow tree** hHom. Pl.

ἄγνυμι *vb.* | 3du. ἄγνυτον | fut. (tm. in cpd.) ἄξω | ep.aor.: ἄξα, also ἔαξα, imperatv. ἆξον, ptcpl. ἄξας, inf. ἆξαι | pf. (tm. in cpd.) ἔαγα || PASS.: ep.aor.2 ἐάγην, 3sg. ἄγη, 3pl. ἄγεν, 3sg.subj. ἐάγῃ, 3pl. ἀγῆσι |
1 break into pieces, **break, shatter** —*weapons, trees, objects* Il. Hes. E. Hellenist.poet.; (of waves, winds) —*a ship, mast* Od. AR. || PASS. (of things) be broken or shattered Hom. hHom. E. AR. Theoc.
2 || PASS. (of a neck) be wrenched —w. ἐκ + GEN. *fr. the vertebrae* Od.; (fig., of an anxious girl's heart) perh., be torn —W.GEN. *fr. her breast* AR.
3 || PASS. (of a river, flowing around bends) have one's force broken Hdt.
4 || PASS. (of sounds) break forth, burst —W.PREP.PHR. *through the mouths of singers* Lyr.adesp.; (of an echo) be dispersed —W.PREP.PHR. *around people* Hes.

ἀγνωμονέω *contr.vb.* [ἀγνώμων] **act unreasonably** or **unfeelingly** X. Plu. —W.PREP.PHR. *towards someone* D. Men. Plu. || PASS. (of a person) be treated unfairly Plu.

ἀγνωμοσύνη ης, dial. **ἀγνωμοσύνᾱ** ᾱς *f.* **1 lack of understanding, ignorance** Pl. || PL. misunderstandings X.
2 lack of good sense, **stupidity, folly** Thgn. Hdt. Aeschin. D. Plu.
3 lack of feeling, **heartlessness** E. X. D. Plu.; (W.GEN. of the gods) S.; (of fortune) D.
4 uncompromising attitude, **stubbornness, obstinacy** Hdt.

ἀ-γνώμων ον, gen. ονος *adj.* [privatv.prfx.] | compar. ἀγνωμονέστερος, superl. ἀγνωμονέστατος | **1** (of persons) lacking knowledge or understanding, **ignorant** Pl. X.
2 (of persons, their conduct) lacking good sense, **foolish, unreasonable, thoughtless** Pi. X.; (transf.epith., of a crown, ref. to the person wearing it) Thgn.
3 unfeeling, **unsympathetic, heartless** Hdt. S. Pl. X. Lycurg. D. +
4 (of inanimate objects) **senseless** Aeschin.

—**ἀγνωμόνως** *adv.* **unreasonably, thoughtlessly** Isoc. X. D.

ἀ-γνώς ῶτος *masc.fem.adj.* [γιγνώσκω] **1** (of persons or gods) **unknown, unfamiliar** (sts. W.DAT. to others or one another) Od. A. S. Th. Ar. Att.orats. +
2 (quasi-advbl., of a person acting) **unknown** (W.DAT. to another) E.
3 (of persons) unknown to fame, **obscure** E. Men.; (of a life) Plu.
4 (of bird-cries) **unfamiliar** S.; (of speech, words) **unrecognisable, unintelligible** A. Arist.
5 (of persons) **not acquainted** (W.GEN. w. one another) Th. Pl.; (of a house, w. victory-songs) Pi.; (of a land, w. wild animals) Pi.
6 lacking knowledge or understanding; (of a person) **unaware** (of the facts) S.; (W.INDIR.Q. of what is the case) X.; (of suspicion) **ignorant, uninformed** S.
7 (of a person) **unfeeling, unsympathetic, heartless** S.

ἀγνωσίᾱ ᾱς *f.* **1** lack of knowledge, **ignorance** E. Pl.; (W.GEN. of a situation, a place) E. Plb.
2 lack of acquaintance, **unfamiliarity** (W.GEN. w. one another) Th.
3 state of being unknown, **obscurity** (W.GEN. of one's ancestors) Pl.

ἄ-γνωτος (also **ἄγνωστος**) ον *adj.* [γνωτός] **1** (of a person) **not recognised** (W.DAT. by people) Od.; **not recognisable** (sts. W.DAT. by people) Od. Mimn. Plb.
2 (of a people) **unfamiliar** or **unintelligible** (W.ACC. in speech) Th.
3 (of places or things) **unknown, unfamiliar** (sts. W.DAT. to persons) Pi. S. E. Ar. Arist. Plb. Plu.; (of a god) NT.
4 (of a hare's tracks) **unrecognisable, indistinct** X.
5 (of persons, ancestors) unknown to fame, **obscure** E.(dub.) Plu.
6 (of things) not capable of being known, **unknowable** Pl. Arist.
7 (of an oracular voice) lacking knowledge, **ignorant** (W.GEN. of falsehood) Pi.
8 (of silence) leading to lack of fame, **ensuring oblivion** (W.GEN. for people who try nothing) Pi.

ἀγξηραίνω *ep.vb.*: see ἀναξηραίνω

ἀγονίᾱ ᾱς *f.* [ἄγονος] failure to produce offspring, **infertility, barrenness** Plu.

ἄ-γονος ον *adj.* [γόνος] **1** (of a person, in a wish) never to be born, **unborn** Il.
2 (of a person) not yet born, **still unborn** E.
3 deprived of offspring (through death), **childless** E.
4 producing no offspring, **childless** Pl. AR. Plu.; (of births) **abortive** S.; (of semen) **unproductive** Pl. Plu. || NEUT.SB. barrenness, sterility Plu.
5 (fig., of a person) **unproductive** (W.GEN. of wisdom or sim.) Pl.; (of a land, W.GEN. of wild animals, crops) Pl. Plu.

ἄ-γοος ον *adj.* [γόος] (of a dead person) **unlamented** A.

ἀγορᾱ́ ᾶς, Ion. **ἀγορή** ῆς, Aeol. **ἀγόρᾱ** ᾱς *f.* [ἀγείρω] **1 gathering, assembly** (of people or gods, esp. for debate) Hom. Hes. Alc. Pi. Ion Hdt. +
2 speech, public speaking Il. Hes. Sol.
3 place of assembly Hom. Xenoph. Pi. B. S. E.
4 agora, public square or **market-place** (as a place of

buying and selling, also as the social and political centre of a city) Thgn. Pi. Hdt. Trag. Th. Ar. +
5 market Hdt. Th. Ar. X. D. Arist. +
6 (at Rome) **forum** Plb. Plu.
—ἀγορῆθεν *Ion.adv.* **from the place of assembly** Hom. AR.
—ἀγορήνδε *Ion.adv.* **to the place of assembly** Hom. AR.
—ἀγορῆφι *Ion.adv.* **in the assembly** Hes.

ἀγοράζω, dial. **ἀγοράσδω** (Theoc.) *vb.* | fut. ἀγοράσω | aor. ἠγόρασα | pf. ἠγόρακα ‖ PASS.: aor. ἠγοράσθην | pf. ἠγόρασμαι | **1** go to the market-place, **make purchases in the market, go shopping** Hdt. Th. Ar. X. Plu.
2 (tr.) go and buy (W.ACC. sthg.) **in the market** X.(also mid.) Theoc.
3 (gener., ref. only to the act of purchase) **buy** —*sthg.* Ar. Att.orats. Arist. Thphr. Men. +; (also mid.) D.; (intr., act.) **buy** (opp. sell) Ar. Plb. NT. ‖ PASS. (of things) **be bought** Is. D. Men.

ἀγοραῖος ᾱ ον (also ος ον) *adj.* **1** (epith. of gods, esp. Zeus or Hermes) **of the market-place** or **meeting-place** A. Hdt. E. Ar.
2 relating to the agora; (of a politician, crowd) **frequenting the market-place** Arist. Plu.; (of a class of persons, their lives) **occupied in market-trading** Hdt. Arist.; (pejor., of a type of friend and friendship) **commercially minded** Arist.; (of business) **commercial** Plu. ‖ MASC.PL.SB. market-traders X. Thphr. ‖ NEUT.PL.SB. market-place activities Pl.
3 (pejor., of people or things) typical of the agora, **common, vulgar** Ar. Pl. X. Aeschin. Hyp. + ‖ MASC.PL.SB. rabble NT.
4 ‖ FEM.PL.SB. court days or sessions, assizes NT.

—ἀγοραίως *adv.* **in the style of popular speech, coarsely** Plu.

ἀγορᾱνομέω *contr.vb.* [ἀγορᾱνόμος] (at Rome) **be an aedile** Plu.

ἀγορᾱνομίᾱ ᾱς *f.* **1 office of market-controller** Arist.
2 (at Rome) **aedileship** Plb. Plu.

ἀγορᾱνομικός ή όν *adj.* **1** (of matters) **relating to market-control** Pl. Arist.
2 (at Rome) **relating to the office of aedile** Plu.

ἀγορᾱνόμιον ου *n.* **office** or **court of the market-controllers** Pl.

ἀγορᾱ-νόμος ου *m.* [ἀγορά, νέμω] **1 market-controller** Lys. Ar. Pl. X. D. Arist.
2 (at Rome) **aedile** Plb. Plu.

ἀγοράομαι *mid.contr.vb.* | ep.2pl. (w.diect.) ἀγοράασθε (ᾰ-metri grat.) | impf.: 2sg. ἠγορῶ (S.), ep.2pl. (w.diect.) ἠγοράασθε, ep.3pl. (w.diect.) ἠγορόωντο (also Hdt.) | ep.3sg.aor. ἀγορήσατο |
1 (of gods or men) **hold an assembly, sit in debate** Il. AR.
2 speak before an assembled group, **make a speech** (usu. W.DAT. to people) Hom. Hdt. AR.
3 (less formally) **talk** —W.DAT. *to people* S.
4 utter (in public) —*boasts* I.. Thgn.

ἀγοράσδω *dial.vb.*: see ἀγοράζω

ἀγόρασις εως *f.* [ἀγοράζω] **act of buying, purchase** Pl.

ἀγοράσματα τῶν *n.pl.* **1 items which have been bought, purchases** Aeschin. D.
2 items available for buying, **goods for sale** Plu.

ἀγοραστής οῦ *m.* **buyer** (of provisions for a house) X.

ἀγοραστικός ή όν *adj.* (of Hermes) **concerned with the business of buying** Pl.; (of a form of exchange or acquisition) **through buying** Pl. ‖ FEM.SB. art of buying Pl.

ἀγορεύω *vb.* [reltd. ἀγορά] impf. ἠγόρευον, ep. ἀγόρευον | aor. ἠγόρευσα, ep. ἀγόρευσα | **1** speak before an assembly or in public, **make a speech, speak** Hom. Hes. Hdt. E. Isoc. X. +
2 hold —W.COGN.ACC. *an assembly* Il.
3 (as a formula used by the herald in the Assembly) τίς ἀγορεύειν βούλεται; *Who wishes to speak?* Ar. Aeschin. D.
4 say (sthg.) before an assembly or in public; **say, declare** —W.ACC. or DIR.SP. *sthg.* Hom. Hdt. Ar. X. AR. —W.COMPL.CL. *that sthg. is the case* Il. Hdt.; **speak** or **tell of** —*sthg.* Hom.; **propose** —W.INF. *that sthg. shd. be done* E.
5 ‖ PASS. (of a speech) **be delivered** Th.
6 (gener.) **speak** Hom. Hes. E. Pl. AR. Theoc. —*words or sim.* Hom. AR.
7 say —W.ACC. or DIR.SP. *sthg.* Hom. Hes. Thgn. Hdt. S. E. AR. —W.INDIR.Q. or COMPL.CL. *what* (or *that sthg.*) *is the case* Od. Hdt.
8 speak or **tell of** —*someone or sthg.* Hom. AR. Theoc.; (fig., of the lionskin worn by Herakles) —*the prowess of his hands* Theoc.; **speak** —w. κακῶς, κακόν or κακά *abusively* (usu. W.ACC. *of someone*) Od. Hdt. Ar. D.(law) Plu.
9 give an order —W.INF. *to do sthg.* AR. —W.DAT. and μή + INF. *to someone not to do sthg.* Hdt. Ar.
10 (in an indignant q.) οὐκ ἠγόρευον; *Didn't I say (so)?* Ar. —W.ACC. *sthg.* S. —W.COMPL.CL. *that sthg. would be the case* Ar.
11 make a formal pronouncement; (of officials) **pronounce** —*sthg.* (w. ὡς + PREDIC.PTCPL.PHR. *as being such and such*) Pl.; (of a court herald, seer, auctioneer) **announce, declare** —*sthg.* Arist. Theoc. Plu. ‖ MID. (of a commander) **have an announcement made** Hdt. ‖ PASS. **be pronounced** —W.PREDIC.ADJ. *evil* Pl.
12 (of a law) **pronounce, declare, prescribe** D. Arist. —*sthg.* Lys. —W.INF. or ACC. + INF. *that one shd. do sthg. or that sthg. shd. be done* Antipho Lys.

ἀγορή *Ion.f.*, **ἀγορῆθεν, ἀγορήνδε** *Ion.advs.*: see ἀγορά

ἀγορητής οῦ *m.* [ἀγοράομαι] **speaker, orator** (at a meeting or assembly) Hom.; (w. play on ἀγορά *market-place*) Ar.

ἀγορητύς ύος *f.* **oratory, eloquence** Od.

ἀγορῆφι *Ion.adv.*: see under ἀγορά

ἄγορος ου *m.* [ἀγείρω] **gathering, assembly** (sts. W.GEN. of specified people) E.

ἀγός οῦ *m.* [ἄγω] **leader** (usu. W.GEN. of people) Il. Hes.*fr.* hHom. Ibyc. Pi. E. AR.; (of a city) A.

ἄγος εος (ους) *n.* [perh.reltd. ἅγιος] **1 imposition** or **state of pollution** or **accursedness** (as the consequence of a sacrilegious act); **pollution, curse** A. Hdt. S. Th. Arist. AR. Plu.; (W.GEN. of an offended deity) A. Th.; (ref. to an accursed person) S.; (hyperbol., w. no religious connot.) Plu.
2 pollution (ref. to a murdered man's blood, spat out in a ritual of expiation) AR.
3 (gener. or hyperbol.) **sacrilegious** or **abominable act** AR. Plu.
4 means of avoiding pollution S.(dub.)

ἀγοστός οῦ *m.* **1 palm** (of the hand) Il. [or perh. *grasp, clutch*]
2 palm (W.GEN. of the hand) AR.
3 (app. equiv. to ἀγκάλη) **cradle of the arm** AR. Theoc.

ἄγρᾱ ᾱς, Ion. **ἄγρη** ης *f.* **1** activity of hunting (for animals, birds or fish), **hunting, hunt** Od. hHom. Hdt. S. E. Pl. +; (fig., for a person) E.*fr.*; (W.GEN. for prey) Hdt. E. Pl.; (fig., for people, ref. to piracy) Pl. ‖ PL. methods of hunting Hdt.
2 (fig.) **quest** (W.GEN. for an object) E.
3 that which is caught or killed in a hunt, **prey, catch** (ref. to animals or fish, also fig.ref. to persons) Hes. Sol. Pi. Hdt. Trag. Pl. +; (fig., W.GEN. of the spear, ref. to a captured city) A.
4 hunting-ground (ref. to a region rich in game) Plb.

—ἄγρηθεν *Ion.adv.* **from the hunt** AR.

ἄγραδε *adv.*: see under ἀγρός

ἀ-γράμματος ον *adj.* [privatv.prfx., γράμμα] **1** (of persons) unlettered, **illiterate** Pl. X. NT. Plu.
2 (of customs) **not written down** Pl.

ἄ-γραπτος ον *adj.* [γραπτός] (of divine laws) **unwritten** S.

ἀγραυλέω *contr.vb.* [ἄγραυλος] **dwell in the countryside** NT. Plu.

ἄγρ-αυλος ον *adj.* [ἀγρός, αὐλή] **1** (of shepherds) **dwelling in the countryside** Il. Hes. hHom. AR.; (of animals, usu. cattle) Hom. hHom. S. E. AR. ‖ MASC.SB. country-dweller A.*satyr.fr.*
2 (of the horns) **of a country-dweller** (i.e. a goat) E.; (of the doors) **of a rustic abode** E.

ἀγράφιον ου *n.* [ἄγραφος] (leg.) **crime of non-registration** (of a state debtor, whose name has been deleted fr. the official register before he has discharged the debt, or perh. has not been registered at all) D. Arist.

ἄ-γραφος ον *adj.* [privatv.prfx., γράφω] **1** (of laws or customs) **not written down**, **unwritten** (ref. to divine laws, the laws of nature, or established rules of morality) Th. Lys. Pl. X. D. Arist.; (ref. to a state law which is not inscribed in the *Stoa Basileios*, and is therefore not valid) And.; (of a kind of justice, opp. that defined by law) Arist.
2 (of a memorial) **unwritten** (i.e. in the mind, opp. on stone) Th.; (of the transmission of Pythagorean doctrines) Plu.
3 (of speeches) **unscripted** Plu.
4 (of a will) **not in writing** (i.e. oral, nuncupatory) Plu.
5 (of cities) **not registered** (in a treaty) Th.

ἀγρεῖος ον *adj.* [ἀγρός] living in the country (and so lacking the qualities of a townsman), **rustic, uncouth, boorish** Alcm. Ar.
—**ἀγρεῖον** *neut.adv.* **boorishly** Call.

ἀγρέτης ου *m.* [ἀγείρω] **leader** (W.GEN. of an army) A | see also ἀγρότης

ἄγρευμα ατος *n.* [ἀγρεύω] **1** that which is caught in hunting, **prey** E. X.
2 means of catching prey; **net, trap, snare** (for a person) A.; (W.GEN. for a wild animal) A.

ἀγρεύς έως *m.* [ἄγρα] **hunter** (epith. of Bacchus) E.; (of Aristaios, son of Apollo) Pi. AR.

ἀγρευτήρ ῆρος *m.* [ἀγρεύω] **hunter** (W.GEN. of an animal) Call.; (of fish) Theoc.

ἀγρευτής οῦ, dial. **ἀγρευτᾱς** ᾱ *m.* **hunter** (of animals) Call.*epigr.*; (W.GEN. of Bacchants) E.(cj.); (epith. of Apollo) S. ‖ ADJ. (of dogs) hunting Sol.

ἀγρευτικός ή όν *adj.* (of a type of ambush) **effective as a means of ensnarement** X.

ἀγρεύω *vb.* [ἀγρεύς] | aor. ἤγρευσα | **1** (pres.) **hunt** —*fish, animals* Hdt. E.; (of wolves) —*things left unguarded* X.; (intr.) X. ‖ PASS. (of animals) be hunted X.
2 (of the leader of Bacchants) **hunt after** —*the bloodshed of slain goats* E.
3 (of Pan) **chase after** —*a person* Theoc.*epigr.*
4 (aor. and pf.) **capture by hunting, catch** —*an animal* Call. —*prey* (fig.ref. to a person) E. ‖ MID. (fig.) **catch** —*sacrificial victims* (ref. to persons) E.; **snatch** —*a sword* (W.PREP.PHR. fr. someone's hand) E.
5 (aor., fig.) **trap, ensnare** —*a person* (W.DAT. in argument) NT.

ἀγρέω *contr.vb.* [perh.reltd. ἀγείρω] | imperatv. ἄγρει, ep.pl. ἄγρειτε | **1** (of trembling) **take hold of, seize** —*a person* Sapph.

2 (of an expedition) **capture** —*a city* A.
3 take, draw —*wine* (W.PREP.PHR. fr. the lees, i.e. drain it to the dregs) Archil.
4 ‖ IMPERATV. (as interj., followed by another imperatv.) **come on!** Hom. AR.

ἄγρη *Ion.f.*, **ἄγρηθεν** *Ion.adv.*: see ἄγρᾱ

ἀγριαίνω *vb.* [ἄγριος] | impf. ἠγρίαινον | fut. ἀγριανῶ | **1** (of animals) **be fierce** Pl.
2 (of persons) **be in a rage, be angry** Pl. —W.DAT. w. someone Pl.; (mid.pass.) Plu.
3 (of a river) **rage, chafe** —W.PREP.PHR. against the inflow of the sea Pl.

ἀγριάς άδος *fem.adj.* (of goats) **wild** Call.; (of oak trees) Call. AR.

ἀγρι-έλαιος ω *dial.f.* [ἐλαίᾱ] **wild olive tree** Theoc.

ἀγριο-ποιός όν *adj.* [ποιέω] (of Aeschylus) **creator of savages** Ar. [or perh. *uncivilised composer*]

ἄγριος ᾱ (Ion. η) ον (also ος ον) *adj.* [ἀγρός] | compar. ἀγριώτερος, superl. ἀγριώτατος | **1** (of animals) belonging to the countryside, **untamed, wild** Hom. Hippon. Anacr. Pi. Hdt. S. + ‖ NEUT.PL.SB. wild creatures Il.
2 (of persons) living in a wild state, **savage** Hdt. Pl.; **wild** (in appearance) E. Ar. ‖ NEUT.SB. wildness (of a person) Pl.
3 (of plants, trees, fruits, or sim.) not cultivated, **wild** Archil. A. Hdt. S. Ar. X. +
4 (of persons or gods, their nature, character, behaviour or attributes) **fierce, savage** Hom. Alcm. Hdt. S. E. Ar. +; (of beasts or monsters, their attributes) Od. hHom. S. E.; (wkr.sens., of behaviour) **uncivilised** Pl.; (fig., of a night) wild Hdt. ‖ NEUT.SB. fierceness, savagery Pl. D. Plu. ‖ COMPAR.NEUT.SB. greater ferocity Th. ‖ NEUT.PL.SB. savage thoughts Il.
5 (of emotions or states of mind, such as anger, fury, grief, erotic passion) **wild, savage** Hom. A. S. Pl. AR.
6 (of natural phenomena, such as storms, winds, waves, fire) **fierce, savage, raging** Anacr. A. E. Tim. Pl. AR. Plu.
7 (of things or circumstances, such as weapons, wounds, fighting, sickness, slavery, hunger) **fierce, savage** Il. Tyrt. Trag. Pl. Call. Bion
8 (of a place) **wild, savage** Pl.
—**ἄγρια** *neut.pl.adv.* **wildly, fiercely** Hes. Theoc. Mosch.
—**ἀγρίως** *adv.* | compar. ἀγριώτερον, also ἀγριωτέρως (Pl.) | **fiercely, savagely** A. E.*fr.* Lys. Ar. Pl. Plu.

ἀγριότης ητος *f.* **wildness, savagery** (of animals or persons) Isoc. Pl. X. D. Plb. Plu.

ἀγριό-φωνος ον *adj.* [φωνή] (of a people) **of harsh or barbarous speech** Od.

ἀγριόω *contr.vb.* | aor. ἠγρίωσα ‖ pf.pass. ἠγρίωμαι, dial.ptcpl. ἀγριωμένος (Call.) | **1 make** (W.ACC. a person) **wild or savage with rage** —W.DAT. against someone E.
2 ‖ PF.PASS. become wild or savage (in appearance) E.; (of a person's face) —W.PREP.PHR. over sthg. X.
3 ‖ PASS. (usu. PF.) become wild or fierce (in behaviour) S.; (w. rage) E. —W.PREP.PHR. against someone Ar. Plu.; (of a river or sea) become savage or raging Call. Plu.; (of a tongue) become ferocious (in argument) Ar.

ἀγρι-ωπός όν *adj.* [ὤψ] (of a monster, the Gorgon's gaze) **wild-faced** E. ‖ NEUT.SB. fierce appearance (W.GEN. of a person's face) Plu.

ἀγρο-βάτᾱς ᾱ *dial.masc.adj.* [ἀγρός, βαίνω] (of a shepherd, the Cyclops) **roaming the wilds** S. E.*Cyc.*

ἀγρο-γείτων ονος *m.* **country neighbour** Plu.

ἀγρόθεν, ἀγρόθι *advs.*: see under ἀγρός

ἀγροικίᾱ ᾱς f. [ἄγροικος] rustic behaviour (seen through the eyes of a townsman); **lack of sophistication, boorishness** Pl. Arist. Plu.

ἀγροικίζομαι mid.vb. **behave boorishly** Pl. Plu.

ἄγροικος ον adj. [ἀγρός, οἰκέω] **1** (of persons) living in the country, **rustic** Ar. Men. Plu. ‖ MASC.SB. rustic, countryman Ar. Arist.
2 of or related to the countryside; (of a style of life) **rustic, rural** Ar. Plu.; (of a song) Ar.; (of a harvest, fruits) Pl.
3 (pejor., of persons) lacking the qualities of a townsman, **coarse, unsophisticated, boorish** Ar. Pl. Arist. Men. Plb. Plu.; (of a god) Ar. ‖ MASC.SB. boor (ref. to an unsophisticated townsman) Arist.; country bumpkin (ref. to a man who shows his country manners in town) Thphr.
4 (of behaviour, language, or sim.) **crude, coarse, boorish** Isoc. Pl. Plu.

—**ἀγροίκως** adv. | compar. ἀγροικότερον, also ἀγροικοτέρως (Pl. X.) | (pejor.) in the country manner, **crudely, boorishly** Ar. Pl. X. Theoc. Plu.

ἀγροιώτης ου, dial. **ἀγροιώτᾱς** ᾱ masc.adj. (of persons) of the country, **rustic** Hom. Hes. AR. ‖ SB. countryman, rustic Od. Ar. Theoc.

—**ἀγροῖωτις** ιδος Aeol.fem.adj. | acc. ἀγροῖωτιν | (of a dress) **rustic** Sapph. ‖ SB. countrywoman Sapph.

—**ἀγροϊώτικος** ᾱ ον Aeol.adj. (of the lot) **of a rustic** Alc.

ἀγρόμενος (ep.aor.2 mid.ptcpl.): see ἀγείρω

ἀγρόνδε adv.: see under ἀγρός

ἀγρο-νόμος ον adj. [ἀγρός, νέμω] **1** (of nymphs, wild animals) **inhabiting the countryside** Od. A.
2 ‖ MASC.SB. official in charge of country districts, land steward Pl. Arist.

ἀγρό-νομος ον adj. [νομός] (of plains, homesteads) **with fields for pasture** S.

ἀγρός οῦ m. **1 field, farm** or **plot of land** Od. Hdt. Ar. Att.orats. X. Arist. + ‖ PL. fields (for cultivation or pasture) Hom. hHom. Tyrt. Thgn. A. Pi. +
2 (without art.) **country, countryside** (opp. town) Hom. Hdt. E. Ar. Att.orats. Pl. +; (pl., with or without art.) Od. S. E Th. Ar. Isoc. +

—**ἀγρόθεν** adv. **from the countryside** Od. E. AR.

—**ἀγρόθι** adv. **in the countryside** Call.

—**ἀγρόνδε** (also **ἄγραδε** Call.) adv. **to the countryside** Od. Call.

ἀγρότᾱς dial.m.: see ἀγρότης

ἀγρότειρα fem.adj.: see under ἀγροτήρ

ἀγρότερος ᾱ (Ion. η) ον compar.adj. **1** (contrastv., of animals) belonging to the countryside (opp. the town), **wild** Hom. Hes. Pi. Emp. AR. Theoc.; (of a centaur) Pi.; (fig., of ambition) **uncontrolled** Pi.(dub.) ‖ NEUT.PL.SB. wild creatures Theoc.
2 (epith. of Artemis) **of the wilds** Il.(dub.) Alc.(or Sapph.) Scol. B. Ar. X. Arist.; (of the nymph Kyrene) Pi. ‖ FEM.SB. Goddess of the Wilds (ref. to Artemis) Ar. X.

ἀγροτήρ ῆρος masc.adj. (of Hermes) **of the countryside, rustic** E.

—**ἀγρότειρα** ᾱς fem.adj. (of a dwelling) in the countryside, **rustic, rural** E.

ἀγρότης ου, dial. **ἀγρότᾱς** ᾱ m. **1 countryman, rustic** Od. Alcm.(dub., cj. ἀγρέτας) E.
2 [reltd. ἄγρᾱ] **huntsman** AR.

—**ἀγρότις** ιδος f. | acc. ἀγρότιν | **huntress** AR.

ἀγρυξίᾱ ᾱς f. [privatv.prfx., γρύζω] **silence** Pi.fr.

ἀγρυπνέω contr.vb. [ἄγρυπνος] **1 be sleepless, remain awake** Thgn. Pl. X. Aeschin. Men. +
2 be watchful or **vigilant** NT.

ἀγρυπνητικός ή όν adj. (of geese) **sleepless, wakeful** Plu.

ἀγρυπνίᾱ ᾱς, Ion. **ἀγρυπνίη** ης f. **sleeplessness, wakefulness, insomnia** Th. Pl. X. Thphr. + ‖ PL. periods of sleeplessness Hdt. Ar. Isoc. Pl. Aeschin. Plu.

ἄγρ-υπνος ον adj. [app. ἀγρός, ὕπνος] app., passing the night outside; (of persons) **sleepless, wakeful** E. Pl. D. Arist. Theoc. Mosch.(cj.); (of an eye) E.; (of hounds) Pl.; (fig., of Zeus' thunderbolt) A.

ἀγρώσσω vb. [ἄγρᾱ] (of Artemis) **hunt** Call.; (of a bird) —fish Od.

ἀγρώστης (v.l. **ἀγρώτης**) ου, dial. **ἀγρώστᾱς** ᾱ m. [ἀγρός]
1 countryman, rustic E. Call.
2 ‖ ADJ. (of beasts) of the wild E.
3 [reltd. ἄγρᾱ] **huntsman** AR.

ἄγρωστις ιδος f. | acc. ἄγρωστιν | a kind of grass; perh. **dog's tooth** Od. Theoc. Plu.

ἄγυια ᾱς (Ion. ῆς) f. | acc. ἄγυιαν | dat. ἀγυιᾷ, Ion. ἀγυιῇ ‖ PL.: nom. ἀγυιαί | gen. ἀγυιῶν, dial. ἀγυιᾶν | (usu.pl.) **street, road** Hom. hHom. Pi. B. S. E. +

ἀγυιάτᾱς ᾱ dial.m. | voc. ἀγυιάτα | (epith. of Apollo) **god of the street** A.

—**ἀγυιᾶτις** ιδος f. **1** (ref. to the immortalised Semele) **neighbour** (W.GEN. of the Olympian goddesses) Pi.
2 ‖ ADJ. (of the worship) of the god of the street (i.e. Apollo) E.

Ἀγυιεύς έως m. | acc. Ἀγυιᾶ | **God of the Street** (cult title of Apollo, represented by a pillar or altar outside Athenian houses) E. Ar. D.(oracle)

ἀγυμνασίᾱ ᾱς f. [ἀγύμναστος] **lack of physical exercise** Ar. Arist.

ἀ-γύμναστος ον adj. [privatv.prfx., γυμνάζω] **1** (of persons, horses) **not exercised** X. Plu.; (fig., of the strength of pleasures, i.e. not allowed to increase) Pl.
2 (of persons) **untrained** Pl. Arist.; (W.GEN. in sthg.) E. Pl. X.; (W.PREP.PHR. for sthg.) Pl.
3 not worn down (by sickness) S.; (W.DAT. by wanderings) E.(dub.)

—**ἀγυμνάστως** adv. **without training** (W.PREP.PHR. for sthg.) X.

ἄγυρις ιος Aeol.f. [reltd. ἀγορά] **1 gathering, assembly** (of persons, an army) Od. E.; (of ships) Il.
2 pile, heap (W.GEN. of corpses) Il.

ἀγυρτάζω vb. [ἀγύρτης] **collect, amass** —possessions Od.

ἀγύρτης ου m. [ἀγείρω] one who collects (contributions fr. others, on behalf of a deity); (gener., pejor.) **beggar, mendicant, vagabond** S. E. Pl. Plb. Plu.

—**ἀγύρτρια** ᾱς f. **mendicant priestess** A.

ἀγυρτικός ή όν adj. (of a seer) **mendicant** Plu.; (of the charts) **of a mendicant fortune-teller** Plu.

ἀγχαλάω ep.contr.vb.: see ἀναχαλάω

ἄγχ-αυρος ον m. [ἄγχι, αὔριον] time near dawn, **morning twilight, pre-dawn** Call. ‖ ADJ. (of night) pre-dawn AR.

ἀγχέ-μαχος ον adj. [μάχομαι] **1** (of people) **fighting in close combat** Il. Hes. Plu.
2 (of weapons) **for close combat** X.

ἀγχηστῖνοι (v.l. **ἀγχιστῖνοι**) αι pl.adj. [ἄγχι, perh. ἧμαι] (quasi-advbl., of slain men or sheep falling) perh. **in heaps** or **huddled together** Hom.

ἄγχι adv. and prep. | for compar. and superl. see ἆσσον, ἄγχιστα | **1 near, close by** (in location) Hom. AR.
2 near (in time) Sapph.
3 app. **soon, shortly** Od.
4 near, close —W.GEN. to someone or sthg. Hom. Hes. hHom. A. S. AR. —W.DAT. to someone Il. AR.
5 near in likeness, close —W.DAT. to sthg. Pi.

—**ἀγχόθεν** *adv.* **from nearby** Hdt.
—**ἀγχόθι** *adv.* **1 nearby** AR. Theoc.
2 (as prep.) **near, close** —W.GEN. *to someone or sthg.* Hom. Hellenist.poet.
ἀγχί-αλος ον (also η ον) *adj.* [ἅλς] **1** (of a place, a people) **near the sea** Il. Hes.*fr*. B. E. Hellenist.poet.; (of laurel) **growing on the shore** AR.
2 (of islands) with the sea nearby, **sea-girt** hHom. Trag.
ἀγχι-βαθής ές *adj.* [βάθος] **1** (of sea, the mouth of a lake) having depth close in (to the shore), **deep inshore** Od. Pl. AR. Plb.
2 (of crags) **in deep water near the shore** Plu.
ἀγχι-γείτων ον, gen. ονος *adj.* (of an island) **closely neighbouring** (on another) A.
ἀγχί-γυος ον *adj.* [γύης] (of persons) living in territory nearby, **neighbouring** AR.
ἀγχί-δομος ον *adj.* [δόμος] near one's dwelling or having a dwelling nearby, **neighbouring** B.
ἀγχί-θεος ον *adj.* [θεός] **1** (of persons) **in close communion with the gods** Od.
2 close to the gods (W.ACC. in appearance and stature) hHom.
ἀγχί-θυρος ον *adj.* [θύρᾱ] near one's door or with a door nearby; (of a neighbour, a person dwelling) **next door** Thgn. Theoc.
ἀγχι-μαχηταί ὧν *masc.pl.adj.* [μαχητής] **skilled in fighting at close quarters** Il.
ἀγχί-μολος ον *adj.* [ἔμολον, see βλώσκω] **coming near, approaching** A.*fr*.; (prep.phr.) ἐξ ἀγχιμόλοιο *from nearby* Il.
—**ἀγχίμολον** *neut.adv.* **near, close** (sts. W.DAT. to someone) Hom. Hes. AR.
ἀγχίνοια ᾱς *f.* [ἀγχίνοος] **quick-wittedness** Pl. Arist. Plb. Plu.
ἀγχί-νοος ον, Att. **ἀγχίνους** ουν *adj.* [νόος] with a ready mind, **quick-witted** Od. Pl. X. Plb.
ἀγχί-πλους ουν Att.*adj.* [πλόος] (of a journey) entailing a voyage to a nearby place, **quickly sailed, short-haul** E.
ἀγχί-πτολις *ep.masc.fem.adj.* [πόλις] | only nom. | (of a patron deity) **close by in a city** A.; **close neighbour to a city** S.
ἀγχί-ρροος ον *adj.* [ῥόος] (of a river) **flowing nearby** AR.
Ἀγχίσης ου (Ion. εω, ep. ᾱο), dial. **Ἀγχίσᾱς** ᾱ *m.* **Anchises** (Trojan prince, father of Aeneas) Il. Hes. hHom. Theoc.
—**Ἀγχῑσιάδης** εω Ion.*m.* **son of Anchises** Il.
ἄγχιστα *neut.pl.superl.adv.*: see under ἄγχιστος
ἀγχιστείᾱ ᾱς *f.* [ἀγχιστεύω] **1** state of being a very close or the closest relative, **closeness of kinship** Att.orats. Pl. Arist.
2 rights of closest relative Ar. Is. D.
ἀγχιστεῖα ων *n.pl.* **closeness of kinship** S.
ἀγχιστεύς έος Ion.*m.* [ἄγχιστος] **closest relative** Hdt.
ἀγχιστεύω *vb.* **I have the rights of closest relative** Is.
2 (of a land) **be closest** —W.DAT. *to a sea* E.
ἀγχιστήρ ῆρος *m.* [ἄγχι] one who brings near; **bringer, agent** (W.GEN. of a calamity) S.
ἀγχιστῖνοι *pl.adj.*: see ἀγχηστῖνοι
ἄγχιστος η ον *superl.adj.* **1** (of a seat, occupied by men of wealth) **closest, nearest** (W.GEN. to the supreme ruler) S.*fr*.
2 (of a god) **very close, ever-present** (w.connot. of readiness to help) Pi. S.; (perh. of a group of elders) A.
3 (of a person) **nearest of kin** S.; (of a god) **nearest** (W.DAT. in kinship, W.GEN. to another god) E.
—**ἄγχιστον** *neut.sg.superl.adv.* **closest, nearest** (W.DAT. to someone) Od.
—**ἄγχιστα** *neut.pl.superl.adv.* **1 closest, nearest** (in location) Hdt.; (W.GEN. to someone or sthg.) Pi. Hdt.; οἱ ἄγχιστα *those who are nearest* (w. play on sense *'nearest of kin'*) Hdt.
2 nearest (in power, W.GEN. to Zeus) A.
3 closest (in likeness) Hom.
4 closest in time (to the present), **most recently** Hdt. Antipho
5 app., very close to happening, **nearly, almost, all but** Il.
ἀγχί-στροφος ον *adj.* [στρέφω] **1** (of a bird) **close-wheeling, tight-turning** Thgn.
2 (of plans) **quickly changing** Hdt.
3 (of a change of fortune) **sudden** Th.
ἀγχι-τέρμων ον, gen. ονος *adj.* (of a country or city) near the border or with a border nearby, **neighbouring** E. X.
ἀγχι-τόκος ον *adj.* (of the pains) **of oncoming childbirth** Pi.*fr*.
ἀγχόθεν, ἀγχόθι *advs.*: see under ἄγχι
ἀγχ-όμορος ον *adj.* (of a people) **bordering, neighbouring** (W.GEN. on someone) Theoc.
ἀγχόνη ης *f.* [ἄγχω] **1 strangling, throttling** (of a lion) E.(pl.); (of a prisoner) Plu.
2 (sts.pl. for sg.) strangling (by a noose), **hanging** Trag. Plb.
3 (concr.) **noose** Semon. A.*satyr.fr*. Plu.
4 (colloq., ref. to an unwelcome situation) **enough to make one hang oneself** Ar. Aeschin.
ἀγχόνιος ᾱ ον *adj.* (of a noose) **strangling** E.
ἀγχότερος η ον Ion.*compar.adj.* [ἀγχοῦ] **nearer** (W.GEN. to sthg.) Hdt.
ἀγχοῦ *adv.* and *prep.* [reltd. ἄγχι] **1 near, close by** Hom. hHom. Hippon. Hdt. S. AR. Plu.(quot.eleg.)
2 near, close —W.GEN. *to someone or sthg.* Hom. Hdt. —W.DAT. Pi.
—**ἀγχοτάτω** *superl.adv.* and *prep.* **1 closest, nearest** (in location) Lyr.adesp. —W.GEN. *to sthg.* hHom. Hdt.
2 closest, nearest (in kinship) Hdt.
3 closest (in likeness) —W.GEN. *to sthg.* Hdt. —W.DAT. (also perh. W.ACC.) Hdt.
ἄγχ-ουρος ον Ion.*adj.* [ὅρος] (of people) having boundaries close, **neighbouring** AR.
ἄγχω *vb.* | fut. ἄγξω | **1 choke, throttle, strangle** —*a person or animal* Ar. D. Theoc.; (of a helmet strap) —*its wearer* Il.
|| PASS. (of a person) be strangled D. Theoc.; (of snakes) Pi.
2 (fig., of creditors) **choke** —*debtors* Ar.; (of an official) —*the people* Arist.(cj.); (intr., of a guilty conscience) D.
ἀγχώμαλος ον *adj.* [ἄγχι, ὁμαλός] **1** (of voters for and against) **nearly equal** Th.
2 (of a battle) **evenly balanced, indecisive** Th.
—**ἀγχώμαλα** *neut.pl.adv.* **on equal terms** —*ref. to fighting* Th.
ἄγω *vb.* | Aeol.*imperatv.* ἄγι, pl. ἄγιτε | ep.inf. ἀγέμεν | impf. ἦγον, dial. ἆγον, ep. ἄγον, iteratv. ἄγεσκον | fut. ἄξω, dial. ἀξῶ (Theoc.), ep.inf. ἀξέμεναι, ἀξέμεν | ep.aor.: pl.imperatv. ἄξετε, inf. ἀξέμεναι, ἀξέμεν | aor.1 inf. ἄξαι (Antipho, dub.), 3sg. (as a barbarism) ἤξει (Tim., cj. ἦξε) | aor.2 ἤγαγον, dial. ἄγαγον, ep. ἄγαγον, inf. ἀγαγεῖν, dial. ἀγαγέν (Pi.) | pf. ἦχα (Plb.) | 3sg.plpf. ἀγηόχει (Plb.) || MID.: impf. ἠγόμην, ep. ἀγόμην, dial. ἀγόμᾱν, also ἀγόμᾱν | fut. ἄξομαι | ep.aor.: 3pl. ἄξοντο, pl.imperatv. ἄξεσθε | aor.2 ἠγαγόμην, ep. ἀγαγόμην | pf. ἦγμαι || PASS.: fut. ἀχθήσομαι, also ἄξομαι | aor. ἤχθην | pf. ἦγμαι | neut.impers.vbl.adj. ἀκτέον || The sections are grouped as: (1–13) bring, lead, take, (14–17) lead or guide, (18–19) bring into a situation, (20–21) bring on a situation, (22–24) cause to move, (25) ascribe or attribute, (26–27) intr., lead, (28–29) extend in a line, (30–31) direct or manage, (32) maintain, (33–34) observe or celebrate, (35)

pass time, (36–37) regard in a certain light, (38) imperative use. |

1 **bring, lead, take** —*persons, animals, objects* (sts. W.PREP.PHR. *to or fr. a place*) Hom. + ‖ PRES.PTCPL. (auxiliary to main vb.) *bringing or taking* —*someone or sthg.* Hom. hHom. Hdt. S. E. Th. +; (also aor.) Hdt. ‖ PASS. (of persons or things) *be brought, led or taken* Hippon. Hdt. S. E. Th. +

2 **bring, put** —*horses, oxen* (W.PREP.PHR. *under a yoke*) Hom. —(*under a chariot, i.e. its yoke*) Od. A.

3 (of chariots, wagons, horses, pack-animals, ships) **bring, bear, carry, transport** —*persons or things* Hom. Thgn. B.*fr.* Hdt. Trag. Th. + ‖ MID. (of a person) **have** (W.ACC. *stones*) **transported** Hdt.

4 (specif., of a ship) **carry cargo, have a capacity** —W.PREP.PHR. *up to a certain amount* Th.

5 ‖ MID. **bring forth** —*speech* (W.PREP.PHR. *through one's lips*) Il.

6 **take** or **take away** —*a horse or mule (as a prize)* Il.; (mid.) E.

7 ‖ MID. **take with oneself** —*persons or things* Hom. Pi. B. Hdt. S. E. +

8 ‖ MID. **bring in for oneself, obtain, get** —*someone or sthg.* (W.PREP.PHR. *fr. a place*) Hdt.; **fetch for oneself, call in** —*a prophet* E.

9 ‖ MID. **get** —*sthg.* (W.PREP.PHR. *into one's hands, i.e. take it in hand*) Hdt.

10 **take by force, take, carry off** —*persons, animals, things (as captives, spoil, or sim.)* Hom. Hdt. Trag. Lys. Tim. D.; (also mid.) Hom. E. ‖ PASS. (of persons) *be carried off* B. Hdt. Trag. +

11 (phr.) ἄγειν καὶ φέρειν (or φέρειν καὶ ἄγειν, or sim.) *plunder and pillage* —W.ACC. *persons, property, regions* Hdt. Ar. Att.orats. Pl. X. Plu. ‖ PASS. *be plundered and pillaged* Ar. Isoc. X. Plu.

12 ‖ MID. **bring (a woman) home (to be one's own or another's wife); bring** or **take** —*a woman* (W.ADV. or PREP.PHR. *to one's house, as a wife*) Hom. Hes. Thgn. Hdt. E. Lys. —(W.DAT. *for someone else*) Od. Hdt.; **marry** —*a woman* Hom. Hes. Hdt. E. Ar. Isoc.; **obtain** —*a wife* (W.DAT. *for someone else*) Od. Hdt.; (of friends of the bride and groom) **escort** —*a bride (to her new home)* Od. Hes.; (intr.) **take a wife** Hdt. Th. ‖ ACT. **take** —*a woman (as a wife)* A.

13 **bring** —*a person* (W.PREP.PHR. *to court, trial, before a jury, or sim.*) Hdt. Th. Isoc. Pl. + ‖ PASS. *be brought* —W.PREP.PHR. *to court* Pl.

14 (of a commander) **lead** —*an army, ships, persons* (sts. W.ADV. or PREP.PHR. *fr. a place*) Hom. Pi. B. Hdt. Trag. Th. + ‖ PASS. (of an army) *be led* —W.PREP.PHR. *fr. a place* Hdt.

15 (of the founder of a colony) **lead, take** —*persons (as colonists,* sts. W.PREP.PHR. *to a place*) Hdt.; (of a god) —*a colony* (app. fig.ref. to an expedition) S.*Ichn.*

16 (of a politician) **lead, guide** —*the populace* Hdt.; (of a politician) *be led* —W.PREP.PHR. *by the populace* Th.; (gener., of persons) —W.DAT. or PREP.PHR. *by reason, arguments, pleasures, or sim.* Isoc. Pl. D.

17 (of fate, a god) **lead** —*persons* Il. hHom. Pi. S. —(W.PREP.PHR. *into a net, a sea of troubles*) E. —*the mind* (*into delusion*) S.; **lead, direct, control** —*the minds of gods and men, mortal affairs* E.

18 (of persons or circumstances) **bring** —*persons* (W.PREP.PHR. *into disaster, trouble*) Alc. S. —(*fr. helplessness into light*) Pi. —(*to disgraceful actions, a benefit, good sense*) Thgn. —(*into friendship, agreement, pity, excess of hope*) E.

Th. —(W.ADV. + GEN. *to a state of dishonour*) S. ‖ PASS. *be brought* —W.PREP.PHR. *to tears* E.*fr.*

19 (of fate) **lead** —*a person* (W.INF. *to death*) E.; (of the heart, circumstances) **prompt** —*a person* (*to do sthg.*) E. —(W.INF. *to sing*) E.*fr.*

20 **bring on** (*a situation*); (of gods, persons, circumstances) **bring** —*suffering, death, tears, pleasure, victory, wealth, or sim.* (sts. W.DAT. or PREP.PHR. *to persons, their minds, or sim.*) Hom. Pi. Lyr.adesp. Trag.

21 (gener.) **cause** —*a noise* E.; **sing** —*a song* Pratin.

22 **cause (sthg.) to move** (in a certain direction); **pull, draw** —*a branch* (W.PREP.PHR. *towards the ground*) E.; (of a wave; of a person, by throwing a boulder into the sea) **drive** —*a ship* (W.PREP.PHR. *towards land*) Od. E.; (wkr.sens.) **move, stir** —*one's feet* E.

23 (of a weight, in one pan of a set of scales) **draw up** (the weight in the opposing scale); (of an object) **weigh** —*a certain amount* D.; (fig., of a person) **balance, bear up against** —*the counterpoising burden of sorrow* S.; (of corks) **hold up** —*a net* A.

24 **conduct (water) along or into a channel; conduct, channel** —*water* (sts. W.PREP.PHR. *through pipes*) Hdt. Pl. ‖ PRES.PTCPL.SB. (w.art.) *the person guiding or conducting* (a stream, in a garden) Il. ‖ PASS. (of water) *be channelled* Hdt.

25 **ascribe, attribute** —*sthg.* (w. εἰς + ACC. *to malice*) Plb.

26 (intr., of a road) **lead** —W.PREP.PHR. *to a place* S.

27 (intr., of fate, necessity and a prophecy) **lead** —W.PREP.PHR. *to what must be* E.; (of circumstances) —*to deception, violence, trouble, wisdom and virtue* S.*fr.* E.; (of conditions) **tend** —W.PREP.PHR. *towards an extreme* Pl.

28 **cause (sthg.) to stretch out in a line; extend** —*a wall* Th. —*a channel* Hdt. —*a ditch* Plu. —*a swathe (cut in corn)* Theoc. ‖ PASS. (of underground channels) *be made to extend* —W.PREP.PHR. *into a city* Th. ‖ STATV.PF.PASS. (of a canal) *extend* —W.PREP.PHR. *fr. one place to another* Hdt.

29 ‖ PASS. (of a gulf) *be formed* (by the natural configuration of the land) Hdt.

30 **direct** or **manage** (a situation); (of a goddess) **direct, control** —*a conflict* Il.; (of a person) **manage** —*wealth* (W.DAT. *w. intelligence*) Pi. —*the government* Th.

31 ‖ PASS. (of dogs) *be brought up or trained* X.; (of persons) Plu.

32 **maintain** (a situation or state); **maintain, preserve** —*quiet or inactivity* Hdt. E. Th. Ar. Att.orats. + —*solitude* E.; **observe** —*peace, a truce or treaty* Th. Ar. Att.orats. + —*a fast* Ar. —*a policy* Plb.; **keep up** —*a conflict* Pi. —*laughter* S.; perh. **keep alive** or **spread** —*a dead person's fame* Od.; **keep** —*a precept* (W.PREDIC.ADJ. *upright*) Pi. —*a country* (*free*) D.

33 **observe** —*a particular calendar* Hdt.; **celebrate** —*a particular day or date* Hes. A. Th. Ar.

34 **hold** —*a festival* Anacr. Hdt. Th. Att.orats. + —*a sacrifice* Isoc. —*a wedding* Men. —*choral performances, a chariot-race* Ar. —*an assembly* Plu. ‖ PASS. (of a festival) *be held* Lys.; (of assizes) NT.

35 **pass, spend** —*days, nights, one's life* Hdt. S. E.*Cyc.* Ar.

36 **regard, consider, rank, rate** —*a person or god* (W.PREP.PHR. *ahead of or below another, as of no account*) Hdt. E. —*a city* (W.PREDIC.ADJ. *as unmanly*) E. —*a person* (*as more deserving of esteem*) Th. —*sthg.* (W.ADVBL.PHR. *as of no importance*) S. —W.INF. (*as* SB.) *doing sthg.* (W.PREP.PHR. *as of great importance*) Hdt. ‖ MID. **hold** —*someone* (W.PREP.PHR. *in esteem*) Hdt. ‖ PASS. (of a person) *be held*

—W.PREP.PHR. *in esteem* Hdt.; *be ranked* —W.PREDIC.ADJ. *as greatest* (*of the citizens*) S.
37 treat —*sthg.* (W.ADV. *respectfully*) Pl.; **take** —*an insult* (W.ADV. *resentfully*) S.
38 ‖ IMPERATV. **come!, come now!** Hom. Hes.*fr.* Pi. E.*Cyc.*; (most freq., introducing another imperatv., a quasi-imperatv., or hortative subj.) Hom. Hes. Archil. Thgn. Lyr. Hdt. +; (introducing a q.) Hom. A. E. Ar. +

ἀγωγεύς έως (Ion. έος) *m.* [ἀγωγή] **1** (appos.w. ἀνήρ) **transport-worker** Hdt.
2 leading-rein (for a horse) X. Plb.

ἀγωγή ῆς *f.* [ἄγω] **1 conveyance, transportation** Pl. X.
2 carrying off, seizure, abduction (of persons) A. Hdt. S.; (leg., as a criminal offence) Plb.
3 (leg.) **carrying off to prison** (of a convicted person) Plu.
4 bringing in, introduction (of spokesmen, w. ἐς + ACC. to a group of listeners) Th.
5 leading (of a horse, by the leading-rein) X.
6 (specif.) **leading** (of an army) on a march, **route march** Pl. X. Plb.
7 leadership, control (exercised by a desire) Pl.
8 guidance (W.GEN. of logical thought, a law) Pl.; (ref. to the particular interpretation put upon a law) Arist.; **guiding impulse** (affecting behaviour) Pl.
9 guidance (W.GEN. of children, towards established principles, as an educational process) Pl.
10 training (esp. of children) Pl. Arist. Plb. Plu.; (specif.ref. to the Spartan system) Plb. Plu.; (of a horse) X.
11 management (W.GEN. of public affairs) Plb.
12 (gener.) **way of life, behaviour, conduct** Arist. Plb. Plu.; **way, style** (W.GEN. of life) Plb.
13 tempo (W.GEN. of a metrical foot) Pl.

ἀγώγιμος η ον *adj.* **1** (of the weight of a load) able to be conveyed (on a wagon), **transportable** E.*Cyc.*; (of iron coinage, in neg.phr.) **portable** Plu. ‖ NEUT.PL.SB. transported items, wares, merchandise Pl. X. D.
2 (leg., of persons) liable to be seized and carried away, **subject to arrest, imprisonment** or **extradition** X. D. Arist. Men. Plu.
3 (of a person) **easily led** (W.PREP.PHR. towards pleasure or by an emotion) Plu.

ἀγώγιον ου *n.* **load** (on a wagon) X.

ἀγωγός όν *adj.* **1** (of a person's capacity) **for guidance** (W.GEN. of people) Plu. ‖ MASC.SB. guide or escort Hdt. Th. Plu.
2 (of thoughts, studies, or sim.) **leading, guiding, conducive** (W.ADV. or PREP.PHR. to a certain goal or outcome) Pl. Plu.; (W.GEN.) Plu.
3 (of personal qualities) **attractive, appealing** Plu.; (W.GEN. to women) Plu.; (of speech, to the ear) Plu.
4 (of a person) **drawing forth** (W.GEN. tears, i.e. sympathy) E.
5 (of a libation) **summoning up** (W.GEN. the dead) E.

ἀγών ῶνος *m.* [reltd. ἄγω] **1 gathering, assembly** (W.ADJ. *divine*, i.e. of the gods on Olympos; also ref. to a place on earth where they are worshipped) Il.; (of people) Hes. Alcm. A. Pi.; (of spectators at a contest) Hom. hHom.; (of ships, drawn up on a beach) Il.
2 gathering for athletic contests, **athletic festival, games** (usu.ref. to a Panhellenic festival, such as at Olympia) Simon. Hdt. S. E. Th. Ar. +
3 contest (ref. to a single athletic event) Hes. Xenoph. Lyr. Hdt. S. E. + ‖ PL. contests, games Xenoph. Pi. B. E. Th. +
4 place of contests, **arena** Od. Hes. Pi. Th.
5 contest (in music, poetry, dance, drama, or sim., esp. assoc.w. local festivals) hHom Th. Ar. +
6 (fig.) **contest, competition** (W.GEN. in intelligence, cleverness, virtue) E. Th. Ar.; (of words or speeches) S. E. Th. Isoc. Pl.; **conflict** (W.GEN. of opinions) Th.
7 legal contest, lawsuit or **trial** A. Att.orats. Pl. X. Arist.
8 (gener. or fig.) **contest, combat, conflict, struggle** (betw. individuals, cities, nations, or sim., freq. in war, sts. specif.ref. to a war or battle; also ref. to the challenge faced by an individual) Hdt. Trag. Th. Ar. Isoc. +; (fig., W.GEN. of emotions, ref. to the involvement of onlookers in a battle) Th.
9 thing at stake, question at issue Hdt. S. E. Th. Pl. +

ἀγων-άρχης ου *m.* [ἄρχω] **organiser of games** S.

ἀγωνία ᾱς, Ion. **ἀγωνίη** ης *f.* **1** participation in a contest (athletic or other), **competition, exercise of competitive skill** Pi. Hdt. Isoc. Pl. +
2 (fig.) **contest** (in war) E. X.
3 mental conflict, **anxiety** D. Men. Plb. NT. Plu.

ἀγωνιάω contr.vb. | impf. ἠγωνίων | aor.ptcpl. ἀγωνιᾱ́σᾱς, inf. ἀγωνιᾶσαι | **1 be in competition** or **contention** (w. someone) Isoc. D.
2 strive anxiously —w. περί + GEN. *for sthg.* Arist. Plu.
3 suffer pain or **distress** Arist.
4 be troubled in the mind, be anxious, agitated or **worried** Pl. Men. Plu.
5 be anxious and fearful (about a future contingency); **be anxious, apprehensive** or **afraid** Men. Plb. Plu. —W.ACC. *of* or *over someone* or *sthg.* Plb. —W.INF. *of doing sthg.* Plb. —w. περί + GEN. *about sthg.* Plb. Plu. —W.COMPL.CL. *that sthg. may happen* Plb. Plu.

ἀγωνίζομαι mid.vb. | fut. ἀγωνιοῦμαι | aor. ἠγωνισάμην | pf. ἠγώνισμαι ‖ PASS.: aor. ἠγωνίσθην | pf. ἠγώνισμαι, Ion.3pl. ἀγωνίδαται ‖ neut.impers.vbl adj. ἀγωνιστέον |
1 contend for a prize (in the games), **compete** Hdt. Th. And. Isoc. Pl. X. —W.INTERN.ACC. *in a foot-race, wrestling, boxing* Hdt. X. Plu.
2 contend for a prize (in a dramatic or musical competition); (of a rhapsode, dramatist, actor, chorus, director or member of a chorus) **compete** Hdt. Th. And. Ar. Pl. X. +; (of an actor) **perform** —*passages fr. tragedy* D.
3 contend for victory (in war or battle), **fight** Hdt. E. Th. Att.orats. Pl. + —W.COGN. or INTERN.ACC. *a contest or battle* S.*fr.* E. X. Plu. ‖ PASS. (of contests) be fought Hdt. Plu.; (of a danger or risk) be the cause of a struggle —W.PREP.PHR. *for freedom* Lys. ‖ IMPERS.AOR.PASS. a contest was fought Plu. ‖ NEUT.PL.PF.PASS.PTCPL.SB. exploits in battle Plu.
4 (in legal ctxt.) **contest a case**; (of a defendant) **stand trial** Th. Att.orats. —W.INTERN.ACC. *for murder* E.; (gener., of a defendant, prosecutor or plaintiff) be involved in litigation, **plead, fight** or **argue a case** E. Th. Att.orats. Pl. + —W.COGN.ACC. Att.orats. Pl. —W.INTERN.ACC. δίκην (or sim.) *a case* Att.orats. —(fig.) *a battle* (*in court*) Pl.; (fig., of a law, an issue) **be on trial** D.
5 (in non-legal ctxt.) **contend for victory** (in argument); **argue a case** Th. Ar. Isoc. Pl. X. + —W.ACC. + INF. *that sthg. shd. be done* Plu.; **engage in** —W.COGN.ACC. *a* (*verbal*) *contest* E. Ar.; **strive in argument** —W.INF. *to demonstrate sthg.* Th. ‖ NEUT.PL.PF.PASS.PTCPL.SB. points of contention E.
6 (gener., and in fig.ctxts.) **contend, compete, struggle** E. Th. Ar. Isoc. Pl. + —W.INF. *to be leaders, superior to others, first to do sthg.* Th.; **compete in** —W.COGN.ACC. *a contest or*

struggle (fig.ref. to an act of self-sacrifice, an unwanted sexual union) E.; **fight** —W.INTERN.ACC. **an issue** Ar.

ἀγωνίη *Ion.f.*: see ἀγωνίᾱ

ἀγώνιος[1] ᾱ ον *adj.* **1** of or relating to a contest; (epith. of Zeus) **decider of the contest** (i.e. the outcome of any conflict) S.; (of Hermes) **patron of contests** (in the games) Pi.; (of gods) **of the games** P..
2 (of contests, exertions) **in the games** Pi. E.*fr.*; (of a triumph) **won in competition** Pi.; (of a dancer's foot) **plied in competition** Pi.*fr.*
3 (of rest) **from conflict** (in war) S. [or perh. (of inactivity) *brought about by a contest or argument*]
4 of or relating to a gathering or assembly; (of gods) **assembled, in assembly** (i.e. sharing an altar) A.

ἀ-γώνιος[2] ον *adj.* [privatv.prfx., γωνίᾱ] (geom., of the shape of a circle) **without angles** Arist.

ἀγώνισις εως *f.* [ἀγωνίζομαι] **participation in a contest** Th.

ἀγώνισμα ατος *n.* **1 contest, competition** (for a prize) Pl. X. Plu.
2 conflict, combat (in war) X. Plb.
3 contest, struggle (ref. to a duel, a planned murder) E.
4 that which is contended for, **aim, goal** Plu.
5 that which is achieved or won by competing; **prize, accolade** (W.GEN. for intelligence) Th.; **feat, achievement** Hdt. Th. Ar. Plb.
6 verbal or literary work composed for a competitive purpose; **show-piece declamation, prize composition** Th. Plb. ‖ PL. perh., show-pieces (for actors in plays) Arist.
7 (in a legal case) **point at issue** Antipho Lys.

ἀγωνισμός οῦ *m.* **competition, rivalry** Th.

ἀγωνιστής οῦ *m.* **1** one who competes (for a prize); **competitor, contestant** (in the games or other contest) Hdt. Th. Pl. X. Aeschin. D. +; (W.GEN. for political excellence) Aeschin.; (appos.w. ἵππος) **racehorse** Plu.
2 (gener.) **opponent, adversary** E.
3 rival (W.GEN. of those superior to oneself) Isoc.
4 combatant (in war) Pl. X. Plu.
5 one who contends in argument; **speaker, debater** Isoc. Pl.; (in legal ctxt.) **pleader, advocate** Plu.
6 theatrical performer, actor Aeschin.
7 champion (W. ὑπέρ + GEN. on behalf of one's country) Aeschin.
8 promoter (W.GEN. of an enterprise) Plb.

ἀγωνιστικός ή όν *adj.* **1** (of a person) **of the combative** or **contentious kind** Pl.; (of a style of speaking) Plu.; (of a class of activities) Pl. ‖ FEM.SB. **combative art** Pl.
2 (of physical qualities) **appropriate for competitive sports** Arist.
3 (of a linguistic style) **appropriate for competitive debate** Arist. ‖ FEM.SB. **competitive debate** Arist.

—**ἀγωνιστικῶς** *adv.* **in a combative mood** Plu.

ἀγωνοθεσίᾱ ᾱς *f.* [ἀγωνοθετέω] **organising of the games** Plu.

ἀγωνοθετέω *contr.vb.* [ἀγωνοθέτης] **1 organise the games** D. Plu.
2 organise contests (in rhetoric) Th.; **organise tests** (to classify people) Pl.
3 (tr.) **organise** —*political factions* Plu.
4 set at variance —*two peoples* Plb.

ἀγωνο-θέτης ου *m.* [ἀγών, τίθημι] **1** (usu.pl., ref. to state representatives) **organiser** or **president of the games** Hdt. And. Plu.
2 organiser of a contest (W.GEN. in political excellence) Aeschin.

3 ‖ PL. (ref. to the gods) **judges of the contest** (i.e. war) X.

ἀδαγμός *m.*: see ὀδαγμός

ἀδαημονίη (v.l. **ἀδαημοσύνη**) ης *Ion.f.* [ἀδαήμων] **ignorance** or **lack of skill** (W.INF. in doing sthg.) Od.

ἀ-δαήμων ον, gen. ονος *adj.* [privatv.prfx.] **1 without experience** (W.GEN. of battle, blows, suffering) Hom.
2 without knowledge, ignorant (W.GEN. of the Muses, religious rites) Pi.*fr.* Hdt.
3 (of a story) **uninformed** Emp.

ἀ-δαής ές *adj.* [δαῆναι] **1 without knowledge, ignorant** Plb.; (W.GEN. of persons or things) Pi.*fr.* Hdt. X. Call. Plb.
2 (of Sleep) **unconscious** (W.GEN. of pain and anguish) S.
3 unable to be taught; (of a sickness) **incapable** (W.INF. of bearing a burden of suffering) S.
4 (of night) perh. **unseeing** Parm. [or perh. *inert*]

ἀ-δάητος ον *adj.* (of things) **unknown, unfamiliar** Hes.

ἀ-δαίετος ον *adj.* [δαίομαι[2]] (of a sacrificial victim) **undivided** (i.e. whole) AR.

ἄ-δαιτος ον *adj.* [δαίς] (of a sacrifice) **without feasting** A.

ἄ-δακρυς υ, gen. υος *adj.* [δάκρυ] **1** (of a person) not shedding tears, **tearless** E. Theoc.
2 (of a life) without the shedding of tears, **tearless** Pi.; (of a battle, in which none died) Plu.; (of a murder) **remorseless** E.

ἀ-δάκρυτος ον *adj.* [δακρῡτός] **1** (of a person) not shedding tears, **tearless** Hom. S. Isoc. Plu.; (of eyes) Od. S.
2 (of a day, a circumstance) without the shedding of tears, **tearless** E.; (of trophies set up by a victorious commander) **causing no tears** (W.DAT. for his people, i.e. won without loss of life) Plu.
3 (of a fate) **unwept for, unmourned** S.

—**ἀδακρῡτί** *adv.* **without weeping** Isoc. Plu.

ἀδαμάντινος η (dial. ᾱ) ον *adj.* [ἀδάμᾱς] **1** (of objects) made of adamant, **adamantine** A. Pi. Lyr.adesp. Plu.
2 (fig., of a person) having the qualities of adamant, **unyielding** Pl. Theoc.; (of walls, ref. to a protective alliance) Aeschin.; (of arguments) Pl.

—**ἀδαμαντίνως** *adv.* **with adamantine faith** —*ref. to holding a belief* Pl.

ἀδαμαντό-δετος ον *adj.* [δέω[1]] (of torture) **in adamantine bonds** A. | see also ἀκαμαντόδετος

ἀδαμαντο-πέδῑλος ον *adj.* [πέδιλον] (of a column) **with a base of adamant** Pi.*fr.*

ἀ-δάμᾱς αντος *m.* [pop.etym. privatv.prfx., δάμνημι] **adamant** (a legendary metal of surpassing hardness, perh.ref. to steel, freq. in fig.ctxts. as the exemplar of stubbornness or intractability) Hes. Pi. Hdt.(oracle) Lyr.adesp. E.*Cyc.* Pl. +; (perh.ref. to haematite or diamond) Pl.

ἀ-δάμαστος ον *adj.* [δαμάζω] **1** (of foals) **untamed, not broken in** X.
2 (of Hades) **indomitable, inflexible** Il.

ἀ-δάματος ον *adj.* **1** (of a city) **unconquered** A.; (of reverence) A.
2 (of a goddess, a god's arrows, Cerberus) **unconquerable** S.; (of a cloud of darkness, fig.ref. to blindness) S.
3 (of a heifer) **untamed** E.; (fig., of a woman, i.e. unmarried) A. S.*fr.*

ἄ-δαμος ον *adj.* (of the young Dionysus) **untamed, wild** Ion

ἄδᾱν *dial.adv.*: see ἄδην

ἀδαξάομαι *mid.contr.vb.*: see ὀδάξω

ἀ-δάπανος ον *adj.* [δαπάνη] (of the gifts of Peace) **without cost, free** Ar.

—**ἀδαπάνως** *adv.* **at no cost** E.

ἄ-δαστος ον *adj.* [δατέομαι] (of plunder) **not divided up** or **shared out** S.

ἅδε (dial.fem.nom.), **ἅδε** (Aeol.): see ὅδε

ἁδέα (dial.masc.fem.acc.sg.): see ἡδύς

ἀ-δεής, ep. **ἀδδεής** (sts. written **ἀδεής**), also **ἀδειής**, ές *adj.* [δέος] | compar. **ἀδεέστερος** | **1** (of persons) **without fear, fearless** Il. Th. Pl. Arist. Plu.; (W.GEN. of death) Pl.; (of sleep) **untroubled by fear** S.(cj.); (of words) **intrepid** Plu. || NEUT.SB. **fearlessness** (of a person) Plu.
2 (pejor.) **shameless** Hom.
3 (of circumstances or undertakings) not giving rise to fear, **without alarm** or **danger** Th. D. Plu. || NEUT.SB. **absence of fear, state of security or confidence** Th.
4 (oxymor., of fear) **which is no fear** (i.e. unjustified) Pl.
—**ἀδεῶς** *adv.* | compar. **ἀδεέστερον**, superl. **ἀδεέστατα** | **1** without fear or scruple, **fearlessly, confidently** Hdt. Th. Ar. Att.orats. +
2 (specif.) without fear of punishment, **with impunity** Th. Is. D.

ἄδεια ᾱς, Ion. **ἀδείη** ης *f.* **1 freedom from fear, safety, security** (of persons or places) Hdt. S. Th. Att.orats. X. Plu.
2 (specif.) freedom from fear of punishment or prosecution (for past or future actions), **immunity, amnesty, indemnity** Hdt. Th. Att.orats. Arist. Plu.
3 (gener.) **licence, authorisation** (to do sthg.) Lys. D. Arist.
4 (pejor.) **fearlessness, irresponsibility** Isoc. Pl. D.

ἀ-δείμαντος ον *adj.* [δειμαίνω] (of a person, a footstep) not fearful, **fearless** A.(dub.) Pi. E.
—**ἀδειμάντως** *adv.* **without fear** A.

ἀδεῖν (aor.2 inf.): see ἀνδάνω

ἄ-δειπνος ον *adj.* [δεῖπνον] without a meal, **dinnerless** Ar. X. Men.

ἀ-δεισιβόᾱς ᾱ *dial.masc.adj.* [δείδω, βοή] **not fearing the cry of battle** B.

ἀ-δέκαστος ον *adj.* [δεκάζω] (of a person) **unbribed, uncorrupted** Plu.; **impartial** Arist.

ἀ-δεκάτευτος ον *adj.* [δεκατεύω] (of goods) **on which a tithe has not been paid** Ar.

ἀδελφά, ἀδελφεά *dial.f.*, **ἀδελφεή, ἀδελφειή** Ion. and ep.Ion.f.: see ἀδελφή, under ἀδελφός

ἀδελφεο-κτόνος ου Ion.*m.* [ἀδελφός, κτείνω] murderer of one's brother, **fratricide** Hdt.

ἀδελφεός *dial.m.*, **ἀδελφειός** ep.*m.*: see ἀδελφός

ἀδελφή *f.*: see under ἀδελφός

ἀδελφιδῆ ῆς *f.* daughter of a brother or sister, **niece** Ar. Att.orats. X. Men. Plu.

ἀδελφίδιον ου *n.* [dimin. ἀδελφός] **little brother** Ar.

ἀδελφιδοῦς, dial. **ἀδελφιδεός**, οῦ, Ion. **ἀδελφιδέος** ου *m.* son of a brother or sister, **nephew** Alcm. Hdt. Th. Att.orats. +

ἀδελφίζω *vb.* **call** (W.ACC. someone) **brother** (in order to ingratiate oneself) Isoc.

ἀδελφικός ή όν *adj.* (of friendship or a relationship) **brotherly** Arist. Plb.

ἀδελφός, dial. **ἀδελφεός**, οῦ, Aeol. **ἀδελφέος** ου, ep. **ἀδελφειός** οῦ (Call. AR., perh. Il.) *m.* [copul.prfx., δελφύς *womb*] | Att.voc. perh. ἄδελφε | ep.gen. ἀδελφειοῦ or ἀδελφεόο (Il.) || DU.: ἀδελφώ, dial. ἀδελφεώ |
1 male child from the same womb, **brother** Hom. +; (ref. to an animal) Hdt. || PL. brothers and sisters E. || PL. and DU. brother and sister E. And.
2 (fig. or hyperbol., ref. to a person regarded w. especial affection) **brother** X. NT.; (ref. to a fellow Christian) NT.; (gener., ref. to an associate or neighbour) NT.

—**ἀδελφή** ῆς, dial. **ἀδελφά** (also **ἀδελφεά**) ᾶς, Aeol. **ἀδελφέα** ᾶς, Ion. **ἀδελφεή** (ep.Ion. **ἀδελφειή** Call.) ῆς *f.* **sister** Alcm. +; (ref. to a woman regarded w. especial affection) NT.
—**ἀδελφός** ή όν *adj.* **1** (of the hands or limbs) **of a brother** Trag.; (of the inherited status) **of brother** or **sister** Pl.
2 (of hands, feet, eyes) **naturally paired, twin** X.
3 (fig., of things) **closely related, kindred, akin** (usu. W.GEN. or DAT. to other things) S. Att.orats. Pl. X.

ἄ-δενδρος ον *adj.* [privatv.prfx., δένδρεον] **treeless** Plb. Plu.

ἄ-δερκτος ον *adj.* [δέρκομαι] (of eyes) **sightless, blind** S.
—**ἀδέρκτως** *adv.* **without looking** S.

ἄ-δεσμος ον *adj.* [δεσμός] **1** (of imprisonment) **without bonds** Th. Plu.
2 (oxymor., of a bond of foliage, fig.ref. to the moral obligation imposed by a suppliant's branch) **bondless** (i.e. not imposing physical constraint) E.

ἀ-δέσποτος ον *adj.* [δεσπότης] **1** (of a household) **without a master** Arist.; **not under the control** (W.GEN. of men) E.*fr.*
2 (of a ship) **without a captain** Plb.
3 (of virtue) **subject to no master** (i.e. belonging to no single person) Pl.
4 (of rumours or writings) having no specified author, **anonymous** Plu.

ἄ-δετος ον *adj.* [δέω¹] **1 not bound** or **imprisoned** D. Plu.
2 not tied down (before surgery) Plu.

ἀδευκής ές *adj.* (of death, disaster, anger, speech) app. **harsh, cruel, grim** Od. AR.; (of storm-winds, a sea) AR.

ἀ-δέψητος ον *adj.* [privatv.prfx., δέψω] (of oxhide, a lionskin) **untanned** Od. AR.

ἀδέω (or **ἁδέω**) *contr.vb.* [perh.reltd. ἄδην] | 3sg.aor.opt. ἀδήσειε (dub.) | masc.nom.pl.pf.ptcpl. ἀδηκότες | **1** app. **be worn out** or **exhausted** —W.DAT. *by toil, lack of sleep* Hom. hHom.
2 be sated —W.DAT. *w. a meal* Od.(dub.) | see ἀηδέω

ἀ-δήιος (contr. **ἄδῃος**) ον *adj.* [privatv.prfx.] (of a city) **undestroyed** S.; (of persons) **unharmed** AR.

ἄ-δηκτος ον *adj.* [δάκνω] | fem.superl. ἀδηκτοτάτη | (of wood) not gnawed, **not worm-eaten** Hes.
—**ἀδήκτως** *adv.* **without love-bites** Plu.

ἀδηλέω *contr.vb.* [ἄδηλος] **be uncertain** —W.ACC. *about sthg.* S.

ἀ-δήλητος ον *adj.* [δηλέομαι] (of a god's hair) **unspoilt** (by cutting) AR.

ἄ-δηλος ον *adj.* [δῆλος] **1** (of persons, animals, things) not visible to the eye, **unseen, unnoticed, invisible** S. E. Pl. X. Arist. Men. +; (prep.phrs.) ἐξ ἀδήλου *from obscurity* S.*fr.*; ἐν ἀδήλῳ *out of sight* Pl.; (also) εἰς τὸ ἄδηλον X.
2 (of a person) **inconspicuous, undistinguished, obscure** Hes.
3 (of facts, situations, eventualities) not clearly understandable or ascertainable, **unclear, uncertain, obscure, in doubt** S. Th. Att.orats. Pl. X. +; (prep.phr.) ἐν ἀδήλῳ *in a state of uncertainty* Antipho Th. X.
4 (of a murderer or offender) **unknown** S. Pl. D.; (of a murder) **unsolved** S.
5 (of judgement, behaviour) not based on clear understanding, **unsure, uncertain** S.
6 (of a complexion) giving nothing away, **inscrutable** E.
7 || NEUT.IMPERS. (w. ἐστί, sts.understd.) it is unclear or uncertain —W.COMPL.CL. or INDIR.Q. *that* (*or whether*) sthg. *is the case* E. Th. Att.orats. Pl. X. +
8 (w.adj. in agreement w. subject; of persons or situations) *of whom* (or *which*) *it is unclear* —W.NOM.PTCPL. *that they*

are doing sthg., or are such and such Isoc. Pl. X. D. —W.INDIR.Q. *what is the case* Lys. X. Arist. Plb. Plu.
—**ἀδήλως** *adv.* | superl. ἀδηλότατα | **1 without being seen, inconspicuously** Th. Plu.
2 without making things clear, **covertly, secretly** Th. Plb. Plu.
3 without things being clear, **mysteriously** Arist.
ἀδηλότης ητος *f.* **uncertainty, unpredictability** (sts. W.GEN. of a situation) Plb. Plu.
ἀδημονέω *contr.vb.* **be troubled, anxious** or **distressed** Pl. X. D. NT. Plu.
ἀδημονία ᾱς *f.* **anxiety** or **distress** Plu.
ἄδην, ep. **ἄδην**, Ion. **ἄδην**, dial. **ἄδᾱν** (Alcm.), also perh.
ἄδᾱν (Call.) *adv.* [reltd. ἄω] **1 to satiety, to the full** —*ref. to eating, drinking, filling up* Il. Hes.fr. Alcm. A.satyr.fr. E.fr. Pl. AR.
2 (w.phr. *drive someone*) **to a satiety** (W.GEN. of war, misery, i.e. give them their fill of it) Hom.; (without gen.) E. | see ἐλαύνω 7
3 more than enough, quite enough —*ref. to causing distress* A. E.
4 in abundance, plentifully —*ref. to things being available* Pl. Theoc.
5 (quasi-sb.) **enough** (W.GEN. of blood, trouble, discussion, or sim.) A. E. Pl. Plu.; (w. ἔχειν, of arguments) *be sufficient* Pl.; (of persons) *have one's fill* —W.PTCPL. *of killing* Hdt.
6 (quasi-adjl.) **to the full, utter** (W.SB. *disaster*) AR.
7 continually, ceaselessly Call. AR.
8 loudly —*ref. to bursting into laughter* AR.
ἀ-δηνής ές *adj.* [privatv.prfx., δήνεα] (of a woman) **unskilled** (W.GEN. in sex) Semon.(cj.) | see ἀληνής
ἄδηος *contr.adj.*: see ἀδήιος
ἀ-δήρῑτος ον *adj.* [δηρίομαι] **1** (of a struggle) **uncontested, unfought** Il.
2 (of supremacy, peace, or sim.) **unchallenged, undisputed** Plb.
3 (of the power of Necessity) **unchallengeable** A.
—**ἀδηρίτως** *adv.* **without challenge** or **dispute** Plb. Plu.
ἀδής *contr.adj.*: see ἀηδής
Ἅδης ου, dial. **Ἀδᾱς** ᾱ *m.* —ep. **Ἀΐδης** ᾱο (also εω monosyllab.), dial. **Ἀΐδᾱς** (also **Ἀδᾱς** Pi.) ᾱ —also **Ἀΐδης** ου (Thgn., dub.) [perh. privatv.prfx., ἰδεῖν] | also ep.gen. Ἄιδος, acc. Ἄιδα, dat. Ἄιδι || sts. Ἀϊδ- *metri grat.* |
1 Hades (god of the underworld, sts. meton. for his realm) Hom. +; (ellipt.) εἰς or ἐν Ἅιδου, εἰς or εἰν Ἀΐδαο (or sim.) *to* or *in* (*the abode of*) *Hades* Hom. +
2 (meton.) **death** Pi. Trag. Ar.
3 || GEN. (quasi-adjl., qualifying persons or things) belonging or appropriate to Hades, **deadly, hellish** A. E.
4 hell (opp. heaven) NT.
—**Ἁιδόσδε** *adv.* **to Hades** Hom.
ἄδησειε (3sg.aor.opt.): see ἀδέω
ἁδήσω (fut.): see ἀνδάνω
ἀδηφαγέω *contr.vb.* [ἀδηφάγος] (of horses) **eat voraciously** Isoc.
ἀδηφαγίᾱ ᾱς, Ion. **ἀδηφαγίη** ης *f.* **1 gluttony** Call.
2 ample diet (of an athlete) Plu.
ἀδη-φάγος ον *adj.* [ἄδην, φαγεῖν] **1** eating to satiety; (of a person or animal) **gluttonous, voracious** Theoc. Plu.
2 (fig., of a sickness) **ravenous** S.
ἀ-δῄωτος ον *adj.* [privatv.prfx., δῃόω] (of land) **not ravaged** X. Plu.
ἀ-διάβατος ον *adj.* [διαβατός] (of a river or valley) **impassable** X.

ἀ-διάβλητος ον *adj.* [διαβάλλω] (of a person, a judge's ear, friendship) unaffected by derogatory remarks, **impervious to slander** Arist. Plu.
ἀ-διάθετος ον *adj.* [διατίθημι] without making a will, **intestate** Plu.
ἀ-διαίρετος ον *adj.* [διαιρετός] **1** (of property) **undivided** Arist.
2 (of things) **indivisible** Arist.
ἀ-διάκριτος ον *adj.* (of the sound of voices) allowing no discrimination (betw. one and another), **indistinguishable** Plb.
ἀδιαλείπτως *adv.* [διαλείπω] without intermission, **continuously** Plb.
ἀ-διάλλακτος ον *adj.* [διαλλάσσω] **1** (of a person) **irreconcilable, implacable** D. Plu.
2 (of war) without the possibility of a peace agreement, **uncompromising, relentless** Plu.
—**ἀδιαλλάκτως** *adv.* **irreconcilably, implacably** Plu.
ἀ-διάλυτος ον *adj.* [διαλυτός] (of things) **indissoluble** Pl. Plu.
—**ἀδιαλύτως** *adv.* **without the possibility of coming to terms** —*ref. to making war* Plb.
ἀ-διανόητος ον *adj.* [διανοητός] **1** (of things) **inconceivable** Pl.
2 unintelligible Plb.
—**ἀδιανοήτως** *adv.* **unthinkingly** Pl.
ἀ-δίαντος ον *adj.* [διαίνω] **1** (of a person) **not wet** (w. seawater) B.; (of cheeks, w. tears) Simon.; (of the neck and strength of a wrestler, i.e. his strong neck, w. sweat) Pi.
2 || NEUT.SB. a kind of fern, **maidenhair** Theoc.
ἀ-διάπαυστος ον *adj.* [διαπαύομαι] (of a process) **unceasing, continuous** Plb.
—**ἀδιαπαύστως** *adv.* **continuously** Plb.
ἀ-διάπλαστος ον *adj.* [διαπλάττω] (of embryonic creatures) **unmoulded, unshaped** Pl.
ἀ-διάπτωτος ον *adj.* [διαπίπτω] **1** not liable to error or failure; (of a method or procedure) **faultless, infallible** Plb.
2 (of an outcome) **assured, guaranteed** Plb.
—**ἀδιαπτώτως** *adv.* **1 unerringly** Plb.
2 unfailingly Plb.
ἀ-διάσπαστος ον *adj.* [διασπάω] **1** not torn apart; (of a military formation) **unbroken** Plb.
2 (of a system of government) **uninterrupted, continuous** X.
ἀ-διάφθαρτος ον *adj.* [διαφθείρω] **1** (of a person) **uncorrupted** Pl.
2 incorruptible Pl.
ἀ-διάφθορος ον *adj.* **1** (of things) **indestructible** Pl. Plu.
2 (of a person) **uncorrupted, pure** Pl. Plu.; (of a heart or mind) D.; (of a faculty of perception) Arist.
3 (of persons, in legal or political ctxt.) **incorruptible** Pl. Arist.
4 (of a method or principle) **upright, honest** Pl.
—**ἀδιαφθόρως** *adv.* | superl. ἀδιαφθορώτατα | (in legal ctxt.) **incorruptibly** Pl.; (w. moral connot.) Aeschin.
ἀδιαφορέω *contr.vb.* [ἀδιάφορος] **be indifferent** (over an issue) Plb.
ἀ-διάφορος ον *adj.* (of things) **indistinguishable** (fr. others or each other) Arist.
—**ἀδιαφόρως** *adv.* (w. ἔχειν) **be indifferent** Plb.
ἀ-διαχώριστος ον *adj.* [διαχωρίζω] (of the properties of a curved line) **inseparable** Arist.
ἀ-δίδακτος ον *adj.* [διδακτός] (of a chorus) **untrained** D.

ἀ-διεξέργαστος ον *adj.* [διεξεργάζομαι] (of a literary theme) **not fully treated** Isoc.

ἀ-διέξοδος ον *adj.* (of the infinite) which cannot be completely traversed, **uncrossable** Arist.

ἀ-διέργαστος ον *adj.* [διεργάζομαι] (of a speech) **not fully worked over** Isoc.

ἀ-διερεύνητος ον *adj.* [διερευνάω] **1** (of a sea) **not explorable** Pl.
2 (of a person) **not searched** (for concealed weapons) Plu.

ἀ-διήγητος ον *adj.* [διηγέομαι] (of things) **indescribable** X. D. Men. Plu.

ἀ-δίκαστος ον *adj.* [δικάζω] (of a philosophical question) on which a verdict has not been pronounced, **undecided** Pl.

ἀδικέω *contr.vb.* —**ἀδικήω** *Aeol.vb.* [ἄδικος] | *fut.pass.* ἀδικήσομαι ‖ *neut.impers.vbl.adj.* ἀδικητέον | **1** act in a way that is contrary to right or law; **act unjustly** or **unlawfully, do wrong** hHom. Hdt. Trag. Th. +; **commit** —W.COGN.ACC. *wrong, a wrong* Att.orats. Pl. Arist. —W.NEUT.INTERN.ACC. *much, great, no wrong, or sim.* Hdt. E. Th. +
2 (wkr.sens.) **be in the wrong, be mistaken** Pl.; (of a horse) **behave badly** X.
3 (tr.) do wrong to, **wrong** —*a person, city, or sim.* Sapph. Hippon. Eleg. Hdt. S. E. + —*the gods* E. —*a marriage bed* E. ‖ PASS. be wronged Hdt. S. E. Th. +
4 treat injuriously, **harm, damage** —*land* Th. Plb.

ἀδίκημα ατος *n.* **1** act of injustice, **wrong, offence** or **crime** Hdt. E. Th. +; (W.GEN. against the laws) D.
2 (wkr.sens.) error of judgement, **mistake** Plb.
3 ‖ PL. fruits of wrongdoing, ill-gotten gains Pl.

ἀδικίᾱ ᾱς, Ion. **ἀδικίη** ης *f.* **injustice, wrongdoing** Hdt. E. Th. +

ἀδίκιον ου *n.* **1** act of injustice, **offence, crime** Hdt.
2 (leg., as an indictable offence) **misdemeanour, malefaction** (ref. to mishandling of public money, prob. through neglect or inadvertence, opp. deliberate deception) Arist. Plu.

ἀδικοδοξίᾱ ᾱς *f.* [δόξα] creation of a false impression, **misrepresentation** Plb.

ἄ-δικος ον *adj.* [privatv.prfx., δίκη] **1** not in conformity with right or law; (of persons or gods, their minds, lives, or sim.) **unrighteous, unjust** Hes. Eleg. Lyr. Hdt. Trag. Th. +
2 (of actions, circumstances, or sim.) **unjust, unlawful, wrong** Hes. Eleg. Hdt. Th. +; (of wealth, gain) **ill-gotten** Lyr.adesp. Isoc. ‖ NEUT.SG.SB. injustice, wrongdoing Hdt. E. Pl. + ‖ NEUT.PL.SB. unjust or unlawful acts A. Pi. Hdt. E. +
3 (of arguments) **unjust, unfair** E. Ar. Aeschin. D.
4 (of books) **impious** Call.
5 (wkr.sens., of servants) **unruly, disobedient** X.; (of a horse, its jaws) X.
6 (of an animal's insides) **harmed** (by overfeeding) X.
—**ἀδίκως** *adv.* **1 unjustly, unfairly, unlawfully, wrongly** Eleg. +
2 unjustifiably, unreasonably hHom. +

ἀδινός (or **ἁδινός**) ή όν *adj.* [reltd. ἅδην] **1** dense or thick (in space) or closely repeated (in time); (of bees, flies) **in swarms** Il.; (quasi-advbl., of sheep being slaughtered) **in great numbers** Od.; (of lives being sacrificed) Tim.
2 (of missiles) **coming thick and fast** Ibyc.; (of tears) **abundant** S.
3 (of lamentation) **intense** or **ceaseless** Il.
4 (of the heart) app. **beating, throbbing** Hom.
5 (of a voice, speech) **passionate** hHom. AR.
6 (of the bite of censure) **persistent** or **powerful** Pi.
7 (of the Sirens) perh. **unceasing** (in song) Od.
8 (of sleep, grief) **deep** AR.; (of lovemaking) **intense** or **frequent** AR.; (of a person's fate) **terrible** or **lamentable** AR.
9 (of the mind or understanding) **deep, shrewd** Emp.
—**ἀδινόν** *neut.sg.adv.* —also **ἀδινά** *neut.pl.adv.* **1 loudly, passionately** or **incessantly** —*ref. to lamenting, moaning, weeping* Hom. AR. —*ref. to calves lowing* Od. —*ref. to calling out* Mosch.
2 deeply —*ref. to sleeping* AR.
—**ἀδινῶς** *adv.* **passionately** or **repeatedly** —*ref. to sighing* Il.
—**ἀδινώτερον** *compar.adv.* **more passionately** —*ref. to weeping* Od. AR.

ἀ-διοίκητος ον *adj.* [privatv.prfx., διοικέω] (of affairs) **not organised** D.

ἅδιον (*dial.neut.compar.adj.* and *adv.*): see ἡδύς

ἀ-διόρθωτος ον *adj.* [διορθόω] (of affairs) **not set right** D.

ἀ-διόριστος ον *adj.* [διορίζω] **1** (of things) **indefinable** Arist.
2 inseparable Arist.
—**ἀδιορίστως** *adv.* without making distinctions, **imprecisely** Arist.

ἅδιστος (*dial.superl.adj.*): see ἡδύς

ἄ-διψος ον *adj.* [δίψα] (of a belly) **not** (any longer) **thirsty** E.*Cyc.*

ἀ-δμής ῆτος *masc.fem.adj.* [δάμνημι] **1** (of mules, oxen) **not broken in** (i.e. not yet yoked) Od. hHom.
2 (of girls) **unmarried** Od. Hes.*fr.* hHom. A.(cj.) S. AR.
3 (of gods) **not overcome** (W.GEN. by diseases) B.*fr.*

ἄ-δμητος, dial. **ἄδματος**, η (dial. ᾱ) ον (also ος ον) *adj.* **1** (of animals) **not broken in** Hom.
2 (fig., of female deities, girls) **unmarried** hHom. A. B. S.

Ἄδμητος, dial. **Ἄδματος**, ου *m.* Admetos (king of Thessaly, husband of Alkestis) Il. Pi. E. Ar. Pl. Call. AR.

ἀδοιάστως *adv.* [δοιάζω] **undoubtedly** Anacr.

ἀ-δόκητος ον *adj.* [δοκέω] **1** (of persons or things) **not expected, unforeseen** S. E. Th. ‖ NEUT.SB. surprise, unexpectedness Th.
2 (of a person) **not expecting** (death) Pi.
—**ἀδόκητα** *neut.pl.adv.* **1 unexpectedly** E.*fr.*
2 in an unexpected place —*ref. to hiding sthg.* Hes.*fr.*
—**ἀδοκήτως** *adv.* **unexpectedly** Th.

ἀ-δοκίμαστος ον *adj.* [δοκιμάζω] not having passed the official test (of eligibility for cavalry service or public office), **unapproved** Lys. Aeschin.

ἀ-δόκιμος ον *adj.* **1** (of currency) **unapproved, unacceptable** (i.e. not legal tender) Pl.; (of a song) **unauthorised** Pl.
2 (of a horse) not passing inspection, **not approved** (for cavalry service) Arist.
3 (of persons or things) **discredited** or **discreditable** Att.orats. Pl. X. Plb.; (of tattered clothes) **degrading** E.

ἀδολεσχέω *contr.vb.* [ἀδολέσχης] **chatter, babble, prattle** Pl. X. D. Arist.

ἀδολέσχης ου *m.* [perh. λέσχη] one who talks about matters which others regard as unimportant; **babbler, prattler** (ref. to a sophist or philosopher) Ar. Pl.; (gener.) **chatterer, chatterbox** Arist. Thphr.

ἀδολεσχίᾱ ᾱς *f.* **babble, prattle** Ar. Isoc. Pl. Arist. Plu.

ἀδολεσχικός ή όν *adj.* ‖ NEUT.SB. babble, prattle Pl.

ἄ-δολος ον *adj.* [privatv.prfx., δόλος] (of persons, their actions, thoughts, or sim.) lacking deceitfulness, **guileless, honest, true** Sapph. Scol. A. Pi. E. Th. +
—**ἀδόλως** *adv.* | *compar.* ἀδολώτερον | **without deceit, honestly, truly** Sapph. Scol. A. Antipho Th. Pl. +

ᾄδομαι *dial.pass.vb.*: see ᾄδομαι

ἄδον (ep.aor.2): see ἁνδάνω

ἀδονά *dial.f.*: see ἡδονή
ἀδονίς *f.*: see ἀηδονίς
ἀ-δόξαστος ον *adj.* [δοξαστός] ‖ NEUT.SB. that which is not a matter of mere opinion or conjecture Pl.
ἀδοξέω *contr.vb.* [ἄδοξος] 1 (of persons) lack renown, be undistinguished E. Arist.
2 incur disrepute Att.orats. X. Arist. Plb. Plu. ‖ PASS. (of things) be held in disrepute X.
ἀδοξίᾱ ᾶς *f.* 1 disrepute E.*fr.* Th. Att.orats. Pl. X. +
2 lack of renown, obscurity Plb. Plu.
ἀ-δοξοποίητος ον *adj.* [δοξοποιέομαι] (of animals) not endowed with the faculty of thought, unreasoning Plb.
ἄ-δοξος ον *adj.* [δόξα] 1 (of persons or things) lacking a good reputation, disreputable, discreditable or discredited X. Lycurg. Arist. Din. Plu. ‖ NEUT.SB. disrepute Plu.
2 (of persons, places, activities) lacking renown, undistinguished, inglorious Isoc. X. D. Men. Plu.
—ἀδόξως *adv.* 1 ignominiously Plu.
2 ingloriously Plu.
ἄ-δορπος ον *adj.* [δόρπον] (fig., of a city) without a supper (W.GEN. of paeans, i.e. without paeans sung in the evening) Pi.*fr.*
ἀ-δορυφόρητος ον *adj.* [δορυφορέω] without a bodyguard Arist. Plu.
ἄδος *m. or n.* [ἄδην] | only nom. | weariness Il.
ἄ-δοτος ον *adj.* [privatv.prfx., δίδωμι] (of a god) not receiving gifts hHom.
ἀδουλίᾱ ᾶς *f.* [ἄδουλος] lack of slaves Arist.
ἄ-δουλος ον *adj.* [δοῦλος] lacking slaves E.(dub.)
ἀ-δούλωτος ον *adj.* [δουλόω] (of a person's character) not enslaved, undaunted (by circumstances) Plu.
ἄδους *Boeot.adj.*: see ἄδυς
ἀ-δρανής ές *adj.* [δραίνω] (of things) ineffective, weak Plu.
ἀδρανίη ης *Ion.f.* weakness (of aged limbs) AR.
Ἀδράστεια ᾶς, Ion. Ἀδρήστεια ης *f.* Adrasteia (mountain goddess of Phrygia, daughter or nurse of Zeus, w. a cult at Athens; propitiated in advance by those wishing to avert punishment in case their speech proves arrogant) A. E. Pl. D. Men. Call. AR.
Ἄδραστος, Ion. Ἄδρηστος, ου *m.* Adrastos (king of Argos, leader of the Seven against Thebes) Il. Tyrt. Lyr. Hdt. Trag. +
—Ἀδραστίδαι ᾶν *dial.m.pl.* descendants of Adrastos Pi.
—Ἀδράστειος α ον *adj.* (of games) founded by Adrastos Pi.; in honour of Adrastos Pi.
ἄ-δρεπτος ον *adj.* [privatv.prfx., δρέπω] (fig., of the flower of youth) unplucked (in war, i.e. not killed) A.
ἄ-δρηστος ον *Ion.adj.* [reltd. δραπέτης, ἀποδιδράσκω] (of slaves) not likely to run away Hdt.
Ἀδρίᾱς ου, Ion. Ἀδρίης εω *m.* 1 Adrias (gulf of Adria, coastal city nr. the mouth of the river Po; ref. to the head of the Adriatic, mod. Gulf of Venice) Hdt. Lys. Isoc.
2 Adriatic Sea Plb. NT. Plu.
—Ἀδριᾱτικός ή όν *adj.* (of the sea) Adriatic Plu.; (of the gulf) Plb.
—Ἀδριηνός ά όν *dial.adj.* (of the shore) of Adria or Adrias E.
ἁδρός ά (Ion. ή) όν *adj.* [reltd. ἄδην] | compar. ἁδρότερος |
1 (of babies, children, young animals) well-grown, sturdy Hdt. Pl. X. Plu.
2 (of crops, corn) mature, ripe Hdt. Arist.
3 (of snow) thick, heavy Hdt.
4 (of war) full-blown Ar.
5 ‖ COMPAR. (of speakers) more powerful (in argument) Isoc.
ἁδροσύνη ης *Ion.f.* ripeness (of corn) Hes.

ἁδροτής *f.*: see ἀνδροτής
ἅδρυνσις εως *f.* [ἁδρύνω] ripening, maturing Arist.
ἁδρύνω *vb.* [ἁδρός] (of the sun) ripen —*crops* X. ‖ PASS. (of corn) ripen Hdt.
ἀ-δρυφής ές *adj.* [privatv.prfx., δρύπτω] unscratched, unscathed Iamb.adesp.
ἁδύ-γλωσσος ον *dial.adj.* [ἡδύς, γλῶσσα] (of a shout) sweet-tongued Pi.
ἁδυεπής, ἁδύλογος, ἁδυμελής *dial.adjs.*: see ἡδυ-
ἀδυναμίᾱ ᾶς, Ion. ἀδυναμίη ης *f.* [privatv.prfx., δύναμαι]
1 lack of physical strength, weakness Pl.; (W.GEN. of the body) X.; exhaustion (of fighting cocks) Plb.
2 lack of power or resources, powerlessness, impotence (of an individual or a people) Hdt. Plb.
3 lack of ability (to do sthg.), inability, incapacity Lys. Pl. X. D. Arist. Plb.; (W.GEN. for sthg.) Pl. Arist. Plb.; (W.INF. to do sthg.) Pl. | see also ἀδυνασία 3
4 (philos.) lack of potentiality Arist.
ἀδυνασίᾱ ᾶς, Ion. ἀδυνασίη ης *f.* 1 lack of physical strength, weakness Hdt.
2 lack of power or resources, powerlessness, impotence (of a people) Th.
3 lack of ability, incapacity (W.GEN. for public speaking) Antipho(v.l. ἀδυναμία) Th.
ἀδυνατέω *contr.vb.* [ἀδύνατος] 1 lack power or ability, be powerless (freq. W.INF. to do sthg.) Pl. X. Aeschin. Arist. Plb.
2 (of actions) be impossible NT.
ἀ-δύνατος ον *adj.* [δυνατός] 1 (of individuals, cities, or sim.) lacking strength, power or influence, powerless, weak Hdt. E. Th. Att.orats. +
2 lacking physical strength; weak (W.DAT. in body) Lys. X.; (in one's feet) NT.; (specif.) disabled (and so entitled to a state pension) Lys. Aeschin. Arist.
3 (of ships) disabled, incapacitated Hdt.
4 not having the capability, powerless, unable (W.INF. to do sthg.) Hdt. E. Th. Ar. Att.orats. +
5 ‖ NEUT.IMPERS. (sg. and pl., w. ἐστί, freq.understd.) it is impossible E. Th. Ar. Pl. + —W.INF. or W.ACC. or DAT. + INF. (*for someone*) to do sthg., for sthg. to happen Pi. Hdt. Th. Att.orats. +
6 (of things) not able to be done or achieved, unachievable, impracticable, impossible Hdt. E. Th. Ar. +; (of an event) unable (W.INF. to happen) Hdt. Pl.
7 not affording a possibility (for sthg. to be done); (of things) impossible (W.INF. to describe, discover, foresee, or sim.) Hdt. Th. X. +
—ἀδυνάτως *adv.* 1 weakly, ineffectively Antipho Lys. Plu.
2 (w. ἔχειν) be physically weak D. Plu.; be powerless or helpless D. Plb. —W.INF. to do sthg. Plb. Plu.
ἁδύοδμος, ἁδύπνοος *dial.adjs.*: see ἡδύοσμος, ἡδύπνοος
ἁδύς *dial.adj.*, ἅδυς *Aeol.adj.*: see ἡδύς
ἄ-δυτος, Boeot. ἄδουτος ον *adj.* [privatv.prfx., δύω¹]
1 ‖ MASC. or NEUT.SB. inner sanctum (of a shrine, freq. as the place fr. where oracles are delivered) Il. hHom. Thgn. Pi. Hdt. Ar.(mock-oracle); (pl. for sg.) E. Corinn.; (fig., W.GEN. of a book, fr. which the teachings of Pythagoras spoke forth) Pl.
‖ MASC.PL.SB. chambers (in a cave, envisaged as a shrine) hHom.
2 (of a treasury) in the inner sanctum or sacrosanct Pi.
ᾄδω, also ἀείδω *vb.* | sts. ἀει- *metri grat.* | ep.inf. ἀειδέμεναι, Lacon. ἀείδην | impf. ᾖδον, dial. ᾆδον, also ἤειδον, dial. ἄειδον, ep. ἄειδον | fut. ᾄσομαι, also ἀείσομαι, dial. ἀσεῦμαι (Theoc.) | also act.fut. ἀείσω, dial. ᾀσῶ (Theoc.) | aor. ᾖσα, dial. ᾆσα, also ἤεισα, dial. ἄεισα, ep. ἄεισα, inf. ᾆσαι, also

ἀδών

ἀεῖσαι ‖ MID.: ep.aor.imperatv. ἀείσεο (hHom.) ‖ PASS.: aor. ἤσθην ‖ neut.impers.vbl.adj. ᾀστέον |
1 sing Hom. + —W.COGN.ACC. *a song, hymn, poem, oracle, or sim.* Hom. + ‖ PASS. (of songs or sim.) **be sung** Hdt. Th. Isoc. Pl. +
2 tell of in song, sing of —*gods, persons or things* Hom. +; (also mid.) hHom.; **sing** —W.COMPL.CL. *that (or how) sthg. happened* Od. Pl. AR. Theoc. —W.ACC. + INF. *that someone did sthg.* Od. ‖ PASS. **be celebrated in song** Pi. B. Isoc. X. Call. Plu. ‖ NEUT.PL.PRES.PTCPL.SB. **songs, choral odes** (in a tragedy) Arist.
3 ‖ PASS. (of a sanctuary) **be filled with song** Pi.
4 (of birds) **sing** Od. Thgn. E. Ar. Pl. +; (of swans) Pl. Cal.. —W.ACC. *of a god* hHom.; (of cockerels, persons imitating them) **crow** Ar. Pl. D.; (of cicadas, persons envisaged as them) **chirp** Hes. Ar. Pl. Arist.; (of frogs) **croak** Mosch.
5 (fig., of a stone, when struck) **sing out** Theoc.; (of a tree, in the wind) Mosch.; (of a tablet) —*its inscription* Call.

ἀδών (aor.2 ptcpl.): see ἀνδάνω
ἀδών f.: see ἀηδών
Ἄδωνις ιδος *m.* — also **Ἄδων** ωνος (Theoc.) *m.* [prob. Semit.loanwd.] | acc. Ἄδωνιν | **Adonis** (a beautiful youth loved by Aphrodite) Sapph. Ar. Pl. Hellenist.poet.
—**Ἀδώνια** ων *n.pl.* **festival of Adonis** (celebrated by women) Ar. Men. Plu. | see also κῆπος 2
—**Ἀδωνιάζουσαι** *fem.pl.ptcpl.sb.* **Women Celebrating the Festival of Adonis** Theoc.(title)
—**Ἀδωνιασμός** οῦ *m.* **Adonis-worship** Ar.
ἀ-δώρητος ον *adj.* [privatv.prfx., δωρητός] **1** (of deities) **without an offering** hHom. Theoc.
2 (of a warrior) **unrewarded** E.
ἀ-δωροδόκητος ον *adj.* [δωροδοκέω] **not subject to bribery, uncorrupted** or **incorruptible** Att.orats. Arist. ‖ NEUT.SB. **incorruptibility** Plu.
—**ἀδωροδοκήτως** *adv.* **incorruptibly** D.
ἄ-δωρος ον *adj.* [δῶρον] **1 taking no gifts** (W.GEN. of money, i.e. bribes) Th.; **incorruptible** Plu.
2 (of Eros) **making no gift** (W.GEN. of ill will) Pl.
3 (of a deer-hunt) **without a reward** (i.e. offering, for a goddess) S.
4 (oxymor., of an enemy's gift) **which is no gift** S.
ἀ-δώτης εω *Ion.m.* one who does not give, **non-giver** Hes.
ἀέ *dial.adv.*: see ἀεί
ἀεθλεύω *Ion.vb.*, **ἀεθλέω** *Ion.contr.vb.*: see ἀθλ-
ἀεθλητήρ, ἀεθλητής *Ion.m.*: see ἀθλ-
ἀέθλιον ου *Ion.n.* [reltd. ἄθλον] **1 prize** Hom. Call.
2 contest Od. Call.
—**ἀέθλιος** η ον *Ion.adj.* (of a horse) **competing for prizes, racing** or **prize-winning** Thgn. Call.
ἄεθλον *Ion. and dial.n.*: see ἄθλον
ἀεθλονῑκίᾱ ᾱς *dial.f.* [ἆθλος, νίκη] **victory in the games** Pi.
ἄεθλος *Ion. and dial.m.*: see ἆθλος
ἀεθλοφορέω *Ion.contr.vb.*: see under ἀθλοφόρος
ἀεθλοφόρος *Ion.adj.*: see ἀθλοφόρος
ἀεί (also **ἀεί**), dial. **αἰεί**, ep. **αἰέν**, also dial. **ἀές, αἰές, ἀέ** (Pi., cj.), Aeol. **ἄι** *adv.* **1 for all time, always, for ever, in perpetuity** Hom. +
2 throughout all of a specified or implied time, all the time, continually, unceasingly Hom. +
3 at each particular moment, each time, in each case A. +
• θῶπτε τὸν κρατοῦντ' ἀεί *flatter the one who is in power at the time* A. • δέχου τὰ συμφέροντα τῶν ἀεὶ λόγων *take what is useful from the words spoken on each occasion* S.

ἀει-γενής ές *adj.* [γένος, γίγνομαι] **existing for ever, eternal, everlasting** Pl. X.
ἀείδελος ον *adj.* [reltd. ἀίδηλος] **unseen, invisible** Hes.*fr.*
ἀ-ειδής ές *adj.* [privatv.prfx., εἶδος¹] (of a person) **unsightly, ugly** Plu.; (as an example of a prosaic adj.) Arist.
ἀείδω *vb.*: see ᾄδω
ἀεί-ζωος ον, contr. **ἀείζως** (also **ἀείζως** or **αἰείζως** A.) ων *adj.* [ζωός] (of fire, the soul) **ever-living, undying** Heraclit. Melanipp.; (hyperbol., of a person, through his fame) X.; (of a burden) **everlasting** A. ‖ MASC.PL.SB. **eternal ones** (i.e. gods) Call.
ἀει-ζώων ουσα ον *ptcpl.adj.* [ζώω] (of offerings to a god) **everlasting** (i.e. given in perpetuity) Call.
ἀει-θαλής ές *adj.* [θάλλω] (fig., of the breath seemingly possessed by a work of art) **in perpetual bloom, unfading** Plu.
ἀεικείη *Ion.f.*: see ἀκεια
ἀεικέλιος *ep.Ion.adj.*: see ἀκέλιος
ἀεικής *ep.Ion.adj.*: see ἀκής
ἀεικίζω *ep.vb.*: see ἀκίζω
ἀει-κίνητος ον *adj.* [ἀεί, κινητός] **in constant motion** Pl.
ἀει-κοίματος ον *dial.adj.* [κοιμάω] (prob. of sleep) **giving eternal rest, everlasting** Lyr.adesp.
ἀειλογίᾱ ᾱς *f.* [λόγος] (in political or legal ctxt.) **permanent accountability** D.
ἀεί-μνηστος (also **ἀείμνηστος, αἰείμνηστος**), dial. **ἀείμναστος**, ον *adj.* [μιμνήσκω] **remembered for all time, never to be forgotten** Scol. Trag. Lyr.adesp. Th. Att.orats. X. Plb.
—**ἀειμνήστως** *adv.* **unforgettably** Aeschin.
ἀείνως *Att.adj.*: see ἀέναος
ἀεί-πλανος ον *adj.* [πλάνος¹] (fig., of the lips of an old woman) **always wandering, ever-babbling** Call.
ἀεί-ρυτος ον *adj.* [ῥυτός] (of a spring) **ever-flowing** S.
ἀείρω *vb.*: see αἴρω
ἀείς (ptcpl.): see ἄημι
ἄεισα (ep.aor.): see ᾄδω
ἄεισι (3pl.): see ἄημι
ἄεισμα *n.*: see ᾆσμα
ἀείσομαι (fut.): see ᾄδω
ἀεί-φρουρος ον *adj.* [φρουρά] (of a tomb) **keeping eternal watch** (over its occupant) S.
ἀειφυγίᾱ ᾱς *f.* [φυγή] **permanent exile** Pl. D. Arist. Plu.
ἀεκαζόμενος η ον *dial.ptcpl.adj.* [ἄκων] (quasi-advbl., of persons doing sthg.) **unwillingly, reluctantly** Hom. hHom.; (having sthg. done to one) **against one's will, unwelcomely** Od. hHom.
ἀεκήλιος *ep.Ion.adj.*: see ἀκέλιος
ἀ-έκητι *ep.Ion.adv.* —**ἀέκατι** *dial.adv.* [privatv.prfx., ἕκητι] (as prep., freq. following its noun) **against the will** —W.GEN. *of someone* Hom. Hes. B. AR.
ἀεκούσιος *Ion.adj.*: see ἀκούσιος
ἀέκων *dial.ptcpl.adj.*: see ἄκων
ἄελιος *dial.m.*: see ἥλιος
ἄελλα, Ion. **ἀέλλη**, ης (dial. ᾱς) *f.* [reltd. ἄημι] **1 storm-wind, squall** Hom. Hes. hHom. AR.
2 swirl (of dust) Il.
3 pant, gasp (of an athlete) B.
4 rotatory motion, whirl (W.GEN. of the stars) E.
ἀελλαῖος ᾱ ον *adj.* (of a dove) **swift as a storm-wind** S.
ἀελλάς άδος *fem.adj.* (of a horse, deer) **swift as a storm-wind** S. E.
ἀελλο-δρόμᾱς ᾱ *dial.masc.adj.* [δραμεῖν] (of a horse) **running with the pace of a storm-wind, storm-swift** B.

ἀελλό-πος ποδος *masc.fem.adj.* [πούς] (of deities) with feet as swift as a storm-wind, **storm-footed** Il. E.; (of horses) hHom. Simon. Pi. AR.; (of chariot teams) Pi.

ἀ-ελπής ές *adj.* [privatv.prfx., ἔλπομαι] (of land) **beyond hope** (for a sailor) Od.

ἀελπτέω *contr.vb.* [ἄελπτος] **have no hope, despair** —w.ACC. + INF. *that sthg. is or will be the case* Il. Hdt.

ἀελπτίᾱ ᾱς, Ion. **ἀελπτίη** ης *f.* [ἄελπτος] **unexpectedness, surprise** Archil. Pi.

ἄ-ελπτος ον *adj.* —also **ἀνάελπτος** (Hes.) *ep.adj.* [privatv.prfx., ἔλπομαι] | also ἄ- *metri grat.* (Hes.*fr.*) | **1 not expected, unexpected, unlooked for, unforeseen** Hes. hHom. B. Trag.; (prep.phr.) ἐξ ἀέλπτου **unexpectedly** Hdt.; (also) ἐξ ἀέλπτων A. S.
2 not hoped for, unwanted A. B. E. Plu.(oracle)
3 unimaginable, incredible Archil. S. E. Ar.
—**ἄελπτα** *neut.pl.adv.* **unexpectedly** S. E.
—**ἀέλπτως** *adv.* **unexpectedly** Trag.

ἄεμμα ατος *n.* **bow** (of an archer) Call.

ἄε(ν) (3sg.impf.): see ἄημι

ἀέναος, also **αἰέναος**, Ion. **ἄεννᾱος** (Hdt.), ον, Att. **ἀείνως** ων (Ar.) *adj.* [ἀεί, νάω] **1** (of rivers, springs, or sim.) **ever-flowing** Hes. Simon. A. B. Hdt. E. +
2 (fig., of glory, power, fire, wealth, or sim.) **everlasting** Simon. Pi. E. Ar. Pl. X. Call.
—**ἀενάων**, also **αἰενάων**, ουσα ον *ptcpl.adj.* **ever-flowing** Od. Hes.

ἀεξί-γυιος ον *adj.* [ἀέξω, γυῖα] (of athletic contests) **strengthening the limbs** Pi.

ἀεξί-φυλλος ον *adj.* [φύλλον] (of river banks) causing leaves to grow, **leafy** A.

ἀέξω *vb.* [reltd. αὐξάνω, αὔξω] | ep.impf. ἄεξον || MID.: Ion.2sg. ἠέξευ (Call.), ep.3sg. ἀέξετο, 3pl. ἠέξοντο (AR.) | fut.inf. ἀεξήσεσθαι (AR.) | 3pl.aor. ἠέξαντο (Call.) | PASS.: aor.ptcpl. (w.mid.sens.) ἀεξηθείς (AR.) |
1 cause (living things) **to grow**; (of a goddess, rain) **cause** (w.ACC. trees, crops, wine, i.e. grapes) **to grow** Od. hHom. Call.; **make** (w.ACC. a youth) **grow strong** Od.; (fig., of a god) **nourish** —*the bloom of song* Pi. —*new-styled music* Tim. || MID. (of grass, crops, trees) **grow** Hes. AR.; (of a youth or infant, parts of the body) Od. Hes. hHom. Sol. Call. AR.
2 cause (sthg.) **to increase** (in extent or degree); **raise, strengthen** —*someone's spirits* Il.; **increase, swell** —*strength, power, renown, prosperity* Il. Simon. B. AR. Theoc.; (of a god) —*livestock* Hes.; (of a land) —*the slaughter of sacrificial cattle* E.; (of rumour) **magnify, amplify** —*news* S.
3 || MID. (of a young bird's wings) **grow strong** Theoc.; (of a wave, a person's strength or spirits, blood) **swell** Od. A. AR.; (of the earth) **burgeon** —w.DAT. *w. flowers* Thgn.; (of human intelligence) **develop** Emp.
4 || MID. **increase** (in size or number); (of a shrine) **grow** (as it is being built) hHom.; (of wealth, griefs) **multiply** Hes. AR.
5 cause (an emotion) **to increase** (in intensity); **cause** (w.ACC. grief, courage, wrath) **to swell** (freq. W.PREP.PHR. in one's heart) Hom. Hes. Thgn. AR.; (wkr.sens.) **foster, nourish** —*thoughts* B. || MID. (of anger, a proud spirit) **swell up** —W.PREP.PHR. *in one's breast* Il. Hes.
6 make greater (in power, stature or reputation); **increase the power of** —*the common people* Hdt.; **exalt** —*a god* Call.; (of a god) —*persons, a city* Hes. Pi.; (of a contest) —*a victor* Pi.; (of wealth, virtue) —*a person* Call.
7 (of a god) **cause** (w.ACC. a person's work) **to prosper** Od. || MID. (of work, a house) **prosper** Od. Call.

8 || MID. (of a day, moon, month) **grow** (towards a peak or mid-point), **wax** Hom. Hes. hHom.; (of spring) hHom.

ἄ-επτος ον *adj.* [privatv.prfx., pop.etym. ἕπομαι] **1** (of lion cubs) perh., unable to follow, **helpless** A.
2 [reltd. ἔπος] (of sufferings) **unspeakable** A.; (of birth-pains) hHom.(cj.) [or perh.reltd. ἔπω *unmanageable*]

ἀ-εργηλός ή όν *Ion.adj.* [ἔργον] **1** (of a heifer) **not yet put to work** AR.
2 (of sleep) **idle** Lyr.adesp.

ἀεργίᾱ *dial.f.*, **ἀεργίη** *ep.Ion.f.*: see ἀργίᾱ

ἄεργος *ep.adj.*: see ἀργός

ἄερδην *dial.adv.*: see ἄρδην

ἀέρθην (ep.aor.pass.): see αἴρω

ἀέρινος η ον *adj.* [ἀήρ] **made of air** Arist.

ἀέριος ᾱ ον, Ion. **ἠέριος** η ον *adj.* **1** (of darkness) **misty, murky** E.(dub.)
2 (of a wave, land) shrouded in mist, **misty** Lyr.adesp. AR.; (of sand) AR. [or perh., for the latter, *raised in the air, i.e. above the waterline*]
3 (of a land) **of mists** (ref. to Egypt) A.
4 (fig., of dithyrambs) **misty** Ar.
5 (perh. of the sea, fig.ref. to the sky) **airy** Ar.(mock-dithyramb)
—**Ἠερίη** ης *Ion.f.* **Land of Mists** (an old name of Egypt) AR.

ἄ-ερκτος ον *adj.* [privatv.prfx., εἴργω] (of a plot of land) **not enclosed, unfenced** Lys.

ἀερο-βάτᾱς ᾱ *dial.masc.adj.* [ἀήρ, βαίνω] (of winds) **walking the air** Lyr.adesp.

ἀεροβατέω *contr.vb.* (of Socrates) **walk on air** (i.e. have his head in the clouds) Ar. Pl.

ἀερο-δόνητος ον *adj.* [δονέω] (of dithyrambic preludes) **whirling in the air** Ar.

ἀερο-ειδής, Ion. **ἠεροειδής**, ές *adj.* [εἶδος¹] **1** (of sea, clouds, mountains, rocks, caves) **misty, hazy, murky** Hom. Hes. hHom. AR.
2 (of the human respiratory tracts) **comprised of air** Pl.
—**ἠεροειδές** *Ion.neut.adv.* **into the misty distance, through the haze** —*ref. to looking out fr. a vantage point* Il.

ἀερόεις, Ion. **ἠερόεις**, εσσα εν *adj.* **1** (of a strait) **misty** AR.; (of darkness, the underworld, or sim.) **murky, shadowy** Hom. Hes. Thgn. Lyr.adesp.
2 (of the breath of Athena) **airy** Telest.(cj.)

ἀερομετρέω *contr.vb.* [μετρέω] (of Socrates) **measure the air** (i.e. speculate idly) X.

ἀερο-νηχής ές *adj.* [νήχω] (of birds, fig.ref. to clouds) **swimming through the air** Ar.

ἀερο-πετής ές *adj.* [πίπτω] (fig., of a royal pretender) **fallen from the sky** Plb.

ἀερο-πόρος ον *adj.* (of a class of beings, ref. to birds) **travelling through the air** Pl.

ἀερό-φοιτος ον *adj.* —also **ἀεροφοίτᾱς** ᾱ *dial.masc.adj.* —**ἠεροφοῖτις** ιδος *Ion.fem.adj.* [φοιτάω] **1** (of dogs, fig.ref. to carrion birds) **roaming the air** Ar.(quot. A.); (of the morning star) Ion
2 (of an Erinys) **roaming in darkness** Il.

ἀέρρω *Aeol.vb.*: see αἴρω

ἀερσί-λοφος ον *adj.* [αἴρω, λόφος] (of helmets) **high-crested** AR.

ἀερσί-μαχος ον *adj.* —or perh. **ἀερσιμάχᾱς** ᾱ *dial.masc.adj.* [μάχη] (of warriors) **taking on the fight** B.(dub.)

ἀερσί-νοος ον *adj.* [νόος] (of wine) **that makes the mind soar** Ion

ἀερσι-πότης εω Ion.masc.adj. —also **ἀερσιπότητος** ον adj. [ποτάομαι] (of swans) **high-flying** Hes.; (of spiders) **high-hovering** Hes.

ἀερσί-πους (also **ἀρσίπους**) ποδος masc.fem.adj. [πούς] (of horses) raising the feet, **high-stepping, prancing** Il. hHom.

ἀερτάζω vb. **1 lift up** —one's hands (to a god, in prayer) Call. —the hem of a garment AR.
2 lift up or **carry** —rocks Call. AR.
3 wear —an animal-skin (W.ADJ. on one's shoulders) Call.

ἀές dial.adv.: see ἀεί

ἄεσα ep.aor.vb. [reltd. ἰαύω] | 1sg. ἄεσα, 1pl. ἀέσαμεν, also ἄσαμεν, 3pl. ἄεσαν, also ἄεσαν, inf. ἀέσαι | pass or spend a night (asleep or awake); **pass** —W.INTERN.ACC. a night Od. AR.

ἀεσιφροσύνη ης f. [ἀεσίφρων] **delusion, folly** Od. Hes.

ἀεσί-φρων ον, gen. ονος adj. [app. ἀάω; φρήν] (of persons, their hearts) impaired or misguided in thinking, **deluded, foolish, mad** Hom. Hes.

ἀετός Att.m.: see αἰετός

ἀετο-φόρος ου Att.m. [αἰετός, φέρω] **standard-bearer** (in the Roman army) Plu.

ἄζα ης f. [ἄζω] **dirt, mould** or **rust** (on an old shield) Od.

ἀζαλέος ᾱ (Ion. η) ον adj. **1** (of trees, a mountainside, oxhide, a dragon's scales) **dried up, parched** Hom. AR.; (of a club) **hard-dried, solid** AR.
2 (of Sirius, the sun) **parching, scorching** Hes. AR.; (fig., of mad passion) Ibyc.

ἀζάνομαι pass.vb. (of trees) dry up, **wither** hHom.

ἄ-ζηλος ον adj. [privatv.prfx., ζῆλος] **1** (of things) **unenviable** Semon. Hdt.(oracle) Trag. Plu.
2 not admirable or **commendable** Plb. Plu.

ἀ-ζηλότυπος ον adj. || NEUT.SB. **freedom from envy** Plu.

ἀ-ζήλωτος ον adj. [ζηλωτός] (of a person) not to be envied, **unenviable** Pl.

ἀ-ζήμιος ον adj. [ζημία] **1** not paying a penalty or liable to punishment, **without penalty, unpunished** Hdt. E. Ar. Att.orats. Pl. X. +; (W.GEN. for crimes) Plb.
2 (of persons who have paid a fine) **free from further penalty** Hdt. [or perh. absolved of guilt]
3 (of crimes) **not liable to punishment** Arist.; (of over-sensitiveness, in neg.phr.) **entailing no penalty, leaving one unscathed** E.
4 (of a failed or withdrawn prosecution) **not liable to a fine** Arist.
5 not suffering financial loss, **not out of pocket** Ar. Aeschin.
6 not deserving of punishment, **blameless, not at fault** S.
7 (of sour looks) **not injurious** (but merely distressing) Th.

ἀ-ζήτητος ον adj. [ζητητός] (of state affairs) **uninvestigated** Aeschin.

ἀ-ζηχής ές adj. **1** [perh.reltd. διέχω] (of noise, pain) **unceasing, continuous** Il.
2 [perh.reltd. ἀζαλέος] (of clubs) perh. **hard** or **of seasoned wood** AR.
—**ἀζηχές** neut.adv. **incessantly** Hom. hHom.(cj.)

ἄζομαι mid.vb. [reltd. ἅγιος] | only pres. and impf. | **1 stand in awe of, revere, respect** —gods or persons Hom. Hes. Thgn. Simon.(cj.) A. Call. AR. —a god's anger, powers, vengeance Thgn. A. Theoc. —an oracle E.
2 (of a violent action, in neg.phr.) **respect, spare** —a person's hair A.
3 (intr.) **feel reverence** or **show respect** Od. A.(cj.) AR. —W.PREP.PHR. for a god S.
4 shrink —W.INF. fr. doing sthg. Hom. E. AR. —W. μή + CL. Il.
—**ἄζω** act.vb. **show reverence** S.(dub.)

ἄ-ζῡμος ον adj. [privatv.prfx., ζύμη] (of a substance) **unfermented** Pl.

ἄ-ζυξ ζυγος masc.fem.adj. [ζεύγνυμι] **1** (of an ox) **never yoked** B.
2 (fig., of a man or woman) **unyoked, unjoined** (W.GEN. in marriage) E.; (of a goddess, a girl) **unwedded** E. Ar. Theoc.; (of a man, W.GEN. to a wife) E.fr.
3 (fig., of a man without a city, envisaged as a piece in a board-game) **solitary, isolated** Arist.

ἄζω act.vb.: see under ἄζομαι

ἄζω, Aeol. **ἄσδω** vb. (of the star Sirius) **dry up, parch** —flesh, parts of the body Hes. Alc. || PASS. (of a felled tree) be dried up, become parched or withered Il.; (fig., of a person) —W.ACC. in one's heart (fr. grief) Hes.

ἄ-ζωστος ον adj. [privatv.prfx., ζωστός] **1** (of men) not wearing a waist-band, sash or belt, **ungirt** Pl. Plu.; (as a mark of haste) Hes.; (of a girl, as a mark of youth) Call.
2 (of a tunic) without a belt, **unbelted** Plu.

ἀηδέω contr.vb. [ἀηδής] | 3sg.aor.opt. ἀηδήσειε | **be displeased** —W.DAT. w. a meal Od.(dub., v.l. ἀδήσειε) | see ἀδέω

ἀ-ηδής, contr. **ἀδής** (Thgn., cj.), ές adj. [ἡδύς, ἥδομαι] (of persons or things) **unpleasant, disagreeable** Thgn. Hdt. Att.orats. Pl. X. Arist. +
—**ἀηδῶς** adv. **1 unpleasantly, disagreeably** Isoc. Pl. Plu.
2 without pleasure (for oneself) Isoc. Pl. X. Arist. Plb. Plu.
3 (w. ἔχειν or διακεῖσθαι) **be displeased** Isoc. Pl. Plu. —W.DAT. or πρός + ACC. w. sthg. D. Plu.; **be on bad terms** —W.DAT. w. someone Att.orats. Plu.

ἀηδία ᾱς f. **1 unpleasantness, disagreeableness** (of persons or things) Att.orats. Arist. Men. Plb. Plu.
2 lack of pleasure (opp. ἡδονή pleasure) Pl.
3 displeasure, disgust Pl.; **dislike** (w. πρός + ACC. for someone) D.

ἀηδονιδεύς ῆος dial.m. [ἀηδών] **young nightingale** Theoc.

ἀηδόνιος ον adj. **1** (of a lament) **of a nightingale** Ar.
2 (of a rock, ref. to the Acropolis) **where nightingales sing** E.

ἀηδονίς, also **ἀδονίς** (Theoc. Mosch.), ίδος f. **nightingale** Lyr.adesp. E. Hellenist.poet.

ἀηδών όνος f. —also **ἀηδώ** οῦς (S.) f. | voc. ἀηδοῖ (Ar.) | —also **ἀδών** όνος (Mosch.) f. **nightingale** Hes. +; (ref. to the daughter of Pandareos, who was changed into this bird; its cry assoc.w. her lamentation for her son Itylos) Od.; (assoc.w. the lamentation of Prokne for her son Itys) Trag.; (fig., ref. to a poet) B.; (pl., meton.ref. to poetry) Call.epigr.

ἀήθεια (also **ἀηθίᾱ** E.) ᾱς, Ion. **ἀηθείη** ης f. [ἀήθης] **1** state of being unaccustomed (to sthg.); **unfamiliarity** E. Pl. AR. Plu.; (W.GEN. w. adversity) Th.; (w. subservience) Plu.
2 state of being unfamiliar (to someone); **unfamiliarity, strangeness, novelty** (of a situation) Pl. Plu.; (W.GEN. of a description) Pl.

ἀηθέσσω vb. | ep.impf. ἀήθεσσον, also ἀήθεσον | **be unaccustomed** —W.GEN. to sthg. Il. AR. —W.PTCPL. to doing sthg. AR.

ἀ-ήθης ες adj. [privatv.prfx., ἦθος] **1 unaccustomed, unused** (W.GEN. to sthg.) Th. Pl. X. D. Plb. Plu.; (W.INF. to doing sthg.) Emp.
2 (of things, circumstances) **unfamiliar, unusual** A. Th. Pl. X. Plu. || NEUT.IMPERS. (w. ἐστί understd.) it is unusual —W.DAT. + INF. for someone to do sthg. Pl. —W.PASS.INF. to experience sthg. Pl.

3 (of persons portrayed by Homer, in neg.phr.) **characterless** Arist.; (of tragedies) **lacking character portrayal** Arist.
—**ἀήθως** *adv.* **unaccustomedly, unexpectedly** Th.
ἀηθίᾱ *f.*: see ἀήθεια
ἄημα ατος *n.* [ἄημι] **wind, breeze** A. S. Call.; **blast** (fr. bellows) Call.
ἄημι *vb.* | 3pl. ἄεισι, 3du. ἄητον | inf. ἀῆναι, ep. ἀήμεναι | ptcpl. ἀείς | 3sg.imperatv. ἀήτω | 3sg.impf. ἄη, also (as if fr. ἄω) ἄε(ν) (AR.) ‖ PASS.: 3sg.pres. ἄηται, 3sg.impf. ἄητο | ptcpl. ἀήμενος |
1 (of winds or sim.) **blow** Hom. Hes. hHom. Emp. AR. Theoc. ‖ PASS. (of winds) blow AR.; (fig., of anger, envisaged as a wind) A.
2 ‖ PASS. (of a lion) **be blown upon or beaten** (by the wind) Od.
3 ‖ PASS. (of sounds) **be carried by the wind, be wafted** AR.; (fig., of testimonials to people's fame) —W.PREP.PHR. *among mankind* Pi.
4 ‖ PASS. (fig., of beauty, charm) **waft** —W.ADV. or PREP.PHR. *around someone, over sthg., fr. the head and eyes* Hes. hHom.
5 ‖ PASS. (fig., of the minds or spirits of opposing persons) **be blown about, be tossed** —W.ADV. *in different directions* Il.; (of a person's spirit) **flutter** (w. anxiety) AR.
6 ‖ PASS. (of amazement) **flutter** —W.PREP.PHR. *in the mind* AR.; (of prudent thoughts) —*out fr. the breast* AR.
ἀήρ ἀέρος (Ion. ἠέρος) *m.f.* | *f.* Hom., sts. Hellenist.poet. |
1 **mist, darkness** (freq. as a veil of invisibility) Hom. Hes. Men. AR. Theoc.
2 **air** (sts.opp. αἰθήρ *upper air*) hHom. Ibyc. Pi.*fr.* Emp. Hdt. S. +; (personif., as a deity) **Air** Ar.
3 **condition of the air; atmosphere, weather** Plb. Plu.; **climate** (of a region) Plb.
ἄησις εως *f.* [ἄημι] **gust, blast** (of wind) E.; (W.GEN. of smoke) E.*fr.*
ἀ-ήσσητος, Att. **ἀήττητος**, dial. **ἀνήσσᾱτος** (Theoc.), ον *adj.* [privatv.prfx., ἡσσάομαι] 1 (of persons, troops, their spirits, or sim.) **unconquered, unbeaten** (in war or a contest) Th. Att.orats. Pl. X. Theoc. Plb. Plu.
2 **unconquerable, invincible** Pl. D. Arist. Plb. Plu.
ἀήσυλος ον *adj.* [perh.reltd. αἴσυλος] (of deeds) **evil, wicked** Il.
ἀήσυρος ον *adj.* 1 (of ants, a bird's knee) perh. **light as air** A. Call.
2 (of a breeze) **gentle** AR.
ἀήτη ης, dial. **ἀήτᾱ** ᾱς *f.* —also **ἀήτης** εω (Hellenist.poet.) Ion.m. [ἄημι] **blast** (usu. W.GEN. of wind) Hom. Hes.; **wind, breeze** Od. Lyr. Hellenist.poet.
ἀητό-ρρους ου Att.m. [ῥόος] **wind-flow** (as an example of a compound word) Pl.
ἄητος ον *adj.* [perh.reltd. αἴητος] (of audacity, meaning unknown) Il.
ἀήττητος Att.adj.: see ἀήσσητος
ἀ-θάλαττος ον Att.adj. [privatv.prfx., θάλασσα] **not living near the sea** Men.
ἀ-θαλάττωτος ον Att.adj. [θαλαττόομαι] **unused to the sea** Ar.
ἀ-θαλής (or **ἀθαλλής**) ές *adj.* [θάλλω] (of laurel wreaths) **not blooming, withered** Plu.
ἀ-θαμβής ές *adj.* [θάμβος] **lacking awe;** (of children) **not fearful** (W.GEN. of the dark) Plu.; (of love, Hybris) **fearless, shameless** Ibyc. B.
Ἀθάνᾱ, Lacon. **Ἀσάνᾱ**, ᾶς, Ion. **Ἀθήνη** ης *f.* —also Ἀθηναίᾱ ᾶς, Att.contr. **Ἀθηνᾶ** ᾶς, Ion. **Ἀθηναίη** ης, dial.

Ἀθᾱναίᾱ, Lacon. **Ἀσᾱναίᾱ**, Aeol. **Ἀθᾱνάᾱ**, ᾱς *f.* [the latter forms reltd. Ἀθηναῖος; see under Ἀθῆναι] **Athena** (virgin daughter of Zeus, born fr. his head, assoc.w. crafts, wisdom and war, patron goddess of Athens) Hom. +
Ἀθᾶναι *dial.f.pl.*: see Ἀθῆναι
Ἀθᾱναῖος *dial.adj.*: see Ἀθηναῖος, under Ἀθῆναι
ἀθανασίᾱ ᾱς *f.* [ἀθάνατος] **freedom from death, immortality** (sts.ref. to the survival of one's reputation) Isoc. Pl. Arist. Men. Plu.
ἀθανατίζω *vb.* 1 **believe oneself to be immortal** Hdt.
2 **become immortal, achieve immortality** Arist. ‖ PASS. (of a person's renown) **be made immortal** Plb.
ἀ-θάνατος, Lacon. **ἀσάνατος**, η (dial. ᾱ) ον (also ος ον) *adj.* [privatv.prfx.] 1 (of gods, their attributes) **undying, immortal** Hom. + ‖ MASC.FEM.PL.SB. immortal gods or goddesses Hom. + ‖ MASC.SG.SB. immortal god Od.
2 (of life, the soul, fame, virtue, sorrow, or sim.) **undying, everlasting** Pi. B. Emp. Hdt. S. E. +; (hyperbol., of a man) **immortal** (through his fame) Tyrt. Arist.*lyr.*
3 ‖ MASC.PL.SB. **Immortals** (title of a group of soldiers in the Persian army, whose successors were appointed before their deaths to ensure immediate continuity) Hdt.; (sg., of an individual member of this group) Hdt.
ἄ-θαπτος ον *adj.* [θάπτω] **unburied** Hom. Trag. Plu.(quot. epigr.)
ἀθάρη ης *f.* **gruel, porridge** (made fr. wheat) Ar.
ἀ-θαρσής ές *adj.* [privatv.prfx., θάρσος] **lacking courage, timid** Plu.; (fig., of a kind of wisdom) Plu.
—**ἀθαρσῶς** *adv.* **timidly** Plu.
ἀ-θέᾱτος ον *adj.* [θεατός] 1 (of persons) **with no sight** (W.GEN. of sthg.) X. Plu.
2 (of sacred rites or objects) **not to be seen** (usu. W.DAT. by certain persons) Plu.
ἀθεεί *ep.adv.*: see under ἄθεος
ἀ-θείαστος ον *adj.* [θειάζω] (of an idea) **uninspired** Plu.
ἀ-θέλεος ον *adj.* (of a person) **unwilling** A.
ἄ-θελκτος ον *adj.* [θέλγω] **not to be beguiled** A.
ἄ-θεμις ι, gen. ιτος *adj.* [θέμις] | masc.fem.acc. ἄθεμιν | (of a person or goddess) **unrighteous, lawless** Pi. E.; (of deceit) Pi.
ἀ-θεμίστιος ον *adj.* (of persons, actions) **unrighteous, lawless** Od.
ἀ-θέμιστος ον *adj.* [θεμιστός] | compar. ἀθεμιστότερος |
1 (of persons) **unrighteous, unprincipled, lawless** Od. X.; (of actions) **impious, sacrilegious** Hdt. Antipho
2 (of a person, banished fr. a community) **lacking the benefits of law** Il.
ἀ-θέμιτος ον *adj.* [θεμιτός] (of actions, prayers) **unlawful, improper, sinful** E. Antipho X. Plb. NT.
ἄ-θεος ον *adj.* [θεός] 1 **lacking a god;** (of a person) **god-forsaken** S.; (of a journey to Hades) E.; (transf.epith., of madness, i.e. inflicted on one who is god-forsaken) B.
2 **lacking what is divine;** (of a pattern of life) **without gods** Pl. ‖ NEUT.SB. **state of godlessness** Pl.
3 **having no regard for the gods;** (of persons, their thoughts or actions) **ungodly, impious** Trag. Lys. Ar. Pl. X. Plu.
4 **denying or not recognising the gods, godless, irreligious, atheistic** Pl. Plu.
5 (of weapons) **ungodly, abominable** Pi.
—**ἀθέως** *adv.* | superl. ἀθεώτατα | 1 **because of abandonment by the gods** —*ref. to a land being blighted* S.
2 **godlessly, impiously** S. Antipho Pl.
—**ἀθεεί** *ep.adv.* **without the help of a god** Od. Mosch.
ἀθεότης ητος *f.* **ungodliness, impiety** Pl.
ἀ-θεραπείᾱ ᾱς *f.* **neglect of medical care** Antipho

ἀθεραπευσίᾱ ᾱς *f.* [ἀθεράπευτος] lack of due care and attention; **neglect** (W.GEN. of the gods) Pl.; (of one's body) Plb.

ἀ-θεράπευτος ον *adj.* [θεραπευτός] **1** (of possessions, a corpse) not looked after, **neglected** X. Plu.
2 (of a person) **unkempt, dishevelled** Plu.

ἀθερίζω *vb.* | ep.aor. ἀθέριξα | make light of, **slight, scorn** —*a person* Hom. AR. —W.GEN. *a person, promise, prayers* AR.; (intr.) **be indifferent** Od. AR.

ἀθερίνη ης *f.* a kind of small fish; **sand-smelt** Hippon.

ἀ-θέρμαντος ον *adj.* [privatv.prfx., θερμαντός] (fig., of a domestic hearth, i.e. household) **not heated** (by a woman's passion) A.

ἄ-θερμος ον *adj.* [θερμός] **lacking heat** Pl.

ἀθεσίᾱ ᾱς *f.* [ἄθετος] breaking one's word, **faithlessness, treachery** Plb.

ἄ-θεσμος ον *adj.* [θεσμός] ‖ NEUT.PL.SB. illegal or sacrilegious acts Plu.

ἀ-θέσφατος ον *adj.* **1** not prescribed by a god (i.e. w. no fixed limit); (of sea, earth, a region) **boundless, limitless, vast** Od. hHom. AR.(dub.); (of a rainstorm) **huge** Hom. AR.; (of a flame) AR. Mosch.
2 (of food, wine) **unlimited** Od.; (of song) Hes.; (of wealth) AR. Theoc.
3 (of winter nights) **endless** Od.
4 (of people, cattle) **countless** Od. hHom.
5 (of a sound, sight, the mind of a god) **indescribable** Hes. Emp. E.

ἀθετέω *contr.vb.* [ἄθετος] | aor. ἠθέτησα | **1** set aside, **dishonour, break, annul** —*a treaty, promise, oath, law, or sim.* Plb. ‖ PASS. (of honours) be annulled Plb.
2 break faith with —*someone* Plb. NT. ‖ PASS. be the victim of a breach of faith Plb.
3 withhold faith in, **disbelieve, reject** —*signs or sim.* Plu. —W.DAT. *a statement* Plb. ‖ PASS. (of a statement) be disbelieved or rejected Plb.
4 reject —*a person, God, His word, or sim.* NT.

ἄ-θετος ον *adj.* [θετός] **1** (of an entity) **without a position or definable place** Arist.
2 (of time set aside for a purpose) not misplaced, **not wasted** Plb.

—**ἀθέτως** *adv.* in a manner which is not laid down, **arbitrarily** A.

ἀ-θεώρητος ον *adj.* [θεωρέω] (of the solution to a geometrical problem) **undiscovered** Plu.

—**ἀθεωρήτως** *adv.* **without careful observation** Plu.

ἄ-θηλος ον *adj.* [θηλή] **1** (of a baby) deprived of the teat, **not suckled** Ar.
2 (of a foal) no longer suckled, **just weaned** Semon.

ἄ-θηλυς υ, gen. εος *adj.* [θῆλυς] (of arrangements for looking after girls) **unfeminine** Plu.

Ἀθηνᾶ Att.contr.*f.*: see Ἀθάνᾱ

Ἀθῆναι ῶν (ep. ἄων, Ion. έων), dial. **Ἀθᾶναι**, Lacon. **Ἀσᾶναι**, ᾶν *f.pl.* —also **Ἀθήνη** ης (Od.) Ion.*f.sg.* [Ἀθάνᾱ] **Athens** (chief city of Attica, under the patronage of Athena) Hom. +

—**Ἀθήναζε** *adv.* **to Athens** Th. Ar. +

—**Ἀθήνηθεν** *adv.* **from Athens** Att.orats. X. Plu.

—**Ἀθήνησι(ν)** *adv.* **at Athens** Th. Att.orats. +

—**Ἀθηναῖος**, dial. **Ἀθᾱναῖος**, Lacon. **Ἀσᾱναῖος**, ᾱ ον *adj.* (of persons or things) of or from Athens, **Athenian** Pi.*fr.* + ‖ MASC.PL.SB. men of Athens, **Athenians** Il. +; (sg.) Sol. +

Ἀθηναίᾱ *f.*, **Ἀθηναίη** Ion.*f.*: see Ἀθάνᾱ

Ἀθήναιον ου Ion.*n.* [Ἀθάνᾱ] **temple of Athena** Hdt.

Ἀθήνη Ion.*f.*: see Ἀθάνᾱ, Ἀθῆναι

ἀθήρ έρος *m.* **1 awn** (bristle growing fr. an ear of grain) Hes.*fr.* X.; (as an exemplar of thinness) Call.
2 point (of a sword) Plu.

ἀ-θήρευτος ον *adj.* [privatv.prfx., θηρευτός] (of wild animals) **not hunted** X.

ἀθηρη-λοιγός οῦ *m.* [ἀθήρ] destroyer of chaff; **winnowing-fan** Od.

ἄ-θηρος ον *adj.* [privatv.prfx., θήρ] (of a region) **lacking wild animals** Hdt.

ἀ-θησαύριστος ον *adj.* [θησαυρίζω] (of certain kinds of fruit) **not to be stored** or **preserved** Pl.

ἄ-θικτος ον *adj.* [θιγγάνω] **1** not touched (by physical contact); (of a blind man) **without the touch** (W.GEN. of a guide) S.; (of an unguent) **untouched** (W.GEN. by the sun's rays) S.; (of a cremated man's toe, W.PREP.PHR. by fire) Plu.
2 not touched (by anything harmful or corrupting); (of a council, an individual) **untarnished, untainted** (W.GEN. by desire for gain, bribery) A. Plu.; (of a life, by evil) Plu.; (of an enterprise, by bloodshed) Plu.; (of a person's dignity, W.DAT. by association w. the common people) Plu.; (of the appearance of a work of art, W.PREP.PHR. by time) Plu.
3 (of a land, city) **undamaged** Plu.; (of a marriage bed, the bodies and characters of maidens, self-control) **inviolate, uncorrupted** E. Plu.
4 not to be touched; (of sacred places, a priestess's robe, a marriage bed) **untouchable, inviolable** S. E. ‖ NEUT.PL.SB. untouchable, inviolable or sacrosanct things A. S.
5 not to be used; (of wrestling holds, a regal title) **out of bounds** (W.DAT. for certain people) Plu.
6 not touching; (of hands) **kept from touching** (W.GEN. a particular plant) Call.; (fig., of a person) **without experience** (W.GEN. of sexual union) E.
7 (of the water of the Nile) perh. **not tainting** (W.DAT. w. sicknesses) A.

ἀθλεύω, Ion. **ἀεθλεύω** *vb.* [ἆθλος] **1** contend for a prize (in a sporting contest); **compete** Il. Hes. Xenoph. Hdt. Pl. AR. Theoc.
2 (gener.) **labour, toil** Il.
3 endure an ordeal A.
4 undertake a challenging task AR.

ἀθλέω, Ion. **ἀεθλέω** *contr.vb.* | Ion.impf. ἀέθλεον | aor. ἤθλησα, dial. ἄθλησα | **1** contend for a prize (in a sporting contest); **compete** B. —W.COGN.ACC. *in a contest* Pl. —W.INTERN.ACC. (fig.) *in a struggle* (w. *a boar*) E.
2 (intr., of a person) **take part in athletics** Aeschin.
3 contend in war; **fight** Hdt. —W.COGN.ACC. *in a contest* Pl. Plu.
4 (gener.) **labour, toil** Il.; **struggle with, endure** —W.INTERN.ACC. *many things* Il. —*many dangers* S.
5 (of an animal) **show one's prowess** Pl.

ἄθλημα ατος *n.* **1 athletic contest** Pl. Plu.
2 military combat Plb.
3 ‖ PL. app., implements of labour (ref. to fishing-tackle) Theoc.

ἄθλησις εως *f.* **performance as an athlete** Plb. Plu.

ἀθλητήρ, Ion. **ἀεθλητήρ**, ῆρος *m.* **competitor in athletic contests, athlete** Od. Theoc.

ἀθλητής, Ion. **ἀεθλητής**, οῦ *m.* **1 competitor in athletic contests, athlete** Pi. E. Th. Isoc. Pl. X. +
2 competitor (W.PREP.PHR. in a musical contest) Pl.; (fig., W.GEN. in a verbal contest or other undertaking) Pl. ‖ PL. (fig.) combatants (W.PREP.PHR. on behalf of human life, ref. to Herakles and Theseus) Isoc.

3 (fig.) **trained practitioner, practised performer** (W.GEN. of the arts of war) Pl. Arist. Plb. Plu.; (of noble deeds) D.; (in politics) Plu.; (in vice) Plb.; (W.ADJ. *of the military kind*) Pl.
4 (appos.w. ἵππος) **racehorse** Pl.

ἀθλητικός ή όν *adj.* **1** (of the body, physical condition, way of life, appearance) **of** or **appropriate to an athlete** Arist. Plu.
2 (of contests) for athletes, **athletic** Plb. Plu.

ἄθλιος ᾱ ον (also ος ον) *adj.* [ἄθλος; see also ἀέθλιος] **1** app., enduring struggles or labours; (of persons, their lives, fortunes, or sim.) **unhappy, wretched, miserable** Trag. Th. Ar. Att.orats. Pl. X. +
2 (of events, circumstances, things or sights) entailing wretchedness or misery, **distressing, painful** Trag. Ar. Att.orats. Pl. X. +
3 (pejor., of persons) **misguided, unprincipled** Lys. D.
4 ‖ VOC.SB. (as an abusive address) **wretch!** Men.
—**ἀθλίως** *adv.* | superl. ἀθλιώτατα | **1 unhappily, miserably, wretchedly, distressingly** S. E. Ar. Att.orats. Pl. +
2 (pejor.) **wretchedly** —*ref. to fighting* D.

ἀθλιότης ητος *f.* **misery, wretchedness** Pl. X.

ἀθλο-θέτης ου *m.* [ἄθλος, τίθημι] **contest-organiser** (ref. to a public official) Pl. D. Arist.

ἆθλον, Ion. and dial. **ἄεθλον**, ου *n.* **1 prize** (usu. for victory in a contest) Hom. Hes. Eleg. A. Pi. Hdt. +; (W.GEN. for virtue, wrongdoing, madness) Th. Att.orats. Pl. Arist.
2 contest (ref. to the pankration) Xenoph. ‖ PL. **contests, games** (as an organised event) Od. Archil. Pi. Pl.
3 feat of endurance, **task, trial, ordeal** Mimn. ‖ PL. **struggles, labours** S.

ἆθλος, Ion. and dial. **ἄεθλος**, ου *m.* **1 contest** (for a prize, or as a trial of strength or skill) Hom. Pi. Isoc. Theoc.
2 ‖ PL. **games** (as an organised event) Il. Pl. B. S. Pl. X. +
3 ‖ PL. **struggles** (in war) Il. Pl.; feats (of an individual) Od.
4 (sg. and pl.) feat of endurance, **task, labour, trial, ordeal** Hom. Hes. Lyr. Hdt. Trag. Isoc. + ‖ PL. (gener.) **troubles, hardships** Od. Thgn.
5 prize (in a contest) Theoc.

ἀθλο-φόρος, Ion. **ἀεθλοφόρος**, ον *adj.* [ἄθλον, φέρω] (of horses) **prize-winning, victorious** Il. Alcm. Tyrt. Ibyc. Call.; (of persons) Hes.*fr.* Pi. Hdt. Theoc.; (fig., of a competitor's spirit) Pi.
—**ἀεθλοφορέω** *Ion.contr.vb.* **win a prize** (in the games) Call.

ἀ-θόλωτος ον *adj.* [privatv.prfx., θολόω] (of a spring) **not muddied** Hes.

ἀ-θορύβητος ον *adj.* [θορυβέω] **not thrown into confusion** ‖ SUPERL.NEUT.SB. **most effective avoidance of confusion** X.

ἀ-θόρυβος ον *adj.* **1** (of a leader, a gathering) **not disorderly** Pl.; (of a people) **not unruly** Plu.
2 (of an activity) **without noise** or **commotion** Plb.
3 (of a state of affairs) **undisturbed** Plu.
4 (of a tone of voice) **calm** Plu.
—**ἀθορύβως** *adv.* **without commotion or disturbance, undisturbedly, calmly** E. Men. Plu.

Ἀθόως *ep.m.*: see Ἄθως

ἄ-θραυστος ον *adj.* [θραύω] **1** (of walls) **unbroken, unbreached** E.; (of a harbour) **intact, unscathed** E.*Cyc.*
2 (of troops) **unbroken, intact** Plb. Plu.; (fig., of a country's glory and fortune) Plu.
3 (of a battle formation) **unbreakable** Plu.; (of part of a city) **invulnerable, impregnable** Plu.

ἀθρέω *contr.vb.* | aor. ἤθρησα | **1 look** (w. a purpose); **look** (sts. W.ADV. or PREP.PHR. in a particular direction or towards someone or sthg.) Hom. hHom. S. E. Ar. Pl. Call.*epigr.*
2 (tr.) **look at, observe** —*someone or sthg.* Hom. Hippon. S. E. Ar. Hellenist.poet.
3 observe with the mind; look at, examine, consider —*sthg.* Pi. S. Isoc. Pl. X. Arist. —W.INDIR.Q. *what* (or *whether sthg.*) *is the case* Emp. S. E. Th. Ar. Pl. +; (intr., freq.imperatv.) **look, consider** B. E. Pl.

ἄθροι *Att.contr.pl.adj.*: see ἀθρόοι

ἀθροίζω (also **ἁθροίζω**) *vb.* [ἀθρόοι] | sts. -οἴζ- (Archil. E. Ar.) | aor. ἤθροισα ‖ neut.impers.vbl.adj. ἀθροιστέον | **1 gather** or **collect together, assemble** —*persons, troops, ships, animals, or sim.* S. E. Th. Ar. Isoc. X. +; (of Ouranos) —*the stars* (*in the night sky*) E. ‖ MID. **gather together** —*a military force* X. ‖ PASS. **gather oneself or be gathered together** Archil. A. Hdt. E. Th. Isoc. +
2 cause or **allow** (W.ACC. one's enemies) **to gather together** E. ‖ MID. (of an event) **cause** (W.ACC. a crowd) **to gather** E.
3 ‖ MID.PASS. (of a soul) **collect oneself together, coalesce** Pl.
4 gather together —*arguments, requests* E. D.; **collect, amass, accumulate** —*money* X. Arist. —*pitch* (*in a reservoir-pit*) Hdt. ‖ PASS. (of money) **be accumulated** Arist.; (of fear) **be built up** (fr. different causes) X.
5 put together (i.e. rebuild) —*a ruined city* E.
6 collect, catch —*one's breath* (*after exertion*) E.

ἄθροισις (also **ἅθροισις**) εως *f.* **1 assembling, mustering** (W.GEN. of an army) E.; (of citizens) Plu.
2 accumulation (W.GEN. of money) Th.

ἄθροισμα (also **ἅθροισμα**) ατος *n.* **1 assembly, gathering** (W.GEN. of people) E.
2 collection or **aggregation** (of particular items forming a general class) Pl.

ἀθροισμός (or **ἁθροισμός**) οῦ *m.* **gathering, mustering** (of troops) Plb.

ἀθρόοι (also **ἁθρόοι**), Att.contr. **ἄθροι** (Hyp. Plb.), αι α *pl.adj.* | ep.fem.acc. ἀθρόᾱς (hHom.) | superl. ἀθρούστατοι (Plu.) | **1** (of persons, troops, gods, animals, ships, or sim.) **gathered together, all together** Hom. Hes. Archil. Th. Pl. X. +
2 (predic., in relation to the action described by the vb.) collectively as a single unit, **all together, in a body, all at the same time** Hom. Pi. Hdt. Th. And. Ar. +
3 (of things) collected together, **assembled, amassed** Od.; treated collectively, **all together** Hom. Pi. Ar. Pl. +
4 (of snakes of a particular kind) **concentrated** (in one country) Hdt.; (of villages) **clustered together** X.
5 (of garlands) app. **thick-set** Pi.
6 (of five days and nights) without a break, **whole, entire** Pi.
—**ἀθρόος** (also **ἁθρόος**) ᾱ (Ion. η) ον (also ος ον), Att.contr. **ἄθρους** (or **ἅθρους**) ουν (D. Plb. Plu.) *sg.adj.* | compar. -θροώτερος | superl. -θροώτατος, also -θρούστατος (Plu.) | **1** (of a mass of people) **all together** E.; (of a military force) **gathered together, assembled** Th. ‖ NEUT.SB. **united force** X.
2 (of a military force) **unified** (opp. fragmented) Th. ‖ COMPAR. (of a fleet, an army) **in a closer** or **more concentrated formation** Th. X. ‖ NEUT.SB. **close formation** (of troops) X. ‖ COMPAR.NEUT.SB. **greater concentration** (of action, in a drama w. a short time-scale) Arist.
3 (of a commander) **with one's entire force** Plb. Plu.; (ref. to the formation of his troops or ships) **in close order** Plb.
4 (predic., in relation to the action described by the vb.; of a people, city, military force, crowd) collectively as a single unit, **whole, entire, all together** Pi.*fr.* Th. Ar. Pl.; (of a person's hair) Anacr.; (of a horse's body) X.; (of insolence) Archil.; (of a common interest) Th.; (of a drink) X.; (of

ἄθρυπτος

speech, envisaged as water being poured) Pl.; (of a sum of money, expenditure) D. Arist.
5 one collectively incorporating all; (of a voice) **common, collective** E.; (of a tear, on behalf of all mourners; of harm, resulting fr. individual errors) E. D.; (of a term, embracing other words) **collective, general** Pl.; (of a statement) **comprehensive** Isoc.; (of a sound, fr. all sources) **uniform** X.; (of laughter) **in one great burst** Arist.
6 (of trouble, change) **wholesale** Pi. Plu.
7 (of a person, animal or object falling) **in one movement, headlong** AR. Theoc.; (of a lion leaping) **in one bound** Theoc.
—**ἀθρόως** (or **ἁθρόως**) *adv.* **1 in crowds** Plu.
2 all at the same time X. Plb. Plu.
3 with one's full forces —*ref. to attacking* Plu.

ἄ-θρυπτος ον *adj.* [privatv.prfx., θρύπτω] **1** (of poetic style) not weak or delicate, **vigorous, robust** Plu.
2 (of a composed facial expression) **never relaxing** (W.PREP.PHR. into laughter) Plu.
—**ἀθρύπτως** *adv.* without weakness, **vigorously** Plu.

ἀθυμέω *contr.vb.* [ἄθυμος] | aor. ἠθύμησα
‖ neut.impers.vbl.adj. ἀθυμητέον | **1 be disheartened** or **despondent** (freq. W.PREP.PHR. about or because of sth.g.) Trag. Th. Ar. Att.orats. Pl. + —W.ACC. *about sthg.* Th. X. —W.DAT. *because of sthg.* S. Th. Men. Plu.
2 have misgivings, be worried —W. εἰ + FUT. or μή + SUBJ. *that sthg. will or may be the case* S.
3 despair —W.INF. *of doing sthg.* Th.

ἀθῡμίᾱ ᾱς, Ion. **ἀθῡμίη** ης *f.* **despondency, discouragement** Hdt. S. E. Th. Att.orats. Pl. +

ἄ-θῡμος ον *adj.* [privatv.prfx., θῡμός] **1** lacking in spirit or passion, **spiritless** (opp. θυμοειδής *spirited*) Pl.; **passionless, unassertive** Arist.; (of a speech) **dispassionate** Pl.
2 dispirited, disheartened, despondent, discouraged Od. S. Att.orats. X. Men. Plu.
3 (of journeys) **dispiriting** A.
4 lacking in courage, **faint-hearted** A. Hdt.; (of an attack) X.
—**ἀθύμως** *adv.* | compar. ἀθῡμοτέρως (Isoc.) | **1 dispiritedly, despondently** Isoc. X. D. Plu.
2 unenthusiastically Isoc. X. Plb.
3 uncourageously Plu.

ἄθυρμα ατος *n.* [ἀθύρω] **1** (freq.pl.) **plaything** (of a child) Il. hHom. A.*satyr.fr.* E.*fr.* AR.; **thing of amusement** or **delight** (W.GEN. or DAT. for the heart) Od.
2 (fig.) **plaything** (W.ADJ. *of Apollo,* ref. to a victory revel) Pi.; (W.GEN. of the Muses, ref. to a victory ode) B.; (app.ref. to a linguistic feature in poetry) Arist.(quot.)
3 (pl.) **trinket** Od. Sapph.
4 (pl.) **pastime** (of Ares, ref. to warfare) B.
—**ἀθυρμάτιον** ου *n.* [dimin.] **little joke, witticism** Philox.Leuc.

ἀθυρό-γλωσσος ον *adj.* [ἄθυρος, γλῶσσα] (fig.) having a tongue not blocked by a door, **with no barrier to one's speech, unable to shut up** E.

ἀθυρογλωττίᾱ ᾱς *Att.f.* (fig.) **failure to put a check on one's language** Plb.

ἄ-θυρος ον *adj.* [privatv.prfx., θύρᾱ] (fig., of a mouth) without a door, **unbarred, unstoppable** Simon.

ἀθυρό-στομος ον *adj.* [στόμα] (fig., of Echo) having a mouth without a door, **with mouth unbarred, unstoppable in speech** S.

ἄθυρσις εως *f.* [ἀθύρω] **play, pastime** (W.GEN. of flowers, i.e. making of garlands) B.

ἄ-θυρσος ον *adj.* [privatv.prfx., θύρσος] (of persons compared to Bacchants) **lacking a thyrsos** E.

ἀθύρω *vb.* | only pres. and impf. | **1** (of a child) **play, amuse oneself** Il. S.*Ichn.*(cj.) E. AR. —W.ACC. *w. sthg.* hHom.
2 (of a girl) **play** —W.INTERN.ACC. *a game* AR.; (of Pan) —*music* hHom.
3 (of a boy) **perform in play** —*great deeds* Pi.
4 (of a goddess) **play, sport** (ref. to dancing) Pl.; (fig., of a poet) **make play** (w. poetry, i.e. compose it) Pi.; (of a lyre) **make merry** (at a drinking-party) Alc.
5 ‖ PASS. (of a lyre, envisaged as a girlfriend, w. sexual connot.) **be played upon or toyed with** hHom.

ἀθύρωτος *adj.*: see ἀπύλωτος 2

ἄ-θυτος, also **ἄθυστος** (Semon.), ον *adj.* [θύω¹] **1** (of sacrificial items) **not offered** Semon. E.
2 (of sacrificial rites) **unperformed** Lys. Aeschin.
3 (of a person) **not performing a sacrifice** X.
4 (fig., of generative seed sown in concubines) **unsanctified** (by the sacrificial rites accompanying marriage) Pl.

ἀ-θῷος ον *adj.* [θωή] **1** (in legal ctxt.) not paying a penalty, **unpunished** Att.orats. Plb.; (W.GEN. for a crime) Lycurg.
2 not liable to pay a penalty; **immune** (fr. punishment) Lys. Pl. D. Plb.; (of a body, W.GEN. fr. blows) Ar.
3 (gener.) **unpunished, unharmed, unscathed** E. Plb. Plu.; **unaffected** (W.GEN. by a foreign power) D.; (by events) Plu.
4 (quasi-advbl., w.vb. *escape* or *get off*) **scot-free** E. Men.; (of one who formulates a risky argument) Plu.
5 not guilty, innocent NT.; (w. ἀπό + GEN. of bloodshed) NT.

ἀ-θώπευτος ον *adj.* [θωπεύω] **not flattered** (W.GEN. by speech) E.

ἀ-θωράκιστος ον *adj.* [θωρᾱκίζω] **not equipped with a cuirass** X. Plu.

Ἄθως, ep. **Ἀθόως**, ω *m.* | acc. Ἄθων, also Ἄθω | **Athos** (mt. on the eastern promontory of Chalcidice) Il. hHom. Pi.*fr.* Hdt. Th. +
—**Ἀθῷος** ᾱ ον *adj.* (of the steep height) **of Athos** A.

αἱ (fem.nom.pl.def.art.): see ὁ
αἵ¹ (fem.nom.pl.demonstr.pron.): see ὁ
αἵ² (fem.nom.pl.relatv.pron.): see ὅς¹
αἰ (also **αἴ**) *dial.pcl. and conj.*: see εἰ
αἴ *interj.* (expressing sorrow or surprise) **ah!** —W.NOM. or VOC.ADJ. **poor man!** Ar. Men.; **alas!** —W.ACC. *for Adonis* Bion
—**αἰαῖ** *interj.* (expressing sorrow, freq. repeated) **ah!, alas!, woe!** Archil. Thgn. B. Trag. Ar. Hellenist.poet. —W.ACC. *for someone or sthg.* E.*fr.* Scol. Ar. Bion —W.GEN. A. E. Theoc.
αἴ Aeol.*adv.*: see ἀεί

αἶα ᾱς (Ion. ης) *f.* **1 earth, land** (opp. sea or heaven) Hom. Hes. Scol. Hdt.(oracle) E. Theoc.
2 surface of the earth, **earth, ground** Il. Hes. Emp. S. AR.
3 specific region of the earth, **land, country** Hom. Hes.*fr.* Trag. Call. AR.; (appos.w. πατρίς *native land*) Hom. Hes.*fr.* hHom.

Αἶα ης *Ion.f.* **Aia** (city ruled by Aietes, where Helios has his palace) Mimn.; (located in Colchis) Hdt. AR.
—**Αἰαῖος** η ον *Ion.adj.* (of Medea) of Aia, **Aian** AR.

αἰάγματα των *n.pl.* [αἰάζω] **cries of woe, wails** E.

αἰάζω *vb.* [αἴ] | fut. αἰάξω | **1** utter cries of woe, **wail, lament** S. E. —W.INTERN.ACC. *w. a dirge, a pitiful cry* E.; (also mid.) A.*satyr.fr.*(cj.)
2 (tr.) **bewail, lament** —*dead persons, one's own or another's fate, one's slavery* A. E. Mosch. Bion
3 (of a poisoned bird) **cry with pain** E.; (of a wounded swan) **turn into cries of pain** —*its beautiful song* E.(cj.)

αἰαῖ *interj.*: see under αἴ

Αἰαίη ης *Ion.f.* **Aiaia** (island occupied by Circe) Od. AR.
‖ ADJ. (epith. of Circe) **of Aiaia, Aiaian** Od. AR.

Αἰακός οῦ *m.* Aiakos (son of Zeus, father of Peleus and Telamon, ancestral hero of Aigina, judge in Hades) Il. +
—**Αἰακίδης** ου (Ion. εω, ep. ᾱο), dial. **Αἰακίδᾱς**, Aeol. **Αἰακίδαις**, ᾱ *m.* **son of Aiakos** (ref. to Peleus) Il. Hes.*fr.* Lyr. E. AR. Theoc.; (ref. to Telamon) Pi. AR.; **grandson of Aiakos** (ref. to Achilles) Hom. Bion || PL. sons or descendants of Aiakos Hes.*fr.* Pi. B. Hdt. S. Isoc. +
—**Αἰάκειον** ου *n.* **temple of Aiakos** Plu.
αἰακτός ή όν *adj.* [αἰάζω] **1** (of a person, sufferings) **to be wailed over, lamentable** A. Ar.(mock-trag.)
2 (of persons) **wailing, lamenting** A.
αἰᾱνής, Ion. **αἰηνής**, ές *adj.* | The wd. is of uncertain derivation, but appears to be used sts. as if reltd. to αἰαῖ *alas*, sts. to ἀεί *always*, sts. w.connots. of both. |
1 (of a meal) **grim, dire** Archil.
2 (of cries) **sorrowful** A. [or perh. *unremitting*]
3 (of sickness) **grievous** A. [or perh. *persistent*]
4 (of the sphere of night) **dread** S. [or perh. *eternal*]
5 (of the chariot-race of Pelops) **dire** S. [or perh. *bringing lasting sorrow*]
6 (of time) **everlasting** A.; (of the children of Night, ref. to Erinyes) **eternal** A.
7 (of a goad, hunger, excess) perh. **relentless, unremitting** Pi.
—**αἰᾱνῶς** *adv.* **for all time, for ever** A.
Αἴᾱς, dial. **Αἴᾰς** (Alcm.), αντος *m.* | voc. Αἶαν (Hom. ?i.), also Αἴᾱς (S.) | du.nom.acc. Αἴαντε | ep.dat.pl. Αἰάντεσσι |
1 Ajax (son of Telamon, sts. described as μείζων *greater*, to distinguish him fr. 2) Hom. +
2 Ajax (son of Oileus and commander of the Locrians at Troy, sts. described as μείων *lesser*) Hom. Alc. Thgn. Pi. E.
3 || DU. and PL. **the two Ajaxes** Il. E. || PL. **Ajaxes** (ref. to plays about Ajax) Arist.
αἰβοῖ, also **αἰβοιβοῖ** *interj.* (usu. expressing disgust or annoyance, sts. amusement) **ha!, pah!** Ar. Men.
Αἰγαῖος ᾱ (Ion. η) ον (also ος ον E.) *adj.* (of the sea betw. Greece and Asia Minor, its waters or depths) **Aegean** Ibyc. Hdt. Trag. Th. X. Men. +; (of a coast or headland) E. || MASC.SB. **Aegean sea** E.*fr.* Plu. || MASC. or NEUT.SB. Pi.*fr.* Hdt. E. Th. Call. Plb.
αἰγανέη ης *Ion.f.* **javelin** (used in hunting and sport) Hom. AR.
αἴγδην *ep.adv.* [ἄσσω] **at a rush** AR.
Αἰγείδης *m.*, **Αἰγεῖδαι** *m.pl.*: see under Αἰγεύς¹, Αἰγεύς²
αἴγειος (also **αἴγεος**) ᾱ (Ion. η) ον *adj.* [αἴξ] **1** (of cheese) **from a goat** Il.; (of hides) Hdt. AR.
2 (of a wineskin, helmet) **made of goatskin** Hom.
—**αἰγέη** ης *Ion.f.* **goatskin** (as a garment) Hdt.
αἴγειρος ου *f.* **poplar** Hom. Hes. E. Hellenist.poet. Plb.
αἴγεος *adj.*: see αἴγειος
Αἰγεύς¹ έως (Ion. έος) *m.* **Aigeus** (king of Athens, father of Theseus) Hdt. Trag. Isoc. D. +
—**Αἰγείδης** (also ep. **Αἰγεΐδης**) ου *m.* **1 son of Aigeus** (ref. to Theseus) Il. Hes. Thgn. Plu.(oracle)
2 descendant of Aigeus (ref. to an Athenian) Ar.(mock-oracle); (pl., ref. to the Athenians) D.
Αἰγεύς² έως (Ion. έος) *m.* **Aigeus** (one of the Σπαρτοί *Sown Men*) Hdt.
—**Αἰγεῖδαι** (also **Αἰγεΐδαι**) ῶν (dial. ᾱν) *m.pl.* **descendants of Aigeus, Aigeidai** (a Dorian clan) Pi. Hdt.
αἰγιαλός οῦ *m.* [2nd el.reltd. ἅλς] **shore, beach, coastal strand** Hom. Hdt. E. Th. +
αἰγι-βάτᾱς ᾱ *dial.masc.adj.* [αἴξ, βαίνω] (of he-goats) **goat-mounting** Pi.*fr.*; (of Pan) Theoc.*epigr.*

αἰγί-βοτος ον *adj.* [βόσκω] (of an island) **grazed by goats** Od.
αἰγίθαλλος ου *m.* **a kind of bird**; prob. **tit** Ar.
αἰγί-κνᾱμος ον *dial.adj.* [αἴξ, κνήμη] (of Pan) **goat-legged** Lyr.adesp.
Αἰγικόρης εος *Ion.m.* **Aigikores** (son of Ion, eponymous founder of one of the four Ionic tribes) Hdt.
—**Αἰγικορεῖς**, Att. **Αἰγικορῆς**, έων *m.pl.* **Aigikoreis** (members of this tribe) E. Plu.
αἰγίλιψ ιπος *masc.fem.adj.* (of a rock or cliff) **steep, sheer** Il. hHom. A.
αἴγιλος ου *f.* [reltd. αἴξ] **a kind of grass eaten by goats, goat-grass** Theoc.
Αἴγῑνα, Ion. **Αἰγίνη**, ης (dial. ᾱς) *f.* **Aigina** (island off SW. Attica, in the Saronic Gulf) Il. +
—**Αἰγίνηθεν**, dial. **Αἰγίνᾱθε** *adv.* **from Aigina** Pi. Call.*epigr.* AR.
—**Αἰγῑνήτης** ου (Ion. εω) *m.* **man from Aigina, Aiginetan** Hdt. Plb. Plu. || PL. **Aiginetans** (as a population or military force) Hdt. Th. +
—**Αἰγῑναῖος** ᾱ (Ion. η) ον *adj.* (of coinage, ships) **belonging to Aigina or the Aiginetans, Aiginetan** Hdt. Th. X.
αἰγί-οχος ον *adj.* [αἰγίς¹; perh.reltd. ὄχος] (of Zeus) **aigis-bearing** Hom. Hes. Tyrt. Alc. Pi. Theoc. Mosch.
αἰγί-πλαγκτος ον *adj.* [αἴξ, πλαγκτός] (of a mountain) **roamed over by goats** A.
αἰγι-πόδης ου *masc.adj.* [πούς] (of Pan) **goat-footed** hHom.
αἰγί-πους ποδος *masc.adj.* (of men in a far-off country) **goat-footed** Hdt.
αἰγίπυρος ου *m.* **a kind of plant eaten by goats**; perh. **restharrow** Theoc.
αἰγίς¹ ίδος *f.* **1 goatskin** (as a garment) Hdt. E.*Cyc.*
2 aigis (app. a shield of metal covered w. a goatskin, fringed w. golden tassels, decorated w. a Gorgon's head, Panic, Strife, Might and Rout; an offensive weapon used to terrify the enemy, belonging to Zeus, also used by Athena and Apollo) Hom. Hes.; (gener., as a symbol of divine power) Plb.
3 aigis (as an attribute of Athena) E. Ar.; (fringed w. snakes) Pi.*fr.* E.; (envisaged as a garment) A.; (as a garment of goatskin) Hdt.; (made of the Gorgon's skin) E.
αἰγίς² ίδος *f.* **fierce wind, hurricane** A. | cf. ἐπαιγίζω, καταιγίζω
Αἴγισθος ου *m.* **Aigisthos** (son of Thyestes, lover of Clytemnestra and her accomplice in Agamemnon's murder) Od. Hes.*fr.* Pi. Trag. And. Arist.
αἴγλη ης, dial. **αἴγλᾱ** ᾱς *f.* **1 brightly shining natural light, brightness, radiance** (of the sun, moon, daylight) Od. hHom. Pi. B. E. AR.; (surrounding Olympos) Od. S.; (around Apollo) hHom.; (app. of a shooting star or meteor) AR.; (app.ref. to the light seen in dream-visions) S.
2 (gener.) **gleam** (of armour or weapons) Il. AR.; (of Apollo's bow) AR.; (of torches, fire) S. E. AR.; (of water) Emp.; (fr. the eyes of the descendants of Helios) AR.
3 (fig.) **splendour, glory** (fr. athletic victories) Pi.; (W.GEN. of a runner's feet) Pi.
αἰγλήεις, dial. **αἰγλάεις**, εσσα εν, contr. **αἰγλᾶς**, ᾶσσα ᾶν *adj.* (of Dawn, the moon's horses, heaven, Olympos) **bright, radiant, gleaming** Hom. Hes.*fr.* hHom. Alcm. AR.; (of a cult site of Apollo) hHom.; (of the bodies of bathing goddesses) E.; (of the Golden Fleece) Pi. AR.; (of the harness of chariot-horses) Pi.; (of the sea) B.*fr.*
—**αἰγλῆεν** *neut.adv.* **radiantly** hHom.
Αἰγλήτης ου *m.* (epith. of Apollo) **Gleamer** Call. AR.

αἰγο-πρόσωπος ον *adj.* [αἴξ, πρόσωπον] (of a statue of Pan) **goat-faced** Hdt.

αἰγυπιός οῦ *m.* **vulture** Hom. Hes. A. Hdt. S.

αἰγυπτιάζω *vb.* [Αἴγυπτος] | *impf.* ἠγυπτίαζον | **play the role of an Egyptian** (in a parody of Euripides' *Helen*, w. further ref. to the reputation of Egyptians for deceitful behaviour) Ar.

Αἰγυπτιακός *adj.*, **Αἰγύπτιος** *adj.*: see under Αἴγυπτος

Αἰγυπτιστί *adv.* **1 in the Egyptian language** Hdt. Pl. **2 in an Egyptian manner** (i.e. slyly or w. criminal intent) Theoc.

Αἰγυπτο-γενής ές *adj.* [Αἴγυπτος; γένος, γίγνομαι] **1** (of a person) **born in Egypt** A. **2** (of sons) **born of Aigyptos** A. **3** (of a marriage) **to a son of Aigyptos** A.

Αἴγυπτος ου *m.f.* **1** (*f.*) **Egypt** Od. + **2** (*m.*) **Aigyptos** (the Nile, sts. appos.w. ποταμός *river*) Od. hHom. **3** (*m.*) **Aigyptos** (ancestral king of Egypt) A. Hdt. E. Ar.(quot. E.) Pl.

—**Αἰγυπτόνδε** *adv.* **to Egypt** Od.

—**Αἰγύπτιος** ᾱ (Ion. η) ον *adj.* **1** (of the land, the people, a person, city, river, or sim.) **of Egypt, Egyptian** Hom. A. Pi.*fr.* Hdt. + || MASC.PL.SB. **inhabitants of Egypt, Egyptians** Od. Hdt. + **2** (of the sons, a ship) **of Aigyptos** A.

—**Αἰγυπτιακός** ή όν *adj.* **1 relating to Egypt**; (of a Roman triumphal procession) **for victory in Egypt** Plu. **2 characteristic of Egyptians**; (of wastefulness and sloth) **typically Egyptian** Plb.; (of a person who displays such behaviour) Plb.

Ἀίδᾱς *dial.m.*: see Ἅδης

αἰδέομαι *mid.contr.vb.* [αἰδώς] | *ep.imperatv.* αἰδεῖο | *impf.* ᾐδούμην | *fut.* αἰδέσομαι, ep. αἰδέσσομαι | *aor.* ᾐδεσάμην, ep.3sg. αἰδέσατο | *aor.imperatv.* αἴδεσαι, ep. αἴδεσσαι, ep.pl. αἰδέσσασθε | *pf.* ᾔδεσμαι || PASS.: *aor.* (w.mid.sens.) ᾐδέσθην, ep.3pl. αἴδεσθεν, *ptcpl.* αἰδεσθείς | —also **αἴδομαι** *ep.mid.vb.* | *imperatv.* αἴδεο | *ptcpl.* αἰδόμενος | 3sg.impf. αἴδετο |

1 act with respect or deference (towards persons or gods, or before things or circumstances which call for such feelings); **have due regard for, respect** —*persons, their words, gods, their vengeance, public opinion, a mother's breast, or sim.* Hom. hHom. Eleg. Pi. Hdt. +; (intr.) **show respect** Il. E. Pl. X. AR. Plu. **2 be restrained** (fr. doing sthg.) by a sense of shame or respect; **be ashamed** (to do sthg.) Od. E. Call. —W.INF. *to do sthg.* Hom. A. Pi. Hdt.(oracle) E. X. + —W.ACC. + INF. *for someone to do sthg.* E. **3 feel shame** (for what one has done or is doing); **be ashamed of** —*one's actions or words* Sol. E. —W.PTCPL. *doing or having done sthg.* Thgn. S. AR. Plu.; (intr.) **be ashamed** Plu. **4** (leg.) **respect a citizen's rights** (by waiving the penalty of exile); **pardon** —*a person* (*convicted of the unintentional homicide of one's relative*) D.

αἴδεσις εως *f.* (leg.) **pardon** (for a person convicted of unintentional homicide) D. Arist.

ἀ-ίδηλος ον *adj.* [privatv.prfx., ἰδεῖν] **1 making invisible or causing to be obliterated**; (of Ares, persons, fire, phantoms, actions) **destructive, deadly** Hom. Hes.*fr.* Tyrt. Parm. Emp. AR. | see also ἀρίδηλος **2 not seen or able to be seen**; (of Hades, a goddess, a bond) **unseen, invisible** S. AR.; (of a path) **hidden, secret** AR. **3** (of monstrous creatures) **unclear, unidentifiable** (W.ACC. in form) AR. **4** (of attackers, sorrows) **unforeseen** AR.

—**ἀίδηλα** *neut.pl.adv.* **destructively** —*ref. to finding fault* Hes.

—**ἀιδήλως** *adv.* **savagely, ruthlessly** —*ref. to killing* Il.

αἰδήμων ον, *gen.* ονος *adj.* [αἰδέομαι] (of persons, their character) **having a sense of shame, respectful, modest** X. Arist.

—**αἰδημόνως** *adv.* **respectfully, modestly** (opp. arrogantly) X.

ἀ-ιδής ές *adj.* [privatv.prfx., ἰδεῖν] **not seen or able to be seen**; (of things) **unseen, invisible** Pl.; (of a funeral monument) **obliterated** (by a river) Hes.; (quasi-advbl., of foolish speech fading) **out of sight** B.

Ἀίδης *ep.m.*: see Ἅδης

ἀίδιος ον *adj.* [ἀεί] **1 existing for all eternity or without limit of time**; (of gods) **everlasting, eternal** Pl. Plu.; (of things, circumstances) hHom. Emp. Antipho Th. Pl. X. +; (prep.phr.) ἐς ἀίδιον *forever, in perpetuity* Th. **2 existing for all of a specified or implied time**; (of officials, offices, circumstances, things) **permanent** Hes. Lycurg. Arist. Plb. Plu.

ἀ-ιδνός ή (dial. ἅ) όν *adj.* —also app. **ἀιδνής** οῦς, or **ἀιδνής** ῆτος (Plu.) *masc.adj.* [privatv.prfx., ἰδεῖν] **1** (of mountain valleys) **dark, murky** Hes.(dub.); (of night) Lyr.adesp.; (of smoke) AR.; (of mud) Plu.(quot.) **2** (of a person) **unseen, invisible** A.(cj.)

αἰδοῖος ᾱ (Ion. η) ον *adj.* [αἰδώς] | *superl.* αἰδοιότατος, also αἰδοιέστατος (Alcm. Pi.) | **1 treated or deserving to be treated with respect**; (of deities, persons) **respected, honoured, revered** Hom. Hes. Archil. Eleg. Lyr. A. + **2** (of a council) **august, reverend** A.; (of the birth-pangs of a goddess) Simon. **3** (of gold, a privilege, dining-table) **revered, venerable** Pi. **4 showing respect**; (of a person) **respectful** A. Pi.; (of words of supplication, the spirit in which a land welcomes outsiders, favour towards a person) A. Pi. **5** (of Zeus) **who enforces respect** (for suppliants) A. **6** (of a girl, nymph, virgin deity) **bashful, modest** Il. Hes. hHom. AR.; (of a beggar, contrary to what is expected of him) Od. **7** || NEUT.PL.SB. **area of the body normally concealed through modesty**; **private parts, genitals** (of a man or woman) Il. Hes. Tyrt. Hdt. Th. Ar. +; (of an animal) Hdt. X. || NEUT.SG.SB. **penis** Hdt. Thphr. Plu.

—**αἰδοίως** *adv.* **respectfully** —*ref. to treating a guest* Od.

Ἀιδο-κυνέᾱ ᾱς *f.* [Ἅδης] **cap** or **helmet of Hades** (which conferred invisibility on its wearer) S.*satyr.fr.*

αἴδομαι *ep.mid.vb.*: see αἰδέομαι

Ἄιδος (ep.gen.sg.): see Ἅδης

αἰδό-φρων ονος *masc.fem.adj.* [αἰδώς, φρήν] (of persons) **respectfully minded** (towards others) S. E.

ἀιδρίη (also written **ἀιδρείη**) ης *Ion.f.* [ἄιδρις] | only dat. (sg. and pl.) | **lack of knowledge, ignorance** (sts. W.GEN. in the mind) Od. Hes. Sol. AR.; (W.GEN. of certain facts) Hdt.

ἄ-ιδρις ιος *masc.fem.adj.* [privatv.prfx., ἴδρις] | *dat.* ἄιδρει (Il.) | **lacking knowledge or understanding, ignorant** (sts. W.GEN. of sthg.) Hom. Hes. Thgn. A. Pi. S. +

ἀιδρο-δίκᾱς ᾱ *dial.masc.adj.* [δίκη] (of wild beasts) **ignorant of justice, lawless** Pi.

ἀίδρυτος *adj.*: see ἀνίδρυτος

Ἀιδωνεύς έως (ep. ῆος) *m.* [reltd. Ἅδης] | Att.voc. Ἀιδωνεῦ (S.) | ep.gen. Ἀιδωνῆος (Mosch.) | **Aïdoneus** (alternative name of Hades) Il. Hes. hHom. A. Emp. S. +

αἰδώς οῦς, Aeol. **αἴδως** ως *f.* | acc. αἰδῶ | dat. αἰδοῖ, ερ. αἰδόι ‖ The wd. connotes an inhibitory sense of shame, which constrains inappropriate behaviour towards or in the eyes of others. It later becomes indistinguishable fr. shame for earlier actions, normally connoted by αἰσχύνη. |
1 sense of shame (inhibiting dishonourable behaviour); **shame, sense of honour** or **decency** Hom. Hes. Pi. Trag. Th. +
2 sensitivity to the feelings, status or claims of others; **respect, reverence** Hom. Hes. Alc. Eleg. Pi. Trag. +; (W.GEN. for someone or sthg.) Pi. Plu.; (personif.) **Reverence** Hes. S. E. Ar. Pl. X.
3 sense of propriety or delicacy (constraining self-assertion); **compunction, inhibition, diffidence** Od. Sapph. Thgn. A. E. +; (regarded as a fault when it constrains the behaviour which a situation requires) Od. Hes. E.
4 modesty, shyness, embarrassment Od. hHom. A. Hdt. E. Isoc. +
5 (concr.) area of the body normally concealed through modesty; **private parts, genitals** (of a man) Il.
6 forgiveness (for a homicide) Antipho; (leg.) **pardon** (for an exiled homicide) Pl. | see αἰδέομαι 4
7 feeling of embarrassed shame (over one's present situation); **shame** A. E.
8 feeling of guilty shame (for past actions); **shame** (freq. W.GEN. over sthg.) E. Ar. AR. Plu.

αἰεί *dial.adv.*: see ἀεί
αἰει-γενέται άων *ep.masc.pl.adj.* [ἀεί, γενέτης] (of the gods) existing forever, **everlasting** Hom. Hes. hHom.
αἰείζως *adj.*: see ἀείζως
αἰείμνηστος *adj.*: see ἀείμνηστος
αἰέλουρος ου *m.f.* [perh. αἰόλος, οὐρά] **cat** Hdt. S.*Ichn.* Ar.
αἰέν *ep.adv.*: see ἀεί
αἰέναος *adj.*: see ἀέναος
αἰενάων *ptcpl.adj.*: see under ἀέναος
αἰέν-υπνος ον *adj.* [ἀεί, ὕπνος] (of Death) **giving eternal sleep** S.(dub.)
αἰές *dial.adv.*: see ἀεί
αἰετός, Att. **ἀετός**, οῦ, Aeol. **αἴετος** ου *m.* **1 eagle** (esp. as messenger of Zeus and bird of omen) Hom. +; (ref. to a vulture) NT.
2 eagle (ref. to a figure modelled in gold, surmounting the standard of the king of Persia) X.; (ref. to the standard of a Roman legion) Plu.
3 (archit.) **eagle** (ref. to the triangular pediment of a temple, as resembling outstretched wings) Pi.*fr.* E.*fr.* Ar.
ἀίζηλος ον *adj.* [reltd. ἀίδηλος] (of a snake) **unseen, invisible** Il.(v.l. ἀρίζηλος)
αἰζηός οῦ, also **αἰζήιος** ου *masc.adj.* (of a man, as engaged in fighting, hunting, ploughing, or sim.) in full bodily strength, **sturdy, vigorous, able-bodied** Hom. Hes. hHom. AR. ‖ PL.SB. able-bodied men Hom. Hes. Call. AR.; (also sg.) Hes. AR.
αἰηνής *Ion.adj.*: see αἰᾱνής
Αἰήτης ου (Ion. εω, ep. ᾱο), dial. **Αἰήτᾱς** ᾱ *m.* **Aietes** (king of Colchis, son of Helios, brother of Circe, father of Medea) Od. Hes. Mimn. Pi. Call. AR.
ἄητος ον *adj.* [perh.reltd. ἄητος] (of a monstrous figure, ref. to Hephaistos, w. sense unknown) Il.
αἰθαλέος ᾱ ον *adj.* [αἴθαλος] (of a blacksmith's bellows) **smoke-blackened, sooty** AR.
αἰθαλίων ωνος *masc.adj.* (cf the cicada) **soot-coloured, sooty** Theoc.
αἰθαλόεις εσσα εν, contr. **αἰθαλοῦς** οῦσσα οῦν *adj.* **1** (of a building) **smoke-blackened** (by a conflagration) Il.; (by the fire on its hearth) Od.; (of a bird's perch, prob.ref. to a rafter) Theoc.; (of an altar) AR.
2 (of a lightning-bolt, its flame or light) **smoking, smoky** Hes. A. E. AR.; (of the strength of fire) Tim.
3 (of ashes, fr. a fire) **sooty** Hom.; (of curls of smoke) AR.
αἴθαλος ου *m.* [αἴθω] **soot** (blackening a burned city) E.; (smeared on the face as a disguise) Plu.
αἰθαλόω *contr.vb.* (of a smoke-filled building) **make dirty with soot** —*a person's clothes* E.
αἴθε *dial.pcl.*: see εἴθε
ἄιθεος *dial.m.*: see ἠίθεος
αἰθέριος ᾱ ον (also ος ον) *adj.* [αἰθήρ] **1** consisting of aither; (of the expanse) **of the aither, of the heavens** E.
2 belonging to the aither; (of a source of generation) **aitherial, celestial** E.*fr.*
3 located in the aither; (of the gates of Night and Day, the gates of Olympos) **high in the sky, celestial** Parm. AR.; (of stars, clouds, bird-gods, their city) S. E. Ar.
4 having one's domain in the air or sky; (of a bird) **of the air** AR.
5 (of an object buffeted by the elements, ref. to Prometheus chained to a rock) **high in the air** A.; (of the whirl of a bull-roarer) E.
6 (of dust, incense) **rising to the sky** A. E.; (hyperbol., of a rock) E.
7 (quasi-advbl., of a foot being lifted in a dance, things flying or being thrown) **up into the air** E.
8 (in cosmological ctxt., of the nature or strength) **of the aither** Parm. Emp.; (of fire) **aitherial** Parm. Plu.; (of a vortex) Ar.
αἰθερο-δρόμος ον *adj.* (of birds) **coursing across the sky** Ar.
αἰθήρ έρος *m.f.* [αἴθω] **1 aither** (the bright upper air or sky, domain of the gods, location of the heavenly bodies; sts. indistinguishable fr. οὐρανός *heaven*) Hom. +; (conceived as fiery) Presocr. E.; (as an element surrounding the earth) E.; (fr. which the gods mould simulacra of living things) E.
2 (personif.) **Aither** (son of Erebos and Night) Hes.; (as a cosmogonic deity) E.*fr.* Ar.
3 (gener.) **sky** (as the place of air, clouds, weather phenomena) Hom. +
4 sky (as the place of utmost height, reached by things ascending, sts. in hyperbol. statements) Il. Hes. Sapph. Pi. E. Call. AR.
5 (prep.phrs., εἰς, πρός, ἀνά + ACC.) **skywards** (*as a direction in which one flies, throws, looks, laments, stretches out one's arms, or sim.*) Od. Pi. B. E. Ar. AR.
6 air (as an element) Emp. Dionys.Eleg. E.; (breathed in or exhaled) E.*Cyc.*
Αἰθίοπες, ep. **Αἰθιοπῆες**, ων *m.pl.* [pop.etym. αἴθω, ὄψ] **Aithiopians** (a mythical race, living in the far East, sts. also in the far West, ruled by Memnon, son of Eos) Hom. Hes. Mimn. A. Pi. Call. AR.; (ref. to peoples living south of Egypt) Hdt. Theoc. NT.; (ref. to an Asian people) Hdt.
—**Αἰθίοψ** οπος *m.* —ερ. **Αἰθιοπεύς** ῆος (Call.) *m.*
1 Aithiopian man Hdt. Men. Plu. ‖ ADJ. (of Memnon) Aithiopian Pi. Call.; (of an attendant) Thphr.; (of a eunuch) NT.
2 ‖ ADJ. (of a cliff) in Aithiopia Call.
3 Aithiops (a river, prob. the Upper Nile) A.
—**Αἰθιοπίᾱ** ᾱς, Ion. **Αἰθιοπίη** ης *f.* region south of Egypt inhabited by Aithiopians, **Aithiopia** Hdt. Th. X. Arist. Plb. Plu.
—**Αἰθιοπίς** ίδος *fem.adj.* (of the language, a soldier's gear) **Aithiopian** Hdt.; (of the land) E.*fr.*(dub.)

—Αἰθιοπικός ή όν *adj.* (of a kind of stone) from Aithiopia, **Aithiopian** Hdt.

αἰθός ή (dial. ᾱ́) όν *adj.* [αἴθω] **1** (of a person, singed by a torch) **burnt black** Ar.; (of ash) Call.
2 (of a foreigner) of a burnt colour, **black** or **sooty** S.*satyr.fr.*; (of spiders) B.*fr.*
3 (of a shield) **blazing, glowing, shining** Pi.

αἶθος ου *m.* —also **αἶθος** εος (AR.) *n.* **1 burning heat** (of the sun) E.; (of fire-breathing bulls) AR.
2 fire E.

αἴθουσα ης *f.* [pop.etym. αἴθω] covered colonnade, **verandah, porch, portico** (in front of the main hall of a house, or alongside the inner wall of a courtyard, sts. used as a sleeping-place for guests) Hom. hHom. AR.

αἴθοψ οπος *masc.fem.adj.* [αἴθω, reltd. ὤψ] **1** (of wine, bronze) **gleaming** Hom. Hes.; (of smoke, as reflecting the light of the flames below) Od.
2 (of flames, a torch) **gleaming** or **blazing** E.
3 (fig., of hunger) **burning, fiery** Hes.; (of censure) Tim.

αἴθρᾱ ᾱς, Ion. **αἴθρη** ης *f.* [αἰθήρ] **clear sky** (i.e. without clouds) Hom. Ar. Plu.

αἰθρη-γενής ές *Ion.adj.* —also **αἰθρηγενέτης** εω *Ion.masc.fem.adj.* [γένος, γίγνομαι] (of winds) **born in the clear sky** Hom. AR.

αἰθρίᾱ ᾱς, Ion. **αἰθρίη** ης *f.* | sts. ῑ *metri grat.* | **1 clear sky** Sol. Hdt. Ar. X. Plu.
2 open air (opp. water) Hdt.; (opp. indoors) Ar.

αἰθριοκοιτέω *contr.vb.* [αἴθριος, κοίτη] **bed down in the open air** Theoc.

αἴθριος ᾱ ον *adj.* [αἰθρίᾱ] **1** (of a wind) **clearing the air** hHom. Call.
2 (of the air) **clear** Hdt.; (of a day) Plb.; (of Zeus, meton. for the sky or weather) Theoc. ‖ NEUT.PL.SB. clear skies Eleg.adesp.
3 (of frost) **out in the open air** S.*fr.*

αἶθρος ου *m.* app. **clear cold air** (in the morning) Od. Alc.

αἴθυγμα ατος *n.* [αἰθύσσω] (fig.) **stirring, flicker, glimmer** (W.GEN. of loyalty, former glory or past habits) Plb.

αἴθυια ᾱς (Ion. ης) *f.* a kind of diving sea-bird; perh. **shearwater** or **cormorant** Od. Call. AR.

αἰθύσσω *vb.* [αἴθω] | aor.ptcpl. αἰθύξᾱς | **1** ‖ PASS. (of leaves) be stirred, quiver, flutter Sapph.
2 snatch up —*a rag* Call.

αἴθω *vb.* | Aeol.fem.ptcpl. αἴθοισα (Pi.) | impf. ᾖθον | **1 set alight, kindle** —*fire, watch-fires* A. Hdt. E. Call. —*sacrificial offerings* S. —*bay-leaves* Theoc. —*land, houses* X. Plb.; (fig., of Love) —*a blaze of passion* Theoc.
2 (intr., of a flame, watch-fires) **burn, blaze** Pi. S.; (of a city) Call.(cj.)
3 ‖ PASS. (of fire, torches, their light) burn, blaze Hom. Hes. Pi. Emp. E. AR. Plu.; (of the sun) E.; (of sacrificial offerings) Hom. Hes. Thgn. B.*fr.* Hdt. AR.; (of a house, city, land) Il. E. X. Call.
4 ‖ PASS. (of a chariot-axle) become red-hot Parm.; (of a wound, caused by a thunderbolt) smoulder AR.
5 ‖ PASS. (fig., of love) burn, blaze AR.; (of a person, w. love) Call. —W.DAT. *w. love* X. Theoc.
6 ‖ PASS. (fig., of thirst) burn AR.; (of a wild animal) —W.DAT. *w. hunger* AR.

αἴθων ωνος (also ονος S.) *masc.fem.adj.* **1** (of the sun, a lightning-bolt, a volcanic stream of smoke) **blazing, burning** Pi.
2 (of iron, bronze, tripods, cauldrons) **gleaming, shining** Hom. Hes. hHom. B. S. Ar.
3 (fig., of persons) **fiery, ardent** Trag. Plu.(quot.com.); (of drone-bees, fig.ref. to persons) Pl.
4 (fig., of hunger) **burning** Hes.*fr.*(cj.) Aeschin.(quot.epigr.) Call. Plu.(quot.epigr.)
5 (of a horse, bull, ox, lion, fox, boar's hide) **tawny** Hom. Tyrt. Pi. B.; (of an eagle) Il.

αἰκ *dial.pcl. and conj.*: see εἰ

αἰκάλλω *vb.* **1 fawn on, flatter** —*persons* E. Ar. Plb. ‖ PASS. be fawned upon Plb.
2 (of a prophecy, circumstance) **encourage, stir up hope in** —*a person, the heart* Ar.

αἰκέλιος *adj.*: see ἀεικέλιος

ἀικέως *ep.adv.*: see under ἀεικής

ἀική ῆς *ep.f.* [ἀίσσω] **rapid flight** (W.GEN. of arrows and javelins) Il.

αἰκής *adj.*, **αἰκίᾱ** *f.*, **αἰκίζω** *vb.*, **αἴκισμα** *n.*, **αἰκισμός** *m.*: see ἀεικής, ἀείκεια, ἀεικίζω, ἀείκισμα, ἀεικισμός

αἴλινον *interj.* [pop.etym. αἶ Λίνον *alas for Linos!*] (cry of anguish, freq. doubled) **woe!** Pi.*fr.* Trag.

—αἴλινα *neut.pl.adv.* **with cries of woe** Call. Mosch.

αἷμα ατος *n.* **1 blood** (of humans or animals) Hom. +; (of a god, ref. to ichor) Il.; (lack of, indicated by pallor, as a symbol of lifelessness) E.; (as a symbol of fear or cowardice) E.*Cyc.* Aeschin. ‖ PL. streams of blood (sts. of one person) Trag.
2 (fig.) **blood** (W.GEN. of Bacchus, ref. to wine) Tim.
3 act of shedding blood, **bloodshed, killing, murder** Hes.*fr.* Pi. Trag. Pl. D. AR. NT. ‖ PL. deeds of bloodshed A. E.
4 consequence of shedding blood, **punishment for murder** E.
5 blood as identifying members of a common family, **bloodline, stock, lineage** Hom. Semon. Pi. Trag. AR. Theoc.
6 (concr.) **offspring, descendant** Pi. Call. Theoc.; (collectv.) progeny, descendants Pi.; (ref. to a god) **blood relation, kin** (of another god) A.; (ref. to a people) **race** Call.

αἱμα-κουρίᾱ ᾱς *f.* [perh.reltd. κόρος¹] **blood sacrifice** Pi. Plu.

αἱμακτός ή όν *adj.* [αἱμάσσω] (of drops of lustral water, sprinkled before a sacrifice) portending blood, **bloody, deadly** E.

αἱμάς άδος *f.* [αἷμα] **flow of blood** (fr. a wound) S.

αἱμασιᾱ́ ᾶς, Ion. **αἱμασιή** ῆς *f.* enclosing wall of loose stones (without mortar), **dry-stone wall** Th. D. Men. Theoc. Plb.; (of bricks) Hdt. ‖ PL. stones for a wall Od.

αἱμασιώδης ες *adj.* (of an enclosing wall) **dry-stone** Pl.

αἱμάσσω *vb.* [αἷμα] | fut. αἱμάξω | aor. ἥμαξα, dial. αἵμαξα ‖ PASS.: fut. αἱμαχθήσομαι | aor. ἡμάχθην, dial. αἱμάχθην | pf. ἥμαγμαι | **stain with blood, make bloody** —*persons, parts of the body, objects, places* (*in violence or an act of sacrifice*) Pi. Trag. Theoc.*epigr.* Plu.; (intr., of a weapon) **draw blood** E. ‖ PASS. be stained with blood, be made bloody Trag. Plu.

αἱματάω *contr.vb.* | Lacon.3sg. αἱματῇ | (of a warrior) **be bloodthirsty** Alcm.

αἱματηρός ᾱ́ όν (also ός όν) *adj.* **1 consisting of blood**; (of drops, clots) **of blood** E.; (of a sacrificial offering) E.
2 stained with blood; (of a person, hand, sword) **bloodstained, bloody** S. E.; (of the sea) E.; (of the bit of Erinyes) E.; (of the fierce spirit of a horse champing at the bit) A.
3 causing or accompanied by bloodshed; (of strife, murder, blinding, or sim.) **bloody** Trag.; (of disfigurement of a mourner's cheeks by her nails) E.; (perh. of a sickness) S.
4 (of eyes) **bloodshot** E.; (of the breath of Erinyes) **blood-reeking** A.

5 (of a flame, consuming an animal sacrifice) **blood-red** S.
6 (of wild animals) **bloodthirsty** A.(dub.cj.)
7 portending bloodshed; (fig., of things or circumstances) **bloody, deadly** A. E.

αἱματη-φόρος ον *adj.* [φέρω] (of death) entailing bloodshed, **bloody** A.

αἱματίζω *vb.* **stain with blood** —*the soil of a land* A.

αἱματόεις εσσα εν *adj.* **1** consisting of blood; (of drops, clots) **of blood** Hes.; (of gore) **bloody** Il.; (of ichor) AR.
2 (of a vein) **blood-filled** AR.
3 having the colour of blood; (of weals) **bloody** Il.; (of drops of rain) Il.
4 dripping blood; (of parts of the body) **bleeding, bloody** Il. Tyrt. E.; (fig., of a wound, ref. to the deaths of friends) Archil.
5 stained with blood; (of a warrior, parts of the body, corpses, armour, clothing, dust) **bloodstained, bloody** Hom. E.; (transf.epith., of the cries of babies being murdered) A.
6 causing or accompanied by bloodshed; (of fighting, slaughter, or sim.) **bloody** Il. Tyrt. Mimn. A. Theoc.; (of Discord, Strife, a stroke of Ruin) A. Emp.; (of a root, fig.ref. to feuding offspring) A.
7 (of a face) **blood-red, flushed** S.

αἱματο-λοιχός όν *adj.* [λείχω] (of a craving) **for licking blood** A.

αἱματο-πώτης ου *masc.adj.* [πῶμα²] (of a serpent) **blood-drinking** Ar.

αἱματο-ρρόφος ον *adj.* [ῥοφέω] (of a lion) **blood-guzzling** A.

αἱματό-ρρυτος ον *adj.* [ῥυτός] (of drops) **of flowing blood** E.(dub.)

αἱματο-σταγής ές *adj.* [στάζω] (of corpses) **dripping with blood** A. E.; (of a rock in the underworld) Ar.(mock-trag.); (of slaughter) A.

αἱματο-σφαγής ές *adj.* [σφάζω] (of an offering) **of the blood of slaughtered men** A.

αἱματόω *contr.vb.* | pf.pass.ptcpl. ἡματωμένος | **1** (of a mourner) draw blood from, **bloody** —*one's flesh (by scratching it)* E. ‖ PASS. (of warriors) be bloodied, bleed —W.ACC. *in the head* E. ‖ PF.PASS. (of kidneys) be made bloody Ar.(mock-trag.)
2 stain with blood —*an altar* E. ‖ PASS. (of a person, an altar) become stained or tainted with blood A. Ar. ‖ PF.PASS. (of water, spears) be bloodstained Th. X.; (of a person) have (W.ACC. one's hands) stained with blood E.

αἱματώδης ες *adj.* **1** (of moisture, seeping fr. a statue) **blood-like, bloody** Plu.
2 (of the throat and tongue of a sick person) app., swollen with blood or having a bloody appearance, **bloody** or **blood-red** Th.

αἱματ-ωπός όν *adj.* [ὤψ] (of Erinyes) **with bloody or bloodshot eyes** E.; (of blinding) **bloody** E.

αἱματ-ώψ ῶπος *masc.fem.adj.* (of veins in the eyes) **bloodshot** E.

αἰμίθεος Aeol.m., **αἰμίονος** Aeol.m.f., **αἴμισυς** Aeol.adj., **αἰμιτύβιον** Aeol.n.: see ἡμίθεος, ἡμίονος, ἥμισυς, ἡμιτύβιον

αἱμο-βαφής ές *adj.* [βάπτω] (of sacrificial victims) **bathed in blood** S.

αἱμο-βόρος ον *adj.* [βιβρώσκω] (of the stomachs of snakes) blood-devouring, **hungry for blood** Theoc.

αἱμο-ρραγής ές *adj.* [ῥήγνυμι] (of a vein) with blood bursting out, **haemorrhaging** S.

αἱμό-ραντος ον *adj.* [ῥαίνω] (of sacrifices) **spattered with blood** E.

αἱμορροέω *contr.vb.* [ῥόος] **suffer from haemorrhages** NT.

αἱμό-ρρυτος ον *adj.* [ῥυτός] (of slaughter) **streaming with blood** E.(cj., for λαιμόρρυτος *streaming from the throat*)

αἱμο-σταγής ές *adj.* [στάζω] (of Erinyes) **dripping with blood** A.

αἱμο-φόρυκτος ον *adj.* [φορύσσω] (of food) **fouled with blood** Od.

αἱμό-φυρτος ον *adj.* [φύρω] (of corpses) **soaked in blood** Plb.

αἱμυλία ᾱς *f.* [αἱμύλος] **winning manner** (of a person's speech) Plu.

αἱμύλιος ον *adj.* (of words) **wily, crafty, wheedling** or **coaxing** Od. Hes. hHom. Thgn. AR.; (without pejor.connot.) **flattering, winning** AR.

αἱμυλο-μήτης ου *m.* [μῆτις] (epith. of Hermes) **cunning schemer** hHom.

αἱμύλος η (dial. ᾱ) ον *adj.* **1** (of persons, usu.ref. to their manner of speech) **wily, crafty** Sol. S. E. Pl.; (of words, schemes, desires) Hes. A. Pi. Ar. Pl.; (of foxes) Ar.; (transf.epith., of a robber's spear) E.
2 (w. less or no pejor.connot., of a person, manner of speech) **winning** Plu.

αἵμων¹ ονος *masc.adj.* **skilled** (W.GEN. at hunting) Il. [or perh. *eager (for the hunt)*]

αἵμων² ονος *masc.fem.adj.* [αἷμα] (of a wolf's claw) **bloody** E.(dub.)

αἷν (fem.gen.dat.du.relatv.pron.): see ὅς¹

αἰν-αρέτης ου *m.* [αἰνός, ἀρετή] (ref. to Achilles) **man whose valour is fatal** (to his friends) Il.

Αἰνείᾱς, also **Αἰνέᾱς** (disyllab.), ου (ep. ᾱο, also ω) *m.* **Aeneas** (Trojan prince, son of Aphrodite and Anchises) Il. Hes. hHom. E. Pl. X. Plu.

αἰνετός ή όν *adj.* [αἰνέω] **praiseworthy** Arist.

αἰνέω *contr.vb.* —also **αἴνημι** (Hes.) Aeol.vb. [αἶνος] | impf. ᾔνουν, ep. (in cpd., tm.) ᾔνεον, Ion. αἴνεον | fut. αἰνήσω, Att. αἰνέσω | aor. ᾔνεσα, ep. ᾔνησα, Ion. αἴνεσα, dial. αἴνησα ‖ PASS.: aor.ptcpl. αἰνεθείς (Hdt.) |
1 praise —*someone or sthg.* Il. Semon. Eleg. Lyr. Hdt. Trag. + —*God* NT. —W.ACC. + INF. *someone for doing sthg.* Pi. ‖ PASS. (of persons or things) be praised Hdt. E. Pl. Call. Theoc.
2 approve, applaud, commend —*someone or sthg.* Il. Hes. Pi. Hdt. Trag. AR. Theoc.
3 give one's consent (willingly or unwillingly); **consent to, accept** —*sthg.* A. Pi. E. —W.ACC. + PTCPL. *someone doing sthg.* A.; give one's consent —W.DAT. *to someone (i.e. to a request,* W.ACC. + INF. *for sthg. to happen*) E.
4 (intr.) **approve, assent, agree** Hom. Thgn. A. Hdt. E.
5 promise —*sthg.* W.DAT. *to someone*) S. E.; (intr.) app. **make a promise** (of sthg.) —W.DAT. *to someone* AR.
6 express appreciation or thanks (for a service or offer, whether accepting or declining it); **offer thanks** E. (tr.) **offer thanks for** —*sthg.* Hes. Hdt. S. E.; **thank** —*someone* E. —(w. ὅτι + CL. *for doing sthg.*) E.
7 advise —W.ACC. or DAT. + INF. *someone to do sthg.* A. —W.COGN.ACC. *w. terrible advice* S.
8 (wkr.sens.) **tell** or **speak of** —*sthg.* A.(dub.)

αἴνη ης *f.* state of approval or commendation, **respect, repute** (enjoyed by a person) Hdt.

αἴνημι Aeol.vb.: see αἰνέω

αἰνητός ή όν *adj.* **praiseworthy** Pi.

αἴνιγμα ατος *n.* [αἰνίσσομαι] **1** statement couched in oblique or allusive terms, **enigma, riddling language** (of a person or oracle) A. E.

2 (specif.) statement or question formulated as a puzzle or test, **riddle** Pl. D. Arist. Call. Plu.; (posed by the Sphinx) Pi.fr. S. E.; (ref. to a poem made up entirely of metaphors) Arist.
3 (ref. to a situation or issue) **puzzle, problem** D.

αἰνιγματώδης ες *adj.* (of words, speech) **enigmatic, riddling, puzzling** A. Pl. Arist. Plb.
—**αἰνιγματωδέστερον** *compar.adv.* **in a rather enigmatic manner** Pl.

αἰνιγμός οῦ *m.* **riddling language** E. Ar. Pl. Aeschin. Plu.

αἰνίζομαι *mid.vb.* [αἶνος] **praise, congratulate** —*someone* Hom.

αἰνικτηρίως *adv.* [αἰνικτήρ *one who speaks in riddles*] **enigmatically, puzzlingly** A.

αἰνικτός ή όν *adj.* [αἰνίσσομαι] (of words) **enigmatic, riddling, puzzling** S.

αἰνίσσομαι, Att. **αἰνίττομαι** *mid.vb.* [αἶνος] | fut. αἰνίξομαι | aor. ᾐνιξάμην, dial.3sg. αἰνίξατο ‖ PASS.: aor. ᾐνίχθην | pf. ᾔνιγμαι, 3sg.imperatv. ᾐνίχθω | **1** (of a person, an oracle) **hint at a truth by indirect means; speak** (sts. W.INTERN. ACC. sthg.) **enigmatically** or **riddlingly** Pi. Hdt. S. E. Pl. Arist. Plu. ‖ PASS. (of things) **be formulated enigmatically** Thgn. Ar. Arist.
2 say in enigmatic or **riddling language** —W.INDIR.Q. or COMPL.CL. or ACC. + INF. *what* (or *that sthg.*) *is the case* Pl. Plb. Plu. —W.FUT.INF. *that one will do sthg.* Plu.
3 hint at or **allude to** —*sthg.* Pl. Plu.; **hint** —W. εἰς + ACC. *at someone* Aeschin.; **use** (W.ACC. a certain expression) **in allusion** —W. εἰς or πρός + ACC. *to someone* or *sthg.* Ar. —W.ACC. *to sthg.* Plb. ‖ PASS. (of things) **be hinted at** or **alluded to** Pl. Plu.; **be said in allusion** —W. εἰς or πρός + ACC. *to sthg.* Plu.

αἰνό-γαμος ον *adj.* [αἰνός, γάμος] (of Paris) **with a fatal marriage** E.

αἰνο-γένειος ον *adj.* [γένειον] (of a serpent) **with deadly jaws** Call.

αἰνό-δρυπτος ον *adj.* [δρύπτω] (of a serving-girl, as a term of abuse) **horribly scratched, dreadfully scarred** (by punishment) Theoc.

αἰνόθεν *adv.*: see under αἰνός

αἰνο-λαμπής ές *adj.* [λάμπω] (of light) **gleaming horribly** A.

αἰνό-λεκτρος ον *adj.* [λέκτρον] (of Paris) **with a fatal marriage** A.

αἰνο-λέων οντος *m.* **deadly lion** Call. Theoc.

αἰνό-μορος ον *adj.* [μόρος] **1** (of a person) **doomed to a terrible fate** Hom. Hes.fr. A.
2 (of lovesickness) **unlucky, fatal** Theoc.
3 (of the darkness of Tartaros) **doom-laden** hHom.

αἰνο-παθής ές *adj.* [πάθος] | Aeol.acc. αἰνοπάθην | (of a woman) **suffering dreadfully** Od. AR.; (of a country) Sapph.(or Alc.)

αἰνό-παρις ιδος *m.* [Πάρις] **fatal Paris** Alcm. E.

αἰνο-πάτηρ ερος *m.* [πατήρ] **doomed father** A.

αἰνός ή (dial. ά) όν *adj.* **1** (of Zeus, Athena) **dread, awesome** Il. Alc.; (of monstrous creatures, wild animals, serpents) **fearsome, terrifying** Od. Hes. Hellenist.poet.
2 (of happenings, circumstances, sufferings) **dreadful, terrible, dire, grim** Hom. Hes. hHom. Pi. Hellenist.poet.; (of heaps of corpses) Il.; (of Tartaros) Pi.; (of weapons) Mosch.
3 (wkr.sens., of a drug) **fearful** AR.; (of darkness, a mist) Hes. AR.
4 (of a ship) **terrible, awful** (in quality) AR.
5 (of grief, anger, fatigue, trembling, fear) **terrible, dreadful, extreme** Hom. hHom. Pi. S. AR.; (of pity) AR.
—**αἰνά** *neut.pl.adv.* **1 with terrible consequences, calamitously** —*ref. to giving birth, taking vengeance* Hom.
2 grievously, terribly, bitterly —*ref. to lamenting* Od. AR. —*ref. to being angry* Call.

—**αἰνῶς**, Aeol. **αἴνως** *adv.* | superl. αἰνότατον (Il.) |
1 (intensv., w.vb., freq. one expressing emotion) **to an extreme degree, terribly, dreadfully, exceedingly** Hom. hHom. A. Hdt. AR. Theoc.; (w.adj.) Od. hHom. Hdt. AR.
2 grimly —*ref. to being killed* Alc.

—**αἰνόθεν** *adv.* (phr.) αἰνόθεν αἰνῶς **to a most appalling degree** Il.

αἶνος ου *m.* **1 story** (sts. w. an implied message for the hearer), **tale, story** Hom. A.
2 story (w. a moral, usu. about animals), **fable, allegory** Hes. Archil. Call. Theoc.
3 advice S.
4 saying, proverb Call.
5 riddle Panarces
6 praise (of persons or things) Hom. Pi. Hdt. Trag. AR. Theoc.epigr.; (given to God) NT.

αἰνο-τόκεια ᾱς *f.* [αἰνός, τοκεύς] **fatal mother** Mosch.

αἴνυμαι *mid.vb.* | 3sg.impf. (w.aor.sens.) αἴνυτο | **1 take hold of** —*someone's hands* Od. —*an ox's halter* Hes.fr.; (of longing, desire) —*a person, the heart* Od. Hes. hHom.
2 (gener.) **take up** (for use), **take** —*an arrow* Il. —*milk* (fr. pails) Od. —W.PARTITV.GEN. *some cheeses* Od.
3 pick, select —*sheep* Od.; **gather** —*flowers* hHom. —*the fruits of the earth* Simon.; (wkr.sens.) **get** —*a meal* Theoc.
4 take, receive —*sthg.* (as a reward) Call.; (perh. of the earth) —*moisture* AR.
5 take away, remove —*armour, weapons* (w. ἀπό + GEN. fr. *a part of the body, a peg*) Hom. —*the Golden Fleece* (fr. a tree) AR.

αἴξ αἰγός *m.f.* | ep.dat.pl. αἴγεσι | **goat** Hom. +

ἄϊξ ἴκος *ep.f.* [ᾄσσω] **swift gust** (W.GEN. of wind) AR.

ἄϊξα (dial.aor.), **ἀΐξασκον** (iteratv.aor.2): see ᾄσσω

Αἰολεῖς, Ion. **Αἰολέες**, έων, Att. **Αἰολῆς** ῶν *m.pl.* [reltd. Αἴολος[1]] **Aeolians** (a major subgroup of the Greeks, w. its own dialect, assoc.w. Boeotia, Thessaly and the NW. coastal area of Asia Minor, incl. Lesbos) Pi. Hdt. Th. X. Plu.

—**Αἰολεύς** έως *m.* **Aeolian man, Aeolian** Pi.fr.

—**Αἰολίς**, dial. **Αἰοληίς**, ίδος *fem.adj.* **1** (of a city, territory) **belonging to the Aeolians** (of Asia Minor), **Aeolian** Hes. Mimn. Hdt. Th. X. Call.epigr.
2 (of a musical mode, music or singing in that mode) **Aeolian** Lasus Pratin. Pi.
3 ‖ SB. **Aeolian territory, Aeolis** (in Asia Minor) Hdt. Isoc. X. Plb.; (in central Greece) Th.

—**Αἰόλιος** ᾱ ον *adj.* (of Lesbos) **Aeolian** Tim.

—**Αἰολικός** ή όν *adj.* (of cities) **Aeolic, Aeolian** Th. Plu.

—**Αἰολίζω** *vb.* **1 speak in the Aeolic dialect** Plu.
2 use the Aeolian mode —W.DAT. *in song* Pratin.

Αἰόληος *dial.adj.*, **Αἰολίδης** *m.*: see under Αἴολος[1]

Αἰολίδαις *Aeol.m.*, **Αἰολίδᾱς** *dial.m.*: see under Αἰολίδης, under Αἴολος[1]

Αἰολίη *Ion.f.*: see under Αἴολος[2]

Αἰολίς *fem.adj. and f.*: see under Αἰολεῖς and Αἴολος[2]

αἰόλισμα ατος *n.* [αἰόλος] **varied tones, modulation** (W.GEN. of the lyre) S.*Ichn.*

Αἰολίων *m.*: see under Αἴολος[1]

αἰόλλω *vb.* **1 move rapidly to and fro, turn this way and that** —*meat* (during roasting) Od.
2 ‖ MID.PASS. (of unripe grapes) **change colour** (while ripening) Hes.

αἰολο-βρόντᾱς ᾱ *dial.masc.adj.* [βροντή] (of Zeus) **with the flashing thunderbolt** Pi.(cj. αἰολοβρέντᾱς)

αἰολό-δειρος ον *adj.* [δέρη] (of the Hydra) **with glistening neck** Stesich.; (of birds) Ibyc
αἰολο-θώρηξ ηκος *Ion.masc.adj.* [θώραξ] (of a warrior) **with glistening cuirass** Il.
αἰολο-μήτης ου *masc.adj.* —also **αἰολόμητις** ιδος *masc.fem.adj.* [μῆτις] (of Sisyphos, Prometheus) **shiftily scheming** Hes.; (of Aphrodite) A.
αἰολο-μίτρης ου, dial. **αἰολομίτρας** ᾱ *masc.adj.* [μίτρᾱ]
1 (of a warrior) **with glistening metal guard** (worn around the waist) Il.
2 (of deified Alexander the Great) **with glistening diadem** Theoc.
αἰολό-πρυμνος ον *adj.* [πρύμνα] (of ships) **with glistening** or **decorated stern** B.
αἰολο-πτέρυγος ον *adj.* [πτέρυξ] (of the breath of Athena) **on flashing wing** (i.e. rapidly moving) Telest.
αἰολό-πωλος ον *adj.* [πῶλος] (of persons) **with swift horses** Il. hHom. Theoc.
αἰόλος η (dial. ᾱ) ον *adj.* **1** (of a horse) **quick-moving, rapid, nimble** (W.ACC. in its feet) Il.; (of a gadfly) **darting** Od.; (of a journey to the underworld) perh. **swift** Ar.(quot. E.)
2 (of worms) **wriggling** Il. [or perh. *shimmering*]
3 changing colour in movement; (of armour, a shield, sword-blade, women's dresses) **glistening, glinting, shimmering** Hom. S. Call.; (of a serpent) Il. Hes. S. Call.; (of wasps, W.ACC. at the waist) Il.; (of night) S.
4 (of smoke) **of rapidly changing hue** A.; (fig., of sufferings) A.
5 (of a tortoise's shell) **dappled, speckled, mottled** hHom.; (of a hound) Call.; (of putrefying flesh) S.
6 (of the sound of panpipes) **tremulous, modulating** E.; (of choral song) Ar.; (of a melody) Carm.Pop. || NEUT.PL.SB. modulating songs Theoc.
7 (of falsehood, profiteering) **shifty** Pi. B.
Αἴολος[1] ου *m.* [Αἰολεῖς] **Aeolus** (king of Thessaly, ancestor of the Aeolians, son of Hellen) Hes.*fr.* Pi. Hdt. E.*fr.* AR.; (son of Zeus) E.
—**Αἰολίδης** εω (ep. ᾱο), dial. **Αἰολίδᾱς**, Aeol. **Αἰολίδαις**, ᾱ *m.* **son** or **descendant of Aeolus** Hom. Hes.*fr.* Alc. Thgn. Pi. +
—**Αἰολίων** ωνος *m.* **son of Aeolus** hHom.
—**Αἰόληος** ᾱ ον *dial.adj.* (of a goddess, app. Hera) **belonging to Aeolus** (i.e. to his descendants), **Aeolian** Alc.
Αἴολος[2] ου *m.* **Aiolos** (keeper of the winds) Od. Th. Ar. Isoc. AR. Plu.
—**Αἰολίς** ίδος *f.* **daughter of Aiolos** (ref. to Canace) Hes.*fr.* Call.
—**Αἰολίη** ης *Ion.f.* **island of Aiolos, Aiolia** Od.
αἰολό-στομος ον *adj.* [αἰόλος, στόμα] (of oracles) **with shifting voices, ambiguous** A.
ἄιον[1] (impf.), **ἄιον** (ep.): see ἀίω[1]
ἄιον[2] (impf.): see ἀίω[2]
αἰπεινός ή (dial. ᾱ́) όν *adj.* [αἶπος] **1** (of mountains, terrain) **steep, sheer, precipitous** Hom. hHom. S. AR.
2 (of cities or sim.) **set on a height, steep** or **high** Il. hHom. Pi. S. E. AR. Theoc.
3 (of heaven) **high** B.
4 (fig., of wisdom) **steep** (in access, i.e. difficult to attain) Pi.
5 (fig., of tempting words) **stark, blunt** Pi.
αἴπερ *dial.conj.*: see εἴπερ
αἰπήεις εσσα εν *adj.* [αἰπύς] **1** (of a mountain, an island) **steep, sheer** AR.
2 (of a city) **set on a height, steep** or **high** Il.
αἰπολέω *contr.vb.* [αἰπόλος] **1 herd goats** Theoc.
2 || PASS. (fig., of Erinyes) **be herded, wander as a herd** A.

αἰπολικός ή όν *adj.* (of an object of wonder) **for goatherds** Theoc.; (of a drill, fig.ref. to Pan, w. sexual connot.) **of goatherds** Call.
αἰπόλιον ου *n.* **herd of goats** Hom. Hes. Hdt. S.
αἰ-πόλος ου *m.* [αἴξ, πέλω] **goatherd** (sts. W.GEN. of goats) Hom. Lyr.adesp. Hdt. Pl. Is. Men. +; (appos.w. ἀνήρ) Il. Men. Theoc.
αἰπός ή όν *adj.* [αἰπύς] **1** (of cities) **set on a height, steep** or **high** Hom.
2 (of streams) **falling steeply down, plunging** Il. Hes.*fr.* AR.
αἶπος εος (ους) *n.* **1 steep height** (of a mountain or sim.) A. AR. Theoc. Plu.(quot.epigr.)
2 steepness (W.GEN. of a path) E.; (prep.phr., in fig.ctxt.) πρὸς αἶπος **steeply uphill** E.
αἰπυ-μήτης ου *masc.adj.* [μῆτις] (of Prometheus) **with lofty** or **cunning plans** A.
αἰπύ-νωτος ον *adj.* [νῶτον] (of Dodona) **on a steep** or **high ridge** A.
αἰπύς εῖα ύ *adj.* | compar. αἰπύτερος (AR.) | **1** (of mountains, cliffs, walls, islands, or sim.) **steep, sheer, precipitous** Hom. Hes.*fr.* hHom. Hellenist.poet.
2 (of cities) **set on a height, steep** or **high** Hom. Theoc.
3 (of the abode of the gods, heaven) **high** Sol. Pi.*fr.* B. S.; (of a shrine or tomb, on a cliff or mountain) AR. Theoc.; (of terrain) AR.; (of a noose) **hanging high** Od.
4 (of buildings) **tall** AR.
5 (of a noise) **high-pitched, shrill** Hes.
6 (fig., of death or destruction) **sheer, stark** Hom. Pi.; (of trickery) Hes. hHom. AR.; (of the toil of war) Il.; (of wrath) Il.; (of darkness) Pi.*fr.*
7 || NEUT.IMPERS. (w. fut. ἐσσεῖται) **it will be a precipitous task** —W.DAT. + INF. *for someone to do sthg.* Il.
αἶρα ης *Ion.f.* **hammer** (of a blacksmith) Call.
αἱρέσιμος η ον *adj.* [αἱρέω] (of a fortification) **able to be captured** X.
αἵρεσις εως *f.* **1 taking by force, capture** (of persons or places) Hdt. Th. Plu.
2 acquisition (of power) Pl.
3 choice (betw. different options) Pi. Hdt. Trag. Th. Isoc. Pl. +
4 selection (of persons for an office or role) Th. Isoc. Pl. Aeschin. Arist. +; (specif.) **election by vote** (opp. selection by lot) Arist.
5 chosen basis for conduct, **principle, conviction, inclination, outlook** Plb.
6 preference, predilection (for a party or cause) Plb.
7 chosen course of political or military action, **policy** Plb.
8 chosen system of belief or its adherents, **doctrine** or **school of thought** Plb. Plu.; **sect** NT.
αἱρετίζω *vb.* (of God) **choose** —*His servant* (*ref. to Christ*) NT.
αἱρετιστής οῦ *m.* **one who chooses** (to be a follower of a person or cause); **supporter, adherent, partisan** Plb.; (W.GEN. of someone's policy) Plb.
αἱρετός ή όν *adj.* **1** (of persons under siege) **able to be captured** Hdt.
2 (of things) **able to be mastered** or **comprehended** (W.DAT. by philosophy, the intellect) Pl. X.
3 (of things) **to be chosen, desirable** Pl. Arist. Plb. Plu.
|| COMPAR. **more desirable, preferable** Hdt. Ar. Isoc. X. Arist. +
|| SUPERL. **most desirable** Hdt. Arist. || NEUT.COMPAR. IMPERS. (w. ἐστί, sts.understd.) **it is preferable** —W.INF. or DAT. + INF. (*for someone*) *to do sthg.* Isoc. D.
4 (of persons) **chosen** (for a purpose) Hdt. Pl. X. Plu.

αἱρέω

5 (of officials or offices) chosen by election (opp. by lot or birth), **elected** Isoc. Pl. Aeschin. Arist. Plu.

αἱρέω contr.vb. | impf. ᾕρουν, ep. ᾕρεον, Ion. αἵρεον, ep.Ion.3pl. ᾕρευν | fut. αἱρήσω, ep.inf. αἱρησέμεν | aor.2 εἷλον, ep. ἕλον, ptcpl. ἑλών, Aeol. ἕλων, inf. ἑλεῖν, ep. ἑλέειν | iteratv.aor. ἕλεσκον | pf. ᾕρηκα, Ion.pf.ptcpl. ἀραιρηκώς | Ion.3sg.plpf. ἀραιρήκεε ‖ MID.: αἱροῦμαι, Ion. αἱρεῦμαι | fut. αἱρήσομαι | aor.2 εἱλόμην, ep. ἑλόμην, Aeol.2sg. ἥλεο, inf. ἑλέσθαι | also aor.1 εἱλάμην (Call.) | pf. ᾕρημαι | plpf. ᾑρήμην ‖ PASS.: fut. αἱρεθήσομαι | aor. ᾑρέθην, Ion. αἱρέθην | pf. ᾕρημαι, Ion.pf.ptcpl. ἀραιρημένος | fut.pf. ᾑρήσομαι (Pl.) | plpf. ᾑρήμην, Ion.3sg. ἀραίρητο ‖ neut.impers.vbl.adj. αἱρετέον ‖ The sections are grouped as: (1–4) take or take hold, (5–14) take possession, capture, catch, overcome, (15–17) get, receive, gain, (18–19) gain a victory at law, (20) exercise a directive influence, (21–24) choose. |

1 take (with or in one's hand or hands), **take hold of, grasp** —objects, persons, parts of their bodies Hom. + —a person (W.GEN. by a part of the body) Hom. —W.GEN. a spear Il.

2 (gener., act. and mid.) take or take up (for some use or purpose); **take** —an object (such as a weapon) Hom. +; **take, partake of** —food, drink, sleep, or sim. Hom. +; (mid.) **take a share** —W.PARTITV.GEN. of sthg. Hes. E.

3 take —someone (W.PREP.PHR. to oneself, i.e. clasp him) Hom.

4 (act. and mid.) **take away, remove** —sthg. (W.PREP.PHR. fr. somewhere) Il. hHom. E.; (mid.) —persons (W.GEN. fr. someone) S.

5 take possession of (by force), **take, seize** —someone or sthg. Hom. + ‖ MID. seize for one's own use, **take away, appropriate** —someone or sthg. Il. A.

6 take (in war), **capture, seize** —persons, horses, ships, cities, or sim. Hom. +; (mid.) —a person Il. ‖ PASS. (of a person, a place) be captured Hdt. E. Th. +

7 capture as prey; (of hunters) **catch** —animals, persons envisaged as animals Hes. Hdt. E. —fish Hdt.; (of a hawk) —a dove Il.; (of hounds) —a hare X. ‖ MID. (of wolves) **carry off** —lambs and kids (W.PREP.PHR. fr. under their mothers) Il.; (of Scylla) —sailors (fr. a ship) Od.(also act.)

8 (fig.) **captivate, win over** —a person Pl. X.

9 (fig.) capture with the mind, **grasp** —facts or skills Pl.

10 (of emotions, mental or bodily states, sickness, death, sleep, or sim.) **take hold of, come over, seize** —persons, a part of the body, the mind Hom. + ‖ PASS. (of a person) be possessed —W.DAT. by divinely inspired skills A.; be overcome —W.DAT. by desire E.

11 (of persons, gods, divine forces) get the better of, **catch, entrap, overcome** —persons Pi. Trag. —enemy troops X.; **destroy** —someone's life S.; (of fire) —battlements S.; **defeat, overturn** —someone's plans E. ‖ MID. (of a fate) **overcome** or **destroy** —someone S. ‖ PASS. be caught E. —W.DAT. by oaths, female tricks E.

12 kill —persons, monsters Hom. Hes. Tyrt. Pi. Hdt. S. +; **shed** —blood (by killing) S. ‖ PASS. be killed Hdt.

13 come upon, **catch, find** —someone Od.; (of a pursuer) **catch up with** —someone Hom. Thgn. Hdt.

14 catch (in a criminal activity); **catch** —someone (W.PTCPL.PHR. doing sthg.) S. —(W.PREP.PHR. in the act) E. Pl. ‖ PASS. (of a person) be caught S.; (fig., of a person's heart) —W.PREDIC.SB. as a thief S.

15 (gener., act. and mid.) **take, get, receive, obtain** —concrete or abstr. things Hom. +; (mid., of Hades) **accept** —someone (W.PREDIC.SB. as an inhabitant) S.

16 (of a singer) **take up** (a song) —W.ADV. at a particular point Od.

17 win, gain —glory, a victory, prize, or sim. Il. Thgn.(mid.) Pi. E. —a wife Pi. ‖ PASS. (of a contest) be won S.

18 (leg.) gain a victory at law; **convict** —someone Hdt. Att.orats. Pl. —(W.GEN. on a specified charge) Ar. Att.orats. —(W.PTCPL. of doing wrong, stealing) Ar. Pl.; **defeat** —a prosecutor Pl.; **refute** —testimony Isoc.

19 win —a case Att.orats. Pl. —(W.GEN. on a specified charge) Is.; (intr.) **win** (one's case) Pl. D.; (fig., of a goddess) —W.DAT. w. deceptive words E.

20 exercise a directive influence; (of reason, a person's judgement) **require** or **suggest** (sthg.) Hdt. —W.ACC. + INF. that sthg. is the case Hdt. —w. μή + INF. that one ought not to do sthg. Pl.; (of a whim or inclination) **take** —someone Hdt.; (of an argument) **maintain** (sthg.) Pl. —W.ACC. + INF. that sthg. is the case Pl.; (of a financial account) **establish** —the truth Aeschin.

21 ‖ MID. **choose** —persons or things Hom. + —W.ACC. + INF. that sthg. shd. be the case hHom. —a person (W.PREDIC.SB. as judge, juror, king, or sim.) Il. A. Hdt. Th. + —(w. ἐπί + ACC. for an office) Pl. —(W.INF. to do sthg.) Il. A. Hdt. E. Pl.; (intr.) **make a choice** A. Hdt. ‖ PASS. (of a person) be chosen A. Hdt. E. Th. + —W.INF. to do sthg. Th. +

22 ‖ MID. **choose** —a particular side in a conflict (i.e. support it) Th.

23 ‖ MID. **choose** —sthg. (w. πρό, ἀντί or πρόσθε + GEN. in preference to sthg. else) Hdt. Trag. + —(w. ἤ) Lys. —(w. ἤ + INF. in preference to doing sthg. else) Pi.

24 ‖ MID. make a decision, **choose** —W.INF. to do sthg. S. E. X. Call. —(w. πρό + GEN. in preference to sthg. else) Th. —(W.GEN.) S. Theoc. —(w. μᾶλλον ἤ + INF. rather than to do sthg. else) Hdt. S. Pl.

Ἄ-ῑρος ου m. [privatv.prfx., Ἶρος Iros (a beggar)] **unlucky Iros** Od.

αἴρω, also **ἀείρω**, Aeol. **ἀέρρω**, Lacon. **ἀνήρω** vb. | impf. ἦρον, ep. ἄειρον, Ion. ἤειρον | fut. ἀρῶ | AOR.: ἦρα, ep. ἤειρα, also ἄειρα, inf. ἆραι, also ἀεῖραι, ptcpl. ἄρας, also ἀείρᾱς (S., dub.), imperatv. ἆρον, pl. ἄρατε, subj. ἄρω | pf. ἦρκα ‖ MID.: fut. ἀροῦμαι | aor. ἠράμην, Boeot.2sg. ἤρᾱ (Ar.), dial.3sg. ἄρατο (B.), ptcpl. ἀράμενος, ep. ἀειράμενος, subj. ἄρωμαι, opt. ἀραίμην | pf.ptcpl. ἠρμένος ‖ PASS.: fut. ἀρθήσομαι | aor. ἤρθην, also ἠέρθην, ep. ἀέρθην, ptcpl. ἀρθείς, also ἀερθείς | ep.pf.ptcpl. ἠερμένος (AR.) | 3sg.plpf. ἦρτο, ep. ἄωρτο ‖ The sections are grouped as: (1–15) lift, raise, and (intr. and pass.) rise, (16–20) pick up, carry, take, (21–24) take upon oneself, undertake, (25–27) increase in importance or amount, (28) bring to a heightened state of emotion, (29–31) effect a departure. |

1 (sts.mid.) raise (fr. the ground or to a higher position); **lift up, raise** —an object, person, animal Hom. + ‖ PASS. (of persons or things) be lifted up Od. +

2 raise —one's hand or hands (esp. in a greeting or prayer) Od. B. E. Pl. —(to vote) And. Ar. X. —(to box) Theoc. Plb. ‖ PASS. (of a hand) be raised X.

3 raise —one's foot or step (in motion) E. —(in ascending) A. —one's knees (in motion) AR.; (of a horse) —its legs X.; (of a man or woman) —a woman's legs (in sexual intercourse) Ar.; (fig., of a house, ref. to a brothel) Thphr.

4 raise —one's head Sapph. A. AR. —one's eyes S. NT.

5 (act. and mid.) **raise** —a mast Od. E. X.; **hoist** —sails Hdt. AR. Plu.; **brail up** —a sail Od.; **weigh** —anchor Plb. Plu.

6 raise —a signal, a torch or shield (as signal) Hdt. X. AR. Plb. Plu. ‖ PASS. (of signals) be raised Th. Plb. Plu.

7 raise in height; (of builders) **raise** —*a roof* (W.ADV. *high*) Sapph. —*a wall* Th. ‖ PASS. (of the height of a wall) be raised Th.; (of a mound) rise, increase in height Th.
8 raise (as a mark of aggression or readiness for action); **raise** —*a spear* Il. —*a whip* (*to horses*) Il.; (of a cockerel) —*its spur* Ar.; (of a scorpion) —*its sting* D.; (mid.) —*a spear* E. Ar. —*weapons* X.
9 (of wind) **raise up** —*a dust-storm* S.(dub., cj. ἀγείρω) Plu. —*a wave* Theoc.; (fig., of the sea) —*a wave of troubles* A. ‖ PASS. (of dust) be raised up or rise Il. Simon. Plu.; (of a river, a wave) Il. X.; (of winds) E. Plu.; (fig., of war) arise Ar. ‖ PF.PASS. (of a wave) be raised high AR.
10 **raise** —*one's voice* (*i.e. shout*) NT. ‖ MID. **raise** —*a tune* (*on the lyre*) Ion; (fig.) **churn up** —*applause* (*envisaged as the sound of oars in water*) Ar. ‖ PASS. (of a shout) be raised Plu.
11 ‖ PASS. (of a bird, a person envisaged as a bird) rise up (into the air) Hom. Thgn. Pi. S. E. Ar. +; (of wind-gods) AR.; (of a swimmer) —W.PREP.PHR. *fr. beneath a wave* Od.; (of a person) —W.PREP.PHR. *on tiptoes* AR.; (of vines) AR.; (fig., of a person) feel lightened (after drinking wine) Pl.
12 (intr., of the sun) **rise** S. ‖ PASS. (of the stars, the sun) rise Alcm. AR.; (of the moon) be high in the sky E.
13 ‖ PASS. (of hair on the body) stand on end Hes.
14 ‖ PASS. (of galloping horses) leap high Hom.; (of a ship's stern, compared to horses) Od.; (of a person) leap —W.ADV. *high* Od.; (of dancers) S. Ar.; (of a horse) prance —W.ADV. *very high* X.
15 ‖ PLPF.PASS. (of a knife, a sword) be suspended, hang —W.PREP.PHR. *on a peg, beside a scabbard, or sim.* Il. Theoc.
16 (act. and mid.) take up (in the hands); **take up, pick up** —*a person, animal, object* Hom. +; **gather up** —*the fruits of the earth* S.; (fig., act.) **pick up, acquire** —*an evil reputation* Hes. ‖ PF.MID. have picked up (i.e. hold or carry) —*an object* S. ‖ PASS. (of an offspring) perh., be conceived —W. ἐκ + GEN. *fr. someone* A.
17 pick up and carry; **carry** —*a corpse, a person, an object* (*to or fr. somewhere*) Hom. +; **carry, take** —*persons and animals* (*on ships*) Od.; (of ships) —*goods* Od.; **bring, fetch** —*wine, water, food, armour* Hom. E. Ar.
18 pick up and take away; **carry off, remove** —*suppliant branches* (*fr. an altar*) S. —*a person or object* (*fr. a place*) NT.; (mid.) —*a statue* (W.PREP.PHR. *fr. its base*) E.
19 ‖ MID. take away with oneself; **carry off** —*apples* AR. —*an object* (*as a reward*) AR.; (fig.) **achieve, win** —*victory, glory* B. AR. | see also ἄρνυμαι
20 take away or remove (w. no connot. of lifting); **remove** —*truth* (W.PREP.PHR. *fr. a historical account*) Plb.; **revoke** —*a law, honours* Plb.; (gener.) **get rid of** or **put an end to** —*persons or things* NT. ‖ PASS. (of hostility, a country's domination) be brought to an end Plb.; (of honours) be revoked Plb.; (of things) be removed or ended NT.
21 take up and bear; **take on, bear up beneath, shoulder** —*a yoke* Theoc. NT. —*an ordeal* S. —*troubles* E. —*grief* AR. —*someone's death* (*i.e. the grief of it*) A.
22 ‖ MID. **take upon oneself** —*labours* Od. S. E. —*a burden of calamity* E. —*a heavy burden of news* E. —*a heavy or difficult task* Isoc. Pl. —*a mass of material* (*for a story*) Pl. —*an evil reputation, pomposity* S. —*grief* S. E.
23 ‖ MID. **commit oneself to, undertake, engage in** —*a war* A. Hdt. Th. Ar. X. D. + —*a danger or risk* E. Att.orats. Plu. —*hostility, a quarrel* Thgn. E. D. —*murder* E.
24 ‖ MID. undertake, **take to** —*flight* A. E.
25 increase in importance or esteem; **raise** —*persons* (W.PREDIC.ADJ. *to be great, i.e. to greatness*) A. E. Plu.
—*persons, a god* (W.PREDIC.ADJ. *high, i.e. exalt or extol them*) E. And. Aeschin. —*a people* (W.PREP.PHR. *to a position of prestige and power*) Plu.; **exalt, extol** —*a deity* Ar. ‖ PASS. (of persons) be raised —W.PREDIC.ADJ. *to greatness* Ar. D.; be uplifted —W.DAT. *by praise* AR.; be boosted (in self-esteem) Th.; (in confidence) Plu.; (of a person's spirit) —W.DAT. *in strength* AR.
26 increase in degree or amount; **increase** —*prosperity* A.; **improve** —*a city's affairs* (W.PREP.PHR. *to their present state*) Th. ‖ PASS. (of power) be increased Th.
27 **exaggerate** —*a matter* (W.DAT. *in speech*) D. —(W.PREP.PHR. *to make it greater*) Plu.
28 bring to a heightened state of emotion; **rouse, excite** —*one's spirit* (W.DAT. *w. grief*) S.; **keep in suspense** —*someone's mind* NT. ‖ PASS. be roused —W.ACC. *in one's heart* (w. *excitement*) A. —W.DAT. *by fear, terrifying visions* A. E.; (of a person's aggressive spirit) E.(dub.) Arist.
29 effect a departure; **despatch** or **lead forth** —*an expedition* A. E. ‖ PASS. (of an expedition) be despatched Plu.
30 put to sea —*ships* E. Th. —*a military force* E.; (intr., of persons or ships) **get under way, set sail** Th. NT. Plu.; (of persons) **set out on** —*a return journey* (*by sea*) E. ‖ PASS. (of persons, a naval expedition) put to sea, set sail A. Hdt. AR.
31 (intr., of troops, a commander) **set out, move on** Th. ‖ PASS. (of troops) break camp, move on Hdt.

αἶσα ης (dial. ᾱς) *f.* [αἴνυμαι] **1** portion, share (usu. W.GEN. of booty, land, honours, other material or non-material assets) Hom. Hes. Pi. Parm. Emp. Call. AR.; (of hope, i.e. room for hope) Od.
2 portion, part (W.GEN. of a day's work) Hes.
3 measure (W.GEN. of a spring day, app.ref. to the length of daylight hours) AR.
4 (prep.phrs.) κατ' αἶσαν in due measure, duly, appropriately Il. Lyr.; παρ' αἶσαν unduly, inappropriately A. Pi. AR.
5 (prep.phr.) ἐν καρὸς αἴσῃ in the measure of (i.e. at the value of) a louse Il.
6 portion or lot in life, **lot, fortune, fate, destiny** Hom. Thgn. Pi. B. Trag. AR. Mosch.; **fated share, dispensation** (W.GEN. of good or bad) hHom.
7 fate or destiny as decreed by a god; **dispensation, will** (W.GEN. of Zeus) Hom. Hes.*fr.* hHom. Sol. Pi. AR.; (of a god or the gods) Od. hHom. Stesich. Pi. E. AR.; (prep.phrs.) ὑπὲρ αἶσαν beyond what is decreed or fated Il.; παρ' αἶσαν contrary to fate Stesich.; ἐν αἴσᾳ in accordance with fate A.(dub.)
8 (personif., as a goddess who apportions destinies) Fate Hom. Alcm. A. B. Lyr.adesp.

αἰσθάνομαι mid.vb. [reltd. ἀίω¹] | fut. αἰσθήσομαι | aor.2 ᾐσθόμην | pf. ᾔσθημαι ‖ The vb. connotes perception or awareness through the senses (of sight, hearing, touch, smell) or the mind. |
1 perceive (by sight); **see, observe** (sthg.) Hdt. Th. —*a person* S.
2 perceive (by hearing); **hear** (sthg.) E. —W.GEN. *a person* (W.PTCPL. *lamenting, proclaiming*) S. —*a voice, cry, words* E. Th. Ar. —W.ACC. *a report, voice, sound, or sim.* S. E. Ar.
3 feel (a blow) Ar. —W.GEN. *a blow* E.
4 **sense** (by smell) Hdt. —W.DAT. *by smell* X. —W.GEN. *a smell* Pl.
5 **sense** —W.GEN. *a deity* (by hearing and smell) E. —(by sight) E.; **feel** —W.GEN. + PTCPL. *a deity shaking a palace* E.
6 perceive (fr. physical symptoms), **realise** —W.NOM.PTCPL. *that one is ill* Th.
7 be in full possession of one's senses, **be mentally and physically alert** Th.

αἴσθημα

8 (of a baby) **have awareness** or **consciousness** —W.GEN. *of troubles* E.
9 **be conscious** or **aware** —w. περί + GEN. *of sthg.* Th. X.
10 **become aware** (of facts or situations, by seeing); **see, observe** —W.ACC. + PTCPL. *that sthg. is the case* A. E. Th. + —W.COMPL.CL. Th. + —W.ACC. + INF. Th. +
11 **become aware** (by hearing); **hear, learn** (of sthg.) E. Th. + —W.ACC. *of sthg.* E. Th. + —(W.GEN. *fr. someone*) E. —W.GEN. *about someone or sthg.* Th. Ar. + —W.GEN. + PTCPL. *of someone doing sthg.* Th. + —W.ACC. + PTCPL. *that sthg. is the case* S. E. Th. + —W.COMPL.CL. E. Antipho Th. +
12 **perceive** (w. the mind), **realise** E. Th. + —*sthg.* E. Th. + —W.ACC. + PTCPL. *that sthg. is the case* E. Th. + —W.GEN. + PTCPL. Lys. Ar. + —W.NOM.PTCPL. *that one is in a particular situation* E. Ar. + —W.INDIR.Q. or COMPL.CL. *what (or that sthg.) is the case* S. Th. Ar. + ‖ PF. **have come to realise, be aware** E. Pl. + —W.ACC. + PTCPL. *that sthg. is the case* Ar. Pl. + —W.COMPL.CL. Isoc. Pl. +
13 **have correct perception; understand** E. —*sthg.* E.

αἴσθημα ατος *n.* 1 **awareness, consciousness** (W.GEN. of troubles) E.
2 that which is felt by the senses, **sensation** Arist.

αἴσθησις εως *f.* 1 **perception by the senses, sense-perception** Pl. Arist. Plu.
2 (freq.pl.) **faculty** or **organ of perception, sense** Pl. X. Arist. Plb. Plu.
3 **perception, awareness, sensation, feeling** (sts. W.GEN. of sthg.) E. Th. Att.orats. Pl. X. +
4 **perception** or **awareness afforded to another, intimation, indication** (of sthg.) Antipho Th. X. D. Plu.
5 that which is perceived by the senses, **perception, impression** (sts. W.GEN. of sthg.) Pl. Arist. ‖ PL. (concr.) scents (followed by hounds) X.

αἰσθητήριον ου *n.* **faculty** or **organ of perception, sense** Arist. Plu.

αἰσθητής οῦ *m.* **one who has perception** (W.GEN. of sthg.) Pl.

αἰσθητικός ή όν *adj.* 1 **relating to perception by the senses**; (of knowledge) **gained through sense-perception** Arist.; (of pleasure) **sensory** Arist. ‖ NEUT.SB. **sensory part** (W.GEN. of the soul) Arist.
2 (of entities or properties) **having the faculty of sense-perception, perceptive, sentient** (sts. W.GEN. of sthg.) Pl. Arist.
—**αἰσθητικῶς** *adv.* (w. ἔχειν) **have sense-perception** Arist.

αἰσθητός ή όν (also ός όν) *adj.* **able to be perceived by the senses, perceptible, sensible** Pl. Arist. ‖ NEUT.SB. **object of perception** or **sensation** Pl. Arist.

ἀίσθω *ep.vb.* [app.reltd. ἀίω², ἄημι] | 3sg.impf. ἄισθε | **breathe out** —*one's life* Il.

αἰσιμία ᾱς, Ion. **αἰσιμίη** ης *f.* [αἴσιμος] 1 **allotted portion, due measure** (W.GEN. of wealth) A.(v.l. ἐναισιμία)
2 **destiny, fate** Call.

αἴσιμος η ον *adj.* [αἶσα] 1 (of water, flowing in or out of a klepsydra) **in due measure, proportionate** (i.e. equal in amount, to the air going out or in) Emp.
2 (of payment, actions, speech) **appropriate, right, just, fair** Od. ‖ NEUT.PL.SB. what is right or fair Hom. Hes.*fr.*
3 (of a person) well-balanced, **sound** (W.ACC. in one's mind) Od.; (of understanding) Mosch.
4 (of a day) decreed by fate, **fateful** Hom. hHom. Hdt.(oracle) ‖ NEUT.IMPERS. (w. ἐστί) it is fated —W.DAT. + INF. *for someone to do or suffer sthg.* Hom. Hes. AR.
—**αἴσιμα** *neut.pl.adv.* **in due measure, in moderation** —*ref. to drinking* Od.

αἴσιος ᾱ ον (also ος ον) *adj.* 1 **showing divine favour**; (of an oracular pronouncement, thunder, a sign or portent, birds of omen or their location) **auspicious, favourable** Hippon. Pi. S. E. X. Hellenist.poet. Plu.; (of a day) E.
2 (of commanders of an expedition) **meeting with auspicious omens** A.
3 (of a traveller) **well-met, auspicious, opportune** (for the person who encounters him) Il.; (of a person arriving) S.
—**αἰσίως** *adv.* **auspiciously, opportunely** E.

Αἰσονίδης ου (Ion. εω, ep. ᾱο), dial. **Αἰσονίδᾱς** ᾱ *m.* **son of Aison** (ref. to Jason) Hes. Pi. Hellenist.poet.

ἄισος *adj.*: see ἄνισος

ἀίσσω *ep.vb.*: see ᾄσσω

ἄ-ιστος (also contr. **ᾆστος** A.) ον *adj.* [privatv.prfx., ἰδεῖν]
1 (of a person) **not able to be seen, vanished, disappeared** Od. A.; (predic., of a god, cast fr. Olympos) **consigned to oblivion** Il. A. ‖ MASC.PL.SB. the unseen (i.e. the dead) A.
2 (of altars) **obliterated** A.
3 (of a person) **not seen before, unknown** AR.
4 **without sight** (W.GEN. of one's home) E.
5 **without knowledge, unaware** (W.GEN. of someone's fate) E.
—**ἀίστως** *adv.* **without trace** —*ref. to destroying things* Hes.*fr.*

ἀιστόω *contr.vb.* | aor. ἠίστωσα, contr. ᾔστωσα (S.), dial. ἀίστωσα | 1 **cause to be unseen**; (of gods) **obliterate, destroy** —*a person, the human race, the power of earlier gods* Od. Hes.*fr.* A.; (of a warrior) —*a country* S.; (of fire) —*a city, a forest* Pi. ‖ PASS. (of persons) **be made to vanish, disappear** Od.; (of an animal species) **be wiped out, become extinct** Pl.
2 **eliminate, murder** —*a person* Hdt.

ἀ-ίστωρ ορος *masc.adj.* [privatv.prfx., ἵστωρ] 1 **without knowledge, unaware** (of a law) Pl.
2 **inexperienced** (W.GEN. in warfare) E.

αἰσυιητήρ ῆρος *m.* (appos.w. κοῦρος youth) app. **prince, nobleman** Il.(v.l. αἰσυμνητήρ)

αἰσυλο-εργός όν *adj.* [αἴσυλος, ἔργον] **evil-doing** Il.

αἴσυλος ον *adj.* (of actions, words, thoughts) **evil, wicked** Hom. hHom.

αἰσυμνάω, also **αἰσυμνέω** *contr.vb.* **rule, reign** —W.GEN. over a land or city E. Call.; (of Zeus) —W.ADV. *justly* Call.

αἰσυμνητείᾱ ᾱς *f.* [αἰσυμνήτης] **government by an aisumnetes** Arist.

αἰσυμνητήρ *m.*: see αἰσυιητήρ

αἰσυμνήτης ου *m.* [αἰσυμνάω] 1 **overseer** (of an exhibition of dancing) Od.; (of an estate) Theoc.
2 **aisumnetes** (title of an elected tyrant, in certain early city-states) Arist.

—**αἰσυμνῆτις** ιδος *f.* (ref. to Athena) **ruler, mistress** (of a place) Call.

Αἰσχίνης ου *m.* **Aeschines** (Athenian orator, c.397–c.322 BC) Aeschin. D. Plu.

αἶσχος εος (ους) *n.* 1 **ugliness** (in appearance) Telest. Pl. X. Arist.; (of a word, ref. to its sound or sense) Arist. ‖ PL. **forms of ugliness** Pl.
2 **shame, disgrace** Od. Alc. Sol. A. E. AR. ‖ PL. **shameful acts** Od. Plu.
3 **source** or **cause of shame** Od.; (pl.) A. Melanipp.
4 **shaming behaviour, insult, abuse** Il. ‖ PL. **shaming** or **abusive words, insults** Hom. Hes. Thgn.

αἰσχροκέρδεια (also **αἰσχροκερδίᾱ**) ᾱς *f.* [αἰσχροκερδής] **dishonest gain, sordid avarice** S. Att.orats. Pl. X. Arist. +

αἰσχρο-κερδής ές *adj.* [αἰσχρός, κέρδος] **profiting by shameful means, intent on dishonest gain, sordidly avaricious** Hdt. E. Ar. Att.orats. P. +

αἰσχρολογέω contr.vb. [λόγος] **use foul language** Pl. Arist.
αἰσχρολογίᾱ ᾱς f. **use of foul language** X. Arist. Plb.
αἰσχρό-μητις ιος masc.fem.adj. [μῆτις] (of derangement) counselling shameful acts, **with ugly schemes** A.
αἰσχρο-ποιός οῦ m.f. [ποιέω] doer of shameful deeds, **vile criminal** E.
αἰσχροπρᾱγέω contr.vb. [reltd. πρᾶσσω] **behave disgracefully** Arist.
αἰσχρός ά (Ion. ή) όν adj. [αἶσχος] | compar. αἰσχίων, ep. αἰσχίων | superl. αἴσχιστος | **1** (of a person, satyr, face, appearance) **ugly** Il. Semon. Mimn. Hdt. E. Ar. +; (in neg.phr., of a goddess; fig., of virtue) hHom. Pi.
2 (of a corpse lying in the dust) **shameful** (W.INF. to see) Tyrt.
3 (of words) **shaming, insulting, abusive** Il. S. || NEUT.PL.SB. insults, abuse Hdt. Ar.
4 (of persons) **disgraceful, scandalous** (in character or behaviour) S. E.
5 (of actions, circumstances, speech, or sim., as a term of general disapproval or opprobrium) **shameful, disgraceful** (freq. opp. καλός excellent, admirable) Il. Tyrt. Thgn. Simon. Hdt. Trag. +
6 (wkr.sens., of a location for a new city) **poor** Hdt.; (of a time for action) **bad** D.; (of things) **ill-suited** (to a purpose) X.
7 || NEUT.SB. disgrace, dishonour, shame S. E. Th. +; (gener.) badness (opp. excellence) Simon.; vice (opp. virtue) Arist.
8 || NEUT.IMPERS. (w. ἐστί, sts.understd.) it is shameful or disgraceful —W.INF. or W.ACC. or DAT. + INF. (for someone) to do sthg. Il. Thgn. Trag. Th. Ar. + —W.ACC. + INF. that sthg. shd. happen E. —W.CL. if sthg. is the case Thgn. S. E. Att.orats. +
—αἰσχρῶς adv. | compar. αἴσχιον, superl. αἴσχιστα |
1 abusively, insultingly Hom.
2 shamefully, disgracefully Hdt. Trag. Th. Att.orats. +
3 (wkr.sens.) **badly, poorly** Hdt.
αἰσχρότης ητος f. **ugliness** (of the soul, caused by lying or crime) Pl.
αἰσχρουργίᾱ ᾱς f. [ἔργον] **disgraceful behaviour** E. X. Aeschin.
Αἰσχύλος ου m. **Aeschylus** (tragic poet, c.525–456 BC) Hdt. Ar. Pl. Arist. Men. Plu.
—Αἰσχύλειον ου n. **line of Aeschylean verse** Plu.
αἰσχύνη ης, dial. **αἰσχύνᾱ** ᾱς f. [αἶσχος] **1 shame, disgrace, dishonour** (brought upon another or suffered by oneself) Hdt. Trag. Th. Ar. Att.orats. Pl. +; (W.GEN. brought upon a city, a family) Th. Pl. || PL. shameful acts S.fr. E. Att.orats.; (W.GEN. against women and children) Isoc.
2 (ref. to a person) source of shame, **disgrace** (W.DAT. to someone) Thgn. A. E.; (ref. to memorials of a disaster) Isoc.; (ref. to a person, a decree, W.GEN. to a city) Aeschin.
3 sense of shame or **honour** S. E. Antipho Th. Philox.Leuc. Isoc.; (personif.) **Shame** A.
αἰσχυντηλός ή όν adj. [αἰσχύνω] **1** (of persons) having a sense of shame, **bashful, modest** Pl. Arist. || NEUT.SB. bashfulness, modesty Pl.
2 (of words and actions) causing shame, **shaming, disgraceful** Arist.
—αἰσχυντηλῶς adv. with a feeling of shame, **ashamedly** Pl.
αἰσχυντήρ ῆρος m. **man who brings disgrace** (upon a wife), **adulterer** A.
αἰσχυντηρός ά όν adj. (of persons) having a sense of shame, **bashful, modest** Pl.(dub., v.l. αἰσχυντηλός)
αἰσχύνω vb. [αἶσχος] | ep.inf. αἰσχυνέμεν | fut. αἰσχυνῶ | aor. ᾔσχῡνα || MID.: fut. αἰσχῠνοῦμαι || PASS.: aor. (usu. w.mid. sens.) ᾐσχύνθην, inf. αἰσχυνθῆναι, dial. αἰσχυνθῆμεν (Pi.) | pf.ptcpl. ᾐσχυμμένος || neut.impers.vbl.adj. αἰσχυντέον |
1 spoil the appearance of, **disfigure** —one's face (w. dust) Il. —one's hair (by tearing it) Il. —the beauty of a tree (by lopping off its branches) Pi. —a river (by blocking its flow) hHom.; (of anxiety) —a person's face S.
2 (of a person, dogs) **disfigure, mutilate** —a corpse Il. || PASS. (of a corpse) be mutilated Il.
3 bring shame upon, **shame, disgrace, dishonour** —a person, family, city, marriage bed, hospitality, reputation, or sim. Hom. Hes.fr. Tyrt. Hdt. Trag. Th. +; (specif.) **abuse, rape** —a woman or child E. Isoc. Plu. || PASS. (of a warrior) be shamed or disgraced —W.ACC. in his fighting spirit Pi.
4 disdain, despise, scorn —what is at hand Pi.
5 || MID. and AOR.PASS. **feel shame, be ashamed** (sts. W.DAT. or PREP.PHR. at or over sthg.) Hdt. S. E. Ar. Att.orats. + —W.INF. to do sthg. A. Hdt. E. Th. Att.orats. + —W.PTCPL. doing sthg. Trag. Th. Att.orats. + —W.ACC. + INF. that someone shd. do sthg. E. X. D.
6 || MID. and AOR.PASS. (tr.) **feel shame at, be ashamed of** —sthg. S. E. Th. Ar.
7 || MID. and AOR.PASS. act with a sense of shame or honour, **show respect** Od. Th.; (tr.) **have respect for** —persons, gods, old age, youth, public opinion, people's expectations of one Od. E. Th. Ar. Att.orats. +
Αἴσωπος ου m. **Aesop** (writer of fables) Hdt. Ar. Pl. Arist. Call. Plu.
—Αἰσώπειος ᾱ ον adj. (of a fable) by Aesop, **Aesopian** Arist.
—Αἰσωπικός ή όν adj. (of a fable) by Aesop, **Aesopian** Ar.
αἴτε dial.conj.: see εἴτε
αἰτέω contr.vb. —also **αἴτημι** (Pi. Theoc.) Aeol.vb. | Ion.impf. αἴτεον | fut. αἰτήσω | aor. ᾔτησα || PASS.: pf. ᾔτημαι || neut.impers.vbl.adj. αἰτητέον | **1 make a request, ask, beg, plead** (for sthg.) Od. Thgn. A. Hdt. S. Th. +; (mid.) Trag. Antipho +
2 make a request of, ask, beg —someone (for sthg. or to do sthg.) Od. Hes. Pi. S. E. +; (mid.) S. E. Ar. +
3 request, ask for —sthg. Hom. hHom. Hippon. Pi. Hdt. S. + —(w. 2ND ACC. fr. someone) Hom. A. Pi.fr. Hdt. S. E. + —(W.PREP.PHR.) Thgn. Hdt. E. + —a woman (in marriage) Il. Pi. Hdt. E. —(w. 2ND ACC. fr. someone) Is. || MID. ask for —sthg. Hdt. Trag. Th. + —(w. 2ND ACC. fr. someone) E. Antipho + —someone (W.PREDIC.SB. as commander) Lys. || PASS. (of money) be demanded Hdt.
4 || MID. (specif.) ask for the loan of, **borrow** —items Th. And. Lys. Thphr. || PASS. (of horses) be borrowed Lys.
5 request permission, **ask** —W.INF. to do sthg. Il. Hdt. E. Th.(also mid.) + || MID. **ask** —someone (W.INF. for permission to do sthg.) S. E.
6 ask, beg —someone (W.INF. to do sthg.) Od. Pi. Trag. +; (mid.) Trag. +
7 ask —W.ACC. + INF. for sthg. to happen hHom.; (mid.) E. Antipho Th. || MID. **ask** —someone (W.ACC. + INF. for sthg. to happen) E.
8 || PASS. (of a person) be asked (for sthg.) Th. Theoc. —W.ACC. for sthg. Hdt. —W.INF. to do sthg. Pi.
αἴτημα ατος n. **1 request** Pl. NT. Plu.
2 (math.) **postulate, axiom** Plu.
αἴτης ου m. app. **beloved youth** Theoc.
αἴτησις εως f. [αἰτέω] **request, demand** (sts. W.GEN. for sthg.) Hdt. Antipho Th. Isoc. Pl. +
αἰτητικός ή όν adj. (of a person) **fond of asking** (for favours) Arist.

αἰτητός όν *adj.* (of the rule of a city) **asked for** S.
αἰτίᾱ ᾱς, Ion. **αἰτίη** ης *f.* [αἴτιος] **1 cause, reason** (sts. W.GEN. of or for sthg.) Pi. Hdt. Trag. Th. +; αἰτίᾳ *for the sake* (W.GEN. *of sthg.*) Th.
2 (in philosophical theory of explanation) **cause** Pl. Arist.
3 responsibility (sts. W.GEN. for sthg.) Trag. Th. +
4 culpable responsibility, **blame** (sts. W.GEN. for sthg.) Pi. Hdt. Trag. Th. +; **accusation** (sts. W.GEN. of a specific crime) Hdt. Trag. Th. +
5 cause of blame, **fault, crime** S.
αἰτιάζομαι *pass.vb.* **be accused** X. —W.INF. *of doing sthg.* X.
αἰτίαμα ατος *n.* [αἰτιάομαι] **accusation, charge** A. E.(dub.) Th. Plu.
αἰτιάομαι *mid.contr.vb.* [αἰτίᾱ] | (w.diect.) ep.3pl. αἰτιόωνται, ep.2sg.opt. αἰτιόῳο, 3sg. αἰτιόῳτο, ep.inf. αἰτιάασθαι | (w.diect.) ep.2pl.impf. ᾑτιάασθε, 3pl. ᾑτιόωντο | fut. αἰτιάσομαι | aor. ᾑτιᾱσάμην, Ion.ptcpl. αἰτιησάμενος || PASS.: aor. ᾑτιάθην | pf. ᾑτίᾱμαι || neut.impers.vbl.adj. αἰτιᾱτέον |
1 hold responsible, **find fault with, blame** —*someone or sthg.* Hom. Anacr. Hdt. S. E. Th. + —(W.NEUT.ACC. or GEN. *for sthg.*) Ar. Isoc. Pl. + —(W.PTCPL. *for doing sthg.*) Plu. || PASS. (of things) be blamed Pl.
2 (gener., or in legal ctxt.) **accuse** —*someone* S. Att.orats. + —(W.GEN. *of sthg.*) Hdt. Ar. Isoc. + —(W.INF. *of doing sthg.*) Hdt. Ar. Att.orats. +; (intr.) **make an accusation** Att.orats. + —W.COGN.ACC. Antipho || PASS. (of a person) be accused Th. Plu. —W.INF. *of doing sthg.* X.
3 (gener.) **find fault** Th. X.; **complain** —W.COMPL.CL. *that someone has done sthg.* Hdt.; **protest** —W.INF. *that one has done sthg.* Th.
4 (sts. in legal ctxt.) **allege, claim** —W.NEUT.ACC. *sthg.* Antipho —W.ACC. + INF. *that sthg. is the case* Isoc. Pl. X. + —W.COMPL.CL. Th. X. —W.PASS.INF. *that one has been wronged* X.
5 allege as a cause; hold (W.ACC. someone or sthg.) **to be the reason** Pl. —W.GEN. *for sthg.* Pl. Arist.
αἰτίᾱσις εως *f.* making of an accusation; **accusation, charge** Antipho; (W.GEN. of murder) Arist.
αἰτιᾱτός ή όν *adj.* produced by a cause || NEUT.SB. **effect** (opp. αἴτιον *cause*) Arist.
αἰτίζω *vb.* [αἰτέω] **1** make a request, **ask** (for sthg.) Od.; (specif.) **beg** Od.
2 ask for —*sthg.* Ar. Call.; **beg for** —*food, scraps* Od. Call.
3 beg from —*someone* Od.
αἰτίη *Ion.f.*: see αἰτίᾱ
αἴτιος ᾱ (Ion. η) ον (also ος ον Ar.) *adj.* **1** being a cause (of sthg.); (of persons, gods, things) **responsible** (freq. W.GEN. for sthg.) Pi. Hdt. S. Th. Ar. +; (W.INF. for doing sthg.) Th. Ar.; (W.ACC. + INF. for sthg. happening) Hdt. Ar. Antipho || NEUT.SB. **cause** (freq. W.GEN. of sthg.) Sapph. Hdt. E. Th. Ar. +
2 || NEUT.SB. (in Aristotelian philosophy of explanation) **cause** Arist. | see also αἰτίᾱ 2
3 having culpable responsibility (for sthg.); (of persons or gods) **blameworthy, to blame** (freq. W.GEN. for sthg.) Hom. +; (W.ACC. + INF. for sthg. happening) E.; (W.INF.) S. || MASC.SB. man who is guilty (sts. W.GEN. of sthg.) Archil. A. Hdt. S. Th. +
αἰτίωμα ατος *n.* **accusation, charge** NT.
Αἴτνη ης, dial. **Αἴτνᾱ** ᾱς *f.* **1 Aetna** (volcanic mountain in E. Sicily) Hes.*fr.* Pi. E. Th. +
2 Aetna (name of a city near the mountain, founded by Hieron of Syracuse in 476/5 BC) Pi. B. Ar. Theoc.
—**Αἰτναῖος** ᾱ ον *adj.* **1** of or relating to Mount Aetna; (of the mountain, crags, or sim.) **of Aetna** A. E.*Cyc.* Call.; (of the land or shores, ref. to Sicily) E. Mosch.
2 (of Hephaistos, the Cyclops, a breed of horses, legendary dung-beetles) **from Aetna, Aetnaean** S. E.*Cyc.* Ar.; (of bloodbowls) E.*Cyc.*(dub.)
3 relating to the city of Aetna; (of Hieron, as its founder) **Aetnaean** Pi.; (of Zeus, as patron god) Pi. || MASC.PL.SB. men of Aetna Pi.
Αἰτωλίᾱ ᾱς *f.* **Aitolia** (region in W. of central Greece) S. Th. X. Plb.
—**Αἰτωλός** οῦ *masc.adj.* **1** (of a man) from Aitolia, **Aitolian** Hom. Pi. Hdt. S. Plb. Plu.; (of a boar) E. || MASC.PL.SB. Aitolians (as a population or military force) Hom. +
2 (of a warlike spirit) characteristic of Aitolians, **Aitolian** E.
—**Αἰτώλιος** ᾱ ον *adj.* (of a warrior) from Aitolia, **Aitolian** Il.
—**Αἰτωλίς** ίδος *fem.adj.* (of the land) **of Aitolia** Hdt. E.; (of a woman, spears, an olive tree) **Aitolian** B. S. E. AR.
—**Αἰτωλικός** ή όν *adj.* **1** (of a person, troops, a ship, war, disaster) of or relating to Aitolia, **Aitolian** Th. Plb. Plu.
2 (of speech, behaviour) characteristic of persons from Aitolia, **Aitolian** Plb.
αἴφνης *adv.* [reltd. ἐξαίφνης] **suddenly** E.(dub.)
αἰφνίδιος ον *adj.* [reltd. αἶψα] **1** (of actions, events, speech) **sudden** A.(dub.) Th. Ar. Arist. Call. Plb. Plu. || NEUT.SB. **suddenness** (sts. W.GEN. of an action or event) Th. Plb. Plu.
2 (quasi-advbl., of persons acting or things happening) **all of a sudden** Th. Plb.; (of a day arriving) NT.
—**αἰφνίδιον** *neut.adv.* **suddenly** Theoc. Plb. Plu.
—**αἰφνιδίως** *adv.* **suddenly** Th. Plb. Plu.
αἰχμά *dial.f.*: see αἰχμή
αἰχμάεις εσσα εν *dial.adj.* [αἰχμή] **armed with a spear** A.
αἰχμάζω *vb.* | ep.fut. αἰχμάσσω | aor. ᾔχμασα | **1 fight with the spear** A. E. Men. —W.COGN.ACC. Il.
2 equip with a spear, **arm** —*one's hand* (W.PREP.PHR. against someone) S.
3 perform (W.NEUT.PL.ACC. these) **feats of arms** S.
αἰχμαλωσίᾱ ᾱς *f.* [αἰχμάλωτος] **1** state or act of being taken prisoner of war, **capture** or **captivity** Plb. Plu.
2 capture (W.GEN. of an object) Plu.
αἰχμαλωτίζομαι *pass.vb.* **be taken captive** NT.
αἰχμαλωτικός ή όν *adj.* (of living quarters) **for captives** E.
αἰχμαλωτίς ίδος *f.* **1** female prisoner of war, **captive woman** S. E. Plb. || ADJ. (of a woman) captive E.
2 || ADJ. (of hands) of captives S.
αἰχμ-άλωτος ον *adj.* [αἰχμή, ἁλωτός] **1** captured by the spear; (of persons) **taken as prisoner of war, taken captive** Hdt. E. Th. + || MASC.FEM.SB. prisoner of war, captive Hdt. Trag. Th. +
2 (of animals, goods, weapons, ships, cities, or sim.) **captured in war** A. E. Th. + || NEUT.PL.SB. spoils of war, booty X. D. Men. Plb.
3 (of slavery) **that awaits a captive** Hdt.; (of a bed) A.
αἰχμή ῆς, dial. **αἰχμά** ᾶς *f.* **1 point** (W.GEN. of a spear) Il. Tyrt. E. Plu.; **spear-point** Il. Hdt. Plu.
2 spear Il. Hes. Archil. Lyr. A. Hdt. +; (specif.) **spear-shaft** (opp. spear-head) Hdt.
3 (meton., for other weapons or implements); **spear** (ref. to Poseidon's trident) A.; **arrow-point** A.; **blade** (ref. to a sickle) Hes.; (W.GEN. of a sword) S. || PL. (fig.) shafts (ref. to drops of poison aimed by Erinyes) A.(dub.)
4 fighting with the spear, **spearmanship** Il. Tyrt. Ibyc. A. Pi. Call.

5 (gener.) **warfare, combat** Archil. Pi. Hdt. Trag. Plu.; (W.GEN. against wild animals) E.
6 (collectv.) body of spear-bearers, **spearmen** Pi. E.
7 (fig.) **belligerent power** (of Zeus) A.; perh. **warlike temper** (of a woman) A.

αἰχμητής οῦ, dial. **αἰχμᾱτᾱ́ς** ᾱ (also ᾱο) *m.* | also ep.voc. αἰχμητᾰ́ as nom. | **1 spearman, warrior** (sts. appos.w. ἀνήρ, pers. name, or sim.) Hom. Hes. Archil. Eleg. Lyr. E. +
2 ‖ ADJ. (of an army, a people) **of spearmen** Pi. E.; (of a person's spirit) **warlike** Pi.; (of a thunderbolt) Pi.

αἰχμο-φόρος ου *m.* [φέρω] **1 spear-carrier, spearman** Hdt.
2 ‖ PL. **armed bodyguard** B. Hdt.

αἶψα *adv.* **straightaway, at once** Hom. Hes. Semon. Eleg. Lyr. A. +

αἰψηρο-κέλευθος ον *adj.* [αἰψηρός] (of the north wind) **travelling swiftly** Hes.

αἰψηρός ᾱ́ (Ion. ή) όν *adj.* [αἶψα] **1** (quasi-advbl., of an assembly being dismissed) **in haste** Hom.
2 (of a surfeit of lamentation) **soon coming** Od.
3 (of blasts of wind) **swift** Pi.*fr.*; (of birds) Mosch.

ἀΐω¹ (also **ἄϊω** A. S.) *vb.* | only pres. and impf. | impf. ἄϊον, ep. ἄϊον | **1 hear** (persons or sounds) Hom. Hes. S. E. Hellenist.poet.
2 hear —W.ACC. *words, a voice, sound, or sim.* Il. Pi. Lyr.adesp. Trag. Hellenist.poet. —W.GEN. Hom. Sapph. S. AR. —(W.GEN. *fr. someone*) E. —W.GEN. *a person* hHom. E. AR. —(W.PTCPL. *singing, lamenting, crying out*) Il. Xenoph. A. Pi. E.
3 (of a god) **listen** (to an appeal) A. Call. Theoc.*epigr.* —W.GEN. *to prayers* Il.
4 (of cities) **obey** —W.GEN. *a king* A.; (of a son) **listen to, heed** —W.GEN. *his father* Ar.(mock-trag.)
5 know by hearsay, have heard (of sthg.) Pi. AR. —W.ACC. *of someone's fame* Pi. —W.GEN. *fr. someone* (W.ACC. + PTCPL. *that sthg. is the case*) AR.
6 know, realise —W.INDIR.Q. or COMPL.CL. *what* (*or that sthg.*) *is the case* Hom.
7 have sight or **understanding** S.; **be aware of** or **understand** —W.ACC. *the mind of the gods* Ar.(mock-oracle)
8 (of horses) **feel** —W.GEN. *the lash of a whip* Il.

ἀΐω² *vb.* [reltd. ἄημι, ἀΐσθω] | only impf. ἄϊον | **breathe out** —*one's life* Il.

αἰών¹ ῶνος *m.* (sts.*f.*) [reltd. ἀεί] | acc. αἰῶνα, also αἰῶ (A., cj.) | **1 vital** or **animating spirit** (which departs on death), **life** Hom. Hes.
2 state of being alive, **life** Il.
3 period of a person's existence, **life-span, lifetime, life** Hom. hHom. Lyr. Emp. Hdt. Trag. +; **span** (W.GEN. of life) Hes.*fr.*; (personif.) Life (son of Χρόνος *Time*) E.
4 period within a person's life, **time of life** A. Pi.
5 quality or nature of a person's life, **fortune in life** Pi. S. E. Call.
6 period of time during which particular persons are alive, **generation, age** A. Emp. D. Theoc.
7 period of existence after death, **after-life** E.
8 (hyperbol.) lifetime (as a long period of time), **lifetime, age** Men.
9 (gener.) **period of time** AR.; (advbl.acc.phr.) ἅπαντα τὸν αἰῶνα *for the whole period of time* Isoc.
10 all time (past and future), **eternity** Pl.; (phrs.) πᾶς αἰών *all eternity* Pl.; τὸν ἅπαντα αἰῶνα *throughout all eternity* Arist.
11 all future time; (phrs.) ὁ πᾶς (σύμπας) αἰών *all time to come, all eternity* Isoc.; εἰς ἅπαντα τὸν αἰῶνα *for all time,* *forever* Isoc. Lycurg.; (also) πάντα τὸν αἰῶνα Isoc.; τὸν αἰῶνα Lycurg.; εἰς τὸν αἰῶνα NT.; κατὰ παντὸς τοῦ αἰῶνος Lycurg.
12 all past time; (prep.phrs.) ἐξ ἅπαντος τοῦ αἰῶνος *from the earliest times* Lycurg.; (also) ἐκ τοῦ αἰῶνος, ἀπ' αἰῶνος NT.
13 specific period of time, **age, epoch** NT.

αἰών² ῶνος *m.* [perh.reltd. αἰών¹] **1 spinal marrow** (of an animal or human) hHom. Pi.*fr.*
2 app. **spine, backbone** (of cattle) hHom.

ἀϊών¹ *dial.f.*: see ἠϊών

ἀϊών² όνος *dial.f.* [loanwd.] app. **cloak** B.

αἰώνιος ον *adj.* [αἰών¹] (of things, conditions) **everlasting, eternal** Pl. Hyp. Call. Plb. NT.

αἰώρᾱ ᾱς *f.* [αἰωρέομαι] **1 dangling noose** S.
2 a kind of conveyance or support imparting a rocking or swinging motion; perh. **swing** or **hammock** Pl.
3 perh. **oscillation** (of underground waters) Pl.

αἰωρέομαι *pass.contr.vb.* [perh.reltd. ἀείρω] | impf. ἠωρούμην, dial.3sg. ἀωρεῖτο (Bion, cj.) | aor.ptcpl. αἰωρηθείς ‖ The vb. denotes the state of being raised up, either suspended fr. above or floating free. |
1 (of an object) be suspended, **hang** —W.PREP.PHR. *fr. a ship's rigging* Pl.; (of an animal-skin, a robe) —W.PREP.PHR. *around a part of the body* Hdt. Theoc. Bion; (of bones) —*in their sockets* Pl.; (fig., of a person's fortunes) **depend** —W. ἐν + DAT. *on others* Pl.
2 (of the earth) **hang** (in space) Plu.; (of a ghost) **hover** E.; (fig., of a fate) —W.PREP.PHR. *over someone's head* Mosch.
3 (of liquid matter which has no support; of a fiery element within the body) **float free** Pl. [or perh. *oscillate*]
4 (fig., of a person) **hang suspended** —W.PREP.PHR. *in danger* Th.; (of a mental dream, i.e. its fulfilment) **be held in suspense** S.; (of people) **be in suspense** Plu.
5 (fig., of a commander, troops, ships) **hover** or **loom** —W.ADV. or PREP.PHR. *in or about a place* Plu.
6 (of hounds) **be elated** or **excited** —W.ACC. *in spirit* X.
7 (of a giant, about to fall) **be precariously poised** —W.DAT. *on his feet* AR.; (fig., of a political system) Plu.; (of a person) **swing** —W.DAT. *in one's thoughts* (W.PREP.PHR. *towards other hopes*) Pl.
8 (fig.) be in a precarious situation, **run a risk** Hdt.
—**αἰωρέω** *act.contr.vb.* **1** (of a sleeping eagle) app. **hold high** —*its back* Pi.
2 (of a person, envisaged as a bird high in the clouds) **hold aloft** —*one's gaze* S.(cj.)
3 (of a celebrant of ecstatic rites) **dangle** —*snakes* (W.PREP.PHR. *above one's head*) D.
4 (of a bodily condition) **excite** or **disturb** —*the mental faculties* Plu.

αἰώρημα ατος *n.* **1** action of being suspended (fr. a noose), **hanging** E.
2 suspension (of a rock, betw. heaven and earth) E.
3 action of being suspended in the air (like a bird), **hovering** E.

αἰώρησις εως *f.* **swaying** or **oscillatory motion** (of a ship or vehicle) Pl.

ἀκᾷ *dial.dat.adv.*: see under ἀκή

Ἀκαδήμεια ᾱς *f.* **Akademeia, Academy** (public park and gymnasium in the suburbs of Athens, dedicated to the local god Akademos, where Plato taught) Ar. Att.orats. Pl. X. Plu.; (ref. to a school of philosophy, based on that of Plato) Plb. Plu.

—**Ἀκαδημαϊκός** (also **Ἀκαδημιακός**) ή όν *adj.* (of a philosopher, a style of philosophy) associated with the Academy, **Academic** Plu.

ἀκαθαρσίᾱ ᾱς *f.* [ἀκάθαρτος] **1** state of uncleanness, impurity (in a diseased body) Pl.; (fr. contact w. a killer) D. **2** filth (inside a tomb) NT.

ἀ-κάθαρτος ον *adj.* [privatv.prfx., καθαίρω] **1** (of a horse) not cleaned, **unwashed, dirty** X. **2** (of a person) not cleansed by religious ritual, **unpurified** Pl. **3** (of a crime entailing pollution) **unpurified, unpurged, unexpiated** S. Pl. **4** (fig., of a person) **uncleansed** (of false opinions) Pl.; (of a skill) **unrefined** Pl. **5** (of persons or things) ritually impure, **unclean** NT. **6** (of a soul, fr. contact w. the body) **impure** Pl. **7** (w. moral connot., of a person) **unclean, impure** (w.ACC. in one's soul) Pl.; (of ransom-money) Pl.; (of pleasures) Pl.; (of evil spirits) NT. **8** (of a person, as a term of abuse) **filthy, vile** D. Plu. —**ἀκαθάρτως** *adv.* **in a state of impurity** (w.ACC. in one's soul) Pl.

ἀ-κάθεκτος ον *adj.* [καθεκτός] (of recklessness) **uncontrollable** Plu.

ἄκαινα ᾱς *f.* [reltd. ἀκίς, ἀκωκή] **stick** (used both as a goad for cattle and as a measuring-rod) Call. AR.

ἀκαιρίᾱ ᾱς *f.* [ἄκαιρος] **1** inappropriate measure, **lack of proportion, excess** (in a speaker's treatment of a subject) Isoc.; (in drinking) Plb. **2** inappropriate behaviour Pl. Plb. Plu. **3** inappropriate time (for sthg.) Pl. Aeschin. D.; **difficult time** (for a bereaved person) Is. **4** unfavourable time, lack of opportunity (to do sthg.) D. **5** unfavourable weather Pl. **6** unfavourable location (of a city) Plb.

ἀκαίριμος ᾱ ον *dial.adj.* (of a tongue, i.e. speech) **ill-timed** Lyr.adesp.

ἄ-καιρος ον *adj.* [privatv.prfx., καιρός] **1** inappropriate in degree or amount; (of aspiration for wealth) **immoderate, excessive** E.; (of a speech, its length) Isoc. D.; (of pleasures, desires, gains, liberty, pride) P. X. Plu. **2** inappropriate to the circumstances; (of behaviour or speech) **inappropriate, unsuitable** A. Th. Ar. Att.orats. Pl. Plb. Plu.; (of an epithet) Arist. **3** (of a person) **unsuited** (W.INF. to doing sthg.) X. **4** behaving in an inappropriate manner, **tactless** Thphr. Plu. **5** inappropriate for the time; (of a sacrifice) **inopportune, untimely** Men. **6** (prep.phr.) ἐς ἄκαιρα *to no purpose, ineffectively* Thgn. —**ἄκαιρα** *neut.pl.adv.* **inopportunely** —*ref. to things being lost* E. —**ἀκαίρως** *adv.* **inappropriately, unsuitably** A. Isoc. Pl. Plb. Plu.

ἀκάκᾱς ᾱ *dial.masc.adj.* [ἄκακος] (of a king) causing no harm (to his people), **beneficent** A.

ἀκάκητα *ep.masc.adj.* | orig. voc., used only as nom. | (epith. of Hermes perh., causing no harm, **beneficent** Hom. Hes.*fr.*; (of Prometheus) Hes.

ἀκακίᾱ ᾱς *f.* lack of evil intent, **innocence** D. Arist. Plu.

ἄ-κακος ον *adj.* [privatv.prfx., κακός] **1** (of a king) causing no harm (to his people), **beneficent** A. **2** (of persons) lacking in evil intent, **innocent, guileless** Pl. D. Men. Plb. —**ἀκάκως** *adv.* without doing or suspecting evil, **innocently** D. Men. Plb. Plu.

Ἀκαλανθίς ίδος *f.* [perh.reltd. ἀκανθίς] (epith. of Artemis) perh. **Finch** Ar.

ἀκαλα-ρρείτης ᾱο *ep.masc.adj.* [ἀκαλός, ῥέω] (of Okeanos) **gently flowing** Hom.

ἀκαλήφη ης *f.* **1** stinging nettle Ar. **2** perh. **sea-anemone** Ar. **3** (fig.) **sting** (in a person's temper) Ar.

ἀ-καλλιέρητος ον *adj.* [privatv.prfx., καλλιερέω] (of a sacrifice) which has not provided favourable omens, **ill-omened** Aeschin.

ἀκαλός ή όν, Aeol. **ἄκαλος** ᾱ ον *adj.* [reltd. ἀκή] **peaceful, quiet** or **gentle** Sapph. —**ἀκαλά** *neut.pl.adv.* **peacefully, gently** —*ref. to a river flowing* Hes.*fr.*

ἀ-κάλυπτος ον *adj.* [privatv.prfx., καλυπτός] **1** (of a head) **uncovered, exposed** Plu.; (of pollution, ref. to a person) S. **2** (of a life) with no possible concealment (of misfortunes), **exposed to view** Men.

ἀ-καλυφής ές *adj.* (of a sanctuary) **uncovered, roofless** S.

ἀκαμαντό-δετος ον *adj.* [ἀκάμας, δέω¹] (of the outrage) **of untiring bonds** A.(dub., v.l. ἀδαμαντό-)

ἀκαμαντο-λόγχᾱς ᾱ *dial.masc.adj.* [λόγχη] **with tireless spear** Pi.

ἀκαμαντο-μάχᾱς ᾱ *dial.masc.adj.* [μάχη] **tireless in battle** Pi.

ἀκαμαντό-πους ποδος *dial.masc.adj.* [πούς] (of horses) **with untiring feet** Pi.; (fig., of Zeus' thunder) **unresting** Pi.

ἀκαμαντο-ρόᾱς ᾱ *dial.masc.adj.* [ῥόος] (of a river) **with tireless flow** B.

ἀκαμαντο-χάρμᾱς ᾱ *dial.masc.adj.* [χάρμη] **tireless in battle** Pi.*fr.*

ἀ-κάμας αντος *masc.adj.* [privatv.prfx., κάμνω] (of animals) **untiring** Il. Pi.; (of the sun, sea, a river, wind) Il. Hes. hHom. Pi. S.; (of toils) Arist.*lyr.*

ἀ-κάματος ον (also η ον, dial. ᾱ ον) *adj.* | ep. ἀ̄- *metri grat.* | **1** (of persons, monsters, deities, their attributes) **untiring** Hes. A. B. AR. Plu.; (of fire) Hom. Hes. AR. Theoc.; (of the gleam of fire) A.*satyr.fr.*; (of a river, the sea, sun, wind) B. Emp. Ar. AR.; (of oars, meton. for rowing) AR. **2** (of Earth) **inexhaustible** S. **3** (of fame) **unending** B.; (of months) S.(dub., cj. ἄκματος) —**ἀκάματα** *neut.pl.adv.* **untiringly** S.

ἄ-καμπτος ον *adj.* [καμπτός] **1** (of an object) unbent, **straight** or **rigid** X. **2** (of bone) unable to be bent, **inflexible** Pl. **3** (of a person) **unbending, unyielding, unflinching** AR. Plu.; (w.ACC. in spirit) Pi.; (of a person's mind, purpose or character) A. E. Plu. **4** unmoved (W.PREP.PHR. by lamentations or sim.) Plu.

ἄκανθα ης *f.* **1** prickly plant, **thorn** Ar. Theoc. Plb. NT. Plu. **2** thistle Od. Theoc. **3** acacia tree (used to make boats) Hdt. **4** backbone, **spine** (of humans, animals, reptiles, fish) Hdt. E. Ar. AR. Theoc.; (of a sea god's tail) AR.

ἀκάνθινος η ον *adj.* **1** (of Christ's crown) **made of thorns** NT. **2** (of a ship's mast) **made of acacia wood** Hdt.

ἀκανθίς ίδος *f.* a songbird; perh. **finch** Theoc.

ἄκανθος ου *m.* **acanthus** Theoc.

ἀκανθώδης ες *adj.* [ἄκανθα] (of a region) **full of thorn bushes** Hdt.; (of a lotus tree) **thorny, prickly** Plb.

ἄ-καπνος ον *adj.* [privatv.prfx., καπνός] (of sacrifices) **without smoke, unburnt** Call.

ἀκαπνώτως *adv.* [καπνόομαι] **smokelessly** E.*fr.*(cj.)

ἀ-κάρδιος ον *adj.* [καρδίᾱ] (of a sacrificial animal) **having no heart** (i.e. ill-omened) Plu.

ἀ-καρής ές *adj.* [perh. κείρω] **1** perh., not able to be cut (and so made shorter); (prep.phr.) ἐν ἀκαρεῖ χρόνῳ (v.l. χρόνου) *in no time at all*, **in an instant** Ar. ‖ NEUT.SB. **instant** (W.GEN. of time) Plu.
2 (quasi-advbl., of a person doing sthg.) within a hair's breadth, **all but, virtually** Men.
—**ἀκαρές** *neut.sg.adv.* (ref. to extent) **by a tiny bit** Men.
—**ἀκαρῆ** *neut.pl.adv.* (ref. to time) **for a tiny bit** Ar.; (ref. to amount or degree, w. οὐ or οὐδέ) **not even one tiny bit** Ar. D.
—**ἀκαρεί** *adv.* **instantly** Plu.
ἀκαριαῖος ᾱ ον *adj.* (of a voyage) **very brief** D.(dub.)
Ἀκαρνάν ᾶνος (Ion. ῆνος) *masc.adj.* (of a man) from Akarnania, **Akarnanian** Hdt. Th. + ‖ PL.SB. Akarnanians (as a population or military force) Th. +
—**Ἀκαρνᾱνίᾱ** ᾱς, Ion. **Ἀκαρνᾱνίη** ης *f.* **Akarnania** (region of NW. Greece) Hdt. Th. +
—**Ἀκαρνᾱνικός** ή όν *adj.* (of a plain) **Akarnanian** Th.
ἀκαρπίᾱ ᾱς *f.* [ἄκαρπος] **unfruitfulness, barrenness** (of a land) A.
ἀ-κάρπιστος ον *adj.* [privatv.prfx., καρπίζω] (of the plains of the sea) **which cannot be harvested** E.
ἄ-καρπος ον *adj.* [καρπός¹] **1** (of land, trees, plants, or sim.) yielding no fruit, **fruitless, barren** E. Arist. Plb. Plu.; (fig., of words planted in a soul) Pl.; (of words envisaged as seeds sown among thistles) NT.; (of fire, envisaged as a virgin substance, hence assoc.w. Vestals) Plu.
2 (of a womb) **infertile** Pl.; (of human seed) Plu.
3 (of a sickness) **crop-destroying** A.
4 (fig., of possessions, activities, achievements) not producing profit, **unproductive, unprofitable** B.*fr.* S.*satyr.fr.* Arist. Plu.
—**ἀκάρπως** *adv.* **barrenly** S.
ἀ-κάρπωτος ον *adj.* [καρπόομαι] **1** (of prophecies) not brought to fruition, **unfulfilled** A.
2 (of a victory) **producing no profit** (i.e. no thank-offering, for the goddess who had overseen it) S.
ἀκαρτέω *dial.contr.vb.* [ἀκρατής] **have no control** —W.GEN. over one's tongue Call.
ἀκασκαῖος ᾱ ον *adj.* [perh.reltd. ἀκή] perh. **gentle** or **tranquil** A.
ἀ-κατάβλητος ον *adj.* [privatv.prfx., καταβάλλω] (of an argument) not able to be thrown down, **incontrovertible, unassailable** Ar.
ἀ-κατάγγελτος ον *adj.* (of a war) **not formally declared** Plu.
ἀ-κατακάλυπτος ον *adj.* [κατακαλύπτω] (of a woman) **with uncovered head** Plb.
ἀ-κατάκριτος ον *adj.* [κατακρίνω] (of a person) **unsentenced** (by a court) NT.
ἀ-κατάληπτος ον *adj.* [καταληπτός] (of philosophical matters) not able to be grasped, **incomprehensible** Plb.
ἀκαταλλάκτως *adv.* [καταλλάσσω] **irreconcilably, implacably** D. Plb.
ἀ-κατάλληλος ον *adj.* (of locations) not corresponding (w. each other), **ill-matched** Plb.
ἀ-κατάπαυστος ον *adj.* [καταπαύω] (of things) **unceasing** Plb. Plu. ‖ NEUT.SB. **permanence** Plu.
ἀ-κατάσκευος ον *adj.* [κατασκευή] (of personal affairs) not organised, **unsettled** Aeschin.
—**ἀκατασκεύως** *adv.* **1** without deliberate design, **spontaneously** Plb.
2 without any building work Plb.
ἀκαταστασίᾱ ᾱς *f.* [ἀκατάστατος] **unsettled state, instability** (of a situation) Plb. NT.; (W.GEN. of a kingdom) Plb.

ἀ-κατάστατος ον *adj.* [καθίστημι] **1** (of a wind) **unsettled, variable** D.
2 (of a person) **unstable** (in character) Plb.
—**ἀκαταστάτως** *adv.* in an unsettled state, **unstably** Isoc.
ἀ-κατάσχετος ον *adj.* (of persons) **unstoppable** Plu.
—**ἀκατασχέτως** *adv.* **unstoppably** Plu.
ἀ-κατάτριπτος ον *adj.* [κατατρίβω] (of provisions) not able to be used up, **inexhaustible** Plb.
ἀ-καταφρόνητος ον *adj.* [καταφρονέω] (of a leader) **not treated lightly** or **dismissively** (w. ὑπό + GEN. by his enemies) X.
ἀ-κατάψευστος ον *adj.* [καταψεύδομαι] (of creatures) not made up, **not fabulous** Hdt.
ἀκάτειον (also perh. **ἀκάτιον** X.) ου *n.* [ἄκατος] **boat sail** (a small sail used by warships to escape danger, when the main sail had been taken down) X.; (hoisted by an individual, fig.ref. to travelling quickly) Ar.(dub., v.l. Ἑκάτειον)
ἄκατος ου *f.* (also perh. *m.* Hdt.) **light vessel, boat** Thgn. Pi. Hdt. E. Th. Critias Ar.; (gener.) **ship** E.
—**ἀκάτιον** ου *n.* [dimin.] **small boat** Th. Plb. Plu.
ἄ-καυστος ον *adj.* [privatv.prfx., καυστός] (of villages) **unburned** (in war) X.
ἀκαχείατο (ep.3pl.plpf.mid.), **ἀκάχημαι** (pf.), **ἀκαχήμενος** (pf.ptcpl.), **ἀκάχησα** (ep.aor.1), **ἀκαχήσω** (fut.): see ἄχνυμαι
ἀκαχίζω *vb.* [reltd. ἄχνυμαι] **1 distress** —*a person* Od.
2 ‖ MID. **be distressed** or **sorrowful** Hom.
ἀκαχμένος η ον *pf.pass.ptcpl.adj.* [perh.reltd. ἀκίς, ἀκωκή] **1** (of a spear) **tipped** or **pointed** (freq. W.DAT. w. bronze) Hom. Hes.
2 (of an axe, a sword) **sharpened** (W.ADV. on both sides, i.e. two-edged) Od.
ἀκαχοίμην (aor.2 mid.opt.), **ἀκάχοντο** (ep.3pl.aor.2 mid.), **ἀκαχών** (redupl.aor.2 ptcpl.): see ἄχνυμαι
ἄκεια (or **ἀκεία**) ᾱς, Ion. **ἀεικείη** ης *f.* [ἀκής] ‖ The contr. form is freq. spelled wrongly as αἰκία. ‖ **1 disgraceful** or **outrageous behaviour** Od.
2 disfigurement (of a corpse) Il.
3 indignity, outrage, degradation (suffered by persons or inflicted on their bodies) Hdt. Trag. Th. And. Plb. Plu.
4 (leg., as an indictable offence) **assault and battery** Ar. Isoc. Pl. D. Arist.
ἀκειόμενος (ep.mid.ptcpl.): see ἀκέομαι
ἀκειρεκόμᾱς *dial.masc.adj.*: see ἀκερσεκόμης
ἀ-κέλαδος ον *adj.* [privatv.prfx.] (of a mouth) **soundless** E.(cj.)
ἀ-κέλευστος ον *adj.* [κελεύω] (of a person or animal) **unbidden** Trag. Pl.; (of a song) **unrequested** A.
ἀκέλιος (Thgn. E.), ep.Ion. **ἀεικέλιος**, also **ἀεκήλιος** (Il.), ᾱ (Ion. η) ον (also ος ον) *adj.* [ἀκής] ‖ The contr. form is usu. spelled wrongly as αἰκέλιος. ‖ **1** unseemly or unbefitting; (of sufferings, pain) **shameful, degrading, humiliating** Hom. AR.; (of bonds) Sol.; (of panic) AR.
2 (of actions) **shameful** (for the doer) AR.
3 (of a daughter-in-law) **unsuitable** hHom.
4 unsightly in appearance; (of persons) **unappealing, repulsive** Od. Thgn.; (of a person's body) **disfigured, marred** (by grief) E.; (of a tunic, knapsack) **shabby** Od.; (of a chair, bed) Od.
5 (of blows, blinding) **disfiguring, ugly** Od.
6 (of diseases) **painful, cruel** B.*fr.*; (of a fate, a memory) AR.
7 (of an army) **wretched, sorry** Il.; (of a wrecked ship) AR.
8 (of an omen) **unfavourable** AR.

—ἀεικελίως *ep.adv.* **shamefully, humiliatingly** Od. Stesich.(cj.) B.

ἀ-κέντητος ον *adj.* [privatv.prfx., κεντέω] (of the body of a racehorse) **needing no goad** Pi.

ἄ-κεντρος ον *adj.* [κέντρον] (of drone-bees) **stingless** Pl.

ἀκέομαι *mid.contr.vb.* [ἄκος] | Ion.imperatv. ἀκέο | ep.ptcpl. ἀκειόμενος | aor. ἠκεσάμην, ep.imperatv. ἄκεσσαι |
1 **heal, cure** —*a person, disease, wound, pain* Il. Hdt. S. E. Pl. AR.; (fig.) —*grief* (W.DAT. *w. singing*) E. —*friends' difficulties* (*w. advice*) X. —*one wrong* (*w. another*) AR.; (intr.) **provide a cure** E.*fr.*
2 **quench, slake** —*thirst* Il. —(*fig.*) *a thirst for songs* Pi.
3 **appease** —*the anger of avenging spirits* Antipho
4 **repair** —*ships* Od.
5 **set right, make amends for** —*a mistake or offence* Hdt. Pl.; (intr.) **set things right** Hom. Hdt. S.
6 **ward off, prevent** —*a threatened occurrence* Hdt.

ἀ-κέραιος ον *adj.* [privatv.prfx., κεραΐζω] 1 (of land, cities, buildings, ships, military forces, or sim.) **undamaged, intact** Hdt. Th. Isoc. Pl. X. D. +; (of a populace) **unharmed** (by war) Th.; (of a commander) **safe** Plb.
2 (of troops) **intact, fresh** (i.e. having not yet engaged the enemy or suffered losses) X. Plb.
3 (of financial resources) **intact** D.; (fig., of enthusiasm, hopes, plans) Plb.; (prep.phr.) ἐξ ἀκεραίου *from an unweakened position* Plb.
4 (of a person) **pure** (in lineage) E.
5 (of a marriage bed) **pure, inviolate** E.
6 (of a person, a life) **unblemished, upright** E. Men. NT. Plu.; (of a soul) **uncontaminated** (W.GEN. by evil habits) Pl.; (of states) **uncorrupted** (W.DAT. in their practices) Plb.; (of virtue) **untarnished** Plu.
7 (of an argument, an art) **faultless** Pl.; (of a person's judgement) Plb.
8 (of matters) **not dealt with, left alone** Plb.
9 (of consideration of an issue) **fresh** Plb.; (prep.phr.) ἐξ ἀκεραίου *afresh, anew* Plb.; (also) *on one's own initiative* Plb.

ἀκεραιότης ητος *f.* **state of not being impaired** (by earlier use); **freshness** (of troops) Plb.; (of a water supply and foraging ground) Plb.

ἀ-κέραστος ον *adj.* [κεράννῡμι] (of a soul) **containing no admixture** (W.GEN. of boldness) Pl.

ἀ-κέρᾱτος ον *adj.* [κέρας] (of animals) **without horns** Pl.

ἀκέρδεια ᾱς *f.* [ἀκερδής] **lack of gain, loss, impoverishment** Pi.

ἀ-κερδής ές *adj.* [κέρδος] 1 (of things) **bringing no gain, unprofitable** S. Pl. X.
2 (of ambition) **not eager for gain, unselfish** Plu.

—ἀκερδῶς *adv.* **not for the purpose of gain** Arist.

ἀ-κερσε-κόμης ου, dial. **ἀκερσεκόμᾱς** (also **ἀκειρε-**) ᾱ *masc.adj.* [κείρω, κόμη] (epith. of Apollo) **with unshorn hair** Il. Hes.*fr.* hHom. Pi. S.*lyr.fr.*

ἄ-κερως ων, gen. ω *adj.* [κέρας] (of a breed of animal) **without horns** Pl.

ἄκεσις εως (Ion. ιος) *f.* [ἀκέομαι] **healing, curing** (sts. W.GEN. of the sick, a part of the body) Hdt. Plu.

ἄκεσμα ατος *n.* **cure, remedy** A.; (W.GEN. for pains, sicknesses) Il. Pi.

ἀκεστήρ ῆρος *masc.adj.* (of a horse's bit) **curative** (of indiscipline), **corrective** S.

ἀκεστής οῦ *m.* **repairer, mender** (of clothes) X.

ἀκεστικός ή όν *adj.* [ἀκεστός] **relating to mending** || FEM.SB. **art of mending** Pl.

ἀκεστορίη ης *Ion.f.* [ἀκέστωρ] **art of a healer** AR.

ἀκεστός ή όν *adj.* [ἀκέομαι] 1 (of the spirits of good men) **able to be healed** or **restored** (by the righting of a wrong) Il.
2 (of a situation) **remediable** Antipho || NEUT.PL.SB. **remediable matters** Plu.

ἀκέστρια ᾱς *f.* **woman who repairs clothes, seamstress** Plu.

ἄκεστρον ου *n.* **cure** (W.GEN. for grief, ref. to a lyre) S.*Ichn.*

ἀκέστωρ ορος *m.* (epith. of Apollo) **healer** E.

ἀκεσ-φόρος ον *adj.* [ἄκος, φέρω] (of a drop of a Gorgon's blood) **bringing a cure** (W.GEN. for diseases) E.

ἀ-κέφαλος ον *adj.* [privatv.prfx., κεφαλή] 1 (of creatures) **headless** Hdt.; (of corpses) **decapitated** Plu.
2 (fig., of a discourse) **headless** (i.e. lacking a vital part) Pl.

ἀκέω *contr.vb.* [ἀκή] | only 2sg.opt. ἀκέοις | **remain silent** AR.

—ἀκέων ουσα *masc.fem.ptcpl.adj.* | du. ἀκέοντε | (quasi-advbl., of persons doing sthg.) **in silence** Hom. hHom. AR.

—ἀκέων *indecl.adj. and adv.* (as adj., of a goddess) **silent** Il.; (as adv.) **in silence** Od. hHom.

ἀκή ῆς *f.* (app. as sb., only in phr.) ἀκὴν ἔχειν *keep silence* Hellenist.poet.

—ἀκήν *acc.adv.* **quietly, in silence** Hom. AR.

—ἀκᾷ *dial.dat.adv.* **quietly, softly** —*ref. to speaking* Pi.

ἀκηδείη ης *Ion.f.* [ἀκηδής] 1 **lack of concern, heedlessness, thoughtlessness** Emp. AR.
2 **distraction** (W.GEN. of the mind) AR.

ἀκήδεστος ον *adj.* [ἀκηδέω] 1 **uncared for, without funeral rites** Il.
2 (wkr.sens.) **unregarded** AR. [unless acc.adv. *heedlessly*]

—ἀκηδέστως *adv.* **in denial of funeral rites** Il.

ἀ-κήδευτος ον *adj.* [κηδεύω] (of corpses) **without funeral rites** Plu.

ἀκηδέω *contr.vb.* [ἀκηδής] | ep.aor. ἀκήδεσα | **show a lack of care or concern for, neglect** —W.GEN. *someone* Il. A. Mosch.

ἀ-κηδής ές *adj.* [privatv.prfx., κῆδος] 1 (of persons, deities, their hearts) **without cares, unconcerned, carefree** Il. Hes. Call. AR.
2 (of the dwellings of sea-creatures) **undisturbed, untroubled** hHom.; (of a journey) AR.
3 (of persons or things) **uncared for, neglected** Od.
4 (specif., of a corpse) **lacking funeral rites** Hom.
5 (of persons) **not caring, neglectful** Od.; (W.GEN. of children) Pl.
6 (of fish, feeding on a corpse) **paying no funeral rites** Il. [or perh. *carefree*]

ἀκήκοα (pf.): see ἀκούω

ἀ-κήλητος ον *adj.* [κηλέω] 1 (of persons) **unbewitched, uncharmed** (by Sirens) Pl.
2 (of a mind) **resistant to enchantment** (by a sorceress) Od.; (of madness) **resistant to healing spells** S.; (of persons) **resistant to persuasion** Theoc.

ἀκήν *acc.adv.*: see under ἀκή

ἀκηράσιος ον *adj.* [ἀκήρατος] 1 (of wine) **pure, unmixed** Od. AR.
2 (of meadows) **untouched, uncut** hHom.

ἀ-κήρατος ον *adj.* [privatv.prfx.; perh.reltd. κηραίνω or κεραΐζω; cf. ἀκέραιος] 1 (of property, possessions) **undamaged, intact** Hom. Hippon.; (of a ship) A.; (of reins) Pi.
2 (of an island) app. **unharmed, safe** AR.
3 (of water) **unsullied, pure** Il. S. Theoc.; (of a drink) A. S.; (of a substance) Pl.; (of intelligence and knowledge) Pl.
4 (of gold) **pure** Alcm. Archil. Simon. Hdt. Pl.; (of myrrh) Hdt.; (of drugs, i.e. perh. powerful) AR.
5 (of a sacred garden, meadow, olive tree) **untouched, inviolate** Ibyc. E.

6 (of an unmarried woman, her body, bed, girdle) **unsullied, virgin** E. AR. Plu.; (of a marriage bed) **undefiled, pure** E.; (of animals) **unmated** E. Pl.
7 (gener., of persons, their bodies, or sim.) **unblemished** Pl. Plu.; (of locks of hair) **unsullied** or **unshorn** E.
8 (of a wife) **untouched** (W.GEN. by the pains of childbirth) AR.; (of a person or heart, W.GEN. or DAT. by evils, pains, misfortunes) E.
9 (of affection) **unimpaired, undiminished** X.
10 (of a trading-centre) **untapped, unexploited** Hdt.
11 (of a song) **untried, new** Carm.Pop.

ἀ-κήριος¹ ον *adj.* [κήρ] 1 (of persons or things) **unharmed** Od. hHom. Semon. Call. AR.
2 (of certain calendar days) not marked by destiny, **doomless** Hes.

ἀ-κήριος² ον *adj.* [κήρ] 1 (of a person) **lifeless** Il.; (of a dream-figure) **ghostly** AR.
2 (of persons) **spiritless, faint-hearted** Il.; (of fear) **craven** Il.

ἀ-κήρυκτος ον *adj.* [κηρύσσω] 1 (of war) **not officially declared** Hdt. Pl. X.
2 (of war) without envoys, **allowing no negotiations** X.; (gener.) **implacable, relentless** Aeschin. Plu.; (fig., of a war betw. actor and audience) D.; (of enmity) Plu.
3 (of a person) unproclaimed, **lacking acclaim** E.; (of Athenian citizens) **not publicly honoured** Aeschin.
4 (of an absent person) unreported, **of whom there is no news** S.

—**ἀκηρύκτως**, also **ἀκηρυκτεί** *adv.* without the use of envoys, **without official negotiations** Th.

ἀκής (A. S.), ep.Ion. **ἀεικής**, ές *adj.* [privatv.prfx., ἔοικα] | The contr. form is freq. spelled wrongly as αἰκής. |
1 unseemly or unsuitable; (of sufferings, actions, blows, insults) **shameful, degrading, humiliating** Hom. Sol. A. AR.; (of slavery, bondage) Hes.*fr.* Sol. A.
2 (of actions) **shameful** (to the doer) Hom. Hes. Alc. AR.; (of a law) **outrageous** AR.
3 (of a person) **shamed, disgraced** AR.
4 (of a husband, son-in-law) **unsuitable, inappropriate** hHom.; (of words) Hdt.
5 (of a wage, ransom) **inadequate, meagre** Il. Call.
6 || NEUT.IMPERS. (w. ἐστί, freq.understd., usu. in neg.phr.) it is unfitting —W.DAT. *for someone* (to do sthg.) Il. —W.INF. or DAT. + INF. (*for someone*) *to do sthg.* Il. hHom. Aeschin.(quot.epigr.) —W.ACC. + INF. AR.; it is shameful —W.INF. *to suffer sthg.* A.; it is unnatural or surprising —W.ACC. + INF. *that sthg. shd. be the case* Hdt.
7 unsightly in appearance; (of a knapsack, clothing) **shabby** Od. S. | NEUT.PL.SB. shabby clothes Od.
8 (of blows) **disfiguring** Theoc.
9 (of death, destruction) **grim, ugly** Hom. Thgn. S.
10 (of moaning) **horrifying, terrible** Hom.; (of speech) **shocking** Od.
11 (of circumstances) **disagreeable, unpleasant** Hdt.
12 (of a person) **wretched, useless** Od.(v.l. for ἄκικυς *feeble*, in quot. by Aristotle)
13 (of a person's mind) **unsound** Od.

—**ἀκῶς**, Ion. **ἀεικέως** (Simon.), ep. **ἀεικέως** (or **ἀικῶς**) *adv.*
1 **shamefully, humiliatingly** Il. A. S.
2 **inappropriately** Simon.

ἀκηχέαται (ep.3pl.pf.mid.), **ἀκηχέμενος** (ep.pf.mid. ptcpl.): see ἄχνυμαι

ἀ-κίβδηλος ον *adj.* [privatv.prfx.] 1 (of coinage, goods for sale) **unadulterated, genuine** Pl. Arist.
2 (of behaviour) **sincere, honest** Hdt.

—**ἀκιβδήλως** *adv.* **genuinely** Isoc.

ἀκιδνότερος η ον Ion.compar.*adj.* (of a person) **of less account** (W.ACC. in looks, than someone else) Od.; (of no creature, W.GEN. than man) Od.

ἀκίζω, ep. **ἀεικίζω** *vb.* [ἀκής] | The contr. form is freq. spelled wrongly as αἰκίζω. || ep.fut. ἀεικιῶ | ep.aor. ἀείκισσα || MID.: aor. ἠκισάμην, ep. ἀεικισσάμην | pf. ἤκισμαι || PASS.: aor. ἠκίσθην, ep.inf. ἀεικισθήμεναι |
1 (usu.mid.) treat in an unseemly or dishonourable manner (by physical violence); **maltreat** —*a person, corpse, one's own or another's body* Il. A. S. Tim. Isoc. X. Plu. —(fig.) *someone's hearth* (i.e. *home*) E. || PASS. be maltreated or tormented Od. A. S. And. Isoc. Arist.; be racked (by grief) Semon.
2 (specif.) **torture** —*persons* X. D. Plb. Plu. || PASS. be tortured Lys. X. Arist. Plb.
3 || MID. **disfigure** —*oneself* Plu.; (fig., of a person's looks and deeds) —*a person* E.
4 **damage, ravage** —*land* Archil.; (of a dust-storm) —*foliage* S. || MID. (of a warrior) **maul** —*enemy troops* A.*fr.*; (of persons) **damage** —*estates* D. —*a statue, votive offering* Lycurg. Plb.; (fig., of undesirable influences) —*bodies, souls, families* X.
5 || MID. (w. quasi-legal connot.) **assault** —*a person* Is. Arist.

ἀ-κίθαρις ι *adj.* [privatv.prfx.] (of Ares, meton. for war) **lyreless, joyless** A.

ἄ-κικυς υ *adj.* [κῖκυς] **powerless, feeble, helpless** Od. A. Theoc.*epigr.*

ἀκινάκης ου (Ion. εος) *m.* [Iran.loanwd.] | acc. ἀκῑνάκην, Ion. ἀκῑνάκεα | acc.pl. ἀκῑνάκᾱς, Ion. ἀκῑνάκεας | short straight sword, **dagger** (used by Persians and Scythians) Hdt. Pl. X. D. Plu.

ἀ-κίνδῡνος ον *adj.* [privatv.prfx.] 1 (of persons, a life) free from danger, **not endangered** or **at risk, safe** Simon. Pi. E. X. + | NEUT.SB. lack of danger, safety Th. X.
2 (of actions or circumstances) not entailing danger or risk, **not dangerous** or **risky, safe** Pi. Th. Att.orats. X. Arist. Plu. || NEUT.SB. lack of risk Th.

—**ἀκινδύνως** *adv.* | compar. ἀκινδῡνότερον, superl. ἀκινδῡνότατα | **without danger** or **risk, safely** E. Th. Att.orats. Pl. +

ἀκινησία ᾱς *f.* [ἀκίνητος] **immobility** Arist.

ἀ-κίνητος ον (also dial. ᾱ ον Pi.) *adj.* [privatv.prfx., κῑνητός]
1 (of persons or things) without movement, **unmoving** or **unmoved, motionless** Pi. S. E. Pl. X. Arist. +
2 (of sentries) **not stirring** E.
3 (fig., of wits) not mobile, **sluggish** Ar.
4 (of an island) **unmoved, unshaken** (by earthquakes) Hdt.; (of ground) **undisturbed** X.
5 (of things) not able to be moved, **immovable, fixed** Pi.*fr.* E. Plb.; (fig., of the roots of blessings, a basis of happiness) **unshakeable, secure** B. E.
6 (philos., of states of being, entities, concepts) **immovable, changeless** Parm. Emp. Pl. Arist.
7 (of laws, traditions, or sim.) not changed, **unaltered, fixed** Th. Pl. X. Aeschin. Plu.
8 (of a tomb) **undisturbed, inviolate** Hdt.
9 (of sacred objects or places) not to be disturbed, **inviolable, sacrosanct** Hes. Hdt. Pl. Plb. Plu.; (fig., of thoughts, words) **not to be revealed** or **spoken** S.
10 (of a state of mind) **not to be moved** or **changed** (W.DAT. by persuasion) Pl.; (of a person) **stubborn, obdurate** S. Plu.

—**ἀκινήτως** *adv.* **immovably** Isoc. Pl. Arist.

ἄ-κιος ον *adj.* [κίς] | superl. ἀκιώτατος | (of a plough-pole) **weevil-free** Hes.

ἄκιρος ᾱ ον *Aeol.adj.* (pejor., of a woman) app., **slow-moving, sluggish** Theoc.

ἀκίς ίδος *f.* [reltd. ἀκωκή] **pointed object**; (specif.) **arrow-head** Ar. Plu.

ἄκισμα ατος *n.* [ἀκίζω] | usu. spelled wrongly as αἴκισμα | **1 maltreatment** (of a person or corpse) A. E. **2 torture** Lys.

ἀκισμός οῦ *m.* | usu. spelled wrongly as αἰκισμός | **maltreatment** or **torture** (W.GEN. of a body) D.

ἀ-κίχητος ον *adj.* [privatv.prfx., κιχᾱ́νω] **1** (of the nature of Zeus) **beyond reach, untouchable** A. **2** || NEUT.PL.SB. **things which cannot be caught, the unattainable** Il.

ἀκκίζομαι *mid.vb.* [Ἀκκώ Akko, a proverbially foolish and lazy woman] | fut. ἀκκιοῦμαι | **pretend to be stupid or indifferent, play the simpleton** Pi.*fr.* Pl. Men.

ἀ-κλᾱ́ρωτος ον *dial.adj.* [privatv.prfx., κληρωτός] (of Helios) **without an allotted portion** (W.GEN. of earth) Pi.

ἄ-κλαυτος (also perh. **ἄκλαυστος** Plu.) ον *adj.* [privatv.prfx., κλαυτός] **1** (of a dead person, esp. one left unburied, or a person about to die) **not wept for, unlamented** Hom. Trag. Plu.(quot.epigr.); (W.GEN. by one's friends) S.; (of a death) Sol.
2 (of divine children) **never to be lamented** (because immortal) E.
3 (of a person) **not weeping, tearless** Od. Alcm. E.; (of eyes) A.; (in neg.phr., of sorrow) **with no weeping** S.
4 (quasi-advbl., of a person departing) **without being made to weep, with impunity** S. | see κλαίω 5

—**ἀκλαυτί** *adv.* **1 without weeping** Call.
2 with impunity Call.

ἀ-κλεής, ep. **ἀκλειής**, also **ἀκληής**, ές *adj.* [κλέος] | acc. ἀκλεῆ, ep. ἀκλέᾱ (cj. ἀκλεέα) | ep.nom.pl. ἀκλεεῖς (v.l. ἀκλεέες) || superl. ἀκλεέστατος |
1 (of persons) **lacking fame or glory, without repute, inglorious** Il. Hes.*fr.* Pi.*fr.* E. Ar. Pl. +; (of an honour that is tarnished) Pi.; (of a person's name) Ar.; (in neg.phr., of renown) E.
2 (of a person) of whom there is no report, **unheard** of Od.; **unmentioned, unremembered** E.
3 (of achievements) **uncelebrated** Hdt.; (of poetical compositions) **disregarded** Plu.
4 (of events, circumstances) **ignominious** Lys. X. Lycurg. Plu.

—**ἀκλεές** *neut.adv.* **ingloriously, ignominiously** Il.
—**ἀκλεῶς**, ep. **ἀκλειῶς** *adv.* **1 ingloriously, ignominiously** Il. Hdt. E. Att.orats. AR. Plu.
2 without report or **news** (of someone) Od.

ἄ-κλειστος, Att. **ἄκληστος**, ep. **ἀκλήιστος**, ον *adj.* [κλείω¹] **1** (of a house, gates or doors) **not closed, barred** or **locked** E. X.; (of a house) **open, hospitable** Call.
2 (of a harbour entrance) **not closed** or **blocked off** Th. Plu.

ἀκληρέω *contr.vb.* [ἄκληρος] **suffer misfortune** or **disaster** Plb.

ἀκληρίᾱ ᾱς *f.* **misfortune, disaster** Plb.

ἄ-κληρος ον *adj.* [privatv.prfx., κλῆρος] **1** (of a person) **without a landholding, unpropertied** Od.; (gener.) **poor** Call.
2 without an allotment or share, lacking entitlement (W.GEN. to a form of dress) A.; (to an inheritance, a name) Is.; **without an inheritance** Pl. Is.
3 (of land) **unallotted, ownerless** hHom.; (of captive women) E.

ἀκληρωτί *adv.* **without selection by lottery** Lys. Arist.

ἄκληστος *Att.adj.*: see ἄκλειστος

ἄ-κλητος ον *adj.* [κλητός] **1 not called upon** or **summoned** Trag. Th. Arist. Theoc.
2 (of a guest for dinner, a musician) **uninvited** Asius A. Ar. Pl. X. Theoc.

ἀ-κλινής ές *adj.* [κλίνω] (of a physical body) **without inclination** (to one side or the other) Pl.

ἀ-κλυδώνιστος ον *adj.* [κλυδωνίζομαι] (of a harbour) **free from swell** (W.GEN. caused by winds) Plb.

ἄ-κλυστος ον (also dial. ᾱ ον E.) *adj.* [κλύζω] (of Aulis) **without swell** E.; (of a harbour entrance, calm weather) Plu.

ἀκμάζω *vb.* [ἀκμή] **1** (of a person) **be at one's peak** or **in one's prime** Hdt. E. Th. Isoc. Pl. X. + —W.DAT. *in physical strength* X. Arist. Plu. —*in good judgement* Aeschin. —W.INF. *for doing sthg.* X.; (of the body, the mind) Arist. Plu.
2 (of persons, peoples, cities, or sim.) **be at the height of power, prosperity** or **fame** Hdt. Th. Plb. Plu.; **be at a peak** —W.DAT. *in terms of wealth, preparedness for war, military strength, or sim.* Hdt. Th. Aeschin. Plu.; (of a city's power) Plu.
3 (of a people) **be at the height** —W.DAT. *of madness* Aeschin.
4 (of a fleet) **be in peak** or **perfect condition** Th.; (of paintings) Plu.
5 (of corn) **be ripe** Th. X.
6 (of a disease, war) **be at a height, be most intense** Th. Plu.; (of passion, hatred, enmity, or sim.) Pl. Plb. Plu.; (of physical strength) Antipho; (of courage) Pl.
7 (of a situation) **be at a critical point** X.
8 (of a party, festival) **be in full swing** Plb. Plu.; (of a season, the harvest) **be well advanced** Plb. Plu.
9 (of weather) **be perfect** —w. πρός + ACC. *for a task* Plb.
10 || IMPERS. it is the right time Plb. —W.INF. or ACC. + INF. (*for someone*) *to do sthg.* A.

ἀκμαῖος ᾱ ον *adj.* **1** (of persons) **in peak condition** or **in the prime of life** A. Arist. Plb.; (of youth or manhood) **at the prime** A. Plb.
2 (of drinking) **in full swing** Plb.; (of a time of day) app. **at the mid-point** (i.e. midday) Plb.
3 (quasi-advbl., of a person arriving) **at the right time, opportunely** S.(dub.) [perh. neut.pl.adv. ἀκμαῖα]

—**ἀκμαίως** *adv.* (w. ἔχειν) *be in peak condition* Plb.

ἀκμᾶτος *dial.adj.*: see ἄκμητος

ἀκμή ῆς, dial. **ἀκμᾱ́** ᾶς *f.* [reltd. ἀκίς, ἄκρος] **1 edge** or **point** (of a weapon) Pi. E. Theoc. Plb. Plu.; (of a κερκίς *pin-beater*) S.; (of a lion's teeth) Pi.; (prep.phr.) ἐπ' ἀκμῆς **on the verge** (W.INF. *of doing sthg.*) E.; (fig.) ἐπὶ ξύρου ἀκμῆς **on the razor's edge** (i.e. in a critical or precarious state) Il. Thgn. Hdt.
2 extremity (W.GEN. of a foot, periphr. for foot) A. S.; (of a hand, periphr. for hand, or ref. to fingers) A. E.; **tip** (W.GEN. of a wing) Ar. || PL. **extremities** (W.ADJ. *of both hands*, ref. to fingers) S.
3 height of excellence; prime (of a person) Isoc. Pl. Arist. AR. Plb.; (W.GEN. of life, youth, manhood, the body, intellectual ability, or sim.) S. E. Antipho Pl. X. +
4 peak condition (of rowers, a navy) Th.; (of eyesight) Pl.; (of corn, i.e. ripeness) Th.; (of a tree's bloom) Pl.
5 choicest selection, pick (W.GEN. of young men) Ar.
6 point of greatest intensity, height, peak, zenith (W.GEN. of civil unrest, a battle, good fortune, friendship, or sim.) Plu.
7 peak period (W.GEN. of an athlete's training) Pl.
8 height (W.GEN. of spring) Pi.; (of summer, winter) X. Plb. Plu.
9 extreme heat (W.GEN. of water) Pi.

10 (gener.) **vigour, might, strength** (of a person) Pi. S.; (w.GEN. of hands or feet) Pi.; (of the mind) Pi. ‖ PL. outstanding feats (w.GEN. of strength) Pi.
11 right time (w.GEN. for sthg.) S. Lyr.adesp.; (w.INF. to do sthg.) Trag. Isoc.
12 critical moment E. Ar. D.; (w.GEN. in fortune) Th.
—ἀκμήν, dial. ἀκμᾶν *acc.adv.* **at the time in question, still** X. Call. Theoc. Plb. NT.; (also) ἀκμὴν ἔτι Plb.

ἀκμηνός ή όν *adj.* (of an olive tree) **in prime condition** or **full-grown** Od.

ἄκμηνος ον *adj.* **without food, unfed** Il. AR.; **without a taste** (w.GEN. of food, drink) Il. Call.

ἀ-κμής ῆτος *masc.fem.adj.* [privatv.prfx., κάμνω] **1** (of fighters) not tired, **unwearied, fresh** Il. Plu.
2 (of fighters, a bull) not tiring, **tireless** Il. S.

ἄ-κμητος, dial. ἄκμᾱτος (cj.), ον *adj.* **1 unwearied** hHom.
2 (of months) **unending** S.(cj.) | see ἀκάματος 3

ἀκμό-θετον ου *n.* [ἄκμων, τίθημι] base on which an anvil is placed, **anvil-block** Hom.

ἄκμων ονος *m.* **1 anvil** Hom. A.*satyr.fr.* Hdt. E. Call. AR.; (fig., on which one forges one's tongue, i.e. shapes one's words) Pi.
2 (fig., ref. to Herakles) **anvil** (as impervious to blows) Call.; (ref. to a warrior, w.GEN. against the spear, i.e. resistant to its stroke) A.
3 perh. **meteoric stone** Hes.

ἄκναμπτος *adj.*, ἀκναμπτεί *adv.*: see ἄγναμπτος

ἄκνηστις ιος *Ion.f.* **spine, backbone** (of a serpent) AR. | see κνῆστις

ἀκοή, ep. ἀκουή, ῆς, dial. ἀκοά ᾶς, Aeol. ἀκούᾱ ᾱς *f.* [ἀκούω] **1** sense of hearing or ability to hear, **hearing** Simon. Parm. Emp. Hdt. Trag. Th. +
2 ‖ PL. organs of hearing, **ears** Sapph. Arist. Call. AR. NT.
3 act or occasion of hearing, **hearing** Pi. S. E. Pl. X. +; (w.GEN. of a speech, voice, verbal account) Th. Pl. Is.
4 that which is heard, **sound** (w.GEN. of woodcutters) Il.
5 that which is heard (fr. the lips of others), **account, report** Pi. Hdt. E. Pl. Plb.; (w.GEN. fr. someone) Th. Pl.; (w.GEN. of someone or sthg.) Od. Pl. NT.
6 ἀκοῇ (ἀκουῇ) **by hearsay** Hdt. Antipho Th. Pl. D. Call. +; (w.GEN. *fr. someone*) E.; (also) ἐξ ἀκοῆς Pl. Plb.
7 (in legal ctxt.) **hearsay evidence** Is. D.
8 material for listening to (w.DAT. by the wise, ref. to a style of poetic composition) Pi.; (pl., ref. to songs) E.

ἀ-κοίμητος ον *adj.* [privatv.prfx., κοιμάω] (of nymphs) **unsleeping** Theoc.; (of the eyes of Argus) Mosch.; (fig., of the stream of Okeanos) A.; (of the sacred fire in the temple of Vesta) Plu.

ἀκοινωνησίᾱ ᾱς *f.* [ἀκοινώνητος] **absence of communal ownership** (of property) Arist.

ἀ-κοινώνητος ον *adj.* [privatv.prfx., κοινωνέω] **1** (of a wife's marriage bed) **not shared** (w. another woman) E.(dub.); (of an individual's glory, w. any rival) Plu.
2 (of privileges) **not to be shared** Plu.; (of a royal title, w.DAT. w. others) Plu.
3 (of a person) **unpartnered** (i.e. unmarried) Pl.
4 not sharing (w.GEN. in a right) Pl.; (in the laws, i.e. not law-abiding) Pl.

ἀ-κοίτης ου, dial. ἀκοίτᾱς ᾱ *m.* [copul.prfx., κοίτη] **partner of one's bed, husband** Hom. Hes. Pi. B. S. E. AR.

ἄκοιτις *f.* | only nom.acc. | acc.sg. ἄκοιτιν | ep.acc.pl. ἀκοίτις | **wife** Hom. Hes. Thgn. Lyr. Trag. AR. Theoc.

ἄ-κοιτος ον *adj.* [privatv.prfx., κοῖτος] (of Argus) **sleepless** B.

ἀ-κολάκευτος ον *adj.* [κολακεύω] **1** (of an amount of property) **not attracting flattery** (for its possessor) Pl.
2 (of a person, the majesty of the consulship) **impervious to flattery** Plu.

ἀκολασίᾱ ᾱς *f.* [ἀκόλαστος] **lack of moral restraint, irresponsibility, intemperance, dissoluteness** (sts.opp. σωφροσύνη *self-control*) Th. Att.orats. Pl. X. Arist. Plu. ‖ PL. **dissolute behaviour** Lys. Isoc. Pl. Arist.

ἀκολασταίνω *vb.* | fut. ἀκολαστανῶ | **behave without moral restraint, be irresponsible, intemperate** or **dissolute** Ar. Pl. Arist. Plu.

ἀκολαστάσματα των *n.pl.* **acts of irresponsibility, excesses** Ar.(v.l. ἀκολαστήματα)

ἀκολαστήματα των *n.pl.* **acts of depravity** Plu.

ἀ-κόλαστος ον *adj.* [privatv.prfx., κολάζω] **1** (of mistakes) **unpunished** X.
2 (of persons, a populace, an army, behaviour, or sim.) not subject to discipline or correction, **uncontrolled, unruly, irresponsible** Hdt. E. Critias Ar. Pl. X. +; (of a horse) Pl.; (of prophecies, a tongue) E.
3 (of dancing) **uninhibited** Ar.
4 (w. moral connot., sts.opp. σώφρων *self-controlled*) **lacking moral restraint** or **inhibition, intemperate, dissolute, depraved** Pl. Aeschin. Arist. Plu.
—ἀκολάστως *adv.* **uncontrolledly, without inhibition** Isoc. Pl. X. Arist. Plu.

ἄκολος ου *f.* **morsel, scrap** (of food) Od. Call.

ἀκολουθέω *contr.vb.* [ἀκόλουθος] | app. ἀ- Hippon. | aor. ἠκολούθησα ‖ neut.impers.vbl.adj. ἀκολουθητέον |
1 (of persons or things) **follow** or **accompany** (freq. w.DAT. someone or sthg.) Hippon. Th. Ar. Att.orats. Pl. +
2 (in military ctxt., of troops) **go along** (on a campaign) Th. Att.orats. X. +; **follow** (a commander) Th. —w.DAT. *a commander* Th. X. D. Plb.
3 follow obediently or **submissively, follow, be guided by, comply with** —w.DAT. *persons, the laws, one's desires, events, or sim.* Att.orats. Pl. Arist. Plu.; (of a historian) —*chronology* Plb.
4 follow for instruction or as a way of life, **be a follower of** —w.DAT. *Christ or his disciples* NT.
5 follow (a speaker) —w.DAT. *w. one's understanding* Th.; **follow, understand** (an argument or disputant) Pl. Arist. —w.DAT. *an argument* Pl.
6 (of things) **follow as a natural** or **logical consequence** Arist.; **be consequent upon** or **consistent with** —w.DAT. *circumstances, statements, or sim.* Pl. Arist.; (of a disputant) **be consistent** —w.DAT. *w. one's previous arguments* Pl.
‖ IMPERS. it follows —w.ACC. + INF. *that sthg. is the case* Arist.

ἀκολούθησις εως *f.* **1 following** (opp. ὑπομονή *staying behind*) Arist.
2 obedient following, conformity (w.DAT. w. reason) Arist.

ἀκολουθητικός ή όν *adj.* **1 prone to follow** (w.DAT. one's emotions, desires, imagination) Arist.
2 (of the irrational part of the soul) **capable of following** (w.DAT. the rational part) Arist.

ἀκολουθίᾱ ᾱς *f.* **1** app. **conformity** (w.DAT. w. sthg.) Pl.
2 group of persons following in attendance, entourage, retinue Pl. Plb.

ἀ-κόλουθος ον *adj.* [copul.prfx., κέλευθος] **1 providing accompaniment**; (of a crew and rowers) **going along** (w. their ship) Lys.; (of certain items, w.DAT. w. a flock of sheep) D.; (of items of dress) **matching, suiting** (w.GEN. ragged clothing) Ar. ‖ NEUT.PL.SB. (gener.) **accompaniments** Hyp.

ἀκομιστίη

2 following naturally or logically; (of actions, circumstances, arguments, or sim.) **in conformity** or **accord, consistent** (W.DAT. w. other things) Att.orats. Pl. X. Arist. Plb.; (W.GEN.) Pl. X. D.; (of actions) **compatible** (w. each other) X. D.; **appropriate** (as the next step) Arist. Plb. ‖ NEUT.PL.SB. **consequences** (W.GEN. of sthg.) D.
3 ‖ MASC.FEM.SB. **follower, attendant** Th. Ar. Att.orats. Pl. +; (W.GEN. of Eunomia, ref. to Justice) B.; (of the Nereids, ref. to an oar) S.; (of Aphrodite, ref. to Eros) Pl. ‖ MASC.PL.SB. **camp-followers** X. Plu.
—**ἀκολούθως** adv. **in conformity, consistently** (usu. W.DAT. w. sthg.) D. Din. Plb.

ἀκομιστίη ης Ion.f. [ἀκόμιστος] lack of care, **neglect** (of the body) Od.

ἀ-κόμιστος ον adj. [privatv.prfx., κομίζω] (of services) performed without care, **negligent, slipshod** S.Ichn.

ἀ-κόμπαστος ον adj. [κομπάζω] **not boasting** A.

ἄ-κομπος ον adj. [κόμπος] **not boastful** A.

ἄ-κομψος ον adj. [κομψός] (of a person) **unrefined** Plu.(quot. E.); **unaccomplished** (W.INF. at making a speech) E.

ἀκονάω contr.vb. [ἀκόνη] **1 sharpen** —weapons X.(also mid.); (intr.) **sharpen weapons** X.
2 (fig.) **sharpen, hone, whet** —persons, their morale X. D. —one's passion (W.PREP.PHR. against someone) Plb. ‖ PF.PASS.PTCPL. (of a person) **sharpened** —W.ACC. **at the tip of the tongue** (i.e. w. a sharp-tipped tongue) Plu.(quot.trag.)

ἀκόνη ης, dial. **ἀκόνᾱ** ᾱς f. [reltd. ἀκίς] **whetstone** (for sharpening a blade or point) Pi. Plu.(quot.com.); (fig., on a poet's tongue, to hone his words) Pi.

ἀκονιτεί, also **ἀκονῑτί** adv. [privatv.prfx., κόνις] without dust (of an arena or battlefield), **without a fight** Th. X. Aeschin. D. Plb.

ἀκονῑτικός ή όν adj. [ἀκόνῑτον] (of a poison) **made from aconite** X.

ἀκόνῑτον ου n. poisonous plant, **aconite** Plu.

ἀκοντί adv.: see under ἄκων

ἀκοντίζω vb. [ἄκων] | aor. ἠκόντισα, ep. ἀκόντισα, also ἀκόντισσα | **1 throw a javelin** Hom. Callin. Hdt. E. Antipho Th. + —W.GEN. **at someone** Il. —w. ἐπί + DAT. Il. —w. ἐς + ACC. Th.
2 throw, launch —a javelin Hom. Plu.; **let fly** —W.DAT. w. a javelin Hom. Pi. Plb. —(W.GEN. at someone) Il. —(w. εἰς + ACC. at someone, a target) Tyrt. E. Antipho Plu.
3 throw a javelin at —a person or animal Hdt. X.; **strike, hit** —someone (W.DAT. w. a javelin) X. —a target Antipho ‖ PASS. be struck (by a javelin) Antipho X. Plb. Plu. —W.DAT. by a javelin X. Plu.; be fired at —W.DAT. w. fir branches E.
4 (fig., of a poet) **throw one's javelin** (i.e. take aim w. one's poetry) Pi.; (of the moon) **dart one's beams** E.; (of curses) **shoot, penetrate** —W.PREP.PHR. within the earth E. ‖ PASS. (of legs) be shot out —W.PREP.PHR. at the bodies of opponents (to kick them) E.

ἀκόντιον ου n. [dimin. ἄκων] **1 javelin** hHom. Hdt. Antipho Th. Ar. Pl. +
2 range of a javelin-throw X.
3 (sg. and pl.) **javelin-throwing** (as a technique) Pl. X.

ἀκόντισις εως f. [ἀκοντίζω] **javelin-throwing** X.

ἀκόντισμα ατος n. **1 javelin** Plb. Plu.
2 distance or **range of a javelin-throw** X.
3 ‖ PL. **javelin-throwers** Plu.

ἀκοντισμός οῦ m. **javelin-throwing** X. Plu.

ἀκοντιστήρ ῆρος m. **javelin-thrower** E.

ἀκοντιστής οῦ, dial. **ἀκοντιστάς** ᾶ m. **javelin-thrower** Hom. A. Hdt. Th. Pl. +

ἀκοντιστικός ή όν adj. **skilled at javelin-throwing** X.

ἀκοντιστύς ύος f. **javelin-throwing contest** Il.

ἀκοντο-βόλος ον adj. [ἄκων, βάλλω] (of a tribe) **javelin-throwing** AR.

ἀκόντως adv.: see under ἄκων

ἄ-κοπος ον adj. [privatv.prfx., κόπος] **1** (of a horse) **free from fatigue** X.
2 (of tasks, forms of transport and motion) not causing fatigue, **not tiring** Pl.
3 (of a form of exercise) app. **relieving pain** Pl.

ἀ-κόρεστος, also **ἀκόρετος** (A.), ον adj. [κορέννυμι] **1** (of a person) **with an insatiable appetite** (W.GEN. for war) A.; (of a nightingale) **insatiable** (W.GEN. in her cries) A.
2 (of a person's spirit) **insatiable** E.; (of lamentation, misery, pain, discord, quarrels) Trag. Bion; (of success, i.e. the desire for it) A.; (of spiritual love) X. ‖ NEUT.SB. **insatiable appetite** (W.GEN. of the mind) Plu.

ἀ-κορής ές adj. | superl. ἀκορέστατος | (of a person) **insatiable** (i.e. observing no limits in one's behaviour) S.

ἀ-κόρητος[1] ον adj. (of warriors, Ares) **with an insatiable appetite** (W.GEN. for fighting, the battle-cry) Il. Hes.; (for boasts) Il.; (of a woman, for jealousy) AR.; (of wild animals, for deer) hHom.

ἀ-κόρητος[2] ον adj. [κορέω[1]] (fig., of a rustic way of life) **unswept, untidy** Ar.

ἄ-κορος ον adj. [κόρος[1]] **1** (of Ares) **with an insatiable appetite** (W.GEN. for the battle-cry) A.(cj.)
2 (of rowing) **ceaseless, tireless** Pi.

ἄκος εος (ους) n. **1** (in medical ctxt.) **cure, remedy** A. Hdt. E.
2 (fig. or gener.) **cure, remedy, relief** or **solution** (freq. W.GEN. for sufferings, troubles, mistakes, or sim.) Hom. hHom. Pi. Hdt. Trag. Pl. +

ἀκοσμέω contr.vb. [ἄκοσμος] **be unruly** or **insubordinate** S. Att.orats. Pl. Arist.

ἀ-κόσμητος ον adj. [privatv.prfx., κοσμέω] **1** (of a soul) **not put in proper order** Pl.
2 (of the early human race) **unendowed, not equipped** (w. certain characteristics) Pl.; (of a city) **unadorned, not beautified** X.

—**ἀκοσμήτως** adv. **in an unregulated manner** Pl.

ἀκοσμίᾱ ᾱς f. [ἄκοσμος] **1 lack of orderly arrangement, disorder** (in natural phenomena) Pl. Plu.
2 lack of orderly conduct, disorderliness, ill-discipline (in individuals, a populace, an army) Aeschin. Plu.
3 disorderly exchange (W.GEN. of words) E.
4 suspension of the office of kosmos Arist. | see κόσμος 22

ἄ-κοσμος ον adj. [privatv.prfx., κόσμος] **1** (of things) lacking proper order, **disordered** Semon.
2 (of flight) **disorderly** A.; (of a night battle) Plu.
3 (of persons, words) **unruly, insubordinate** Il. S. Lys. ‖ NEUT.PL.SB. **disorderly actions** Plu.

—**ἀκόσμως** adv. **in a disorderly manner, in disarray** A. Hdt.

ἀκοστάω (or **ἀκοστέω**) contr.vb. [ἀκοστή barley] | only aor.ptcpl. ἀκοστήσᾱς | (of a horse) **feed on barley** Il.

ἄ-κοτος ον adj. [privatv.prfx., κότος] (of a mind) **free from resentment** Pi.fr.

ἀκουά Aeol.f.: see ἀκοή

ἀκουάζω vb. [ἀκούω] **1 listen** (to music) hHom.
2 ‖ MID. **listen to** —W.GEN. a singer Od.
3 ‖ MID. **hear about** —W.DBL.GEN. a feast fr. someone (i.e. be invited by him) Il.

ἀκουή ep.f.: see ἀκοή

ἄ-κουρος¹ ον *Ion.adj.* [privatv.prfx., κόρος²] **lacking a son** Od.

ἄ-κουρος² ον *adj.* [κουρᾷ] (of a beard) **untrimmed** Ar.

ἀκούσιος, Ion. **ἀεκούσιος,** ον *adj.* [ἄκων] **1** (quasi-advbl., of a person placed in a certain situation) **against one's will** Th. Plb.
2 (of things) **not wished for, unwanted, unwelcome** Thgn. Hdt. S. Antipho Th. Isoc. +; (of a peacemaker) D.
3 (of things) not arising from deliberate intent, **involuntary, unintentional, accidental** E.*fr.* Antipho Th. Pl. X. D. + || NEUT.SB. lack of intent Th.

—ἀκουσίως *adv.* **1 against one's will, unwillingly** E. Th. Pl. Plb. Plu.
2 unwelcomely —*ref. to sthg. happening* Th.
3 involuntarily, unintentionally Antipho Pl. D. Arist. Thphr. Plu.

ἄκουσμα ατος *n.* [ἀκούω] **1** that which is heard, **sound** (freq. opp. sight) X. Arist. Plu.
2 news, report S. Men.
3 oral instruction, precept Isoc.
4 recital, performance (of music or poetry) Men. Plu.

ἀκουστικός ή όν *adj.* **disposed to listen** (W.GEN. to someone) Arist.

ἀκουστός ή όν *adj.* **1** (of things) **able to be heard, audible** hHom. Isoc. Pl. X. Arist.
2 to be heard or **fit to hear** E.; (in neg.phr.) **bearable to hear** S. E.

ἀκούω *vb.* | impf. ἤκουον, ep. ἄκουον | fut. ἀκούσομαι, later ἀκούσω (NT.) | aor. ἤκουσα, ep. ἄκουσα | pf. ἀκήκοα, Lacon. ἄκουκα (Plu.), inf. ἀκηκοέναι, ptcpl. ἀκηκοώς | plpf. ἠκηκόη, 3sg. ἠκηκόει, 3pl. ἠκηκόεσαν, Ion. ἀκηκόεσαν || PASS.: fut. ἀκουσθήσομαι | aor. ἠκούσθην || neut.impers.vbl.adj. ἀκουστέον, also pl. ἀκουστέα |
1 hear (persons or sounds) Hom. +
2 hear —W.ACC. *words, a message, voice, sound, or sim.* Hom. + —(W.GEN. *fr. someone*) Hom. + —(W.PREP.PHR.) Hom. + —W.ACC. + PTCPL. *someone saying sthg.* S. E. || PASS. (of a speaker) be heard Th. X. Plu.; (of things) Pl. Arist. NT. Plu.
3 hear —W.GEN. *speech, sounds, or sim.* Hom. + —*a person, god or animal* Hom. + —(W.PTCPL. *saying, doing or suffering sthg.*) Hom. + —W.GEN.PTCPL. (without noun) Hom.
4 hear about —W.ACC. *sthg.* Hom. + —(W.GEN. *fr. someone*) Od. + || PASS. (of things) be heard about Th.
5 hear —W.ACC. + PTCPL. *that sthg. is the case* Il. Hdt. S. E. + —W.ACC. + INF. Il. Pi. Hdt. S. E. + —W.INDIR.Q. or COMPL.CL. *what* (or *that sthg.*) *is the case* Hdt. Trag. +
6 hear about —W.GEN. *someone* Od. —(W.PTCPL. *doing sthg. or being in a certain situation*) Hom. —(W.PREDIC.ADJ. *being such and such*) Od. —W.GEN.PTCPL. (without noun) Od. || PASS. be heard —W.INF. *to be doing sthg.* Plu.
7 hear —W.PREP.PHR. *about sthg.* Od. + —W.GEN. E.
8 give one's attention, **listen** (to someone speaking or singing) Hom. + —W.GEN. *to a speaker, musician, poet* Hom. Thgn. Pl. —W.ACC. *to speech, song* Hom.
9 listen to, obey —W.GEN. *a person, his authority, or sim.* Hom. Sol. A. Hdt. E. —W.DAT. Alcm. || MID. perh. **respond to** —W.GEN. *a call to battle* Il.
10 (of a god) **listen** (to an appeal) B. Trag. —W.GEN. or DAT. *to a person* (*appealing for help*) Hom. —W.GEN. *to prayers* A.
11 (pres., w.pf.sens.) know by hearsay, **have heard** or **learned** Od. S. —*sthg.* Il. —(W.GEN. *fr. someone*) Od. —W.ACC. + INF. *that sthg. is the case* Il. —W.ACC. + PTCPL. E.*Cyc.* Pl. —W.COMPL.CL. Od.
12 hear oneself spoken of (in certain terms); **be spoken of** —W.ADV. *badly* (*i.e. be abused or slandered*) Hdt. S. E. Th. Ar. Att.orats. + —*in good terms* Pi. Hdt. S. Th. X. —W.ACC. *w. words of abuse or sim.* Hdt. S. E. Ar. Pl. —*w. words of praise* Pi.
13 be reputed —W.PREDIC.ADJ. or SB. *to be such and such* S. Pl. D. —W.INF. + PREDIC. Hdt.; **have it said of one** —W.COMPL.CL. *that one is such and such* S.
14 (of a god) **be addressed** or **named** —W.ADV. *correctly* S.
15 || MASC.PL.SB. readers (of a book) Plb.

ἄκρᾱ ᾱς, Ion. **ἄκρη** ης *f.* [ἄκρος] **1 extreme point** (of land), **promontory, headland** Hom. Pi. Hdt. S. E. Th. +
2 topmost point, peak, summit (of a mountain or hill) E. Th. Call. AR.
3 topmost point or **brink** (of a city) Od.; (specif.) **acropolis, citadel** X. Aeschin. Plb. Plu.
4 (prep.phr.) κατ' ἄκρας or κατ' ἄκρης (w. πόλεως or πόλιος understd.) *from top to bottom, completely* (*ref. to a city being destroyed or captured*) Il. Hdt. S. E. Th. Theoc.; (*fig., ref. to a person being destroyed or ruined*) A. E. Pl.; (gener.) *down from above* (*ref. to a wave crashing*) Od.; (*fig., ref. to a wave of disaster*) S.
5 (fig.) **crest** (of misfortune, envisaged as a wave) A.

ἀκράαντος *ep.adj.*: see ἄκραντος

ἀκρ-ᾱβος ον *dial.adj.* [ἄκρος, ἥβη] **on the verge of adulthood** Theoc.

Ἀκράγας αντος *m.* (also *f.* Pi.) **Akragas** (Lat. *Agrigentum*, city in SW. Sicily) Pi. Emp. Th. X. Plb. Plu.

—**Ἀκραγαντίνη** ης *f.* **territory of Akragas** Plu.

—**Ἀκραγαντῖνοι** ων *m.pl.* **people of Akragas** Pi. Hdt. Th. Call. Plb. Plu.

ἀ-κραγής ές *adj.* [privatv.prfx., κράζω] (of the hounds of Zeus, ref. to griffins) **not barking** A.

ἀκρ-ᾱής ές, gen. έος *adj.* [ἄκρος, ἄημι] (of a wind) app. **blowing from on high** Od. Hes.; (gener.) **fresh, strong** AR.

ἀκραιφνής ές *adj.* **1** (of a girl, living among young men) **untouched, unmolested, inviolate** E.
2 (of a person) **unscathed** (W.GEN. by threats) S.
3 (of a virgin's blood) **pure** E.
4 (of ships, an alliance) **intact** Th.; (of a military force) Plu.

ἄ-κραντος, ep. **ἀκράαντος,** ον *adj.* [privatv.prfx., κραίνω]
1 (of a task) **unaccomplished** Il. AR.
2 (of words, dreams, curses, hopes, a prophet's art) finding no fulfilment, **unfulfilled, empty, vain** Od. A. Pi. AR.

—**ἀκράαντον** *ep.neut.sg.adv.* —also **ἄκραντα** *neut.pl.adv.* without hope of fulfilment, **to no purpose, in vain** Od. A. Pi. E.

ἀκρασίᾱ ᾱς, Ion. **ἀκρασίη** ης *f.* [ἀκρατής] **1 lack of strength** Hippon.
2 lack of self-control, self-indulgence, intemperance Att.orats. X. Arist. Men. Plb. +

ἀκράτεια ᾱς *f.* **1 lack of control** (W.GEN. over pleasures, desires, pains) Pl.
2 lack of self-control, self-indulgence, intemperance Pl. X.

ἀκρατεύομαι *mid.vb.* **show a lack of self-control** Arist.

ἀκρατευτικός ή όν *adj.* (of wrongdoings) **arising from a lack of self-control** Arist.

ἀ-κρατής ές *adj.* [privatv.prfx., κράτος] **1** (of a sick person) **lacking physical strength** Plu.; (of old age) **feeble** S.
2 powerless (W.INF. to do sthg.) Pl.
3 lacking control (W.GEN. over one's tongue, words, anger, sexual desires, or sim.) A. Th.(dub.) Isoc. Pl. +
4 with an uncontrollable appetite (W.GEN. for wine, honour, gain) X. Arist.

ἀκρᾱτίζομαι

5 lacking self-control, unrestrained, intemperate Isoc. X. Arist. Men. Plb. Plu.; (of a poet's mouth, ref. to his use of language) Ar.
—**ἀκρατῶς** adv. 1 with a lack of control (W.GEN. over oneself) Is.
2 with a lack of self-control, unrestrainedly Pl. Arist. Plb. Plu.

ἀκρᾱτίζομαι mid.vb. [ἄκρᾱτος] drink undiluted wine (as part of the morning meal); (of a chorus, likened to billy-goats) have a drink for breakfast (app.ref. to self-fellation) Ar.

ἀκράτιστος ον adj. having eaten breakfast Theoc.(dub.)

ἀκρᾱτοποσίᾱ ᾱς, Ion. **ἀκρητοποσίη** ης f. [ἀκρᾱτοπότης] drinking of unmixed wine Hdt. Plb. Plu.

ἀκρᾱτο-πότης ου, Ion. **ἀκρητοπότης** εω m. [ἄκρᾱτος] drinker of unmixed wine Hdt.

ἄ-κρᾱτος, Ion. **ἄκρητος**, ον adj. [privatv.prfx., κεράννῡμι] | superl. ἀκρᾱτέστατος (Pl.) | 1 (of wine) not mixed (w. water), unmixed, undiluted, neat Od. Hdt. E.Cyc. Ar. Pl. X. +; (of libations) of unmixed wine AR.; (meton. for a treaty ratified by pouring them) Il. ‖ MASC.SB. neat wine Alc. Ar. Men. Call.epigr. Theoc. Plu.; (personif.) Neat Wine Call.epigr.
2 (fig., of delight induced by wine) undiluted E.Cyc.; (of Sleep, summoned to one who is drunk) E.Cyc.; (of wages, taken at the end of a day's work, envisaged as a libation poured at the end of a meal) Ar.; (of liberty, envisaged as wine) Pl. Plu.
3 (of milk, drunk by the Cyclops) unmixed Od.; (of blood, drunk by Erinyes) A.; (of a person's lifeblood) S.
4 (of diarrhoea) completely liquid Th.
5 (of non-liquids) without any admixture; (of primary substances or elements) unmixed, pure Emp.(dub.) Pl. Arist.; (of fire) Parm.; (of myrrh) Emp.; (of the mind, as separate fr. the body) X. Plu.; (of a colour) Pl. Plu.; (of a dye) Plu.
6 (of night, darkness) absolute, complete, total A.(cj.) Plu.
7 (of abstr. concepts, such as justice, falsehood, democracy, tyrannical rule) unmitigated, unqualified, pure, absolute Pl. Arist. Plu.; (of personal feelings or emotions, such as desire, pain, anger, ambition) S.fr. Pl. Arist.(quot.) Plu.; (of a hypothesis) unqualified, stark Arist.
8 (of a monster) absolute, intemperate (W.ACC. in his wrath) A.; (of a person) untempered (by another's influence) Plu.; lacking any admixture (W.GEN. of evil) Plu.; (of a demagogue) out-and-out Plu.
9 (pejor., of behaviour) intemperate, immoderate E.(cj.) Plu.
—**ἀκρᾱ́τως** adv. (qualifying an adj.) totally, thoroughly Pl. Plu.

ἀκράτωρ ορ, gen. ορος adj. [privatv.prfx., κράτος] 1 (of a person) powerless S.
2 (of a person or body) lacking control (W.GEN. over oneself) Pl.

ἀκρᾱχολέω contr.vb. [ἀκράχολος] be irascible Pl.

ἀκρᾱ́-χολος, also **ἀκρόχολος** (Arist.), ον adj. [ἄκρᾱτος, χολή] 1 with undiluted gall or bile; (of persons, their characters) choleric, irascible Ar. Pl. Arist.
2 (of a baby) passionately distressed Theoc.

ἀκρεμών όνος m. branch (of a tree) E.Cyc. AR. Theoc.

ἀκρέσπερον adv. [ἄκρος, ἑσπέρᾱ] at the far edge of evening, at nightfall Theoc.

ἄκρη Ion.f.: see ἄκρᾱ

ἄκρηθεν ep.adv.: see κρῆθεν

ἀκρητοποσίη Ion.f.: see ἀκρᾱτοποσίᾱ

ἀκρητοπότης Ion.m.: see ἀκρᾱτοπότης

ἄκρητος Ion.adj.: see ἄκρᾱτος

ἀκρῑ́βεια ᾱς f. [ἀκρῑβής] 1 (sts.pl.) accuracy, precision, exactness, meticulousness Th. Att.orats. Pl. X. +
2 exact details, accurate knowledge (of sthg.) Antipho Th. D. Plb.
3 perfect efficiency (of a fleet) Th.

ἀκρῑβής ές adj. 1 (of things) accurate, precise, exact E. Th. Att.orats. Pl. + ‖ NEUT.SB. accuracy, precision, exactness E. Th. Att.orats. Pl. +
2 (of persons, their behaviour or actions) precise, strict, meticulous Th. Att.orats. Pl. +
3 (of Lynceus) unerring (W.DAT. in sight) Theoc.
4 (of persons, ref. to the word describing their role) precisely fitting the description, in the true sense of the word Pl. Plu.
—**ἀκρῑβῶς** adv. | compar. ἀκρῑβέστερον, superl. ἀκρῑβέστατα | 1 accurately, precisely, exactly A. E. Th. Att.orats. +
2 meticulously, strictly And.
3 app., allowing no margin, narrowly Plu.

ἀκρῑβο-δίκαιος ον adj. precise as to one's rights Arist.

ἀκρῑβολογέομαι mid.contr.vb. [λόγος] | neut.impers.vbl.adj. ἀκρῑβολογητέον | (sts. pejor.) be exact (in language, argument or calculation), insist on precision, go into fine detail (sts. W.NEUT.ACC. over sthg.) Pl. Aeschin. D. Arist. Plb. Plu.

ἀκρῑβολογίᾱ ᾱς f. (sts.pejor.) precision, exactness, attention to detail (in language, argument or calculation) Arist. Plb. Plu.

ἀκρῑβόω contr.vb. 1 make (W.ACC. a roof) precise or exact E.
2 arrange (W.ACC. sthg.) precisely Ar. X. ‖ PASS. (of things) be arranged precisely Ar. Plb.
3 ‖ PASS. (of events) be narrated in precise detail Plu.
4 bring to a state of precision, hone, perfect —an activity or skill E. X.; (intr.) achieve precision or perfection Arist. ‖ PASS. (of a person) be made perfect —w. πρός + ACC. in every virtue Arist.; (of things) Ar. Arist. Call.
5 have precise knowledge of —sthg. Isoc. Pl. X. NT. —w.COMPL.CL. how sthg. happens X.

ἀκριδο-θήρᾱ ᾱς f. [ἀκρίς] trap or cage for a cricket Theoc.

ἄκριες ιων f.pl. [ἄκρος] peaks (of hills or mountains) Od. hHom. AR.

ἀκρίς ίδος f. cricket, grasshopper or locust Il. Ar. Theoc. NT.

ἀκρισίᾱ ᾱς f. [ἄκριτος] 1 state of undecidedness, indecision, uncertainty X. Plb.
2 lack of good judgement Plb.

ἀκρῑτό-μῡθος ον adj. [μῦθος] 1 indiscriminate in speech, talking recklessly Il.
2 (of dreams) with a message which is hard to assess, inscrutable Od.

ἄ-κριτος ον adj. [privatv.prfx., κριτός] 1 lacking separation or distinction; (of a burial mound, ref. to a mass grave) app. communal Il.
2 (of things) not distinguished (fr. one another) Pl.; (of animal-skins) in an indiscriminate heap hHom.(cj.)
3 (of slaughter) indiscriminate Plu.; (of a mass of people) Plu.; (of shouting, noises, the sound of voices) AR. Plb. Plu.
4 lacking resolution or decision; (of quarrels, strife and confusion) unresolved Il. D.; (of a contest, military engagement) undecided, inconclusive Hes. Plb. Plu.; (of an issue or outcome) uncertain Th. Plb.
5 (of opinions expressed in a debate) indecisive, contradictory Od.; (of public opinion) undecided,

uncertain Plu.; (of an outcome, fortune) **unpredictable** B. Plu.; (perh., of a wind) Plu.
6 app., lacking termination; (of speeches) **interminable, endless** Il.; (of sorrows) Il. B.*fr*.
7 (of a ruler) **not subject to judgement, unaccountable** A.; (of behaviour) Plu.
8 (of persons, esp.ref. to their being killed) **without a trial** Hdt. E. Th. Att.orats. Pl. X. +; (of crimes, legal disputes) **untried** Att.orats.; (fig., of a philosophical dispute) Pl. ‖ NEUT.PL.SB. **punishment without trial** E.
9 (of persons) **not reaching a decision** Hdt.
10 (of persons, their character or behaviour) **lacking judgement, undiscriminating** Parm. Plb.
—**ἄκριτον** *neut.sg.adv*. **1 indiscriminately** hHom.
2 endlessly Od. hHom.(dub.)
—**ἄκριτα** *neut.pl.adv*. **indistinguishably** hHom.
—**ἀκρίτως** *adv*. **1 without resolution, inconclusively** Th.
2 without a trial Plb.
3 injudiciously or **without good reason** Plb.
ἀκριτό-φυλλος ον *adj*. [φύλλον] (of a mountain) **with a confused mass of foliage** Il.
ἀκριτό-φυρτος ον *adj*. [φύρω] (of things) **randomly muddled together** A.
ἀκρόᾱμα ατος *n*. [ἀκροάομαι] **1 that which is listened to; sound** (of speech or music) X. Aeschin. Arist.
2 (specif.) **musical performance** Plb. Plu.
3 musical performer, musician Plu.
ἀκροάομαι *mid.contr.vb*. | aor. ἠκροᾱσάμην
‖ neut.impers.vbl.adj. ἀκροᾱτέον | **1 be a listener, listen** Ar. Att.orats. Pl. + —W.GEN. *to a speaker or singer, their words, or sim.* Th. Att.orats. + —W.NEUT.ACC. *to sthg.* Ar. Pl.; **hear about** —W.ACC. *sthg.* Th. —(W.GEN. *fr. someone*) Pl. X.
2 (specif., of jurors) **give a hearing, listen** (to a defendant or plaintiff) Ar. Att.orats. Arist. —W.GEN. *to a speaker, a speech* Ar. Att.orats.
3 listen obediently, pay attention, give heed Th. —W.GEN. *to someone* Th. Lys. Ar. Pl.
4 listen (for the purpose of learning), **give ear, attend** —W.GEN. *to someone* Pl.; (specif.) **listen to lectures, be a pupil** —W.GEN. *of someone* Plu.
ἀκρόᾱσις εως *f*. **1 listening, hearing** (as an aural experience) Th. Arist.
2 listening (to an argument) Th.; (W.GEN. to speakers, speeches, sounds) Isoc. Arist ; **hearing** or **reading** (W.GEN. of historical events) Plb.
3 (specif., in legal ctxt.) **hearing** (of a defendant or plaintiff) Att.orats. Plu.; (W.GEN. of a speech for the defence) And.; (meton., ref. to the jury) **hearers** Aeschin.
4 discourse for an audience, lecture Arist. Plb. Plu.
5 listening obediently, attention, obedience (W.GEN. to persons in authority, laws) Th.
6 time occupied in listening to tragedies (within a single day), **sitting** Arist.
ἀκροᾱτήριον ου *n*. **1 audience chamber** (of an official) NT.
2 assembled listeners, audience Plu.
ἀκροᾱτής οῦ *m*. **1 one who listens** (to a speaker); **listener** (sts. W.GEN. to someone or sthg.) Th. Att.orats. Pl. Arist. Plb. Plu.
2 ‖ PL. **listeners, audience** (at a musical performance) Men.
3 (gener.) **one who hears, hearer** (W.GEN. about sthg.) Th.
4 one who listens to teaching, student (sts. W.GEN. of a particular subject) Arist.; **pupil** (W.GEN. of someone) Arist. Plu.
5 reader (of a narrative) Plb. Plu.

ἀκροᾱτικός ή όν *adj*. (of certain subjects taught by Aristotle) **for a select audience** Plu.
ἀκροβολίζομαι *mid.vb*. [ἀκροβόλος] **1** (of lightly armed troops using bows, javelins or stones) **discharge missiles from the edges of the fighting, shoot at long range** Th. X. Plb. Plu.
2 (fig.) **skirmish, joust** —W.DAT. *w. words* Hdt.
ἀκροβόλισις εως *f*. **long-range shooting** X.
ἀκροβολισμός οῦ *m*. **long-range shooting** Th. Pl. X. Plb. Plu.
ἀκροβολιστής οῦ *m*. **shooter of long-range missiles** X.
ἀκρο-βόλος ον *adj*. [ἄκρος, βάλλω] (of a shower of stones) **thrown at long range** A.(dub.)
ἀκροβυστίᾱ ᾱς *f*. **foreskin** (as the physical mark of a Gentile) NT.
ἀκρό-δρυα ων *n.pl*. [δρῦς] **1** app., **fruits growing on the outer surfaces of trees** (i.e. branches), **tree fruits** or **nuts** X. Thphr. Plu.
2 fruit-bearing trees Pl. D.
ἀκροθῑνιάζομαι *mid.vb*. [ἀκροθίνιον] **make a choice selection of** —*brides* (for one's sons) E.
ἀκρο-θίνιον ου *n*. [θίς] | dial.pl. ἀκρόθῑνα (Pi.) | **1 top of a heap**; (freq.pl.) **choicest offering** (fr. war-booty) Pi. Hdt. S. E. Th. Pl. +; (ref. to a captured commander) E.; (ref. to persons offered to a god, for temple service or sacrifice) E.
2 first-fruits (W.GEN. of a land, ref. to harvest produce) A.
ἀκροκελαινιάω *contr.vb*. [κελαινός] | ptcpl. (w.diect.) ἀκροκελαινιόων | (of a swollen river) **darken at the surface** or **crest** Il.
ἀκρο-κνέφαιος ον *adj*. [κνεφαῖος] (quasi-advbl., of Arcturus rising) **at the edge of darkness, at dusk** Hes.
ἀκρό-κομος ον *adj*. [κόμη] **1** (of Thracian warriors) **with hair in a top-knot** Il. Hippon.
2 (of leaves) **luxuriant on high** E.; (of cypresses) **with leafy top** Theoc.
ἀκρο-κώλια ων *n.pl*. [κῶλον] **ends of (an animal's) limbs**; perh. **trotters** Philox.Leuc.
ἀκρολοφίᾱ ᾱς *f*. [ἀκρόλοφος] **crest of a hill, hilltop** Plb.
ἀκρό-λοφος ου *m*. [λόφος] **hilltop** Plu.
ἀκρο-μανής ές *adj*. [μαίνομαι] **on the verge of madness** Hdt.
ἄκρον ου *n*. [ἄκρος] **1 extreme** or **topmost part, peak, summit, top** (of a hill or mountain) Od. X. ‖ PL. **heights** Archil. Hdt. E. Th. Pl. X. +
2 top (of a steep road) Hes.; (W.GEN. of heaven, the sky) Pl.
3 app. **hilltop site** (ref. to a fort) Th.
4 ‖ PL. **topmost parts** (W.GEN. of ships, ref. to mast-tops) Alc.; (ref. to decks) S.; (of a city, ref. to its citadel) Emp.
5 edge, surface (of a turning-post) Il.; (of an object) Arist. ‖ PL. **surface** (of water, the sea) Emp. Pl.
6 extreme point, tip (W.GEN. of Athens, the Athenians, i.e. of Attica, ref. to Cape Sounion) Od. Ar. Call.; (of Euboea, ref. to Cape Kenaion) S.
7 end (of a pole, stake, rope, or sim.) Hom. Hes. Hdt. Th. Ar. Pl. +; **tip** (W.GEN. of the tongue) Arist.; (of a finger) NT. ‖ PL. **tips, ends** (of ships, ref. to their sterns) E.
8 (sg. and pl.) **extreme limit, furthest point** (W.GEN. of the sea, sky, a country) Pl. Plb.; (of earth, heaven) NT.
9 ‖ PL. **extremities** (of the body) Pl.
10 ‖ PL. **edges, borders** (of a cloak) AR.
11 (sg. and pl.) **extreme** (in amount or degree, opp. μέσον *mean*) Pl. Arist.
12 (fig.) **extreme point, height, summit** (of achievements) Pi.; (W.GEN. of excellence, glory, manliness) Tyrt. Simon. Pi.; (of philosophy) Pl.

13 ‖ PL. prize (W.GEN. for kissing) Theoc.
14 ‖ PL. (ref. to persons) elite (W.GEN. of a city) Theoc.
15 (prep.phr.) εἰς ἄκρον (qualifying an adj.) *extremely* Theoc.
16 δρυὸς ἄκρα (equiv. to ἀκρόδρυα) *fruit trees* Theoc.

ἀκρό-νυχος ον *adj.* [νύξ] (quasi-advbl., of a person sacrificing) **at nightfall** Theoc.*fr.*

ἀκρό-πηλος ον *adj.* [πηλός] ‖ NEUT.PL.SB. places with a muddy surface Plb.

ἀκρό-πολις, ep. **ἀκρόπτολις** (A. E.), εως (Ion. ιος) *f.* [πόλις]
1 topmost part of a city, **acropolis, citadel** Od. Stesich. Thgn. A. Pi. Hdt. +
2 (specif., at Athens) **Acropolis** (sacred to Athena and site of the state treasury) Hdt. Th. Ar. Att.orats. +
3 (fig.) **citadel** (W.GEN. of the Phocians, ref. to Delphi) E.; (W.DAT. for a populace, ref. to a person) Thgn.; (W.GEN. of a person's soul, as vulnerable to seizure by corrupting desires) Pl.; (ref. to the brain or mind, as the centre of command within the body) Pl.

ἀκρο-πόλος ον *adj.* [πέλω] (of mountains) at the topmost point, **at the peak** Hom. hHom.

ἀκρο-πόρος ον *adj.* [πείρω] (of spits) piercing at the tip, **sharp-pointed** Od.

ἀκρόπτολις *ep.f.*: see ἀκρόπολις

ἄκρος ᾱ (Ion. η) ον *adj.* [reltd. ἀκμή] | superl. ἀκρότατος | The adj. is applied to things which form or occupy an extreme part (top, end, edge or surface) and to persons or things marked by some quality to an extreme degree. |
1 at the topmost point; (of a mountain or other feature of the landscape, of a building or structure) **at the top** (i.e. top of a mountain, etc.) Hom. Hes. hHom. Pi. Trag.; (of a city, ref. to its acropolis) Il. Thgn.; (of a tree, flowers, corn, a wave) Il. Alcm. Ibyc.; (of a helmet) Il.; (of a head) Il. Stesich. Thgn Pi. Hdt. E.; (of a belly, envisaged as a ship's hull) E.*Cyc.*
2 ‖ SUPERL. (of a mountain, city or structure) at the topmost part (i.e. very top of a mountain, etc.) Hom. Hes. Pi. Hdt.(oracle) S. E.; (of a tree, a wood) Il.; (of a ship, ref. to its deck) hHom.; (of a sail) hHom.; (of a helmet) Il.; (of a head) Stesich. Thgn. E.
3 topmost (relative to other things); (of an apple, a branch) **topmost** Sapph.; (of rungs of a ladder) E. ‖ SUPERL. (of a peak) Il. hHom.; (of a branch, leaves) Il. Sapph. Ibyc.
4 at the outermost point; (of a spear, spear-point, spit, steering oar, branch, thyrsos) **at the tip** (i.e. tip of a spear, etc.) Hom. E.; (of a ship's stern) Hippon. E.*Cyc.*; (of a ship, ref. to its stern) Il.; (of a hand, arm, finger, shoulder, foot, toe, toenail, tongue) Il. Hdt. S. E. Th. Ar. +; (of hair) S. E.; (of buttocks) Ar.; (of an animal's snout, rump, tail, the hairs of its coat or tail) Il. Stesich. Hdt. Ar. X.; (prep.phr.) ἐπ' ἄκρων *on tiptoes* S.
5 (of a plain, shore, cliff) **at the edge** (i.e. edge of a plain, etc.) S. E. Th.; (of a turning-post) S.; (of a sail) Ar.; (of the clasp of a belt) Hdt.; (of a hand, ref. to the wrist) Il.
‖ SUPERL. (of a branch) at the tip Hes.
6 (of water) **at the surface** (i.e. surface of water) Il. Hes. Mimn.; (of flesh) Od.; (of a stone) S.; (of the heart or mind, ref. to superficial feeling) A. E.; (of a tree) **on the outer surface** (opp. inside the trunk) Hes.; (of the earth's bounds, ref. to its upper surface) **upper** E. ‖ SUPERL. (of bronze) forming the uppermost surface (of a shield w. several layers) Il.; (of flesh) at the very surface (i.e. mere surface of flesh) Il.
7 at the extremity of a period of time (either its beginning or its end); (of night) **at the beginning** S.; (fig., of steps in life) **very first** Pi.; (of evening) **at the end** Pi.; (of winter) Theoc. [or perh. *at the height* i.e. midwinter)]
8 (intensifying what itself expresses an extreme; of the edge of a ditch or sail) **extreme** Il. E.; (of the marrow of the soul) E.; (of an end) Thgn. Pi.
9 possessing some capacity to an extreme degree; (of persons) **exceptional, supreme, first-rate** Hdt. Trag. Pl. +; (W.ACC. in courage, fighting skills) Hdt.; (W.GEN. or PREP.PHR. in some activity) Pl.; (of ground, W.ACC. in quality) Hdt.; (gener., of persons) **elite, finest** (of their kind) E. ‖ SUPERL. (of a person, a flock) very finest Pl.
10 (pejor., of a person) **extreme** (W.ACC. in anger) Hdt.
11 (of circumstances, good or bad qualities) **extreme, supreme, highest, most intense** Thgn.(dub.) Pi. E. +; (superl.) Pl.
12 (of persons or things) at the extreme end of the scale (in terms of excess or deficiency of some quality), **extreme** (opp. μέσος *in the middle*, i.e. representing the mean) Arist.
—**ἄκρον** *neut.adv.* **on the surface** Il.(dub.)
—**ἄκρως** *adv.* to an extreme degree, **completely, perfectly** Pl. X. Arist. Plu.

ἀκρό-σοφος ον *adj.* [σοφός] (of people) **supremely wise** Pi.; (of the mouths of singers) **highly skilled** Lyr.adesp.

ἀκρο-στόλιον ου *n.* [στόλος] terminal ornament, **figurehead** (at the prow or stern of a ship) Plu.

ἀκρο-σφαλής ές *adj.* [σφάλλω] 1 on the verge of being thrown off balance; (of a ladder) **insecure, precarious** Plb.; (of a person, w. πρός + ACC. in respect of health) Pl.
2 (wkr.sens., of persons, their nature or physical condition) **prone, liable, susceptible** (w. πρός + ACC. to anger, change, or sim.) Plu.

ἀκρο-τελεύτιον ου *n.* [dimin. τελευτή] **tail-end** (of the verses of an oracle) Th.

ἀκρότης ητος *f.* **extreme** (opp. μεσότης *mean*) Arist.

ἀκροτομέω *contr.vb.* [ἀκρότομος] **cut at the top** (opp. close to the ground, when reaping corn) X.

ἀκρό-τομος ον *adj.* [τέμνω] (of rocks) cut away at the edge, **sheer, precipitous** Pi.*fr.* Plb.

ἀκρο-φύλαξ ακος *m.* **commander of a hill fortress** Plb.

ἀκρο-φύσιον ου *n.* [dimin. φῦσα¹] end-piece of bellows, **nozzle** Th.

ἀκρο-χάλιξ ικος *masc.fem.adj.* χάλις (of Dionysus) on the verge of being drunk, **tipsy** (W.DAT. on wine and nectar) AR.

ἀκρο-χειρίζομαι *mid.vb.* engage (an opponent) with one's fingertips; (of a wrestler) **fight at arm's length** Arist.
—W.DAT. w. someone Pl.

ἀκρόχολος *adj.*: see ἀκράχολος

ἀκρο-χορδών όνος *f.* [χορδή] (medic.) **small wart** Plu.

ἄ-κρυπτος ον *adj.* [privatv.prfx., κρυπτός] (of actions) **not concealed** E.; (W.GEN. fr. someone) A.

ἀ-κρύσταλλος ον *adj.* (of a country) **free from ice** Hdt.

ἀκρωλένια ων *n.pl.* [ἄκρος, ὠλένη] **edges** (of a hunting net) X.

ἀκρωμίᾱ ᾱς *f.* [ὦμος] top of the shoulders, **withers** (of a horse) X.

ἀκρωνίᾱ ᾱς *f.* **mutilation of the extremities** A.

ἀκρωνυχίᾱ ᾱς *f.* [ἀκρώνυχος] edge of the fingertip; **ridge** or **spur** (of a mountain) X.

ἀκρώνυχος ον *adj.* [ὄνυξ] (quas -advbl., of a horse touching the ground) **with the tips of the hooves** Plu.

ἀκρώρεια ᾱς, Ion. **ἀκρωρείη** ης *f.* [ὄρος] topmost region of a mountain, **mountain heights** X. Call. Plb. Plu.

ἀκρωτηριάζω *vb.* [ἀκρωτήριον] 1 (of projecting land) **form a promontory** Plb.

2 cut the beaks or figureheads off —*ships' prows* Hdt.; (mid.) —*ships* X.
3 cut off the extremities of, **mutilate** —*a person* Plb. ‖ MID. (fig.) **sabotage** —*one's country* (*by one's behaviour*) D. ‖ PASS. (of Herms) be mutilated Plu.

ἀκρωτήριον ου *n*. [ἄκρος] **1** extreme or topmost point, **peak, summit** (of a mountain or hill) Pi. Hdt.
2 promontory, headland Hdt. Th. D. Plb. Plu.
3 projecting part (of a cup, such as a handle) Arist.
4 beak or **figurehead** (of a ship) Hdt. X. ‖ PL. app., **deck** (W.GEN. at the stern) hHom.
5 (archit.) figure standing above the apex of a pediment or above its outer corners, **akroterion** Pl. Plu.
6 (usu.pl.) **extremity** (of the body, ref. to hands, feet, or sim., usu. in ctxt. of mutilation) Th. Lys. Pl. Arist. Plu.; (of a statue of Nike, perh. ref. to her wings) D.

ἀκτά *dial.f.*: see ἀκτή¹, ἀκτή²

ἀκταίνω *vb.* —also **ἀκταινόω** (Pl.) *contr.vb.* **lift up, raise** —*oneself* Pl. —*one's stance* (*i.e. stand upright*) A.

ἀκταῖος η ον *Ion.adj.* [ἀκτή¹] (of a bird) of the coast or shore, **coastal** AR.

—**Ἀκταίη** ης *Ion.f.* **woman of Akte** (i.e. Attica) Call.

ἀκτέα ᾶς *f.* **elder tree** B.

ἀ-κτένιστος ον *adj.* [privatv.prfx., κτενίζω] (of hair) **uncombed, unkempt** S.

ἀκτέον (neut.impers.vbl.adj.): see ἄγω

ἀ-κτέριστος ον *adj.* [κτερίζω] (of a corpse) **deprived of burial rites** S.; (of a burial chamber) **unhallowed** S.

ἀκτή¹ ῆς, dial. **ἀκτά** ᾶς *f.* **1 coast, shore** Hom. Hes. Sol. Pi. Hdt. Trag. +
2 headland Hom. Hes. B. Hdt. S. E. +
3 bank (of a river) Pi. Trag.
4 banked-up structure; **bank** (W.GEN. of a burial mound) A.; (W.ADJ. *of an altar*) S.

—**Ἀκτή** ῆς *f.* **Akte** (alternative name of Attica, as having an extensive coastline) E. Call.

ἀκτή² ῆς, dial. **ἀκτά** ᾶς *f.* **grain** (W.GEN. of Demeter, ref. to wheat) Hom. Hes. E. AR.; (of barley-groats) Hom.

ἀ-κτήμων ον, gen. ονος *adj.* [privatv.prfx., κτῆμα] **1** (of a person) **not in possession** (W.GEN. of gold) Il.
2 (of poverty) **possessionless** Theoc. ‖ MASC.PL.SB. persons lacking possessions or property Plu.

ἄ-κτητος ον *adj.* [κτητός] (of things) **not worth possessing** Pl.

ἄκτιος ᾱ ον *adj.* [ἀκτή¹] (epith. of Pan, Apollo) **of the shore** AR. Theoc.

ἀκτίς ῖνος *f.* | dat.pl. ἀκτῖσι, ep. ἀκτίνεσσι | **1** (sg. and pl.) **ray, beam** (of the sun) Hom. Hes. Mimn. Pi. Trag. Ar. +; (of the moon) hHom.; (of a star) Ar.; (W.ADJ. *heavenly*, ref. to a shooting star or meteor) AR.; (of lamplight) Emp.; (of fire) Pl. Plu.
2 flash (of lightning) Pi.(pl.) AR.; **lightning-flash** (W.GEN. of Zeus) S.
3 ‖ PL. (fig.) rays (fr. a person's eyes) Pi.*fr.* Ar.; (W.GEN. of violets) Pi.
4 (fig.) **radiance, glory** (won in chariot races) Pi.; (W.GEN. of noble deeds, prosperity) Pi.

ἄ-κτιτος ον *adj.* [privatv.prfx., κτίζω] (of land) **uncultivated** hHom.

ἄκτωρ ορος *m.* [ἄγω] **leader, commander** (W.GEN. of a place or people) A.

ἀ-κυβέρνητος ον *adj.* [privatv.prfx., κυβερνάω] (of a ship) **lacking a helmsman** Plu.

ἄ-κυθος ον *adj.* [app.reltd. κύω] (of ewes) **not becoming pregnant, barren** Call.

ἄκυλος ου *f.* fruit of the holm-oak, **acorn** Od. Theoc.

ἀ-κύμαντος ον *adj.* [privatv.prfx., κυμαίνω] (of sands) **not reached by waves** E.

ἄ-κυμος ον *adj.* [κῦμα] (fig., of human life) **without waves, tranquil** E.

ἀ-κύμων ον, gen. ονος *adj.* **1** (of the sea, its surface) lacking waves, **waveless, tranquil, calm** A. Pi.*fr.* E. Plu.; (of a voyage) E.*fr.*; (fig., of a life) Plu.
2 (of a womb) lacking an embryo, **barren** E.

ἄ-κυρος ον *adj.* [κῦρος] **1** (of officials, courts, the populace, individuals) **lacking power, control** or **authority** (sts. W.GEN. over someone or sthg.) Att.orats. X. Arist.; **lacking authority** (W.GEN. for sthg.) Pl. D. Plu.; (W.INF. to do sthg.) And. Lys. Pl.
2 (of a law, decree, verdict, agreement, will, or sim.) **not binding** or **invalid** Th. Att.orats. Pl. Arist. Plb. Plu.
3 (of a voting-pebble) **not counting** (towards the verdict) Arist.; (of a jar for such voting-pebbles) Arist.
4 (gener.) lacking authority, effectiveness or validity; (of a judgement made by an unskilled person, the deliberative part of a woman's soul) **lacking authority** Pl. Arist.; (of speeches) **ineffectual** Isoc.; (of a person's authority) **undermined** X.; (of appearances) **invalidated** Pl.

ἀκυρόω *contr.vb.* **invalidate, annul** —*decrees, orders, honours, commercial agreements, types of currency* Din. Plu. —*God's word* NT.

ἀκύρωτος ον *adj.* (of an issue) **undetermined** E.

ἀ-κωδώνιστος ον *adj.* [κωδωνίζω] (of a matter) **untested** Ar.

ἀκωκή ῆς *f.* [reltd. ἀκίς] **1 point, tip** (of a spear) Hom. Call. AR.; (of a sword) Theoc.
2 edge (of a sword) AR.

ἀ-κώλυτος ον *adj.* [privatv.prfx., κωλύω] (of mooring-places) **unobstructed** Plu.

—**ἀκωλύτως** *adv.* **without hindrance** Pl. NT. Plu.

ἄκων οντος *m.* [perh.reltd. ἀκίς, ἀκωκή] light throwing-spear, **javelin** Hom. hHom. Archil. Callin. Lyr. E. +

ἄκων, dial. **ἀέκων**, ουσα (Aeol. οισα) ον *ptcpl.adj.* [privatv.prfx., ἑκών] **1** (of persons, their spirit) **not willing** (for sthg. to happen), **unwilling, reluctant** Hom. +; (most freq., quasi-advbl., of a person, god or animal doing sthg.) **unwillingly, reluctantly** Hom. +; (having sthg. done to one) **against one's will** Hom. +; (duplicated for emphasis) ἄκοντά σ' ἄκων ... προσπασσαλεύσω *against my will, and yours too, I shall nail you up* A. | see also ἑκών 1
2 not acting with deliberate intent; (quasi-advbl., of persons doing sthg.) **involuntarily, unintentionally** Il. Hdt. S. E. Ar. Att.orats. +
3 (of evil actions) **involuntary, not intentional** S.

—**ἀκόντως** *adv.* **1 unwillingly, reluctantly** Pl. X.
2 involuntarily, not intentionally Pl.

—**ἀκοντί** *adv.* **unwillingly** Plu.

ἀλάβαστος, also **ἀλάβαστρος**, ου *m.* (*also f.* NT.) —also **ἀλάβαστρον** ου *n.* **alabastron** (slender cylindrical vessel, for perfumed oil) Hdt. Ar. Hyp. Call. +

ἀλαβαστρο-θήκη ης *f.* receptacle for storing alabastrons, **alabastron-case** D.

ἅλαδε *adv.*: see under ἅλς

ἀλαζονεία ᾱς *f.* [ἀλαζονεύομαι] **1 pretence to superior knowledge or skill, charlatanism, imposture, quackery** Ar. Isoc. X.

ἀλαζόνευμα

2 (gener.) **pretence, pretentiousness, boastfulness** or **ostentation** (for the purpose of self-glorification, gain or deception) Att.orats. Pl. X. Plb. Plu.; (opp. εἰρωνεία *mock-modesty*) Arist.

ἀλαζόνευμα ατος *n.* **instance of pretentious and deceptive behaviour, imposture, empty bragging** Ar. Aeschin.

ἀλαζονεύομαι *mid.vb.* [ἀλαζών] behave or speak with pretentiousness or exaggeration (for the purpose of self-glorification or deception), **be pretentious, boastful** or **deceptive** Ar. Att.orats. Pl. X. Arist. Plu.

ἀλαζονικός ή όν *adj.* (of a person) **ostentatious** (W.DAT. in lifestyle and dress) X.; (of a person, a kind of behaviour) **pretentious** Arist. Plb. Plu.; (of speech) **boastful** Isoc.
—**ἀλαζονικῶς** *adv.* **boastfully** Plu.

ἀλαζών όνος *m.* **1** one who claims superior knowledge or skill (for self-serving ends), **charlatan, impostor** Ar. Pl.
2 one who makes exaggerated claims (for the purpose of self-glorification), **boaster, braggart** X. Thphr. Plu.; (for the purpose of reputation or gain, opp. εἴρων *mock-modest man*) Arist.
3 (gener.) **deceiver, cheat, liar, fraud** Pl. Aeschin. Men.
—**ἀλαζών** όνος *masc.fem.adj.*| superl. ἀλαζονίστατος (Pl.) |
1 (of a man) **pretentious** Hdt. Ar. X.; (of a woman) **ostentatious** Plu. | see also λαλάζω
2 (of persons, arguments, pleasures) **deceptive, fraudulent** Pl.

ἀλάθεα Aeol.f., **ἀλάθεια** dial.f.: see ἀλήθεια

ἀλαθείς (dial.aor.pass.ptcpl.): see ἀλάομαι

ἀλαθεύω dial.vb.: see ἀληθεύω

ἀλαθής, ἀλαθινός dial.adjs.: see ἀληθής, ἀληθινός

ἀλαθοσύνᾱ dial.f.: see ἀληθοσύνη

ἀλαίνω *vb.* [reltd. ἀλάομαι] **1 wander, roam** (aimlessly or helplessly) A. E.
2 (specif.) **wander in exile** E.; (of unburied bodies) **be homeless** (i.e. excluded fr. Hades) E.
3 wander in the mind, **be deranged** —W.DAT. *by fits of madness or panic* E.

ἀλακάτᾱ dial.f.: see ἠλακάτη

ἀλαλά dial.f.: see ἀλαλή

ἀλαλαγαί ἂν dial.f.pl. [ἀλαλάζω] **shouts, cries** S. E.(cj.)

ἀλάλαγμα ατος *n.* **shout, cry** (to a god) Call.; (by a commander, in battle) Plu.(pl.)

ἀλαλαγμός οῦ *m.* **1 war-cry** Hdt. Plu.; **cry of victory** or **triumph** Plu.
2 ecstatic cry (of the aulos, in the rites of Cybele) E.; (W.GEN. of drums, in Bacchic rites) E.
3 (gener.) **shouting, clamour** Plu. || PL. **shouts, cries** Plu.

ἀλαλάζω *vb.* [ἀλαλαί] | aor. ἠλάλαξα, dial. ἀλάλαξα |
1 cry alalai!; (in war or after a killing) **cry aloud in victory** or **triumph** Pi. E. Plu. —W.INTERN.ACC. *in victory* S. || MID. (of a place, in anticipation of a killing) **resound with cries of triumph** E.fr.
2 (of soldiers preparing to charge or engage the enemy) **raise a war-cry** X. Plu.
3 (of the twang of lyre-strings, in orgiastic rites) **raise an ecstatic cry** A.fr.; (mid., of Dionysus) E. | see also ὀλολύζω
4 (gener.) **cry out loudly** NT. Plu.

ἀλαλαί, also **ἀλαλαλαί** *interj.* (as a cry of victory or triumphant excitement) **alalai!** or **alalalai!** Ar.

Ἀλαλάξιος ου *masc.adj.* (epith. of Zeus) **God of the War-cry** Call.

ἀλαλή ῆς, dial. **ἀλαλά** ᾶς f. **1 war-cry** Pi.; (meton. for battle or din of battle) Pi.; (personif., as daughter of War) Pi.fr.
2 cry of victory or **triumph** E.fr.

3 ecstatic cry (of celebrants of orgiastic rites) Pi.fr. E.
4 cry, shriek (W.GEN. of lamentation) E.

ἀλάλημαι (ep.pf.mid.pass.): see ἀλάομαι

ἀλαλητός, dial. **ἀλαλᾱτός**, οῦ *m.* **shouting, clamour** (of warriors, in the rush to battle or in the ensuing violence or confusion) Hom. Hes. Pi.; (of rowers) AR.; (of drinkers) Anacr.

ἄλαλκον ep.redupl.aor.2 vb. [ἀλκή] | inf. ἀλαλκεῖν, ἀλαλκέμεν, ἀλαλκέμεναι | fut. ἀλαλκήσω (AR.) | **1 keep off, ward off, avert** —*Harpies* AR. —*fighting* (fr. *someone*) Il. —*dogs, flies* (sts. W.DAT. fr. *a corpse*) Il. —*death, destruction, misery, old age* (sts. W.DAT. or GEN. fr. *someone or sthg.*) Hom. Pi. Call. AR.
2 give help or **protection** —W.DAT. *to someone* Il.

ἄ-λαλος ον *adj.* [privatv.prfx., λάλος] **unable to speak, mute, dumb** NT.

ἀλαλύκτημαι (redupl.pf.mid.pass.): see ἀλυκτέομαι

ἅλάμενος (dial.aor.mid.ptcpl.): see ἅλλομαι

ἀ-λάμπετος ον *adj.* [privatv.prfx., λάμπω] **not illuminated** (by sunlight); (of the night sky, the underworld) **unlit** hHom. S.

ἀ-λαμπής ές *adj.* **1 not illuminated** (by sunlight); (of an attribute of night, perh. veil) **unlit** B.; (of an object hidden in a chest) **out of the light** (W.GEN. of the sun) S.
2 (of a colour) **not bright, without lustre** Plu.
3 (fig., of a person's merits) **obscured** Plu.

ἀλάομαι mid.pass.contr.vb. | (w.diect.) ep.3pl. ἀλόωνται, ep.imperatv. ἀλόω | impf. ἠλώμην, ep.3sg. ἀλᾶτο | ep.aor. ἀλήθην, ptcpl. ἀληθείς, dial. ἀλαθείς | ep.pf. (w.pres.sens.) ἀλάλημαι, ptcpl. ἀλαλήμενος (so accented), imperatv. ἀλάλησο | 3pl.plpf. (w.impf.sens.) ἀλάληντο (E. AR.) |
1 travel without fixed course or intention; (of persons) **wander, roam** Hom. Sol. Hdt. Trag. Hellenist.poet.
—W.ACC. *over a region or sea* S. Theoc.(of troubles)
—W.PREP.PHR. *among men* Hes.; (of the moon's light)
—*around the earth* Parm.
2 (specif.) **wander as an outcast** or **exile** Tyrt. Emp. Trag. Th. Att.orats. Plb. Plu.
3 be excluded —W.GEN. fr. *one's community* Ar.(quot. Pi.); (fig.) —fr. *joy* Pi.
4 be in a state of mental uncertainty, be at a loss S.
5 (of a person who has fallen into misfortune) **be distraught** —W.ACC. *in one's mind* (W.GEN. because of *former good fortune*) E.

ἀλαός όν *adj.* **1** (of persons, eyes) **sightless, blind** Od. S. E. Call.; (fig., ref. to mental blindness) A. || MASC.PL.SB. **the blind** (ref. to the dead, opp. those who see the light of day) A.
2 (fig., of a cloud) **of blindness** AR.
3 (of a wound) **causing blindness, blinding** S.
4 (of things) **unclear, obscure** A.(dub.cj.)

ἀλαοσκοπιή ῆς Ion.f. [σκοπιά] **blind man's watch** (i.e. negligent lookout) Hom. Hes.

ἀλαόω contr.vb. **deprive** (W.ACC. the Cyclops) **of the sight** —W.GEN. *of his eye* Od.

ἀλαπαδνός ή όν *adj.* [ἀλαπάζω] (freq. in neg.phr., of warriors, the strength of animals) **weak, feeble, ineffective** Hom. Hes.; (of the strength of a philosopher) Plu.(quot.); (of a tale) **insubstantial, flimsy** hHom.

ἀλαπάζω ep.vb. | impf. ἀλάπαζον | fut. ἀλαπάξω | aor. ἀλάπαξα | **1 destroy, lay waste, sack** —*a city* Il. Hes.fr. Thgn. —*a shrine* Call. || PASS. (of a city) **be sacked** Il.
2 (of a warrior) **lay low** —*enemy ranks* Il.; (of Zeus) **destroy** —*combatants* Il.
3 (of Zeus) **bring ruin** Od.

ἅλας *n.*: see ἅλς

ἀλαστέω contr.vb. [perh.reltd. ἄλαστος] | Ion.impf. ἠλάστεον | **be indignant** or **filled with rage** Il. Call.

ἀλάστορος ον adj. [ἀλάστωρ] (of blinded eyes) app. **demanding vengeance** S.

ἄλαστος ον adj. **1** prob., causing or involving grievous harm; (of sorrow, sufferings) **terrible, cruel** Hom. Hes. Alcm. Stesich. Trag. Mosch. [sts.interpr. *unforgettable*, as if reltd. λανθάνω]
2 (of persons, their lineage) **wretched, accursed** Il. S. Call.
—**ἄλαστον** neut.adv. **painfully, dreadfully** —*ref. to feeling grief* Od. B.

ἀλάστωρ ορος m. **1** one who causes grievous harm; **spirit of destruction** or **vengeance, evil spirit** (ref. to a daimon, usu. aroused by a crime or curse, and capable of transmitting pollution) Trag. Plu.; (personif.) E.
2 (ref. to a person) **sinner, killer** A.; **destroyer** E.; (w.GEN. of one's country) Plu.; (ref. to a lion) **scourge** (w.GEN. of herdsmen) S.
3 (gener., as a term of abuse) **accursed wretch, fiend** S. D. Men.

ἀλάτᾱς dial.m., **ἀλᾱτείᾱ** dial.f., **ἀλᾱτεύω** dial.vb.: see ἀλήτης, ἀλητείᾱ, ἀλητεύω

ἄλατο (dial.3sg.aor.1 mid.): see ἄλλομαι

ἀλαωτύς ύος f. [ἀλαόω] **blinding** (w.GEN. of the Cyclops' eye) Od.

ἀλεγεινός ep.adj.: see ἀλγεινός

ἀλγεινός, ep. **ἀλεγεινός**, ή όν adj. [ἄλγος] | compar. ἀλγίων (ῑ Hom., ῑ Trag.), also ἀλγεινότερος | superl. ἄλγιστος, also ἀλγεινότατος | **1** (of weapons, activities, sufferings, circumstances) causing or involving pain or grief, **painful, grievous, distressing** Hom. Trag. Th. Lys. Isoc. Pl. +; (wkr.sens., of an infant's helpless behaviour) **upsetting** Il.
2 (of horses) **troublesome, difficult** (w.INF. to control) Il.; (of a mule, to break in) Il.; (of a person's character, to bear) S.
3 (of a person) **feeling pain** or **suffering** S.
—**ἀλγεινόν** ep.neut.adv. **grievously, terribly** —*ref. to being angry* Call.
—**ἀλγεινῶς** adv. | compar. ἄλγιον, superl. ἄλγιστα | **painfully, distressingly** S. E. Isoc. Pl.

ἀλγέω contr.vb. | aor. ἤλγησα | **1 suffer bodily pain** or **discomfort, feel pain** Hom. Hdt. Ar. Pl. X. + —w.ACC. *in a part of the body* A. Ar. Pl. X. Call. Theoc.; **be ill** Hdt.
2 suffer mental pain or distress, **be pained** or **distressed** S. E. Isoc. Pl. X. + —w.ACC. *in one's heart or mind* Hdt. E. Ar. —w.ACC. *over someone or sthg.* Trag. Th. —w.GEN. A. E. —w.DAT. or PREP.PHR. Hdt. S. E. Th. + —w.NOM.PTCPL. *at hearing, seeing or doing sthg.* Hdt. Trag. Ar.(cj.) Isoc. +

ἀλγηδών όνος f. **1** physical pain or suffering, **pain** E. Isoc. Pl. X. +
2 mental pain or distress, **distress, anguish** S. E. Pl. Plu.
3 (fig., ref. to a beautiful woman) cause of pain, **torment** (w.GEN. to the eyes of a man) Hdt. Plu.

ἄλγημα ατος n. **1 pain** S. D. Plu.
2 distress, anguish S.

ἄλγησις εως f. **feeling of pain** S. Ar.

ἀλγινόεις εσσα εν adj. **1** (of Misery and Toil) entailing pain, **painful** Hes. AR.; (of a journey) Mimn.; (of boxing) Xenoph.
2 (of a god) causing pain, **cruel** AR.

ἄλγιστος superl.adj., **ἀλγίων** compar.adj.: see ἀλγεινός

ἄλγος εος (ους) n. **1** physical pain, **pain** Hom. Sol. A. S. X. AR.
2 physical ailment, **suffering, malady** (ref. to pierced feet) S.
3 mental pain or distress, **anguish, distress, grief** Hom. Thgn. Pi.*fr.* B. Hdt. Trag. +

4 || PL. **sufferings, hardships, woes** Hom. Hes. Semon. Alc. Eleg. Trag. +; (personif.) **Sufferings** Hes.
5 (ref. to a person) **cause of suffering** or **grief** (w.DAT. for someone) Theoc. Bion

ἀλγύνω vb. | fut. ἀλγυνῶ | aor. ἤλγῡνα || PASS.: fut. ἀλγυνοῦμαι | aor. ἠλγύνθην | cause pain to, **pain, distress** —*a person, the heart* Trag. Plu.; (of ruined produce) —*its storeroom* A. [or perh. *the eye*] || PASS. feel pain or be distressed S. E. —w.ACC. *in one's heart* A. —w.DAT. *because of sthg.* S. E. X. Plu. —w.ACC. *at sthg.* S.

ἀλδαίνω, also **ἀλδάνω** vb. | impf. ἤλδανον | aor.2 ptcpl. ἀλδών | **1 cause to grow** or **develop**; (of a goddess) **fill out** —*someone's limbs* Od.; (of a person) **increase, nourish** —*one's bodily growth* A.
2 (fig.) **nourish** —*one's spirit* (w.PREP.PHR. *in cheerfulness*) A.; (of talk) **feed** or **breed** —*troubles* A.
3 (intr., in aor.2, of a child) **grow up, mature** A.*satyr.fr.*

ἀλδήσκω vb. (of corn) **grow, ripen** Il.; (tr.) **cause** (w.ACC. corn) **to grow** or **ripen** Theoc.

ἀλέᾱ ᾱς, Ion. **ἀλέη** ης f. **warmth** (fr. the sun) Od. Plu.; (fr. bedclothes) Ar.; **heat** (opp. cold) Arist.

ἀλεαίνω vb. (of a person) **get warm** Ar.

ἀλέασθαι (ep.aor.mid.inf.), **ἀλέασθε** (2pl.imperatv.), **ἀλέαιτο** (3sg.opt.): see ἀλέομαι

ἀλεγεινός ep.adj.: see ἀλγεινός

ἀλεγίζω vb. [ἀλέγω] | ep.impf. ἀλέγιζον | (usu. in neg.phr.) **have care, concern** or **regard** —w.GEN. *for persons, gods, birds of omen, circumstances* Il. Hes. AR. —w.ACC. *for the ordinance of Zeus* AR.; (of an eagle) —*for one of its young* Plu.(quot.); (intr.) **care, be concerned, pay heed** Il. hHom.

ἀλεγύνω vb. | ep.aor. ἀλέγῡνα | **1** give care, concern or attention (to sthg.); **get, have** —*a meal* Od. AR.; **prepare** —*a meal* Emp.(mid.) AR.
2 busy oneself with —*deception* hHom. —*festivity* hHom.; **prepare for** —*a journey* hHom.(cj.)
3 (of a goddess) **take care of** or **honour** —*fine workmanship* hHom.
4 have regard for, **respect** —*agreements* AR.
5 (gener.) **arrange** —*matters* AR.

ἀλέγω vb. | only pres. | **1** (freq. in neg.phr.) **have care, concern** or **regard** —w.GEN. *for persons, gods, altars, justice, commands* Hom. hHom. A. Call. AR. —w.ACC. *for divine vengeance* Il. Hes. —*for sea-spray and the sound of wind* Simon. —*for a race of people, a marriage* Pi. —*for prophetic birds* —w. ὑπέρ + GEN. *for one's life* AR. —w.INTERN.ACC. *for a particular responsibility* A.; (intr.) **care, be concerned, pay heed** Hom. Theoc.
2 attend to —w.ACC. *a ship's rigging* Od.
3 (w.neg.) **regard** (w.ACC. a person) **as worthy of account** —w. ἐν + DAT. *among the dead* Alcm. || PASS. (of persons, without neg.) be counted or ranked —w. ἐν + DAT. *among the honoured dead* Pi.

ἀλεεινός ή όν adj. [ἀλέᾱ] **1** (of a country, ref. to its climate) **warm** Hdt. X. Plu.; (of rooms, a house, a specific area of land) X. Arist.
2 (of clothing) **providing warmth** Arist.; (of a fall of snow, for those covered by it) X.

ἀλεείνω vb. [ἀλέη¹, ἀλέομαι] | ep.impf. ἀλέεινον | **1 keep clear of, evade, avoid** —*enemy missiles* Il. —*a boxer's attack* AR. —*the force of the winds* Il. —*death, sickness, a penalty, scratches* Hom. Hes.*fr.* —*someone's anger, insulting remarks* Od. —*a prophecy* (i.e. *its fulfilment*) Il.; (of a charioteer) —*having another chariot run alongside* Il.

2 avoid, shun —*the path of men, a throng* Il. hHom. —*a fight* Il.
3 escape the notice of —*someone* Od.
4 (intr.) **shrink away** AR.; (*of a person being questioned*) **be evasive** Od.
5 avoid, refrain from —*transgressions* Hes.
6 avoid —W.INF. *doing sthg*. Il.; **shrink** —W.INF. *fr. doing sthg*. Il. AR.

ἀλέη[1] ης *Ion.f.* [ἀλέομαι] **1 escape** (fr. the threat of death) Il.
2 protection (W.GEN. fr. rain) Hes.

ἀλέη[2] *Ion.f.*: see **ἀλέα**

ἀλείατα των *n.pl.* [ἀλέω] **ground wheatmeal, flour** Od.

ἄλειμμα ατος *n.* [ἀλείφω] **ointment, unguent** Pl. Plu.

ἀλείπτης ου *m.* **man who applies oil** (to an athlete's body); (gener.) **trainer** Arist. Plb. Plu.; (fig., W.GEN. in political affairs) Plu.

ἀλείς (aor.2 pass.ptcpl.): see εἰλέω[1]

ἄλεισον ου *n.* **drinking-cup, goblet** Hom. Call.

ἀλείτης ου *m.* [reltd. ἀλιταίνω] **wrongdoer, sinner, offender** Hom.; (W.GEN. against someone) AR.

ἄλειφαρ, also **ἄλειφα** (Hippon. A. Call.), ατος *n.* [ἀλείφω]
1 substance used for anointing or smearing; oil, unguent (usu. for the body) Hom. Hippon. A. Hdt. Hellenist.poet.; (for stones, as a mark of their sanctity) Od.
2 fat (for wrapping around sacrificial bones) Hes.
3 prob. **pitch** (for sealing a wine-jar) Theoc.

ἀλείφω *vb.* | aor. ἤλειψα, ep. ἄλειψα | PASS.: aor. ἠλείφθην | pf.ptcpl. ἀληλιμμένος | **1 anoint with oil** (usu. olive oil, after washing, or perfumed oil, as a cosmetic); **anoint** (sts. W.DAT. w. oil or perfume) —*a corpse* Il. NT. —*a person, the feet or head* Od. Ar. Men. NT. —*one's body* Od. —*one's* (or perh. *another's*) *nostrils* Hippon.; (mid.) —*one's skin, body, head* Il. Ar. NT.
2 ‖ MID. **anoint oneself** (sts. W.DAT. w. oil or perfume) Il. Archil. Semon. Th. Ar. Pl. + ‖ PF.PASS.PTCPL. (of persons, their bodies) oiled Th. Plu.
3 ‖ MID. (specif.) **rub oneself with oil** (before athletic activity) Th. Pl. Aeschin. Plu. ‖ ACT. (fig., of a political leader) **oil** —*himself* (w. ἐπί + ACC. *for a contest w. the enemy*) Plu. ‖ PF.PASS.PTCPL. (of athletes) oiled Plu.
4 anoint (an object) **with oil** (as a mark of sanctity); **oil** —*a bronze votive offering* Thphr.; (mid.) —*a grave-pillar* Plu.
5 anoint or smear (w. a substance other than oil); **anoint** —*one's husband's penis* (W.DAT. w. wine) Ar.; **smear** —*stones* (W.DAT. w. blood) Hdt. —*Peace* (w. garlic) Ar. —*one's neck* (w. grease, to escape an adversary's hold) Ar. —*someone's hair* (w. white lead) Pl. —*an object* (w. a particular colour) Pl. ‖ MID. **smear oneself** —W.DAT. w. rouge X. ‖ PASS. (of an object) be smeared (w. a colour) Pl.
6 ‖ PASS. (of a colour) be smeared (on an object) Pl.

ἄλειψις εως *f.* **anointing** (w. perfumed oil) Hdt.

ἀλεκτοροφωνία ᾱς *f.* [ἀλέκτωρ, φωνέω] **time of cockcrow** (i.e. dawn) NT.

ἀλέκτρινος ᾱ ον *dial.adj.* [ἤλεκτρον] (of water) **amber-coloured** Call.

ἄ-λεκτρος ον *adj.* [privatv.prfx., λέκτρον] **1** (of a woman, her life) without a marriage bed, **unmarried** S. E.
2 (oxymor., of an incestuous marriage) **that is no marriage** S.
—**ἄλεκτρα** *neut.pl.adv.* **without marrying** —*ref. to growing old* S.

ἀλεκτρυών όνος *m.* (also *f.* Ar.) **1 cockerel** Thgn. Ar. Philox.Leuc. Pl. X. Men. +; (specif.) **fighting-cock** Pl. X. Aeschin. D. Plu.
2 (*f.*) **hen** Ar.

—**ἀλεκτρύαινα** ης *f.* **she-cockerel, cockerelle** Ar.

ἀλέκτωρ ορος *m.* **cockerel** Simon. A. Ar. Theoc. +; (W.ADJ. *made of bronze*, as an offering) Call.*epigr*.; (W.GEN. of the Muse Ourania, ref. to a poet) E.; (specif.) **fighting-cock** Pi. Ar.

ἀλέματος *dial.adj.*: see ἠλέματος

ἄλεν (3pl.aor.2 pass.): see εἰλέω[1]

Ἀλεξανδρείᾱ ᾱς *f.* [Ἀλέξανδρος[2]] **Alexandria** (city in Egypt, founded by Alexander the Great in 331 BC) Plb. Plu.

—**Ἀλεξανδρεύς** έως *m.* **man from Alexandria** Plb. NT. Plu.

—**Ἀλεξανδρῖνος** η ον *adj.* (of a ship) of or from Alexandria, **Alexandrian** NT.

Ἀλεξανδριστής οῦ *m.* **supporter of Alexander the Great** Plu.

Ἀλέξανδρος[1] ου *m.* **Alexandros** (alternative name of Paris, son of Priam and Hecuba) Il. Acm. A. Hdt. E. Ar. +

Ἀλέξανδρος[2] ου *m.* **Alexander the Great** (Macedonian ruler and conqueror, 356-323 BC) Att.orats. Thphr. Theoc. Plb. Plu.

ἀλεξ-άνεμος ον *adj.* [ἀλέξω] (of a cloak) **protecting against the wind** Od.

ἀλέξημα ατος *n.* **remedy** (for an ailment) A.

ἀλέξησις ιος *Ion.f.* **defence, resistance** (by troops) Hdt.

ἀλεξητήρ ῆρος *m.* **one who wards off** (harm or danger); (ref. to a warrior) **bulwark** (W.GEN. against fighting) Il.; (ref. to a person) **protector** (W.GEN. against pestilence) AR. ‖ PL. (ref. to soldiers) defenders, protectors (W.DAT. for their countries) X.

ἀλεξητήριος ᾱ ον *adj.* (epith. of Zeus) **protective** A.; (of a club) E. ‖ NEUT.PL.SB. (ref. to shelters and coverings) defence, protection (against heat and cold) Pl.; (ref. to long ears, for the eyes of asses and mules) X.

ἀλεξήτωρ ορος *m.* (epith. of Zeus) **protector, defender** S.

ἀλεξί-άρης ου *masc.adj.* [ἀρή[1]] (of a fallow field) **averting ruin** (such as would ensue if it were sown in successive years) Hes.(dub.)

ἀλεξί-κακος ον *adj.* [κακός] (of deities, Herakles) **averting evil** Ar. Pl.(quot. Hes.); (of a plant) Il.

ἀλεξί-λογος ον *adj.* [λόγος] (of letters, i.e. writing) **protecting speech** (against oblivion) Critias (dub.)

ἀλεξί-μβροτος ον *adj.* [βροτός] (of a spear, processions in honour of a god) **protecting mortals** Pi.

ἀλεξί-μορος ον *adj.* [μόρος] (of deities) **averting death** S.

ἀλεξί-πονος ον *adj.* [πόνος] (of Asklepios) **averting pain** S.*lyr.fr.*

ἀλεξι-φάρμακον ου *n.* (usu.fig.) **protective charm** or **spell** (sts. W.GEN. or πρός + ACC. against someone or sthg.) Pl. D. Plu.

ἀλέξω *vb.* | ep.inf. ἀλεξέμεν, ἀλεξέμεναι | ep.fut. ἀλεξήσω | ep.3sg.aor.opt. ἀλεξήσειε ‖ MID.: pres. ἀλέξομαι, Ion.imperatv. ἀλέξεο | fut. ἀλέξομαι (S.), Ion. ἀλεξήσομαι (Hdt.) | aor.inf. ἀλέξασθαι |
1 keep off, ward off —*death, destruction, fire, helplessness* (W.DAT. *fr. someone or sthg.*) Il. P.*fr.* —*Hybris* Pi.; **avert** —*an action* Od.
2 ward off or **repel** (an enemy) Th.(treaty)
3 give help or **protection** Il. —W.DAT. *to someone* Il. X.
4 ‖ MID. **defend oneself, resist** Hom. Archil. Hdt. S. X.
5 ‖ MID. **defend oneself against, keep off, ward off, avert** —*hunger, harm* Hes. X.; **repel** or **resist** —*persons, an army, weapons, an attack* Od. Hdt. X. Ael. Plu.; (of a boar) —*dogs and men* Il.

6 ‖ MID. **fight in defence** —w. περί + GEN. or DAT. *of one's livestock* AR.
7 ‖ MID. (wkr.sens.) act in response (to treatment received fr. another); **recompense** or **requite** —*someone* X.; (intr.) **retaliate** X.

ἀλέομαι *ep.mid.contr.vb.* | Ion.1sg. ἀλεῦμαι (Thgn.) | ptcpl. ἀλευόμενος, Ion. ἀλεόμενος (Semon.) ‖ AOR.: ἠλευάμην, also ἀλευάμην | 3sg.subj. ἀλεύεται | 3sg.opt. ἀλέαιτο | imperatv. ἄλευαι, pl. ἀλέασθε | ptcpl. ἀλευάμενος | inf. ἀλέασθαι, also ἀλεύασθαι |
1 keep oneself away from, keep clear of, evade, avoid —*a spear or other missile* Hom. —*an attack, enemy hands* Call. AR. —*death, disaster, sickness* Hom. —*the gods, their wrath* Hom. Thgn. —*a particular day or month, bad weather* Hes. —*soot (fr. an oven)* Semon. —*someone's gaze, the light of dawn* AR.
2 (intr.) **flee, escape, save oneself** Hom. AR.
3 avoid, shun —*a throng, a person* Od. hHom. Thgn. AR. —*an island, the voice and meadow of the Sirens* Od.; **keep away** (fr. sthg.) AR.
4 hold back from, avoid, refrain from —*arrogant speech* Od. —*over-sowing* Hes. —*transgressions* Call. —*a quarrel* AR.
5 avoid (doing sthg.) Hes. —w.INF. *doing sthg.* Il.; **shrink from** —w.INF. *doing sthg.* Hom.

—ἀλεύω *act.vb.*| aor.imperatv. ἄλευσον, pl. ἀλεύσατε | (of gods) **keep away, repel, avert** —*a gadfly, an evil* A. —*violent treatment* (w.DAT. *fr. people*) A.; (intr.) **keep harm away** A.

ἀλέσθαι (aor.2 mid.inf.), **ἅλεται** (ep.3sg.athem.aor.mid. subj.): see ἅλλομαι

ἄλεσσι (ep.dat.pl.): see ἅλς

ἀλέτης ου *m.* [ἀλέω] **grinder** (ref. to a millstone) X. | see ὄνος 6

ἀλετός οῦ *m.* **grinding** (of corn) Plu.

ἀλετρεύω *vb.* **grind** —*corn* Od. —*bronze* (*as a punishment*) AR.

ἀλε-τρίβανος ου *m.* [τρίβω] **utensil for grinding and pounding, pestle** Ar.

ἀλετρίς ίδος *f.* **female corn-grinder, miller** (sts. appos.w. γυνή) Od. Iamb.adesp. Call.; (specif., w.DAT. for Athena, ref. to an Athenian girl who grinds corn for her sacred cakes) Ar.

ἄλευαι (ep.aor.mid.imperatv.), **ἀλευάμην** (ep.aor.mid.): see ἀλέομαι

ἀλεῦμαι (dial.fut.mid.): see ἅλλομαι

ἀλεῦμαι (Ion.pres.mid.), **ἀλευόμενος** (ep.pres.mid.ptcpl.): see ἀλέομαι

ἄλευρα ων *n.pl.* **ground wheatmeal, wheatmeal, flour** (freq.opp. ἄλφιτα *barley-groats*) Hdt. Pl. X. D. Men. Plu.; (collectv.sg.) Theoc. NT.

ἀλεύω *vb.*: see under ἀλέομαι

ἀλέω *contr.vb.* | pf.pass.ptcpl. ἀληλεσμένος (Hdt.), also perh. ἀλλεμένος (Th.) | (of a person) **grind** (corn) Thphr ; (of a mill) Carm.Pop.; (of a ruler, perh. fig.ref. to his harsh governance) Carm.Pop.; (tr.) —*barley* Ar.
‖ PF.PASS.PTCPL.ADJ. (of corn) **ground** Hdt. Th.

ἀλεωρή ῆς Ion.*f.* [ἀλέομαι] **means** or **place of escape, escape, refuge** or **protection** Il. Hdt. AR.; (w.GEN. fr. enemies, weapons) Il. Ar.(mock-ep.); **avoidance** (w.GEN. of famine) Hes.

ἄλη ης *f.* [ἀλάομαι] **1 wandering, roaming** (usu. w.connot. of homelessness or helplessness) Od. E.(pl.) Pl. Call. Plu.
2 ‖ PL. (ref. to winds that prevent sailing) app., causes of straying (w.GEN. of men, in search of food or through idleness) A.

ἀλήθεια, dial. **ἀλάθεια** (also **ἀλāθείᾱ** B.), Aeol. **ἀλάθεα**, ᾱς, Ion. **ἀληθείη** ης *f.* [ἀληθής] **1 absence of concealment** (of the facts); **truth** Hom. Hes. Sol. A. Pi. B. +; (w.GEN. about someone or sthg.) Od. B. Hdt.; (personif.) **Truth** Pi.
2 truth, reality (opp. what is only apparent, imagined or simulated) Simon. Parm. E. Antipho Th. Pl. +; (personif.) **Truth** Parm.
3 truthfulness, sincerity, honesty Archil. Mimn. A. Hdt. Pl. +

ἀληθευτικός ή όν *adj.* [ἀληθεύω] (of a person) **truthful, sincere** Arist.

ἀληθεύω, dial. **ἀλāθεύω** *vb.* [ἀληθής] **1 be truthful** or **honest, speak the truth** (opp. falsehood) Pl. X. Arist. Plb. Mosch.
2 say what is true in reality, speak truly, be right or **be proved right** A. X. Plb. —w.ACC. *about sthg.* X.; **be right in saying** —w.COMPL.CL. *that sthg. is or will be the case* X. Plu. ‖ PASS. (of things) **be spoken truly** or **proved true** X. Arist.
3 (philos.) know what is true or real, **hold a true opinion, be right** (sts. w.PREP.PHR. about sthg.) Pl. Arist.

ἀλήθην (ep.aor.pass.): see ἀλάομαι

ἀ-ληθής, dial. **ἀλāθής**, ές *adj.* [privatv.prfx., reltd. λήθω, λανθάνω] **1 without forgetfulness or concealment;** (of words, speech, reports, or sim.) **true** (opp. false or deceitful) Hom. Hes. Pi. Hdt. Trag. Th. + ‖ NEUT.SB. (sg. and pl., w.art.) **the facts, the truth** Hdt. Trag. Th. +
2 (of a prophetic god, his sanctuary) **true, reliable** Hes. Pi. S. E.; (of the Horai) Pi.; (of a judge) Th.; (of an accuser, ref. to the tongue) A.; (of a criterion) S.
3 (of visions, an ancestral curse) **proved true** (by their fulfilment) A.
4 (of persons, their thoughts) **truthful** Hdt. Th. Arist.; (of a mind) Pi.; (of wine, as betraying thoughts) Pl.
5 (gener., of a spinning-woman) **honest, conscientious** Il.
6 true to or **deserving of one's name;** (of a friend) **true** E.; (of a lover) Ar.; (of abstr. qualities or concepts, such as virtue, pleasure, philosophy) Pl.
7 (of actions, intentions, motives, circumstances) **true, genuine, real** (opp. apparent, pretended or imaginary) S. Antipho Th. +; (advbl. and prep.phrs.) τῷ ἀληθεῖ **really, truly** Th.; (also) ἀληθεῖ λόγῳ Hdt.; τὸ ἀληθές **in actual fact** (opp. *for the reason alleged*) Th.; ἡ ἀπὸ τοῦ ἀληθοῦς δύναμις **actual** (opp. *imagined*) **power** Th.
8 (expressing surprise or indignation) ἀληθες; (accented thus) *is that so?, really?* S. E.*Cyc.* Ar.

—**ἀληθές** *neut.sg.adv.* **truly** —*ref. to speaking* Od. S.
—**ἀληθέα** Ion.*neut.pl.adv.* **by the true name** —*ref. to calling sthg.* Hes.
—**ἀληθῶς**, Ion. **ἀληθέως** *adv.* | compar. ἀληθέστερον, also ἀληθεστέρως (Pl.) | superl. ἀληθέστατα | **1 truthfully** or **truly** A. Hdt. Pl. +
2 truly, really, actually Simon. A. Hdt. E. Th. Ar. +; (also) ὡς ἀληθῶς (ἀληθέως) Hdt. E. Att.orats. Pl. +
3 by the true name —*ref. to calling sthg.* A. E. Arist.

ἀληθίζομαι *mid.vb.* **be truthful, speak the truth** Hdt.

ἀληθινολογίᾱ ᾱς *f.* [ἀληθινός, λέγω] **truthful narrative** (by a historian) Plb.

ἀληθινός η ον, dial. **ἀλāθινός** ά όν (Theoc.) *adj.* [ἀληθής]
1 (of persons, ref. to their role) **true to** or **deserving of the name;** (of a friend, guide, king, farmer, army, or sim.) **true, genuine** Isoc. Pl. X. D. Arist. Theoc. +
2 (of things) **true, genuine** Isoc. Pl. Arist. Plb. Plu.

3 (of things) true in reality, **real, actual, genuine** (opp. fake, fictional, artistic or imaginary) Isoc. Pl. X. D. Arist. Men. +
4 (of children) **true, one's own** (opp. adopted) Pl.
5 true (opp. false); (of testimony, speech, an opinion, or sim.) **true, truthful, honest, reliable** Pl. D. Din. Men. +; (of theories) **true, accurate** Arist.; (of the faculty of sight) Plb.
—**ἀληθινῶς** adv. | compar. **ἀληθινώτερον**, superl. **ἀληθινώτατα** | **1 truthfully, accurately** Plb.
2 truly, genuinely, really Isoc. Pl. X. Arist. Plb.

ἀληθό-μαντις εως f. [μάντις] **true prophetess** A.

ἀληθοσύνη ης, dial. **ἀλᾱθοσύνᾱ** ᾱς f. **truthfulness** Thgn. E.

ἀλήθω vb. [ἀλέω] **grind** (corn) NT.

ἀ-λήιος ον Ion.adj. [privatv.prfx., λείᾱ] **lacking booty** Il.

ἀλημένος and **ἀλησμένος** (pf.pass.ptcpl.): see ἀλέω

ἀλλιμμένος (pf.pass.ptcpl.): see ἀλείφω

ἄλημα ατος n. [ἀλέω] that which is ground fine; (fig., pejor.ref. to a person) **subtle creature** S.

ἀλήμεναι and **ἀλῆναι** (aor.2 pass.infs.): see εἴλω[1]

ἀλήμων ονος m. [ἀλάομαι] **wanderer, vagrant** (sts. appos.w. ἀνήρ) Od.

ἀληνής ές adj. (of a woman) **mad** (W.GEN. for sex) Semon.(dub.) | see ἀδηνής

ἄ-ληπτος ον adj. [privatv.prfx., ληπτός] **1** (of persons) **unable to be captured** Plu.
2 (of a people) **untouchable, invulnerable** Th.
3 (of circumstances) **unmanageable** Plu.
4 (of fortune, a cause) **incomprehensible** Plb. Plu.

ἀλής ές Ion.adj. [perh.reltd. ἀολλής] (of persons or things) **all together** Hdt. Call.; (collectv.sg., of a country, fleet, army) Hdt.

ἄληται (ep.3sg.athem.aor.mid.subj.): see ἄλλομαι

ἀλητείᾱ, dial. **ἀλᾱτείᾱ**, ᾱς f. [ἀλήτης] **1 wandering, roaming** A.(pl.) E.
2 homeless state E.

ἀλητεύω, dial. **ἀλᾱτεύω** vb. **wander, roam** Od. E.

ἀλήτης ου, dial. **ἀλᾱτᾱς** ᾱ m. [ἀλάομαι] **1 homeless wanderer, vagrant** Od. Asius B. Emp. Trag. Isoc.
2 || ADJ. (of a way of life) **vagrant** Hdt.; (of footsteps) E.

ἀλητύς ύος f. **wandering, roaming** Call.

ἀλθαίνομαι mid.pass.vb. | only ep.3sg.impf. (or aor.2) ἄλθετο | (of a wounded hand) **be healed** Il.

ἀλίᾱ ᾱς, Ion. **ἀλίη** ης f. [ἀλής] **public assembly** Hdt.; **lawcourt** Plb.

ἀλιάδᾱς ᾱ dial.m. [ἅλς] **fisherman** S.

ἀλι-αής ές adj. [ἄημι] (of winds) **blowing out to sea** Od.

ἀλι-αίετος ου m. [αἰετός] **sea-eagle** (perh.ref. to the white-tailed eagle) Ar. [or perh. **osprey**]

ἀλιάς άδος f. [ἅλιος[1]] **fishing-boat** Plu.

ἀ-λίαστος ον adj. [privatv.prfx., λιάζομαι] admitting no turning aside; (of fighting, the din of battle, weeping, pain, grief, toil) **unabating, ceaseless** Il. Hes. B.fr.(dub.) AR.; (of an attacker, compared to a warrior) **relentless, unstoppable** E.; (of a wave) **unremitting** AR.
—**ἀλίαστον** neut.adv. **ceaselessly** —ref. to grieving Il. —ref. to being afraid E.

ἀλίβᾱς αντος m. **1 dead body, corpse** Pl.
2 (fig.) sour wine, **vinegar** Call.(or Hippon.)

ἀλίβατος dial.adj.: see ἠλίβατος

ἁλι-βαφής ές adj. [ἅλς, βάπτω] (of dead bodies) **dipped in seawater** A.(cj.)

ἁλί-βλητος ον adj. [βλητός] (of a rock) **sea-struck** E.(cj.)

ἁλί-βροχος ον adj. [βρέχω] (of rocks) **sea-sprayed** AR.

ἀλίγκιος ᾱ ον adj. (of persons or things) **resembling, like** (W.DAT. someone or sthg.) Hom. A. B. Emp. AR.

ἁλί-δρομος ου m. [ἅλς, δρόμος] **course over the sea** Ar.(cj.)

ἁλιείᾱ ᾱς f. [ἁλιεύω] **fishing** Arist. Plu.

ἁλι-ερκής ές adj. [ἅλς, ἕρκος] (of places) having the sea as a barrier or acting as a barrier against the sea, **sea-barred** or **sea-barring** Pi.

ἁλιεύς έως (ep. ῆος) m. [ἅλιος[1]] **1** one who has to do with the sea; **seaman** Od.; (appos.w. ἐρέτης rower) Od.
2 fisherman Od. Hdt. Pl. X. Arist. Call. +; (appos.w. ἀνήρ) Hes. Hdt.
3 (fig., ref. to a disciple of Christ) **fisher** (W.GEN. of men) NT.

ἁλιευτικός ή όν adj. of or relating to fishing; (of a part of the populace) **engaged in fishing** Arist.; (of the way of life) **of a fisherman** Arist.; (of a boat) **for fishing** X.; (of the art) **of fishing** Pl. || FEM.SB. **art of fishing** Pl.

ἁλιεύω vb. **fish** NT. Plu.

ἁλίζομαι pass.vb. [ἅλς] **be made salty** NT.

ἁλίζω vb. [ἁλής] | aor.ptcpl. ἁλίσᾱς || PASS.: aor.inf. ἁλισθῆναι | Ion.pf.ptcpl. ἁλισμένος | **bring together, assemble** —persons, troops, a gathering, animals, body parts Hdt. E. || PASS. (of persons, troops) **be gathered together** Hdt. X.

ἁλίη ης Ion.f. [ἅλς] container in which salt is pounded or stored, **salt-tub** Call.epigr.

ἁλίη Ion.f.: see ἁλίᾱ

ἁλι-ήρης ες adj. [ἅλς, ἐρέσσω] (of an oar) **sea-rowing** E.

ἁλίθιος dial.adj., **ἁλιθίως** dial.adv.: see ἠλίθιος

ἄ-λιθος ον adj. [privatv.prfx., λίθος] (of ground) **not stony** X.

Ἁλικαρνᾱσσός, Ion. **Ἁλικαρνησσός**, οῦ f. **Halikarnassos** (city in Caria, SW. Asia Minor) Hdt. Th. Lys. Plu.
—**Ἁλικαρνᾱσσεύς** έως, Ion. **Ἁλικαρνησσεύς** έος m. **man from Halikarnassos** Hdt. Th. Lys. D. Call.epigr. Plu.

ἁλικίᾱ dial.f., **ἁλικίᾱ** Aeol.f.: see ἡλικίᾱ

ἁλί-κλυστος ον adj. [ἅλς, κλύζω] (of a headland) **sea-washed** S.

ἁλί-κτυπος ον adj. [κτύπος] (of a wave) **sea-crashing** E.; (of ships) **crashing through the sea** S.

ἁλι-μέδων οντος masc.ptcpl.adj. [μέδω] | only voc. ἁλιμέδον | (epith. of Poseidon) **lord of the sea** Ar.

ἀ-λίμενος ον adj. [privatv.prfx., λιμήν] **1** (of places) lacking a harbour, **harbourless** A. E. Th. Pl. D. +; (of a sea) Plu.
2 (of a furrow of the sky, envisaged as that cut by a ship in the sea) **harbourless** Ar.
3 (fig., of a marriage) **havenless** (i.e. offering no shelter or security) A.fr.; (of a heart, i.e. inhospitable) E.Cyc.
4 (fig., of a flood of water) from which there is no refuge, **inescapable** E.

ἀλιμενότης ητος f. **lack of a harbour** X.

ἁλι-μῡρήεις εσσα εν adj. —also **ἁλιμῡρής** ές adj. [ἅλς, μύρομαι] **1** (of rivers) **flowing with salt-water** or **into the sea** Hom. AR.
2 (of a rock or headland) **washed by the sea** AR.

ἁλιναιέτᾱς dial.masc.adj.: see ἐναλιναιέτᾱς

ἀλινδέομαι mid.contr.vb. [perh.reltd. εἴλω[2]] **1** (of youths, w. sexual connot.) **roll about** —W.DAT. w. girls Call.
2 (fig.) **hang about** —W.PREP.PHR. in oriental courts Plu.

ἀλινδήθρᾱ ᾱς f. place where horses roll over in the dust (to dry off their sweat); (fig.) **dust-ground** (W.GEN. of words, stirred up by a poet in a contest) Ar.

ἅλινος η ον adj. [ἅλς] (of blocks) **of salt** Hdt.; (of walls) **made of salt** Hdt.

ἅλιξ dial.adj.: see ἧλιξ

ἁλιό-καυστος ον dial.adj. [ἥλιος, καυτός] (of a girl) **sunburnt** (i.e. dark-skinned) Theoc.

ἅλιος¹ ᾱ (Ion. η) ον (also ος ον) adj. [ἅλς] **1** belonging to the sea; (of the swell) **of the sea** hHom. A. Pi.fr. E.
2 associated with the sea; (of divinities, esp. Nereus and the Nereids) **of the sea** Hom. Hes. Pi. S. E.; (of creatures, birds) Pi.fr. AR. Mosch. ‖ FEM.PL.SB. **sea goddesses** Il.
3 beside the sea; (of sand, a promontory, rock, shore) **by the sea** Od. hHom. A. E.; (of a lake) E.
4 going on or across the sea; (of a sailor, ships, oars) **sea-going** Pi. S. E. Lyr.adesp. AR.; (of wanderings, a path) **across the sea** E. Mosch.
5 (of the sea) **briny** E.

ἅλιος² ᾱ (Ion. η) ον adj. **1** (sts. predic. or quasi-advbl.) without effect or purpose; (of a missile, journey, effort, promise, favour, or sim.) **fruitless, wasted, idle, vain** Hom. hHom. Call.
2 (of a spy) **ineffective** Il.

—ἅλιον neut.adv. **in vain, to no effect** Il. S.
—ἁλίως adv. **in vain, to no effect** S.

ἅλιος dial.m., ἅλιος Aeol.m.: see ἥλιος

ἁλιο-τρεφής ές adj. [ἅλιος¹, τρέφω] (of seals) **sea-bred** Od.

ἁλιόω contr.vb. [ἅλιος²] | aor. ἡλίωσα, ep. ἁλίωσα | **1** render ineffective or cause to be unfulfilled, **frustrate, thwart** —the will or plans of a deity Od. AR. —a suggestion AR.
2 use or perform to no effect; **waste** —a missile Il. —a journey AR.
3 utter to no effect, **fail to keep** —a promise S.
4 bring to nothing, **destroy** —a sacred olive tree S.

ἀ-λιπαρής ές adj. [privatv.prfx., λιπαρός] (of a lock of hair) lacking oil, **dirty, unkempt** S.(dub.)

ἁλί-πλαγκτος ον adj. [ἅλς, πλαγκτός] (of a god) **roaming over the sea** S. ‖ MASC.PL.SB. **seafarers** AR.

ἁλί-πληκτος, dial. ἁλίπλᾱκτος, ον adj. [πλήσσω] (of islands) **sea-beaten** S.

ἁλί-πλήξ ῆγος masc.fem.adj. (of an island) **sea-beaten** Call.

ἁλί-πλοος ον adj. [πλόος] **1** (of the walls of Troy, after a flood) **floating on the sea** Il.
2 (of fishermen, a ship) sailing over the sea, **sea-going** Lyr.adesp. Call. ‖ MASC.PL.SB. **seafarers** Call. AR.

ἁλι-πόρφυρος ον adj. [πορφύρᾱ] **1** (of wool, fabrics) **dyed sea-purple** (w. the dye obtained fr. the murex) Od. Anacr.
2 (of a kingfisher, a swell) **sea-purple** Alcm. Lyr.adesp.

ἁλί-ρροθος ον adj. [ῥόθος] (of straits, beaches) **where the sea surges** Trag. Mosch.

ἁλί-ρρυτος ον adj. [ῥυτός] (of the expanse) **of the flowing sea** A.

ἅλις adv. [reltd. ἁλής] **1** in a large amount or number, **abundantly, plentifully** Hom. hHom. Pi.fr. Call. AR.; (also) εἰς ἅλις Theoc.
2 in a sufficient or more than sufficient amount, **sufficiently, enough** or **more than enough** Trag. Call. Theoc.
3 just enough, **in due measure, in moderation** E.
4 (w. ἐστί understd.) it is enough Il. S. E. Ar. Arist. + —W.COMPL.CL. that sthg. is the case Hom. —W.ACC. + INF. A. S. —W.DAT. + INF. for someone to do sthg. E. AR.
5 (as predic., w.sb.) **enough** S. E. Theoc. Mosch. • ἅλις κόρης σῆς θάνατος your daughter's death is enough E.; (w.ptcpl.) S. Arist.(quot.) AR. • ἅλις νοσοῦσ᾽ ἐγώ it is enough that I am sick S.
6 (quasi-sb.) **enough** (W.GEN. of sthg.) Hdt. Trag. Isoc. Pl. X. Arist.; (w. ἔχειν) have enough —W.PTCPL. of doing sthg. Plb.

ἁλίσγημα ατος n. **pollution** (W.GEN. fr. idols) NT.

ἁλίσκομαι pass.vb. | impf. ἡλισκόμην | fut. ἁλώσομαι ‖ ACT.AOR.: ἕαλων, Ion. ἥλων | subj. ἁλῶ, ep. ἁλώω | opt. ἁλοίην | inf. ἁλῶναι, also ἁλῶναι (Hippon.), ep. ἁλώμεναι | ptcpl. ἁλούς, also ἁλούς (Il., dub.) ‖ PF.: ἑάλωκα, Ion. ἥλωκα, Lacon.3pl. ἁλώκαντι (Plu.), ptcpl. ἑαλωκώς, Ion. ἡλωκώς, dial. ἁλωκώς (Pi.) ‖ plpf. ἑαλώκειν, Ion. ἡλώκειν ‖ The act. senses are supplied by αἱρέω. |
1 (of persons, animals, places, possessions, or sim.) **be captured** Hom. Thgn. Pi. Hdt. Trag. Th. +
2 (of persons) **be carried off** —W.DAT. by a miserable death Hom.; (gener.) **be killed** Hom. ‖ PF.PTCPL. carried off (by death or disease), **dead** Pi.
3 (of persons, peoples, deities, impersonal forces) **be defeated, conquered** or **overcome** A. Hdt. S. Th.; (of a ship) **be destroyed** AR.
4 (of a person) **be seized** or **overcome** —W.DAT. by madness S.; **be caught** —w. ὑπό + GEN. by a difficulty Pl.; **be caught up** —w. ἐν + DAT. in misfortunes Pl.
5 (of sovereignty) **be captured** or **won** —W.DAT. by massed support and money S.; (of persons) **be won over** —W.DAT. or PREP.PHR. by one's good qualities, by money Plu.; (of a diner) —by certain dishes Men.; (of skill, virtue) **be attained** —W.DAT. by practice and effort Isoc. X.; (of the workings of fortune) **be grasped** or **comprehended** —W.DAT. by skill E.
6 (of a person) **be caught** or **detected** E. Aeschin. Plu. —W.PREP.PHR. in the act of committing a crime S. Aeschin. —W.PREDIC.SB. as an adulterer Hippon. Ar. —W.PTCPL. doing sthg. Hdt. E. Lys. Ar. Pl. +; (fig., of gratitude) —acting perfidiously S.
7 (leg.) **be found guilty, be convicted** Hdt. E. Ar. Att.orats. Pl. + —W.GEN. of a crime Att.orats. Arist. Plu. —W.ACC. on a particular charge Att.orats. —W.PTCPL. of doing sthg. S. Ar. Isoc. Pl. D. AR. —W.PREDIC.SB. as a murderer S.
8 (of a case) **be lost** Pl.; (of testimony) **be proved false** Pl. Is.; (of an argument) **be proved wrong** Pl.; (of decrees) **be invalidated** D.

ἁλι-στέφανος ον adj. [ἅλς] (of Tainaros) **sea-garlanded** hHom.

ἁλί-στονος ον adj. [στόνος] (of shores) **where the sea moans** A.

ἄ-λιστος ον adj. [privatv.prfx., λιστός] **1** (of gods) not prayed to, **lacking prayers** hHom.
2 (of silence) in which no prayers are made, **prayerless** A.(cj.)

ἀλιταίνω, also ἀλιτραίνω (Hes.) ep.vb. | aor.2 ἤλιτον, ptcpl. ἀλιτών, opt. ἀλίτοιμι ‖ MID.: 3sg.aor.subj. ἀλιτήνεται (Hes.) | aor.2: 3pl. ἀλίτοντο, subj. ἀλίτωμαι, inf. ἀλιτέσθαι | (act. and mid.) **do wrong to, offend against** —a god or person Hom. Hes. Thgn. A.; **transgress, infringe** —a divine command Il.; **break** —an oath AR.; (intr.) **do wrong, offend** A. Call. AR.

—ἀλιτήμενος (so accented) η ον ep.pf.mid.ptcpl.adj. (of a person) guilty of wrongdoing, **sinful** Hes.; (W.DAT. in the eyes of the gods) Od.

ἁλι-τενής ές adj. [ἅλς, τείνω] **1** extending beside the sea (i.e. coastal); (of a strait) **shallow** (i.e. no deeper than coastal waters) Plb.
2 (of ships) **of shallow draught** Plu.

ἀλιτ-ήμερος ον adj. [ἀλιταίνω, ἡμέρᾱ] (of a baby) missing the right day, **born prematurely** Archil.

ἀλιτήμων ον, gen. ονος adj. (of persons, their actions) **sinful, wicked** Il. Call.; (of a judgement) **unrighteous, unfair** AR.

ἀλιτήριος ου m. **1 sinner, offender** (W.GEN. against a god) Th. And. Ar.; (gener.) **sacrilegious, criminal** or **polluted person** Lys. Lycurg. Men. ‖ ADJ. (of a mind) sinful S.(cj.)
2 (ref. to a person, as a term of abuse) **evil spirit** And.; **bane,**

ἀλιτηριώδης

curse (W.GEN. of persons, a country) Att.orats. Plb. Plu. ‖ ADJ. (of persons) accursed, damned D.; nefarious Plu.
3 ‖ PL. divinities who avenge homicide, avenging spirits Antipho

ἀλιτηριώδης ες *adj.* (of civil conflict, an impulse, a contingency) **accursed, abominable** Pl.

ἀλιτό-ξενος ον *adj.* [ξένος²] (of the reproach) **of wronging a guest-friend** Pi.

ἀλιτραίνω *ep.vb.*: see ἀλιταίνω

ἀλιτρίᾱ ᾱς *f.* **sinfulness, wickedness** Ar.

ἀλιτρός ά (Ion. ή) όν, Aeol. **ἄλιτρος** ᾱ ον *adj.* 1 (of persons, their hearts, actions) **sinful, wicked** Alc. Eleg. Call. AR.; (W.DAT. in the eyes of the gods) Il.; (of Zeus) Il.; (of a vixen) Semon.; (of an oath) **false** Thgn.; (wkr.sens., of a person) **roguish, mischievous** Od.
2 ‖ MASC.SB. **sinner, offender, evildoer** Thgn. Pi. Call. Theoc. ‖ NEUT.PL.SB. **wicked deeds, sins** Pi.

ἀλιτροσύνη ης *f.* **sinfulness** (W.GEN. of murder) AR.

ἁλί-τρῡτος ον *adj.* [ἅλς, τρύω] (of an old fisherman) **sea-worn** Theoc.

ἁλί-τυπος ον *adj.* [τύπτω] 1 (perh., of heavy sufferings, envisaged as blows) **struck** or **dealt by the sea** A.
2 ‖ MASC.SB. one who strikes the sea (w. oars), **seaman, sailor** E.

ἀλκά *dial.f.*, **ἀλκάεις** *dial.adj.*: see ἀλκή, ἀλκήεις

ἀλκαίᾱ ᾱς, Ion. **ἀλκαίη** ης *f.* **tail** (of a mouse) Call.; (of a sea-monster) AR.(v.l. ὀλκαίη)

ἀλκαῖος ᾱ ον *adj.* [ἀλκή] (of a spear) **mighty** E.

Ἀλκαῖος¹ ου (Aeol. ω) *m.* **Alcaeus** (7th-C. BC lyric poet, fr. Mytilene on Lesbos) Hdt. Ar. Arist. Mosch.

Ἀλκαῖος² ου *m.* **Alcaeus** (son of Perseus, father of Amphitryon, grandfather of Herakles) Hes.
— **Ἀλκείδης** ᾱο *ep.m.* —also **Ἀλκεΐδᾱς** ᾱ *dial.m.* (ref. to Herakles) descendant of Alcaeus, **Alcides** Hes. Call. Mosch.
— **Ἀλκαΐδαι** ᾶν *dial.m.pl.* descendants of Alcaeus, **Alcidae** Pi.

ἄλκαρ *n.* [ἀλκή] | only nom. and acc. | 1 (ref. to a warrior) **defence, safeguard** (W.GEN. or DAT. for persons) Il. E.; (ref. to a wall) A.; (ref. to children, in times of trouble) E.(cj.)
2 (gener.) **protection** (W.GEN. against old age) hHom. Emp.; (against a reef, ref. to an anchor) Pi.; (against midday heat, ref. to a hat) Call.; (against rain, ref. to a tiled roof) AR.; (against a shameless eye, ref. uncert.) Call.

ἀλκάσματα των *n.pl.* perh. **deeds of valour** S.*Ichn.*

ἀλκή ῆς, dial. **ἀλκά** ᾶς *f.* [reltd. ἀλέξω] | ep.dat. ἀλκί |
1 strength as displayed in action, **prowess, courage, valour** Hom. Hes.*fr.* Eleg. Lyr. Hdt. Trag. +; (personif., as a goddess) **Prowess** Il. ‖ PL. **deeds of valour** Pi. B.
2 strength in providing defence or resistance, **defence, protection** Hom. Sol. Pi. Trag.; (W.GEN. against sthg.) Hes. Pi. S. E.
3 (gener.) physical or military strength, **strength, might** A. Pi. Hdt. E. Th. D. +
4 **fighting, battle** A. E. AR.
5 fighting in self-defence, **resistance** Hdt. Th. Arist.

ἀλκήεις, dial. **ἀλκάεις**, εσσα εν *adj.* (of warriors, the descendants of Herakles) **valiant** Pi. AR.; (of Athena, her aigis) **mighty** hHom. Pi.*fr.*

Ἄλκηστις ιδος *f.* | acc. Ἄλκηστιν | **Alkestis** (daughter of Pelias and wife of Admetos) Il. Hes.*fr.* E. Pl.

ἀλκί (ep.dat.): see ἀλκή

ἄλκιμος ον (also dial. ᾱ ον) *adj.* [ἀλκή] 1 (of persons, their hearts, strength) **brave, valiant, mighty, warlike** Hom. Hes. Eleg. Lyr. Hdt. Trag. +; (of Athena) S.; (of animals) **aggressive** Hdt. X. Plb.
2 (of weapons) **strong, powerful** Hom.
3 (of fighting) **stout, fierce** E.

ἀλκί-φρων ον, gen. ονος *adj.* [φρήν] **stout-hearted** A.

Ἀλκμάν ᾶνος, also **Ἀλκμάων** ονος *m.* **Alcman** (Spartan lyric poet, 7th C. BC) Alcm. Plu.

Ἀλκμέων ωνος, ep. **Ἀλκμάων** ονος, dial. **Ἀλκμάν** ᾶνος *m.* **Alkmeon** or **Alkmaon** (son of Amphiaraos, murderer of his mother Eriphyle) Od. Hes.*fr.* Stesich. Pi. Th. Arist. Call.

Ἀλκμεωνίδαι ῶν (Ion. έων), dial. **Ἀλκμᾱνίδαι** ᾶν *m.pl.* **Alkmeonidai** (members of an aristocratic Athenian family, several of whom bore the name Alkmeon) Pi. Hdt. Th. Isoc. D. Arist.; (sg.) Hdt.

Ἀλκμήνη ης, dial. **Ἀλκμήνᾱ** (perh. also **Ἀλκμάνᾱ** Simon.) ᾱς *f.* **Alkmene** (wife of Amphitryon and mother of Herakles) Hom. Hes. Lyr. Ion Hdt. Trag. +
— **Ἀλκμήνιος** ᾱ ον *adj.* (of a hero, ref. to Herakles) **born of Alkmene** B.

ἀλκτήρ ῆρος *m.* [ἀλκή] (ref. to a person) **defender, protector** (W.GEN. against harm) Il. Hes.; (against diseases, ref. to Asklepios) Pi.; (against men, dogs, harm, ref. to a weapon) Od. Hes.

ἀλκτήρια ων *n.pl.* **defence, remedy** (W.GEN. against hunger) Call.

ἀλκυών (also **ἀλκυών** Call.*epigr.* Theoc.) όνος *f.* —also **ἀλκυονίς** ίδος (AR.) *f.* [pop.etym. ἅλς] **halcyon** (semi-mythol. bird, identified w. the kingfisher) Il. Hes.*fr.* Lyr. E. Ar. Hellenist.poet.; (assoc.w. calm seas) AR. Theoc.
— **ἀλκυονίδες** ων *fem.pl.adj.* (provbl., of days) **halcyon** (ref. to a period of calm around the winter solstice, when the bird was believed to build its nest on the sea) Ar.

ἀλλά *conj.* [reltd. ἄλλος] | The conj. is used adversatively, to limit or oppose words, clauses or sentences; also transitionally, introducing clauses or sentences, w. a more weakly adversative sense. Only the most common uses are illustrated. |
1 (adversative, in simple oppositions) **but** Hom. + • σμικρὸς μὲν ἔην δέμας, ἀλλὰ μαχητής *he was small in stature, but a fighter* Il. • οὐ κακὸς ἀλλ' ἀγαθός *not a bad man but a good one* Thgn. • οὐ μόνον στενάξετε τοὺς Ἡρακλείους παῖδας ἀλλὰ καὶ δόμου τύχας *you will lament not only the children of Herakles but also the misfortunes of the house* E.
2 **but, other than** Hom. + • οὔ τί μοι αἴτιος ἄλλος, ἀλλὰ τοκῆε δύω *no one else is responsible, but only my two parents* Od.; (also ἀλλ' ἤ) • οὐδεὶς ... ἀλλ' ἢ ἐκείνη *nobody but she* Hdt.
3 (apodotic, after a conditional protasis) **yet, still, at least** Hom. + • εἴ περ γάρ σ' Ἕκτωρ γε κακὸν καὶ ἀνάλκιδα φήσει, ἀλλ' οὐ πείσονται Τρῶες *for even if Hektor calls you a coward and a weakling, yet the Trojans will not believe him* Il.
4 (ellipt., esp. w.advs. of time) • τί δῆτ' ἂν ἀλλὰ νῦν σ' ἔτ' ὠφελοῖμ' ἐγώ; *how might I help you now at least (even if not at other times)?* S.
5 (in making or answering objections) • ἐκκάλεσον αὐτόν. — ἀλλ' ἀδύνατον. — ἀλλ' ὅμως *Call him out. — But it can't be done. — Even so (do it)* Ar.
6 (transitional, changing the subject) • ἀλλ' ἤτοι μὲν ταῦτα μεταφρασόμεσθα καὶ αὖτις *but we shall certainly consider this later* Il.
7 (announcing a new plan of action, freq. w.vbs. of motion) • ἀλλ' εἶμι *but I shall depart* E.
8 (assentient, as if repudiating the possibility of dissent) • ἀλλ' εὖ παραινεῖς κἀπιπείσομαι *well, you give good advice and I shall obey* S. • ... εἰ μέμνησαι ... — ἀλλὰ μέμνημαι ... *if you remember ... — Indeed I remember* Pl.

9 (w. commands and exhortations) Hom. + • ἀλλ' ἴομεν *but let us be on our way* Hom. • ὦ νέοι, ἀλλὰ μάχεσθε *come, young men, fight* Tyrt.
10 (in a question indicating surprise or incredulity) ἀλλ' ἦ *but really?* Trag. + • ἀλλ' ἦ μέμηνας; *are you actually out of your mind?* S.
11 (w. other pcls.) ἀλλ' οὖν (ὦν) *at all events, at any rate, however* Hdt. Trag. +; οὐ μὴν ἀλλά *however, but nevertheless, notwithstanding* (*whatever may be said to the contrary*) E. Att.orats. Pl. X. +; (also) οὐ μέντοι ἀλλά Th. Pl.; δ' ἀλλά (w. imperatv., introducing an alternative suggestion) E. Ar. Pl. X. • ὑμεῖς δέ μ' ἀλλὰ θυγατρὶ συμφονεύσατε *well then, kill me together with my daughter* E. | For ἀλλὰ γάρ (or ἀλλά ... γάρ) and οὐ γὰρ ἀλλά see γάρ F.

ἄλλᾳ *dial.fem.dat.adv.*: see ἄλλῃ, under ἄλλος

ἀλλαγή ῆς, dial. **ἀλλαγά** ᾶς *f.* [ἀλλάσσω] **1 change** (W.GEN. of story) A.; (of a person's life, i.e. its circumstances) S.; (of a person's body, into a horse) E.*fr.*
2 change, variation (in sounds) Plb.
3 exchange (of one thing for another) Plb. Plu.
4 exchange (as a commercial transaction); **exchange, commerce** Pl. Arist. Plb.

ἀλλακτικός ή όν *adj.* **1** (of the art) **of exchange** Pl.
2 (of relationships) **of the kind that entail exchange** Arist.

ἀλλαλό-κακος ον *dial.adj.* [ἀλλήλους, κακός] (of citizens) who do harm to each other Alc.

ἀλλάλους *dial.acc.pl.pron.*: see ἀλλήλους

ἀλλαλοφονίᾱ ᾱς *dial.f.* [φόνος] **mutual slaughter** Pi.

ἀλλαλοφόνοι *dial.pl.adj.*: see ἀλληλοφόνοι

ἀλλαντοπωλέω *contr.vb.* [ἀλλαντοπώλης] **be a sausage-seller** Ar.

ἀλλαντο-πώλης ου *m.* [ἀλλᾶς, πωλέω] **sausage-seller** Ar.

ἀλλᾶς ᾶντος *m.* **sausage** Hippon. Ar.

ἀλλάσσω, Att. **ἀλλάττω** *vb.* [ἄλλος] | fut. ἀλλάξω | aor. ἤλλαξα ‖ PASS.: aor. ἠλλάχθην, aor.2 ἠλλάγην | pf. ἤλλαγμαι ‖ The sections are grouped as: (1) change, (2–8) exchange (one thing for another), (9) give or receive in return or requital, (10–11) make a commercial exchange, (12) change or exchange places, (13) alternate. |
1 make a change (in the appearance or nature of things); **change, alter** —*one's form* Emp. Pl. —*one's colour or complexion* E. Men. —*laws, decisions, customs, one's lifestyle* NT. Plu. ‖ MID. **change** —*one's thinking* Plu. ‖ PASS. (of the body of Zeus) be transformed (into a swan) E.; (of a will) be altered Is.
2 make an exchange (of one thing for another); **change, exchange** —*one's marriage bed* (*i.e. take a new husband*) E. —*one's clothes* Plu.
3 ‖ MID. **exchange** (like for like); **exchange** —*beauty* (w. ἀντί + GEN. *for beauty*) Pl. —*property* (w. πρός + ACC. *for other property*) D.
4 (intr., of things) **interchange** (w. each other) Emp.
5 give in exchange, **exchange** —*one's ill-fortune* (W.GEN. *for another's servitude*) A.; (mid.) —*one's hope of achieving sthg.* (W.GEN. *for nothing else, i.e. decline to surrender it at any price*) Th. —*virtue* (w. ἀντί + GEN. *for unjust gain*) Lyr.adesp.
6 give up —*the light of day* (*by exchanging it for prison*) S.
7 get in exchange —*sthg. worse* (W.GEN. *for the present good*) Thgn. ‖ MID. **get, accept** or **choose** (W.ACC. sthg. desirable or undesirable) **in exchange** —W.GEN. or ἀντί + GEN. *for sthg. else* E. Antipho And. Pl. X.
8 take on, assume —*the form of a mortal or snake* (*in exchange for divine or human form*) E. —*manhood* (w. ἐκ + GEN. *after childhood*) X. ‖ MID. **adopt instead** (of what went before) —*a form of government, a new subject for historical writing* Pl. Plb.
9 give in repayment or requital; **pay back, return** —*thanks* (w. ἀντί + GEN. *for sthg.*) E. —*murder* (W.DAT. *to murderers*) E. ‖ MID. **receive in return, incur** —*someone's enmity* (w. ἀντί + GEN. *for accepting money*) Plb.
10 ‖ MID. (specif.) make a commercial exchange (as a buyer or seller); (intr.) **engage in exchange** or **trading** (sts. W.DAT. or πρός + ACC. w. someone) Pl. Arist.; (tr.) **exchange** —*goods* (W.GEN. *for money*) Pl. —*money* (W.GEN. or ἀντί + GEN. *for money or goods*) Pl.; **get in exchange** —*goods* (sts. w. ἀντί + GEN. *for money*) Pl. ‖ PASS. (of things) be exchanged —w. ἀντί + GEN. *for each other* Pl.
11 ‖ MID. (fig.) **exchange, trade** —*one's own troubles* (W.DAT. w. *other people, in an imaginary market*) Hdt.
12 change or exchange places; **change, alter** —*position* Parm. E. Pl. Arist.; (of a commander) **shift** —*camp* Plu.; **exchange** —*the halls of Hades* (W.GEN. *for a foreign land, i.e. avoid death by moving there*) E.; **go to** —*one city* (w. ἐκ + GEN. *after another*) Pl. ‖ MID. **switch** —*one's steps* (W.PREP.PHR. *away fr. a path*) E. ‖ PASS. (of the front hoof-prints of cattle) be shifted —W.PREP.PHR. *in a backwards direction* S.*Ichn.*; (of the position of two things) be interchanged Hdt.
13 (of two rulers) **alternate** —*a year* (*i.e. rule in alternate years*) E. ‖ MID. (of virtues) **come in alternation** —W.DAT. *by generations* (*i.e. in alternate generations*) Pi.

ἀλλαχῇ, dial. **ἀλλαχᾷ** *adv.* **1 in another place**; (phr.) ἄλλοτ' ἀλλαχῇ *now in one place, now in another* X.
2 (w.vb. of motion) **to another place, elsewhere** Ar.; (phrs.) ἄλλος ἀλλαχῇ *one in one direction, another in another* (*i.e. all in different directions*) Men.; ἄλλοτε ἀλλαχῇ (ἀλλαχᾷ) *now in one direction, now in another* S.(cj.) X.

ἀλλαχόθεν *adv.* **1 from another place** or **direction** NT.; (phr.) ἀλλαχόθεν ἄλλος (ἄλλοι) *one from one direction, another from another* (*i.e. all fr. different directions*) Plu.
2 from another source Antipho; (phr.) ἄλλος ἀλλαχόθεν *all from different origins* Plu.

ἀλλαχόθι *adv.* **in another place, elsewhere** Plu.; (phr.) ἀλλαχόθι ἄλλοι *all in different places* Plu.

ἀλλαχόσε *adv.* **1 in another direction** Plu.; **to another part** (W.GEN. of a city) Plu.; (phrs.) ἄλλος ἀλλαχόσε *all to different parts* (W.GEN. *of a building*) Plu.; ἄλλοτε ἀλλαχόσε *now in one direction, now in another* Plu.; *now to one part, now to another* (W.GEN. *of a country*) Plu.
2 to another purpose Plu.

ἀλλαχοῦ *adv.* **1 in another place**; (phr.) ἄλλοι (ἄλλα) ... ἀλλαχοῦ *different people* (or *things*) *in different places* S. X.
2 to another place, elsewhere NT.; (phr.) ἄλλοι ἀλλαχοῦ *all in different directions* Plu.

ἀλλέγω *ep.vb.*: see ἀναλέγω

ἄλλῃ *fem.dat.adv.*: see under ἄλλος

ἀλληγορέω *contr.vb.* [ἄλλος, ἀγορεύω] ‖ PASS. (of things) be expressed allegorically NT.

ἄ-ληκτος ον *ep.adj.* [privatv.prfx., λήγω] **1** (of a wind) **unceasing, unremitting** Od. AR.; (of suffering) S.
2 (of a person's spirit) **implacable, relentless** Il.

—**ἄλληκτον** *neut.adv.* **unceasingly** Il. Call. AR.

ἀλλήλους, dial. **ἀλλάλους**, ᾱς α *acc.pl.pron.* [redupl. ἄλλος] | gen. ων (Ion.fem. έων) | dat.: masc.neut. οις (οισι), fem. αις (αισι, also Att. ῃσι, Ion. ῃσι) ‖ DU.: acc. ω, gen.dat. οιν (ep. οιιν) | **each other, one another** Hom. +

ἀλληλοφαγίη ης *Ion.f.* [φαγεῖν] act of eating one another, **cannibalism** Hdt.

ἀλληλοφθορίᾱ ᾱς *f.* [φθείρω] **mutual destruction** Pl.

ἀλληλο-φόνοι, dial. **ἀλλᾱλοφόνοι**, α pl.adj. **1** (of brothers) **murdering each other** X.
2 (of spears, hands, bouts of madness) **causing mutual slaughter** A. Pi.fr.
ἄλλην fem.acc.adv.: see under ἄλλος
ἄλλιξ ικος f. **cloak** Call.
ἀλλο-γενής ές adj. [ἄλλος, γένος] **belonging to another race** ‖ MASC.SB. **foreigner** NT.
ἀλλό-γλωσσος ον adj. [γλῶσσα] **speaking a foreign language** Hdt.
ἀλλογνοέω contr.vb. [γιγνώσκω] **take for another, fail to recognise** —someone Hdt.
ἀλλογνώς ῶτος masc.fem.adj. **unfamiliar, alien** Emp.
ἀλλό-γνωτος ον adj. [γνωτός] (of a place) **alien, foreign** Od.
ἀλλοδαπός ή (dial. ᾱ́) όν adj. [reltd. ἄλλος] (of people, places) **alien, foreign** Hom. Eleg. A. Pi. E. AR. Plu. ‖ FEM.SB. **foreign land** AR. ‖ MASC.PL.SB. **foreigners** Hom. hHom. Sapph. X. Plu.
ἀλλοδημίᾱ, dial. **ἀλλοδᾱμίᾱ**, ᾱς f. [δῆμος] **place of residence abroad, foreign land** B. Pl.
ἀλλοδοξέω contr.vb. [δόξα] **think that one thing is another** Pl.
ἀλλοδοξίᾱ ᾱς f. **thinking that one thing is another** Pl.
ἀλλο-ειδής ές adj. [εἶδος¹] (of a landscape) **different in appearance** Od.
ἄλλοθεν adv. **1 from another place, from elsewhere** Od. Alc. Hdt. E. Th. +; (W.GEN. **among the Greeks**) Pl.; (phr.) ἄλλοθεν ἄλλος **one from one place, another from another** (i.e. fr. all sides) Hom. Tyrt. Hippon. Emp. Trag. Th. +; **all in different parts** (W.GEN. of a place) X. | see also ἄλλοσε 3
2 from another source or **by other means** Emp. S. E. Antipho Th. +; (phr.) ἄλλοθεν ἄλλος **all from different sources** Sol.; **all in different ways** Sol.
3 (phr.) ἄλλοθεν ἄλλος **one after another** Od.
ἄλλοθι adv. **1 in another place, elsewhere** Od. Pi.fr. E. Th. Att.orats. +; (W.GEN. **on earth**) Od. Hdt.; (in a city or country) Aeschin. Din.; (W.COMPAR.GEN. **than one's native land**) Od.; (phr.) ἄλλος ἄλλοθι **all in different places** Pl. X.
2 in another situation or **context** Att.orats. Pl. X. Arist.
3 (w.vb. of movt.) **to another place** Antipho X. D.
4 in another way, otherwise Pl.; (phr.) ἄλλοι ἄλλοθι **all in different ways** Th.
ἀλλό-θροος ον, Att. **ἀλλόθρους** ουν adj. [θρόος] **1** (of persons, a city, an army) **speaking a foreign language, foreign** Od. A. Hdt. S. ‖ MASC.PL.SB. **foreigners** A.
2 (of counsel) **from a stranger** S.
ἀλλοῖος ᾱ (Ion. η) ον adj. | compar. ἀλλοιότερος |
1 (of persons or things) **of another kind, different** or **changed** Hom. Hes. Thgn. Pi. Emp. +; (W.GEN. fr. sthg.) Pl.; (w. ἤ) Od. Pl. Arist. ‖ COMPAR. **different** Th. Pl. D. Arist. Plb.; (w. ἤ) Hdt.
2 (phr., w. ἄλλος, expressing a reciprocal relationship) Hes. Pi. B. Pl. Mosch. • τιμαν ... ἄλλος ἀλλοίαν ἔχει **different people have different honours** B.; (w. ἄλλοτε) **ever different** Hes. Semon. Pi. X.
3 (euphem.) **different** (fr. what one would like); (of a decision, a misfortune) **unwelcome, unpleasant** Hdt. Men. (compar.) Plb.
—**ἀλλοίως** adv. | compar. ἀλλοιότερον | **differently** Pl.; (compar.) Pl. X.
ἀλλοιότης ητος f. **change, alteration** Pl.
ἀλλοιόω contr.vb. | pf. ἠλλοίωκα (Plu.) ‖ PASS.: impf. ἠλλοιούμην | pf. ἠλλοίωμαι | **1 cause a change** (in nature or appearance); **change, alter** —persons or things Pl. Plb. Plu. ‖ PASS. **be changed** or **altered** P. X. Arist. Plb. —W.GEN. fr. oneself Pl. ‖ PF.PASS.PTCPL. (of persons) **changed** (in appearance) E. Pl. Plu.
2 ‖ PASS. **undergo a change** —W.ACC. of mind Th. ‖ PF.PASS.PTCPL. **changed** (in mind or policy) Plb.
3 ‖ PASS. (wkr.sens., of preparations) **be affected** —W.PREP.PHR. by delay X. ‖ PF.PASS.PTCPL. (of persons) **affected** —W.DAT. by someone's behaviour Plu.; **befuddled** —W.PREP.PHR. by drink Plb.
ἀλλοι-ωπός όν adj. [ὤψ] (of things) **of different appearance** Emp.
ἀλλοίωσις εως f. [ἀλλοιόω] **1 change, alteration** Pl. Arist.
2 difference (opp. sameness) Pl.
3 befuddlement (by drink) Plb.
ἀλλοιωτός ή όν adj. (of things) **subject to change** or **alteration** Arist.
ἄλλοκα dial.adv.: see ἄλλοτε
ἀλλό-κοτος ον adj. [ἄλλος, κότος] **1 differing** (in a manner that is unnatural or unwelcome); (of persons) **strange, odd** Pl. Plu.; **uncongenial** Pl. Plu.; (of a country) Pl.
2 (of things, circumstances, conduct) **extraordinary, outlandish, bizarre** Ar. Pl. Plu.; **uncongenial, disagreeable** Th. Pl. Plu.
3 (of an intention) **strangely different** (W.GEN. fr. a former one) S.
ἄλλομαι mid.vb. | impf. ἡλλόμην, dial.3pl. ἄλλοντο | fut. ἀλοῦμαι, dial. ἀλεῦμαι (Theoc.) ‖ AOR.1: ἡλάμην, ep.2sg. ἥλαο (Call.), dial.3sg. ἄλτο | dial.ptcpl. ἁλάμενος (Ar.) ‖ AOR.2: ἡλόμην (in cpds.) | opt. ἁλοίμην | inf. ἁλέσθαι | ptcpl. ἁλόμενος ‖ EP.ATHEM.AOR.: 2sg ἄλσο (or ἅλσο), 3sg. ἄλτο (or ἇλτο) | 3sg.subj. ἅληται, also ἅλεται | ptcpl. (in cpds.) -άλμενος |
1 (of persons, deities) **leap, jump, spring, bound** (freq. W.ADV. or PREP.PHR. to or fr. somewhere) Hom. hHom. Carm.Pop. E. Th. Pl. +; (in dancing) A. Ar. X.; (of animals, fish, frogs, insects) hHom. Simon. Ar. X. Theoc.
2 (of an arrow) **leap forward** (fr. a bow-string) Il.
3 (of a breath of wind, an echo) **bounce** —w. ἀπό + GEN. off a surface Pl.; (of a sword edge) —W.ADV. back (after striking a spear) AR.
4 (of a catch-piece in a mousetrap) **spring up** Call.
5 (of a spring of water) **well up** NT.
6 (of an eye) **twitch** Theoc.
ἀλλο-πρόσ-αλλος ον adj. [ἄλλος, πρός] (of Ares) **favouring one side and then the other, two-faced, fickle** Il.
ἄλλος η (dial. ᾱ) ο adj. and pron. **1 other** (in addition) Hom. +
• ἄλλον ὀιστὸν ... ἴαλλε **he was shooting another arrow** Il.
• ἄλλο δέ τοι ἐρέω **I shall tell you something else** Hom. hHom. Emp.
2 other (in identity) Hom. + • Ζεῦ ἄλλοι τε θεοί **Zeus and other gods** Il. • ἐγὼ ... ἠ᾽ ἄλλος Ἀχαιῶν **I or another of the Achaeans** Il.; (pl., w.art.) οἱ ἄλλοι, οἱ ἄλλοι θεοί **the others, the other gods** Hom. +
3 other (in kind or nature) Hom + • ὄρνεον ἄλλο **another** or **different bird** (opp. a hawk) Il. • ἄλλος γέγονε **he has become a different person** Pl.
4 (followed by the object of comparison) • τίς ἄλλος ἢ 'γώ; **who other than I?** A. • οὐδὲν ... ἄλλο πλὴν εἴδωλα **nothing else but images** S. • (w.compar.gen.) τὰ δίκαια ἢ ἄλλα τῶν δικαίων **what is right or other than what is right** X.; (ellipt.) • οὐδὲν ἄλλο γ᾽ ἢ πτήξας δέμας παρεῖχε (he did) **nothing but cower and surrender his body** A. • ἄλλο τι ἢ ... πεινήσουσι; **will they** (suffer) **anything other than starve?** Hdt.

5 (in enumerations) Hes. +• πέμπτος ποταμὸς ἄλλος *a further river, the fifth* Hdt.
6 (w.art. and collectv.sb.) **remaining, rest of** Hom. +• ἡ ἄλλη Ἑλλάς *the rest of Greece* Th.
7 (in a temporal sequence) **other** (than the present) • τὸν ἄλλον χρόνον *in the future* or *in the past* Th. Att.orats. +• τῇ ἄλλῃ ἡμέρᾳ *on the next day* X. • τῷ ἄλλῳ ἔτει *in the next year* X.
8 (contrastv. or reciprocal) • τῶν ἄλλος μὲν ἀποφθίσθω, ἄλλος δὲ βιώτω *let one of them die, another live* Il. • ἄλλος ἄλλα λέγει *one man says one thing, another man says another* X. | see also ἀλλαχῇ, ἄλλῃ, ἄλλοθεν, ἄλλοσε, ἄλλοτε
9 (phr.) ἄλλος καὶ ἄλλος *one and then another* Hdt.(cj.) Pl. X. Plu.
10 (in pleon. locutions) • ἅμα τῇ γε καὶ ἀμφίπολοι κίον ἄλλαι *with her came other attendants* (i.e. *others, attendants*) Od. • παρ' ἀγγέλων ... ἄλλων *from other messengers* (i.e. *others, messengers*) S. • ὠκυμορώτατος ἄλλων *most short-lived of others* (i.e. *more short-lived than any other*) Il. • γυναικῶν ... τῶν ἄλλων μία *one among* (*the rest of*) *women* E.
11 (preceding a more specific item) • γυναῖκας ἄλλας τε πολλὰς καὶ δὴ καὶ τοῦ βασιλέος θυγατέρα *many women, including the king's daughter* Hdt.
12 (euphem.) other (than good, i.e. bad); (of a circumstance, a person's fortune) **adverse** Hes. E.
—**ἄλλην** *fem.acc.adv.* (phr.) ἄλλην καὶ ἄλλην *one way and then another* Pl. X.
—**ἄλλῃ**, dial. **ἄλλᾳ** *fem.dat.adv.* **1 in another place, elsewhere** Hom. Hdt. S. +; (phrs.) τῇ ἄλλῃ *everywhere else* Hdt.; ἄλλοι ἄλλῃ τῆς πόλεως *others in different parts of the city* Th.; ἄλλοτε ἄλλῃ *at different times in different parts* (sts. w.gen. *of a place*) X.
2 to another place, in another direction, elsewhere Hom. Hes. Thgn. Hdt. E. Th. +; (also) τῇ ἄλλῃ Hdt.; (phrs.) ἄλλος (or ἄλλοι) ἄλλῃ (ἄλλᾳ) *all in different directions* Hdt. S. +; ἄλλοτε ἄλλῃ (ἄλλᾳ) *now this way, now that* hHom. Pi. AR. | see also ἄλλυδις
3 in another direction (than ought to be), **astray** Il. Hes.
4 by another route Ar.
5 in another way, otherwise Il. hHom. Th. Pl. +; (also) τῇ ἄλλῃ Hdt.; (phr.) ἄλλ' ἄλλᾳ *different things in different ways* A.; ἄλλοτε ἄλλῃ *in different ways at different times* Pl.
—**ἄλλως** *adv.* **1 in another way** or **other ways, otherwise, differently** Hom. A. Hdt. E. –; (phr.) ἄλλοτε ἄλλως *differently at different times* Thgn. Pl. Arist. Plb. Plu.; (also) ἄλλως ἄλλοτε A.
2 for other reasons Od. Hdt. +
3 in other circumstances, in general Od. Hdt. E. +
4 in other circumstances (than those mentioned), **otherwise** S.
5 in any case, actually, in fact A. Hdt. Th.
6 (phr.) καὶ ἄλλως *even otherwise* (i.e. *even without that consideration*) Hom. • ὃ δ' ἀγήνωρ ἐστὶ καὶ ἄλλως *he is a proud man as it is* Il.
7 (adding a further point) **in other respects** Hdt. +; (gener.) **additionally, besides** Hdt. S. E. +
8 (phr., preceding a more particular point) ἄλλως τε καί *especially, above all* A. S. Th. +; (also) ἄλλως τε Isoc. Pl. +
9 otherwise (than should be), **idly, at random, casually, pointlessly** Od. Hdt. S. E. +; (wkr.sens.) **simply, merely** Hdt. + • (w.sb.) εἴδωλον ἄλλως *a mere image* S.
10 (phr.) τὴν ἄλλως *not specifically, generally* Pl.; *idly, pointlessly* D.
11 otherwise (than hoped for), **in vain, ineffectually** Il. S. E. Th. +

ἄλλοσε *adv.* **1 to a different place** or **in a different direction, elsewhere** Od. E. Th. Ar. Att.orats. Pl. +; (w.gen. in a geographical area) Th. X.; (in the body) Pl.
2 (contrastv.) **in one direction** (opp. θατέρᾳ or θητέρᾳ *in the other*) S.
3 (phrs.) ἄλλος ἄλλοσε *all in different directions* A. E. Pl. X.; *all into different parts* (w.gen. *of a building*) E.; ἄλλοτ' ἄλλοσε *now this way and now that* E.; ἄλλοσ' ἄλλοθεν *in this direction and that* E.
4 for another purpose —*ref. to spending money* Arist.
ἄλλοτε, Aeol. **ἄλλοτα**, dial. **ἄλλοκα** (Theoc.) *adv.* **1 at another time** or **other times** Il. Hes. Semon. Alc. Hdt. S. +
2 (contrastv.) **at one time** (opp. ἄλλοτε, ἄλλοτα *at another time*) Hom. Hes. Alc. Hippon. Thgn. Emp. +; (opp. ὁτέ, τοτέ, ὅκα) Il. Hellenist.poet.+; (opp. τότε) S. Pl. X.; (opp. ἄλλος *another person*) Mimn.
3 (phr.) ἄλλοτε καὶ ἄλλοτε *now and then* X.
4 (phr.) ἄλλοτε ἄλλος (or sim.) *now one, then another* Hom. Hes. Eleg. Pi. B. Emp. Trag. + | see also ἀλλαχῇ, ἀλλαχόσε 1, ἄλλῃ, ἄλλοθι, ἀλλοῖος 2, ἄλλοσε 3, ἄλλως 1

ἀλλοτριάζω *vb.* [ἀλλότριος] (of persons) **be unfavourably disposed** Plb. —w.gen. *towards someone* Plb.

ἀλλοτριονομέω *contr.vb.* [reltd. νέμω] assign to a wrong place, **misattribute** (sthg.) Pl.

ἀλλοτριοπρᾱγέω *contr.vb.* [reltd. πρᾱ́σσω] **be meddlesome** Plb.

ἀλλοτριο-πρᾱγμοσύνη ης *f.* [reltd. πρᾶγμα] interfering in the affairs of others, **meddlesomeness** Pl.

ἀλλότριος ᾱ (Ion. η) ον *adj.* [ἄλλος] **1** of or belonging to others; (of material things) **of another** or **others** Od. Hes. Thgn. Pi.*fr.* B. E. +; (of a wife) A. Pi.*fr.* Att.orats. Arist.; (of a child) Men.; (of the hands, eyes, tongue, stomach, body) hHom. Pi. S. Ar. Plu.; (of non-material things, such as sorrows, labours, opinions, successes) Il. Hes. Thgn. Pi. E. Th. +; (of light, ref. to moonlight, as being the reflection of sunlight) Parm. || neut.pl.sb. other people's property Od. E. Ar. Att.orats. +
2 (hyperbol., of bodies or lives, as being selflessly committed to the interests of a city) **belonging to others** Th. Lys. Isoc.; (of people's jaws, as not being under their control) Od.
3 (of a disaster, an accident) **caused by others** (opp. oneself) S. Antipho
4 of or relating to another place; (of a land, city, customs, or sim.) **foreign** Od. E. Th. Ar. Att.orats. +; (of votes) of **foreigners** E.; (of an alliance, a danger) **external** Th. || fem.sb. foreign country Hdt. Th. Att.orats. Call. Mosch. || masc.pl.sb. foreigners Isoc. X.
5 belonging to another kin or household; (of persons) **unrelated, alien** (sts. w.dat. to others) Att.orats. Pl. Arist. Men.; (in neg.phr., of joy in a father's victory) **alien** (to his son) Pi.; (of the murder) **of a stranger** (opp. a relative) Pl. || compar. (of a brother) less closely related, more distant (w.gen. than one's children) Hdt.; (of family ties, than those of party allegiance) Th. || masc.sb. (usu.pl.) alien, stranger, outsider Th. Att.orats. Pl. Men. Theoc. + || neut.pl.sb. things that are alien (opp. found nearer to home) Pi.
6 (gener.) not within one's acquaintance; (of persons) **from elsewhere, unfamiliar** Hom. Pi. Ar. X. || masc.pl.sb. strangers Pi.*fr.* Hdt. Ar. Plb.
7 (of a void) **alien, unfamiliar** (to a bird) Ibyc.; (of examples used in illustration) **unfamiliar, taken from elsewhere** (opp. based on persons closer to one) Isoc. D.

ἀλλοτριότης

8 (of persons) **estranged** (W.GEN. fr. a city, its government) Lys. Arist.; (of practices) **alien** (W.GEN. to democracy) Lys.; (to historical writing) Plb.
9 not favourably disposed; (of persons) **averse, disinclined** (W.GEN. or πρός + ACC. to sthg.) Plb. Plu.; (of persons, feelings, conduct) **hostile** (sts. W.GEN. to someone) Plb.
10 not appropriate or pertinent; (of nurture, a name) **unsuitable** Pl.; (of an argument) **irrelevant** (sts. W.DAT. or GEN. to the matter in hand) Isoc. Arist.; (of a time) **not conducive** (W.GEN. to a hope) Plb.; (of flesh) **extraneous** or **superfluous** Pl.
—**ἀλλοτρίως** adv. | compar. ἀλλοτριώτερον | **in a manner that is unfavourable, unsympathetic** or **hostile** (usu. w. πρός + ACC. towards someone) Att.orats. Men. Plb. Plu.
ἀλλοτριότης ητος f. **estrangement, alienation** (betw. persons or communities) Pl. Arist. Plb. Plu.; (betw. concepts) Pl.
ἀλλοτριόω contr.vb. **1 estrange, alienate** —a city (W.GEN. fr. its citizens) Th. —a country (W.DAT. fr. someone) X. —persons (W.GEN. fr. someone's friendship) Plb. —(w. ἀπό + GEN. fr. friendly feelings towards someone) Plb. || PASS. **be estranged** or **alienated** Th. —W.DAT. fr. someone Th. —w. πρός + ACC. Plb. Plu.
2 dissociate —oneself (w. ἀπό + GEN. fr. a public service) D.
3 || PASS. (of sovereignty, a region) **fall into foreign hands** Hdt. D.
4 || PASS. (of things) **be altered** (fr. their normal condition) Pl.
ἀλλοτρίωσις εως f. **estrangement, alienation** (betw. communities) Th.
ἄ-λλοφος ον ep.adj. [privatv.prfx., λόφος] (of a helmet) **without a crest** Il.
ἀλλοφρονέω contr.vb. [app. ἄλλος; φρονέω] **1 have one's mind elsewhere, pay no attention, be distracted** Od.
2 be dazed or **dizzy** (fr. a blow) Il. Theoc.
3 be crazed or **deranged** Hdt.
ἀλλό-φυλος ον adj. [ἄλλος, φυλή] **1** (of people) **belonging to another tribe, foreign** Th. D. Plb. Plu.; (of a land) A. || MASC.PL.SB. **foreigners** Th. Pl. X. Plb. Plu. || MASC.SG.SB. (specif.) **Gentile** (opp. Jew) NT.
2 (of rule) **by a foreign power** Th. Plu.
3 (of a war) **with foreigners** Plu.
ἀλλό-χροος ον adj. —also **ἀλλόχρως** ωτος masc.fem.adj. [χρώς] **different in colour or complexion**; (of a foreign soldier) **with an unfamiliar appearance** (W.DAT. in regard to his weapons) E.; (of a sick person's body) **with changed complexion** E.
ἄλλυδις ep.adv. **1 in another direction** AR.
2 (phrs.) ἄλλυδις ἄλλος **one in one direction, another in another** (i.e. **all in different directions**) Hom. AR. Theoc.; ἄλλυδις ἄλλη **this way and that** Hom.
ἄλλυτος ep.adj.: see ἄλυτος
ἀλλύω ep.vb.: see ἀναλύω
ἄλλως adv.: see under ἄλλος
ἅλμα ατος n. [ἅλλομαι] **1 leap, jump, spring** (of a person, a foot) E. Call.; (of a hare) X.; (of a lot, fr. a helmet) S.
2 (specif., sg. and pl.) **jumping** (i.e. long jump, as an athletic contest) Od. || PL. (concr.) **jumping-pit** Pi.
3 plunge, fall (w. ἐπί + ACC. onto one's sword, in killing oneself) E.
ἁλμάεις εσσα εν dial.adj. [ἅλμη] (of a sea-crossing) **salty, briny** A.(cj.)
ἅλμη ης, dial. **ἅλμα** ᾱς f. [ἅλς] **1 salt-water, seawater, brine** Od. Pl. Arist.(quot.); (ref. to dried sea-spray) Od.

2 (gener.) **brine, sea** hHom. A. Pi. E. Tim. Hellenist.poet.
3 salty water, **brine** (used in pickling) Hdt. Call.; (in flavouring seafood) Ar.
4 salt (encrusted on soil) Hdt.
5 saltiness, salinity (in the body, in soil) Pl. X.
ἁλμυρίς ίδος f. **salty substance, salt** (in soil or on seaweed) Plu.
ἁλμυρός ά (Ion. ή) όν, Aeol. **ἄλμυρος** ᾱ ον adj. **1** (of the sea, its water, depths, or sim.) **salty briny** Od. Hes. hHom. Lyr. Hdt. E. +; (of a neighbouring place, ref. to the sea) Alcm.
2 (of a lake, drinking water) with a salty taste, **brackish** Hdt. Th. Plu.; (fig., of things) **bitter, unpalatable** Pl.
3 (of food) **salty** X.
4 (of things) having the property of salt, **salty, saline** Pl.
—**ἁλμυρά** neut.pl.adv. **bitterly** —ref. to weeping Theoc.
ἁλμώδης ες adj. (of soil) **salty, saline** X.
ἀλοᾱτός οῦ m. [ἀλοάω] **threshing** X.
ἀλοάω, ep. **ἀλοιάω** contr.vb. [ἀλωή] | ep.3sg.impf. ἀλοία | Ion.fut. ἀλοιησέω (Tyrt.) | aor. ἠλόησα | **1 thresh** (i.e. separate grain fr. chaff by causing draught animals to trample it); **thresh** —grain X. Theoc. Plu.; (intr.) X.
2 (fig., of a person, envisaged as a draught animal) **thrash about, pound along** Ar.
3 (of a mourner) **beat, pound** —the ground (W.DAT. w. one's hands, to attract the attention of the underworld gods) Il.
4 (of warriors) **crush** (the enemy) Tyrt. || PASS. (of persons) **be crushed** or **trampled** Plb.
5 thrash —a person Ar.; (wkr.sens., of an orator) **strike** —his thigh Plu.(dub., v.l. πατάσσω)
ἄ-λοβος ον adj. [privatv.prfx., λοβός] (of sacrificial victims, their livers) **without a lobe** (i.e. ill-omened) X. Plu.
ἀλογέω contr.vb. [ἄλογος] **1 pay no heed** or **regard** Il. Hdt. —W.GEN. to advice, commands Hdt.
2 || PASS. **be misled in one's calculations** Plb.
ἀλόγημα ατος n. **miscalculation, misjudgement** Plb.
ἀλογίᾱ ᾱς, Ion. **ἀλογίη** ης f. **1 lack of respect** or **regard** (for persons or things) Hdt.
2 lack of logic or **reason, illogicality, unreasonableness, absurdity** Th. Isoc. Pl. D. +
3 (gener.) **haphazardness, confusion, disorder** Plb.
4 speechlessness or **amazement** Plb.
ἀλογιστίᾱ ᾱς f. [ἀλόγιστος] **lack of rational thinking, thoughtlessness** Plb. Plu.
ἀ-λόγιστος ον adj. [privatv.prfx., λογίζομαι] **1** (of persons) lacking rational calculation, **unthinking, thoughtless, irrational** Att.orats. Pl. X. Arist. Men. Plb.; (of actions, emotions, a state of mind) Th. Isoc. Pl. Arist. Plb. Plu.
|| NEUT.SB. **thoughtlessness, irrationality** Th.
2 (of persons, emotions) **regardless, heedless** (W.GEN. of a future contingency) Arist.
3 (of happenings) not to be comprehended by rational thought, **beyond reason** S.
4 (of quantity) not to be taken into reckoning, **of no account** E.
—**ἀλογίστως** adv. **unthinkingly, thoughtlessly, irrationally** Th. Att.orats. Pl. Plb. Plu.
ἄ-λογος ον adj. [λόγος] **1** (of silence) **lacking speech, speechless** Pl.
2 (of things) **unable to be expressed** or **explained in words** Pl.
3 (of persons or things) lacking the capacity of reason, **unreasoning** Pl. Arist.; (of animals) Pl. X. Lycurg. Plb. Plu.
|| NEUT.PL.SB. **dumb** or **brute beasts** Democr. Pl.

4 (of things, actions, situations) without or contrary to reason or logic, **unreasonable, irrational, illogical, unaccountable** Th. Att.orats. Pl. Arist. Men. +; (of children, compared to so-called irrational geometrical lines) Pl. ‖ NEUT.IMPERS. (w. ἐστί, sts.understd.) it is unreasonable or illogical —W.INF. or ACC. + INF. *to do sthg., that sthg. shd. be the case* Isoc. Pl. X. Arist. Plu.

—**ἀλόγως** *adv.* **1 wordlessly, speechlessly** —*ref. to praying* S.; **without the help of speech** —*ref. to achieving things* Isoc.
2 without or contrary to reason, **irrationally, illogically, unaccountably** Th. Att.orats. Pl. X. Arist. +

ἀλόη ης *f.* [Semit.loanwd.] **aloe** (a plant resin, used in embalming) NT.

ἀλόθεν *adv.*: see under ἅλς

ἀλοιάω *ep.contr.vb.*: see ἀλοάω

ἀ-λοίδορος ον *adj.* [privatv.prfx.] (perh. of a person's silence) **not reproachful** A.

ἀλοίην (aor.opt.): see ἁλίσκομαι

ἀλοίμην (aor.2 mid.opt.): see ἅλλομαι

ἀλοίτης ου *m.* [reltd. ἀλείτης] **avenger** Call.

ἀλοιφή ῆς *f.* [ἀλείφω] **1 fat, grease, lard** (of hogs) Hom.
2 grease or **oil** (used in dressing an oxhide) Il.; (applied to a bow or bow-string) Od.
3 oil, unguent (for the body) Od. AR. Plu.
4 anointing (W.GEN. w. perfume) Pl.
5 paint, varnish or **plaster** (applied to a wall) Pl.

ἀλοκίζω *vb.* [αὖλαξ] (fig.) **plough a furrow in** —*a patch of ground* (ref. to inscribing a wax tablet) Ar.

ἁλόμενος (aor.2 mid.ptcpl.): see ἅλλομαι

ἆλοξ *f.*: see αὖλαξ

ἁλο-πήγια ων *n.pl.* [ἅλς, πήγνυμι] places where salt crystallises, **salt-pits** Plu.

ἄ-λοπος ον *adj.* [privatv.prfx., λέπω] (prob. of silk) **not scutched** or **hackled** (i.e. w. the raw fibres not yet separated for spinning) Ar.

ἁλός (gen.sg.): see ἅλς

ἆλος *dial.m.*: see ἧλος

ἁλοσ-ύδνη ης *fem.adj.* [ἅλς; perh.reltd. ὕδωρ] (epith. of sea goddesses) perh. **of the salty sea** Hom. AR.

ἁλοσύνᾱ *Aeol.f.*: see ἡλοσύνη

ἁλοῦμαι (fut.mid.): see ἅλλομαι

ἁλουργής ές *adj.* —also **ἁλουργός** όν *adj.* [ἅλς, ἔργον] being a product of the sea (ref. to having a purple dye, obtained fr. the πορφύρα murex); (of wool, clothing, fabrics) **dyed purple** Pl. Plu.; (of part of an imaginary earth) **with the colour of purple dye** Pl. ‖ NEUT.SB. purple (as a colour) Pl. ‖ NEUT.PL.SB. purple garments A.; prob., purple dyes Plu.

ἁλουργίς ίδος *f.* **purple robe** Ar. Plu.

ἁλούς (aor.ptcpl.): see ἁλίσκομαι

ἀλουσίᾱ ᾶς, Ion. **ἀλουσίη** ης *f.* [ἄλουτος] **unwashed state** (of a person, of hair) Hdt.(pl.) E.

ἄ-λουτος ον *adj.* [privatv.prfx., λούω] (of persons) **unwashed, uncleansed** Semon. Hdt. E. Ar.

ἄ-λοχος[1] ου *f.* [copul.prfx., λέχος] woman who shares a man's bed; **wife** Hom. Hes. Eleg. Lyr. Trag. Ar. +; (ref. to a concubine) Il.

ἄ-λοχος[2] ου *fem.adj.* [privatv.prfx., λοχεύω] (of Artemis) **not having experienced childbirth** Pl.

ἀλόω (ep.mid.pass.imperatv.), **ἀλόωνται** (ep.3pl.): see ἀλάομαι

Ἄλπεις εων *f.pl.* **Alps** (mountain range in Europe) Plb. Plu.

ἁλπνιστος (or **ἅλπιστος**) ᾱ ον *dial.superl.adj.* [reltd. ἔπαλπνος] **1** (of the prime of life) app. **sweetest, most delightful** Pi.

2 (of a son) **favourite** A.(cj.)

ἅλς ἁλός *m.f.* ǀ dat.pl. ἁλσί, ep. ἅλεσσι ǀ —also **ἅλας** ατος (NT.) *n.* **1** (*m.n.*, sg.) **salt** Il. Hdt. Ar. Call.*epigr.*; (pl.) Od. Ar. Isoc. Pl. Thphr. Men. + ‖ PL. salt-deposits Hdt.
2 salt (as the cheapest household commodity, refusal of which as a loan or gift to another is a symbol of meanness) Od. Thphr.(pl.) Men. Theoc.; (pl., as a symbol of hospitality and comradeship) Archil. Aeschin. D. Arist.
3 salt (ref. to the spiritual qualities of the disciples of Jesus, giving life and healing to the world) NT.
4 (*f.*) **sea** Hom. Hes. Semon. Eleg. Lyr. Trag. +

—**ἅλαδε** *adv.* **to** or **into the sea** Hom. Hes. hHom. AR.; (also) εἰς ἅλαδε Od.

—**ἁλόθεν** *adv.* (prep.phr.) ἐξ ἁλόθεν *from the sea* Il.

ἁλσηίς ίδος *fem.adj.* [ἄλσος] (of nymphs) **of the groves, woodland** AR.

ἅλσις εως *f.* [ἅλλομαι] **jumping, leaping** Arist.

ἅλσο or **ἆλσο** (ep.2sg.athem.aor.mid.): see ἅλλομαι

ἄλσος εος (ους) *n.* **1** wooded place, **wood, glade, grove** Hom. hHom. Stesich. Thgn. Hdt. Pl. +; (fig.) **forest** (W.GEN. of buildings) Pi.
2 (specif.) grove associated with a divinity, **sacred grove** Od. Hes. hHom. Sapph. Pi. Hdt. +
3 sacred precinct (whether or not wooded) Pi. B. E. Ar.; (fig., ref. to a city, as being under the patronage of a particular deity or hero) Il. hHom. Pi.
4 level area (whether or not sacred); **domain** or **expanse** (W.ADJ. *of the sea*) A. B.; (W.ADJ. *belonging to Zeus*, ref. to Egypt) A.; (W.GEN. of Thebes, ref. to the plains around it) S.; (ref. to a broad area of level ground) S. Melanipp.; (ref. to a smaller area) A.

ἀλσώδης ες *adj.* (of a spring) in a grove, **woodland** E.

ἁλτικός ή όν *adj.* [ἅλλομαι] **1** (of a person) **good at jumping** X.
2 (of a ritual dance) characterised by leaping, **saltatorial** Plu.

ἆλτο or **ἅλτο** (ep.3sg.athem.aor.mid.): see ἅλλομαι

ἁλυκός ή όν *adj.* [ἅλς] (of Poseidon) **briny** Ar.; (of bodily fluids) **salty** Pl.; (of a tear) Call.

ἀλυκτάζω *vb.* [ἀλύω] **roam in distress** B.; **be panic-stricken** Hdt.

ἀλυκτέομαι *mid.pass.contr.vb.* ǀ redupl.pf. ἀλαλύκτημαι ǀ ‖ PF. be distraught or distressed Il.

ἀλυκτο-πέδαι ῶν *f.pl.* [1st el.uncert.] **shackles, fetters** Hes. AR.

ἄλυξα (ep.aor.): see ἀλύσκω

ἄλυξις εως *f.* [ἀλύσκω] **means of escape** A.

ἀ-λύπητος ον *adj.* [privatv.prfx., λῡπέω] (of a life) **painless, untroubled** S.

—**ἀλυπήτως** *adv.* in a manner which causes no distress (W.DAT. to the living) —*ref. to burying the dead* Pl.

ἀλῡπίᾱ ᾱς *f.* [ἄλυπος] **freedom from pain** or **anguish** Arist. Plu.

ἄ-λῡπος ον *adj.* [privatv.prfx., λύπη] **1** (of persons, actions, circumstances) free from pain or anguish, **painless, untroubled** S. E. Pl. X. Arist. Plu.; (W.GEN. by old age, disaster) S.; (of a place, by misfortunes) S.(cj.) ‖ NEUT.SB. freedom from pain, painlessness Pl. Arist.
2 not causing pain or annoyance, **not troublesome** (sts. W.DAT. to others) E. Pl. X. Aeschin. D. Arist. +; (of a horse, to its rider) X.
3 (of the pleasure of wine) **dispelling care** E. [or perh. *painless*]

ἄλυρος

—**ἀλύπως** adv. | compar. ἀλυπότερον, superl. ἀλυπότατα | **1** in a manner free from pain or anguish, **painlessly, without trouble** Lys. Isoc. Pl. X. Arist. + **2 without causing pain** or **annoyance** Pl. X. Plu.; (W.DAT. to others) Isoc.

ἄ-λυρος ον adj. [λύρᾱ] **1** (of music) **not performed on the lyre** Arist. **2** (of written compositions) not for accompaniment by the lyre, **not set to music** Pl. **3** (of hymns, laments, singing) not accompanied by the lyre (as being an instrument for festive and joyful music), **lyreless, joyless, mournful** E.; (of the coming of death) S.

ἄλυς υος m. [ἀλύω] **lethargy, boredom** Plu.

ἀλυσθενέω (v.l. **ἀλυσθμαίνω**) contr.vb. [perh.reltd. ἀλύω] (of Leto, giving birth) perh. **be distraught** or **in great pain** Call.(dub., cj. ἀλυσθαίνω)

ἀλυσιδωτός ή όν adj. [ἄλυσις] (of a cuirass, ref. to the Roman *lorica*) **made of chainmail** Plb.

ἄλυσις εως (Ion. ιος) f. **1 chain** (of metal, for attaching to objects) Hdt. E. Th. X. Plb.; (for fettering persons) D. Plb NT. Plu. **2** (collectv.sg.) **chains, bondage, captivity** Plb.

ἀλυσιτέλεια ᾱς f. [ἀλυσιτελής] **lack of profit** Plb.

ἀ-λῡσιτελής ές adj. [privatv.prfx.] **1** (of things, activities, situations) **unprofitable, not advantageous** or **beneficial** (sts. W.DAT. to someone) Att.orats. X. Arist. Plb. **2** (of a person) **not beneficial, useless** Aeschin. D.

—**ἀλυσιτελῶς** adv. **unprofitably** X. Plu.

ἀλυσιωτός ή όν adj. [ἄλυσις] (app. of plaited bronze) **made into a chain** Pi.fr.

ἀλυσκάζω vb. [ἀλύσκω] **1 avoid, keep clear of** —*the violence of others* Od.; (of a snake) —*the path of men* Hes.fr. **2** (intr.) **slink away** (fr. fighting) Il.

ἀλυσκάνω vb. **avoid, escape** —*death* Od.

ἀλύσκω vb. [perh.reltd. ἀλέομαι] | fut. ἀλύξω | aor. ἤλυξα, ep. ἄλυξα | **1 avoid, evade, escape** —*death, destruction, sufferings, curses, or sim.* Hom. hHom. A. Pi. Hellenist.poet.; (of a stag) —*a hunter* Il.; (of a serpent) —*the midday sun* AR. **2 get free from, escape** —*a debt and bondage* Od. **3** avoid the company of, **get away from** —*one's companions* Od. **4** (intr.) **escape, get away safely** (sts. W.PREP.PHR. to or fr. somewhere or sthg.) Hom. Hes.fr. AR. **5 escape** —W.GEN. fr. *death* (as a penalty) S.; **escape punishment for, get away with** —W.GEN. *impudence* S. **6 slink away** —W.PREP.PHR. *to a place* Ar.

ἀλύσσω vb. [reltd. ἀλύω] (of dogs) **be frantic** Il.

ἄ-λυτος, ep. **ἄλῠτος** (Theoc.) ον adj. [privatv.prfx., λυτός] **1** (of things which bind or fasten) not to be loosed or undone, **indissoluble** Hom. A. Pl. Plu.; (of things created by binding or fastening) Pl. **2** (of the power of two kings in accord) **indissoluble, indestructible** Plu.; (of a guarantee) Plu. **3** (of a wheel, to which a wryneck is bound) from which there is no loosing, **inescapable** Pi.; (of a net) Theoc. **4** (of a substance) **undissolved** Pl.; (of the scent of hare-tracks) X. **5** (of troubles) **insoluble, irremediable** S. **6** (of an argument) **irrefutable** Arist.

—**ἀλύτως** adv. **indissolubly** Pl.

ἀλύω, ep. **ἀλύω** vb. **1 be distracted with physical or emotional pain, be distraught** or **frantic** Hom. S. E. Ar. AR. Plu.; (of a person's mind) Plu. **2** behave or speak as if out of one's mind, **rave** Od. A. E. Ar.(quot. E.) | see also λύζω **3** (of a bird, trapped in lime) **flap frantically** —W.ACC. w. *its wings* E.Cyc. **4** (of a country, envisaged as a ship) **be in distress** S.(cj. σαλεύω) **5** (perh., wkr.sens.) **be fretful** or **upset** Men. **6** (wkr.sens.) **wander, roam about** (without fixed purpose) Plu.; **be bored** or **at a loss** Plu.; **have lost one's wits** (through old age) Plu.

ἄλφα indecl.n. [Semit.loanwd.] **alpha** (letter of the Greek alphabet) Pl. X. Arist. Call.

ἀλφάνω vb. | aor.2 ἦλφον, opt. ἄλφοιμι | **1** (of a person for sale) **bring in, fetch, attract** —*a certain price* Hom. **2** (of a person) **earn, incur** —*envy* E.

Ἀλφειός, also **Ἀλφεός**, οῦ m. **Alpheios** (river in Elis, esp. assoc.w. Olympia) Il. +

ἀλφεσί-βοιος ᾱ ον adj. [ἀλφάνω, βοῦς] **1** (of unmarried girls) **bringing in oxen** (as a bride-price, i.e. highly marriageable) Il. hHom. **2** (of the water of the Nile) **cattle-nourishing** A.

ἀλφησταί ῶν (ep. ἄων, dial. ᾶν) masc.pl.adj. [ἄλφι, ἐσθίω] | ep.dat. ἀλφηστῇσι | (of men) **grain-eating** Od. Hes. hHom. A. S.

ἄλφι n. | only acc. | (collectv.) **groats** (i.e. milled grain, usu. of barley, sts. of wheat) hHom.

ἄλφιτα των n.pl. **1 groats** Hom. hHom. Hippon. Hdt. Th. Ar. +; (collectv.sg.) Hom. Ar. Plu. **2** (meton., as being a staple food) means of sustenance, **daily bread** Ar.

ἀλφιτ-αμοιβός οῦ m. one who exchanges groats (for money), **groat-dealer** Ar.

ἀλφιτεύω vb. **grind groats** Hippon.

ἄλφιτον n.sg.: see ἄλφιτα

ἀλφιτοποιίᾱ ᾱς f. [ποιέω] **making of groats** X.

ἀλφιτό-πωλις ιδος fem.adj. [πωλέω] | acc. ἀλφιτόπωλιν | (of a colonnade in a market) **where groats are sold** Ar.

ἀλφιτοσῖτέω contr.vb. [σῖτος] **eat groats** X.

ἄλφοιμι (aor.2 opt.): see ἀλφάνω

ἀλφός οῦ m. **loss of pigmentation** (as a skin disorder), **blanching** Hes.fr. Pl. Thphr.

ἁλῶ (aor.subj.): see ἁλίσκομαι

ἅλω (acc. and gen.sg.): see ἅλως

Ἁλῷα ων n.pl. [app. ἅλως] **Haloa** (winter festival at Eleusis) D.

ἁλωεύς ῆος ep.m. [ἁλωή] **gardener** or **farmer** (appos.w. ἀνήρ) AR.

ἁλωή ῆς, dial. **ἀλωά** ᾶς f. [reltd. ἅλως] **1 threshing-floor** Il. Hes. Theoc. **2** area of land yielding fruits and vegetables; **garden, orchard** Hom. AR. Theoc.; (specif.) **vineyard** Hom. hHom. Theoc. Mosch.

ἁλωΐς ίδος (v.l. **ἁλωάς** άδος) fem.adj. (epith. of Demeter) **of the threshing-floor** Theoc.

ἁλωκώς (dial.pf.ptcpl.): see ἁλίσκομαι

ἅλων ωνος f. **threshing-floor** NT.

ἁλῶναι (aor.inf.), **ἁλώμεναι** (ep.aor.inf.): see ἁλίσκομαι

ἀλώπᾱ Aeol.f.: see ἀλώπηξ

ἀλωπεκέη ἧς, Ion. **ἀλωπεκέη** ης f. [ἀλώπηξ] **1 fox-skin** Plu. **2** (specif.) **fox-skin cap** (worn by Thracians) Hdt. X.

ἀλωπεκιδεύς έως m. [dimin. ἀλώπηξ] **fox-cub** Ar.

ἀλωπεκίζω vb. **play the fox** (i.e. be cunning) Ar.(quot. Scol.)

ἀλωπέκιον ου n. [dimin.] **fox-cub** Ar.

ἀλωπεκίς ίδος f. hybrid of fox and dog, **vulpine hound** X.
ἀλώπηξ εκος f. —also perh. ἀλώπα ᾶς Aeol.f. **1 fox** or **vixen** (sts. as an example of cunning) Archil. Semon. Alc. Sol. Pi. Hdt. +; (ref. to a cunning person) Timocr. Pi. Ar. NT. Plu.
2 disease which results in hair loss, **alopecia, mange** Call.
ἅλως ω f. [reltd. ἀλωή] | acc. ἅλω, also ἅλωα (Call.) | nom.pl. ἅλως | **1 threshing-floor** X. D. Call.
2 (fig.) **circle, orb** (of a shield) A.
ἁλώσιμος ον adj. [ἁλίσκομαι] **1** (of a person, place, military position) **able to be captured** Hdt. Th. X. Plu.; (of a ship, W.DAT. by pursuit) E.
2 (fig., of persons; of a wild animal, ref. to a person) **able to be caught** or **won over** (sts. W.DAT. by kindness, persuasion, or sim.) X. Plu.
3 || NEUT.SB. what is able to be grasped (W.DAT. by the mind) S.
4 pertaining to capture; (of the day, news) **of the capture** (sts. W.GEN. of a city) Stesich. Ibyc. A.; (of a victory-hymn) **for the capture** (of a city) A.
ἅλωσις εως (Ion. ιος) f. **1 capture** (of a person, city, territory, or sim.) Pi. Hdt. Trag. Th. Pl. +
2 means of capture (of a city) S.; (of birds) S.(cj.)
3 (leg.) **conviction** (of a criminal) Pl.
ἁλώσομαι (fut.pass.): see ἁλίσκομαι
ἁλωτός ή όν adj. **1** (of a people) **conquerable** Th.
2 (of things which are sought after) **attainable** S. Men.
ἀ-λώφητος ον adj. [privatv.prfx., λωφάω] (of athletic contests, fig.ref. to military campaigns) **unremitting** Plu.
ἁλώω (ep.aor.subj.): see ἁλίσκομαι
ἄμ dial.prep.: see ἀνά
ἅμα, dial. ἀμά adv. and prep. [reltd. ὁμοῦ] **1** together (in the same company, or in united purpose or effort), **together, side by side, all together** Hom. +; (as prep.) **together with, along with, alongside** —W.DAT. persons or things Hom. +
2 together (at the same time), **at the same time, both at once** or **all together** Hom. +; (as prep.) **at the same time as, simultaneously with** —W.DAT. (freq. + PTCPL.) an event (happening) Hom. + • ἅμ' ἠοῖ (φαινομένηφι) at dawn (as it appears) Hom. • ἅμα ἕῳ (γιγνομένῃ) at (the arrival of) dawn Th.
3 (linking two vbs., or a ptcpl. and a vb., to reinforce the notion of simultaneous or closely consecutive actions) • ἅμα τε ἔλεγε ταῦτα καὶ ἐδείκνυε ἐς τὸν Βάττον as he was saying this he pointed to Battos Hdt. • βρίζων ἅμα οὔλοισιν ἐξήμελξας εὐτραφὲς γάλα while slumbering you sucked the nourishing milk with your gums A. • ἅμ' ἀκηκόαμέν τι καὶ τριηράρχους καθίσταμεν no sooner have we heard something than we appoint trierarchs D.
4 (introducing an addition) at the same time (as sthg. already mentioned), **besides, too, also** Hom. + • χέρνιβον ἀμφίπολος πρόχοόν θ' ἅμα χερσὶν ἔχουσα a serving-woman holding a basin and also a jug in her hands Il. • ἅμα ἔκτεινον πάντα τινὰ τῶν μάγων they also killed every one of the priests Hdt.
5 (reinforcing a connection or antithesis betw. two wds. or cls.) **both, alike, at the same time** Hom. + • ἅμ' οἰμωγῇ τε καὶ εὐχωλῇ groaning and boasting together Il. • νῦν δ' ἅμα τ' αὐτίκα πολλὰ διδοῖ, τὰ δ' ὄπισθεν ὑπέστη but now he is not only offering much right away, but he has promised more to come Il. • ἅμα μὲν ἐβουλεύοντο ... ἅμα δὲ ὠτακούστεον they deliberated ... and at the same time they listened carefully Hdt.
ἁμα-δρυάς άδος fem.adj. [δρῦς] (of a nymph, whose life is dependent upon that of a tree to which she is attached) **hamadryad** AR.
Ἀμαζών όνος f. **Amazon** (member of a legendary tribe of female warriors, living along the S. coast of the Black Sea) Il. A. Pi. Hdt. E. Lys. +
—Ἀμαζονίδες ων f.pl. **Amazons** Pi. Hdt. Call. AR.
—Ἀμαζονικός ή όν adj. (of shields) of Amazonian type, **Amazonian** Plu.
—Ἀμαζόνιος η ον ep.adj. (of mountains nr. the Black Sea) **Amazonian** AR.
—Ἀμαζόνειον ου n. sanctuary dedicated to the Amazons (in Athens and Chalcis), **Amazoneion** Plu.
ἀμαθαίνω vb. [ἀμαθής] **lack knowledge** or **understanding, be ignorant** Pl.
ἀ-μαθής ές adj. [privatv.prfx., μανθάνω] **1** lacking knowledge or understanding, **ignorant** (sts. W.GEN. or PREP.PHR. of sthg.) Th. Ar. Isoc. Pl. X. Arist.
2 (pejor., sts. w.connot. of lack of moral or aesthetic judgement) **ignorant, stupid, senseless** Hdt. E. Th. Ar. Att.orats. Pl. +; (of conduct, speech, or sim.) E. Pl. Aeschin. Men. Plu.; (of a wild beast) **gormless** X.
—ἀμαθῶς adv.| compar. ἀμαθέστερον, superl. ἀμαθέστατα | **1** without knowledge or experience, **ignorantly, naively** Th. Ar.; **inexpertly** Call.
2 stupidly, foolishly E. Ar.
3 waywardly, perversely —ref. to events progressing Th.
ἀμαθία ᾶς f. **1** lack of knowledge or understanding, **ignorance** Th. Ar. Isoc. Pl. X. +; (W.GEN. of sthg.) X.
2 (pejor., w. further connot. of lack of moral or aesthetic judgement) **ignorance** E. Isoc. X.
3 stupidity, foolishness E. Att.orats. X. Men.
ἄμαθος ου f. **1 sandy soil** Il.
2 sand (of a beach or desert) AR. || PL. sands (ref. to a beach) hHom.
ἀμαθύνω vb. **1** (of fire) **reduce to ashes** —a city Il. [or perh. level to the ground, raze]
2 app. **level** (i.e. crush into the ground) —ashes (of a fire, to dampen it) hHom.
3 (fig., of destruction) **crush** or **reduce to dust** —a boaster A.
4 shrivel —one's flesh (W.PREP.PHR. in a flame) Theoc.
ἀμαιμάκετος η ον (also ος ον) ep.adj. [pop.etym.: intensv.prfx., μαιμάω; also privatv.prfx., μάχομαι] (of the Chimaira, Nemean lion, Erinyes) app. **formidable, awesome, irresistible** Il. S. Theoc.; (of Poseidon's trident, a spear) Pi. AR.; (of fire) Hes. S.; (of the sea) Hes. Pi.; (of the motion of the Clashing Rocks) Pi.; (of a goddess's might) Pi.; (of strife) B.; (of a ship's mast) perh. **mighty** or **solid** Od.
ἀμαλάπτομαι pass.vb. (of Io) **be weakened** or **exhausted** —W.DAT. by her wanderings A.(cj.)
ἀμαλδύνω vb. **1** app., make weak; (of gods) **destroy, wipe out, obliterate** —a defensive wall Il.; (of a calamity) **ruin, crush** —a person B. || PASS. (of a wall) be destroyed Il.; (of a person) be annihilated —W.PREP.PHR. by Zeus Ar.
2 (of the living) **exhaust** —the possessions of the dead Theoc.
3 (of a goddess) **efface, blot out** —her beauty (to disguise herself) hHom.; (of the sun) —the tracks and scents of animals AR.
4 (of a speaker) **gloss over** —an event AR.
Ἀμάλθεια ᾶς, Ion. Ἀμαλθείη (also Ἀμαλθίη) ης f.
1 Amaltheia (she-goat, who suckled Zeus) Call.
2 (nymph, who possessed a bull's horn, which could supply unlimited food and drink); (provbl.) Ἀμαλθείας (Ἀμαλθίης) κέρας horn of Amaltheia (i.e. cornucopia) Anacr. Philox.Leuc.

ἄμαλλα (also **ἄμαλλα** Call.) ης *f.* [perh. ἀμάω; also pop.etym., reltd. ἅμα] bundle of harvested corn, **sheaf** Call. Plu.

ἀμαλλο-δετήρ ῆρος *m.* —also **ἀμαλλοδέτης** ου *m.* [δέω¹] **binder of sheaves** Il. Theoc.

ἀμαλός ή όν *adj.* (of young animals) **weak, feeble, frail** Hom.; (of an old man) E.

ἀμάντεσσι (dial.dat.pl.ptcpl.): see ἀμάω

ἄ-μαντις ι *adj.* [privatv.prfx., μάντις] **not prophetic, without foresight** (w.GEN. of fear) A.(cj.)

ἅμαξα, ep. and dial. **ἅμαξα**, ης *f.* **1 cart, wagon** (for transporting persons, possessions, corpses) Hom. + **2 cart-load, wagon-load** E.*Cyc.*; (w.GEN. of sthg.) Pl. X. **3 Wain** or **Plough** (a constellation, app. identified w. the *Great Bear*) Hom.; (ref. to the *Little Bear*) Call.

ἁμαξεύς έως *m.* **wagon-driver**; (appos.w. βοῦς) **draught-ox** Plu.

ἁμαξεύω *vb.* **1 drive a wagon, be a wagoner** Plu. **2** ǁ PASS. (of a country) **be travelled in by wagon** Hdt.

ἁμαξ-ήρης ες *adj.* [ἀραρίσκω] **1** (of a seat) **in a wagon** A. **2** (of a path) **for wagons** E.

ἁμαξιαῖος ᾱ ον *adj.* (of blocks of stone) **large enough to fill a wagon, wagon-sized** X. D.

ἁμάξιον ου *n.* [dimin.] **little cart** Plu.

ἁμαξίς ίδος *f.* **little cart** Hdt.; **toy cart** Ar.

ἁμαξ-ιτός, ep. and dial. **ἁμαξιτός**, οῦ *f.* [reltd. εἶμι] **wagon-track, carriageway** Il. hHom. Thgn. Parm. Hdt. S. +; (fig., w.GEN. of persuasion) Emp.; (fig., ref. to the path of poetry or song) Pi.; (also appos.w. ὁδός *path*) Pi. X.

ἁμαξο-πηγός οῦ *m.* [πήγνυμι] **wagon-maker, cartwright** Plu.

ἁμαξο-πληθής ές *adj.* [πλῆθος] (of a stone) **large enough to fill a wagon** E.

ἁμαξουργός οῦ *m.* [ἔργον] **wagon-maker, cartwright** Ar.

ἁμαξο-φόρητος ον *adj.* [φορητός] (of a house) **carried on a wagon** Pi.*fr.*

ἀμάομαι *mid.contr.vb.* **1 gather up** —*milk-curds* Od. —*grain* Hes. —*the sap of an oak* AR.; (of an ant) —*a heap* (*of supplies*) Hes.; (of drone-bees) —*the toil of others* (w.PREP.PHR. *into their own bellies*) Hes. **2 heap up** —*earth* AR.

ἆμαρ *dial.n.*: see ἦμαρ

ἁμάρᾱ ᾱς, Ion. **ἁμάρη** ης *f.* **irrigation channel, ditch, trench** Il. Hellenist.poet.

ἀμαράκινος η ον *adj.* [ἀμάρακος *marjoram*] (of a perfume) **made from marjoram** Plb.

ἀ-μάραντος ον *adj.* —also **ἀμαράντινος** η ον *adj.* [privatv.prfx., μαραίνω] (of a crown of glory, ref. to eternal life, perh. w. further connot. of the flower *amaranth*) **unfading, imperishable** NT.; (of an inheritance, ref. to the Kingdom of God) NT.

ἁμαρτάνω *vb.* | fut. ἁμαρτήσομαι, also ἁμαρτήσω (NT.) | aor.2 ἥμαρτον, ep. ἅμαρτον, also ep. ἤμβροτον, Aeol. ἄμβροτον | pf. ἡμάρτηκα ǁ PASS.: aor. ἡμαρτήθην | pf. ἡμάρτημαι ǁ The sections are grouped as: (1–2) fail to hit the mark, (3) fail to achieve or fulfil, (4–5) lose or fail to gain, (6–7) fall short or be deficient, (8) make a mistake, (9) commit an offence. | **1 fail to hit the mark** (in throwing a missile); **miss** Il. Hdt. Ar. + —w.GEN. *one's target* Hom. Hdt. Antipho Lys. +; (in aiming a blow) Hippon.; (in aiming insults) S. **2 fail to hit upon** (i.e. not meet or find), **miss** —w.GEN. *someone* Hdt. —*the right or desired way* Hdt. Th. Ar. X.; (of sailors) —*an island* Pi.

3 fail to achieve or **fulfil** —w.GEN. *an objective, hope, or sim.* Od. Hdt. S. E. Th. Att.orats. +; **fail** —w.INF. *to do sthg.* Th.; **be disappointed** —w.GEN. *by someone* (w.NEUT.ACC. *over sthg., i.e. fail to get it fr. them*) S. ǁ PF.PASS.PTCPL.ADJ. (of a person's aims) **missed, failed** S.

4 fail to take possession of, fail to gain —w.GEN. *a territory* (*in war*) Hdt. Th.

5 fail to keep possession of, be deprived of, lose —w.GEN. *a person* (*through death*) E. —*one's allies* A. —*one's life, sight* Od. E. —*someone's friendship* Thgn. —*stolen property* A.

6 fall short, be lacking or **deficient** —w.GEN. *in gifts* (i.e. *fail to give enough*) Il. —*in words* (i.e. *fail to find the right ones*) Od. —*in good sense* Od. A.(dub.) E.

7 fall short in understanding, be mistaken —w.GEN. *in one's judgement, a calculation* Hdt. Th. —*about an oracle, the future* Hdt.

8 make a mistake (in action or judgement), **go wrong, be mistaken, err** Semon. Thgn. Pi. Hdt. Trag. Th. + —w.NEUT.INTERN.ACC. *in sthg.* Od. Thgn. + ǁ PASS. (of things) **be done or undertaken in error** Th. Att.orats. + ǁ PRES.PASS.PTCPL.ADJ. (of things) **mistaken** Pl. ǁ PF.PASS.PTCPL.ADJ. (of persons) **mistaken** Arist.; (of a constitution) **flawed** Pl. Arist.

9 commit an offence, do wrong, offend, sin Hom. Hes. Hdt. Trag. Att.orats. + —w.COGN.ACC. S. E. And. —w.NEUT. INTERN.ACC. *in some respect or act* Sapph. Hdt. S. E. Th. + —w.INTERN.ACC. *w. one's words* S. —w. εἰς + ACC. *against a god or person* Hdt. S. E. + ǁ PASS. (of things) **be done with wrongful or criminal intent** Th. Att.orats. + ǁ NEUT.PL.PRES. or PF.PASS.PTCPL.SB. **offences, misdeeds** S. E. Att.orats. + —**ἡμαρτημένως** *pf.pass.ptcpl.adv.* **mistakenly** Pl.

ἁμαρτάς άδος *f.* **1 mistake, error** Hdt. **2 offence, crime** Hdt.

ἁμαρτέω *ep.contr.vb.*: see ὁμαρτέω

ἁμαρτῇ (ep. **ἁμαρτή**), also **ὁμαρτῇ** *adv.* [app. ἅμα, ὁμός; ἀραρίσκω] **together, at the same time** Hom. Sol. E. Call. AR.

ἁμαρτήδην (v.l. **ὁμαρτήδην**) *ep.adv.* **together, at the same time** Il.

ἁμάρτημα ατος *n.* [ἁμαρτάνω] **1 mistake, error** Th. Att.orats. Pl. X. +; (w.GEN. of judgement) Th.; (of a misguided mind) S.; (of the tongue) Antipho **2 offence, crime** Hdt. Th. Att.orats. Pl. + **3** (specif.) **infringement** (of a peace treaty) Th. **4 offence** (against God), **sin** NT.

ἁμαρτητικός ή όν *adj.* (of a person) **prone to error** or **wrongdoing** Arist.

ἁμαρτίᾱ ᾱς *f.* **1 mistake, error** (in conduct, thinking, or sim.) A. E. Th. Ar. Pl. + **2 fault, wrongdoing, offence** Trag. Att.orats. + **3** (wkr.sens.) **shortcoming** (in a person's nature) Isoc. **4 offence** (against God), **sin** NT.

ἁμάρτια ων *n.pl.* **1 errors** (of judgement) A. [or perh. *failures*] **2 offences** A.

ἁμαρτί-νοος ον *adj.* [νόος] **1** (of Epimetheus) **mistaken-minded, misguided** Hes.; (of a leader) Sol. **2** (of Io, pursued by a gadfly) **distraught in mind, crazed** A.

ἁμαρτο-επής ές *adj.* [ἔπος] **faulty in speech, talking nonsense** Il.

ἀ-μαρτύρητος ον *adj.* [privatv.prfx., μαρτυρέω] **without a witness** (to one's valour) E.

ἀ-μάρτυρος ον *adj.* [μάρτυς] **1** (leg., of a transaction or contract) **without a witness present, unwitnessed** D.; (of a lawsuit) **without supporting witnesses** Aeschin. D.

2 (in neg.phr., of a country's power) **lacking witnesses** (to attest it) Th.; (of God, to attest His existence) NT.; (of a poet's subject matter) **unattested** (i.e. fictional) Call.
—ἀμαρτύρως *adv.* **without a witness** —*ref. to making a contract* D.

ἁμαρτωλή ῆς *f.* [ἁμαρτάνω] **fault, offence** Thgn.

ἁμαρτωλίᾱ ᾱς *f.* **wrongdoing** Ar.

ἁμαρτωλός όν *adj.* | also masc. (pidgin Gk.) ἁμαρτωλή (Ar.) | **1** (of a person) **wicked** Ar. NT.; (of a generation) **sinful** NT. ‖ MASC.SB. **sinner** NT.; (specif.) one who does not observe the Law, irreligious person NT.
2 (of a practice) **mistaken, erroneous** Arist.

ἀμαρῡγή ῆς, dial. **ἀμαρῡγά** ᾶς *f.* [ἀμαρύσσω] **1 bright and rapid movement** ‖ PL. **sparkling glances** (fr. the eyes) hHom. AR.; **sparkling rays** (of a star, the moon) AR.
2 flash, dazzle (W.GEN. of horses in motion) Ar.

ἀμάρυγμα, Aeol. **ἀμάρυχμα**, ατος *n.* **1 bright and rapid movement; flash of light** AR.; **radiance, sparkle** (W.GEN. of a face) Sapph.; (pl., of the Graces) Hes.*fr.* ‖ PL. **sparkling glances** (fr. the eyes) AR.
2 flash, dazzle (W.GEN. of wrestling) B.
3 quivering (W.GEN. of a lip) Theoc.

ἀμαρύσσω *vb.* **1 flash** or **dart a glance** —W. ἀπό + GEN. *fr. one's eyes* hHom.; (fig., of a god, perh. of a monster's eyes) **flash** —*fire* Hes. hHom.
2 ‖ MID. (of the light fr. the Golden Fleece, the ground reflecting it) **sparkle** AR.

ἀμάς άδος *f.* **a kind of boat** A.(cj.)

ἀμᾱτήρ *dial.m.*: see ἀμητήρ

ἀματροχιή ῆς *Ion.f.* [ἅμα, τρέχω] **running side by side** (of chariots) Il. Call.

ἀμάτωρ *dial.masc.fem.adj.*: see ἀμήτωρ

ἀμαυρό-βιος ον *adj.* [ἀμαυρός, βίος] (of the race of men) **living a feeble life** Ar.

ἀμαυρός ά (Ion. ή) όν *adj.* **1** (of persons, their strength, limbs, other attributes or faculties) **weak, feeble, frail** Trag. Critias; (of a hare's vision) **dim** X.; (of the gods) **ineffective** S.(dub.cj.)
2 (of a phantom or spectre, the spirits of the dead) faintly seen, **faint, indistinct** Od. Sapph. Plu.; (of a constellation) Theoc.; (of the depths of a lake) **dark, murky** A.*fr.*
3 (of the trace of an animal's scent) **faint, indistinct** X.
4 (of a rumour, reputation) **vague, obscure** A. Plu.
5 (of a person, family) **lowly** or **brought low** Hes. A. E. Plu.
—**ἀμαυρότερον** *compar.adv.* **somewhat vaguely** —*ref. to showing a friendly attitude* Plu.

ἀμαυρόω *contr.vb.* [reltd. μαυρόω] | aor. ἠμαύρωσα, dial. ἀμαύρωσα | **1 make weak or faint, weaken, enfeeble** —*a person* A.(cj.) Pi.; (of Perseus) —*the Graiai* (*by stealing their eye*) Pi.
2 (of the strategy of standing in line w. spear at the ready) **weaken** —*its impact* (*compared w. charging forward*) Plu.
3 (of heat) **weaken, make faint** —*scents* X. ‖ PASS. (of the sun) be made faint, be dimmed (during an eclipse) Hdt. | see also μαυρόω 3
4 (of time, decay) **impair, destroy** —*a funeral shroud, the gifts of the gods* Simon. Call.
5 (of a person) **bring to nought, ruin** —*someone's life* E.; **nullify** —*the plans of enemies* X.
6 weaken, lessen, diminish —*insolence, vices, affectionate feelings, enjoyment* Sol. Pi.*fr.* Plu. ‖ PASS. (of virtue, pleasure) be lessened or diminished B. Arist.
7 (of persons, their power) **lessen, diminish, obscure** —*others, their reputation or achievements* Plb. Plu. ‖ PASS. (of persons) be lessened Plu. —W.ACC. **in repute** Plu.; (of the brightness of a person's fortune) **be dimmed** —W.PREP.PHR. *by someone else's* Plu.

ἀμαύρωμα ατος *n.* **weakening, dimming** (of the sun's light) Plu.

ἀμαύρωσις εως *f.* **weakening, failing** (W.GEN. of the senses) Plu.

ἀμαχανίᾱ *dial.f.*, **ἀμάχανος** *dial.adj.*: see ἀμηχανίᾱ, ἀμήχανος

ἀμαχεί *adv.*: see under ἄμαχος

ἀ-μάχητος, also **ἀμάχετος** (A.), ον *adj.* [privatv.prfx., μάχομαι] **1** (of soldiers) **never having fought, with no experience of fighting** X.
2 unable to be fought against; (of a mountain torrent) **irresistible** A.; (of arrows) S.; (of greed) Simon.

—**ἀμαχητεί**, also **ἀμαχητί** *adv.* **without fighting** Il. Hdt. Th. X. Plb.

ἄ-μαχος ον *adj.* [μάχη] **1** (of soldiers) **never having fought, with no experience of fighting** X.
2 not fighting (on a particular occasion) X.
3 (of persons, deities, their attributes) **unable to be fought against, invincible, unconquerable** A. Pi. B. Hdt. S. Ar. +; (of a wave) A.; (of circumstances, feelings, emotions) Thgn. A. Pi. E. Pl.; (of beauty) **irresistible** Men. Plu.
4 (of a place) **unassailable, impregnable** Hdt.
5 (of a farmer) **unbeatable, unsurpassable** Men.
6 (of behaviour, circumstances) **unmanageable, impossible** X. Men. ‖ NEUT.IMPERS. (w. ἐστί understd.) **it is impossible** —W.INF. *to conceal sthg.* Plu.
—**ἀμαχεί** *adv.* **without fighting** Th. X. Plb. Plu.

ἀμάω, ep. **ἀμάω** *contr.vb.* | ep.inf. ἀμάειν (Hes.) | ep.ptcpl. ἀμῶν (AR.), dial.dat.pl. ἀμάντεσσι (Theoc.) | impf. ἤμων | fut. ἀμήσω, ep. ἀμήσω | aor. ἤμησα, ep.ptcpl. ἀμήσᾱς, dial. ἀμᾱ́σᾱς, dial.subj. ἀμάσω |
1 act as a reaper (of corn), **reap** Il. Hes. Call. Theoc.; (tr.) **reap** —*corn, crops* Od. Hes. Thgn. Hdt. AR.(mid.) ‖ PASS. (of crops) be reaped Hdt.
2 (fig.) **reap** —*profits* Hes.*fr.* —*someone else's crop* (*i.e. claim credit for another's achievement*) Ar.; (intr.) —W.ADV. **well** (*i.e. become rich*) A.
3 (gener.) **gather by cutting, cut** —*reeds* (*for thatch*) Il. —*grass, sprigs, roots* S.*fr.* AR. Theoc. —*a lock of hair* Call.; (mid.) —*rushes* Hdt. —*clover* Call.
4 (fig.) **mow down** —*earth-born warriors* AR.; (intr., of Ares) **reap, mow** (in battle) AR.

ἀμβαίνω *dial.vb.*: see ἀναβαίνω

ἀμβάλλω *dial.vb.*: see ἀναβάλλω

ἄμβασις *dial.f.*, **ἀμβάτης** *dial.m.*: see ἀνάβασις, ἀναβάτης

ἀμβατός όν *dial.adj.* [ἀναβαίνω] **1** (of a city, ref. to its walls) **able to be scaled** Il.; (of heaven) Od. Pi.
2 (of the sea) **able to be embarked on** Hes.

ἀμβλακών (dial.aor.2 ptcpl.): see ἀμπλακεῖν

ἀμβλήδην *ep.adv.* [ἀναβάλλω] perh. **with sobs welling up** —*ref. to lamenting* Il.

ἀμβληχάομαι *dial.mid.contr.vb.*: see βληχάομαι

ἀμβλίσκω *vb.* **cause an abortion** Pl. Plu.

ἀμβλύνω *vb.* [ἀμβλύς] **1** (fig., of troubles) **blunt, take the edge off** —*one's thinking* Emp.
2 (of persons, circumstances) **blunt, lessen, weaken** —*someone's power, hatred, bitterness, enthusiasm* Plb. Plu. ‖ PASS. (of persons, their resolve) be blunted or weakened Th. E.; (of tyranny) Plu.; (of oracles, i.e. their truth) A.
3 blunt the keenness of, discourage —*someone* Plu. —(W.INF. *fr. doing sthg.*) Plu.
4 numb, stun —*serpents* (*by incantations*) Plu.

ἀμβλύς εῖα ύ *adj.* **1** (of things) **blunt** (opp. sharp) Pl. Plu.
2 (geom., of an angle) **obtuse** (opp. acute) Pl. Plb.
3 (fig., of anger, enthusiasm, authority, the sting of a gibe) with the edge taken off, **blunted, dulled** Th. Plu.
4 (of a person) **blunted, dulled, worn down** (by sufferings) A. E.*fr.*
5 blunted in feeling, **numb, insensitive** Th.; **lacking in keenness** or **enthusiasm** (sts. w. πρός + ACC. for sthg.) Th. Plu.
6 (of persons) **dull, ungifted** (w.ACC. in natural ability) X.
7 (of military operations) **lacking impetus, ineffective** Th.; (of a mode of attack) Plu.
8 (of a cough) **slight** Plu.
9 (of a scratch, an indentation) **slight, faint** Plu.
—**ἀμβλύ** *neut.adv.* | *compar.* ἀμβλύτερον, *superl.* ἀμβλύτατα | **1** dimly —*ref. to seeing, knowing* Pl.
2 not keenly or vigorously, **sluggishly** Pl. Plu.
ἀμβλύτης ητος *f.* **lack of keenness** (for sedition) Plu.
ἀμβλυωπέω *contr.vb.*: see ἀμβλυώσσω
ἀμβλυωπία ᾱς *f.* [ὤψ] **dim-sightedness** Pl.
ἀμβλυώσσω, Att. **ἀμβλυώττω** *vb.* (of a person, animal, eyes) **be dim-sighted** A.*satyr.fr.* Pl. X.(v.l. ἀμβλυωπέω); (fig., of a soul) Pl.
ἀμβλωπός όν *adj.* —also **ἀμβλώψ** ῶπος (E.) *masc.fem.adj.* [ὤψ] **1** (of eyes) **dim-sighted** (because of darkness) E.; (of a life, because of tears) A.
2 (of a mist) **sight-dimming** Critias
ἄμβλωσις εως *f.* [reltd. ἀμβλίσκω] **act of abortion** Arist.
ἀμβόαμα ατος *dial.n.* [ἀναβοάω] **shout, cry** A.
ἀμβοάω *dial.contr.vb.*: see ἀναβοάω
ἀμβολᾱ́ *dial.f.*: see ἀναβολή
ἀμβολάδην *Ion.adv.* —also **ἀμβολάδᾱν** *dial.adv.* [ἀναβάλλω] **1** bubbling up (during the process of boiling) Il. Hdt.
2 as a prelude —*ref. to singing* hHom. Pi.
ἀμβολαδίς *dial.adv.* perh. **with uplifted arms** —*ref. to smiths hammering metal* Call. [or perh. *with pauses between blows, i.e. one blow after another*]
ἀμβολάς άδος *dial.fem.adj.* (of earth) **thrown up** (into a pile) X.
ἀμβολή *dial.f.*: see ἀναβολή
ἀμβολι-εργός όν *ep.adj.* [ἔργον] putting off work, **dilatory** Hes.
ἀμβολίη ης *Ion.f.* **delay, postponement** AR.
ἀμβόλιμος ον *dial.adj.* (of seawater) **surging** or **bubbling up** (w.GEN. fr. the mouth of a drowning man) Tim.
ἀμβροσίᾱ ᾱς, Ion. **ἀμβροσίη** ης *f.* [ἀμβρόσιος] **ambrosia** (as a solid or liquid food of the gods) Hom. Hes. Sapph. Pi. Ar. Arist. +; (as fodder for divine horses) Il. Pl.; (as a perfumed unguent, also used to embalm and immortalise) Hom. Hes.*fr.* hHom. Alc. Hellenist.poet.
ἀμβροσί-οδμος ον *adj.* [ὀδμή] (of ointments) **of ambrosial fragrance** Philox.Leuc.
ἀμβρόσιος ᾱ (Ion. η) ον (also ος ον E.) *adj.* [reltd. ἄμβροτος] **1** (of the attributes or possessions of deities, such as their hair, voice, clothes, chambers, beds) **ambrosial, immortal, divine** Hom. Hes. hHom. Pi.*fr.* AR. Theoc.; (of fodder and mangers for their horses) Il.; (of an unguent) Hom. hHcm.; (of a fragrance) hHom. Thgn. AR.; (of the rays of Dawn) AR.; (of the face of Day) Lyr.adesp.
2 (of sleep, perh. envisaged as a divine gift, or as a restorative of vital strength) **ambrosial** Il.; (of night, as immortal or numinous, or perh. as bringing restorative sleep) Hom. Alcm.

3 (of a nymph, the Graces) **divine** hHom. Ar.
4 (gener., of things having an association w. particular deities); (of springs, their water) **divine** Pi.*fr.* E.; (of acts of love) Pi.; (of the gleam of a robe and crown, as a gift fr. a god) E.
5 (of a poet's verses or song) **immortal** (i.e. undying, or as assoc.w. the Muses) Pi. B. Ar.
6 (gener.) fit for the gods; (of the voice of Orpheus, the head and breast of Medea) **heavenly** AR.; (of water fr. the snow of Aetna) Theoc.
ἄμβροτον (Aeol.aor.2): see ἁμαρτάνω
ἀμβροτό-πωλος ον *adj.* [ἄμβροτος, πῶλος] (epith. of Athena) **with immortal horses** E.
ἄμ-βροτος ον (also dial. ᾱ ον) *adj.* [privatv.prfx., βροτός] | see also ἄβροτος |
1 (of deities) **immortal** Hom. Hes.*fr.* Lyr. A. Emp. S.
2 (of the attributes, possessions or gifts of deities) **immortal, divine** Hom. Hes. Pi. Emp. Ar. Tim. +; (of night) Od.; (of the light of day) AR.; (of the earth) Pi.*fr.* ∥ NEUT.PL.SB. immortal elements (in the natural world) Emp.
3 (of chants in honour of a deity) **divine** S.(dub.)
ἄμβων ωνος *m.* | *ep.dat.pl.* ἀμβώνεσσι | **1** **crest** or **crag** (w.GEN. of a mountain) Call.
2 rim, lip (of a drinking-cup) Plu.
ἀμβώσᾱς (Ion.aor.ptcpl.): see ἀναβοάω
ἄμέ (dial.acc.1pl.pers.pron.): see ἡμεῖς
ἀ-μέγαρτος ον *adj.* [privatv.prfx., μεγαίρω] **1** (of persons) **unenviable, pitiable** hHom. A.; (derog.) Od.; (of suffering, troubles, grief) Il. A. E. Ar.(quot. E.) AR.
2 (of a blast of wind) **awful, terrible** Od.; (of battle) Hes.; (of water fr. the Styx) A.*fr.*
ἀ-μεγέθης ες *adj.* [μέγεθος] **without size** or **extent** Arist.
ἀμείβω *vb.* | *ep.impf.* ἄμειβον | *fut.* ἀμείψω | *aor.* ἤμειψα, ep. ἄμειψα, dial. ἄμειψα ∥ PASS.: *dial.aor.* (w.mid.sens.) ἀμείφθην (Pi. Theoc.) ∥ The sections are grouped as: (1–3) exchange (one thing for another), (4) change (sthg.), (5–7) cause alternation or succession, (8–17) exchange places, (18–19) reply, (20–24) repay, requite or reciprocate. |
1 make or **cause a change; exchange** —*one's armour (for other armour)* Il.; **change** —*the armour of one's soldiers* Il.
2 give in exchange —*gold armour* (w.GEN. *for bronze*) Il. —*one's wife* (*for one's life, i.e. allow her to die on one's behalf*) E. —*clothes* (w. ἀντί + GEN. *for others*) E.; **give up** (in exchange for a sexual union w. Zeus) —*the state of virginity* A.*fr.* ∥ MID. **give up in exchange** —*gold plate* (w. πρός + ACC. *for money*) Plu.
3 take in exchange —*black robes* (w.GEN. *for white*) E. —*horses* (w. ἀντί + GEN. *for dolphins*) Pi. —*the form of a mortal* (w. ἐκ + GEN. *instead of a god*) E.; **redeem** —*one's husband* (w. ἐκ + GEN. *fr.* Hades, w. ἀντί + GEN. *at the cost of one's own life*) E.; **take over** —*someone's watch-duty* E. ∥ MID. **acquire** (w.ACC. sthg.) **in exchange** (for sthg. else) A. E. AR. —(w. ἀντί + GEN. *for sthg. else*) Arist.(quot.epigr.) —(w.GEN.) S.
4 (gener.) **change, alter** —*one's appearance, colour, bloom* hHom. A. E.*fr.* Plu. —*position* Pl.; (intr.) —W.INTERN.ACC. *to all kinds of colours* Plu.; (of a wind) **change direction** Plu. ∥ MID. (of skin) **change** —*its hue* Sol.; (of an island) —*its name* AR.; (intr., of a facial expression) Theoc.; (of a hole) —W.DAT. *in narrowness* (*i.e. become narrower*) X.
5 cause an alternation or **succession** (of actions or events); **alternate, move in succession** —*knee* (W.GEN. *after knee, in stepping forwards*) Il.; **cause** (W.ACC. deaths) **to follow in turn** —W.GEN. *after deaths* E.; (intr., of a new event) **come in**

turn —w. ἐκ + GEN. *after others* E. ‖ MID. (of events) **come one after another** E.; (of murder) **give place to** —w.GEN. *murder* (*i.e. be succeeded by murder*) E.(cj.); (of different sufferings) **come in turn to** —w.ACC. *different people* E.(cj.)
6 pass (W.ACC. children) **from one to another** —w.DAT. *by a succession of hands* (*i.e. pass them fr. hand to hand*) E.
7 ‖ MID. **take turns** (at doing sthg.) Hom. Pi. AR. Plb.; (of fields, at being ploughed and lying fallow) Pi.
8 exchange places ‖ MID. **exchange** —*one's country* (*for another*) Sol. —*one place* (W.GEN. *for another*) Pi.*fr.*; **go to** —*one city* (w. ἐκ + GEN. *after another*) Pl. ‖ ACT. **go to** —*a place* (w. ἀπό + GEN. *fr. another place*) AR.; (of sophists selling knowledge) **exchange** —*one city after another* (W.GEN. *for money, app. w.connot. of both spatial and financial exchange*) Pl.
9 ‖ MID. (intr., of a rider) **switch** —W.PREP.PHR. *to another horse* Il.
10 ‖ MID. (of the soul, a drug) **pass through** or **across** —*the barrier of the teeth* Hom.
11 cross —*a threshold* (*to enter or leave a building*) A. AR. ‖ MID. (of Night and Day, alternating w. each other) **cross** —*a threshold* Hes.; (intr., of a person) —w. ὑπέρ + ACC. *over a threshold* Theoc.
12 cross —*the Hellespont* (W.DAT. *on a bridge of boats*) A.; (mid.) —*a river* Hdt.(quot.epigr.)
13 pass through —*a door* (*to enter or leave a building*) Hdt. E.*fr.*; (mid.) A. E.
14 come out of, leave —*a house or cave* S. E.
15 go past or away from, leave behind, leave —*a place* Pi. S. E. AR.; (mid.) AR.
16 pass along, traverse —*a path or route* B. E.; **mount** —*the rungs of a ladder* E.; (perh.causatv.) **make** (W.ACC. persons) **pass** —w. διά + GEN. *through bloodshed* (W.PREP.PHR. *into a contest, i.e. involve them in a bloody contest*) E. ‖ MID. (of a foot, meton. for a person on foot) **pass** —w. διά + GEN. *through a land* E.; (of rowing) —w. διά + ACC. *through Acheron* A.(dub.)
17 ‖ MID. **pass beyond, surpass, outdo** —*sthg.* Pi.
18 ‖ MID. and AOR.PASS. **speak in answer, answer, reply** Hom. hHom. Pi. Hdt. Trag. AR. Plu. —W.COMPL.CL. *that sthg. is the case* Hdt.; (tr.) **answer, reply to** —*someone* Hom. Hes. Lyr. Hdt. Trag. Hellenistic.poet.; **answer** (sts. W.ACC. someone) —W.INTERN.ACC. *in certain words, w. advice, or sim.* Pi. Hdt. Trag.
19 ‖ MID. **answer, respond to** —*someone* (W.DAT. *w. an embrace*) E.
20 give in return, **repay, return** —*thanks* (W.DAT. *to someone*) A. ‖ MID. (of wicked gains) **bring in return** —*punishment* (W.DAT. *to many*) E.*Cyc.*
21 ‖ MID. **repay, requite, reward** —*a god or person, their services, or sim.* (usu. W.DAT. *w. gifts, gratitude, or sim.*) Od. A. Pi. Hdt. X. D. + —*a people* (W.GEN. *for sthg.*) Plu.; (intr.) **reciprocate** Plu. —W.PTCPL. *by doing a favour* X.
22 ‖ MID. (w. punitive connot., of Justice) **requite** —*the follies of mortals* E.; (of murder) —*murder* E.; (of envy) —*noble deeds* Pi.
23 receive in return —*honour fr. men* (*for an offence against the gods*) Ibyc. ‖ MID. (of a god) —*a recompense* (*for his services*) A.
24 give and take in return; reciprocate —*friendship* S.
—ἀμείβοντες ων *masc.pl.ptcpl.sb.* **sloping beams** (meeting at the summit of a pitched roof) Il. [or perh. *beams that cross each other*]

ἀ-μείδητος ον *adj.* [privatv.prfx., μειδάω] (of nights) in which there is no smiling, **sombre, grim** AR.
ἄ-μεικτος (also written ἄμικτος) ον *adj.* [μεικτός] **1** not mixing or able to be mixed (w. other things); (of natural elements) **unmixed** (w. others) Emp. Arist.; (of the cries of victors and vanquished) **not blending** (w. each other) A.; (of different physical states) **incompatible** (w. each other) Pl.; (of customs, W.DAT. w. those of other people) Th.
2 lacking mixture or admixture, **unmixed, unalloyed, pure** Pl.; **containing no mixture** (W.GEN. of certain things) Pl.
3 (of rights) not to be shared promiscuously, **exclusive** (to an individual) Plu.
4 (of a person, way of life) avoiding social contact, **unsociable** D. Plu.; (of a criminal) refused social contact, **cold-shouldered** (W.DAT. by someone) D. ‖ NEUT.SB. unsociability Plu.
5 (of a land, city, nation) **unsociable** E. Isoc. Plu.; (of the Cyclops, Centaurs, Cycnus) **inhospitable, uncivilised, barbarous** S. E.; (fig., of greed, envisaged as a wild animal) Plu.
6 (of peoples) **not interconnected** (w. each other) Pl.
7 (of animals) **not cross-breeding** Pl.
—ἀμεικτότατα *neut.pl.superl.adv.* **in a very unmixed condition** Pl.
ἀ-μείλικτος ον *adj.* [μειλίσσω] **1** (of speech) not softened, **stern, harsh** Il.
2 (of Zeus, Hades, the water of Styx) not to be appeased, **implacable** hHom. AR. Bion; (of a serpent) **grim** Mosch.
3 (of bonds) **harsh, cruel** Hes.
ἀ-μείλιχος ον *adj.* **1** (of a person or deity, their heart) not gentle or kind, **implacable, unpitying, merciless** Il. Hes.*fr.*(cj.) hHom. Semon.; (of a serpent) Hes.*fr.*; (of the sea) hHom. Anacr.; (of an army, fig.ref. to driving rain) Pi.; (of anger) Pi.
2 (of force) **brute** Sol.
3 (of sufferings) **harsh, cruel** A.
4 (of the face of Pan) **grim, savage** hHom.
ἀμείνων ον, gen. ονος *compar.adj.* | masc.fem.acc. ἀμείνονα or ἀμείνω ‖ PL.: masc.fem.nom. ἀμείνονες (sts. ἀμείνους), acc. ἀμείνονας or ἀμείνους | neut.nom.acc. ἀμείνω (sts. ἀμείνονα) |
1 (of persons) **better, superior** Hom. +; (W.ACC. or DAT. at an activity or in some regard) Hom. +; (W.INF. at doing sthg.) Hom. +; (of horses) Il.
2 (of things, freq. abstr.) **better, preferable** (in quality, suitability, usefulness, or sim.) Hom. +
3 ‖ NEUT.IMPERS. (w. ἐστί or sim., sts.understd.) **it is better** (usu. W.INF. to do sthg.) Hom. +
—ἄμεινον *neut.adv.* **better** Mimn. +
—ἀμεινότερος ᾱ ον *compar.adj.* (of a fighter) **better** Mimn.
ἀμειξίᾱ (also written ἀμιξίᾱ) ᾶς, Ion. ἀμιξίη ης *f.* [ἄμεικτος] **1 lack of contact** or **communication** (W.GEN. betw. communities) Th.; (w. πρός + ACC. w. other peoples) Plu.
2 unsociable attitude (of individuals towards each other) Isoc.; (of a people towards foreigners) Plu.
3 disunity, disorder, confusion (in a group of people) Plb.
4 lack of circulation or **exchange** (W.GEN. of money) Hdt.
ἀμείρω *dial.vb.*: see ἀμέρδω
ἄμειψις εως *f.* [ἀμείβω] **1 exchanging** (W.GEN. of positions on the battlefield) Plu.
2 commercial exchange, commerce Plb.
3 process of following one after the other; succession (W.GEN. of generations) Plu.

ἀμέλγω *vb.* | fut. ἀμέλξω | aor. ἤμελξα | **1 milk** —*sheep, goats, cows* Od. E.*Cyc.* Theoc. Mosch. —*a he-goat* (*provbl. for a futile action*) Plb.; (intr.) Hdt. Theoc. —W.COGN.ACC. *milk* Hdt. Theoc.(also mid.) || PASS. be milked Plu. —W.COGN.ACC. *of one's milk* Il.; (fig., of grapes) —*of their nectar* Ion
2 (fig.) **suck down, drain** —*a poison* Theoc. —*someone's love* (*envisaged as a drink*) Bion

ἀμέλει *imperatv.*: see under ἀμελέω

ἀμέλεια, also **ἀμελίᾱ** (E.), ᾱς *f.* [ἀμελής] **1 lack of concern, indifference** E. Th. Isoc. Pl. X. Arist.
2 (pejor.) **negligence, carelessness** Th. Pl. X. D. Arist. Plu.
3 neglect (of persons, the gods, one's own interests, or sim.) Th. Pl. X. Plu.

ἀμελετησίᾱ ᾱς *f.* [privatv.prfx., μελετάω] **lack of practice or exercise** Pl.

ἀ-μελέτητος ον *adj.* [μελετητός] **unpractised, untrained** Pl. X.; (W.INF. in doing sthg.) Pl.

—**ἀμελετήτως** *adv.* (w. ἔχειν) be unpractised Pl.

ἀμελέω *contr.vb.* [ἀμελής] | aor. ἠμέλησα, ep. ἀμέλησα | pf. ἠμέληκα | neut.impers.vbl.adj. ἀμελητέον | **1 be negligent, unconcerned** or **indifferent** Hes. A. S. Ar. Isoc. Pl. +
2 neglect, disregard, ignore —W.GEN. *someone or sthg.* Il. A. Hdt. E. Th. Ar. + —W.ACC. *a course of action* Hdt. || PASS. be neglected or ignored S. E. Th. Isoc. Pl. X. +
3 not care about —W.ACC. + PTCPL. *someone doing sthg.* E.
4 not care —W.INDIR.Q. *whether sthg. is the case* Isoc.
5 neglect —W.INF. *to do sthg.* Hdt. Isoc. Pl. X. Is.
6 || PF.PASS.PTCPL.ADJ. (of a huntsman's clothing and footwear) app., **casual** X.

—**ἀμέλει** *imperatv.* (colloq., conveying general emphasis, freq. first wd., sts. postponed or parenthetic) **never mind!, don't worry!, rest assured!** Ar. Pl. X. Thphr. Men. Plu.; (in dialogue, usu. opening a speech) Pl. X. D. Plu.

—**ἠμελημένως** *pf.pass.ptcpl.adv.* **1** without being cared for or attended to, **neglectedly** Isoc. X.
2 without exercising care, **unconcernedly, negligently** X.

ἀ-μελής ές *adj.* [privatv.prfx., μέλω] **1** lacking in care or concern, **unconcerned, negligent** Ar. Isoc. Pl. X. D. Plu.
2 uncaring, neglectful (W.GEN. of someone or sthg.) A.(cj.) Pl. X. || NEUT.SB. neglect (W.GEN. of sthg.) Pl.
3 || NEUT.IMPERS. (w. ἐστί understd.) there is a lack of concern (W.GEN. for sthg.) X.

—**ἀμελῶς** *adv.* | compar. ἀμελέστερον | **1 unconcernedly, carelessly, negligently** Th. Isoc. Pl. X. +
2 in a manner that is neglectful (W.GEN. of someone) Pl.

ἀμέλητος ον *adj.* (of things) **not of concern** Thgn.

ἀμελίᾱ *f.*: see ἀμέλεια

ἀμελλήτως *adv.* [privatv.prfx., μέλλω] **without hesitation** Plb.

ἄμελξις εως *f.* [ἀμέλγω] **milking** (of goats, W.GEN. for their milk) Pi.*fr.*

ἄ-μεμπτος ον *adj.* [privatv.prfx., μεμπτός] **1** (of persons or things) not subject to blame, **blameless, faultless, irreproachable** B. E. Pl. X. D. +; (W.GEN. in regard to sthg.) A.
2 (of persons) not having a cause for blame, **satisfied, uncomplaining** X.

—**ἀμέμπτως** *adv.* **1 blamelessly, irreproachably** A. Pl. X. D. Plu.
2 perh. **uncomplainingly** S.

ἀμεμφείᾱ ᾱς *f.* [ἀμεμφής] **freedom from blame** A.

ἀ-μεμφής ές *adj.* [privatv.prfx., μέμφομαι] **1** (of persons or things) free from blame, **blameless, irreproachable, faultless** A. Pi. B. Emp. AR. Plu.
2 (of the gods) **not finding fault** (W.GEN. w. acts of negligence) Plu.

—**ἀμεμφέως** *Ion.adv.* **blamelessly** Emp.

ἄμεναι (ep.athem.aor.inf.): see ἄω

ἀ-μενηνός όν *adj.* [μένος] (of o d, injured or weary persons) lacking strength or power, **weak, feeble** Il. hHom. S. AR. Mosch.; (of the race of humans hHom. Ar.; (of Pygmies) Hes.*fr.*; (of ghosts of the dead) Od. E.; (of dreams) Od.

ἀμενηνόω *contr.vb.* (of a god) **weaken the force of** —*a spear-point* Il.

ἀ-μενής ές *adj.* (of an old woman) **weak, feeble** E.

ἀμέρᾱ *dial.f.*, **ἀμέρᾱ** *Aeol.f.*: see ἡμέρᾱ

ἀμέργω *vb.* | fut. ἀμέρξω | **1 pick, pluck** —*flowers, fruit, leaves* Sapph. E. AR. Mosch.; (mid.) AR. Theoc.
2 (fig.) **take pickings from** —*fruitful foreigners* Ar.(cj.)

ἀμέρδω, *dial.* **ἀμείρω** (Pi.) *vb.* | aor. ἤμερσα, ep. ἄμερσα | **1 deprive, rob** —*someone* (*of a prize*) Il. —(W.GEN. *of life, sight, goods, a homeland*) Od. Hes. Hippon. Pi. —*someone's life* (*of honour*) Pi. —W.DBL.ACC *the gods, of privileges* hHom. || PASS. be deprived —W.GEN. *of life* Il. —*of a meal* Od.
2 take away, steal, snatch —*a prize* (W.PREP.PHR. *fr. someone's hands*) B. —*cattle* AR.
3 app. **destroy, lose** —*one's life* E.
4 (of smoke) deprive of lustre, **tarnish** —*weapons* Od.
5 (of flashing bronze, Zeus' lightning-bolt) deprive of sight, **dazzle, blind** —*someone's eyes* Il. Hes.

ἀ-μερής ές *adj.* [privatv.prfx., μέρος] not consisting of separate parts, **indivisible** Pl. Arist. Plu.

ἀ-μερίμνητος ον *adj.* [μεριμνάω] (of afflictions) **uncared for** S.(cj.) | see μεριμνήματα

ἀ-μέριμνος ον *adj.* [μέριμνα] **1** (of a person) **free from care** NT.
2 uncared for S.

ἀμέριος *dial.adj.*: see ἡμέριος

ἀ-μέριστος ον *adj.* [μεριστός] (of an entity) not able to be separated into parts, **indivisible** Pl. Arist.

ἀμεροδρόμος *dial.adj.*: see under ἡμεροδρόμος

ἀμερόκοιτος *dial.adj.*: see ἡμερόκοιτος

ἄμερος *dial.adj.*: see ἥμερος

ἄμερσα (ep.aor.): see ἀμέρδω

ἀμές *dial.1pl.pers.pron.*: see ἡμεῖς

ἀ-μετάβλητος ον *adj.* [privatv.prfx., μεταβλητός] (of entities) **unchangeable** Arist.

ἀ-μετάβολος ον *adj.* [μεταβάλλω] (of rules) **unchanging** Plu.

ἀ-μετάθετος ον *adj.* [μετατίθημι] (of feelings, intentions) **unalterable, immovable** Plb.

ἀμετακῑνήτως *adv.* [μετακῑνητός] **immovably** Arist.

ἀ-μετάκλητος ον *adj.* [μετακαλέω] (of an impulse) **irrevocable** Plb.

ἀ-μεταμέλητος ον *adj.* [μεταμέλομαι] **1** (of conduct or experiences) **not repented of** or **regretted** Pl. Plb.
2 (of a person) **feeling no regret, unrepentant** Arist.

ἀ-μετάπειστος ον *adj.* [μεταπειστός] (of a person, necessity) **not subject to persuasion, inexorable** Arist. Plu.

ἀ-μετάπτωτος ον *adj.* [μεταπίπτω] (of things) **unchangeable** Pl. Plu.

—**ἀμεταπτώτως** *adv.* **without possibility of change** Plu.

ἀ-μετάστατος ον *adj.* [μεθίστημι] (of a man) **unchangeable** (in his principles) Pl.; (of opinions) Pl.

ἀ-μεταστρεπτί *adv.* [μεταστρέφω] **without turning round** Pl. X.

ἀ-μετάστροφος ον *adj.* unable to be turned round, **irreversible** Pl.

ἀ-μετάτρεπτος ον *adj.* [μετατρέπω] **not to be deflected** (fr. one's purpose) Plu.

ἁμέτερος *dial.possessv.adj.*: see ἡμέτερος

ἀ-μέτρητος ον (also dial. ᾱ ον Pi.) *adj.* [μετρητός] **1** not measurable in extent; (of the sea) **boundless, endless** Pi.; (of Air) Ar.; (of sorrow, suffering) Od.
2 not measurable in number; (of oars, troubles) **countless** E.

ἀμετρίᾱ ᾱς *f.* [ἄμετρος] **1** lack of due measure or proportion, **disproportion, imbalance, disharmony** Pl. Plu.
2 unsuitability (W.GEN. of a time for marriage) Pl.
3 lack of moderation, **immoderation, excess** Pl. Plu.
4 failure to keep time (w. a lyre, in dancing) Pl.

ἀμετρό-δικος ον *adj.* [δίκη] (of quarrels) going beyond the limits of justice, **unrighteous, law-breaking** B.

ἀμετρο-επής ές *adj.* [ἔπος] with no limit to one's words, **intemperate in speech, loose-tongued** Il.

ἄ-μετρος ον *adj.* [privatv.prfx., μέτρον] **1** (of things) not admitting of measurement, **unmeasurable** Pl.
2 beyond the possibility of measurement; (of a crowd, an evil) **immense, vast** Simon. X.; (of things) **innumerable, countless** Critias X. Theoc.
3 lacking due measure or proportion, **ill-proportioned, inharmonious, unbalanced** Pl.
4 (of implements) **of undue** or **non-standard size** Pl.
5 lacking moderation, **immoderate, excessive** Pl. Plu.
‖ NEUT.SB. lack of moderation, excess Pl.
6 (of speech or writing) lacking metre, **unmetrical** Arist.

—**ἀμέτρως** *adv.* **1 in a manner lacking measure** or **proportion** Pl.
2 in an inharmonious or **ill-proportioned manner** Pl.
3 immoderately, excessively Pl. X. Plu.
4 unmetrically Critias

ἀμεύσασθαι *dial.aor.mid.inf.* **surpass, outdo** —*opponents* Pi.

ἀμεύσιμος ον *dial.adj.* ‖ NEUT.IMPERS. (w. ἐστί) perh., **one must go across** (the sea) AR.

ἀμευσί-πορος ον *dial.adj.* [πόρος] (of a fork in the road) perh. **where paths change** Pi.

ἁμέων (dial.gen.1pl.pers.pron.): see ἡμεῖς

ἄμη ης *f.* implement for digging, **shovel, spade** Ar. X. Aeschin.

ἀμηγέπη (also written **ἀμῇ γέ πῃ**) *adv.* [ἀμός *any*; cf. οὐδαμοί] **in some way or other** Ar. Pl.

ἀμήν *adv.* [Semit.loanwd.] **1 amen, so be it** (at the end of a statement, indicating assent) NT.
2 truly (introducing a statement) NT.

ἀ-μήνιτος ον *adj.* [privatv.prfx., μηνίω] (of a person, talk) **bearing no anger** or **resentment** A. Hdt.; (in neg.phr., of a storm, fr. the gods) A.(dub.)

—**ἀμηνίτως** *adv.* —also **ἀμηνιτεί** (Archil.) *adv.* **without anger, kindly** Archil. A.

ἀ-μήρυτος ον *adj.* [μηρύομαι] app., that cannot be wound to an end; (of old age) **interminable** AR.

ἄμης ητος *m.* a kind of milky cake Ar.

ἀμητήρ ῆρος *ep.m.* —also **ἀμᾱτήρ** ῆρος *dial.m.* [ἀμάω] **reaper, harvester** Il. Theoc.

ἄμητος, ep. **ἄμητος**, ου *m.* **1** process of reaping, **reaping, harvesting** AR.
2 harvest-time Hes. Hdt.
3 harvested crop, harvest Il.

ἀ-μήτωρ, dial. **ἀμάτωρ**, ορος *masc.fem.adj.* [μήτηρ]
1 lacking a mother (through death or absence), **motherless** Hdt. E.
2 not born of a mother; (of Athene, Aphrodite) **motherless** E. Pl.
3 (of a mother) **not worthy of the name of mother** S.

ἀμηχανέω *contr.vb.* [ἀμήχανος] **1** lack material resources, **be in need** or **want** Th. X. —W.GEN. *of nothing* Hdt.
2 (gener.) **be helpless** or **desperate** A. E. X. Hellenist.poet.; (of love) Theoc.
3 be incapable —W.INF. *of doing sthg.* Plu.
4 be at a loss, uncertain or **perplexed** A. —W.ACC. *about sthg.* A. E. —W.PREP.PHR. E. —W.GEN.PTCPL. *at people doing sthg.* (i.e. why they are doing it) AR.
5 not know —W.INDIR.Q. *what to do, whether to do sthg., what is the case* Trag. AR. —W.INF. *whether or not to do sthg.* A.

ἀμηχανίᾱ, dial. **ἀμᾱχανίᾱ**, ᾱς, Ion. **ἀμηχανίη** ης *f.*
1 helplessness, desperation Od. Thgn. Pi. Parm. E. And. +
2 ‖ PL. **difficulties, perplexities** Thgn. Pi. X. AR. Plb.
3 (personif.) **Helplessness** (assoc.w. Poverty, sts. as her daughter or sister) Hes. Alc. Thgn. Hdt.

ἀμηχανο-εργός όν *adj.* [ἀμήχανος, ἔργον] (of Satyrs) incapable of work, **useless, idle** Hes.*fr.*

ἀ-μήχανος, dial. **ἀμάχανος**, ον *adj.* [privatv.prfx., μηχανή] | ep.fem.gen.pl. ἀμηχανέων (hHom.) | **1** lacking means or resources; (of persons) **helpless, powerless** Od. hHom. A. E. Pl. X. +; (W.INF. to do sthg.) S. D. Plu.; **useless** (W.DAT. to the state) Ar.; (of a person's mind) **at a loss** AR.
2 (of strength and wisdom) **helpless, powerless** Pi.*fr.*; (of an act) **profitless, pointless** Stesich.
3 admitting no resource; (of a person, god, mythical creature) impossible to deal with, **unmanageable, intractable** Il. Hes. hHom. Pl.; **incapable of being persuaded** (W.INF. to listen to advice) Il.
4 (of bonds) **intractable, inescapable** hHom.
5 (of love or desire) **irresistible** hHom. Sapph.; (of a deception) Hes.; (of winds) **impossible to cope with** Pl.
6 (of actions, circumstances, sufferings) **beyond all remedy, past help, desperate** Il. Hes. Archil. Lyr. Trag. + ‖ NEUT.SB. (sg. and pl.) hopeless or desperate situation A. E. Ar.
7 (of terror, confusion, amazement) **helpless** AR. Plu.
8 (of dreams) **awkward, perplexing** Od.
9 (of a journey) **awkward, difficult** Plu.; (of a path, W.INF. to enter upon) X.
10 (of a task, proposal, eventuality) **impracticable, impossible** Il. Hdt. E. X. Plu. ‖ NEUT.PL.SB. impossibilities S. E. ‖ NEUT.IMPERS. (w. ἐστί, sts.understd.) it is impossible —W.INF. or DAT. + INF. (for someone) *to do sthg.* Pi. Hdt. S. Plu. —W.ACC. + INF. *for sthg. to happen* Thgn. Emp. Pl. Plu.
11 impossible to comprehend or describe (because of quantity, magnitude or degree); (of persons or things) **unimaginable, extraordinary** (W.ACC. or DAT. in number) Pl. X. Plu.; (of a task, an argument, W.DAT. in length or extent) Pl.; (of pleasures, W.ACC. in intensity) Pl.; (of sights, W.ACC. in beauty) Pl.; (without acc. or dat., of things) unimaginably great or extensive, **immense, boundless** Pl. Plu. ‖ NEUT.SB. unimaginable amount (W.GEN. of happiness) Pl.
12 (reinforced by ὅσος or οἷος) • ἀμήχανος ὅσος χρόνος *such an immense period of time* Pl. • ἀμήχανόν τι οἷον *something of such an extraordinary kind* Pl.

—**ἀμήχανον** *neut.adv.* **to an extraordinary extent** Pl.; (also phr.) ἀμήχανον ὅσον Arist. Plu.

—**ἀμηχάνως** *adv.* **1 helplessly** A.

ἀμίαντος

2 **extraordinarily** Pl.; (phr.) ἀμηχάνως ὡς εὖ or σφόδρα *extraordinarily well* or *greatly* Pl.

ἀ-μίαντος ον *adj.* [μιαίνω] **1** free of taint (fr. other elements); (of light, air) **unsullied, pure** Pi.*fr.* B.; (of a flame, as lit directly fr. the sun) Plu.
2 (of a person or life) **unsullied** (by wrongdoing) Pl. Plu.; (of a body, by sexual contact) Plu.; (of water, after contact w. a virtuous person) Thgn.; (of lives, by war) Plu.
3 ‖ FEM.SB. the unsullied one (ref. to the sea, envisaged as the mother of fishes) A.

ἀ-μιγής ές *adj.* [μείγνυμι] **1** (of things) free from admixture, **unmixed, pure** Arist.; (of the transmission of a historical record) **untainted** (W.GEN. by falsehood) Plb.; (of subjects of study, by considerations of practical usefulness) Plu.
2 (of Greeks, as a race) **not mixed** (W.GEN. w. barbarians) Pl.; (of animals) **not crossed** (W.DAT. + PREP.PHR. in breeding, w. one another) Pl.

ἀμιθρεῖ (Ion.3sg.): see ἀριθμέω

ἄμικτος *adj.*: see ἄμεικτος

ἅμιλλα ης *f.* **1** organised contest, **contest, competition** (betw. teams, choruses, or individuals) Pi. Isoc. Pl. Plu.; **combat** (betw. wild animals) Plu.; (specif.) **race** (betw. runners, horses, chariots, ships) Ibyc. Pi. Hdt. S. E. Th. +
2 (gener.) **contention, rivalry** Hdt. E. Th. Ar. Isoc. Pl. +; (W.GEN. for sthg.) E. Plb.
3 military conflict, **combat, struggle** E. Th.
4 (gener.) **struggle** (W.GEN. against oppression) E.
5 (periphr.phrs.) **contest** (W.GEN. of hands, i.e. physical struggle) E.; (of words, i.e. verbal dispute) E.; (of wine-cups, i.e. drinking-bout) E.; (W.GEN. based on pride, ref. to an aggressive assertion of superior ancestry) E.
6 (without notion of competition) **rapid** or **vigorous movement** S. E.; (W.GEN. of wings) A.
7 **striving, eager desire** (sts. W.GEN. for sthg.) E.

ἁμιλλάομαι *mid.contr.vb.* | aor. ἡμιλλησάμην (Plu.) | aor.pass. (w.mid.sens.) ἡμιλλήθην (E. +), dial.subj. ἁμιλλᾱθῶ ‖ neut.impers.vbl.adj. ἁμιλλητέον |
1 take part in a competitive event, **compete** (on foot, horseback, w. a chariot, ship, or sim.) And. Lys. Pl. Plb. —w. πρός + ACC. *against someone* E. —W.PREP.PHR. *for a prize, victory* Pi. Isoc.
2 (gener.) engage in competition or rivalry, **compete** (sts. W.DAT. or PREP.PHR. in an activity, for or over sthg.) Hdt. E. Isoc. Pl. Call. Plu. —W.DAT. *w. someone or sthg.* E. Isoc. Plu. —w. πρός + ACC. E. Th. Din. Plb. Plu.
3 **contend** —W.INTERN.ACC. *in an argument* E. —(W.DAT. *against another's arguments*) E. ‖ PASS. (of opposite points of view) be put forward in contention —W.PREP.PHR. *by witnesses to the same event* Aeschin.(quot. E.)
4 hasten (to reach a place before others), **race** X. —W.PREP.PHR. *towards a place or objective* E. X.
5 go eagerly or quickly, **hasten** (sts. W.ADV. or PREP.PHR. to or fr. a place) E. Ar. X. Plu.
6 strive eagerly —W.PREP.PHR. *towards an objective* Isoc. Pl. Arist. Plu. —w. ὡς + SUBJ. *to acquire sthg.* Pl. —W.INF. *to do sthg.* Plu.
7 **engage** —W.INTERN.ACC. *in lamentation* E.

ἁμίλλημα ατος *n.* striving, **eager desire** (W.GEN. for marriage) E.

ἁμιλλητήρ ῆρος *masc.adj.* (of circuits of the sun, ref. to days) **racing on, speeding by** S.

ἁμιλλητικός ή όν *adj.* relating to competition ‖ NEUT.SB. competitive part (of the combative art, opp. the fighting part) Pl.

Ἀμιμητό-βιοι ων *m.pl.* [ἀμίμητος, βίος] **Inimitable Livers** (name of a club or guild, assoc.w. Antony and Cleopatra) Plu.

ἀ-μίμητος ον *adj.* [privatv.prfx., μιμητός] (of persons or things) not able to be imitated, **inimitable** Plb. Plu.
—**ἀμιμήτως** *adv.* **1** inimitably Plu.
2 without accurate imitation, **unrecognisably** —*ref. to a painter representing an object* Arist.

ἁμίν (enclit. **ἅμιν**), **ἁμῖν** (dial.dat.1pl.pers.pron.): see ἡμεῖς

ἀμιξία *f.*, **ἀμιξίη** Ion.*f.*: see ἀμειξία

ἅμ-ιππος ον *adj.* [ἅμα, ἵππος] **1** (of a Boread) **riding together** (w. other winds) S. [also interpr. as *swift as a horse*]
2 (of infantrymen) **fighting alongside the cavalry** X.
‖ MASC.PL.SB. infantry attached to cavalry Th. X. Arist.

ἀμίς ίδος *f.* **piss-pot** Ar. D.

ἀ-μισής ές *adj.* [privatv.prfx., μῖσος] (of variation in exercise routines) **not irksome** (W.DAT. to a horse) X.

ἄ-μισθος ον *adj.* [μισθός] **1** (of a person) not receiving one's pay, **unpaid** D. Plu.; working without pay, **unsalaried** Arist.
2 (of a song) **unhired** (i.e. spontaneous) A.; (of grief, i.e. unsolicited and unwelcome) A.
—**ἀμισθεί**, also **ἀμισθί** *adv.* **1** without receiving payment Archil. D.; **without reward** —*ref. to serving one's country* Plu.
2 without paying a fee Plu.
3 without paying a penalty, **with impunity** E.

ἀ-μίσθωτος ον *adj.* [μισθωτός] (of a property) not hired out, **unlet** D.

ἄ-μιτρος ον *adj.* [μίτρα] (of girls) **without a headband** (i.e. not yet of an age to wear it) Call.

ἀμιτρο-χίτων ωνος *masc.adj.* [χιτών] (of a Lycian warrior) **with unbelted tunic** Il.

ἀμιχθαλόεις εσσα εν *adj.* [poet.etym. app. ὀμίχλη] **1** (of Lemnos) perh. **misty, smoky** Il. hHom. [also interpr. as *inhospitable*, reltd. μείγνυμι]
2 (of haze) **misty, murky** Call.

ἅμμα ατος *n.* [ἅπτω] **1** that which fastens or is fastened; **fastening** (ref. to a noose) E.; (pl., ref. to bonds) E.
2 (specif.) **knot** Hdt. E. Pl. X.
3 (fig., ref. to the heart) **junction-point** (W.GEN. of the veins) Pl.
4 tight hold (on a wrestling opponent), **clinch, grip** Plu.; (pl., meton.ref. to the arms, being used in a clinch) Plu.

ἀμμείγνυμι *dial.vb.*: see ἀναμείγνυμι

ἀμμένω *dial.vb.*: see ἀναμένω

ἄμμες (Aeol.nom.1pl.pers.pron.), **ἄμμε** (acc.), **ἀμμέων** (gen.), **ἄμμι(ν)** and **ἄμμεσιν** (dat.): see ἡμεῖς

ἀμμέτερος Aeol.possessv.adj.: see ἡμέτερος

ἄμμιγα *dial.adv.*: see ἀνάμιγα

ἀμμορίη ης *ep.Ion.f.* [ἄμμορος] **1 what is not destined** (opp. μοῖρα *destiny*) Od.
2 app., unapportioned land, **no man's land** D.(quot.epigr., dub.)

ἄμμορος ον *ep.adj.* [privatv.prfx., μόρος, μοῖρα; reltd. ἄμοιρος] **1** (of the Great Bear) **not partaking** (W.GEN. in a bath in Okeanos, i.e. never sinking below the horizon) Hom.
2 (of a person) **not participating** (W.GEN. in religious rites) hHom.
3 **with no share** (W.GEN. of glorious deeds) Pi.; **destitute** (W.GEN. of everything) S.; (of a hunter, fig.ref. to a wrestler) **empty-handed, unsuccessful** Pi.
4 (of a person) **ill-fated, ill-starred** Il. Hippon.

—**ἄμορος** ον *adj.* **1** (of a mother) **deprived, bereft** (W.GEN. of her children) S.
2 (of a life) **ill-fated** S.(dub.cj.)

ἄμμος¹ ου *f.* **sand** Pl. Men. Plu.; **sandy ground** X. NT.
ἄμμος² *Aeol.possessv.adj.*: see ἁμός
ἀμμώδης ες *adj.* [ἄμμος¹] (of Libya) **sandy** Plb.
Ἄμμων ωνος *m.* **Ammon** (Hellenised name of Amun, chief Egyptian deity, known esp. for his oracular shrine in the Libyan desert; freq. identified w. Zeus) Pi. Hdt. Ar. Pl. Arist. Plu.
—**Ἀμμώνιοι** ων *m.pl.* persons living near the oracle of Ammon, **Ammonians** Hdt. ‖ SG.ADJ. belonging to the Ammonians or their territory; (of a king, a hill) **Ammonian** Hdt.
—**Ἀμμωνίς** ίδος, also perh. **Ἀμμωνιάς** άδος *fem.adj.* (of the region or abode) **of Ammon** E.
ἀμνάμων *dial.adj.*: see ἀμνήμων
ἀμνάς άδος *f.* [ἀμνός] **lamb** Theoc.
ἀμνᾱστέω *dial.contr.vb.*: see ἀμνηστέω
ἄ-μναστος ον *dial.adj.* [privatv.prfx., μιμνήσκω] (of dead persons) **unremembered, forgotten** Theoc.
ἀμνάσω (dial.fut.): see ἀναμιμνήσκω
ἀμνεῖος ᾱ ον *dial.adj.* [ἀμνός] (of a bedcover) **made of lambskin** or **lamb's wool** Theoc.
ἀ-μνημόνευτος ον *adj.* [privatv.prfx., μνημονευτός] **1** (of actions) not remembered, **unrecorded** Plb. Plu.
2 (of a person) not remembering, **forgetful** (W.GEN. of sthg.) E.
ἀμνημονέω *contr.vb.* [ἀμνήμων] | aor. ἠμνημόνησα | **1 not remember, forget** A. E. Isoc. Pl. X. + —W.GEN. *someone or sthg.* E. Th. Att.orats. Plu. —W.ACC. *sthg.* Aeschin. D. Men. —W.PTCPL. *having done sthg.* E. —W.ACC. + PTCPL. *that sthg. is the case* Pl. D. —W.COMPL.CL. Pl. Plu.
2 forget to mention (in a document), **overlook** —W.ACC. *sthg.* Th.(treaty)
ἀμνημοσύνᾱ ᾱς *dial.f.* lack of remembrance, **forgetfulness** E.
ἀ-μνήμων, dial. **ἀμνάμων**, ον, gen. ονος *adj.* **1** without memory, **unmindful, forgetful** Pi. Pl. Arist. Plu.; (W.GEN. of someone or sthg.) E. Antipho AR. Plu.; (of the gods) A.
2 (of a misfortune) **not remembered, forgotten** E.
ἀ-μνησικάκητος ον *adj.* [μνησικακέω] (of a wrong done against a person) entailing no remembrance of past injuries, **not to be resented, forgivable** Plb.
ἀμνηστέω, dial. **ἀμνᾱστέω** *contr.vb.* [privatv.prfx., reltd. μιμνήσκω] **be unmindful** or **forgetful** S. ‖ PASS. (of past events) **be forgotten** Th.
ἀμνηστίᾱ ᾱς *f.* **1** state of not remembering or being remembered, **oblivion** Pl.
2 intentional failure to remember or mention, **overlooking** or **ignoring** (W.GEN. of certain people) Plu.
3 (specif.) overlooking or pardon (of past offences), **amnesty** Plu.; (W.GEN. for sthg.) Plu.
ἀμνίον ου *n.* **ritual cup** (for collecting an animal's blood during sacrifice) Od.
ἀμνίς ίδος *f.* [ἀμνός] **lamb** Theoc.
ἀμνο-κῶν ῶντος *masc.adj.* [κοέω] with the intelligence of a lamb, **mutton-headed** Ar.
ἀμνός οῦ *m.f.* **1 young of a sheep, lamb** Theoc. NT.
2 (appos.w. κάμηλος) **calf** (of a camel) Ar.
3 (fig., ref. to a person) **lamb** (W.ACC. in behaviour, i.e. meek or simple-minded) Ar.
4 (fig., ref. to Jesus) **lamb** (W.GEN. of God) NT.
ἀμογητεί, also **ἀμογητί** *adv.* [privatv.prfx., μογέω] **effortlessly** Il. Call.
ἀμόθεν *adv.* [ἀμός *any*; cf. οὐδαμοί] **from any point** (W.GEN. in a series of events) —*ref. to beginning a narrative* Od.; ἀμόθεν γέ ποθεν *from some source or other* Pl.
ἀμόθι *dial.adv.* [ἅμα] **together** —*ref. to deliberating* Th.(decree)
ἀμοιβᾱ́ *dial.f.*, **ἀμοίβᾱ** *Aeol.f.*: see ἀμοιβή
ἀμοιβαδίς *adv.* [ἀμείβω] **1** one (of several) after another, **in turn** AR.
2 first one (of two) and then the other, **alternately** Theoc.
3 each (of two groups) complementing the other, **reciprocally** AR.
4 (as prep.) each (individual man) alternating with the next, **in alternation** (W.GEN. w. another man, i.e. every other one) AR.
ἀμοιβαδόν *adv.* **1** first one (of two men) and then the other, **alternately** AR.
2 each (of two) complementing the other, **reciprocally** Parm.
ἀμοιβαῖος ᾱ (Ion. η) ον *adj.* [ἀμοιβή] **1** (of a dinner, letter, favour) **given in return** or **response** Pi. Hdt. AR.
‖ NEUT.PL.SB. **responses** (to questions) Plu.
2 (of song) **alternating** (betw. two singers) Theoc.
‖ NEUT.PL.SB. **exchanges** (of speech, in tragedy, i.e. passages of dialogue, opp. choral odes) Pl. Plu.; (of song, by alternating singers) Theoc.
3 (of a sexual union w. Zeus) **changing** (due to his transforming into a horse) AR.
4 (of time) app. **devoted in turn** (to two things) Emp.
ἀμοιβάς άδος *f.* (of a cloak) **to wear in exchange** (for another garment) Od.
ἀμοιβή ῆς, dial. **ἀμοιβᾱ́** ᾶς, Aeol. **ἀμοίβᾱ** ᾱς *f.* **1 return, repayment, reward** (for a favour or gift) Od. Thgn. Pi. E. Arist. +; (W.GEN. for a favour or meritorious behaviour) Pi. E. Call. AR. Plb. Plu.; (fr. the gods, W.GEN. for a sacrifice) Od. Pl.; (W.DAT. to the gods, W.GEN. in the form of festivals) Pl.(dub.)
2 recompense (app. for sufferings) Sapph.; (W.GEN. for slaughtered cattle) Od.
3 reprieve (W.GEN. fr. death) E.
4 retribution, requital, penalty (usu. W.GEN. or ἀντί + GEN. for crimes) Hes. E. AR. Plb.
5 remuneration, payment (w. ἀντί + GEN. for goods purchased) Arist.
6 exchange, circulation (of money) Plu.; **exchange value** (W.GEN. of a certain weight of coinage) Plu.
7 change-over (W.GEN. of vehicles for couriers) Plu.
8 answer, reply (in conversation) Hdt.
ἀμοιβήδην *adv.* **1** each (of two groups) complementing the other, **reciprocally** AR.
2 in response (to a cry) AR.
ἀμοιβηδίς *adv.* **1** one (of several) after another, **in turn** Hom. hHom.
2 first one (of two) and then the other, **alternately** AR.
ἀμοιβός οῦ *m.* **1** (ref. to a soldier) one who acts in exchange (for another), **replacement** Il.
2 (ref. to a corpse) **exchange** (W.GEN. for other corpses) S.
3 ‖ ADJ. (of bolts for double doors) alternate (i.e. one for each door) Parm.
—**ἀμοιβᾱ́** *neut.pl.adv.* **by turns** Mosch.
ἀμοιρέω *contr.vb.* [ἄμοιρος] **have no share of, lack** —W.GEN. *sthg.* Plu.
ἄ-μοιρος ον *adj.* [privatv.prfx., μοῖρα] **1** (of a person) without one's rightful or expected share, **deprived, destitute** S. E. Pl.

ἀμολγαῖος

2 (of persons or things) with no share in, **lacking, deprived, bereft** or **devoid of** (W.GEN. sthg.) A. S. Isoc. Pl. X. +

ἀμολγαῖος η ον *Ion.adj.* [ἀμέλγω] (of a kind of cake) app. **made with milk** Hes.

ἀμολγάς άδος *fem.adj.* (of cows) **for milking** S.*Ichn.*

ἀμολγεύς έως *m.* **milk-pail** Theoc.

—**ἀμόλγιον** ου *n.* [dimin.] **milk-pail** Theoc.

ἀμολγός οῦ *m.* [app.reltd. ἀμέλγω] app. **depths** or **dead** (W.GEN. of night) Hom. hHom.

ἄ-μομφος ον *adj.* [privatv.prfx., μομφή] 1 having no cause to receive blame, **blameless, innocent** A.

2 having no cause to impute blame, **with no fault to find** A.

ἀμορβεύω *vb.* [ἀμορβός] | iteratv.impf. ἀμορβεύεσκον | (of a stork) **go in company, travel together** —w. σύν + DAT. w. someone (*prob. another bird*) Call.

ἀμορβός οῦ *m.f.* 1 (*m.*) **attendant** (W.GEN. of oxen) Call.

2 (*f.*, ref. to a nymph) **companion** (W.DAT. to Artemis) Call.

—**ἀμορβάς** άδος *f.* (ref. to a nymph) **companion** (of Artemis) AR.

ἀμοργίς ίδος *f.* [app. Ἀμοργός] | acc. ἄμοργιν | material from which Amorgine textiles are made; perh. **silk** (so-called because it was imported fr. the East via the island of Amorgos) Ar. [also interpr. as *flax-like plant*]

—**ἀμοργινός** (or **Ἀμοργινός**) ή όν *adj.* (of garments, made of an expensive, delicate, perh. silken textile) **Amorgine** Ar. || NEUT.PL.SB. Amorgine textiles Aeschin. [also interpr. as *flaxen*]

ἀμοργός οῦ *m.* [ἀμέργω] (appos.w. λαμπτήρ *lantern*) app. **deflector** or **averter** (W.GEN. of winds, i.e. protecting its flame fr. them) Emp.

Ἀμοργός οῦ *f.* **Amorgos** (easternmost island of the Cyclades) Plu.

ἄμορος *adj.*: see under ἄμμορος

ἀμορφίᾱ ᾱς *f.* [ἄμορφος] **unsightly appearance** (of a person) E.; (of varicose veins) Plu.

ἄ-μορφος ον *adj.* [privatv.prfx., μορφή] 1 (of a substance) **shapeless, formless** Pl.; **lacking the shape** or **features** (W.GEN. of sthg.) Pl.; (fig., of an incomplete narrative) **ill-formed** Pl.

2 (of persons) **unsightly, ugly** Hdt. E. X. Plu.; (of old age) Mimn. Thgn.; (of clothes) E.; (fig., of an achievement) Plu.

3 (of hounds) **ill-shaped, ungainly** X.; (of a baby) Plu.

4 (of a form of public penance) **degrading** Pl.

|| NEUT.IMPERS. (w. ἐστί understd.) it is indecorous or unseemly —W.INF. to do sthg. Pl.

ἁμός, also perh. **ἀμός**, ή (dial. ἁ) όν *ep. and dial.possessv.adj.* —also Aeol. **ἄμμος** ᾱ ον *adj.* [reltd. ἡμεῖς, ἡμέτερος] **of** or **belonging to me or us, my** or **our** Hom. Lyr. Trag. Ar. Call. Theoc.

ἆμος *dial.conj.*: see ἦμος

ἄμοτος ον *adj.* (of a lion) app. **fierce** or **raging** Theoc.; (of fire) Mosch.

—**ἄμοτον** *neut.adv.* 1 **incessantly, insatiably, relentlessly** or **ruthlessly** Hom. Hes. AR. Theoc.

2 **fixedly, unwaveringly** —*ref. to a boxer standing his ground* AR.

ἀμοῦ γέ που *adv.* [ἀμός *any*; cf. οὐδαμοί] **somewhere or other** Lys.

ἀμουσίᾱ ᾱς *f.* [ἄμουσος] 1 state of being without the Muses or their arts, **lack of music and poetry** E.

2 **lack of refinement, want of taste** Pl. Plu.

3 (fig.) state of being out of tune (w. a standard of conduct), **disharmony** Pl.

ἄ-μουσος ον *adj.* [privatv.prfx., μοῦσα] 1 **unskilled in** or **lacking music**; (of a person, quality, rule-breaking in music) **unmusical** Pl.; (of a crowd's shouts) **tuneless, cacophonous** Pl.

2 **unskilled in poetry or the arts, uncultured** Ar.(quot. E.) Pl. X. Aeschin. Plu.; (pejor.) **uncouth, boorish** E. || NEUT.IMPERS. (w. ἐστί) it is not in keeping with one's notions of art —W.INF. to see an unkempt poet Ar.

3 (of a person's judgement, a pleasure) **unrefined** Pl. Plu.

4 (of offences) **uncivilised** Pl.

—**ἄμουσα** *neut.pl.adv.* **tunelessly, cacophonously** —*ref. to singing or howling* E.

—**ἀμούσως** *adv.* 1 **unmusically** Pl.

2 **without refinement** Plu.

ἄ-μοχθος ον *adj.* [μόχθος] 1 **lacking hard work**; (of a person) **idle** X.; (of a heart, in neg.phr.) **untoiling** Pi.

2 (quasi-advbl., of Zeus achieving sthg.) **without effort** A.*fr.*

3 (of a life) **untroubled** S.

—**ἀμοχθεί**, also **ἀμοχθί** *adv.* **effortlessly** A. E.

ἀμπάλλω *dial.vb.*: see ἀναπάλλω

ἄμ-παλος ου *dial.m.* [ἀνά, πάλος] **recasting of lots** Pi.

ἄμπαυμα *dial.n.*, **ἄμπαυσις** *dial.f.*, **ἀμπαυστήριος** *Ion.adj.*, **ἀμπαύω** *dial.vb.*: see ἀναπαυ-

ἀμπείθω, **ἀμπείρω** *dial.vbs.*: see ἀναπείθω, ἀναπείρω

ἀμπελεών *dial.m.*: see ἀμπελών

ἀμπέλινος η ον *adj.* [ἄμπελος] 1 (of wine) **made from the vine** Hdt.; (of the fruit) **of the vine** (ref. to wine) Hdt.; (of arrows, fig.ref. to the effects of wine) Pi.*fr.*

2 (of branches) **of vine** Plu.; (of a stick) **cut from a vine** Plb.

ἀμπέλιον ου *n.* [dimin. ἄμπελος] **little** or **dear little vine** Ar.

ἀμπελίς ίδος *f.* 1 **young vine** Ar.

2 bird which frequents vineyards; perh. **bunting** Ar.

ἀμπελόεις εσσα εν *adj.* (of regions) **rich in vines, vine-clad** Il. hHom. Alc. Thgn. Pi.

ἄμπελος ου *f.* **grape-vine, vine** Od. +; (collectv.sg.) Th.

ἀμπελο-σκάφος ου *m.* [σκάπτω] one who digs ditches to plant vines, **vine-digger** A.*satyr.fr.*

ἀμπελο-τρόφος ον *adj.* [τρέφω] (of an island) **vine-nurturing** B.

ἀμπελουργεῖον ου *n.* [ἀμπελουργός] **vineyard** Aeschin.

ἀμπελουργέω *contr.vb.* 1 **work in a vineyard** Plu.

2 (specif.) prune vines; (fig.) p**r**une —*a city* (*i.e.* plunder it) Aeschin.(quot. D.)

ἀμπελουργικός ή όν *adj.* relating to work in vineyards || FEM.SB. art of viticulture Pl.

ἀμπελουργός οῦ *m.* [ἔργον] **vineyard worker, vine-dresser** Ar. NT.

ἀμπελών, dial. **ἀμπελεών**, ῶνος *m.* **vineyard** Pl. Theoc. NT. Plu.

ἀμπέμπω *dial.vb.*: see ἀναπέμπω

ἀμπεπαλών (ep.redupl.aor.2 ptcpl.): see ἀναπάλλω

ἀμπετάννῡμι *dial.vb.*: see ἀναπετάννυμι

ἀμπετής ές *dial.adj.* [ἀναπέτομαι] **flying upwards** A.(cj.)

ἀμπέτομαι *dial.mid.vb.*: see ἀναπέτομαι

ἀμπεφλασμένως (Lacon.masc.acc.pl.pf.mid.pass.ptcpl.): see ἀναφλάομαι

ἀμπεχόνη ης *f.* [ἀμπέχω] 1 (gener.) **clothing, dress** Pl. X. Arist. Plu.

2 (specif.) **wrap, shawl** (of a woman) Theoc.

ἀμπέχονον ου *n.* **wrap, shawl** (of a woman) Theoc.

ἀμπ-έχω *vb.* [ἀμφί] | ep.impf. ἄμπεχον | fut. ἀμφέξω | aor.2 ἤμπεσχον, ptcpl. ἀμπισχών || MID.: impf. ἠμπειχόμην, ep.3sg. ἀμφέχετο (AR., cj. ἀμπέχετο) | aor.2 ἠμπεσχόμην, ptcpl. ἀμπεσχόμενος, 2sg.subj. ἀμπίσχῃ |

1 (of garments) **envelop, cover** —*someone* A.; (of brine) —*someone's back and shoulders* Od.; (of darkness) —*the sky* AR.
2 (of a hat) **screen** —*someone's face* S.
3 **clothe** —W.DBL.ACC. *someone in a garment* Ar.
4 ‖ MID. **wear clothing** Pl. Arist.; **clothe oneself, dress** —W.ADV. *in a certain way* Lys. Ar. Pl. Plu.; (tr.) **clothe oneself in, wear** —*a garment* Ar. Pl. X. Plu. —(W. 2ND ACC. *on one's shoulders*) AR.; (aor.) **put on** —*a garment* E. Ar.
5 (of a dragon) **embrace, encircle** —*the Golden Fleece* (W.DAT. *w. its coils*) E.; (of a cauldron) **enclose** —*someone's flesh* E.Cyc.; (of the Trojan Horse) —*hidden warriors* E.(dub.)

ἀμπηδάω *ep.contr.vb.*: see ἀναπηδάω

ἀμπίμπλημι *ep.vb.*, **ἀμπίπλημι** *dial.vb.*: see ἀναπίμπλημι

ἀμπίπτω *dial.vb.*: see ἀναπίπτω

ἀμπισχνέομαι *mid.contr.vb.* [reltd. ἀμπίσχω] **wrap oneself up in, wear** —*a cloak* Ar.

ἀμπ-ίσχω *vb.* [ἀμφί] | only pres. and impf. | impf. ἤμπισχον | impf.mid. ἠμπισχόμην | 1 **place** (W.ACC. *tapestries*) **as a covering all around** —w. ἐπί + DAT. *on walls* E.; **place** (W.ACC. *scanty covering*) **around** —W.DAT. *children* Arist.
2 (hyperbol.) **clothe** —W.DBL.ACC. *someone in an oven* (i.e. *in excessively warm clothing*) Ar.
3 (fig., of a statesman) **clothe** —*inhabitants of a city* (*in a woven fabric of friendship and community spirit*) Pl.; (of a god) **invest** —*creatures* (W.DAT. *w. smallness*) Pl.
4 ‖ MID. **clothe oneself, dress** —W.ADV. *in a certain way* Ar.; (tr.) **wear** —*a garment* E. Ar. —*tattered clothing* (*fig.ref. to a worn-out argument*) Pl.
5 (of a suppliant) **embrace, clasp** —*someone's knee* (W.DAT. *w. one's hand*) E.
6 (of darkness) **envelop** —*sthg.* E.

ἀμπλακεῖν *aor.2 inf.* | aor.2 ἤμπλακον, dial. ἤμβλακον (Archil.), ptcpl. ἀμπλακών, also ἀπλακών (E.), dial. ἀμβλακών (Ibyc.) ‖ pf.pass. ἠμπλάκημαι | 1 **miss the mark** (w. *a sword*) S.
2 **fail to gain, miss** —W.GEN. *a marriage* E.; **fail to share** —W.GEN. *someone's fate* S.
3 **lose, be deprived of** —W.GEN. *a wife or child* (*by death*) S. E.
4 **fall short, be lacking** —W.GEN. *in valour* Pi.
5 **make a mistake** or **do wrong** Archil. Ibyc. E. —W.NEUT.ACC. *in some act* A. ‖ PASS. (of an action) **be wrong** A.

ἀμπλάκημα, also **ἀπλάκημα**, ατος *n.* **mistake, wrong, offence** Trag.

ἀμπλακία ᾶς, Ion. **ἀμπλακίη** ης *f.* mistaken judgement or behaviour, **mistake, error** or **wrongdoing** Thgn. A. E. Call. AR. ‖ PL. errors or wrongs Thgn. Pi. Emp. E. AR.

ἀμπλάκιον ου *n.* **offence** Pi.

ἀμπλέκω *dial.vb.*: see ἀναπλέκω

ἀμπνείω *ep.vb.*, **ἀμπνέω** *dial.contr.vb.*: see ἀναπνέω

ἄμπνευμα ατος *dial.n.* [ἀναπνέω] **breathing-place** (W.GEN. *of Alpheios, ref. to Ortygia, where the river emerged after passing under land and sea fr. Greece*) Pi.

ἀμπνοά, **ἀμπνοή** *dial.f.*: see ἀναπνοή

ἀμπνύθη (ep.3sg.aor.pass.), **ἀμπνυνθῆναι** (inf.), **ἄμπνῦτο** (ep.3sg.athem.aor.mid.): see ἀναπνέω

ἀμπολέω *dial.contr.vb.*: see ἀναπολέω

ἀμ-ποτάομαι *dial.mid.contr.vb.* [ἀνά] | aor.pass.opt. (w.mid.sens.) ἀμποταθείην | (of a person, envisaged as an eagle) **fly up, soar aloft** Ar.(quot. S.)

ἀμπρεύω *vb.* [ἀμπρόν app. *rope for drawing loads*] **haul** (a load) Call.

ἀμπταίην, **ἀμπτάμενος** (dial.athem.aor.opt. and mid. ptcpl.): see ἀναπέτομαι

ἀμπτυχή *dial.f.*: see ἀναπτυχή

ἀμπυκτήρ ῆρος *m.* [ἄμπυξ] **headband, headgear** (of a horse) A.

ἀμπυκτήρια ων *n.pl.* app. **headgear** (of horses) S.(dub.)

ἀμπύκωμα ατος *n.* **headband** (of a woman) A.

ἄμπυξ υκος *f.* 1 **headband** (of a woman or goddess) Il. E. Theoc.; (w. secondary allusion to that of a horse) A.
2 **wheel-rim** (on which Ixion was bound) S.(dub., cj. ἄντυξ)

ἄμπωτις *dial.f.*: see ἀνάπωτις

ἀμυγδάλινος η ον *adj.* [ἀμυγδάλη *almond*] (of an oil) **made from almonds** X.

ἀμυγδαλίς ίδος *f.* **almond** Philox.Leuc.

ἄμυγμα ατος *n.* [ἀμύσσω] **tearing** (of the skin, by a woman, as a gesture of grief) E.; (W.GEN. *of the hair*) S.

ἀμυγμός οῦ *m.* **tearing** (of the cheek) A.

ἄμυδις *adv.* [reltd. ἅμα] 1 (ref. to location, collective endeavour or coalescence) **together, all together** Hom. AR.
2 **at the same time** Hes. hHom.
3 (linking two expressions) **together** (in a unified action), **jointly** or **simultaneously** Od. Hes. Call. AR.
4 (as prep.) **together, in company** —W.DAT. *w. someone* hHom.

ἀμυδρός ά (Ion. ή) όν *adj.* 1 **not clearly visible**; (of a reef) **dimly seen** Archil.; (of the letters of an inscription) **faint, indistinct** Th. D. Plu.; (of imprints in wax) Pl.; (of pricks fr. an asp-bite) Plu.
2 **not clearly perceptible** (by the mind); (of a kind of Form) **obscure** Pl.
3 **not possessing or conveying clarity**; (of a man-made object, opp. its Form) **imprecise** Pl.; (of a descriptive name) Pl.; (of predictive signs fr. an animal's liver) Pl.
4 **lacking clarity of perception**; (of sense-organs) **dull, dim, weak** Pl. Plu.
5 (of a rumour, hope) **lacking definiteness, vague** Plu.
6 (of a sword-stroke) **feeble, ineffective** Plu.

—**ἀμυδρῶς** *adv.* | compar. ἀμυδρότερον | 1 **without clarity of appearance, dimly, indistinctly** Pl.
2 **without clarity of perception, vaguely, imprecisely** Arist.

ἀ-μύητος ον *adj.* [privatv.prfx., μυέω] (of persons) **uninitiated** (in the Eleusinian Mysteries or other rites) And. Lys. Pl. Arist.; (fig., in philosophical matters) Pl.

ἀ-μύθητος ον *adj.* [μυθέομαι] (of money, trouble, destruction, or sim.) **not able to be recounted** (in terms of amount or magnitude), **indescribable, untold** D. Plb. Plu.; (advbl.phr.) ἀμύθητον ὅσον *to an indescribable degree* Arist.

Ἀμύκλαι ῶν *f.pl.* 1 **Amyclae** (Laconian city, S. of Sparta, on the banks of the R. Eurotas) Il. Pi. E. Ar. X. AR. Plb.
2 **Amyclaean shoes** Theoc.

—**Ἀμύκλᾱθεν** *adv.* **from Amyclae** Pi.

—**Ἀμυκλαῖος** ᾱ ον *adj.* (of a hound) **from Amyclae, Amyclaean** Pi.fr. ‖ MASC.PL.SB. Amyclaeans (as a population or military force) X. Theoc. | NEUT.SB. Amyclaean temple (dedicated to Apollo) Th. Call.

—**Ἀμυκλαιεῖς** έων *m.pl.* **citizens of Amyclae** X.

Ἀμυκλαϊάζω *vb.* **speak in the Amyclaean dialect** Theoc.

ἄ-μυλος ου *m.* [privatv.prfx., μύλη] **a kind of cake**, app. made from hand-ground flour (i.e. not using a millstone); **cake, bun** Ar. Philox.Leuc. Theoc.

ἀμύμων ον, gen. ονος *ep.adj.* [perh. privatv.prfx., 2nd el.reltd. μῶμος; or reltd. ἀμενόομαι] **lacking blame** (or perh., **with surpassing qualities**); (gener., of persons, things, activities) **excellent, worthy** Hom. Hes. hHom. Pi. AR. Mosch.; (w. moral connot., of a way of life) Plu.

Ἀμυμώνη ης, dial. **Ἀμυμώνᾱ** ᾱς *f*. **Amymone** (daughter of Danaos and eponymous spring) A.(title) Call. AR.

—**Ἀμυμώνιος** ᾱ ον *adj*. (of the waters of the spring) **of Amymone** E.

ἀμυναθεῖν (aor.2 inf.): see ἀμύνω

ἀμυνίας ου *masc.adj*. [ἀμύνω] (of a man's spirit) **prepared for resistance, defiant** Ar.

ἀμυντήριος ον *adj*. (of manufactured things, weapons, skills) **providing defence** or **protection** (sts. W.GEN. against sthg.) Pl. ‖ NEUT.SB. (ref. to Ephesus) **point of defence** (W.PREP.PHR. against Europe) Plb.

ἀμυντικός ή όν *adj*. **1** (of a person) **ready to defend oneself** Arist.
2 (of the art of weaving) **protective** (W.GEN. against wintry weather) Pl.

ἀμύντωρ ορος *m*. **1 protector, defender** (on the battlefield) Il.; (gener.) **supporter, helper, ally** Od.
2 (specif.) **avenger** (W.GEN. of a dead man) E.

ἀμύνω *vb*. | ep.inf. ἀμυνέμεν, ἀμυνέμεναι | impf. ἤμυνον, ep. ἄμυνον | fut. ἀμυνῶ | aor. ἤμυνα, ep. ἄμυνα | aor.2 inf. ἀμυναθεῖν (S. E.), 2pl.imperatv. ἀμυνάθετε (Ar.) ‖ MID.: aor.2 imperatv. ἀμυναθοῦ (A.), 3sg.opt. ἀμυνάθοιτο (E.) |
1 keep away, ward off, avert —*death, harm, enslavement, fire, a weapon, or sim*. Hom. Hes. A. Pi. E. Pl. +—(W.DAT. *fr. someone or sthg*.) Hom. Pi. E. —(W.GEN. *fr. someone or sthg., fr. a place*) Il. Anacr. S. —(W. ἀπό + GEN.) Od. AR.
2 ward off or **repel** —*an enemy* Hom. Pl. —(W.GEN. *fr. sthg*.) Il. ‖ PASS. (of persons) **be warded off** Pi. Pl.
3 offer defence or **help** Hom. Alcm. Hdt. S. E. Th. +; **defend, protect, help** —W.DAT. *someone or sthg*. Hom. Hdt. E. Th. Ar. Att.orats. +—W.GEN. Il. ‖ NEUT.PL.FUT.PTCPL.SB. **defensive weapons** Hdt.
4 ‖ MID. **defend oneself** Hom. Hdt. S. E. Th. Ar. Att.orats. +
5 ‖ MID. **defend oneself against, keep away, ward off, avert** —*death, misfortune, blame, plots, or sim*. Il. A. Pi. E. Ar. Att.orats. +; **keep off** or **repel** —*a person, an enemy or army* Hom. Hdt. E. Th. Ar. Att.orats. +
6 ‖ MID. **fight in defence** —W.GEN. *of someone or sthg., a place* Il. —w. περί or ὑπέρ + GEN. Il. Th. Att.orats. +
7 ‖ MID. (wkr.sens.) **act in response** (to treatment received fr. another); **respond** or **react to, repay** —*someone* (usu. W.DAT. or ADV. *in a certain way*) S. Th. Ar. ‖ ACT. **repay** —*someone's help* (W.DAT. w. *one's words*) S.
8 ‖ MID. (specif.) **react punitively, retaliate against, avenge oneself on** —*someone* Th. Isoc.; (intr.) **react** or **retaliate** Th. Pl. Arist. —W.GEN. *for losses suffered* Th. ‖ ACT. (of deities) **requite, punish** —*evil deeds* S.

ἀμύσσω *vb*. | ep.impf. ἄμυσσον | fut. ἀμύξω | dial.aor. ἄμυξα |
1 (of a woman, in grief) **tear, scratch, lacerate** —*her breasts, neck and face* Il.; (of birds of prey) —*other birds* Hdt.; (of an unborn lion cub) —*its mother's womb* Hdt.; (of a girl) —*a man's lip* Theoc.; (of a boxer) **gash** (an opponent) Theoc.
2 (fig., of a person, in anger) **tear** —*one's heart* Il.; (of oxen, seeing the sacrificial knife) Call.; (of a god, anxiety, pain) —*a person's heart* A. B. Theoc. ‖ PASS. (fig., of a heart) **be torn** —W.DAT. *by fear* A.

ἀμυστίζω *vb*. [ἄμυστις] | aor. ἠμύστισα | **drink up in a single draught** E.*Cyc*.

ἄ-μυστις ιδος *f*. [privatv.prfx., μύω] | acc. ἄμυστιν | **drinking without closing the mouth** (i.e. draining a cup in a single draught); **long deep draught** (of wine) Alc. Anacr. E. Ar. Call.

ἀμυχή ῆς *f*. [ἀμύσσω] **1 tear, laceration** (of the flesh) D. Plu.; **scratch** (made by a missile on the surface of chainmail) Plu.
2 fissure (betw. teeth) Plu.

ἀμυχμός οῦ *m*. **slashing** (W.GEN. of swords) Theoc.

ἀμύω *vb*. [reltd. ἠμύω] (of leaves) **fall, drop** —W.ADV. *to the ground* Hes.*fr*.

ἀμφ-αγαπάζω *vb*. [ἀμφί] | ep.impf. ἀμφαγάπαζον | **warmly welcome** —*a person arriving* Od. AR. ‖ MID. **treat with affection, lovingly embrace** —*a child* Il. hHom.; (intr.) **show affection** hHom.

ἀμφ-αγαπάω contr.*vb*. | ep.aor. ἀμφαγάπησα | **treat with affection, lovingly embrace** —*someone* Hes. hHom.

ἀμφ-αγείρομαι, also **ἀμφαγέρομαι** (Theoc.) mid.*vb*. | ep.3pl.aor.2 ἀμφαγέροντο | **gather around** —*someone* Il. AR. Theoc.

ἀμφάδην *adv*.: see under ἀμφαδός

ἀμφάδιος η ον ep.Ion.*adj*. [ἀναφαίνω] (of a marriage) **publicly acknowledged** Od.

—**ἀμφαδίην** fem.acc.*adv*. **without concealment or subterfuge, openly** Hom. Thgn. AR.; **in public, in full view** AR.

—**ἀμφαδίῃ** fem.dat.*adv*. **openly, in public** AR.

ἀμφαδός ή όν ep.*adj*. (of facts, actions) **revealed, exposed** Od. AR.

—**ἀμφάδην** *adv*. **openly, in public** Archil.

—**ἀμφαδόν** neut.*adv*. **without concealment or subterfuge, openly** Hom. AR.; **in full view** AR.

ἀμφαίνω dial.*vb*.: see ἀναφαίνω

ἀμφ-αΐσσομαι ep.mid.*vb*. [ἀμφί, ᾄσσω] **1** (of hounds and hunters) **rush from all sides** (at a prey) Il.(tm.)
2 (of a mane) **stream over** —W.DAT. *a horse's shoulders* Il.(tm.)

ἀμφάκης dial.*adj*.: see ἀμφήκης

ἀμφανδόν dial.*adv*.: see ἀναφανδόν

ἀμφ-αραβέω contr.*vb*. (of armour) **clatter around** (a falling warrior) Il.

ἀμφ-αραβίζω *vb*. [ἄραβος] (of a chariot and its rails) **rattle all around** Hes.

ἀμφασίᾱ dial.*f*., **ἀμφασίη** ep.Ion.*f*.: see ἀφασία

ἀμφ-αυτέω contr.*vb*. **1** (of a crowd) **raise a shout all around** Archil.
2 (of helmets and shields, struck by stones) **ring out all around** Il.(tm.)

ἀμφ-αφάω contr.*vb*. | in ep. always w.diect. | ep.pres.ptcpl. ἀμφαφόων | ep.iteratv.impf. ἀμφαφάασκον ‖ MID.: ep.inf. ἀμφαφάασθαι | ep.3pl.impf. ἀμφαφόωντο |
1 take hold of by putting the hands around, handle —*a bow, necklace* Od.(sts.mid.) ‖ MID. (fig.) **handle, deal with** (an enemy) Il.
2 explore by touching all over, feel around —*the Trojan Horse* Od.; (of a blind man) —*walls* AR.; (intr.) Od. ‖ MID. **feel all over** —*a person's body* Od.
3 caress —*a bull* Mosch.; (mid.) —*a woman's body* Archil.

ἀμφελικτός όν *adj*. [ἀμφελίσσω] (of a serpent) **coiled around** (a tree) —W.COGN.ACC. w. *an unapproachable coil* E.

ἀμφ-ελίσσω *vb*. | also (tm.) ἀμφὶ ... ἑλίσσω (E.) | **wind** (W.ACC. one's hands or arms) **around** (a person) E. —W.DAT. *someone's back* E.(tm.) ‖ MID. (of serpents) **wrap** (W.ACC. their jaws) **around** —W.DAT. *babies* Pi.

ἀμφ-έπω, ep. **ἀμφιέπω** *vb*. | ep.impf. ἄμφεπον, also ἀμφίεπον, iteratv. ἀμφιέπεσκον | **1** (intr., in ptcpl.) **busy oneself** (w. a task) Hom. AR.
2 (tr.) **busy oneself with** (a task or activity); **attend to** —*slaughtered animals* (for a sacrifice or meal) Hom.(sts.tm.) —*a funeral* Il.; (of a column of oak) **perform** —*a labour* (i.e. be a support) Pi.; **enjoy** —*a feast* AR.

3 (tr.) be busy around (a person); (of attackers) **crowd round, beset** —*a warrior* Il.(tm.)
4 (of fire) **lap round, envelop** —*a ship's stern, the belly of a cauldron* Hom. —*Titans* Hes.; (of a fire-like radiance, a blast of heat) —*a person* AR.
5 (of a froth of milk and honey, fig.ref. to poetical embellishments) perh., go round (like a garland), **crown** —*a drink* (i.e. a song) Pi.
6 (of a deity or other supernatural being) go about in or have charge of (a place); **frequent, haunt** or **watch over** —*a region, city, oracular shrine* Scol. Simon. Pi. S. E.(dub.) AR.; (of Orion, as a constellation) **dwell in** —*heaven* Corinn.
7 (of a person) have charge of, **control** —*a palace and kingdom* S.; **wield** —*a sceptre* Pi.; **manage** —*the helm* AR.
8 behave attentively towards (persons or gods); **attend to, honour** —*persons, gods and their festivals* Pi. AR.; **tend** —*the sick* (W.DAT. *w. incantations*) Pi.; (wkr.sens., of a crowd) **attend upon** —*a commander* E.; (intr., of an individual's fortune or destiny) **be in attendance** Pi.
9 (gener.) **foster, cherish** —*a competitive or tender spirit, the hubbub of battle, happpiness* Pi. —*a marriage alliance* E.

ἀμφ-έρχομαι *mid.vb.* | ep.aor.2 ἀμφήλυθον | (of a shout, a smell) come round, **surround** —*a person* Od.

ἀμφέρω *dial.vb.*: see ἀναφέρω

ἀμφέχανον (aor.2): see ἀμφιχάσκω

ἀμφ-ηγερέθομαι *mid.vb.* **gather around** Od.(tm.)

ἀμφ-ήκης, dial. **ἀμφάκης**, ες *adj.* [reltd. ἀκίς, ἀκωκή] **1** (of a sword, an axe-blade) **double-edged** Hom. A. B. S.; (fig., of a tongue) Ar.; (fig., of pain) perh. **piercing** B.
2 (of a goad, lightning-bolt) **double-pronged** A.

ἀμφ-ημερινός ή όν *adj.* (of fevers) recurring each day, **daily, quotidian** Pl.

ἄμφην *Aeol.m.*: see αὐχήν

ἀμφ-ηρεφής ές *adj.* [ἐρέφω] (of a quiver) app., providing a cover all around (for arrows), **enclosing, protective** Il.

ἀμφ-ήρης[1] ες *adj.* [ἀραρίσκω] (of logs) **set in place around** (an altar) E.; (of a tent) **made secure on all sides** E.

ἀμφ-ήρης[2] ες *adj.* [ἐρέσσω] (of a ship) rowed on both sides (by the same rowers, each working a pair of sculls), **sculled** E.*Cyc.*

—**ἀμφηρικός** ή όν *adj.* (of a small boat) **for sculling, sculled** Th.

ἀμφ-ήριστος ον *adj.* [ἐρίζω] **1** (of a matter) entailing dispute between two sides, **contested, contentious, disputed** Call. AR. || NEUT.SB. disputable outcome (of a race, i.e. neck-and-neck finish) Il.
2 (of a quarrel) **contentious** AR.
3 (of expectations) **conflicting** Plb.

ἀμφί *prep.* [prob.reltd. ἄμφω; see also ἀμφίς] | W.ACC., GEN. and DAT. | occas. following its noun (without anastrophe of the accent), e.g. παῖδες ... πατέρ' ἀμφὶ καθήμενοι *sons sitting around their father* Il. |
—**A** | location or space |
1 on both or all sides of, around, all around —W.ACC. or DAT. *persons, places, things* Hom. Hes. Archil. Lyr. Trag. Ar. + —W.GEN. *a city* Hdt. —*a lake* E.(dub.)
2 all around (within the confines of) —W.ACC. *Sicily* Pl.
3 in the vicinity of, round about, near, beside, by —W.ACC. or DAT. *persons, places, things* Hom. Pi. B. Hdt. Trag. Ar. +
4 somewhere within, in —W.ACC. *Tartaros, a region or island* hHom. B. E.
5 (ref. to placing or wearing weapons, clothing, or sim.) **around, over** —W.ACC. *a person, the body* Hom. E. —W.DAT. *part of the body* Hom. Hes. Tyrt. Lyr. A. E. +
6 (ref. to placing or striking things) **on** or **over** —W.DAT. *sthg.* Hom. hHom. Pi. E.; (ref. to persons falling) **upon** —W.DAT. *a person, part of the body* Hom. A. E.; (phr.) πόνος ἀμφὶ πόνῳ *trouble upon trouble* Simon.
7 (ref. to standing or being left as a protector) **over** —W.DAT. *a person, animals* Il. S.
8 in —W.ACC. *the heart or mind* Hes. Mimn. | see also ἀμφιγηθέω
9 (as adv.) **around, all around** or **round about** Hom. Hes. Pi. S. E. Ar. +
10 (in pleon. combinations) ἀμφὶ περί *round about* —W.ACC. *a place* Il.; *around* —W.DAT. *part of the body* Od.; (as adv.) *all around, round about* Il. Hes. AR.; περί τ' ἀμφί τε *round about* —W.ACC. *a place* Il. Hes. Call. AR.; *around, over* —W.DAT. *a person* Call.; (as adv.) hHom ; περὶ ... ἀμφὶ δέμας *around a body* E.; περὶ πίδακας ἀμφί *around springs* Theoc.
—**B** | accompaniment |
grouped about, **in the company of, with, following** —W.ACC. *a god, leader, teacher, or sim.* Il. Hes. Hdt. E. Th. Pl. + | Freq. *those in the company of someone* is equiv. to *someone and his company*, e.g. οἱ ἀμφὶ Πεισίστρατον *Peisistratos and his supporters* Hdt.
—**C** | time |
1 around, about —W.ACC. *a point in time* A. X.
2 throughout, for, over —W.ACC. *a period of time* Pi. X.
3 within the compass of, in —W.DAT. *one day* Pi.
—**D** | approximation |
around, about —W.ACC. *a certain number* X.
—**E** | purpose |
(ref. to fighting, competing, or sim.) on account of, **for the sake of, over, for** —W.GEN. *someone or sthg.* Il. Hes. A. Pi. E. Call. AR. —W.DAT. Hom. Thgn. Pi.
—**F** | cause |
1 on account of, because of —W.DAT. *someone or sthg.* Hom. Pi. B.; **through, out of** —W.DAT. *fear* A. E. —*pain* Archil. AR.
2 (in an entreaty) out of consideration for, **in the name of** —W.GEN. *a god* AR.
—**G** | means |
1 by virtue of, by means of, through —W.DAT. *possessions, valour, wisdom* Pi. B.
2 in —W.ACC. *a certain manner* Pi.
—**H** | relationship |
1 (ref. to speaking or singing) **on the subject of, about** —W.ACC. *someone or sthg.* hHom. A. Pi. E. Ar. —W.GEN. Od. A. Pi. E. Theoc. —W.DAT. Od. Pi. S.
2 (ref. to asking questions, being concerned, busy, angry, or sim.) **with regard to, over, about** —W.ACC. *someone or sthg.* Od. hHom. Pi. Trag. Th. X. + —W.GEN. hHom. Pi. Emp. S. E. Call. AR. —W.DAT. Hom. Hes. Semon. Pi. Hdt. Trag. +

ἄμφια ων *n.pl.* [reltd. ἀμφίεσμα] **garments** Ar.(cj.) Call.

ἀμφιάζω (also **ἀμφιέζω**) *vb.* [reltd. ἀμφιέννυμι] **1 provide clothing for, clothe** —*troops* Plu.
2 (fig., of God) **clothe** —*grass* (w. *flowers*) NT.

ἀμφί-αλος ον *adj.* [ἅλς] **1** (of islands) **surrounded by sea, sea-girt** Od. S. AR.
2 (of the games held on the Isthmos) **flanked by two seas** Pi.
3 || FEM.SB. coastal route X.(dub.)

Ἀμφιάραος, ep. **Ἀμφιάρηος**, ου, Att. **Ἀμφιάρεως** εω, also perh. dial. **Ἀμφιαρεύς** έος (Pi.) *m.* | dial.acc. Ἀμφιαρῆ, dat. Ἀμφιαρεῖ (Pi., cj.) | **Amphiaraos** (Argive warrior and seer, one of the Seven against Thebes) Od. Hes.*fr.* Stesich. Pi. Hdt. Trag. +

—**Ἀμφιαρητεΐδᾱς** ᾱ dial.m. son of Amphiaraos (ref. to Alkmaon) Stesich.

ἀμφ-ιάχω vb. | only fem.pf.ptcpl. (w.pres.sens.) ἀμφιαχυῖα | (of a mother bird) **shriek around** (the serpent which has devoured her chicks) Il.

ἀμφι-βαίνω vb. **1** come around; (of the flame of wine) **spread round** (the body) E.; (of fate) **encompass, beset** —a person E.; (of confidence) **come over** —w.DAT. a person E. **2** (of two combatants) app. **move round** (each other) E. **3** ‖ STATV.PF. (of a cloud) **stand around, surround, encompass** —a peak Od.; (of a cloud of enemies) —w.DAT. ships Il.; (of grief, the pain of battle) **beset** —w.ACC. the mind Hom. **4** place the legs apart ‖ STATV.PF. and PLPF. (of a rider) **bestride, straddle** —a horse Call.; (of the sun) —mid-heaven (i.e. be at the highest point in the sky) Hom. ‖ AOR. (of a boar) **go and stand over** (a fallen hunter, to trample him) X. **5** ‖ STATV.PF. and PLPF. (of a deity) **stand over, protect** —a place Hom. Call. ‖ AOR. **come and protect** —a city A.

ἀμφι-βάλλω vb. | The sections are grouped as: (1–9) put around, (10–12) surround, (13) be uncertain. | **1** put (a garment or sim.) around or on (a person or part of the body); **put** (w.ACC. a garment) **on** (a person) Od.(tm.); **put** —a garment (on a person or head) E. —(w.ACC. on a person) B. —a prize (ref. to a garland, w.DAT. around a victor's hair) Pi. —an animal-skin (w. ἐπί + DAT. on one's back) Hes.; (fig.) —slavery (app. envisaged as a garland, w.DAT. around one's head) E.; (fig., of a wine-bowl) **cast** —sleep (w.DAT. over men) E. ‖ PASS. (fig., of song, app. envisaged as a garment) be cast around —w.DAT. the thoughts of wise men (i.e. occupy them) Pi. **2** ‖ MID. **put on** —robes, rags Od. E.; (of Bacchants) **wear** or **entwine** —snakes (w.DAT. in their hair) E.; (fig., of an old man) **be clothed with** —white hair S.; (intr.) **put on armour** Od. **3 throw** (w.ACC. one's arms or hands) **around** (a person, knees) Od. Tim. —w.DAT. someone's neck Od.(tm.); (fig., of a mother, envisaged as a bird) **enfold** (w.ACC. her wings) **around** (her child) Lyr.adesp. **4 place** (w.ACC. a shield) **around** —w.DAT. someone (for protection) Sol. **5** put (sthg.) on or around (sthg. else); **place** (w.ACC. a ship's ropes) **around** —w.DAT. cleats (to secure them) AR.; **apply** —poison (w.DAT. to arrows) E.; (fig., of the Graces) **bestow** —honour (w.DAT. on songs) B.(tm.) **6** put (w.ACC. a yoke) **on** (bulls) AR.(mid.); (fig.) **put** —a yoke (w.DAT. on the neck of the sea, ref. to building a bridge of boats over the Hellespont) A. —a yoke of slavery (on Greece) A. **7** create that which surrounds; **make** (w.ACC. a bedroom) **around** —w.DAT. a tree-trunk Od.; **fence in** —w.ACC a sheep-pen Hes. ‖ MID. (of islands) **form** (w.ACC. a ring) **around** (an island, i.e. encircle it) Call. **8** (of mules) app. **put** or **exert** (w.ACC. their strength) **on each side** (of a log which they are pulling) Il. **9** put (w.ACC. one's hand) **around** —w.DAT. a spear (i.e. clasp it) Od.(tm.); **clasp** —someone's hand (w.DAT. in one's own) AR.; (intr.) **grasp** (food) Od. **10** cast (one's arms) around (a person); **embrace** —a person, part of the body (sts. w.DAT. w. one's arms or hands) Il. E. AR. **11** (of an attacker) **surround, encompass** —a country's borders B.; (fig.) —a city (w.DAT. w. bloodshed) E.; (of Eros) —the minds of gods and men (w. his wing) E.; (of the sound of horses' hooves) **ring round** —one's ears Il.(tm.); (of darkness) **envelop** (persons) AR. **12** (specif.) encompass with a net; **ensnare** —birds, animals and fishes (w.DAT. w. nets) S.; (intr.) **cast fishing-nets** —w.PREP.PHR. into the sea NT. **13** (of things) **be uncertain** Arist.; (of persons) —w. περί + GEN. about sthg. Plb.; **be in dispute** Arist.(dub.)

ἀμφίβασις εως f. [ἀμφιβαίνω] **protective stance** (w.GEN. of warriors, over a fallen comrade) Il.

ἀμφιβλήματα των n.pl. [ἀμφιβάλλω] **1** things which are cast around (the body), **garments, clothing** E.; **trappings, outfit, suit** (w.ADJ. of full armour) E. **2 encircling walls** (of a palace) E.

ἀμφιβληστρικός ή όν adj. [ἀμφίβληστρον] of the kind that is cast around ‖ NEUT.SB. **net-like device** Pl.

ἀμφίβληστρον ου n. [ἀμφιβάλλω] **1** that which is cast around (fish); **casting-net, fishing-net** Hes. Hdt. NT.; (fig., ref. to a robe used to entrap a person) A. S. **2** that which is cast around (the body) ‖ PL. **fetters** (w.DAT. for the limbs) A.; (appos.w. ῥάκη rags) **accoutrements, coverings** (w.GEN. for the body) E. **3** ‖ PL. (periphr.) **encirclements** (w.GEN. of walls, i.e. encircling walls) E.

ἀμφι-βόητος ον adj. [βοάω] (of an island) **encircled with sounds** (of singing) Call.

ἀμφιβολίᾱ ᾱς, Ion. **ἀμφιβολίη** ης f. [ἀμφίβολος] **1** state of being surrounded or attacked on all sides, **encirclement** (by the enemy) Hdt. **2** state of being ambivalent in meaning, **ambiguity** Arist. Plu. **3** state of being uncertain, **suspense, doubt** Plu.

ἀμφίβολος ον adj. [ἀμφιβάλλω] **1** (of swaddling-clothes) **wrapped around** (a baby) E. ‖ NEUT.PL.SB. encircling ropes, lassoes (for attaching to and dragging an object) E. **2** (of troops, occupants of a city) **exposed to attack from all** or **both sides** A. Th. Plu. ‖ NEUT.SB. exposure to attack from both sides Th. **3** (of an argument, word, law, or sim.) ambivalent in meaning, **with double meaning, ambiguous** Isoc. Pl. Arist. Plb.; (of a circumstance, an opinion) open to dispute, **uncertain** Aeschin. Plu. ‖ NEUT.SB. ambiguity, uncertainty, doubt Th. X. **4** (of persons) in two minds, **in doubt, uncertain** Plu. **5 open to doubt** (as to one's intentions or loyalty) Plu.

—**ἀμφιβόλως** adv. (in neg.phr.) **dubitably, disputably** A.(dub.)

ἀμφί-βουλος ον adj. [βουλή] ambivalent in intention, **in two minds, uncertain** (w.INF. whether to do sthg.) A.

ἀμφί-βροτος η ον adj. [βροτός] (of a shield) all around a man, **covering, protective** Il.

ἀμφι-βώμιος ον adj. (of slaughter, prayers) **around an altar** E.

ἀμφι-γηθέω contr.vb. ‖ STATV.PF.PTCPL. **greatly delighted** —w.ACC. in one's heart hHom. [sts. written as two wds., ἀμφὶ γεγηθώς]

ἀμφι-γνοέω contr.vb. [γιγνώσκω] | impf. ἠμφεγνόουν | aor. ἠμφεγνόησα | **1** be in two minds, **be doubtful, uncertain** or **undecided** —w.ACC. about sthg. Pl. Plu. —w.PREP.PHR. Isoc. —w.INDIR.Q. what (or whether sthg.) is the case Pl. X. **2** be uncertain about the identity of, **fail to recognise** —someone Pl. —w.PTCPL.PHR. those who are speaking the truth Isoc. ‖ PASS. (of a person) not be recognised X. **3 be mistaken in identifying** —someone (w.PTCPL. as being so and so) Plu.

ἀμφι-γυήεις εντος *masc.adj.* [reltd. γύης, γυῖα] (epith. of Hephaistos) perh., skilled with both hands, **ambidextrous** Hom. Hes. AR. [or perh. *lame in both legs* or *bow-legged*]

ἀμφί-γυος ον *adj.* **1** (of spears) app. **curved on both sides** (of the blade, i.e. w. a leaf-shaped blade) Hom. AR. [also interpr. as *with a point at both ends, double-pointed*] **2** (of persons) perh., skilful with both hands or legs, **nimble-limbed** S.

ἀμφι-δαίω *vb.* | 3sg.pf. ἀμφιδέδηε, plpf. ἀμφιδεδήει | ‖ STATV.PF. and PLPF. (fig., of battle) burn or blaze all around —*a city* Il.; (intr., of a cloud of enemies) AR.; (of dust fr. horses' hooves) flare up around —*warriors* Hes.

ἀμφι-δάκρῡτος ον *adj.* [δακρῡτός] (of a longing for two sons) **with tears shed for both** E.

ἀμφι-δασυς εια υ *adj.* [δασύς] (of Zeus' aigis) **with a shaggy fringe** Il.

ἀμφι-δέαι έων *f.pl.* [δέω¹] ornaments fastened around (arms or legs), **bracelets, bangles** Hdt.

ἀμφιδέδρομα (pf.2): see ἀμφιδραμεῖν

ἀμφι-δέξιος ον *adj.* [δεξιός] **1** right-handed on both sides (i.e. able to use the left hand as skilfully as the right), **ambidextrous** Hippon. Arist.
2 (of the fingers) **of both hands** S.
3 (of the sides of two daughters) **to right and left** (of their father) S.
4 (of a sword) cutting on both sides, **two-edged** E.
5 (of an oracular response) with double meaning, **ambiguous** Hdt.

ἀμφι-δέω *contr.vb.* [δέω¹] (of a boxer) **tie on** —*leather thongs* AR.

ἀμφι-δηριάομαι *mid.contr.vb.* **fight, do battle** —W.PREP.PHR. *because of a woman* Semon.

ἀμφι-δήρῐτος ον *adj.* [δηρίομαι] (of a victory; of a battle, i.e. its outcome) claimed by both sides, **disputed, indecisive** Th. Plb.

ἀμφι-δῑνέομαι *pass.contr.vb.* **1** ‖ STATV.PF. (of an overlay of tin) be set in a circle around (a cuirass) Il.; (of an ivory scabbard) be designed to encompass (a sword) Od.
2 (of mourners) **go around** (a tomb) AR.(tm.)

ἀμφι-δῑνεύω *vb.* **spin round** —*firesticks* AR.(tm., dub.)

ἀμφι-δοκεύω *vb.* (of a fowler) **lie in wait for** —*a bird* Bion

ἀμφιδοξέω *contr.vb.* [ἀμφίδοξος] **1** hold contrary opinions, **be uncertain** or **doubtful** (sts. W.PREP.PHR. about sthg.) Arist. Plb. Plu.
2 ‖ PASS. (of judgements) be divided Plb.; (of a philosophical question) be controversial Plu.

ἀμφί-δοξος ον *adj.* [δόξα] open to fluctuating opinions; (of victory, an outcome, or sim.) **uncertain, doubtful** Plb. Plu.

ἀμφί-δοχμος ον *adj.* [δοχμή] (of stones) which one can get a hand around, **fist-sized** X.

ἀμφι-δραμεῖν *aor.2 inf.* | pf.2 ἀμφιδέδρομα | **1** (of flames) **run around, surround** (a funeral pyre) Pi.
2 ‖ STATV.PF.2 (of a fence) surround —*a courtyard* Archil.; (of godlike beauty) play around (a woman) Semon.

ἀμφιδρόμια ων *n.pl.* **Amphidromia** (a religious ceremony held in Athenian houses, at which a baby, prob. on the fifth day after birth, was carried at a run around the hearth, by way of introducing it to the family and household gods) Ar. Pl.

ἀμφίδρομος ον *adj.* **1** (fig., of a wave of disaster) **surging around** (a person) S.
2 ‖ FEM.SB. perh., winding path X.(dub.)

ἀμφι-δρυφής ές *adj.* [δρύπτω] (of women) **with both cheeks torn** (in mourning) Il. Hdt.(oracle)

ἀμφί-δρυφος ον *adj.* (of a woman's cheeks) **both torn** (in mourning) Il.

ἀμφί-δυμος ον *adj.* [app.reltd. δίδυμος] **1** (of harbours) **twin, one on each side** (of an island) Od.; (of the harbour of the Phaeacians) **double, on each side** (of the main town of the island) Call.
2 (of the shores or perh. headlands of a peninsula) **twin** or **with twin harbours** AR.

ἀμφι-δύω *vb.* [δύω¹] | aor. ἀμφέδῡσα | put (a garment) around (a person); **dress** —W.DBL.ACC. *someone in a robe* Ar.
‖ MID. put (W.ACC. a robe) **around** —W.DAT. *one's body* S.

ἀμφιέζω *vb.*: see ἀμφιάζω

ἀμφιέλισσα ης *ep.fem.adj.* [ἀμφελίσσω] (of ships) curved at both ends or on both sides, **doubly-curved** Hom. Hes.*fr.* [also interpr. as *wheeling either way, i.e. swaying or manoeuvrable*]

ἀμφιελίσσω *vb.*: see ἀμφελίσσω

ἀμφι-έννῡμι *vb.* —also (pres.) **ἀμφιεννύω** (Plu.) | fut. ἀμφιέσω, ep. (tm.) ἀμφὶ ... ἕσσω | aor. ἠμφίεσα, ep. (tm.) ἀμφὶ ... ἕσσα, 3pl. ἀμφὶ ... ἕσαν (also ἕσσαν) ‖ MID: fut. ἀμφιέσομαι | ep.3sg.aor. (tm.) ἀμφὶ ... ἕσατο (also ἕσσατο, ἑέσσατο), ep.3pl. ἀμφιέσαντο | pf.ptcpl. ἠμφιεσμένος | ep.3sg.plpf. (tm.) ἀμφὶ ... ἕστο |
1 put (W.ACC. a garment) **on** (someone) Od.(sts.tm.); put (W.ACC. yoke-straps) **around** (horses' necks) Il.(tm.)
2 clothe —*someone* Ar. Plb. Plu. —(w. 2ND ACC. *in a garment*) Od.(sts.tm.) Pl. X.; (of Zeus) —*animals* (W.DAT. w. *thick hair and solid hides*) Pl.; (fig., of God) —*grass* (w. *flowers*) NT.
3 ‖ MID. (pres., fut. and aor.) **clothe oneself** X. —W.ACC. *in a garment* Hom.(sts.tm.) X. AR.(tm.); (fig.) —*in virtue* Pl.
4 ‖ STATV.PF. and PLPF.MID. be clothed Pl. —W.ADV. *suitably, grandly, poorly,* or sim. Pl. X. Plb. Plu. —W.DAT. *in a garment* Plb. —w. ἐν + DAT. NT. —W.ACC. Od.(tm.) Hippon. Lys. Ar. Pl. X. AR.(tm.); (fig.) —*in beautiful bodies, ancestry and wealth* Pl.; (of a boil) —*in garlic* (as a poultice) Ar.; (of a monster) be covered —W.ACC. *in blisters* Ar.

ἀμφιέπω *ep.vb.*: see ἀμφέπω

ἀμφιέσματα των *n.pl.* [ἀμφιέννῡμι] **garments, clothing** Pl.

ἀμφι-ετής ές *adj.* [ἔτος] (of a tithe-offering) coming round each year, **yearly, annual** Call.

ἀμφ-ιζάνω *vb.* (of ashes) **settle all over** —W.DAT. *a tunic* Il.

ἀμφί-ζευκτος ον *adj.* [ζεύγνῡμι] (of a promontory, app. sg. for pl., ref. to each side of the Hellespont) **yoked together from both sides** (by a bridge of boats) A.

ἀμφι-θάλασσος, Att. **ἀμφιθάλαττος**, ον *adj.* [θάλασσα] (of an island, a peninsula) **with sea on both sides, sea-girt** Pi. X.

ἀμφι-θαλής ές *adj.* [θάλλω] **1** (of a child) **with both parents living** (i.e. not orphaned) Il. Pl. Call. Plu.
2 (of the death of Itys, who was killed by his mother and eaten by his father) **beset on both parents' sides** (W.DAT. w. *evils*) A.
3 (of Zeus) app., all-flourishing, **all-powerful, almighty** A.; (of Eros) perh. **blooming** Ar.

ἀμφίθετος ον *adj.* [ἀμφιτίθημι] (of a goblet) app., set (w. handles) on both sides, **two-handled** Il.

ἀμφι-θέω *contr.vb.* [θέω¹] | iteratv.impf. ἀμφιθέεσκον |
1 (of calves) **run around** —*their mothers* Od.
2 (of a man's understanding) go around, **operate** —W.DAT. *in a bull* Mosch.

ἀμφί-θηκτος ον *adj.* [θηκτός] (of a sword) sharpened on both sides, **double-edged** S.

ἀμφί-θρεπτος ον *adj.* [τρέφω] (of blood) **clotted around** (wounds) S.

ἀμφι-θρῴσκω vb. (of dogs) **leap** or **rush from all sides** AR.

ἀμφί-θυρος ον adj. [θύρᾱ] **1** (of a house or temple) **with two doors** (i.e. front and rear) Lys. Plu.; (of a cave) **with two entrances** S.
2 ‖ NEUT.SB. perh., area with doors at both ends, **hallway, vestibule** or **porch** Theoc.

ἀμφι-καλύπτω vb. **1 surround with a covering** (for concealment or protection); (of clothing) **cover, conceal** —one's genitals Il.; (of ash) —embers hHom. ‖ PASS. have (W.ACC. one's head) covered —W.DAT. w. a lionskin E.
2 (of an urn) **conceal, contain** —bones Il.; (of a region) —heroes (W.DAT. in its bosom, i.e. buried in its soil) Plu.(oracle)
3 (of Troy) take within one's walls, **shelter, harbour** —the Trojan Horse Od.; (of a house) —a traveller Od.
4 (of a raincloud) **envelop** —a person Hes.; (of a wave) **engulf** (a ship) AR.
5 (of death, sts. envisaged as a cloud; of fate, black night) **envelop, enfold, enshroud** —a person, eyes Hom.(sts.tm.) Hes. Thgn. AR.; (of old age, dizziness) hHom. AR.; (of sleep) —eyelids Od.; (of love, grief) —the mind Il. hHom.
6 cause (sthg.) to cover or envelop; **place** (W.ACC. a shield) **around** —W.DAT. a fallen warrior Il.; (of a god) **spread** (W.ACC. a golden cloud, darkness) **around** or **over** —W.DAT. a goddess, a battle Il.(sts.tm.); (of Poseidon) **set** (W.ACC. a mountain) **around** —W.DAT. a city (i.e. cut it off fr. the sea) Od. [or perh. cover the city w. a mountain, so as to obliterate it]

ἀμφι-κεάζω vb. cut off all round, **strip** —bark (fr. a tree) Od.

ἀμφί-κειμαι mid.pass.vb. [κεῖμαι] **1** (of Mt. Aetna) **lie upon** —W.DAT. Typhon Pi.fr.
2 (of death) **be heaped** —w. ἐπί + DAT. upon destruction S.
3 (of persons) **cling in a close embrace** —w. ἐπί + DAT. to one another S.

ἀμφι-κίων ον, gen. ονος adj. (of temples) with pillars all around, **pillared** S.

ἀμφί-κλυστος ον adj. [κλύζω] (of a coastline, rock) washed all around, **sea-swept** S.

ἀμφί-κομος ον adj. [κόμη] (of a bush) with foliage all around, **thickly leaved, leafy** Il.

ἀμφί-κρᾱνος ον adj. [κρᾱνίον¹] (of the Hydra) with heads all around, **many-headed** E.

ἀμφι-κρέμαμαι pass.vb. [κρεμάννῡμι] (of envious hopes) **hang** or **dangle around** —the minds of men Pi.

ἀμφί-κρημνος ον adj. [κρημνός] (of a glen) **surrounded by cliffs** E.

ἀμφι-κρύπτω vb. (of a cloud of men, fig.ref. to an army) conceal on all sides, **envelop** —a city E.(tm.)

ἀμφι-κτίονες, also **ἀμφικτύονες** (Hdt.), ων m.pl. [reltd. κτίζω] dwellers round about, **neighbours** Pi. B. Hdt.

—Ἀμφικτύονες ων m.pl. **Amphictyons** (members or officials of an Amphictyony; specif. that connected w. Delphi and Thermopylae) Hdt. Att.orats. Plb. Plu.; (also sg.) D.; (connected w. the shrine on Delos) Arist.

—Ἀμφικτυονίᾱ ᾱς f. **Amphictyony** (an association of different ethnic groups w. responsibility for a religious shrine; specif. that connected w. the shrines of Apollo at Delphi and Demeter at Thermopylae, which had wide membership and power to declare a sacred war) Isoc. D. Plu.

—Ἀμφικτυονικός ή όν adj. (of meetings) **Amphictyonic** (i.e. of Amphictyons) Plu.; (of a lawsuit, i.e. heard by them) Plu.; (of a war, i.e. declared by them) D.; (of sacrifices, i.e. performed by them) D.(law); (of a pretext, i.e. based on their alleged support) D.

—Ἀμφικτυονίς ίδος fem.adj. (of Demeter, at Thermopylae) **Amphictyonic** Hdt.; (of cities) Aeschin.

—Ἀμφικτύων ονος m. **Amphictyon** (mythol. ancestral figure, assoc.w. Thermopylae) Hdt.

ἀμφι-κυκλόομαι mid.contr.vb. (of troops) **encircle** —an island A.(tm.)

ἀμφι-κυλίνδω vb. ǀ dial.masc.nom.sg.aor.ptcpl. ἀμφικυλίσαις ǀ (of envy) **cause** (W.ACC. a person) **to writhe** —W.DAT. upon his sword Pi.

ἀμφι-κύμων ον, gen. ονος adj. [κῦμα] (of a headland) surrounded by waves, **sea-girt** B.

ἀμφι-κύπελλος ον adj. [κύπελλον] (of a drinking-vessel) app., with a double cup, **double** (i.e. w. two cups connected adjacently at the rim; or perh. joined at the base, so that it could be used either way up) Hom. [also interpr. as double-handled]

ἀμφί-λαλος ον adj. [λάλος] (of the lips of an Athenian politician w. Thracian ancestry) **double-talking** (i.e. using language which betrays his origins, w. further connot. duplicitous) Ar.

ἀμφι-λαφής ές adj. [perh. λαμβάνω] **1** (of trees) encompassing a broad area, **w de-spreading** Hdt. Pl. AR.
2 (of an island, a bedchamber) **expansive, spacious** AR. Theoc.
3 (of an elephant, a horse) **massive** Hdt. AR.
4 (of power) **extensive, abundant** Pi.; (of bounty fr. Zeus) A.; (of booty) Plu.; (of lamentation) A.; (of dancing) Call.
5 (of snow) **thick** Hdt.
6 (of thunderstorms) **frequent** Hdt. [or perh. violent]
7 (of a grove) thickly covered, **closely packed, dense** (W.DAT. w. trees) Call.; (of a hill) **dense with trees** Plu.
8 (of Apollo) **wide-ranging** (W.DAT. in his art) Call.

—ἀμφιλαφῶς adv. **abundantly** —ref. to plains bristling w. crops Plu.

ἀμφι-λαχαίνω vb. dig around —a tree Od.

ἀμφι-λέγω vb. **1** (of persons) speak on both sides (i.e. for and against), **dispute, argue** —W.NEUT.ACC. over sthg. X.
2 (of an individual) say contentiously, **argue** —W.ACC. and μή + INF. that sthg. is not the case X.

ἀμφίλεκτος ον adj. **1** (of a king) spoken about on both sides (i.e. for and against), **disputed, challenged** (W.DAT. in his sovereignty) A.
2 (of strife) in which there is speech on both sides, **quarrelsome** E.
3 (of sufferings) spoken of in two ways, **twofold** A.

—ἀμφιλέκτως adv. disputably, questionably A.

ἀμφιλογέομαι mid.contr.vb. [ἀμφίλογος] speak on both sides (i.e. for and against), **dispute** —W.PREP.PHR. about sthg. Plu.

ἀμφιλογίᾱ ᾱς, ep.Ion. **ἀμφιλογίη** ης f. **1 disagreement, argument, dispute** Plu.
2 ‖ PL. Disputes (as children of Strife) Hes.

ἀμφί-λογος, dial. **ἀμφίλλογος** ον adj. [λόγος] **1** (of matters) open to dispute, **disputable, questionable, contentious** X. Arist. ‖ NEUT.PL.SB. matters of dispute Th.(treaty) X.
2 (of thoughts or intentions) **ambivalent** E.; (of the workings of fortune) E.(cj.)
3 (of disputes, bouts of anger) **quarrelsome** S. E.

—ἀμφιλόγως adv. **disputably, questionably** A.

ἀμφί-λοφος ον adj. [λόφος] (of a yoke) **encompassing the neck** S.(dub.)

ἀμφι-λύκη ης fem.adj. [prob.reltd. λευκός, λεύσσω] perh., with light shining around the edges; (of night) at morning twilight, **twilit** Il. ‖ SB. morning twilight AR.

ἀμφι-μαίομαι *mid.vb.* | 2pl.aor.imperatv. ἀμφιμάσασθε | carry the hands all around or over, **wipe round** —*tables* (W.DAT. *w. sponges*) Od.

ἀμφι-μάρπτω *vb.* grasp all round ‖ STATV.PF.PTCPL. **clinging to both sides** (of someone's body) AR.

ἀμφι-μάσχαλος ον *adj.* [μασχάλη] (of a tunic) with armholes on each side (and covering both shoulders and arms), **two-sleeved** (opp. ἐξωμίς *one-sleeved tunic*) Ar.

ἀμφι-μάτωρ ορος *dial.masc.fem.adj.* [μήτηρ] (of a son) having two mothers, **with rival mothers** (i.e. a mother and a stepmother) E.

ἀμφι-μάχομαι *mid.vb.* **1 fight around** —*a city, camp or island* Il.
2 fight for possession of, **fight for** —W.GEN. *a wall or corpse* Il.

ἀμφι-μέλᾱς αινα αν *adj.* (of a person's mind, under strong emotion) black all over, **black, gloomy** Hom. [sts. written as two wds.]

ἀμφι-μῡκάομαι *mid.contr.vb.* | only act.: ep.aor.2 (tm.) ἀμφὶ ... μύκον, pf. (w.pres.sens.) ἀμφιμέμῡκα | (of a shield, struck by a spear-point; of gates, while opening) **resound** or **echo all around** Il.(tm.); (of a floor, in response to singing) Od.

ἀμφι-νάω *contr.vb.* | neut.gen.sg.ptcpl. ἀμφιναέντος | (of water) **flow around** Emp.(dub., cj. ἀμφινάοντος)

ἀμφι-νεικής ές *adj.* [νεῖκος] (of a woman) being a source of dispute between two sides or suitors, **for whom two contend** A. S.

ἀμφι-νείκητος ον *adj.* [νεικέω] (of a woman's beauty) **contended over** (by two suitors) S.

ἀμφι-νέμομαι *mid.vb.* **1 dwell around** or **in, occupy** —*a land, city, or sim.* Hom. hHom. Pi.fr. AR.; (of the gods) —*Olympos* Il.; (intr., of a tribe) **dwell** —W.ADV. *at a distance* AR.
2 (of bulls) **graze in** —*a plain* AR.
3 (fig., of prosperity) **encompass** —*a person* Pi.

ἀμφι-νοέω *contr.vb.* **be in two minds** S.

ἀμφι-νωμάω *contr.vb.* (of a wing) steer on each side, **direct, guide** —*a bird* S.fr.

ἀμφι-ξέω *contr.vb.* **make smooth all around** —*a tree-trunk* (W.DAT. *w. an adze*) Od.

Ἀμφιόνιος *adj.*: see under Ἀμφίων

ἀμφι-παλύνω *vb.* **sprinkle** (a potion) **all over** —*weapons* AR.

ἀμφί-πεδος ον *adj.* [πέδον] (of a hill) **surrounded by a plain** Pi.

ἀμφι-πέλομαι *mid.vb.* (of a song) go around, **be in circulation** Od.

ἀμφι-πένομαι *mid.vb.* **1** busy oneself about, **attend to, take charge of** —*a dead or wounded warrior* Il. —*a slain boar* Od. —*gifts* Il.; (iron., of dogs, eels and fish) —*a corpse* (i.e. feed on it) Il.
2 attend upon, **minister to** —*a king* Od.
3 (of hunters) **surround, hem in** —*a wounded lion* AR.
4 prepare —*a meal, a bull (for a meal), sleeping-places* AR.
5 undertake —*an expedition* AR.
6 pay honour to —*a tomb* AR.

ἀμφι-περικτίονες ων *m.pl.* **dwellers round about, neighbours** Callin. Thgn.

ἀμφι-περιστείνομαι *Ion.pass.vb.* [περί, στείνομαι] (of places) **be hard pressed on all sides** (in wartime) Call.

ἀμφι-περιστέφομαι *pass.vb.* (of grace) **be wreathed around** —W.DAT. *someone's words* Od. [sts. written as two wds., ἀμφὶ περι-]

ἀμφι-περιστρωφάω *contr.vb.* **wheel** (W.ACC. one's horses) **this way and that** Il.

ἀμφι-περιφθινύθω *vb.* [φθινύθω] (of bark on a tree) **decay all around** hHom.

ἀμφι-πιάζω *dial.vb.* [πιέζω] **enfold in one's grasp**; (of a wolf) **grip tightly** —*a goat* (W.DAT. *w. its jaws*) Theoc.epigr.

ἀμφι-πίπτω *vb.* **1** fall with one's arms around, **fall upon, embrace** —*a person* Od. AR.
2 fall upon —W.DAT. *a dead person's lips* (to kiss them) S.
3 (fig., of a poet) **embrace, greet with affection** —*a people* (i.e. praise them) Pi.

ἀμφι-πίτνω *vb.* **fall down and clasp** —*someone's knees and hands* (in supplication) E.

ἀμφίπλεκτος ον *adj.* [ἀμφιπλέκω] (of a wrestling move) **with intertwining** (of limbs) S.(dub.) [cj. ἀμφίπλικτος *straddling*, reltd. πλίσσομαι] | see κλίμαξ 5

ἀμφι-πλέκω *vb.* **1** (of a spider) **weave** (W.ACC. a web) **around** (a spear) E.fr.
2 (fig., of an aulos-player) **weave** (W.ACC. one's breath) **around** —W.DAT. *the reed pipes* Telest.

ἀμφί-πληκτος ον *adj.* [πλήσσω] (of waves) **beating all around** S.

ἀμφι-πλήξ ῆγος *masc.fem.adj.* (of a sword) **striking with a double edge** S.; (fig., of a curse fr. both parents) S.

ἀμφιπολεύω *vb.* [ἀμφίπολος] **1** busy oneself about, **attend to, take care of** —*a garden, sanctuary* Od. hHom. Hdt. —*horses and mules* hHom.; (of a husband) —*his wife's well-being* Od.; (of Erinyes) —*a child being born* Hes.
2 perh. **attend on, serve** (Erinyes) Od.

ἀμφιπολέω *contr.vb.* **1** (of a deity) busy oneself about, **attend to, take care of** —*a city, marriage bed* Pi.; (of a person) —*a wound* Pi. —*a thousand things* B.fr.
2 (fig., of old age) **attend on, keep company with** —*a person* Pi.
3 (of Dionysus) **keep company** —W.DAT. *w. nymphs* S.
4 (of Pan) move about on, **range over, haunt** —*a mountain* Theoc.
5 (of a ship) **roam about, sail this way and that** AR.

Ἀμφίπολις εως *f.* **Amphipolis** (city on the R. Strymon in Thrace) Th. Att.orats. Pl. X. +

—**Ἀμφιπολίτης** ου (Ion. εω) *m.* **inhabitant of Amphipolis, Amphipolitan** Th. X. Aeschin. D. Arist. Call.epigr.

ἀμφί-πολος ον *m.f.* [πέλω, πολέω] **1** (f.) **woman who goes about** (attending to a person or to duties), **attendant, servant, serving-woman** Hom. hHom. Anacr. Pi. Hdt. E. +; (appos.w. γρηΰς, γυνή, ταμίη) Hom. AR.; (m., pejor.ref. to a Phrygian slave) **flunkey, lackey** E.
2 attendant (in a temple); (f.) **attendant, servant** (W.GEN. of a goddess) E.; (fig., of Persuasion) Pi.fr.; (m. or f.) Pi.fr.; (W.GEN. of Ares) Plu.(quot. E.); (m., ref. to a priest) **keeper** (of sacred objects) Plu.
3 (appos.w. Κύπρις) **attendant** (at an action) S.
4 ‖ ADJ. (of a tomb) **much frequented** Pi.

ἀμφι-πονέομαι *mid.contr.vb.* | aor.pass. (w.mid.sens.) ἀμφεπονήθην | **1** exert oneself over, **attend to** —*a person* (before a boxing-match) Il. —*funeral arrangements* Od. —*a temple* AR.
2 (of Hephaistos, meton. for fire) **work upon** —*a corpse* (on a pyre) Archil.
3 (of a mountain) **be distressed over** —*a dead person* Theoc.

ἀμφι-πόρφυρος ον *adj.* [πορφύρα] (of robes) with purple around the edges, **purple-bordered** E.

ἀμφι-ποτάομαι *mid.contr.vb.* **1** (of a mother bird) **fly round and round** (in distress) Il.
2 (fig., of longing for someone) **flutter around** —*a person* Sapph.

ἀμφι-πρόσωπος ον *adj.* [πρόσωπον] (of primeval creatures) **with a face on both sides** Emp.; (of the Roman god Janus) Plu.

ἀμφί-πτολις εως *ep.masc.fem.adj.* [πόλις] (of compulsion, ref. to a siege and its consequences) **enveloping a city** A.

ἀμφι-πτυχαί ῶν *f.pl.* enfolding (w. the arms), **embrace** (W.GEN. of someone's body) E.

ἀμφί-πυλος ον *adj.* [πύλαι] (of a house) with a door on both sides (i.e. front and rear), **two-doored** E.

ἀμφί-πυρος ον *adj.* [πῦρ] **1** (of a thunderbolt) with fire at both ends, **flame-tipped** E.
2 (of Artemis) **with a flame in either hand** (i.e. holding two torches) S.; (of pine-torches, held by Bacchus) **flaming in either hand** E.
3 (of a tripod-cauldron) with fire all round, **on a fire** S.

ἀμφί-ρρυτος ον, also **ἀμφίρυτος** η (dial. ᾱ) ον (also ος ον) *adj.* [ῥυτός] (of islands) with water flowing all around, **sea-girt** Od. Hes. Pi. S. E. AR. ‖ FEM.SB. sea-girt land Hdt.(oracle)

ἀμφι-ρρώξ ῶγος *masc.fem.adj.* [ῥήγνῡμι] (of boulders) broken all round, **jagged** AR.

ἀμφίς *adv. and prep.* [ἀμφί] | (as prep.) occas. following its noun (without anastrophe of the accent), e.g. αἳ δ᾽ οἶαι Διὸς ἀμφὶς Ἀθηναίη τε καὶ Ἥρη ἤσθην *Athena and Hera sat alone away from Zeus* Il. |
1 on each side (of a person, animal or object) Il. AR.; **at the two extremes** (of a doorway, ref. to top and bottom) Parm.; (as prep.) **on each side of** —W.ACC. *a chariot, handle* Il.; **at each end of** —W.DAT. *an axle* Il.
2 on all sides, **around, all around** Hom. Hes. Parm. D.(quot. epigr.) Hellenist.poet.; (as prep.) —W.ACC. *someone or sthg.* Hom. Hes. hHom. Parm.
3 in the vicinity, **round about, nearby** Hom.; (as prep.) **close by** —W.ACC. *someone or sthg.* Od.
4 all around (within an area), **all over** Od. Xenoph. AR.; (as prep.) —W.GEN. *a chariot (ref. to casting an eye)* Il.
5 at or to a distance apart, **apart, away** Hom. Hes.*fr.* hHom. AR.; (as prep.) —W.GEN. *fr. someone or sthg.* Hom.
6 in between (i.e. separating two things) Il.
7 in a divided or opposing manner, **differently** (fr. others) —*ref. to thinking* Il. hHom.; **on different sides** —*ref. to being supporters* Il.; **in the opposite way** —*ref. to things turning out* Hdt.(oracle)
8 perh., with reversion to an original state, **around** —*ref. to changing form* E.*fr.*
9 separately (fr. one another) Od.
10 apart (fr. what has been mentioned), **in addition** Il.
11 (as prep.) **with regard to, concerning** —W.ACC. *each thing* Od. —W.GEN. *truth* Parm.
12 (as prep.) **in competition for** —W.GEN. *a prize* Pi.

ἀμφίσ-βαινα ης *f.* [βαίνω] **amphisbaina** (a mythical serpent w. a head at each end, able to move in either direction) A.

ἀμφισβασίη ης *Ion.f.* [ἀμφισβητέω] **dispute, disagreement** Hdt.

ἀμφισ-βητέω, Ion. **ἀμφισβατέω** *contr.vb.* [ἀμφίς, βαίνω] | impf. ἠμφεσβήτουν (later ἠμφισ-) | aor. ἠμφεσβήτησα (ἠμφισ-) | pf. ἠμφεσβήτηκα ‖ PASS.: fut. ἀμφισβητήσομαι | aor. ἠμφεσβητήθην (ἠμφισ-) ‖ neut.impers.vbl.adj. ἀμφισβητητέον |
1 (in private, political, philosophical or legal ctxts.) go apart (in one's views), **dispute, disagree** (sts. W.DAT. or PREP.PHR. w. someone, sts. W.PREP.PHR. about sthg.) Hdt. Att.orats. Pl. + —W.NEUT.ACC. *over a certain point* Pl. D.
2 ‖ PASS. (of things) be in dispute or at issue Att.orats. Pl. + ‖ IMPERS. there is a dispute (about sthg., whether sthg. is the case) Pl. ‖ NEUT.PTCPL.SB. (sg. and pl.) matter of dispute Th. Att.orats. +
3 be at variance with, **contradict** —W.DAT. *a previous statement* Arist.; (of one version of a story) —*another* Hdt.
4 contend, maintain, **argue** —W.ACC. + INF. or COMPL.CL. *that sthg. is the case* Att.orats. Pl. +; **dispute** (i.e. deny) —W.COMPL.CL. *that sthg. is the case* Pl.; **debate** —W.INDIR.Q. *whether sthg. is the case* Isoc.
5 (leg.) dispute over the right of possession; **dispute** (sts. W.DAT. w. someone) —W.GEN. or περί + GEN. *over land, property, an inheritance, or sim.* (i.e. lay claim to them) Att.orats.; **make a claim** (to an inheritance or sim.) Isoc. Is. Arist. —W. πρός + ACC. *against a will* (i.e. contest it) Isoc. Is. ‖ PASS. (of property or sim.) be disputed (i.e. subject to rival claims) Isoc. D.; (of a will, an adoption) be contested Is.; (of a person) have one's claim or right of ownership disputed Is. D.
6 (gener.) dispute over entitlement (to sthg.); **dispute** (sts. W.DAT. w. someone) —W.GEN. *over kingship, leadership, political office, or sim.* (i.e. lay claim to them) Isoc. Pl. D. Arist.
7 (w. no implication of an alternative claimant) **lay claim** —W.GEN. *to wisdom, virtue, or sim.* Isoc. Arist.; **claim, purport** —W.INF. *to be such and such* Aeschin.

ἀμφισβήτημα ατος *n.* **1 dispute, disagreement** Pl. Arist. Plu.
2 point maintained in a dispute, **contention, argument** Pl.

ἀμφισβητήσιμος ον *adj.* **1** (of matters) **open to dispute, debatable, arguable** Att.orats. Pl. Arist. Plb. Plu.; (prep.phr.) ἐν ἀμφισβητησίμῳ *in a state of uncertainty* D.
2 (of land or territory) subject to legal dispute (by individuals or states), **disputed, contested** Is. D.; (of territory, without legal connot.) X. ‖ NEUT.PL.SB. (leg.) disputed claims (over property) Pl.
3 (of a battle) having a disputed outcome, **indecisive** Pl.

ἀμφισβήτησις εως *f.* **1** state or process of being in dispute, **dispute, argument, disagreement, controversy** Att.orats. Arist. Plb. Plu.
2 ground for dispute or disagreement Att.orats. Pl. Arist. Plu.
3 (in legal ctxt.) **dispute, challenge** or **claim** Pl. Arist.; (specif.) **claim** (to an inheritance) Att.orats.
4 (gener.) **claim** (to political office) Arist.; **rival claim** (to success) Plu.

ἀμφισβητητικός ή όν *adj.* **1** (of persons) **expert in disputation** Pl.
2 (of the art) **of disputation** Pl.; (of the term for it) **disputatious** Pl.

ἀμφισβήτητος ον *adj.* (of territory) **disputed, contested** Th.

ἀμφ-ίσταμαι *mid.vb.* [ἀμφί] | also ACT.: 3pl.athem.aor. ἀμφέστησαν, ep. ἀμφέσταν | 3pl.pf. ἀμφεστᾶσι | 3pl.plpf. (tm.) ἀμφὶ ... ἕστασαν | **1** take up a position around, **gather round** Hom.(sts.tm.) Hes.*fr.* —W.ACC. *someone* Od.(tm.) S.; (of troops) **surround** —*a town* Il.; (of thunder) **sound all around** S.
2 ‖ STATV.PF. and PLPF.ACT. (of troops) stand all around Il.(tm.) —W.ACC. *a place* S.
3 (of a woman, envisaged as a half-starved slave) **stand at** —W.DAT. *empty tables* S.

ἀμφι-στέλλομαι *mid.vb.* **put on** —*a robe* Theoc.

ἀμφί-στερνος ον *adj.* [στέρνον] (of primeval creatures) **with chests on both sides** (of the body) Emp.

ἀμφι-στεφανόομαι *pass.contr.vb.* **form a ring around** (dancers) hHom.(tm.)

ἀμφί-στομος ον *adj.* [στόμα] **1** (of a tunnel) **with an opening at either end** Hdt.

2 (of handles) on each side of the mouth (of a bowl), **on both sides** S.
3 (of javelins, ref. to their points) **double-edged** Tim.
4 (of a military formation) with a double fighting edge, **double-fronted** (i.e. w. troops facing to front and rear) Plb.
5 (of a square formation) with a fighting edge all around, **four-fronted** Plu.

ἀμφι-στρατόομαι *ep.mid.contr.vb.* | 3pl.impf. (w.diect.) ἀμφεστρατόωντο | set an army all around, **besiege** —*a city* Il.

ἀμφι-στρεφής ές *adj.* [στρέφω] (of a dragon's three heads) **twisting this way and that** Il.

ἀμφί-στροφος ον *adj.* (of a boat) perh., with rotation (of oars) on both sides, **oar-powered** A. [or perh. gener., *curved*]

ἀμφι-στρωφάω *contr.vb.* turn over and over, **ponder** —*a plan* AR.(tm.)

ἀμφι-τάμνομαι *dial.mid.vb.* [τέμνω] cut off on all sides, **intercept and surround** —*herds and flocks* Il.(tm.)

ἀμφι-τανύω *vb.* **stretch** (w.ACC. oxhide) **over** (a tortoise-shell, in making a lyre) hHom.(tm.)

ἀμφι-ταράσσομαι *pass.vb.* (of the sea) **surge all around** Simon.

ἀμφι-τειχής ές *adj.* [τεῖχος] (of an army) **surrounding city walls** A.

ἀμφι-τίθημι *vb.* **1** place (sthg.) around (the body); **place** (w.ACC. a garment) **around** or **on** (a person) Theoc. —w.DAT. *one's flesh* E.; (of a goddess) **put** (w.ACC. old skin) **on** —w.DAT. *someone's limbs (as a disguise)* Od.(tm.) || MID. put (w.ACC. a lionskin) **around** —w.DAT. *one's limbs* Theoc.; **fasten on** —w.ACC. *a sword* Od. —*a pig's snout (as a disguise)* Ar.
2 place (sthg.) around (the head); **place** (w.ACC. a garland, helmet, hat, garment) **around** or **on** (usu. w.DAT. a person, the head) Il.(tm.) Xenoph. E. Theoc. || MID. place (w.ACC. a helmet) **on** —w.DAT. *one's head* Il.(tm.) || PASS. (of a helmet) be placed on (someone's head) Il.
3 place (w.ACC. one's arms) **around** —w.DAT. *someone's neck* E.
4 place (w.ACC. a yoke, fetters) **around** (sts. w.DAT. a person) Semon. Sol. Thgn.
5 place (w.ACC. myrtle-branches) **around** —w.DAT. *a tomb* E.

ἀμφι-τιττυβίζω *vb.* (of birds) **twitter around** —*clods of earth* Ar.

ἀμφι-τόμος ον *adj.* [τέμνω] (of a weapon) cutting on both sides, **double-edged** A. E.; (of an axe) AR.

ἀμφί-τορνος ον *adj.* [τόρνος] (of a shield) **well-rounded** E.

ἀμφι-τρέμω *vb.* (of a robe) **quiver** or **flutter around** (its wearer) Il.(tm.)

ἀμφι-τρής ῆτος *masc.fem.adj.* [τετραίνω] (of a cave) pierced at both ends, **with two entrances** S. || FEM.SB. tunnelled rock E.*Cyc.*(dub.)

Ἀμφιτρίτη ης, dial. **Ἀμφιτρίτᾱ** ᾱς *f.* **Amphitrite** (sea goddess, daughter of Nereus, mother of Triton) Od. +

ἀμφι-τρομέω *contr.vb.* (of a mother) **tremble for** —w.GEN. *her son* Od.

Ἀμφιτρύων ωνος *m.* **Amphitryon** (husband of Alkmene and mortal father of Herakles) Hom. +
—**Ἀμφιτρυωνιάδης** ου, dial. **Ἀμφιτρυωνιάδᾱς** ᾱο *m.* **son of Amphitryon** (ref. to Herakles) Hes. Pi. B. Theoc.

ἀμφι-φαείνω *ep.vb.* (of radiance) **shine around** —*a god* hHom.

ἀμφί-φαλος ον *adj.* [φάλος] (of a helmet) app., with projecting ridges on each side, **double-ridged** Il.

ἀμφι-φανής ές *adj.* [φαίνομαι] visible from both sides; (of shameful deeds) **clear, patent** E.

ἀμφιφορεύς *ep.m.*: see ἀμφορεύς

ἀμφι-φράζομαι *mid.vb.* contemplate from both sides, **consider carefully** Il.(tm.)

ἀμφι-χάσκω *vb.* | aor.2 ἀμφέχανον | open the mouth wide around (sthg.); (of a snake) **grip in wide open jaws** —*a woman's breast* A.; (fig., of a besieging army, envisaged as a monstrous bird) **gape with open jaws** —w.ACC. *at a city* S.; (of fate) **swallow up** —*a person* Il.

ἀμφι-χέω *contr.vb.* | MID.: 3sg.athem.aor. (w.pass.sens.) ἀμφέχυτο || PASS.: aor. ἀμφεχύθην | 1pl.pf. (tm.) ἀμφὶ ... κεχύμεθα | **1** (of a goddess) **pour, shed** (w.ACC. beauty, mist) **over** or **around** (a person) Od.(tm.) —w.DAT. *a person, the head* Hes. AR.(tm.) || PASS. (of sleep) be poured or shed over, envelop (a god or person) Il.; (of old age) Mimn.
2 || PF.PASS. have (w.ACC. ashes) poured over —w.DAT. *one's head* E.(tm.)
3 || PASS. (of a magic net) be spread around (a bed) Od.(tm.)
4 || PASS. spread one's arms around, embrace —*someone* Od.
5 || PASS. (of a voice in a dream) envelop —*a person* Il.; (of grief) Od.
6 || PASS. (of dust) come to settle (in a sprinter's footprints) Il.

ἀμφι-χρίομαι *mid.vb.* **anoint oneself all over** —w.DAT. *w. oil* Od.(tm.)

ἀμφί-χρυσος ον *adj.* [χρυσός] (of a sword) with gold all round, **lavishly gilded** E.

ἀμφίχυτος ον *adj.* [ἀμφιχέω] (of an earth wall) **heaped** or **piled up** Il.

Ἀμφίων ονος *m.* **Amphion** (son of Zeus and Antiope, mythol. ruler of Thebes, who caused its city wall to rise up in response to the music of his lyre) Od. Trag. Ar.(quot. A.) Pl. AR. || PL. Amphiones (app.ref. to Amphion and his brother Zethos) D.(oracle)
—**Ἀμφῑόνιος** ᾱ ον *adj.* (of the lyre) **of Amphion** E.

ἄμφ-οδον ου *n.* [ἀμφί, ὁδός] **road, street** Plb. NT.

ἀμφορεύς έως, ep. **ἀμφιφορεύς** ῆος *m.* [φέρω] **1** two-handled jar (usu. of earthenware, sts. of metal, used for storage of liquids), **amphora** Hom. Pi.*fr.* Hdt. E.*Cyc.* Th. Ar. +; (for the bones of dead persons) Il.; (for jurors' voting-pebbles) Arist.; (pl., pejor.ref. to a theatre audience) Ar.
2 amphora (as a liquid measure, equiv. to 12 khoes, approx. 40 litres) Hdt. Att.orats.
—**ἀμφορείδιον** ου *n.* [dimin.] **small amphora** Ar.
—**ἀμφορίσκος** ου *m.* (pejor.) **puny little amphora** D.

ἀμφοτερό-γλωσσος ον *adj.* [ἀμφότερος, γλῶσσα] (of Zeno) **with a tongue able to argue both ways** Plu.(quot.philos.)

ἀμφότεροι αι α *pl.adj. and pron.* [reltd. ἄμφω] | DU.: nom.acc.masc.neut. ἀμφοτέρω, fem. ἀμφοτέρᾱ | gen.dat. ἀμφοτέροιν, ep. ἀμφοτέροιιν || The du. is used by Hom. Isoc. Pl. X. |
1 (as adj. or pron.) **both** (of two) Hom. +
2 (masc.pron., ref. to two sets of people) **both groups** or **sides** Hom. Hes. Eleg. A.(dub.) Pi. Hdt. +
3 (w.sb. understd., fem.) **both hands** Hom. AR. Theoc.; (masc.) **both feet** Theoc.; (masc. or neut.) **both eyes** Call.*epigr.*; (neut.) **both ears** Men.
4 (prep.phrs.) ἐπ' ἀμφότερα *in both directions* Hdt. Th.; *on both sides (of a conflict)* Pi.; *in both cases, in either case* Hdt. Pl. +; *in both ways, one way or the other* Hdt. Th. +; κατ' ἀμφότερα *in both respects* Hdt. Th. +
5 (gener., of persons or things) **all** NT.

—**ἀμφότερος** ᾱ (Ion. η) ον *sg.adj.* (of a country, hand, word, situation) **each, either** (of two) A. Pi. Pl. Call.; (of clothing) **of both kinds** Pi. ‖ NEUT.SB. quality of being both Pl.
—**ἀμφότερον** *neut.sg.adv.* **both** (this and that) Hom. Trgn. Pi. Hellenist.poet. • ἀμφότερον βασιλεύς τ' ἀγαθὸς κρατερός τ' αἰχμητής *both a good king and a powerful warrior* Il.
—**ἀμφότερα** *neut.pl.adv.* **1 both** (this and that) Thgn. Pi.
2 in both ways A. E. Th.
3 in both cases Th.
—**ἀμφοτέρῃ** *fem.dat.adv.* **1 in both places** Hdt.
2 in both cases Hdt.
—**ἀμφοτέρως** *adv.* **in both ways** Pl. Arist. Plu.; **in both cases** Pl. Arist. Plu.
—**ἀμφοτέρωθεν** *adv.* **1** (ref. to location) **from** or **on both sides** Hom. Hes. Pi. Parm. Hdt. Th. +; (as prep.) —W.GEN. *of a road* X. —*of the Isthmos* Call.
2 from or **at both places** (ref. to the Isthmos and Nemea) Pi.
3 at both ends —*ref. to fastening sthg.* Od. X.
4 on either side (in a conflict) Th.
5 on both sides (of a family) Pl. D.
—**ἀμφοτέρωθι** *adv.* **in both cases** X.
—**ἀμφοτέρωσε** *adv.* **in both directions** Il. Pl.
ἀμφοτερό-πλουν ου *Att.n.* [πλόος] **loan financing both legs of a voyage** D.
ἀμφουδίς *adv.* [ἀμφί] perh. **around the middle, by the waist** —*ref. to lifting someone* Od. [or perh.reltd. οὖς, *by both ears*]
ἀμφράσσαιτο (ep.3sg.aor.mid.opt.): see ἀναφράζομαι
ἀμφυγᾶ *dial.f.*: see ἀναφυγή
ἄμφω *du.adj. and pron.* [prob.reltd. ἀμφί] ‖ gen.dat. ἀμφοῖν (Aeol. ἄμφοιν), also ἄμφω (hHom. AR. Theoc.) ‖ **1** (as adj. or pron.) **both** (of two) Hom. Hes. Lyr. Trag. Th. Ar. +
2 (as masc.pron.) **both groups** or **sides** Il. Plb.
3 (w. reciprocal ref.) **each other** S.
ἀμφ-ώβολος ου *m.* [ὀβελός] **double-pointed spit** E.
ἀμφ-ώης ες *adj.* [οὖς] (of a drinking-bowl) with two ears, **two-handled** Theoc.
ἀμφ-ωτος ον *adj.* (of a drinking-cup) **two-handled** Od.
ἀ-μώμητος ον (also η ον Hes.*fr.*) *adj.* [privatv.prfx., μωμητός] not subject to blame; (of warriors, heroes, women) **blameless, flawless, faultless** Il. Hes. hHom.; (W.ACC. in body) B.; (of a weapon) Archil.; (of the fruit of sound thinking) Pi.
—**ἀμωμήτως** *adv.* **blamelessly** —*ref. to governing* Hdt.
ἄ-μωμος ον *adj.* [μῶμος] **1** (of a person) **blameless, faultless** Semon.; (of a law) **flawless** Hdt.
2 (of a woman) **flawless** (in beauty) Theoc.; (W.ACC. in looks) Hes.; (W.DAT. in beauty) A.; (of a woman's looks) Archil.; (of the bloom of hair) Anacr.
ἀμῶν (dial.gen.1pl.pers.pron.): see ἡμεῖς
ἀμωσγέπως (also written **ἀμῶς γέ πως**) *adv.* [ἀμός *any*; cf. οὐδαμοί] **in some way or other** Lys. Ar. Pl. Arist. Plu. ‖ For οὐδ' ἀμῶς see οὐδαμῶς.
ἀμώων (ep.ptcpl.): see ἀμάω
ἄν[1] *pcl.* —also **κᾱ, κε(ν)** *dial.enclit.pcls.* ‖ The pcl., used w. vbs., has a conditional or limiting function. Only the most common uses are illustrated. ‖
1 (in the apodosis of a conditional sentence, or in a potential cl. w. protasis understd., usu. w.indic. or opt.)
• ἔλθοι ἄν *he would come* • ἦλθεν ἄν *he would have come* ‖ see εἰ 3
2 (w.inf. or ptcpl. representing indic. or opt.) • οὐδ' ἂν κρατῆσαι αὐτοὺς τῆς γῆς ἡγοῦμαι *I think that they would not even gain control of the land* Th. • πόλλ' ἂν ἔχων ἕτερ' εἰπεῖν ... παραλείπω *although I could say much more, I pass over it* D.
3 (in the protasis of a conditional sentence, ep. and dial. εἴ κε(ν), αἴ κε(ν), αἴ κᾱ w.subj.) • αἴ κε θάνῃς *if you die* Il. ‖ For Att. see ἐάν (and contr. forms ἄν and ἤν[1]).
4 (in a temporal or relatv.cl. w. conditional force) • ἐπεί κε κάμω πολεμίζων *when I am tired of fighting* Il. • ὃς ἂν θέλῃ *whoever is willing* E. ‖ see also ἐπήν, ἐπειδάν, ὅταν, ὁπόταν (under ὁπότε), also εἰσόκε(ν), ὄφρα 2, 4
5 (in a final cl., introduced by a relatv.adv., w.subj.) • ὅπως ἂν φαίνηται ὡς κάλλιστος *so that he may appear as beautiful as possible* Pl. ‖ see also ὄφρα 5, ὡς D 3

ἄν[2] *dial.prep.*: see ἀνά
ἄν *conj. and pcl.*: see ἐάν
ἀνά, dial. **ἄν** (assimilated to ἄγ before κ (Pi.*fr.*), to ἄμ before β, μ, π, φ), Aeol. **ὄν** *prep.* ‖ W.ACC. and DAT. ‖
—**A** ‖ space or location ‖
1 (ref. to resting, being fixed) **up on, on, upon** —W.DAT. *a stand, sceptre, stake* Il. Pi. —*a shoulder* Od. —*a mountain, rocks* Il. A. —**mules** Pi.; **aboard** —W.DAT. *a ship* E.; (as adv.) on (sthg.), **thereon** Hom.
2 everywhere in, throughout —W.ACC. *a building, city or region* Hom. +
3 in —W.ACC. *the middle or midst* Alc. + ‖ see μέσ(σ)ον 2, 4, 8
4 in the company of, among —W.ACC. *a group* Od. Hdt.
5 (ref. to having a thought or word) **in** —W.ACC. *one's mind, mouth* Hom. E. ‖ for ἀνὰ χεῖρας *close at hand* see χείρ 6; see also στόμα 3
6 (ref. to seeing) **in** —W.ACC. *darkness* Th.
—**B** ‖ movt. or direction ‖
1 up along, up —W.ACC. *a pillar* Od. —*someone's back* Il. —*a river* Hdt. ‖ for ἀν' ἰθύν *straight on* or *up* see ἰθύς 3
2 up through and out, through —W.ACC. *mouth and nostrils* Od.
3 up to —W.ACC. *the roof* Od.
4 (ref. to placing sthg.) **onto, on** —W.ACC. *a bush* Il. —*a spit* Ar.
5 in from one side and out of, through, across —W.ACC. *a valley, region* A.
6 along a path within, through —W.ACC. *a town* Od.
7 through all parts of, throughout —W.ACC. *a group, camp, town* Il. A. +
8 (ref. to wandering, scattering) **among** —W.ACC. *caves, mountains* S. +
—**C** ‖ time ‖
1 in the course of, in, during —W.ACC. *a period of time* Il. Hdt. ‖ see also νύξ 1
2 throughout the course of, throughout —W.ACC. *a period or event* Hdt.
3 at (a certain frequency) Hdt. + • ἀνὰ πᾶσαν ἡμέρην *daily* Hdt. • ἀνὰ πᾶν ἔτος *yearly* Hdt. +
—**D** ‖ distribution ‖
1 (ref. to putting people) **into** —W.ACC. *groups of a certain size* X. +
2 (ref. to receiving salary, paying for sthg.) **at the rate of** —W.ACC. *a certain sum* Ar. +
3 (ref. to marching) **at the rate of** —W.ACC. *a certain number of units of distance* X.
4 (phrs.) ἀνὰ λόγον *in proportion* (see λόγος 4); ἀνὰ μέρος *in turn* or *part by part* (see μέρος 7, 15)
—**E** ‖ manner or means ‖
(phrs.) ἀνὰ κράτος *with all one's might* (see κράτος 2); ἀνὰ μέσον *with moderation* (see μέσ(σ)ον 8)

ἄνα¹ adv. (in exhortations, as a prelude to further action, usu. in phr. ἀλλ' ἄνα) **up!, up now!** (and do sthg.) Hom. S. E. AR.

ἄνα² (voc.): see ἄναξ, ἄνασσα

ἄνᾱ dial.f.: see ἄνη

ἀναβάδην adv. [ἀναβαίνω] **with one's feet up** (i.e. in a relaxed or leisurely way) Ar.

ἀνα-βαθμοί ῶν m.pl. [ἀνά, βαθμός] **steps, stairs** Hdt. NT.

ἀνα-βαίνω, dial. **ἀμβαίνω** vb. | aor.1 (causatv.) ἀνέβησα, dial. ἄμβᾱσα | athem.aor. ἀνέβην, dial. ἀνέβᾱν, dial.2pl.imperatv. ἄμβᾱτε ‖ MID.: ep.3sg.aor.2 ἀνεβήσετο, also (tm.) ἄν ... ἐβήσετο and βήσετο (also βήσατο AR.) | aor.1 ptcpl. (causatv.) ἀναβησάμενος ‖ PASS.: aor.ptcpl. ἀναβαθείς (X.) ‖ pf.ptcpl. ἀναβεβαμένος (X.) |
1 go from a lower to a higher position; **go or come up, ascend, climb** Od. + —W.ADV. or PREP.PHR. *to or fr. a place or person, onto sthg., or sim.* Hom. + —W.ACC. *to a place* Hom. Ibyc. S.; (also ep.aor.mid.) Od.; **scale** —*a wall* Pi.fr.
2 (specif., of a speaker, witness, court official) **step up** (onto the rostrum) Ar. Att.orats. Pl. X. Plu. —W. ἐπί + ACC. *onto the rostrum* Aeschin. D. Plb. Plu. —W. εἰς + ACC. *before a court, jury, the Assembly* Att.orats. Pl. Arist. Plu. —W. ἐπί + ACC. And. Pl. D.
3 step up, mount —W. ἐς + ACC. *into a chariot* Hom. Pi. —W. ἐπί + ACC. *onto a chariot, chariot seat, wagon* Hdt. X.; **mount** (a chariot) Il.(tm.) ‖ EP.AOR.MID. **mount** (a chariot) AR.(tm.) —*a chariot* Od.(tm.)
4 mount (a horse) Pi. Lys. X. Arist. Plu. —W. ἐπί + ACC. *onto a horse* And. Lys. X. Arist. Plu. —*onto a camel* Hdt.; (specif.) **serve in the cavalry** X.; (causatv., in aor.1) **mount** —*cavalrymen* (W. ἐπί + ACC. *on camels*) Hdt. ‖ PASS. (of a horse) be mounted X.
5 (of a stallion) **mount** —*a mare* (in order to mate) Hdt.
6 go on board (a ship), **embark** Hom.(sts.tm.) Lys. X. —W. ἐπί + ACC. *on a ship* Th. Lys. X. D. Plu. —W. εἰς + ACC. NT. —W.ACC. Pi. Pl. —W.GEN. Od.(tm.); (also ep.aor.mid.) Od.(tm.); (causatv., in aor.1 act. and mid.) **put on board, embark** —*persons* Od.(mid.) Pi.
7 go up —W. ἐπί + ACC. *onto the wheel* (i.e. be tortured) Antipho
8 go inland or **up-country** (esp. into Asia Minor, sts. W.PREP.PHR. *to a person or place*) Hdt. Th. Pl. X. Plb. +
9 (of a river) **rise** —W. ἐπί + ACC. *to a certain height* Hdt.; **flood** —W. ἐς + ACC. *over fields* Hdt.
10 (of plants) **come up** NT.
11 (of trouble) **arise** X.(dub., cj. ἀπο-); (of thoughts) —W.PREP.PHR. *in the mind* NT.
12 (of a good reputation) **go out to** or **spread among** —W.ACC. *people* Od.
13 (of kingship) **pass on, devolve** —W. ἐς + ACC. *to someone* Hdt.
14 (of a historian) **go back, return** —W. ἐς + ACC. *to a certain point in his narrative* Hdt.

ἀνα-βακχεύω vb. **1** (of an avenging daimon) **drive** (W.ACC. a person) **to madness** —W.ACC. *for his mother's murder* E.; (of a murderer) **rouse to a frenzy** —*a city* E.(tm.); (of love) —*dormant feelings* Plu.
2 (intr.) **be in a Bacchic frenzy** E. Plu.

ἀνα-βάλλω, dial. **ἀμβάλλω** vb. **1 throw up** —*bound captives* (W. ἐπί + ACC. *onto a wagon*) X. —*earth* (fr. an excavated trench) Th. X.; (of a spring) —*clear water* Call.; (of a river, emerging fr. underground) —*a bowl* Plb. ‖ PF.PASS. (of a trench) have soil thrown up (to form an embankment) X.
2 lift up, raise —*one's hands* (W.DAT. *to someone*) B.(tm.)
3 lift or **help up, mount** —*a rider* (sts. W. ἐπί + ACC. *onto a horse*) X. Plu. ‖ PASS. be helped up X. Plu.
4 (fig., ref. to throwing dice) **run** —*a risk* A.(tm.) ‖ MID. **risk** —*battles* Hdt.
5 ‖ MID. **strike up** (preliminary notes, on a musical instrument or w. the voice); **strike up a tune, sound a prelude** Pi. Ar. Theoc.; **begin** —W.INF. *to sing* Od.(sts.tm.) Theoc. —W.ACC. *a song* Theoc.; (gener.) **break out into** —*cries and pleas* Plu.
6 (of a horse, making a sudden forward movement) **throw backwards** —*a rider* X.
7 ‖ MID. throw (a cloak) up or back (over one's shoulder, so that it hangs in folds); **throw back, put on** —*a cloak* Ar. Thphr. —*a toga* Plu.(sts.act.); (intr.) **throw back one's cloak** —W.ADV. *in the correct manner* Pl.; (gener.) **dress in a cloak** Ar. ‖ PF.PTCPL. with a cloak thrown over one's shoulder D. Thphr.; (gener.) dressed —W.ACC. *in a cloak* Thphr.
8 put back (in time), **postpone, defer** —*a contest* Od. —*death* E. —*an activity* D. —*a peace settlement* Plu.; **put off** —*a person* (w. excuses) D.
9 ‖ MID. **put off, postpone, defer** (sts. w. εἰς + ACC. until another occasion) —*an activity, circumstance or event* (esp. a legal process) Il. Pi. E.fr. Th. Ar. Att.orats. + —W.FUT.INF. *doing sthg.* Hdt. D. —W.PRES. or AOR.INF. Hdt. X. Men. Plu. —*a person* NT. Plu.; (intr.) put off (doing sthg.), **postpone, delay, wait** Hes. Hdt. E. Pl. X. + ‖ PASS. (of things) be postponed or deferred Th. Isoc. Pl. D. Call.; (of the Assembly) be adjourned Th.

ἀνάβασις, dial. **ἄμβασις**, εως (Ion. ιος) f. [ἀναβαίνω]
1 process, means or path of ascent, **way up, ascent** Hdt. Th. Pl. Call. Plb. Plu.
2 (concr.) **staircase** (in a house) Men. ‖ PL. **steps, stairs** Plu.
3 mounting (onto a horse) X.; (concr.) **group of mounted riders** S.
4 journey up (fr. the coast, to the capital city) Plb.; **expedition up-country** (into Asia Minor) X. Plu.; (as the title of a historical work) ***Anabasis*** X.

ἀνα-βασσαρέω contr.vb. [reltd. Βασσαρίδες] **act like a Bacchant** Anacr.(tm.)

ἀναβάτης, dial. **ἀμβάτης**, ου m. [ἀναβαίνω] **1 mounted person, rider** Pl. X. Plb. Plu.
2 climber (appos.w. θήρ *wild animal*, fig.ref. to a person in a tree) E. [also perh. envisaged as a rider mounted on the tree branch]

ἀναβατικός ή όν adj. **skilled in mounting** (W.PREP.PHR. *onto a horse*) X.

ἀναβέβροχε (3sg.pf.): see ἀναβρέχω

ἀνα-βιβάζω vb. | fut.mid. ἀναβιβῶμαι | **1 cause to go up; make** (W.ACC. someone) **go up** —W. ἐπί + ACC. *onto a pyre, a tower* Hdt.; **send up** —*troops* (W.PREP.PHR. *to a place*) X. Plb. Plu. ‖ PASS. (of a prisoner) be put up (on a pyre) Plu.
2 ‖ MID. cause to step up (onto the rostrum, to speak); (gener., in legal ctxt.) **call up, bring into court** —*witnesses, friends, one's children, or sim.* Att.orats. Pl. —(fig.) *facts* (as witnesses) Aeschin.; (also act.) Is. Hyp.
3 place on top (of sthg.); **mount** —*a person* (usu. w. ἐπί + ACC. *on a horse*) Hdt. Pl. X. Plb. Plu. —*horsemen* (i.e. recruit them) X. —*a person* (w. ἐπί + ACC. *on a chariot or carriage*) Hdt. X. —(on a wheel of torture) And. —*stuffed horses* (on wheels) Hdt.
4 ‖ MID. **take on board, embark** —*persons* (sts. w. ἐπί + ACC. *on a ship*) Th. X. Plu.

ἀναβιόω

5 (fig., of Fortune) **mount** —*someone's folly or misfortune* (w. ἐπί + ACC. *on the stage, i.e. display it for all to see*) Plb.
6 ‖ PASS. **be elevated** —w. εἰς + ACC. *to high office and power* Plu.
7 app. **help to pitch** —*vocal sounds (by the use of a tuning instrument)* Plu.
8 **run ashore, beach** —*ships* X.
9 (of fishermen) **haul up** —*a drag-net* (w. ἐπί + ACC. *onto the shore*) NT.

ἀνα-βιόω contr.vb. **1 come back to life** (after dying) Ar. Pl. Hyp.
2 **recover, revive** (after trying to hang oneself) And.

ἀναβίωσις εως *f.* **return to life** (of persons given up for dead) Plu.

ἀνα-βιώσκομαι mid.vb. | aor.inf. ἀναβιώσασθαι |
1 (causatv.) **bring back to life** —*a person* Pl. —(fig.) *an argument* Pl.
2 ‖ PASS. **come back to life** Pl.; (fig., of Love) Pl.

ἀνα-βλαστάνω vb. —also **ἀναβλαστέω** (Emp.) contr.vb.
1 (of plants) **shoot up** —w. ἐκ + GEN. *fr. the earth* Pl.; (fig., of earth-born humans, compared to trees) Lyr.adesp.(cj.); (of a city) **grow, flourish** Hdt.(tm.)
2 (of reincarnated daimons) **spring up, arise** —W.PREDIC.SB. *as gods* Emp.; (fig., of trouble) —w. ἐκ + GEN. *fr. someone* Hdt.

ἀνάβλεμμα ατος *n.* [ἀναβλέπω] **upward** or **backward look** X.

ἀνα-βλέπω vb. **1 look upwards** (usu. towards the heavens) Ar. Pl. X. NT. Plu.
2 **look up** (opp. down, in order to see what is ahead of one); **look up** Plb. NT. Plu. —w. πρός + ACC. *at someone* Pl. Plu —W.DAT. w. *eyes raised* (opp. lowered, i.e. straight ahead, as a sign of confidence) X. —w. πρός + ACC. *at one's grandfather* (W.PREP.PHR. *on equal terms, i.e. look him in the face*) X.
3 **look up** (w. a specific look); **glare** —W.INTERN.ACC. *w. a fierce gaze* (W.DAT. *on someone*) E.; **have in one's looks** —*a light (of salvation)* E.; (fig., of a serpent) —*a deadly flame* E.
4 **open one's eyes** (after keeping them closed) X.
5 **recover one's sight** (after having lost it) Hdt. Ar. Pl. NT.; (fig., of a royal house, envisaged as having been in darkness) E.

ἀνάβλεψις εως *f.* **recovery of sight** (by a blind person) NT.

ἀνάβλησις εως *f.* [ἀναβάλλω] **postponement, delay** (W.GEN. of an event) Il. Call.

ἀνα-βλύζω, also **ἀναβλύω** vb. | iteratv.impf. ἀναβλύεσκον |
1 (of Charybdis) **gush up** AR.; (of an oily liquid, fr. the ground) Plu.; (of a spring) —W.DAT. w. *milk* AR.; (of fire) **spout up** —w. ἐκ + GEN. *fr. a cleft in the ground* Plu.
2 (of the Nile) **well up, overflow** Theoc.
3 (tr., of a river emerging fr. underground) **disgorge** —*dung* Plb.

ἀνα-βοάω, dial. **ἀμβοάω** contr.vb. | aor. ἀνεβόησα, dial. ἀνεβόασα, Ion. ἀνέβωσα | dial.aor.imperatv. ἀμβόασον, Ion.aor.ptcpl. ἀμβώσας | **1 shout** or **cry out** Hdt. E. Ar. Att.orats. Pl. + —W.DIR.SP. *sthg.* E.(sts.tm.) X. + —W.COMPL.CL. *that sthg. is the case* X. Din. Plu. —W.ACC. + INF. Hdt. —W.INF. *that one is such and such* Plu. —w. ὡς + PTCPL. Lycurg.
2 **cry out an order** —W.INF. *to do sthg.* Th. Ar. X. Plu. —W.ACC. + INF. *that someone shd. do sthg.* Plb.
3 **cry out** —W.ACC. *one's sorrows* A.
4 **cry out about** —*a rape* E.
5 (of a singer) **loudly celebrate** —*a deity* Ar. —*a person's fate, warriors' exploits* E.
6 **cry out the name of, shout out to** —W.ACC. *someone* E. Ar. Plb. ‖ PASS. (of a man, i.e. his name) **be shouted out** E.
7 (of trumpets) **sound forth** Plb.; (of cymbals) **ring out, boom** E.

ἀναβολεύς έως *m.* [ἀναβάλλω] one who helps (a rider) to **mount** (a horse), **groom** Plu.

ἀναβολή ῆς, dial. **ἀμβολή** ῆς, also **ἀμβολά** ᾶς *f.* **1 earth thrown up** (by digging), **embankment of excavated earth** X.
2 **garment thrown up or back** (over the shoulder), **cloak** or **cape** Pl.
3 **striking up** (W.GEN. of preludes) Pi.; **prelude** (esp. dithyrambic) Ar. Arist.
4 **putting off, postponement, deferment, delay** (freq. W.GEN. of sthg.) B.fr. E. Th. Att.orats. Pl. X. +; (prep.phr.) οὐκ εἰς (ἐς) ἀναβολάς (ἀμβολάς) *without delay* Hdt. E. Th. Isoc. Plu.
5 (specif.) **adjournment** (of legal proceedings) Pl.
6 **deferment of payment, credit** Pl.
7 **way up; ascent** (of a mountain) Plb.

ἀνα-βορβορύζω vb. [app.reltd. βόρβορος] **grumble loudly** Ar.

ἄναβος dial.adj.: see ἄνηβος

ἀνα-βράσσω, Att. **ἀναβράττω** vb. | aor.pass.ptcpl. ἀναβρασθείς | **boil, stew** —*meat, birds* Ar. ‖ PASS. (of sea-spray) **be dashed up** AR.

ἀνάβραστος ον adj. (of meat) **boiled** Ar.

ἀνα-βραχεῖν aor.2 inf. | 3sg. ἀνέβραχε | **1** (of doors, being opened) **make a loud** or **resonating noise** (compared to that of a bull), **rumble** Od.; (of armour, being set down) **crash** Il.
2 (of water) perh. **gush roaring forth** —w. ἐκ + GEN. *fr. a mountain peak* AR.

ἀνα-βρέχω vb. | 3sg.pf. ἀναβέβροχε | (of water) perh. **provide moisture** (for a plant or the ground) Il.

ἀνα-βρόξαι aor.inf. [reltd. βρόχθος] | neut.aor.2 pass.ptcpl. ἀναβροχείν | (of Charybdis) **gulp** or **suck back down** —*water, sailors* Od. AR. ‖ PASS. (of water) **be sucked back down** Od.

ἀνα-βρῡχάομαι mid.contr.vb. **let out a loud animal-like cry; howl** (w. grief) Pl.

ἀνάγαιον ου *n.* [reltd. ἀνώγεον] **area above ground, upstairs room** NT.

ἀν-αγγέλλω vb. **1 take back a message; report** (sts. W.DAT. or PREP.PHR. *to someone*) —*oracular pronouncements* A.(v.l. ἀπ-) —*the contents of a letter* E.(dub., cj. ἀπ-) —*an agreement* Th. —*events, circumstances* Plb. NT. Plu. —W.NOM.PTCPL. *having seen sthg.* X. —W.COMPL.CL. *that sthg. is the case* Plb. NT.; (intr.) **deliver a report** Th. Plb. NT. ‖ PASS. (of things) **be reported** Plb. Plu.; (of a person) —W.PF.PTCPL. *dead* Plu.
2 (of rulers) **announce in public, proclaim** —*their policies* (W.DAT. *to the people*) Arist.

ἀνα-γελάω contr.vb. **laugh out loud** X. Plu.

ἀνα-γεννάω contr.vb. **cause** (W.ACC. *believers*) **to be born again** (into a new life of faith) NT. ‖ PASS. **be born again** NT.

ἀναγέομαι dial.mid.contr.vb.: see ἀνηγέομαι

ἀνα-γεύω vb. **give a taste** (of sthg.) Ar.(dub.)

ἀνα-γίγνομαι mid.vb. | 3sg.athem.aor. (tm.) ἀνὰ ... ἔγεντο | (of the anger of a goddess) **rise up** Call.

ἀνα-γιγνώσκω, Ion. and dial. **ἀναγῑνώσκω** vb. | aor.1 (causatv., in section 6) ἀνέγνωσα (Hdt.) | athem.aor. ἀνέγνων | **1 know again, recognise** —*someone or sthg.* Od. Pi. Hdt. Ar. X. ‖ PASS. (of a person) **be recognised** E.
2 **know thoroughly, be certain of** —*one's parentage, someone's feelings* Od.; **understand, realise** (sthg.) Il.
3 **catch sight of** —*sthg.* Theoc.

4 read aloud, **read out** —*a document, letter, statement, or sim.* Th. Ar. Att.orats. Pl. + —*an Olympic victor* (i.e. his name) Pi. ‖ PASS. (of a document or sim.) be read out Att.orats. +
5 read to oneself, **read** —*a document or sim.* Th. Ar. Isoc. Pl. + ‖ PASS. (of a speech) be read Isoc.
6 (usu. aor.1) **persuade** —*someone* Hdt. —(W.INF. *to do sthg.*) Hdt.; **convince** —*someone* (W.COMPL.CL. *that sthg. is the case*) Hdt. ‖ PASS. (of a person) be persuaded Hdt. Antipho —W.INF. *to do sthg.* Hdt.

ἀνάγκᾱ *dial.f.*: see ἀνάγκη

ἀναγκάζω *vb.* [ἀνάγκη] | fut. ἀναγκάσω | aor. ἠνάγκασα ‖ neut.impers.vbl.adj. ἀναγκαστέον | **1 force, compel** —*someone* (usu. W.INF. *to do sthg.*) Hdt. S. E. Th. Ar. + —(w. ἐς + ACC. *to a task, into war*) Th.; (intr.) **use force** Arist. ‖ PASS. be compelled (usu. W.INF. *to do sthg.*) Hdt. S. E. Th. Ar. +
2 compel —*a course of action* E. X. Arist. —W.DBL.ACC. *someone to a course of action* S.
3 be compelling in argument; **convince** —*someone* Pl.; **insist** —W.ACC. + INF. or W.COMPL.CL. *that sthg. is the case* Pl. ‖ PASS. be convinced —W.ACC. *of sthg.* Pl.

ἀναγκαίᾱ *dial.f.*, **ἀναγκαίη** *Ion.f.*: see ἀνάγκη

ἀναγκαῖον *n.*: see ἀνάκαιον

ἀναγκαῖος ᾱ (Ion. η) ον (also ος ον) *adj.* **1** entailing compulsion or force; (of a time) **of compulsion** (i.e. slavery) Il.; (of circumstances, fortune) **imposed by compulsion** Thgn. S.; (of need or necessity, a word of command) **compelling** Hom. Sol.; (of a sexual union) **forced** Pi.; (of a bond) **inescapable** Theoc.; (of a law of nature) **inflexible** Th. ‖ NEUT.SB. compulsion or force A.(dub.); (W.GEN. of empire) Th.
2 ordained by necessity or fate; (of the ways) **of necessity** E.; (of an accident) **fatal, deadly** S. ‖ NEUT.PL.SB. inescapable fortune (w. ἐκ + GEN. fr. heaven) X.
3 (of a mediator) **forceful, compelling** Th.; (of rhetorical persuasion, logical demonstration) Pl.; (of an expectation) Th.
4 (of persons) acting under compulsion (in a particular role); (quasi-predic., of warriors, slaves) **by necessity** Od.
5 (of things) made necessary (by circumstances); (of actions, situations) **necessary, unavoidable** Thgn. Hdt. E. Th. Isoc. +; (of words, W.INF. to hear) E. ‖ NEUT.SB. necessity E.; (prep.phr.) ἐξ ἀναγκαίου *under stress of circumstances, unavoidably* Th.
6 ‖ NEUT.PL.SB. needs of the immediate situation, essential actions E. Th. Isoc. +; hard necessities (W.GEN. of life) E. ‖ NEUT.PL.SUPERL.SB. most demanding circumstances Th.
7 necessary for life; (of sustenance) **necessary, needed** Th. Pl. ‖ NEUT.PL.SB. necessities, needs (sts. W.GEN. of life) Antipho Isoc. Pl. X.
8 ‖ NEUT.IMPERS. (w. ἐστί or sim., sts.understd.) it is necessary —W.INF., or W.ACC. or DAT. + INF. (*for someone*) *to do sthg., that sthg. shd. be the case* Hdt. S. E. Th. Att.orats. +; (ref. to what is logically necessary) Pl.
9 satisfying a minimum requirement; (of equipment, supplies, words of exhortation) **basic, essential** Th. ‖ SUPERL. (of height, sustenance) minimum necessary Th.; (of a city) most basic Pl.; (of elements constituting the basic city) essential Arist. ‖ NEUT.PL.SUPERL.SB. essential facts D.
10 (of persons) connected by strong ties (of blood or marriage), **related** (sts. W.DAT. to someone) E. Att.orats. Pl. +; (of a degree of kinship) **close** D. ‖ MASC.PL.SB. relations Att.orats. +

—ἀναγκαίως *adv.* **1 of necessity, unavoidably** E. Pl. D. +; (w. ἔχει) it is necessary —W.INF., or W.ACC. or DAT. + INF. (*for someone*) *to do sthg.* Hdt. Trag. +
2 with resignation —*ref. to bearing heaven-sent misfortunes* Th.

ἀναγκαιότης ητος *f.* **family relationship** Lys. Plb.

ἀναγκαστέος ᾱ ον *vbl.adj.* [ἀναγκάζω] **to be compelled** (W.INF. *to do sthg.*) Pl.

ἀναγκαστικός ή όν *adj.* (of a law) **compulsory** Pl.; (of its force) **coercive** Arist.

ἀναγκαστός ή όν *adj.* **1 compelled** (W.INF. *to do sthg.*) Hdt.
2 (of troops) **pressed into service** Th.

ἀνάγκη, Ion. **ἀναγκαίη**, ης, dial. **ἀνάγκᾱ**, also **ἀναγκαίᾱ** (Call.), ᾱς *f.* | ep.dat. ἀναγκαίηφι (v.l. ἀνάγκη ἶφι) |
1 necessity, constraint, compulsion, force (as inherent in the nature of things, or imposed by a specific agent or circumstance) Hom. +; (personif.) **Necessity** Hdt.; (dat.) ἀνάγκη (ἀναγκαίη) *by necessity* Hom. +; *by compulsion or force* Hom. +
2 (w. ἐστί, sts.understd.) *it is necessary or inescapable* —W.INF. or DAT. + INF. (*for someone*) *to do sthg.* Thgn. Pi. Hdt. Trag. Th. + —W.ACC. + INF. *that someone shd. do sthg., that sthg. shd. be the case* Hdt. S. E. Ar. +
3 that which must happen according to the laws of nature, **necessity, inevitability** Arist.; **inexorable law** (W.GEN. of nature) E. ‖ PL. natural laws (governing the universe) X.
4 that which must happen according to the dictates of logic, **logical necessity** Hdt. Arist.
5 compulsion of bodily needs; **compulsive urge** (for sex) Pl. X. ‖ PL. demands, pressing needs (W.GEN. of the belly, ref. to hunger) A.; (of nature, ref. to physical appetites) Ar. Isoc.
6 (sts.personif.) compulsion or necessity (as determining human fortunes), **necessity** Simon. Parm. Emp. Trag.
7 painful, difficult or needful state (forced on persons by external circumstances); **pressing need, crisis** E. Th.; **pain, anguish, distress** S. ‖ PL. emergencies, hardships, difficulties Simon. E. Th. +; inescapable pains (of childbirth) E.
8 ‖ PL. (specif.) torture Hdt. Antipho Plb.

ἀναγκοφαγίᾱ ᾱς *f.* [φαγεῖν] **strict diet** (of athletes) Arist.

ἀνα-γνάμπτω *vb.* [ἀνά] **1** ‖ PASS. (of a spear-point) be bent back (on impact) Il.
2 untie —*a fastening* Od.

ἀν-αγνέω *contr.vb.* [reltd. ἄγω] **raise up** —*a hymn* Lasus (cj.)

ἄν-αγνος ον *adj.* [privatv.prfx., ἁγνός] (of a person, hand, state of mind, deeds) **impure, unclean, defiled** Trag. Antipho

ἀνα-γνωρίζω *vb.* [ἀνά] **1 recognise** —*someone* Pl. ‖ PASS. be recognised NT.
2 (specif., of a character in tragedy) recognise (a person or fact, thereby effecting a turning-point in the action); **recognise** —*someone* Arist. —*sthg.* Arist. —W.COMPL.CL. *that someone is so and so* Arist. —W.INDIR.Q. *whether sthg. is the case* Arist.; **effect a recognition** (of oneself) Arist. ‖ PASS. be recognised Arist.

ἀναγνώρισις εως *f.* **recognition** (of a person) Pl. Arist.; (specif., in tragedy) Arist.

ἀναγνωρισμός οῦ *m.* **recognition** (by persons, of each other) Men.; (specif., in tragedy) Arist.

ἀνάγνωσις εως (Ion. ιος) *f.* [ἀναγιγνώσκω] **1 recognition** (of a person) Hdt.
2 reading aloud, recitation Pl. NT.
3 reading (of a written text, to oneself) Pl. Arist. Plb.

ἀνάγνωσμα ατος *n.* **reading material** (i.e. written text) Plu.

ἀναγνώστης ου *m*. **reader** (ref. to a slave trained to read aloud) Plu.

ἀναγνωστικός ή όν *adj*. (of writers) **suitable for reading** (opp. being spoken aloud) Arist.

ἀναγόρευσις εως *f*. [ἀναγορεύω] **announcement, declaration** (of the result of a vote) Plu.; **announcement of the election** (W.GEN. of consuls) Plu.

ἀν-αγορεύω *vb*. **1** (of a herald or person in authority) **proclaim, announce** —*sthg*. Aeschin. Arist. Plb. Plu. —W.COMPL.CL. *that sthg. is the case* Plu.; **make, deliver** —W.COGN.ACC. *a proclamation* Plb. ‖ PASS. (of things) be proclaimed or announced Arist. Plb.
2 order by proclamation, proclaim —W.ACC. + INF. *that someone is to do sthg*. Aeschin.
3 ‖ PASS. (of a person) be proclaimed —W.PREDIC.ADJ. or PTCPL. *as victor* Pl. D.
4 (specif.) **publicly proclaim** —*someone* (*as winner of a crown*) D. —W.COMPL.CL. *that someone is awarded a crown* Aeschin. ‖ PASS. be publicly proclaimed (as winner of a crown) Aeschin.
5 declare (W.ACC. someone) **elected** or **appointed** (sts. W.PREDIC.SB. as such and such) Plu. ‖ PASS. be declared elected or appointed Plu.
6 designate by a name or title; designate, call —*people* (W.GEN. *by their demes*) Arist. —*someone* (W.PREDIC.ADJ. or SB. *such and such, i.e. by a certain name or title*) Plu. ‖ PASS. be designated or called (such and such) X. Plu.
7 ‖ PASS. (of a person's words) be reported in public Plu.

ἀνάγραπτος ον *adj*. [ἀναγράφω] (of a benefaction) **written up, recorded** Th.

ἀναγραφεύς έως *m*. **copyist, transcriber** (W.GEN. of laws) Lys.

ἀναγραφή ῆς *f*. **1 writing up** (in an official record); **registration** (of benefactors) X.; (of property) Pl.; (of contracts) Arist.
2 (gener.) **record, register, inventory** (of payments, belongings) Plu.
3 (sts.pl.) **official** or **public record** Plb. Plu.
4 (gener.) **recording, description** (of events or lives, by a historian) Plb. Plu.
5 copying, transcription (of laws) Lys.

ἀνα-γράφω *vb*. **1 inscribe and display in public** (esp. on pillars); **inscribe** —*laws, treaties* Th.(treaty) Att.orats. Arist. ‖ PASS. (of laws and treaties) be inscribed Att.orats. Plb.; (of epitaphs) Lycurg.
2 (gener.) **write down** or **promulgate** —*laws* Aeschin. D. Arist. ‖ PASS. (of laws) be written down or promulgated Att.orats.
3 inscribe a name (on a pillar, or in another place of record); **register, list** —*a person, his city* Hdt.; **inscribe, record** —*a city* (*i.e. its name*, W. ἐς + ACC. *on a tripod*) Th. ‖ PASS. (of a person) be recorded or listed Hdt. Isoc. D. Arist. Plb. —(specif.) W.PREDIC.SB. *as a benefactor* (*of the state or an individual*) Hdt. Lys. Pl. X.
4 inscribe, post up (on a pillar) —*an offender, enemy of the state, or sim*. (*i.e. their name*) Att.orats. —W.ACC. + INF. (*a statement*) *that sthg. is the case* Pl. ‖ PASS. (of offenders) be posted up Att.orats. Pl.; (of public debtors) Lys. Arist.
5 (of officials) **write down** (for public record), **record, register** —*persons, names, transactions, regulations* Pl. Arist. ‖ PASS. (of names) be registered —W. ἐν + DAT. *in the public records* Aeschin.; (gener., of things) be recorded Arist.; (of registers) be written up Arist.
6 (of individuals) **cause to be written down, register** —*a financial transaction* (W. παρά + DAT. *w. an official*) Pl. ‖ PASS. (of contracts) be registered (w. an official) Arist.
7 transcribe, copy —*laws* Lys. —*pillars* (*i.e. the laws inscribed on them*) Lys.
8 draw up —*a constitution* Arist.
9 write up in detail, fill in —*an outline description* Arist.
10 (of a historian) **record** —*events* Plb.
11 ‖ MID. (geom.) **draw** —*a line* Pl.
12 ‖ PASS. (of a book) be entitled —W.PREDIC.SB. *such and such* Plu.

ἀν-αγρίᾱ ᾱς *f*. [privatv.prfx., ἄγρᾱ] **time when there is no hunting** (i.e. during religious festivals) X.

ἀνα-γρύζω *vb*. [ἀνά] **make a sound, say a word** (w. the implication that even this is undesirable) Ar. X.

ἀνάγυρος ου *m*. **stinking bean trefoil** (a malodorous plant) Ar. [unless to be interpr. as Ἀνάγυρος, name of the eponymous hero of the deme Anagyrous]

Ἀναγυροῦντόθεν *adv*. [Ἀναγυροῦς, an Athenian deme, named after the plant ἀνάγυρος] **from Anagyrous** Ar.

—Ἀναγῡράσιος ᾱ ον *adj*. (of a man) **from Anagyrous** Hdt. Att.orats.

ἀν-άγω *vb*. [ἀνά] *fut*. ἀνάξω ‖ *aor*.2 ἀνήγαγον ‖ *aor.pass*. ἀνήχθην ‖ The vb. has two basic senses: (1–13) bring up, (14–23) bring back. |
1 bring up (fr. a lower to a higher position); **bring** or **take up** —*someone or sthg*. (usu. W.PREP.PHR. *to a place*) Thgn. Hdt. E. Att.orats. +; (fig.) **lead up** —*someone* (W. εἰς + ACC. *to philosophy, as a higher discipline*) Pl. ‖ PASS. be taken up (to a place) Pl.
2 bring up (fr. underground); **bring up** —*someone* Ar. Pl. —(W. εἰς + ACC. *into the light*) Hes. E. Ar. Pl. —(W.GEN. *fr. the dead*) A. —*the dead* (W.ADV. or ἐκ + GEN. *fr. below, fr. Hades*) E. Isoc.; (fig.) —*the eye of the soul* (*fr. a mire*) Pl.
3 bring up (onto the high sea); **take out** —*a ship* Hdt. Th.; (intr.) **put out to sea, set sail** Hdt. Th. D. ‖ MID. and AOR.PASS. (of persons or ships) **put out to sea** Hom. A. Hdt. E. Th. Ar. +; (fig.) **embark** —w. ὡς + FUT.PTCPL. *on doing sthg*. Pl. X.
4 take up (fr. the coast, i.e. inland); **take up** —*someone* (*fr. the Peiraieus to Athens*) X.; **take** (W.ACC. someone) **inland** or **up-country** Od. Hdt. —(W.PREP.PHR. *to the Persian king, his capital*) Hdt. X. ‖ PASS. be taken up-country —W.PREP.PHR. *to the Persian king* Hdt. X.
5 (gener.) **bring** or **take** —*someone or sthg*. (sts. W.ADV. or PREP.PHR. *to a place*) Hom.; (specif.) **lead, take** —*an army, colonists* Pi. Hdt. X.
6 bring (as an offering); **bring** —*gifts* (W.PREP.PHR. *to a place*, W.DAT. *for a god*) Il.; (of cities) —*choruses* (*to a festival*) Th. Call.
7 celebrate —*a festival* (sts. W.DAT. *to a god*) Hdt.; **perform, offer** —*a sacrifice* (sts. W.DAT. *to a god*) Hdt. —(*to an idol*) NT.
8 lift up, raise —*one's head* S.; (fig.) —*ancient glory* (W. ἐκ + GEN. *fr. its bed, i.e. revive it*) Pi.; (of a day) —*human fortunes* (opp. *cast them down*) S.; (intr., in imperatv., of a house) **arise** A.
9 raise, elevate —*a person* (W.PREDIC.ADJ. *in honour*) E. —(W. εἰς + ACC. *to the gods, an office, a position of honour*) Isoc. Pl. Plu. —*a topic* (*i.e. in importance*) Pl.
10 vomit up —*blood* Plu. ‖ MID. **bring up** —*a painful breath* (*i.e. heave a sigh*) Call.epigr.
11 raise —*a song* S. —*lamentation* E.
12 lead off, perform —*a dance* Hes. E.

13 extend —*a wall* (W.PREP.PHR. *to a certain point*) Pl. —*a phalanx* (W.PREDIC.ADJ. *in a thin line*) Pl. ‖ PASS. (of a line in a geometrical figure) be drawn (up to a certain point) Arist.
14 take or **bring back** —*someone or sthg.* (sts. W.PREP.PHR. *to a place, esp. one's home or homeland*) Hom. Archil. Mimn. Pi. Hdt. Th. +; (mid.) AR. ‖ PASS. (of a person) be brought back X.
15 cause to come back (home), **restore** —*someone* (W. ἐς + ACC. *to a place*) Sol.
16 restore —*a woman* (W. ἐς + ACC. *to a virtuous reputation*) E.; (of a god) **lead back** —*a city* (W.PREP.PHRS. *fr. good fortune to grief*) E.
17 bring back —*someone* (W.PREP.PHR. *to an earlier point in an argument*) Pl.; **bring** or **trace back** —*an argument, an entity* (*to a first principle or sim.*) Pl. Arist. ‖ PASS. (of things) be traced back or reduced —W.PREP.PHR. *to constituent parts or underlying causes* Arist.
18 (leg., of a purchaser, in making a claim for restitution) **take back, return** —*defective goods* (*to the seller*) Lys. Pl. Hyp.
19 refer (to a source of authority, for decision or sanction); **refer** —*malefactors* (W. εἰς + ACC. *to the council of the Areopagus*) Isoc. —*decisions* (*to the people*) Arist. —*a claimant* (*to someone*) Pl. —*all issues* (W.DAT. *to careful calculation*) Plu. —*a person* (W. ἐπί + ACC. *to an agreement*) D.
20 refer, ascribe —*sthg.* (W.ADV. or PREP.PHR. *to its source*) D.; (of a law) **relate** —*murder* (*i.e. responsibility for it*, W. εἰς + ACC. *to the person who strikes the blow*) Antipho
21 count back, calculate —*days* (W. πρός + ACC. *to a past event*) Plu. ‖ PASS. (of periods of time) be calculated Plu.
22 rebuild —*a city, temple* Plu.
23 (intr., esp. imperatv.) **fall back, withdraw, retire** (sts. W. εἰς + ACC. *to someone*) Carm.Pop. Ar. Pl. X.; (tr., imperatv.) **take** —*oneself* (W.ADV. or PREP.PHR. *out of the way*) Ar. Men.

ἀναγωγή ῆς *f.* **1 act of setting sail, departure by sea** Th. Pl. X. D. Plb. Plu.
2 bringing up, vomiting (W.GEN. of blood) Plb.
3 (leg.) **right of return** (of defective goods), **claim for restitution** Pl. Hyp.
4 (philos.) **tracing back, reduction** (of things, to constituent parts or underlying causes) Arist.

ἀναγωγίᾱ ᾱς *f.* [ἀνάγωγος] **lack of education** or **culture, boorishness** Plb. Plu.

ἀν-άγωγος ον *adj.* [privatv.prfx., ἀγωγή] **1 lacking training** or **discipline**; (of horses, dogs) **untrained** X.; (of persons) **undisciplined, unmanageable** Plu.
2 lacking education; (of a writer) **ignorant** Plb.

ἀν-αγώνιστος ον *adj.* [ἀγωνίζομαι] **1** (of an athlete) **not taking part in a contest** Pl. X.
2 (of compliance) **uncompetitive, uncontentious** Plu.
3 (of the showiness of ships) **not detrimental to fighting ability** Plu.

ἀνα-δαίομαι *pass.vb.* [δαίομαι²] (of land) **be divided up again** or **redistributed** Hdt.(oracle)

ἀνα-δαίω, dial. **ἀνδαίω** *vb.* **light up, kindle** —*a beacon-fire* A. ‖ PASS. (fig., of mockery and abuse) be kindled AR.

ἀναδασμός οῦ *m.* [ἀναδατέομαι] **redistribution** (usu. W.GEN. of land) Hdt. Isoc. Pl. D. Plb. Plu.

ἀνάδαστος ον *adj.* (of land, property, booty) **redistributed** Pl. Arist. Plu.

ἀνα-δατέομαι *mid.contr.vb.* | aor.inf. ἀναδάσασθαι ‖ aor.pass.ptcpl. ἀναδασθείς | **divide up for reallocation, redistribute** —*land* Th. ‖ PASS. (of land) be redistributed Plu.

ἀναδέδρομε (ep.3sg.pf.): see ἀναδραμεῖν
ἀνα-δείκνῡμι *vb.* —also (pres.) **ἀναδεικνύω** (Plu.) | aor. ἀνέδειξα, Ion. ἀνέδεξα, Aeol.aor.inf. ὄνδειξαι ‖ PASS.: Ion.aor.inf. ἀναδεχθῆναι | **1 hold up and display** (as a signal); **display** —*a signal, shield* Hdt. —*a beacon-fire* Plb. ‖ PASS. (of a shield) be held up Hdt.
2 make visible, show, display —*sthg., someone, oneself* Plb. Plu. ‖ PASS. (of spoils) be displayed Plu.
3 reveal, declare —*oneself* (*i.e. one's identity*) Plu.
4 show, demonstrate, prove —*oneself* (W.PREDIC.SB. *an enemy, true heir*) Plb. Plu. —*one's power* (*to be of such and such a kind*) Plb.; (of actions) —*someone* (W.PREDIC.ADJ. *to be powerful*) X.
5 perh., **bring to public knowledge, expose** —*a mad person* Sapph.
6 open wide —*palace doors* (*so as to reveal the interior*) S.; (gener.) **open** (to the public) —*a new theatre* Plu. ‖ PASS. (of a temple) be opened up (for initiates, at a festival) Ar.
7 declare, proclaim —*someone, oneself* (W.PREDIC.SB. *king, tyrant, benefactor, or sim.*) Plb. Plu. ‖ PASS. be proclaimed (king or sim.) Plb. Plu.
8 (in Roman ctxt.) **elect** or **appoint** —*someone, oneself* (W.PREDIC.SB. *consul*) Plu. ‖ PASS. be appointed —W.PREDIC.SB. *dictator* Plu.
9 (wkr.sens.) **make** —*someone* (W.PREDIC.ADJ. *the most powerful of rulers*) Plb.
10 declare —*war* Plb.
11 set up —*statues* Plu.

ἀνάδειξις εως *f.* **1 act of showing or declaring; proclamation** (W.GEN. of a diadem, ref. to a coronation ceremony) Plb.; **crowning** (of a king) Plb.
2 manifestation, public appearance (W.GEN. of a prophet) NT.
3 (in Roman ctxt.) **appointment** or **announcement of an appointment** (to public office); (gener.) **election** (of consuls or sim.) Plu.

ἀναδέκομαι *Ion.mid.vb.*: see ἀναδέχομαι

ἀν-άδελφος ον *adj.* [privatv.prfx., ἀδελφός] **lacking a brother, brotherless** E. X.

ἀνα-δενδράς άδος *f.* [ἀνά, δένδρεον] **vine that grows up trees, tree-vine** D.

ἀνα-δέρκομαι *mid.vb.* | act.aor.2 ἀνέδρακον | **look upwards** Il. AR.

ἀνα-δέρω, dial. **ἀνδέρω** *vb.* **1 strip the skin from** —*a horse's head and hooves* (W.ADV. *secretly, provbl. for desiring what one pretends to scorn*) Pi.*fr.*
2 (fig.) **lay bare, expose** —*poetic techniques* Ar.(tm.)

ἀνάδεσις εως *f.* [ἀναδέω] **binding** or **fastening** (W.GEN. of garlands, on the head) Plu.

ἀναδέσμη ης, dial. **ἀναδέσμᾱ** ᾱς *f.* **binding** (for the hair), **headband** Il. E.(pl.)

ἀνάδετος ον *adj.* (of a headband) **binding up** (the hair) E.

ἀνα-δεύω *vb.* **cause to soak**; (fig.) **infuse, instil** —*laws* (W.DAT. *into children's characters*) Plu.

ἀνα-δέχομαι, dial. **ἀνδέχομαι**, Ion. **ἀναδέκομαι** *mid.vb.*
1 receive, accept —*a message* Pi. —*a banquet* Pi.
2 (of a shield) **receive, take** —*spears* Il.; (of a person) —*blows, missiles* Plu.; (of a river) —*debris* Plu.; (of a disease) **absorb** —*poison* Plu.
3 receive, welcome —*a guest* NT.; (of a bull) —*a rider* (*on its back*) Mosch.
4 receive (as one's lot in life), **endure** —*suffering* Od.; (gener.) **encounter** —*snow-storms, hardships* Plb.; **sustain** —*a defeat* Plu.; **incur** —*displeasure* Plu.

5 accept, take on, undertake —*a task, office, risk, or sim.* Plb. Plu.
6 (specif.) take upon oneself, **accept responsibility for** —*expenses or debts* Hyp. Plb. —*actions, faults, crimes* Att.orats. Plu. —*someone's creditors* (*i.e. be responsible for paying them*) Plu.; **accept** —*responsibility, blame* Pl. Men.
7 accept (as valid or true); **accept, acknowledge** —*a written deposition* Is. D. —*a child* (*as one's own*) D. —W.PF.PASS.INF. *that sthg. has been done* D.
8 (leg.) **stand surety for** —*someone* Thphr. —(W.GEN. *for a sum of money*) Plb.; **guarantee** —*surety* (*for someone*) Plu.
9 (intr.) **act as a surety, be a guarantor** —W.DAT. *for someone* (*of another's good behaviour*) Th.
10 (gener.) **pledge, promise, guarantee** (sts. W.DAT. to someone) —*a reward* S.*Ichn.* —*payment, a building* Plb. —W.FUT.INF. or ACC. + FUT.INF. *that one will do sthg., that sthg. will be the case* Hdt. X. D. Plb. Plu. —W.AOR.INF. *to do sthg.* Plu.
11 await, expect —*someone* (*i.e. his arrival*) Plb.
12 take up (a speech, after another has finished), **take over, speak next** Plb.

ἀνα-δέω, dial. **ἀνδέω** contr.vb. [δέω¹] **1** ‖ MID. **bind up** —*one's hair* AR. —*one's head* (W.DAT. *w. a turban*) Hdt.; **tie up one's hair** —W.INTERN.ACC. *in a top-knot* Th.
2 (specif.) bind up in a garland; (of a person) **garland, wreathe, crown** (*persons, hair* (sts. W.DAT. *w. a garland, laurel, or sim.*) Pi. Th. Ar. Pl. Plu.; (of a garland) —*hair* Pi; (fig., of a victor in the games) —*his homeland* (*w. garlands of glory*) Pi. ‖ MID. **bind up** —*one's hair* (w. ἐν + DAT. *in a garland*) Pi. —*one's head* (W.DAT. *w. a garland*) B.; (intr.) **crown oneself** Pi. Plu. —W.DAT. *w. a garland* Simon. Pi. ‖ PASS. (fig., of persons) be crowned or honoured —W.DAT. *w. maintenance by the state* Pl.
3 (of a victorious commander) **crown, wreathe** —*trees* (W.DAT. *w. captured armour*) Plu.; (mid.) —*a trophy* Plu. ‖ PASS. (of a statue, spear) be wreathed or crowned —W.DAT. *w. a garland or sim.* Plu.
4 bind (sthg.) to (sthg. else); **bind, fasten, attach** —*a torch* (W.PREP.PHR. *to an ox's horn*) Plu. ‖ PASS. (of chains) be attached (to people) Plu.; (of objects) —W.PREP.PHR. *to other things* Plu.
5 ‖ MID. attach to oneself (w. a rope); **take in tow** —*ships* Th. X. D. Plb. Plu.; **attach ropes to** —*stakes* (*to pull them up*) Th.; (fig.) **attach** (W.ACC. someone) **to oneself** —w. διά + GEN. *through a favour* Plb.
6 link, connect, trace back —*oneself, one's ancestry* (w. ἐς + ACC. *to someone*) Hdt.

ἀνάδημα, dial. **ἄνδημα**, ατος n. **1 headband** Pi.*fr.*
2 garland (sts. W.GEN. for the hair) B. E. X.

ἀνα-διδάσκω vb. **1** impart new or fuller knowledge; **instruct, inform** —*someone* Th. Ar. —(W.ACC. *about sthg.*) Ar. —(W.INDIR.Q. or COMPL.CL. *what, or that sthg., is the case*) Hdt. Th. Ar.; (intr.) **explain, demonstrate** —W.COMPL.CL. *that sthg. is the case* Th. Ar. ‖ PASS. be taught —W.COMPL.CL. *that sthg. is the case* Pl.
2 ‖ PASS. be won over or convinced (by an argument) Hdt.

ἀνα-δίδωμι, dial. **ἀνδίδωμι** vb. **1** give after lifting up (fr. a table or the ground), **hand up** —*a ladle, goblet, hoops* (sts. W.DAT. *to someone*) Pi. Ar. X.
2 (gener.) **hand over, give, present** —*a crown, letter, weapons, clothes, or sim.* (usu. W.DAT. *to someone*) Plb. NT. Plu.
3 (of Persephone) **send up** —*souls* (w. ἐς + ACC. *into the sunlight*) Pi.*fr.*; (of a volcano) —*fire and smoke* Th.
4 (of the earth, a region) yield up, **bring forth, produce** —*crops, animals, minerals, or sim.* Hdt. Th. Pl. Call. Plu.; (of the gods) —*nourishment* (w. ἐκ + GEN. *fr. the earth*) Pl. X.
5 (gener., of heaven and earth) **bring forth** —*all things* (W.PREP.PHR. *into the light, i.e. life*) E.*fr.*; (of a river) **produce** —*lumps of bitumen* Hdt.; (of decaying human bodies) —*serpents* Plu.; (of a character trait) —*anger* (compared to a swelling) Plu.; (of food) —*good or bad effects* (W.DAT. *for bodies*) Pl.
6 (of a river) **give off** —*mist* Plu.; (of a marsh) —*a breeze* Plu.; (of a rubbed stone) —*a particular colour and odour* Plu.
7 (intr., of the source of a river) **come up, rise** Hdt.
8 (of Hermes) **deliver up, introduce** —*firesticks and fire* (*i.e. the art of making fire*) hHom.
9 (of a people) **give out, spread** —*a report of victory* Plu.
10 (of a person in authority) **submit** —*a matter for discussion* (usu. W.DAT. *to someone*) Plb.; **hand over, entrust** —*a matter* (W.DAT. *to someone*) Plb.
11 put —*a vote* (usu. W.DAT. *to the people*) Plu.
12 (intr., of a breed of people, compared to a crop) app., **give way or go backwards, deteriorate** Arist.; (of sufferings) **abate** S.(dub.)

ἀνά-δικος ον adj. [δίκη] (of lawsuits) **subject to a retrial** And. Pl. D.; (of a verdict) **subject to appeal** D.

ἀνα-διπλόομαι pass.contr.vb. (of a phalanx) **be doubled** (in depth) X.

ἀνάδοσις εως f. [ἀναδίδωμι] (medic.) delivery (of nutriment in the body, ref. to its dispersal and absorption); (gener.) **digestion** (of food) Plb.; (fig.) **absorption, assimilation** (by the mind, of a work of art) Plu.

ἀνάδοτος ον adj. (of a captured city) **given back, returned** Th.

ἀναδοχή ῆς, dial. **ἀναδοχά** ᾶς f. [ἀναδέχομαι] **1** taking up; **undertaking** (of labours) S.
2 acceptance of responsibility (for someone who has been arrested), **surety, bail** Plb.

ἀνάδοχος ον adj. (of a person) **providing surety, standing as guarantor** (W.GEN. for agreements, someone's safety) Plu.

ἀνα-δραμεῖν aor.2 inf. | pf. ἀναδεδράμηκα, ep.3sg. ἀναδέδρομε ‖ The pres. and impf. are supplied by ἀνατρέχω. | **1** (of troops, persons fleeing a flood) **run up** —W.PREP.PHR. *to high ground* Th. X.; (fig., of false arguments and opinions, envisaged as troops) **go charging up** (into a young person's soul) Pl.
2 leap up (in order to run away) Hdt.(sts.tm.) —w. ἐκ + GEN. *fr. a seat, a bed* Hdt.
3 (of brains) **spurt up** —w. ἐκ + GEN. *fr. a wound* Il.
4 (of mist) **rise up** —w. ἀπό + GEN. *fr. the sea* Plu. ‖ STATV.PF. (of a cliff) rise up sheer Od.
5 (of a tree) **spring** or **shoot up** Theoc.; (of new growth) —w. ἐκ + GEN. *fr. a tree-trunk* Hdt.; (fig., of children, compared to trees) Il. Call.; (of weals) —w. ἀνά + ACC. *on the sides and shoulders of wrestlers* Il.; (of a healthy flush, on the body) Call.
6 (fig., of a people, a city) **shoot up, rise quickly** Hdt.(tm.); (of a person) —w. εἰς + ACC. *to highest office* Plu.
7 (of flames) **flare up, intensify** Plu.; (fig., of extravagance) **increase** Plu.
8 (of persons, animals) **run back** (sts. W.PREP.PHR. to a place) Il.(sts.tm.) Plb.; **hurry back** (by sea) Plb.
9 (of a historian) **go back, revert** (usu. W.DAT. in chronology, or w. ἐπί + ACC. to a certain point in a narrative) Plb.

10 (of a person) **return, revert** —w. εἰς + ACC. *to one's former character* Plu.
11 run back over, recount —*events* (w. διά + GEN. *w. a long narrative*) Semon. —*someone's glory* (W.DAT. *in song*) Pi.

ἀνα-δύομαι mid.vb. [δύω¹] —also (act.pres.) **ἀναδύω** (Plb.), **ἀναδύ̄νω** (Plb.) | ep.3sg. ἀνδύεται | impf. ἀνεδυόμην | fut. ἀναδύσομαι | ep.aor.3sg. ἀνεδύσετο ‖ act.athem.aor.: ἀνέδυν, 3pl. ἀνέδῡσαν, inf. ἀναδῦναι, ep.3sg.opt. ἀναδύη |
1 come up (out of water); (of a submerged swimmer) **come up, rise** (to the surface) Od.; (of a sea goddess, nymph) —W.GEN. *fr. the sea, a spring* Hom. AR. —W.PREP.PHR. Mosch.; **rise up through** —W.ACC. *the waves* Il.
2 come up (out of the ground); (of a person in the underworld) **come up** (into the upper world) Ar.; (of troops, fr. an underground tunnel) Plu.; (of the first-born man) —W.GEN. *fr. the ground* Lyr.adesp.(cj.); (of an underground river) Plb.; (hyperbol., of military forces) **spring up** (at the stamp of a commander's foot) Plu.; (fig., of innate badness of character) **come out into the open** Plu.
3 (of a wave) **surge up** AR.
4 go back, retire, withdraw —W.PREP.PHR. *to a place* Il. —W. ἐκ + GEN. *fr. the forum (i.e. public life)* Plu.
5 draw back, back away, flinch, shrink (fr. a task or unwelcome situation) Od. Lys. Ar. X. D. +; **shrink from** —*battle* Il. —*a military expedition* Plb.; **back out of** —*an agreement* Pl.; **withdraw from** —*the role of advocate* Plu.
6 (act., of rivers) app. **fail** (i.e. dry up) Plu.

ἀνάδυσις εως *f.* **backing out** (of an agreement, an expedition) Pl. Plu.

ἀνά-εδνος ον *adj.* [privatv.prfx., ἕδνα] (of a girl) **without bride-price** or **wedding gifts** Il. Hes.*fr.* AR.

ἀναείρω ep.vb.: see ἀαίρω

ἀνάελπτος ep.adj.: see ἄελπτος

ἀναζείω ep.vb.: see ἀναζέω

ἀνα-ζεύγνῡμι vb. —also (pres. and impf.) **ἀναζευγνύω** [ἀνά] **1 yoke or harness again** (in preparing to move); **move off** —*an army* Hdt. —*ships* Hdt.; **strike, break up** —*a camp* Hdt.; **assemble, mount** —*an expedition* X.
2 (intr.) **strike camp, decamp** Th. X. Men. Plb. Plu.; (gener.) **move off** X. Plb. Plu.

ἀνάζευξις εως *f.* **1** act of striking camp, **decamping** Plu.
2 withdrawal (fr. a territory) Plu.

ἀνα-ζέω contr.vb. —also **ἀναζείω** ep.vb. **1** (of poisonous foam) **boil** or **bubble up** S.; (fig., of a person) **boil, seethe** —W.ACC. *w. anger* AR.
2 (of worms and maggots) **seethe up** —W.PREP.PHR. *fr. putrefying excrement* Plu.

ἀνα-ζητέω contr.vb. **1** closely inquire into, **investigate** —*sthg.* Th. Isoc. Pl. Plb. ‖ PASS. (of things) be investigated Hdt. Th. Ar.
2 search for, seek out —*someone or sthg.* Plb. NT. Plu.; (intr.) **conduct a search** Plu. ‖ PASS. (of things) be sought out Plb.

ἀναζήτησις εως *f.* **investigation** (W.GEN. of sthg.) Pl.

ἀναζυγή ῆς *f.* [ἀναζεύγνῡμι] **striking of camp, decamping, moving off** Plb. Plu.

ἀνα-ζωπυρέω contr.vb. **1 cause to blaze up again**; (fig., of a person) **reignite, rekindle** —*quarrels* E.(tm.); (intr.) **become fired up again** (by the prospect of war, a new office) Plu.; (wkr.sens., of a city) **be revived** (by an influx of people) Plu. ‖ PASS. (of persons, their minds) **be rekindled or fired up again** (w. confidence or enthusiasm) Pl. X.
2 cause to blaze up; (fig., of the sight of a person) **kindle, fire up** —*others* Plu.; (wkr.sens., of aspects of colour)

stimulate, excite —*one's vision* Plu. ‖ PF.PASS. (of a horse) be **fired up or excited** X.

ἀνα-ζώω vb. | Att.aor. ἀνέζησα | (hyperbol., of a lost son who has been found) **return to life, live again** NT.

ἀνα-θάλλω vb. **cause to bloom again, revive** —*concern (for someone)* NT.

ἀνα-θαρρύ̄νω Att.vb. [θαρσύνω] **1 inspire with fresh courage or confidence** —*people, soldiers* X. Plu.
2 (intr.) **gain fresh courage or confidence** Plu.

ἀνα-θαρσέω, Att. **ἀναθαρρέω** contr.vb. **gain fresh courage or confidence** Th. Ar. Pl. X. Plb. Plu.

ἀνα-θεάομαι mid.contr.vb. **look at** (W.ACC. sthg.) **again** (after a lapse of time) Men.

ἀνάθεμα, dial. **ἄνθεμα**, ατος *n.* [ἀνατίθημι] **1 that which is set up** (as a votive offering); **offering, dedication** (W.GEN. fr. someone) Call.*epigr.* Theoc.*epigr.*
2 curse NT.

ἀναθεματίζω vb. **1 place under a curse; bind** —*oneself (sts.* W.DAT. *w. a curse)* NT.
2 (intr.) **utter curses** NT.

ἀνα-θερμαίνω vb. **warm up**; (fig.) **put ardour into** —*someone's hesitancy* Plu.

ἀνάθεσις εως *f.* [ἀνατίθημι] **act of setting up** (as a votive offering), **dedication** (W.GEN. of an object) Lys. Plu.

ἀνα-θέω contr.vb. [θέω¹] **move quickly upwards**; (of troops) **rush up** —W.PREP.PHR. *on ladders* Plb. —*to a place* Plu.; (of air) —*into a place* Plu.

ἀνα-θεωρέω contr.vb. **carefully observe** —*sthg.* NT. Plu.

ἀναθεώρησις εως *f.* **careful observation** Plu.

ἀνα-θηλέω contr.vb. (in neg.phr., of cut wood) **sprout afresh** Il.

ἀνάθημα, dial. **ἄνθημα** (Lycophronid., cj.), ατος *n.* [ἀνατίθημι] **1 that which is set up** (in a sacred place, as a votive offering), **offering, dedication** (sts. W.GEN. fr. someone) Emp. Hdt. S. E. Th. Att.orats. +; (ref. to a temple slave) E.; (fig., ref. to a person's reputation) **monument** (W.GEN. of wisdom, W.DAT. for his city and parents) Pl.
2 ‖ PL. perh., **accompaniments, accessories** (W.GEN. to a feast, ref. to singing and dancing) Od. [also interpr. as *ornaments*]

ἀναθηματικός ή όν *adj.* (of honours for a person) of the kind that are set up, **in the form of statues** Plb.

ἀνα-θόλωσις εως *f.* [θολόω] **muddying effect** (W.GEN. of vegetable juices, on water) Pl.

ἀνα-θορυβέω contr.vb. **cheer or applaud loudly** Pl. X. Aeschin.

ἀνάθρεμμα ατος *n.* [ἀνατρέφω] **nursling** (W.GEN. of a lioness) Theoc.

ἀν-αθρέω contr.vb. (of a person, envisaged as a painter examining his work) **look carefully at, view** —W.INDIR.Q. *what miseries someone is suffering* E.; (gener.) —*sthg.* Pl. ‖ PASS. (of actions) be carefully examined Th.

ἀνα-θρῴσκω, ep. **ἀνθρῴσκω** vb. | aor.2 ἀνέθορον, ep. ἄνθορον | (of a person) **spring or leap up** Hdt. E.(tm.) X. AR. Plu. —w. ἐπί + ACC. *onto a horse* Hdt.; (of a runaway boulder) Il.; (of blood, in the body) Emp.; (of Sirius) **rise** —W.GEN. *fr. Okeanos* AR.; (of a monster) —w. ἐκ + GEN. *out of the sea* AR.
2 (of door-bolts) **spring back** AR.

ἀναθῡμίᾱσις εως *f.* [ἀναθῡμιάω] **exhalation, vapour** Plu.

ἀνα-θῡμιάω contr.vb. (of ashes) **affect with smoke or fumes, choke up** —*the air* Plu. ‖ PASS. (fig., of hatred) **rise like a vapour, fume** Plb.

ἀνα-θύω vb. [θυίω] (of water) **gush up** —w. ἐκ + GEN. fr. ditches Call.

ἀναίδεια ᾱς, Ion. **ἀναιδείη** ης f. [ἀναιδής] **shamelessness, impudence** Hom. +

ἀναιδεύομαι mid.vb. **behave shamelessly** or **impudently** Ar.

ἀν-αιδής ές adj. [privatv.prfx., αἰδώς] **1** (of persons, their actions, speech, or sim.) lacking shame, respect or decency, **shameless, impudent, reckless** Hom. Heraclit. Pi.fr. S. E. Ar. Att.orats. +; (of hope) **immodest** Pi. ‖ NEUT.SB. (sts. compar. or superl.) shamelessness or shameless behaviour Hdt. S. E. Aeschin.
2 (of wild or monstrous creatures, their attributes) **ruthless, pitiless** Hes. Ar. AR. Theoc.; (of Havoc, W.GEN. in battle) Il.; (of death) Thgn. Pi.; (of a rock or boulder) **brutish** Hom.
—**ἀναιδῶς**, Ion. **ἀναιδέως** adv. **shamelessly** S. E. Ar. Att.orats. +

ἀναίδητος ον adj. (of Eros, a person's will) **shameless** AR.

ἀναιδο-μάχᾱς ᾱ dial.masc.adj. [μάχη] (of a boar) **ruthless in the fight** B.

ἀν-αιθύσσω vb. [ἀνά] **make** (W.ACC. a torch-flame) **flare up** E.

ἀν-αίθω vb. **1 light up, set ablaze** —a fire E.Cyc.; (fig., of Love's flame) **ignite, fire with passion** —the Sun Mosch.
2 (perh.intr., of lamps) **flare up** A.

ἀν-αίμακτος ον adj. [privatv.prfx., αἱμακτός] **1** (of a person, hands, a sword) not stained with blood, **unbloodied** E. Plu.; (of a country, by war) Plu.
2 (of flight) **untainted by bloodshed** (i.e. not caused by it) A.
3 (of a sacrifice, a festival) **bloodless** Plu.

ἀν-αίματος ον adj. [αἷμα] (of a person) **drained of blood** (by Erinyes), **bloodless** A.

ἄν-αιμος ον adj. (of parts of the body, animal-skins) not containing blood, **bloodless** Pl.; (fig., of affairs) Arist.(quot.)

ἀν-αίμων ον, gen. ονος adj. (of the gods) not having blood, **bloodless** Il.

ἀναιμωτί adv. **without bloodshed** Hom. AR.

ἀν-αίνομαι mid.vb. [reltd. αἶνος] | impf. ἠναινόμην, ep.3sg. ἀναίνετο | ep.aor.: 3sg. ἀνήνατο, 3sg.subj. ἀνήνηται, inf. ἀνήνασθαι, ptcpl. ἀνηνάμενος | **1** not approve or accept, **reject, spurn, refuse** —sthg. offered, a course of action, or sim. Hom. Hes.fr. Thgn. A. E. X. +; (intr.) **protest** (against an action) Thgn.
2 refuse to provide, **refuse** —a gift, care for one's children Od. E.
3 reject, spurn, repudiate —a person Hom. E. Pl. Theoc. Plu.; (w. sexual connot., of a wife) **refuse** —her husband E.
4 refuse, decline (to do sthg.) Hom. —W.INF. to do sthg. Il. Thgn. A. Pi.fr. E. Men.
5 refuse to accept, **deny** (that sthg. is the case) Hom. —w. εἰ + CL. that sthg. is the case Is. —W.ACC. sthg. Plu.
6 be averse (to doing or suffering sthg., through shame, fear, other emotions); **be sorry, regret** —W.PTCPL. doing or having done sthg. A. E.; **shrink** —W.PTCPL. fr. seeing sthg., fr. dying E.; (gener.) **shrink** (before sthg. unwelcome) E.

ἀναίρεσις εως f. [ἀναιρέω] **1 picking up** (of a javelin) Antipho; **taking up** (of arms) Pl.; perh. **undertaking** (of work) Pl.
2 act of gathering up; **collection** (of corpses, shipwrecked persons) E. Th. Att.orats. Pl. +; (of bones, fr. a pyre) E.
3 act of taking away; **removal** (of a murdered person's body) Antipho; (of an evil) Arist.
4 murder (of people) Plb. NT. Plu.

5 destruction, ruin (of cities, walls, monuments) X. D. Plu.; (of a constitution) Plu.
6 cancellation, abolition (of contracts, honours, wealth, or sim.) Plb. Plu.

ἀναιρετικός ή όν adj. **1** (of things) **destructive** (sts. W.GEN. of sthg.) Arist.
2 (of a kind of logical argument) app., denying (that sthg. is the case), **refutative** Arist.

ἀν-αιρέω contr.vb. | aor.2 ἀνεῖλον, Aeol.ptcpl. ὀνέλων (Theoc.), inf. ὀννέλην (Alc.) ‖ The sections are grouped as: (1–7) take up, (8–10) gain, (11–15) remove, (16) deliver a pronouncement. | **1** (act. and mid.) **take** or **pick up** —a weapon, helmet, item of food, or sim. Hom.(sts.tm.) Hes. Hdt. Ar. Pl. + —a child Il. hHom.(sts.tm.) Pi. E. —an animal, a person S. Ar. Theoc.
2 (act.) **lift up, raise** —a sacrificial victim Od.; (mid.) —a cup Od.
3 (act.) **take** or **pick up, collect** —a dead person (for burial) Ar. X.; (mid.) —dead persons (esp. those who died on the battlefield or at sea) Hdt. E. Th. Att.orats. + —ashes (fr. a pyre) S. —a wounded man X. —shipwrecked sailors E. X. —sailors (fr. enemy ships) Th. —wrecked ships Th. X. —objects washed ashore Hdt. Th.; (of ships) —a cargo Hdt. ‖ PASS. (of the dead) be picked up Pl. X. +
4 ‖ MID. **take** or **pick up** —an abandoned child (to rear it) Ar. Men.; **accept, keep** —a child (instead of abandoning it) Men.; (in Roman ctxt., w.connot. of lifting it up to acknowledge parentage) Plu. ‖ PASS. (of an abandoned child) be picked up Isoc.
5 ‖ MID. (of a person or animal) **conceive** —a child Hdt.
6 (act. and mid.) **take up and carry off** —sthg. belonging to another Hom. Pl. —a prize Il.; (of storm-winds) —a person Od.
7 ‖ MID. take upon oneself, **take on** —labours, work Hdt. Pl. D. —wars Hdt. E. Th. Isoc. + —disputes and struggles Th. —criminal activities Thgn. —another's fortune E. —an interest-paying loan D. —a person (as a workman) Od.
8 ‖ MID. **acquire, gain** —a gift S. —a mark of shame S. —compensation Hdt. —happiness Pi.
9 (act.) **win** —a contest or victory Hdt.; (mid.) Hdt. Isoc.
10 ‖ MID. **adopt** —names, a point of view, a way of saving one's life Hdt.; **assume** —a responsible attitude Od. —a hostile attitude Pi. Is. D.
11 make away with, **kill** —someone Thgn. A. E. Isoc. +; **destroy** —a family X. Is. —enemies D. ‖ PASS. (of persons) be killed or destroyed E. Att.orats. +
12 destroy, demolish —a fortification, trophy Th. X.; **overthrow** —a kingdom, government Isoc. ‖ PASS. (of a country's power) be destroyed Isoc.; (of oligarchies) be overthrown X.
13 get rid of, remove —boundary-stones Sol. —official pillars And. —stakes Th. —graves (fr. an island), bones (fr. graves) Th. ‖ PASS. (of graves) be removed or destroyed Th.
14 get rid of, put an end to —strife Alc. Pi.fr. Theoc. —a safeguard, source of trouble, disorder, hypotheses, or sim. Att.orats. Pl. +
15 (act. and mid.) **annul, cancel, revoke** —contracts, laws, wills, legal procedures Att.orats. Arist. ‖ PASS. (of contracts) be annulled Isoc.
16 app., pick up a lot (as determining an outcome); (of an oracular god, a seer) **deliver a pronouncement** or **response** (freq. W.DAT. to someone) Hdt. Isoc. + —W.ACC. + INF. that sthg. is or will be the case Hdt. Th. X. + —W.COMPL.CL. Hdt. —W.INF. that one shd. do sthg. Hdt. E. Th. Pl. +; **name** or

specify in a response —*a god, person, course of action* Pl. X. Arist. || IMPERS.PF.PASS. it has been pronounced by an oracle —W.INF. *that one shd. do sthg.* D.

ἀν-αίρω, ep. **ἀναείρω** *vb.* **1 lift up, raise** —*a limb, one's hands, an object* Hom.(sts.tm.) hHom. AR.(tm.) —*a person, corpse* AR. —*an opponent* (*in wrestling*) Il.; (*of a bull*) —*its neck* AR.(tm.); (mid.) —*a person, an object* AR.
2 || MID. (of sailors) **hoist** —*sails* E.*fr.*(tm.)
3 take or **pick up** —*a prize* Il.
4 || PASS. (of the face of dawn) **rise up** E.; (of storms) **arise** AR.

ἀναισθησίᾱ ᾱς *f.* [ἀναίσθητος] **1** lack of sensation or perception, **insensitiveness, insensibility** Pl.
2 lack of mental perception, **incomprehension** Plu.
3 lack of sensitivity (to pleasure, pain, or sim.), **insensitiveness** Arist.
4 (pejor., sts. w. moral connot.) **unperceptiveness, obtuseness** Att.orats.

ἀναισθητέω contr.vb. **be insensitive** or **obtuse** D.

ἀν-αίσθητος ον *adj.* [privatv.prfx., αἰσθητός] **1** (of persons or things) lacking sensation or perception, **insensitive** (sts. W.GEN. *to sthg.*) Pl. Plu.; (of a dead person) **insensible** Plu.
2 lacking sensitivity (to pleasure, pain, or sim.), **insensitive** Arist.; (pejor.) **unfeeling** Isoc.
3 without perception, **unconscious, unaware** (W.GEN. of a situation) Plu.; (W.INDIR.Q. of what is the case) Plu.; **untouched** (W.GEN. by suffering) Pl.
4 (pejor.) **unperceptive, obtuse, stupid** Th. D. Arist. Thphr. Plb.; (of a city) Pl.; (of behaviour) Plu. || NEUT.SB. lack of perceptiveness Th.
5 (of things) not able to be felt or perceived, **unfelt** or **imperceptible** Th. Pl. Arist. Plu.

—**ἀναισθήτως** *adv.* **1 unfeelingly, insensitively** Arist. Plu.
2 unperceptively Th. X. Plu.; (pejor.) **obtusely** Isoc. Aeschin.

ἀναισιμόω Ion.contr.vb. [ἀνά, αἴσιμος] | impf. ἀναισίμουν | aor. ἀναισίμωσα | Att.pf. ἀνησίμωκα (X., v.l. ἀναισ-) || PASS.: aor. ἀναισιμώθην | pf. ἀνησίμωμαι |
1 use up (for a specified purpose); **use up** —*excavated earth* (*to make embankments*) Hdt. || PASS. (of empty wine-jars, excavated earth, ashes fr. a sacrifice) **be used up** Hdt.
2 use up, consume —*a supply of food* Hdt. || PASS. (of food or wine) **be consumed** Hdt.
3 || PASS. (of money) **be spent** —W. ἐς + ACC. *on sthg.* Hdt. || ACT. (fig.) **expend** —*laughter* X.
4 || PASS. (of a number of days or months) **be taken up** or **spent** (in making a journey) Hdt.

ἀναισίμωμα ατος *n.* **cost** (of a statue) Call. || PL. **expenditure** (W.DAT. on an army) Hdt.

ἀναΐσσω ep.vb.: see ἀνάσσω

ἀναισχυντέω contr.vb. [ἀναίσχυντος] **be shameless, act shamelessly** or **impudently** Th. Ar. Att.orats. Pl. +—W. πρός + ACC. *towards someone* X. Arist. || PASS. (of a person) **be treated shamelessly** Arist.

ἀναισχυντίᾱ ᾱς *f.* **shamelessness, impudence** Ar. Att.orats. Pl. +

ἀναισχυντο-γράφος ου *m.* [γράφω] **obscene writer** Plb.

ἀν-αίσχυντος ον *adj.* [privatv.prfx., αἰσχύνω] (of persons, gods, thoughts, actions, or sim.) **shameless, impudent** Alc. E. Th. Ar. Att.orats. +; (of a cannibalic meal, a manner of burial) **shameful** E.*Cyc.* Th. || NEUT.SB. **shamelessness** E.

—**ἀναισχύντως** *adv.* **shamelessly** Pl. Aeschin. D. Plb. Plu.

ἀν-αίτιος ᾱ (Ion. η) ον (also ος ον) *adj.* **1** not responsible or culpable, **innocent, blameless** (sts. W.GEN. of foolish or wicked behaviour) Hom. +; (W.DAT. or παρά + DAT. in the eyes of persons or gods) Hes. E. X. D. || NEUT.IMPERS. (w. ἐστί) **it is blameless** —W.INF. *to do sthg.* X.
2 || NEUT.SB. (philos.) **that which is not a cause** Arist.

ἀνα-καγχάζω *vb.* [ἀνά, καχάζω] **laugh aloud** Pl. Plu.

ἀνα-καθαίρω *vb.* **1 make** (a place) **clear** (of an impediment); (of workmen) **clear** —*terrain* (*of obstacles*) Plb. || MID. (of a commander) **clear** —*a region* (*of the enemy*) Plu.
2 || MID. **clear away** —*obstacles* (*in the sea*) Plu. —*an enemy power* (W. ἐκ + GEN. *fr. the sea*) Pl.; **clear up** —*the remnants of a war* Plu.
3 || PASS. (of a place, the air) **become clear** (of mist) Plu.
4 || MID. **clear out** (fr. ore), **extract** —*metal* Pl.
5 || MID. app. **elucidate** or **expound** —*an argument* Pl.

ἀνακάθαρσις εως *f.* **clearance** (W.GEN. of a collapsed wall) Plb.

ἀνα-καθίζω *vb.* **1 sit in an upright position**; (of a hare) **sit up** X.
2 (of a person) **raise oneself from a recumbent to an upright position, sit up** NT. Plu.
3 || MID. **sit up** —W. εἰς + ACC. *onto a bed* (*perh. w.connot. of raising one's feet onto it*) Pl.

ἀνα-καινίζω *vb.* **renew** —*a war* Plu. || PASS. (of hatred) **be renewed** Isoc.

ἀνάκαιον (v.l. ἀναγκαῖον) ου *n.* **prison** X.(dub., cj. ἀνάκειον)

ἀνα-καίω *vb.* **light up, kindle** —*a fire* Od. hHom. Hdt. E.*Cyc.* X. +; (also mid.) Hdt. || PASS. (fig., of a person) **be inflamed** (w. anger) Hdt.

ἀνα-καλέω, dial. **ἀγκαλέω**, Aeol. **ὀνκαλέω** contr.vb.
1 || MID. **call up** or **back** —*a dead person* (*fr. the underworld*) A. —*spilt blood* (*by incantations*) A. || PASS. (of a dead person) **be called up** —W.ADV. *fr. below* E.
2 call on, invoke —*a god* Sapph. Hdt. E. AR. —*his titles* Pl. —*a pledge* E. —*someone's ancestors and their virtues* D.; (mid.) —*a god* S. E. —*curses* (W.INF. *to come to one's aid*) S. || PASS. (of a god) **be invoked** E.
3 call on (for help, w. further connot. **call up**) —*a dead person, the Fates of Tartaros* E.
4 call out to —*a person* E. Th. X. Plu. —(W.ADV. *by name*) Th. X. Men. —(W.ACC. *by such and such a name*) Pl. —(W.ACC. *w. a cry*) E. —*a city* E.; (mid.) —*a person* Th. Plu. —*hounds* X.
5 (act. and mid.) **summon** —*someone* Hdt. Att.orats. X. Plb. Plu.; (mid.) perh. **summon up** —*lamentation* E.; (intr., of the Areopagus) **issue a summons** (to potential candidates for office) Arist. || PASS. **be summoned** X. Plb. Plu.
6 call, name —*someone* (W.PREDIC.SB. *such and such, i.e. by a certain name or title*) Th. X. Plu.(also mid.) || PASS. (of a victorious charioteer) **be named** or **proclaimed** —W.PREDIC.ADJ. *as being of a certain city* S.
7 (w. legal connot.) **name, cite** —*someone* (*as an offender*) Lys.
8 (act. and mid.) **call back, recall** —*someone* (*fr. abroad*) Th. X. Plb. Plu.; (mid.) —*troops* (*back to base*) X. Plb. Plu. —*hounds* X.; (fig.) **rally** —*persons worsted in argument* (*compared to fleeing troops*) Pl. || PASS. (of a person) **be recalled** (fr. abroad) Plb.; (of troops) **be called back** (to base) Plb.; (fig., of a person's unruly spirit, compared to a shepherd's dog) **be called to heel** —W.PREP.PHR. *by reason* Pl.
9 || MID. **call back** —*the light of an eclipsed moon* (*by clashing bronze and holding up torches*) Plu.
10 || MID. **revive** —*a war, a council's judicial functions, one's courage* Plu.
11 || MID. **make amends for** —*faults* Lys.

ἀνα-καλπάζω vb. [app. κάλπη trotting (of a horse)] (of a female dancer) **trot about** Ar.

ἀνακαλυπτήριον ου n. [ἀνακαλύπτω] present given at the unveiling of a bride, **wedding present** Plu.

ἀνα-καλύπτω vb. **1** reveal (fr. beneath a covering), **uncover** —one's head E. —another's head AR.(tm.) —(W.DAT. to the sun) E. —parts of one's body Plu. ‖ MID. **uncover one's head** X. ‖ PASS. (of an altar) be uncovered or revealed Plu.
2 open —one's eyes E.
3 uncover (by digging), **discover** —a spring Plu. ‖ PASS. (of temple-sites) be discovered Plu.
4 (of a springtime month) **reveal** —buds and blossom Plu.
5 reveal (sthg. unknown); **disclose, reveal** —treasure-stores (i.e. their location) Plu. —a story Call.(tm.) —information (w. πρός + ACC. to someone) Plb. ‖ PASS. (of a person's character) be revealed Plu.
6 remove a source of concealment; **open** —curtains Plu.
7 remove unclarity from, **make clear** —one's words (i.e. their meaning) E.

ἀνα-κάμπτω vb. **1** (of persons or things) bend one's course backwards, **come** or **go back, double back, return** (sts. W.PREP.PHR. to or towards a place or person) Hdt. Pl. Men. Plb. NT.; (fig.) go back on a plan, **backtrack** Men.
2 (of a person) **revert** —W.PREP.PHR. to a former lifestyle Arist.; (of things) —to a former condition Arist.
3 ‖ PASS. (of a person's heart) be deflected, recoil (fr. a daunting task) B.

ἀν-άκανθος ον adj. [privatv.prfx., ἄκανθα] without a spine or backbone, **invertebrate** Hdt.

ἀνα-κάπτω vb. [ἀνά] (of female fish) **gobble up** —milt Hdt.; (of birds) —seeds Ar.

ἀνά-κειμαι, dial. **ἄγκειμαι** mid.pass.vb. [κεῖμαι] **1** (of an object) have been set up as a votive offering (in a temple or sacred place), **be dedicated** Hdt. E. Th. Att.orats. + —W.DAT. to a god Call.epigr. Theoc.; (fig., of a speech) —to a god Pl.; (of praise) —to Olympic victors Pi.
2 (of statues; of persons, meton. for their statues) **be set up** (in a public place) Att.orats. Plu.; (of an inscription, in a temple) Pl.
3 (of an athlete's achievements) **be stored** or **treasured up** —W.PREP.PHR. at the site of victory Pi.; (of the pattern of an ideal city) —in heaven Pl.
4 (of a topic) **be stored up** or **saved** —w. εἰς + ACC. for discussion elsewhere Plu.
5 (of achievements) **be ascribed** or **attributed** —W.DAT. to a person Plu.; (of a version of a story) —to a desire to please someone Plu.
6 (of responsibilities) **be laid** —w. ἐπί + DAT. on someone Ar.; (of leadership) **be entrusted** —W.DAT. to someone Plu.; (of legal issues) **be referred** —w. ἐς + ACC. to someone Plu.
7 (of fortune in battle) **depend** —w. ἐς + ACC. on ships Th.; (of an eventuality) —w. ἐπί + DAT. on chance, foresight Antipho; (of a son) —W.DAT. on his mother Plu. —on a god (w. further connot. of being dedicated to him) E.
8 lie down (opp. stand) Plb.; **recline** (at a meal) NT.
9 (of a person) perh. **be weighed down by** —W.ACC. fear and anxieties AR.(dub.)

ἀνάκειον n.: see ἀνάκαιον
Ἀνάκειον n.: see under Ἄνακες

ἀνα-κέκλομαι mid.vb. **call upon, invoke** —a god hHom.

ἀνα-κεράννῡμι vb. **1** mix (w. water); **mix** —wine Ar. —a bowl (of wine) Od.(tm.)
2 ‖ MID. **blend, combine** —an aspect of character (W.DAT. w. another one) Plu. ‖ PASS. (of things) **be blended** or **combined** Pl. —W.DAT. w. others Pl. Plu.
3 blend, unite —a city (w. πρός + ACC. w. itself, W.DAT. through marriage alliances) Plu. ‖ PASS. (of a people) be blended in (w. another) Plu.; (of peoples) be blended together —W.DAT. through inter-marriage Plu.

Ἄνακες ων m.pl. [reltd. ἄναξ] **Anakes** (cult title of the Dioscuri) Call. Plu.
—**Ἀνάκειον** (also **Ἀνάκιον**) ου n. **temple of the Anakes** Th. And. D.

ἀνάκεστος dial.adj.: see ἀνήκεστος

ἀνα-κηκίω, ep. **ἀνακηκίω** vb. **1** (of blood) **spout** or **gush up** Il.; (of water) —W.GEN. fr. a rock AR.; (of sweat) **ooze forth** Il.
2 (tr., of a marsh) **exhale** —vapour AR.
3 (fig., of a soul) **bubble up** (w. passion) Pl.

ἀνα-κηρύσσω, Att. **ἀνακηρύττω**, dial. **ἀγκαρύσσω** vb.
1 (usu. of a herald) **announce, proclaim** —a victory, reward, honour X. Aeschin. —W.COMPL.CL. that sthg. is the case Aeschin. —W.DIR.SP. sthg. Arist. ‖ PASS. (of disgraceful behaviour) be proclaimed —w. εἰς + ACC. to the whole city Aeschin.; (of a victorious chariot team) —W.PREDIC.ADJ. as belonging to a certain country Th.
2 proclaim —a victor Ar. —a person (W.PREDIC.SB. as victor) B.; **publicly honour** —a person Aeschin. —(W.PREDIC.SB. as benefactor and saviour) Plb. ‖ PASS. be proclaimed as victor Hdt.; be publicly honoured Aeschin. —w. ὡς + PTCPL.CL. as a hero And.
3 (of a ruler) make a proclamation about, **announce an inquiry into** —a murder S.
4 (of an auctioneer) **announce for sale** —a person Hdt.

ἀνα-κινδῡνεύω vb. **run a risk** Hdt.

ἀνα-κινέω contr.vb. **1 toss up** —a person (W.PREDIC.ADJ. in the air) Hdt.
2 (of a bird) **flap** —its wings AR.(tm.)
3 stir up —persons Plb.(dub.); **excite, stimulate** —birds (in training them to fight) Pl.
4 stir up again, revive —a sickness S. —a war, factions, one's political abilities Plu. ‖ PASS. (of opinions) be aroused or evoked (in a person) Plu.

ἀνακίνησις εως f. **1** perh., back and forth movement (of the arms, by a boxer, before a fight); (fig.) **limbering up** (ref. to opening remarks before a proper discussion) Pl.
2 agitation (W.GEN. of the mind) S.

Ἀνάκιον n.: see under Ἄνακες

ἀνα-κίρναμαι mid.vb. [κίρνημι, see κεράννῡμι] **mingle together, form** —friendships (w. πρός + ACC. w. one another) E. ‖ PASS. (of a drink) be mixed S.fr.

ἀνα-κλάζω vb. **cry out** —W.DIR.SP. sthg. E. Call.; (of a person, compared to a dog) **yelp** X.

ἀνα-κλαίω, dial. **ἀγκλαίω**, Att. **ἀνακλάω** vb. **1** weep aloud, **wail** Hdt. Plu.(also mid.)
2 (tr., act. and mid.) weep or lament over, **bewail** —a person E. —misfortune, maltreatment Hdt. S. Antipho

ἀνάκλασις εως f. [ἀνακλάω] **rebounding** (of a sea-current, fr. a coast) Plb.; **reverberation** (of sounds, fr. mountains) Plu.

ἀνα-κλάω contr.vb. **1 force back** —a person's head or neck E. Plu.; **pull back on** —a noose Plu.
2 pull up or **deflect** —battering-rams (by lassoing them) Th.
3 ‖ PASS. (of the pinnacle of one's achievements) be deflected —w. εἰς + ACC. onto someone else Plb.
4 break up —wooden stakes Th.

ἀνα-κλέπτω, dial. **ἀγκλέπτω** vb. **steal** or **steal back** —objects hHom. Theoc.

ἀνάκλησις εως *f.* [ἀνακαλέω] **1 calling out** (of a person's name) Plu.; **invocation** (of the gods) Th. Plu.
2 calling back (of troops), **recall, signal for retreat** Plu.

ἀνακλητήρια ων *n.pl.* **Anakleteria** (Festival of Acclamation, at the coming of age of an Egyptian king) Plb.

ἀνακλητικός ή όν *adj.* **1** (of poems) **offering a call** (w. πρός + ACC. to obedience and concord) Plu.
2 ‖ NEUT.SB. **signal for retreat** Plu.

ἀνα-κλίνω, ep. **ἀγκλίνω** *vb.* **1 bend back** —*a bow* (*to string it*) Il.
2 push back (so as to open); **push back** —*a cloud* (*envisaged as the door to heaven*) Il.; **open up** —*a door* Od. Hdt. —*an ambush* (meton. for a trapdoor in the Trojan Horse) Od.(dub.) ‖ MID. (of door-bolts) **open up** Call.
3 force back —*an assailant* AR.
4 cause (a person) **to lean** or **recline; lean** —*someone* (W.PREP.PHR. *against a wall*) Od.; **lay down** —*a baby* (W.PREP.PHR. *in a manger*) NT.; **make** (W.ACC. someone) **recline** or **sit down** Plb. NT. ‖ PASS. **lean back** (in rowing or falling over) Od.; **sink back** or **recline** (in sleep) Od. AR.; **recline** or **sit down** NT.
5 turn upwards —*the gaze of one's soul* Pl.

ἀνάκλιτος ον *adj.* (of a throne) **leaning back, reclining** Plu.

ἀνα-κλύζω *vb.* | iteratv.impf. ἀνακλύζεσκον | (of sea-water) **surge up against** —*a ship* AR.

ἀνα-κογχυλιάζω *vb.* [κογχύλιον] **1 break open the cover protecting a seal; break open, unseal** —*an heiress's will* (w. sexual connot.) Ar.
2 unblock the throat, gargle —W.DAT. w. *water* Pl.

ἀνα-κοινέομαι mid.contr.vb. [κοινός] **communicate, share** —*a plan* (W.DAT. w. *friends*) Thgn.

ἀνα-κοινόω contr.vb. **1** ‖ MID. **make communal** (sthg. of one's own); **share** —*a discussion* (W.DAT. w. *someone*) Pl.; (of a tributary) **merge** —*its water* (W.DAT. w. *a river*) Hdt.
2 ‖ MID. **make common cause, enter into an agreement** or **partnership** —W.DAT. w. *someone* D.
3 (usu.mid.) **confer, consult, hold a discussion** Ar. Isoc. Pl. X. —W.DAT. w. *someone* Ar.(act.) Isoc. Pl. X. Thphr. Plu. —(W.ACC. about sthg.) Pl. —(W.INDIR.Q. about whether one shd. do sthg., what one shd. do) Aeschin. Plb. —w. πρός + ACC. w. *someone* Thphr.
4 (act. and mid.) **consult** —W.DAT. *a god* X. —(W.INDIR.Q. about how sthg. may be achieved) X.
5 (usu.mid.) **share one's knowledge** or **intentions; communicate, divulge** —*sthg.* (W.DAT. to someone) Pl.(act.) X. Men. Plu.

ἀνακομιδή ῆς *f.* [ἀνακομίζω] **1 getting back, recovery** (W.GEN. of persons, ships) Plb.
2 travelling back, return (of a person) Plb.
3 (gener.) **conveyance, transportation** (of persons or things) Plb.

ἀνα-κομίζω, dial. **ἀγκομίζω** *vb.* | dial.aor.inf. ἀγκομίσαι, also ἀγκομίσσαι (B.) | **1 bring** or **carry up** —*weapons* (w. εἰς + ACC. *to the Acropolis*) X.; (mid.) —*provisions* (*into strongholds*) X. ‖ PASS. (of provisions) **be carried up** X.
2 bring to land, carry ashore —*timber* (W.PREP.PHR. *fr. a harbour, for a house in the Peiraieus*) D. ‖ PASS. (of timber) **be landed** D.
3 convey into the interior (of a country); (hyperbol.) **transplant** —*Greek cities* (w. εἰς + ACC. *to Media*) Plu. ‖ PASS. (of persons or things) **be taken up-country** Hdt. Th.
4 (gener.) **send** or **convey** —*people* (W.PREP.PHR. *to someone*) Plb. ‖ PASS. **be conveyed** —W.PREP.PHR. *to a place* Plb. Plu.
5 bring back —*someone's remains* Plu. ‖ PASS. (of bones) **be brought back** —W.PREP.PHR. *to someone* Plb.; (of persons) **be taken back** or **returned** (to someone) Din.
6 ‖ MID. **take back with one, take back home** —*stolen objects* Hdt.; **carry off** —*corn* Th.
7 get back, recover —*one's youth* B.; (mid.) —*persons, property, captured territory, kingship* D. Plb. Plu. —*someone's bones* Plb.
8 bring back (fr. time past, so as to make a present reality); **redeem, fulfil** —*a prediction* Pi. ‖ MID. **bring back upon oneself, revive** —*a heaven-sent misfortune* (W.ADV. fr. far in the past, i.e. one that began w. one's ancestors) E.
9 ‖ PASS. (of persons, ships) **travel back, return** (sts. W.ADV. or PREP.PHR. to or fr. a place) Hdt. Th. Plb. Plu.
10 ‖ PASS. **get back safely** —w. ἐκ + GEN. fr. *a shipwreck* Plb.
11 ‖ MID. **withdraw** —*oneself* (w. ἐκ + GEN. fr. *association w. someone*) Plu. ‖ PASS. **withdraw, retire** (to or fr. a place) Plb. Plu.

ἀν-ακοντίζω *vb.* (of blood, water) **shoot** or **spurt up** Il. Hdt.

ἀνάκοος dial.adj.: see ἀνήκοος

ἀνακοπή ῆς *f.* [ἀνακόπτω] **1 striking back, recoil** (of waves, fr. the shore) Plu.
2 backlash (W.GEN. of the sea, against water meeting it fr. a river-mouth) Plu.
3 backwater, overflow (W.GEN. of a lake, ref. to a sea) Plu.

ἀνα-κόπτω *vb.* **1 knock back** —*door-bolts* Od. Theoc.
2 beat back —*attackers* Plu. ‖ PASS. (of attackers) **be beaten back** Th. Plu.
3 ‖ PASS. (of a river, flowing into the sea) **be beaten back** —W.DAT. by *waves* Plu.
4 check, stop —*a horse* Plu. ‖ PASS. (fig., of persons) **be stopped short** —w. ὑπό + GEN. by *a speech* Plu.
5 ‖ PASS. (of the sun's rays) **be reflected** (by mirrors) Plu.

ἀνα-κουφίζω *vb.* **1 support** or **ease** —*someone's body* E. ‖ PASS. **feel eased** —W.ACC. *in one's body* E.
2 lift up —*one's head* S. —*oneself* (in mounting a horse) X.
3 (of a relay of soldiers) **make light work of carrying** —*a wounded commander* Plu.
4 ‖ PASS. (fig., of a person) **be buoyed up** (by someone's words) X.

ἀνακούφισις εως *f.* **alleviation** (W.GEN. of miseries) S.

ἀνα-κράζω *vb.* | aor. ἀνέκραξα (NT.), aor.2 ἀνέκραγον |
1 (of a person) **raise one's voice, speak out** Od.
2 shout or **cry out** Stesich. Antipho Ar. X. + —W.NEUT.ACC. *sthg.* Pi. —W.NEUT.INTERN.ACC. w. *a war-cry* X. —W.DIR.SP. *sthg.* Ar. Men. NT. Plu. —W.COMPL.CL. that *sthg. is the case* And. Ar. X. —W.ACC. + INF. (or + μή W.INF.) *that someone is (not) to do sthg.* Ar. Plu.
3 (of an owl) **hoot** or **screech** Men.

ἀνάκρασις εως *f.* [ἀνακεράννυμι] **blending, mingling** (of ethnic customs) Plu.

ἀνα-κρεμάννυμι, ep. **ἀγκρεμάννυμι** *vb.* **1 hang up** —*a garment* (W.DAT. *on a peg*) Od. —*a bow* (w. ἐκ + GEN. fr. *a peg*) hHom. —*a severed head* (w. ὑπέρ + GEN. above *a city gate*) Hdt. ‖ PASS. (of a corpse, a flayed skin) **be hung up** (suspended fr. a city wall, impaled on a stake, or sim.) Hdt.; (of a hunting trophy) —w. πρός + DAT. *on a house* E.
2 (specif.) **hang up** (in a temple, as a dedication) —*fetters, armour* Hdt. —*one's shield* (w.connot. of retiring fr. military service) E.fr.
3 hang up —*a person* (nailed to boards, as a method of execution) Hdt. ‖ PASS. (of a person) **be hung up** Hdt.
4 (fig.) **make** (someone or sthg.) **dependent** (on sthg. else); **hang, pin** —*one's trust* (w. εἰς + ACC. *on someone*) Plb.; **make**

Ἀνακρέων

(w.ACC. the power of objects in a chain) **dependent** —w. ἐκ + GEN. *on each other* (*through magnetism*) Pl.; **leave** (w.ACC. people) **dangling** —w. ἀπό + GEN. *fr. hopes* Aeschin.; (of the divine part of the soul) **cause** (w.ACC. the head) **to be connected** —w.ADV. *to a particular source* (*ref. to heaven*) Pl.
5 (of an ambitious landscaper, app. hyperbol.) **cause** (w.ACC. hills) **to hang** —w.DAT. *above huge excavations* Plu.

Ἀνακρέων οντος *m*. **Anacreon** (lyric poet fr. Teos, 6th C. BC) Hdt. Ar. Pl. Arist. Theoc.*epigr*. Plu.

ἀνα-κρίμνημι *dial.vb*. | masc.nom.pl.ptcpl. ἀνακρίμναντες | (fig.) **hang** —*one's heart* (w.DAT. *on singing, i.e. be captivated by it*) Pi.*fr*.

ἀνα-κρίνω *vb*. **1** make inquiries, **inquire** Pl. Plu. —w.ACC. *about sthg*. X. Arist. Men. Call. —w.PREP.PHR. Plb. NT. —w.INDIR.Q. *what shd. be done, whether sthg. is the case* X.
2 || MID. **inquire** (of an oracle) —w.INDIR.Q. *what will be the case* Pi.
3 question, interrogate —*a person* Antipho Th. Pl. Plb. NT. Plu.; **ask** —*someone* (w.DIR.SP. *sthg*.) Pl. —(w.INDIR.Q. *what is the case*) D. Men. Plu. || PASS. be questioned Antipho Plb. NT. Plu.
4 (specif.) **question** —*candidates for public office* (*to determine their suitability*) D. Din.
5 (leg., of a magistrate, arbitrator or person envisaged as performing an official role) hold a preliminary hearing (before a case comes to court); **conduct an examination** Pl. D. Arist.; **examine** —*a person* (*concerned in a case*) And. Is. —*an issue, a case* Lycurg. Arist. || MID. (of a litigant) **have** (w.ACC. an indictment) **examined** D. || PASS. (of claims) be examined D.
6 || MID. (gener.) **dispute, argue** —w. πρός + ACC. *w. one another* Hdt.

ἀνάκρισις, dial. **ἄγκρισις**, εως (Ion. ιος) *f*. **1** (leg.) **preliminary hearing** or **examination** (before an official within whose court a case will later be heard) A. Att.orats. Pl.; (fig., in ctxt. of philosophical discourse) Pl. X.
2 (gener.) **questioning, examination** (of persons) Pl. Plb. NT. Plu.

ἀνα-κροτέω *contr.vb*. lift up and strike together, **raise in applause, clap** —*one's hands* Ar. Aeschin.; (intr.) **clap** Ar. Plu. —w.DAT. *w. one's hands* Plu.

ἀνάκρουσις εως *f*. [ἀνακρούω] process of causing (or ability to cause) a ship to move backwards (by use of the oars), **backing water** Th.

ἀνα-κρούω, dial. **ἀγκρούω** *vb*. | iteratv.impf. ἀνακρούεσκον || neut.impers.vbl.adj. ἀνακρουστέον |
1 pull back on —*a horse's mouth* (w. *a bit*) X. —*a horse* (w.DAT. *w. a bit*) X.; (gener.) **pull up, stop** —*a team of horses* Plu. || PASS. (of a horse) feel a backward pull (fr. the bit) X.
2 (of sailors) cause to move backwards, **back** —*a ship* (w. ἀπό + GEN. *away fr. land*, w.DAT. *w. oars*) AR. || MID. **back** —*one's stern* (*i.e. sail astern, back water*) Hdt.; (fig., of a person) Ar.; (fig.) —*one's argument* (*out of a difficulty*) Pl.; (of a commander) **have** (w.ACC. one's ship) **rowed back** —w. εἰς + ACC. *to the open sea* Plu.; (intr.) **back water** Th.
3 || MID. (fig.) **turn back** —*one's mind* (w. εἰς + ACC. *to its former way of thinking*) Plu. —*the Spartan constitution* (*compared to a decadent melody*, w. ἐπί + ACC. *to the old Dorian mode of Lykourgos*) Plu.; (intr.) **revert** —w. ἐπί + ACC. *to a former adviser* Plu.
4 || MID. pull back on, **haul tight** —*a ship's ropes* AR.
5 || MID. **strike up** —*a tune* (*on the lyre*) Theoc.; (of a public speaker) **harp on** —w.ACC. *about sthg*. Plb.

ἀνα-κτάομαι *mid.contr.vb*. **1** get back again, **regain, recover** —*a place, power, freedom, or sim*. A. Hdt. Th. Plb. Plu.
2 refresh, revive, restore —*bodies and spirits* (*of soldiers*) Plb.
3 repair, retrieve —*losses* (*in battle*) Plb.
4 gain (as a friend or supporter), **win over** —*a person or god* Hdt. X. Men.

ἀνακτορίη ης Ion.*f*. [ἀνάκτωρ] **1 lordship, rule** Call. AR.
2 control (over horses) hHom.

ἀνακτόριος η ον Ion.*adj*. (of pigs) **belonging to a master** Od.

ἀνάκτορον ου *n*. (sts.sg. for pl.) place of a ruling divinity, **shrine** Hdt. E. Call. Plu.

ἀνάκτωρ ορος *m*. [reltd. ἄναξ] **ruler, lord** (ref. to a king or god) A. E.

ἀνα-κυκάω *contr.vb*. [ἀνά] **stir up** —*a sauce, drugs* Ar.

ἀνα-κυκλέω *contr.vb*. **1 swivel round** —*a person's body* E.
2 || MID.PASS. (of the soul) **circle back** —w. πρός + ACC. *upon itself* Pl.; (of fortune) **turn full circle** —w. περί + ACC. *around one and the same person* Arist. || PASS. (of a person) be carried back round —w.DAT. *by one's passions* (w. εἰς + ACC. *into a former lifestyle*) Plu.
3 roll out again, repeat, reiterate —*the same words* Plu.

ἀνακύκλησις εως *f*. **1 reverse rotation** (of the universe) Pl.
2 circulation (w.GEN. of a tripod, being passed fr. person to person) Plu.

ἀνα-κύκλωσις εως *f*. **cyclical** or **recurrent pattern** (w.GEN. of forms of government) Plb.

ἀνα-κυμβαλιάζω *vb*. [perh.reltd. κύμβαλον] (of chariots) **overturn with a crash** Il. [or perh. *tumble over*, reltd. κύμβαχος²]

ἀνα-κύπτω *vb*. | fut. ἀνακύψομαι | **1 raise one's head** Anacr.; (to look at the sky or a roof) E.*Cyc*. Pl. Thphr.; (to be shaved) Ar.; (to belch) Thphr.; (as difficult for a labourer w. a stiff back) Men.; (as impossible for a woman w. a bent back) NT. || PF.PTCPL. (of a horse) with head held high X.
2 (of a person) **straighten oneself up, stand straight** NT.; (fig., of a people that has gained its liberty, persons promised deliverance) **look up, stand tall** Hdt. NT.
3 poke one's head up (fr. the ground or into a higher plane) Pl.; (of a person or fish) —w. ἐκ + GEN. *out of the sea* Pl.
4 (of a person, a ship) **pop up, appear suddenly** Ar.
5 (of a good outcome) **emerge** —w. ἐκ + GEN. *fr. questioning* Pl.
6 (of a person) **perk up** (on hearing sthg.) X.; (of a nation's fortunes) Plb.

ἀνα-κωκύω *vb*. **utter a cry of grief** A. S.

ἀνακῶς *adv*. (app. ἀνά, κοέω) attentively; (only w. ἔχω) **pay close attention** (usu. w.GEN. *to someone or sthg*.) Hdt. Th. Plu.

ἀνακωχεύω *vb*.: see ἀνοκωχεύω

ἀνα-λάζομαι *mid.vb*. (of Zeus) take back, **resume** —*his usual appearance* (*after being a bull*) Mosch.

ἀν-αλαλάζω *vb*. **raise a loud cry** (of victory or triumph) E. Plu.; **raise a war-cry** X. Plu.

ἀνα-λαμβάνω *vb*. | fut. ἀναλήψομαι | aor.2 ἀνέλαβον || There are two basic senses: (1–10) take up, (11–19) take back. |
1 take up (into one's hands), **pick up** —*objects* (*esp. weapons*), *a child, a corpse* Hdt. Th. X. +
2 (of sailors, ships) **take on board, pick up** —*persons or things* Hdt. Th. +
3 (of a horse) **take up** —*a bit* (w. πρός + ACC. *against its jaws*) X.
4 || PASS. (usu. of Christ) be taken up —w.PREP.PHR. *into heaven* NT.

5 (gener.) **pick up, collect** (so as to take somewhere w. one) —*persons, troops, ships, supplies, goods* Hdt. Th. X. +; (fig.) carry along with one, **win over, get on one's side** —*persons* Ar. Arist. Din. Plu.
6 take in, receive —*an adopted child* (*into one's house*) D.; (of troops) —*fugitives* (*into a camp*) Th. ‖ PASS. (of a person) be received —W.PREP.PHR. *in someone's house* Aeschin.
7 (specif., of a male lover) **take up with** —*someone* Aeschin. ‖ PASS. be taken up —W.PREP.PHR. *by someone* Aeschin.
8 take up —*an argument, a topic* (*to examine it*) Pl. —*speeches, poems* (*to read them*) Isoc. Pl. Plu.
9 take on, assume —*kingship, an office* Hdt. Th. —*someone's fortunes* E. —*a risk* Hdt.(mid.); **take over** —*troops, a fleet* (i.e. command of them) X.
10 take on, adopt —*names* Hdt. —*particular dress* Plu.
11 get back, regain, recover, retrieve —*captured cities, power, possessions, a reputation, or sim.* Hdt. Th. Att.orats. + —*an old friend, a lost wife* E. —*a wounded person* X. —*the light of day* (i.e. life) E.; (wkr.sens.) **get back** —*an enemy* (W.PREP.PHR. *within sword-range*) E.
12 recover, recall —*sthg.* (sts. W.DAT. *in one's memory*) Pl. Plu.
13 retrieve, make good, make amends for —*a fault, mistake, cowardice* Hdt. S. E. D.
14 exact —*punishment* Th.
15 (of persons or cities) **recover** —*themselves* (sts. w. ἀπό or ἐκ + GEN. *fr. a setback*) Th. Att.orats. Men.; (intr.) Hdt. Pl. D.; **cause** (W.ACC. a city) **to recover** —W. ἐκ + GEN. *fr. loss of heart* (i.e. restore its morale) X.
16 take up again, pick up, resume —*a narrative or argument* Hdt. Pl. Arist.; (intr.) **resume** Pl. Arist.
17 perform again, renew, repeat —*rituals* Plu.; (intr.) **recapitulate** (a statement) Th.
18 pull up, check —*a horse* X.; (of a helmsman) —*a ship's impetus* Plb.; (fig., of a disputant) —*one's argument* (compared to a horse), oneself Pl.; **restrain** —*oneself* (fr. laughing) Aeschin. ‖ PASS. (of a horse) be pulled up X.
19 call back —*hounds* X.

ἀνα-λάμπω *vb.* **1** (of fire) **blaze** or **flare up** Mosch. Plu.; (of wood, a building) X.; (fig., of war) —w. ἐπί + ACC. *against a city* Plu.; (of passion) Plu.
2 (of the moon, after an eclipse; fig., of a leader's power, thought to be eclipsed) **shine out** —W.ADV. *again* Plu.; (fig., of fortune) —W.PREP.PHR. *upon an event* Plu.(cj.)
3 (causatv., of a god) **make** (W.ACC. a light) **shine** —W.ADV. *again* Plu.
4 (fig., of a person taken for dead) **revive** Plu.

ἀν-αλγής ές *adj.* [privatv.prfx., ἄλγος] (of a death) **painless** Plu.

ἀναλγησίᾱ ᾱς *f.* **insensitivity** (to emotional or physical pain) D. Arist. Plu.

ἀν-άλγητος ον *adj.* [ἀλγέω] **1 not feeling pain**; (of a life) **painless** E.; (of a person) **not sharing the pain** (W.GEN. of another's suffering) Plu. ‖ NEUT.PL.SB. painless lot (in life) S.
2 not feeling pain (at injuries received), **impassive, unresentful** Th.
3 (gener.) lacking in feeling, **unfeeling, insensitive, emotionless** Arist.
4 not feeling pain (at sufferings caused to others), **callous, hard-hearted** S.
—**ἀναλγήτως** *adv.* **unfeelingly, hard-heartedly** S.

ἀν-αλδής ές *adj.* [ἀλδαίνω] (fig., of ideas) lacking growth, **stunted** or **barren** Ar.

ἀν-αλδήσκω *vb.* [ἀνά] (of earth-born warriors) **spring up** AR.

ἀνα-λέγω, ep. **ἀλλέγω** *vb.* **1 gather up** —*bones* (for burial) Il. —*armour* (fr. slain enemies) Il.(tm.); (of birds) —*insects* Ar. ‖ MID. gather up for oneself, **pick up** —*dropped coins* Hdt.
2 ‖ MID. **work out, calculate** —*a length of time* Plu.
3 ‖ MID. **read through** —*a book, message* Call.*epigr.* Plu.

ἀνα-λείχω *vb.* **lick up** —*blood* Hdt.

ἀν-αληθής ές *adj.* [privatv.prfx., ἀληθής] (of a person) **untruthful, deceitful** Plb. Plu.; (of a historian's technique) Plb.

ἀνάληψις, also **ἀνάλημψις** (NT.), εως *f.* [ἀναλαμβάνω]
1 regaining, recovery (W.GEN. of power) Plu.
2 recovery (of health or strength) Pl. Plb.
3 restoration, rebuilding (of a city that has been captured and destroyed) Plu.
4 means of making amends (W.GEN. for a retreat) Th.
5 taking up (into heaven), **ascension** NT.

ἀν-αλθής ές *adj.* [privatv.prfx., ἀλθαίνομαι] (of wounds) **incurable** Bion

ἀνάλιος dial.*adj.*: see ἀνήλιος

ἀναλίσκω *vb.* [ἀνά, ἁλίσκομαι] ‖ impf. ἀνήλισκον ‖ —also **ἀναλόω** contr.*vb.* ‖ impf. ἀνήλουν ‖ fut. ἀναλώσω ‖ aor. ἀνήλωσα, also ἀνάλωσα (Arist. Plu.) ‖ pf. ἀνήλωκα ‖ PASS.: fut. ἀναλωθήσομαι ‖ aor. ἀνηλώθην ‖
1 spend or **pay out**; **spend** —*money* Th. Ar. Att.orats. Pl. + —(w. εἰς + ACC. *on someone or sthg.*) Th. Ar. Att.orats. Pl. + —W.PARTITV.GEN. *some of one's own money* Ar.; **pay** —*money* (W.DAT. *to someone*) D.; (intr.) **spend money** (sts. w. εἰς + ACC. on someone or sthg.) Th. Ar. Att.orats. Pl. + ‖ PASS. (of money) be spent (sts. w. εἰς + ACC. on someone or sthg.) Th. Att.orats. Pl. +; (of a payment) be made E. Pl.
2 (fig.) use up (sthg.) for a specific purpose; **expend** —*a great part of one's vital energies* (in doing sthg.) E. —*lives, labour, time* (W.DAT. or PREP.PHR. *in or on sthg., on someone's behalf*) Th. Pl.; **sacrifice, forfeit** —*one's life* (w. εἰς + ACC. *for the lives of others, the safety of a city*) Lycurg. Hyp. ‖ PASS. (fig., of a person) be expended or used up —w. ἐς + ACC. *on sthg.* (i.e. give way to it completely) E.
3 (of a speaker) **expend, use up** (on some purpose) —*speeches, many words, his allotted time* Att.orats. Men.
4 (pejor.) expend ill-advisedly or wastefully; **squander, waste** —*words* S. E. Ar. —*inherited glory* Pl. —*an opportunity* X. ‖ PASS. (of time) be wasted E.; (of attention) —w. εἰς + ACC. *on sthg.* Pl.
5 (gener.) **use up** —*a resource, commodity or supply* Th. X. Plb. —*animals* (by hunting them to extinction) X. —*little sleep* (i.e. spend little time sleeping) Pi.; (of a speaker) —*his water* (in the water-clock) Din. —*a period of time* Plu.; **exhaust** —*one's breath* (by blowing) Call. ‖ PASS. (of commodities) be used up Pl. X.
6 do away with, kill —*someone, oneself* S. E. Th.; **destroy** —*an army, a family* A. E.; (of time) —*beauty* Isoc. ‖ MID. **kill oneself, take one's own life** Th. ‖ PASS. (of persons) be killed, perish A. X.; (of a city) be destroyed E.; (of a beautiful body) —W.PREP.PHR. *by wounds* E.; (wkr.sens., of persons or things) be disposed of or got rid of Pl.
7 destroy by eating, consume —*persons* (W.INTERN.ACC. *in a cruel meal*) E.*Cyc.*; (of a besieged people) —*the bark and shoots of trees* Plb. ‖ PASS. (of animals) be consumed (by others) Plu.
8 (of a woman, by dying) **do away with** —*verbal questioning* (i.e. make it impossible to question her) E.

ἀν-αλκείη, also **ἀναλκίη**, ης *Ion.f.* [privatv.prfx., ἀλκή] lack of prowess, **weakness, cowardice** Thgn.; (pl.) Il. AR.

ἄν-αλκις ιδος *masc.fem.adj.* | acc. ἀνάλκιδα, also ἄναλκιν | (of persons, their hearts or actions) lacking in prowess, **spiritless, cowardly** Hom. A. Pi. Hdt. S. X. +; (of Aphrodite) **weak** (in battle) Il.

ἀν-αλλοίωτος ον *adj.* [ἀλλοιόω] **unchangeable** Arist.

ἀν-άλλομαι *mid.vb.* [ἀνά] | 3sg.aor. ἀνήλατο, dial. ἀνάλατο | (of a person, a horse) **leap** or **spring up** Ar. X. Theoc. Plu.; (of a spark) Ar.

ἄν-αλλος ον *adj.* [ἄλλος] **changed around, switched about** Theoc.

ἄν-αλμος ον *adj.* [privatv.prfx., ἅλμη] (of substances) with no salinity, **salt-free** X.

ἀναλογίᾱ ᾱς *f.* [ἀνάλογος] **1** the quality of proportion, **proportionality** Pl. Arist. Plb.
2 numerical or qualitative correspondence, **proportion, ratio** Pl. Arist. Plb.
3 comparison by means of substitution, **analogy, correspondence** Arist.

ἀνα-λογίζομαι *mid.vb.* **1** employ rational calculation; **reckon, reflect, reason, consider** Pl. X. —W.COMPL.CL. *that sthg. is the case* Th. Pl. X. Plb. —W.ACC. + INF. Th. —W.INDIR.Q. *what (or whether sthg.) is the case* Th. Pl. X. Aeschin. D. +
2 (tr.) **take into account, reflect upon, consider** —*agreed points, statements, arguments, circumstances* Lys. Isoc. Pl. X. Arist. + —(w. πρός + ACC. *in relation to or comparison w. sthg. else*) Th. Pl. Arist. Plu.
3 (intr.) **sum up** or **recapitulate** (an argument) Hyp.

ἀναλόγισμα ατος *n.* result of reasoning, **thought** (about sthg.) Pl.

ἀναλογισμός οῦ *m.* process of reasoning, **thinking, reckoning** Th. X. Plu.

ἀνά-λογος ον *adj.* [λόγος] (of things) in proportion, **proportionate** (to other things) Pl. Arist. || NEUT.SB. proportionality Arist.
—**ἀνάλογον** *neut.adv.* **in proportion** Arist.; (quasi-adj.) • ἡ ἀνάλογον μεταφορά *proportional or analogical metaphor* Arist.

ἄν-αλος ον *adj.* [privatv.prfx., ἅλς] (of salt) **lacking saltiness** NT.

ἀναλόω *contr.vb.*: see ἀναλίσκω

ἄν-αλτος ον *adj.* [perh.reltd. ἀλδαίνω] (of a beggar, his belly) unable to be filled, **insatiable, greedy** Od.

ἀνάλυσις εως *f.* [ἀναλύω] **1** unloosing, **release** (W.GEN. fr. evils) S.
2 resolving, **working out, analysis** (of mathematical or geometrical problems) Arist. Plu.

ἀναλυτήρ ῆρος *m.* one who brings release, **deliverer, saviour** (W.GEN. of a household) A.

ἀναλυτικός ή όν *adj.* (of a science) **analytical** Arist. || NEUT.PL.SB. analytical processes Arist.

ἀνα-λύω, ep. **ἀλλύω** *vb.* | dial.impf. ἀνάλυον (Pi.), ep.iteratv.impf. ἀλλύεσκον | **1** set loose (fr. restraint, captivity or sthg. unwelcome); **release, free** —*a person* (w. ἐκ + GEN. *fr. bonds*) Od. —*a god* (fr. *Tartaros*, w. ἐς + ACC. *into the upper world*) hHom.(mid.) —*a person's sight and voice* (fr. *the clutches of death*) Pi.(tm.) —*cities* (fr. *obligations*) Plu.(quot.com.) || PASS. be freed or purged (of poison) Men.
2 loosen (a fastening or sthg. fastened); **unfasten, undo** —*a ship's stern-cables* Od.(tm.) —*bonds, fastenings* Ar. AR.(mid.) —*door-bolts* AR.(tm.) —*a door* Call.; (mid., of women) —*their girdles* Hes.fr. Call. —*garments, veils, brooches* Ibyc.
3 undo, unpick —*a web* (*on the loom*) Od. Plu. —*stitching* Plu.
4 make loose or slacken (what is taut) || MID. (of a serpent) **relax** —*its spine* AR.
5 dissolve, **break up** —*one's battle-line* Plu.
6 (of Zeus) undo —*what is fated* Pi.fr.; (of a person) —*what one has done* D.; **annul, cancel** —*contracts or sim.* Plu. || MID. **make amends for** —*mistakes or faults* X. D.
7 break off, suspend —*hunting* X.
8 reduce, lower —*numbers* Plu.
9 (philos.) resolve or analyse into constituent parts; **reduce** —*an argument* (w. εἰς + ACC. *to first principles*) Arist.; **investigate analytically** —*a geometrical figure* Arist. || PASS. (of a substance) be resolved or analysed (W.ACC. into sthg. else) Arist.
10 (intr.) **withdraw, retire** (sts. W.PREP.PHR. to or fr. somewhere) Plb. Plu.
11 return NT. —W.ADV. **home** Plu.

ἀνάλωμα ατος *n.* [ἀναλόω] **1** expenditure, **expense, payment** Th. Att.orats. Pl. Arist. Thphr. Plu.; (opp. income) X.
2 (fig.) **cost, loss** (to a city, caused by men sacrificing their lives for women) A.; **expenditure** (which cannot be reimbursed, ref. to a life that is lost) E.
3 waste (W.GEN. of speech) E.

ἀνάλωσις εως *f.* **1** spending, **expenditure** Thgn. Th. Pl.
2 consumption (W.GEN. of food and drink) Pl.

ἀναλωτέος ᾱ ον *vbl.adj.* (of produce) **to be consumed** Pl.

ἀναλωτής οῦ *m.* **consumer** (W.GEN. of commodities) Pl.

ἀναλωτικός ή όν *adj.* (of pleasures, desires) **expensive, costly** Pl.

ἀν-άλωτος ον *adj.* [privatv.prfx., ἁλωτός] **1** (of a place) not captured, **uncaptured, untaken** Th. Plb. Plu.
2 (of a place or fortification) not able to be captured, **untakable, impregnable** Hdt. Isoc. X. Plb Plu.; (fig., of a person, envisaged as a fortress) **unassailable** (w. ὑπό + GEN. by bribery) Plu.; (of a person's mind, by money, pleasure or fear) X.
3 (wkr.sens., of persons, their nature) **impervious, immune** (W.DAT. or ὑπό + GEN. to bribery, another's charm) Plu.
4 (of perceptions and opinions) **not able to be proved** (as true or false) Pl.

ἀνα-μαιμάω *contr.vb.* [ἀνά] (of fire) **rage through** —*wooded valleys* Il.

ἀνα-μανθάνω *vb.* **make a thorough inquiry** Hdt.

ἀν-αμάξευτος ον *adj.* [privatv.prfx., ἁμαξεύω] (of Egypt) **not traversable by wagon** Hdt.

ἀνα-μαρμαίρω *vb.* [ἀνά] (of a blacksmith's bellows) **create a flash of sparks** AR.

ἀν-αμάρτητος ον *adj.* [privatv.prfx., ἁμαρτάνω] **1** (of persons or things) not making a mistake, **without error, faultless, infallible** Pl. X. Arist. Plu. || NEUT.SB. lack of error, faultlessness, infallibility Pl. X. Arist. Plb.
2 (w. moral connot., of persons, their conduct) **not at fault, guiltless, innocent** Hdt. Att.orats. X. Arist. Men. NT.; (of the gods) Isoc.
3 (of an accident) **happening through no fault of one's own** Antipho
—**ἀναμαρτήτως** *adv.* **1** unerringly, unfailingly X.
2 (w. moral connot.) **faultlessly, inoffensively** Isoc.

ἀνα-μασάομαι *mid.contr.vb.* [ἀνά] (fig.) **chew over, ruminate on** —*a matter* Ar.

ἀνα-μάσσω, Att. **ἀναμάττω** *vb.* **1** wipe (sthg.) onto (sthg. else); (fig.) **wipe off** —*an act* (W.DAT. on one's own head, i.e. bear the consequences of it) Od. Hdt. [perh.ref. to a ritual custom by which blood-guilt was transferred to a victim

by wiping blood fr. the sacrificial knife onto its head] ‖ MID. **wipe** —W.PARTITV.GEN. *some of the blood (fr. a stabbed person,* W.DAT. *on one's face)* Plu.
2 ‖ MID. app. **knead dough** (fig.ref. to masturbation) Ar.

ἀνα-μάχομαι *mid.vb.* **1** (in military ctxt.) fight again, **renew the fighting** Hdt. Th. X. Arist. Plb.; (fig., ref. to resuming an argument) Pl.; **fight again, recontest** —W.INTERN.ACC. *an argument* Pl.
2 fight back (in argument), **make a stand** —W.PREP.PHR. *over sthg.* Plu.
3 fight back against, **retrieve, redeem, make good** —*a setback* Plb. Plu. —*a bad reputation* Plu.

ἀν-άμβατος ον *adj.* [privatv.prfx., ἀναβαίνω] (of horses) not mounted, **not broken in** X.

ἀνα-μείγνῡμι (sts. written **ἀναμίγνῡμι**), dial. **ἀμμείγνῡμι**, Aeol. **ὀμμείχνῡμι** *vb.* —also (pres.) **ἀναμιγνύω** (Plu.), (pres. and impf.) **ἀναμίσγω** (Od. +) | Aeol.3sg.impf.pass. ὀνεμείχνυτο (also ὀνεμίγνυτο), pf.pass.ptcpl. ὀμμεμείχμενος |
1 **mix together, mingle** —*different things* Il. Hdt. Plu. ‖ PASS. (of sounds, scents) be mingled Sapph.
2 mix (one thing w. another); **mix, mingle** —*sthg.* (W.DAT. *w. sthg. else*) Od. Tim.; **mix in** —*enthymemic arguments* (*w. other topics, instead of presenting them in a series*) Arist. ‖ MID. **mingle** —*one's fortunes* (W.DAT. *w. someone, i.e. w. his*) E. ‖ PASS. (of things) be mingled or combined (usu. W.DAT. *w. others*) Eleg. Lyr. Pl. Call. Plu.
3 mix (one group of persons w. another); **mix up** —*a populace (by a rearrangement of tribes)* Arist.; (of a stampeding elephant on a battlefield) **mix together** —*friends and enemies* Plu. ‖ PASS. (of a populace) be mixed up Arist.; (of persons) intermingle, join company (w. others) Aeschin. D. Plu. —W.DAT. *w. others* Hdt. Arist. Plu. ‖ STATV.PF.PASS. (usu. PTCPL.) (of persons or groups) be mixed together (sts. W.DAT. *w. others*) Hdt. S. E. Pl. X. +; (of fighting, ref. to the combatants) be at close quarters Plu.
4 cause (persons) to be connected (to others); (of Aphrodite) **unite** —*goddesses* (W.DAT. *w. mortals*) hHom.; (of a commander) —*a body of troops (w. another)* Plu.; (of civic authorities) —*a populace (w. another, by intermarriage)* Plu.; **incorporate** —*families* (W.DAT. *in a city*) Plu. ‖ MID. **intermingle** —*different races (by intermarriage)* Plu.
5 cause (sthg.) to be associated (w. sthg. else); **incorporate** —*sacrifices* (w. πρός + ACC. *in funeral services*) Plu.; **apply** —*one's skills* (w. εἰς + ACC. *to the needs of mankind*) Plu. ‖ PASS. (of a person's name) be implicated (in a court case) Aeschin.; (of certain qualities) be incorporated —w. ἐν + DAT. *in Homeric poetry* Plu.

ἀνάμειξις (sts. written **ἀνάμιξις**) εως *f.* **1** intermingling (of peoples) Plu.
2 huddling together (of soldiers) Plu.

ἀνα-μέλπω *vb.* **strike up** —*a song* Theoc.

ἀνα-μένω, dial. **ἀμμένω**, Aeol. **ὀμμένω** *vb.* **1 wait for, await** —*an event, outcome or circumstance* Od. Alc. Trag. Th. Att.orats. X. + —*a person, army, or sim.* Hdt. S. Th. X. D. +; (specif.) **remain to face, hold one's ground against** —*an enemy* Pi.
2 (of contingencies) **await, lie in store for** —*someone* E.
3 bide one's time, wait Hdt. S. Th. Ar. X. D. + —W.COMPL.CL. *until sthg. happens* Lys. Pl. X. D. + —W.INF. *to do sthg.* D. —W.ACC. + INF. *for someone to do sthg., sthg. to happen* Hdt. Th. Lys. X. Plu.
4 put off, defer, delay —*a sword-stroke* E. —w. τό + INF. *doing sthg.* X.

ἀνάμερος *dial.adj.*: see ἀνήμερος

ἀνά-μεσος ον *adj.* [μέσος] (of cities) in the middle (of a country), **inland** Hdt.

ἀνα-μεστόομαι *pass.contr.vb.* (of a city) **be crammed full** —W.GEN. *of petty bureaucrats* Ar.

ἀνά-μεστος ον *adj.* [μεστός] (of a person) completely filled, **brimming** (W.GEN. *w. hatred*) D.; (of behaviour, w. certain characteristics) Ar.

ἀνα-μετρέω *contr.vb.* **1** take measurements; **measure up** —*an area, the earth, oneself* Ar.(sts.mid.) —W.INDIR.Q. *by how much a piece of land has been reduced in size* Hdt.
2 measure (by some criterion); **measure** —*sounds* (W.DAT. *in relation to each other*) Pl.; (mid.) —*good behaviour (by defective standards of judgement)* E. ‖ PASS. (of a period of time) be measured —W.DAT. *by the revolutions of heavenly bodies* Pl.
3 ‖ MID. (fig.) **get the measure of, size up** —*someone's intentions* E. —*a body of enemy troops* Theoc.; **reckon up** —*someone's achievements and the number of his trophies* Plu.
4 ‖ MID. measure out, **give a due measure of** —*tears* (w. εἰς + ACC. *in relation to claims of kinship*) E.
5 app., measure (one's journey) back again, **retrace one's path** —W.ACC. *to Charybdis* Od.
6 ‖ MID. go over again, **retrace** —*an old memory, an unspeakable tale* E.

ἀναμέτρησις εως *f.* **measuring** (W.GEN. *of happiness, w.* πρός + ACC. *in terms of wealth*) Plu.

ἀνα-μηλόω *contr.vb.* [μήλη *medical probe*] **probe** (the inside of a tortoise) —W.DAT. *w. a chisel* hHom.(cj.)

ἀνάμιγα (A., dub.), dial. **ἄμμιγα**, also **ἀνάμιγδα** (S.) *adv.* [ἀναμείγνῡμι] **1** in a mixture, **confusedly** A.(dub.) S. AR.
2 mingled together D.(oracle) AR.; (as prep.) —W.DAT. *w. persons or things* Lyr.adesp. AR.
3 (wkr.sens.) **together, in company** (w. someone) Theoc.*epigr.*

ἀναμίγνῡμι, ἀναμιγνύω *vbs.*: see ἀναμείγνῡμι

ἀνα-μιμνήσκω *vb.* | fut. ἀναμνήσω, dial. ἀμνᾱ́σω (Pi.) | aor. ἀνέμνησα, dial. ἀνέμνᾱσα (B.), dial.3sg.opt. ἀμνᾱ́σειε (Pi.) | Aeol.aor. ὀνέμναισα, inf. ὄμναισαι (Sapph.) ‖ MID.PASS.: Aeol.ptcpl. ὀμμιμνᾱσκόμενος (Theoc.) | aor.pass. (w.mid.sens.) ἀνεμνήσθην, Aeol.inf. ὀμνάσθην (Theoc.) |
1 remind —*someone* S. Pl. X. —(W.ACC. *of sthg.*) Sapph. B. E. And. Pl. Men. + —(W.GEN. *of someone or sthg.*) Sapph. B. E. And. Pl. Men. + —(W.INDIR.Q. or COMPL.CL. *what or that sthg. is the case*) Th. X. Lycurg. —(W.INF. *to do sthg.*) Pi. Hdt.
2 recall (to the memory of others), **recall, mention** —*sthg.* Hdt. Att.orats. Pl. + —W.INDIR.Q. *what is the case* Pi. X. Plb. —W.ACC. + INF. *that sthg. is the case* X.; **make mention** —W.GEN. *of sthg.* Th. Isoc. Plb. Plu. —w. περί + GEN. Lys. Isoc.
3 ‖ MID.PASS. recall (to one's own memory), **remember** Hdt. Ar. Pl. —W.GEN. *someone or sthg.* Hdt. E. Th. Ar. Att.orats. + —W.ACC. *sthg.* Ar. Att.orats. Pl. + —W.INDIR.Q. or COMPL.CL. *what, whether or that sthg. is the case* Hdt. Ar. Att.orats. Pl. + —W.PTCPL. *having done sthg.* E.*Cyc.* And.

ἀνα-μίμνω *vb.* **1** (of opposing armies) **wait for, await** —*each other* Il.
2 (of a warrior) hold one's ground, **stand fast** Il.

ἀναμίξ *adv.* [ἀναμείγνῡμι] **1** in a mixture, **mixed up together** Hdt. Th. X. Plb.; (as prep.) —W.DAT. *w. other persons* Plb.
2 at close quarters —*ref. to fighting* Plb.

ἀνάμιξις *f.*: see ἀνάμειξις

ἀναμίσγω *vb.*: see ἀναμείγνῡμι

ἀνα-μισθαρνέω *contr.vb.* **work for hire again and again** (i.e. get plenty of paid work) Plu.(quot.com.)

ἀν-άμματος ον *adj.* [privatv.prfx., ἅμμα] (of the cords of a hunting net) **without knots** X.

ἀνάμνησις εως *f.* [ἀναμιμνήσκω] **1** process of recalling to mind, **remembering** Arist.; (W.GEN. of accusations) Aeschin.; (of personal disasters) Plb.
2 stimulation to recollection, **reminder** (usu. W.GEN. of sthg.) Lys. Arist. Plb.
3 act of remembering, **remembrance** (of Jesus) NT.
4 (philos.) **anamnesis, recollection** (as the process by which one recalls innate knowledge) Pl.

ἀναμνηστικός ή όν *adj.* (of persons) able to recall, **inclined to remember** Plu.

ἀναμνηστός όν *adj.* (of a subject) **which can be recollected or remembered** Pl.

ἀνα-μολεῖν *aor.2 inf.* [ἀνά, βλώσκω] (of a clamour) **spread throughout, pervade** —*a city* E.(tm.)

ἀνα-μορμύρω *vb.* | *iteratv.impf.* ἀναμορμύρεσκον | (of Charybdis, compared to a cauldron) **bubble** or **froth up** Od.

ἀνα-μοχλεύω *vb.* **force open** (W.ACC. gates) **with a crowbar** E.

ἀν-αμπλάκητος, also **ἀναπλάκητος** (S.), ον *adj.* [privatv.prfx., ἀμπλακεῖν] **1** (of the Fates) **unerring** S.
2 (of a person) **free from error** S.; (of an army, W.DAT. against the gods, i.e. not giving offence to them) A.

ἀν-άμπυξ υκος *masc.fem.adj.* (of a woman) **without a headband** Call.

ἀνα-μυχθίζομαι *mid.vb.* [ἀνά] **moan loudly** A.

ἀν-αμφίλογος ον *adj.* [privatv.prfx.] not open to argument or debate, **beyond question, incontestable** X.

—**ἀναμφιλόγως** *adv.* **1 unquestionably, indisputably** X.
2 unquestioningly, without dispute X.

ἀν-αμφισβήτητος ον *adj.* **1** (of facts, statements, evidence, circumstances) about which there is or can be no disagreement, **undisputed** or **indisputable** Th. Lys. X. Arist. Plb. Plu.
2 (of a kind of dancing) **uncontroversial** Pl.
3 (of a person) **undisputed, unchallenged** (in one's claim to an inheritance) Is.; (of an inheritance) Is.
4 (of a person) **not disputing, unprotesting** Pl.

—**ἀναμφισβητήτως** *adv.* **1** with no possibility of disagreement, **indisputably, unquestionably** Att.orats. Pl. X.
2 without challenge, **uncontestedly** Att.orats. Pl. X. Plb.

ἀνανδρίᾱ ᾱς *f.* [ἄνανδρος] lack of manliness or courage, **cowardice** A. E. Th. Att.orats. Pl. +

ἄν-ανδρος ον *adj.* [privatv.prfx., ἀνήρ] **1** (of a woman) without a man, **lacking a husband, unmarried** S. E. Pl.; (of the Amazons) **living without men** A.
2 (of a wife's bed) abandoned by a husband, **husbandless** E.
3 (of wives) **widowed** A. E. Plu.
4 (of a city) **lacking men** S. E.; (of wealth) **without men** (i.e. lacking manly protection) A.
5 (of the post of a dead commander) **unmanned** A.
6 (of a person, characteristic, way of life, action, or sim.) without the qualities expected of a man, **unmanly, cowardly, feeble** Hdt. S. E. Isoc. Pl. + || NEUT.SB. **cowardice** Th.

—**ἀνάνδρως** *adv.* **in an unmanly** or **cowardly way** Att.orats. Pl. Plb. Plu.

ἀν-άνδρωτος ον *adj.* [ἀνδρόομαι] (of a marriage bed) **deprived of a husband** (through his absence) S.

ἀνα-νεάζω *vb.* [ἀνά] **become young again** —W.ACC. *in one's mental vigour* Ar.

ἀνα-νέμω, dial. **ἀννέμω** *vb.* **1** || MID. go through, **recite, recount** —*names* Hdt.
2 read out —*an inscription* Theoc.

ἀνα-νέομαι *mid.contr.vb.* | ep.3sg. ἀννεῖται | (of the sun) come up, **rise** Od.

ἀνα-νεόομαι, dial. **ἀννεόομαι** (S., cj.) *mid.contr.vb.*
1 renew, reaffirm —*a treaty, tie of friendship, oath, citizenship rights, or sim.* Th. Isoc. D. Plb. Plu.
2 renew —*a conversation* S.(cj.)
3 renew, revive —*old slanders* Plu.; **repeat** —*a former statement* Plb.; **re-enact** —*a past event* Plu.
4 recall, remember —*someone's wedding* E. —*a statement, circumstance or event* Plb.

ἀνα-νεύω *vb.* | fut. ἀνανεύσομαι | **1** incline the head backwards (as a gesture of refusal, prohibition or dissent, sts. accompanied by a raising of the eyebrows); (of a person or god) indicate refusal (of a request), **refuse** Il. Hdt. Ar. Thphr. Theoc. Plb. —W.NEUT.ACC. *sthg.* Il.; **refuse to allow** —W.ACC. + FUT.INF. *someone to do sthg., sthg. to happen* Il. Hes.*fr.*; **decline** (an invitation to do sthg.) hHom.
2 (of a person) indicate prohibition, **indicate no** Od. Arist. Plu. —W.DAT. *w. one's head* Il. —*w. one's eyebrows* Od.(tm.)
3 indicate disagreement or denial, **say no** Ar. Pl.
—W.NEUT.ACC. *to a question* X.
4 || STATV.PF.PTCPL. (of pikes, boarding ramps) **raised upright** Plb.

ἀνανέωσις εως *f.* [ἀνανεόομαι] **1 renewal** (W.GEN. of an alliance, friendly relations) Th. Plb.; (of troubles) Hdt.(cj.)
2 bringing back to mind, **recollection, remembrance** (of sthg.) Plb.

ἀνα-νήφω *vb.* | aor. ἀνένηψα | **sober up** (after drinking) Plu.

ἀν-ανθής ές *adj.* [privatv.prfx., ἄνθος] (of a body or soul) **without the flower of youth** Pl

ἀνα-νοστέω *contr.vb.* [ἀνά] **come back again, return** S.*Ichn.*

ἄναντα *adv.* [ἀνάντης] **upwards, uphill** Il.

ἀν-ανταγώνιστος ον *adj.* [privatv.prfx., ἀνταγωνίζομαι]
1 (of an enemy) **unchallenged** Th.
2 (of an enemy, a navy) **unchallengeable, irresistible** Plu.; (of an impetus) **unstoppable** Plu.
3 (of goodwill for the dead) **untainted by competitive rivalry** (such as exists among the living) Th.

ἀν-άντης ες *adj.* [ἀνά, ἄντα] **1** (of ground) **rising steeply** Hdt. Pl.
2 (of a path, an ascent) **steep** Pl
3 || NEUT.SB. **steep slope** Pl. X. Arist.; **ascending scale** (W.GEN. of constitutions) Pl.; (prep.phr.) πρὸς (τὸ) ἄναντες *uphill* Pl. X.

ἀν-αντίρρητος ον *adj.* [privatv.prfx., ἀντείρω] **1** (of facts) **indisputable** NT.
2 (of a demand, an activity) **undisputed, unopposed** Plb.
3 (of an act of supplication) **not to be refused** Plu.

—**ἀναντιρρήτως** *adv.* **without objection, unquestioningly** Plb. NT.

ἀνα-νωμάω *contr.vb.* | ep.3sg.impf. (tm.) ἂν ... νώμᾱ | **brandish aloft** —*a shield and spear* AR.(tm.)

ἄναξ ακτος *m.* | voc. ἄναξ, also ἄνα | ep.dat.pl. ἀνάκτεσι |
1 (ref. to a deity, freq. appos.w. his name) **lord, ruler** Hom. Hes. Archil. Eleg. Lyr. Hdt. Trag. +; (W.GEN. of lords, i.e. all other gods, ref. to Zeus) A.; (of heaven, ref. to Zeus) E.; (of a golden abode, ref. to the deified Herakles) Pi.; (of thieves, ref. to Hermes) E.; (of dwellers in darkness, i.e. the dead, ref. to Hades) S.; (of rivers, ref. to Asopos) B.
2 (ref. to a king, chieftain, military leader or person of status) **lord, ruler** Hom. hHom. Lyr. Ion Trag. Hellenist.poet.; (W.GEN. or DAT. of men, a specific populace, a city or country) Hom. Hes. Anacr. B. Trag AR.; (fig., ref. to an altar) Pi.

3 master, owner (of property, slaves, animals, or sim.) Hom. Thgn. A. E.
4 (periphr.) **master** (W.GEN. of the oar, ref. to a rower) A. E.*Cyc.*; (of the tiller, ref. to a helmsman) E.; (of arms, a shield, ref. to a warrior) E.; (fig., of lies) E.

Ἀναξαγόρᾱς ου *m.* **Anaxagoras** (5th-C. BC philosopher, fr. Klazomenai in Ionia) Isoc. Pl. X. Arist. Plu.

—Ἀναξαγόρειοι ων *m.pl.* **followers of Anaxagoras** Pl.

ἀνα-ξαίνω *vb.* [ἀνά] **rake up** (a surface) **again** ‖ PASS. (fig., of a disagreement) **be raked up anew** Plb. Plu.

ἀνα-ξηραίνω, ep. **ἀγξηραίνω** *vb.* | aor. ἀνεξήρᾱνα, Ion. ἀνεξήρηνα | **1** (of the north wind) **dry up** —*watered ground* Il.
2 (of animals) **drink dry** —*a lake* Hdt.
3 (fig., of a person's teeth, meton. for appetite) **dry up, exhaust** —*a rich home* Call.

ἀναξίᾱ[1] ᾱς *f.* [ἀνάσσω] **royal decision** or **command** Pi.(pl.)
ἀναξίᾱ[2] ᾱς *f.* [ἀνάξιος] **lack of desert, unworthiness** Pl.(dub.)
ἀναξί-αλος ον *adj.* [ἀνάσσω, ἅλς] (epith. of Poseidon) **ruling over the sea** B.
ἀναξι-βρέντᾱς ᾱ *dial.m.* [βρέμω, βροντή] (epith. of Zeus) **lord of thunder** B.
ἀναξί-μολπος ον *adj.* [μολπή] (of Ourania) **ruling over song** B.
ἀναξιοπαθέω *contr.vb.* [ἀνάξιος, πάσχω] **suffer unworthy treatment** Plu.
ἀν-άξιος ᾱ ον (also ος ον) *adj.* [privatv.prfx.] **1** (of a person) lacking in worth, **worthless** S. E.*fr.*
2 not worthy, deserving or **entitled** (to do sthg.) Hdt. Pl. Aeschin. D. Arist.; (W.INF. to do sthg.) Att.orats.
3 not deserving (sts. W.GEN. of sthg., either welcome or unwelcome) S. E. Th. Att.orats. Pl. +; (W.GEN. of someone, i.e. too good or bad for them) S. Lys. Pl.; (W.INF. to suffer misfortune) S.
4 (of things, esp. sufferings) **undeserved** (sts. W.GEN. by someone) Hdt. E. Lys. Pl. +
5 (of things) not good enough, **unworthy, unbefitting** or **inappropriate** (sts. W.GEN. for someone or sthg.) Att.orats. Pl. +
—**ἀνάξια** *neut.pl.adv.* **undeservedly** E.
—**ἀναξίως** *adv.* **1 undeservedly** Hdt. S. E. Isoc. +
2 unworthily or **inappropriately** Lys. Pl. X. Plu.; **in a manner unworthy** (W.GEN. of someone or sthg.) Hdt. Att.orats.

ἀνάξ-ιππος ον *adj.* [ἀνάσσω, ἵππος] (of a region) **horse-ruling** B.
ἀναξι-φόρμιγξ ιγγος *masc.fem.adj.* (of Ourania) **ruling the lyre** B.; (of a hymn) Pi.
ἀναξί-χορος ον *adj.* [χορός] (of the Muses) **ruling the choral dance** B.*fr.*
ἀναξυρίδες ων *f.pl.* [Iran.loanwd.] **trousers** (worn by non-Greeks) Hdt. X. Plb. Plu.
ἀνα-ξύω *vb.* [ἀνά] **scrape away, erase** —*bloodstains* (fr. a murder scene) Antipho
ἀνάξω[1] (fut.): see ἀνάγω
ἀνάξω[2] (fut.): see ἀνάσσω
ἀναοίγεσκον (ep.iteratv.impf.): see ἀνοίγνῡμι
ἀνα-παιδεύω *vb.* **teach** or **train again, re-educate** —*an old man* Ar.(quot. S.)
ἀνάπαιστος ον *adj.* [ἀναπαίω *strike backwards*] composed in anapaests (a metrical foot consisting of two short syllables followed by one long, i.e. a reverse dactyl); (of a piece of verse) **anapaestic** Aeschin. ‖ MASC.SB. anapaestic rhythm Arist.; (collectv.pl.) passage of anapaests Ar. ‖ NEUT.PL.SB. anapaestic verses Plu.

ἀνά-παλιν *adv.* [πάλιν] **1 back again, in the reverse direction** E.*fr.* Pl. X. Arist. Plu.
2 in reverse order Pl.
3 in the reverse manner, **in the opposite way** or **conversely** Arist.
4 all over again, once more Pl.

ἀνα-πάλλω, dial. **ἀμπάλλω** *vb.* | ep.redupl.aor.2 ptcpl. ἀμπεπαλών ‖ MID.: 3sg.aor. ἀνεπήλατο (Mosch.) | also athem.aor.: 3sg. ἀνέπαλτο (Il. Pi. B. Call.), ptcpl. ἀναπάλμενος (AR.) ‖ The forms ἀνέπαλτο, ἀναπάλμενος, and the sense *leap, spring,* appear to have arisen through early confusion w. ἔπαλτο (athem.aor. of ἐφάλλομαι). |
1 brandish aloft —*a spear* (before throwing it) Hom. —*a severed head* (impaled on a spear) Plu.
2 (of Bacchus) **spur on** —*maenads* (W.DAT. w. shouts) E. —(W.PREP.PHR. against a wild beast) E.
3 set in vigorous motion, nimbly move —*one's legs* (i.e. run quickly) Ar.; (intr., of girls, likened to fillies) **frisk, prance** Ar.
4 ‖ MID. (of a person) **leap up** Il. Pi.(tm.) AR.; (of a fish) Il.; (of dolphins) Lyr.adesp.; (of a bull) Mosch.; (of a wounded horse) **rear up** Il.
5 ‖ MID. (of Erinyes) **dart aloft** —W.ACC. *through the sky* E.; (of a fiery star) **shoot up** or **forth** —W.ADV. *fr. heaven* AR.
6 ‖ MID. (fig., of a quarrel) **spring up** B.; (of a person's heart) **leap up, be excited** —W.PREP.PHR. *over gifts* Call.

ἀναπαρείς (aor.pass.ptcpl.): see ἀναπείρω
ἀνα-πάσσω *vb.* (fig., of musical instruments) **sprinkle, shower** —*glory* (W.DAT. upon a person) Pi.
ἀνα-πατάσσω *vb.* (of a person) **strike, thump** —*one's head* Men.
ἀνά-παυλα ης *f.* [παῦλα] **1 break, respite** (usu. W.GEN. fr. toil, pain, or sim.) S. E.*fr.* Th. Pl. Plu.; (specif.) **period of rest** (taken by workmen betw. shifts) Th.
2 place of rest, retreat, resting-place E. Ar. Pl.; (w. ἐκ + GEN. fr. trouble, ref. to Lethe) Ar.

ἀνάπαυμα, dial. **ἄμπαυμα**, ατος *n.* [ἀναπαύω] **let-up, respite** (W.GEN. fr. anxieties) Hes. Thgn.; (fr. toils) Lyr.adesp.; (fr. the oar, i.e. rowing) E.*fr.*

ἀνάπαυσις, dial. **ἄμπαυσις**, εως *f.* **1 coming to rest, respite, relaxation** (after work, illness, or sim.) Mimn. Heraclit. Pi. Pl. +; (W.GEN. or PREP.PHR. fr. troubles, cares, a task, or sim.) B. E. Th. Pl. Men. Plu.; (fr. tension, ref. to music) Arist.; (specif.) **cessation** (of war or disputes, through a truce) X. Plb.
2 period of rest, rest, pause Plu.
3 resting-place (for a person, birds) Plb.

ἀναπαυτήριος, Ion. **ἀμπαυστήριος**, ον *adj.* (of seats) **providing an opportunity for rest** Hdt. ‖ NEUT.SB. time for rest (ref. to night) X.

ἀνα-παύω, dial. **ἀμπαύω** *vb.* **1 cause to cease** (fr. an action); (of winter) **stop** —*people* (W.GEN. fr. working) Il.; (of a goddess) —*springs* (W.INF. fr. issuing forth) E.
2 cause (sthg.) **to cease; put an end to, stop** —*someone's shouting, anxiety* S. Plu. —*one's pursuit* (of someone) Call.
3 give relief or **respite** (fr. sthg. unwelcome); **relieve** —*someone* (W.GEN. of suffering or sim.) B.*fr.* S.(dub.) —(of expenditure) D. —*one's mind* (of cares) B.; (specif.) —*persons performing public services* (by undertaking them oneself) D. ‖ MID. have relief or respite (sts. W.GEN. fr. sufferings, financial burdens) Att.orats. X.
4 (specif.) **provide relief** (for colleagues, by undertaking a shift of work in their place) Th.
5 (gener.) **give relief, respite** or **rest; rest** —*one's body* E. Theoc.*epigr.* —*oneself* (w. ἐκ + GEN. after exertions) Plb.

—*troops* X. Plb. Plu.; **allow respite to** —*an interlocutor* Pl.; (of Helios) **bring relief to** —*his flesh and his horses' fatigue* (W.DAT. *in the waters of Okeanos*) A.*fr.*; (of the sacred olive tree on Delos) —*Leto* (*who clung to it while giving birth*) Call.; (of the evening star) **bring rest to** —*weary ploughmen* AR.; (of Christ) —*the weary and burdened* NT.; (of a politician) —*a city* (*after a period of trouble*) Plu.
6 || MID. (of persons engaged in an activity, freq. of troops) **have a rest, take a break** Hdt. Th. Lys. Pl. +
7 || MID. (gener.) **rest, relax, take one's ease** E. Ar. Pl. +; (specif.) **take one's rest, sleep** Hdt. Lys. Pl. +; (euphem., ref. to being dead) Call.*epigr.*
8 || MID. (of land) be rested, **lie fallow** Pi.

ἀνα-πείθω, dial. **ἀμπείθω** vb. 1 win over (to a course of action); **prevail upon, persuade** —*someone* Hdt. + —(W.INF. *to do sthg.*) Hdt. + —(w. ὥστε + INF.) Hdt. —W.ACC. *about sthg.* Ar. || PASS. be won over (so as to comply), be persuaded Hdt. + —W.DAT. *by someone* Hdt. —W.INF. *to do sthg.* Th. Ar. + —w. ὥστε + INF. Th.
2 convince (someone, of the truth of sthg.); **convince, persuade** —*someone* Ar. + —(W.COMPL.CL. *that sthg. is the case*) Hdt. Th. Ar. + —(W.ACC. + INF.) Ar. || PASS. be convinced or persuaded Hdt. + —W.ACC. *about sthg.* Aeschin. —W.COMPL.CL. *that sthg. is the case* Th. + —W.ACC. + INF. X. —W.FUT.INF. *that one will do sthg.* Th.
3 (specif.) **bribe** —*someone* (sts. W.DAT. *w. money*) Hdt. Ar. —(W.INF. *to do sthg.*) Hdt. || PASS. be bribed —W.DAT. *w. money and gifts* X. —W.INF. *to do sthg.* Ar.

ἀνά-πειρα ᾱς *f.* [πεῖρα] 1 **testing, trial** (of refitted ships) Plb.
2 || PL. exercises, training, drill (by soldiers) Plb.; practising of manoeuvres (by sailors) Plb.

ἀνα-πειράομαι mid.contr.vb. 1 (of sailors, ships) **train, practise manoeuvres** Hdt. Th. Plb.
2 **hold a trial** (of a ship) D. || PASS. (of a ship) be given a trial D.

ἀνάπειρος adj.: see ἀνάπηρος

ἀνα-πείρω, dial. **ἀμπείρω** vb. | aor.pass.ptcpl. ἀναπαρείς | dial.pf.pass.ptcpl. ἀμπεπαρμένος | 1 **pierce, spit, skewer** —*offal* Il. —*thrushes* Ar. || PASS. (of meat) be skewered —w. ἀνά + ACC. *on a spit* Ar.
2 **impale** —*an enemy's head* (w. ἐπί + GEN. *on a pole*) Hdt. || PASS. (of a person) be impaled or run through (by spear-points) Hdt.

ἀναπειστήριος ᾱ ον adj. [ἀναπείθω] (of befuddling talk) **highly persuasive** Ar.

ἀνα-πεμπάζομαι mid.vb. reckon up thoroughly, **think carefully about, ponder** —*arguments* Pl. —W.INDIR.Q. *what is the case* Pl.

ἀνα-πέμπω, dial. **ἀμπέμπω** vb. 1 **send up** (fr. a lower to a higher place); **send up** —*someone* (W.ADV. or PREP.PHR. *to a place*) Ar. X. —(W.ACC.) Ar. —*offerings* (W.PREP.PHR. *to Delphi*) B.(cj.); (of a wall, ref. to catapults behind it) —*missiles* Plu.
2 **send up** (fr. below the earth); (of Zeus, i.e. Hades) **send up** —*retribution* (W.ADV. *fr. below*) A.; (of fire) —*primitive human forms* Emp.; (of Typhon, fr. beneath Mt. Aetna) —*streams of fire* Pi.
3 (wkr.sens., of the earth) **send forth** —*leaves* (*in spring*) Pi.; (of bile) **cause** —*tumours* Pl.
4 (of a person) **utter** —*inarticulate sounds* (w. ἐκ + GEN. *in one's sleep*) Plu. || PASS. (of wild noises) be sent up —w. ἐκ + GEN. *fr. a crowd* Plu.
5 **send inland** (fr. the coast); **send up** —*persons* (W.PREP.PHR. *to a city*) Lys.
6 **send up-country** (into central Asia); **send up** —*persons, tribute, money* (*to the Persian king or his capital*) Isoc. X. Plu. —(W.PREP.PHR. *to the Persian king*) Th. —*an army* (W.PREP.PHR. *against the king*) Isoc. || PASS. (of persons) be sent up —W.PREP.PHR. *to the king, to a commander* (*in Asia*) Aeschin. Plu.
7 (gener.) **send off, despatch** —*persons or things* (sts. W.PREP.PHR. *to a place*) Plb. Plu. || PASS. be sent off (to a person or place) Plb. Plu.
8 **send back, return** —*persons, animals, things* (sts. W.DAT. or PREP.PHR. *to someone*) NT. Plu.; (of the stomach) —*the nourishment which it has received* (*to other parts of the body*) Plu.
9 (specif., of a victorious city) **send back home** —*a defeated enemy* Pi.
10 **send** (a person) on or up (to a higher authority, for judgement); **send on, pass on** —*a prisoner* (W.PREP.PHR. *to someone*) NT.

ἀνα-πετάννῡμι, dial. **ἀμπετάννῡμι**, Aeol. **ὀμπετάννῡμι** vb. 1 **spread out** —*sails* Hom.(tm.) —*a woman's hair* (W.DAT. *over her shoulders*) E.; (of a dancer) —*his hair* E.; **spread wide** —*one's arms* Bion; **spread around** —*the light of a lamp* E. —*the charm in one's eyes* Sapph.
2 **open wide** —*doors, gates, a house, temple* Hdt. E. Pl. X. Plu.; **open up** —*entrances into a country* (ref. to mountain passes) Plu. || PASS. (of gates, doors) be thrown open X. Plu.
|| PF.PASS. (of gates) be wide open Hdt.; (of a mountain pass) be open X.; (of nostrils) be widely flared X.
3 **open wide** —*one's eyes* AR. —*one's ears* (*to things being said*) Plu. || PASS. (of eyelids) be opened X.
4 || PF.PASS. (of a house, tent, cave entrance) **lie open, be facing** —W.PREP.PHR. *towards a particular direction* Pl. X. Plu.
5 || PF.PASS. (of an area of land) **open out, stretch out, extend** (sts. W.PREP.PHR. *in a particular direction or to a particular distance*) AR. Plu.; (cf a sea) —W.ADV. *far into the distance* AR.

—**ἀναπεπταμένος** η ον pf.pass.ptcpl.adj. 1 (of gates or doors) **wide open** Il. Pi. Isoc. X.; (of a horse's nostrils) **widely flared** X.
2 (of eyes) **wide open** Licymn. X.
3 (of the sea, a stretch of water or land) **open** Hdt. Pl. X. Plb. Plu.; (of streets) **open, unobstructed** Plu.; (of a place) **open, accessible** (W.DAT. *to all*) Plu.
4 (of a banqueting-hall) **extensive, spacious** Plu.
5 (of a lifestyle) **in the open air** Pl.
6 (of freedom of speech, abuse) **unrestrained** Pl. Plu.; (of discipline) **easy-going** Plu.; (of faults) **blatant, obvious** Plu.

ἀνα-πέτομαι, dial. **ἀμπέτομαι** mid.vb. | fut. ἀναπτήσομαι | athem.aor. ἀνεπτάμην, dial. ἀνεπτάμᾱν, ptcpl. ἀναπτάμενος, dial.ptcpl. ἀμπτάμενος | aor.2 ἀνεπτόμην, ptcpl. ἀναπτόμενος, inf. ἀναπτέσθαι | dial.athem.aor.act. ἀνέπτᾱν (S. E.), opt. ἀμπταίην (E.) |
1 (of a bird, a person envisaged as a bird) **fly up** (sts. W.PREP.PHR. *to the stars, the heavens, Olympos*) Anacr. Hdt. E. Ar. Pl.
2 (fig., of a person) **soar, take wing** —W.PREDIC.ADJ. *in joy* S.; (of a person's heart) —W.DAT. *in joy* AR.
3 (of a person) **flutter** —W.DAT. *w. fear* S.
4 (of shame, past happiness) **fly up and away** E. (hyperbol., of a person) **fly away, be off** Ar. Aeschin. Plu.
5 (of gates) **fly open** Parm.

ἀνα-πήγνῡμι vb. fix onto (a spit or stake); **skewer** —*hare-meat* Ar.; **impale** —*a person's body* (w. διά + GEN. *on stakes*)

Plu. ‖ STATV.PF. (of a head) be fixed or impaled —w. ὑπέρ + GEN. *on a spear* Plu.

ἀνα-πηδάω, ep. **ἀμπηδάω** contr.vb. (of a person) **leap or jump up** Il. Hdt. Ar. Att.orats. Pl. +; (of a horse) X.

ἀναπηρίᾱ ᾱς *f.* [ἀνάπηρος] **maiming, mutilation** Arist.

ἀναπηρόομαι pass.contr.vb. (fig., of the soul) **become crippled** Pl.

ἀνά-πηρος, also **ἀνάπειρος** (NT.), ον adj. [πηρός] (of a person, a soul) **maimed, crippled, deformed** Lys. Pl. Aeschin. Arist. Men. +

ἀνα-πῑδύω vb. **1** (of sweat) **ooze, pour** (fr. a statue, as a portent) Plu.
2 (of the ground) **produce spring-water** Plu.

ἀνα-πίμπλημι, ep. **ἀμπίμπλημι**, dial. **ἀμπίπλημι** vb. | pres.ptcpl. ἀναπιμπλάς, dial.masc.nom.pl. ἀμπιπλάντες (Pi.) | impf. ἀνεπίμπλην, 3pl. ἀνεπίμπλασαν | fut. ἀναπλήσω, ep. ἀμπλήσω (AR.) | aor. ἀνέπλησα ‖ MID.: impf. ἀνεπιμπλάμην ‖ PASS.: pf.ptcpl. ἀναπεπλησμένος |
1 bring to completion, fulfil —*one's destiny* Il. Pi. AR.
2 have in full measure, endure —*grief, sufferings, or sim.* Hom. Hippon. Hdt. AR.
3 complete —*a task* AR.
4 app., pay full recompense for, **atone for** —*a wrongful sacrifice* AR.
5 infect (w. a contagious disease) ‖ PASS. (of persons) be infected (w. a plague) Th.; (of persons) catch —W.GEN. *a disease* (w. ἀπό + GEN. *fr. one another*) Plu.; (fig., of oxen, w. torches attached to their horns) —*the flames* (fr. *one another*) Plu.; (of persons) be contaminated —W.GEN. *by the nature of the physical body* Pl.; (of objects) —*by a disease* Plu.
6 (fig.) **infect, contaminate** —*persons, a city* (W.GEN. w. *one's own or another's bad practices, reputation, ill-fortune, or sim.*) Ar. Pl. D. Din. Plu. —*oneself* (w. *bloodshed*) Aeschin.; **taint, pollute** —*an image of Modesty* Ar.(dub.); (of opinions) **imbue, tinge** —*pleasures and pains* (W.GEN. w. *truth or falsehood*) Pl. ‖ PASS. (of persons, a city) be contaminated —W.GEN. *by the behaviour, character, reputation, words or speeches of others* Pl. X. Aeschin. Plu. —*by dishonest gains* Plu.; (of Romans) —*by Greek language and literature* Plu.
7 (wkr.sens.) **fill** —*a region* (W.GEN. w. *stories of someone*) Plu. —*persons* (w. *fear, confusion, or sim.*) Plu.; (of the sun) —*the abode of the winds* (*i.e. the sky*) Lyr.adesp. ‖ PASS. (of places) be filled —W.GEN. w. *men, horses, weapons, darkness* Plu. —w. *bloodshed, sedition and confusion* Plb.; (of persons) —w. *choking breath* (fr. *dust-filled air*) Plu. —w. *fear or sim.* Plu.; be covered —W.GEN. w. *blood, snow* Plu.

ἀνα-πίπτω, dial. **ἀμπίπτω** vb. **1 fall backwards** A. E.*Cyc.* Pl.
2 (of a rower, horse-rider) **lean backwards** X. Plb.; (of a person reclining at dinner) —W.PREP.PHR. *against his neighbour* NT.
3 (of soldiers) **fall back, retreat** Th.
4 (fig., of persons) **lose heart, give up** D. Plb. Plu.; (of a plan) **be given up** or **put off** D.
5 (of a retired politician) **fall back, relapse** —w. πρός + ACC. *into a life of ease* Plu.
6 sit down, recline (to eat) NT.

ἀνα-πίτνᾱμι dial.vb. [πίτνημι] | inf. ἀναπιτνάμεν | **1 open up** —*the gates of song* Pi.
2 ‖ PASS. (of a fox) app., be stretched out (on the ground, so as to lie flat on its back) Pi.

ἀναπλάκητος adj.: see ἀναμπλάκητος

ἀνα-πλάσσω, Att. **ἀναπλάττω** vb. **1 mould, shape** —*an infant's limbs* Pl. ‖ PASS. (app. of a poetic achievement) be fashioned or constructed Call.
2 ‖ MID. form anew, **rebuild** —*a house* Hdt.
3 form (in the imagination), **imagine** —*sthg.* Plb.
4 ‖ PF.PASS. (of a person) have (W.ACC. wax) plastered —w. ὑπό + DAT. *under one's fingernails* Ar.

ἀνα-πλέκω, dial. **ἀμπλέκω** vb. **1 entwine** —*one's hands* (W.DAT. w. *chains of flowers*) Pi. —*a garland of ivy* (w. *rosebuds and celery*) Theoc.
2 plait —*garlands* Pi.
3 ‖ PF.PASS.PTCPL. (fig., of attackers) knitted closely together —W.PREP.PHR. *around their victim's body* Plu.

ἀνάπλεος Ion.adj.: see ἀνάπλεως

ἀνα-πλέω contr.vb. —also **ἀναπλώω** Ion.vb. [πλέω¹] **1 sail upstream** —W.PREP.PHRS. *fr. one place to another* Hdt.
2 sail up —*a strait, river* Od. Plu. ‖ PASS. (of a river) be able to be sailed up, be navigable Plb.
3 sail inland —W.PREP.PHR. *fr. the sea* Hdt. Th.
4 put out to sea, set sail (sts. W.PREP.PHR. or ADV. to or fr. a place) Il. Hdt. Att.orats. X. Plb. Plu.
5 sail back (sts. W.ADV. or PREP.PHR. to or fr. a place) Hdt. D. Call. AR. Plb. Plu.
6 (of fish) **swim** —W.ADV. *back* (fr. *the sea, i.e. upstream*) Hdt.

ἀνά-πλεως ᾱ ων, Ion. **ἀνάπλεος** η ον adj. [πλέως] **1 full to capacity or extensively filled**; (of areas or receptacles) **full** (W.GEN. *of things*) Hdt. Plu.
2 (of a person or animal) having an abundance (of sthg. which covers the body); **covered** (W.GEN. w. *cosmetics*) Ar.; (w. *blood*) Thphr. Plu.; (w. *varicose veins*) Plu.; (w. *missiles, which have pierced the body*) Plu.; (w. *squalor and hair, i.e. unwashed and unkempt*) Plu.; (of a horse, w. *rich trappings*) Plu.; (of objects) **coated** (W.GEN. w. *sthg.*) Plu.
3 having an abundance (of non-material things); (of an army) **full** (W.GEN. *of idle talk and meddlesome behaviour*) Plu.; (of a person's eyes, W.GEN. *of darkness*, fig.ref. to *ignorance*) Pl.; (of a conversation, W.GEN. *of a lack of clarity*) Pl.
4 (w.medic.connot., of the soul) **infected, contaminated** (W.GEN. *by the body*) Pl.; (in neg.phr., *of true beauty, by human flesh*) Pl.

ἀνα-πληρόω contr.vb. **1 fill** (an area) **to capacity; fill up** —*a threshing-floor* (w. *barley*) Theoc. —*an area or space* (W.DAT. w. *people*) Plb.; (of air, a substance) —*a space* Pl.; (mid.) —*one's house* (w. *possessions*) E.(dub.)
2 fill up again (after loss) ‖ PASS. (of the sun, after an eclipse) be restored to full size Th.; (of streams, a lake) be replenished Pl. Plb.; (of a bodily state) Arist.
3 fill up (a group of people, by replacing losses); **fill up** —*the Senate, the citizen-body, an army, or sim.* (sts. W.DAT. or ἐκ + GEN. w. *certain people*) Plb. Plu. ‖ PASS. (of a body of men) be brought up to a full complement Plu.
4 fill —*vacant offices* Plb.
5 fill (in one's own person) —*a role or office* (*left vacant by another*) Pl. Plu.
6 make up, supply, compensate for —*a deficiency* Pl. Arist. Plb. Plu.
7 fully make up (a number or amount); **pay in full** —*a debt* Pl. ‖ MID. **make up the full amount of** —*a dowry* D. ‖ PASS. (of a total) be reached X.
8 fill out, increase —*a number of persons* (*on a register, by adding others*) D. ‖ PASS. (of a standard weight-measure) be increased —W.DAT. *to a new weight* Arist.

ἀναπλήρωσις

9 fill or **round out** —*the truth of an account* (*by adding details*) Plu.; (*of excessive narrative*) **fill out** —*a book* Plb.
10 satisfy —*a desire, hope* Plb. Plu.
11 ‖ PASS. (*of a prophecy*) **be fulfilled** NT.

ἀναπλήρωσις εως *f.* **1 replenishment** (*after loss*) Arist.
2 satisfaction (W.GEN. *of a need or desire*) Arist.
3 making up a total (W.GEN. *of people required*) Plb.
4 restoration to full strength (*of a person's fortunes, envisaged as the phases of the moon*) Plu.
5 remedial treatment (*for an anguished mind*) Plu.

ἀνά-πλοος, Att. **ἀνάπλους**, ου *m.* [πλόος] **1 journey upstream** Hdt. Plu.
2 channel-entrance (*leading inland fr. the sea*) Pl.
3 putting out to sea, setting sail Plb.; (*gener.*) **voyage** D. Plb.
4 voyage back Plb.

ἀν-απλόω contr.vb. [ἁπλοῦς] (*of a bird*) **unfold, spread out** —*its wings* Mosch.

ἀναπλώω Ion.vb.: see ἀναπλέω

ἀνάπνευσις εως *f.* [ἀναπνέω] **1 breathing-space, respite, rest** (W.GEN. *fr. battle*) Il.; (W.DAT. *for someone toiling*) AR.
2 process of breathing, respiration Pl.

ἀνάπνευστος *ep.adj.*: see ἄπνευστος

ἀνα-πνέω, dial. **ἀμπνέω** contr.vb. —also **ἀναπνείω**, **ἀμπνείω** *ep.vb.* | iteratv.impf. ἀμπνείεσκον | ep.aor.2 imperatv. ἄμπνυε ‖ MID.: ep.3sg.athem.aor. ἄμπνῡτο (v.l. ἔμπνῡτο) ‖ PASS.: ep.3sg.aor. ἀμπνύθη (v.l. ἀμπνύνθη, also ἐμπνῡ́(ν)θη), inf. ἀμπνυνθῆναι (Theoc.) |
1 breathe again (*after exertion*), **recover one's breath, have a breathing-space** or **respite** Il. Hes.*fr.* hHom. Pi. Ar. Pl. +
2 find relief, recover —W.GEN. *fr. misery, hardship, fear, sickness* Il. S. AR. —w. ἐκ + GEN. *fr. a shipwreck and storm* Hdt.
3 ‖ MID.PASS. **regain consciousness, revive** (*after fainting or being concussed*) Hom. Theoc.
4 breathe a sigh of relief, breathe freely, be relieved X. Plb. Plu.
5 (*gener.*) **breathe in, draw breath, breathe** Pi. Pl. X. Arist. AR.
6 breathe (*as a function of being alive*), **breathe, live** Pi. D.; **draw the breath of life** —w. ἐκ + GEN. *fr. someone* (*i.e. owe one's existence to him*) S.
7 (*of a thunderbolt, bronze bulls*) **breathe forth** —*fire* Pi.*fr.* AR.; (*of a sacked city*) —*smoke* Pi.; (*of a dying warrior*) —*his spirit* AR.(v.l. ἀπο-)
8 (*fig., of a city*) **breathe** —W.NEUT.PL.ADV. *mightily* (*i.e. be proud and mighty*) E.
9 (*of winds*) **arise, blow** —W.ADV. *fr. a region* AR.; (*of a vapour*) **waft up** —W.GEN. *fr. a place* AR.; (*mid., of heat fr. a burning brand*) hHom.
10 find a breathing-place; (*of semen*) **find a vent** or **outlet** (*in the body*) Pl.

ἀναπνοή, dial. **ἀμπνοή**, ῆς, also **ἀμπνοά** ᾶς *f.* **1 time** or **opportunity to recover one's breath, breathing-space, respite, rest** (sts. W.GEN. *fr. toils, wars, or sim.*) Pi. E. Ariphron Pl. Plb. Plu.; **enough time** (W.INF. *to say sthg.*) Men.
2 process of drawing breath, breathing, respiration E. Pl. Plu.; (*personif., as an improbable deity*) Ar.; (*specif.*) **breathing in, inhalation** (*opp. exhalation*) Pl.
3 breath of life, breath Pi. S. Plb. Plu.; (*fig., ref. to courage*) **new life, fresh heart** Pi.
4 period of breathing out (*before needing to breathe in again, during speech*), **breath** Plb.
5 breathing-place, outlet, vent (*in the body*) Pl.; (*in a cave*) Plu.; (*in the ground, for water*) Plu.

ἀν-απόγραφος ον *adj.* [privatv.prfx., ἀπογραφή] (*of mines*) **not formally recorded, unregistered** Hyp.

ἀν-απόδεικτος ον *adj.* [ἀποδεικτός] (*of assertions or sim.*) **not demonstrated by evidence, unproven** Lycurg. Arist. Plb. Plu.

—**ἀναποδείκτως** *adv.* **without proof, unfoundedly** Plu.

ἀνα-ποδίζω *vb.* [ἀνά] **make** (*someone*) **step back; bring** (W.ACC. *oneself*) **back** (*to a version of a story, so as to revise it*) Hdt.; **make** (W.ACC. *a messenger, court-clerk*) **go back** (*and repeat his account, read a document again*) Hdt. Aeschin.

ἀν-άποινος ον *adj.* [privatv.prfx., ἄποινα] (*quasi-advbl., of a woman being freed*) **without ransom** Il.

ἀν-απόκριτος ον *adj.* [ἀποκρίνω] **1** (*of a person*) **not receiving a reply, unanswered** Plb.
2 (*of wailing*) **taking the place of a reply** Plb.

—**ἀναποκρίτως** *adv.* **without the possibility of reply** —*ref. to making accusations* Antipho

ἀνα-πολέω, dial. **ἀμπολέω** contr.vb. [ἀνά] **1 turn over** (*the ground*) **again**; (*fig.*) **go over again, repeat** —*the same words* Pi. S.
2 regain, recover —*a memory* Pl.

ἀναπολίζω *vb.* **plough again** —*a field* (*fig.ref. to poetry*) Pi.

ἀν-απολόγητος ον *adj.* [privatv.prfx., ἀπολογέομαι] (*of speech or conduct*) **inexcusable** Plb. Plu.

ἀναπομπή ῆς *f.* [ἀναπέμπω] **transporting** (*of a prisoner*) Plb.

ἀναπομπός οῦ *m.* (*ref. to Hades*) **sender-up** (*of a soul, fr. the underworld*) A.

ἀν-απόνιπτος ον *adj.* [privatv.prfx., ἀπονίζω] **without washing one's hands** (*after dinner*) Ar. Thphr.

ἀνα-πράσσω, Att. **ἀναπράττω** *vb.* [ἀνά] **1 exact payment of, levy** —*money* (*fr. a city*) Th.; **extract** —*wages, payment* (w. παρά + GEN. *fr. someone*) X.
2 reclaim, recover —*allowances* (*already paid out*) Lys.
3 hold (*someone*) **to fulfilment of, enforce, claim** —*a vow or promise* Th. Ar.

ἀνα-πρήθω *vb.* | aor.ptcpl. ἀναπρήσας | **let burst forth, burst into** —*tears* Hom.

ἀνα-πτερόω contr.vb. **1** (*fig., of an old man*) **give wings to** —*his body* (*i.e. reinvigorate it*) Ar.; **cause** (W.ACC. *one's hair*) **to take wing** (W.PREDIC.ADJ. *straight up, i.e. to stand on end, in excitement*) E. ‖ PASS. (*of a person, i.e. his soul*) **take wing** Pl.
2 affect with tremulous excitement; set aflutter, excite —*a person* Hdt. Ar. Pl. Men. ‖ PASS. **be set aflutter, be excited** (sts. W.DAT. or PREP.PHR. *by sthg.*) A. Ar. X. Plu.
3 (*of news, fear*) **ruffle, disturb, alarm** —*a person, city* E. ‖ PASS. **be disturbed or alarmed** —W.PREP.PHR. *by sthg.* X.

ἀναπτήσομαι (fut.mid.): see ἀναπέτομαι

ἀνα-πτοέω, ep. **ἀναπτοιέω** contr.vb. (*of dreams*) **set aflutter, alarm** —*a person* Mosch. ‖ PASS. (*of persons, a goddess, a city*) **be set aflutter** (w. *excitement or alarm*) Plu.

ἀνα-πτύσσω *vb.* | PASS.: aor. ἀνεπτύχθην | pf. ἀνέπτυγμαι |
1 fold back, unfold —*a writing-tablet* (*to reveal its contents*) A.*fr.* —(*fig.*) *the voice of tablets* (*i.e. read them*) E.*fr.*; **open up** —(*double-leaved*) *doors* E. ‖ PASS. (*of doors*) **be opened up** E.
2 unroll —*a written document* Hdt. NT.
3 open up —*the lid of a quiver* B. —*a lidded basket* E. ‖ PASS. (*of flaps, on a cuirass or tunic*) **open up** X. Plu.
4 unfold, open out —*a cloak* Plu.
5 spread out —*one's hands* (*in prayer*) E.
6 (*milit.*) **fold back** —*a phalanx* (*i.e. cause the wings to double back behind the main body*) X.; **open out** —*a wing* (*so*

as to extend the line) X. Plu. ‖ PASS. (of a phalanx) be folded back X.

7 expose —*a horse's hoof* (*by lifting its foot*) X. ‖ PASS. (of kingly possessions) be exposed (to view) X.

8 (fig.) **unfold, disclose, reveal** —*one's thoughts* E. —*circumstances* A. S. —W.COMPL.CL. *that sthg. is the case* E.

ἀναπτυχή, dial. **ἀμπτυχή**, ῆς *f.* unfolding or spreading out ‖ PL. open expanses (W.GEN. of sky, sunlight) E.; (without gen., app.ref. to the sky) E.

ἀνα-πτύω *vb.* | 3sg.impf. ἀνέπτῡε (S.), ἀνέπτὔε (AR.) | **1 spit up** —*blood* Plu.; (of a mechanical snail) **spit out** —*saliva* Plb.

2 (intr., of sea-spray) **spurt up** AR.; (of juice fr. burning meat) **sputter** S.

ἀν-άπτω *vb.* **1** fasten (sthg.) to (sthg. else); **fasten, attach** —*stern-cables* Od. E.*fr.* AR. —(W.DAT. or ἐπί + GEN. *to land*) AR.(sts.mid.) —(W.GEN. *to sterns*) E.(mid.) —*ropes* (W. ἐκ + GEN. *to a mast*) Od. —(W. πρός + ACC. *to a pillar*) E. —*a mattock* (W.DAT. *to a rope*) Men. ‖ MID. attach to oneself (i.e. one's ship), **take in tow** —*a ship* Plu. ‖ PASS. (of stern-cables) be attached AR. —W.DAT. *to a tree* AR.; (of ropes) —W. ἐκ + GEN. *to a mast* Od. —W.DAT. *to columns* E.

2 ‖ MID. (fig.) **attach** —*one's stern-cable* (W. ἐκ + GEN. *to a person, envisaged as a harbour*) E. ‖ PASS. (of persons) be attached —W.DAT. *by stern-cables* (*fig.ref. to marriage ties*) E.

3 (gener.) **attach** —*swaddling-clothes* (W.DAT. *to a baby, i.e. dress it in them*) E.(cj.)

4 ‖ MID. attach oneself, **cling** —W.GEN. *to someone's clothing* E.

5 ‖ MID. attach to oneself, **dangle** —*a letter* (W. ἐκ + GEN. *fr. one's fingers*) Din.

6 ‖ MID. allow (sthg.) to be attached (to oneself); **let** (W.ACC. *fear*) **take hold** AR.

7 fasten (to a higher support); **hang up** —*votive offerings* (*in a temple*) Od. ‖ MID. **suspend** —*a noose* (*for oneself*) E.

8 ‖ MID. fasten together, **bind up** —*one's hair* AR.

9 create (sthg.) by attachment; **make** —*thyrsoi* (*by tying ivy to a fennel rod*) E.

10 ‖ MID. **create, contract** —*a marriage tie* (W.DAT. *w. the gods*) E. —*obligations of mutual service* (W. ἐς + ACC. *w. someone*) E. ‖ PASS. (of a marriage tie) be contracted —W. ἐς + ACC. *w. someone* E.

11 assign, attach, attribute —*blame* (sts. W.DAT. or εἰς + ACC. *to someone*) Od. Arist. Plu. —*blood-guilt* (*to a god*) E. —*a function* (*to sthg.*) Plu. —*credit for sthg.* (*to someone*) Plu. —*successes* (*to fortune*) Plu. ‖ MID. **bestow** —*thanks* (W.DAT. *upon someone*) AR. ‖ PASS. (of a name) be attached —W.DAT. *to someone* AR.; (of troubles) be imposed —W.DAT. *on someone* AR.

12 (of Pythagoreans) **link, connect** —*words* (W. εἰς + ACC. *to numbers*) Arist.; (of a person) —*the processes of birth and death* (*to the power of Aphrodite*) Plu.

13 kindle —*fire* E. Plb. Plu. —*a lamp, torch, pyre* Hdt. Plb. Plu.; (of a god) —*a light* (*ref. to the sun*) Pl. —(*fig.ref. to intelligence*, W.PREP.PHR. *in the soul*) Arist.(quot.) —(*fig.ref. to a rescuer*) A.; (intr.) **start a fire** Plu. ‖ PASS. (of a fire) be kindled NT. Plu.; (fig., of the sound of a trumpet, compared to a torch) be set ablaze E.(cj.)

14 set alight —*logs, a forest, a house* E. Plu. —(*fig.*) *a cloud of lamentation* E. ‖ PASS. (of sacrificial offerings, a house, a stockade) be set alight Men. Plb. Plu.

15 (fig.) **inflame, fire up** —*a person* (W.INF. *to do sthg.*) E.

ἀνα-πυνθάνομαι *mid.vb.* **1 inquire** Hdt. —W. περί + GEN. *about sthg.* X. —W.INDIR.Q. *what is the case* Pl.

2 inquire of, ask —W.GEN. *someone* (W.NEUT.ACC. *sthg.*) Ar. —(W.DIR.Q. *sthg.*) Pl.

3 (tr.) **inquire about** —W.ACC. *someone or sthg.* Hdt. —(W.INDIR.Q. *what is the case*) Ar.

4 learn by inquiry, find out —W.ACC. + PTCPL. *that sthg. is the case* X.

ἀνάπυστος ον *adj.* (of facts) **learned, found out** Od. Hdt.

ἀνά-πωτις, dial. **ἄμπωτις**, εως (Ion. ιος) *f.* [reltd. πίνω]
1 sucking back (of the sea); **ebb** (W.GEN. of the sea) Hdt.; **ebb-tide** Pi. Hdt. Plb.

2 ebbing (W.GEN. of streams) Call.

ἀν-άργυρος ον *adj.* [privatv.prfx.] (of persons) **lacking silver** Pl.

ἄν-αρθρος ον *adj.* [ἄρθρον] **1** (of parts of the body) **without joints, unarticulated** Pl.

2 (of a person) with no movement in the joints, **debilitated, paralysed** S. E.

3 (of groaning, shouting) **inarticulate, unintelligible** Plu.; (of the warblings of a bird) Lyr.adesp.

ἀν-αριθμέομαι *mid.contr.vb.* [ἀνά] **make a full enumeration** (of relevant points) D.

ἀν-αρίθμητος ον *adj.* [privatv.prfx., ἀριθμητός] **1** (of troops and ships) **uncounted** (due to lack of a numerical system) Pl.

2 (of persons or things) beyond counting, **countless, innumerable, incalculable** Pi. Hdt. Ar. Isoc. Pl. +; (of time, periods of time) **immeasurable** S. Isoc.

3 (of a person) not worth counting, **insignificant, worthless** E.

ἀν-άριθμος, also **ἀνήριθμος**, ον *adj.* [ἀριθμός] **1** (of persons or things) **without number, countless** Sapph. Pi. Trag. Tim. Philox.Leuc. Theoc.

2 (of a person) **beyond all counting** (W.GEN. of months, i.e. for countless months) S.; (W.GEN. of lamentations) S.; (of a city, W.GEN. of its dead) S.; (of a period of time, W.GEN. of days) S.

ἀν-άριστος ον *adj.* [ἄριστον] **lacking breakfast** X. Theoc. Plb. ‖ NEUT.SB. lack of breakfast X.

ἀναρίτᾱς ᾱ *dial.m.* sea-snail Ibyc.

ἄν-αρκτος ον *adj.* [privatv.prfx., ἄρχω] **1** (of islanders) **not subject to imperial rule** Th.

2 (of a way of life) **ungoverned, anarchic** A.

ἀναρμοστέω *contr.vb.* [ἀνάρμοστος] **1** (of things) **not fit together** or **cohere** Pl. —W.DAT. or πρός + ACC. *w. sthg., each other* Pl.

2 (of a lyre) **be out of tune** Pl.(cj.)

ἀναρμοστίᾱ ᾱς *f.* **lack of harmony, discord** (in a soul, the universe) Pl.

ἀν-άρμοστος ον *adj.* [privatv.prfx., ἁρμόζω] **1** (of a cuirass) **ill-fitting** X.

2 (of things) **ill-matched, incompatible** (sts. W.DAT. *w. sthg.*) Pl.; **unsuited** (W.DAT. or πρός + ACC. *to sthg.*) Plu.

3 (of persons) **ill-equipped** (w. πρός + ACC. *for sthg.*) Th.

4 (of an old man) not suited (to the present age), **out of touch** Ar.

5 (of sounds, a lyre, its strings) **out of tune, discordant** Pl. Arist.; (fig., of a city, W.DAT. *w. itself*) Plu. ‖ NEUT.SB. lack of harmony, discordance Pl.

6 (of a person, a soul) without internal harmony, **inharmonious** Pl. Plu.; (of heterogeneity) Pl.

7 (of a person) **inconsistent, unpredictable** Hdt.

—**ἀναρμόστως** *adv.* **1 unharmoniously, discordantly** —*ref. to being at variance* Pl.

2 immoderately, disproportionately Pl.

ἀναροιβδέω contr.vb.: see ἀναρρυβδέω

ἀναρπάγδην adv. [ἀναρπάζω] **with a powerful sweep** —*ref. to winds seizing and driving a ship* AR.

ἀναρπαγή ῆς f. act of seizing and carrying off, **abduction** (of Helen, by Paris) E.(pl.)

ἀν-αρπάζω vb. [ἀνά] | fut. ἀναρπάσω, also mid. ἀναρπάσομαι | aor. ἀνήρπασα, ep. ἀνήρπαξα ‖ PASS.: aor. ἀνηρπάσθην, aor.2 ἀνηρπάγην (Plu.) |
1 snatch up (sthg. which is to hand); **snatch up, seize** —*a spear* (*fixed in the ground*) Il.(tm.) —*a clod of earth* Pi.(tm.) —*coals* Plu. —*items of food* Ar. —*weapons, military standards* E. X. Plu.; **quickly pick up** —*a bull* (W.DAT. *on one's shoulders*) E. —*a corpse* E.
2 (fig.) **snap up** —*corn* (*during a scarcity*) Lys.; **seize on** —*war* (i.e. the opportunity to make it) Ar.
3 snatch up and carry away; (of a deity, a chariot fr. heaven) **snatch up, carry off** —*a person* Il. hHom. Pi. E. Theoc.; (of storm-winds) —*a person* Od. A.fr. AR. —*offensive words* Od.; (of a bird) —*an object* Ar. ‖ PASS. (of hares) be snatched up (by eagles) X.; (of a person) be carried up —w. εἰς + ACC. *to the gods* (i.e. be deified) Plu.
4 carry off, kidnap, abduct —*someone* Od. E. —*a child* (*likened to a lion cub*) S.
5 ‖ PASS. be carried off (by death) S. Men.
6 ‖ PASS. (of troops, resources) be snatched away (fr. those who were hoping to make use of them) Aeschin. Men.
7 snatch away (fr. danger); (of a soldier) **carry to safety, rescue** —*a comrade* Plu. ‖ PASS. be carried to safety Plu.
8 take by force, seize —*someone's house* E. —*a sceptre* (*meton. for royal power*) E. —*persons, property* X.; (hyperbol.) —*money* (*i.e. steal it*) D.
9 ravage, destroy, wipe out —*enemy troops, a camp* Hdt. E. Plu. —*a land* E.(cj.) ‖ PASS. (of cities, armies, navies, their commanders) be destroyed or wiped out E. Att.orats. Plb. Plu.
10 ‖ PASS. (fig. or hyperbol., of a person) be plundered (by suffering a punitive fine) D.; be annihilated or wiped out Lycurg. D.

ἀνάρπαστος ον (also dial.fem. ἅ E.) adj. **1** (of a girl) **snatched away** (w. ἀπό + GEN. *fr. her mother's hands*) E.; **carried off** (w. ὑπό + GEN. *by the North Wind*) Pl.
2 (of livelihoods) **plundered, ravaged** Plb.

ἀνα-ρρέω contr.vb. [ῥέω] **flow back** Pl.

ἀνα-ρρήγνυμι vb. [ῥήγνυμι] **1** break apart (so as to open up); **split open** —*an animal's breastbone* (w. *a cleaver*) E.; (of Poseidon) —*the ground* (w. *an earthquake*) Il.; (of winds) —*a ship's sides* (*by raising waves*) Theoc. ‖ PASS. (of a vein) be ruptured Plu.
2 (of lions) **tear open** or **apart** —*a carcass* Il.; (of hunting dogs) —*a hare* X.; (of a demented person) —*animals* S.; (of waves) —*clothing* Tim.
3 create by breaking open the ground; **open up** —*furrows* (W.DAT. *w. a plough*) Hdt. —*a grave* E.
4 break open or **into** —*an underground tunnel* Plb. —*workshops, a prison* Plu.
5 break up (so as to damage or destroy); **break up, demolish** —*a wall, tent* Il. E. —*a clump of trees* AR. —*hills* (*by digging*) E.
6 smash —*ships, their prows* (w. *rams*) Th.; (of a storm) —*a pontoon* Plu. ‖ PASS. (of ships) be smashed —W.ACC. *on their outriggers* (*i.e. have them smashed*) Th.
7 tear up (fr. the ground) —*a gravestone* Theoc.
8 ‖ PASS. (of a column of soldiers) be broken up Plu.
9 (intr., of troubles) **break forth, erupt** —w. ἐκ + GEN. *fr. silence* S.
10 ‖ PASS. (of vices) break out Plu.; (of people) —w. εἰς or πρός + ACC. *into rage, reckless behaviour* Plu.; (of tribes) break out in revolt Plu.; (of a war) burst —w. ἐπί + ACC. *upon a city* Plu.
11 (causatv.) make or allow (sthg.) to break out; **blurt** or **blast out** —*a useless word, thunderous expressions* Pi.fr. Ar.; **give vent to, let loose** —*a quarrel* Theoc.
12 cause (W.ACC. a city, that has been festering) **to break out** (into a sickness, fig.ref. to internal troubles) Plu.; **cause** (W.ACC. a city) **to erupt** (in opposition to a proposal) —W.DAT. *by voicing objections* Plu.

ἀναρρηθήσομαι (fut.pass.): see ἀνείρω[2]

ἀνάρρηξις εως f. [ἀναρρήγνυμι] breaking apart, **smashing** (W.GEN. of ships, in battle) Plu.

ἀνάρρησις εως f. [ἀνείρω[2]] **formal announcement** (of an honorary crown) Aeschin. D.

ἀνα-ρρῑπίζω vb. [ῥῑπίζω] **1** (of a wind) **fan back** —*flames* (w. ἐπί + ACC. *towards battlements*) Plu.
2 fan back (flames, into life); (fig., of a person) **fire up, incite** —*cities* (*to action*) Plu. ‖ PASS. (of a feud, fighting spirit) be rekindled Plu.

ἀνα-ρρίπτω vb. —also **ἀναρριπτέω** contr.vb. [ῥίπτω]
1 throw up (into the air); **hurl, toss** —*objects, bodies* X. Plu.; (of a wild boar) —*a hunting dog* X.; (of a devotee of Cybele) **toss about** —*one's hair* Call.
2 churn up —*the sea* (W.DAT. *w. oars*) Od.; (intr.) **churn up the sea** (i.e. row vigorously) Od.
3 (fig., ref. to throwing dice) **run** —*a risk* Hdt. Th. Plu.; **risk** —*a battle, everything* Plu.; (intr.) **run a risk** Th. ‖ PASS. (fig., of a die) be cast Men. Plu.

ἀναρριχάομαι mid.contr.vb. | 3sg.impf. ἀνηρριχᾶτο | **clamber up** —w. πρός + ACC. *by means of ladders* Ar.

ἀνα-ρρυβδέω, also **ἀναρυβδέω** (v.l. **ἀνα(ρ)ροιβδέω**) contr.vb. [ῥυβδέω] (of Charybdis) **suck back down** —*water* Od.

Ἀνάρρυσις εως f. [ἀναρρύω] **Anarrhusis** (name given to the 2nd day of the Apatouria) Ar.

ἀνα-ρρύω, dial. **ἀναρύω** vb. [ἐρύω; reltd. αὐερύω] draw back (a victim's head); **sacrifice** —*an animal* Pi.

ἀνα-ρρώννυμι vb. [ῥώννυμι] **1** furnish with new strength or confidence, **reinvigorate** —*a populace, political faction, soldiers' spirits* Plu. ‖ PASS. (of the body) be strengthened —W.DAT. *by exercise* Plu.; (of a person's political power) be revived Plu.; (of a person) be given new heart, recover confidence Th.
2 (intr.) grow strong or well again (after an illness), **recover** Plu.

ἀν-άρσιος ον (also ᾱ ον S.) adj. [privatv.prfx.; ἀραρίσκω, ἄρτιος] **1** (of persons) **unfriendly, hostile** Hom. AR. Theoc.; (of a god) Pl.; (of a lover) **cruel, hard-hearted** Theoc. ‖ MASC.PL.SB. enemies E.
2 (of a musical sound, as assoc.w. grief) **unkindly, unwelcome** S.
3 (of a prophet) unwelcome (to the gods), **accursed** AR.
4 (of actions or circumstances) **shocking, outrageous** Hdt. ‖ NEUT.PL.SB. shocking treatment (of persons) Hdt.; hostile acts AR.

ἀν-αρτάω contr.vb. [ἀνά] | Aeol.masc.nom.sg.ptcpl. ὀνάρταις | **1** hang or fasten (sthg.) onto (sthg. else); **fasten, attach** —*one's hand* (w. ἀπό + GEN. *to someone's clothing*) Alc. —*one's neck* (W.DAT. *to a beam*) AR.
2 suspend (fr. a rope); **hang** —*oneself* Plu. —*a corpse* (w. ἐκ + GEN. *by the neck*) Plu. ‖ PF.PASS. (of sinners in Hades) be kept hung up (as an example to others) Pl.; (of ladders) be

held suspended (over the side of a cliff) Plu.; (of horses, by a pulley system) Plu.
3 cause (sthg.) to depend (on sthg. else); **make** (W.ACC. matters, people's thinking) **dependent** —w. εἰς + ACC. *on the gods* E. Plu. ‖ PASS. depend, rely —W.DAT. *on hopes and promises* D.; (of hopes) be made to depend, be hung —w. εἰς + ACC. *on someone* (w. ὑπό + GEN. *by his countrymen*) Plb. ‖ PF.PASS. (of a person) be dependent —w. εἰς + ACC. *on the gods* (W.DAT. *in one's hopes, i.e. place one's hopes in them*) Plu.; (of things) —*upon someone or sthg.* Pl.; (of a force possessed by rings) be derived —w. ἐκ + GEN. *fr. a magnet* Pl.
4 ‖ PF.PASS. (of persons) be fixed or concentrated —w. εἰς + ACC. *on someone* (w. *their attention*) Plu. —(W.DAT. *w. their gaze*) Plu.; be absorbed —W.DAT. *in schemes* Plu.; (of a woman) be devoted —w. εἰς + ACC. *to a man* Plu.
5 ‖ PF.PASS. (of sins) be connected or referable —w. εἰς + ACC. *to an avenging deity* Pl.
6 ‖ MID. attach to oneself, **win over** —*individuals* X.; **subject to oneself** —*tribes* X.

ἀν-άρτημαι Ion.pf.mid.contr.vb. [ἀρτέομαι] **be ready** or **resolved** —W.INF. *to do sthg.* Hdt.

ἀν-άρτιος ον adj. [privatv.prfx.] (of a number or concept) **uneven, odd** Pl. ‖ NEUT.SB. that which is odd Pl.

ἀναρυβδέω contr.vb.: see ἀναρρυβδέω

ἀναρύω dial.vb.: see ἀναρρύω

ἀναρχία ᾱς, Ion. **ἀναρχίη** ης f. [ἄναρχος] **1** (in military or political ctxt.) **lack of leadership** A. Hdt. X. Plu.
2 condition or behaviour resulting from lack of leadership, **lack of discipline, insubordination, anarchy** Trag. Th. Isoc. Pl. Arist. Plu.
3 (reltd. ἄρχων 4] (at Athens) **period without an archon** X. Arist.

ἄν-αρχος ον adj. [privatv.prfx., ἀρχός, ἀρχή] **1** lacking a leader or leadership; (of persons, troops) **without a leader** Il. Pl. X.; (of an animal) **without a master** Pl.
2 (of an institution or form of government) **leaderless, anarchic** Pl. ‖ NEUT.SB. anarchy (opp. despotism) A.
3 (of an army) **undisciplined** E.
4 (of all that exists) **without a beginning** Parm.

ἀνα-σάττομαι Att.pass.vb. [ἀνά, σάσσω] ‖ pf.pass.ptcpl. ἀνασεσαγμένος | (of sacks) **be stuffed full** Plb.(cj.)

ἀνα-σειράζω vb. [σειρᾱ́] **1** (of persons on land) **hold back with ropes** —*a ship* (*just starting, so as to halt its progress*) AR.
2 (fig., of a god) **pull back, pull up** —*someone* E.

ἀνα-σείω, ep. **ἀνασσείω** vb. ‖ ep.iteratv.aor.2 ἀνασσείασκον | **1** (of a dolphin, thrashing about on board a ship) perh. **toss in the air** —*a sailor* hHom.
2 (of a Bacchic reveller) **shake about, toss** —*one's hair* E.
3 wave in the air —*bloodstained garments* Plu.; (of soldiers) **wave** —*their hands* (*in surrender*) Th.
4 shake out —*bedding, clothing* Lys. X. Plu.
5 shake to and fro (menacingly); (of Athena) **brandish** —*her aigis* Hes.; (fig., of a blackmailer) —*an indictment* D.; (intr.) perh., brandish a threat, **engage in blackmail** Men.
6 (fig.) **stir up, rouse** —*a crowd* NT.

ἀνασελγαίνομαι pass.vb.: see ἐνασελγαίνομαι

ἀνα-σεύομαι mid.vb. ‖ ep.3sg.athem.aor. ἀνέσσυτο | (of blood) **spurt up** (fr. a wound) Il.

ἀν-ασθμαίνω vb. **gasp for breath** E.

ἀνάσιλλος ον adj. (of a hairstyle) perh. **combed into a bunch** (over the forehead) Plu.

ἀνά-σιμος ον adj. [σῑμός] (of a woman) **snub-nosed** Ar.

ἀνα-σκάπτω vb. **dig up** —*ground* Plu. —*temples* (W. ἐκ + GEN. *fr. their foundations*) Plb.

ἀνα-σκεδάννῡμι vb. **scatter widely, disperse** —*enemy troops* (W.DAT. *w. missiles*) Plu.

ἀνα-σκέπτομαι mid.vb. | aor. ἀνεσκεψάμην | Only aor.; for pres. and impf. see ἀνασκοπέω. | **carefully consider, thoroughly examine** —*someone or sthg.* Pl. —W.INDIR.Q. *how sthg. is the case* Pl.

ἀνα-σκευάζω vb. **1** pack up equipment ‖ MID. (of troops) pack up baggage, **decamp** X. Plu.; (fig., of people abandoning their normal abode) Th. Plu.
2 pack up and move, **relocate** —*a market* (W.PREP.PHR. *inside city walls*) X. ‖ MID. **remove** —*sacred objects* (W.PREP.PHR. *to a place*) Plu.
3 unbuild or dismantle; **clear** —*a place* (*to make room for a temple*) Th. ‖ PASS. (of a region) be stripped clean (of potential food supplies) X.; (specif., of bankers, banks) be stripped of assets, be bankrupted D.; (fig., of a person, his fortunes) be cleaned out E.
4 (of a historian) **demolish** —*a story* Plb.; (intr., of a speaker) **demolish an argument** Arist.
5 violate, break —*treaties, oaths, promises* Plb.
6 unsettle, upset —*people's minds* NT.

ἀν-άσκητος ον adj. [privatv.prfx., ἀσκητός] (of persons, esp. soldiers) **untrained, unpractised** X. Plb. Plu.

ἀνασκινδυλεύομαι pass.vb.: see ἀνασχινδυλεύομαι

ἀνα-σκιρτάω contr.vb. [ἀνά] (of horses) **rear up** Plu.

ἀνα-σκολοπίζω vb. [σκόλοψ] put on a stake, **impale** —*a person* Hdt. Plb. ‖ PASS. be impaled Hdt.

ἀνα-σκοπέω contr.vb. | Only pres. and impf.; for aor. see ἀνασκέπτομαι. | **carefully consider, thoroughly examine** —*sthg.* Th. Ar. Pl. Plu. —W.INDIR.Q. *whether sthg. is the case* Pl.; **ask** —W.DIR.SP. *sthg.* Ar.; (intr.) **make a thorough examination** or **inquiry** Ar.(mid.) Pl.

ἀνα-σοβέω contr.vb. cause to start up (in fear); (of a hunter) **scare off** —*quarry* Pl.; (gener.) **alarm, frighten** —*someone* Plb.

ἀνα-σπαράσσω vb. (of Bacchants) **tear up** —*tree-roots* E.

ἀνασπαστός όν adj. [ἀνασπάω] **1** (of a person) **hauled up** or **back** (into a house, by a rope) Ar.
2 (of a door) **drawn back, opened** S.
3 (of tribes made to move up-country into central Asia) **forcibly removed, deported** (sts. W.PREP.PHR. to or fr. a place) Hdt. Plu.; (of enslaved persons) **carried off** (W.PREP.PHR. to a place, to the Persian king) Hdt. X.; (of a captured person, taken to the king) D.; (hyperbol., of a person summoned to the king) Hdt.
4 (gener., of people) **deported** (fr. their homeland) Plb.; **carried off** (into captivity) Plu.
5 (of a person) **taking oneself off** (fr. a place) Plb.

ἀνα-σπάω, dial. **ἀνασπάω** contr.vb. | Aeol.masc.nom.pl. aor.ptcpl. ἀνέσπάσσαντες (Pi.) | pf. ἀνέσπακα ‖ dial.aor.mid.subj. ἀνοσπάσωμαι (E.) | **1 pull, draw** or **haul up** (fr. a lower position or out of a place) —*persons or things* Hdt. Th. AR.(tm.) Plb. NT. Plu. ‖ MID. **haul in** —*a catch* (*fig.ref. to achieving one's aim*) E. ‖ PASS. (of a person) be hauled up (out of water) Plu.; (of a type of catch, w. play on ἀσπαλιευτική *angling*) be hauled in —W.DAT. *w. a rod* Pl.; (of things) be drawn up —W.PREP.PHR. *into heaven* NT.
2 pull up onto land, **haul ashore** —*a ship* Pi. Hdt. Th.
3 snatch up —*a sword, tables, fire-brands, or sim.* Plu.; (of dust) **suck up** —*blood* A.
4 (fig.) **pull out** —*puzzling phrases* (*likened to arrows, fr. a quiver*) Pl.; (of a demented person) **spout forth** —*words* S.

5 draw up, raise —*one's eyebrows or brows* (*as a sign of arrogance or self-importance*) Ar. D. —*one's face or expression* (*meton. for brows*, W.ADV. *in a solemn manner*) X. || PASS. (of parts of the body) app., **be elongated** (in a particular pose) X.
6 pull up or **uproot** (what is fixed, so as to dislodge or dismantle it); **pull up** —*plants* Hdt. —*a stockade* Th. —*boundary-stones* D. Plu. —*statues* (*fr. their bases*) Hdt. Plu. —*planks* Plb. —*tombs, hills* E. —*a spear* (*stuck in the ground*), *wagon-wheels* (*stuck in mud*) Plu.; (fig.) —*words* (*envisaged as trees, to use as weapons*) Ar. || PASS. (of boundary-stones, planks) **be pulled up** X. Plb.
7 (gener.) **tear down** —*tents* Hdt. Plu.; **demolish** —*bridges* Plb.; **break open** —*sealings* (*on containers*) Ar. —*gates* Plb.
8 draw back, withdraw —*one's hand* (*fr. a snake*) Ar. —*ships* (W. ἐκ + GEN. *fr. danger*) Plb.; (mid.) —*a spear* (W. ἐκ + GEN. *fr. flesh*) Il.

ἀνα-σπογγίζω *vb.* **sponge away, wipe clean** —*bloodstains* (*fr. a murder scene*) Antipho (v.l. ἀπο-)

ἄνασσα ης *f.* [reltd. ἄναξ] | voc. ἄνασσα, also ἄνα (Pi.) |
1 queen (ref. to a female deity, freq. appos.w. her name) Hom. hHom. Lyr. Trag. Ar. Call. AR.; (W.GEN. of a land or region) Trag.; (W.DAT. among the dead) AR.; (of holy rites) Ar.
2 queen, princess (ref. to a mortal) Od. Trag. Isoc. AR. Mosch.; (W.GEN. of a people or land) Trag.
3 mistress (of a slave) AR.; (W.GEN. of a house) E.
4 sovereign, authoress (W.GEN. of a deed and scheme) Ar.(quot. E.)

ἀνασσείω *ep.vb.*: see ἀνασείω

ἀνάσσω *vb.* [ἄναξ] | impf. ἤνασσον, dial. ἄνασσον, ep. ἄνασσον, Aeol.3sg. ἐάνασσε | fut. ἀνάξω | ep.aor. ἄναξα | aor.mid.inf. ἀνάξασθαι | **1** (of deities, deified heroes, kings) **be ruler, hold power** (freq. W.GEN. or DAT. over people, places) Hom. Hes. Archil. Eleg. Lyr. Trag. AR.; (of a populace) E. || MID. **rule** —app. W.ACC. *over people, a place* Od. Call. || PASS. (of a land, cities, rivers) **be ruled** —W.DAT. *by someone* Od. AR. Theoc.
2 (wkr.sens., of Aiolos) **have control over, govern** —W.DAT. *the winds* AR.; (of Apollo) —W.GEN. *a festive activity* Pi.*fr.*; (of Persephone) —*nocturnal assaults* E.; (fig., of the sap of youth) **rule, hold sway** —W.PREP.PHR. *within the breast* A.(dub., cj. ἀνάσσω)
3 (in military ctxt.) **have command** S. —W.GEN. *of men, chariots, detachments* S. E.; **hold** —W.GEN. *a command* E.
4 (wkr.sens.) **have charge of, control** —W.GEN. *a spear* E. —*an oar* Arist.(quot. E.); (fig.) **have the power of** —W.GEN. *an easy leap* (*i.e. be able to make one*) A. || PASS. (of the sceptre of Zeus, ref. to its authority) **be controlled** or **held** —W.PREP.PHR. *by someone* S.
5 (gener.) **be lord** or **master of, possess, enjoy** —W.GEN. *a position of honour* Hom. —W.DAT. *one's property* Od.

ἀν-ᾁσσω, ep. **ἀναΐσσω**, also **ἀναΐσσω** *vb.* [ἀνά] | ep.fut. ἀναΐξω | aor. ἀνῇξα, ep. ἀνήϊξα, ptcpl. ἀνάξας, ep. ἀναΐξας |
1 (of persons or gods) **jump** or **spring up** (to greet someone, speak, fight, flee, or sim.) Hom. hHom. E. Ar. AR. Plu. —W.ACC. *onto a chariot* Il. —W.GEN. *fr. a fall* (*i.e. after falling*) E.; (of a hare) X.
2 (of springs) **spurt up, gush forth** Il.; (of the savour of sacrifice) **waft up** hHom. | see also ἀνάσσω 2

ἀνασταδόν *adv.* [ἀνίστημι] getting to one's feet, **standing up** Il.

ἀνα-σταλύζω *vb.* [perh.reltd. σταλάσσω] **weep** (in fear) Anacr.

ἀνάστασις εως (Ion. ιος) *f.* [ἀνίστημι] **1** act of raising or rising up (fr. death), **resurrection** A. NT.; (ref. to a future event, assoc.w. the Day of Judgement) NT.
2 rising, awakening (fr. sleep) S.
3 rise (of persons, opp. πτῶσις *downfall*) NT.
4 erection (of walls) D.
5 removal (fr. one's usual abode); **evacuation** (of people) Th.; (of a country) Hdt.; (of a suppliant, fr. a sanctuary, ref. to his safe conduct) Th.
6 withdrawal (of an army, fr. a position) Th.
7 breaking up, adjournment (of the Assembly) Aeschin.
8 overthrow, destruction (of a city, country, nation, family) A. E. Att.orats. Call. Plu.

ἀναστατήρ ῆρος *m.* —also **ἀναστάτης** ου *m.* **overthrower, destroyer** (of a land or city) A

ἀνάστατος ον *adj.* **1** (of people) made to rise and depart, **uprooted** (fr. their home or country) Hdt. S. Th. Isoc. Hyp. +
2 (of a city, country, nation, family, home) **ruined, destroyed** Hdt. S. E. Th. Att.orats. Pl. +
3 (of arguments) **overturned** Pl.

ἀναστατόω *contr.vb.* **overturn, ruin** —*the whole world* NT.; (intr.) **cause trouble, start a revolution** NT.

ἀνα-σταυρόω *contr.vb.* **1 put on a stake, impale** —*a person, corpse, parts of the body* Hdt. X. Plb. Plu. || PASS. (of a person or body) **be impaled** Th. Pl. Plu
2 fix up on a cross (ref. to the Roman form of execution), **crucify** —*a person* Plb. Plu. || PASS. **be crucified** Plb.

ἀνα-σταχύω *vb.* [στάχυς] | iteratv.impf. ἀνασταχύεσκον |
1 (of fields) **sprout up with crops of grain** AR.
2 (fig., of earth-born warriors) **sprout up** AR.

ἀνά-στειρος ον *adj.* [στεῖρα²] (of a ship) **with a high prow** (perh. because floating high in the water) Plb.

ἀνα-στέλλω *vb.* **1 lift up** or **draw back** —*a tent-flap* Plu. || MID. (of women) **hitch up** —*their dresses* Ar.; (of Bacchants) **tie up** —*fawnskins* (*around their shoulders*) E.
2 send up from the coast —*a messenger* (W.PREP.PHR. *to someone*) Plu.
3 (of troops, commanders) **push back, repel** —*opponents* E. Th. Isoc. X. Plb. Plu. —*ships* Plu. | PASS. **be pushed back** Th. Plu.
4 || MID. (of a person) **conceal one's true nature** Plb.

ἀνα-στενάζω *vb.* **1 groan** or **moan aloud** Hdt. E. X. NT. —W.INTERN.ACC. *w. sounds of hatred* S.
2 (tr., of a person) **bemoan, bewail** —*someone* E.; (of a dirge) A. || MID. **moan** or **be aggrieved over** —*someone* (*for having done sthg.*) A.*fr.*

ἀνα-στεναχίζω *vb.* **groan** or **moan aloud** Il.

ἀνα-στενάχω *vb.* **bemoan, bewail** —*someone* Il.(sts.mid.); (intr.) **moan aloud** Bion

ἀνα-στένω *vb.* **1 groan** or **moan aloud** Trag. —W.INTERN.ACC. *w. an ill-omened sound* AR.
2 (tr.) **bemoan, bewail** —*a wound* (*ref. to the death of friends*) Archil. —*a person, one's country, former happiness* E.

ἀνα-στέφω *vb.* place a garland on; **garland** —*a herald's staff* Plu.; **crown** —*a trident* (W.DAT. *w. garlands*) E.*fr.*; (of women) —*a victor* (W.DAT. *w. their girdles*) Call. || MID. **garland oneself** —W.DAT. *w. olive* Call. —W.ACC. *w. boughs of oak* Plu. || PASS. (of objects) **be wreathed** —W.DAT. *w. laurel, wool* Plu. || PF.PASS. **have** (W.ACC. *one's head*) **wreathed** —W.DAT. *w. a garland* E.

ἀναστολή ῆς *f.* [ἀναστέλλω] upward build, **quiff** (W.GEN. of hair, ref. to a style in which the hair is made to rise up high fr. the forehead, adopted by Alexander the Great and imitated by Pompey) Plu.

ἀνα-στομόω *contr.vb.* furnish with a mouth or opening, **open up** —*the lips of one's gullet* E.*Cyc.* —*trenches, channels* X. Plb.

ἀναστρατοπεδείᾱ ᾱς *f.* [ἀναστρατοπεδεύω] **decampment** Plb.

ἀνα-στρατοπεδεύω *vb.* (of soldiers) **break camp, decamp** Plb.

ἀνάστρεμμα ατος *n.* [ἀναστρέφω] **going back again, returning** (of hunting dogs, w. ἐπί + ACC. to a hare's lair) X.

ἀνα-στρέφω, ep. **ἀνστρέφω** *vb.* | aor.2 pass. (w.mid.sens.) ἀνεστράφην | **1 turn upside down, overturn, upset** —*a chariot* Il. ‖ PASS. (of a snare) be overturned X.; (of a hill) be turned up (by digging) Hdt.; (of grass) be turned over (by ploughing) X.

2 (of a sickness) **upset, cause turmoil in** —*the stomach* Th.

3 (of Justice) **overturn, overthrow** —*a race* (W.DAT. w. *the mattock of Zeus*) Ar.(mock-trag.) ‖ PASS. (of constitutions, a country's fortunes, a state of affairs) be overturned or turned upside down E. Isoc.

4 (of a god or person) **reverse** —*a state of affairs* E. Ar. Isoc. Pl.; (of a disputant) —*an argument* Pl. ‖ PASS. (of a situation) be reversed X.

5 cause to turn back (towards the point of departure); (of a bull) **turn back** —*a chariot team* E.; (of gods) —*the wicked* (W.PREP.PHR. *fr. Hades, i.e. preserve their lives*) S.; (of officials) —*persons who have started on a journey* Aeschin.

6 (intr.) **turn back** (so as to reverse one's direction); (of persons walking or dancing, troops, cavalry, ships) **turn round, turn about** Hdt. Ar. Pl X. Plb.; (specif., so as to face the enemy) Th. Pl. X. Plb. Plu. ‖ MID. and AOR.PASS. (of troops, cavalry) **wheel round, face about** Th. Pl. X.; (of a horse) X.

7 (intr.) **go** or **come back, return** (to a place) Pl.(mid.) Aeschin. D. Thphr. Men. +; (to a point in a narrative) A.; (tr.) **turn back** —*one's step (i.e. go or come back)* S.*satyr.fr.*; **bring back, renew** —*someone's punishment* E.

8 (of a bull) **turn back and forth** —*its eyes* (W.ADV. *in a circle, i.e. roll them*) E.

9 ‖ MID. **go about in, range over, frequent** —*a region* Od. Call.; (of a deity) —*earth and sea* Hes.

10 ‖ MID. (intr.) **go about, dwell** or **be** —W.ADV. or PREP.PHR. *in a place* E. Th. Pl. X. Aeschin. Lycurg. + —W.DAT. Call.; (of fibrous matter) **circulate** —W.PREP.PHR. *in the veins* Pl. ‖ ACT. (tr., periphr.) **move about** —*one's foot* (W.PREP.PHR. *in a land, i.e. go about in it*) E.

11 ‖ MID. **engage oneself, be involved** —w. ἐν + DAT. *in a particular activity or circumstance* X. Plb.

12 ‖ MID. and AOR.PASS. **conduct oneself, behave** —W.ADV. *in a certain way* Arist. Plb. —w. ὡς + SB. *like a master* X.

—**ἀνεστραμμένως** *pf.pass.ptcpl.adv.* **1 inversely, in an inverse proportion** Arist.

2 in reverse, the opposite way round Arist.

ἀναστροφή ῆς *f.* **1 turning back** (towards the point of departure); **turning back, turning round, about-turn** (by a person) S. X. Plb.; (by a ship, in battle) Th.; **wheeling round** (by riders, cavalry, charioteers) X. Plb. Plu.

2 reversal (of fortune) E.

3 place which one frequents; **resort, haunt** (of gods, ref. to a cave) A.

4 way of life, **conduct, behaviour** Plb.

5 time available (for sthg.); **time, leisure, opportunity** Plb. Plu.; (w. εἰς or πρός + ACC. for sthg.) Plb.; (W.INF. to do sthg.) Plb.

ἀνα-στρωφάω *contr.vb.* **1 turn around** —*a bow* (W.ADV. *in every direction*) Od.

2 (of a rider) **wheel around** —*a horse* (W.ADV. *in every direction*) Hes.

3 (of a musician) **move back and forth** —*one's hand* (W.DAT. *over the strings of an instrument*) Telest.

ἀνα-σύρομαι *mid.vb.* pull up one's clothing, **expose oneself** Hdt. Thphr.

ἀνασχεθέειν, ἀνασχεθεῖν (ep.aor.2 infs.), **ἀνασχεῖν** (aor.2 inf.): see ἀνέχω

ἀνάσχεσις εως *f.* [ἀνέχω] holding off, **stopping, prevention** (W.GEN. of disasters) Plu.

ἀνασχετός, ep. **ἀνοσχετός**, όν *adj.* (of persons, actions, circumstances) able to be borne, **endurable, tolerable, bearable** Od. Thgn. Hdt. Trag. Th. +

—**ἀνασχετῶς** *adv.* **tolerably, bearably** E.

ἀνασχήσω (fut.2): see ἀνέχω

ἀνα-σχίζω *vb.* **1 cut** or **slit open** —*a hare, its stomach, a corpse, a pregnant woman* Hdt. Arist. ‖ PASS. (of the stomach of a corpse) be slit open (as part of a burial ritual) Hdt.

2 (of Herakles) **cut** or **tear up** —*a lion's skin* (W.DAT. w. *its own claws*) Theoc.

3 split open, plough up —*the earth* Pi.(tm.)

ἀνα-σχινδυλεύομαι (v.l. **ἀνασκινδυλεύομαι**) *pass.vb.* [reltd. σκινδάλαμοι] (of a person) **be impaled** Pl.

ἀνάσχου (aor.2 mid.imperatv.): see ἀνέχω

ἀνα-σῴζω *vb.* **1** (act. and mid.) restore to safety (out of imminent danger); **save, rescue** —*someone* (W.GEN. or ἀπό + GEN. *fr. death*) S.

2 (mid.) **rescue, salvage** —*a situation* Ar.; (act.) —*a story* (w. πρός + ACC. *for reality, i.e. find a realistic explanation for it*) Plu.

3 ‖ MID. restore to safety, **liberate** —*captives* Plu.

4 ‖ PASS. (of persons, ships) get back safely —W.PREP.PHR. *to or fr. a place* Lys. X. Plu.; (gener.) escape with one's life Plu. —w. ἐκ + GEN. *fr. a battle or rout* Plb.; (of sacred objects) be brought safely back (fr. hiding) Plu.

5 recover what is lost; **recover, rescue, regain** —*captives, an island, ships* D. Plu.; (mid.) —*a runaway slave, a region, power, reputation* Hdt. X. Arist.

6 restore to a former condition; **restore, reform** —*a friend (whose moral nature has changed)* Arist. ‖ PASS. (of natural processes) be restored or recover (after impairment or failure) Pl.

7 restore to one's mind, **recall, remember** —*a remark* Hdt.

ἀνα-σωρεύομαι *pass.vb.* (of earth) **be heaped** or **piled up** Plb.

ἀνατάμνω *dial.vb.*: see ἀνατέμνω

ἀνα-τανύω, ep. **ἀντανύω** *vb.* stretch upwards, **raise** —*one's arm* Call.; (mid.) —*one's hand* AR.(tm.)

ἀνα-ταράσσω, Att. **ἀναταράττω**, dial. **ἀνταράσσω** *vb.*

1 stir or **churn up** —*milk* Sol. —*the sea* (w. oars) Tim.

2 (of Bacchus' ivy, worn as a garland) **stir up, excite** —*a dancer* S.

3 throw into confusion —*a person (through argument)* Pl.; (of one kind of sound) **disturb, interfere with** —*another* Pl. ‖ PASS. (of a city) be thrown into confusion —W.PREP.PHR. *by speeches* Plu. ‖ PF.PASS. (of an army) be in disorder X.

ἀνάτασις εως *f.* [ἀνατείνω] **1 stretching out, extension** (W.GEN. of a person's neck, in a particular direction, ref. to its natural inclination) Plu.

2 extension (of a country, w. εἰς ὕψος *vertically*, ref. to the height of its mountains) Plb.

3 holding out (of threats), **threatening attitude** Plb.

4 intensity or **inflexibility** (W.GEN. of a person, his thinking) Plu.

5 intense state of feeling, **agitation, anxiety** Plu.

ἀνα-τάσσομαι *mid.vb.* set out in order, **compose** —*a narrative* NT.
ἀνατατικός ή όν *adj.* [ἀνατείνω] (of letters) **threatening** Plb.
—**ἀνατατικῶς** *adv.* **threateningly** —*ref. to speaking* Plb.
ἀνατεί *adv.*: see under ἄνατος
ἀνα-τείνω, dial. **ἀντείνω** *vb.* | dial.aor. ἄντεινα | **1 extend** (a part of one's body) upwards; **lift** or **hold up, raise** —*one's hands* (*in a prayer or oath, usu.* W.DAT. *or* PREP.PHR. *to heaven, the gods, the rays of the sun, a sacred place*) Pi. B. Ar. X. Plu. —*one's hand* (*in voting or as a signal*) X. —*one's arm* (*to throw sthg.*) B.*fr.* —*one's head* (W.PREDIC.ADJ. *erect*) Pi.; (of a boxer) —*his hands* (W.PREP.PHR. *against someone*) Simon.(mid.); (of a woman) —*her slippers* (*i.e. her legs*, w. πρός + ACC. *towards the ceiling, in preparation for sex*) Ar.; (of a horse) —*its tail* X. || PASS. (of a hand) be extended or raised Plu.
2 (intr.) **stretch out a hand** (to touch someone) Ar.; **raise a leg** (to kick someone) Ar.
3 lift up, raise —*a woman's legs* (*to have sex w. her*) Ar. || PASS. (hyperbol., of a person) be lifted up —W.GEN. *by the ear* (*i.e. have one's ear tweaked*) Plu.
4 (of the hand of a sculpted figure) **hold up** —*a spear* (W.PREP.PHR. *before its face*) Plu.; (act. and mid.) **raise** —*one's sword* Plu. || PF.PASS. (of a soldier) have (W.ACC. one's sword) raised (i.e. ready to use) X.
5 hoist or **spread** —*sails* (W.PREP.PHR. *to the mast-head*) Pi.(tm.)
6 (of deception) **hold up** or **exalt** —*flawed glory* Pi. || PASS. (of a prize) be held up or offered —W.DAT. *to falsehood* Pi.
7 (intr., of a hill) **rise up** —W.ADVBL. or PREP.PHR. *above a place, to a certain height* Plb.; (of the height of a mountain) —W.ADVBL.PHR. *a certain distance* Plu.; (of boots) **extend, come up** —W.PREP.PHR. *to the knee, the mid-shin* Hdt. || PASS. (of houses) be made to extend upwards, be raised up —W.PREP.PHR. *to a certain height* Plb. || PF.PASS.PTCPL.ADJ. (of trees and rocks) rising high, tall Plu.
8 stretch out (horizontally); **spread out, extend** —*an army's wing* X. Plb. Plu. || PASS. (of a wing) be extended X.
9 || PF.PASS.PTCPL.ADJ. (of an eagle) with outstretched wings X.
10 (intr., of features of the landscape) **stretch, extend** (usu. W.PREP.PHR. *to a certain place*) Hdt. Plb. Plu.
11 || MID. make more extensive in remit or power, **extend, broaden** —*an office* Plu.
12 || MID. and AOR.PASS. (w.mid.sens.) **hold out** —*an alarming threat* (sts. W.DAT. *against someone*) D. Plb.; (intr.) **behave in a threatening** or **intimidating manner** Plb. Plu. —W.DAT. *against someone* Plb.; **threaten** —W.FUT.INF. *to do sthg.* Plb.
ἀνα-τειχίζω *vb.* **rebuild** —*walls* X.
ἀνατειχισμός οῦ *m.* **rebuilding of walls** X.
ἀνα-τέλλω, dial. **ἀντέλλω** *vb.* | aor. ἀνέτειλα, dial. ἄντειλα | pf.ptcpl. ἀνατεταλκώς | **1** cause (sthg.) to rise up; (of a river) **make** (W.ACC. ambrosia) **grow** Il.; (of the Muses) **make** (W.ACC. a spring) **gush forth** Pi.; (of God) **make** (W.ACC. the sun) **rise** NT; (of a person) **grow** —*the first hairs of a beard* AR.; (of a city, as a birthplace) **raise up, bring forth** —*a god* Pi. || PASS. (of a flame) rise up Pi.; (fig., of a voice) be lifted up Theoc.(dub.)
2 (intr., of the sun, Dawn, moon, stars) **rise** Hdt. S. Ar. Pl. X. AR. +; (of a light, fig.ref. to spiritual illumination) **dawn** —W.DAT. *for people* NT.
3 (of mountains) **rise up** (when created) AR.; (when appearing on the horizon) AR.
4 (of a tree) **spring up** Plu.; (of hair) **grow** A.
5 (of smoke, a cloud) **rise** NT. Plu.
6 (of words) **rise** —W.PREP.PHR. *to the tip of the tongue* AR.
7 rise (fr. a specific source); (of a river) **rise** —W.PREP.PHR. *fr. or at a place* Hdt. Plu.; (of iron) —W.ADV. *fr. the earth* Call.; (of a bull's horns) —W.GEN. *fr. its head* Mosch.; (of evils) **arise** —W. ἀπό + GEN. *fr. shameful deeds* S.
ἀνα-τέμνω, dial. **ἀνατάμνω** *vb.* **1 cut open** —*a corpse, sacrificial victim* Hdt. Plu.
2 (fig.) **cut back, prune** —*the shoots of a democratic government* Aeschin.(quot. D.)
ἀνα-τήκομαι *pass.vb.* (of snow) **melt, thaw** Plb.
ἀνάτηξις εως *f.* **melting, thawing** (W.GEN. of snow) Plb.
ἀνατί *adv.*: see under ἄνατος
ἀνα-τίθημι, dial. **ἀντίθημι** *vb.* **1** place (sthg.) on (someone or sthg.); **place, lay** —*a burden* (W.DAT. *on someone*) Ar.(quot.ep.); **load** —*baggage* (*onto a person*) X. —(w. ἐπί + ACC. *onto pack-animals*) X. || MID. **place** —*a helmet* (W.DAT. *on one's head*) AR. —*one's arm* (W.PREP.PHR. *on someone's neck*) AR.; **load** —*baggage* (w. ἐπί + ACC. *onto pack-animals*) X. —(*onto a ship*) Plb.; (intr.) **load up** Lys. X.
2 place (a person) high up (on sthg.); **place** —*someone* (*on a cross, for execution*) Plb. —(w. ἐπί + ACC. *on a cliff*) Ar. —(*on a horse*) Plu.(mid.)
3 || MID. place on oneself (for the purpose of carrying); **lift up, carry** —*a person, an object* (sts. W.DAT. *or* ADV. *on one's shoulders*) AR.; (wkr.sens.) **take** or **pick up** —*an object* AR.
4 lay —*blame* (W.DAT. *on someone*) Il.; **impose** —*expenses, risks* (W.DAT. *on someone*) Aeschin. Hyp.
5 ascribe, attribute —*an action, good or bad qualities, blame, responsibility, or sim.* (W.DAT. *to someone or sthg.*) Xenoph. Hdt. E. Th. Ar. Att.orats. + —W.INF. (*the act of*) *doing sthg.* (W.DAT. *to someone, i.e. hold them responsible for it*) Hdt. X.
6 entrust —*one's affairs* (W.DAT. *to someone*) Th. Ar. || PASS. (of a duty) be entrusted —w. ἐπί + ACC. *to someone* Plb.
7 set up as a votive offering (usu. in a temple or sacred place), **dedicate** —*an object* (freq. W.DAT. *to a god*) Hes. Pi. Hdt. Th. Ar. Att.orats. + —(w. ἐς + ACC. *in a place*) Hdt. Pl. X. Hyp.; (mid.) Theoc.*epigr.* || PASS. (of objects) be dedicated Hdt. Th. Ar. Hyp. D.
8 (gener.) **dedicate, consecrate** —*a city, captured island, ship* (W.DAT. *to a god*) Hdt. Th.
9 set up, erect —*a statue, monument, trophy, or sim.* Hdt. And. D. Plb. Plu.
10 (of an author) **dedicate** —*a book* (W.DAT. *to someone*) Plu.
11 (app.fig., of a victorious athlete) **dedicate** —*his glory* (W.DAT. *to a city*) Pi.; (of a poet) —*a narrative* (*to the lyre and song*) Pi. —*an oracle* (*to the arts of the Muses*) Pi.*fr.*
12 devote —*one's listening* (W.DAT. *to musical performances*) Plb.
13 || MID. **refer back** (for advice or decision) —w. εἰς + ACC. *to a higher authority* Plb.; **refer** —*a matter* (W.DAT. *to someone*) NT.
14 || MID. take back a move (in a board game); (fig.) **withdraw, remove** —*certain people* (*fr. the category of friends, in which one had placed them*) X.; take back a statement or opinion, **retract** Pl. —W.NEUT.ACC. *sthg.* Pl.; **retract one's opinion** —W.ACC. + INF. *that sthg. is the case* Pl. X.
ἀνα-τῑμάω *contr.vb.* **raise one's price** (for becoming an ally) Hdt.
ἀνα-τῑνάσσω *vb.* (of a Bacchant) **hold up and shake, brandish, wave** —*a thyrsos* E.(tm.); (of Bacchus) **shake violently** —*a house* E.; (of a god) —*a ship's sail* E.(tm.)

ἀνα-τλῆναι athem.aor.inf. **1** bear up against, **suffer, endure** —misfortune, pain, or sim. Od. hHom. A. E. Ar. Pl. +
2 withstand —drugs (i.e. their effects) Od.
3 bear with —a person S.

ἀνατολή, ep. **ἀντολή**, ῆς f. [ἀνατέλλω] **1** (usu.pl.) time or event of rising, **rising** (freq. W.GEN. of the sun, moon, stars) A. Pl. AR. Plb. NT. Plu.; (sg.) **sunrise** Arist.; (phr.) ἡ κατὰ τὸν ἥλιον ἀνατολή rising of the sun Plb.; (fig.) **dawn** (W.PREP.PHR. fr. heaven, ref. to the coming of the Messiah) NT.
2 (freq.pl.) place or direction of rising (usu. W.GEN. of the sun); **East** (as a direction or cardinal point) Od. A. Hdt. E.(dub.) Arist. +; (W.GEN. of the stars, ref. to the western horizon) E.
3 (pl.) direction of sunrise (at a solstice); (W.ADJ. θερινός at the summer solstice) **north-east** Plb.; (W.ADJ. χειμερινός at the winter solstice) **south-east** Plb.
4 place of arising or beginning ‖ PL. source (W.GEN. of a river) Plb.

ἀνα-τολμάω contr.vb. **regain** or **summon up courage** Plu.

ἄν-ᾱτος ον adj. [privatv.prfx., ἄτη] **1** suffering no harm, **unharmed** (W.DAT. or GEN. by a god's enmity, evils) A. S.; (by illness) B.fr.(cj.)
2 (of actions, circumstances) entailing no harm, **harmless, safe** A.

—**ἀνᾱτεί**, also **ἀνᾱτί** adv. without incurring harm or punishment, **with impunity** Pi.fr.(cj.) Trag. Th. Ar. Pl.

ἀνατρεπτικός ή όν adj. [ἀνατρέπω] liable to overturn; (of a practice) **subversive** (W.GEN. of a city, compared to a ship) Pl.

ἀνα-τρέπω, dial. **ἀντρέπω**, Aeol. **ὀντρέπω** vb. [ἀνά] | Aeol.aor.2 ὀνέτροπον ‖ aor.2 mid. ἀνετραπόμην | **1** turn upside down, **knock over, throw flat on the back** —a person Archil. X. Plb. Plu. ‖ AOR.2 MID. fall flat on one's back Il. ‖ PF.PASS. have been knocked over or have fallen on one's back Pl. Plu. ‖ PF.PASS.PTCPL. lying on one's back (in bed) Ar.
2 overturn, upset —a seat E. —a table And. D. NT. Plu. —a chariot Pl. —a statue Plb. Plu. —a lamp, jug Plu.; **tip over** —food X.; (intr.) **overturn tables** Ar. ‖ PASS. (of objects) be overturned Ar. X. Plu.
3 capsize —a ship Pl. Aeschin. Arist. Plu. —(fig.) a city (envisaged as a ship) D. ‖ PASS. (of a sailor) capsize Plu.; (fig., of a city, envisaged as a ship) be capsized A.(dub.) Plu.
4 (of the gods) **destroy** —an island (perh. by an earthquake) Call.; (of persons) **demolish** —buildings Plu. ‖ PASS. (of cities) be destroyed —W.PREP.PHR. by an earthquake Plu.
5 (of the gods) **overthrow, destroy** —a person Hdt.; (of a person or circumstance) —an adversary, intentions, prospects Plu. ‖ PASS. (of persons) be overthrown or overwhelmed Plu.
6 overthrow, subvert, ruin —a country, city, political system, life, prosperity, principles Alc. Hdt. Trag. Ar. Att.orats. Pl. + ‖ AOR.2 (intr.) perh., create an upset Alc. ‖ PASS. (of a city, life, fortunes, or sim.) be overturned or upset Att.orats. Pl. Men. Plu.
7 overturn —an argument Ar. Pl. —a person (in argument) Pl.
8 ‖ AOR.2 MID. be cast down —W.ACC. in one's heart (W.DAT. w. grief) Theoc. ‖ PASS. (of troops) —W.DAT. in their spirits Plb.
9 app. **stir up, disturb** —a trouble that is asleep S.

ἀνα-τρέφω vb. **1 bring up** or **feed** —children (W.DAT. w. luxuries) Call.; (fig.) **nourish** —one's heart (on sthg.) A.(dub.) ‖ MID. **bring up** —someone's child (as if one's own) NT. ‖ PASS. be brought up —W.PREP.PHR. in a particular house or city NT.

2 feed up, fatten —a horse (for sacrifice) X.; (fig., of Euripides) —the art of tragedy (W.DAT. w. monodies) Ar. ‖ PASS. (of animals) be fed or nourished Ar.; (of a fire) Plu.
3 (fig.) strengthen, **revive, restore** —spirits (of demoralised troops) X.; **foster** —spirit and ambition (in troops) Plu.

ἀνα-τρέχω vb. | Only pres. and impf.; other tenses are supplied by ἀναδραμεῖν. | **1** run up (fr. a lower position to a higher one); **run up** —w. πρός + ACC. to the Acropolis Plu.; (of Dawn, in her chariot) **speed upwards** —w. ἐς + ACC. to the halls of Zeus (i.e. into the sky) Theoc.
2 (of soldiers) **run** or **hurry back** (sts. W.PREP.PHR. to a place) Plb.; (of ships) **come back** (out of a harbour) Plb.
3 (of a historian) **go back, revert** —w. ἐπί + ACC. to a certain point in a narrative Plb.
4 (of a people) reverse (its policy or state of mind), **turn about** Plb.

ἀνά-τρησις εως f. [τρῆσις] act of boring through; **trepanning** (of the skull) Plu.

ἀνα-τρίβω vb. **1** rub down —hounds X. ‖ PASS. (of sheep's tails) be rubbed down or chafed —w. πρός + DAT. against the ground Hdt.
2 ‖ PASS. have (W.ACC. one's penis) rubbed up —W.PREP.PHR. by a girl Ar.

ἀνατροπεύς έως m. [ἀνατρέπω] one who overturns, **subverter** (W.GEN. of a household) Antipho; (of a person's thinking) Plu.

ἀνατροπή ῆς f. **1** overturning, **capsizing** (of a ship) Arist.
2 subversion, overthrow, ruin (W.GEN. of homes, a political system) A. Pl. Plu.

ἀνατροφή ῆς f. [ἀνατρέφω] **bringing up** (W.GEN. of children) Plu.

ἀνα-τυρβάζω vb. | pf.ptcpl. ἀνατετυρβακώς | **throw into confusion** —a city Ar.

ἀν-αύγητος ον adj. [privatv.prfx., αὐγή] (of Hades) **without a ray of light** A.

ἀν-αύδητος, dial. **ἀναύδατος**, ον adj. [αὐδάω] **1** (of a sleeping person) lacking the power of speech, **speechless, silent** S.
2 (of a passionate feeling) not expressed in speech, **unspoken** A.
3 (of a story) not to be spoken, **unspeakable, horrendous** E.
4 (of a contingency) not to be affirmed (as being possible), **declared impossible** S.

ἄν-αυδος ον adj. [αὐδή] **1** lacking the power of speech; (of a person) **voiceless, mute, dumb** Od.; (of children of the sea, fig.ref. to fish) A.; (of a beast) S.Ichn.; (of a messenger, fig.ref. to dust) A.; (of a herald, fig.ref. to an image nailed to a building as a deterrent) A.satyr.fr.
2 not able to speak (on a particular occasion); (of a person or deity, drowning or unconscious) **speechless** Od. Hes. AR. Plu.
3 not speaking (on a particular occasion); (of a person or deity) **speechless, silent** Trag. AR. Plu.; (of a mouth) B.fr.; (quasi-advbl., of a right moment commending action) **without speaking, in silence** A.satyr.fr.; (of feelings held back) S. ‖ NEUT.SB. state of silence E.
4 (of deeds) for which there is no speech (to describe them), **unspeakable, indescribable** S.
5 (of the power of a bridle, fig.ref. to a gag) in which there is no speech, **speech-preventing, silencing** A.

ἄν-αυλος ον adj. [αὐλός] (of revelry, fig.ref. to war) not suitable for accompaniment on the aulos, **joyless** E.

ἀ-ναυμάχιον ου n. [ναυμαχία] (leg.) **crime of failing to engage one's ship in a sea-battle** And.

ἀν-αυξής ές *adj.* [αὐξάνω] (of plants) without proper growth, **stunted** Plu.

Ἄναυρος ου *m.* **Anauros** (river in Thessaly, flowing fr. Mt. Pelion into the Pagasaean Gulf) Hes. Simon. E. Call. AR ; (gener.) **stream, river** Mosch.

ἄ-ναυς νᾱος *dial.masc.fem.adj.* [privatv.prfx., ναῦς] (oxymor., of a ship) **that is a ship no more** (because it has been destroyed) A.

ἀν-αύχην ενος *masc.fem.adj.* [αὐχήν] (of the heads of primeval beings) not attached to a neck, **neckless** Emp.

ἀν-αύω *vb.* [ἀνά, αὔω²] | aor. ἀνήϋσα, dial. ἀνάϋσα | (of women) **cry out, shriek** AR. Theoc.

ἀνα-φαίνω, dial. **ἀμφαίνω** *vb.* | dial.impf. ἄμφαινον | ep.fut.inf. ἀμφανέειν | aor. ἀνέφηνα, dial. ἀνέφᾱνα, also ἄμφᾱνα (Pi.) || MID.: dial.3sg.aor. ἀνεφάνατο || For intr. uses of mid., pass., and pf.act. see ἀναφαίνομαι below. |

1 make visible; (of the gods) **cause** (W.ACC. stars) **to appear** —W.PREP.PHR. *in the night* X.; (of daylight) **light up, reveal** —*a person* X.; (fig., of a ruler, victorious athlete) **shed lustre on** —*one's city* Pi.

2 (intr.) **create light** (by feeding a brazier) Od.

3 cause to be seen; **display, show** —*a signal* Plb.; (of Orion, ref. to the constellation) —*his shoulder* (*above the horizon*) Theoc.; (of a god) —*an island* (W.DAT. *to sailors*) AR.; (of dust) **show up** —*footprints* hHom.; (of high status in society) —*a person's qualities* (W.PREDIC.COMPAR.ADJ. *w. greater clarity*) X.

4 bring to light (what was hidden or unknown); **expose, reveal** —*a person* (*i.e. his presence*) Od. —*a secret sexual union* E.

5 bring to public knowledge; **reveal** —*a ruinous act* E. —*one's earthborn origin* E. —*one's opinion* X.; (of a priest) —*prophecies* Il.; (of an oracular priestess) —*a person* (W.PREDIC.SB. *as destined king*) Pi.; (of Fortune) —*signs of the future* Plu.; (of worshippers) —*a god* (W.DAT. *to a city*, W.INF. *for it to call him by a certain name, i.e. make his name known*) E.; (intr., of Apollo) **make a revelation** —W.DAT. *to a city* Tyrt.

6 bring into visible existence; (of a country) **produce** —*snakes* Hdt.; (of a person) **make, offer** —*sacrifices* A.

7 make public (by one's actions); **display** —*glorious deeds* hHom. —*excellence of feet* (*i.e. speed of running*) Il. —*bravery* Plu.(cj.) || AOR.MID. (of an athlete) show, exhibit —*three victories* Pi.

8 make public (in speech or song); **give voice to** —*presumptuous language* Od. —*noble thoughts* Xenoph. —*a cry* A.(dub.) —*melodies* Ar.

9 announce publicly, **declare** —*someone* (W.COMPL.CL. *as having won in a ballot*) Corinn.; (of a law) —*sacrificial rites* (W.PREDIC.ADJ. *unholy*) E.; (of officials) **prescribe** —*customary mourning* (W.DAT. *for people*) Plb.

10 (of sailors) app., cause to appear, **come within sight of** —*an island* NT.

—ἀναφαίνομαι *mid.pass.vb.*| fut. ἀναφανοῦμαι, fut.2 ἀναφανήσομαι | ep.3sg.aor.1 (tm.) ἀνὰ ... ἐφαάνθη | aor.2 ἀνεφάνην | pf. ἀναπέφασμαι || also pf.act. ἀναπέφηνα |

1 come into view; (of a star) **become visible** Il.; (of a land) Od. AR.(tm.)

2 be revealed (after being hidden); (of land reclaimed fr. the sea) **become visible** Hdt.; (of silver-ore, a buried altar) **be discovered** X. Plu.

3 be displayed or made known; (of a person) **be revealed** A.; (of the kingdom of God) NT.; (of a powerful action) **be seen** Hes.; (of an unknown god) **be brought to notice** X.; (of a fact) **become clear** X.

4 (of persons) **appear, turn up, show up** (sts. W.PREP.PHR. *somewhere*) Th. Lys. Ar. Pl. X. +; (of a boar) —W.PREP.PHR. *in a land* Hdt.; (of a river) **spring up** Hdt.

5 (of death) **be in prospect** (sts. W.DAT. for someone) Il. S.; (of ruin) **appear** (as forthcoming) —W. ἐκ + GEN. *fr. the gods, folly* Sol. Thgn.

6 (of persons or things) **be clearly seen** —W.PTCPL. *as being or doing such and such* Hdt. Pl. X. Aeschin. D. Plu.; **turn out to be, prove** —W.PREDIC.ADJ. or SB. *such and such* Antipho Ar. Pl. X. Aeschin.

7 (of submerged objects) **reappear, surface again** Hdt.; (of a river that disappears underground) Hdt. Plb.

ἀν-αφαίρετος ον *adj.* [privatv.prfx., ἀφαιρετός] (of things) **not able to be taken away** Plu.

ἀναφανδόν, dial. **ἀμφανδόν**, also **ἀναφανδά** *adv.* [ἀναφαίνω] **visibly, openly, publicly** Hom. Pi. B.*fr.* Hdt. Pl. AR. +

ἀνα-φέρω, dial. **ἀμφέρω** *vb.* [ἀνά] | aor.1 ἀνήνεγκα, Ion. ἀνήνεικα, ep. ἀνένεικα | aor.2 ἀνήνεγκον, inf. ἀνενεγκεῖν | Ion.aor.inf. ἀνοῖσαι (Hdt.) || The sections are grouped as: (1–9) bring or carry up, (10–18) bring back, (19–23) refer or relate. |

1 bring up (fr. a lower to a higher place); **bring** or **carry up** —*someone or sthg.* (sts. W.PREP.PHR. *fr. a place*) Od. Hdt. Ar. || PASS. (of persons or things) be brought or carried up Hdt. X. Plu.; (of a wave) rear up AR.

2 || MID. (intr.) **carry up one's possessions** —W. ἐς + ACC. *to high ground* Hdt.; (tr.) app. **take with one** (into exile) —*one's possessions* Hdt.

3 (specif.) **carry up** —*money* (W. εἰς + ACC. *to the Acropolis, i.e. deposit it in the treasury there*) Att.orats. Arist. || PASS. (of money) be deposited (in the Acropolis) X. Hyp.

4 (wkr.sens.) **pay, enter** —*a sum of money* (W. εἰς + ACC. *into an account*) D.; **turn over, pay** —*profits* (W.DAT. *to someone*) Aeschin. || PASS. (of revenues) be paid in —W. πρός + ACC. *to certain officials* Arist.

5 carry up-country —*an object* (W.PREP.PHR. *to Susa, to the Persian king*) Hdt.

6 bring up (fr. within oneself); **bring** or **pour forth** —*tears* A. —*blood* Plu. —*groans* Plu. || MID. **heave a deep sigh** Il. Hdt.; **lift up one's voice** AR.; (tr.) **utter** —*speech* AR. Mosch.

7 bring up (a vote, to the ballot-box); (intr.) **cast a vote** X.

8 (intr., of a road) **lead up** —W.PREP.PHR. *to or fr. a place* X. Plb.

9 bear up under, **bear, endure** —*risks* Th. —*a war, slanders* Plb.

10 bring back, restore —*an exiled family* (W.PREP.PHRS. *fr. a foreign land, to one's own*) Th.

11 (of a warrior) **draw back** —*his foot* (*so as to shift position*) E.

12 (of rowers) **draw back** —*their oars* (*so as to complete a stroke*) Th. || PASS. (of oars) be drawn back Plu.

13 bring back, report —*a message, an oracular response* Hdt. || PASS. (of messages or sim.) be reported Hdt.

14 restore —*a city* (W. ἐκ + GEN. *fr. a poor condition*) Th.; (intr., of a people) **recover** (fr. losses in war) D.; (of a person) **revive oneself** —W.DAT. *w. drink* Hdt. —W. ἐκ + GEN. *fr. drunken sleep* Plu.; (of a hope) **revive** Plu. || PASS. pull oneself together, recover Hdt.

15 || MID. (of inherited virtues) bring a return or yield of, **produce** —*strength* Pi.

16 trace back —*one's ancestry* (w. εἰς + ACC. *to someone*) D. Plu.; (intr.) **trace back one's ancestry** Isoc. Pl. ‖ PASS. (of ancestry) be traced back Pl.
17 trace back —*a story* (W.PREP.PHR. *to an obscure source, i.e. as a basis for it*) Hdt.
18 bring back (to one's mind); **recall, remember** —*sthg.* E. Plu.; **repeat, recount** (fr. memory) —*a story* Pl.; (intr.) **consider** (sthg.) Pl.
19 refer (a matter, to a person or god, for advice or help); **refer** —*decisions, proposals* (w. ἐς + ACC. *to the people or other authority*) Hdt. Th.; (intr.) **refer, apply, appeal** (to a god) E. —w. εἰς + ACC. *to a god* Hdt. —w. ἐπί + ACC. *to someone or sthg.* D.
20 refer, ascribe, attribute —*sthg., esp. blame or responsibility* (w. εἰς + ACC. *to someone or sthg.*) E. Att.orats. Pl. —(w. ἐπί + ACC.) Pl. Aeschin. —(W.DAT.) E. Lys. —(W.ADV. *somewhere, i.e. to someone or sthg.*) Antipho Pl.; (intr.) **ascribe responsibility** —w. εἰς + ACC. *to someone* E. D. —W.DAT. Lys. ‖ PASS. (of blame or responsibility) be ascribed —w. ἐπί + ACC. *to sthg.* D.; (of guilt) be made to relate, be extended —w. εἰς + ACC. *to someone* Antipho; (of a defence) be referred —w. εἰς + ACC. *to someone* (*i.e. be made to depend on him*) Lys.
21 attribute (to a source or authority); **attribute, ascribe** —*a remark* (w. εἰς + ACC. *to its author*) Pl.; (intr.) **cite a source** (fr. which one has obtained sthg.) Is.
22 refer (one thing to another, for the purpose of comparison or evaluation); **refer, relate** —*justice* (W.ADV. *somewhere, i.e. to some standard*) E. —*someone's conduct* (w. πρός + ACC. *to one's ancestors, i.e. view it in relation to them*) Isoc. —*one's likeness* (*to an ancestor's statue*) Plu.; **refer** —*sthg.* (w. ἐπί + ACC. *to a test*) Pl.; **apply** —*one's judgement* (w. πρός + ACC. *to sthg.*) D.; (intr.) **make reference, refer** —w. πρός + ACC. *to an example or illustration* Isoc. —W.ADV. *somewhere* (*i.e. to sthg.*) Pl. ‖ PASS. (of gods) be viewed in relation —w. εἰς + ACC. *to other things* Pl. D.
23 (intr.) **make reference** (to sthg., so as to bring it to someone's attention) Pl. ‖ PASS. (of a person) be referred (i.e. have one's name given) —w. εἰς + ACC. *to the Acropolis* (*as owing money to the state*) D. | cf. section 3

ἀνα-φεύγω *vb.* **1** (of troops) go back in flight, **flee, retreat, withdraw** (sts. W.PREP.PHR. to persons or a place) X. Plu.; (gener.) **escape** X.
2 (of a person on trial) escape punishment, **go free** X.
3 (fig., of a story, being tracked down to its source) **be elusive** Plu.

ἀν-αφής ἐς *adj.* [privatv.prfx., ἀφή] (of the heavenly realm) **intangible** Pl.

ἀνα-φθέγγομαι *mid.vb.* [ἀνά] | aor. ἀνεφθεγξάμην | **speak aloud, utter, declare, pronounce** —*sthg.* Plb. Plu.

ἀνα-φθείρομαι *pass.vb.* | aor.2 ἀνεφθάρην | (colloq., of a person) **get the hell up** —W.ADV. *to a place* Ar.

ἀνα-φλάομαι *mid.pass.contr.vb.* | Lacon.masc.acc.pl.pf. ptcpl. ἀμπεφλασμένως | ‖ PF.PTCPL. in a state of sexual arousal, **aroused** Ar.

ἀνα-φλεγμαίνω *vb.* (of a woman) **inflame, make sore** —*her breasts* (by beating them) Plu.

ἀνα-φλέγω *vb.* | aor.pass. ἀνεφλέχθην | **1 cause to blaze, set alight** —*the flame of a wedding-torch* E.
2 ‖ PASS. (of a person) be inflamed (w. a fever) Plu.; (of thirst, by salty and poisonous water) Plu.
3 (fig.) **kindle, set ablaze** —*a desire* (W.DAT. *in someone*) Plu. ‖ PASS. (of a person) be inflamed (w. an emotion or desire) Plu.

ἀνάφλεξις εως *f.* **blazing** or **flaring up** (of air, during the creation of shooting stars) Plu.

Ἀνάφλυστος ου *m.* **Anaphlystos** (coastal town in SW. Attica, also the name of a deme) Hdt. X.

—**Ἀναφλύστιος** η ον *adj.* (of a person) from Anaphlystos, **Anaphlystian** Ar. Aeschin. D. Arist. Plu.

ἀνα-φλύω *vb.* (of a burning river) **bubble up, boil** Il.(tm.)

ἀνα-φοβέω *contr.vb.* **cause terror, be intimidating** Ar.

ἀναφορά ᾶς *f.* [ἀναφέρω] **1** state or act of referring (of one thing to another), **reference** Plb. Plu.
2 referral (of a matter, W.PREP.PHR. to a higher authority) Plb.
3 reference back (to a standard or criterion) Arist.
4 (in legal or financial ctxt.) **recourse, resort** (w. εἰς + ACC. *to someone*) D.
5 (ref. to death, a god) **recourse** (W.DAT. for someone, W.GEN. in calamity) E.
6 means of retreat, **way out** (fr. a difficult situation) Aeschin. D.
7 means of recovering, **recovery** (by a city, fr. losses in war) Plu.
8 means of making amends, **atonement** (W.GEN. or πρός + ACC. for a mistake) Plu.

ἀνα-φορέω *contr.vb.* bring or carry up (as a repeated or habitual activity); **carry up** —*jars of water and large rocks* (*into a defensive tower*) Th.; (of ants, living underground) —*sand* (*to the surface*) Hdt.; (of birds) —*pieces of dead animals* (*to their nests*) Hdt.

ἀνάφορον ου *n.* pole for carrying sacks of luggage, **carrying-pole** (borne by a slave) Ar.

ἀνα-φράζομαι *mid.vb.* | only ep.3sg.aor.opt. ἀμφράσσαιτο | become aware of, **notice, recognise** —*a distinctive scar* Od.

ἀν-αφρίζω *vb.* **foam up** (at the mouth) Men.

ἀν-αφρόδῑτος ον *adj.* [privatv.prfx., Ἀφροδίτη] (of a person) **unlucky in love** Men.; (of a person's approach to love) **without grace and charm** Plu.

ἀνα-φρονέω *contr.vb.* [ἀνά] **recover one's senses** (after a debilitating illness) Il.

ἀνα-φροντίζω *vb.* turn one's thoughts to, **consider, contemplate** —*marriage* Pi.

ἀναφυγή ῆς, dial. **ἀναφυγά** (also **ἀμφυγά**), ᾶς *f.* [ἀναφεύγω] **1** means of escape, **escape** (fr. marriage) A.; (W.GEN. fr. troubles) A.
2 act of escape or flight, **retreat** Plu.

ἀνάφυξις εως *f.* act or means of escape, **refuge, escape** (W.GEN. fr. misfortune or toil) Pl.

ἀνα-φύρω *vb.* | pf.pass.ptcpl. ἀναπεφυρμένος | **1** spatter or defile ‖ PF.PASS.PTCPL.ADJ. (of a person) covered (W.DAT. w. whip-marks and blood) Hdt.; (of parts of dismembered animals, w. blood) E.
2 mix up ‖ PF.PASS.PTCPL.ADJ. (of persons, groups) jumbled together (sts. W.DAT. w. others) Hdt. Plu.

ἀνα-φῡσάω *contr.vb.* **1** (of streams of lava) **spout up** —*fragments of matter* (*fr. volcanoes*) Pl.
2 ‖ PASS. (fig., of persons) be puffed up or filled with pride (by words of praise) X.

ἀνα-φῡσιάω *contr.vb.* | ep.ptcpl. (w.diect.) ἀναφῡσιόων |
1 (of dolphins) **spout up** (water) Hes.
2 (of a person) **gasp, pant** —W.INTERN.ACC. w. *heavy breathing* AR.

ἀνα-φύω *vb.* | aor. ἀνέφῡσα | athem.aor. ἀνέφῡν | pf. ἀναπέφυκα | **1** (of Earth) **give birth to** —*a serpent* AR.; (fig., of a populace) **produce** —*a large number of sycophants* Plu.
2 (of a person) **grow** —*a beard, pimples* Theoc.; (fig.) **develop** —*extravagant desires* Plu.

ἀναφωνέω

3 ‖ ATHEM.AOR. (of a grove) grow up, be produced (fr. datestones) Plu.; (of tyrants) arise —W. ἐκ + GEN. *out of certain circumstances* Plu.
4 ‖ PF. (of a hill) have grown up, rise —W. ἐκ + GEN. *fr. a place* Plu.
5 ‖ PASS. (of grass) grow —W.PREP.PHR. *fr. the earth, in a particular region* Hdt. Pl.; (of certain types of person) spring up Isoc. Pl.; (of accusations, lawsuits) Plu.
6 ‖ ATHEM.AOR. (of hair) grow back, grow again Hdt.; (fig., of a democracy) come back to life Aeschin.

ἀνα-φωνέω contr.vb. **1** cry out, shout Plb. NT. Plu. —*a name* Plu.
2 recite, declaim —*a line of verse* Plu.; (of Homer) pronounce, deliver —*a particular statement* (*in his poetry*) Plu.
3 proclaim, declare —*someone* (W.PREDIC.SB. *king*) Plu.

ἀναφώνημα ατος *n.* **1** loud cry, shout Plu.
2 acclamation (of a commander, by a laudatory title) Plu.

ἀναφώνησις εως *f.* recitation (of a line of verse) Plu.

ἀνα-χάζω vb. | dial.aor. ἀνέχασσα | ep.aor.mid.ptcpl. ἀναχασσάμενος | **1** cause to draw back, force back —*an opponent* Pi.
2 MID. (of persons, esp. combatants) draw back, give way, retire (sts. W.PREP.PHR. to or fr. somewhere) Hom. Hes. X.(also act.) AR. Mosch.
3 ‖ MID. (of the tide) recede —W.GEN. *fr. land* AR.

ἀνα-χαιτίζω vb. [χαίτη] **1** (of a horse) throw back one's mane, rear up E.; (fig., of a people) become restive Plu
2 (of a horse) unseat (its rider); (fig., of a god) unseat, dislodge —*a person* (*sitting astride a branch*) E.; (of a bull) upset, overturn (a chariot) E.; (of a slight mishap) —*everything* D.
3 (of attackers) capsize —*ships* Tim.; (of a storm) —*sailors* Men.
4 (intr.) shake oneself free —W.GEN. *fr. troubles* Plu.

ἀνα-χαλάω, ep. **ἀγχαλάω** contr.vb. | ep.inf. (w.diect.) ἀγχαλᾶν, ep.aor.ptcpl. ἀγχαλάσας | **1** (of a helmsman) ease up —*a ship* (*to let it be carried by a swell*) AR. ‖ PASS. (cf a spear-head) be worked loose, become detached (fr. the shaft) Plb.
2 (intr., of a person) relax, rest Mosch.(cj.)

ἀνα-χάσκω vb. | aor.2 ptcpl. ἀναχανών | open wide one's mouth Ar.

ἀνα-χέω contr.vb. | PASS.: 3sg.imperatv. ἀναχείσθω, ep.3sg.pf. ἀγκέχυται | **1** ‖ MID. (of underground rivers) pour forth, gush up (during digging) Plu. ‖ PASS. (of wine and water) be poured —W.PREP.PHR. *into a bowl* Anacr.
2 MID. spread out, deploy —*squadrons* (w. εἰς + ACC. *for an encircling manoeuvre*) Plu. ‖ PASS. (of a rumour) spread —W. εἰς + ACC. *to the general public* Plu.
3 ‖ PASS. (of a burial mound) be heaped or piled up AR.

ἀνα-χνοαίνομαι pass.vb. [χνόος¹] | 3sg.aor.subj. ἀναχνοανθῇ | (of a young girl) become downy —W.DAT. *w. pubic hair* Ar.

ἀνα-χορεύω vb. **1** strike up a dance Ar.; (fig., of streets, the starry sky) E.
2 (tr.) celebrate with dancing —*Bacchus, his rites* E.
3 (causatv.) set (W.ACC. a person or group) dancing E.

ἀνα-χόω contr.vb. | pf.ptcpl. ἀνακεχωκώς | heap up, pile up, block —*a road* (*w. rubble*) D.

ἀνάχυσις εως *f.* [ἀναχέω] spreading out, deployment (of troops) Plu.

ἀνα-χωρέω contr.vb. | The sections are grouped as: (1–5) go backwards, retire, (6–9) go back, return. |

1 move backwards; (of grazing oxen) walk —W.ADV. *backwards* Hdt.
2 move back (away fr. a place); retire, withdraw, move away (sts. W.ADV. or PREP.PHR. fr. or to somewhere) Hom. +; (specif., of combatants) withdraw, retreat Hom. Hdt. E. Th. +
3 (of a disputant) give way (in an argument) Pl.
4 (of an envoy) withdraw —W.PREP.PHR. *fr. negotiations* Plb.; (fig., of a military leader) retire —W.PREP.PHR. *into civilian clothing* (*i.e. private life*) Plb.
5 move away (towards independence); (of a soul) withdraw —W.PREP.PHR. *fr. bodily senses* (*i.e. fr. reliance on them*) Pl.
6 go back (to a place of departure); go or come back, return (sts. W.ADV. or PREP.PHR. to or fr. a place) Il. Hdt. Th. +
7 return, revert (to a point in an argument) Pl.
—W.PREP.PHR. *to a normal way of life* (*after war*), *to earlier military practices* Plb.
8 (of kingship) pass back, revert —W.PREP.PHR. *to a rightful heir* Hdt.
9 (of punishment) come back, recoil —W.PREP.PHR. *against unjust accusers* Antipho

ἀναχώρησις εως (Ion. ιος) *f.* **1** act of moving back or withdrawing, withdrawal, retreat (esp. by combatants) Hdt. Th. Isoc. Plb. Plu.
2 means of moving back, way back or means of retreat Th. Aeschin. Plb.; (fig., fr. an agreement) D.
3 place of retreat, refuge Th. Plu.
4 return (sts. W.PREP.PHR. to or fr. a place) Th. Plb. Plu.
5 reversion (of things, to a certain state) Pl.

ἀνα-χωρίζω vb. **1** cause to move back or withdraw; (of a commander) move or order back —*troops* X.
2 carry back, remove —*property* (*into a safe place*) X.

ἀνα-ψάομαι mid.contr.vb. wipe up —*oil* (*fr. the body*) Plu.(quot.poet., v.l. ἀπο-)

ἀνα-ψηφίζω vb. hold a further vote Th.

ἀνάψυξις εως *f.* [ἀναψύχω] relief, refreshment (w. ἀπό + GEN. coming fr. the presence of God) NT.

ἀναψυχή ῆς *f.* **1** respite, relief Pl.; (W.GEN. fr. hardship or sim.) E. Plu.
2 coolness Pl.
3 [reltd. ψύχω²] flowing of air, ventilation Pl.

ἀνα-ψύχω, Aeol. **ὀνψύχω** vb. [ψύχω¹] | aor. ἀνέψυξα, Aeol.2sg. (tm.) ὄν ... ἔψυξας, ‖ aor.pass. ἀνεψύχθην, ep.3pl. ἀνέψυχθεν | **1** refresh by cooling, cool, cool down —*horses* Plu. —*feet, one's body* (*in a stream*) E.(dub.) AR.; (of breezes) —*people, animals* Od. Plu.; (of a Love) —*Adonis* (W.DAT. *w. its wings, i.e. fan him*) Bion; (fig., of a person) —*a lover's ardent mind* Sapph.(tm., cj.) ‖ PASS. (of the body, its internal organs) be cooled Pl.
2 (gener.) refresh or relieve; refresh, restore —*one's spirit* Il.; relax, rest —*one's knees* Hes.; soothe —*a wound* Il.; comfort —*a grieving spirit* Mosch.; relieve, free —*someone* (*of passion*) Thgn. —(W.GEN. *of troubles, anxieties*) E. Call.
‖ PASS. be refreshed —W.ACC. *in spirit* Il.; (of troops) be given new heart X.
3 dry out —*ships* Hdt. X. —*curtains* Plu.; dry off —*horses' sweat* Plu.
4 [reltd. ψύχω²] (of the soul) breathe life into, revitalise —*the body* Pl.

ἀνδαίω dial.vb.: see ἀναδαίω

ἀνδάνω vb. [reltd. ἥδομαι] | Lacon.inf. Ϝανδάνην (Alcm.) | impf. ἥνδανον, ep. ἔηνδανον, Ion. ἑάνδανον | fut. ἁδήσω (Hdt.) | AOR.2: ep. ἅδον, also εὔαδον, Ion. ἔαδον, Lacon. Ϝάδον, inf. ἀδεῖν, ptcpl. ἁδών | pf. ἔᾱδα, ptcpl. ἐᾱδώς |
1 (of persons or things) be pleasing or gratifying Od. Thgn.

Pi. E. Call. —W.DAT. *to persons, their feelings* Hom. Hes. Alcm. Eleg. Pi. Hdt. +
2 ‖ IMPERS. *it is pleasing, satisfying or acceptable* —W.DAT. *to persons, their heart* (*usu.* W.INF. *to do sthg.*) Hom. hHom. Sol. Thgn. Call. AR. —(W.ACC. + INF.) AR.
3 ‖ IMPERS. (or W.NEUT.DEMONSTR.PRON.) *it is the agreed decision or preferred course of action* —W.DAT. *for people* (*freq.* W.INF. *to do sthg.*) Hdt.
4 ‖ PF.PTCPL.ADJ. (of a speech) **pleasing, agreeable** (W.DAT. to someone) Hom. AR.; (of laws, a place) Call. AR.

ἀνδέρω *dial.vb.*: see ἀναδέρω
ἀνδέχομαι *dial.mid.vb.*: see ἀναδέχομαι
ἀνδέω *dial.contr.vb.*: see ἀναδέω
ἄνδημα *dial.n.*: see ἀνάδημα
ἄνδηρον ου *n.* **1** (usu.pl.) **raised bank** (of earth), **mound** Mosch.; **bed, border** (of roses) Theoc.
2 shore (W.GEN. of the sea) B.

ἀνδίδωμι *dial.vb.*: see ἀναδίδωμι
ἀνδίκτης ου *m.* [app. ἀνά, δικεῖν] **piece of wood in a mousetrap** (which holds the bait and springs up to close the trap), **catch-piece** Call.

ἄνδιχα *adv.* [δίχα] **1 with division into two parts, in two, asunder** —*ref. to a head being split* Il.; **in two halves, equally** —*ref. to dividing possessions* Il.
2 into many parts, into branches —*ref. to a river dividing* AR.
3 in opposite directions, apart —*ref. to the Clashing Rocks opening* AR.
4 with separation (fr. others); **away** (fr. someone) —*ref. to going* AR.; **apart, separately** (fr. each other) —*ref. to doing sthg., things existing* Emp. AR.
5 (as prep.) **at a distance apart, away** —W.GEN. *fr. someone or sthg.* AR.

Ἀνδοκίδης ου *m.* **Andocides** (Athenian orator, c.440–c.390 BC) Att.orats. Plu.

ἀνδραγαθέω *contr.vb.* [ἀνήρ, ἀγαθός] | impf. ἠνδραγάθουν | **be of manly or brave character, act courageously** Plb. Plu. ‖ NEUT.PL.PASS.PTCPL.SB. **brave or heroic deeds** Plu.

ἀνδραγάθημα ατος *n.* **courageous act** Plu.
ἀνδραγαθίᾱ ᾱς, Ion. **ἀνδραγαθίη** ης *f.* **manly virtue** (ref. to the possession or display of qualities expected of and admired in a man, esp. courage) Hdt. Th. Ar. Att.orats. X. +
ἀνδραγαθίζομαι *mid.vb.* **act bravely** or **virtuously** Th.
ἀνδρ-άγρια ων *n.pl.* [ἀγρέω] **spoils of a slain warrior** Il.
ἀνδρακάς *adv.* **1 each man in turn, individually** —*ref. to giving gifts* Od.
2 each man on his own, separately —*ref. to diners sitting* A.

ἀνδράποδα ων *n.pl.* [ἀνήρ, πούς; created by analogy w. τετράποδα, neut.nom.acc.pl. of τετράπους] | ep.dat.pl. ἀνδραπόδεσσι | **persons captured in war and sold into slavery, slaves** Il. Hdt. Th. Ar. Att.orats. Pl. +
—**ἀνδράποδον** ου *n.* **slave** Att.orats. Pl. X. +; (derog., ref. to a free man) X. Arist. Men. Plu.

ἀνδραποδίζω *vb.* | fut. ἀνδραποδιῶ | aor. ἠνδραπόδισα ‖ PASS.: fut. ἀνδραποδισθήσομαι, also ἀνδραποδιοῦμαι (Hdt.) | **1** (act. and mid., of victors in war) **capture and sell into slavery, enslave** —*persons, places* (*i.e. their occupants*) Hdt. Th. And. Pl. X. + ‖ PASS. (of persons, places) **be enslaved** Hdt. Th. Lys. D.; (hyperbol., of a country) **be reduced to slavery** —W. ὑπό + GEN. *by tax-collectors and money-lenders* Plu.
2 ‖ MID. (as a criminal act, of individuals) **engage in kidnapping** (for the purpose of selling the victim into slavery) Pl. X. ‖ PASS. (of a person) **be kidnapped** Isoc.

ἀνδραπόδισις εως *f.* **kidnapping** (of a person) X.
ἀνδραποδισμός οῦ *m.* **1 enslavement** (of a population, a country) Th. Att.orats. Pl. Plu.
2 act or **crime of kidnapping** Pl.
ἀνδραποδιστής οῦ *m.* **one who captures free persons for the purpose of selling them into slavery; kidnapper** Ar. Att.orats. Pl. Arist. Men. Plb.; (ref. to Cerberus, meton. for an embezzling Athenian politician) Ar. ‖ PL. (ref. to teachers who take payment for their services) **enslavers** (W.GEN. of themselves) X.
ἀνδραποδιστικός ή όν *adj.* **relating to enslaving** ‖ FEM.SB. **art of kidnapping** Pl.
ἀνδράποδον *n.*: see under ἀνδράποδα
ἀνδραποδώδης ες *adj.* **1** (of hair) **in the style of a slave** Pl.; (of a belief) **characteristic of a slave** Pl.
2 (of persons, their natures, pleasures, or sim.) **slavish, servile** Pl. X. Aeschin. Arist. ‖ MASC.SB. **slavish man** Arist.
—**ἀνδραποδωδῶς** *adv.* (w. διακεῖσθαι) **be in a servile state** Pl.
ἀνδραποδωδίᾱ ᾱς *f.* **quality of servility, slavish behaviour** Arist.

ἀνδράριον ου *n.* [dimin. ἀνήρ] (pejor.) **feeble little man** Ar.
ἀνδράσι (dat.pl.): see ἀνήρ
ἀνδρ-αχθής ές *adj.* [ἀνήρ, ἄχθος] **1** (of boulders) app., weighing down a man, **too heavy for a man** (to lift) Od. [or perh. *as heavy as a man can carry*]
2 (of clods of earth) **as heavy as a man can carry** AR.

ἀνδρεῖα ων *n.pl.* [ἀνδρεῖος] **messes for men** (in Crete, also as older name for Spartan φιδίτια) Alcm. Arist. Plu.
ἀνδρείᾱ (sts. written **ἀνδρίᾱ**) ᾱς, Ion. **ἀνδρηίη** ης *f.* **manliness, manly spirit, courage** Simon. Trag. Th. Ar. Att.orats. Pl. +; (of women) Hdt. S. Arist. ‖ PL. **brave deeds** Pl. D.
ἀνδρ-είκελος ον *adj.* [ἀνήρ] (of the shaping of a mountain) **in the likeness of a man** Plu.
—**ἀνδρείκελον** ου *n.* **flesh-coloured pigment** (used in art or cosmetics, to imitate the healthy glow of skin) Pl. X.
ἀνδρεῖος, dial. **ἀνδρέιος** (Theoc.), ᾱ ον, Ion. **ἀνδρήιος** η ον *adj.* | compar. ἀνδρειότερος, superl. ἀνδρειότατος |
1 relating to men (opp. women or non-humans); (of the torso) **of a man, male** S.; (of sorrows) **of men** (opp. gods) Emp.; (of plays) **about men** Ar.
2 belonging to or appropriate for men; (of clothing) **men's, male** Ar. X. Theoc. Plu.
3 appropriate for a grown man (opp. a boy); (of the cheek, i.e. beard) **of a man** Theoc.; (of a toga, i.e. the *toga uirilis*) Plu.
4 having the qualities expected of a man (opp. a woman or child); (of a man) **virile** E.; (of strength, character) Hdt. E.
5 (of men, their actions, speech, or sim.) **manly, courageous, brave** Hdt. E.*fr.* Th. Ar. Att.orats. Pl. +; (of women) Ar. Arist.; (of animals) Isoc. Pl. ‖ NEUT.SB. **manliness, courage, bravery** E. Th. Pl. X. Arist. Plu.
6 (of a type of aulos, app.ref. to its lower register) **masculine** (opp. γυναικεῖος *feminine*) Hdt.
—**ἀνδρείως** *adv.* **in a manly way, bravely, resolutely** Th. Ar. Pl. X. Arist. Plu.

ἀνδρειότης ητος *f.* **manliness** X.
ἀνδρειφόντης *ep.Ion.m.*: see ἀνδροφόντης
ἀνδρ-εραστρίᾱ ᾱς *f.* [ἐραστής] **passionate lover of men, man-chaser** Ar.
ἄνδρεσι (Aeol.dat.pl.), **ἄνδρεσσι** (ep.): see ἀνήρ
ἀνδρεών *Ion.m.*: see ἀνδρών
ἀνδρηίη *Ion.f.*, **ἀνδρήιος** *Ion.adj.*: see ἀνδρείᾱ, ἀνδρεῖος
ἀνδρηλατέω *contr.vb.* [ἐλαύνω] **drive out** or **banish a man**

S. Pl.; (tr.) **banish** —*someone* (*sts.* W. ἐκ + GEN. *fr. his country, city or home*) A.

ἀνδρίᾱ *f.*: see ἀνδρείᾱ

ἀνδριαντίσκος ου *m.* [dimin. ἀνδριάς] **statuette, figurine** Plu.

ἀνδριαντοποιέω *contr.vb.* [ἀνδριαντοποιός] **make statues, be a sculptor** X.

ἀνδριαντοποιητικός ή όν *adj.* relating to statue-making ‖ FEM.SB. **art of sculpture** Arist.

ἀνδριαντοποιίᾱ ᾱς *f.* statue-making, **sculpture** Pl. X. Arist.

ἀνδριαντο-ποιός οῦ *m.* [ἀνδριάς, ποιέω] statue-maker, **sculptor** Pi. Pl. X. Arist.

ἀνδριάς άντος *m.* [ἀνήρ] **1** modelled figure of a man (in wood, stone, bronze, gold, or other material), **statue** Pi. Hdt. Th. Ar. Pl. +; (of a goddess) Plb.; (W.ADJ. *beautiful*, ref. to a person, either as a mother's term of endearment, *pretty doll*, or perh. as pejor. description of an actor, *fine figure of a statue*) D.
2 app., a kind of game Thphr.

ἀνδρίζω *vb.* | neut.impers.vbl.adj. ἀνδριστέον | **1** (fig., of the earth) make physically strong or manly, **make a man of** —*one who cultivates it* X.
2 (of a god) **give strength** or **courage** (to someone, to do sthg.) Pl.
3 ‖ MID.PASS. **act like a man, be brave** or **resolute** Pl. X. Arist.

ἀνδρικός ή όν *adj.* **1** (of a chorus) consisting of men, **male** Lys. X.
2 (of a person) having the characteristics of a man, **masculine, manly** (W.DAT. in appearance) Men.
3 appropriate for a man; (of sweat) **manly** Ar.; (of a woman's intelligence) **as good as a man's** X.
4 having the qualities expected of a man; (of persons, a people, deed, or sim.) **manly, courageous** Ar. Pl. X.; (of a mind, an intellectual pursuit) **vigorous** Isoc.

—**ἀνδρικῶς** *adv.* | compar. ἀνδρικώτερον, superl. ἀνδρικώτατα | **courageously, resolutely** Ar. Pl. X. Men.

ἀνδρίον ου *n.* [dimin. ἀνήρ] **wretched little man** Ar. Theoc.

ἀνδριστί *adv.* **in a manly way** —*ref. to speaking* Ar. —*ref. to maidens anointing themselves* Theoc.

ἀνδρό-βουλος ον *adj.* [βουλή] (of a woman's heart) **scheming like a man** A.

ἀνδρο-βρώς ῶτος *masc.fem.adj.* [βιβρώσκω] (of the Cyclops' jaw) **man-eating** E.*Cyc.*; (transf.epith., of the delight of Diomedes' horses) E.

ἀνδρο-γίγας αντος *m.* man as big and strong as a giant, **giant of a man** Call.

ἀνδρο-γόνος ον *adj.* (of a day that is auspicious) **for the birth of a male child** Hes.

ἀνδρό-γυνος ον *adj.* [γυνή] **1** having male and female characteristics; (of certain Scythians) **androgynous, epicene** Hdt.; (of a putative early class of humans) **hermaphrodite** Pl.
2 ‖ MASC.SB. (derog.) **effeminate man, sissy** Aeschin. Men. Plb.

ἀνδρο-δάικτος ον *adj.* [δαΐζω] (of cleavers) **man-butchering** A.; (of a blow, in battle) Ar.(quot. A.)

ἀνδρο-δάμας αντος *masc.fem.adj.* [δάμνημι] (of a wife, fear, wine) **man-subduing** Pi.

ἀνδρο-θνής ῆτος *masc.fem.adj.* [θνῄσκω] (of a legal process, fig.ref. to war) **entailing the deaths of men** A.

ἀνδρο-κμής ῆτος *masc.fem.adj.* [κάμνω] **1** (of toils) by which men are exhausted, **wearisome** A.
2 (of an axe, misfortunes, the destruction or struggles of war) by which men are made to suffer or die, **deadly, fatal** A. E.

ἀνδρό-κμητος ον *adj.* (of a tomb) resulting from the labour of men, **man-made** Il.

ἀνδρο-κόβαλος ου *m.* perh., man acting like an impish deity; (ref. to a woman) **she-devil** Thphr.(cj.)

ἀνδροκτασίᾱ ᾱς, Ion. **ἀνδροκτασίη** ης *f.* [reltd. κτείνω] **1** (usu.pl.) killing of men (in battle), **slaughter, carnage** Hom. Hes.*fr.* Stesich.; (personif.) **Slaughter** Hes.
2 killing of a man, **homicide** Il. A.

ἀνδροκτονέω *contr.vb.* [ἀνδροκτόνος] **kill one's husband** A.

ἀνδρο-κτόνος ον *adj.* [κτείνω] (of the Amazons, the Cyclopes, a sow) **man-killing** B Hdt. E.*Cyc.*; (of slaughter) **murderous** E.*fr.*

ἀνδρ-ολέτειρα ᾱς *f.* [ὀλετήρ] (ref. to Helen, cowardice) **destroyer of men** A.

ἀνδροληψίᾱ ᾱς *f.* [λαμβάνω] (leg.) seizing of a man, **hostage-taking** (in reprisal for a citizen murdered abroad, the hostages being taken fr. the city where the killer was alleged to be) D.; (as a criminal act, to gain a ransom) D.

—**ἀνδρολήψιον** ου *n.* (leg.) **right to hostage-taking** D.

ἀνδρο-μανής ές *adj.* [μαίνομαι] (of girls) **mad for men** Plu.

Ἀνδρομάχη ης, dial. **Ἀνδρομάχᾱ** ᾱς *f.* **Andromakhe** (wife of Hector) Il. Sapph. E. Pl. Arist. Plu.

Ἀνδρομέδᾱ ᾱς, Ion. **Ἀνδρομέδη** ης *f.* **Andromeda** (princess rescued fr. a sea-monster by Perseus) Hes.*fr.* Sapph. Hdt. E.*fr.* Ar.

ἀνδρόμεος ᾱ (Ion. η) ον *adj.* [ἀνήρ] **1** (of flesh, blood, a head, voice) belonging to a man, **of a man** Hom. Hes. Emp. AR.
2 (of a battle throng) consisting of men, **of men** Il.

ἀνδρο-μήκης ες *adj.* [μῆκος] (of a palisade) **of the height of a man** X.; (of a dimension) Plb.

ἀνδρόομαι *pass.contr.vb.* | aor. ἠνδρώθην, Ion. ἀνδρώθην | pf.ptcpl. ἠνδρωμένος | **become a man, grow to manhood, grow up** Hdt. E. Pl. Arist.

ἀνδρό-παις παιδος *m.* [παῖς¹] (ref. to Parthenopaios) boy with characteristics of a man, **manly youth** A.

ἀνδρο-πλήθεια ᾱς *f.* [πλῆθος] **abundance of men** (W.GEN. in an army) A.

ἀνδρό-πρῳρος ον *adj.* [πρῷρα] (of creatures) having the face of a man, **man-faced** Emp.

Ἄνδρος ου *f.* **Andros** (northernmost Cycladic island) A. Hdt. Th. +

—**Ἄνδριος** ᾱ ον *adj.* **1** (of a region) **of Andros** X.
2 (of a trireme) belonging to the people of Andros, **Andrian** X.
3 (of a man or citizen) from Andros, **Andrian** Hdt. Pl. D. ‖ MASC.PL.SB. **Andrians** Hdt. Th. X. +

ἀνδρο-σφαγεῖον ου *n.* [ἀνήρ] **place where men are slaughtered** A.

ἀνδρό-σφιγξ ιγγος *m.* [Σφίγξ] **sphinx with a man's head** Hdt.

ἀνδροτής (v.l. **ἀδροτής**) ῆτος *f.* ‖ 1st syllab. scanned short ‖ manly form or quality, **manliness** Il.

ἀνδρο-τυχής ές *adj.* [τυγχάνω] (of young women's lives) **gaining a husband** A.

ἀνδρο-φάγος ον *adj.* [φαγεῖν] (of the Cyclops) **man-eating** Od.

ἀνδρο-φθόρος ον *adj.* [φθείρω] (of a viper) **man-destroying** S.

—**ἀνδρόφθορος** ον *adj.* [φθορά] (of blood) **from the slaughter of a man** S.

ἀνδροφονίᾱ ᾱς *f.* [ἀνδροφόνος] **killing of a man, murder** Arist. Plu.

ἀνδρο-φόνος ον *adj.* [θείνω] **1** (of gods, persons, hands) **man-slaying, murderous** Il. Hes. E.; (of a spear) Hes. Tyrt.; (hyperbol., of wild animals, fig.ref. to men) Men.
2 (of Lemnian women) **husband-murdering** Pi.
3 (gener., of a drug) **deadly** Od.
4 ‖ MASC.SB. man guilty of manslaughter, murderer Att.orats. Pl. AR. Plb. Plu.

ἀνδρο-φόντης ου *m.* –also **ἀνδρειφόντης** εω *ep.Ion.m.* (epith. of Enyalios) **man-slayer, murderer** Il.; (ref. to Tydeus) A.

ἀνδρο-φυής ές *adj.* [φυή] (of creatures) **with the nature or form of a man** Emp.

ἀνδρώδης ες *adj.* having the qualities and virtues of a true man; (of persons) **of manly character** Isoc. Arist. Plb. Plu.; (of the courage, spirit, reputation) **of a true man** Plb. Plu.; (of words) **manly, courageous** Plb.; (of a clash in battle) **valiant** Plb. ‖ NEUT.SB. quality of manliness Plu.
–**ἀνδρωδῶς** *adv.* | compar. ἀνδρωδέστερον, superl. ἀνδρωδέστατα | in a manly fashion, **bravely, courageously** Isoc. X. Plb.

ἀνδρών, Ion. **ἀνδρεών**, ῶνος *m.* **men's quarters** (in a house) A. Hdt. E. Plu.; (ref. to a dining-room) Ar. X.

ἀνδρωνῖτις ιδος *f.* **men's quarters** Lys. X.

ἀνδύεται (ep.3sg.mid.): see ἀναδύομαι

ἀνέβην (athem.aor.), **ἀνέβησα** (aor.1): see ἀναβαίνω

ἀνέβραχε (3sg.aor.2): see ἀναβραχεῖν

ἀνέβωσα (Ion.aor.): see ἀναβοάω

ἀν-έγγυος ον *adj.* [privatv.prfx., ἐγγύη] **1** (of a girl) without a marriage contract, **unbetrothed** Plu.
2 (of a child) with parents who lack a marriage contract, **without legal sanction, unauthorised** Pl.
3 (of a person) **ignoble, low-born** Plu.

ἀν-εγείρω *vb.* [ἀνά] | aor. ἀνήγειρα, ep. ἀνέγειρα ‖ MID.: ep.3sg.aor.2 ἀνέγρετο, ptcpl. ἀνεγρόμενος ‖ PASS.: aor. ἀνηγέρθην | **1** stir (fr. sleep), **rouse, wake up** –*a person, a bird* Il. Ar. X. AR. –(w. ἐκ + GEN. *fr. sleep, bed*) Hom. hHom.; (fig.) –*a person (fr. faulty reasoning)* Pl. ‖ MID.PASS. **wake or be woken** E. Pl. X. D. AR.; (fig., of fame) Pi.
2 (of a poet) **awaken, arouse** –*a victory revel, song, memory* Pi. Ar.; (of a Muse) –*a poet* Pi.*fr.*
3 (of long rides, in neg.phr.) **stimulate, excite** –*a horse* X.
4 encourage, cheer up –*one's companions* (W.DAT. w. *gentle words*) Od.
5 stir up, provoke –*strife* Ar.
6 ‖ MID. **get up** (fr. bed) Theoc.; (of a flame) **rise** or **flare up** AR.

ἀν-έγερτος ον *adj.* [privatv.prfx., ἐγείρω] (of sleep) without waking, **unbroken** Arist.

ἀν-έγκλητος ον *adj.* [ἐγκαλέω] **1** (of property) not subject to legal proceedings, **unchallengeable in law** Pl.
2 (of a person, city) not subject to a complaint, **irreproachable, unimpeachable** Isoc. Arist. Plu.; (of a kind of friendship, virtue) Arist.
–**ἀνεγκλητεί** *adv.* **unimpeachably** Isoc.
–**ἀνεγκλήτως** *adv.* **1 irreproachably** D.
2 (w. ἔχειν, of boundaries) be free of legal disputes Arist.

ἀν-έγκλιτος ον *adj.* [ἐγκλίνω] (of a kind of statesmanship) **unswerving, constant** Plu.

ἀν-εγκωμίαστος ον *adj.* [ἐγκωμιάζω] (of a person) not praised, **uncelebrated** Isoc.

ἀνέγνων (athem.aor.): see ἀναγιγνώσκω

ἀνέδειξα (aor.), **ἀνέδεξα** (Ion.aor.): see ἀναδείκνῦμι

ἀνέδην *adv.* [ἀνίημι] **1 without restraint, freely** A. S. Pl. D. Din. +; (quasi-adjl.) ἡ ἀνέδην ἐξουσία *unrestricted power* Plb.; αἱ ἀνέδην κοινωνίαι *unrestricted relationships* Plu.
2 (pejor.) **recklessly, unscrupulously** Plb.
3 quite simply, straightforwardly –*ref. to saying or considering sthg.* Pl.

ἀνέδρακον (aor.2): see ἀναδέρκομαι

ἀνέδραμον (aor.2): see ἀναδραμεῖν

ἀνέειπον *ep.aor.2 vb.*: see ἀνεῖπον

ἀνέεργον (ep.impf.): see ἀνείργω

ἀνέζησα (Att.aor.): see ἀναζώω

ἀν-έζομαι *mid.vb.* [ἀνά] | 3sg.impf. and aor.2 (tm.) ἀνὰ ... ἕζετο | **sit upright** AR.(tm.)

ἀνέηκα (ep.aor.): see ἀνίημι

ἀν-εθέλητος ον *adj.* [privatv.prfx., ἐθέλω] (of an occurrence) unwished for, **disagreeable** Hdt.

ἀνέθην (aor.pass.), **ἀνεθήσομαι** (fut.pass.): see ἀνίημι

ἀνέθορον (aor.2): see ἀναθρῴσκω

ἀνείην (athem.aor.opt.), **ἀνεῖκα** (pf.): see ἀνίημι

ἀν-ειλείθυια ᾱς *fem.adj.* [privatv.prfx., Εἰλείθυια] (of Athena, as born fr. Zeus' head) **not needing Eileithuia** (W.GEN. for birth-pains) E.

ἀν-ειλέομαι *pass.contr.vb.* [ἀνά, εἰλέω¹] | masc.nom.pl. aor.ptcpl. ἀνειληθέντες | (of troops) **be forced to crowd** –w. ἐς + ACC. *into a place* Th.

ἀνείλιξις *f.*: see ἀνέλιξις

ἀνειλίσσω *dial.vb.*, **ἀνειλίττω** *Att.vb.*: see ἀνελίσσω

ἀν-είλλομαι¹ *pass.vb.* [εἰλέω¹] (of Beauty, meeting w. ugliness) **tense up** Pl.

ἀν-είλλομαι² *pass.vb.* [εἰλέω²] (of a narrative) **be unrolled or unfolded** Pl.

ἀνεῖλον (aor.2): see ἀναιρέω

ἀνειμένος *pf.pass.ptcpl.adj.*, **ἀνειμένως** *pf.pass.ptcpl.adv.*: see under ἀνίημι

ἄν-ειμι *vb.* [εἶμι] | impf. ἀνῄειν, Ion. ἀνήϊον ‖ Only pres. (oft. w.fut.sens.) and impf.; other tenses are supplied by ἀνέρχομαι. | **1** go (fr. a lower) to a higher position; **go or come up** (sts. W.PREP.PHR. to a place) Od. X. D. Arist. Plu.; (of a stone) **be lifted up** –W.PREP.PHR. *to a certain level* Hdt.; (of air, moisture, gloom) **ascend** Pl. AR.
2 come up –W.PREP.PHR. *fr. the underworld* hHom. Pl.
3 (of the sun) **rise** Hom. Hes. Hdt. Aeschin. AR. Plu.; (of dawn, stars) AR.
4 (of sweat) **come up, rise** –W.DAT. *on a person's flesh* S.
5 go up inland (fr. the coast) Od. Pl. D.; (of a message) **be taken up-country** Hdt.
6 embark on –*the sea* AR.
7 (of a person, as a suppliant) **go up, make an approach** –w. ἐς + ACC. *to persons* Il.
8 go on (to sthg. new); (of a disputant) **proceed** –W.ADV. *fr. a certain topic* (W.PREP.PHR. *to another one*) Ar.; (of mathematicians) –W.PREP.PHR. *to a problem* Pl.
9 go up (to a source, i.e. back towards it); (tr.) **go** (W.ADV. back) **over** –*a person's ancestry* E.
10 go or come back, return (sts. W.PREP.PHR. to or fr. someone or somewhere) Hom. Hellenist.poet. Plu.
11 (of a historian) **return, revert** –W.ADV. or PREP.PHR. *to a certain point in his narrative* Hdt.

ἀν-είμων ονος *masc.fem.adj.* [privatv.prfx., εἷμα] **1** (of a person, compared to a newborn baby) with no clothing, **naked** Call.
2 (of a poor person) **short of clothing** Od.

ἄνειν (inf.): see ἀνύω

ἀν-εῖπον, ep. **ἀνέειπον** *aor.2 vb.* [ἀνά] **1** (usu. of a herald or person in authority) **issue a proclamation** Ar. Plu.; **proclaim** –*freedom, punishment* X. Plu. –*a judgement* AR.(tm.) –W.INTERN.ACC. or DIR.SP. sthg. Ar. Plu. –W.COMPL.CL. *that sthg. is the case* Pl. X. Plu.

2 order by proclamation, **proclaim** —*silence* E. —W.INF. or ACC. + INF. *that someone is to do sthg.* E. Th. And. Ar. X. +
3 (specif., of a herald at the games) **proclaim** —*a victor's homeland* Pi.; (fig., of the place of the games) —*a competitor* (W.PREDIC.ADJ. *victorious*) Pi.
4 make a proclamation (in honour of a public benefactor); **proclaim** —*someone* (W. ὡς + PTCPL. *as being responsible for many benefactions*) Isoc. —*a crown* (*for such a person*) D.; (intr.) **make a proclamation** (of a crown) Aeschin.
5 **proclaim, declare** —*someone* (W.PREDIC.SB. *such and such, i.e. as appointed to a certain office*) Pl. —(*a god*) Pl.
6 (of an oracular god) **declare** —*someone* (W.PREDIC.ADJ. *such and such*) Hippon.
7 (wkr.sens., of a person) **affirm** —*a statement* Pl.

ἀν-είργω vb. | ep.impf. ἀνέεργον | fut. ἀνείρξω | 1 (of Hermes) force back, **drive** —*cattle* (W.ADV. *backwards*) hHom.; (of officials) **push away** —*persons* (fr. *someone*) Plb. Plu.
2 prevent (someone or sthg.) from advancing (towards one); **keep at bay, hold back** —*a battle, adversaries* Il. Plu. —*a crowd* (W.DAT. *w. sticks*) Plu.
3 (of leaders, officials) **restrain, control** —*people, revolts* X. Plu.; (of confident hunting dogs) —*others* X.; (of a person) —*one's anger* Pl.; (of citizens, through legal processes) **keep in order** —*miscreants* D.; (of fear of punishment) Din.

ἀνείρομαι Ion.mid.vb.: see ἀνέρομαι
ἀνείρπυσα (aor.): see ἀνέρπω
ἀνειρύω Ion.vb.: see ἀνερύω

ἀν-είρω[1] vb. [εἴρω[1]] connect up, **join together, string** —*garlands* Ar.; **fasten, link** —*severed ears and noses* (w. περί + ACC. *on a horse's bridle*) Hdt. || PASS. (of a baggage-train) be joined up or linked together X.

ἀν-είρω[2] vb. [εἴρω[2]] | fut. ἀνερῶ | PASS.: fut. ἀναρρηθήσομαι | aor. ἀνερρήθην | 3sg.pf.imperatv. ἀνειρήσθω | 1 (of a herald) **proclaim** —*sthg.* Aeschin.; (intr., of a person) **speak up, speak out** Pi. || PASS. (of a message) be proclaimed Plu. || IMPERS.PF.PASS. a proclamation has been made Pl.
2 || PASS. (specif., of a person) be proclaimed —W.PREDIC.SB. *as such and such* (*i.e. as appointed to a certain office*) X. D.; (of a crown, as an honour for a person) Aeschin. D.

ἀνειρωτάω Ion.contr.vb.: see ἀνερωτάω
ἀνείς (athem.aor.ptcpl.), **ἀνεῖσαν** (3pl.athem.aor.): see ἀνίημι
ἀν-είσοδος ον adj. [privatv.prfx.] (of a place) **without entrance** or **access** Plu.
ἀνεισφορίᾱ ᾱς f. [ἀνείσφορος] **exemption from taxation** Plu.
ἀν-είσφορος ον adj. [εἰσφορά] **exempt from taxation** Plu.
ἀνέκαθεν, dial. **ἄγκαθεν** (A., dub.) adv. [ἀνεκάς] 1 from a high position, **from on high, from above** A. Plu.
2 (w.art. τά) from higher up (towards a point of origin), **in origin** —*ref. to a river issuing fr. a specific source* Hdt.
3 (freq. w.art. τό or τά) from an earlier or the earliest time (in a family or nation's history), **by descent, in origin, originally** Hdt. Plb. Plu.
4 (gener.) **from earlier in time** or **from the beginning** Plb.
ἀν-εκάς adv. [ἀνά] to a high position, **upwards, up high** Pi. Ar. Plu.
ἀν-έκβατος ον adj. [privatv.prfx., ἐκβαίνω] (of gullies) **with no way out** Th.
ἀν-έκδοτος ον adj. (of a woman) not given in marriage, **unmarried, unwedded** Att.orats. Plu.
ἀν-έκλειπτος ον adj. [ἐκλείπω] 1 (of a war, acts of violence) not coming to an end, **unceasing, perpetual** Alc. Hyp.
2 (of a treasure in heaven) never failing, **inexhaustible**
ἀν-έκπληκτος ον adj. (of persons, their daring) **not panicked, unflustered, undaunted** Pl. Arist. Plu.; **not astounded, undazzled** (W.PREP.PHR. by wealth or money) Pl. Plu. || NEUT.SB. calmness or composure X.; **courage** Plu.
—**ἀνεκπλήκτως** adv. **calmly, unconcernedly** Plu.
ἀν-έκπλυτος ον adj. (of a painting) not liable to be washed clean (of colour), **indelible** Pl.
ἀνέκραγον (aor.2), **ἀνέκραξα** (aor.1): see ἀνακράζω
ἀνεκτέος ᾱ ον vbl.adj. [ἀνέχω] (of an outrage) **to be borne** S.
ἀνεκτός, Aeol. **ὄνεκτος**, όν (also ή όν Pl.) adj. 1 (of persons, actions, speech, circumstances) able to be borne, **tolerable, endurable, bearable** Hom. Alc. Trag. Th. Ar. Att.orats. +; (of a woman, W.INF. to look at or come near) Semon.
2 || NEG.NEUT.IMPERS. (w. ἐστί, sts.understd.) it is intolerable, insufferable or unendurable Plu. —W.INF. *to say or do sthg.* Thgn. Th. Pl. —W.ACC. + INF. *for someone to do sthg.* E. —W.DAT. + INF. Plu. —w. εἰ + CL. *if sthg. were to be the case* Th. Pl.
—**ἀνεκτῶς** adv. (usu. in neg.phr.) **bearably, tolerably** Hom. Isoc. X.
ἀν-έλεγκτος ον adj. [privatv.prfx., ἐλέγχω] 1 (of a person) without being cross-examined, **not questioned** Th. Pl.; (of a matter) **unexamined, not investigated** Pl. || NEUT.SB. lack of questioning or investigation Plu.
2 (of arguments or sim.) not open to examination or debate, **indisputable, incontrovertible** Th. Pl.; (of an oracle) Pl.; (of a person, speech, thoughts) **undisputed, unrefuted** Pl.
—**ἀνελέγκτως** adv. **without investigation** or **examination** Plu.
ἀν-ελέγχομαι pass.vb. [ἀνά] **be exposed** (as a wrongdoer) E.
ἀν-ελεήμων ον, gen. ονος adj. [privatv.prfx.] (of persons) **without mercy** or **compassion** NT.
—**ἀνελεημόνως** adv. **mercilessly, pitilessly** Antipho
ἀνελευθερίᾱ ᾱς f. [ἀνελεύθερος] 1 **lack of freedom, servitude, subjugation** Pl.
2 submissiveness in behaviour, **servility, slavishness** Pl. Arist. Plu.
3 lack of liberality or generosity (esp. in terms of possessions or wealth), **selfishness, meanness** Pl. X. Aeschin. Arist. Plu.
ἀν-ελεύθερος ον adj. 1 (of persons) lacking freedom (of action or expression), **repressed, restricted, inhibited** X. || MASC.PL.SB. persons lacking freedom Pl.
2 (of persons, their behaviour, trade, actions, spirit, or sim.) of mean or lowly status, **servile, menial, lowly** Pl. X. Plu.; (of cowardly satyrs) **slavish** S.*Ichn.* || MASC.SB. servile or vulgar person Plu. || NEUT.SB. servility, lowliness X.
3 not befitting one of free or honourable status; (of a death, death-bed, toil, money-making, games, or sim.) **ignoble, degrading** A. Pl. X. Arist. Plu. || NEUT.SB. behaviour not appropriate to a free person Pl.
4 (of persons, their spirit, ill will) not generous, **selfish, greedy** Lys. Ar. Pl. D. Arist.; (of exactness) **parsimonious, fussy** Arist. || MASC.SB. greedy person Arist.
—**ἀνελευθέρως** adv. 1 **meanly, poorly** —*ref. to living* X.; **unfittingly** Plu.
2 **in a servile manner, obsequiously** —*ref. to flattering* Plb.
ἀνέλιξις (also **ἀνείλιξις** Pl.) εως f. [ἀνελίσσω] 1 **backward rotation, reversal of revolution** (W.GEN. of the universe) Pl.
2 || PL. perh., circling-back movements (in a dance) Plu.

ἀν-ελίσσω, dial. **ἀνειλίσσω** (E.), Att. **ἀνελίττω** (**ἀνειλίττω** Pl.) *vb.* [ἀνά] **1 unroll, unfold** —*treasures (ref. to ancient wisdom, written in books)* X.; (fig.) —*an argument* Pl. ‖ MID. (of a tongue) **unfurl, uncurl** (*before speaking*) Ar.
2 wheel back, retrace —*one's steps* E.(tm.)
3 (of certain planetary spheres) **rotate in contrary motion against, counteract** —*other spheres (i.e. their movement)* Arist. ‖ PASS. **be counteracted** Arist.
4 (of a god) **twist around, play about with** —*someone's life* Plu.

ἀν-έλκω *vb.* | aor. ἀνείλκυσα | **1 lift up** —*a pair of scales* Il.
2 haul up (out of water), **drag ashore** —*ships, wrecks* Hdt. Th. X. Plu.; **pull up, haul in** —*a fish* Theoc. Plu. ‖ PASS. (of ships) be hauled ashore Hdt. Th. X. Plu.
3 pull up to a higher position (by ropes or chains); **hoist up** —*a person* Ar. Plu. —*beams* Th.
4 (specif.) **drag** or **haul up** —*a person (onto the speaker's platform, for questioning)* Ar. —*one's children (to win sympathy fr. a jury)* Ar.
5 pull back, bend (a bow, in order to string it) Od.; **draw** (i.e. away fr. one) —*the grip of a bow (to shoot an arrow)* Il.
6 ‖ MID. **pull out** —*a spear (fr. a corpse)* Od. —*one's hair* Il.(tm.) ‖ PASS. (of a javelin) be pulled back out —w. διά + GEN. *through a wound* Plu.
7 ‖ PASS. (of Prometheus) have (W.ACC. his liver) torn out AR.

ἀν-ελληνό-στολος ον *adj.* [privatv.prfx., Ἕλλην, στόλος] not wearing Greek-style clothes, **in foreign dress** A.

ἄν-ελπις ιδος *masc.fem.adj.* [ἐλπίς] (of a person) **without hope** (W.GEN. of salvation) E.

ἀν-έλπιστος ον *adj.* [ἐλπιστός] **1** (of good news, good fortune, a speech, or sim.) unhoped for, **beyond expectation** S. E. Th. Plb. Plu.; (of living well) **beyond hope** (i.e. unattainable) Arist.
2 (of persons, situations) lacking hope, **hopeless** S. Th. Isoc. Arist. Plb. Plu.; (of the dead) Theoc.; (of salvation, for those in a sinking ship) D.; (of hunting dogs) **without a hope** (W.GEN. of catching a hare) X. ‖ NEUT.SB. state of hopelessness or despair Th.
3 (of persons) **having no expectation** (W.FUT.INF. of doing sthg.) Th.; (W.ACC. + INF. that someone will do sthg.) Th. ‖ NEUT.IMPERS. (w. ἐστί, sts.understd.) there is no hope —W.ACC. + INF. *that someone will do sthg. or sthg. will happen* And. Isoc. Plu.
4 (of a misfortune, an undertaking, attack, or sim.) **unexpected, unforeseen** A. E. Th. +; (of successes) Plu. ‖ NEUT.SB. unexpectedness or suddenness (of an attack) Plb.

—**ἀνελπίστως** *adv.* **1** without expectation, **unexpectedly** Lys. D. Plu.
2 beyond or contrary to expectation, **unexpectedly** Plb. Plu.
3 (w. ἔχειν) *be without hope* Pl.; (of a situation) *be desperate* Isoc.

ἀν-έμβατος ον *adj.* [ἐμβαίνω] (of places struck by lightning) **not to be trodden upon** (since held to be sacred) Plu.; (of a sea) **not to be entered upon** Plu.

ἀ-νεμέσητος ον *adj.* [νεμεσητός] **1** (of a person, conduct or speech, a gift of Fortune) not provoking the righteous anger of the gods, **free from divine displeasure** Pl. Plu. ‖ NEUT.IMPERS. (w. ἐστί understd.) it is not offensive to the gods —W.INF. *to say sthg.* Pl.
2 (wkr.sens., of a person's character) **blameless, irreproachable** Plu. ‖ NEUT.IMPERS. (w. ἐστί, sts.understd.) there is no blame attached —W.INF. or DAT. + INF. (*to someone*) *in doing sthg.* Pl. Aeschin.
3 (in neg.phr., of the benefits of fortune) **straightforward** Plu.; (of a person, w.connot. of simple-mindedness) **innocent, naive** Pl.

—**ἀνεμεσήτως** *adv.* **inoffensively, blamelessly** Pl.

ἀ-νέμητος ον *adj.* [νέμω] **1** (of property) **not divided** (betw. heirs) Aeschin. D.
2 (of persons) without a share (in property), **unpropertied** Plu.

ἀνεμιαῖος ον *adj.* [ἄνεμος] (of a statement or argument, envisaged as an intellectual offspring) **windy** (i.e. like a wind-egg, not fully developed) Pl.

ἀνεμόεις *dial.adj.*: see ἠνεμόεις

ἀνεμόομαι *pass.contr.vb.* **be inflated with air** Pl.

ἄνεμος ου *m.* **1 wind** Hom. +
2 (fig.) **wind** (W.GEN. of fortune) A.(cj.); (pl., meton.ref. to powerful emotions) S.
3 ‖ PL. (meton., w.num.adj. *four*) **directions, quarters** (ref. to the cardinal points, N. S. E. W.) NT.

ἀνεμο-σκεπής ές *adj.* [σκέπας] (of cloaks) **offering protection against the wind** Il.

ἀνεμο-σφάραγος ον *adj.* [σφαραγέομαι, σφαραγίζω] (of glades) **echoing in the wind** Pi.

ἀνεμο-τρεφής ές *adj.* [τρέφω] **1** (of a wave) **wind-fed, swollen by wind** Il.
2 (of a spear) app., made from a tree toughened by growing in a windy location, **wind-strengthened, hardened** Il.

ἀνεμπλήκτως *adv.* [privatv.prfx., ἔμπληκτος] **without great emotion** Plu.

ἀν-εμπόδιστος ον *adj.* [ἐμποδίζω] (of an activity, a lifestyle) without impediment, **unhindered, unobstructed** Arist.; (of military movements) Plb.

ἀνεμ-ώκης ες *adj.* [ἄνεμος, ὠκύς] (of a cloud) **swift as the wind** E.; (of eddying motion) Ar.

ἀνεμώλιος ον *adj.* (of persons) like the wind, **fickle, undependable** Il.; (of a bow or arrow) **useless, ineffective** Il. Theoc.; (of words) Hom.

ἀνεμώνη ης, dial. **ἀνεμώνᾱ** ᾱς *f.* a kind of plant, **anemone** Hellenist.poet.

ἀν-ένδεκτος ον *adj.* [privatv.prfx., ἐνδέχομαι] ‖ NEUT.IMPERS. (w. ἐστί) it is not possible —w. τοῦ μή and ACC. + INF. *for sthg. not to happen* NT.

ἀνένεικα (ep.aor.1): see ἀναφέρω

ἀν-εννόητος ον *adj.* [ἐννοέω] without understanding, **uncertain, ignorant** (W.GEN. of sthg.) Plb.

ἀν-εξάλειπτος ον *adj.* [ἐξαλείφω] (of honours) not able to be wiped out, **indelible, everlasting** Isoc.

ἀν-εξαπάτητος ον *adj.* [ἐξαπατάω] (of persons) **not deceived** or **cheated** Arist.

ἀν-εξέλεγκτος ον *adj.* [ἐξελέγχω] **1** (of events in a narrative) unable to be tested, **without evidence, unprovable** Th.
2 (of the contents of a treatise) unable to be disproved, **irrefutable** X.; (of a person's goodwill) **undeniable, undoubted** Plu.
3 (of criminals) **unable to be convicted** (by eyewitnesses and probable inferences) Antipho; (of a person) **unimpeachable** D.
4 (of the courage of a retreating soldier) **not put to the test** Th.

—**ἀνεξελέγκτως** *adv.* **without being exposed** —*ref. to deceiving* X.

ἀν-εξέταστος ον *adj.* [ἐξετάζω] (of things) not inquired into, **unexamined, uninvestigated** Isoc. Pl. D. Plu.; (of tyrannies) **unquestioned** Plu.; (of state affairs) **unscrutinised** Aeschin.

ἀν-εξεύρετος ον *adj.* [ἐξευρίσκω] (of a total) not able to be found out, **unascertainable** Th.

ἀνεξικακίᾱ ᾱς *f.* [ἀνέχω] tolerance of misfortune, **forbearance** Plu.

ἀν-έξοδος ον *adj.* [privatv.prfx.] (of the R. Acheron) not allowing a way back out, **of no return** Theoc.

ἀν-έορτος ον *adj.* [ἑορτή] without a festival or festivities; **deprived of festive enjoyment** (w.GEN. of rites) E.; (of a bride) **without a wedding** S.(dub.)

ἀν-επάγγελτος ον *adj.* [ἐπαγγέλλω] (of a war) **not formally declared** Plb.

ἀν-επαίσθητος ον *adj.* [ἐπαισθάνομαι] not having perception, **unconscious, unaware** (w.GEN. of disasters) Plb.

ἀνεπάλμενος (ep.athem.aor.mid.ptcpl.), **ἀνέπαλτο** (ep.3sg.athem.aor.mid.): see ἀνεφάλλομαι

ἀν-έπαφος ον *adj.* [ἐπαφή] 1 (of cargo, property) untouched, **undamaged, intact** D.
2 (of a slave) untouchable, **not to be seized** Men.

ἀν-επαφρόδῑτος ον *adj.* (of spiritual affection) **lacking sexual charm** X.

ἀν-επαχθής ές *adj.* (of a person) **inoffensive, unmalicious** (w.DAT. towards people) Plu. ‖ NEUT.SB. inoffensiveness Plu.
—**ἀνεπαχθῶς** *adv.* **without annoyance** or **interference** Th.; **inoffensively** Plu.

ἀν-επιβούλευτος ον *adj.* [ἐπιβουλεύω] (of a reign) **free from plots** Plb. ‖ NEUT.SB. freedom from plotting Th.

ἀν-επιγνώστως *adv.* [ἐπιγιγνώσκω] **imperceptibly** Plb.

ἀν-επίγραφος ον *adj.* [ἐπιγραφή] (of an object) **not inscribed** Plb.

ἀν-επίδικος ον *adj.* (of an heir, property) **not subject to a legal claim** Is. D.

ἀν-επιδόκητος ον *adj.* [ἐπί, δοκέω] (of ill fortune) **unexpected** Simon.

ἀνεπιείκεια ᾱς *f.* [ἀνεπιεικής] unfairness, **ruthlessness** (in pursuing legal damages) D.

ἀν-επιεικής ές *adj.* (of a military occupation) **unfair, improper** Th.

ἀν-επίκλητος ον *adj.* (of a person) not liable to complaint, **unimpeachable, faultless** X.
—**ἀνεπικλήτως** *adv.* **without making a formal complaint** Th.

ἀν-επίληπτος ον *adj.* 1 (of people, a plan of action) not open to criticism, **blameless** X. Plb. Plu.
2 (of a military leader, during peacetime) **invulnerable, safe** Th.
3 (of an argument) **unassailable, indisputable** Pl.
—**ἀνεπιλήπτως** *adv.* without being open to attack, **in safety** —*ref.* to making a journey X.

ἀν-επίμεικτος ον *adj.* [ἐπιμείγνῡμι] (of the daily life of a disgraced person) **kept free from contact** (w. others) Plu.

ἀνεπιμιξίᾱ ᾱς *f.* **lack of contact** (w.GEN. betw. peoples) Plb.

ἀν-επίμομφος ον *adj.* (of a destructive act) not to be criticised, **irreproachable** A.

ἀν-επίξεστος ον *adj.* [ἐπί, ξέω] unplaned; (of a house) perh. **unfinished** Hes.

ἀν-επίπληκτος ον *adj.* [ἐπιπλήσσω] 1 (of a person, a life) not deserving rebuke, **irreproachable, blameless** E. Men.
2 (of an upbringing) lacking reproof, **undisciplined** Pl.

ἀνεπιπληξίᾱ ᾱς *f.* freedom from reproof, **indiscipline** Pl.

ἀν-επίρρεκτος ον *adj.* [ἐπιρρέζω] (of cooking-pots) app. **unconsecrated** Hes.

ἀν-επισήμαντος ον *adj.* [ἐπισημαίνω] 1 (of a person) **not distinctive, unremarkable** (in dress or appearance) Plb.
2 (of a person) **unrecorded** (by a historian) Plb.

ἀν-επίσκεπτος ον *adj.* [ἐπισκέπτομαι] 1 (of possessions) lacking attention, **disregarded, neglected** X.
2 (of a region) uninvestigated, **unknown, unexplored** Plb.
—**ἀνεπισκέπτως** *adv.* without consideration, **thoughtlessly** Hdt.

ἀν-επιστάθμευτος ον *adj.* [ἐπισταθμεύω] not obliged to provide accommodation for soldiers, **exempt from billeting** Plb.

ἀν-επίστατος ον *adj.* [ἐφίστημι] 1 (of a king) failing to devote attention (to practical matters), **inattentive** Plb.
2 (of an impulse) **unreflecting, ill-considered** Plb.
—**ἀνεπιστάτως** *adv.* 1 **without due attention** or **consideration** Plb.
2 without pausing to think, **without hesitation** Plb.

ἀνεπιστημονικός ή όν *adj.* [ἀνεπιστήμων] (of a practical activity) **non-scientific** Arist.

ἀνεπιστημοσύνη ης *f.* 1 lack of skill, **incompetence** (of a commander) Th.
2 lack of knowledge or understanding, **ignorance** Pl. X.; (w.GEN. of sthg.) Pl.

ἀν-επιστήμων ονος *masc.fem.adj.* 1 **lacking knowledge, ignorant** Pl. X.; (w.GEN. or PREP.PHR. of or about sthg.) Pl.; (w.INDIR.Q. or COMPL.CL. of what to do, that sthg. is the case) Th.; (w.INF. of how to do sthg.) X.
2 (of an opinion) not based on knowledge, **unfounded** Hdt.
3 (of soldiers, sailors, physicians, or sim.) lacking skill, **inexpert, unskilled, untrained** Hdt. Th. Pl. X. Arist.
4 (of ships) lacking skilful guidance, **inexpertly handled** Th.
—**ἀνεπιστημόνως** *adv.* without knowledge, **ignorantly** Pl. X.

ἀν-επίσχετος ον *adj.* [ἐπέχω] (of a situation) unable to be held in check, **uncontrollable** Plu.
—**ἀνεπισχέτως** *adv.* **uncontrollably** —*ref. to blood flowing* Plu.

ἀν-επίτακτος ον *adj.* (of freedom) not subject to control, **unrestricted** Th.

ἀν-επιτήδειος, Ion. **ἀνεπιτήδεος**, ον *adj.* 1 (of persons) **not suitable, unfit** (for a task or role) Pl. X. Plb.; (for living together) Pl.; (w.INF. for doing sthg.) Lys.
2 (of a fleece) **unsuitable** (for use by a weaver) Arist.; (of a crop, w. εἰς + ACC. for storage) Pl.; (of certain qualities in a horse) **unconducive** (w. πρός + ACC. to its usefulness) X.
3 (of a story, poem, account) **inopportune, inappropriate** Pl.; (of a speech) **improper, unseemly** Plu.
4 (of an event) **adverse, unfavourable** Hdt. X.; (of a course of action) **injudicious, inexpedient** Th.; (of a decision) **damaging, prejudicial** And.
5 (of persons) **unfriendly, hostile** Th. Lys. X.; (of remarks) Isoc. D.
—**ἀνεπιτηδείως** *adv.* **with ill fortune** or **unsuccessfully** Lys.
—**ἀνεπιτηδειότερον** *compar.adv.* in a more inappropriate manner, **less fittingly** Pl.

ἀν-επιτήδευτος ον *adj.* [ἐπιτηδεύω] (of a form of behaviour) **not practised** Plu.

ἀν-επιτίμητος ον *adj.* [ἐπιτῑμάω] 1 (of persons or things) **uncensured** Isoc. Plb. Plu.
2 (of behaviour) **not to be censured** Arist.

ἀν-επίφθονος ον *adj.* 1 (of persons, their behaviour, a matter or proposal) **not blameworthy, irreproachable** Th. Isoc. Plb.; (of a sword, used in a mercy-killing) S.; (of a name)

unobjectionable Plu. || NEUT.SB. **inoffensiveness** Plu. || NEUT.IMPERS. (w. ἐστί, sts. omitted) **there is no objection** —W.INF. *to doing sthg.* Th. Pl. Aeschin. D.
2 (of a person's power, a house) **not provoking ill will or envy, not envied** Plu.
—**ἀνεπιφθόνως** *adv.* **1 inoffensively, unobjectionably** Th. Plu.
2 without provoking envy Isoc. X. Plu.

ἀν-επίφραστος ον *adj.* [ἐπιφράζομαι] (of misery) **not thought of, unexpected, unforeseen** Semon.

ἀν-επιχείρητος ον *adj.* [ἐπιχειρέω] **1** (of persons) **safe from attack** (W.DAT. by enemies) Plu.
2 (of schemes) **unassailable, unopposable** Plu.

ἀν-έραμαι *mid.vb.* [ἀνά] | aor.pass. (w.mid.sens.) ἀνηράσθην | **1 be in love again, fall back in love** —W.GEN. w. *someone* And.
2 desire or long again for —W.GEN. *ancient virtue, glory and happiness* X.

ἀν-έραστος ον *adj.* [privatv.prfx., ἐραστός] **1** (of a person) **not loved, unloved** Mosch.
2 (of words) **unloving, cruel** Call.*epigr.*; (of a soul) **not full of love** Bion

ἀν-έργαστος ον *adj.* [ἐργάζομαι] **1 unworked, unfinished** || NEUT.SB. **raw material** Arist.
2 (of a system) **undeveloped, unrefined** Plb.

ἄν-εργος ον *adj.* [ἔργον] (of an act, ref. to the abduction of Helen) **which was no act** (i.e. which did not take place) E.

ἀν-ερεθίζω *vb.* [ἀνά] (of emotions) **stir up, provoke, stimulate** —*someone* Plu. || PASS. (of a person) **be provoked** —w. ὑπό + GEN. *by someone* X.; (of a city, an army) **be stirred up or excited** Th. Plu.

ἀν-ερείπομαι (or **ἀνερέπτομαι**) *mid.vb.* | ep.3sg.aor. ἀνερείψατο or ἀνερέψατο, 3pl. ἀνηρείψαντο or ἀνηρέψαντο | (of gods, Harpies, storm-winds) **snatch up and carry away** —*a person* Hom. Hes. Pi.*fr.* AR.

ἀν-ερεύγομαι *mid.vb.* **1 spew up** —*bile* Men.
2 (of a river) **discharge oneself, gush out** —W.PREP.PHR. *into a sea* AR.

ἀν-ερευνάω *contr.vb.* **seek out, track down** —*an argument* Pl. || MID. **investigate** —*types of dance* Pl.

ἀνερεύνητος ον *adj.* (of questions or arguments) **not investigated** or **examined** Pl. Arist.

ἀνερήσομαι (fut.mid.): see ἀνέρομαι

ἀν-ερμάτιστος ον *adj.* [privatv.prfx., ἕρμα] (of a ship) **without ballast** (i.e. unstable) Pl.

ἀν-ερμήνευτος ον *adj.* [ἑρμηνεύω] **1** (of a matter) **beyond interpretation, inexplicable** E.
2 (of a traveller) **lacking a guide or interpreter, unguided** E.*fr.*

ἀν-έρομαι, Ion. **ἀνείρομαι** *mid.vb.* [ἀνά] | fut. ἀνερήσομαι | aor.2 ἀνηρόμην, Ion. ἀνειρόμην | **1 make an inquiry, inquire, ask** Od. Call. AR. —W.NEUT.ACC. *sthg.* S. Pl. —W.INDIR.Q. *what or whether sthg. is the case* Ar. Pl. X. —W.DIR.Q. Hom. hHom. Ar.
2 inquire of, question, ask —*someone* Od. hHom. Pl. Plu. —(W.NEUT.ACC. *sthg.*) Hom. E. Ar. Pl. Theoc. —(W.INDIR.Q. *what is the case*) S. Ar. —(W.DIR.Q.) Od. hHom. Pl. Call.*epigr.*
3 inquire about —*someone or sthg.* Od. Pl.; **ask** —W.DBL.ACC. *someone about sthg.* E. Pl.

ἀν-έρπω *vb.* | aor. ἀνείρπυσα **1 go up** (a ladder) E.
2 (of water) **come up** —W.PREP.PHR. *fr. a spring* Call.
3 go back, return —W.PREP.PHR. *to a place* Ar.

ἀνερρήθην (aor.pass.): see ἀνείρω²

ἀν-ερυθριάω *contr.vb.* (of a person) **become red, blush** Pl. X.

ἀν-ερύω, Ion. **ἀνειρύω** *vb.* | aor.: ἀνέρυσα, Ion. ἀνείρυσα, also ἀνείρῡσα (Theoc. Mosch.), ep.ptcpl. (tm.) ἀνὰ ... ἐρύσᾱς || MID.: ep.3pl.aor. (tm.) ἀνὰ ... ἐρύσαντο |
1 pull up (w. a rope), **hoist** —*sails* Od.(tm.)
2 pull up, hoist up —*one's dress* Theoc.; **lift up** —*a person* (*fr. the ground*, W.GEN. *by the hand*) Mosch.
3 || MID. **haul up** —*a ship* (W.ADV. or PREP.PHR. *onto land*) hHom.(tm.) || ACT. **beach** —*ships* Hdt.
4 (of a sea-swell) **drag** or **sweep back** —*a ship* (W.ADV. *away fr. a place*) AR.

ἀν-έρχομαι *mid.vb.* | aor.2 ἀνῆλθον, ep. ἀνήλυθον | The impf. and fut. are supplied by ἄνειμι. | **1 go** (fr. a lower) to a higher position; **go** or **come up, ascend** (sts. W.ADV. or PREP.PHR. to a place) Od. Th. Ar. X. D. +
2 (specif., of a speaker) **go up** (onto the rostrum) Plu.
3 come up —W.PREP.PHR. *fr. the underworld* Thgn. S. E. Pl.
4 go up (in a northerly direction) AR. —W.ACC. or PREP.PHR. *to a place* AR.
5 go up (inland, fr. the coast) —W.PREP.PHR. *to a place* Th.
6 go up —*the leg of a racecourse* (opp. *go down the reverse leg*) E. —*a field* Call.
7 (of the sun, moon, dawn, a star) **rise** (sts. W.GEN. or PREP.PHR. fr. Okeanos) Od. A. Call. AR.(sts.tm.)
8 (of a sapling) **shoot up** Od.
9 (of a historian) **come up** (in his narrative) —W.PREP.PHR. *to a period of time* Plb.
10 go or **come back, return** (to or fr. a place) Hom. Ar. Call. AR. —W.PREP.PHR. *to a certain way of life* Plu.
11 go back (to an earlier point in an argument); **go back** —W.ADV. *again* E. —*to a certain point* E. —W.PREP.PHR. *to a first principle* Pl.
12 (of prosperity and excellence) **go back** —W.ADV. *again* (i.e. regress, W.PREP.PHR. *fr. a state of success*) E.
13 (of compound words) **be traced back** —W.PREP.PHR. *to root words* Pl.; (of a story) —*to a source* Plu.
14 (of a law) **be referred** —W.PREP.PHR. *to someone* (*for approval or enforcement*) E.

ἀνερῶ (fut.): see ἀνείρω²

ἀν-ερωτάω, Ion. **ἀνειρωτάω** *contr.vb.* | 3pl.impf. ἀνηρώτων, Ion. ἀνειρώτων, dial. ἀνειρώτευν (Theoc.) | aor. ἀνηρώτησα || neut.impers.vbl.adj. ἀνερωτητέον |
1 make an inquiry, inquire, ask Ar. Pl. —W.NEUT.ACC. *sthg.* Pl. Arist. —W.INDIR.Q. *what or whether sthg. is the case* Pl. Theoc.
2 inquire of, question, ask —*someone* Od. Hdt. Ar. Pl. —(W.INDIR.Q. *what or whether sthg. is the case*) Pl. X. Aeschin. D. || PASS. (of persons) **be questioned** Pl. X.
3 inquire about —*sthg.* Pl.; **ask** —W.DBL.ACC. *someone about sthg.* E. Pl.

ἄνες (athem.aor.imperatv.), **ἄνεσαν** (ep.3pl.athem.aor.): see ἀνίημι

ἀνέσαιμι (aor.opt.), **ἀνέσαντες** (masc.nom.pl.aor.ptcpl.), **ἀνέσει** (3sg.fut.): see ἀνίζω

ἄνεσις εως (Ion. ιος) *f.* [ἀνίημι] **1 loosening, untightening** (W.GEN. of lyre-strings) Pl.
2 melting, thawing (W.GEN. of frost) Plu.
3 release (fr. constraint); **licence** (given to women, slaves, a prisoner, undesirable pleasures or instincts) Pl. Arist. NT. Plu.
4 remission (W.GEN. of taxes, tribute, debts) Plu.
5 slackening (of political control) Plu.
6 slackening of effort (mental or physical), **relaxation** Pl. Arist. Plb. Plu.
7 lack of restraint, laxity, lack of discipline Plb. Plu.

ἀνέσσυτο (ep.3sg.athem.aor.mid.): see ἀνασεύομαι
ἀνέστηκα (pf.), **ἀνέστην** (athem.aor.): see ἀνίσταμαι, under ἀνίστημι
ἀνέστησα (aor.): see ἀνίστημι
ἀν-έστιος ον *adj.* [privatv.prfx., ἑστίᾱ] without a hearth, **homeless** Il. Ar. Plu.
ἀνεστραμμένως *pf.pass.ptcpl.adv.*: see under ἀναστρέφω
ἀνέσχεθον (ep.aor.2), **ἀνέσχον** (aor.2): see ἀνέχω
ἀν-ετάζω *vb.* [ἀνά] examine, **interrogate** —*a prisoner* NT.
∥ PASS. be interrogated —W.DAT. *w. whips (i.e. under torture)* NT.
ἄνετε (2pl.athem.aor.imperatv.), **ἀνετέον** (neut.impers.vbl.adj.): see ἀνίημι
ἀν-έτοιμος ον *adj.* [privatv.prfx., ἕτοιμος] (of persons) not ready, **unprepared** Plb.; (of things) **unavailable** Hes.*fr.*
ἀνέτω (3sg.imperatv.): see ἀνύω
ἄνευ *prep.* **1** at a distance, **away, apart** —W.GEN. *fr. persons* Il.
2 lacking the accompaniment, help or use of, **without** —W.GEN. *persons or things* Hom. +
3 lacking the goodwill, consent or participation of, **independently of** —W.GEN. *gods or persons* Hom. +
4 not including, **apart from** —W.GEN. *sthg.* Hdt. Pl. X. D.
ἄνευθε(ν) *adv. and prep.* **1** (as adv.) **away, distant, apart** Hom. Pi. AR. Mosch.
2 (as prep.) **away, apart** —W.GEN. *fr. someone* Hom. AR.
3 lacking the accompaniment or help of, **without** —W.GEN. *someone or sthg.* Hom. Pi. AR.
4 lacking the goodwill, consent or participation of, **independently of** —W.GEN. *a god or person* Il. AR.
ἀν-εύθετος ον *adj.* [privatv.prfx.] (of a harbour lacking shelter fr. wind) **unsuitable** (w. πρός + ACC. for wintering) NT.
ἀν-εύθῡνος ον *adj.* [εὔθῡνα] (of persons, esp. those in authority) not subject to examination or correction, **unaccountable** Hdt. Th. Arist.
ἀνεύρεσις εως *f.* [ἀνευρίσκω] act of finding out, **discovery** (of sthg.) E. Plu.
ἀν-εύρετος ον *adj.* [privatv.prfx., εὑρετός] (of origins of words) **untraceable** Pl.; (of a killer) **undiscoverable** Pl.
ἀν-ευρίσκω *vb.* [ἀνά] | impf. ἀνηύρισκον, Ion. ἀνεύρισκον | fut. ἀνευρήσω | aor.2 ἀνηῦρον, Ion. ἀνεῦρον ∥ MID.: 2sg.aor.1 ἀνεύραο (AR., cj.), 3sg. ἀνεύρατο (Call. AR.) ∥ PASS.: aor. ἀνηυρέθην | pf. ἀνηύρημαι, Ion. ἀνεύρημαι | neut.impers.vbl.adj. ἀνευρετέον |
1 find out (by seeking or by accident); **find, discover, come upon** —*someone or sthg.* A. Hdt. E. Pl. X. Men. +; (mid.) AR.
∥ PASS. (of persons or things) be found Plu.
2 find out (facts, by inquiry or experience); **find out, discover** —*sthg.* Hdt. E. Ar. Pl. ∥ PASS. (of facts or sim.) be discovered Th. Pl.
3 find out, discover —W.ACC. + PTCPL. *that sthg. is the case* Hdt. E.*fr.*(cj.) Pl. —W.INDIR.Q. or COMPL.CL. *what (or that sthg.) is the case* Pl. ∥ PASS. (of things) be found —W.PTCPL. *to be such and such* Hdt. Pl.
4 find (by thought); **discover, devise, invent** —*sthg.* Hdt. Ar. Pl. Plu.; (mid.) Call.*epigr.* ∥ PASS. (of things) be discovered or devised Hdt. Pl.
ἄ-νευρος ον *adj.* [privatv.prfx., νεῦρα] without tendons or sinews; (fig., of satyrs) **spineless, cowardly** S.*Ichn.*
ἀν-ευφημέω *contr.vb.* [ἀνά] | aor. ἀνηυφήμησα | (of a house, a people) raise a shout of εὐφήμει *heaven forbid!*, **cry aloud** (in grief) S. E.; (of Socrates' wife, at his deathbed) Pl.
ἀν-εφάλλομαι *mid.vb.* | ep.athem.aor.: 3sg. ἀνέπαλτο, ptcpl. ἀνεπάλμενος | (of a warrior) **spring up** (to face an enemy) Il.; (of a boar) **spring up for the attack** AR.

ἀ-νέφελος, ep. **ἀνέφελος** or **ἀννέφελος**, ον *adj.* [privatv.prfx., νεφέλη] **1** (of the air or sky) **cloudless, clear** Od. Call. Plu.; (of a night) Plu.
2 (fig., of sorrow) not to be hidden, **impossible to conceal** S.
ἀν-έφικτος ον *adj.* [ἐφικτός] (cf the height of a city wall) **inaccessible, unreachable** (w. ὑπό + GEN. by ladders) Plu.; (of a region) **unattainable, unassailable** Plu.
ἀν-εχέγγυος ον *adj.* unable to give a guarantee; (of a judgement) **lacking confidence, insecure** Th.
ἀν-έχω *vb.* [ἀνά] | impf. ἀνεῖχον | fut. ἀνέξω, fut.2 ἀνασχήσω | aor.2 ἀνέσχον, inf. ἀνασχεῖν, ep. ἀνασχέμεν | also ep.aor.2 ἀνέσχεθον, inf. ἀνασχεθεῖν, also ἀνασχεθέειν, ἀνσχεθέειν ∥ MID.: imperatv. ἀνέχου, Ion. ἀνέχεο | impf. ἠνειχόμην, also ἀνειχόμην (Plb.) | fut. ἀνέξομαι, fut.2 ἀνασχήσομαι, ep.fut.2 inf. ἀνσχήσεσθαι ∥ aor.2 ἠνεσχόμην, also ἀνεσχόμην (A. Hdt. E.), dial. ἠνσχόμην (S., dub.), ep.2sg. ἄνσχεο, ep.3sg.opt. ἄνσχοιτο (AR.) | imperatv. ἀνάσχου, ep. ἀνάσχεο, also ἄνσχεο, dial. ἄνσχου (E., cj.), 2du. ἀνάσχεσθον (Pl.) | ptcpl. ἀνασχόμενος, dial. ἀνσχόμενος (E., cj.) ∥ neut.impers.vbl.adj. ἀνεκτέον ∥ The sections are grouped as: (1–4) hold or lift up, (5–6) keep up or uphold, (7–10) rise up, (11) project, (12) hold back, (13–21) bear, endure. |
1 hold or **lift up, raise** —*one's hands (in prayer, sts.* W.DAT. *to a god)* Hom. Archil. E. AR.(sts.mid.) Plu.; (of a boxer, ready to fight or in capitulation) Od. AR.(mid.) Theoc.; (of a person, in reaction to an event) Od.(mid.) AR. ∥ MID. (intr.) **raise one's hand** or **hands** (to deliver a blow) Hom.; (of a boxer) **put up one's fists, square up** Hom.
2 (act. and mid.) **hold** or **lift up** —*a weapon, an object* Hom. AR. Plu. —*a sceptre (in swearing an oath)* Il.(sts.mid.) —*a spear (as a signal of surrender)* Plb. —*a torch* E. Ar. AR. Plu. —*a fire-signal* Th. Plu. —(fig.) *the light of safety* E.; (of a mother) —*her breast (in entreaty)* Il.; **raise** —*one's eyes* AR.; (of a person, a cockerel) —*one's neck* AR.(tm.) Theoc.; (fig.) **lift** —*one's foot* (W.PREP.PHR. *out of trouble*) E. ∥ MID. **hold** or **lift up** —*a weapon, shield, lyre* Hom. Callin. Tyrt. AR. —*the hem of a garment* AR.
3 (specif.) hold up (an offering, so as to display it to a god); **hold up** —*spoils* (W.DAT. *to a god*) Il.; (gener.) **offer** —*gifts (to the gods)* Pi.*fr.* —(fig.) *prayers* (W.DAT. or PREP.PHR. *to the gods*) S. E.
4 (of a tree) **raise up, put forth** —*branches* E. ∥ MID. (of the vine) **lift up** —*its stem (fr. beneath the earth)* Ion
5 (of mountain peaks) **hold up, support** —*the sky* AR.(dub.)
6 keep up, uphold, maintain, preserve —*just practices* Od. —*a principle of conduct* Pi. —*sacred rites* Ar.; (of a god) —*people's fortunes* Pi.; (of a man) —*a union w. a woman* S.(dub.) E.; (of money) **sustain** —*a war* Th.; (intr.) **keep on** —W.PTCPL. *doing sthg.* Th. ∥ MID. **maintain, support** —*people* Od.
7 (intr., of a diver) **rise up, emerge, surface** Hdt.; (of a swimmer) —W.PREP.PHR. *fr. beneath a wave* Od.; (of rocks in a river) **project** (above the surface) Hdt.; (fig., of a woman) **be released** —W.GEN. *fr. labour pains* S.
8 (intr., of the sun) **rise** Pl. X. Plu.; (of a light, fig.ref. to a comforting message) **rise up, appear** S.
9 (intr., of pillars) **rise up** AR.; (of growing things) **spring up** (fr. the ground) AR. Plu.
10 (intr., of a consequence) **arise, result** —W. ἐκ + GEN. *fr. sthg.* Hdt.
11 (intr., of the point of a spear or sword) **project, stick out** (fr. a body it has pierced) Il. Plu.; (of the head of a liver, fr. entrails) Plu.; (of a promontory, coastline) **jut out** (into the sea or in a particular direction) Hdt. Th. D. AR.; (of mountain spurs) Plu.

12 (of a charioteer) **hold back** —*his horses* Il.; (of a commander) —*his ships* Plu.; (of Fortune) **hold in check** —*an enemy* D.; **stop, prevent** —W.ACC. and μή + INF. *sthg. fr. happening* Th.; (intr.) **hold off, hold back** (fr. doing sthg.) Thgn. Th. X. Plb. Plu. ‖ IMPERATV. ἄνεχε (as a formulaic address to bystanders by the leader of a procession) **stop!, give way!** E. Ar.
13 ‖ MID. **bear up under, bear, put up with, endure, tolerate** —*physical or emotional sufferings and hardships, unwelcome behaviour, or sim.* Hom. A. Hdt. E. Th. Ar. +; (of a person, flesh) **hold out against, withstand** —*a weapon* Il.
14 ‖ MID. (intr.) **hold out, endure, be patient, contain oneself** Hom. Hdt. S. E. Th. Ar. +
15 ‖ MID. **put up with, endure** —W.PTCPL. *doing or suffering sthg.* Od. hHom. Thgn. Hdt. Trag. Th. +
16 ‖ MID. **bear with, tolerate** —*strangers* Od. —*a person* (W.PREDIC.ADJ. or SB. *being such and such*) Od. S. E.; (of horses) —*camels* Hdt.
17 ‖ MID. **bear with, tolerate** —W.ACC. + PTCPL. *someone doing or suffering sthg., sthg. happening* Il. Hdt. E. Isoc. Plu.; (of a bow-string) **cope with** —*arrows being discharged fr. it* Il.
18 ‖ MID. **put up with, tolerate** —W.GEN. + PTCPL. *someone doing or suffering sthg.* E. Att.orats. Pl. X. Plb. Plu. —W.GEN.PTCPL.SB. *people who are doing sthg.* And. —W.GEN. *a person* Pl. D. NT. —*an activity* Plu.
19 ‖ MID. **bring oneself to accept** —W.COMPL.CL. *that sthg. is the case* D.
20 ‖ MID. **bear** —W.INF. *to do sthg.* Plu.; (in neg.phr.) —w. τὸ μὴ οὐ + INF. *not to do sthg.* A.; **bear, allow** —W.ACC. + INF. *someone to die* E.
21 ‖ MID. **have the courage, dare** —W.INF. *to do sthg.* Hdt.

ἀνεψιός οῦ *m.* member of the same family or ethnic group, **kinsman** Il. Arist.; (specif.) **first cousin, cousin** Il. A. Pi. Hdt. E. +; (appos.w. παῖς *child*) Pl. Is. D.
—**ἀνεψιά** ᾶς *f.* **female cousin, cousin** Alcm. X. Plu.; (specif., in legal or marital ctxt.) **first cousin** Att.orats.
—**ἀνεψιαδοῦς** οῦ *m.* child of a first cousin, **first cousin once removed** Is. D.
ἀνεψιότης ητος *m.* **relationship of cousins** Pl. D.
ἄνεω *adv.* **silently** Hom. [once as predic. of sg.vb.; when predic. of pl.vb., sts. written ἄνεῳ and taken as nom.pl.adj.]
—**ἄνεω** *nom.pl.masc.adj.* (of persons) **silent** AR.
ἀνέῳγα (pf.), **ἀνέῳγον** (impf.), **ἀνέῳξα** (aor.), **ἀνέῳχα** (pf.): see ἀνοίγνῡμι
ἀνέωνται (3pl.pf.pass.), **ἀνῇ** (3sg.athem.aor.subj.): see ἀνίημι
ἄνη ης, dial. **ἄνᾱ** ᾱς *f.* [ἀνύω] act or possibility of completion, **accomplishment, fulfilment** (of sthg. desired) Alcm. A. Call.
ἀν-ηβάω *contr.vb.* [ἀνά, ἡβάω] **1 be young again, recover one's youth** Thgn. E. Ar. Pl. X. —W.DAT. *in one's aged mind* A.
2 (of the young Zeus) **grow up, develop** —W.ADV. *quickly* Call.
ἀνηβητήριος ᾱ ον *adj.* (of the strength) **of regained youth** E.
ἄν-ηβος, dial. **ἄνᾱβος**, ον *adj.* [privatv.prfx., ἥβη] **1** (of boys) not having reached adulthood, **preadolescent** Sol. Heraclit. Theoc. Plu.; (w.connot. of immaturity) **under-age** Lys.
2 (of girls) **prepubescent** Pl.
ἀνήγαγον (aor.2): see ἀνάγω
ἀν-ηγέομαι, dial. **ἀνᾱγέομαι** *mid.contr.vb.* [ἀνά] **1** go through in detail, **recount at length** —*sorrows, virtuous deeds, a tale* Pi. Hdt.

2 (of a poet) lead the way, **press forward** —w. ἐν + DAT. *in a chariot of the Muses* Pi.
ἀν-ήδυντος ον *adj.* [privatv.prfx., ἡδύνω] **not sweetened**; (of an experience) **unpleasant** Arist.; (of a person's style of speech) Plu.
ἀνήειν (impf.): see ἄνειμι
ἀνήῃ (ep.3sg.athem.aor.subj.): see ἀνίημι
ἄνηθον (also **ἄννηθον** Ar.) ου, dial. **ἄνητον** ω *n.* **dill** Ar. Theoc. Mosch. NT.; (used in a medicinal concoction) Ar.; (woven into garlands) Sapph. Alc.
ἀνῇξα (ep.aor.): see ἀνάσσω
ἀνήιον (Ion.impf.): see ἄνειμι
ἀνῆκα (aor.): see ἀνίημι
ἀν-ήκεστος, dial. **ἀνάκεστος**, ον *adj.* [privatv.prfx., ἀκεστός] **1** (of physical pain) without relief, **bitter, intense** Il.
2 (of mental anguish, grief, misfortune, or sim.) without a cure or possibility of alleviation, **incurable, irremediable** Hes. +; (of illnesses) Plu.; (of mutilation) Hdt.; (of passion) **unassuageable, ineradicable** Th.; (of fire) **unquenchable, irresistible** S.(dub., cj. ἀνήφαιστος)
3 (of anger, discord, an enemy, or sim.) not to be appeased, **implacable, irreconcilable** Il. Plu.
4 (of a decision or action) not able to be undone or altered, **unretractable, irrevocable** Antipho Th. Plb.; (of a greedy person, laziness) **incorrigible** X. D.
5 (of loss of goods at sea) **irreparable** D.(contract)
—**ἀνηκέστως** *adv.* **1 beyond healing, grievously** —*ref. to mutilating oneself* Hdt.; **fatally** —*ref. to harming persons* Hdt.
2 severely, harshly Plb.
ἀν-ήκοος, dial. **ἀνάκοος**, ον *adj.* [ἀκούω] **1** (of a river god) not listening, **unreceptive** (to a prayer) Call.
2 (of dead persons) without the faculty of hearing, **deaf** Mosch.
3 (of a person) **not hearing** (usu. W.GEN. *sthg. spoken*) Pl. X.
4 without having heard, **uninformed** (W.GEN. about someone or sthg.) Pl. X. D. Plu.; **ignorant** (W.GEN. of education, treatises, statements) Pl. Aeschin. Plu.
5 (of a statement) not listened to, **unheard** Aeschin.
ἀνηκουστέω *contr.vb.* refuse to hear, **disobey** —W.GEN. *persons, their words* Il. A. Th. —W.DAT. *someone* Hdt.; (intr.) Hdt.
ἀνηκουστίᾱ ᾱς *f.* **refusal to listen** (W.GEN. to people) Pl.
ἀνήκουστος ον *adj.* **1** (of sufferings, sounds) **unbearable to hear** S. E.
2 (of appeals on behalf of a murderess) **unfit to be heard** Antipho
3 refusing to hear ‖ NEUT.SB. disobedience (of hunting dogs) X.
ἀν-ήκω *vb.* [ἀνά] | The pres. is sts. used w.pf.sens. |
1 have come up (to a certain state or degree); **have attained** —W.PREP.PHR. *to a pre-eminent state* (W.GEN. *of mental ability*) Hdt. —(w. περί + GEN. *in respect of virtue*) Hdt. —(W.DAT. *in wealth*) Hdt. —w. πρόσω + GEN. *to a high degree of virtue* Hdt.; (of persons who are short of land) **have been reduced** —W.PREP.PHR. *to the extreme* Hdt.; (of matters) **have developed** —W.PREP.PHR. *to such a point* (W.GEN. *of rashness or folly*) Hdt.
2 (of punishment for crimes) **be raised** —W.PREP.PHR. *to death* (i.e. *the death penalty*) Th.
3 come up to or match (sthg., in height or size); (of a stone wall) **come up** —w. ἐς + ACC. *to a man's navel* Hdt.; (of a pyramid) —*to the dimensions of another* Hdt.

4 (of a task) **have reached a point** —w.ADJL.PHR. *of being too great for someone's strength* S.
5 (of interlocutors) **have come** —w.ADV. *back* (w. εἰς + ACC. *to earlier arguments*) Pl.
6 (of human qualities or activities) **result in**, **lead** or **attain** —w.PREP.PHR. *to virtue, wealth* D. Plb.
7 (of an observation) **amount** —w. ἐς + ACC. *to nothing* Hdt.
8 (of a road) **lead up** —w.PREP.PHR. *to a gate* Plu.; (of mountainous areas) —*to passes* Plb.
9 (of an area of land) **stretch, extend** —w. εἰς + ACC. *to a place* X. Plb. Plu.
10 come close in relevance; (of matters, activities, plans, attributes, or sim.) **pertain, relate** —w.PREP.PHR. *to sthg.* D. Arist. Plb.; (of food) —*to nourishment* Plb.; (of offences) —*to monetary affairs* Din.; (of arrogant behaviour) **apply, be attributed** —w.PREP.PHR. *to someone* Plb. ∥ IMPERS. it is up —w. ἐς + ACC. *to someone* (w.INF. *to do sthg.*) Hdt.
11 (of a murder, i.e. responsibility for it) **fall** —w. εἰς + ACC. *upon someone* Antipho
12 (of a family or ancestry) **reach back** (in time), **go back, trace descent** —w. εἰς + ACC. *to someone, a goddess* Plu.

ἀν-ηλεής ές adj. [privatv.prfx., ἔλεος] (of persons) without pity, **merciless** Aeschin. Men. AR.; (of a goddess's heart) Call.
—**ἀνηλεῶς** adv. **pitilessly** —*ref. to killing someone* And.

ἀν-ηλέητος ον adj. [ἐλεέω] (of a murdered person) **unpitied** (w. ὑπό + GEN. *by his enemies*) Lycurg.
—**ἀνηλεήτως** adv. **pitilessly, remorselessly** —*ref. to hating* Pl.

ἀνηλειψία ᾱς f. [ἀλείφω] **lack of an oil-massage** Plb.
ἀνῆλθον (aor.2): see ἀνέρχομαι
ἀν-ήλιος, dial. **ἀνάλιος**, ον adj. [privatv.prfx.] (of a stream, cave, leaves) **not getting any sun, sunless, shaded** S. E.; (of Hades, gloom) **dim, murky** A. E.
ἀνήλισκον and **ἀνήλουν** (impf.): see ἀναλίσκω
ἀνήλυθον (ep.aor.2): see ἀνέρχομαι
ἀνηλώθην (aor.pass.), **ἀνήλωκα** (pf.), **ἀνήλωσα** (aor.): see ἀναλίσκω
ἀν-ήμελκτος ον adj. [ἀμέλγω] (of ewes) **not milked** Od.
ἀν-ήμερος, dial. **ἀνάμερος**, ον adj. **1** (of citizens, a tribe, a province, Eros) **savage, not tame** A. Anacr. Men. Mosch. Plu.; (app., of spears or perh. froth) **cruel** A.; (of throwing out corpses as food for dogs) E.
2 (of land) **wild** (opp. cultivated) A. Plu.; (of a creature) Plu.; (of birds) Plu.(cj.)
ἀνημμένος (pf.pass.ptcpl.): see ἀνάπτω
ἀνήνασθαι (aor.mid.inf.): see ἀναίνομαι
ἀνήνεγκα (aor.1), **ἀνήνεγκον** (aor.2), **ἀνήνεικα** (Ion.aor.1): see ἀναφέρω
ἀν-ήνεμος ον adj. [ἄνεμος] (of foliage in a grove) **free from wind** (w.GEN. *of storms*) S.; (of a sea, fr. breezes) E.(cj.)
ἀνήνοθε ep.3sg.pf. [perh.reltd. ἤνθον, see ἔρχομαι] (of blood) **gush out** —w.PREP.PHR. *fr. a wound* Il. ∣ see also ἐνήνοθε
ἀν-ήνυστος ον adj. [privatv.prfx., ἀνυστός] **1** (of an activity) **never reaching a conclusion, endless** Od.
2 (of the destruction of matter) **never to be accomplished, impossible** Emp.
3 (of a mission) **not accomplished** AR.
ἀν-ήνυτος ον adj. [ἀνύω] **1** (of tasks) **not achieving anything, futile** Pl. ∥ NEUT.PL.SB. **futile tasks** E.
2 (of a task, a journey) **impossible to accomplish** AR. Plb.
3 not coming to an end; (of troubles, tasks, or sim.) **endless** S. Pl. D. Plu.

—**ἀνήνυτα**, dial. **ἀνάνυτα** neut.pl.adv. **1 uselessly** —*ref. to working* Pl.
2 endlessly —*ref. to women chatting* Theoc.
—**ἀνηνύτως** adv. (w. ἔχειν) **be impossible** S.fr.
ἀν-ήνωρ ορος masc.adj. [ἀνήρ] (of a man) **unmanly** Od. Hes.
ἀνῆξα (aor.): see ἀνάσσω
ἀν-ηπύω (also **ἀνηπύω** Mosch.) vb. [ἀνά] (of singers) **sound forth** —*a wedding song* AR.; (intr., of an aulos) Mosch.
ἀνήρ ἀνδρός, ep. **ἀνήρ** ἀνέρος m. ∣ voc. ἄνερ, w. crasis ὦνερ, ep. ἆνερ ∣ voc.pl. (w. crasis) ὦνδρες ∣ dat.pl. ἀνδράσι, Aeol. ἄνδρεσι, ep. ἄνδρεσσι ∣
1 male human adult, man (sts.opp. woman, child, youth, old man, sts.ref. to a warrior or soldier) Hom. +; (opp. a male slave) Od.; (ref. to a male offspring) Pl.; (appos.w.sb.) Hom. +
• ἀνὴρ μάντις **prophet man** Hdt.; (appos.w. ethnic or patronymic sb.) Hom. + • Φοῖνιξ ἀνήρ **Phoenician man** Od. ∥ PL. **mankind** hHom.
2 ∥ PL. **men** (ref. to a population of adult or citizen males) Hdt. Th. Att.orats. • ἄνδρες Ἀθηναῖοι **Athenian men** or **citizens of Athens** Hdt. Th. Att.orats. +; (appos.w. πολῖται or sb. that indicates deme membership) A. S. Antipho X. +; (ref. to jurors, sts. appos.w. δικασταί *jurymen*) Att.orats.
3 husband (opp. wife) Hom. +; (ref. to a lover) S. E. Theoc.; (ref. to the male goat of a herd) Theoc.
4 (as exemplifying personal virtues) **real man** (esp., opp. coward) Il. Hdt. S. E. Th. +
5 man, human (opp. god) Hom. +; (opp. centaur) Od.
6 (gener.) **person** (as an individual), **anyone** Ar. Pl.; πᾶς ἀνήρ *everyone* E. Pl.; ἀνὴρ ὅδε *this man here* (*ref. to oneself*) S. E.; κατ' ἄνδρα *one by one* Isoc.

ἀνηράσθην (aor.pass.): see ἀνέραμαι
ἀνηρείψαντο or **ἀνηρέψαντο** (3pl.aor.mid.): see ἀνερείπομαι
ἀν-ηρεφής ές adj. [privatv.prfx., ἐρέφω] (of a temple) **not covered with a roof, roofless** AR.
ἀνήριθμος adj.: see ἀνάριθμος
ἀν-ήροτος ον adj. [ἀρόω] **1** (of land) **not ploughed** Od. A.
2 (of vegetation) **without tillage** Od.
ἀνήρπαξα (ep.aor.), **ἀνήρπασα** (aor.): see ἀναρπάζω
ἀνηρριχᾶτο (3sg.impf.mid.): see ἀναρριχάομαι
ἀνήσσατος dial.adj.: see ἀήσσητος
ἀνήσω (fut.): see ἀνίημι
ἀν-ήτινος ᾱ ον dial.adj. [ἄνηθον] (of a garland) **of anise** Theoc.
ἄνητον dial.n.: see ἄνηθον
ἀνήῡσα (aor.): see ἀναύω
ἀν-ήφαιστος ον adj. [privatv.prfx.] (of a fire, fig.ref. to discord) **not of Hephaistos** (w. further connot. *godless*) E. ∣ see also Ἥφαιστος 2
ἀνθ-αιρέομαι mid.contr.vb. [ἀντί] **1 choose instead** —*one result or course of action* (rather than another) E. —*piety* (w.GEN. *rather than impiety*) E.Cyc.
2 appoint as a replacement —*a new commander or umpire* Th. Pl. X.
3 claim in rivalry —*a crown* E.
ἀνθ-αλίσκομαι pass.vb. ∣ 3pl.act.aor.opt. ἀνθαλοῖεν ∣ (of sacrilegious captors of a land) **be captured in turn** A.
ἀνθ-αμιλλάομαι mid.contr.vb. **be a rival** (in a community) Pl.; (of ships) **race** (against one another) X.
ἀνθ-άμιλλος ον adj. [ἅμιλλα] **rival contender** (for power) E.
ἀνθ-άπτομαι, Ion. **ἀντάπτομαι** mid.vb. **1 take hold** (of a person) **in opposition** (to those arresting him) Hdt.
2 (of a suppliant) **take hold in turn** —w.GEN. *of the hand and cheek of one's own former suppliant* E.

3 take part (W.GEN. in a conflict) **in response** (to an invasion) Hdt.; **engage in response** (in a dispute) —W.PREP.PHR. *about pay* Th.; (wkr.sens.) **engage** —W.GEN. *in mathematics* Pl.
4 participate (W.GEN. in a conflict) **in return** (for being allowed back fr. exile) Th.
5 (of a spasm, a monster) **take hold** —W.GEN. *of a person's lungs* S. Ar.(mock-trag.)
6 (fig., of a person, words, misfortune) **touch** —W.GEN. *someone's heart* E.

ἄνθεια (Boeot.n.pl.): see ἄνθος

ἀνθεκτέα, ἀνθεκτέον (neut.pl. and sg.impers.vbl.adjs.): see ἀντέχω

ἀνθ-έλκω vb. **1** drag in the opposite direction; **drag back** —*ships* (*to the shore*) Th.; (of an impulse) **pull** (W.ACC. a thirsty soul) **in the opposite direction** (away fr. relief of thirst) Pl. ∥ PASS. (of a commander) be pulled in opposing directions —W.DAT. *by circumstances* Plu.
2 (intr., of cords) **pull in the opposite direction** —W.DAT. *to others* Pl.

ἄνθεμα dial.n.: see ἀνάθεμα

ἀνθεμίζομαι mid.vb. [ἄνθεμον] adorn oneself with flowers; (fig.) garland oneself —W.ACC. *w. lamentation* A.

ἀνθέμιον ου n. that which is like a flower, **flower pattern** (as a tattoo) X.

ἀνθεμόεις εσσα εν adj. **1** (of a town, meadow, land) full of flowers, **flowery** Hom. Hes. hHom. Mosch.; (of river banks) B.; (of springtime) Alc.
2 (of garlands) **of flowers** Anacr.
3 (of a cauldron, mixing-bowl) **floral-patterned** Hom.

ἄνθεμον ου (Aeol. ω) n. [ἄνθος] **1 flower** Sapph. Semon. Ar.; (W.GEN. of gold, on the Isle of the Blessed) Pi.; (ref. to a piece of jewellery, W.GEN. of gold or orichalc) hHom.
2 perh. **stalk** (of a flower) Pi.
3 blossom (fig.ref. to a song) B.
4 freshness, bloom (W.GEN. of youth) Theoc.

ἀνθεμό-ρρυτος ον adj. [ῥυτός] (of a liquid, ref. to honey) **flowing from flowers** E.

ἀνθεμουργός οῦ f. [ἔργον] **flower-worker** (ref. to a bee) A.

ἀνθεμώδης ες adj. (of a river, mountain, meadow) **fragrant with blossoms** B. E. Ar.; (of a plant) Sapph.; (of springtime) A.

ἀνθερεών ῶνος m. [ἀθήρ] **chin** (of a man or god) Il.

ἀνθέρικος ου (dial. ω) m. **asphodel stalk** Hdt. Call. Theoc.

ἀνθέριξ ικος m. **corn stalk** Il. Hes.*fr.*

Ἀνθεστήρια ων n.pl. [ἄνθος] **Anthesteria** (name of a three-day festival in honour of Dionysus) Carm.Pop.

Ἀνθεστηριών ῶνος m. **Anthesterion** (eighth month in the Attic calendar, fr. late February to early March, in which the Anthesteria festival was celebrated) Th. +

ἀνθ-εστιάω contr.vb. [ἀντί] **host** or **entertain in return** —*one's host* Plu. ∥ PASS. (of a host) be entertained in return Plu.

ἀνθεσ-φόρος ον adj. [ἄνθος, φέρω] (of a plant, meadows) bearing flowers, **in flower** E.

ἀνθέω contr.vb. [ἄνθος] | Lacon.3sg.impf. ἤνσεε (unless ἄνσεε or ἄνση) Ar.(cj.) | **1** (of a plant or tree) **flourish** Hes. Alc. Lyr.adesp. Theoc.
2 (of the downy hairs of a youth's beard) **grow** Od. Call.
3 (of a vineyard) **be in bud, flourish** hHom.; (of the ground) **be in bloom** —W.DAT. *w. flowers* hHom. Pi.; (of a hillside) **be thick** —W.DAT. *w. bushes or a forest* hHom. Alcm.; (fig., of the sea) **bloom, be carpeted** —W.DAT. *w. bodies and debris* A.
4 (fig., of pain, suffering) **bloom, flare up** S. —W.DAT. *for someone* A.
5 (of foam around a warrior's mouth) **froth** or **spread** Ar.(cj.)
6 (of young men, their bodies, vigour) **flourish** Isoc. Pl. Plu.; (of a courtesan) **bloom** (w. beauty) Plu.; (of fruit, fig.ref. to a girl's prime) Pi. ∥ NEUT.PTCPL.SB. prime (of life) Plu.
7 be strong (in a certain way); (of a young man, as a philosopher) **flourish** Pl.; (of a young king) —W.PREP.PHR. *in virtues* Plu.; (of a region) —W.DAT. *w. men* Hdt.; (of an era) —*w. excellence* Plu.; (of political and military power) —W.PREP.PHR. *on the basis of hopes* D.
8 be prosperous; (of persons, cities, regions, a dynasty, or sim.) **flourish, thrive** Hes. Hdt. Th. Plb. Plu.; (of a school of philosophy) —W.DAT. *in its teaching* Plu.
9 be eminent; (of a person, esp. a poet, sophist, statesman) **flourish** Pi. Ar. —W.DAT. or PREP.PHR. *in honours, reputation, popularity* Lyr.adesp. Plu.; (of a sophist's ideas, a statesman's influence, fame, achievements) Ar. Plu.; (of a warrior's fame or military prowess) Pi. E. ∥ NEUT.PTCPL.SB. (fig.) flower (W.GEN. of an army) Plu.
10 (of an army) **be splendid** —W.DAT. *in purple clothes* X.; (of young men) **be ostentatious** Plu.
11 (of wealth) **be abundant** Pi. E.; (of jokes) Plu.
12 (of songs) **be popular** Call.; (of an extravagant banquet) **live on** —W.DAT. *in its fame* Plu.

ἄνθη ης f. **full bloom** or **flowering** (of a tree) Pl.

ἄνθημα dial.n.: see ἀνάθημα

ἀνθηρός ά όν adj. **1** (of grass) **fresh, flourishing** E.Cyc.
2 (of a meadow, marsh) **flowery** Ar.
3 (of musical compositions) **new** X.
4 (fig., of rage) **foaming, exuberant** S.
5 (of a Trojan man) **brightly coloured** (W.DAT. in his clothing) E. ∥ NEUT.SB. brightness (of a colour) Plu.
6 (of a commander, envisaged as Dionysus) **pretty** Plu.; (derog., of cavalry, envisaged as dancers) Plu.
7 (of a harmony) **flowery, florid** Plu.

—**ἀνθηρότερον** neut.compar.adv. **more ornately** —*ref. to speaking* Isoc.

ἀνθ-ησσάομαι mid.contr.vb. [ἀντί] **yield in turn** —W.DAT. *to those who have willingly given way* Th.

ἀνθίζω vb. [ἄνθος] **1** app. **adorn** (sthg.) **with flowers** E.(dub.)
2 ∥ PF.MID.PTCPL. (of an old man) flowering (w. grey hair) S.
3 ∥ PF.PASS. (of battlements) be coloured —W.DAT. *w. paints* Hdt.

ἀνθινός ή όν adj. **1** made of or like vegetation or flowers; (of a food) **vegetable** Od.; (of a wreath) **of flowers** Plu.
2 (of clothing, couches) **flowered** or **brightly coloured** Plu.

ἀνθ-ιππασία ᾱς f. [ἀντί] **cavalry engagement** (ref. to a training exercise) X.

ἀνθ-ιππεύω vb. (of cavalry squadrons) **charge against** —W.DAT. *each other* X.

ἀνθ-ίστημι vb. | 3sg.aor.1 imperatv. ἀντιστησάτω (Ar.) ∥ The act. is tr. For the intr. mid., see ἀνθίσταμαι below. The athem.aor. and pf.act. are also intr. |
1 set up or **erect** (W.ACC. a tower) **as a counter-measure** (to enemy activity) Th.
2 set up or **erect** (W.ACC. a victory monument) **as a counterpart** (to the enemy's monument) Th.
3 establish (W.ACC. a contest) **as a replacement** —W.DAT. *for another* Pl.
4 put forward in opposition —*a statesman* (W.FUT.PTCPL. *to be a political adversary*) Plu.
5 (of a writer) **present** (W.ACC. one statesman) **as a counterpart** —W.DAT. *to another* Plu.

ἀνθοβολέω

6 consider (W.ACC. a commander) **as a match** —W.PREP.PHR. *for a number of ships* Plu.
7 (of a tragic poet) **weigh** (W.ACC. one of his lines) **against** (another's) Ar.
—**ἀνθίσταμαι** *mid.vb.*| fut. ἀντιστήσομαι | athem.aor.act. ἀντέστην, inf. ἀντιστῆναι, ptcpl. ἀντιστάς | pf.ptcpl.act. ἀνθεστώς (Th.), ἀνθεστηκώς (D.) || fem.aor.pass.ptcpl. (w.mid.sens.) ἀντισταθεῖσα (Hdt.) || The mid., athem.aor.act. and pf.act. are intr. For the tr. act., see ἀνθίστημι above. |
1 stand in opposition Hdt. —W.DAT. *to an opponent* Il. A.; (fig., of a person's fear) —*to that person* A.(dub.)
2 present oneself as an opponent —W.PREP.PHR. *in a beauty contest* X.
3 (of persons, councils, communities) **offer resistance** or **opposition** Hdt. S. Th. + —W.DAT. or PREP.PHR. *to persons, plans, or sim.* S. Th. Pl. D. +; (of an opinion, stubbornness) Th. D.
4 (of combatants) **offer resistance** or **opposition** Il. S. Th. X. + —W.DAT. or PREP.PHR. *to an enemy, attack, invasion* Hdt. Th. Plb. Plu.; (of ships) Hdt.
5 launch an attack Th. Plu. —W.PREP.PHR. or DAT. *on the enemy* Th. Plu.; (of a wild animal) **attack** X.
6 (of a situation) **turn out badly** —W.DAT. *for someone* Th.
ἀνθοβολέω *contr.vb.* [ἄνθος, βάλλω] **shower with flower petals** —*a victorious athlete* Plu. || PASS. (of a statesman) be showered with petals Plu.
ἀνθο-δόκος ον *adj.* [δέχομαι] (of a basket) **holding flowers** Mosch.
ἀνθό-κροκος ον *adj.* [κρόκη] (of a woven garment) **worked with flowers** E.
ἀνθολκή ῆς *f.* [ἀνθέλκω] **distraction** (W.DAT. for an enemy on land, ref. to naval activity) Plu.
ἀνθ-ομολογέομαι *mid.contr.vb.* [ἀντί] **1** (of two or more parties) **make a mutual agreement** or **contract** —W.PREP.PHR. *about sthg.* Plb.
2 mutually agree, **concur** Plb. —W.PREP.PHR. *w. one another (about sthg.)* Plb.
3 mutually acknowledge (sts. W.DAT. to one another) —W.COMPL.CL. *that sthg. is the case* Plb. Plu.
4 (of an individual) **make a substitute arrangement** —W.PREP.PHR. *w. someone* D.(dub.)
5 agree —W.DAT. *w. what has been said* Plb.
6 confess Plb. —W.PREP.PHR. *to an accusation* Plb. —*to someone* (W.COMPL.CL. *that sthg. is the case*) Plb. —(W.PREP.PHR. *about a crime*) Plb.
7 publicly acknowledge —*a king's death* Plb.
8 express in response —*one's gratitude* Plu.; **give thanks** —W.DAT. *to God* NT.
ἀνθομολόγησις εως *f.* **mutual agreement** Plb.
ἀνθονομέω *contr.vb.* [ἀνθονόμος] (of a cow) **feed on flowers** or **grass** A.(cj.)
ἀνθο-νόμος ον *adj.* [ἄνθος, νέμω] (of an animal) **grazing on flowers** A.(cj.)
—**ἀνθόνομος** ον *adj.* (of places) **where flowers are grazed** A.
ἀνθ-οπλίζομαι *mid.vb.* [ἀντί] **1 arm oneself for conflict** X. || PF.PASS. (of ships) be fortified —W.PREP.PHR. *against the enemy* X.
2 || PF.PASS. (of cavalry) **be stationed in opposition** —W.DAT. *to enemy cavalry* E.
ἀνθ-ορμέω *contr.vb.* (of a fleet) **lie at anchor opposite** —W.DAT. or PREP.PHR. *to the enemy fleet* Th.
ἄνθορον (ep.aor.2): see ἀναθρώσκω
ἄνθος εος (ους) *n.* | Boeot.acc.pl. ἄνθεια (Ar., dub.) | gen.pl. ἀνθέων, also ἀνθῶν (Pl. +) | dat.pl. ἄνθεσι, dial. ἄνθεσσι (Theoc.) | **1** that which blooms (on a small plant), **flower** Hom. + || PL. flowers (W.GEN. of scrubland or a meadow) hHom. Lyr.adesp.; (of a plant) Ar.(dub.); (phr.) ἄνθεα ποίης *shoots* or *blades of grass* Od. Hes. hHom. AR. [also interpr. as *flowers of a meadow*]
2 || PL. flowers (ref. to a garland) Pi. B.; (ref. to garlands, W.GEN. for a team of horses) Pi.; (fig., W.GEN. of songs) Pi. B.
3 that which blooms (on a shrub or tree); (collectv.sg.) **blossom, blooms, flowers** (sts. W.ADJ. or GEN. of a certain plant or a meadow) Hom. hHom. Archil. Sapph. Pi. || PL. blossoms (W.ADJ. of a certain plant) Ibyc. E.
4 that which sprouts (fr. a tree, opp. its trunk and roots); (collectv.sg.) **buds** (W.GEN. of the holm-oak, as an ingredient for a dye) Simon.; (phr.) ἄνθεα μήλων (perh.) *fruit-blossom* Il.
5 fragrance of flowers, bouquet (assoc.w. a wine) Alcm. Xenoph.
6 that which is bright or gleaming; **foam** (W.GEN. of a wave) Alcm.; **sheen** (of gold) Thgn.; **hue** (of skin, purple, textiles) Sol. Pl. Plu. +; **colours** (perh.ref. to dyes) Theoc.
7 bloom (W.GEN. ἥβης *of youth*, perh. orig. ref. to the down on an adolescent boy's chin) Il. Hes. hHom. Eleg. Pi.; (assoc.w. a young woman or man) hHom. Archil. S. Pl. X. +; (on the face of a goddess or boy) hHom. Pl. Bion; (W.GEN. of the hair, skin, face) Anacr. A. Pl. Men.
8 (fig., ref. to that which is regarded as best) **flower** (W.GEN. of a land, city or people, ref. to its army) A. E. Th. Tim.; (of plunder, ref. to a woman) A.; (ref. to a prize possession) A.
9 (fig.) **flower, fruit** (W.GEN. of ruin, desire) Sol. A.; (of good order, wealth) Pi.*fr.* B.; (W.ADJ. *of virtue*) Ar. || PL. flowers (W.ADJ. *of Aphrodite*, fig.ref. to sexual intercourse) Pi.
10 (fig., ref. to that which is the extremity of sthg.) **summit, height** (W.GEN. of madness) S.
ἀνθ-οσμίας ου Att.masc.adj. [ὀδμή] (of wine) with the fragrance of flowers, **flower-scented** Ar. X.
ἀνθο-φόρος ον *adj.* [φέρω] (of a grove) **flower-bearing** Ar.
ἀνθρακεύς έως *m.* [ἄνθραξ] **charcoal-maker** or **burner** Men.
ἀνθρακεύω *vb.*: see ἀνθρακίζω
ἀνθρακιά ᾶς, Ion. **ἀνθρακιή** ῆς *f.* **embers** (of a wood fire), **charcoal** Il. hHom. Pi.*fr.* E.*Cyc.*; **coal fire** Ar. NT.
ἀνθρακίζω *vb.* **burn to cinders** —*a besieged enemy* Ar.(cj., for ἀνθρακεύω); (wkr.sens.) **toast** —W.PARTITV.GEN. *some chickpeas* Ar.
ἀνθρακόομαι *pass.contr.vb.* **be burned to charcoal** —W.DAT. *by Zeus' thunderbolt* A.; (of a torch) E.*Cyc.*
ἄνθραξ ακος *m.* **1** piece of charcoal or coal; (collectv.sg.) **coals** E.*Cyc.* Ar. Call. || COLLECTV.PL. charcoal or coal Hippon. E.*Cyc.* Th. Ar. Arist. +; (fig.ref. to a vagina) Ar. | see σκαλεύω
2 piece of burning charcoal or coal, **ember** Plu.
ἀνθρήνη ης *f.* winged insect, **hornet** or **wasp** Ar.
ἀνθρήνιον ου *n.* **hornets'** or **wasps' nest** Ar.
ἄνθρυσκον ω Aeol.*n.* aromatic plant, **chervil** Sapph.
ἀνθρωπάριον ου *n.* [dimin. ἄνθρωπος] (derog.) **little man** Ar.
ἀνθρωπέη ης Ion.*f.* **human skin** Hdt.(cj.)
ἀνθρώπειος ᾱ ον, Ion. **ἀνθρωπήιος** η ον *adj.* **1** of or belonging to a human; (of the body, its nature or parts) **human** Hdt. Th. Pl. + || FEM.SB. human skin Hdt.(dub.)
2 of or belonging to humans; (of the nature, character, excellence, or sim.) **of people** Heraclit. Hdt. Th. Pl. || NEUT.SB. human wealth Pl.; human character Th.
3 consisting of humans; (of the race) **human** Hdt. Pl.
4 of human origin; (of workmanship, plans, skills) **human** Hdt. Th.; (of laws) Heraclit. A.; (of a reproach) A.; (of sewage) Plb.

5 involving humans; (of activities, events, achievements, or sim.) **human** Hdt. Th. Pl. X. +; (of the generation of offspring, the art of producing things) Pl. ‖ NEUT.PL.SB. human affairs S. Pl. X. +

6 such as humans experience; (of life, afflictions, prosperity, pleasures, desires, or sim.) **human** A. Hdt. Pl.; (of surprises) Th.

7 common to all humans; (of practices or habits, boastfulness) **human** Th. Pl.; (of mistakes, needs) **ordinary, common** Plb. Plu.; (pejor., of a fear) **merely human** Hdt. ‖ NEUT.PL.SB. human mistakes Th.

8 (of nourishment) **suitable for humans** Pl.

—ἀνθρωπείως *adv*. **1 by human means** (opp. supernatural agency) Th.

2 like any other human (opp. grandiloquently) —*ref. to speaking* Ar.

ἀνθρωπεύομαι *mid.vb*. (of a philosopher) **live as a human being** (w. worldly goods and in interaction w. other people) Arist.

ἀνθρωπήιος *Ion.adj*.: see ἀνθρώπειος

ἀνθρωπικός ή όν *adj*. **1 of the kind that belongs to humans**; (of excellence) **human** Arist.; (of the art of producing things) Pl.

2 (of behaviour and actions) **typical of humans** Arist.; (of character flaws, emotions, inabilities, points of view) Arist.

3 (of activities) **purely human** Arist.

4 of or relating to humans; (of questions) **about humans** Arist. ‖ NEUT.PL.SB. human affairs or business Arist.

ἀνθρώπινος η ον (also ος ον) *adj*. **1 consisting of humans**; (of the race) **human** Antipho Pl. D. ‖ NEUT.SB. mankind Hdt.

2 of human origin (opp. divine); (of dangers) **man-made** And.; (of evidence, a kind of justice, opinions, or sim.) **human** Att.orats. X. ‖ NEUT.PL.SB. human opinions X.

3 (of the nature, soul, hands) **of a human person** Isoc. Pl. X. NT. ‖ NEUT.PL.SB. constituents of a person X.

4 such as a human has; (of life) **human** Hdt. X.; (of ability, intentions, zeal, wisdom) Th. Lys. X. Men. ‖ NEUT.PL.SB. human thoughts Arist.

5 involving humans; (of stories, activities, events) **human** Ar. Isoc. X. ‖ NEUT.PL.SB. human life or activities Isoc. Pl. X. D.; human fortunes D.

6 common to all humans; (of an opinion, suffering, mistakes, customs) **human** Pl. X. D. +

7 of an ordinary or average person; (of a lifestyle, poverty, reasoning) **ordinary** D.; (of an excuse, w.connot. of deserving sympathy) D.

8 known to humankind; (of blessings, pleasures) **human** Isoc. X.; (of a means of travel) X. ‖ NEUT.SB. human experience Th. ‖ NEUT.PL.SB. human institutions X.

9 within ordinary human experience (opp. exceptional); (of an event) **normal** X. Men.; (of a life) Aeschin.; (of ignorance) Pl.

10 (of a task) **suitable for humans** Pl.

11 (of the use of a horse) by humans, **human** X.

—ἀνθρωπίνως *adv*. **1 through human nature** —*ref. to making mistakes* Th.

2 appropriately for a human (w.connots. of moderation and rationality), **humanly** D. —*ref. to speaking, enduring* Isoc. D. Men.

3 compassionately —*ref. to jurors hearing a trial* And. D.; **humanely** —*ref. to bringing relief, making laws* D.

4 by human agency Aeschin.

ἀνθρώπιον ου *n*. [dimin. ἄνθρωπος] **1 poor chap** E.*Cyc*. Ar.

2 (derog.) person of little virtue, **mean man** X.

3 (derog.) person of little significance, **piffling man** X. D.

ἀνθρωπίσκος ου *m*. **1** person of small stature; (derog.) **little man** E.*Cyc*.

2 person of little status or wealth, **little man** (appos.w. ἰδιώτης *ordinary person*) Ar.; (derog.) Pl.

ἀνθρωπο-δαίμων ονος *m*. [ἄνθρωπος] **man-god** (ref. to a human who became a god) E.

ἀνθρωπο-ειδής ές *adj*. [εἶδος¹] with a human appearance; (of a casket for a corpse) **in human shape** Hdt.; (of a god, ref. to an Egyptian king) **in human form** Hdt.; (of gods, a representation of a god) **anthropomorphic** Arist. Plu.

ἀνθρωποθηρίᾱ ᾱς *f*. [θήρᾱ] **hunting of people** (ref. to sophistry) Pl.

ἀνθρωπο-κτόνος ον *adj*. [κτείνω] (of a tribe) **murderous** E. ‖ MASC.SB. murderer NT.

—ἀνθρωπόκτονος ον *adj*. (of a meal) **of slaughtered humans** E.*Cyc*.

ἀνθρωπο-λόγος ον *adj*. [λέγω] talking about people, **chatty, gossipy** Arist.

ἀνθρωπονομικός ή όν *adj*. [reltd. νέμω] (of an area of expertise, ref. to statesmanship) **of people-herding** Pl.

ἄνθρωπος ου *m.f*. **1** human being (gener., or ref. to an individual, male or female, regardless of age, opp. a god or animal), **man** or **woman** Hom. +

2 ‖ VOC. man (ref. to a stranger or hypothetical interlocutor) Thgn. Hdt. S. E.*fr*. Ar. Pl. +; (ref. to a known addressee, who has behaved surprisingly) X.; (ref. to a human as addressed by a god or animal) Ar. Pl.

3 ‖ VOC. man (derog., ref. to a known addressee) Hdt. Ar. D. +; (ref. to an unspecified or hypothetical addressee) Pl. +; (ref. to an unknown addressee) Plu.

4 person (appos.w.sb. *so and so*) Hom. + • ἄνθρωπος ὁδίτης *travelling man* Hom.

5 man (opp. woman) Aeschin.

6 (prep.phrs.) κατ' ἄνθρωπον *as suits a human* A. S.; ἐν ἀνθρώποις *in human experience, in the world* Pl. D.; (quasi-adjl., of impeachments, troubles) ἐξ ἀνθρώπων *of every kind* Lys. Pl. Aeschin.

7 (phrs.) μάλιστα ἀνθρώπων *most of all people, above all others* Hdt. Pl.; ἥκιστα or ἄριστα ἀνθρώπων *least* or *best of all* Pl.; ὀρθότατα ἀνθρώπων *most correctly of all* Pl.

ἀνθρωποσφαγέω *contr.vb*. [σφάζω] **perform a human sacrifice** E.

ἀνθρωποφαγέω *contr.vb*. [φαγεῖν] **eat human flesh** Hdt. Plb.

ἀνθρωποφαγίᾱ ᾱς *f*. **eating of human flesh** Arist. Plu.

ἀνθρωπο-φυής ές *adj*. [φυή] (of deities) with a human form, **anthropomorphic** Hdt.

ἀνθρώσκω *ep.vb*.: see ἀναθρώσκω

ἀνθ-υβρίζω *vb*. [ἀντί] **1 abuse in retaliation** —*prisoners of war* Plu. ‖ PASS. be abused in retaliation E.

2 (wkr.sens.) **be insolent in return** Plu.

ἀνθ-υπάγω *vb*. (leg.) **indict in retaliation** —*one's accusers* Th.

ἀνθυπατεύω *vb*. [ἀνθύπατος] **serve as a proconsul** Plu.

ἀνθ-ύπατος ου *m*. **proconsul** (governor of a Roman province, who had been a consul) Plb. Plu.; (fr. Augustus onwards, governor of a Roman senatorial province) NT. Plu.

—ἀνθύπατος ον *adj*. (of a Roman magistracy) **proconsular** Plu.

ἀνθ-υπείκω *vb*. **make concessions in turn** —W.DAT. *to another person or group, their point of view* Plu.

ἀνθύπειξις εως *f*. **declining in succession** (of a prize, by a group of people) Plu.

ἀνθ-υπηρετέω *contr.vb.* **be of service in return** —W.DAT. *to someone* Ar.(cj.) Arist.

ἀνθ-υποβάλλω *vb.* **respond with a suggestion** —W.DAT. *to someone* Aeschin.

ἀνθ-υπόμνυμαι *mid.vb.* (of a litigant) **swear a counter-oath** D.

ἀνθ-υποπτεύομαι *pass.vb.* (of a benefactor) **be repaid with suspicion** —W.INF. *that he will profit secretly* Th.

ἀνθ-υπουργέω, Ion. **ἀντυπουργέω** *contr.vb.* **be of service in return** —W.DAT. *to someone* Hdt. E.

ἀνθ-υφίσταμαι *mid.vb.* | athem.aor.act.inf. ἀνθυποστῆναι | **undertake to act** (W.PREDIC.SB. *as such and such*) **in response** (*to a rival*) D.

ἀνία *dial.n.pl.*: see ἡνία

ἀνίᾱ (also **ἀνίᾰ** Pi.), Aeol. **ὀνίᾱ**, ᾱς, Ion. **ἀνίη** (also **ἀνίη**) ης *f*. **1 ache** (either physical or emotional) Od. Hes. Thgn. Lyr. S. Pl. +; **trouble** E. Theoc.
2 bane (ref. to a person) Od. AR.
3 nuisance, annoyance (ref. to excessive sleep, a task) Od.

ἄνια ων *n.pl.* app., painful sensations; (exclam.) **ah, pains!** A.

ἀνιάζω (also **ἀνιάζω**) *vb.* [ἀνίᾱ] | only pres. and iteratv.impf. ἀνιάζεσκον | **1 trouble, harass** —*someone* Od. Call.
2 (intr.) **feel anguish** (sts. W.DAT. or ACC. in one's heart) Hom. Call.(cj.) AR. —W.DAT. *for one's possessions* Il.; **grow distressed** Od. AR.
3 grow restive Od.; (tr., of warriors wrestling) **bore** —*onlookers* Il.(dub.) [or perh. (of onlookers) *grow bored*]

ἀνίαι *dial.f.pl.*: see ἡνίαι

ἀνιᾱρός (also **ἀνῑᾱρός** Theoc.) ά όν, Ion. **ἀνιηρός** (also **ἀνιηρός**) ή όν *adj.* | compar. ἀνιᾱρότερος, Ion. ἀνιηρότερος (Thgn.), also ἀνιηρέστερος (Od.) | superl. ἀνιᾱρότατος, Ion. ἀνιηρότατος |
1 annoying, irritating (sts. W.DAT. to someone) Od. Ar. Theoc.; (of Eros) **cruel** Theoc.
2 (of animals) **noxious** Hdt.
3 (of situations, events, compulsion) **grievous, painful** (sts. W.DAT. for someone) Od. Archil. Eleg. Pi. E. Att.orats. +; (of a sick man's bed) E.; (of storms) Pi.; (of a person's reputation, for his father) E.; (of a message) Call.*epigr.* AR.; (of decisions, for one's enemies) Lys.; (of injustice, requital) Pl. Plu.; (of an affliction) E. AR. || NEUT.PL.SB. **pains** (opp. pleasures) Pl.
4 (of a person) **grieved, distressed** Pl. X.; (of a lover's sigh) **pained** Call.*epigr.*

—**ἀνιᾱρῶς** (also **ἀνιᾱρῶς** S.) *adv.* **1 irritatingly** S.
2 miserably, wretchedly Pl. X. Plu.

ἀν-ίατος ον *adj.* [privatv.prfx., ἰατός] | Aeol.neut.acc.sg. ὀνίατον (Alc.), unless ἀνίατον | **1** (of an injury, a disease, or sim.) **incurable** Alc. Pl. D.
2 (of persons, their meanness, hatred, desire) impossible to restore to moral rectitude, **incorrigible** Pl. D. Arist. Plu.
3 (of a situation, behaviour, crimes) **irremediable, irreparable** Pl. Aeschin. Arist.
4 (of remorse) providing no cure, **not remedial** Antipho
—**ἀνιάτως** *adv.* **incorrigibly** Pl. D.

ἀν-ιάχω *vb.* [ἀνά] **shout** or **cry out** E. AR.

ἀνιάω (also **ἀνιάω** Thgn. Ar. Theoc.) *contr.vb.* [ἀνία] | 3sg.impf. ἠνία | fut. ἀνιάσω, Ion. ἀνιήσω | aor. ἠνίᾱσα, also ἠνίᾱσα (Ar.), dial. ἀνίᾱσα (Theoc.) || MID.: fut. (w.pass.sens.) ἀνιάσομαι, Ion.2sg. ἀνιήσεαι (Thgn.) || PASS.: pres. ἀνιῶμαι (also ἀνιῶμαι), Ion.3pl.opt. ἀνιῴατο | 3pl.impf. ἠνιῶντο | aor. ἠνιάθην, 3sg.subj. ἀνιᾱθῇ (Theoc.), Ion.ptcpl. ἀνιηθείς | Ion.2sg.pf. ἠνίησαι (Mosch.) |
1 distress, grieve —*a person* Thgn. S. And. Pl. X. + —(W.ACC. *in the heart* or *ears*) S. —*an animal's neck* Call.; (of a situation, behaviour, or sim.) —*a person* X. Plu.; (of an enemy outpost) —*a city* Plu. || PASS. **feel distressed** Thgn. Hdt. S. Lys. Ar. + —W.DAT. *because of someone, a noise* Od.; **be disheartened** Hom.; (of wrestlers) **be hurt** X.
2 (of cavalry) **harass** —*the enemy* X.
3 (wkr.sens.) **annoy, irritate** —*a person* Ar. X. Plu. —*a horse* X.; (of a child speaking in a certain way) —*someone's ears* Pl.; (of gifts, an encomium, discussion, lampoon, or sim.) —*someone* Plu.; (fig., of rulers compared to bandages) —*people in need of treatment* Plu.; (intr., of persons, gnats) **be irritating** or **annoying** Od. Ar. || PASS. **be annoyed** X. Plu.
4 (intr., of beans as a food) **be troublesome** Call.; (of a journey) S.

ἀνιγρός ή όν *Ion.adj.* [reltd. ἀν.ᾱρός] **1 villainous** Call.(cj.)
2 (of a disease) **grievous** Call.

ἀν-ιδεῖν *aor.2 inf.* [ἀνά] **raise one's eyes**; (fig., of a household) **look upwards** A.

ἀν-ιδῑτί *adv.* [privatv.prfx., ἴδος] without sweat, **without exertion** Pl.

ἀν-ιδίω *vb.* [ἀνά] (of flesh) **sweat out, exude** —*moisture* Pl.(dub.)

ἀν-ίδρῡτος (also **ἀίδρῡτος**) ον *adj.* [privatv.prfx., ἱδρῦω] **1** (of pursuit by Erinyes) without settling for rest, **unceasing** E.
2 with no established residence, **homeless** Ar. Plu.; (pejor.) D.

ἀν-ίδρωτος ον *adj.* [ἱδρώω] (of persons) not bathed in sweat, **without a work-out** X.
—**ἀνιδρωτί** *adv.* **without sweating** X.; **without exertion** Il. X.

ἀνίει (Ion.3sg.), **ἀνίει** (3sg.impf), **ἀνιεῖς** or **ἀνίεις** (Ion.2sg.pres.): see ἀνίημι

ἀν-ίερος ον *adj.* [privatv.prfx., ἱερός] **1** (of a state of mind or sim.) **unholy** A.
2 (of a child) **not sanctioned** (by rulers of a community) Pl.
3 such that there are no sacrificial rites; (of a person) **neglecting the rite** (W.GEN. of sacrificial offerings) E.; (of Ares) **bereft of offerings** Plu.(quot. E.)
—**ἀνιερωστί** *adv.* **in an unholy way** Heraclit.

ἀν-ιερόω *contr.vb.* [ἀνά] **consecrate** —*a day* (W.DAT. *to a deity*) Plu.

ἀν-ίζω *vb.* | aor.1sg. (tm.) ἀνὰ ... εἶσα, masc.nom.pl.ptcpl. ἀνέσαντες, 3sg.subj. ἀνέσῃ (v.l. fut. ἀνέσει), opt. ἀνέσαιμι |
1 set, place —*a corpse* (w. ἐς + ACC. *on a chariot*) Il.; **set** (W.ACC. *a person*) **on board** (*a ship*) Il.(tm.)
2 (of a god) **bring back** —*a god and goddess* (w. εἰς + ACC. *to bed, i.e. cause them to sleep together again*) Il.; **restore** —*a person* (*to his homeland and former status*) Od.

ἀνίη *Ion.f.*: see ἀνίᾱ

ἀν-ίημι *vb.* | PRES. (ῑ in Att., sts. in Hom.): 2sg. ἀνίης, Ion. ἀνίεις or perh. ἀνιεῖς (as if fr. ἀνιέω), 3sg. ἀνίησι, Aeol. ὀνίησι (Theoc., cj.), Ion. ἀνίει (or perh. ἀνιεῖ), 3pl. ἀνιᾶσι, Ion. ἀνιεῖσι | ep.3sg.subj. ἀνίῃσι (AR.) | opt. ἀνιείην | inf. ἀνιέναι | ptcpl. ἀνιείς | IMPF.: 2sg. ἀνίεις, 3sg. ἀνίει, ep. ἀνίει, 3pl. ἀνίεσαν, iteratv. ἀνίεσκον | fut. ἀνήσω | aor. ἀνῆκα, ep. ἀνέηκα | ATHEM.AOR.: 2pl. ἀνεῖτε, 3pl. ἀνεῖσαν, ep. ἄνεσαν, imperatv. ἄνες, pl. ἄνετε, inf. ἀνεῖναι, ptcpl. ἀνείς, 3sg.subj. ἀνῇ, ep. ἀνήῃ, opt. ἀνείην | pf. ἀνεῖκα || MID.: athem.aor. ἀνείμην || PASS.: fut. ἀνεθήσομαι aor. ἀνέθην (NT.), subj. ἀνεθῶ, ptcpl. ἀνεθείς | 3pl.pf. ἀνέωνται
|| neut.impers.vbl.adj. ἀνετέον |

1 (of the river Okeanos) **send up** (fr. below) —*blasts of wind* Od.; (of Charybdis) —*black water* Od.; (of the gods' wrath) —*smoke* (fr. *a city*) Il.; (of a forest) —*a fire* Th.

2 (of a god, the ground) **send up** (fr. the underworld) —*a dead person* (sts. W.INF. *to do sthg.*) A. E.; (of a dead poet) —*advice* Ar. ‖ PASS. (of a body of water) be sent up (fr. Hades) A.*fr.*; (of wealth) Pl.
3 (of the ground) **bring forth** —*vegetation, beasts* hHom. A. X.; (of a god) —*the produce of the ground, springs of water, blessings, or sim.* hHom. S. E. Pl.; (of Earth, a dragon's teeth) —*the Sown Men* E. AR.; (fig., of a marriage) —*children* S. ‖ PASS. (of people) be brought forth —W.PREP.PHR. *fr. the Sown Men* A.
4 send forth, let out —*breath* E.; (of a wounded person) —*black foam* A.; (of eyes) —*drops of gore* S.(dub.)
5 (of a person or god, their heart or desire, wine) **urge on** —*someone* (sts. W.INF. *to do sthg.*) Hom. Hes.*fr.* AR. Mosch.
6 let out —*someone* (fr. concealment) Hes. —*a prisoner* (W.PREP.PHR. *fr. a cell*) S.
7 let loose (fr. restraint) —*two groups* (W.INF. *to fight each other*) Hdt. —*a captive, hounds* Ar. X.; (of a god) —*a warrior, lion* (sts. W.INF. *to do sthg.*) Il. Call.
8 (of sleep) **let go of** —*someone* (on waking) Hom. Theoc.; (of wine) —*a drunk person* Hdt.; (of pain, an affliction) —*a sufferer* Il. Theoc.
9 leave alone —*a person* Il. S. —*one's hair* (W.INF. *to grow*) Hdt. Pl. —(w.connot. of neglect) E.; **leave** (W.ACC. the populace) **free** —W.PREP.PHR. *for certain activities* Hdt. ‖ PASS. be left to one's own devices Sol.; be left —W.PREP.PHR. *w. freedom of action* Hdt.
10 leave alone (for a sacral purpose), **dedicate** —*land* (sts. W.PREDIC.SB. *as a sanctuary, pasturage*) Th. Isoc.; **leave** —*a field* (W.PREDIC.ADJ. *fallow*) Pl. ‖ PASS. (of beasts) be left alone —W.PREDIC.ADJ. *as sacred* Hdt.; (of persons) be consecrated —W.DAT. *to a hateful fortune* S.; (gener.) be devoted —W.PREP.PHR. *to military service* Hdt.
11 release (a means of restraint); **unfasten** —*fetters, fastenings, ropes* Od. Call. NT. Plu.; **loosen** —*a lyre-peg* Ar.; **slacken** —*a lyre-string* Pl. —(fig.) *the reins* (W.DAT. *on the people*) Plu.; **break** —*the seal on a tablet* E. ‖ PASS. (of fetters) be unfastened NT.
12 open —*gates, doors* Il. AR.; (of keys) —*doors* E.
13 release (that which is restrained or taut); **unbind** —*a captive's hands* E.; **unstring** —*a bow* Hdt.; (of a charioteer, a rider) **let** (W.ACC. a horse) **run without restraint** (by slackening the reins) S. X.
14 ‖ MID. open up (w. a knife), **flay** —*goats* Od.; **open** —*the flanks of an animal* E.
15 (of women mourning) **let** (W.ACC. the fold of their robes) **fall** —W.PREP.PHR. *down to their ankles* Theoc.; **loosen, let out** —*their robes* E. ‖ MID. (of a woman pleading) **loosen, draw open** —*the fold of her robe* Il.
16 relax —*oneself, one's brow* Hdt. Men. —*one's body* (W.PREP.PHR. *into idleness*) X.; (of sleep) **relieve** —*someone* (W.PREP.PHR. *fr. fatigue*) Pl.; (of music and exercise) **calm** —*the spirited part of the soul* Pl. ‖ PASS. (of muscles) become relaxed X.; (of the philosophical part of a person's nature, parts of the soul) Pl.
17 relax one's efforts, cease, let up Hdt. Ar. Pl. X. —W.GEN. *fr. folly, anger, haste, eagerness* E. Th. Ar. D. —*fr. shouting* Ar. —W.PTCPL. *doing sthg.* Hdt. E.; **be half-hearted** —W.PTCPL. *in showing honour* Pl.; (of a viper) **let go** Hdt.
18 abandon, give up on —*an activity, duty, goal* S. E. Pl. X. —*a war* Th. —*one's empire* Th. —*pleasure in food and drink* (i.e. satisfy one's appetite) E.; **drop** —*one's hostility, anger* Th. Plu.; (of a wind) —*its gusts* E. ‖ PASS. (of a revolution) come to nothing Th. ‖ PF.PASS. (of established custom) be given up E.
19 (intr., of a wind, snowfalls, winter) **abate, ease off** Hdt. S. E. Theoc.; (of trouble, pain, frenzy, desires) Hdt. S. E. Arist.; (of prices) **fall** D.
20 allow —*someone* (W.PREP.PHR. *into a location*) X. —(W.INF. *to do sthg.*) Parm. Pl.; **give permission** —W.DAT. *to someone* (W.INF. *to do sthg.*) X.
21 let go free, acquit —*a defendant* Lys. X.; **remit** —*a death sentence* (W.DAT. *for someone*) E.; **cancel** —*debts* Plu.
22 ‖ PF.PASS. (of a trial of wisdom, envisaged as a die) be tossed in the air Ar.
—**ἀνειμένος** η (dial. ᾱ) ον *pf.pass.ptcpl.adj.* **1** (of women) **on the loose, at large, out of control** S.
2 (of cities) **unregulated** (W.PREP.PHR. *in relation to population size*) Arist.; (of sports) Arist.
3 (of a young man) **set apart** (as a sacrificial victim, W.DAT. *for his city*) E.; (of a grove, trees) **dedicated** (to the gods) Pl.(cj.) Call.
4 (of areas) **given over** (W.DAT. *to tradesmen*) Plu.
5 (of libraries) **open** (W.DAT. *to all*) Plu.
6 (of robes) **loose** E.; (of bow-strings) **unfastened** Plu.
7 (of persons, their way of life, statecraft, constitutions) **lax, not strict** Th. Pl. Arist. Plu.; (of pleasures) **excessive, indulgent** Pl. ‖ NEUT.SB. slackness (W.GEN. of mind) Th.; laxity (in one's way of life) Plu.
8 unrestrained (in one's emotions) E.; **given over** or **abandoned** (W.PREP.PHR. *to arrogance, luxuries and pleasures*) Plu.; (of a person's spirit, to gain) E.; (of a body, to desires) Plu. ‖ NEUT.SB. abandonment (W.PREP.PHR. *to injustice and greed*) Plu.
9 (of music, a musical mode, involving fewer high notes) **relaxed** (i.e. easier to sing, opp. σύντονος *tense*) Pratin. Arist.
10 (of lips) perh. **raw** (fr. thirst) Theoc.
—**ἀνειμένως** *pf.pass.ptcpl.adv.* **1 in a relaxed** or **easy-going manner** Th. Arist.
2 laxly, casually X. Plu.
3 without restraint Isoc. X. Plu.
ἀνιηρός *Ion.adj.*: see ἀνιᾱρός
ἄνικα *dial.conj.*, **ἄνικα** *Aeol.conj.*: see ἡνίκα
ἀν-ικέτευτος ον *adj.* [privatv.prfx., ἱκετεύω] where there is no supplication; (prep.phr.) ἐπ' ἀνικετεύτοις *without supplicating* E.
ἀ-νίκητος, dial. **ἀνίκᾱτος**, ον *adj.* [νῑκάω] **1 unconquered** Hes. Tyrt. Plu.; (of Zeus' hand) S.; (of a commander's courage) E.
2 (of persons, gods, beasts) **unconquerable** Thgn. B. S. Hyp. Theoc. Plu.; (of a region, city) X. Plu.; (of anger, stubbornness, passion, evil) B. Hdt. Pl. Mosch.; (of statements) Pl.; (of the equipment of a god or warrior) Pi. S. ‖ NEUT.SB. that which is unconquerable (ref. to a god's power) E.
ἀν-ικμάομαι *pass.contr.vb.* [ἀνά, reltd. λικμάω] (of corn) **be sifted out** Pl.
ἀν-ῑμάω *contr.vb.* **1 draw up** —*water* (W.PREP.PHR. *fr. a well*) Plu.
2 pull up —*oneself* (to mount one's horse) X.; (of soldiers climbing a hill) —*one another* (W.DAT. *w. their spears*) X.
ἀνίοχος *dial.m.*: see ἡνίοχος
ἄν-ιππος ον *adj.* [privatv.prfx., ἵππος] **1** (of persons) not in possession of a horse, **horseless** Pi.*fr.* Ar. Plb.
2 (of soldiers, travellers) **not on horseback** (i.e. on foot) Hdt. S.
3 (of a region) **unsuitable for horses** Hdt.

ἀνιπτό-πους ποδος *masc.fem.adj.* [ἄνιπτος, πούς] (of priests) **with unwashed feet** (as a religious custom) Il

ἄ-νιπτος ον (also perh. ep. η ον) *adj.* [privatv.prfx., νίζω] **1** (of a person, hands) **unwashed** (w.connot. of ritual impurity) Il. Hes. NT.
2 (of blood) **impossible to wash away** A.

ἄνις *dial.prep.* [reltd. ἄνευ] **without** —w.GEN. *one's father* (i.e. his consent or help) Ar. —*auloi and garlands* Call.(cj.)

ἄν-ισος (also **ἄϊσος** Pi.) ον *adj.* [privatv.prfx., ἴσος] **1** (of stakes, straps, nights) **unequal** (in length) X. Plb.; (of lines, sections of a line) Pl. Arist.; (of circles or particles, in their sizes) Pl.; (of military units, in number) Plb.
2 (of a unit of measurement, a share or part) **unequal** (to another) Pl. Arist.; (of an entity) Pl. Arist.; (of the One, w.DAT. to itself or another) Pl. ‖ NEUT.SB. **inequality** Arist.
3 (of a commander) **at a disadvantage** Plu. ‖ NEUT.SB. **disadvantage** Lys.(dub.)
4 not evenly balanced (such that one party has an advantage); (of a battle, fight) **unfair** Plb. Plu.; (of an agreement) Plb.
5 (of personal destinies) **not equal** (to each other) Pi.; (of a friend or member of a community, to others) Pl. Arist.; (of a form of government, way of life) **without equality** Aeschin. Arist. Plu. ‖ NEUT.SB. **inequality** (betw. members of a community) Arist. Plu.
6 (of persons) **unfair** Arist. Plu.; (of a course of action, vote, distribution of plunder) X. D. Arist. Plu.; (of an injustice) Arist. ‖ NEUT.SB. **that which is unfair** Arist.

—**ἀνίσως** *adv.* **1 unequally** Arist.
2 unjustly, unfairly D. Plb. Plu.

ἀνισότης ητος *f.* **inequality** (betw. things) Pl. Arist.; (betw. members of a community, in relation to status, honours, the distribution of wealth) Arist. Plu.

ἀν-ισόω *contr.vb.* [ἀνά] **1** (of traders) **establish equality** (in the distribution of products) Pl.
2 present (w.ACC. one's problems) **as equal** —w.DAT. *to another's* Ar.(dub.); (of weapons) **make** (w.ACC. the weak) **equal** —w.DAT. *to the strong* X. ‖ PASS. (of an army) **become equal** (to the enemy) —w.DAT. *in number* Hdt.

ἀν-ίστημι *vb.* | FUT.: ἀναστήσω, ep. ἀνστήσω, dial. ἀνστάσω | aor.1 ἀνέστησα, ep.imperatv. ἄνστησον ‖ MID.: aor.1 ἀνεστησάμην ‖ PASS.: aor.ptcpl. ἀνασταθείς ‖ The act. and aor.1 mid. are tr. For the intr. mid., see ἀνίσταμαι below. The athem.aor. and pf.act. are also intr. |
1 cause to stand up (fr. a sitting or reclining position), by the hand or w. a command), **raise** —*someone* Hom. + —*a suppliant* (on granting his request) A. Hdt. S. Th. —*one's foot* (i.e. oneself) E.
2 wake up, rouse —*someone sleeping* Il. Ar.; (fig.) —*a disease* (envisaged as a sleeping beast) S.
3 bring back to life, raise —*a dead person* (fr. the grave or before funerary rites) Il. A. S.fr. X. NT. —*a person* (fr. Hades) S. E.; **restore** —*a dejected, poor or injured person* S. Aeschin. Men.; (fig.) —*a personif. city* (w.PREP.PHR. *fr. her plight*) Plu.
4 set up, erect —*a statue, trophy, tomb, altar* hHom. E. AR. —*a tent, towers* E. X. —*someone* (w.PREDIC.ADJ. *in bronze, i.e. as a statue*) Plu.; (of creator gods) **make** (w.ACC. humans) **stand up** X. ‖ AOR.1 MID. **build for oneself** —*a city, altars* Hdt. Call.
5 bring into being; (of a man who marries) **provide** —*heirs* (w.DAT. *for one's dead brother*) NT.; (of God) **appoint** —*a prophet* NT.
6 rebuild, restore —*defensive walls* D. —*the honours of the gods* E. ‖ PASS. (of sanctuaries, altars) **be restored** Plb.
7 rouse or **incite to action** —*a warrior* Il. AR. —*a statesman* Plu.
8 raise, recruit —*soldiers, an army* Th.; **start** —*a war* (sts. W.PREP.PHR. *against someone*) Call. Plu.
9 cause (W.ACC. someone) **to come forward** Hdt. Plu.; **put forward** —*a warrior* (to fight in a duel) Il. ‖ AOR.1 MID. **summon** —*a judge* (W.PREDIC.SB. *as a witness*) Pl.
10 cause (W.ACC. a people) **to depart** (fr. their land) Od. Hdt. Plu.; **force out** —*a population, an occupying army* Th. Plb. —*someone* (W.PREP.PHR. *fr. a way of life*) D.; **break up** —*a council, camp* Il. Th.; **dismiss** —*the Assembly* X.; (of an emergency) **force** (W.ACC. an army) **to depart** Plu.
11 drive or **flush out** —*game* X.; (of hounds) —*a hare* X. ‖ PASS. (of animals) **be driven** or **flushed out** X.
12 uproot —*communities* Hdt.; **leave desolate, devastate** —*a land* AR. ‖ PASS. (of a city's security) **be destroyed** D.

—**ἀνίσταμαι** *mid.vb.*| The mid., athem.aor.act. and pf.act. are intr. For the tr. act. and mid., see ἀνίστημι above. ‖ imperatv. ἀνίστασο, also ἀνίστω (A.) | fut. ἀναστήσομαι (Ar.), ep.inf. ἀνστήσεσθαι ‖ ATHEM.AOR.ACT.: ἀνέστην | ep.3du. ἀνστήτην, inf. ἀνστήμεναι, ptcpl. ἀνστάς | dial.3sg.subj. ἀναστάῃ (Pi.), imperatv. ἄνστηθι, also ἄνστα, 2pl. ἄνστατε ‖ pf. ἀνέστηκα |
1 stand up, rise (esp. fr. a sitting, reclining or crouching position) Hom. +; (of a horse) —W.PREDIC.ADJ. *upright* (i.e. on its hind legs) Theoc.; (of a goat) **rise up** (w. further connot. *have an erection*) Theoc.
2 stand up, rise (so as to depart) Hom. +; (of a population, so as to migrate) Th.; (of a suppliant, fr. an altar) Aeschin.; (of a lawcourt, so as to be dismissed) D.
3 get up (sts. W.PREP.PHR. *fr. one's bed*) Hom. +
4 (of a dead person) **get up** Il. A. Hdt. NT.; **rise** —W.PREP.PHR. *fr. the underworld* Il. Ar.; (of a sick person) **recover** (sts. W.PREP.PHR. *fr. an illness*) Hdt. Th. Pl.
5 ‖ STATV.PF.ACT. (of a trophy) **be set up** —W.PREP.PHR. *by someone* Plu.
6 increase in height; (of a city being rebuilt) **rise** Plu.; (of towers, miraculously) —W.PREP.PHR. *in response to music* E.; (of the arm muscles of a man exerting himself) **swell** Theoc.
7 (of a river) **rise** —w. ἐκ + GEN. *in a mountain range* Plu.
8 come forward (so as to volunteer for a task) Il. AR.; (so as to be a defender of a land) S.; (so as to be an opponent) —W.DAT. *for someone* Hom.; (of trouble) **arise** Pi.
9 be forced to depart (fr. one's land) —W.PREP.PHR. *by invaders, a coloniser* Th.
10 (of land) **be laid waste** —W.DAT. *by invaders* AR. ‖ STATV.PF.ACT. (of a city, region) **be desolate** Hdt. E.

ἀν-ιστορέω *contr.vb.* **inquire** S. E.; **ask** —*someone* (sts. W.ACC. *about sthg.*) Trag. —(W.PREP.PHR. *about sthg.*) E. —*a question* S.

ἀν-ιστόρητος ον *adj.* [privatv.prfx., ἱστορέω] (of a historian) **not well-informed** (W.PREP.PHR. *about a region*) Plb.

—**ἀνιστορήτως** *adv.* (w. ἔχειν) **be ignorant** (W.GEN. *of sthg.*) Plu.

ἀνίστω (mid.imperatv.): see ἀνίσταμαι

ἀν-ίσχω *vb.* **1 raise** —*one's hands* (W.DAT. *to the gods, in prayer*) Il. B. D.(oracle) Plb.
2 (intr., of the sun) **rise** Hdt. E.fr. Th. X. +
3 (of a flame) **rise** (fr. an altar) A. ‖ MID. (of a headland) **rise up** —W.DAT. *w. steep cliffs* AR.
4 (of a river) **rise** —w. ἐκ + GEN. *fr. a certain location* Plu.

ἀνίσωσις εως *f.* [ἀνισόω] **even balance** (betw. opposing fleets) Th.; **equal preservation** (W.GEN. of a set number of families) Pl.

ἀν-ιχνεύω vb. (of a hound, an avenging spirit) **keep on the trail** Il. Plu.; (fig., of soldiers, envisaged as hounds) **track down** —*the riches of a defeated enemy* Plu.

ἀνιῴατο (Ion.3pl.pass.opt.): see ἀνιάω

ἀννεῖται (ep.3sg.mid.): see ἀνανέομαι

ἀννέμω dial.vb.: see ἀνανέμω

ἀννεόομαι dial.mid.contr.vb.: see ἀνανέομαι

ἀννέφελος ep.adj.: see ἀνέφελος

ἄννηθον n.: see ἄνηθον

ἄννησον ου n. a kind of spice (used in embalming), **aniseed** Hdt.

Ἀννίβας ου m. **Hannibal** (247–183/2 BC, Carthaginian commander in the Second Punic War) Plb. Plu.

—**Ἀννιβιακός** ή όν adj. (of the war, its era) **Hannibalic** Plb. Plu.

—**Ἀννιβίζω** vb. **favour Hannibal** Plu.

ἀνοδίᾱ ᾱς f. [ἄνοδος¹] **absence of a road** (in a region) Plu.; (advbl., ref. to movt.) ἀνοδίᾳ or ἀνοδίαις **offroad** or **across country** Plb. Plu.; **off the path** (*up a cliff*) Plb.; **by rough paths** Plb.

ἄν-οδος¹ ον adj. [privatv.prfx., ὁδός] **without a good path**; (of a mountain) **hard to cross** X.; (oxymor., of paths) **which are not paths** E.

ἄν-οδος² ου f. [ἀνά] **1 way up** (on a hillside) Hdt. Plu. **2 journey inland** (esp. to visit the Persian king) Hdt. Plu. **3 ascent** (W.GEN. of the soul, W.PREP.PHR. into the region accessible only to the intellect) Pl.; (fr. Hades, app.ref. to posthumous regeneration) Call.*epigr*.

ἀν-οδύρομαι mid.vb. (of a widow) **wail loudly** X.; (of lament, song, music of the lyre) **loudly bewail** —*suffering* E.*fr*.

ἀ-νοήμων ον, gen. ονος adj. [privatv.prfx.] **unwise, foolish** Od.

ἀνοηταίνω vb. [ἀνόητος] **be foolish** or **lack intelligence** Pl.

ἀ-νόητος ον adj. [νοητός] **1** (of cleverly made footwear) **beyond imagination** hHom.
2 (of a false path) **not to be considered** Parm.
3 (of persons, their thoughts, words, actions, attitudes) **stupid, thoughtless** (sts. w.connot. of immorality) Hdt. S. Th. Ar. +; (of a person's soul, certain life forms, a regime) Pl. || NEUT.SG.SB. **foolishness** Men. || NEUT.PL.SB. **stupid behaviour** Ar. Men. +
4 incapable of thought; (of the human body, certain creatures) **irrational** Pl. || NEUT.SB. **irrational creature** Arist.; **irrational part** (W.GEN. of the soul) Pl.
5 (oxymor., of thoughts) **not thinking** or **not thought** Pl.

—**ἀνοήτως** adv. | compar. ἀνοήτερον | **thoughtlessly, stupidly** Lys. Ar. Isoc. Pl. + || COMPAR. **too stupidly** (W.PREP.PHR. in comparison w. one's maturity) Lys.

ἄνοια (also **ἀνοίᾱ** Trag.), Aeol. **ἀνοίᾱ** ᾱς, Ion. **ἀνοίη** (also **ἀνοίην** Hippon.) ης f. [ἄνοος] **1 folly, foolishness** (sts. assoc.w. youthfulness) Alc. Hippon. Thgn. Trag. Th. Ar. +; **thoughtlessness** (opp. good manners) Plb. || PL. **foolish acts** Isoc.
2 stupidity (assoc.w. ignorance) Pl. X. Plu.

ἀν-οίγνῡμι, also **ἀνοίγω** vb. [ἀνά] | impf. ἀνέῳγον (also ἀνῷγον), also ἤνοιγον, 3pl. ἀνεῴγνυσαν (Plu.) | ep.iteratv.impf. ἀναοίγεσκον | aor. ἀνέῳξα (also ἠνέῳξα NT.), ἤνοιξα, Ion. ἄνοιξα, dial. ἀνῷξα | pf. ἀνέῳχα | statv.pf. ἀνέῳγα | fut.pf.mid. ἀνεῴξομαι | PASS.: 3sg.impf. ἀνεῴγνυτο (Plu.) | fut. ἀνοιγήσομαι (NT.) | aor. ἀνεῴχθην (also ἠνεῴχθην NT.), 3sg.subj. ἀνοιχθῇ | aor.2 ἠνοίγην | pf. ἀνέῳγμαι, dial. ἀνῷγμαι | neut.impers.vbl.adj. ἀνοικτέον |
1 open (a barrier); **open** —*doors, gates* (sts. W.DAT. *for someone*) Od. Carm.Pop. A. Hdt. E. Th. + —*a city-wall* (*i.e. its gates*) Th. —*a window, gateway* Arist. NT.; (intr.) **open up** (sts. W.DAT. for someone) S. E. Ar. Pl. + || PASS. (of doors, gates) **be opened** Hdt. Th. Ar. + || PF.PASS. and FUT.PF.MID. (of doors, gates) **stand open** E. Th. Lys. Pl. X. +
2 open (a container); **open** —*a coffin, basket, voting-urn, or sim.* Hdt. E. Att.orats. + —*a pomegranate* Hdt. || STATV.PF. (of a container) **be open** Pl. || PASS. (of a container) **be opened** E.; (of dead animals) Hdt.; (of a figurine or its mould) Pl.
3 open (an enclosure); **open** —*a store, tomb, building, sanctuary* hHom. Hdt. E. Att.orats. + —*a glade* (*ref. to a bird's home*) Ar. || STATV.PF. (of cities, a sanctuary) **be open** Plu. || PASS. (of sanctuaries, a building, city, or sim.) **be opened** Hdt. Th. Pl. X. +; (fig., of war, app.ref. to the temple of Janus) Plu.
4 open —*a document, scroll* Isoc. D. Arist. NT. || PASS. (of a document) **be opened** Ant pho D. Plu.
5 (of springtime) **cause** (W.ACC. plants) **to open** Plu.
6 remove —*a lid* (sts. W.PREP.PHR. *fr. a container*) Il.; **break** —*a legal seal* (W.GEN. *on a room, document, mortgaged building*) X. D.; **release** —*the bolt* (*of a door*) Il.; (fig.) —*the lock* (W.GEN. *of one's mind*) E.
7 open —*one's eyes, mouth* NT. —*the mouth of a fish* NT.; (fig., of a person starting to sing) —*the mouth of a Muse* Ar.; (of Jesus) —*the eyes of a blind person* NT. || PASS. (of deaf ears, blind eyes, a mute mouth) **be opened** NT. || STATV.PF.PASS. (of eyes) **be open** NT.
8 || PASS. (of heaven) **be opened** —W.DAT. *for Jesus* (*to see*) NT. || STATV.PF. and PF.PASS. (of heaven) **be open** (to human view) NT.
9 || PASS. (of chambers in a cave) **open out** —W.PREP.PHR. *fr. one another* Plu.
10 || PASS. (of lawcourts, doctors' surgeries) **be (newly) opened** Pl.
11 (of the leader of colonists) **open** —*a route at sea* Pi.; (of a king's virtues) **open up, make available** —*regions* (*for him to govern*) Plu.; (of a disaster) —*a city* (W.DAT. *to a liberator*) Plu.; (fig., of a person's lineage) —*entrances* (*for him, into politics*) Plu. || STATV.PF. (of paths to death) **be available** Plu. || STATV.PF.PASS. (of trading-stations) **be accessible** or **open** Ar.
12 display —*funerary masks* Plb.; **reveal** —*a person's name, experiences, plans* Trag. || PASS. (of a situation) **be revealed** E.
13 (intr., of the crews and commanders of triremes) **move into the open** (at sea) X.

ἀν-οιδέω contr.vb. (of a wave) **swell up** E.; (of flatulence) Pl.; (fig., of anger) Hdt.

ἀν-οίκειος ον adj. [privatv.prfx., οἰκεῖος] **1** (of a person's manner) **inappropriate** (W.GEN. for his age) Plb.; (of a topic or display, for a purpose) Plb.
2 (of an enemy's trick) **dissimilar** (W.DAT. to one's own) Plb.

ἀν-οίκητος ον adj. [οἰκητός] (of a region) **uninhabitable** or **uninhabited** Hdt.

ἀν-οικίζω vb. [ἀνά] **1** || MID. and AOR.PASS. (w.mid.sens.) **make one's home inland** or **on high ground**; **settle inland** Th.; **settle at a height** Ar.; (of the gods) Ar.
|| MID.STATV.PF.PTCPL. (of communities) **settled inland** Th.
2 repopulate —*ruined cities* Plu.(cj.) || PASS. (of cities) **be repopulated** Plu.

ἀν-οικοδομέω contr.vb. **1 build up** —*river banks, a wall* Hdt.
2 rebuild —*a city, sanctuary, walls, or sim.* Th. Lycurg.(oath) Arist. Plu. —*a kingdom* NT. || PASS. (of walls) **be rebuilt** X. | see also ἀποικοδομέω

ἀνοικοδόμησις εως *f.* **rebuilding** (W.GEN. of walls) Arist.
ἄν-οικος ον *adj.* [privatv.prfx., οἶκος] **homeless** Hdt.
ἀνοικτέον (neut.impers.vbl.adj.): see ἀνοίγνῡμι
ἀν-οικτίρμων ον, gen. ονος *adj.* **pitiless** S.*fr.*
ἀνοικτίστως *adv.* [οἰκτίζω] **pitilessly** —*ref. to killing* Antipho
ἄν-οικτος ον *adj.* [οἶκτος] **pitiless** E. Ar.
—**ἀνοίκτως** *adv.* **pitilessly** —*ref. to dying, suffering* S. E.
ἀν-οιμώζω *vb.* [ἀνά] **wail loudly** A. Th. Plb.
ἀνοίμωκτος ον *adj.* (of a dead king, the misfortune assoc.w. his burial) **unlamented** A.
—**ἀνοιμωκτεί** (or **ἀνοιμωκτί**) *adv.* **without grief** (for oneself), **with impunity** —*ref. to speaking insolently* S.
ἄνοιξα (Ion.aor.): see ἀνοίγνῡμι
ἄνοιξις εως *f.* [ἀνοίγνῡμι] **opening** (W.GEN. of a city's gates) Th.
ἀνοῖσαι (Ion.aor.inf.): see ἀναφέρω
ἄνοιστος ον *adj.* [ἀναφέρω] (of a dispute) **referred** (W.PREP.PHR. to the Pythian priestess) Hdt.
ἀν-οιστρέω *contr.vb.* [ἀνά] **goad** (W.ACC. women) **into a frenzy** E.
ἄνοιτο (3sg.mid.opt.): see ἀνύω
ἀνοκωχεύω, also **ἀνακωχεύω** (Hdt.) *vb.* [ἀνοκωχή] **1** (of a commander and his army) **stay put** Hdt.; (of a charioteer) **hold back** S.; **keep** (W.ACC. ships) **riding at anchor** Hdt.
2 (of the way in which ships are moored) **ease** —*the strain on anchor cables* Hdt.
ἀνοκωχή ῆς *f.* [reltd. ἀνέχω] **1 cessation** (of hostilities, ref. to a truce) Th.; (W.GEN. of afflictions) Th.
2 containment, curb (W.GEN. of opposing military forces) Th.
ἀνολβίη ης *ep.Ion.f.* [ἄνολβος] **1 lack of prosperity** Hes.
2 (gener.) **misfortune** Archil.
ἄν-ολβος ον *adj.* [privatv.prfx., ὄλβος] **1 without good fortune, unfortunate** Archil. Thgn. A. Hdt.; (of a day) **unlucky** Hdt.(oracle)
2 (pejor., of a person, plans) **hapless, accursed** S.
3 (of a person's face, land, circumstances) **unhappy** E.
4 ‖ NEUT.PL.SB. **insults, unpropitious words** Call.
ἀνόλεθρος *ep.adj.*: see ἀνώλεθρος
ἀν-ολισθάνω *vb.* [ἀνά] (of a prize cup) **slip back, revert** —W.PREP.PHR. *to its previous owner* Call.
ἀνολκή ῆς *f.* [ἀνέλκω] **hauling up** (W.GEN. of rocks) Th.
ἀν-ολολύζω *vb.* **1** (of a woman) **shout out** (in a ritual, w. joy or shock) Trag. Plu. —W.INTERN.ACC. *a cry for help* E.(dub., cj. ἀνοτοτύζω)
2 (of Dionysus) **cause** (W.ACC. a city) **to ring with ritual cries** (of women) E.
ἀν-ολοφύρομαι *mid.vb.* **mourn loudly** (for a loss) Th. Pl. X.
ἄνομαι *mid.vb.*: see ἀνύω
ἀν-ομαλίζομαι *pass.vb.* (fig., of cities) **be restored to the same level** —W.PREP.PHR. *in their capabilities* Arist.; (of population growth) **be neutralised** —W.PREP.PHR. *by childlessness* Arist.
ἀν-ομάλωσις εως *f.* [ὁμαλός] **equalisation, levelling** (W.GEN. of property, i.e. its ownership, among citizens) Arist.
ἄν-ομβρος ον *adj.* [privatv.prfx., ὄμβρος] **1** (of a region) **without rainfall** Hdt.
2 (of the Nile, its streams) **rainless** (i.e. not fed by rain) Hdt. E.
ἀνομέω *contr.vb.* [ἄνομος] **break the law** Hdt.
ἀνομίᾱ ᾱς, Ion. **ἀνομίη** ης *f.* **1 conduct contrary to law, lawlessness** (in a region or as a characteristic of an individual or group) Hdt. E. Th. Att.orats. +; (personif.) **Lawlessness** E. ‖ PL. **crimes or transgressions** Isoc. Plb. NT.
2 non-existence or antithesis of law, lack or **negation of law** X. D.
ἀν-ομίλητος ον *adj.* [ὁμιλητός] (of a community) **socially isolated** (fr. other communities) Pl. ‖ NEUT.SB. **unsociable nature** (W.GEN. of a person's manner) Plu.
ἀν-όμματος ον *adj.* [ὄμμα] (fig., of a sleeping man) **sightless** S.
ἀ-νομοθέτητος ον *adj.* [νομοθετέω] **omitted from legislation**; (of women) **unregulated** Arist.; (of lawsuits, conduct, or sim.) Pl.
ἀνομοιο-ειδής ές *adj.* [ἀνόμοιος, εἶδος¹] (of friendships betw. people w. different aims) **dissimilar in nature** Arist.
ἀν-όμοιος ον (also ᾱ ον) *adj.* [ὅμοιος] **1** (of persons or things) **not being the same or similar** (in appearance, character, attributes, or sim.), **dissimilar** (freq. W.DAT. to one another, or to someone or sthg. else) Pi. Ar. Att.orats. Pl. +
2 not being or remaining the same (as in another time, place or circumstance), **not constant, consistent** or **uniform** Pl. Arist.
—**ἀνομοίως** *adv.* **differently** (sts. W.DAT. fr. others, the truth, an earlier occasion) Isoc. Pl. X. +; (in practice, fr. principle) Th.
ἀνομοιότης ητος *f.* **1 dissimilarity** (betw. persons and things) Isoc. Pl. Arist. Plb. Plu.
2 lack of consistency or **uniformity** (in persons or things) Pl. Plu.
ἀνομοιόω *contr.vb.* **cause dissimilarity** Pl. ‖ PASS. (of persons, things) **become dissimilar** Pl. —W.DAT. *to others, themselves* Pl.
ἀνομοίωσις εως *f.* **process of becoming dissimilar** Pl.
ἀν-ομολογέομαι *mid.contr.vb.* [ἀνά] **1 come to an agreement** (sts. W.PREP.PHR. w. one another) Pl. —W.ACC. + INF. *that sthg. is the case* Plu.; **agree upon** —W.ACC. *what has been said* Pl.
2 ‖ PF.PASS. **be acknowledged** —W.INF. *to act in a certain way* D.
—**ἀνομολογούμενος** η ον *pass.ptcpl.adj.* **1** (of a statement) **contradicted** (by other information) Pl. Arist. ‖ NEUT.PL.SB. **disputed points** Arist.
2 (of things) **not acknowledged** (W.INF. to be good) Arist.
ἀνομολογίᾱ ᾱς *f.* [privatv.prfx.] **inconsistency** (in a person's character) Plu.
ἄ-νομος ον *adj.* [νόμος] **1 with no regard for law**; (of a monster, centaurs, persons) **lawless** Hes. S. Att.orats. +; (of a crime, plan, behaviour) A. Hdt. E. Isoc. +; (of suffering) E. Ar.(quot. E.); (of a class of desires) Pl. ‖ NEUT.PL.SB. **lawless behaviour** Hdt. E. Antipho Th.
2 (of punishments) **unlawful** Isoc.; (of a kind of education) Pl. ‖ NEUT.SB. **unlawfulness** X.
3 (of a kind of monarchy) **without laws, unregulated** Pl.
4 (oxymor., of νόμος *music*) **unmusical** A.
—**ἄνομα** *neut.pl.adv.* **lawlessly** E.
—**ἀνόμως** *adv.* **1 lawlessly** E. Th. Lys.
2 unlawfully Antipho Isoc.
3 in the absence of law Isoc. NT.
ἀν-όνητος, dial. **ἀνόνᾱτος**, ον *adj.* [ὀνίνημι] **1** (of persons) **unprofitable, useless** S.; (of an ornament) Ar.; (of goods, resources, kindness, sts. W.DAT. to someone) E. D. Arist. Plu.; (of a marriage) E.
2 unable to benefit (W.GEN. fr. all that is good) D.
—**ἀνόνητα**, dial. **ἀνόνᾱτα** *neut.pl.adv.* **in vain** E. Pl.

ἄ-νοος ον, Att. **ἄνους** ουν *adj.* [νόος] | Att.compar. ἀνούστερος | **1** (of a person or mind) lacking good sense, **foolish** Il. A. S. Ar. Pl.
2 (of a soul, on entering the body) **lacking intelligence** Pl.
ἀνοπαῖα (or **ἀνόπαια**) *adv.*: see ὀπαῖον
ἄν-οπλος ον *adj.* [privatv.prfx., ὅπλα] **1** not equipped for battle, **unarmed** Pl. Plb. Plu.; (of ships) Plb.
2 (of soldiers) **without full armour** Hdt. Plu.
3 (of envoys, an old man) **defenceless** Plu.
4 (of people too poor to be hoplites) **not owning armour** Arist.
ἀν-όρᾱτος ον *adj.* [ὁρᾱτός] **invisible** Pl.(dub.)
ἀν-όργανος ον *adj.* [ὄργανον] (of the intellectual activity of a philosopher) **independent of equipment** Plu.
ἀν-οργίαστος ον *adj.* [ὀργιάζω] (of worship of Aphrodite) **not celebrated with secret rites** Ar.
ἀνορέᾱ *dial.f.*: see ἠνορέη
ἀν-ορθιάζω *vb.* [ἀνά] **shriek out** —*terrifying tales* And.
ἀν-ορθόω *contr.vb.* **1 rebuild** —*a temple, camp, wall, or sim.* Hdt. Th. Isoc. X. —*a kingdom* NT. || MID. (of priests) **have** (W.ACC. temple buildings) **rebuilt** Arist.
2 cause to stand or be upright; (of an old man) **support** —*another* E.; (of a goddess) **raise up** —*a dying person* Theoc. || PASS. (of a lame person) straighten up (as the result of a miracle) NT.
3 restore —*a city, a people* S. Isoc. Pl. —*a person's fortunes* E.; **correct** —*someone, their troubles* E. Pl.
ἄν-ορμος ον *adj.* [privatv.prfx., ὅρμος²] (fig., oxymor., of a marriage, envisaged as a harbour) **not a harbour** S.
ἀν-όρνυμι *vb.* [ἀνά] | always tm. | dial.1pl.aor.subj. ἀνὰ ... ὄρσομεν (Pi.) | **rouse** —*someone* AR.; (of a poet and the Muses) —*the lyre and aulos* Pi. || MID. **get up** (fr. a recumbent position) Hom. AR.
ἀν-ορούω *vb.* **1 get up, rise** (fr. a recumbent position) Hom. hHom. Sapph. AR. Mosch. —W.PREP.PHR. *fr. one's seat* AR.
2 sit up suddenly (on waking) AR. —W.PREP.PHR. *fr. sleep* Il.
3 leap up —W.PREP.PHR. *into a chariot, out of one's seat or bed, out of a river* Hom. AR.; (of a horse) X. —W.PREP.PHR. *onto a bank* X.; (of Athena, fr. Zeus' head) Pi.; (of the Sun, when rising) Od.; (of Iris, towards Olympos) AR.; (of Strife) —W.PREP.PHR. *into a position of honour* Emp.
ἀν-όροφος ον *adj.* [privatv.prfx., ὀροφή] (of rocks) **roofless** (i.e. not forming caves) E.
ἀν-ορταλίζω *vb.* [ἀνά, ὀρτάλιχος] (of a delighted person) **behave like a young chicken** (i.e. flap the wings and cluck excitedly) Ar.
ἀν-ορύσσω, Att. **ἀνορύττω** *vb.* **dig up** —*corpses, bones, treasure* Hdt. Ar. Lycurg. Plu.; **excavate** —*a grave* Hdt.
ἀν-ορχέομαι *mid.contr.vb.* **dance with joy** E.
ἀν-όσιος ον *adj.* [privatv.prfx.] **1** without regard for anyone or anything sacred, **impious** Hdt. Trag. Ar. Att.orats. +; (of beasts) A.; (of an action) Hdt. S. E. Att.orats. +; (of boasts, a speech, advice, words, curses) Hdt. Trag. Ar. Pl. || NEUT.SB. **impiety** Pl. X.
2 (of a parricidal or incestuous person) **accursed** S. E.; (of the pollution incurred by a murderer) E.; (of an event as evidence of pollution) Antipho
3 contrary to nature; (of a sight) **abhorrent** E.; (of certain kinds of killing, marriage, sexual union) **unholy** Hdt. S. E. Ar.; (of a feast of human flesh) E.*Cyc.*
4 (of a corpse) **unhallowed** (w. due burial rites) S.; (of the smell fr. an unburied corpse) **unholy** S.; (of the foot of a person, opp. that of a priestess) **unsanctified** E.
5 bereft of moral decency; (of persons, their soul, nature,

behaviour) **wicked, outrageous, shocking** Ar. Att.orats. Pl. X. +; (of a prosecutor's case, a story, rhetorical techniques) Att.orats.
6 (of a person) **horrible, vile** Men.; (of a prison) Din.; (of disgrace) Antipho; (of a voice) Aeschin.
—**ἀνοσίως** *adv.* **1 impiously, sacrilegiously** S. E. Antipho
2 unjustly, wrongly E. Antipho
3 unscrupulously Antipho
ἀνοσιότης ητος *f.* **wickedness, impiety** Isoc. Pl.
ἀνοσιουργέω *contr.vb.* [ἀνοσιουργός] **behave impiously** Pl.
ἀνοσιουργίᾱ ᾱς *f.* **impious** or **shameful behaviour** Plu.
ἀνοσιουργός όν *adj.* [ἔργον] behaving impiously, **impious** Arist.
ἄ-νοσος, Ion. **ἄνουσος**, ον *adj.* [νόσος] **1** free from illness, **healthy** Od. Pi.*fr.* Hdt. E. Pl. +; (of the world, as planned by the creator god) Pl.
2 not pained (W.GEN. by another's suffering) E.
3 free from occurrence of illness; (of a year) **healthy** Th.; (of a person's upbringing) A.*satyr.fr.*
4 (of a drink) **harmless** (W.DAT. to birds) E.
ἀν-όστεος ον *adj.* [ὀστέον] **without bones** || MASC.SB. **boneless one** (ref. to the octopus or sim.) Hes. [or perh. ref. to a man's penis]
ἀ-νόστιμος ον *adj.* **1** (of a person, at sea) **deprived of a return home** Od.
2 (of a journey) **with no way back** E.
ἄ-νοστος ον *adj.* [νόστος] **deprived of a return home** Od. E.
ἀν-οτοτύζω *vb.* [ἀνά] | aor. ἀνωτότυξα, dial. ἀνοτότυξα (E.) | **burst out into wailing** A. E.; **bewail** —*a victim of a chariot accident* S.(cj.) | see also ἀνολολύζω
ἀν-ούατος ον *adj.* [privatv.prfx., οὖς] (of a carving of Priapos) **without ears** (as a mark of its primitive character) Theoc.*epigr.*
ἀ-νουθέτητος ον *adj.* [νουθετέω] (of a monarch) **free from admonition** Isoc.
ἄνους Att.adj.: see ἄνοος
ἄνουσος Ion.adj.: see ἄνοσος
ἀν-ούτατος ον *adj.* [οὐτάω] **not wounded** (in a battle) Il.; **unhurt** (in a boxing match) AR.
—**ἀνουτητεί** (or **ἀνουτητί**) *adv.* **without inflicting a wound** Il.
ἀνοχή ῆς *f.* [ἀνέχω] holding back (of hostilities) || PL. **armistice** or **truce** X. Aeschin. Plb. Plu.; (ref. to a period of time) Plb. Plu.
ἀν-οχλίζω *vb.* [ἀνά] **heave up** —*boulders* AR.(tm.); (of bulls) —*an object* AR.; (of sailors) —*furrows* (w. their oars) AR.
ἀνσπάω *dial.contr.vb.*: see ἀνασπάω
ἄνστᾱ, **ἄνστᾱθι** (dial.athem.aor.imperatv.): see ἀνίσταμαι
ἀνστάς, **ἀνστήμεναι**, **ἀνστήτην** (ep.athem.aor.ptcpl., inf., 3du.): see ἀνίσταμαι
ἄνστησον (ep.aor.1 imperatv.), **ἀνστήσω** (ep.fut.): see ἀνίστημι
ἀνστρέφω *ep.vb.*: see ἀναστρέφω
ἀνσχεθέειν (ep.aor.2 inf.), **ἄνσχεο** (ep.mid.imperatv.), **ἄνσχου** (dial.mid.imperatv.): see ἀνέχω
ἀνσχετός *ep.adj.*: see ἀνασχετός
ἄντα *adv. and prep.* [reltd. ἀντί] **1 face to face** Hom. —*ref. to a man resembling the gods* Il. hHom.; (as prep.) —W.GEN. *w. someone* Hom.; **in the midst** —W.GEN. *of people* Od.
2 in front —W.GEN. *of one's face, eyes* Od.
3 directly —*ref. to looking at someone or sthg.* Il. Hes. Call.; **straight on** —*ref. to hitting a target* Pi.; **with a steady aim** Od.; (as prep.) **facing** —W.GEN. *a region, the sun, a doorway* Il. Hes. AR.

ἀνταγοράζω

4 in opposition Pi.; (as prep.) —W.GEN. *to an enemy* Il. Pi.*fr.*
5 as a match —W.GEN. *for someone* (*in combat*) Il.; **in comparison** —W.GEN. *w. sthg.* (*in value*) Alcm. | see also εἰσάντα

ἀντ-αγοράζω vb. [ἀντί] **1 buy in exchange** —*grain* (*for millstones*) X.
2 buy (W.ACC. goods) **with money received** (fr. selling sthg.) D. ‖ NEUT.PL.AOR.PASS.PTCPL.SB. *goods bought with money received* D.

ἀντ-αγορεύω vb. | dial.aor. ἀντᾱγόρευσα | **1 reply** Pi.
2 (pejor.) **talk back** —W.DAT. *to one's superiors* Ar.

ἀντ-αγωνίζομαι mid.vb. **1** (of soldiers) **contend** —W.DAT. *w. an enemy* Hdt. Th. X.; (of a litigant) —*w. someone's schemes* D.
2 (of two parties) **be opposed** (in a lawsuit) X.
3 be in competition or rivalry, compete (usu. W.DAT. w. someone) Th. And. X. Plu. —W.PREP.PHR. *for a prize, about money* And. Arist.

ἀνταγωνιστέω contr.vb. [ἀνταγωνιστής] **be a rival or challenger** Arist.

ἀντ-αγωνιστής οῦ m. **1 opponent, adversary** (esp. in a battle, sts. W.DAT. for an enemy) Att.orats. X. +; (ref. to a boxer or wrestler) Plb. Plu.; (fig., ref. to a violent era, for a statesman's virtue) Plu.
2 rival (sts. W.GEN. in an activity) Ar. Isoc. Pl. X. +; (W.GEN. for a person's love, wealth, status, or sim.) E. X. D. Arist.
3 contender (W.GEN. for a prize) Pl.

ἀντ-αδικέω contr.vb. (of a wronged person) **do wrong in return** Pl.; (of opponents in a lawcourt) Pl.

ἀντ-ᾴδω vb. (of a woman) **sing in competition** (w. another, to lure a man) Ar.

ἀντάεις εσσα εν dial.adj. [ἄντα] (of a citizen) **hostile** Pi.

ἀντ-αιδέομαι mid.contr.vb. [ἀντί] **1 respect in return** —*respectful women* X.
2 (of soldiers) **show respect in response** (to their commander's sense of shame and dejection) Plu.

ἀνταῖος[1] ᾱ ον adj. [ἄντα] **1** (of a wound) **on the front** (of the chest) S. E.
2 (of a wind sent by Zeus) **in opposition** (W.DAT. to a river's current) E.
3 (of sea-beasts) **hostile** (perh. W.DAT. to people) A. ‖ NEUT.PL.SB. *hostility* (of the gods, manifest in a defeat) A.

ἀνταῖος[2] η ον Ion.adj. [reltd. ἄντομαι] (of a goddess) **entreatable** AR.

—Ἀνταίᾱ ᾱς f. **Antaia** (title of a mother goddess) E.(cj.)

Ἀνταῖος ου m. **Antaios** (king of Libya and son of Poseidon, who wrestled against Herakles) Pi. Pl. Plu.

ἀντ-αίρω, Ion. **ἀνταείρω** vb. [ἀντί] **1 rise in opposition, contend** —W.DAT. OR PREP.PHR. *against persons, enemies, or sim.* Pl. D. Plu. —*exhaustion* Plu. ‖ MID. **take up for battle** —*weapons* (sts. W.DAT. *against an enemy*) Th. X.; **raise in hostility** —*one's spear* E. —*one's hands* (*i.e. engage in battle or hostility of any kind*) Hdt. Th. Plu. —(W.DAT. *against an enemy*) Hdt.
2 (act. and mid.) **wage** —*war* (W.DAT. *on someone*) Hdt. Plb.
3 raise in response (to a signal) —*a fire-signal* Plb.
4 match, pit —*one's strength* (W.DAT. *against another*) Plu.
5 (of one region) **face** —W.PREP.PHR. *towards another* Plu.; (of a promontory) **be opposite** —W.DAT. *to a sanctuary* Plu.

ἀντ-αιτέω contr.vb. **demand in return** (for the offer of peace) —*one's garrison on a besieged island* Th.

ἀντακαῖος ου m. [loanwd.] a kind of spineless fish (common in Scythia) Hdt.

ἀντ-ακούω vb. **hear in turn** —*a statement* E. —(W.COMPL.CL. *that sthg. is the case*) S.; **listen in turn** A. E. X. —W.GEN. *to someone* E. —W.PREP.PHR. *in answer to one's own words* S. Pl.

ἀντ-ακροάομαι mid.contr.vb. **listen in turn** —W.GEN. *to the other side* (*in a debate*) Ar.

ἀντ-αλαλάζω vb. **1** (of soldiers) **respond with cries of triumph** (sts. W.DAT. *to comrades or allies*) Plu.
2 (of the echo of a joyful sound) **resound** —W.GEN. *fr. cliffs* A.

ἀντάλλαγμα ατος n. [ἀνταλλάσσω] *that which is given or received in exchange,* **exchange** (W.GEN. *for a friend, one's life*) E. NT.

ἀντ-αλλάσσω, Att. **ἀνταλλάττω** vb. | neut.impers.vbl.adj. ἀνταλλακτέον | **1 substitute** (W.ACC. tears) **in response** —W.DAT. *to wedding songs* (*i.e. mourn instead of rejoice*) E.
2 ‖ MID. (of a woman) **take in exchange** (for disinheriting her children) —*a man* (W.PREDIC.SB. *as a new husband*) A.; **put on** (W.ACC. black robes) **instead** —W.GEN. *of white ones* E.
3 ‖ MID. **receive in exchange** —*an enemy, a master* (w. ἀντί + GEN. *for another*) D. Plu. —*death* (*as a punishment*) E.
4 ‖ MID. **give away in exchange** —*people's goodwill* (W.GEN. *for a reward*) D. —*a beneficial suggestion* (*for pleasure*) D. ‖ NEUT.IMPERS.VBL.ADJ. *it is necessary to give away in exchange* —*one's integrity* (W.GEN. *for gain*) D.
5 make a substitution (in one's thought, by saying that sthg. is sthg. else) Pl. ‖ PASS. (of the customary roles of warring cities) **be interchanged** Th.
6 change (for the purpose of justification) —*the traditional verbal evaluation* (W.PREP.PHR. *in relation to events*) Th. ‖ PF.PASS.PTCPL.ADJ. (of a population) **different** (in its composition, after a war) Isoc.

ἀντ-αμείβομαι mid.vb. **1** (of animals) **receive in an exchange** (W.DAT. *to dolphins*) —*the sea* (*for the land*) Archil.
2 repay, requite —*an enemy* (W.DAT. *w. harm*) Archil. A. —(w. *impious deeds,* w. ἀντί + GEN. *in return for theirs*) Ar.
3 answer —W.DAT. *w. certain words* Hdt. Theoc. —*someone* (sts. W.DAT. *w. certain words*) Archil. S. E.; **say in return** —*certain words* (W.PREP.PHR. *to someone*) S.

ἀνταμοιβή ῆς f. **equal exchange** (W.GEN. *for sthg.*) Heraclit.

ἀντ-αμύνομαι mid.vb. **1 requite** —*an enemy* (W.DAT. *w. afflictions*) S. ‖ MASC.PL.PTCPL.SB. *those who seek requital* Th.
2 defend oneself in response (to aggression), **resist** Th.

ἀντ-αναβιβάζω vb. **send up in response** (to seeing enemy scouts) —*one's scouts* (W.PREP.PHR. *into vantage points*) X.

ἀντ-ανάγω vb. **1 take out** (to sea) **to engage** (w. an enemy), **deploy** —*a fleet* Hdt. Th.
2 set out for battle (W.DAT. w. a certain number of ships) Th.; (act. and mid., of a fleet, its commander) **set out to engage** (sts. W.DAT. OR PREP.PHR. w. the enemy) Th. X. Plb. Plu. ‖ AOR.PASS. (w.mid.sens., of a fleet) *set out to engage* Plb.

ἀντ-αναιρέω contr.vb. **1 deduct** —*the cost of sacrificial offerings* (W.PREP.PHR. *against the blessings that ensue*) Men.
2 (fig., as if in an audit) **cancel** (W.ACC. gains) **so as to restore balance** D.
3 ‖ PASS. (in neg.phr., of a genus) **be destroyed correspondingly** (when the species is destroyed) Arist.

ἀντ-αναλίσκω vb. **destroy in revenge** —*one's betrayers* E.

ἀντ-αναμένω vb. **wait instead** (of reacting immediately) —W.INF. *so as to be well informed* Th.

ἀντ-αναπληρόω contr.vb. **include** (W.ACC. the poorest contributors) **as a complement** —W.PREP.PHR. *to the wealthiest individual* (in a taxation group) D.

ἀντ-άνειμι vb. (of besiegers' earthworks) **rise up commensurately** —W.DAT. *w. the height of a city-wall* Th.

ἀντ-ανίσταμαι mid.vb. **1 stand up for a confrontation** Plu.; (fig.) —W.DAT. *w. Eros* (as if in a boxing match) S.
2 present oneself as a rival —W.DAT. *to a statesman* Plu.
3 (of magistrates) **take counter-measures** (by issuing a threat) —W.DAT. *to a ruler's threats* Plu.

ἀντανύω ep.vb.: see ἀνατανύω

ἀντ-άξιος ον (also Ion. η ον) adj. **1** (of a certain kind of man) **of equal value** (W.GEN. to many of another kind) Il. Hdt. Pl. X.; (of one pyramid, to many monuments) Hdt.; (of a commodity or situation, to another) Il. hHom. Pl. X.
2 (of Thetis' son) **equal** (W.GEN. to Zeus) AR.; (of a person's afflictions, to many death sentences) Plu.
3 (of a reward) **commensurate** (W.GEN. w. a dramatist's craft) Theoc.

ἀντ-αξιόω contr.vb. **request in return** —*the same treatment* (as one has given to others) Th.

ἀντ-απαιτέω contr.vb. (of a party in a negotiation, a trader) **demand in return** —*sthg.* Th. Plu. ‖ PASS. **be ordered to provide in return** —*an explanation* Plu.

ἀντ-απαμείβομαι mid.vb. (of the people) **reply in turn** —W.DAT. *to proposals* (fr. kings and elders) Tyrt.

ἀντ-αποδείκνῡμι vb. **1** (of a spectator) **show** (W.ACC. a certain kind of behaviour) **in response** (to a performance) X.
2 respond with a proof of —*the opposite of an adversary's claim* Arist.

ἀντ-αποδίδωμι vb. | 3du.aor.opt. ἀνταποδοῖτον | **1 give back in return** (sts. W.DAT. to a benefactor) —*comparable treatment* Hdt. Th. Att.orats. +; (of gods) —*blessings* (W.DAT. *to their devotees*, W.GEN. *for their service*) Ar.; (of a beneficiary) **make some return** Arist. —W.DAT. *to a benefactor* NT. ‖ PASS. (of an invitation) **be given in return** —W.DAT. *to a host* NT.; (of a gift) —*to a benefactor* NT.
2 retaliate Th. Arist.
3 exchange jibes —W.DAT. *w. one another* Pl.; (of soldiers) **give back in answer** (to their commander) —*a war-cry* Plu.; (of hills) —*an echoing sound* Plu.; (fig., of a treatise about arguments that have been ridiculed) —*similar ridicule* Pl.
4 (of air in the body's passages) **give back** —*identical reactions* (to the force it receives) Pl.
5 discuss in turn —*a complementary topic* Pl. ‖ PASS. (of a watchword) **be delivered in turn** (to soldiers) X.
6 provide as a counterpart (to bodily exercise) —*exercise for the soul* (by means of music and philosophy) Pl.; (intr., of a process) **provide a counterpart** —W.DAT. *to another* Pl.; (of two connecting particles) **correspond** —W.DAT. *to each other* Arist.
7 display as a counterpart (to one's clemency) —*dignity and severity* Plu.
8 posit as a counterpart —*a process of generation* (to degeneration) Pl. —*an analogous state* (W.DAT. *for pleasures and pains, as for false opinions*) Pl.
9 (of an excessive increase in sthg.) **bring about in reaction** —*a shift* (towards the opposite extreme) Pl.
10 (of a metaphor fr. analogy) **apply reciprocally** (to either of its terms) Arist.

ἀνταπόδομα ατος n. **reward** (for kindness) NT.

ἀνταπόδοσις εως f. **1 ceding** (W.GEN. of captured territory) **in exchange** Th.
2 repayment (of a debt) Arist. Plb.; **return** (for benefits received) Arist.; **compensation** (for deficiencies in a summary, by a subsequent exposition) Plb.
3 retribution (fr. Fortune) Plb.; **retaliation** (W.PREP.PHR. fr. both sides in a dispute) Plb.
4 rebound (of the current in a strait) Plb.; **movement in the opposite direction** (in a state of affairs) Plb.

ἀντ-αποθνήσκω vb. (of a condemned murderer) **be put to death in retribution** Antipho

ἀντ-αποκρίνομαι mid.vb. **give back an answer** —W.PREP.PHR. *to a person's questions* NT.

ἀντ-αποκτείνω vb. **kill** (usu. W.ACC. someone) **in retaliation** (for a death) A. Hdt. E. Ar. X. D.

ἀντ-απολαμβάνω vb. (of a host) **receive in return** —*a feast* (fr. his guest) Pl.; (of a benefactor) —*gratitude* D.

ἀντ-απόλλῡμι vb. **destroy in return** —*one's enemies* E.; (of a condemned man) —*his homeland and its laws* Pl. ‖ PASS. **be killed or die in return** (for sacking a city, for killing) Hdt. E.; **be ruined in return** (for insolence) E.

ἀντ-απολογέομαι mid.contr.vb. **give one's defence in answer** (to the prosecutor's speech) Is.

ἀντ-αποπέρδομαι mid.vb. | act.aor.2 inf. ἀνταποπαρδεῖν | **fart in response** —W.PREP.PHR. *to claps of thunder* Ar.

ἀντ-αποστέλλω vb. **1 send out in return** —*gifts* Plb.
2 send out as replacements (for hostages) —*men* Plb.

ἀντ-αποφαίνω vb. **show to the contrary** (of an opponent's argument) —W.COMPL.CL. or ACC. + PTCPL. *that sthg. is the case* Th.

ἀντάπτομαι Ion.mid.vb.: see ἀνθάπτομαι

ἀνταράσσω dial.vb.: see ἀναταράσσω

ἀντ-αρκέω contr.vb. **1** (of troops) **provide sufficient opposition** —W.DAT. *to the present number of enemies* Th.
2 maintain one's opposition Isoc. —W.PREP.PHR. *to a conflict* Plu. —W.PTCPL. *in treating a disease* Isoc.; (of a comic poet) **hold out** (against opposition, in a competition) Ar.
3 (of a profligate man's inheritance) **last** (for a certain period) Aeschin.

ἀντ-ασπάζομαι mid.vb. **greet in return** —*those who pay their respects or by whom one is greeted* X. Plu.; (of a Mede) **kiss** or **hug** (W.ACC. someone) **in response** (to being praised) X.

ἀνταύγεια ᾱς f. [ἀνταυγής] **reflection of light** X.

ἀνταυγέω contr.vb. (of a sword) **flash** —W.INTERN.ACC. *w. bloodshed* E.

ἀντ-αυγής ές adj. [αὐγή] (of a woman's eyes) **reflecting light**, **sparkling** Ar.(mock-trag.)

ἀντ-αυδάω contr.vb. **address** (W.ACC. someone) **face to face** S.

ἀντ-αύω vb. [αὔω²] | dial.aor. ἀντάϋσα | (of thunder) **sound in answer** —W.DAT. *to someone praying* Pi.

ἀντ-αφαιρέομαι mid.contr.vb. **deprive in return** —*a murderer* (W.ACC. *of his life*) Antipho

ἀντ-αφεστιάω contr.vb. [ἀπό, ἑστιάω] (of a guest) **entertain in return** —*his host* Pl.

ἀντ-αφίημι vb. **shed** (W.ACC. a tear) **in response** (to someone weeping) E.

ἀντᾱχέω dial.contr.vb.: see ἀντηχέω

ἀντάω contr.vb. [ἄντα] | ep.3pl.impf. ἤντεον | AOR.: ἤντησα, dial. ἄντᾱσα, ptcpl. ἀντάσᾱς (B.), also ἀντάσαις (Pi.) | **1 come face to face** (intentionally or accidentally), **meet** (usu. W.DAT. w. someone) Hom. S. E. Call. AR. —W.ACC. *a group, a person* A.(dub.) E.(dub.) AR.(dub.); (of sailors) —W.DAT. *w. stormy conditions* A.

ἀντεβόλησα

2 come into confrontation —W.GEN. *w. an enemy* Hom. B.
3 meet with —W.GEN. *a fight, capture, suffering, hospitality* Il. Pi. Hdt. S. —*a sight (of someone)* Od. —*a request* Call.
4 take part in —W.GEN. *a feast* Od.
5 app. **belong** (W.ACC. in one's lineage) —W.GEN. *to a royal family* S.(dub.)

ἀντεβόλησα (aor.): see ἀντιβολέω

ἀντ-εγγράφω *vb.* [ἀντί] **1** ‖ PASS. (of statements) **be written in reply** (to a letter) Th.(cj.)
2 register (W.ACC. someone, in a governing body) **in place** (of another) Arist. ‖ PASS. **be registered** (as a debtor) **instead** (of another) D.

ἀντ-εγκαλέω *contr.vb.* **1 make a counter-accusation** —W.DAT. *against someone* Isoc. Plu.
2 make a counter-claim (to part of an inheritance) D.

ἀντ-εικάζω *vb.* | fut. ἀντεικάσομαι | aor. ἀντήικασα | (of a symposiast, in a word game) **compare in return** —*a companion* (sts. W.DAT. *to someone or sthg.*) Ar. Pl.

ἀντείνω *dial.vb.*: see ἀνατείνω

ἀντ-εῖπον *aor.2 vb.* —also **ἀντεῖπα** *aor.1 vb.* **1 speak in opposition** (esp. in an assembly, council, trial) Th. Ar. Att.orats. + —W.DAT. or PREP.PHR. *to a person, accusations, suggestions, or sim.* S. Th. Ar. Att.orats. + —*w.* ὑπέρ + GEN. *on behalf of someone* Ar. Att.orats. X. —*w.* μή + INF. *that one shd. not do sthg.* Att.orats.
2 state an objection D. —W.COMPL.CL. *that sthg. is the case* Th. Ar. Att.orats. Pl.; **argue** —*a case* (W.PREP.PHR. *against a lawful adoption*) Is.
3 protest (about a situation, a task) Trag.; **say in protest** —W.COMPL.CL. *that one will not do sthg.* Th.; **refuse** (to do sthg.) Men.
4 deny —W.COMPL.CL. or μή and ACC. + INF. *that sthg. is the case* D.
5 speak in response —W.PREP.PHR. *to a person, objection, announcement* Th. And. Isoc. —*to a person* (W.ADV. *abusively*) S.
6 say in reply —*a word, nothing* S. E. —W.COMPL.CL. *that sthg. is the case* Isoc.
7 respond with —*arguments, speeches* Ar. Isoc. Pl. D. —(W.PREP.PHR. *to a person or statement*) Pl.

ἀντείρομαι *Ion.mid.vb.*: see ἀντέρομαι

ἀντ-είρω *vb.* [εἴρω²] | fut. ἀντερῶ | pf. ἀντείρηκα ‖ fut.pf.pass. ἀντειρήσομαι ‖ Only fut., pf. and fut.pf.; the pres. is supplied by ἀνταγορεύω and the aor. by ἀντεῖπον. |
1 speak in opposition Th. Ar. Isoc. + —W.DAT. *to the gods* A. —W.DAT. or PREP.PHR. *to a person, an accusation, a claim* E. Th. Ar. Att.orats. +; **deny** (that sthg. is the case) E. ‖ PASS. (of nothing) **be said in opposition** (to a request) S.
2 announce a prohibition (against doing sthg.) S.

ἀντ-εισάγω *vb.* **1** (of a man adopted into a new family) **introduce** (W.ACC. his son) **as a replacement** (for himself, as heir in his natural family) Is.
2 ‖ PASS. (fig., of vices) **be imported in exchange** —*w.* ἀντί + GEN. *for a city's moral advantages* D.
3 (of statesmen) **appoint** (W.ACC. one another) **in turn** —W.PREP.PHR. *to magistracies* Plu.

ἀντ-εισφέρω *vb.* **1 contribute in replacement** (for expenditure) —*wartime taxes* Ar.
2 propose as a replacement —*a new law* D.

ἀντ-εκδραμεῖν *aor.2 inf.* | aor.2 ἀντεξέδραμον | (of soldiers) **run forth** (W.GEN. fr. a battle-line) **to engage** (w. the enemy) X.

ἀντ-εκκλέπτω *vb.* (tr.) **steal away** (W.ACC. prostitutes) **in retaliation** —W.GEN. *fr. a procuress* Ar.

ἀντ-εκκόπτω *vb.* **knock out in return** —*an eye* (of a person who has knocked out one's eye) D.

ἀντ-εκπέμπω *vb.* **send out in response** (to an advancing enemy) —*a commander and fleet* X.

ἀντ-εκπλέω *contr.vb.* **sail out to engage** (w. the enemy) Th. Plu.

ἀντ-εκτείνω *vb.* (fig.) **extend** (W.ACC. oneself) **in emulation** —W.DAT. *of courageous men* Ar.

ἀντ-εκτίθημι *vb.* **present in response** (to an alternative form) —*the true form of a proverb* Plu.; (of a statesman) **publish in response** (to opponents' legislation) —*an edict* Plu.

ἀντ-ελαύνω *vb.* **row out** (W.DAT. w. one's ships) **for a confrontation** Plu.

ἀντ-ελεέω *contr.vb.* **show pity in return** Men.

ἀντέλλω *dial.vb.*: see ἀνατέλλω

ἀντ-ελπίζω *vb.* (of persons who have failed to achieve a goal) **hope for** (W.ACC. other things) **instead** Th.

ἀντ-εμβάλλω *vb.* **launch a counter-attack** Plu. —W.PREP.PHR. *into an invading enemy's territory* X. Plb.

ἀντ-εμβιβάζω *vb.* **take on board in substitution** —*captives* (W.PREP.PHR. *for the usual crew*) Th. —*a different crew* D.

ἀντ-εμπήγνυμαι *pass.vb.* (fig., of a person, envisaged as a weapon) **be stuck** (W.DAT. in someone) **in revenge** Ar.

ἀντ-εμπίμπλημι *vb.* **1** (of an army) **fill in compensation, replenish** —*an ally's estate* (W.GEN. *w. supplies*) X. ‖ PASS. (of a city, as an exporter) **be filled in exchange** —W.GEN. *w. money* Pl.
2 (of an army) **occupy** (W.ACC. a road) **in opposition** (to the enemy) X.

ἀντ-εμπίμπρημι *vb.* **set on fire in retaliation** —*buildings* Hdt.

ἀντ-εμφαίνω *vb.* (of information or arguments) **appear** or **be adduced in opposition** —W.DAT. *to a historian's statements* Plb.

ἀντ-ενδίδωμι *vb.* (of sawyers at each end of a two-handled saw) **give way in turn** Ar.

ἀντ-ενέδρā ᾱς *f.* **counter-ambush** Plb.

ἀντ-εξάγω *vb.* **1** (of importers) **export in return** —*goods* X.
2 lead out (W.ACC. soldiers) **for an engagement** Plb. Plu.; (intr.) **march out to engage** Flb. —W.DAT. *w. the enemy* Plb.

ἀντ-εξαιτέω *contr.vb.* (of besieged citizens) **demand instead** (of surrendering certain statesmen) —*the enemy's commanders* X.

ἀντ-έξειμι *vb.* [ἔξειμι²] **go out to engage** X. Plb. —W.DAT. *w. the enemy* X.

ἀντ-εξελαύνω *vb.* **1** (of cavalry) **ride out to engage** (w. the enemy) Plu. —W.DAT. *w. the enemy* Plu.
2 (of a fleet) **sail out to engage** (w. the enemy) Plu.

ἀντ-εξέρχομαι *mid.vb.* (of cavalry, troops) **go out to engage** (w. the enemy) X.

ἀντ-εξετάζω *vb.* **examine in contrast, contrast** —*a person's character and behaviour* (w. the law) Aeschin. —*the speeches of two orators* Plu. —*a soldier's diction* (W.PREP.PHR. *w. the eloquence of an orator*) Plu. ‖ PASS. (of the military record of a commander) **be contrasted** —*w.* παρά + ACC. *w. that of others* Plu.

ἀντ-εξιππεύω *vb.* **ride out to engage** (w. the enemy) Plu.

ἀντ-εξόρμησις εως *f.* **counter-charge** (by infantry) Plu.

ἀντ-επάγω *vb.* **1 lead a counter-engagement** Th.
2 (of cavalry) **make a counter-charge** Plb.

ἀντ-επαινέω *contr.vb.* **praise in return** X.

ἀντ-επανάγομαι *mid.vb.* (of a fleet) **advance in opposition** —W.PREP.PHR. *against a smaller fleet* Th.

ἀντ-έπειμι vb. [ἔπειμι²] **advance to engage** (sts. W.DAT. w. the enemy) **in response** (to their activity) Th. Plb.

ἀντ-επεξάγω vb. (of a fleet) **extend the line in response** (to the enemy's attempt at outflanking) Th.

ἀντ-επέξειμι vb. **go out to engage** (sts. W.PREP.PHR. w. the enemy) **in response** (to the enemy's activity) Th. X.

ἀντ-επεξελαύνω vb. (of cavalry) **charge out in a counter-attack** Th.

ἀντ-επεξέρχομαι mid.vb. (of an army) **go out to engage** (w. the enemy) Th.

ἀντ-επιβουλεύω vb. **1 devise counter-plans** (to those of another city) Th. **2** (of kings) **scheme in opposition** —W.DAT. *to one another* Plu.

ἀντ-επιγράφω vb. **inscribe** (inscriptions) **as replacements** (for others) D. ‖ MID. **claim credit** (W.PREP.PHR. *for a victory*) **for oneself instead** (of someone else) Plb.

ἀντ-επιδείκνῡμι vb. **1** (of a person who watches wrestling) **exhibit in turn** —*his own body* Pl. **2** ‖ MID. **point out** or **show in competition** (W.DAT. w. a neighbouring city) —*an impressive building* Plu.; **display in contrast** (W.PREP.PHR. *to others' physical beauty*) —*the beauty of one's virtue* Plu. **3 prove in contrast** (w. an opponent) —W.ACC. + PTCPL. *that one keeps one's promises* X.

ἀντ-επιθῡμέω contr.vb. **1 desire** (W.GEN. sthg.) **in rivalry** (w. someone) And. **2** ‖ PASS. **be desired in return** —W.GEN. *for one's companionship* X.

ἀντ-επικουρέω contr.vb. **provide help in return** —W.DAT. *to allies* X.

ἀντ-επιμελέομαι mid.contr.vb. **ensure in response** (to a situation) —w. ὅπως + FUT.INDIC. *that one does sthg.* X.

ἀντ-επιπλέω contr.vb. **sail out for battle in response** (to an enemy's action) Th.

ἀντ-επισκώπτω vb. **mock** (W.ACC. someone) **in retaliation** Plb.

ἀντ-επιστρατεύω vb. **wage war in revenge** —W.DAT. *on enemy cities* X.

ἀντ-επιτάσσω vb. **1 issue a command in reply** —W.DAT. *to someone* (W.INF. *to do sthg.*) Th. **2 prescribe in return** —*an assignment* (W.DAT. *for someone*) Pl.

ἀντ-επιτειχίζομαι mid.vb. app. **build forward bases for offensive operations as a counter-measure** —W.DAT. *against the enemy* Th.

ἀντ-επιτίθημι vb. **entrust** (W.DAT. to someone) **as a reply** —*a written message* Th.

ἀντ-επιχειρέω contr.vb. **launch counter-attacks** —W.DAT. *against an enemy* Plu.

ἀντ-εραστής οῦ m. **1 rival lover** Arist. Thphr. Men. Plu.; (W.GEN. to another lover) Ar. Plu.; **rival suitor** (for a marriage) X. **2 rival in desire** (for power) Pl.

ἀντ-εράω contr.vb. **1 show love in return** A. ‖ PASS. (of a husband, a comrade) **be loved in return** X. Bion. (of a student, by his teacher) Plu. **2 be a rival** (W.DAT. to someone) **in desire** —W.GEN. *for sthg.* E.; **be a rival lover** Plu.

ἀντ-ερείδω vb. ‖ dial.aor.ptcpl. ἀντερείσαις ‖ **1 plant firmly** —*one's step* S.; (intr., of soldiers, a hunter) **adopt a firm stance, brace oneself** X. Plu. **2 press** —*one's hand* (W.DAT. *upon another's*) Pi. **3 place as a support** —*wooden props* (for a tower or nets) X.; (intr., of the air) **provide support** —W.DAT. *for birds flying* Plu. **4 set** (W.ACC. one's spear) **firmly in opposition** —W.DAT. *to the enemy* E.; **bring** (W.ACC. one's strength) **in opposition** —W.DAT. *to someone* Pi.*fr.* **5** (of fire, fr. within the eyes) **collide** —W.PREP.PHR. *w. a visible object* Pl.; (of a floor) **offer resistance** (to furniture placed upon it) X. **6** (of an army) **bear down** —W.DAT. or PREP.PHR. *on an enemy* Plu. **7** (of statesmen) **contend** (against each other) Plu. —W.PREP.PHR. *against a course of events* Plb.; (of a city) —W.DAT. *against its neighbours* Plu.; (of fortune) **act counter** —W.PREP.PHR. *to someone's folly* Plb.

ἀντέρεισις εως f. **friction** (betw. one substance and another) Plu.

ἀντ-έρομαι, Ion. **ἀντείρομαι** mid.vb. **ask** (sts. W.ACC. someone) **in reply** Hdt. X. +

ἀντ-ερύομαι mid.vb. **weigh so as to be in balance**; (fig.) **weigh** (a person) **against** —W.GEN. *gold and silver* (i.e. *equate his value w. his weight in gold and silver*) Thgn. ‖ see ἐρύω 16

ἀντ-έρως ωτος m. **reciprocal desire** (as a reflection of one's lover's desire) Pl. Plu.(quot. Pl.)

ἀντ-ερωτάω contr.vb. **1 ask in reply** (to a question) Pl. Plu. **2 question** (W.ACC. oneself) **instead** (of another person) Aeschin.

ἀν-τεταγών ep.masc.sg.redupl.aor.2 ptcpl. [ἀνά] **having snatched up** —*an axe* AR.(cj.)

ἀντ-ενεργετέω contr.vb. [ἀντί] **show kindness in return** X. —W.ACC. *to one's benefactors* X.

ἀντ-ενεργετικός ή όν adj. **disposed to be kind in return** Arist.

ἀντ-ευποιέω contr.vb. [εὖ, ποιέω] **treat** (W.ACC. someone) **well in return** Ar. Is. Arist.

ἀντ-εφορμέω contr.vb. (of a fleet) **lie at anchor opposite** —W.DAT. *to the enemy* Plu.

ἀντεφόρμησις εως f. **lying at anchor opposite** (to the enemy) Th.

ἀντ-έχω vb. ‖ neut.impers.vbl.adj. ἀνθεκτέον, also pl. ἀνθεκτέα ‖ **1 hold** (W.ACC. one's hand) **in front** —W.GEN. *of one's head* (to provide shade) S. ‖ MID. **hold** (W.ACC. a small table) **in the way** —W.GEN. *of a volley of arrows* Od. **2 sustain resistance** Hdt. Th. Ar. X. + —W.DAT. or PREP.PHR. *to an enemy* Hdt. Th. Isoc. X. +; (of a fleet, in a battle) A. Hdt. Th. ‖ MID. **offer resistance** (to someone's behaviour) Pl.; (of undergrowth) **be in the way** —W.GEN. *of lines of nets* X. **3 refuse** —w. μή + INF. *to do sthg.* X. **4 persevere** (in doing sthg.) Th. Arist. Men. —W.DAT. *against opponents, difficulty, toil* Th. Pl. X. —W.PREP.PHR. *against pleasure or pain* Arist.; **keep one's resolve** (in negotiations) Th. X. **5 endure, hold out** S. Th. —W.PREP.PHR. *against the effects of a sickness* Th.; (of the kidneys of a sexually frustrated man) Ar.; (of a stone, in a fire) X.; (of a person's upbringing, when assailed by popularity or censure) Pl. **6** (of a wall) **stand solid** Th.; (of an embalmed corpse) **remain intact** Hdt.; (of the body, the soul, its particles) **stay together** (until death, despite ageing and illness) Pl. **7 continue** (in duration, quantity or quality); (of a person's life, a battle, hatred, tyranny) **last** E. Th. D.; (of a supply of water or grain) **suffice** Hdt. Th.; (of an army's skill) **extend** —W.PREP.PHR. *to a particular degree* Th. **8** ‖ MID. **stay close** —W.GEN. *to hills* Hdt.; (of fish) —*to river banks* Hdt.; (fig., of a branch of knowledge) —*to the truth* Pl.

ἀντήλιος

9 ‖ MID. **keep hold** —W.GEN. *of someone, a hand, clothing* Hdt. S. E. —*of a vase, spear* E. Pl. —*of a doorway, ship's rigging* Ar. Men.; **keep possession** —W.GEN. *of military forces, an asset* Lys. D.
10 ‖ MID. **cling** —W.GEN. *to a hero (as one's theme)* Pi. —*to a poet (as one's teacher)* Pl. —*to a phrase, an explanation, the principle of justice* Pl. Arist. —*to one's security, peace* Lys. Isoc.; *(of earthy objects)* —*to earth* Pl.; *(of an apparition)* —*to existence* Pl.
11 ‖ MID. **be loyal** —W.GEN. *to a master* NT.
12 ‖ MID. **keep, stick** —W.GEN. *to weeping, distrust* E. D. —*to a strategy, an alliance* Plb.; *(of tragedians)* —*to traditional plots, real names* Arist.
13 ‖ MID. **apply oneself** —W.GEN. *to a war, goal, seafaring, virtuous conduct* Hdt. Th. Pl. X.
14 ‖ MID. **lay claim** —W.GEN. *to a sum of money (sts.* W.DAT. *against another claimant)* Ar. X. —*to excellence, wisdom* Hdt. Pl.

ἀντ-ήλιος ον *Ion.adj.* [ἥλιος] facing the sunrise; (of places) **in** or **to the east** S.; (of statues of gods) **facing the dawn** A.; (of a god coming into view) E.

ἀντ-ημοιβός όν *ep.adj.* [ἀμοιβός] (of a name) **given as a replacement** (for another name) Call.

ἄντην *adv.* [ἀντί] **1 face to face** —*ref. to seeing someone* Od. —*ref. to reproaching, questioning or addressing someone* Hom. AR. —*ref. to making a stand, asserting one's status* Hom.
2 openly —*ref. to welcoming a god as a god (i.e. not in disguise)* Il.
3 into the presence (of someone) —*ref. to going* Il.
4 in the eyes of the beholder —*ref. to appearing similar* (W.DAT. *to a god, a swallow)* Od.
5 directly —*ref. to looking (at someone)* Il. Call. AR.
6 in full view or **in the open** —*ref. to bathing* Od.
7 front on —*ref. to being struck by a weapon* Il.
8 on approach —*ref. to a river-current giving way to a ship* AR.(cj.)

ἀντ-ήνωρ ορος *masc.fem.adj.* [ἀνήρ] (of ashes) **instead of men** (who went to war and died) A.

ἀντ-ηρέτης ου, dial. **ἀντηρέτᾱς** ᾱ *m.* [ἐρέτης] one who rows as an opponent; (gener., sts. appos.w. ἀνήρ) **opponent** (W.DAT. for a warrior) A.

ἀντήρης ες *adj.* [ἀραρίσκω or perh. αἴρω] **1** (of a warrior) **face to face** (w. his adversary) E.(dub.); (of a hand) **opposed** (to an adversary) E.
2 (of blows) **targeted** (W.GEN. at a person's chest) S.
3 (of a land) **opposite** (W.GEN. to another) E.
4 (of trace-horses being driven faster at the turning-point of a course) **striving in opposition** (to the horses on the inside, which are being restrained) E.

ἀντηρίς ίδος *f.* [ἀντερείδω] **prop, support** (for a hunting net or part of a siege-engine) X. Plb.; **stay-beam** or **strut** (on a trireme, to strengthen the cat-heads, when being rammed head on) Th.

ἄντηστις ιος *ep.f.* [perh. ἄντην, ἵστημι] (prep.phr., ref. to placing a chair) κατ' ἄντηστιν **in a position opposite** (to someone) Od. [or perh. ἄντα, ἕζομαι or ἧμαι, *in a sitting-facing position*]

ἀντ-ηχέω, dial. **ἀντᾱχέω** *contr.vb.* [ἀντί] | dial.3pl. ἀντᾱχεῦσι | **1** (of women) **sing** (W.ACC. a song) **in opposition** —W.DAT. *to men* E.; (of nightingales, to other birds) Theoc.*epigr.*
2 sing (W.ACC. a paean) **in the face of** —W.DAT. *Hades* E.
3 shout in opposition (to someone) Plu.
4 (of the sky) **echo back** —*chanting* Call.

ἀντί *prep.* | W.GEN. | sts. following its noun (but without anastrophe of the accent), e.g. Προθοήνορος ἀντὶ πεφάσθαι ἄξιος *worthy to be killed as requital for Prothoenor* Il. |
—**A** | location |
on the opposite side of —*trees* X.
—**B** | comparison or preference |
1 of equal strength, value or status, **equivalent to** —*someone or sthg.* Il. Hdt. D.
2 in comparison with —*another* S. E. Pl.
3 (ref. to desiring or choosing someone or sthg.) **in preference to** —*another* Thgn. A. S. Th. +; (ref. to loving glory) **rather** or **more than** —*life* Plu.
—**C** | substitution |
1 in place or **instead of** (as an alternative or replacement) —*someone or sthg.* Il. +
2 (ref. to succeeding to an office) **in place of** —*a leader or ruler* Plb. NT.
3 in the function of, **as** —*a suppliant, brother* Hom. —*a lion* Ar. —*a bath* Hdt.
4 (ref. to entreating) **in the name of, by** —*children* S.
—**D** | exchange |
1 (ref. to conferring or receiving a benefit, buying or selling, dying) **in return** or **exchange for** —*someone or sthg.* Il. +; (advbl., in phr.) ἀντ' εὖ νοεῖν *show goodwill in return* X. | for ἀντ' εὖ πάσχειν, ἀντ' εὖ ποιεῖν see ἀντιπάσχω 1, ἀντιποιέω 1
2 as requital or **as a penalty for** —*someone who was killed, previous wrongs* Hom. +
3 as a reaction to, **in response to** —*previous actions* Th. Plb. —*a state of affairs* S. NT.; **as a result** or **on account of** —*some cause* S. Plu.

ἀντία *neut.pl.adv. and prep.*: see under ἀντίος

ἀντιάζω *vb.* | Ion.impf. ἀντίαζον | fut. ἀντιάσω, dial. ἀντιάξῶ | aor. ἠντίασα, ptcpl. ἀντιάσᾱς, dial. ἀντιάσαις (Pi.) ‖ The fut. and aor. are shared by ἀντιάω. | **1 approach** —*someone (so as to welcome him)* A.; (of a god) **draw near** —W.DAT. *to someone (so as to help)* A.*fr.*
2 meet —*an enemy (for combat or to seek a truce)* Hdt.; **engage** (w. an enemy) Hdt. Plu. —W.DAT. *w. an enemy* (W.ACC. *in battle*) Pi.; (fig., sts. W.DAT. w. death and old age, human greed) Pi.
3 (fig., of singing) **answer** —W.PREP.PHR. *to reed-pipe music* Pi.
4 supplicate —*a person or god (sts.* W.GEN. *by their knees)* S. E.; (gener.) make an appeal, **beg** (a person) S. E.

ἀντι-άνειρα ᾱς *fem.adj.* [ἀνήρ] **1** (of the Amazons) **equal to men** Il.
2 (of civil discord) **of men against men** Pi.

ἀντίαος ᾱ ον *Aeol.adj.* [reltd. ἀνταῖος²] (epith. of Zeus) **of suppliants** Sapph.(cj.) Alc.

ἀντιάσᾱς (aor.ptcpl.), **ἀντιάσω** (fut.): see ἀντιάζω and ἀντιάω

ἀντ-ιάχω *vb.* —also **ἀντιαχέω** *contr.vb.* [ἀντίος] **shout back** AR.

ἀντιάω *contr.vb.* | ep.3sg. ἀντιάει, 2pl.opt. ἀντιάοιτε (AR.), inf. (w.diect.) ἀντιάᾱν | ep.iteratv.impf. (w.diect.) ἀντιάασκον (AR.) | fut. ἀντιάσω | AOR.: ἠντίασα, ptcpl. ἀντιάσᾱς | ep.3sg.subj. ἀντιάσῃσι (AR.), 2du. ἀντιάσητον | 2sg.opt. ἀντιάσειας, 3sg. ἀντιάσειε, 1pl. ἀντιάσαιμεν ‖ MID.: ep.inf. (w.diect.) ἀντιάασθαι (AR.) | 2pl.impf. ἀντιάασθε (Il.) —also (w.diect.) **ἀντιόω** *ep.contr.vb.* | pres. (sts. w.fut.sens.) ἀντιόω, 3pl. ἀντιόωσι, ptcpl. ἀντιόων, 3pl.imperatv. ἀντιοώντων | 3sg.mid.opt. ἀντιόῳτο (AR.) ‖ The fut. and aor. properly belong to ἀντιάζω. |

1 approach (a person, god, monster, ship) Hom. AR.; (euphem., of a female captive) —*her captor's bed* Il.; (of destruction) AR.
2 come face to face —W.DAT. *w. a person, his strength* Hom. Hellenist.poet. —*w. a dragon* hHom. —W.GEN. *w. a person* (esp. an enemy) Hom. AR.; (of horses) —*w. the enemy* Thgn.; (mid., of a boxer) —W.DAT. *w. an opponent* AR.
3 (of an arrow) **strike** —W.GEN. *a person's stomach or chest* Il.; (of oxen) **collide** (w. a shield) AR.
4 meet with —W.GEN. *profit, justice* Od. AR. —*love pangs, pity* Thgn. Call.*epigr.*
5 put up a fight Il. AR.; **offer opposition** (in a dispute) AR.; (of waves, their force) AR. ‖ MID. **be an obstacle** —W.DAT. *for opponents* AR.; (of a god, on an expedition) AR.
6 take part in —W.GEN. *a battle, contests* Hom.; (mid., of guests) —*a wedding* Il.
7 receive —W.GEN. *funeral rites, a pleasant marriage, assistance* S. AR.; (of gods) —*sacrificial offerings* Hom.; (of the dead) —*libations* Call.
8 entreat —*someone* AR.; **request** —*help* AR.; **make a request** AR. —W.GEN. *of someone* (sts. W.INF. *to do sthg.*) AR.

ἀντι-βαίνω *vb.* **1 put one's foot against** —W.DAT. *someone's ribs* E.; **brace one's feet** (when rowing, against a foot-plate) Ar.
2 (of combatants, guards) **offer resistance** or **opposition** (to persons) Hdt. Ar.; (of a statesman) —W.DAT. *to another* Plu.; (of a student, to a teacher) Plu.; (of a kind of courage) —W.PREP.PHR. *to pain or pleasure* Pl.; (of a part of the soul) Arist.
3 offer opposition (in words or attitude); **object** (to a proposal or sim.) Hdt. S. E. Plb. Plu. —W.DAT. *to an order, a situation* A. Hdt.
4 (of the ground) **offer resistance** (during mining) Plb.
5 (of an overweight woman, during pregnancy) **be an obstacle** (to the healthy growth of her foetus) Plu.; (of circumstances) **be opposed** —W.PREP.PHR. *to a course of action* Plb.; (of a style of ruling) —W.DAT. or PREP.PHR. *to popular rule or desires* Plu.

ἀντι-βάλλω *vb.* **1 make a counter-volley** Th. —W.DAT. *w. javelins and arrows* Plu.; **throw back** —*an enemy's own javelin* Plb.
2 exchange —*words* (W.PREP.PHR. *w. one another*) NT.

ἀντίβασις εως *f.* [ἀντιβαίνω] **opposition** (to a river's flow at its mouth, W.GEN. fr. the sea's incoming waves) Plu.

ἀντιβατικός ή όν *adj.* (in neg.phr., of the sun's path) **involving a contrary motion** (to that of other celestial bodies) Plu.

ἀντί-βιος ον *adj.* [βίᾱ] (of words) **violently hostile** Hom.
—ἀντίβιον *neut.adv.* **in violent hostility** —*ref. to fighting* Il.
—ἀντιβίην *adv.* **in violent hostility** (sts. W.DAT. to someone) —*ref. to quarrelling, fighting, or sim.* Il. Hes. Hdt.(oracle) AR.

ἀντι-βλάπτω *vb.* **inflict harm in retaliation** Arist.

ἀντι-βλέπω *vb.* | fut. ἀντιβλέψομαι | **look face to face**; **look directly** —W.DAT. or PREP.PHR. *at someone or sthg.* X. Aeschin. D. Plu.

ἀντίβλεψις εως *f.* **meeting of eyes** (betw. two people) X.

ἀντι-βοάω *contr.vb.* **cry out in response** (to the crying of others) Hdt.; (of Echo) Bion

ἀντι-βοηθέω *contr.vb.* **1 provide help in return** Th. X. —W.DAT. *to an ally, a neighbour* Pl. X.
2 bring relief —W.DAT. *to compatriots under attack* X.

ἀντιβολέω *contr.vb.* [reltd. βάλλω] | Att.3sg.impf. ἠντεβόλει | aor. ἀντεβόλησα | **1 come face to face** (sts. W.DAT. w. someone) Hom. AR.; (of a warrior, sts. W.DAT. w. an opponent) Hom.; (of groups of people) —W.DAT. *w. one another* AR.
2 be present —W.DAT. *at funeral games, a massacre* Od.; (of a god) —*at a sacrifice* (*to receive the offerings*) AR.
3 participate —W.GEN. *in a battle, feast, one's wedding* Hom. Hes. AR.; **meet with** —W.GEN. *kindness, honours* Od. Pi.; (of an unwanted marriage, misfortune) **come upon** —W.GEN. or DAT. *someone* Od. hHom.
4 entreat, beg Ar. Att.orats. X. Men. + —W.ACC. *someone* (esp. jurors) Lys. Ar. D. Men. + —(W.INF. *to do sthg.*) Ar. Att.orats. Plu. —W.ACC. + PASS.INF. *that someone be treated in a certain way* Plu. ‖ PASS. (of a person) **be entreated** or **begged** Ar.

ἀντιβόλησις εως *f.* **entreaty** (by a defendant, a lover) Pl.

ἀντιβολίᾱ ᾱς *f.* **cry for help** (by a wounded soldier) Th.

ἀντι-γενεηλογέω *Ion.contr.vb.* [γενεαλογέω] **present a contrasting genealogy** Hdt.

ἀντι-γνωμονέω *contr.vb.* [γνώμων] **hold a contrary opinion** —w. μή and ACC. + INF. *that sthg. is not the case* X.

Ἀντιγόνη ης *f.* **Antigone** (daughter of Oedipus and Jocasta) Trag. D. Arist.

ἀντι-γραφεύς έως *m.* **checking-clerk, auditor** (at Athens and elsewhere, sts. W.GEN. of property-tax revenue) Aeschin. D. Plb.

ἀντι-γραφή ῆς *f.* **1 written reply** (to another writer's work) Plu.
2 app. **certified copy** (of a plaintiff's sworn statement) Pl.
3 (leg.) **statement by a defendant** Hyp. D.; (about the inadmissibility of a lawsuit) Lys.
4 ‖ PL. **counter-charges** (in a contested lawsuit) Ar.

ἀντί-γραφος ον *adj.* (of an inscription, a document) **written as a counterpart** (to the original), **copied, duplicated** D.
—ἀντίγραφον ου *n.* **transcript** (W.GEN. of an official or legal document, a letter) Att.orats. Arist. Plu.; **record** (of a lawsuit) D.; **copy** (of a book) Plu.

ἀντι-γράφω *vb.* **1 write in reply** Plu. —W.COMPL.CL. *that sthg. is the case* Plb. Plu.
2 ‖ MID. (leg., of a defendant) **compose as a defence plea** —*a statement* D.; **compose a counter-claim** (sts. W.DAT. against the prosecutor) —W.INF. + PREDIC.SB. *that one is such and such* D.; —w. μή and ACC. + INF. *that a case is inadmissible* Lys.
3 ‖ MID. (of litigants) **write** (W.ACC. an answer) **as a counter-claim** —W.PREP.PHR. *about sthg.* Is.; **submit a counter-claim** Is. —W.ACC. + INF. *that an opponent is doing sthg.* D.
4 ‖ MID. (of a prosecutor) **submit a counter-charge** —W.DAT. *against the defendant* Aeschin. —W.ACC. *on certain grounds* Aeschin.
5 ‖ MID. (of a clerk to the Council) **cross-check** or **collate** —*decrees, laws* (for accuracy of recording) Arist.

ἀντι-δάκνω *vb.* **bite** (W.ACC. lice found on one's body) **in retaliation** Hdt.

ἀντι-δανειστέον *neut.impers.vbl.adj.* [δανείζω] **it is necessary to lend money** (W.DAT. to a creditor) **in return** Arist.

ἀντι-δεξιόομαι *mid.contr.vb.* (of soldiers) **salute** (W.ACC. their departing comrades) **in return** X.

ἀντι-δέομαι *mid.contr.vb.* **make a request** (W.GEN. of someone) **as an alternative** (to one made by someone else) Pl.

ἀντι-δέρκομαι *mid.vb.* (of a fearless warrior) **look straight towards** —*the swathe cut by enemy spears* E.

ἀντι-δέχομαι *mid.vb.* **receive in return** —*a sum of money* A. —*expressions of affection* E.

ἀντι-δημαγωγέω *contr.vb.* (pejor.) **be a crowd-pleaser in response** Plu. —W.PREP.PHR. *to a rival's generosity* Arist.

ἀντι-διαβαίνω *vb.* **cross over in retaliation** (into Asia) X.

ἀντι-διαβάλλω *vb.* **counter-accuse** —*one's accuser* Arist.

ἀντι-διαπλέκω *vb.* (fig., of a litigant) **twist** or **wriggle through in response** (to an accusation) Aeschin.

ἀντι-διδάσκω *vb.* (of a dithyrambic poet) **direct a rival performance** Ar.

ἀντι-δίδωμι *vb.* **1 give in return** —*a gift, reward, favour, or sim.* (sts. W.DAT. *to someone*) A. Hdt. E. Th. + —(W.GEN. *for being rescued*) E. —*a daughter* (as a bride) Men. —*one's oath* (W.DAT. *to someone*) E. —*pain, maltreatment* S. E. || PASS. (of goodwill, compassion) be shown in return Th.
2 grant in return —W.INF. *that one may do sthg.* A.
3 give in exchange —*a sum of money, sheep, wine* (sts. w. ἀντί + GEN. *for sthg.*) E.Cyc. Ar. Plu.
4 give in substitution —*one's wife* (for oneself, so as to escape death) E. —*a phantom* (for a person) E. —*the spirits of Death* (as brides) E. —*a hind* (W.GEN. *for a human sacrificial victim*) E. —*mules* (for horses) X. —*one's life* (for another's) E.
5 pay in return —*a recompense, penalty* E. Th. —*a relative's corpse* (W.PREDIC.ADJ. *in exchange*, W.GEN. *for other corpses*) S.
6 (of an Athenian nominated to perform a leitourgia) **propose an exchange of property** (w. another, as an alternative to taking that leitourgia upon himself) Lys. D. —W.DAT. *w. someone* D. —W.ACC. *in relation to the command of a trireme* D.; (of the person who accepts the leitourgia) **engage in an exchange of property** D.; (of both parties) —W.DAT. *w. one another* D.

ἀντι-διέξειμι *vb.* (of a prosecutor) **go through** (W.ACC. the names of certain men) **by way of contrast** (w. other men) Aeschin.

ἀντι-διεξέρχομαι *mid.vb.* (of a disputant) **proceed in a continuous manner in opposition** —W.DAT. *to an argument* Pl.

ἀντιδικέω *contr.vb.* [ἀντίδικος] | impf. ἠντεδίκουν | aor. ἠντεδίκησα | **1 be an opponent in a lawsuit, go to law** Pl. D. —W.DAT. *w. someone* Is. D. —W.PREP.PHR. *about one's rights* X.
2 plead one's case in opposition Ar. D. —W.DAT. or PREP.PHR. *to someone, a case, slanders* Att.orats. Plu.; **plead to the contrary** —W.ACC. + INF. *that sthg. is such and such* Lys.

ἀντί-δικος ου *m.* [δίκη] **1 opponent in a lawsuit, adversary** Att.orats. Pl. X. Arist. +; (fig., ref. to a king at war w. another) A.
2 opponent (in politics) Plu.

ἀντι-δοξάζω *vb.* **hold a different opinion** Pl.

ἀντιδοξέω *contr.vb.* [δόξα] (of a historian) **hold a different opinion** Plb. —W.PREP.PHR. *fr. other writers* Plb.

ἀντίδοσις εως (Ion. ιος) *f.* [ἀντιδίδωμι] **1 giving in return, exchange** Arist.; (W.GEN. of an island, app. for another) Call.; (ref. to an agreement betw. statesmen) Plu. || PL. gifts in return (betw. statesmen, ref. to armies) Plu.
2 (ref. to a legal process, at Athens) **exchange of property** (proposed to another by a person nominated to perform a leitourgia, as an alternative to taking that leitourgia upon himself) Att.orats. Arist.; (W.PREP.PHR. or GEN. for a certain leitourgia) Isoc. X.

ἀντι-δουλεύω *vb.* **be a servant in return** —W.DAT. *to one's parents* E.

ἀντί-δουλος ον *adj.* [δοῦλος] (of a young noblewoman) **no different from a slave** (in her lifestyle) A.

ἀντί-δουπος ον *adj.* [δοῦπος] (of lamentation) **as a thudding response** (sts. W.DAT. *to someone crying*) A.

ἀντι-δράω *contr.vb.* **1 retaliate** S. E. Antipho Pl. —W.PREP.PHR. *in response to an opponent's actions* S.; **retaliate against** —*an enemy* Plu.
2 requite —*someone* (for offer.ces, kindness) S. E.

ἀντι-δωρεά ᾶς *f.* **return-gift** (for a visiting dignitary) Arist.

ἀντι-δωρέομαι *mid.contr.vb.* Ion.3pl.aor.opt. ἀντιδωρησαίατο (E.) | **give** (W.ACC. sthg.) **in return** —W.DAT. *to someone* E. Pl. Arist.; **return** —*prisoners of war* (sts. W.DAT. *to their compatriots*) Plb.; **present in return** —*someone* (W.DAT. *w. a gift*) Hdt.; **exchange gifts** (w. someone) X.

ἀντι-ζητέω *contr.vb.* **search in turn** (while being sought) X.

ἀντί-θεος ον (also Ion. η ον Cd.) *adj.* [θεός] **equal to a god or the gods**; (of a people) **godlike** Hom.; (of a hero, warrior) Hom. Pi. B.; (of a judge, counsellor, seer) Hom. Stesich. Thgn. Pi.; (of the Cyclops, Penelope, her suitors) Od.

ἀντι-θεραπεύω *vb.* **look after** (W.ACC. one's parents) **in return** X.

ἀντίθεσις εως *f.* [ἀντιτίθημι] ˉ **setting in opposition, opposition** (W.GEN. + PREP.PHR. of one Form, to another) Pl.
2 opposition, antithesis (betw. one concept and another) Arist.
3 (rhet.) **antithesis** Isoc. Arist.

ἀντίθετον ου *n.* (rhet.) **antithesis** Aeschin. Plu.

ἀντι-θέω *contr.vb.* [θέω¹] | fut ἀντιθεύσομαι | (of athletes) **run in competition** (against others) Hdt.

ἀντίθημι *dial.vb.*: see ἀνατίθημι

ἀντι-θρῴσκω *vb.* (of blood) **leap up in turn** Emp.

ἀντί-θυρον ου *n.* [θύρα] **area in front of a doorway, porch** or **vestibule** Od. S.

ἀντι-κάθημαι, Ion. **ἀντικάτημαι** *mid.vb.* **occupy a position opposite** (sts. W.DAT. *to the enemy, a city*) Hdt. Th. X. +; (of political factions) **remain opposed** —W.DAT. *to each other* Arist.

ἀντι-καθίζομαι, Ion. **ἀντικατίζομαι** *mid.vb.* **occupy a position opposite** (sts. W.DAT. *to the enemy*) Hdt. Th.

ἀντι-καθίστημι, Ion. **ἀντικατίστημι** *vb.* | 3pl.imperatv. ἀντικαθιστάτωσαν (Plb.) | fut. ἀντικαταστήσω | aor. ἀντικατέστησα || PASS.: aor. ἀντικατεστάθην || The act. is tr. For the intr. mid., see ἀντικαθίσταμαι below. The athem.aor. and pf.act. are also intr. |
1 restore in exchange, substitute —*persons, animals, valuable items* (for others now gone) Hdt. Th. Plb.
2 counter-deploy —*soldiers* Th.; **make a counter-deployment** X.
3 appoint as a successor —*someone* (W.PREDIC.SB. *as a tribune*) Plu.; **establish** (W.ACC. an inner guardian and guide) **as a substitute** —W.DAT. *for parental supervision* Pl. || PASS. be appointed as a replacement —W.GEN. or ἀντί + GEN. *for a predecessor* Hdt. X.
4 restore —*fearful people* (W.PREP.PHR. *to confidence*) Th.

—**ἀντικαθίσταμαι** *mid.vb.*| athem.aor.act. ἀντικατέστην | pf.act. ἀντικαθέστηκα || The mid., athem.aor.act. and pf.act. are intr. For the tr. act. see ἀντικαθίστημι above. |
1 (of armies, fleets) **form up for confrontation** Th. —W.DAT. *w. the enemy* Th. X.; (of a statesman) **contend** —W.DAT. or PREP.PHR. *against an opponent* Plu.
2 (of a city) **be opposed** (to another) Th.

ἀντι-κακουργέω *contr.vb.* **inflict an injury in retaliation** Pl.

ἀντι-καλέω *contr.vb.* (of guests) **invite in return** —*their host* NT. || PASS. (of a host) be invited in return X.

ἀντι-καταθνῄσκω vb. | dial.aor.2 inf. ἀντικατθανεῖν | (of murderers) **be killed in return** A.

ἀντι-καταλείπω vb. (of a magistrate, at death) **leave behind as a replacement** —*a successor whom he has trained* Pl.

ἀντι-καταλλάσσομαι, Att. **ἀντικαταλλάττομαι** mid.vb.
1 give in exchange —*one's life* (w. ὑπέρ or ἀντί + GEN. *for the sake of glory, the safety of one's people*) Isoc. Lycurg. —*the safety of one's people* (*for the pleas of a defendant*) Din.; (fig.) **barter** —*murders of one's friends or relatives* (W.GEN. *for the murders of one's opponents*) Plu.
2 receive in exchange —*immortal glory* (w. ἀντί + GEN. *for one's life*) Isoc. —*one advantage* (*for many disadvantages*) Aeschin. —*political freedom and unity* (*for aid to allies*) Plb. —*short-lived fame* (W.GEN. *for a high price*) Plu.
3 (of a defendant) **present as a mitigating circumstance** —W.COMPL.CL. *that sthg. is the case* Arist.; (of a jury) **counterbalance** —*one consideration* (W.GEN. *w. another*) Din.
4 (of a lover and his beloved) **interchange** —*pleasure, profit* Arist.; (of a defendant) **substitute** —*one motive* (*for another*) Arist.
5 ‖ PASS. (of a person) be reconciled —W.DAT. *w. fortune* Plb.

ἀντικατάστασις εως f. [ἀντικαθίστημι] **confrontation** Plb.

ἀντι-κατατείνω vb. (fig.) **lay out at length** (W.ACC. a list of advantages) **in opposition** —W.DAT. *to a disputant* Pl.

ἀντι-κατηγορέω contr.vb. **bring a counter-accusation** —W.GEN. *against a plaintiff* Att.orats. Plu.

ἀντικάτημαι Ion.mid.vb.: see ἀντικάθημαι

ἀντικατίζομαι Ion.mid.vb.: see ἀντικαθίζομαι

ἀντικατίστημι Ion.vb.: see ἀντικαθίστημι

Ἀντι-κάτων ωνος m. **Counter-Cato** (title of Julius Caesar's written response to Cicero's eulogy *Cato*) Plu.

ἀντι-κάω Att.vb. [καίω] (of burning particles) **ignite in turn** —*the source of their heat* Pl.

ἀντί-κειμαι mid.pass.vb. [κεῖμαι] **1** (of honour) **be laid up as compensation** —W.DAT. *for brave men* Pi.
2 (of a hill) **be positioned on the opposite side** (of a city) —W.DAT. *to another hill* Plb.; (of infantry in a camp) —*to the cavalry* Plb.
3 (of the nature of two concepts) **be set in opposition** —W.PREP.PHR. *to each other* Pl.; (of feeling anger) **stand in opposition** —W.DAT. *to feeling pity* Arist.
—**ἀντικείμενος** η ον mid.pass.ptcpl.adj. **1** (of a plan) **opposite** (W.DAT. *to a previous one*) Plb.; (of a clause) **antithetical** Arist. ‖ NEUT.PL.SB. **opposites** (as a subject for inquiry) Arist.
2 (of a person) **opposed** (W.DAT. *to someone*) NT.
—**ἀντικειμένως** mid.pass.ptcpl.adv. **1 by way of contrast** (to another) —*ref. to using a certain term* Arist.
2 in an antithetical form —*ref. to making a statement* Arist.

ἀντι-κελεύω vb. **order in return** —*envoys* (W.INF. *to do sthg.*) Th. ‖ PASS. (of envoys) **receive orders in return** Th.

ἀντί-κεντρος ον adj. [κέντρον] (of pangs, reproaches) **goad-like** A.

ἀντι-κηδεύω vb. **look after** (W.ACC. an old man) **just as** (one would) —W.GEN. *one's own father* E.

ἀντι-κηρύσσω vb. **make an announcement in response** —W.DAT. *to a message* E.

ἀντι-κῑνέομαι mid.contr.vb. (of a commander) **make counter-manoeuvres** Plb.

ἀντι-κλάζω vb. | aor. ἀντέκλαγξα | **1** (of Bacchants) **sing** (W.ACC. a Bacchic chant) **in answer** —W.DAT. *to each other* E.
2 (of shouting) **echo back** —W.DAT. *fr. cliffs* E.

ἀντι-κλαίω vb. **weep in response** (to others' weeping) Hdt.

ἀντι-κνήμιον ου n. [κνήμη] **front part of the leg, shin** Hippon. Ar. X. Thphr.

ἀντι-κολακεύω vb. **flatter** (W.ACC. a flatterer) **in return** Plu.

ἀντι-κομίζω vb. **bring** (W.ACC. an answer) **in return** Plu.

ἀντι-κομπάζω vb. **boast in response** —W.DAT. *to an offer* Plu.

ἀντι-κόπτω vb. **strike or cut in opposition**; (of a person) **offer resistance** —W.PTCPL. *by saying that sthg. is the case* X.; (of a circumstance) **be a hindrance** (to sailors) X.

ἀντίκρουσις εως f. [ἀντικρούω] **1 restraint** (on someone) Arist.
2 opposition (fr. someone) Plu.
3 app. **sharp reply, witticism** Aeschin.

ἀντι-κρούω vb. **1 offer opposition** (in politics or sim.) Arist. Plu. —W.DAT. *to someone* (sts. W.PTCPL. *as he speaks*) Plu. —W.PREP.PHR. or DAT. *to a person's wishes, proposals* Arist. Plu.; **contend** —W.PREP.PHR. *against a person's reputation* Plu.
2 (of a commander) **meet with setbacks** (after successes) Plu.; (of an occurrence) **be a setback** D. —W.DAT. *to someone* Th.
3 (fig., of a questioner) **collide** (w. a speaker in full flow) Pl.

ἀντικρύ, ep. **ἀντικρύ** (Il.) adv. **1 face to face** —*ref. to fighting* (W.DAT. *against opponents*) Il.
2 (quasi-adjl., of a hill) **opposite** Plb.; (W.GEN. *to a building*) Plu.; (also) κατ' ἀντικρύ **opposite** Pl.
3 (ref. to location) **directly ahead** AR.
4 (ref. to movt.) **directly, straight** Hom. Stesich. X. AR.
5 right across —*ref. to leaping over a ditch* Il.
6 plainly —*ref. to making a declaration* Il.
7 completely, thoroughly Il. AR.

—**ἄντικρυς** adv. **1** (ref. to movt.) **directly, straight** Th. Ar. Pl.
2 without delay, straightaway, immediately Lys. Ar.
3 plainly, expressly —*ref. to agreeing, speaking, praying for riches, or sim.* A. Th. Ar. D.; **openly** —*ref. to being at war* Th.
4 outright, absolutely Ar. D.; (quasi-adjl., of freedom) **absolute** Th.
5 (modifying an adj. or sb.) **exactly, really, truly** Th. Ar. Is. D.
6 off, near (W.GEN. an island) —*ref. to a ship anchoring* NT.
7 in front (of someone) Plu.; (quasi-adjl., of a private interest) **obstructive** (to a friendship) Arist.(dub.)

ἀντί-κτονος ον adj. [κτείνω] (of vengeance) **counter-killing** (W.GEN. for a person, i.e. to avenge his killing) A.

ἀντι-κύρω vb. | only aor. ἀντέκυρσα, masc.nom.pl.ptcpl. ἀντικύρσαντες | **come face to face with, meet with** —W.DAT. *someone* S. — **troubles** Pi.; (of a sudden death) —*someone* S.

ἀντι-κωμῳδέω contr.vb. **ridicule in retaliation** —*an elegiac poet* (W.DAT. *w. an elegy of one's own*) Plu.

ἀντιλαβή ῆς f. [ἀντιλαμβάνω] **taking of a grip** (on sthg.); **purchase, grip** (for a grappling-iron) Th. ‖ PL. (fig.) **holds** (offered by a weak argument, envisaged as an opponent in wrestling) Pl.

ἀντι-λαγχάνω vb. **1 file in response** —*claims* (W.DAT. *against someone*) D.; (of magistrates) —*indictments* D.
2 (of a litigant) **apply to have** (W.ACC. a lawsuit) **heard anew** D.

ἀντι-λάζυμαι, also **ἀντιλάζομαι** mid.vb. | imperatv. ἀντιλάζου | **1 take hold** (of a person) E. —W.GEN. *of a person's chin* (*in supplication*) E.; **seize on** —W.GEN. *words* E.fr.; (of an opportunity) —*sthg.* E.
2 take upon oneself —W.GEN. *someone's troubles* E.
3 (of a neglectful son) **receive in turn** —W.ACC. *corresponding treatment* (W.PREP.PHR. *fr. his children*) E.

ἀντι-λακτίζω vb. (fig., of a population envisaged as a wine-jar) **kick back** —W.DAT. *at another wine-jar* Ar.
ἀντι-λαμβάνω vb. | fut. ἀντιλήψομαι | aor.2 ἀντέλαβον |
1 receive in exchange —*gold* (W.GEN. *for one's youth*) E.
2 receive in return (for one's actions) —*an ally* X. —*a recompense, benefit, suffering, or sim.* Thgn. E. Th. Arist.
3 capture in retaliation —*territory, enemy soldiers* Th. X.
4 ‖ MID. **take hold** (of sthg.) Th. Pl. —W.GEN. *of an object* Thgn. Pl. —*of safety, an education, freedom, or sim.* Th. Lys. Pl. D. Plb.; (of a claim, philosophy) —*of someone* Pl.
5 ‖ MID. **take hold** (of someone, to support him) E.; **provide help** —W.GEN. *for weak people* NT.
6 ‖ MID. (of part of a person's body) **catch** (W.GEN. fire) **in turn** Ar.
7 ‖ MID. **hold back** or **steady** —W.GEN. *one's horse* (W.DAT. *w. its bridle*) X.; (of a speech-sound) **restrain** —W.GEN. *the gliding motion of the tongue* Pl.
8 ‖ MID. (of a weapon) **hold fast** —W.PREP.PHR. *in a ship's rigging* Pl.
9 ‖ MID. **take control** —W.GEN. *of high ground, the sea* Th. Plb. —*of a conversation, a situation* Pl. D.
10 ‖ MID. **participate** —W.GEN. *in a war* Isoc.; (of an army) **engage** —W.GEN. *w. an enemy* Plu.
11 ‖ MID. (of an army) **reach** —W.GEN. *friendly territory* Th.
12 ‖ MID. **lay claim** —W.GEN. *to a throne, leadership of an alliance* Ar. Arist. —*to certain slaves* D.
13 ‖ MID. **make a counter-attack** (in an argument) Pl. —W.GEN. *on a person, question, argument, or sim.* Pl.; **object** —W.COMPL.CL. *that sthg. is the case* Pl.
14 ‖ MID. **apply oneself** Th. Ar. —W.GEN. *to one's education, a situation, task* Pl. X. D.
ἀντι-λάμπω vb. **1 cause to shine in response or in turn, light in response** —*the next beacon in a series* A.
2 (of the brightness in hares' coats, weapons) **reflect light** X. Plu.
3 (of the sun) **shine in opposition or as a hindrance, shine in the face of** —W.DAT. *an army* Plu.
ἀντι-λέγω vb. | fut. ἀντιλέξω | aor. ἀντέλεξα ‖ The fut. and pf. are usu. supplied by ἀντείρω and the aor. by ἀντεῖπον. |
1 (intr.) **speak in opposition** Hdt. S. E. Th. Even. And. + —W.DAT. or PREP.PHR. *to persons, their claims, comments, values, laws, justice, or sim.* Th. Ar. Att.orats. +; **object** Th. Ar. Att.orats. + ‖ MASC.PTCPL.SB. **opponent** Th. Lys. + ‖ PASS. (of persons or things) **be spoken against** NT.
2 argue in opposition —*the contrary case* Lys. X. —W.DAT. *to oracles* (W.COMPL.CL. *that they are not true*) Hdt. —W.COMPL.CL. *that sthg. is not the case* Th. And. Ar. + —w. μή and INF. or ACC. + INF. *that one or someone shd. not do sthg.* Th. X.; (intr., of a book) —W.PREP.PHR. *to someone* Pl.
3 deny —w. μή + INF. *that sthg. is the case* Th. Is. NT.; **argue against** —*a proposition* X. —(W.COMPL.CL. *that sthg. is not the case*) Arist.
4 dispute —*a matter* Pl. Men.; **disagree** —W.DAT. *w. someone* Hyp. —W.PREP.PHR. *about sthg.* Isoc. Pl. X. Hyp. ‖ MID. **be involved in a dispute** —W.PREP.PHR. *against someone* (W.PREP.PHR. *about sthg.*) D. ‖ PASS. (of a topic) **be debated** Isoc. X.; (of territory) **be contested** X.
‖ NEUT.PL.PASS.PTCPL.SB. **disputed points** Aeschin.
5 make a counter-claim —W.FUT.INF. *that one will do sthg.* Th. —W.PREP.PHR. *about sthg.* X. —*on behalf of someone* (W.COMPL.CL. *that sthg. is the case*) Th.
6 speak in response —W.PREP.PHR. *to a person* (*asking questions*) Pl.; **answer back** Pl. X.; **tell** (W.ACC. a story) **in reply** —W.DAT. *to an opponent's story* Ar.

ἀντίλεκτος ον adj. (of a boundary) **disputable** Th.
Ἀντιλέων οντος m. **Antileon** (name of an obscure early tyrant at Chalcis) Alc.(cj.) Arist.; (applied to a person who claims to be *as good as a lion*, w.connot. of being a tyrant) Ar.
ἀντίληξις εως f. [ἀντιλαγχάνω] **motion for a new hearing** (of an arbitration) D.
ἀντίληψις εως f. [ἀντιλαμβάνω] **1 receiving, reception** (W.GEN. of imports) **in exchange** (for exports) Th.
2 counter-claim (W.GEN. over plunder dedicated to a god) X.
3 means of taking hold, purchase (provided by the hair of a person or animal) X. Plu.; (fig., perh. as if in wrestling) **means of attack** (on an argument), **hold** Pl. ‖ PL. **objections** (in a debate) Pl.
4 counter-manoeuvre (by an enemy commander) Plu.
5 attack in turn (W.GEN. on the body's extremities, by a disease spreading fr. the head and trunk) Th.
6 ambiguity (in the wording of a law) Plu.
ἀντιλογέω contr.vb. [ἀντίλογος] **1 claim to the contrary, object** —W.ACC. and οὐ + INF. *that someone is not a certain person* S.
2 make a counter-argument Ar. —W.DAT. *to an argument* Ar.
ἀντιλογίᾱ ᾱς, Ion. **ἀντιλογίη** ης f. **1 opportunity or occasion for speaking in response; audience, hearing** (in a court) Hdt.
2 exchange of arguments (in an assembly) Th.
3 dispute (sts. W.DAT. or PREP.PHR. w. someone) Th. X. D. Arist. +
4 counter-argument, objection Hdt. Th. Plb.
5 opposition (W.PREP.PHR. to a proposal, fr. a faction) Plu.
6 disputation (ref. to a kind of dialectical argument, esp.assoc.w. the Sophists) Pl. Plu. ‖ PL. **set-piece arguments** (assoc.w. Euripides) Ar.
7 contradiction Arist. Plu.
ἀντι-λογίζομαι mid.vb. **take into consideration on the other hand** —*the benefits of a policy* X. —W.COMPL.CL. *that sthg. is the case* Antipho X.
ἀντιλογικός ή όν adj. (of persons) **of the kind that make counter-arguments** (in a manner assoc.w. the Sophists), **skilled in disputation** Ar. Isoc. Pl.; (of arguments) **disputational** Pl.; (of an art) **of disputation** Pl. ‖ NEUT.SB. **disputation** (classified as a kind of argument) Pl.
–ἀντιλογικῶς adv. **in a disputational manner** Pl.
ἀντίλογος ον adj. [ἀντιλέγω] (of chance events) **contradictory** E.(dub.)
ἀντι-λοιδορέω contr.vb. **speak abusively in retaliation** Plu.
ἀντι-λῡπέω contr.vb. **make** (W.ACC. one's enemies) **feel pain in retaliation** Plu.
ἀντί-λυρος ον adj. [λύρᾱ] (of the sound of an aulos) **equal to a lyre** (in expressiveness) S.
ἀντι-λυτρωτέον neut.impers.vbl.adj. [λυτρόω] **it is necessary to ransom in return** —*one's ransomer* Arist.
ἀντι-μανθάνω vb. **learn instead** (of one's old habits) —*a different way of life* Ar.
ἀντι-μαρτυρέω contr.vb. (of an inscription) **present opposing evidence** Plu.
ἀντι-μάχομαι mid.vb. (of traitors) **fight for the enemy** Th.
ἀντι-μεθίστημι vb. **change** (W.ACC. decrees and the law) **by replacement** (w. others) Ar.
ἀντι-μειρακιεύομαι mid.vb. (of Fortune) **retaliate with youthful petulance** —W.PREP.PHR. *against someone* Plu.
ἀντι-μέλλω vb. **delay in response** (to another's delay) Th.
ἀντι-μέμφομαι mid.vb. **complain in reply** —W.COMPL.CL. *that sthg. is the case* Hdt.

ἀντι-μεταλλεύω *vb.* countermine Plb. —W.DAT. *against the enemy* Plb.

ἀντι-μέτειμι *vb.* [μέτειμι²] canvass or campaign as a rival (for a magistracy) Plu.

ἀντι-μετρέομαι *pass.contr.vb.* (of a quantity) be measured out in return —W.DAT. *to someone* NT.

ἀντι-μέτωπος ον *adj.* [μέτωπον] (quasi-advbl., of a commander leading an attack) face to face (w. the enemy) X.; (of cavalry charging) X.

ἀντι-μηχανάομαι *mid.contr.vb.* 1 (of Zeus) devise schemes in response (to Hera's schemes) E.
2 contrive in response —*various tactics* Hdt. —*means of extinguishing a fireship* Th.; show ingenuity in response —W.PREP.PHR. *to the enemy, their attacks* Plb. —*to a situation* X.

ἀντι-μίμησις εως *f.* imitation (W.GEN. of the enemy's armaments) as a response Th.

ἀντί-μῑμος ον *adj.* [μῖμος] (of the human eye) imitatively corresponding (W.DAT. to the sun's disc) Ar.(perh.quot. E.); (of the desire of the soul, to sthg.) Arist.(quot.)

ἀντι-μῑσέω *contr.vb.* hate in return —*wicked people* Ar.

ἀντί-μισθος ον *adj.* [μισθός] (of remembrance) as payment in return A.

ἀντί-μοιρος ον *adj.* [μοῖρα] (of light) with a contrasting portion, opposite (W.DAT. to darkness) A.

—ἀντιμοιρεί *adv.* share for share —*ref. to dividing property* D.(dub.)

ἀντί-μολπος ον *adj.* [μολπή] (of lamentation) sung in opposition (W.GEN. to joyful cries) E.; (of a remedy or antidote for drowsiness, fig.ref. to singing or whistling) A.

ἀντιμόρφως *adv.* [μορφή] with a similarity of shape (W.DAT. to certain serpents) Plu.

ἀντι-ναυπηγέω *contr.vb.* build or fit out ships for conflict (w. other ships) Th. || PF.PASS.PTCPL. (of ships) built for conflict Th.

ἀντι-νῑκάω *contr.vb.* be victorious in turn (after a defeat) A.

ἀντινομίᾱ ᾱς *f.* [νόμος] conflict between the requirements of different laws, legal quandary Plu.

ἀντιξοέω *contr.vb.* [ἀντίξοος] shave against the grain (of wood); (fig., of Nemea) offer opposition (in words, to an athlete's claim to achievements) Pi.

ἀντί-ξοος οον, also ἀντίξους ουν (Call.) *adj.* [app. ξέω] 1 (of persons, an army, ships) opposed (W.DAT. to someone) Hdt. || NEUT.SB. opposition Arist.(quot. Heraclit.); hindrance Hdt.
2 (of an opinion) contrary Hdt.; (app., of a difference of opinion) Call.
3 (of a circumstance) adverse (W.DAT. for someone) Hdt.
4 (of timbers for a ship) resistant (W.DAT. to dowels) AR.

ἀντίον¹ ου *n.* loom-rod (ref. to one of two horizontal bars used to separate alternate warp-threads) Ar.

ἀντίον² *neut.sg.adv and prep.*: see under ἀντίος

ἀντιόομαι *mid.contr.vb.* [ἀντίος] | Ion.1pl. ἀντιεύμεθα | fut. ἀντιώσομαι || aor.pass. (w.mid.sens.) ἠντιώθην | 1 offer opposition or resistance Hdt. —W.DAT. *to a person, military forces* A. Hdt.
2 come face to face —W.DAT. *w. an enemy* (w. ἐς + ACC. *for battle*) Hdt.; confront (app. W.ACC. the enemy) by advancing —w. ἐς + ACC. *into a region* Hdt.

ἀντίος, Aeol. ἄντιος, ᾱ (Ion. η) ον *adj.* [ἀντί] 1 (quasi-advbl., of persons standing or turning) so as to face (sts. W.GEN. towards another) Il. Pi.*fr.* E. X.; (of a person looking at another) face to face Od. Theoc.; (prep.phr.) εἰς τὸ ἀντίον *to the front* (opp. *behind or to either side*) X.
2 (quasi-advbl., of persons approaching) so as to meet (sts. W.GEN. or DAT. w. someone) Hom. Pi.
3 (quasi-advbl., of a warrior advancing or taking his stand) for a confrontation (sts. W.GEN. or DAT. w. an enemy) Il. Hes. Tyrt. Hdt. S.; (of an army attacking) Hdt. X.; (of a hunter or beast approaching) Hom. X.; (prep.phr.) ἐκ τῆς ἀντίης or ἐκ τοῦ ἀντίου *from head-on* Hdt. X.
4 opposite (in position, W.DAT. to others) Hdt.; (of cavalry, chariots or ships, sts. W.DAT. to others) E. X.; (of a seat) Od.
5 || MASC.PL.SB. competitors (in athletics or poetry) Pi.
6 (of a message) contrary (W.DAT. to welcome news) A.; (of an opinion, sts. W.DAT. to another) E.; (of reports) X.
|| NEUT.PL.SB. opposites Parm.; words of remonstrance S.
7 against the usual direction; (of hoofprints) reversed hHom.; (of circular motions) Pl.
8 (of handfuls of corn-stalks, being tied into sheaves) top to bottom (in alternation) Hes.
9 (of an omen) adverse Pi.

—ἀντίον *neut.sg.adv.* 1 in the presence (W.GEN. of someone) Hdt.
2 so as to face (W.GEN. towards the wind) —*ref. to turning* Hes.; (W.GEN. towards the chaff and stalks) —*ref. to reaping* X.; so as to be face to face (W.GEN. w. someone) S.
3 for a confrontation (W.GEN. w. an enemy) —*ref. to advancing* Il. Hes.
4 in opposition (W.GEN. to a trident) —*ref. to wielding a club* Pi.; (W.DAT. to smoke) —*ref. to applying water* Pi.
5 opposite (sts. W.GEN. or DAT. to someone) Hom. Mosch.; (W.GEN. to a place) Hdt. X.
6 in reply Hom. hHom.; in opposition (W.GEN. to a leader) Il.

—ἀντία *neut.pl.adv. and prep.* 1 in the presence (W.GEN. of someone) Od. Hdt.; face to face A.; in front (W.GEN. of someone) Il.
2 for a confrontation (W.GEN. or DAT. w. an enemy) Il. Ibyc. Hdt.
3 in opposition (W.GEN. or DAT. to someone or sthg.) Simon.(cj.) Pi. X.; in competition (W.PREP.PHR. w. Homer) —*ref. to reciting* Theoc.
4 on the opposite side (of a sea) AR.; opposite (W.GEN. to a person, a throne) AR. Theoc.
5 so as to point the opposite way —*ref. to turning the hooves of cattle* hHom.
6 in the opposite direction (W.DAT. to a horse) —*ref. to looking* X.
7 in the opposite way (to a past experience), otherwise Pi.

ἀντιοστατέω *contr.vb.* [στατός] (of the wind) be contrary S.

ἀντιόων (ep.ptcpl.), ἀντιόωσι (ep.3pl.): see ἀντιάω

ἀντι-παθής ές *adj.* [πάθος] in response to illness || NEUT.SB. remedy (for food poisoning, ref. to wine) Plu.

ἀντι-παίζω *vb.* (of hares) frolic in response (to the full moon) X. [or perh. *frolic as opponents*, by the light of the full moon]

ἀντί-παις παιδος *masc.fem.adj.* [παῖς¹] 1 corresponding to a child (in emotions and behaviour); (of an old woman) like a child (in her fear) A.; (of a woman) childish E.
2 (of a youth) still or merely a boy (in age) Plb. Plu.

ἀντι-παίω *vb.* (of an event) strike a counter-blow —W.PREP.PHR. *to an endeavour* Plb.

ἀντί-παλος ον *adj.* [πάλη] 1 (of persons, a city) hostile (sts. W.DAT. to a person, a regime) E. Th. X.; (of military forces) enemy X.; (of beasts) in opposition (W.GEN. to hunters) X.; (of Zeus' power) in conflict (W.DAT. w. a person's intention) A.; (fig., of strength given to an old man, W.GEN. w. his old

age) Pi. ‖ NEUT.SB. opposition (ref. to an army or a faction) X.; competition (caused by jealousy) Th.
2 (of a wrestler) **equally matched** (w. his opponent, W.DAT. in intelligence) Pi.; (of neighbours) Th.; (of soldiers, a navy, city, ship, w. their enemy) Th. Pl.; (of wine as a discovery, w. crops) E.; (of a generic name for Greeks) **matching** (the name of barbarians) Th.
3 (of military strength or weaknesses) **equal** (betw. allies or opponents) Th.; (of a battle, its outcomes) **evenly balanced** Th. Lys.; (of a supplication, w. its response) E. ‖ NEUT.SB. **stalemate** (as the outcome of a conflict) Th.
4 (of retribution) **fitting** E. Th.; (of a population's lifestyle) **appropriate** (W.DAT. to a city's status) Th.
5 (of opinions, attitudes) **contrary** (sts. W.PREP.PHR. to one another) E. Th.; (of funeral clothes and laments) **in contrast** (W.GEN. to wedding clothes and songs) E.; (of a kind of love, to another) X.
6 (of a musical mode) **competing** (W.GEN. against another) Telest.
—**ἀντίπαλος** ου *m.* **1 opponent in wrestling** Pi.
2 opponent, enemy (in war) Hdt. S. Th. Ar. +; **rival** (in a region) D.; (in producing comedies, authority or influence, athletics) Ar. X. Arist.; (perh. in commerce) X.
3 one who contends instead (of another), **champion** A.
—**ἀντίπαλα** *neut.pl.adv.* —also **ἀντιπάλως** *adv.* **without a decisive outcome** or **on even terms** —*ref. to navies fighting* Th.
ἀντι-παραβάλλω *vb.* **1** (of wealthy Spartans) **contribute** (W.ACC. bread) **instead** (of game, at communal meals) X.
2 place side by side for contrast, contrast —*someone or sthg.* (W.PREP.PHR. *w. someone or sthg. else*) Isoc. Pl. Arist. Plu.
3 present (W.ACC. the biography of two statesmen) **in parallel** (to that of another pair) Plu.
ἀντι-παραβολή ῆς *f.* (rhet.) **reply** (to an opponent) **by way of a comparison** (of arguments) Arist.
ἀντιπαραγγελίᾱ ᾱς *f.* [ἀντιπαραγγέλλω] **competition for a magistracy** (betw. rival statesmen) Plu.
ἀντι-παραγγέλλω *vb.* **1 give orders in response** (to an enemy's tactics) X.
2 (of a Roman) **compete as a political candidate** Plu. —W.DAT. *w. a rival* Plu. —W.ACC. *for the tribuneship* Plu.
ἀντι-παράγω *vb.* **1 advance for battle** X. Plb.
2 advance in parallel (so as to shadow the enemy) Plb. —W.DAT. *to the enemy* Plb.
ἀντιπαραγωγή ῆς *f.* **1 advance in parallel** (to an enemy battle-line) Plb. Plu.; **advance along the opposite side** (of a ditch) Plb.
2 opposition (W.PREP.PHR. to an enemy king) Plb.; **hostility, animosity** (towards a rival) Plb.
ἀντι-παραθέω *contr.vb.* (of soldiers) **run so as to engage in parallel** (w. the enemy's battle-line), **run alongside to attack** X.
ἀντι-παρακαλέω *contr.vb.* **1 exhort** or **urge in response** (to an appeal) —*someone* (W.PREP.PHR. *towards a goal or course of action*) Th. Pl.
2 (of followers of Vice) **make a contrary appeal** (to that of Virtue) —W.PREP.PHR. *towards an easier path* X.
ἀντι-παράκειμαι *mid.pass.vb.* (of a continent) **lie facing** —W.DAT. *towards two others* Plb.
ἀντι-παρακελεύομαι *mid.vb.* **1** (of a statesman) **make an appeal** (W.DAT. to a people) **in response** (to a speech) Th.
2 reply with an exhortation —W.INF. *to do sthg.* X.
ἀντι-παράκλησις εως *f.* **exhortation in response** (to a commander, W.GEN. fr. his soldiers) Plb.

ἀντι-παραλυπέω *contr.vb.* **cause trouble in retaliation** (for attacks on one's territory) Th.
ἀντι-παραπλέω *contr.vb.* (of a fleet) **sail along the opposite coast** (of a gulf, fr. the enemy fleet) Th.
ἀντι-παραπορεύομαι *mid.vb.* **advance in parallel** (w. the rest of an army) Plb.
ἀντι-παρασκευάζομαι *mid.vb.* **make preparations in response** (sts. W.DAT. to the enemy, their activity) Th. X. D. Plu.
ἀντιπαρασκευή ῆς *f.* **enemy armament** or **force** Th.
ἀντι-παρατάσσω, Att. **ἀντιπαρατάττω** *vb.* **1 station** (W.ACC. troops) **for an engagement** X.
2 ‖ MID. (of troops, sailors) **draw up in an opposing formation** Th. X. Plu. —W.DAT. *against an enemy, an attack* Th. X. Plb.; (tr.) **oppose the enemy with the formation of** —*a phalanx* X. —*one's cavalry* (*like a phalanx of infantry*) X.(cj.) ‖ PASS. (prep.phr.) ἀπὸ τοῦ ἀντιπαραταχθέντος *with a counter-formation* Th.
3 ‖ PASS. (fig., of a statesman) **be drawn up in opposition** —W.PREP.PHR. *to someone's lawlessness* Aeschin.
4 ‖ PASS. (of a kitchen maid) **be stationed on the opposite side** (fr. the chef) Men.
ἀντι-παρατείνω *vb.* **stretch out** (sthg.) **alongside in contrast**; (fig.) **present** (W.ACC. a speech) **to compete** —W.PREP.PHR. *w. another* Pl.
ἀντι-παρατίθημι *vb.* **contrast** —*all one's days and nights* (W.DAT. *w. one night*) Pl. —*benefits* (*w. difficulties*) Men.
ἀντι-πάρειμι *vb.* [πάρειμι²] (of soldiers inside a stockade) **move along so as to keep up** —W.DAT. *w. the enemy outside* X.; (of an enemy, on the other side of a river) X.
ἀντι-παρεξάγω *vb.* **1 lead out for battle** —*an army* Plu.
2 (of a crowd beside a river) **move along so as to keep up** —W.DAT. *w. the oar-strokes of a fleet* Plu.
3 (of a statesman) **vie** —W.DAT. *w. a rival's crowd-pleasing* Plu.
ἀντι-παρέξειμι *vb.* (of rival statesmen) **advance along opposite paths** (so as to avoid each other) Plu.
ἀντι-παρέρχομαι *mid.vb.* **pass by on the opposite side** (of a road) NT.
ἀντι-παρέχω *vb.* **1** (of allies) **supply** (W.ACC. cavalry) **for a battle** (against enemy cavalry) Th.
2 institute in retaliation —*legal proceedings* D.
3 ‖ MID. **personally provide** (W.ACC. sufficient redress) **in compensation** (for one's crimes) X.
ἀντι-πάσχω *vb.* **1 experience in return, receive** —*goodwill* Arist. —*many benefits* (W.PTCPL. *by doing sthg.*) S.; **benefit in return** Arist.; (phr.) ἀντ᾽ εὖ πάσχειν *be treated well in return* Pl.
2 (of aggressors) **suffer in return** X. Arist. Plu. —w. ἀντί + GEN. *for harm inflicted* Th. —W.ACC. *harm or punishment* Antipho Th. X.
3 ‖ NEUT.PF.PTCPL.SB. **reciprocity** Arist.
ἀντι-παταγέω *contr.vb.* (of the wind) **make a noise equal** —W.DAT. *to the noise of an army advancing* Th.
ἀντι-πέμπω *vb.* **1 send a reply** Hdt. —W.DAT. *to someone* Hdt. S. ‖ PASS. (of messages) **be sent in reply** Hdt.
2 send (W.ACC. soldiers, ambassadors) **in response** —W.DAT. *to the enemy* Th. X.
3 send in return —*a reward* S.; **send** (W.ACC. envoys) **in turn** (to a ruler, after receiving his envoys) Plu.
4 send (W.ACC. commanders, ships) **in replacement** Th. —w. ἀντί + GEN. *for others* Th.
ἀντι-πενθής ές *adj.* [πένθος] (cf a poison, fr. Erinyes) **causing sorrow in revenge** (for sorrow) A.

ἀντι-πέρᾱς *adv. and prep.* [πέρᾱ²] —also **ἀντιπέρᾱν** (X.), Ion. **ἀντιπέρην** (AR. Mosch.) *fem.acc.adv. and prep.* —also **ἀντιπέρᾱ** (Plb. NT.) *adv. and prep.* —also **ἀντιπέρᾱ** (Plb. NT.) *adv. and prep.*
1 on the opposite side (of a body of water) Th. X. AR. Plb. Mosch. Plu. —W.GEN. *fr. a city, region, the enemy* Th. NT. Plu.; (prep.phr.) κατ' ἀντιπέραν *along the opposite side (of a river)* X.
2 opposite X.; (as prep.) —W.GEN. *to a region, a city* Stesich. Th. X.; (prep.phr.) κατ' ἀντιπέρας *opposite* (W.GEN. *to a city, an army's flanks*) X.
—**ἀντιπέραια** ων *n.pl.* **regions opposite** (to a mainland) Il.
—**ἀντιπέραια** ης *Ion.fem.adj.* (of territory) **on the opposite side** (of a sea) AR.; (of an island) **opposite** AR.
—**ἀντιπέρηθεν** *Ion.adv. and prep.* **1 from the opposite side** (of a sea) AR.
2 on the opposite side (of a sea) AR.
3 (as prep.) **opposite** (W.GEN. to a city, an island) AR.
ἀντι-περιάγω *vb.* (of a warship's crew) **bring round** (W.ACC. an iron device) **in response** —W.PREP.PHR. *to broadside attacks* Plb.
ἀντι-περιΐσταμαι *mid.vb.* **1** (of war-machines) **swing round** —W.ADVBL.PHR. *in every direction* Plb.
2 (fig., of commanders) **place everywhere in retaliation** —*dangers* (W.DAT. *for the enemy*) Plb.
ἀντι-περιλαμβάνω *vb.* (of a beloved) **return an embrace** X.
ἀντιπερίσπασμα ατος *n.* [ἀντιπερισπάω] **diversion** (as a military tactic) Plb.
ἀντι-περισπάω *contr.vb.* **divert** —*an enemy army, its endeavours* Plb.
ἀντι-περιχωρέω *contr.vb.* **launch an attack on the flanks** Plu.
ἀντί-πηξ πηγος *f.* [πήγνυμι] app., a kind of container made of two corresponding parts, **lidded basket** E.
ἀντι-πίπτω *vb.* **1 launch an attack** —W.DAT. *on the enemy* Plb.
2 put up opposition Plu. —W.DAT. *to authorities, demands* NT. Plu.
3 (of a law) **be at odds** —W.DAT. *w. an ally's instructions* Plb.; (of histories about Theseus) —*w. tragedies* Plu.
4 (of winds, circumstances, Fortune) **be adverse** Plb. —W.DAT. *to persons, their endeavours* Plb.
ἀντι-πλήξ ῆγος *masc.fem.adj.* [πλήσσω] (of promontories) **struck head-on** (by a storm) S.
ἀντι-πληρόω *contr.vb.* **1 man** (W.ACC. ships) **for battle** Th. X.
2 restore to fullness, replenish —*military units* X.
ἀντι-πλήττομαι *Att.pass.vb.* **be struck in retaliation** Arist.
ἀντίπλοια ᾶς *f.* [πλόος] app. **balance of forces in sailing** Plb.(dub.)
ἀντι-πνέω *contr.vb.* (of a wind at sea) **blow in an adverse direction** Plu.; (of a wind, fig.ref. to a misfortune) **blow in opposition** —W.DAT. *to a person's success* Hermoloch.; (fig., of fortune) **be adverse** Plb.
ἀντίπνοος ον, also **ἀντίπνους** ουν *adj.* (of winds) **blowing in opposition** (W.PREP.PHR. to each other) A.; (of unfavourable weather for sailing) **caused by contrary winds** A.
ἀντι-ποθέομαι *pass.contr.vb.* (of a lover) **be longed for in return** (by those for whom he longs) X.
ἀντι-ποιέω *contr.vb.* **1 do** (sthg.) **in return; react, respond** A.*satyr.fr.*(dub.) Pl. X. Arist.; (phr.) ἀντ' εὖ ποιεῖν *do good in return* Pl. X. D. —W.ACC. *to someone* D.; (of an offended person) **retaliate** Arist.; (of a friend) **provide help in return** Arist.; (of the Earth) **do in return** —W.DBL.ACC. *much good, to its cultivators* X.

2 ‖ MID. **assert a claim** Th. X. + —W.INF. *to be such and such* Pl. Aeschin. —W.GEN. *to a people, territory, asset, share in a task* Th. Pl. X. Is. D. + —*to an empire, territory* (W.DAT. *against its king*) X. —*to a virtue, ability, achievement, authority, or sim.* Isoc. Pl. X. D. + —W.PREP.PHR. *about bravery* (W.DAT. *against someone*) X.
3 ‖ MID. **offer opposition** (in a discussion or debate) Pl. X. D.; (to a tyrant) Arist.; (of people under attack) **put up resistance** Plb.
ἀντί-ποινα ων *n.pl.* [ποινή] **retribution** (sts. W.GEN. for the dead, a suffering person, a crime) Trag.
—**ἀντίποινος** ον *adj.* (of afflictions) **in retribution** A.(dub.)
ἀντι-πολεμέω *contr.vb.* **wage war in opposition** Th. —W.DAT. *to an enemy* Pl. X.
ἀντι-πόλεμοι (unless **ἀντιπολέμιοι**) ων *m.pl.* **military opponents** Hdt. Th.
ἀντι-πολιορκέω *contr.vb.* **1** (of a besieged city-state) **besiege in turn** —*an enemy city* Th.
2 (of besieged people) **counter-attack** —*their besiegers* Plu.
ἀντιπολῑτείᾱ ᾶς *f.* [ἀντιπολῑτεύομαι] **political opposition** Plb. Plu.
ἀντι-πολῑτεύομαι *mid.vb.* **pursue** or **advocate a contrary policy** Arist. Din. Plb. Plu. —W.DAT. *to someone* Plu.; **contend in politics** —W.DAT. or PREP.PHR. *against an opponent* Plb. Plu.
ἀντι-πορεύομαι *mid.vb.* **advance in response** (to an enemy's movements) —W.PREP.PHR. *into a city* X.
ἀντι-πορθέω *contr.vb.* (of a prisoner of war) **ruin in revenge** —*one's captor's household* E.
ἀντί-πορθμος ον *adj.* [πορθμός] (of plains) **on opposite sides of a strait** E.
ἀντί-πορος ον *adj.* [πόρος] **1** (of a land) **on the opposite side of a strait** A.; (of Artemis, ref. to her temple, W.GEN. fr. Chalcis) E.
2 on the other side of a sea-crossing, across a sea E.
3 (of one hill) **on the other side of a path** (W.DAT. to another) X.
ἀντί-πους πουν, gen. ποδος *adj.* [πούς] **with one's feet at the opposite point** (to a previous location, on the circumference of the earth), **antipodean** Pl.
ἀντίπρᾱξις εως *f.* [ἀντιπράττω] **resistance** (W.PREP.PHR. fr. besieged soldiers) Plb.; **opposition** (W.GEN. to decrees) Plb.; (in politics) Plu.; (w. ὑπό + GEN. caused by envy or ignorance) Plu.
ἀντι-πρᾱ́ττω *Att.vb.* —also **ἀντιπρήσσω** *Ion.vb.* [πράσσω]
1 act in opposition Hdt. Att.orats. Pl. X. + —W.DAT. *to someone, one's city, decrees* X. Aeschin. Din. Men. +; (of persons, Fortune, circumstances) —W.DAT. or PREP.PHR. *to undertakings* Plb. ‖ MASC.PL.MID.PTCPL.SB. opponents (to a tyrant) X.
2 (of authorities in the Roman Republic) **counteract** —W.DAT. *one another* Plb.
ἀντι-πρεσβεύομαι *mid.vb.* **send an embassy in opposition** (to one sent by the enemy) Th.
ἀντι-πρήσσω *Ion.vb.*: see ἀντιπράττω
ἀντι-προαίρεσις εως *f.* **reciprocity of purpose** (W.PREP.PHR. among friends) Arist.
ἀντι-προβάλλομαι *mid.vb.* **propose as a replacement** —*a more suitable candidate for a magistracy* Pl.
ἀντιπροβολή ῆς *f.* **proposal of a replacement** Pl.
ἀντι-πρόειμι *vb.* [πρόειμι²] **advance to engage** —W.DAT. *w. an approaching enemy* Th.
ἀντί-προικα *adv.* [προίξ] **for next to nothing** —*ref. to selling goods* X.

ἀντι-προκαλέομαι *mid.contr.vb.* (of a litigant) **issue a counter-challenge** D.

ἀντι-προπίνω *vb.* | *aor.imperatv.* ἀντιπρόπῑθι | **present** (W.ACC. a song) **as a toast in return** (for a poem) Dionys.Eleg.

ἀντι-προσαγορεύω *vb.* **greet in return** —*someone* Plu.

ἀντι-προσαμάομαι *mid.contr.vb.* [πρός, ἀμάομαι] **heap up** (W.ACC. soil) **afresh** (on roots exposed by flooding) X.

ἀντι-πρόσειμι *vb.* [πρόσειμι²] **advance to meet** (w. an enemy) X.

ἀντι-προσεῖπον *aor.2 vb.* **offer a greeting in return** Thphr.

ἀντι-προσείρομαι *pass.vb.* | only 3sg.aor. ἀντιπροσερρήθη | **receive a greeting in return** X.

ἀντι-προσκαλέομαι *mid.contr.vb.* **summon** (W.ACC. one's prosecutor) **as a counter-action** D.

ἀντι-προσφέρω *vb.* **bring** (W.ACC. a lamp) **close in front** —W.DAT. *of someone* X.

ἀντι-πρόσωπος ον *adj.* [πρόσωπον] **1** **with one's face opposite**; (of combatants) **face to face** X.; (of soldiers) **facing** (sts. W.DAT. towards the enemy) X.; (of a statue of a god, w. κατά + ACC. towards the enemy) Plu.
2 (of a theatre) **opposite** (to a vantage point) X.

ἀντι-προτείνω *vb.* **hold out in response** —*one's right hand* X.

ἀντί-πρῳρος ον *adj.* [πρῷρα] **1** (of ships) **prow first** or **outwards** (sts. W.DAT. or PREP.PHR. towards the enemy, a landmark, the waves) Hdt. Th. X. Plu.; (of a naval attack) **prow-to-prow** Th.; (quasi-advbl., of ships attacking or being attacked) **head on** Th. Plu.; (fig., of an army attacking) X.
2 (of ships) **ready to engage** Th. Plu.
3 (of actions, weapons) **in front** (of someone) S. E.; (prep.phr.) κατ' ἀντίπρωρα *in front* (W.GEN. *of beached ships*) E.
4 (of elephants) **on the opposite side** (of a river) Plu.

ἀντί-πυλος ον *adj.* [πύλαι] (of courtyards on each side of a corridor) **with gates opposite** (W.DAT. to each other) Hdt.

ἀντί-πυργος ον *adj.* [πύργος] (of a rock) **towering on the other side** (of a ravine) E. [or perh. *like a tower*]

ἀντι-πυργόω *contr.vb.* **fortify** (W.ACC. a new citadel) **opposite** —W.DAT. *to an existing one* A.

ἀντι-πυρσεύω *vb.* **send a fire-signal in response** Plb.

ἀντι-ρρέπω *vb.* [ῥέπω] (fig., of an army's suffering, envisaged as a weight) **be a counterbalance** (for its gains) A.

ἀντίρρησις εως *f.* [ἀντείρω] **dispute** Plb. Plu.

ἀντίρροπος ον *adj.* [ἀντιρρέπω] **1** (fig., of grief, envisaged as a weight) **counterbalancing** (a person's efforts) S.; (of an alliance w. a neighbour) **compensatory** (W.GEN. for losses inflicted by a mutual enemy) D.
2 **with an equivalent effect or value**; (of a person, a word or nod) **equivalent, equal** (W.DAT. to someone or sthg. else) X. Plu.

—**ἀντιρρόπως** *adv.* with the balance level, **evenly** (W.DAT. w. the enemy) —*ref. to faring in a war* X.

ἀντι-σεμνύνομαι *mid.vb.* (of a free-minded person) **be a rival in dignity** (fr. a tyrant's point of view) Arist.

ἀντι-σηκόω *contr.vb.* (fig., of a disaster) **be equal in weight** (W.ADV. twice over) —W.DAT. *to previous defeats* A.; (of a god) **compensate** (w. destruction) —*an enemy* (W.GEN. *for its former prosperity*) E.; (of Fortune) **rebalance the scales** Plb.

ἀντισήκωσις ιος *Ion.f.* **equilibrium** (in a river's level) Hdt.

ἀντι-σιωπάω *contr.vb.* **take one's turn to be silent** Ar.

ἀντι-σκευάζομαι *mid.vb.* (of a Spartan king) **furnish** (W.ACC. his home) **in the opposite way** (to a Persian king) X.

ἀντι-σκώπτω *vb.* **play a joke in retaliation** Plu.

ἀντ-ισόομαι *mid.contr.vb.* **assert one's equality** (as an ally) Th.

ἀντι-σοφίζομαι *mid.vb.* (of legislators) **use counter-devices** (against oligarchs) Arist.

ἀντίσπασμα ατος *n.* [ἀντισπάω] **distraction, diversion** (ref. to enemy activity on another front) Plb.

ἀντισπασμός οῦ *m.* **convulsion** or **cramp** Ar.

ἀντίσπαστος ον *adj.* (of a pain) **convulsive** or **cramping** S.

ἀντι-σπάω *contr.vb.* **1** **pull in the opposite direction** (by means of ropes) Ar.; **restrain** —*someone departing* A. || PASS. (fig., of a person listening to a rhythm) **be brought to a halt** (when a singer stops abruptly) Arist.
2 (of a ruler) **limit** —*someone* (*in his behaviour*) Plu. || PASS. (of an authority in the Roman Republic, its plans) **be restrained** (by others) Plb.
3 **induce to one's side** —*someone* Plb.(mid.) Plu.
4 (of white frost) **draw inwards** —*heat* X.
5 **take hold** —W.GEN. *of a rock-face* AR.

ἀντι-σπεύδω *vb.* **be eager in one's defence** Antipho

ἀντί-σταθμος ον *adj.* [σταθμός] **1** **having a corresponding weight**; (fig., of a part of ignorance) **in counterbalance** (W.DAT. w. all other parts) Pl.
2 (of a human sacrificial victim) **in compensation** (W.GEN. for an animal slain sacrilegiously) S.

ἀντι-στασιάζω *vb.* **form an opposing faction** X.

ἀντί-στασις εως *f.* [στάσις] **1** **counter-conflict** (within the soul) Pl.
2 **opposition** (fr. fortune, to a person) Plu.

ἀντι-στασιώτης ου (Ion. εω) *m.* **member of an opposing faction, political opponent** Hdt. X. Arist.

ἀντιστατέω *contr.vb.* [ἀντιστάτης] **be an opponent** Hdt. —W.DAT. *to someone* (*in a debate*) Pl.

ἀντιστάτης ου *m.* [ἀνθίσταμαι] (appos.w. ἀνήρ) **opponent** A.

ἀντι-στηρίζω *vb.* (of atoms) **press upon** (the sense organs) Democr.

ἀντιστοιχέω *contr.vb.* [ἀντίστοιχος] **1** (of members of a chorus) **line up in opposite rows** —W.DAT. *to one another* X.
2 **stand facing** —W.DAT. *someone learning to dance* X.

ἀντί-στοιχος ον *adj.* [στοῖχος] (of a person's shadow) **lined up opposite, facing** E.

ἀντι-στρατεύομαι *mid.vb.* **wage war in opposition** —W.DAT. *to someone* X.

ἀντιστρατηγέω *contr.vb.* [ἀντιστράτηγος] **command an army in opposition** —W.PREP.PHR. or DAT. *to the enemy* Isoc. Plu.

ἀντι-στράτηγος ου *m.* [στρατηγός] **1** **enemy commander** Th. Plu.
2 (in the Roman Republic) **proconsul** Plb.; **propraetor** Plu.
3 **deputy commander** Plb.

ἀντιστρατοπεδείᾱ ᾱς *f.* [ἀντιστρατοπεδεύω] **encampment opposite** (to the enemy's) Plb.

ἀντι-στρατοπεδεύω *vb.* (act. and mid., of an army) **encamp in a location opposite** (usu. W.DAT. to the enemy) Hdt. Th. Isoc. X. Plb. Plu.

ἀντι-στρέφω *vb.* **1** (intr., of a commander) **turn towards the opposite direction, turn back** X.; (fig., of a line of argument) Plu.
2 || PF.PASS.PTCPL.ADJ. (of camps) **back-to-back** Plb.
3 **express in a contrary manner, reverse** —*the terms of an argument* Arist.; (intr., of terms) **be interchangeable** Arist.

ἀντίστροφος ον *adj.* **1** **forming a counterpart**; (of rewards) **corresponding** (W.DAT. to penalties) Pl.; (of kinds of

training) **complementary** Isoc.; (of an activity or topic, W.GEN. to another) Pl. ‖ NEUT.SG.SB. **counterpart** (W.DAT. to pleasure) Pl. ‖ NEUT.PL.SB. **exact counterparts** Pl.
2 (of a poet) **analogous** (W.DAT. to a painter) Pl.; (of a person's actions, W.GEN. to those of another) Isoc. Pl.; (of an activity, condition, class or kind, W.GEN. or DAT. to another) Pl. Arist.
3 (of retribution) **in return** (W.GEN. for success) Plu.
4 ‖ FEM.PL.SB. **antistrophes** (in lyric poetry) Arist.
—**ἀντιστρόφως** *adv.* **in a manner corresponding** (W.DAT. to an athlete training) —*ref. to a youth studying* Pl.
ἀντι-σύγκλητος ου *f.* **counter-senate** (nickname of a Roman statesman's private army of Equestrians) Plu.
ἀντι-συλλογίζομαι *mid.vb.* **use a counter-syllogism** Arist.
ἀντι-σφαιρίζω *vb.* **compete in a ball game** X.
ἀντ-ισχυρίζομαι *mid.vb.* **maintain one's opposition** (to a proposed course of action) Th.
ἀντ-ίσχω *vb.* **1** (of Sleep) **hold out in front** (W.DAT. of someone's eyes) —*a bright gleam* S.
2 (of piracy) **be prevalent** (through a region) Th.
3 (of a garrison, a fleet) sustain resistance, **hold out** Th.
ἀντίταγμα ατος *n.* [ἀντιτάσσω] **1** (in military ctxt.) **opposing** or **counterbalancing force** Plu.
2 (in political ctxt., ref. to a person) **opposing agent, opposition** (W.PREP.PHR. against sthg.) Plu.
ἀντίταξις εως *f.* **counter-deployment** (W.GEN. of a fleet) Th.; (of soldiers) Th. Plu.
ἀντίτασις εως *f.* [ἀντιτείνω] **opposition** or **resistance** (to a particular lifestyle) Pl.
ἀντι-τάσσω, Att. **ἀντιτάττω** *vb.* **1 line up** (W.ACC. troops) **in opposition** X. —W.DAT. or PREP.PHR. *to the enemy* Hdt. E. Lys.; **station** (W.ACC. one warrior) **as an opponent** —W.DAT. or PREP.PHR. *to another* A. ‖ MID. **station** (W.ACC. cavalry) **in opposition** —W.DAT. *to the enemy's* X. ‖ PASS. (of troops, chariots, ships) **be lined up in opposition** Th. X. +
2 ‖ MID. and AOR.PASS. (w.mid.sens.) **take one's stand to fight** Hdt. E.; (of an army) **form up to fight** Hdt. Th. X. + —W.DAT. or PREP.PHR. *against the enemy, their position* Hdt. Th. And. X. +
3 marshal or **muster in opposition** —*famine* (W.DAT. *against the enemy*) X. —*one's determination* (W.PREP.PHR. *to another's preparations*) Isoc. —*the law* (to a person's lack of shame) Aeschin.; (mid.) —*one's courage* (*to the enemy's experience or strength*) Th.
4 ‖ MID. (of a city) **come into conflict** —W.DAT. or PREP.PHR. *w. another* Th. X.; **compete** —W.DAT. *w. another* (W.PREP.PHR. *for pre-eminence*) D.; **prepare for war** D.
5 ‖ MID. **offer opposition** or **hostility** Isoc. Aeschin. Men. NT. —W.PREP.PHR. *to an enemy* D. —W.DAT. *to an authority* NT. —*to freedom, one's desires* Hyp. Plb.; (of laws) —W.PREP.PHR. *to pain* Pl.
ἀντι-τείνω *vb.* **1** (of trees) **strain in response** (to a storm) S.; (of a net, when a hare has been caught) **strain in the opposite direction** X.
2 respond contentiously —W.ACC. *w. foolish words* (w. ἀντί + GEN. *in return for foolish words*) E.
3 (of persons, their desires, beliefs, virtues) **put up resistance** (sts. W.DAT. to another, to circumstances) Pi. E. Pl. Arist. Plu. —W.COGN.ACC. *w. all resistance* Pl.; (of horses) Pl.
4 offer opposition (in words), **object** Hdt. Pl. X. Plu. —W.DAT. *to a person, proposals, popular demands* Hdt. Pl. Arist. Plu.
5 (of a settlement) **lie opposite** —W.DAT. *to a sanctuary* Plu.(dub.)

6 (of hills) **project** —W.PREP.PHR. *towards a place* Plu.
ἀντι-τείχισμα ατος *n.* **counter-fortification** Th.
ἀντι-τέμνω *vb.* (of Apollo) **shred as an antidote** —*ingredients for medicines* E.
ἀντι-τεχνάομαι *mid.contr.vb.* **devise a counter-plan** Hdt. Plu.
ἀντιτέχνησις εως *f.* **counter-ingenuity** (W.GEN. of opposing helmsmen) Th.
ἀντί-τεχνος ου *m.* [τέχνη] **one who is an opponent in a skill; artistic rival** Ar. Pl.; (W.DAT. to a poet, his poems) Pl.; (W.GEN. in an activity) Pl. ‖ PL. **rivals** or **threats** (to tyrants and democrats, ref. to aristocrats) Arist.
ἀντι-τίθημι *vb.* **1 erect** (W.ACC. a tombstone) **in rivalry** —W.DAT. *w. nature* Simon.(dub.)
2 contribute (W.ACC. sthg.) **in exchange** (for sthg.) E. X.
3 place (sthg.) **to counter** (sthg. else); **match** —*a person* (W.DAT. *w. an opponent*) E. Ar. Plb. —*an action* (*w. a response*) E. —*two justifications* (*w. two accusations*) E.
4 deploy in compensation —*reserves* (W.DAT. *for casualties*) Hdt.; **propose as a replacement** —*a new law* D. ‖ MID. (of sunshine and rainfall) **offset one another** Hdt.
5 retort, object (to a statement) E. Th. D.
6 compare —*someone or sthg.* (W.DAT. or PREP.PHR. w. *someone or sthg. else*) Hdt. Ar. D. Plu. —(W.GEN.) Th.; **make a comparison** E.
7 evaluate by comparison —*two courses of action, two sets of characteristics, current events* Hdt. Aeschin. Plu. —W.INDIR.Q. *which of two assessments is correct* Din. —*what benefits have accrued to various parties* D.
8 contrast —*someone or sthg.* (W.DAT. or PREP.PHR. w. *someone or sthg. else*) Pl. Arist. Din. Plu. —(W.GEN.) Th.; (mid., of a speech) —*certain aspects* (W.DAT. *w. others*) Hdt. ‖ PASS. (of a person or thing) **be contrasted** —W.DAT. *w. another* Pl. Arist.
9 consider (W.ACC. a disposition) **as an opposite** (to another) Arist.; **present by way of contrast** (w. another character) —W.INDIR.Q. *what a certain character is like* Aeschin. D. ‖ PASS.PTCPL. (of a disposition) **contrasting** (w. another) Arist.
10 consider the other side (of a situation) Pl.
ἀντι-τῑμάω *contr.vb.* | *fut.mid.* (sts. w.pass.sens.) ἀντιτιμήσομαι | **1 honour** (W.ACC. someone) **in return** X. ‖ PASS. **be rewarded** X.
2 ‖ MID. (of a defendant) **make a counter-assessment of damages** —W.GEN. *at a certain amount* Pl. D.
ἀντι-τῑμωρέομαι *mid.contr.vb.* **avenge oneself against** —*someone* E. Th.; **take revenge** X. Plb. Plu.; (of a beetle, warships) Ar.
ἀντι-τίνω *vb.* **1 pay a penalty in return** —W.ACC. *for the behaviour of one's ancestors* Thgn.; **pay a penalty** (W.INTERN.ACC. of a certain kind) **in return** S.
2 ‖ MID. **take vengeance in return, avenge** —*someone's death* E.; **inflict as recompense** —*death* (W.GEN. *for a crime*) A. —*a penalty* (W.ACC. *on someone,* W.GEN. *for his wrongs*) E.
ἀντί-τοιχος ου *adj.* [τοῖχος] (of a headland) **on the opposite side** (of a ship, to the one previously mentioned) Tim.
ἀντι-τολμάω *contr.vb.* **1** (of an army) **be courageous in opposition** Th.
2 show corresponding courage —W.PREP.PHR. *towards a courageous enemy* Th. ‖ PTCPL.ADJ. (of a strategy) **equally audacious** Plu.
ἀντί-τολμος ου *adj.* [τόλμα] **bold in defiance** (of Justice) A.
ἀντίτομος ου *adj.* [ἀντιτέμνω] (of herbs or plant roots) **cut as a remedy** ‖ NEUT.SB. **antidote** (sts. W.GEN. for pains) hHom. Pi.

ἀντίτονος ον *adj.* [ἀντιτείνω] (of a substance) resistant to tension, **rigid** Pl. ‖ NEUT.PL.SB. **cables** (in a torsion engine) Plu.

ἀντι-τοξεύω *vb.* **shoot arrows in retaliation** X.

ἀντιτορέω *contr.vb.* [ἀνά or ἀντί, τορεῖν] | masc.acc.ptcpl. ἀντιτοροῦντα (hHom.) | fut.ptcpl. ἀντιτορήσων (hHom.) | aor. ἀντετόρησα (Il.), ptcpl. ἀντιτορήσᾱς (Il., dub.) | —perh. also **ἀντετόρησα** (Il.) *ep.redupl.aor.vb.* | ptcpl. ἀντετορήσᾱς (Il., cj.) | **enter by drilling a hole**; (of thieves) **break into, burgle** —*a house* Il. hHom.; (of a spear) **pierce** —W.GEN. *flesh* Il.

ἄντιτος ον *adj.* [ἀντιτίνω] (of the actions of Zeus) **enacted in return** (for sacrificial offerings) Od.; (of deeds) **enacted as recompense** (W.GEN. for a slain warrior) Il.; (of a wound) **inflicted in recompense** (W.DAT. for a wound) A.

ἀντι-τρέφω *vb.* (of a son) **support in return** —*his father* X.

ἀντι-τυγχάνω *vb.* **1 meet face to face** —W.GEN. *w. an opponent* Eleg.adesp.; **get involved** —W.GEN. *in an enterprise, a quarrel* Thgn. Pi.; **encounter** —W.ACC. *situations* Pi.
2 meet in return —W.GEN. *w. the same answer* Thgn.; **obtain in return** —W.GEN. *assistance* Th.

ἀντιτυπέω *contr.vb.* [ἀντίτυπος] (of an entity) **offer resistance** (to motion) Pl.

ἀντίτυπος ον (also dial. ᾱ ον S.) *adj.* [ἀντιτύπτω] **1 repelled in response**; (of a groaning sound) **in echo** (sts. W.DAT. to a person in distress) S. ‖ MASC.SB. **counter-strike** (fr. an anvil) Hdt.(oracle)
2 resistant to an impact; (of horses' legs) **unyielding** X.; (of ground) **hard** S.; (of a substance, a covering) **resistant** Pl. Plu.; (of colours) **highly reflective** Plu.
3 (of persons) **stubborn** Pl.; (of combat) X.
4 (of deceitfulness) **contrary** (W.GEN. to fidelity) Thgn. ‖ MASC.SB. **adversary** (W.GEN. of Zeus) A.
5 (of circumstances) **adverse** X.; (of tasks) **disagreeable** X.
6 (of infantry in a camp) **opposite** (W.DAT. to the cavalry) Plb.

ἀντι-τύπτω *vb.* **strike** or **beat** (W.ACC. someone) **in retaliation** Antipho Ar. Pl.

ἀντίφασις εως *f.* [ἀντίφημι] **contradiction** (as one of four kinds of opposition in logic) Arist.; **contradictory statement** Arist.

ἀντιφερίζω *vb.* [reltd. ἀντιφέρομαι] **contend** —W.DAT. *w. someone* (sts. W.ACC. *in strength*) Il. —W.PREP.PHR. *against someone stronger* Hes.; (of a sage) —*against a god* Pi.; (of a statesman) —W.DAT. *w. a predecessor* Ar.; (of evil) —*w. good* Hes.

ἀντί-φερνος ον *adj.* [φερνή] (destruction brought to Troy by Helen) **instead of a dowry** A.

ἀντι-φέρομαι *mid.vb.* **present oneself for confrontation, put up a fight** Il. AR.; **make an attack** Od.; **oppose, challenge** (someone) Il. —W.ACC. *in strength* Il.

ἀντι-φεύγω *vb.* (of a murderer) **go into exile in requital** —*w.* ἀντί + GEN. *for a person who is in exile* E.

ἀντί-φημι *vb.* [φημί] **1 object** (to someone's opinion) Pl.
2 refuse (a request) Plb.

ἀντι-φθέγγομαι *mid.vb.* **1** (of a divine voice) **speak in answer, reply** Pi.
2 (of the ground) **make a sound in answer, resound** E.

ἀντίφθογγος ον *adj.* (of lyre-playing) **responding to the voice** Pi.*fr.*

ἀντι-φιλέω *contr.vb.* | Aeol.aor.pass.subj. ἀντιφιληθέω (Theoc., cj.) | **1 love in return** X. Arist. Theoc.; (of a beloved) —*his lover* X.; (of horses) —*horse-lovers* Pl.; (of wisdom)

—*philosophers* Pl.; (of an entity) —*its corresponding lover* Pl. ‖ PASS. (of a person) **be loved in return** Pl. X. Arist. Theoc.
2 ‖ PASS. **be welcomed in return** Theoc.

ἀντιφίλησις εως *f.* **exchange of affection** Arist.

ἀντιφιλίᾱ ᾱς *f.* **reciprocal friendship** Arist.

ἀντι-φιλοδοξέω *contr.vb.* (of elephant-drivers) **vie in ambition** Plb.

ἀντι-φιλονῑκέω (unless **ἀντιφιλονεικέω**) *contr.vb.* (of envoys) **be quarrelsome in response** Plb. —W.DAT. *to a council* Plb.

ἀντι-φιλοτῑμέομαι *mid.contr.vb.* **be ambitious in response** —W.PREP.PHR. *to the glory of a rival's buildings* Plu.

ἀντι-φιλοφρονέομαι *mid.contr.vb.* **respond affectionately** Plu.

ἀντι-φλέγω *vb.* (of the moon, when full) **illuminate** (W.ACC. her entire orb) **in response** —W.DAT. *to Zeus* Pi.

ἀντί-φονος ον *adj.* [φόνος] **returning bloodshed** (for bloodshed); (of the deaths of a pair of opponents) **mutual** A.; (of punishments for murder) **retaliatory** A. S.; (of the mouths of predators, rather than being prey) S.

ἀντι-φορτίζομαι *mid.vb.* **1** (of exporters) **import a return cargo** X.
2 (of merchants) **take a return cargo on board** D. ‖ PASS. (of goods) **be taken on board as a return cargo** D.

ἀντίφραξις εως *f.* [ἀντιφράττω] **interposition** (W.GEN. of the earth, betw. the sun and moon, at a lunar eclipse) Plu.

ἀντι-φράττω *Att.vb.* [φράσσω] **1** (of a high-bridged nose) **form a barrier** (for the eyes) X. ‖ PASS. (of matter) **form an obstacle** (in the respiratory system) Pl.
2 ‖ PASS. (of part of the moon's course, during a lunar eclipse) **be obscured through interposition** —W.PREP.PHR. *by the earth* Plu.

ἀντιφυλακή ῆς *f.* [ἀντιφυλάττω] **fending off in turn** (of opposing fleets) Th.

ἀντι-φυλάττω *Att.vb.* **1 take one's turn on guard duty** Pl.
2 ‖ MID. **be on guard as a counter-measure** X. Plu.

Ἀντιφῶν ῶντος *m.* **Antiphon** (Athenian orator, c.480–411 BC) Th. Pl. Arist. Plu.

ἀντι-φωνέω *contr.vb.* **1 speak in answer, reply** A. S. Plu. —W.ACC. + INF. *that sthg. is the case* Plu.
2 say in reply —*sthg.* S.
3 answer —*someone* S.
4 give an answer (through a messenger) Plb. —W.DAT. *to someone* Plb. ‖ PASS. (of a message) **be received as an answer** Plb.

ἀντί-φωνος ον *adj.* [φωνή] **1** (of lamentation by a chorus) **sung in answer** (W.GEN. to another's lament) E.
2 (of high notes in music) **in contrast** (W.DAT. w. low notes) Pl.(dub.)
3 (of honours for chthonic deities) **opposite** (to those for Olympians) S.

ἀντι-φωτισμός οῦ *m.* **reflection** (W.GEN. fr. shields, in the moonlight) Plu.

ἀντι-χαίρω *vb.* (of the goddess Victory) **rejoice in accord** —W.DAT. *w. a victorious city* S.

ἀντι-χαρίζομαι *mid.vb.* **1 offer** (W.ACC. young people, W.DAT. to a chthonic deity) **in substitution** —W.PREP.PHR. *for oneself* Hdt.
2 show kindness in return X. —W.DAT. *to someone* X.; (of animal husbandry) **repay** —W.DAT. *its practitioners* X.

ἀντι-χειροτονέω *contr.vb.* **vote in opposition** Th. Ar. —W.COMPL.CL. *that one must not do sthg.* D.

ἀντί-χθων ονος *f.* [χθών] **counter-earth** (the tenth heavenly body in Pythagorean doctrine) Arist.

ἀντιχορηγέω contr.vb. [ἀντιχόρηγος] **compete as a chorus-master** And. Plu. —W.DAT. *against someone* D.

ἀντι-χόρηγος ον adj. [χορηγός] **rival chorus-master** And. D.

ἀντι-χράω contr.vb. [χράω, see χράομαι] (of a supply of food or water) **be sufficient** —W.DAT. *for an army* Hdt.

ἀντι-ψάλλω vb. **pluck** (W.ACC. a lyre) **in answer** —W.DAT. *to songs of lament* Ar.

ἀντί-ψαλμος ον adj. [ψαλμός] (of songs) plucked in response, **antiphonal** E.

ἀντι-ψηφίζομαι mid.vb. **vote for** (W.ACC. appropriate laws) **as a counter-measure** Plu.

ἀντλέω contr.vb. [ἄντλος] | Aeol.inf. ἄντλην | impf. ἤντλουν | pf. ἤντληκα | **1** (of sailors) **bail out bilge-water** Alc. Thgn. **2 draw** —*a liquid* (sts. W.PREP.PHR. *fr. a well, a container*) Hdt. Pl. Theoc. NT. —(*into a container*) X. ‖ PASS. (of a liquid) be drawn (fr. a well) —W.DAT. *w. half a wineskin* Hdt.; (fig., of gore) —*w. a spear* W.PREP.PHR. *into the ground*) E. **3** (fig.) **drain away, exhaust** —*another's wealth* S. —*one's means of doing sthg.* Pi.; **endure to the dregs** —*one's suffering* A. —*a painful life* E.

ἄντλημα ατος n. app., means of drawing water, **well-bucket** NT.

ἀντλίᾱ ᾱς f. **1** part of a ship in which water gathers, **bilge** S. Ar.; (fig.ref. to a container of dung) Ar. **2** water in the bilge (of a ship); (ref. to sewage) **bilge, filth** Ar.

ἄντλος ου m. **1** floor of a ship's hull, **bilge** Od.; (fig.ref. to a place that receives a person's insolence) Pi. **2 bilge-water** Alc. E.; (fig.ref. to a threat, trouble) A. E. **3** (gener.) **surge** or **flood** (of water) Pi. E.

ἀντ-οικοδομέω contr.vb. [ἀντί] **1** (of a commander under siege) **construct a counter-wall** Plb. **2** ‖ PASS. (of a wall) be constructed as a replacement Plb.

ἀντοικοδομίᾱ ᾱς f. **1 construction of a counter-wall** Plb. **2 construction of a replacement wall** Plb.

ἀντ-οικτίζω vb. | fut. ἀντοικτιῶ | (of true friends) **show compassion in return** Th.

ἀντ-οικτίρω vb. (of a childless woman) **pity in return** —*a motherless boy* E.

ἀντ-οίομαι mid.vb. | 3sg.aor.pass.subj. (w.mid.sens.) ἀντοιηθῇ | **hold an opposing opinion** Pl.

ἀντολή ep.f.: see ἀνατολή

ἄντομαι mid.vb. [ἀντί] **1 come close** (sts. W.DAT. to someone) Il. Pi. AR.; **meet with** —W.DAT. *someone* hHom. AR. —*trouble* Call.*epigr.* **2** (of combatants) **come face to face** —W.DAT. *w. one another* Il.; (of a spear-point) **collide** —W.DAT. *w. metal on a belt* Il. **3** (app. of a warrior's leather jacket) perh. **meet in the middle** Il. **4** approach with prayers, **entreat** —*a Muse or god* Emp. Ar. —*a man* S. E. —(w. πρός + GEN. *in the name of Zeus*) E. —(*by his beard*) E. —(*by what is dear to him*) S.; **appeal** —W.GEN. *to someone* E.(cj.) AR.; **plead** E. Ar. AR. —w. πρός + GEN. *in the name of Zeus* AR.; **come in supplication** —W.GEN. *to a land* E.

ἀντ-όμνῡμι vb. **1** (of parties in a treaty) **exchange oaths** —W.FUT.INF. *to do sthg.* X. **2** (leg., at Athens) swear an oath that forms a counterpart; **declare in a sworn statement** —*a piece of information* Is.; (act. and mid., of each party in a lawsuit) **issue a sworn statement** Att.orats. —W.COMPL.CL. *that sthg. is the case* D.

ἀντ-ονομάζω vb. **1 rename** —*a city* (W.ACC. *w. a new name*) Th. **2** use one word instead of another; (of a tragedian) app. **use metaphors** Ar.

ἀντ-ορύσσω vb. **dig a counter-tunnel** Hdt.

ἀντ-οφείλω vb. **owe a favour in return** (to a benefactor) Th.

ἀντ-οφθαλμέω contr.vb. [ὀφθαλμός] **1** (of rulers) **come face to face** —W.PREP.PHR. *w. the populace* Plb.; (of a crowd) **look** —W.DAT. *at a statesman* Plb. **2** (of an army) **confront** —W.DAT. or PREP.PHR. *the enemy* Plb. **3** (of a ship) **resist** —W.DAT. *the wind* NT.; (fig., of a statesman) —*bribes* Plb.

ἀντρέπω dial.vb.: see ἀνατρέπω

ἄντρον ου n. (cave Od. Hes. Lyr. Hdt. Trag. +; ((pl. for sg.) S. E. AR. —**ἀντρόθε** adv. **from a cave** Pi.

ἀντρώδης ες adj. (of a rock) with a cave-like opening, **cavernous** X.

ἀντυγάς άδος f. [ἄντυξ] **rim** (of a shield) Call.

ἄντυξ υγος f. **1 rim** (of a shield) Il. Theoc.; (of the moon) Mosch. | see also ἄμπυξ 2 **2 curved rail** (of a chariot) Il. Hes. S. E. Pl.; (meton.) **chariot** E. Theoc. ‖ PL. chariot E. Call. **3 frame** (of a lyre) E.

ἀντ-υποκρίνομαι Ion.mid.vb. [ἀντί] **reply to a request** —W.ACC. *w. certain words* Hdt.

ἀντυπουργέω Ion.contr.vb.: see ἀνθυπουργέω

ἀντ-ῳδός όν adj. [ἀντί, ἀοιδή] (of Echo) **singing in response** (W.GEN. to a person's words) Ar.

ἀντωμοσίᾱ ᾱς f. [ἀντόμνῡμι] one of a pair of opposing sworn statements, **affidavit** (by each party in a lawsuit) Lys. Ar. Pl. Is.

ἀντ-ωνέομαι mid.contr.vb. **1 buy as a replacement** or **substitute** —*another farm* X. —*a slave* Men. **2 make a counter-offer** (for an asset on sale) And. Plu. —W.DAT. *against a rival* Lys.; (fig.) **make a counter-bid** (through bribery, for an ally's loyalty) D.

ἀντ-ωπός όν adj. [ὤψ] (of a person's eyes) **face to face** (w. another's) E.

—**ἀντώπιος** ον adj. (of light emitted by the eyes) **in the face of an onlooker** AR.

ἀντ-ωφελέω contr.vb. **benefit in return** —*a benefactor* X.; (of hounds, horses) —*their farm* X. ‖ PASS. (of a labourer) **receive benefits in return** (fr. his employer) X.; (of a commander, fr. allies) X.

ἀν-ύβριστος ον adj. [privatv.prfx.] **1 not abused** or **dishonoured** Plu.; (of political rivalry, a person's death) **free from abuse** or **dishonour** Plu. **2** (of kinds of playful behaviour) **not outrageous, decorous, decent** Plu.

—**ἀνυβριστί** (or perh. **ἀνυβρίστως**) adv. **decently** Anacr.(cj.)

ἀνυδρίᾱ ᾱς f. [ἄνυδρος] **lack of water** (in a region) Th. X. Plu.

ἄν-υδρος ον adj. [privatv.prfx., ὕδωρ] **1** (of terrain, a region) **waterless, arid** Hes.*fr.* Hdt. E. NT. Plu.; (of a route) Plu. ‖ FEM.SB. arid region Hdt. Plb.; aridity Plu. ‖ NEUT.PL.SB. arid regions Hdt. **2** (of incense) **dry** (perh. opp. oily) E. **3** (of a corpse) **not washed** (for burial) E.

ἀν-υμέναιος ον adj. **1** (of a young woman) **without a wedding song** (because dying before marriage) S. E.; (of her fate) S. **2** (of a goddess) **unwed** E.; (of a man) Men.

—ἀνυμέναια *neut.pl.adv.* **1 without wedding rites** (W.GEN. of ritual bathing) E.
2 unwed —*ref. to growing old* S.
ἄνυμες (dial.1pl.impf.): see ἀνύω
ἀν-υμνέω *contr.vb.* [ἀνά] (of Apollo, as oracular god) **proclaim in song** —*justice* E.
ἀ-νύμφευτος ον *adj.* [privatv.prfx., νυμφεύω] **1** (of a woman) **not married** E.
2 (of a woman) **ill-married** S.
ἄ-νυμφος ον *adj.* **1** [νύμφος] **without a bridegroom**; (of a woman, her life or home) **husbandless** S. E. Mosch.
2 [νύμφη] (of a man) **brideless** Men.; (oxymor., of a bride, envisaged as married to death or to the hero to whom she had been sacrificed) **who is no bride** E.
3 (oxymor., of an incestuous marriage) **which is no marriage** S.
ἀν-ύπᾱνος ον *dial.adj.* [privatv.prfx., ὑπήνη] app. **beardless** Alcm.
ἀν-υπέρβλητος ον *adj.* [ὑπερβάλλω] **impossible to exceed**; (of persons, virtues, distress, or sim.) **unsurpassable** Isoc. X. D. Men. Plb. Plu.; (of a city's power) Isoc. Plb.; (of a people's nobility) Hyp.
—ἀνυπερβλήτως *adv.* **unsurpassably** —*ref. to suffering* Arist.
ἀν-υπεύθῡνος ον *adj.* **1 not subject to public scrutiny or audit**; (of magistrates, jurors, their position or activities) **unaccountable** Ar. Pl. Aeschin. +; (of a litigant) D.; (of statements by envoys) Plb. ‖ NEUT.SB. **freedom from scrutiny** Arist. Plu.
2 (of authority, a monarchy) **absolute** Arist. Plb. Plu.
3 not disqualified (to participate in a democracy) Arist.
ἀν-υπήκοος ον *adj.* (of a creature, a gluttonous human race) **disobedient** (W.GEN. to reason, the soul) Pl.
ἀνυποδησίᾱ ᾱς *f.* [ἀνυπόδητος] **lack** or **deprivation of footwear** (as a feature of Spartan austerity) Pl. X.
ἀν-υπόδητος ον *adj.* [ὑποδέω] **not wearing shoes, barefoot** Pl. Thphr.; (of destitute, frugal or austere people, philosophers, Spartans) Lys. Ar. Pl. X. +
ἀν-υπόδικος ον *adj.* **not liable to prosecution** ‖ NEUT.SB. **immunity from prosecution** Plu.
ἀν-υπόθετος ον *adj.* [ὑποτίθημι] (of a starting-point in intellectual inquiry) **not based on hypotheses** Pl. Arist. ‖ NEUT.SB. **point in inquiry at which hypotheses are unnecessary** Pl.
ἀν-υπονόητος ον *adj.* [ὑπονοέω] **1** (of persons) **unlikely to be suspected** (as enemies) Plb.; (of locations, as refuges) Plb.
2 (of events, a prospect) **unexpected** Plb.
3 without any suspicion Plb.; (W.GEN. of an enemy's intention or audacity) Plb.
—ἀνυπονοήτως *adv.* **1 unexpectedly** Plb.
2 without precaution or **suspicion** Plb.
ἀν-ύποπτος ον *adj.* **1 not regarded with suspicion**; (of persons, their advice) **above suspicion** Th. X. Plu. ‖ NEUT.SB. **freedom from suspicion** Plu.
2 (of an event) **unexpected** Plu.
3 not suspecting; (of a person) **not suspicious** (W.PREP.PHR. or GEN. of a person, a plot) Plb. Plu.; (of a person's goodwill, confidence) **trusting** D. Plu.
4 (of a conversation) **without suspicion** (fr. either party) Plu.
—ἀνυπόπτως *adv.* **1 without causing suspicion, not suspiciously** Plb. Plu.
2 unexpectedly Plb.
3 without being cautious or **suspicious** Th. Plb. Plu.

ἀν-υπόστατος ον *adj.* [ὑποστατός] **1** (of a boxer) **impossible to withstand** Plb.; (of a commander, combatants, their character, behaviour, institutions) Isoc. Pl. X. D. Plb. Plu. ‖ NEUT.SB. **reputation for invincibility** (in battle) Plu.
2 not securely supported; (of a description of a battle, the structure of a history) **poorly substantiated** Plb.
ἀν-υπότακτος ον *adj.* [ὑποτάσσω] **not arranged in order**; (of a narrative) **confusing** (sts. W.DAT. to readers) Plb.
ἀνυσί-εργος ον *Aeol.adj.* [ἀνύω, ἔργον] | ᾰ- *metri grat.* | (of a woman) **task-completing, industrious** Theoc.
ἀνύσιμος ον *adj.* (of a means of governing, course of action, tactic) **effective** X. Plu.; (of religious activity) **conducive** (W.PREP.PHR. to prosperity) Pl. ‖ NEUT.SB. **effectiveness** Plu.
—ἀνυσίμως *adv.* **effectively** Pl.
ἄνυσις ιος *Ion.f.* **1 successful outcome** (sts. W.GEN. on the part of conspirators) Hom.; **accomplishment** (W.GEN. of tasks) Thgn.
2 completion (W.GEN. of a voyage) AR.
3 goal (W.GEN. of a voyage) AR.
4 effective execution (of domestic and civic business) E.(cj.)
5 ending, end (W.GEN. of a procession of cattle) Theoc.
ἀνυστικώτερος ᾱ ον *compar.adj.* [ἀνυστός] (of the ingenuity of one man) **more productive** (W.GEN. than the efforts of many) Plb.
ἀνυστός όν *adj.* (of a person's objectives) **possible to accomplish** AR. ‖ NEUT.IMPERS. (w. ἐστί, sts.understd.) **it is possible** (sts. W.DAT. for someone, W.INF. to do sthg.) Parm. E.; (introduced by ὡς or ᾗ) *as far as is possible* X. Plu.
ἀνυτικός ή όν *adj.* (of a means of communication or making money) **effective** X.
ἀνύτω *Att.vb.*, ἀνύτω *vb.*: see ἀνύω
ἀν-υφαίνω *vb.* [ἀνά] (of the soul) **re-weave** —*a decrepit body (envisaged as a worn-out garment)* Pl.
ἀνύω, Att. ἁνύω *vb.* | impf. ἤνυον, dial. ἄνυον | fut. ἀνύσω | AOR.: ἤνυσα, ep. ἤνυσσα, ptcpl. ἀνύσᾱς, ep. ἀνύσσᾱς | pf. ἤνυκα ‖ MID.: ἀνύομαι | aor. ἠνυσάμην, dial. ἀνυσάμην, subj. ἀνύσωμαι ‖ PASS.: ep.fut.inf. ἀνύσεσθαι | aor. ἠνύσθην | pf. ἤνυσμαι | —also ἄνῡμι *vb.* | dial.impf. ἄνυμες ‖ PASS.: 3sg.impf. ἤνυτο (Od., dub.), dial ἄνυτο | —also ἄνω, ep. ἄνω, Att. ἅνω *vb.* | 3sg.imperat. ἀνέτω, inf. ἄνειν, ptcpl. ἄνων | impf. ἤνον ‖ MID.: 3sg.opt. ἄνοιτο ‖ PASS.: ep. ἄνομαι | 3sg.impf. ἤνετο | —also ἀνύτω, Att. ἀνύτω *vb.* | impf. ἤνυτον ‖ PASS.: dial.impf. ἠνυτόμᾱν (A.) |
1 complete —*a journey, a race* Od. Theoc. —*a task* Hes. Sol. Trag.; (of a god) **bring to completion** —*a task* S.*Ichn.*(dub.); (of construction materials) **contribute to completion** Th. ‖ PASS. (of a task) **be completed** Hom. Hdt.
2 (of a fire) **make an end of, consume** —*a corpse* Od. ‖ MID. **spend** —*a lifetime* (W.PREP.PHR. *in a pursuit*) Bion
3 endure to the end —*one's desire* Theoc.
4 accomplish —*a plan* AR.; (of a god or seer) **see through to completion** —*their purpose, an announcement* Pi. S.
5 (of persons, their efforts) **achieve** —*a death, a good outcome* S. —*nothing, little* A.fr. Hdt. E. Pl. +; (of considered words) —*a wise result* E.; (of a kind of education) —*little* Pl. ‖ MID. (of words) **achieve** —*more* X. ‖ PASS. (of a goal, a result) **be achieved** Plb.
6 perpetrate, commit —*a crime* S.
7 reach a favourable outcome; profit —W.PTCPL. *by doing sthg.* Il.; **be successful** Thgn. Pl. —W.PTCPL. *in doing sthg.* Tyrt. —W.ACC. *in a struggle* Theoc.; **manage** —W.INF. *to do sthg.* A.; **become** —W.PREDIC.ADJ. *prosperous* S. ‖ MID. **succeed** Theoc.

ἄνωθε(ν)

8 obtain —*food* (W.DAT. *for one's stomach*) S. —*one's goals, help* A. S.; **hit** —*a target* E. ‖ MID. **obtain** —*a request, reward* A. S.; **win** —*a prize* Ar. Theoc. ‖ IMPERS.PASS. there is fulfilment —W.DAT. *for the prayers of men* Pi.
9 make progress (on a journey) S. E. —W.ACC. *to a place* S. E.; (of a ship) **traverse** —*a distance, an expanse of water* Od.
10 make progress Th. X. —W.PREP.PHR. *towards one's goal* Ar.
11 hurry about one's business, hurry up, get a move on Ar. —W.PTCPL. *in doing sthg.* Ar. Pl.
12 ‖ PASS. (of a person) be brought to maturity, grow up A.
13 ‖ MID. (of a person praying) **finish** A. ‖ PASS. (of a period of time) come to an end Il. Hdt. AR. Theoc.
14 make —*a path* A. —*a spring of water* (miraculously) Theoc.; **compose** —*a poem* Call.; **cause** —*a disaster* A. —*enslavement* (W.DAT. *for a city*) E.; (of a god) **bring it to pass** —W.ACC. + INF. *that someone shd. be such and such* S. ‖ MID. (of gods) **cause** —*a pestilence* (W.PREDIC.ADJ. *to be far away*) S.

ἄνω adv. and prep. [ἀνά] | compar. ἀνωτέρω, also ἀνώτερον (Arist. Plb. NT.) | superl. ἀνωτάτω | **1** (ref. to movt.) towards a higher elevation, **upwards** A. S. Th. Pl. AR.
2 (ref. to movt. on the ground) in an ascending course, **upwards** —*ref. to going* (*towards a crest or peak*) Od. X. Men.; **up-river** —*ref. to sailing* Hdt. —*ref. to streams flowing* (*provbl., as an impossibility*) E. D.; **up, inland** —*ref. to travelling* Hdt. X.; (quasi-adjl., of a visit) Men. ‖ COMPAR. **further** (sts. W.GEN. *than a certain island*) —*ref. to a fleet advancing* Hdt. ‖ SUPERL. **furthest inland** X.
3 upwards —*ref. to pointing, looking, raising one's head or an object* Ar. Pl. X. Thphr. Men. + —*ref. to tilting an animal's head* S.; (quasi-adjl., of a road) Heraclit. Pl. X. ‖ SUPERL. **highest** X.
4 upwards (explained W.PREP.PHR. to the north) —*ref. to a river flowing* Hdt.; **northwards** —*ref. to a coastline extending* AR.
5 in an elevated position (off the ground or on a hillside); **at a height** S. D.; (quasi-adjl., of persons and places) Hdt. Th. Ar. Pl. +; **high up** (W.PARTITV.GEN. *in the air*) E.; (as prep.) **above** —W.GEN. *the cavalry* X.; τὰ ἄνω *the upper storey* (W.GEN. *of a house*) X.; *the high ground* X. ‖ COMPAR. *on higher ground* X.
6 high above (in the sky or heavens, opp. on the ground) Ar. NT.; (quasi-adjl., of gods) A. S.; τὸ ἄνω *the region above* Pl.; τὰ ἄνω *the regions above* (ref. to the heavens) NT. ‖ COMPAR. **higher** —*ref. to Zeus sitting on his throne* A.
7 at a distance (as if horizontally), **out to sea** Il.; (as prep.) **beyond** —W.GEN. *a river* Hdt. X. Call.; (quasi-adjl., of a region) **to the north** (W.GEN. *of another*) Hdt. Pl.; τὰ ἄνω *the far end* (*of a racecourse, ref. to a turning-post*) Pl.
8 (quasi-adjl., of a region, settlement, road) **upper, inland** Hdt. Th. +; (of a king, population) **in the interior** Th. X.; τὰ ἄνω *the inland regions* Hdt.
9 at or **on the top** (of an object) Hdt. Ar. Theoc.; (as prep.) **above** —W.GEN. *the knees* (ref. to hitching one's cloak) Thphr. ‖ COMPAR. **higher** (W.GEN. *than the chest*) —*ref. to being soaked* X.; (quasi-adjl., of a horse's leg-bones, W.GEN. *than its hooves*) X.
10 above (on the surface of the earth, opp. below, in the realm of the dead) —*ref. to living* S. Pl. —(W.PARTITV.GEN. *on the ground*) E.; οἱ ἄνω *those above* (*ref. to the living*) S.
11 in the past; (quasi-adjl., of generations, eras) **previous** Pl. D.; οἱ or αἱ ἄνω *the ancestors* Pl. ‖ COMPAR. earlier (in time) Plb.; (W.COMPAR.GEN. *than an event*) Plb.; (quasi-adjl., of a kinsman) older Pl.; (of actions, times) earlier Plb.

12 previously, earlier (in a discussion) Pl.; (quasi-adjl., of sections of a conversation) **previous, earlier** Pl.; τὰ ἄνω *the earlier sections* (*of a lecture or treatise*) Arist. ‖ COMPAR. **earlier** (in a written work) Plb.
13 forward (in time) —*ref. to a god pushing away a person's old age* (*so as to postpone it*) Carm.Pop.; **forth** (to one's advantage) —*ref. to a litigant progressing* (W.PARTITV.GEN. *in a topic*) Aeschin. ‖ COMPAR. **further** —*ref. to a matter progressing* Hdt. —*ref. to investigating* Arist.
14 (phr.) ἄνω (τε καὶ) κάτω **up and down** (i.e. vertically) —*ref. to looking, moving* E. Pl.; **back and forth, to and fro** —*esp.ref. to pacing, wandering, changing one's mind* E. Ar. Pl. X. D. +; **this way and that, in all directions** —*esp.ref. to scattering or turning* A. E. Ar. Pl. +
15 (phr.) ἄνω (τε καὶ) κάτω **upside down** —*esp.ref. to turning an object, argument or situation* Pl. D.; **in total disorder** —*esp.ref. to putting a place or situation* E. Ar. Pl. D. Plb.
16 (quasi-adjl., of tones of a person's voice) **higher** Plu.
17 (quasi-adjl., of one of two councils) **upper** Plu.
18 high up (in a sequence) ‖ COMPAR. to a higher position (at dinner, i.e. closer to the host) —*ref. to being summoned* NT.; (of a couch) higher Plu. ‖ SUPERL. (w. neut.pl.art.) **the highest** (i.e. most general, W.GEN. *of classifications*) Arist.

ἄνωγα pf.vb. [reltd. ἡμί] | 3sg. ἄνωγε, 1pl. ἄνωγμεν | imperatv. ἄνωχθι, pl. ἄνωχθε, 3sg. ἀνώχθω | PLPF.: ep. ἠνώγεα (trisyllab.), 3sg. ἠνώγει, ep. ἠνώγειν, also ἀνώγει(ν) | —also **ἀνώγω** vb. | 3sg. ἀνώγει, 2du. ἀνώγετον | imperatv. ἄνωγε, pl. ἀνώγετε, 3sg. ἀνωγέτω | ep.inf. ἀνωγέμεν | impf. ἤνωγον, ep. ἄνωγον | fut. ἀνώξω | aor. ἤνωξα, inf. ἀνῶξαι, ep.1pl.subj. ἀνώξομεν | —also **ἀνωγέω** contr.vb. | ep.3pl. ἠνώγεον (Il.)
1 (of a god or person in authority) **give an order** Hom. S. —W.INF. or DAT. + INF. (*to someone*) *to do sthg.* Hom. hHom. A. S. AR.; **command, order** —*someone* (sts. W.INF. *to do sthg.*) Hom. Hes. Trag. Call. AR.
2 (of a god or commander) **order** —*a course of action* Il. S. Call.; (of laws) **prescribe** —*certain behaviour* Hdt.
3 (gener.) **instruct, tell** —W.ACC. + INF. *someone to do sthg.* Hom. hHom. Trag. AR. Theoc.
4 make a request Il. Call.; (of a little girl) **ask** (her mother) —W.INF. *to pick her up* Il.; (of Zeus) **order** (to come); **summon** —*a god* Il.
5 (wkr.sens.) **advise, invite** —W.ACC. + INF. *someone to do sthg.* Hom. Hes. Parm.; **recommend** —W.INF. *doing sthg.* Hom. Hdt. S.
6 (of a person's heart) **urge** Il. —*that person* (sts. W.INF. *to do sthg.*) Hom. Hes. Thgn. AR.; (of a stomach) **demand** —W.PASS.INF. *to be satisfied* Od.
7 (of bonds of kinship, a need) **prompt** —*someone* (sts. W.INF. *to do sthg.*) Hom.; (of wine) —*someone* Od.

ἀνώγεον (unless **ἀνώγαιον** or **ἀνώγειον**) ου n. [ἄνω, γῆ] room above ground, **upstairs room** (used for storage) X.
ἀνωγή ῆς f. [ἄνωγα] **command** (W.GEN. fr. someone) AR.
ἀνῷγον (impf.): see ἀνοίγνυμι
ἀν-ώδυνος ον adj. [privatv.prfx., ὀδύνη] **1 free from pain** S.
2 (of a mistake or ugliness, as depicted in comedy) **not causing pain** Arist.; (of a lack of understanding, as an affliction) S.(dub.) ‖ NEUT.SB. **painlessness** (of a poison) Plu.
—**ἀνωδύνως** adv. **painlessly** —*ref. to giving birth* Plu.; (fig.) —*ref. to a statesman curing his homeland* Plu.

ἄνωθε(ν) adv. and prep. [ἄνω] **1 from a height, from above** Hippon. Hdt. Trag. Th. Ar. Pl. +; (as prep.) **from high up** —W.GEN. *on a ship* Plu.(dub.)

2 from the top (of the human body) Th. Pl. —*ref. to removing clothing (by pulling it over one's head)* Ar.(dub.); (prep.phr.) ἀπ' ἄνωθεν *from the top (to the bottom)* NT.
3 from higher ground —*ref. to rivers flowing* Hdt. Th.; **from the interior** (of a region) —*ref. to advancing* Hdt. Th. X. Plu.
4 at a height, high up S. Th. Ar.; **above** Pl. Arist.; (as prep.) —W.GEN. *events on the ground* S.(cj.) —*a horse's head* X.; (quasi-adj., of a rider's body) —*his hips* X.
5 above ground (opp. below) A. E.; οἱ ἄνωθεν *those above* (i.e. on deck, ref. to marines) Th.
6 on top Ar. X.; (as prep.) —W.GEN. *of a corpse, tomb, clothes* Th. Ar.; **at the top** Pl. X. Men. Theoc. +; (quasi-adj., of clothing) X.
7 further upstream or **inland** Hdt. Th. Pl. D. +; (as prep.) —W.GEN. *fr. a location* Hdt.
8 in an exalted position (w.connot. of authority) A.; (quasi-adj.) **superior** (in importance) Pl.
9 from earlier (in time) Pl. D. Arist. Theoc. NT.; **from further back** (in a story, discussion or inquiry) Att.orats. Pl. +; **from the beginning** D. Arist. NT.; **all over again, again** NT.
10 earlier (in time) D.
11 by descent —*ref. to belonging to a group* Call. Theoc.

ἀν-ωθέω contr.vb. [ἀνά] **1** (intr., of a ship's crew) **push off** or **out** (to sea) Od.
2 push (W.ACC. a rock) **upwards** Plu.
3 force back —*water* (W.PREP.PHR. *into a channel*) Plu. ∥ MID. **repel** —*invaders* Hdt.
4 (of a faction) **push over, drive** —*an entire community* (W.PREP.PHR. *into the enemy's hands*) Th.

ἀν-ώιστος ον adj. [privatv.prfx., οἴομαι] **1** (of an affliction, death, volley of arrows) **unexpected, not anticipated** Il. AR. Mosch.; (of a message) AR.
2 (of a route) **unknown** (W.DAT. to all) AR.

—**ἀνωιστί** ep.adv. **without being expected** (by the victim), **unexpectedly** —*ref. to murdering someone* Od.

—**ἀνωίστως** adv. **1 unexpectedly** AR.
2 without being suspected —*ref. to hiding so as to ambush someone* AR.

ἀν-ώλεθρος, ep. **ἀνόλεθρος**, ον adj. [ὄλεθρος] **1** (of warriors) **free from death** (i.e. alive) Il.
2 (of Being) **imperishable** Parm.; (of the soul, Forms) Pl.

ἀνωμαλία ᾱς f. [ἀνώμαλος] **1 unevenness** (W.GEN. of terrain) Plu. ∥ PL. **depressions** (in the ground) Plb.
2 lack of equality, inequality (betw. members of a community) Pl. Plu.; (of wealth) Arist. Plu.; **variety** (in a soldier's lifestyle) Plu.
3 unevenness, inconsistency (in a person's character or behaviour) Aeschin. Plu.
4 inconsistency (of information, W.GEN. in a prosecution case) Aeschin.; **irregularity** (W.GEN. in a people's naming practice) Plu.; **discrepancy** (betw. opinions) Isoc.; (betw. two dates, solar and lunar calendars) Plu.
5 instability (inherent in a democracy) Plb.; **fluctuating nature** (of a battle) Plu.
6 unusual phenomenon (observed during eclipses) Plu.
7 lack of a united front (W.GEN. betw. tactical units) Plu.

ἀν-ώμαλος ον adj. [privatv.prfx., ὁμαλός] **1** (of a region, an island) **not level, rugged** Pl. X. Plb. Plu.
2 (of cities, constitutions) **not uniform, heterogeneous** (in composition) Pl.; (of a distribution of wealth in a community) **unequal** Pl.; (of a community segregated by wealth) **ill-balanced** Pl.; (of the nature of an entity) **diverse** Pl. ∥ NEUT.SB. **lack of uniformity** or **inequality** (in a community) Plu.

3 (of a person) **inconsistent** (in conduct) Arist. Plu.
4 (of persons, their character, sense of ambition) **capricious** Pl. Plu.; (of a boar) **erratic** Arist.
5 not stable; (of the progress of a battle, as assessed by onlookers) **fluctuating** Th.; (of a commotion) **changeable** Plu.; (of a battle-cry) **faltering** Plu. ∥ NEUT.SB. **fluctuation** (W.GEN. in the course of a sea-battle) Th.

—**ἀνωμάλως** adv. **1 erratically** —*ref. to sthg. being moved* Pl.
2 diversely Isoc.
3 inconsistently (in words and actions) Isoc.
4 capriciously —*ref. to making decisions, worshipping* Isoc.

ἀνωμαλότης ητος f. **lack of uniformity** or **regularity** Pl.; **unevenness** (of a surface) Pl.

ἀν-ώμοτος ον adj. [ὄμνῡμι] **1** (of jurors, witnesses, arbitrators, litigants) **not under oath** Att.orats.; (of a person) **not having sworn, unsworn** (W.GEN. by the gods) E.; (of a person's mind) E.
2 (of a peace treaty) app., **unaccompanied by an oath, unratified, unsworn** D.(dub.)

—**ἀνωμοτί** adv. **without an oath** —*ref. to making a claim* Hdt.

ἄνων (pres.ptcpl.): see ἀνύω

ἀν-ωνόμαστος ον adj. [ὀνομαστός] **1 impossible to name**; (of a fragrance assoc.w. Zeus) **ineffable** Ar.
2 not to be named; (of a crime) **unnameable** E.

ἀν-ώνυμος ον adj. [ὄνομα] **1 not having a name**; (of a person, river, path, land) **nameless** Od. Parm. Hdt. E. Pl.; (of substances, faculties, activities, emotions, relationships, or sim.) Pl. Arist.
2 (of Romans w. only two names) **without a personal name** (i.e. praenomen) Plu.
3 (of a person) **not having one's name mentioned, unnamed** E. Plu.
4 (of a denunciation fr. an informer) **not mentioning any names** Lys.
5 (of avenging deities) **not to be named, unnamed** E.; (of a ruinous day) Ibyc.
6 (of a person or name) **not well known** S. E. Ar. D. Plb.; (of the dead, their family line or actions) **not remembered** E. Isoc. Pl. Is. D.; (of a region, old age) **inglorious** Pi. E. Lys.

ἀνῷξα (aor.): see ἀνοίγνῡμι

ἀνῷξαι (aor.inf.), **ἀνῴξω** (fut.): see ἄνωγα

ἀνωρίη ης Ion.f. [ἄωρος¹] **unsuitable time** (W.GEN. of year, W.INF. to fight a battle) Hdt.(cj. ἀωρίη)

ἄνωρος adj.: see ἄωρος¹

ἀνώτατος η ον superl.adj. [ἄνω] ∥ NEUT.PL.SB. **topmost parts** (W.GEN. of a pyramid) Hdt.

ἀνωτάτω superl.adv.: see ἄνω

ἀνωτερικός ή όν adj. (of regions) **inland** NT.

ἀνώτερον, ἀνωτέρω compar.ac.vs.: see ἄνω

ἀν-ωφελής ές adj. [privatv.prfx., ὄφελος] **1 of no benefit or use**; (of persons, their strength) **useless** (sts. W.DAT. to someone) S. E. Th. Pl. X. +; (of material or non-material things) A. Th. Isoc. Pl. X. +
2 (of an expeditionary force) **at a disadvantage** Th.
3 (of sophists) **harmful** X.; (of foods, drinks, drugs, W.DAT. to humans) Pl.; (of luxurious habits) Xenoph.; (of desires) Pl.

—**ἀνωφελῶς** adv. **futilely** Arist.

ἀν-ωφέλητος ον adj. [ὠφελέω] **not beneficial**; (of disobedient children) **useless** S.; (of a woman's labours, sts. W.DAT. to her) A. S.; (of fallow farmland) X.

ἄνωχθε (2pl.imperatv.), **ἄνωχθι** (2sg.imperatv.), **ἀνώχθω** (3sg.imperatv.): see ἄνωγα

ἀν-ώχυρος ον *adj*. [privatv.prfx., ὀχυρός] (of fortifications) **insecure** X.

ἄξαι (aor.inf.): see ἄγνῡμι

ἄξᾱς (aor.ptcpl.): see ἄσσω

ἄξεμεν, **ἀξέμεναι** (ep.fut.infs.): see ἄγω

ἄ-ξενος, Ion. **ἄξεινος**, ον *adj*. [privatv.prfx., ξένος²] **1** (of persons) **inhospitable** Hes. E. Pl. Bion; (of a harbour, W.GEN. for a ship) S.; (of a home) E.; (of the Black Sea, its waters, shores) E. AR.; (of the R. Phasis) Theoc.
2 (of a wrestling arena) **dangerous** Call.
—**Ἄξεινος** ου *Ion.m*. [Iran.loanwd.] **Axine** or **Inhospitable Sea** (derog. name for the Euxine or Black Sea) Pi.

ἄ-ξεστος ον *adj*. [ξεστός] (of a rock) **unhewn** S.

ἀξίᾱ ᾱς, Ion. **ἀξίη** ης *f*. [ἄξιος] **1 value** (W.GEN. of a person or thing) Hdt. Att.orats. Pl. X.; **price** X.; **cost** (W.GEN. of damage done) Pl.
2 suitable tribute (paid to a king) Hdt.; **suitable amount** (for a poor man to spend) Arist.; (ref. to a payment) **amount appropriate** (W.GEN. to the value of a person's estate) E.
3 due penalty (sts. W.GEN. for a crime and the harm caused) Hdt. Ar. Pl. X.; **due reward** E.*fr*. X.; **due praise** Pl.
4 characteristic or conduct that is deserving (of certain treatment); **merit** E. Th. Att.orats. Pl. X. +; **worthiness** (of persons to be philosophers or to be enslaved) Pl. D.
5 dignity (of an army, statesman, city, magistracy) E. Th. Pl. D.
6 pomp (of a commander's manner) Plb.

ἀξι-άγαστος ον *adj*. [ἀγαστός] (of a feature of a political system) **worthy of admiration** X.

ἀξι-άκουστος ον *adj*. [ἀκουστός] (of discussions, poetic performances) **worth hearing** X.

ἀξι-ακροᾱτότατος η ον *superl.adj*. [ἀκροάομαι] (of chorus-singers) **most worth hearing** X.

ἀξι-απήγητος ον *Ion.adj*. [ἀφηγέομαι] (of peoples, places, achievements, customs) **worthy to be described** Hdt.

ἀξι-έπαινος ον *adj*. (of persons, conduct) **praiseworthy** X.

ἀξι-έραστος ον *adj*. [ἐραστός] (of a woman of noble character) **worthy to be desired** (W.DAT. by a god) Plu.; (of children, a soul) **attractive, lovable** X.

ἀξίνη ης, dial. **ἀξίνᾱ** ᾱς *f*. **1 axe** (used as a weapon or for hewing wood), **axe** Il. Hdt. S. X. Call. +
2 app. **axe-head** Il.

ἀξιο-εργός όν *adj*. [ἄξιος, ἔργον] (of young bees) **equal to the task** X.

ἀξιο-ζήλωτος ον *adj*. [ζηλωτός] (of a victory) **worthy of admiration** Plu.

ἀξιο-θαυμαστότερος ᾱ ον *compar.adj*. [θαυμαστός] (of certain craftsmen) **more worthy of admiration** X.

ἀξιο-θέατος, Ion. **ἀξιοθέητος**, ον *adj*. [θεατός] **1** (of a place) **worth visiting** or **going to see** Hdt.
2 (of a sea, objects) **worth seeing** Hdt. Plu.; (of contests, processions) **worth watching** X. ‖ NEUT.PL.SB. marvellous performances or displays X. Plu.
3 (of a king, soldiers, cavalry, a chorus) **eye-catching** X.
4 (of a king, commander) **admirable** Plu.
5 (of a person inspired by a god) **worthy of contemplation** X.
6 (of a result, the speed of a warship) **impressive** X. Plu.

ἀξιό-θρηνος ον *adj*. [θρῆνος] (of a boy) **worthy of lament** E.

ἀξιο-κοινώνητος ον *adj*. [κοινωνέω] **suitable for membership** (sts. W.GEN. of a council, a community) Pl.

ἀξιό-κτητος ον *adj*. [κτητός] (of a ruler's daughter) **worthy of acquisition** (as a wife), **treasured** X.

ἀξιό-λογος ον *adj*. [λόγος] **1** worthy of mention; (of persons, their conduct) **noteworthy, notable** X. Aeschin. Plb. Plu.; (of cities, ships, a faction, an army) Th. X. Plb. Plu.; (of places, objects, events, activities, statements, situations) Hdt. Th. Pl. X. +
2 distinguished (in a community) Th. Aeschin. Plb. Plu.
3 (of equipment for a military expedition) **proportionate** (to the number of personnel) Plu.
—**ἀξιολόγως** *adv*. in a manner that deserves mention, **notably** X.

ἀξιο-μακαριστότατος η ον *superl.adj*. [μακαριστός] (of a pursuer of virtue) **most worthy to be regarded as fortunate** X.

ἀξιό-μαχος ον *adj*. [μάχομαι] **1** such that is a match (for an opponent or task) in combat; (of an army, a fleet) **worthy as an adversary** (sts. W.DAT. or PREP.PHR. for an enemy) Hdt. Th. Plb. Plu.; (of a population or army) **sufficient** (W.INF. to fight) Hdt. Plu.; (of ships, to confront a superior fleet) Hdt.
2 (of the Roman praetorship in the hands of a particular statesman) **equivalent** (W.PREP.PHR. to the consulship) Plu.
—**ἀξιομάχως** *adv*. on equal terms —*ref. to fighting* Plu.

ἀξιό-μῑσος ον *adj*. [μῖσος] (of Erinyes) **worthy of hatred, abominable** A.

ἀξιο-μνημόνευτος ον *adj*. [μνημονευτός] (of things) **worth remembering** Pl. X. Plu.

ἀξιό-νῑκος ον *adj*. [νίκη] **1** (of a skilled athlete) **worthy of victory** X.
2 worthy to prevail (over others) ‖ COMPAR. worthier (W.INF. to be in command or have a certain place in a battle-line) Hdt.

ἀξιο-πενθής ές *adj*. [πένθος] (of stories) **worthy of lament, truly lamentable** E.

ἀξιό-πιστος ον *adj*. [πίστις] **1** worthy of trust or belief, **trustworthy** X. D. Arist. Din. +; (of messages, evidence) X. Hyp. + ‖ NEUT.SB. trustworthiness Plb.
2 (of achievements described in mythology) **credible** Plu.
3 (of anchorages) **guaranteed sufficient** (W.PREP.PHR. for a great traffic of ships) Plu.
—**ἀξιοπίστως** *adv*. plausibly, convincingly —*ref. to making false or implausible claims* Plb.

ἀξιο-πρεπέστατος η ον *superl.adj*. [πρέπω] (of a man's body) **impressive** (W.INF. to look at) X.

ἄξιος ᾱ (Ion. η) ον *adj*. [perh.reltd. ἄγω] **1 valued** (at a certain sum of money); (of persons or things) **worth** (W.GEN. a certain amount) Hom. +; (of a divine blessing) **priced** (W.GEN. at a certain sum) Men.
2 (of things) of the same value (as others); (of a cauldron) **equal** (W.GEN. to an ox) Il.; (of a man's property, to a woman's fortune) X.; (of a suitor's gift for a young woman, to marriage to her) Theoc.; (of revenue) **sufficient** (W.GEN. for a war) D.
3 (of items for sale) of good monetary value, **at a bargain price, cheap** Lys. Ar. X. Thphr.
4 of equal potency or value; (of a warrior) **fit** (W.PASS.INF. to be killed, W.PREP.PHR. in compensation for another) Il.; (of an army) **equal** (W.GEN. to an enemy's champion) Il.; (of all known armies, to that of Xerxes) Hdt.; (of the achievements of one great man, to those of many people) Callin.; (of a victory, to all that has been suffered) Il.; (of praise, to a king's excellence) X.; (of an old man's strength, to a youth's) Theoc.
5 of equivalent status; (of a brave man) **equal** (W.GEN. to the demigods) Callin.; (of a king, to ordinary men) Hdt.

ἀξιόσκεπτος

6 (of places, events, qualities) **worthy** (W.GEN. of a certain reaction, esp. wonder) Hdt. S. Ar. X.; (of events, W.INF. to consider in wonder) S.
7 worthwhile (to see, acquire, do); (of a dedication in a sanctuary) **worth** (W.GEN. a visit) Hdt. X.; (of a task, an urgent matter, W.GEN. the effort) Men.; (of an activity) **worthwhile** A.; (of sights, W.INF. to see) Men.; (of conversations, to hear) Pl.; (of a region, to acquire, to compare w. another) Hdt. ‖ NEUT.IMPERS. (w. ἐστί, sts.understd.) it is worthwhile Ar. —W.INF. *to do sthg.* E. Ar. Pl. +
8 (of persons) of suitable social status, **worthy** (to own property) X.; (of a young woman, to participate in a procession) Th.; (of a young man, W.GEN. of his bride-to-be, her father or family, marriage to her) Hdt. Men.
9 (of persons) deservedly respected, **honoured** A. Hdt. E. And.; (of persons, their city, achievements, behaviour) **worthy** (W.GEN. of themselves, their ancestors, homeland) E. Th. Ar. Att.orats. +
10 (of persons, situations, activities, abilities, or sim.) **worth** (W.GEN. little or nothing) Thgn. Att.orats. Pl. X.
11 (of persons, things, places, activities) **worthy** (sts. W.GEN. of rewards, consideration, praise, or sim.) Alc. Xenoph. E. Th. Ar. Att.orats. +; (W.INF. to receive honour or lamentation, to live, to be such and such) Pi. Hdt. Trag. Th. Ar. +; (W.INF. to respect or detest, i.e. to be respected or detested) E.; (w. ἵνα + SUBJ. to do sthg.) NT.; (of a person, household, events, sts. W.GEN. of honour, lament) E. NT.; (of a quantity of food, a city, a statement, W.GEN. of mention or consideration) Hdt. Th. X.; (of evidence, W.INF. to believe) Antipho; (of pleasure, to preserve) Th.
12 (of persons) **entitled** (sts. W.INF. to do sthg.) Thgn. S. And. Pl. X.; (W.GEN. to an interest payment) Ar.
13 worthy (of punishment or dishonour); (of persons, a city) **deserving** (W.GEN. of a penalty, shameful treatment) S. Att.orats. X.; (sts. W.INF. to die, suffer, receive punishment) E. Ar.; (of inferior people, to be slaves) Arist.; (of crimes, sts. W.GEN. of death) A.(dub.) Att.orats. Men.; (of a course of action, W.GEN. of mockery) Th.
14 (of a person) **suitable** (for a certain role) E. Thphr.; (of a reward, gratitude, payment, penalty) **appropriate** Hom. +; (of a penalty, W.GEN. for a person's crimes) Att.orats.; (of an animal, sts. W.GEN. for a god) Carm.Pop. Call.; (of silence, fame) S. Pl. ‖ NEUT.SB. suitable price Od. ‖ NEUT.PL.SB. suitable penalty A.; suitable purposes E. ‖ NEUT.IMPERS. (w. ἐστί, sts.understd.) it is right —W.ACC. + INF. *that sthg. is the case* Il. Hdt. —W.INF. or DAT. + INF. (*for someone*) *to do sthg.* Ar. Pl. X. Men.
15 (of a person's crimes) **requiring** (W.GEN. his flight) E. Men.; (of suffering, W.GEN. death as a solution) Call.*epigr.*
—ἀξίως *adv.* **1** in a manner worthy (W.GEN. of a ruler) —*ref. to dying* Hdt.
2 in a manner worthy (W.GEN. of mention) —*ref. to fighting, executing someone* Hdt.
3 fittingly, appropriately S. X. D.; (W.GEN. for a courtesan) —*ref. to bringing generous sums of money* Men.
4 appropriately (sts. W.GEN. for a crime) —*ref. to being punished* Th.
ἀξιό-σκεπτος ον *adj.* [σκέπτομαι] (of a ruler's claims) **worthy of consideration** X.
ἀξιο-σπουδαστότερος ᾱ ον *compar.adj.* [σπουδαστός] (of certain contests) **more worthy of endeavour** X.
ἀξιο-στρατηγότερος ᾱ ον *compar.adj.* [στρατηγός] (of a captain) **more worthy of command** (W.GEN. than a general) X.

ἀξιο-τεκμαρτότερος ᾱ ον *compar.adj.* [τεκμαίρομαι] (of conduct) **more valid as evidence** (W.GEN. than words) X.
ἀξιο-φίλητος ον *adj.* [φιλητός] **worthy of being loved** X.
ἀξιό-χρεως ων, gen. ω Att.*adj.* —also **ἀξιόχρεος** ον Ion.*adj.* [χρέος] **1** worthy to perform a task; **qualified, competent** (sts. W.INF. to do sthg.) Hdt. E. Th. Isoc. D.; **fit** (W.PREP.PHR. for combat or offering counsel) Plb. Plu.; (of a suggestion) **adequate** Hdt.; (of a person's boldness) **suited** (to having power) Plu.
2 capable of meeting an obligation; (of guarantors of a fine) **credit-worthy** Ar. Pl.; (of a human as a guarantor) **sufficient** (W.GEN. against an eventuality) D.; (of a penalty) **satisfactory** (W.GEN. for a crime) D.
3 (of a source of information) **trustworthy** Pl.
4 (of a person, city, region) **noteworthy, significant** Hdt. Th. Plb.; (of an army, its deployment, a plan) Th.; (of a crime) Hdt.
5 (of colleagues) **worthy** X.; (of statesmen, W.INF. to be called by such and such a title) D.; (of events, W.GEN. of narration) Hdt.
ἀξιόω *contr.vb.* [ἄξιος] | aor. ἠξίωσα | pf. ἠξίωκα ‖ PASS.: fut. ἀξιωθήσομαι, also ἀξιώσομαι | aor. ἠξιώθην | pf. ἠξίωμαι ‖ neut.impers.vbl.adj. ἀξιωτέον |
1 consider (W.ACC. someone) **worthy** —W.INF. *to do sthg.* A. Hdt. Ar. NT. —W.GEN. *of sthg.* E. Ar. X. —*of a response, a reputation* Hdt. E. ‖ MID. **think oneself worthy** —W.INF. *to sit on a throne* Hdt. ‖ PASS. be thought worthy —W.INF. *to do sthg.* Pi. Hdt. E. —W.GEN. *of someone or sthg.* Hdt. Ar. Isoc. —W.PREDIC.SB. *to be a teacher* Pl.; (of a princess's bed) —W.GEN. *of a king* E.; (of a Form) be entitled —W.GEN. *to its own name* Pl.
2 consider (W.ACC. a person or city) **deserving** —W.GEN. *of its conqueror, suffering, or sim.* Hdt. E. Antipho Pl.
3 treat with honour, **honour** —*someone* S. E. Men. ‖ PASS. be honoured S. E. Th. —W.DAT. *w. songs* E.; (of a tomb) E.
4 value —*merchandise* (W.GEN. *at a certain price*) Pl. ‖ PASS. (of a beneficial situation) be valued —W.GEN. *at a high amount* A.; (of a marriage) —W.COMPAR.ADJ. *as more important* (W.INF. *to obtain*) S.
5 consider it appropriate Men. —W.INF. *to do sthg.* Hdt.(sts.mid.) Trag.(sts.mid.) Th. Ar. Att.orats. + —W.ACC. + INF. *that sthg. is the case* Hdt. S. E. Att.orats. ‖ PASS. (of an estate) be expected —W.INF. *to fund state services* D.
6 consider it one's right, expect —W.INF. *to do sthg.* S. E. Th. Ar. +
7 consider it necessary, make a demand Th. Plb. —W.ACC. + INF. *that a person do sthg.* Hdt. Th. Men.; (wkr.sens.) **make a request** X. —W.ACC. + INF. *that a person do sthg.* Men. —W.PASS.INF. *to be treated mercifully* Hyp. ‖ PASS. (of a city) be required —W.INF. *to do sthg.* S.
8 form an assessment (about sthg.); **claim, think** —W.INF. *that one has been wronged, is victorious, brings some benefit* Hdt. S. Th. —W.ACC. + INF. *that sthg. is the case* Antipho Ar. Pl.; **form a conclusion** Men. —W.PREP.PHR. *about sthg.* D.
ἀξίωμα ατος *n.* **1** that which confers honour or distinction (on a person or community); **honour** (sts. W.GEN. consisting of someone or sthg.) E. Aeschin.
2 honoured status (in a community) E. Th. Att.orats. Pl. +; **prestige, dignity** (W.GEN. of a city, kingdom, magistracy) X. D. Din. Plb.; (gener.) **status, rank** (either high or low) E. Th. D. Plu.; (W.GEN. of philosophy, among other professions) Pl. ‖ PL. privileged status Isoc. Arist.
3 claim (to power, W.GEN. on the ground of virtue) Arist.
4 superior quality (of tactics, opp. number of soldiers) Th.

5 that which has been decided, **decree** (W.GEN. of gods, a city) S. D.
6 that which is required, **request** (fr. a person) S.
7 that which is reasonable (although not demonstrated to be true), **self-evident principle, axiom** (in mathematics and philosophy) Arist.

ἀξιωματικός ή όν *adj.* **1** of a dignified kind; (of persons, their demeanour, attractiveness) **stately, noble** Plb. Plu.
2 of or relating to requests; (of an envoy's speeches, his brief) **supplicatory** (in tone or intention) Plb.

ἀξίωσις εως (Ion. ιος) *f.* **1 prestige** (in a community) Th.; **dignity** (in a statesman's manner) Plb.; (gener.) **social status** (either high or low) Th.
2 claim (sts. W.GEN. to another's gratitude) Th.
3 assessment (of a situation, a person) Th. Plu.; **evaluation** (of actions, W.GEN. by means of words) Th.
4 choice or **decision** (W.INF. to do sthg.) Hdt.
5 requirement (that sthg. is the case) Aeschin.; **request** Plb. Plu.

ἀξιωτέον (neut.impers.vbl.adj.): see ἀξιόω

ἀξον-ήλατος ον *adj.* [ἄξων, ἐλαύνω] (of wheel-hubs) **axle-driven** A.

ἄ-ξοος ον *adj.* [privatv.prfx., ξέω] (of a wooden plank, as an object of veneration) **not carved** (W.GEN. w. chisels) Call.

ἀ-ξυγκρότητος ον *Att.adj.* [συγκροτέω] (of a ship's crew) **not trained together** Th.

ἀξυλίη ης *Ion.f.* [ἄξυλος] **lack of timber** Hes.fr. Call.

ἄ-ξυλος ον *adj.* **1** [copul.prfx., ξύλον] (of land) app. **dense with dead wood** Il.
2 [privatv.prfx.] (of a region) **without forests** Hdt. X.

ἀξυμ-, ἄξυν-: see ἀσυμ-, ἀσυν-

ἀ-ξυνήμων ον *Att.adj.* [privatv.prfx., συνίημι] (of a foreigner) **without comprehension** (of someone's words) A.

ἀξυσο-: see ἀσυσο-

ἄξων ονος *m.* **1 axle** (of a chariot or wagon) Il. Hes. Trag. Pl. X. +; **door-pivot** Parm.
2 axon (a hinged panel inscribed w. Solon's laws) D. Plu.
3 ‖ PL. cannon bits (of a smooth round type, in a horse's bridle) X.

ἄοζος ου *m.* **attendant** (at a sacrifice) A.

ἀοῖ (dial.dat.): see ἠώς

ἀοιδή ῆς (dial. **ἀοιδά** ᾶς), also **ᾠδή** ῆς (dial. **ᾠδά** ᾶς) *f.* [ᾄδω]
1 act or occasion of singing, **song, singing** Hom. +
2 sung composition, **song, poem, ode** (in any genre or style) Hom. +; (as a memorial of a person's achievements, to be sung by future generations) hHom. Pi. E.; (of the nightingale, the swan) hHom. E. Mosch.
3 incantation, magic spell AR.
4 subject of song (ref. to a person or thing) Od. Thgn. Theoc.
5 singing as an art, **art** or **gift of song** Hom. +
6 music (of a lyre) E.; **note** (of a trumpet) B.

ἀοιδιάω *ep.contr.vb.* **sing** Od.

ἀοίδιμος ον *adj.* **1** (of persons) **celebrated in song** Il. Pi. Hdt. Arist.*lyr.* Call. Plu.; (of a city) Simon.; (of achievements, a wedding) AR. Plu.
2 (of Herakles) **renowned** (in his lifetime) Theoc.; (of a city) hHom. Pi. Plu.
3 (of a poet) **tuneful** Pi.fr.
4 (fig., of a drink) consisting of a song, **of song** Pi.
5 (of the human prey of Sphinxes) **won by song** E.

ἀοιδο-λαβράκτᾱς ᾱ *dial.m.* [ἀοιδός, λάβρος] **singer-braggart** Pratin.

ἀοιδός, Att. **ᾠδός**, οῦ *m.f.* [ᾄδω] **1** male who sings, **singer** (esp. at funerals, banquets, festivals) Hom. Hes. Sapph. A. Pi. +; (W.GEN. of laments, oracles) E.; (appos.w. ἀνήρ) Od. Hes. hHom.; (ref. to an enchanter) S.; (ref. to a bird, cicada) E. Pl. Theoc.
2 female singer, **songstress** (at a festival) Theoc.; (ref. to a nightingale, the Sphinx) Hes. S. E.; (ref. to a Muse) Alcm. E.(dub.); (appos.w. Μοῦσα *Muse*) E.; (ref. to a tortoise shell as a lyre) hHom.; (appos.w. κερκίς *pin-beater*) Ar.(quot. E.)

—**ἀοιδότερος** ᾱ ον *compar.adj.* (of a girl) **more melodious** Alcm.

—**ἀοιδότατος** η (dial. ᾱ) ον *superl.adj.* (of the nightingale, swan) **most tuneful** (sts. W.GEN. of birds) E. Call. Theoc.

ἀ-οίκητος ον *adj.* [privatv.prfx., οἰκητός] **1** (of a region, city) **not inhabited** Hdt. Isoc. Pl. Plb. Plu.
2 (of a person) **homeless** D.
3 (of a house) **uninhabitable** Plu.; (of unjust cities) Isoc.

ἄ-οικος ον *adj.* [οἶκος] **1 homeless** Hes. S. E. Pl. Plu.
2 (oxymor., of a dwelling) **not a true home** S.

ἄ-οινος ον *adj.* [οἶνος] **1** (of Erinyes, libations to them) **without wine** A. S.; (of soldiers, a region, a way of life) X. Arist.; (of a fountain, fig.ref. to a source of wisdom) Pl.; (fig., of a shield, envisaged as a cup) Arist.
2 (of fits of anger) **not caused by wine** A.

ἀοῖος *dial.adj.*: see ἠῷος

ἄ-οκνος ον *adj.* [ὄκνος] **without hesitation**; (of persons) **steadfast, resolute** Hes. S. Th. X. Plu.; (of patriotism, courage) Th. Hyp.

—**ἀόκνως** *adv.* **1 resolutely** X. Hyp.
2 without due hesitation, **brashly** Pl.
3 with no hesitation Plb.

ἀ-ολλέες έα *ep.pl.adj.* [copul.prfx., εἰλέω¹] **1 all together, in a group** Hom. hHom. Alc. S. +; (of seals, bees) Od. AR.; (of ships) Od.; (of gifts) Od.; (of a person's thoughts) AR.
2 (of pieces of meat) **in piles** (on a table) Od.
3 (quasi-advbl., of two suitors coming into combat) **together** S.; (of sailors) **in groups** AR.

—**ἀολλήδην** *ep.adv.* **in a cluster, together** —*ref. to people watching* Mosch.

ἀολλίζω *vb.* | *ep.aor.* ἀόλλισσα ‖ PASS.: *ep.aor.* ἀολλίσθην | **gather together** —*certain people* Il. B. AR. ‖ MID. (of goddesses) **come together** Call. ‖ AOR.PASS. (of a crowd) assemble Il.

Ἀόος (dial.gen.): see Ἠώς, under ἠώς

ἄ-οπλος ον *adj.* [privatv.prfx., ὅπλα] **1 without weapons** or **armour, unarmed** Pl. X.; **defenceless** X. D. Plu.; (of parts of a soldier's body) **unprotected** X.
2 without full armour, not fully armed Th.
3 (of chariots) not fitted with weapons, **unarmed** X.

ἄορ (also **ἆορ**) ἄορος *n.* [ἀείρω] | *dat.sg.* ἄορι, also ἄορι | *masc.acc.pl.* ἄορας (Od., dub.) | **sword** Hom. Hes. E. Call. Theoc.; (W.ADJ. **three-pronged**, ref. to a trident) Call.

ἀορᾱσίᾱ ᾱς *f.* [ἀόρατος] **lack of personal inspection** (of places, as a weakness of a historian) Plb.

ἀ-όρᾱτος ον *adj.* [privatv.prfx., ὁρᾱτός] **1 impossible** (for anyone) **to see**; (of entities, phenomena) **invisible** Pl. X. Arist. Men.; (of a god, the first principle) X. Plu.; (of the soul, virtues, the Forms) Pl.; (of the future) Isoc. ‖ NEUT.SB. that which is imperceptible Pl.
2 impossible (for certain persons) **to see**; (of artillery, a fire-signal) **not visible** (W.DAT. to the enemy) Plu.; (of a way of life) **hidden** (fr. others) Plu.
3 (of distant regions) **unexplored** Plb.
4 without experience (W.GEN. of warfare, danger, or sim.) Plb.

ἀοργησίᾱ ᾱς *f.* [ἀόργητος] **lack of appropriate anger** Arist.

ἀ-όργητος ον *adj.* [privatv.prfx., ὀργή] **deficient in appropriate anger** Arist.

ἀ-όριστος ον *adj.* [ὁριστός] **1** (of land) **not marked as enclosed** (within the territory of a city-state) Th.; (of the size of an empire) **without a limit** Plb.
2 (of an education system, a point of law, plans) **not defined** or **described** Pl. Aeschin. D.
3 (of speech) **imprecise, ambiguous** Aeschin.; (of the cause of an event or situation) Arist. || NEUT.SB. **lack of specificity** Arist.
4 without a restriction (in law); (of a magistrate) **not restricted** (to certain responsibilities) Arist.; (of a monarchy, a magistrate's authority) Arist. Plu.; (of a birthrate) Arist.
5 without a restriction (in time); (of jurors and members of an assembly) **without limit of tenure** Arist.; (of a period of time) **not limited** D.; (of the subject matter of epic opp. tragedy, to a single day) Arist.
6 (of facts to be communicated by signalling systems) **endless** (in number) Plb.; (of a city's possibility of growth) **infinite** Arist.
7 (of the dyad, a numerical relationship) **indefinite** Arist.
8 not realising definite forms or functions; (of matter, phenomena, principles, or sim.) **indeterminate** Arist.
9 impossible to determine; (of the details of events in the future, the cost of a war) **indeterminable** Arist. Plb. Plu.
10 (of a standard, law, goal) **impossible to define** Arist. Plu.

–ἀορίστως *adv.* **imprecisely** Pl.

ἀορτήρ ῆρος *m.* [αἴρω] | Aeol.dat.pl. ἀορτήρεσσι | **means of support; sling** (for a scabbard) Od.; **strap** (for a bag) Od. || PL. **rings at each end of a sling** (for a scabbard) Il.

ἀοσσέω *contr.vb.* [reltd. ἕπομαι, ὀπάων] **provide help** —W.DAT. **to someone in danger** Mosch.

ἀοσσητήρ ῆρος *m.* **one who provides help** (esp. to a comrade or relative), **ally, helper** Hom. Call. AR.; **guardian** AR.

Ἀοσφόρος dial.m.: see Ἑωσφόρος

ἀοῦς, Ἀοῦς (dial.gen.): see ἠώς

ἀούσᾱς (Boeot.aor.ptcpl.): see αὔω²

ἄ-ουτος ον *adj.* [privatv.prfx., οὐτάω] **not wounded** Il. Hes.

ἀπ Aeol.prep.: see ἀπό

ἀπαγγελίᾱ ᾱς *f.* [ἀπαγγέλλω] **1 report** (fr. an ambassador, witness, historian) Lycurg. D. Plb.; (w.GEN. of good deeds) Th.; (by means of signal-fires) Plb.
2 narration (as the medium of non-dramatic poetry) Pl. Arist.
3 style, diction (w.ADJ. *Roman*, i.e. Latin) Plu.

ἀπ-αγγέλλω *vb.* **1 convey** (information) **back** (fr. a person or place); **bring a report** or **news** Hom. +; **report** —*a message, events, or sim.* Il. Hdt. Trag. Ar. Att.orats. + —W.COMPL.CL. *that sthg. is the case* Hdt. E. Att.orats. + —W.INDIR.Q. *who is such and such* E. | PASS. **be reported** —W.PTCPL. *as doing sthg.* D.; (of a corpse) —W.PF.PASS. PTCPL. *as missing* Hdt.; (of a funeral) —W.INF. *to be such and such* E.; (of news, the truth) Lys. Isoc. Pl. || IMPERS.PASS. **news is brought** Antipho Thphr. Plu.; **there is an announcement** D. | see also ἀναγγέλλω 1
2 proclaim in public; report —*information (fr. the Council)* Thphr.; **declare** —*war* (W.DAT. *on someone*) Plb. —W.DAT. *to people* (W.INF. or ἵνα + SUBJ. *that they shd. do sthg.*) NT.; **proclaim** —*justice* (W.DAT. *to someone*) NT.; (fig., of a poet's songs) —*a victory* Pi.; (of a tomb) —*a murder* E.
3 communicate (information, in speech or writing); (of poets, writers) **tell a story** Arist. Plb.; **narrate** —*events* Isoc.;

(of a victim) **report** —*his injuries* D. || IMPERS.PASS. **it is reported** (by a historian) —W.ACC. + INF. *that an army suffered defeat* Plb.
4 (of a vision) **reveal** —W.ACC. – INF. *that someone is doing sthg.* Hdt.

ἀ-παγής ές *adj.* [privatv.prfx., πήγνῡμι] **not stiffened;** (of a Persian headdress) **loose** Hdt.

ἀπ-ᾱγῑνέω Ion.contr.vb. [ἀπό] **1 carry, transport** —*cargo* Hdt.
2 bring, pay —*a sum of money* (as tribute) Hdt.

ἀπ-αγκάζομαι mid.vb. | ep.aor.inf. (tm.) ἀπὸ ... ἀγκάσσασθαι | **lift up** —*a rock* Call.

ἀπ-αγλαϊσμένος ᾱ ον dial.pf.pass.ptcpl.adj. [ἀγλαΐζω] (of a warship) **stripped of ornament** Tim.

ἀπαγόρευσις εως *f.* [ἀπαγορεύω] **exhaustion** Plu.

ἀπ-αγορεύω *vb.* | fut. ἀπαγορεύσω (Plu.) | aor. ἀπηγόρευσα (D. +) || pf.pass. ἀπηγόρευμαι (Arist. +) || The aor. is usu. supplied by ἀπεῖπον, fut. and pf. by ἀπερῶ. |
1 (of persons, laws) **prohibit** Lys. Pl. D. + —W.INF. or μή + INF. *doing sthg.* or *sthg. happening* Hdt. Ar. Att.orats. + —w. μή and ACC. + INF. *someone doing sthg.* Att.orats. X.; (of an impulse) —W.INF. *doing sthg.* Pl.
2 forbid —*someone* (W.PTCPL. *wishing to do sthg.*) Hdt. —*an activity, a penalty* Lys. D. Arist. —W.DAT. *someone* (W.INF. or μή + INF. or COMPL.CL. *to do sthg.*) Hdt. Pl. X. + —w. ὅπως μή + FUT.INDIC. *that someone shd. do sthg.* Thphr. || PASS. (of activities, words) **be forbidden** Arist. Plu.
3 advise against —*a campaign* Plu.; **dissuade** —W.DAT. *someone* (sts. w. μή + INF. *fr. doing sthg.*) Hdt. Antipho Is.; (of a law) Pl.
4 refuse (to continue doing sthg.), **give up** Isoc. Pl. Plu.
5 grow weary Pl. X. —W.PTCPL. *of doing sthg.* X.; (of animals, during a chase) X.; (fig., of a person's acclaim, envisaged as a person exerting himself) Pl. || NEUT.PL.PASS.PTCPL.SB. **worn out parts** (of a wagon) X.

ἀπ-αγριόομαι pass.contr.vb. **1** (of a man living in a cave) **become feral** S.; (of a tribe, a tyrant) **become savage** Arist. Plu.
2 (of beasts) **become fierce** Pl.
3 become embittered —W.PREP.PHR. *towards a liberator* Plu.

ἀπ-άγχω *vb.* **1 strangle** —*someone* Ar. Plu.; (of a hound) —*a fawn* Od.; (fig., of a weasel) —*a drama* (envisaged as a rodent, and so prevent it fr. being performed) Ar.
2 || MID. **hang oneself** A. Hdt. Th And. Ar. X. +
3 (hyperbol., of an event) **make** (W.ACC. *someone*) **choke** Ar. || MID. (intr., hyperbol.) **choke** (w. disgust or indignation) Ar. Call. || PASS. (fig.) **be strangled** (by insults fr. friends) Archil.

ἀπ-άγω *vb.* **1 lead away** (by the hand) —*a blind man, drunkard, youth* S. Antipho Ar. NT.; (mid.) —*a person* Hdt. S. E. Ar. X. —*a woman* (to be one's wife) Pi. Hdt.
2 drive or **lead away** —*animals* Hdt. Ar. X. NT.; **bring out** —*one's animals* Od.
3 transport or **take away** —*someone or sthg.* Od. hHom. A. Hdt. E. Antipho +; (of a god) —*a person* (W.PREP.PHR. *to her death*) A.; (of a wave of troubles) —*persons* A. || MID. **convey away** —*a lame or dead person* S. Ξ. || PASS. **be taken away** Antipho(dub.) Aeschin. Men.; (of dead cats) Hdt.; (of an entity) —W.PREP.PHR. *fr. another* Pl.
4 || IMPERATV. **take** (W.ACC. *yourself*) **away!** Men.; (intr.) **go away** or **be gone!** Men. —W.PREP.PHR. *fr. sthg.* Ar. —*to ruin* Ar. Thphr. Men.; **stop** —W.PTCPL. *doing sthg.* E.
5 (of guards, magistrates, or sim.) **remove** —*someone* (sts. W.PREP.PHR. *fr. a sanctuary*) Hdt Th. Ar.; **escort away**

—*captives, convicts* (sts. W.PREP.PHR. *to a magistrate or ruler*) Hdt. E. Antipho Th. NT.; (fig., of ancestral sins) —*someone* (*to the Erinyes*) A. || PASS. be escorted away Hdt. —W.PREP.PHR. *to a ruler* Hdt. NT.; be taken away (into custody or for execution) Hdt. NT.
6 (leg.) drag away, **summarily arrest** —*an alleged wrongdoer* Att.orats. Men. +; **deliver over** —*criminals* (sts. W.PREP.PHR. or DAT. *to a magistrate, into prison*) Att.orats. Pl. Men.; (intr.) **make an arrest** And. D. —W.GEN. *for impiety* D. || PASS. be arrested Att.orats. Pl. —W.GEN. *for theft* Thphr.; be led away Din. —W.PREP.PHR. *to prison* Att.orats.
7 draw aside —*clothing* (W.PREP.PHR. *fr. part of one's body*) Pl.; (of an archer) **draw back** —*a bow-string* Pl.
8 (of sophists, orators) lead astray, **divert, distract** —*a jury, an audience* (sts. W.PREP.PHR. *fr. one's deceit*) Pl. Aeschin. D. —*a people's anger* Th. —*a people's thoughts* (*fr. their present suffering*) Th.
9 bring back —*persons* (esp. *to their home*) Hom. Hdt. S. E. Ar. + —*gifts* Hdt. —*animals* S. E.; (of the sea) **convey back** —*a passenger* (*on a ship*) E.; (of wolves) **guide back** —*a blindfolded man* Hdt.; (intr., of a guide) **lead the way back** X. || PASS. (of a horse) be led back X.
10 (of a commander) **lead back** —*an army* (*fr. a battlefield*) Hdt. E. Th. X.; (intr.) **withdraw** Hdt. X.
11 cause to come or go back; (of statesmen) **recall** —*their army, fleet, a garrison, settlers* Th.; (of a ruler) **compel** (W.ACC. *invaders*) **to withdraw** Th.
12 return (that which one owes or has vowed); **pay** —*tribute* Hdt. Th. Ar. X.; **send** (W.ACC. *an embassy*, W.PREP.PHR. *to Delos*) **in return** (for deliverance by a god) Pl.
13 (of persons) **take in** —*opinions and assertions* (W.PREP.PHR. *fr. the senses*) Pl.
14 (intr., of a way of life, envisaged as a road) **lead** —W.PREP.PHR. *towards life or destruction* NT.
—**ἀπηγμένος** η ον *pf.pass.ptcpl.adj.* (of hills) **pointed** (W.ACC. *at their peaks*) Hdt.; (of hats) **tapering off** (W.PREP.PHR. *to a point*) Hdt.

ἀπαγωγή ῆς *f.* **1 leading away** (of an army) X.
2 payment (W.GEN. *of tribute*) Hdt.
3 (leg.) **summary arrest** (sts. W.GEN. *of an alleged wrongdoer*) Att.orats. Arist. Plb.; **record of arrest** Lys. D.

ἀπαδεῖν (Ion.aor.2 inf.): see ἀφανδάνω

ἀπ-ᾴδω *vb.* **1 sing in discord** —W.DAT. *w. the appropriate mode* Pl.; (of a person's voice) Pl.
2 (fig., of a philosopher envisaged as a singer) **stray** (W.GEN. *fr. a question*) **while singing** Pl.
3 be in discord Pl. —W.PREP.PHR. *w. one another* Pl.; (of certain attitudes) —*w. a political system* Pl.; (of conduct) —W.GEN. *w. wisdom* Pl.

ἀπαείρω *vb.*: see ἀπαίρω

ἀπ-αθανατίζω *vb.* **confer immortality** Pl.

ἀπάθεια ᾱς *f.* [ἀπαθής] **1 freedom from the control of one's emotions; indifference, calmness** (sts. W.PREP.PHR. *to pleasure or pain, privation, self-interest*) Arist. Plu.; (pejor.) **insensitivity** Arist. Plu.
2 freedom from suffering Plu.
3 capacity (of things) to resist change, **immutability** Arist.

ἀ-παθής ές *adj.* [privatv.prfx., πάθος] **1 without experience** (W.GEN. *of blessings, afflictions, or sim.*) Thgn. Hdt. Lys. Isoc. +
2 free from suffering Arist.; **unharmed** (in a battle or sim.) A. Pi. Hdt. Th. X. +; (of a commander) **undefeated** Th.; (of a region) **undamaged** (by conquerors and raiders) Hdt. Th.; (of things) Plu.

3 uninfluenced emotionally, unaffected (sts. W.GEN. or PREP.PHR. *by circumstances and desires*) Pl. Arist. Plu.; (of the soul, by the vibrations of the body) Pl.; (pejor.) **insensitive** Plu. || NEUT.SB. **calmness** Plu.; **indifference** (to money) Plu.
4 (of a substance, an entity, a contrary) **immutable** Arist.
5 (of the worst kind of dramatic plot, in which an intended action is not performed) **without suffering** Arist.
—**ἀπαθῶς** *adv.* **calmly** Plu.; (pejor.) **insensitively** Plu.

ἀπαί *ep.prep.*: see ἀπό

ἀ-παιδαγώγητος ον *adj.* [παιδαγωγέω] **not trained** (sts. W.GEN. in certain behaviour) Plu.

ἀπαιδευσίᾱ ᾱς *f.* [ἀπαίδευτος] **1 lack of education** (as a characteristic of a person or group) Pl. X. Aeschin. Arist. Plu.; (W.GEN. in a certain area) Arist.
2 lack of culture (in a person's manner), **coarseness** Th. Isoc. Pl. Aeschin.; (W.GEN. *of passion*) Th.(dub.)
3 lack of self-control Pl.

ἀ-παίδευτος ον *adj.* [παιδευτός] **1 not educated** Pl. X. Arist. +; (W.GEN. in music, virtue) X. || NEUT.SB. lack of education X.
2 uncultured, coarse E.*Cyc.* Ar. Pl. Aeschin. D.; (of a remark) **crass** Pl. Aeschin.; (of a person's upbringing) **not refined** Pl.
—**ἀπαιδεύτως** *adv.* **in an uncultured way** E. Isoc. Pl. Aeschin.

ἀπαιδίᾱ ᾱς, Ion. **ἀπαιδίη** ης *f.* [ἄπαις] **1 childlessness** (of an individual or population) S. E. Plb. Plu.; (through infertility) Hdt. Plu.; (through bereavement) E. Antipho
2 lack of a son (as an heir) Is. D. Plu.

ἀπ-αιθριάζω *vb.* [ἀπό, αἰθρία] (of Zeus) **clear** (W.ACC. *clouds*) **from the sky** Ar.

ἀπ-αίνυμαι, ep. **ἀποαίνυμαι** *mid.vb.* **1 take away** —*armour, weapons* (sts. W.GEN. *fr. a corpse*) Il.; (of a god) —*glory* (*fr. warriors*) Il. —*virtue* (*fr. an enslaved man*) Od. —*a return home* Od.
2 remove —*a cooking-pot* (*fr. a hearth*) Call.
3 (of girls) **gather** —*flowers* Mosch.

ἀπαιολάω *contr.vb.* [ἀπαιόλη] (of a situation) **perplex** —*someone* E.

ἀπ-αιόλη ης *f.* [ἀπό, αἰόλος] **deception or fraud;** (personif., as a deity) **Fraud** Ar.

ἀπαιόλημα ατος *n.* [ἀπαιολάω] theft by deceit, **swindling** (sts. W.GEN. *of someone*) A. Ar.

ἀπαιρέω Ion.*contr.vb.*: see ἀφαιρέω

ἀπ-αίρω, also **ἀπαείρω** (Il. E.*fr.*) *vb.* **1 take away, remove** —*someone* (W.GEN. *fr. somewhere*) E. —*sthg.* (*fr. someone*) E. || PASS. be taken away —W.PREP.PHR. *fr. a group* NT.
2 (of a ship) **carry away** —*someone* (W.PREP.PHR. *fr. a region*) E.
3 (intr.) **set out** E. Ar. Att.orats. —W.ACC. *on an embassy or voyage* E. D.; (of an army, ships, their crews, commanders) Hdt. Th. X. D.; **get** (W.ACC. *one's ships*) **under way** —W.PREP.PHR. *fr. an island* Hdt.
4 take oneself away, depart, go away E. Th. D. Men. —W.GEN. or PREP.PHR. *fr. one's home, a region* E. Pl.; **emigrate** Men. || MID. (of a warrior) **depart** —W.GEN. *fr. a city* Il.

ἄ-παις παιδος *masc.fem.adj.* [privatv.prfx., παῖς¹]
1 childless, without a descendant (sts. W.GEN. *of offspring, sons*) A. Hdt. E. Telest. Att.orats. +; (of a royal house, a person's life) E.; (of a widow's home) S.(dub.)
2 without a son (as an heir) Hdt.
3 (oxymor., of Erinyes, described as children of Night) **not young** (w. further connot. of *having no offspring*) A.

ἀπ-αίσιος ον *adj.* [ἀπό] (of sacrifices, oracles) **inauspicious** Plu.

ἀπᾱίσσω *ep.vb.*: see ἀπάσσω

ἀπ-αισχῡ́νομαι *pass.vb.* **be shamed into retreating** (fr. an inquiry) Pl.

ἀπ-αιτέω *contr.vb.* **1 demand the return of**, **demand back** —*a person who has been abducted, a hostage, or sim.* (sts. W.ACC. fr. someone) Hdt. E. X. —*one's territory, property, money, documents, privileges* Hdt. E. Th. Ar. Att.orats. +; (intr.) **demand restitution** or **reparation** Hdt. E. Pl. X. D.; **request repayment** Hdt. Arist. ‖ PASS. **receive demands for repayment** Isoc.; (of a cloak on loan) **be demanded back** Thphr.
2 demand (that which is due); **demand** —*sthg.* (sts. W.ACC. fr. someone) Hdt. E. Th. And. + —*a favour, payment, gratitude* E. Th. Att.orats. Pl. X. + —*justice* A. —*a person's life* (W.PREP.PHR. fr. him) NT.; (intr.) **demand payment** X. D. ‖ PASS. **be asked to return** —W.ACC. *another's favours* X.; (of a payment) **be demanded** Hdt.
3 demand —*someone's property, a document* (sts. W.ACC. fr. someone) X. D. —*corpses* (W.INF. *for burial*) E. —*an explanation* (sts. W.ACC. or PREP.PHR. fr. someone) Pl. D. Arist.; **call to account** —*someone* (in court, W.ACC. for certain actions) Aeschin.; **call for** —*evidence, records* Isoc. D. ‖ PASS. **yield to a demand** E.
4 request —W.ACC. + INF. *that someone do sthg.* E. —*someone's property* S. Ar. —*pledges* (W.ACC. fr. someone) Hes.fr. —*safety, information* E. Hyp.; (intr.) **make a request** (of a god, in prayer) Pl.
5 require —*precision* Arist.; (of a charge) —*testimony* Aeschin.; (of the present and future) —*the deliberative role of the statesman* D.; (of a stage in the calendrical cycle) —*an extra month* Plu.; (of one correlative particle) —*the other* Arist.
6 (of a discussion) **ask, raise** —*a question* Pl.

ἀπαίτησις εως (Ion. ιος) *f.* **demand for restitution** or **reparation** Hdt. D. Plu.

ἀπαιτητέος ᾱ ον *vbl.adj.* (of certain kinds of explanation) **to be required** (by philosophers) Arist.

ἀπ-αιτίζω *vb.* **demand back** —*stolen property* Od. —*one's ladle* Call.

ἀπ-αιωρέομαι *mid.contr.vb.* ‖ Ion.3pl.impf. ἀπηωρεῦντο ‖ (of serpents on the Gorgons' belts) **hang down** Hes.

ἀπ-ακρῑβόομαι *pass.contr.vb.* **1** (of the universe) **be made** (W.PREDIC.ADJ. smooth) **with great precision** Pl.
2 become highly skilled —W.PREP.PHR. *in an activity* Pl.

—**ἀπηκρῑβωμένος** η ον *pf.pass.ptcpl.adj.* **1 highly accomplished** (in one's studies or training) Isoc. Plu.
2 (of speeches) **elaborately composed** Isoc.
3 (of explanations) **completely accurate** Pl.; (of names) **completely appropriate** Pl.; (of training) **thorough** Isoc. ‖ NEUT.SB. **precision** Plu.
4 (of an action) **examined strictly** Plu.

ἀ-πάλαιστος ον *adj.* [privatv.prfx., παλαίω] **impossible to defeat in wrestling**; (fig., of a poet, praising a wrestling trainer) **unconquerable** (W.PREP.PHR. in speech) Pi.

ἀπ-άλαλκον *ep.redupl.aor.2 vb.* [ἀπό] **keep away** —*dogs* (W.GEN. fr. a corpse) Il.; (of a god) —*enemies, suffering, diseases* Od. Hes.(tm.) Thgn.(tm.) Pi. Theoc.

ἀ-πάλαμνος ον *adj.* [privatv.prfx., παλάμη] **1 without hands**; (fig.) **helpless** Il. Simon. Pi.
2 (of words, actions) **foolish** Alc. Sol. Thgn.
3 (of actions) **wicked, lawless** Thgn.
4 (of suffering) **irreparable** E.Cyc.

ἀ-πάλαμος ον *ep.adj.* **without hands**; (fig., of a person, his life) **helpless** Hes. Pi.

ἀπ-αλάομαι *mid.contr.vb.* [ἀπό] **wander away** Hes.

ἀπ-αλγέω *contr.vb.* **1 duly mourn** —*one's losses* Th. Plu.
2 (of soldiers, their spirits) **be despondent** Plb.
3 (of a gullible person's intellect) **be deadened** Plb.

ἀπ-αλείφω *vb.* **erase** (fr. a wax tablet or other inscribed materials) —*a phrase or clause in a treaty, statements in a deposition* Aeschin. D. —*a record of a sum of money* D. Arist. Plu.; (fig., of a mother's tears) **cancel out** —*accusations against her* Plu. ‖ PASS. (of a record of a debt) **be erased** Arist.

ἀπ-αλέξω *vb.* ‖ ep.fut. ἀπαλεξήσω ‖ aor.opt.: ep.1sg. ἀπαλεξήσαιμι, ep.3sg. ἀπαλέξαι ‖ MID.: aor.inf. ἀπαλέξασθαι ‖ **1 keep away** —*an assailant* (W.GEN. fr. someone) Il.; (of Zeus) **avert** —*a marriage* (W.DAT. fr. someone) A.
2 protect —*someone* (W.GEN. fr. harm) Od. ‖ MID. **protect oneself** S.

ἀπ-αληθεύω *vb.* **respond truthfully** X.

ἀπ-αλθαίνομαι *mid.vb.* ‖ 2 and 3du.fut. ἀπαλθήσεσθον ‖ **recover completely** —W.ACC. fr. *wounds inflicted by Zeus* Il.

ἀπαλλαγή ῆς *f.* [ἀπαλλάσσω] **1 release** (W.GEN. fr. toils, fate, threats, afflictions) Trag. Th. Att.orats. +; **means of release** or **escape** Hdt. Isoc. Pl. X. Plu.
2 removal (of part of a population, to another land) Pl.
3 departure Hdt. Isoc. Plb.; (W.GEN. of heat, fr. a mass) Pl.; (of the soul, fr. a corpse) Pl.
4 (euphem., ref. to death) **departure** Pl.; (W.GEN. fr. life) X. Plu.
5 separation (of a wife, fr. her husband) A. E.; (of hostile fleets, fr. each other) Th.
6 release (W.GEN. fr. contractual obligations or legal charges) Isoc. D.
7 putting an end (W.GEN. to a war, tyranny) Th. D. Plu.; **getting rid** (W.GEN. of afflictions) Arist.; **means of getting rid** (W.GEN. of a person, hostility) D. Plu.

ἀπαλλακτέον (neut.impers.vbl.adj.): see ἀπαλλάσσω

ἀπαλλαξείω *vb.* [desideratv. ἀπαλλάσσω] **1 long to be relieved** —W.GEN. *of a war, one's poverty* Th.
2 (of moderate oligarchs) **be eager to move away** —W.GEN. fr. *excessive oligarchy* Th.(cj.)

ἀπάλλαξις ιος Ion.*f.* **means of escape, escape route** Hdt.

ἀπ-αλλάσσω, Att. **ἀπαλλάττω** *vb.* ‖ pf. ἀπήλλαχα ‖ MID.: fut. ἀπαλλάξομαι ‖ PASS.: fut. ἀπαλλαχθήσομαι, fut.2 ἀπαλλαγήσομαι ‖ aor. ἀπηλλάχθην, Ion. ἀπαλλάχθην, aor.2 ἀπηλλάγην ‖ pf. ἀπήλλαγμαι, Ion. ἀπάλλαγμαι ‖ neut.impers.vbl.adj. ἀπαλλακτέον ‖

1 release, free —*someone* (sts. W.GEN. or PREP.PHR. fr. toils, afflictions, fear, grief) Hdt. Trag. Att.orats. + —*one's life* (fr. suffering) E. —*a land* (fr. sickness) E. ‖ MID.PASS. **free oneself** or **be released** —W.GEN. fr. *a person, an affliction, habit, or sim.* Hdt. Trag. Th. Lys. Ar. Pl. D.; (of an entity) —fr. *an attribute* Pl.
2 remove, take away —*money* (W.GEN. fr. someone's hand) E. —*one's downcast face* (fr. the ground) E. —*one's hand* (fr. an act of slaughter) E. —*afflictions* (fr. oneself or others) E.; (of a god) —*blindness* (fr. someone's eyes) E. ‖ FUT.MID. (w.pass.sens., of a person) **be removed** or **got rid of** Hdt.
3 acquit —*statesmen* (W.GEN. of a charge) Plu.; **dissociate** —*the divine* (W.GEN. fr. involvement w. human actions) Plu.
4 leave behind, abandon —*excess baggage* X. —*ancestral names for tribes* Hdt.; (of fatigue) **release** —*someone* S.
5 expel —*an enemy* (W.PREP.PHR. fr. a region) Th.; **separate** —*an attacker* (W.GEN. fr. his victim) Ar.; **depose** —*an oligarchic regime* Th.; (of a magistrate) **replace** —*a predecessor* Th. ‖ MID. **expel** —*an enemy* E.

6 (of a painful sensation) **relieve** —*greater pains* Pl.
7 send off —*a chorus* (fr. the stage) Ar.; **dismiss** —*envoys, assistants* Th. Plu.
8 ‖ MID.PASS. **depart** Hdt. S. E. Th. Ar. + —W.GEN. *fr. a location, a group* A. E. Ar. —*fr. a good instructor or influence* Pl. X. —W.PREP.PHR. *fr. childhood* Aeschin.; (of a soul) —W.GEN. *fr. a body* Pl.; (of a storm) S.; (of diseases) NT.
9 ‖ MID.PASS. (euphem.) **depart** —W.GEN. *fr. life* E. Pl. D. Plu. ‖ ACT. (of a person committing suicide) **despatch** —*oneself* Plu.
10 ‖ PASS. (of a husband) **be robbed** —W.GEN. *of his marriage* (W.PREP.PHR. *by an adulterer*) E.; **be separated** —W.GEN. *fr. his wife* (*through a divorce*) Plu.; (of a parent who kills a child) —W.PREP.PHR. *fr. a spouse* (*as a penalty*) Pl.
11 ‖ PF.PASS. **be far removed** —W.GEN. *fr. moral weaknesses, dishonour* Hdt. Th. —*fr. reality* Democr.; **lack the ability** —W.INF. *to do sthg.* Th.; (of good men) **be different** —W.GEN. *fr. gods* Hdt.
12 (intr.) **come away, cease** (fr. an activity, sts. W.ADV. or PREDIC.ADJ. in a certain manner or condition) Hdt. Pl. X. Thphr.; **fare** —W.ADV. *in a certain way* Aeschin. Men.; (of an expedition, land, souls) A. Hdt. Ar. Pl. ‖ MID.PASS. **come away** —W.PREDIC.ADJ. *unpunished* Ar. Pl. —W.GEN. *fr. a contest* E.
13 finish —*one's speech* E. ‖ MID.PASS. **come to an end** S. Ar. Pl. —W.GEN. *of one's speech, a sacrifice, warnings, anger, lamentations, plans, joviality* S. E. Th. Ar.
14 (leg.) **cause (someone) to make a settlement** (of a demand or obligation, usu. by fulfilling its terms); **call off, discharge** —*a creditor* Att.orats. —*an opponent* (by bribery or other means) Att.orats.; (of a lessee) **grant a discharge** D. ‖ MID.PASS. **withdraw** (fr. prosecuting someone) X. D.; (of a defendant) **obtain reconciliation** —W.GEN. or PREP.PHR. *fr. an adversary* X. NT. ‖ PASS. **be released** —W.GEN. *fr. a contract* D.; (of defendants, fr. charges) D.
15 ‖ MID. (of litigants) **reach a settlement** Pl. —W.GEN. *of the charges* Pl. ‖ NEUT.IMPERS.VBL.ADJ. **it is necessary to make peace** Pl.
16 ‖ PF.PASS. (of candidates, a theory) **be dismissed or ruled out** Pl.

ἀπ-αλλοτριόω contr.vb. **1 give up to another**; (of a statesman) **cede** —*territory* (W.GEN. *fr. his people*) Aeschin.; **transfer** (property, by gift or sale) Arist. ‖ PASS. (of territory) **be ceded** —W.PREP.PHR. *fr. a people, a ruler* Plb.
2 turn away (persons, fr. their disposition); (of an army) **alienate** —*the local population* Plb.; (of a commander) **dissuade** —*a population* (W.GEN. *fr. its goodwill towards his enemy*) Plb. ‖ PASS. **be alienated** Plb. —W.GEN. *fr. a ruler* Plb.; (of territory) Plb. —W.GEN. *fr. an occupying army* Plb. ‖ PF.PASS. **be far removed** —W.GEN. *fr. benevolence, certain practices* Plb.
3 ‖ PASS. (of the human body) **be altered** (by a stimulus) Pl.

ἀπαλλοτρίωσις εως *f.* **transfer** (of property) Arist.

ἀπάλμενος (Aeol.athem.aor.mid.ptcpl.): see ἀφάλλομαι

ἀπ-αλοάω, ep. **ἀπαλοιάω** contr.vb. **1** (of a projectile) **break apart, shatter** —*tendons and bones* Il.; (of a hero's club) **knock away** —*a bull's horn* Call.
2 ‖ PASS. (of grain) **be threshed** D.

ἀπαλό-θριξ τριχος masc.fem.adj. [ἀπαλός, θρίξ] (of a bull's crest) **soft-haired** E.

ἀπαλο-πλόκαμος ον adj. (of cuttlefish) **soft-tendrilled** Philox.Leuc.

ἀπαλός ή (dial. ἄ) όν, Aeol. **ἄπαλος** ᾱ ον adj. | Aeol.gen.sg. ἀπάλω (Theoc., unless ἀππάλω) | **1** of a soft composition and texture; (of the flesh or body parts of a person, esp. a woman or child) **tender, soft, supple** Hom. Hes. Archil. Lyr. A. +; (of animals) Pl.; (of vegetation) Sapph. Hdt. X. +
2 (of feathers, a person's hair) **soft** (to the touch) Alcm. Anacr.
3 (of a fresh layer of snow) **soft** (under foot) Plb.
4 (of meat) **tender** Ar. X.; (of vegetables) **succulent** Alc. Thphr.; (of cheese) **soft** Philox.Leuc.; (of fruits) **fresh** (opp. dried) Hdt.
5 of a tender or sensitive condition or nature (esp. assoc.w. youth); (of a girl, baby, nymph, Ate, Eros) **delicate** Lyr. E. Pl. Theoc.; (of youths, their mouths, lifestyle) Hes. Ar. Philox.Leuc. Pl. Theoc.; (of a female bird) Ar.; (of an animal's heart) Il.; (of the prime of life) Philox.Leuc.; (of miniature gardens) Theoc.; (of gardens, fig.ref. to literary works) Pl.
6 (of a person, a soul) **impressionable** Pl.; (of a person's wits) **sensitive** (to sexual desire) Archil. Theoc.; (of a statesman's character, to others) Plu.

—**ἀπαλόν** neut.adv. **softly** —*ref. to laughing* Od. hHom.

ἀπαλότης ητος *f.* **1 softness** (of a person's body) X.; **suppleness** (of a child's bones) Arist.
2 delicateness (of Eros) Pl.

ἀπαλο-τρεφής ές adj. [τρέφω] (of a hog) reared so as to be **supple, plump** Il.

ἀπαλό-χρως χροος masc.fem.adj. [χρώς] (of a young woman, her cheek) **soft-skinned** Hes. hHom. E.; (of a boy) Thgn.

ἀπαλύνω vb. **1 soften** —*boys' feet* (W.DAT. *through the wearing of shoes*) X.; (app. of unguents) —*a person's flesh, a horse's mouth* X.
2 smooth —*the hair along a horse's spine* X.

ἀπ-αμάω, ep. **ἀπᾱμάω** contr.vb. [ἀπό] **1 cut off** —*someone's ears and nose, genitals, foot* Od.(tm.) Hes.(tm.) S.
2 slice open —*someone's throat* Il.(dub.)

ἀπ-αμβλίσκω vb. —also **ἀπαμβλόω** contr.vb. ‖ aor. ἀπήμβλωσα | **1** (of a pregnant woman) **miscarry** Plu.
2 (of trees) **bring to nothing** —*their fruits* Plu.

ἀπ-αμβλύνω vb. **cause to be blunt**; (fig.) **blunten** (w. pleas not to join battle) —*a warrior* (envisaged as a sharpened weapon) A.; **dull** —*one's zeal* Plu.; (of excess) —*expectations* Pi.(tm.) ‖ PASS. **be blunted** —W.ACC. *in one's ability to see, resolve, desire* A. Plu.; (of a person's mind, w. age) Hdt.; (of justice, as a concept) Pl.

ἀπ-αμείβομαι mid.vb. ‖ aor.pass. (w.mid.sens.) ἀπημείφθην | **reply** Hom. hHom. X. Theoc.; (tr.) **answer** —*someone* Hom. Call. Theoc.

ἀπ-αμείρω vb. **1 deprive** —*someone* (W.ACC. *of possessions*) AR. ‖ MID. (of Zeus) **take away** —*half of the intellect of enslaved men* Pl.(quot. Hom., v.l. ἀποαίνυται) ‖ PASS. **be deprived** —W.GEN. *of life* AR.
2 ‖ PASS. (of a god) **be isolated** —W.GEN. *fr. other gods* Hes.

ἀπ-αμελέομαι pass.contr.vb. (of a person) **be entirely overlooked** Hdt.; (of an arrow, fallen fr. a quiver) S.

ἀπαμμένος (Ion.pf.pass.ptcpl.): see ἀφάπτω

ἀπ-αμπλακεῖν aor.2 inf. ‖ aor.2 ἀπήμπλακον ‖ **make a grave error** S.

ἀπ-αμύνω vb. **1 keep away** —*an invading army* Hdt. Pl. —*flies* Ar. —*evils* Thgn.(tm.); (of a warrior or god) —*destruction, afflictions* (sts. W.DAT. *fr. a people*) Il.(sts.tm.) Hdt. ‖ MID. **keep away** —*bats* (W.PREP.PHR. *fr. one's eyes*) Hdt.
2 ‖ MID. **defend oneself** Hom. —W.ACC. *against an enemy* Hom. —*against tyranny, poverty* Hdt.
3 (of an army) **force away** —*a foreign occupier* Hdt. ‖ MID. (of a fleet) **repel** —*an enemy ship* Hdt.

ἀπ-αμφίζω vb. [ἀμφιάζω] | fut. ἀπαμφιῶ | (fig., of strong drink) **strip away** (W.GEN. fr. someone) —*a bandage that concealed the wound of love* Men.

ἀπ-αναγκάζομαι pass.vb. **be compelled** Plb. —W.INF. *to do sthg.* Plb.

ἀπ-αναίνομαι mid.vb. | aor. ἀπηνηνάμην, dial. ἀπανᾱνάμᾱν | **1 disown** —*a token* Il. **2 spurn** —*the bed of a goddess* Od. —*a woman (as a sexual partner)* Pi. AR. **3 refuse** (to do sthg.) Hes. A.

ἀπ-αναισχυντέω contr.vb. **behave shamelessly** Pl. D.

ἀπ-αναλίσκω vb. **1** (of a task) make full use of, **completely occupy** —*part of an army* Th. **2** || PASS. (of a sum of money) be spent completely Th. **3** (of a civil war) **utterly consume** —*part of a population* Plu. || PASS. (of part of an army) be utterly consumed (in a battle) Th.

ἀπ-ανδρόομαι pass.contr.vb. **come to manhood** E.

ἀπ-άνευθε(ν) adv. and prep. **1 far away** Hom. hHom. AR.; (as prep.) —W.GEN. *fr. a person, group, location, battle* Hom. hHom. Stesich. AR. Plu.(oracle); (fig.) —*fr. trouble* Xenoph. **2 from a distance** —*ref. to being seen* Il. —*ref. to speaking* Od. **3 apart, in isolation** hHom.; (as prep.) —W.GEN. *fr. others* Hes. AR. Theoc.; **independently** —W.GEN. *of others* Il.; **without the knowledge** —W.GEN. *of someone* AR. **4 separately** —*ref. to making a special sacrifice* Od.

ἀπ-ανθέω contr.vb. **1** (of persons, their bodies and souls) **lose the bloom of youth** Pl. Arist.; (of fruits) **wither** Plu.; (of straw and old age) Arist. **2** (of the bouquet of inferior wines) **fade** (fr. a drinker's head) Ar.

ἀπ-ανθίζω vb. app. **strew** (W.ACC. boastful talk) **like flowers** A.(dub.)

ἀπ-ανθρακίζω vb. cook over hot coals, **roast** Ar. —*an ox* Ar.

ἀπ-άνθρωπος ον adj. **1 far away from mankind**; (of the Caucasus) **uninhabited** A. **2 unsociable** Men.; (in neg.phr., of a person's smile) Plu. **3 not humane**; (of persons, their character or conduct) **inhumane, cruel** Men. Plu. || NEUT.SB. cruelty Plu. **4** (of failure to mention sthg.) **uncivil** Plu.

—**ἀπανθρώπως** adv. **inhumanely** Plu.

ἀπ-ανίστημι vb. cause to depart; (of a commander) **send away, dismiss** —*his army* Hdt.; (of attacks) **force away** —*the enemy* Th.

—**ἀπανίσταμαι** mid.vb. | athem.aor.act. ἀπανέστην | (of a commander, his army) **depart** Hdt. —W.GEN. or PREP.PHR. *fr. a city, a region* Hdt. Th.; (of nomads) **move on** Th.

ἀπανταχοῖ adv. [ἅπας] **to any destination** Is.(cj.)

ἀπανταχοῦ adv. **in every place, everywhere** E. Men.

ἀπ-αντάω contr.vb. [ἀπό] | dial.3sg.impf. ἀπάντη (Bion) | fut. ἀπαντήσομαι, also ἀπαντήσω (Plb. Plu.) || PASS.: aor. (w.mid.sens.) ἀπηντήθην (Plb.) || neut.impers.vbl.adj. ἀπαντητέον | **1 come out to fight** (by land or sea) E. Lys. Isoc. X. —W.DAT. *w. the enemy* Th. And. Lys. X.; (of birds) Hdt. **2 meet** (w. a friend or ally) Th. Pl. X.; (of several persons or groups) **gather** or **come together** (w. others, esp. to form an army) Hdt. E. Th. Ar. + **3 meet, come across** —W.DAT. *a person* E. Th. Lys. Ar. Isoc. + —*a fleet* Hdt. X. —*a horse* X.; **arrive** Lys. Pl. X. D. +; (of bodies in motion) **approach** Pl.; (of a river) **join** —W.DAT. *another* Pl. || PTCPL.SB. person one encounters Ar. Isoc. Pl. X. + **4 present oneself** (at a trial, sacrifice, funeral) Att.orats. Pl. —W.DAT. *to an advocate issuing a summons* Pl. **5 offer resistance** Isoc. —W.DAT. *to someone's desire* E.; (of a prosecutor) **issue a challenge** —W.DAT. *to someone* D. **6 retort** Isoc. Pl. D.; (of a retort, shout of protest) **confront** —W.DAT. *someone* Pl. Aeschin. **7 approach** (a situation, activity, goal); **come** —W.PREP.PHR. *into difficulties* Arist.; **embark** —W.PREP.PHR. *upon a contest, question, studies, subjects for tragedies* Pl. Aeschin. Arist.; **proceed** (in an investigation) Pl. **8** (of events, troubles) **occur** Arist. Plb.; (of tears, success, dullness of the senses) **come** —W.DAT. *to someone* E. D. Bion; (of a blessing) **join** —W.DAT. *w. an earlier one* Ar.; (of a city's characteristics) **become visible** D. || MID. (of honours, wrath) **come** —W.DAT. *to someone* Plb.; (of insults) **come forth** —W.PREP.PHR. *fr. someone* Plb. || AOR.PASS. (of censure) come —W.DAT. *upon someone* (W.PREP.PHR. *fr. someone*) Plb. **9** (of causes) **result** —W. εἰς + ACC. *in a situation* Ar.

ἀπάντη, dial. **ἀπάντα** adv. [ἅπας] **1 everywhere** Hom. Pl.; **in every part** (of sthg.) Hes. Pl. **2 in every way** E. **3 in every respect** Emp. **4 completely** —*ref. to sthg. being destroyed* Emp.

ἀπάντημα ατος n. [ἀπαντάω] **encounter** (w. someone) E.

ἀπάντησις εως f. **1 welcoming, reception** (of someone, esp. by a city's representatives or a crowd) Plb. NT. Plu.; (sg. and pl.) **meeting** (betw. two or more people) Plb. Plu. **2 engagement** (w. a person's theory or understanding) Arist. **3 answer, reply** (fr. a ruler or statesman) Plb. **4** (sg. and pl.) **confrontation** (w. an enemy) Plb. Plu.; **confrontational retort** (in a debate) Plu.; **objection** (to someone's statements) Plb. **5 meeting** (of the earth's shadow w. the moon, during an eclipse) Plu. **6** (prep.phr.) ἐξ ἀπαντήσεως **occasionally** Plb.

ἀπ-αντικρύ adv. [ἀπό] **directly opposite** X. D.; (as prep.) —W.GEN. *a region, doorway* D. Thphr.

ἀπ-αντίον adv. (quasi-adjl., of a shore) **directly opposite** Hdt.

ἀπ-αντλέω contr.vb. **draw off unwanted fluid** (fr. a diseased person) Pl.; (fig.) **drain away** —*a part of a person's afflictions* A. —*a person's emotional burden* E.; (of peoples at war) —*the population excess* (W.GEN. *fr. the earth*) E. || PASS. (of a liquid's oily top layer) be skimmed off Plu.

ἀπ-άντομαι mid.vb. **plead** (w. someone, not to do sthg.) E.(tm.)

ἀπ-ανύω vb. **complete** (a voyage) Od.

ἅ-παξ adv. [copul.prfx., reltd. πήγνυμι] **1 on a single occasion or for a single period** (opp. several times or repeatedly, sts.w. μόνον *only*), **once** Od. Hdt. Trag. Th. Att.orats. +; (W.GEN. or PREP.PHR. in a period of time) Hdt. D. Arist.; **once and for always, definitively** —*ref. to achieving sthg.* E.Cyc. **2 at any one time** (opp. another), **once, ever, even once** A. E.Cyc. Th. Ar. Att.orats. + **3 multiplied by one, once** Pl. Arist.

ἅπαξ-ἅπαντες ἅπᾶσαι ἅπαντα pl.adj. and collectv.pron. **1** (of persons, in a group) all at once, **all together** Ar.; (of statements, stones) Ar. Men.; (of a city's business) Ar. || FEM.SB. every woman (in a certain group) Ar. **2** || MASC.PRON. absolutely everyone Ar. || FEM.PRON. women one and all Ar. || NEUT.PRON. absolutely everything Ar.; absolutely all (of a city) Ar. **3** || NEUT.PRON. anything at all Men.

ἀπ-άξιος ον adj. [ἀπό] (of a topic) **unworthy** (W.GEN. of a lengthy discussion) Pl.

ἀπ-αξιόω contr.vb. **1 regard as dishonourable** —*piracy* Th. **2 regard** (someone or sthg.) **as unworthy** (of oneself); **reject, spurn** —*one's wife, a commander, citizens* E. Plb. Plu. —*someone* (as an opponent) Plu. —*an offer, marriage alliance, task* Plb. Plu.; (intr.) **refuse** Plu. —W.INF. *to do sthg.* Plu. ‖ MID. **regard** (W.ACC. a people) **as unworthy** —W.GEN. *of one's company* A. **3 consider** (W.ACC. oneself) **too important** —W.INF. *to associate w. one's fellow soldiers* Plu. **4 regard** (W.ACC. oneself) **as unworthy** —W.GEN. *of a powerful position* Plu.; (of a lack of ambition) **represent** (W.ACC. itself) **as unworthy** —W.GEN. *of greatness* Plu.

ἀπαξός ή όν *Ion.adj.* [ἅπαξ] **of a unique kind**; (of a people's customs) **remarkable** Hdt.; (of a commander) Hdt.(cj.)

ἀπάορος *dial.adj.*: see ἀπήωρος

ἀπαπαῖ, ἀπαπαπαῖ, ἀπαππαπαῖ *interjs.*: see ἀππαπαῖ

ἄ-παππος ον *adj.* [privatv.prfx., πάππος] **without a grandfather**; (fig., in neg.phr., of the final beacon in a chain) **not descended** (W.GEN. fr. the first beacon) A.

ἀπάπτω *Ion.vb.*: see ἀφάπτω

ἀπαραγγέλτως *adv.* [παραγγέλλω] **without orders** —*ref. to attacking* Plb.

ἀ-παράγραφος ον *adj.* [παραγραφή] (of a limit to what should be reported) **not defined** Plb.

ἀπαιρημένος (Ion.pf.pass.ptcpl.): see ἀφαιρέω

ἀ-παραίτητος ον *adj.* [παραιτητός] **1 not responsive to entreaty**; (of gods) **inexorable** Lys. Pl. D.; (of persons, their character, anger, desire, plans, criticism) **implacable** Lycurg. Hyp. Plb. Plu.; (of the collection of a tax) Plu. ‖ NEUT.SB. **severity** Plu. **2** (of offences) **with no possibility of asking for mercy, unpardonable** Plb. **3 impossible to avert by entreaty**; (of penalties) **inevitable, inescapable** Din. Plb.; (of a need) Plu.

—**ἀπαραιτήτως** *adv.* **implacably, mercilessly** Th. Plb. Plu.

ἀπαρακαλύπτως *adv.* [παρακαλύπτω] **without concealment, openly** —*ref. to asking questions, associating w. someone* Pl.

ἀ-παράκλητος ον *adj.* **not summoned, volunteering** (to join an army) Th.

ἀ-παράλλακτος ον *adj.* [παραλλάσσω] (of an oil) **indistinguishable** (W.ACC. in consistency and sheen, W.GEN. fr. olive oil) Plu.; (of brothers' virtues and manners) Plu.

ἀ-παραμύθητος ον *adj.* [παραμυθέομαι] (of a feeling of despondency) **inconsolable, incurable** Plu.

—**ἀπαραμυθήτως** *adv.* **incorrigibly, unmanageably** Pl.

ἀ-παράμυθος ον *adj.* ‖ ἀ- *metri grat.* (A.) ‖ **1** (of Zeus' heart) **not open to persuasion, inexorable** A. **2** (of a foal) **not comforted** or **reassured** E.

ἀ-παρασκεύαστος ον *adj.* [παρασκευάζω] (of a king) **unprepared** (for battle) X.

ἀ-παράσκευος ον *adj.* [παρασκευή] **1 without preparation, not ready, unprepared** (esp. for war) Th. Lys. X. +; (of a defendant or advocate, for a trial) Antipho D. Plu. **2 without resources** or **equipment** (for war) Th.; (of an uprising) Th.

—**ἀπαρασκεύως** *adv.* **in a state of unreadiness** Plb.

ἀπ-αράσσω *vb.* [ἀπό] **1 strike so as to sever, strike off** —*a person's head, a horse's hooves* Il. Hdt. S.; **break in two** —*a spear* Il.; (of a spear) **knock away** —*an arm bone (fr. a shoulder blade)* Il.(tm.) **2** (of soldiers fighting fr. a ship) **sweep away** —*the enemy* (W.PREP.PHR. *fr. their ship, its deck*) Hdt. Th.

ἀπαρατηρήτως *adv.* [privatv.prfx., παρατηρέω] **with no concerns** Plb.

ἀ-παράτιλτος ον *adj.* [παρατίλλω] **not plucked**; (of a Spartan) **hairy-faced** Ar.

ἀ-παραχώρητος ον *adj.* [παραχωρέω] (of soldiers) **not likely to retreat, steadfast** Plb.

—**ἀπαραχωρήτως** *adv.* **steadfastly** Plb.

ἀπάργματα των *n.pl.* [ἀπάρχομαι] (collectv.) **first portion** (of a sacrificed animal) Ar.

ἀπ-αρέσκω *vb.* [ἀπό] ‖ ep.aor.mid.inf. ἀπαρέσσασθαι ‖ **1** (of persons) **be regarded with disapproval** —W.DAT. *by others* Th.; (of a demand, foods) Plb. Plu. **2** (of a proposition) **fail to satisfy** —*a philosopher* Pl. **3** ‖ MID. **appease completely** —*an offended person* Il.

ἀ-παρηγόρητος ον *adj.* [privatv.prfx., παρηγορέω] **1 unconsoled** Plu. **2** (of unrewarded soldiers) **inconsolable** Plu.; (of aggressive dogs) **impossible to placate** Plu. **3 impossible to restrain with words**; (of persons, their greed, desire for power) **incorrigible** Plu.

ἀ-παρθένευτος ον *adj.* [παρθενεύω] **1** (of an act of supplication) **inappropriate for maidens** E. **2** (fig., of a song) **not deprived of virginity, virgin** (i.e. new) Carm.Pop.

—**ἀπαρθένευτα** *neut.pl.adv.* **inappropriately for maidens** E.

ἀ-πάρθενος ον *adj.* [παρθένος] **1** (of a woman) **not a virgin** Theoc. **2** (oxymor., of a maiden, envisaged as married to Death or to the hero to whom she has been sacrificed) **without maidenhood** E.

ἀπ-αριθμέω contr.vb. [ἀπό] **1 present a list of numbers** Isoc.; (act. and mid.) **enumerate, count up** —*items* Isoc. X. Men. ‖ PASS. (of items) **be enumerated** Isoc. **2** (of victorious commanders) **collect together for counting, muster** —*a larger army* (than their opponents) X. **3 repay** —*a loan* X. **4** (of early tragedians) **recount** —*any available legend* Arist.

ἀπαρίθμησις εως *f.* **enumeration** (W.GEN. of the names of magistrates, as the basis for a chronology of events) Th.

ἀπ-αρκέω contr.vb. (of a number of casualties) **be sufficient** A.; (of moderate wealth) —W.DAT. *for someone* A.; (of power) Sol.(v.l. ἐπ-); (of a person's intentions) S.

ἀπαρκούντως *ptcpl.adv.*: see ἐπαρκούντως

ἀπ-αρνέομαι mid.contr.vb. ‖ aor.pass. (w.mid.sens.) ἀπηρνήθην ‖ fut.pass. (sts. w.mid.sens.) ἀπαρνηθήσομαι ‖ **1 make a full denial** Hdt. S. E. Antipho Pl. —W. μὴ οὐ and ACC. + INF. *that sthg. is the case* Pl. —W. μή or τὸ μή + INF. *of doing sthg.* S. E. NT. **2 refuse** E. Pl. Call.(tm.) —*amorous advances, a request* Th. Pl. Call. —W.INF. *to do sthg.* Pl. Men. AR. —*someone making a request* Call. ‖ FUT.PASS. (w.mid.sens., of a personif. ship) **refuse** (to carry someone) S. **3 reject** —*an honourable title, a valued character trait* D. Arist. **4 deny involvement with** (someone or sthg.); **disown** —*one's master* NT.; **deny, disavow** —*a murder* Plu. ‖ PASS. (of a person) **be disowned** NT. **5 behave in a wholly selfless manner, deny oneself** NT.

ἄπαρνος ον *adj.* **1** (of persons) **making a full denial** Hdt. Antipho; (W.GEN. of an accusation) S. **2** (of requests) **denied** (W.DAT. to someone) A.

ἀ-παρρησίαστος ον *adj.* [privatv.prfx., παρρησιάζομαι] (of a conquered city) **deprived of the right to speak freely** Plb.

ἀπ-αρτάω *contr.vb.* **1 hang** —*a person's neck* (*in a noose*) E. || PF.PASS. (of a person) be dangled (fr. a window) Plu.; (of parts of a horse's bit) hang loose X.
2 || MID. (fig.) make (persons) dependent on oneself; **attach** (W.ACC. the populace) to oneself Plu.
3 cause (sthg.) to be separated (fr. sthg.); **distance** —*one's case for the defence* (W.GEN. *fr. the indictment involved*) D. || PF.MID. be away —W.GEN. *fr. one's homeland* Plu. || PASS. become isolated or separated (esp. fr. one's comrades or support) X. D. || PF.PASS. (of the countryside) be distant —W.GEN. *fr. the city* Arist.; (of a battle) be remote (in time) Plb.; (of brothers' political careers) be separated —W.DAT. *by a number of years* Plu.
4 (intr.) cause oneself to be isolated (fr. sources of support); **go away** —W.PREP.PHR. *into an unfamiliar region* Th.
5 (intr., of correlative particles) **be separated** (fr. each other in a sentence, W.ACC. *by a great interval*) Arist.
—**ἀπηρτημένως** *pf.pass.ptcpl.adv.* **differently** (W.GEN. fr. a person's opinion) Plu.
ἀπ-αρτί *adv.* [ἄρτι] **precisely** —*ref. to a route being a certain distance, a total being a certain number* Hdt.; **exclusively, only** —*ref. to specified people becoming rich* Ar. | for ἀπ' ἄρτι (NT.) see ἄρτι 1, 4
ἀπαρτία ᾱς, Ion. **ἀπαρτίη** ης *f.* [ἄρτιος] **1** (collectv.sg.) **utensils** Hippon.
2 notice of a property sale (by a debtor) Plu.
ἀπ-αρτίζω *vb.* | fut. ἀπαρτιῶ | **1 put in order, organise** —*one's affairs, provisions and arrangements* Plb.
2 (of a runner's haste) perh. **make even** —*his steps* A.(dub.)
3 be exactly suitable —W.PREP.PHR. *for a role* Arist.
ἀπαρτιλογίη ης *Ion.f.* [ἀπαρτί, λόγος] **exact total** Hdt.
ἀπαρτισμός οῦ *m.* [ἀπαρτίζω] **completion** (of a tower) NT.
ἀπ-αρύω *vb.* —also (pres.) **ἀπαρύτω** *Att.vb.* | aor.ptcpl. ἀπαρύσᾱς | neut.impers.vbl.adj. ἀπαρυστέον | **skim away** or **draw off** —*cream* (fr. *milk*) Hdt.; (fig.) —*someone's life* (w. *a sword*) Arist.(quot., tm.) —W.PARTITV.GEN. *some threats* (*fr. an angry man, likened to a cauldron boiling over*) Ar.; (of a god) —*part of a person's prosperity* Plu.; (of a defeat) —*part of a people's power and foolhardiness* Plu.
ἀπαρχή ῆς *f.* [ἀπάρχομαι] **1 first portion** (fr. a harvest, estate or acquired goods, esp. as an offering to a god or gods); **first-fruit offering** Hdt. S. D. Plu.; (fr. one's wisdom, ref. to proverbs) Pl.; (collectv.pl.) Hdt. S. E. Th. +; (fr. a crop, for guests) Plu.; (iron., ref. to spoils, W.PREP.PHR. *fr. sacked cities*) Hyp.
2 || COLLECTV.PL. **dedication** (sts. W.GEN. of one's hair) E.; (fig.) **offering** (sts. W.GEN. of words of praise) E. Isoc.
3 first instalment (of a payment) Plu.; **token amount** (of food or sim.) Plu.
4 tribute (ref. to money paid by subject peoples) Th.; (ref. to produce fr. a farm) Pl.
5 donation (of money, fr. one's soldiers) Plu.
ἀπ-άρχομαι *mid.vb.* **1 offer a preliminary sacrifice** (of part of a sacrificial victim, esp. its hair) Od. Ar. Plu. —W.GEN. *of an animal's ear* Hdt.; **offer first** —W.ACC. *an animal's hair* Hom.(sts.tm.)
2 offer first fruits Theoc. —W.GEN. *fr. the harvest, one's estate* Hdt. Theoc. Plu.
3 select as the best —*a judge* (W.GEN. *fr. every body of officials*) Pl.
4 make a dedication Call. —W.GEN. *fr. an animal's flesh and entrails* Hdt. —*fr. one's hair, food and drink* E. Plu.
5 (of diners, before a meal) **make a preliminary offering** —W.DAT. *to the gods* X. Thphr.

6 contribute —*troops* (W.DAT. *to an ally*) Plu.; **make a donation** Plu.
—**ἀπάρχω** *act.vb.* **1 rule in exile** Pi.
2 make a start, lead off A.(cj.)
3 (of Victory) app. **order** —*someone* (W.INF. *to do sthg.*) B.
ἀπ-αρχος ου *m.* [ἀρχός] **commander** (sts. W.GEN. of a people, a fleet) A.
ἅ-πᾱς ἅπᾱσα ἅπαν (ἅπᾶν Men. Theoc.) *adj. and collectv.pron.* [copul.prfx., πᾶς] | masc.neut.gen. ἅπαντος, fem. ἁπάσης | masc.neut.dat.pl. ἅπασι || The wd., when used of one item (and sts. of a collectv.pl.), denotes *all* (*the whole*) of it; when used of many items, *all* (*every one*) of them. Usu. the art. is present only if the sb., standing alone, would have it. |
1 (sg.) **the entirety of, all, the whole** (of) Hom. + • ἅπαντα τὸν χρόνον *for the whole of the period* A. • (εἰς) χρόνον ἅπαντα (ἅπαντα χρόνον) *for all time* A. Pi. Pl.; (preceded by the art., of a wall, period of time, skill) Hdt. Th. Isoc. Pl. • (εἰς) τὸν ἅπαντα χρόνον *for the whole period* Pi. Hdt. E. Critias And. +; ἐς ἅπαν *in full* (ref. to risking one's resources) Th.
2 (sg.) **each single, every** Pi. Hdt. E. Ar. Pl. || NEUT.SB. each part (of the body) X. || COLLECTV.PRON. everyone A. E. Pl. || NEUT.COLLECTV.PRON. everything S. E. Th. Ar. +
3 || PL. **all** Hom. + • ἅπαντες θεοί *all gods* Hom. • ἅπαντες οἱ θεοί *all the gods* Pl.; (preceded by the art., to stress totality, of cities, days) A. Hdt. Th. • ἀποκτεῖναι τοὺς ἅπαντας Μυτιληναίους *to kill all the Mytileneans* Th.
|| PL.COLLECTV.PRON. everyone or all Hom. + || MASC.PL.SB. (w.art.) everyone S. Th. Ar. + || NEUT.PL.SB. (sts. w.art.) everything, every event, task, way or aspect Od. Hes. Thgn. Hdt. E. Th. +
4 (sg. and pl., of evils, diseases) **all possible** Hes. A. Pl.
5 || PL. (w. numbers, sts. preceded by the art.) **altogether** or **in total** Hdt. Pl. • πληρώσαντες ἑβδομήκοντα νέας τὰς ἁπάσας *having filled seventy ships in total* Hdt.
6 (sg., of kindness, absurdity) **complete** Od. Plb.; (of danger) **sheer** Pi.; (preceded by the art.) ἡ ἅπασα δύναμις τῆς Σικελίας *complete control over Sicily* Th.; ἡ ἅπασα ἀκρίβεια *perfect accuracy* Pl.
7 (sg.) **any out of the whole range of possibilities** || MASC.SB. anyone S. || NEUT.SB. anything S. Lys. Ar. +
8 (sg., quasi-advbl., sts.hyperbol., of a person being such and such) **entirely, wholly** E. Theoc.; οὗτος ... ἅπαν κακόν *he is rubbish through and through* Ar.; (of a collection of items) ἀποτίματα ... ἅπαν ῥύπον *pluckings ... nothing but rubbish* Theoc.; (qualifying an adj. or sb.) Pi. Ar. Isoc. + • ἡ ἐναντία ἅπασα ὁδός *the exactly opposite way* Pl. • τοὐναντίον ἅπαν *the exact opposite* Pl. • ἅπασ' ἀνάγκη (ἐστί) *it is entirely necessary* Ar. || NEUT.ADV. (w.art.) completely (ref. to being ignorant) Pl.
ἀπ-ασπάζομαι *mid.vb.* [ἀπό] **bid** (W.ACC. someone) **farewell** NT.
ἀπ-ασπαίρω *vb.* (of a dying bird) gasp away, **choke for breath** E.
ἀπ-ᾄσσω, Att. **ἀπᾴττω**, ep. **ἀπαΐσσω** *vb.* **1 rush away** Hes.*fr.* S. Ar. Men. —W.GEN. *fr. a river bank* Il.; (of blood, fr. the pores of the skin, as the body breathes) Emp.
2 (fig., of a person's disordered thoughts) **swerve away** —W.GEN. *fr. his intention* S.
ἀπαστία ᾱς *f.* [ἄπαστος] **abstinence from food, fast** or **fasting** Ar.
ἄ-παστος ον *adj.* [privatv.prfx., πατέομαι] **not eating; not partaking** (W.GEN. of food and drink, esp. in times of grief or anxiety) Hom. hHom. AR.; (of participants in a festival) **fasting** Call.

ἀπάτᾱ *dial.f.*: see ἀπάτη
ἀπατάω *contr.vb.* [ἀπάτη] | aor. ἠπάτησα, ep. ἀπάτησα ‖ fut.pass. ἀπατήσομαι | **1 be deceitful** Od. hHom. Pl. X. +; **deceive** —*a person or heart* Il. hHom. Thgn. Hdt. S. Th. +; (of the soul) —*doctors* Pl.; (of tactics, adornment, a situation) —*a person or mind* Thgn. E. Th. Pl. ‖ PASS. **be deceived** S. E. Th. Pl. +; **be cheated** —W.GEN. *of someone* S.
2 ‖ STATV.PF. (of a contract) **be fraudulent** Arist.
3 (of land) **disappoint** —*its farmer* Hes. ‖ PASS. (of a message of hope) **be frustrated** S.
4 ‖ PASS. **be mistaken** S. Pl. Arist. Plb.; (of a mind) Pi.*fr.*
ἀπ-άτερθε(ν) *adv. and prep.* [ἀπό] **1 from afar** —*ref. to speaking or looking* Il. hHom. Thgn.
2 at a great distance, **far away** Il. —W.GEN. *fr. a crowd* Il. —*fr. suffering* Thgn.
3 in separate locations —*ref. to holding a share of an inheritance* Pi.
ἀπατεύω *vb.* [ἀπάτη] **deceive** —*someone* Xenoph.
ἀπατεών ῶνος *m.* [ἀπατάω] one who deceives, **deceiver** Pl. X.; (W.GEN. of someone) Pl.
ἀπάτη ης, dial. ἀπάτᾱ ᾱς *f.* **1** behaviour intended to deceive, **deception** A. Hdt. Th. Isoc. Pl. +; **trick** (in words or actions) Hom. +; (W.GEN. for obtaining an oath) Hdt.
2 deception (as inflicted on or experienced by someone); **deception** (sts. W.GEN. of someone) Hdt. S. Antipho Pl. X. +; (W.GEN. about a marriage) S.; (assoc.w. information derived fr. the senses) Pl.
3 misunderstanding, mistake Arist.
4 deceit (as a characteristic of persons, their behaviour or thoughts); **dishonesty** X. Theoc.; **insincerity** Pl.
5 beguiling distraction (ref. to an effect of music or drama) Plb.; **deceptive pleasure** (W.GEN. fr. wealth) NT.
6 (personif., as a deity) **Deceit** (daughter of Night) Hes.
ἀπατήλια ων *n.pl.* [ἀπατηλός] **1 deceptive acts, tricks** Od.
2 tall tales, lies Od.
ἀπατηλός ή όν (also ός όν) *adj.* [ἀπάτη] **1 deceitful** (in speech) Pl.; (of personal adornment, behaviour, pledges) **deceptive** Pl. Plu.; (of vices masquerading as pleasures) X.
2 (of a report, sketch, line of argument) **misleading, deceptive** Parm. Emp. Pl.; (of sensory perception) Plu.; (of an expression of Zeus' intention) Il.
ἀπατητικός ή όν *adj.* [ἀπατάω] of or relating to a deceiver; (of sophistry) **deceptive** Pl.; (of a military tactic) **conducive to deception** X.
ἀπ-ατιμάζομαι *pass.vb.* [ἀπό] **be utterly dishonoured** A.
ἀπ-ατιμάω *contr.vb.* **utterly dishonour** —*someone* Il.
Ἀπατούρια ων *n.pl.* [copul.prfx., πατήρ] **Apatouria** (phratry festival at Athens and in Ionian cities, when a father presented his son for admission) Hdt. And. Ar. Pl. +
ἀπάττω *Att.vb.*: see ἀπάσσω
ἀ-πάτωρ ορος *masc.fem.adj.* [privatv.prfx., πατήρ] | nom.acc.neut.pl. ἀπάτορα | **1 without a father** (through death or absence); (of children, their fate) **fatherless** S. E. Pl.; **bereft** (W.GEN. of a father) E.
2 (of a rebellious son) **disowned** Pl.; (W.GEN. by his father) S.
ἀπ-αυγάζομαι *mid.vb.* [ἀπό] **see from a distance** —*sthg.* Call.
ἀπ-αυγή ῆς *f.* **radiance** (W.GEN. of Apollo) Call.
ἀπ-αυδάω *contr.vb.* **1 speak in opposition; forbid** S. E. —*someone* (W. μή + INF. *to do sthg.*) S. E. Ar.; **refuse** —*tasks* E.
2 cease to care —W.DAT. *for one's friends* E.
3 (of a boxer) **give up** —*a fight* Theoc.; (of soldiers) **lose heart** Plu.
ἀπ-αυθαδίζομαι *mid.vb.* **show bravado** or **obstinacy** Pl.

ἀπ-αυθημερίζω *vb.* [αὐθημερόν] (of a foraging expedition) **return on the same day** X.
ἄ-παυστος ον *adj.* [privatv.prfx., παύω] **1** with no possibility of stopping; (of time, life, motion) **never-ending** A. Pl. Arist.; (of ruin) S.; (of a drip of water) E.
2 (of that which exists) **without a termination** Parm.
3 impossible to end; (of thirst) **unquenchable** Th.
4 (quasi-advbl., of a bull charging) **without stopping** AR.
5 (of conflicts, routs, storms) **incessant, continual** Plb. Plu.
ἀπ-αυτομολέω *contr.vb.* (of slaves) **desert, abscond** Th.
ἀπαφίσκω *vb.* [ἀπάτη] | aor.2 ἤπαφον, 3sg.mid.opt. ἀπάφοιτο | **trick, deceive** —*someone* Od.(sts.mid.) AR.
ἀπέβην (athem.aor.): see ἀποβαίνω
ἀπεγνωσμένως *pf.pass.ptcpl.adv.*: see under ἀπογιγνώσκω
ἀπεδάρην (aor.2 pass.): see ἀποδέρω
ἀ-πέδῑλος ον *adj.* [privatv.prfx., πέδῑλον] **1 without footwear, barefoot, unshod** (as a sign of departing quickly) A. Pi.*fr.*(cj.)
2 (fig., of valour) perh. **without a foundation** Alcm.(cj.)
ἀπεδίλωτος ον *adj.* (of women, in a ritual) **unshod** Call.
ἄ-πεδος ον *adj.* [copul.prfx., πέδον] (of a region, location, the ground) **flat, level** Hdt. Th. X. ‖ NEUT.SB. **flat surface** Hdt.
ἀπέδρᾱν (athem.aor.), ἀπέδρην (Ion.athem.aor.): see ἀποδιδράσκω
ἀπ-έδω *vb.* [ἀπό] | fut. ἀπέδομαι | pf. ἀπεδήδοκα ‖ The aor. is supplied by ἀποφαγεῖν. See also ἀπεσθίω. | **gnaw off** —*a person's fingers or nose, a fish's head* Ar. Men.
ἀπέειπον (ep.aor.2): see ἀπεῖπον
ἀπέεργον (ep.impf.): see ἀπείργω
ἀπέῃσι (ep.3sg.subj.): see ἄπειμι[1]
ἀπέθανον (ep.aor.2): see ἀποθνῄσκω
ἀπ-εθίζω *vb.* **disaccustom, discourage** —*persons, one's hands* (usu. W.INF. or μή + INF. *fr. doing sthg.*) Aeschin. Plu.
ἀπεῖδον (aor.2): see ἀφοράω
ἀπείθεια ᾱς *f.* [ἀπειθής] **disobedience** (among citizens or an army) X. Plb. Plu.
ἀπειθέω, ep. ἀπιθέω *contr.vb.* **1 be disobedient** Hom. + —W.DAT. *to an authority, instruction, or sim.* Hom. + —W.GEN. *to an instruction* hHom.; (of animals) X.
2 (of a soul) **remain unpersuaded** —W.DAT. *by a certain kind of speech* Pl.
3 show disregard —W.DAT. *for pledges* Pl.
ἀπείθην (Ion.aor.pass.): see ἀφίημι
ἀ-πειθής ές *adj.* [privatv.prfx., πείθω] **1 disobedient** (sts. W.DAT. to an authority, the laws, a divine revelation) Pl. X. NT. Plu.; (of a girl's behaviour, to her mother) Call.; (of a horse) X.; (of the nature of male genitalia) Pl.
2 ‖ COMPAR. (of a ship w. an inexperienced crew) **less responsive** (W.DAT. to its helmsman) Th.
3 (of a statement) **unpersuasive** Thgn.(dub.)
—ἀπειθῶς *adv.* **disobediently** Pl.
ἀπ-εικάζω *vb.* | neut.impers.vbl.adj. ἀπεικαστέον | **1 make a representation** (of someone or sthg.) X. Arist.; (of artists) **represent, reproduce** —*living beings, their shape, parts, expression* Isoc. Pl. X. ‖ PASS. (of an object) **be copied** —W.PREP.PHR. *by its shadow* Pl.
2 ‖ PASS. (of the world) **be created to be similar** —W.DAT. *to its model* Pl.; (of matter) —W.PREP.PHR. *to what exists in reality* Pl.
3 (of a person creating a new word) **reproduce, convey** —*an action* (W.PREP.PHR. *w. the letter rho, ref. to its sound*) Pl.; (of a word, in its formation) —*a facet of its meaning* Pl. ‖ PASS. (of a word) **be formed with resemblance** —W.DAT. *to other words w. a similar meaning* Pl.

ἀπεικασίᾱ

4 **cause (someone) to be like (someone)** ‖ PASS. (of young people) **become similar** —W.DAT. *to the old* Pl.; (w.mid.sens., of an avenging daimon) **appear similar** —W.DAT. *to a god* E.
5 **illustrate by means of a comparison, describe** —*persons, their fortunes* (W.DAT. *w. a simile*) Pl. Plu. —*an illness, emotion* S.*fr.* Pl.
6 **use a comparison** (sts. W.DAT. w. sthg.) Pl. X.; **suggest by way of comparison** —W.ACC. + INF. *that the gods are comparable as guardians* (W.DAT. *to certain rulers*) Pl.; **compare** —*someone* (W.DAT. *w. a certain person, creature, god*) E. Pl. Aeschin. D. Plu. —*sthg.* (*w. sthg. else*) Pl. ‖ PASS. (of persons or things) **be compared** —W.DAT. *w. another* P..; (of the elements of matter) —W.PREP.PHR. *to the class of syllables* Pl.
7 ‖ PASS. (of a branch of knowledge) **be inferred on the basis of analogy** (w. another branch) Pl.
8 **make a guess** S. E. Pl.

ἀπεικασίᾱ ᾱς *f.* **embodiment of similarity, representation, likeness** (ref. to a piece of visual art, music or poetry, a description) Pl.

ἀπείκασμα ατος *n.* **that which is similar** (to sthg. else); **likeness, representation** (W.GEN. of sthg.) Pl.

ἀπεικότως Att.pf.ptcpl.adv., **ἀπεικώς** Att.pf.ptcpl.adj.: see under ἀπέοικε

ἀπ-ειλέομαι pass.contr.vb. [εἰλέω¹] | aor.ptcpl. ἀπειληθείς | pf.ptcpl. ἀπειλημένος | **be forced** —W.PREP.PHR. *into a difficult situation* Hdt.

ἀπειλέω contr.vb. [ἀπειλή] | ep.3du.impf. ἀπειλήτην | aor. ἠπείλησα ‖ pf.pass.ptcpl. ἀπειλημένος | 1 **vow, promise** —W.FUT.INF. *to do sthg.* Il. Call.
2 **make a boastful claim, boast, brag** Il. —W.ACC. + INF. *that someone is such and such* Od.
3 **threaten** —*death, war, penalties* Hdt. X. Plu. —W.INF. *to do sthg.* Hom. +; **make a threat** (sts. W.DAT. against someone) Hom. + —W.COMPL.CL. *that sthg. is* (or *will be*) *the case* Il. Hdt. E. Ar. Att.orats. + —W.ACC. or COGN.ACC. *w. a speech, threats* Il. A. Hdt. E. Ar. D. ‖ PASS. (of a person) **be threatened** X.
4 (of a warrior) **be menacing** (in his armour) Il.; (of a hero, to dogs) —W.DAT. *w. his voice* Theoc.; (of birds) Ar.
5 **give strict instructions** —W.INF. *to do sthg.* AR. Theoc. ‖ MID. **give a warning** —W.DAT. *to someone* (w. μή + INF. *not to do sthg.*) NT. ‖ PASS. (of regulations) **be imposed with a threat** Pl.

ἀπειλή ῆς *f.* | usu.pl. | 1 **boast, boastful claim** Il.
2 **threatening speech or gesture, threat** Hom. +

ἀπείλημα ατος *n.* **threat** S.(dub.)

ἀπείλημμαι (pf.pass.): see ἀπολαμβάνω

ἀπειλητήρ ῆρος *m.* [ἀπειλέω] 1 **one who boasts with empty threats, braggart** Il.
2 **one who intimidates, threatener, bully** (ref. to a god) Call.

ἀπειλητήριος ᾱ (Ion. η) ον *adj.* (of messages) **threatening** Hdt.

ἀπειλητικός ή όν *adj.* (of speeches in a drama) **threatening** Pl.; (of the look in a person's eyes) X.; (of regulations) Pl.

ἀπείληφα (pf.): see ἀπολαμβάνω

ἄπ-ειμι¹ *vb.* [ἀπό, εἰμί] | ep.3sg.subj. ἀπέῃσι | iteratv.impf. ἀπέσκον (Sapph.) | ep.3sg.fut.mid. ἀπεσσεῖται ‖ see also ἄπο¹ | 1 **be at a distance, be away** Hom. + —W.GEN. *fr. a person or place* Od. —W.PREP.PHR. *fr. a place* Th.; (of things, an island) **be distant** Parm. Th.; (of an event, hopes) **be remote** Od. S. ‖ PTCPL.ADJ. (of sights) **distant or abroad** Th.
2 **be absent** (on an occasion, in a situation, or sim.) Il. S. Ar. X. + —W.GEN. *fr. a conversation* Hdt. —W.DAT. *for one's wife* Hdt.; (of a person's goodwill, pleasures) —*for one's friends,*

family E.; (of foodstuffs) Sol.; (of an advantage, a flaw) A. S. Th. Pl. X. AR.; (of a god, fr. a list) Hdt.
3 (of the creator god, before starting his work) **be uninvolved** —W.GEN. *w. matter* Pl.
4 (of a person's wealth) **be gone** or **lost** Thphr.

ἄπ-ειμι² *vb.* [εἶμι] | dial.1pl.subj. ἀπίωμες (Carm.Pop.) | Only pres. and impf. (other tenses are supplied by ἀπέρχομαι). The pres.indic. has fut. sense in Ion. prose and Att. |
1 **go away, depart** Hom. + —W.GEN. *fr. a place* S. —W.PREP.PHR. *fr. or to a person or place* Th. X. Lyr.adesp. Thphr. Men. —W.ACC. *on a long and rough road* Pl.; (of animals) Men. Theoc. ‖ IMPERATV. **move aside** (out of the way)! Ar. Plu.; (colloq.) **be gone!, get lost!** Ar. Men.
2 (of a river) **recede** (after flooding) Hdt.; (of a person's anger) X.
3 (euphem., of a person dying) **pass away** Call.
4 (of a fire) **go out** Plu.

ἀπ-εῖπον, ep. **ἀπέειπον** aor.2 *vb.* | ep.inf. ἀποειπεῖν, also ἀποειπέμεν | ep.ptcpl. ἀποειπών (ἀπο̄ειπών) metri grat. | —also **ἀπεῖπα** aor.1 *vb.* | Only aor. (other tenses are supplied by ἀπαγορεύω and ἀπείρω). |
1 **make an announcement** —W.DAT. *to a group* Od.; **declare** —*a message, an outcome* Hom.; (of a law) —w. μή and ACC. + INF. *that certain enactments should not be valid* D.
2 **prohibit** —*certain activities, answers* Pl. D.; **issue a prohibition** A. Hdt. S. D. Call.*epigr.* —w. μή + INF. *against doing sthg.* Th. Hyp. D. —W.DAT. *to someone* (w. μηδένα and μή + INF. *that no one shd. do sthg.*) S.
3 **forbid** —W.DAT. *someone* (w. μή + INF. *to do sthg.*) Hdt. Ar. Att.orats. X. —(W.INF. *to do sthg.*) Pl. Plb. —(w. μή + PASS.INF. *to be treated in a certain way*) Aeschin.
4 **refuse** Il. hHom. —*a task* E. —**help** Plu. —W.INF. *to do sthg.* Call. ‖ MID. **refuse** Hdt. —*an offer, help* Hdt.
5 **protest, make an objection** Pl. D. —W.DAT. *to someone* D.
6 **renounce** —*a person, friendship, honour, magistracy* Thgn. Th. Lys. X. + —*one's hearth* E. —*one's anger, hopes* Il. Plb. ‖ MID. **renounce** —*alliances, friendships, a truce* Hdt. Th. Plb. —*an expedition* Hdt. —*a statement* Plu.; **disown** —*a child or father* Hdt. Pl. Arist.; **dismiss, discount** —*a dream* Hdt.
7 **give up** Isoc. Pl. X. —W.PTCPL. *doing sthg.* Pl.
8 **come up short** —W.DAT. *in one's finances* Aeschin.; (of a curse) **fail** E.
9 **become weary** S. Ar. Att.orats. Pl. X. + —W.PTCPL. *of doing sthg.* Isoc. X. D.; (of a horse) X.
10 **succumb** —W.DAT. *to one's pain* E.

ἀπειράκις *adv.* [ἄπειρος²] **indefinitely often** Arist.

ἀπείραντος dial.adj.: see ἀπέραντος

ἀ-πείραστος ον *adj.* [privatv.prfx., πειράζω] (of God) **incapable of being tempted** (W.GEN. by evil desires) NT.

ἀ-πείρᾱτος ον, Ion. **ἀπείρητος** η ον *adj.* [πειράομαι] 1 **not competing** (in chariot races) Pi.; (of a lion) **not making an attempt** (W.GEN. on a sheep pen) Il.
2 **without experience** Od. Thgn. Pi.; (W.GEN. of beauty, pleasures) Thgn. Pi.; (of an unmarried woman, W.GEN. of love) hHom.; (of a home, W.GEN. of guests) Pi.
3 (of a battle) **not attempted** Il.; (of an undertaking, a strategy) Hdt. D.

ἀπείργασμαι (pf.mid.): see ἀπεργάζομαι

ἀπ-είργω, Ion. **ἀπέργω**, ep.Ion. **ἀποέργω** *vb.* | ep.impf. ἀπέργον | dial.fut.ptcpl. ἀπέρξων | aor. ἀπεῖρξα, Ion. ἀπέρξα | aor.2 ἀπεῖργαθον, ep.Ion. ἀποέργαθον ‖ PASS.: Ion.pf.ptcpl. ἀπεργμένος |
1 **shut out, exclude** —*someone* (W.GEN. *fr. somewhere*) Il. —*a ship* (*fr. a harbour*) Plu.; (of a god or wrathful spirit) —*an*

outcast (W.PREP.PHR. *fr. altars*) A. E.; (of bloodshed) —*its perpetrators* (*fr. their homeland*) AR. ‖ MID. **shut out** —*a suppliant* A. ‖ PASS. **be excluded** Plu. —W.GEN. *fr. one's home and ancestral gods* E.
2 keep away —*someone* (W.GEN. or PREP.PHR. *fr. an enemy*) Il. Hdt. —*a ship* (*fr. the shore*) E. —*enemies, enslavement, conflict* Lyr. A.; (of a rock) —*a great wave* Od.; (of a charm) —*diseases* E.; (of a lack of self-control) —*wisdom* X.
3 hold or **keep back** —*people* Th. Plu. —(W.GEN. *fr. an attempt at sthg.*) X. —*livestock* (*fr. locations*) X.; (of infirmity, old age) —*someone* (*fr. civic or military service*) Pl. X. ‖ MID. **keep one's hands away** —W.GEN. *fr. someone* Pl.
4 (of priests, a citizen body) **debar, ban** —*someone* (W.GEN. or PREP.PHR. *fr. religious, political or judicial participation*) Hdt. Th. Ar. Isoc. ‖ PASS. **be debarred** —W.GEN. *fr. an alliance, a magistracy* Plu.; (of an exiled man, fr. joining his comrades) X.
5 (of persons, animals) **prevent** —*someone or sthg.* (sts. W.INF. *fr. doing sthg.*) S. E.; (of the law) —*sthg.* (w. μή + INF. *fr. existing*) Pl.; (of a circumstance) —*someone* (W.INF. *fr. doing sthg.*) E. —*a person's being sacrificed* E. ‖ PASS. (of an entity) **be prevented** —W.INF. *fr. doing sthg.* Pl.
6 hold back —*one's beloved* (W.GEN. *fr. association w. others*) Pl. —*a friend* (*fr. sharing one's troubles*) Arist. —*citizens* (*fr. being ambitious*) D.
7 (of a god, reverence, laws, heat) **act as a restraint** S. Th. Pl.; (of an authority) **hinder** —*someone, bad behaviour* S. X. D. Plu.; (of legislators) **prohibit** —*strenuous exercise* Arist.
8 (of an army marching) **keep** (W.ACC. cities, mountains) **at a distance** (to one side) Hdt.
9 (of bodies of water) **enclose, hem in** —*a people, region, piece of land* Hdt.; (of mountains) —*a sea* Hdt.; (of outlying lands) —*the rest of the world* Hdt. ‖ PASS. (of persons) be confined (in a location) Hdt.; (of part of a river) be blocked off Hdt.
10 draw aside —*a dressing* (W.GEN. *fr. a wound*) Od.; (of the collar-bone) **hold apart** —*the neck and chest* Il.

ἀπείρεσιος ᾱ (Ion. η) ον *adj.* —also **ἀπερείσιος** ον *ep.adj.* [ἄπειρος²] **1** (oft. hyperbol.) without limits; (of the ground, a land) **boundless** Il. AR.; (of suffering) **endless** Od. S.; (of barking) **continuous** or **very loud** Stesich.; (of the radiance of torches) **abundant** AR.
2 (of persons, animals, things, circumstances) **countless** Hom. Hes.*fr.* Simon. S. AR. Theoc.
3 (of a payment, wealth, gifts of food) **immense** Il. AR.; (of a tree) AR.; (of a person's strength) AR.
4 (of a woman's beauty) **unsurpassed** Hes.*fr.*
5 (of Delos) app. **great** or **fair** Thgn.

ἀπείρηκα (pf.), **ἀπείρηται** (3sg.pf.pass.): see ἀπείρω
ἀπείρητος *Ion.adj.*: see ἀπείρᾱτος
ἀπειρίᾱ¹ ᾱς *f.* [ἄπειρος¹] **1 lack of familiarity** Th. Att.orats. Pl. +; (W.GEN. w. wine) Antipho; (w. an activity, situation, place, topic, its terminology) Th. Att.orats. Pl. +
2 lack of awareness (W.GEN. of an opponent's crimes) Lys.
ἀπειρίᾱ² ᾱς *f.* [ἄπειρος²] **1 indeterminacy** (as an innate quality of all that exists) Pl.
2 indefinite number (of situations) Arist.; (W.GEN. of primary elements that consist of like parts) Arist.
3 indefinite period (of time) Pl.
ἀπείριτος ον *adj.* **1** (oft. hyperbol.) without limits; (of the sea, ground) **vast, immense** Od. Hes.; (of a crowd) hHom. AR.; (of a thicket) Pi.(cj.); (of wealth) Hes.
2 (of swirls of smoke, troubles) **innumerable** AR. Mosch.
3 (of amazement) **boundless** AR.

—**ἀπείριτον** *neut.adv.* **ceaselessly** —*ref. to trees rustling* AR.
ἀπειρό-δακρυς ον *adj.* [ἄπειρος¹, δάκρυ] (of a heart) **without experience of weeping** A.
ἀπειρό-δροσος ον *adj.* [δρόσος] (of a desert) **unused to moisture, desiccated** E.
ἀπειρό-κακος ον *adj.* [κακός] **1** unused to affliction, **carefree** E.
2 without experience of evil ‖ NEUT.SB. **innocence** Th.
ἀπειροκαλίᾱ ᾱς *f.* [ἀπειρόκαλος] **1 lack of good taste** Pl. Arist. Plu.
2 vulgarity (assoc.w. traders, a royal court) X. Plu.
ἀπειρό-καλος ον *adj.* [καλός] without experience of beauty; (of persons, their lifestyles) **vulgar, with poor taste** Pl. D. Arist. Plu. ‖ NEUT.SB. **vulgar behaviour** X.
—**ἀπειροκάλως** *adv.* **in poor taste** —*ref. to misnaming sthg.* Pl.
ἀπειρο-λεχής ές *adj.* [λέχος] (of Artemis) without experience of the marriage bed, **unwed** Ar.(mock-trag.)
ἀπειρο-μάχᾱς ᾱ *dial.masc.adj.* [μάχη] **inexperienced in battle** Pi.
ἄ-πειρος¹ ον *adj.* [privatv.prfx., πεῖρα] **1** without experience; **unacquainted** (W.GEN. w. a certain kind of person) Hdt. E. Lys.; (w. a place) E. Th. +; (w. affliction, benefits, virtues) Thgn. Emp. Pi. Hdt. Trag.; (w. religious language, literature) Ar. Pl.
2 unpractised (W.GEN. in warfare, seafaring) Hdt. Th. Ar.; **inexperienced** (in new situations, esp. legal proceedings) Th. Att.orats.; (of a woman) **without experience** (W.GEN. of a husband, lovers, sexual intercourse) Hdt. Ar. Men.
3 uninformed Heraclit. A. Pi. E. Th.; **unaware** (W.GEN. of the size of an island, ways out, facts, risks) Hdt. Th. Lys.
4 with no part (W.GEN. in married life, childbirth and parenting) Lyr.adesp. S. E.
—**ἀπείρως** *adv.* | compar. ἀπειρότερον, also ἀπειροτέρως |
1 in an untrained manner, **clumsily** Th. Isoc.; **without practice** (W.GEN. at public speaking) Hyp.
2 in ignorance (W.GEN. of customs, litigation) Hdt. Is.; **ignorantly** (W.PREP.PHR. in relation to an activity) Isoc. X. Men.
ἄ-πειρος² ον *adj.* [πεῖραρ] **1** (of a plain) **boundless** (W.PREP.PHR. to the eye) Hdt.
2 (of time) **endless** Plb.; (of the darkness of Hades) Pi.*fr.*; (neg.phr., of a motion) Arist.
3 (of things that exist, entities, principles) **infinite** (in number) Pl. Arist. ‖ NEUT.SB. absence of limitation Arist.; **infinity** Pl.
4 (prep.phr.) εἰς ἄπειρον **endlessly** (*in space or time*) Pl. Arist. Plb.
5 (of a net or web) app., with no way out, **inescapable** Ibyc. A. E.
ἄπειρος *dial.f.*: see ἤπειρος
ἀπειροσύνη ης *f.* [ἀπείρων¹] **inexperience, ignorance** E.
ἀπ-είρω *vb.* [εἴρω²] | fut. ἀπερῶ, Ion. ἀπερέω | pf. ἀπείρηκα ‖ PASS.: aor.inf. ἀπορρηθῆναι | 3sg.pf. ἀπείρηται ‖ The pres. is usu. supplied by ἀπαγορεύω; the aor. is supplied by ἀπεῖπον. | **1** (of authorities, a law) **prohibit** —*certain activities* D. Arist. —W.INF. *saying sthg.* Pl. ‖ PASS. (of an activity) be prohibited —Hdt. Att.orats. + ‖ IMPERS.PF.PASS. it is prohibited —W.DAT. *for someone* (w. μή + INF. *to do sthg.*) Pl. —w. μή + PASS.INF. *that sthg. shd. happen* Aeschin.
2 forbid (W.INTERN.ACC. w. a message) —W.DAT. *someone* (W.INF. *to do sthg.*) Hdt. Th. ‖ PASS. (of a person) be forbidden —w. μή + INF. *to do sthg.* Hdt.

ἀπείρων

3 renounce —*an alliance* Hdt.; **reject** —*a theory* Arist. ‖ PASS. (of a child) be disowned Pl.; (of a treaty) be renounced Th. Lys.
4 give up, cease Pl. —W.PTCPL. *doing sthg.* Pl.; **cease to care** —W.DAT. *for one's family* E.
5 fail —W.DAT. *in one's finances* D. —W.PTCPL. *in paying a tax* D.; (of a person's wisdom, a food supply) Pl. Call.
6 become weary E. Ar. Att.orats. Pl. + —W.PTCPL. *w. doing sthg.* Th. X. D.; (of animals) X. ‖ PF.PTCPL.ADJ. (of certain musical modes) **enfeebled** Arist.
7 give in —W.DAT. *to one's troubles* E.

ἀ-πείρων[1] ον, gen. ονος *adj.* [privatv.prfx., πεῖρα] **ignorant** (about sthg.) S.

ἀ-πείρων[2] ον, gen. ονος *adj.* [πεῖραρ] **1** (oft. hyperbol.) **without limitation;** (of land) **boundless** Hom. Hes. Thgn. +; (of a sea, its waves, streams, a gulf) Hom. Hes. Lyr. +; (of distances) AR.; (of the depths of Erebos) Ar.
2 (of a population, group) **numberless** Il. Hes. Simon. B. AR.; (of sheep, a snake's coils) AR.; (of songs) Scol.; (of pains) AR.
3 (of sleep) **very deep** or **long** Od.
4 (of a fee, plunder, fame) **immense** hHom. Pi. AR.
5 (of a thud) **enormous** AR.
6 (of fetters) **without a way through, inescapable** Od.

ἀπείς (Ion.athem.aor.ptcpl.): see ἀφίημι

ἄ-πειστος ον *adj.* [πείθω] (of a statesman) **unpersuadable** (W.PREP.PHR. *by bribery*) Hyp.

ἀπέκιξαν (3pl.aor.): see ἀποκίκω

ἀπ-εκλανθάνομαι *mid.vb.* ‖ 2pl.redupl.aor.2 imperatv. ἀπεκλελάθεσθε ‖ **forget entirely** —W.GEN. *one's amazement* Od.

ἀπ-ελαύνω *vb.* ‖ iteratv.impf. ἀπελαύνεσκον ‖ Lacon.3pl.aor. ἀπηλάαν (unless ἀπήλαάν) ‖ pf.pass. ἀπελήλαμαι ‖ —also **ἀπελάω** *contr.vb.* ‖ imperatv. ἀπέλᾱ ‖ **1** (of a commander) **lead away** —*his army* Hdt.; (intr., of an army, a commander w. his army) **march away** Hdt. X. +; **retreat** Hdt. X.
2 drive away —*draught animals* (fr. *a location*) Hdt.; (of thieves, wolves) **drive off** —*livestock* X. Plb.; (intr., of horsemen) **ride away** Hdt. X. Plu.; (of persons in carriages) X. Plb.
3 chase away —*birds* AR.; (of the soul) **push away** (sthg., fr. itself) Pl. ‖ PASS. (of snakes) be chased away Hdt.; (of the sun) be driven away (fr. its course, by storms) Hdt.
4 force away —*someone* (esp. an envoy, guest, or member of one's group, etc. W.GEN. or PREP.PHR. *fr. one's home, a sanctuary, land, or sim.*) E. Th. Ar. X. + —*an army, fleet* (fr. *its position*) Hdt. X. ‖ PASS. be forced away (esp. into exile or slavery) Alc. Hdt. E. Lys. X. +; (of an enemy) Hdt.
5 banish —*someone* S. Arist. —(W.GEN. *fr. one's retinue*) Plu. ‖ PASS. be banished —W.GEN. *fr. one's homeland* S.; (fig.) —*fr. good fortune* E. —W.PREP.PHR. *into a certain location or status* X.
6 oust —*someone* (sts. W.PREP.PHR. *fr. a magistracy, citizenship, or sim.*) Att.orats. + ‖ PASS. be deposed —W.PREP.PHR. *fr. power* Isoc.
7 keep (someone) **away** (fr. someone or sthg., by means of a barrier or prohibition); **keep** (W.ACC. *men*) **away** —W.PREP.PHR. *fr. women* Ar.; **exclude** —*a person* Th. Ar. Pl. X. + —(W.GEN. or PREP.PHR. *fr. the Assembly, activities, an oath*) Att.orats. Plu.; (of laws) —(fr. *a court*) D. ‖ PASS. be excluded Lys. X. —W.GEN. or PREP.PHR. *fr. magistracies, political service, education* Hdt. Lys. Isoc. Pl. X.; (of suitors) —*fr. a marriage* Hdt.
8 shun —*potential students, flatterers, a rhetorician* Pl. X. Plu.; (of a goddess) —*a person* Plu. ‖ PASS. (of allies) be shunned D.

9 remove —*a threat* (W.DAT. *fr. someone*) X. ‖ MID. (fig.) **distance oneself** —W.GEN. *fr. an idea* Hdt.

ἀπελεγμός οῦ *m.* [ἀπελέγχω] **disrepute** (of a trade) NT.

ἀπ-ελέγχω *vb.* **1 refute** —*accusations* Antipho Lys.
2 ‖ PASS. be proved guilty Antipho

ἀ-πέλεθρος ον *ep.adj.* [privatv.prfx., πλέθρον] (of the strength of a warrior, Polyphemos) **limitless** Hom.
—**ἀπέλεθρον** *neut.adv.* **to a very great distance** —*ref. to going* Il.

ἀπελευθερικός ή όν *adj.* [ἀπελεύθερος] (of a man) **with freedman status** Plu.

ἀπ-ελεύθερος ον *adj.* [ἀπό] **freed, released** (fr. servitude) S.*Ichn.* Plu.
—**ἀπελεύθερος** ου *m.* **freedman** Att.orats. Pl. X. +
—**ἀπελευθέρᾱ** ᾱς *f.* **freedwoman** Is. D.

ἀπελευθερόω *contr.vb.* **emancipate** —*a slave* Pl. Aeschin. Plu. ‖ PASS. be emancipated Pl. Arist.

ἀπελευθέρωσις εως *f.* **emancipation, manumission** (sts. W.GEN. of slaves) D. Plu.

ἀπελθεῖν (aor.2 inf.): see ἀπέρχομαι

ἀπέλκω *Ion.vb.*: see ἀφέλκω

ἀπελλάζω *Lacon.vb.* **convene an assembly** Plu.(oracle)

ἀπέλλου (3sg.impf.): see ἀπολούω

ἀπ-ελπίζω *vb.* **1 regard with despair** —*a situation, prospects* Hyp. Plb. Plu.; **despair, lose hope** Plb. —W.GEN. *of a city, a land* (as an objective) Plb. —*of living* Plb. —W.FUT.INF. *of achieving sthg.* Plb. ‖ PF.MID. have no hopes Plb. ‖ PF.PASS. (of allies) be regarded with despair Plb.; (of fortified locations) —W.PREP.PHR. *by besiegers* Plb.; (of a situation, prospects) Plb.
2 expect to receive —*nothing* (in repayment of a loan) NT.

ἀπελπισμός οῦ *m.* **hopelessness** Plb.

ἀπ-εμέω *contr.vb.* ‖ ep.3sg.aor. ἀπέμεσσε ‖ (of a dying man) **vomit forth** —*blood* Il.

ἀπ-εμπολάω *contr.vb.* **1 put out** (sthg.) **for sale** (esp. inappropriately); **sell off** —*one's sheep* (w. ἀντί + GEN. *in exchange for wine*) E.*Cyc.*; **offer for sale** —*one's body* (W.GEN. *for money*) X.; (fig., of soldiers) **barter away** or **squander** —*their lives* (by going on the attack) E.
2 sell out (sts. w.connot. of betrayal) —*a city* (as a bribe) E. —*one's baby* E.; **smuggle out** —*a priestess* (W.GEN. *fr. a land*) E. ‖ PASS. (fig., of people) be sold off (i.e. be betrayed, by politicians) Ar.

ἀπεμπολή ῆς *f.* app. **sale** Call.

ἀπ-εμφαίνω *vb.* (of comparisons) **seem incongruous** Plb.

ἀπ-έναντι *prep.* **1 opposite** —W.GEN. *to a city, one of its sides* Plb. —*to a tomb* NT.; **in opposition** —W.GEN. *to decrees* NT.
2 in front, in the presence —W.GEN. *of a crowd* NT.

ἀπ-εναντίον *adv.* (quasi-adjl., of a coast) **opposite** Hdt.

ἀπ-εναρίζω *vb.* **despoil, strip** —*a corpse* (W.ACC. *of weapons and armour*) Il.(tm.) ‖ PASS. (of a corpse) be despoiled Hippon.

ἀπένασσα (ep.aor.), **ἀπενάσθην** (aor.pass.): see ἀποναίω

ἀπενέπω *vb.*: see ἀπεννέπω

ἀπένθεια ᾱς *f.* [ἀπενθής] **absence of mourning** A.(cj.)

ἀ-πενθής ές *adj.* [privatv.prfx., πένθος] **1** (of persons, a heart) **without sorrow** B.fr. Plu. (of the gods' abode) **trouble-free** A.; (of a fawn) **carefree** B.
2 (of a commander's victory-monuments) **not causing grief** (to his people) Plu.

ἀ-πένθητος ον *adj.* [πενθέω] (of a people, a woman's heart) **free from sorrow** A.

ἀπ-ενιαυτέω *contr.vb.* [ἀπό, ἐνιαυτός] **spend a year abroad, be exiled for a year** Pl.; **be exiled** —W.ACC. *for three years* Pl.

ἀπενιαύτησις εως *f.* exile for a year ‖ PL. periods in exile Pl.
ἀπ-ενιαυτίζω *vb.* spend a year abroad X.
ἀπ-εννέπω (also **ἀπενέπω**) *vb.* [ἐνέπω] **forbid** A. E. —*sthg.* S. —*someone* (W.INF. or μή + INF. *to do sthg.*) E.; **ban, banish** —*misfortunes* A. —*Eros* (W.GEN. *fr. a bedchamber*) E.
ἀπ-εντεῦθεν *adv.* at this point (in a narrative) Plb.
ἀπ-εξαιρέομαι *mid.contr.vb.* **steal** —*treasure* Anacr.(tm.)
ἀπ-έοικε *impers.pf.vb.* **it is unlikely** or **improbable** —W.ACC. + INF. *that sthg. is the case* Plu.
—**ἀπεοικώς**, Att. **ἀπεικώς**, υἶα ός *pf.ptcpl.adj.* **1 indifferent, disinclined** (W.PREP.PHR. to noble activities) Plb. **2** (of events) **unlikely** Plu.; (of an estimate) Plb. ‖ NEUT.IMPERS. (w. ἐστί) **it is unlikely** —W.ACC. + INF. *that sthg. is the case* Antipho
—**ἀπεικότως** Att.*pf.ptcpl.adv.* —also **ἀπεοικότως** (Th., dub.) *pf.ptcpl.adv.* **1 surprisingly** —*ref. to sthg. being the case* Th. **2 inappropriately, unfairly** —*ref. to possessing territory* Th.
ἄ-πεπλος ον *adj.* [privatv.prfx., πέπλος] **without a robe** Pi.; (of a mourner) **not dressed** (W.GEN. in a white cloak) E.
ἀπέπνευσα (aor.): see ἀποπνέω
ἀπεπτάμην (athem.aor.mid.), **ἀπέπτην** (athem.aor.act.): see ἀποπέτομαι
ἅπερ (neut.pl.relatv.pron. and adv.), **ἅπερ** (dial.fem.sg.): see ὅσπερ
ᾇπερ dial.relatv.adv.: see under ὅσπερ
ἀ-πέραντος, dial. **ἀπείραντος** (Pi.), ον *adj.* [περαίνω] **1** (oft. hyperbol., of a region, plain, the air) **unbounded** A.(dub.) Pi. Ar. Arist.; (of a person's valour) Pi. **2** (of a path, process, task) **unending** Pl. Arist.; (of a struggle, night, account of a battle) **interminable** Th. Ar. Plb. **3** (of a task) **unfinished** Plb. **4** (of a period of time) **unlimited** Pl. Arist. **5** (of people, portions, entities) **innumerable, countless** Pl.; (of afflictions, difficulties, superstitions, or sim.) Pl. D. Plu. **6** (of a sea) unable to be traversed, **impenetrable** or **endless** E. **7** (of a net) **inescapable** A.(dub.) **8** (of a phrase without rhythm or structure) **unconstrained** Arist.
—**ἀπεράντως** *adv.* **without limit** —*ref. to infinity extending* Arist.
ἀ-πέρᾱτος ον *adj.* [περατός] (of a river) **not to be traversed** Plu.; (fig., of the mind of Zeus, envisaged as an expanse) A.
ἀπ-εράω *contr.vb.* [ἀπό, ἐράω²] **vomit forth** —*the entrails one has eaten* A.(tm.)
ἀπ-εργάζομαι *mid.vb.* | *pf.* ἀπείργασμαι ‖ *aor.pass.inf.* ἀπεργασθῆναι | **1 complete, finish off** —*parts of a wall, a palace, products* Ar. Pl.; **bring to completion** —*a process of debating, an outline, a description* Pl.; (of reforms) —*a prosperous city* Pl. ‖ PF.PASS. (of a discourse, constitution) have been brought to completion Pl. ‖ PF.PASS.PTCPL.ADJ. (of a product) **finished** Arist.; (of a tyrant, gentleman, science) **perfect** Pl. X. **2 accomplish, achieve** —*a goal or task* Pl. X.; (of poets, a statesman's activities) —*a result, an effect* Pl. D. Arist. ‖ PASS. (of goals, effects) **be achieved** Pl. X. **3** (of the creator god) **create** —*the universe, a piece of furniture* Pl.; (of artists) —*likenesses* X.; (fig., of statesmen, envisaged as artists) —*virtues* Pl.; (of painting, a mimetic art) —*a product* Pl. ‖ PF.PASS.PTCPL.ADJ. (of artworks, a mechanism) **created** Pl. Plb. **4 cause** —*a horse* (W.INF. *to do sthg.*) X.; (of raging horses) —*confusion* Plb.; (of fires, rivers, a man's nature) —*an outcome* Pl. Plb.; (of events) —*ruin, pains, pleasures, or sim.* Pl. Aeschin. Plb. ‖ PF.PASS.PTCPL.ADJ. (of measures) **effected** Pl. **5** (of self-control) **do** —W.DBL.ACC. *good, to its practitioners* Pl.; (of activities, circumstances, a virtue, or sim.) **produce** —*results* Att.orats. Pl. X. Arist.; (of rhetoric, music, words) —*an effect* Pl. Arist.; (of several components) —*a continuous surface* Pl. **6** (of persons, activities, circumstances, or sim.) **make** —*someone, sthg., somewhere* (W.PREDIC.ADJ. *such and such*) Pl. X. **7 do one's work** Arist.; **carry out** —*an activity* Pl.; (of the ears, eyes, soul, a faculty, name) **perform** —*their task* Pl. **8 work off** —*a debt* Men.
ἀπεργασίᾱ ᾱς *f.* **production** (sts. W.GEN. of an artwork, effects, health, pleasure) Pl. Arist. Plu.; (concr.) **product** Pl.
ἀπεργαστικός ή όν *adj.* (of geometry) **productive** (W.GEN. of philosophical thought) Pl.
ἀπέργω Ion.*vb.*, **ἀπεργμένος** (Ion.pf.pass.ptcpl.): see ἀπείργω
ἀπ-έρδω *vb.* **perform** —*sacrifices* Hdt.
ἀπερ-εί neut.pl.adv. [ὅπερ, εἰ] **like** —W.SB. *a slave* S.
ἀπ-ερείδομαι *mid.vb.* **1 support oneself** —W.DAT. *on one's limbs* Pl.; (of philosophers) **rely** —W.PREP.PHR. *on a summary* Pl.; (of the mind) —*upon an aid to understanding* Plb. **2** (of a horse) **bear down** —W.PREP.PHR. *on its bit* X.; (of a hare turning) **lean** X. **3** (of a circular creature) **push off** (in a rolling motion) Pl. **4 rest** —*one's hand* (W.PREP.PHR. *on someone*) Plu. **5 bring down** —*many blows* (W.PREP.PHR. *upon someone*) Plu. —*one's wrath, resentment, blame* (*upon someone*) Plb. **6 direct oneself** or **one's focus** —W.PREP.PHR. *to someone, a situation* Plb. —*to truth and light* Pl. **7 bestow** —*one's favour, gratitude, confidence* (W.PREP.PHR. *upon an ally*) Plb. —*one's resources* (*upon one's army*) Plb.; **place, rest** —*one's hopes* (*upon a commander, allies*) Plb. Plu. **8 direct** —*suspicion* (W.PREP.PHR. *towards a statesman*) Plu. ‖ PASS.PTCPL.SB. **target** (ref. to a nominee for ostracism) Plu. **9** (of a commander) **put aside** —*his plunder* (W.PREP.PHR. *in a secure location*) Plb.; (of a lioness) **lay down** —*her cubs* Call. **10** (of a commander) **establish** —*his army* (W.PREP.PHR. *in a safe haven*) Plb.
ἀπερείσιος ep.adj.: see ἀπειρέσιος
ἀπ-ερημόομαι *pass.contr.vb.* **1 be left destitute** —W.GEN. *of divine care* Pl.; (of luxury) —*of favourable conditions* Plu. **2** ‖ PF. (of an entity) **be isolated** —W.PREP.PHR. *fr. all that exists* Pl.
ἀπ-ερητύω *vb.* **keep** (W.ACC. *someone*) **away** AR.
ἀ-περιήγητος ον *adj.* [privatv.prfx., περιηγέομαι] (of a law-code) **not explained in outline** Pl.
ἀ-περιλάλητος ον *adj.* [περιλαλέω] (of Aeschylus) **unskilled in discursive chatter** Ar.
ἀ-περίληπτος ον *adj.* [περιληπτός] **not circumscribed** ‖ NEUT.SB. **lack of limitation** (W.GEN. *in someone's power*) Plu.
ἀπεριμερίμνως *adv.* [περί, μέριμνα] **incautiously** Ar.
ἀπερινοήτως *adv.* [περινοέω] **thoughtlessly** Plb.
ἀ-περίοπτος ον *adj.* (pejor.) **without regard** (W.GEN. *for anything*) Th.
ἀ-περίσκεπτος ον *adj.* [περισκέπτομαι] **1** (of a hope) **not based on consideration** (of circumstances), **thoughtless, uncircumspect** Th.

ἀπερίσπαστος

2 (of a magistrate) **with no concern** (W.GEN. for disgrace) Plu.

—**ἀπερισκέπτως** adv. **1 with no circumspection** or **hesitation** —ref. to facing the enemy, taking revenge Th. **2 unwisely, foolishly** Th. Isoc. Plu.

ἀ-περίσπαστος ον adj. [περισπάω] **1 undistracted** (by conflicts, foreign affairs) Plb.
2 || NEUT.SB. **concentration** (W.GEN. of authority, upon one man) Plu.

—**ἀπερισπάστως** adv. **without distraction** —ref. to waging war, defending a city Plb.

ἀ-περίστατος ον adj. **not surrounded**; (fig., of periods of peace) **unclouded** (by troubles, threats) Plb.

ἀ-περίτμητος ον adj. [περιτέμνω] (fig., of disobedient Jews) **uncircumcised** (W.DAT. in their hearts and ears) NT.

ἀ-περίτροπος ον adj. [περιτρέπω] **heedless, unconcerned** (about someone) S.

ἀπέρξα (Ion.aor.): see ἀπείργω

ἀπ-έρρω vb. [ἀπό] | usu. in imperatv. ἄπερρε | (of an unwelcome person) **take oneself away, go away** E. Ar.

ἀπ-ερυθριάω contr.vb. **be free from blushes, be unashamed** (to do sthg.) Ar.

ἀπ-ερύκω vb. **1 keep** (someone or sthg.) **away; fend off** —an enemy (sts. W.GEN. fr. a city) Thgn. X. Plb. Plu. —animals Od.; (of dogs) —wild animals (W.PREP.PHR. fr. livestock, fr. damaging crops) X.; (fig., of a poet) —corruptors of poems Tim. || PASS. **be kept away** —W.GEN. fr. one's homeland Thgn.
2 restrain or **prevent** —someone (sts. W.INF. fr. doing sthg.) Alcm. Thgn. Lyr.adesp. Hdt. AR. || MID. **refrain** (fr. speaking) S.
3 (of a god) **avert** —incoming projectiles Il. —a rumour S.; (of good fortune) **keep away** —troubles (W.DAT. fr. someone) Hdt. || MID. (of symposiasts) **avoid** —quarrels (W.GEN. w. each other) Thgn.
4 keep to oneself, withhold —one's thoughts, advice AR.

ἀπ-ερύω vb. (of dogs, birds) **tear away** —flesh (W.GEN. fr. a person's bones) Od.(tm.)

ἀπ-έρχομαι mid.vb. | aor.2 ἀπῆλθον, dial. ἀπήνθον | aor.2 inf. ἀπελθεῖν || The impf. and fut. are supplied by ἄπειμι². |
1 go away, depart Anacr. Hdt. S. E. Th. Ar. + —W.GEN. fr. one's home or homeland Hom. Ar.(mock-trag.) —W.PREP.PHR. fr. a location, a meeting Hdt. Th. Ar. + —into a group Arist.
—W.PTCPL. or ADJ. **as such and such** Lys. Ar. Is. Plu.; (of horses, sheep) Pl. Theoc.; (of the soul, esp. at death) Pl.
2 move aside E. Men. —W.PREP.PHR. out of the way Men.; (fig., of confusion, hostility, evil) **be set aside** Pl.; (of a person's seniority) **be dismissed** (fr. consideration) E.
3 (of the sun, at the end of winter) **move away** (fr. the horizon) —W.PREP.PHR. into the middle of the sky Hdt.; (of an aroused man's foreskin) **recede** Ar.; (of a river) Hdt.; (of a sickness) S.; (of fire, warmth, or sim.) Pl.
4 (of matter) **disperse** E. Arist.; (of news) **spread** NT.
5 (of a person) **drift off** —W.PREP.PHR. into deep thought E. Pl.
6 (euphem.) **depart** (fr. life), **pass away** S. E. Men.
7 give up (doing sthg.); **move away** —W.GEN. fr. a topic E.; **cease** —W. ἐκ + GEN. fr. weeping E.; **give up** (on a problem) Ar.
8 (of a period of time) **pass away, expire** Pl.
9 (of entities) **depart** —W.PREP.PHR. fr. actuality or the sphere of perception Arist.

ἀπερῶ (fut.), **ἀπερέω** (Ion.fut.): see ἀπείρω

ἀπερωεύς ῆος ep.m. [ἀπερωέω] **frustrator** (W.GEN. of someone's intentions) Il.

ἀπ-ερωέω contr.vb. [ἐρωέω²] (intr.) **hold back** —W.GEN. fr. a battle Il.

ἀ-περωπός όν adj. [privatv.prfx., περί, ὤψ] (of desire) **not considerate, cruel** A.(dub.) [v.l. ἀπέρωτος (ἀπό, ἔρως) undesirable]

ἀπέσβην (athem.aor.): see ἀποσβέννυμι

ἀπ-εσθίω vb. | The aor. is supplied by ἀποφαγεῖν. | **gnaw off** —someone's nose D.

ἀπεσσεῖται (ep.3sg.fut.mid.): see ἄπειμι¹

ἀπεσσεύοντο (ep.3pl.impf.mid.), **ἀπεσσύα** (Lacon.3sg. aor.2 pass.), **ἀπεσσύθην** (aor.pass.), **ἀπεσσύμενος** (ep.pf.mid.ptcpl.), **ἀπεσσύμην** (athem.aor.mid.): see ἀποσεύομαι

ἀπέστην (athem.aor.act.): see ἀφίσταμαι, under ἀφίστημι

ἀπέστιχον (aor.2): see ἀποστείχω

ἀπεστώ όος Ion.f. [ἄπειμι¹] **absence** (W.GEN. fr. a battle) Hdt.

ἀ-πευθής ές adj. [privatv.prfx.; πεύθομαι, see πυνθάνομαι]
1 without acquiring knowledge; (of persons, their eyes) **unaware, uninformed** Od. Call.; (of twigs or shoots) **ignorant** (W.GEN. of the sickle) Call.
2 (of a person's death) **unknown, concealed** Od.

ἀπ-ευθύνω vb. [ἀπό] **1 straighten out** —a bent sword Plb.; (of the mind) —the liver (W.PREDIC.ADJ. so that it is such and such) Pl.
2 pull back —a captive's arms (W.DAT. w. bonds, i.e. fasten them behind his back) S.
3 guide, direct —someone S.Ichn. —(W.INF. to go somewhere) A. —humans (likened to livestock) Pl.
4 govern, pilot —a city, its affairs S. Aeschin.; (of a skill) **guide** —the manufacture of sthg. Pl.
5 (of the gods' strength) **correct** —arrogant mortals E.
6 (of a legislator) **regulate** —equality in awards (W.DAT. by a system of lots) Pl.

ἀπευκτός όν adj. [ἀπεύχομαι] **to be prayed away**; (of a person) **abominable** A.; (of the pain of a defeat) A.; (of war, unrest) Pl.

ἀπεύχετος ον adj. (of ritual pollution, a marriage) **to be prayed away, abominable** A.

ἀπ-εύχομαι mid.vb. **1 disavow** —a bond of kinship A.
2 pray to avert —curses invoked upon someone E.; **pray** —w. τοῦτο and μή + OPT. that this event shd. not happen Ar.
3 pray to avoid —an affliction D. —W.INF. realising sthg. D. —W.ACC. + INF. or μή and ACC. + INF. a situation arising Pl. D.

ἀπεφάργνυσα (Att.3sg.aor.): see ἀποφράττω

ἀπέφθιθεν (ep.3pl.aor.pass.), **ἀπέφθιτο** (3sg.athem.aor.mid.): see ἀποφθίνω

ἄπ-εφθος ον adj. [ἑφθός] (of gold) **heated so as to be free** (of impurities), **refined** Ibyc. Thgn. Hdt. Th.

ἀπ-εχθαίρω vb. **1 detest, despise, abhor** —someone Il.; (of snakes) —man-made paths Hes.fr.
2 (of a missing person) **make** (W.ACC. food and sleep) **repulsive** —W.DAT. to a grieving comrade Od.

ἀπ-εχθάνομαι mid.pass.vb. [ἔχθος] | impf. ἀπηχθανόμην | fut. ἀπεχθήσομαι | aor.2 ἀπηχθόμην | pf. ἀπήχθημαι |
1 incur intense hatred, be detested (sts. W.DAT. by gods or persons) Hom. Hdt. E. Th. Ar. Att.orats. +; **be detestable** —w. πρός + ACC. to someone E. Arist.
2 (of old age) **be abhorrent** Pi.; (of thinking about a former lover) —W.DAT. to a beloved Sapph.
3 (of persons) **be hostile** Plu. —W.DAT. or PREP.PHR. to someone Od. Plu.; **be hostile to one another** Plu.
4 cause offence (sts. W.DAT. to someone) Isoc. Pl. X.; (of ways of speaking) X.
5 (wkr.sens.) **cause irritation** (sts. W.DAT. to someone) Pl.

ἀπέχθεια ᾱς *f.* [ἀπεχθής] **1 hatred, hostility** (sts. w. πρός + ACC. towards a person, a community) D. Arist.; (W.GEN. for sthg.) Arist.
2 state of being hated; **hatred** A. Pl. X. Is. D. +; (W.GEN. arising fr. someone's actions) Antipho; (w. πρός + ACC. in relation to or fr. someone) Att.orats.
3 situation involving hostility, quarrel (sts. w. πρός + ACC. w. someone) Aeschin. D.

ἀπέχθημα ατος *n.* **object of hatred** (ref. to heralds) E.

ἀπ-εχθής ές *adj.* [ἔχθος] **1** (of persons) **detested, hated** (sts. W.DAT. by someone) S. Isoc. Call. Theoc. Plu.; (of crimes) Call.
2 (of persons) **full of hate, hostile** (W.DAT. to someone) Plu.; (of accusations) **malicious** Plb.
—**ἀπεχθῶς** *adv.* **with hostility** (towards someone) D. Plu.

ἀπεχθητικός ή όν *adj.* **of the hostile kind**; (of persons) **disapproving, disparaging** (opp. flattering) Arist.

ἀπ-έχθομαι *pass.vb.* **1 be hated** —W.DAT. *by someone* Theoc.
2 be hostile or **averse** —W.DAT. *to violence, battles* Plu.

ἀπ-έχω *vb.* | neut.impers.vbl.adj. ἀφεκτέον, pl. ἀφεκτέα (Ar.) |
1 keep (a person or animal) **away** (fr. a goal or destination); **hold back** —*people, livestock* (W.GEN. *fr. a place, a battle*) Il. Hdt. —*wives* (W.PREP.PHR. *fr. their husbands*) Ar. —*a bull* (W.GEN. *fr. a cow*) A.
2 keep away —*wounds* (W.DAT. *fr. someone's flesh*) Il. —*beatings, insults* Od.; (of a poet) —*reproach* Pi.
3 keep (sthg. of one's own) **away** (fr. someone or sthg. else); **hold back** —*one's sword* E. —*one's hands* (W.GEN. *fr. one's enemies*) A. —*one's aggression* Hes.; (of winds) —*their gales* Hes.; (of a horse) **withdraw** —*its nose* (W.PREP.PHR. *fr. dung*) Ar. || MID. **keep** (W.ACC. one's hands) **away** Pl. —W.GEN. *fr. an enemy, their property* A. D. —*fr. someone desirable* Pl. —*fr. evil deeds* Od.(tm.); **keep one's hands away** —W.GEN. *fr. money held by one's city* Din.
4 keep or **take** (someone or sthg.) **away** (fr. somewhere); **keep** (W.ACC. a chariot) **out** —W.GEN. *of contests* Pi.; (of a helmsman) **keep** (W.ACC. a ship) **away** —W.GEN. *fr. islands* Od.; (of an event) **remove** —*someone* (W.GEN. *fr. somewhere*) Od.
5 || MID. **keep oneself away**, **stay away** —W.GEN. *fr. a person, battle, place, troubles* Hom. + —*a topic* Ar. X.; (of animals) —*fr. others* Ar.(oracle) —*fr. certain pastures* X.
|| NEUT.IMPERS.VBL.ADJ. **it is necessary to stay away** —W.GEN. *fr. certain people* X.
6 || IMPERATV. **go away!** Archil. A.
7 (of the collar-bone) **separate** —*the neck* (W.GEN. *fr. the shoulders*) Il.(tm.)
8 (intr.) **keep away, refrain** —W.GEN. *fr. aggressive behaviour* Aeschin. || MID. **refrain, abstain** Archil. Ar. D. —W.GEN. *fr. pleasures, activities, or sim.* Ar. Att.orats. + —W. μή + INF. *fr. doing sthg.* Th. Thphr. —w. τό and μή + INF. Pl. X.
|| NEUT.IMPERS.VBL.ADJ. **it is necessary to abstain** Ar. —W.GEN. *fr. pleasures, activities* Ar. Isoc. Pl. X. Arist.
9 || MID. **hold back** (fr. attacking or exploiting), **spare, leave alone** —W.GEN. *an enemy, a city* Od. Hdt. Th. —*Homeric poetry* Aeschin.; (of a profligate person) —*some assets* Att.orats.; (of a people) —*certain animals* (*as sacrifices*) Hdt.; (of lions) —*pack animals* Hdt. || PASS. (of a region's produce) **be excluded** —W.GEN. *fr. rites* Hdt.
10 (intr.) **be located at a distance** (fr. somewhere); (of persons) **be away** Th. X. NT. —W.GEN. or PREP.PHR. *fr. a place* Hdt. Th. +; (of a place) Hdt. —*fr. another place* Hdt. Th. +; (of a mountain peak) —*fr. the Pole Star* Call.; (of a mid-point) —*fr. each end* Pl.
11 (of persons) **be distant** (in time) —W.GEN. *fr. death* Aeschin.
12 (of persons) **be very different** Aeschin. —W.GEN. *fr. others* X. Aeschin.; (of a kind of government) —*fr. another kind* Arist.; (of extremes of behaviour) —*fr. the virtue in the middle* Arist. || IMPERS. **it is far away** (fr. the truth) —W.INF. *to say sthg.* Pl.
13 (of persons) **be far away** —W.GEN. *fr. a discovery* Hdt. Isoc.; **be far removed** —w. τοῦ + INF. *fr. doing sthg.* or *being such and such* Isoc. Plb.; (of actions) —w. τοῦ and μή + PASS.INF. *fr. being done in anger* D. || IMPERS. **it is far** (w.connot. of implausibility) —W.GEN. *fr. certain persons* (*to have done sthg.*) D.
14 (of a person's heart) **be estranged** —W.PREP.PHR. *fr. God* NT.
15 possess after receiving (sthg., fr. someone); **have, have received** —*a debt of money or gratitude, a reward, comfort* Call.*epigr.* NT. Plu. —*an answer* (*in a letter*) Aeschin.
16 || IMPERS. (exclam.) **that is enough time!** NT.

ἀπέψω *Ion.vb.*: see ἀφέψω

ἀπέωσα (aor.): see ἀπωθέω

ἀπηγέομαι *Ion.mid.contr.vb.*: see ἀφηγέομαι

ἀπήγημα ατος *Ion.n.* [ἀφηγέομαι] **story, tale** Hdt.

ἀπήγησις ιος *Ion.f.* **narration, explanation** Hdt.

ἀπηγόρημα ατος *n.* [ἀπαγορεύω] **counter-assertion** (in the scrutiny of a candidate) Pl.

ἀπ-ηθέω *contr.vb.* (fig., of a poet envisaged as a doctor) **strain off** —*a decoction of words* (W.PREP.PHR. *fr. books*) Ar.

ἀπηλεγέω *contr.vb.* [reltd. ἄλγος or ἀλέγω] (of a person violating local customs) **show no concern** AR.

ἀπηλεγέως *Ion.adv.* **1 without concern** (for anything else); **unreservedly, forthrightly** —*ref. to speaking* Hom. hHom. AR.
2 inconsiderately —*ref. to angering someone* AR.
3 without distraction or **hesitation** AR.

ἀπῆλθον (aor.2): see ἀπέρχομαι

ἀπ-ηλιαστής οῦ *m.* | du. ἀπηλιαστᾶ | **one who avoids serving as a juror**, **non-juror** Ar.

ἀπῆλιξ *Ion.masc.fem.adj.*: see ἀφῆλιξ

ἀπ-ηλιώτης ου (Ion. εω) *m.* [ἥλιος] **one that comes from the east**; **east wind** Th. Plu.; (appos.w. ἄνεμος) Hdt. E.*Cyc.*

ἀ-πήμαντος ον *adj.* [privatv.prfx., πημαίνω] **1 not harmed** Od.
2 (of persons, their lives) **not troubled** Hes. Simon. Pi.
3 (of Zeus' strength) **not causing harm** A.; (of an amount of wealth) **not harmful** A.

ἀπήμβροτον (ep.aor.2): see ἀφαμαρτάνω

ἀπημονίη ης *Ion.f.* [ἀπήμων] **freedom from affliction, safety** (bestowed by Zeus) Call.

ἀπημοσύνη ης *f.* **safety** (for a city, bestowed by Zeus) Thgn.

ἀπήμπλακον (aor.2): see ἀπαμπλακεῖν

ἀ-πήμων ον, gen. ονος *adj.* [privatv.prfx., πῆμα] **1** (of a person) **free from harm** Hom. Hdt. Pl. AR.; (of a homeward voyage, a destiny) Od. AR.; (of a voyage) **without harm** (W.GEN. *to the ships*) E.
2 (of a person, heart, prosperity, life) **free from pain** or **grief** Thgn. A. Pi. Tim.; (of an abode) **free** (W.GEN. *fr. distress*) A.
3 not harmful; (of a guide, herald, helper) **friendly** Od. A. AR.; (of a wind, sea, sleep) **gentle, calm** Hom. Hes. Semon.; (of a location) **peaceful** hHom.; (of advice) **pleasing** Il.

ἀπηναῖος η ον *Ion.adj.* [ἀπήνη] (of mules) **for a wagon** Call.

ἀπηνείη ης *Ion.f.* [ἀπηνής] **cruelty** AR.

ἀπήνη ης, dial. **ἀπήνᾱ** ᾱς f. **1** a kind of vehicle for baggage (esp. drawn by mules), **wagon** Hom. Tim. AR. Mosch. Plu. **2** wheeled conveyance of any kind, **carriage** Hes. A. Pi. S. Plb. Plu.; (gener.) **conveyance** (ref. to the Trojan Horse) E.; (W.ADJ. πλωτή *sailing*, ναῖα *naval*, ref. to a ship) Lyr.adesp. E. **3** pair (of draught animals); (fig.) **team** (W.ADJ. *kindred*, i.e. *of two brothers*) E.

ἀπηνής ές adj. [reltd. πρᾱνής, προσηνής] **1** (of persons, their hearts, thoughts) **unyielding, unfriendly** Hom. Thgn. Hellenist.poet.
2 (of a message, statement) **cruel** Il. hHom. Pl.(dub.) Call.; (of a fighting style) AR.; (of policies) Pl. Plu.
3 (of that which is on display) **provocative, tormenting** Ar.
—**ἀπηνῶς** adv. **without yielding** —*ref. to treating suppliants* Plu.

ἀπῆνθον (dial.aor.2): see ἀπέρχομαι

ἀπηρής ές adj. [ἄπηρος] (of sailors, their return) **free from wounds** AR.

ἄ-πηρος ον adj. [privatv.prfx., πηρός] **free from deformity** Hdt.

ἀπηύρων ep.athem.aor.vb. [ἀπό, perh.reltd. ἐρύω] | 2 and 3sg. ἀπηύρᾱς, ἀπηύρᾱ | ptcpl. ἀπούρᾱς | 3pl.fut. ἀπουρήσουσι (Il., v.l. ἀπουρίσσουσι) | mid.ptcpl. ἀπουράμενος | **1 take away** —*a concubine, child, prize* Il. AR. —*fields* (W.DAT. *fr. someone*) Il.(dub.) —(W.GEN. *fr. someone*) Pi. —*a person's life, prosperity* (sts. W.DAT. *fr. someone*) Hom. —*a homecoming* Od. AR.; (of a lion) —*an animal's life* Hes.; (of the sea) —*sailors* (W.DAT. *fr. their leader*) Od.; (of warfare, W.ACC. soldiers understd.) A. || MID. (of boars) **take away** —*one another's lives* Hes.
2 rob —*someone* (W.ACC. *of a ship, armour, possessions, life, strength, or sim.*) Hom. Hes.; **deprive** —*a creature* (W.GEN. *of its life*) AR. —*an expedition* (*of its return*) AR.
3 app. **suffer in consequence** —W.GEN. *of a wicked man* Hes.

ἀπ-ηχής ές adj. [ἠχή] (of a statement) **discordant** Pl.(dub.)

ἀπηχθόμην (aor.2 mid.): see ἀπεχθάνομαι

ἀπήωρος ον ep.adj. —also **ἀπάορος** ον dial.adj. [ἀπαίρω] (of branches) **out of reach** Od.; (of a person, W.GEN. of enemies) Pi.

ἀπ-ιάλλω vb. | dial.inf. ἀπιάλλην | app. **send back** (comments) —W.ADV. *to a place* Th.(treaty)

ἀπίημι Ion.vb.: see ἀφίημι

ἀ-πίθανος ον adj. [privatv.prfx., πιθανός] **1** (of a story or statement) **implausible, incredible** Pl. Aeschin. Plb. Plu.; (of a dramatic plot) **unconvincing** Arist.
2 (of a person) **not persuasive** Men.; (of a speech) Pl. Plb.; (of an expression, its brevity) Arist. Plu.
3 (of the outcome of a course of action) **hard to justify** Plb.
4 (of a statesman, historians) **untrustworthy** Aeschin. Plu.
5 (of a person) **not persuaded** (by a line of argument) Pl.
6 without confidence (W.INF. to do sthg.) Plu.
—**ἀπιθάνως** adv. **not persuasively** Isoc. Plu.

ἀπιθανότης ητος f. **implausibility** (W.GEN. of an accusation) Aeschin.

ἀπιθέω ep.contr.vb.: see ἀπειθέω

ἀπικνέομαι Ion.mid.contr.vb.: see ἀφικνέομαι

ἀπ-ίλλω vb. [ἀπό, εἰλέω¹] app. **shut out** —W.DAT. *by means of a door* Lys.(law)

ἀ-πινύσσω vb. [privatv.prfx., πινυτός] **1 lack discernment** Od.
2 (of a wounded warrior) **be dazed** Il.

ἄπιξις Ion.f.: see ἄφιξις

ἄπιος¹ ου f. **pear** (of a cultivated kind, opp. wild) Pl. Thphr. Theoc. Plu.

ἄπιος² ᾱ (Ion. η) ον adj. [ἀπό] (of a land) **distant** Hom. S.

Ἄπιος ᾱ ον adj. [Ἆπις²] (of land) of or relating to Apis, **Apian** (ref. to Argos or the Peloponnese) A. S. || FEM.SB. Apia (a name for Argos) A. Plb.

ἀπ-ῑπόω contr.vb. [ἀπό] **squeeze** or **press** (W.ACC. fruits) **dry** Hdt.

Ἆπις¹ ιδος (Ion. ιος) f. **Apis** (Egyptian deity worshipped as a bull) Hdt. Arist. Plu.

Ἆπις² ιδος m. **Apis** (a doctor and diviner, son of Apollo, who settled in Argos) A.

Ἀπίς ίδος f. **Apis** (a name for the Peloponnese) AR. Theoc.

ἀπ-ισόω contr.vb. [ἀπό] **make** (W.ACC. two wooden batons) **identical in size** Plu.; **make** (W.ACC. oneself) **fit** —W.DAT. *one's bed* Plu. || PASS. (of a quantity of gold) be made equal —W.DAT. *to the value of a cargo* Hdt.

ἀπιστέω contr.vb. [ἄπιστος] | f.t.pass. ἀπιστήσομαι |
1 consider untrue, disbelieve —*an idea, a claim* Od. Lys. X. || PASS. (of proposals) seem implausible Pl.; (of education in rhetoric) be regarded with suspicion Isoc.
2 disbelieve —W.DAT. *someone* (esp. a witness) Hdt. Att.orats. Pl. Thphr. NT. —*statements or sim.* Hdt. Att.orats. Pl. X. + || PASS. (of a defendant) be disbelieved D.; (of reports) Th. Pl. X.
3 distrust —W.DAT. *someone* Hdt. Th. Ar. Att.orats. Pl. X. + —*a line of argument, ability, situation, or sim.* Th. Att.orats. —*a god, fortune, fate* E. Antipho; **be distrustful** (of someone) Pl. D. || PASS. be distrusted Att.orats. X.; (of the recognition of an ally, at night) be unreliable Th.
4 be incredulous Hdt. S.*Ichn.* E. Th. Ar. Pl. +; **doubt** —W.COMPL.CL. *that sthg. is the case* S. Isoc. Pl. Arist. —w. μή and ACC. + INF. Th. Pl. D. || IMPERS.PASS. there is doubt Pl. —w. μή and ACC. + INF. *that sthg. is the case* Pl.
5 suspect —w. μή + SUBJ. *that sthg. is the case* Pl. X. —W.DAT. *someone* (W.INF. *of doing sthg.*) Plb.
6 be disobedient S. —W.DAT. *to a person, commands, or sim.* Trag. Pl.; **refuse to comply** E. Arist. —W.DAT. *w. a prosecutor* Pl. —*w. advice, omens* S. X.; **refuse** —W.INF. *to do sthg.* Lys.
7 (of soldiers, allies) **be disloyal** X. —W.DAT. *to their people* X.

ἀπίστημι Ion.vb.: see ἀφίστημι

ἀπιστίᾱ ᾱς, Ion. **ἀπιστίη** ης f. | ep.Ion.dat. ἀπιστίῃ *metri grat.* | **1** reluctance to trust, **distrust, suspicion** (esp. towards a person) Hes. Thgn. Th. Ar. X. +
2 reluctance to believe (esp. that sthg. unlikely or unexpected is the case), **incredulity** A. Hdt. E. Th. Pl. +
3 implausibility (of an explanation, line of argument, report) Hdt. Isoc. Pl. Is. Men.
4 unreliability (of an ignorant and forgetful person) Pl.
5 intentionally unfaithful behaviour, **dishonesty, perfidy** S. Att.orats. X. NT.; **duplicity** (assoc.w. war) Isoc.
6 discrediting (W.GEN. of a prosecutor) Arist.

ἄ-πιστος ον adj. [privatv.prfx., πιστός] **1** (of persons) **not trustworthy** Il. Archil. E. Th. Ar. Att.orats. Pl. +; (of hope, pleasure, pledges, or sim.) E. Th. Lys. Pl. X.
2 (of persons) **not trusted, discredited** Thgn. Hdt. Th. Att.orats. Pl. +; (of facts, an agreement, a verdict) Att.orats.
3 impossible or difficult to believe; (of statements, stories, testimony) **unbelievable** Pi. Hdt. Trag. Th. Ar. Att.orats. +; (of events or sim.) **incredible** Pi. Trag. Th. Att.orats. Pl. +
4 (of an argument, report, proof) **unpersuasive** Th. And. Pl.
5 (of conclusions) **uncertain, doubtful** Pl.
6 (of a harbour, the sea) **treacherous, unreliable** S. Tim.
7 (of a person's schemes, manners) **deceitful** Thgn. Pl.
8 (of a person, heart, ears) **incredulous** Od. Hdt. E. Pl. NT.

9 (of persons) **distrustful** (towards someone) Th. D.; **cautious** (in prosperous times) Th. ‖ NEUT.SB. **distrust** Th. **10** (of persons, their decisions, behaviour) **disobedient** A. E.; **disloyal** (W.GEN. towards their comrades) A.; (oxymor., of a pledge of loyalty) And.
—**ἀπίστως** adv. **1 treacherously** (towards allies) Isoc. **2 distrustfully** Th. Isoc. X. D.

ἀπιστοσύνᾱ ᾱς dial.f. **untrustworthiness** E.

ἀπ-ισχῡρίζομαι mid.vb. [ἀπό] (of an army) **put up resistance** —W.PREP.PHR. **to an enemy** Plu.; (of persons) Th. Plu. —**to advisers, pleasures, loyalties** Plu.

ἀπ-ίσχω vb. **1 hold away** or **back** —one's sword Od. **2** (intr.) **hold back, keep away** Archil.

ἀπλάκημα n.: see ἀμπλάκημα

ἀπλακών (aor.2 ptcpl.): see ἀμπλακεῖν

ἀ-πλανής ές adj. [privatv.prfx., πλανάω] **1 not wandering**; (of a vehicle) **stationary** Pl.; (of stars, opp. planets) **fixed** Pl. Arist.
2 (of circular movt.) **free from the wanderings** (W.GEN. of other kinds of movt.) Pl.; (of the revolutions of the heavenly bodies) **unerring** Pl.

ἄ-πλαστος ον adj. [πλαστός] **1 not shaped by moulding**; (of Titans, the Bronze Race) **unshapen, rough** Hes.
2 not manipulated or crafted; (of a person's spirit) **sincere** Plu. ‖ NEUT.SB. **sincerity** Plu.
3 (pejor., of an advocate's voice) **unmodulated, untrained** Plu.

ἄ-πλᾱτος, Ion. **ἄπλητος**, ον adj. [πλατός] **1** (of monstrous creatures, their physical attributes, strength, rage) **unapproachable, terrifying** Hes. hHom. Pi. B. Trag.; (of volcanic fire) Pi.
2 (of a fate) **terrible** S.; (of a bed, fig.ref. to death) E.
3 (of the noise of battle) **tremendous** Hes.; (of an army's size) **overwhelming** (W.INF. to look upon) E.
—**ἄπλητον** neut.adv. **dreadfully** Hes. Semon. AR.

ἄ-πλετος ον adj. [2nd el.uncert.] **1** (of a crowd, salt deposits, dust-clouds) **immense** Hdt. Plb. Plu.; (of the height of the air, the light of the sun) Emp.; (of the world) Plu.; (of a period of time) Pl.; (of fame, a burden of grief) Pi. S.
2 (of fish, ships) **large** AR. Plu.
3 (of precious metals, plunder, grain) **abundant** Hdt. Plb.; (of rain, snowfall) Hdt. X.
4 (of lamentation, fighting) **tremendous** Hdt. Pl.

ἄ-πλευστος ον adj. [πλέω¹] (of a sea) **not sailed upon** X.

ἄ-πληκτος ον adj. [πλήσσω] **1** (of a person) **not struck, unwounded** E.
2 not to be struck; (of a horse) **not needing to be whipped** Pl.

ἀπληστίᾱ ᾱς f. [ἄπληστος] **1 insatiable appetite** Att.orats. Pl. Plu.; (W.GEN. for sex, wealth, honours, glory, power) E. Pl. Plu.
2 greediness (W.GEN. of Midas' prayer for gold) Arist.

ἄ-πληστος ον adj. [πίμπλημι] **1** (of persons, their desires, hopes, or sim.) **impossible to satisfy, insatiable** Thgn. A. E. Pl. X. D. +; (of persons) **with an insatiable appetite** (W.GEN. for money, blood, evil, conflict, or sim.) A. Hdt. E. Pl. X. D. +; (of a god, civil conflict, for evil) A. E.fr.; (of part of the soul, for possessions) Pl.
2 (of shouting) **incessant** S.; (of feasting) Plb.
—**ἀπλήστως** adv. **1 insatiably, eagerly** Isoc. Pl. Plu.
2 intemperately Isoc. Pl. X.

ἄπλητος Ion.adj.: see ἄπλατος

ἄπλοια ᾱς, Ion. **ἀπλοΐη** ης f. [ἄπλοος] **impossibility of sailing** (because of unfavourable weather) A. E. Th. Call. ‖ PL. **unfavourable conditions for sailing** Hdt.; (W.ADJ. caused by contrary winds) A.

ἀπλοΐζομαι mid.vb. [ἁπλοῦς] **behave honestly** X.

ἀπλοΐς ίδος fem.adj. (of a cloak) **worn as a single layer, single** Hom.

ἁπλο-κύων κυνος m. **nothing but a dog** (as a term of abuse for a Cynic philosopher) Plu.

ἁπλόος dial.adj.: see ἁπλοῦς

ἄ-πλοος ον, Att. **ἄπλους** ουν adj. [privatv.prfx., πλόος] | compar. ἀπλοώτερος | **not for sailing**; (of ships) **not seaworthy** Th. And. X.; (of bodies of water) **not navigable** (due to their width or depth, piracy, an enemy) D. AR. Plb. Plu.

ἁπλότης ητος f. [ἁπλοῦς] **1 simplicity** (opp. variety, in music) Pl.
2 sincerity, frankness (in a person's character) X. Aeschin. Plb. NT. Plu.; **straightforward behaviour** (shown by a city) X.
3 simplicity (of character, w.connot. of gullibility) Plu.

Ἄπλουν dial.m.: see Ἀπόλλων

ἁπλοῦς ῆ οῦν Att.adj. —also **ἁπλόος** ᾱ ον (Pi.) dial.adj. | Att.compar. ἁπλούστερος | Att.superl. ἁπλούστατος |
1 unaccompanied (by another of the same kind); (of a leader) **single** E.fr.; (of a wall) Th.; (of the ridge on a horse's back) X.; (of a verdict, an opinion) S. Pl.; (of an affliction, a lifetime) S. E. Lys.
2 (of property seized, a debt, a fine) **without additions, alone** D.; (of a narrative) Pl.
3 consisting of or **forming a single amount**; (of suffering, an expression of gratitude) **single** S. E. ‖ NEUT.SB. **single share** X. Hyp.; **simple reparation** D.
4 consisting of a single form; (of a god) **unchanging** Pl.; (of democracy) **of one kind** Pl. ‖ NEUT.SB. **uniformity** (in a hound's colour) X.
5 consisting of one component; (of book-rolls) perh. **of a single text** Plu.; (of a noun) **simple** (opp. compound) Arist. ‖ FEM.PL.SB. **shoes with a single-layer sole** (assoc.w. Spartans) D.
6 consisting of few diverse components; (of a human) **simple** (in comparison w. Typhon) Pl.; (of a soul) Pl.; (of training, a diet) Pl. Plb.; (of desires, classes of odours) Pl.
7 not mixed (w. other elements); (of the Forms, the One) **pure** Pl. Arist.; (of a lack of restraint) Arist.
8 not complicated or intricate; (of a story, speech, situation, reasoning) **simple** Trag. Att.orats. Pl. +; (of tasks, courses of action, areas of expertise) Att.orats. Pl. +; (of a person's rights) Is. D.; (of paths, routes) Pi. Pl. X.; (of problems, solutions) Pl.; (of a rhythm) Carm.Pop.
9 not adorned or developed; (of buildings) **plain** Pl.; (of a story, expression, statement) **blunt** A. Ar. Aeschin.; (of ancient laws) **primitive** Arist.
10 without qualification or conditions; (of a way of ruling) **without interference** Ar.; (of causes) **non-specific** Arist.; (of a law) **without exceptions** Pl.; (of a statement, decision) **without qualification** Pl. Arist.; (of a word, fr. the rest of a phrase) Arist.
11 (of persons, their manner or speeches) **straightforward, sincere** E. Ar. Att.orats. Pl. X. +; (of a judge) **honest** Arist.; (of a person's eyes) **free from deceit** NT. ‖ NEUT.SB. **integrity** Pl. X. D.
12 (pejor., of people) **simple-minded** Pl.
—**ἁπλῶς** Att.adv. **1 single-mindedly** —ref. to studying, serving one's city, living for a loved one Pl. D. Men.; **purely** (opp. for some benefit) Pl.
2 in only one way —ref. to a deity existing Pl.; **simply** (opp. in all kinds of ways) Eleg.adesp.
3 one by one (opp. in groups) —ref. to listing causes Arist.

4 in an uncomplicated way, simply —*ref. to explaining or understanding, forming a custom or law* A. Att.orats. Pl. X. + —*ref. to setting a price* Pl.
5 without refinement, artlessly —*ref. to speaking* Isoc. Aeschin.
6 in summary E. Th. Ar. X. +; **generally** (opp. precisely, specifically) —*ref. to speaking* Isoc. Pl. Arist. —*ref. to laws being framed* Isoc.; (pejor.) **simplistically, superficially** —*ref. to investigating a question* Pl. Arist.
7 without qualification —*ref. to using language* Pl. Arist. Din. —*ref. to accepting a statement* E. Pl.; **absolutely, genuinely** —*ref. to someone or sthg. being such and such* Lyr.adesp. Pl. X. +; (phr.) τὸ ἁπλῶς καλόν or ἀγαθόν *the absolute or unqualified good* Arist.
8 with integrity —*ref. to speaking, behaving* Isoc. X. D. Men.; **frankly** —*ref. to speaking* Pl. X.
9 (pejor.) **naively, simplistically** Isoc.
—**ἁπλωστί** *adv.* **simply** —*ref. to speaking* A.(cj.)
ἁπλοῦς Att.adj.: see ἁπλόος
ἄ-πλουτος ον *adj.* [privatv.prfx., πλοῦτος] (oxymor., of wealth among the Spartans) **worthless** Plu.(quot. Thphr.)
ἄ-πλυτος ον *adj.* [πλῦνω] (of clothes, testicles) **unwashed** Semon. Ar.
ἁπλῶς Att.adv., **ἁπλωστί** *adv.*: see under ἁπλοῦς
ἄ-πνευστος, ep. **ἀνάπνευστος**, ον *adj.* [πνέω] **1** (of a man washed up by the sea) **unable to breathe, breathless** Od.
2 (of a man dying or in a death-like sleep) **without breath** Hes. Theoc.
—**ἀπνευστί** *adv.* **1 without breathing** (in order to stop hiccups) Pl.
2 without a pause for breath D. Thphr.(dub.)
ἄ-πνοος ον, also **ἄπνους** ουν *adj.* [πνοή] **1 without breath**; (of a dying horse, a dead nautilus) **lifeless** Call.*epigr.* AR.
2 (of oils) **scentless** Call.
ἀπό, ep. **ἀπαί** (Emp.), Aeol. **ἀπύ** (also **ἄπ**) *prep.* [reltd. ἄψ] | W.GEN. | sts. following its noun (w. anastrophe of the accent), e.g. νεῶν ἄπο *from ships* Il. |
—**A** | movt. or separation |
1 (ref. to moving, removing, separating, or sim.) **away from, from** —*persons, places, things* Hom. +
2 (ref. to change) **from** —*a previous state or activity* A. E. Theoc.
3 (partitv.) **from, out of** —*a larger number or entity* Od. +
—**B** | space or location |
1 away or **apart from** —*persons, places, things* Hom. +
2 at (a position or place, fr. which action or movt. proceeds); **on** —*a mountain, tower, chariot, horse, ship, or sim.* Hom. + • οἱ ἀπὸ τῶν καταστρωμάτων τοῖς ἀκοντίοις ἐχρῶντο *those on the decks used their javelins* Th.
3 at a distance (fr. non-material things); **wide of** —*one's aim, hope, expectation, a standard of behaviour, or sim.* Hom. + | see also καιρός 4, ῥυθμός 7, σκοπός 5, τρόπος 6
—**C** | time |
1 from, after or **since** —*a beginning, point in time, event, or sim.* Il. + | see also γενεά 10, ἑσπέρα 1, Ἑστία 1, ἡμέρα 1, παλαιός 5, πρῶτος 5, ὕπνος 4, (advs.) ἄρτι 1, 4, τότε 6
2 reckoning back from, before —*a person (i.e. his lifetime)* Hdt. —*a day* X.
—**D** | source or origin |
1 descended or **born from, from** —*an ancestor, parent, or other source* Od. +
2 originating from, from —*a country, city, or sim.* Il. +
3 made from (a material or ingredient); **from, out of** —*cotton, grapes, honey, or sim.* Hdt. Trag. +

4 deriving one's affiliation from (a teacher, sphere of activity) — οἱ ἀπὸ Πλάτωνος *Platonist philosophers* Plu. • οἱ ἀπὸ σκηνῆς καὶ θεάτρου *people of the stage and theatre* Plu.
5 (ref. to making a livelihood, depending for sustenance, or sim.) **from** or **on** —*persons, animals, food, land, money, warfare, or sim.* A. Hdt. +
6 (ref. to learning news) **from** (i.e. about) —*an army* Hdt.
—**E** | agency or cause |
1 by the agency, means or use of, by, through —*someone or sthg.* Hdt. Trag. +
2 by reason of, because of —*events, circumstances, personal qualities* A. Hdt. E. +
3 (ref. to being reckoned such and such) **on the basis of, from** —*bodily or facial appearance* X. Thphr. Theoc.
—**F** | manner or attendant circumstances |
(phrs.) ἀφ' ἡσύχου ποδός *with calm step* (i.e. relaxedly) E.; ἀπὸ στόματος *off the cuff, extempore* (ref. to speaking) Pl. X. Plu.; ἀπὸ σπουδῆς *earnestly* Il.; ἀπὸ (τῆς) ἴσης *on an equal basis, equally* Th. D. Plu. | see also ἀληθής 7, γλῶσσα 3, ἔοικα 9, εὐθύς 3, κράτιστος 7, μέρος 7, παρασκευή 4, παραχρῆμα 3, περιουσία 3, προφανής 2, χείρ 1

ἄπο¹ *adv.* | The adv. is used as equiv. to 3sg. ἄπεστι | (of things) **be absent** or **missing** Semon. Timocr.
ἄπο² (anastrophe): see ἀπό
ἀποαίνυμαι ep.mid.vb.: see ἀπαίνυμαι
ἀποαίρεο (ep.mid.imperatv.): see ἀφαιρέω
ἀπο-βάθρᾱ ᾱς, Ion. **ἀποβάθρη** ης *f.* [βάθρον] **means of disembarking, gangplank** Th.; (used in sea-battles for boarding enemy ships) Hdt.
ἀπο-βαίνω *vb.* | athem.aor. ἀπέβην, 3pl. ἀπέβησαν, dial. ἀπέβασαν, also ἀπέβαν (Pi.), ptcpl. ἀποβάς | aor.1 (causatv.) ἀπέβησα (Hdt.) || ep.3sg.aor.2 mid. ἀπεβήσετο |
1 step out or **off; dismount** (fr. a horse, chariot) Il. E.; **disembark** (fr. a ship) Od. hHom. Hdt. Th. Att.orats. +; (of ships) **make landfall** Th.
2 (causatv., aor.1) **put ashore** —*one's army, slaves* Hdt.
3 step down —W.PREP.PHR. *into Laconian footwear* (or onto *Laconian land*) Ar.
4 step away or **back** —W.GEN. *fr. sacred ground* S.; **get out** —W.GEN. *of a boat* (during a storm) Od.
5 go away, depart Hom.(sts.mid.) hHom. Pi. S. E. +; (of a horse) X.; (of hopes) E. || PF. (of the dead) **be gone** E.(tm.)
6 (of the ancient Acropolis) **extend** —W.PREP.PHR. *towards a place* Pl.
7 (of persons) **turn out** —W.PREDIC.ADJ. *such and such* Th. Isoc. Pl. X. +; **prove fit** —W.PREP.PHR. *for political life* Pl.; (of a youth) **come** —W.PREP.PHR. *into genuine manhood* Theoc.; (of horses, after training) **end** —W.PREP.PHR. *in a certain condition* X.
8 (of a wound) **prove** —W.PREDIC.ADJ. *curable* Pl.; (of events) **result** Hdt. E. Th. Att.orats. Pl. + —W.PREP.PHR. *in an outcome or condition* Hdt. Th. Isoc. Pl. + || IMPERS. **there is an outcome** Hdt. Th. || NEUT.PTCPL.SB. **outcome** Hdt. Th. Isoc. Pl. + | see also ἀναβαίνω 11
9 (of promises, hopes) **be fulfilled** Th. Isoc. D.; (of a saying, an omen) **prove true** And. X.
ἀπο-βάλλω *vb.* **1 throw off** —*one's cloak, headgear, weapons* Hom.(tm.) Ar. NT. —*a burden of anxiety* A.(tm.) —*sleep* (W.GEN.*fr. one's eyes*) E. —*fears* (fr. one's heart) AR.(tm.); **unload** —*a cargo* (fr. a ship) X.
2 throw away —*clothes, weapons, possessions, rubbish* hHom. Hdt. Ar. Att.orats. + —*a child* (by exposure) E. —*hopes, misunderstandings* E. Pl. —*artistry* Ar.; **squander** —*resources,*

wealth And. Ar.; (of a sculptor) **spoil** —*the symmetry* (*of a feature*) Arist. || MID. (of a ship's captain) **jettison a cargo** Arist.; (of a people) **discard** —*an ally's support* And.
3 let (sthg.) **fall away; let** (W.ACC. a tear) **fall** —W.GEN. *fr. one's cheeks* Od.(tm.); (of a locust) **shed** —*its wings* Ar.; (of a poppy) —*its petals* Stesich.(tm.); (fig.) **consign** —*a lawgiver* (W.PREP.PHR. *to the inferior class of lawgivers*) Pl. || 2SG.MID.OPT. (in an imprecation) **may you lose** —*your buttocks* Ar.
4 reject —*someone or sthg.* E. Pl. X.; (mid.) —*one's wife* Is.(dub.) —*a lover* Theoc. || PASS. **be rejected** Plu.
5 be deprived (of someone or sthg., esp. through defeat in battle or in a lawsuit); **lose** —*a benefactor, one's family* Hdt. E. X. —*one's head* Hdt. —*one's property* (esp. as a punishment) Hdt. Antipho Pl. X. + —*military forces, territory, a city* Hdt. Th. Att.orats. X. + —*one's authority, reputation, a previous success, advantages, a way of life* Hdt. X. Arist.
6 (wkr.sens.) **lose possession** (of sthg.); **lose** —*a ring* Men. —*a skill* (*through forgetfulness*) Arist.; (of entities) —*attributes, qualities* (*through a process of change*) Pl. Arist.; (of statues) —*their hands* (*over time*) Hdt.; (of a chariot) —*its driver* Isoc.

ἀπο-βάπτω *vb.* **plunge** —*someone* (*into a river*) Hdt.(tm.) Arist. —*weapons* (*into a bowl*) Hdt.; (fig.) **immerse** —*one's words* (*in meaning, before speaking*) Plu.(quot.)

ἀποβάς (athem.aor.ptcpl.): see ἀποβαίνω

ἀπόβασις εως *f.* [ἀποβαίνω] **1 disembarkation** (by soldiers, fr. a ship, esp. for raiding) Th. Isoc. Plb. Plu.; **landing place** Th. Plu.
2 app. **emergence** (out of a steep-banked river) Plu.(dub.)
3 retreat Plu.
4 way back (to a former status) Plu.
5 distance away, separation (of the base of a ladder, fr. a wall to be scaled) Plb.

ἀποβάτης ου *m.* **dismounter** (an athlete trained to dismount fr. a moving chariot, race on foot alongside and then remount) Plu.

ἀπο-βιάζομαι *mid.vb.* **1 force one's way** (while swimming across a turbulent river) Plu.
2 || PASS. (of soldiers) **be forced back** X.; (of sailors) —w. ὑπό + GEN. *by the wind and waves* Plu.
3 (of a king) **use military force** X.
4 treat oppressively, **bully** —*someone* Plb.
5 react violently (to an attack) Plb.
6 (of historical inquiry) **push** or **force back** —*an inquirer* (W.DAT. *to reliable sources*) Plu.

ἀπο-βιβάζω *vb.* **put** or **bring ashore, land** —*someone* Hdt.(sts.mid.) Th. Pl. X. +; **set down** —*one's foot* (W.PREP.PHR. *on enemy soil*) Ar.

ἀπο-βλάπτω *vb.* **utterly ruin** —*one's nature* (W.DAT. *through one's habits*) Pl.; (of Fate) —*someone's ability to understand* Pi. || PASS. (of a widow) **be devastated by separation** —W.GEN. *fr. her dead husband* S.

ἀπο-βλαστάνω *vb.* (of children, at birth) **spring forth** —W.GEN. *fr. a mother's labour pains* S.

ἀποβλάστημα ατος *n.* **offspring, offshoot** (W.GEN. of any living thing) Pl.

ἀπόβλεπτος ον *adj.* [ἀποβλέπω] (of a woman) **widely admired** E.

ἀπο-βλέπω *vb.* **1 look out** (into the distance) Pl. X. —W.PREP.PHR. *towards a place* Ar.
2 turn one's eyes, look straight Ar. —W.PREP.PHR. *towards a person, place, object* Hdt. E. Ar. Pl. X. +; (of a statue of a goddess) **stare** —W.PREP.PHR. *at a person* E.

3 pay attention —W.PREP.PHR. *to animals, the stars, their courses* Pl. —*to a person's physique* Aeschin.
4 give consideration Att.orats. Pl. —W.PREP.PHR. *to persons, their circumstances, places, events* Hdt. E. Th. Att.orats. + —*to a goal, gain, virtue* Att.orats. Pl. —*to a defect* (*in a rival's work*) Ar.; **consider** —W.ACC. *one's forces, a statesman's career* Plu.
5 look with expectation —W.PREP.PHR. *towards a person* Isoc. X. D.; (of a person's homeland, its people) —*towards that person* E. X.
6 look with admiration (at someone) D. —W.PREP.PHR. *towards someone* Thphr. —*at one's own shadow* (as a display of one's beauty) X. || PASS. **be looked at with admiration** Ar.
7 (of a poor man) **look with envy** —W.PREP.PHR. *at the wealthy* E.
8 look in dependency —W.PREP.PHR. *to the table of another man* (*for food*) X.; (of farmers) —*to the god of rain* X.; (of a beloved) —*to his lover* Pl.

ἀποβλητέος ᾱ ον *vbl.adj.* [ἀποβάλλω] (of terrifying names assoc.w. Hades) **to be rejected** Pl.

ἀπόβλητος ον *adj.* **1** (of a grape-seed) **to be cast aside** Simon.
2 (of gifts fr. the gods, a rebuke, an encomium) **to be disregarded** Il. Theoc.

ἀπο-βλίττω *Att.vb.* **take away a honeycomb** (fr. a beehive); (colloq.) **snatch** —*someone's cloak* Ar.

ἀπο-βλύζω *vb.* (of a baby regurgitating while being fed) **sputter out** —W.PARTITV.GEN. *some wine* Il.

ἀπο-βλώσκω *vb.* **go away, depart** (fr. a place) AR.

ἀποβολεύς έως *m.* [ἀποβάλλω] (ref. to a soldier) **loser** (W.GEN. of his weapons, opp. ῥίψασπις *shield-dropper*) Pl.

ἀποβολή ῆς *f.* **1 loss** (W.GEN. of property, military forces, a relative, friends, life) Isoc. Pl. Arist. NT. Plu.; (of wings, by the soul) Pl.; (of harmful things) Arist.; (of rationality and irrationality, knowledge) Pl.
2 ruin (W.GEN. of the body, through food and drink) Pl.
3 expenditure (W.GEN. of wealth, opp. its acquisition) Arist.
4 rejection (W.GEN. of certain attributes) Arist.

ἀποβολιμαῖος ον *adj.* (of a cowardly person) **likely to be a discarder** (W.GEN. of his weapons) Ar.

ἀπο-βόσκομαι *mid.vb.* (of animals) **feed off** —*fruit, plants* Ar.; (fig., of a tragedian) —*the fruit of music* Ar.

ἀπο-βουκολέω *contr.vb.* (fig., of a grandfather) **carelessly shepherd, let stray** —*a young man* X.

ἀπο-βράσσω *vb.* **shake out** —*dross* (W.GEN. *fr. flour*) Call.

ἀπο-βρίζω *vb.* | aor. ἀπέβριξα | **1 fall asleep** Od. Theoc.*epigr.*
2 sleep deeply —W.INTERN.ACC. *the sleep of death* Call.*epigr.*

ἀπο-βώμιος ον *adj.* **away from an altar**; (of Polyphemos, ref. to his sacrifice of his guests) **unholy** E.*Cyc.*

ἀπο-γεισόω *contr.vb.* [γεῖσα] (of the creator of men) **fit** (W.ACC. the forehead) **with a cornice-like protrusion** —W.DAT. *in the form of the eyebrows* X.

ἀπο-γεύομαι *mid.vb.* **take a taste** —W.GEN. *of foods* Pl. X. Plb.; (fig.) —*of philosophical theories* Pl.

ἀπο-γεφυρόω *contr.vb.* **build a protective dam** or **embankment; bank off** —*a city* Hdt.

ἀπο-γηράσκω *vb.* **become elderly** Thgn.

ἀπο-γίγνομαι, Ion. ἀπογίνομαι *mid.pass.vb.* **1** (of persons) **be away** or **absent** Att.orats.; (of an affliction) And. Arist. || MASC. or NEUT.PTCPL.SB. **absent person** or **thing** Pl.
2 be uninvolved —W.GEN. *in a battle* Hdt.; (of a people) —*in another city's offences* Th.
3 (of soldiers) **be lost** (through sickness or death in battle) Th.; (of the elements of matter) **go away** (fr. a part of the

ἀπογιγνώσκω

human body) Pl. ‖ NEUT.PTCPL.SB. loss (opp. profit, in a sale of property) Pl.
4 (of material) **be removed** (fr. a house) Arist.; (of pleasures, fears) **be subtracted** (fr. a situation) Pl.
5 (of an entity) **be absent** (opp. present) Pl.; (euphem., of a person) **depart** —W.PREP.PHR. *fr. his house* (*i.e. die*) Hdt.; **cease to be** Hdt. Th. +; (of animals) Hdt.

ἀπο-γιγνώσκω, also **ἀπογῑνώσκω** (Plb. Plu.) *vb.* **1 abandon one's plan** or **intention** —W.INF. or μή or τοῦ + INF. *to do sthg*. X. D. Plb. Plu.
2 give up on —*a person, a task* D. Men. Plb. Plu.; **renounce** —W.GEN. *one's homeland* Plu.; (of the Assembly) **give up** (on a policy) D.
3 (of people, esp. in wartime) **regard with despair** —*themselves, their city, situation, prospects* Arist. Plb. Plu.; **despair** Lys. D. —W.GEN. *of a prospect, enterprise* Lys. Men. ‖ PASS. (of support fr. a city, as a prospect) **be regarded with despair** D.
4 (of the Assembly) **refuse** —W.INF. *to change its nature* Arist.; (of jurors) **dismiss, reject** —*an indictment* D.; (of an arbitrator) —W.GEN. *a lawsuit* D.
5 (of jurors, arbitrators) **decide in favour** Aeschin. —W.GEN. *of someone* (sts. W.ACC. *on specific charges*) Att.orats.; (of the laws) **acquit** —W.GEN. *someone* (W. μή + INF. *of committing a crime*) Lys. ‖ MID. **vote for acquittal** Lys. D.
6 (of a defendant) app. **plead innocence** Aeschin.

—**ἀπεγνωκώς** υἷα ός *pf.ptcpl.adj.* (of soldiers) **desperate** Plu.
—**ἀπεγνωσμένος** η ον *pf.pass.ptcpl.adj.* **1** (of a sick man) **regarded with despair** (by doctors) Plu.
2 (of hopes) **forlorn** Plb.
—**ἀπεγνωσμένως** *pf.pass.ptcpl.adv.* **in despair** —*ref. to making an attack* Plu.

ἀπο-γλαυκόομαι *pass.contr.vb.* [γλαυκός] (of a person's vision) **be obscured by a cataract** Plu.

ἀπόγνοια ᾱς *f.* [ἀπογιγνώσκω] abandonment of hope, **despair** (W.GEN. of accomplishing anything) Th.

ἀπόγνωσις εως *f.* abandonment of hope, **despair** Plu.; (W.GEN. of a desired goal) Plu.; (about one's situation) Plu.

ἀπόγονος ον *adj.* [ἀπογίγνομαι] **descended** (W.GEN. fr. an ancestor) Hdt. ‖ MASC. or FEM.SB. **descendant** (sts. W.GEN. of someone) Hdt. S. Th. Att.orats. X. +

ἀπογραφή ῆς *f.* [ἀπογράφω] **1 inventory** (of a person's land, property, goods) Pl. D. Men.; **register** (made by customs officers or sim.) D. Plu.; (of debts) D.; (W.GEN. of money loaned) D.(law)
2 (leg., at Athens) **inventory** (of property liable to confiscation fr. a man in debt to the city) Lys. D. Arist.; **writ of confiscation** Lys.; (ref. to the subsequent court proceedings) D.
3 record of a declaration (made to a magistrate), **deposition** And.
4 registration (of persons, esp. for emigration or taxation) Arist. NT.; **census-list** Plu.; **list** (of men in a certain category) Plb. Plu.

ἀπο-γράφω *vb.* **1 write a record** Hdt.; **record** or **list in writing** —*names, thefts, nominees* Lys. Pl. X. D. Plb. ‖ MID. **record, write down** —*oracular messages, an incantation* Hdt. Pl. —*items* (*in a list*) Hdt.; (of a ruler) **order a written record** (of his soldiers) Hdt.; (of a host) **order that** (W.ACC. all left-overs) **be noted down** Thphr. ‖ PASS. (of disgraced soldiers) **be listed** X.
2 formally **enlist** (someone, so as to have a certain status in law); **register** (W.PREP.PHR. w. a magistrate) —*a male child* (*as someone's son*) Is. ‖ MID. **enlist** (esp. for military or civic duty) Lys. X. Arist. Plb.; **register oneself** (as a victim, in a census, as a candidate) X. NT. Plu.; **register** —*oneself* (*as a citizen*) Plu. ‖ PASS. **be enlisted** (in an army) X.; (of subjects in an empire) be registered (in a census) NT.
3 formally **acknowledge** —*someone* (W.PREDIC.PTCPL. *as a debtor*) D. —*a debt* D. —W.COMPL.CL. *that one possesses an asset or owes a debt* D. ‖ PASS. **be officially acknowledged** —W.INF. *to own sthg.* Lys.; (of property, a debt) Pl. D.
4 bring a written denunciation (before a lawcourt) Lys. —W.ACC. + INF. *that someone is doing sthg.* Lys.; **submit in a denunciation** —*writs of confiscation* Lys.; **denounce** —*someone* Att.orats. ‖ PASS. **be denounced** Att.orats.
5 ‖ MID. **file an indictment** Antipho; **file** —*a lawsuit* D.; **indict** —*someone* Antipho ‖ PASS. (of persons) **be indicted** Att.orats.
6 ‖ MID. **register** —*a speech* (*that one intends to present to the Areopagus*) Isoc.; (of a magistrate) —*a lawsuit* Antipho; (of a woman's guardian and husband) —*her divorce* (W.PREP.PHR. *w. a magistrate*) D.
7 (act. and mid.) **record in an inventory** —*assets* (*esp. those to be confiscated for the state*) Att.orats. Pl.; **submit an assessment** (of assets) Att.orats. X. ‖ MID. **register** (W.PREP.PHR. w. a board of magistrates) —W.COGN.ACC. *an inventory* D.; **submit** —*an assessment of one's taxable assets* Is. ‖ PASS. (of assets) be recorded in an inventory X. D. Arist.

ἀπο-γυιόω *contr.vb.* **deprive** (someone) **of the use of his limbs**; **sap** —*someone* (W.GEN. *of his strength, w. wine*) Il.; (fig., of a talkative person) **wear out** —*his hearers* Thphr.

ἀπο-γυμνάζω *vb.* (of an arrogant man) **exercise hard** —*his mouth* A.

ἀπο-γυμνόω *contr.vb.* **1** ‖ MID. **uncover oneself** (to show one's scars) X. ‖ PASS. **be stripped** (of clothing) Od. Hes.
2 disclose (to others) —*an opinion* Plu.; (of a person's inner wickedness) **reveal** —*one's true character* Plu.

ἀπο-δάκνω *vb.* (of a person or mouth) **bite off** —*sthg.* X.

ἀπο-δακρύω *vb.* **weep bitterly for** —*someone, one's homeland, one's situation* Pl. Plu.; (intr.) **weep bitterly** Plu.

ἀποδᾱμέω *dial.contr.vb.*: see ἀποδημέω

ἀπόδᾱμος *dial.adj.*: see ἀπόδημος

ἀπο-δαρθάνω *vb.* | aor.2 inf. ἀποδαρθεῖν | **go to sleep** Plu.

ἀπόδαρμα ατος *n.* [ἀποδέρω] **skin which has been flayed, scalp** Hdt.

ἀποδάσμιος ον *adj.* [ἀποδατέομαι] (of people) **separated, living away** (fr. their homeland) Hdt.

ἀποδασμός οῦ *m.* **section** (W.GEN. of a people) Th.

ἀπο-δατέομαι *mid.contr.vb.* | fut. ἀποδάσομαι, ep. ἀποδάσσομαι | aor. ἀπεδασάμην | **1 divide equally** —*all the wealth of a city* (W.DAT. *w. the enemy*) Il.
2 give away as a share (sts. W.DAT. to someone) —*all or half of what is due* Il. Pi.; **give away a portion** —W.GEN. *of sthg.* Theoc. —(W.DAT. *to someone*) Call.
3 (of a commander) **separate off** —*part of his army* Hdt.

ἀποδέδεγμαι[1] (pf.mid.): see ἀποδέχομαι

ἀποδέδεγμαι[2] (Ion.pf.pass.): see ἀποδείκνῡμι

ἀποδέδρᾱκα (pf.): see ἀποδιδράσκω

ἀποδεής ές *adj.* [ἀποδέω[2]] (of a ship) **deficient, lacking** (in the number of its crew or the amount of its equipment) Plu.

ἀπο-δειδίσσομαι *ep.mid.vb.* (of a wide trench) **frighten off** —*horses* Il.(tm.)

ἀπο-δείκνῡμι *vb.* | Ion.fut. ἀποδέξω, aor. ἀπέδεξα ‖ PASS.: Ion.aor.ptcpl. ἀποδεχθείς | Ion pf. ἀποδέδεγμαι, 3pl. ἀποδεδέχαται | —also (pres. and impf.) **ἀποδεικνύω** (Hdt. X. +) **1 draw attention** (to sthg., w. a physical gesture); **point**

out —*buildings, spaces, or sim.* A. Hdt. Th. —*the seal on a message* Th.
2 show, present —*someone or sthg.* (W.DAT. *to someone*) Hdt. Men.; (of a living being, at death) —*another shape* E.*fr.* || MID. (of a ruler) **put on display** —*monuments* (sts. W.PREDIC.SB. *as memorials*) Hdt.; (of winds) —*their conflict* A.
3 mention (in a speech) —*circumstances, evidence, sums of money* Th. And. Lys.
4 reveal —*someone* (W.PREDIC.ADJ. or SB. *as such and such*) E. Pl. X. + —*one's true character, nobility, courage* A. E. Hyp.; (mid.) —*one's courage, knowledge, ability* Hdt. Th. Hyp. || PASS. (of manly virtue) be revealed Hdt.
5 (of the gods) **make known** —*military skills* (W.DAT. *to mankind*) X.
6 issue, publish —*financial accounts, laws* Hdt. Lys. X.
7 perform —*certain gestures* Ar. || MID. **perform, carry out** —*exploits* Pi. Hdt. || PASS. (of exploits) be performed Hdt.
8 (of parents) **produce** —*offspring* Hdt. Isoc.; (of a statesman) —*revenue* Ar.; (of hunting) —*good riders* X.
9 demonstrate in words, explain, make clear —*a message* E. —W.INDIR.Q. *what is the case, how sthg. could be achieved* Ar. Pl. Hyp.; **report** —W.ACC. + INF. *that sthg. is the case* Th.; (of guides) **give directions** —W.INF. *for taking supplies* X. || MID. **make known** —*one's advice, opinion* Hdt. Th. X. —W.COMPL.CL. *that sthg. is the case* X.
10 demonstrate by evidence or argument; provide proof S. And. Ar. —W.COMPL.CL. *that sthg. is the case* Hdt. Th. Ar. Att.orats. +; **prove** —*accusations* NT. || PASS. (of inferences, wickedness) be proved Att.orats.; (of a trail of bloodshed) —W.COMPL.CL. *to be such and such* Antipho
11 prove deductively (by syllogism) Arist. || PASS. be proved by deduction Arist.
12 (of a lawcourt) **identify** —*criminals* Hyp. || MID. **identify oneself** —W.PREDIC.SB. *as an enemy of tyranny* Plu. || PASS. be identified —W.PREDIC.ADJ. *as hostile* (W.DAT. *to someone*) Th. X. D.; (of certain Greek gods) be acknowledged —W.PREP.PHR. *among the Egyptians' gods* Hdt.
13 appoint —*an heir, magistrates* Hdt. Th. —*someone* (W.PREDIC.SB. *as a commander*) Hdt. Th. X. —(W.INF. *to do sthg. or be such and such*) Hdt. || PASS. be appointed Hdt. —W.PREDIC.SB. *as a commander* Hdt. Plu.; (of Jesus) be proclaimed (as Lord and Christ) —W.PREP.PHR. *by God* NT.
14 specify, assign —*one seat of government* (*for a whole region*) Th. —*a sanctuary* (W.DAT. *for a god*) Hdt. —*an asset* (W.PREDIC.SB. *as security for a loan*) Hdt. —*an Assembly meeting* (*for a vote*) D. || PASS. (of food) be assigned —W.DAT. *to sacred animals* Hdt.; (of honours) —*to benefactors* Hyp.; (of an area, in a city) be set apart Hdt. Aeschin.
15 (of a lawgiver, laws) **ordain, proclaim** —W.ACC. + INF. *that sthg. is the case* X. || IMPERS.PF.PASS. it is ordained —W.DAT. *for someone* (W.INF. *to do sthg.*) Hdt.
16 render, make —*someone* (W.PREDIC.ADJ., SB. or PTCPL. *such and such*) Hdt. S. Lys. Ar. Pl. X. —*an animal* (*fiercer or sim.*) Pl. X.

ἀποδεικτικός ή όν *adj.* [ἀποδεικτός] **1** of the kind that demonstrates (that sthg. is the case); (of speeches, a science, principles, proofs, accuracy) **demonstrative** Arist.
2 (of explanations) **supported by facts** Plb.
3 (of a history) **detailed** (opp. impressionistic) Plb.
—**ἀποδεικτικῶς** *adv.* **demonstratively** Arist.

ἀποδεικτός ή όν *adj.* [ἀποδείκνυμι] (of a scientific truth) **demonstrated** (by deduction in a syllogism) Arist.

ἀποδειλίασις εως *f.* [ἀποδειλιάω] **cowardice** Plb. Plu.

ἀπο-δειλιάω *contr.vb.* | neut.impers.vbl.adj. ἀποδειλιᾱτέον |
1 react with fear or cowardice; recoil (fr. painful treatment, physical or mental exertion) Pl. X. —W.GEN. *fr. adhering to regulations* X.
2 (of a commander) **fearfully avoid, shun, flinch from** —*combat* Plb.; (of elephants) —*a fight* (*against larger elephants*) Plb.; **flinch away** (fr. a river) Plb.
3 behave fearfully Pl. X. Aeschin. Plb. Plu.; **lose courage** Plb. Plu. —W.PREP.PHR. *in front of the enemy* Plb.; **lose heart** (in an argument or investigation) Pl.

ἀπόδειξις εως, Ion. **ἀπόδεξις** ιος *f.* [ἀποδείκνυμι] **1 showing forth** (of sthg.); **display** D.; (W.GEN. of one's character, intent, or ability) Lys. Hyp. Plb.; (ref. to a parade, inspection of an army) X.
2 setting forth, presentation (W.GEN. of a historian's inquiry) Hdt.; **revelation** (of what lies below the earth) E. || PL. findings (published by the Council) Din.
3 explanatory account (W.GEN. of an empire) Th.; (about a kind of ruler) Pl.; (about events, policy) Antipho D.
4 explanation or line of argument (as proof that sthg. is the case); **argument, proof** (sts. W.GEN. for a claim) Hdt. Att.orats. Pl. X. Arist. +; **assertion** (w. τοῦ + INF. of sthg. being the case) Th.
5 deductive proof, demonstration (by syllogism) Arist.
6 achievement (W.GEN. of an undertaking) Hdt.; (ref. to a building) Hdt.

ἀπο-δειροτομέω *Ion.contr.vb.* **1 slit the throat of** —*people, sheep* Hom.
2 slice from the neck —*a person's head* Hes.

ἀποδείρω *Ion.vb.*: see ἀποδέρω

ἀπο-δεκατόω *contr.vb.* **set apart a tenth of, tithe** —*one's income, produce* NT.

ἀποδέκομαι *Ion.mid.vb.*, **ἀποδεκτέον** (neut.impers.vbl. adj.): see ἀποδέχομαι

ἀποδεκτήρ ῆρος *m.* [ἀποδέχομαι] **collector** (W.GEN. of taxes, in the Persian empire) X.

ἀποδέκτης ου *m.* **receiver** (of state revenues, esp. at Athens) Aeschin. D. Arist.

ἀποδέξασθαι[1] (aor.mid.inf.): see ἀποδέχομαι

ἀποδέξασθαι[2] (Ion.aor.mid.inf.): see ἀποδείκνυμι

ἀπόδεξις *Ion.f.*: see ἀπόδειξις

ἀπο-δερματόομαι *pass.contr.vb.* [δέρμα] (of shields) **lose the leather covering** (due to rot) Plb.

ἀπο-δέρω, Ion. **ἀποδείρω** (Hdt. Ar.) *vb.* | aor. ἀπέδειρα || aor.2 pass. ἀπεδάρην, Aeol.aor.pass.inf. ἀπυδέρθην |
1 remove the skin from, flay, skin —*animals* (*esp. for sacrificing*) Hdt. —*a traitor, an enemy's hand or head* Hdt. || PASS. (of animals) be flayed X.; (of a person, as a penalty) Alc.; (fig., of a person being cross-examined) be skinned (by a prosecutor, envisaged as a tanner) Ar.
2 flay off —*the skin of a person or lion* Hdt. Theoc.
3 strip bare —*flax stalks* Ar.; (fig., of a woman) **peel** (by arousal) —*a man's penis* Ar.

ἀπό-δεσμος ου *m.* [δεσμός] that which is tied up; **bundle** (of rags) Plu.

ἀπο-δέφομαι *mid.vb.* | 3sg.aor. (tm.) ἀπὸ ... ἐδέψατο | (of a man) **knead oneself, masturbate** Hippon.

ἀποδεχθείς (Ion.aor.pass.ptcpl.): see ἀποδείκνυμι

ἀπο-δέχομαι, Ion. **ἀποδέκομαι** *mid.vb.* | aor.inf. ἀποδέξασθαι | pf. ἀποδέδεγμαι || neut.impers.vbl.adj. ἀποδεκτέον | **1 take or receive** (sthg. offered); **accept** —*a ransom, gifts* Il. AR.; **receive** —*an income, property* Ar. X.
2 receive, welcome —*someone* Plb. NT. —(W.ADV. *in a certain way*) Lys.; **accept** —*someone* (*as a teacher*) X. —(W.PREDIC.SB. *as an adviser*) Pl.

3 obtain, exact —*sthg. promised* (W.PREP.PHR. *fr. someone*) Pl.
4 receive back —*one's envoys* Hdt. —*lost territory* Th.
5 take upon oneself voluntarily, accept —*a role* X. —*advice, instructions, assistance* Hdt. E. Th. And. +; **adopt** —*a way of life* X.; **be receptive to** —*a feeling of terror* E.
6 receive (through listening), **receive, entertain** —*a speech, a line of argument* Th. Att.orats. Pl.; **be receptive** Lys. Pl. D. —W.GEN. *towards a defendant* Lys. Din.
7 accept (as legitimate or valid); **show acceptance** Att.orats. —W.GEN. + PTCPL. *of someone saying or doing sthg.* Lys. D. Arist.; **regard as valid** —*a summary arrest* Lys. —*capitulation* (*in an argument*) Pl.; **approve, accept** —*an envoy's report, his acts* Aeschin.; **allow** —*prosecutions, accusations, methods of argument, hypothetical concepts* Th. Att.orats. Pl. —W.ACC. + INF. *certain people to do sthg.* Th.
8 accept (as true), **accept** —*statements, explanations, reports, or sim.* Th. Lys. Pl. Arist. + —W.ACC. + INF. *that sthg. is the case* Hdt. Pl. —W.ACC. + PTCPL. *sthg. as being the case* Pl.; **recognise** (as genuine) —*an envoy's loyalty* Aeschin. —*a beast's courage* Pl.; **agree** Th. Pl. —W.GEN. *w. someone* Pl. —(W.PTCPL. *w. someone speaking*) Pl. —(W.COMPL.CL. *that sthg. is the case*) Pl. Arist.
9 receive (mentally), **understand** Pl. X. —*an exhortation* Pl. —W.GEN. *someone* (W.ADV. *in a certain way*) Pl.
10 favour —*a statement* (*more than direct action*) Is. —*one system* (*more than another*) Plb.; **express approval** Pl. X. D. Arist. NT.
11 receive so as to dissipate (an impact); (of boats) **receive** —*the force of a river's current* Plb.; (of an island) **break** —*ocean waves* Plb.
12 (of a commander) **see out** —*a winter* (*in a location*) Plb.
ἀπο-δέω[1] contr.vb. (of a god) **tie off** —*an opening* (*in the belly, so as to form the navel*) Pl.
ἀπο-δέω[2] contr.vb. **1 be in need** (of a number, so as to be complete); (of a total) **be deficient** —W.GEN. *by a certain number* Th. Plu.
2 (of a rider) **be less suited** (in respect of size and weight) —W.GEN. *than another* (W.PREP.PHR. *to his mount*) Plu.
3 feel that one is in need —W.GEN. *of everything* Plu.
4 (of persons, ships, cities, coins) **fall short** —W.GEN. *of a certain number* Plu.; (of an army) —*in number* Plu.; (of a city) —W.GEN. *of another* (W.DAT. *in numbers of weapons and soldiers*) Plu.; (of a territory) —*of another* (W.ACC. *in size*) Plu.; (of a Roman mile) —*of eight stades* Plu.
5 fall short (in quality) —W.GEN. *of an ancestor, rival, another's virtue* Plu.; (of a man's reputation) —*of his ability, valour* Plu.; (of a statement) —*of a famous tragic curse* Plu.
ἀπο-δηλόω contr.vb. **1** (of a god) **reveal, display** —*a bird* (W.PREDIC.ADJ. *as such and such*) S.*fr.*
2 disclose (what one thinks) —W.DAT. *in a remark* Plu.; (of siege-engines) **reveal** —*what is about to happen* (W.DAT. *by their creaking and cracking*) Plu.; (of a detail in a dream) **identify** —*someone* (W.PREDIC.SB. *as the enemy*) Plu.
3 report —*an event* Plb. —W.INDIR.Q. or COMPL.CL. *how or that sthg. is the case* Plb. ‖ PASS. (of a plan) be explained Plb.
ἀποδημέω, dial. **ἀποδᾱμέω** contr.vb. [ἀπόδημος] **1 be away from one's home or homeland, be abroad** (esp. for political, military, religious or commercial activity) Hdt. Ar. Att.orats. X. +; (gener.) **be away** X. —W.GEN. or PREP.PHR. *fr. one's home or homeland* Hdt. Pl.
2 depart from one's home or homeland, go abroad Hdt. Att.orats. Pl. X. Arist. +; **emigrate** (to a new homeland) Pl.; (gener.) **depart** Ar. X.

3 (of a Muse) **be absent** (fr. a people) Pi.; (of clouds) Ar.; (of good sense) Ar.
ἀποδημητής οῦ *m.* **one who goes abroad, traveller** Th.
ἀποδημητικός ή όν adj. (of the banishment of a magistrate) **abroad** Arist.
ἀποδημίᾱ ᾱς, Ion. **ἀποδημίη** ης *f.* **1 absence** (fr. one's home or homeland) Hdt. Att.orats. Pl. X. +; **time abroad** X. Is.
2 journey or **trip abroad** Att.orats. Pl. X. +; **expedition, embassy** (to a foreign king) D.; **emigration** (to a new land) Pl.
ἀπό-δημος, dial. **ἀπόδᾱμος**, ον adj. [δῆμος] **away from home, away** Men. NT.; (of Apollo, fr. Delphi) Pi.
ἀπο-διαιτάω contr.vb. | aor. ἀπεδιῄτησα | (of an arbitrator) **decide** (sts. W.ACC. *an arbitration, a lawsuit*) **in favour** —W.GEN. *of someone* Is. D. ‖ PASS. (of an arbitration) be decided in favour of someone D. ‖ NEUT.PL.AOR.PASS. PTCPL.SB. arbitrations decided in favour (W.GEN. of someone) D.
ἀπο-διατρίβω vb. **waste time utterly** Aeschin.
ἀπο-διδράσκω, Ion. **ἀποδιδρήσκω** vb. [reltd. δραμεῖν] | fut. ἀποδράσομαι, Ion. ἀποδρήσομαι ‖ ATHEM.AOR.: ἀπέδρᾱν, Ion. ἀπέδρην, 3pl. ἀπέδρᾱσαν, ep. ἀπέδραν (S.) | ptcpl. ἀποδράς | subj. ἀποδρῶ, opt. ἀποδραίην | inf. ἀποδρᾶναι, Ion. ἀποδρῆναι ‖ pf ἀποδέδρᾱκα |
1 (of persons, animals) **run away** Th. And. Ar. Pl. X. +; (of light and heavy infantry on the march) **quickly separate** (fr. each other) X.; (fig., of a person's means) **run out** Thgn.; (of a person's words, a theory) **go away, make off** Pl.
2 (gener.) **flee** or **escape** —*persons, their sight* Hdt. S. Th. Lys. Ar. +; **escape, steal away** (by land or sea) Hdt. Th. Ar. Att.orats. Pl. + —W.GEN. or PREP.PHR. *fr. a ship* Od.; **shrink away** —W.PREP.PHR. *fr. being beaten* X.
3 (of soldiers, slaves) **desert** Hdt. Lys. X. Thphr.; (of persons) **abandon** —*their family, an ally* X. Men.
4 avoid, dodge —*the law* Pl. Arist.; **evade** —*military service* Isoc. D.; (of a defendant) **be evasive** Aeschin.
ἀπο-δίδωμι vb. **1 give back** (sthg., to its owner or to settle a debt); **return** —*slaves, items* Il. S. E. Men. —*borrowed items* Pl. Thphr.; **repay** (sthg.) Hes. X. D. + —*costs, debts* Hom. + —*favours* Th. Lys.; **requite** —*hurt, toils* Il.(tm.) E. ‖ PASS. (of goods) be given back Od.(tm.); (of favours, debts) be repaid Th. NT.
2 give (sthg., to someone who has responsibility for it); **return** —*a book* (W.DAT. *to its custodian*) NT. —*a person, a corpse* (sts. W.DAT. *to a relative*) Hdt.(tm.) E. Men. NT.; (of the people) **hand over** —*kingship* (W.DAT. *to a princess*) Hdt. ‖ MID. **lend** —*one's body* (W.DAT. *to a friend, by fighting at his side*) E. ‖ PASS. (of a corpse) be handed over (for burial) NT.
3 give (so as to fulfil one's duty); (of jurors, judges) **issue** —*a verdict* Aeschin. Arist.; (of witnesses) —*testimony* NT.
4 give (so as to satisfy an obligation); **hand over** —*letters, wills* (sts. W.DAT. *to someone*) E. Th. D.; **render** —*service* (W.DAT. *to the gods*) E. —*what is owed* (*to God and to Caesar*) NT.; **present** —*an account* (*of one's finances or actions*) D. NT.; (fig.) **pass on** —*one's homeland* (W.DAT. *to one's descendants*) X.
5 give (so as to satisfy a financial obligation); **pay** —*fares, fines, wages, proceeds fr. a sale* Hdt. Th. Ar. X. D. + —*sthg.* (sts. W.GEN. *for one's life*) Od. Hdt. ‖ PASS. (of wages, proceeds fr. a sale) be paid Ar. D.
6 sell —*a slave* (sts. W.DAT. *to someone*) E.*Cyc.* Th. —*pigs* (W.GEN. *for a certain sum*) Ar.(cj.) ‖ MID. **sell** —*a person, products, livestock, assets, or sim.* (sts. W.GEN. *for a certain*

sum) Hdt. Ar. Att.orats. X. + —*one's hopes* (*at a high price*) Pl.; (of bribed statesmen) —*an impeachment* D. —*their city* X.; (of a blackmailer) —*trouble* D.

7 ‖ MID. **farm out** —*a tax* (*for collection*) D.

8 give in full, **fulfil** —*one's vows* (*to a god*) Hdt. X.; **keep** —*an oath* Att.orats. +

9 return (sthg. lost); **restore** —*cities, their constitutions* (W.DAT. *to one's allies*) X. Aeschin. —*territory* (*to an enemy*) Th. —*choruses* (*to Dionysus, so as to honour him*) Hdt. —*happiness* (*to one's people*) E. —*authority* (W.PREP.PHR. *to a dynasty*) Hdt.

10 give in return (for sthg.); **return** —*gratitude, kindness* E. Att.orats. + —*afflictions* (W.DAT. *to someone*) Hes.(tm.) Thgn. Hdt. E. —*reproaches* E. —*tears* (*in response to lamentations*) E.; (of great riches) **bring in return** —*ruin* E.; (of God) **give recompense** —W.DAT. *to someone* NT. ‖ PASS. (of a penalty) be meted out Lys.

11 give as an expected response; (of land) **produce** —*grain or sim.* Hdt. Men.; (fig., of excellence) **yield** —*a result* Arist.; (of virtuous activities) —*pure and abiding pleasures* Isoc.

12 (gener.) **hand over** —*items, resources, or sim.* E. X. Men. NT.; **give** —*an explanation* E.; **explain** —W.INDIR.Q. *what Forms exist* Arist.; (of a jury) **deliver** —*a murderer* (W.DAT. *to time*, W.INF. *to be exposed*) Antipho (of an advocate) app. **conduct** —*a trial* (W.ADV. *in a certain way*) Lycurg.

13 assign —*certain activities* (sts. W.DAT. *to someone*) Pl. Arist. —*a god* (*to a sacred space*) Pl. —*a domain* (*to a god*) Pl. —*a name* (*to someone*) Pl. —*explanations* (*to everything*) Pl. —*someone* (*as a subject for the Muses*) Pi.(tm.); **attribute an ability** —W.DAT. *to the gods* (W.INF. *to see everything*) Arist.

14 refer —*a decision* (W.PREP.PHR. *to judges, courts*) Pl.; (of magistrates) **issue a referral** (*about someone*) —W.PREP.PHR. *to the Council* Lys. Isoc.

15 (of painters) **produce** —*a likeness* Arist.; (of poets) **present** —W.INDIR.Q. *what a deity is like* Pl.; (of a person) **display** —*virtue* And.

16 give permission —*W.DAT. to someone* (W.INF. *to do sthg.*) Th. D. Arist.; (of a law) —W.INF. *to punish offenders* D. ‖ PASS. (of a defence speech) be permitted Att.orats. ‖ IMPERS.PASS. permission is granted —W.DAT. *to a court* (W.INF. *to prosecute cases*) Lys.

17 give an opportunity —W.DAT. *to someone* (W.INF. *to do sthg.*) Th.

18 (of the Nile Delta) app. **grow outwards** (*in its extent, due to silting*) Hdt.

19 (rhet.) **use corresponding particles** (*betw. clauses*) Arist.; (of poets) make a correspondence, **use a simile** Arist.

ἀπο-δικάζω *vb.* (of a jury) **vote for acquittal** Antipho Arist.

ἀπο-δικεῖν *aor.2 inf.* | *aor.2* ἀπέδικον | **throw off** —*one's cloak* (W.PREP.PHR. *away fr. one's eyes*) E.; (fig.) **cast aside** —(perh.) *public execration* A.

ἀπο-δικέω *contr.vb.* [δίκη] **plead in one's defence** X.

ἀπο-δινέω *contr.vb.* (of a farmer) **thresh** —*grain* (W.DAT. *by means of his sows*) Hdt.

ἀπο-δίομαι *mid.vb.* [δίομαι¹] | ep.aor.subj. ἀποδίωμαι | **chase away** —*someone* (W.PREP.PHR. *fr. battle*) Il.

ἀπο-διοπομπέομαι *mid.contr.vb.* [app. Ζεύς, πομπή] **1** app., escort away the fleece of a ram sacrificed to Zeus (in an expiatory rite); (gener.) **ritually cleanse** —*a city or house* (*after criminal activity*) Lys. Pl.

2 (fig.) **exorcise from oneself** —*superhuman insight* Pl.; **exorcise** —*impious thoughts* (*fr. someone, w. arguments*) Pl.

3 send away —*philosophers, gold and silver* (*fr. a city, as corrupting influences*) Plu. —*a satyr* (*as a monstrosity*) Plu.

—*a political opponent* (*by assigning a magistracy abroad*) Plu.

ἀποδιοπόμπησις εως *f.* **performance of an expiatory rite** Pl.

ἀπο-διορίζω *vb.* **isolate by means of a definition** —*characteristic qualities of living creatures* Arist.

ἀπο-διώκω *vb.* | *fut.* ἀποδιώξομαι | **1** (of soldiers) **chase away** —*the enemy* Th. X. Plb.; (of a creditor, w. play on *prosecute*) —*himself* (W.PREP.PHR. *fr. a debtor's house*) Ar.

2 (intr., of cavalry) **hurry away** Plu.

ἀπο-δοκεῖ *impers.vb.* [δοκέω] **1 it seems** (*usu.* W.DAT. *to someone*) **right to refuse** —W.INF. *or* μή + INF. *to do sthg.* Hdt. X.

2 there is a decision to the contrary (of a previous practice) Hdt.

ἀπο-δοκιμάζω *vb.* | *fut.* ἀποδοκιμάσω, Ion. ἀποδοκιμῶ ‖ *neut.impers.vbl.adj.* ἀποδοκιμαστέον | **1 disapprove of** (someone or sthg. on the basis of status, quality, ability or behaviour); **reject** —*some or all of a group or class of people* Hdt. Isoc. Pl. Din. ‖ PASS. (of a person) be rejected X. NT.

2 reject (on the basis of quality) —*a horse* X. —*a coin* Thphr. ‖ PASS. (of a horse) be rejected X.; (of a stone for building) NT.

3 disqualify —*someone* (*fr. a magistracy*) Lys. X. Arist. —(W.ACC. *fr. a magistracy*) D.; **reject** —*a will* (*as invalid*) Is. —*a course of action* (*as unjust*) Isoc.; (of the Council) —*a proposal* Aeschin. ‖ PASS. (of a candidate) be disqualified Att.orats. +

4 consider (sthg.) unsuitable (for a task or goal); **discard** —*certain weapons, agricultural tools or techniques, one's laws* X. ‖ PASS. (of certain stylistic figures used when speaking) be discarded (when writing) Arist.

5 regard with disapproval —*a course of action, certain employments, use of luxuries* Isoc. Arist. Thphr. Plu. —*musical training, certain instruments and harmonies* Arist. —*a time of mourning* (*as a time for a celebration*) Aeschin. —W.INF. *or* τό + INF. *doing sthg.* X. Thphr. Men. Plu. ‖ PASS. (of aulos-playing) meet with disapproval Arist.

6 disqualify (as untrue), **dismiss** —w. τό and ACC. + INF. *the idea that sthg. is the case* Isoc.

7 reject (sthg. as not belonging to a certain category); **rule out** —*examples, areas of expertise* Isoc.

ἀποδοκιμαστέος ᾱ ον *vbl.adj.* (of certain gestures in a performance) **to be ruled out** Arist.

ἄποδος Ion.*f.*: see ἄφοδος

ἀπόδοσις εως (Ion. ιος) *f.* [ἀποδίδωμι] **1 restitution, return** (W.GEN. *of captured horses, territory, hostages*) Hdt. Th. Plb.

2 return (of that which is owed); **repayment** (W.GEN. *of a debt*) Isoc. Arist.; **full payment, settlement** (W.GEN. *of wages, for soldiers*) Th. Plb.; **return** (*of a deposit*) Pl.; (for assistance rendered) Plb.

3 provision (W.GEN. *of exercise and food, for the body*) Pl.

4 restoration (*of normal conditions within the body, assoc.w. being cooled*) Pl.

ἀποδοτέος ᾱ ον *vbl.adj.* (of activities) **to be assigned** (W.DAT. *to men and women alike*) Pl.

ἀποδοχή ῆς *f.* [ἀποδέχομαι] **1 receiving back** (W.GEN. *of territory, fr. an enemy*) Th.

2 reception, welcome (*for a dignitary*) Plb.

3 acceptance, approval (*for a person, a narrative*) Plb.

ἀπο-δοχμόω *contr.vb.* (of a drunken person sleeping) **tilt away** (to one side) —*his neck* Od.

ἀπο-δραμεῖν *aor.2 inf.* | *aor.2* ἀπέδραμον ‖ Other tenses are supplied by ἀποτρέχω. | **1** (of soldiers) **run away** Hdt. X.

2 depart quickly X.; (gener.) **depart** Call.

ἀποδραίην (athem.aor.opt.), **ἀποδρᾶναι** (athem.aor.inf.), **ἀποδράς** (athem.aor.ptcpl.), **ἀποδράσομαι** (fut.): see ἀποδιδράσκω

ἀπόδρασις εως, Ion. **ἀπόδρησις** ιος *f.* [ἀποδιδράσκω] **1** running away, **escape, flight** Hdt. Plu. **2** avoidance (w.GEN. of military service) D.; (of worries) Plu. **3** method of escape (fr. accusations) Plu.

ἀπο-δρέπω *vb.* **pluck off** —*fruits* Hes. Pi.; (fig., of an athlete) —*the best of all achievements* Pi.(tm.) ‖ MID. **pluck for oneself** —*fruit* Pi.*fr.*(tm.)

ἀποδρῆναι (Ion.athem.aor.inf.), **ἀποδρήσομαι** (Ion.fut.): see ἀποδιδράσκω

ἀπο-δρύπτω *vb.* | aor.1 ἀπέδρυψα | 3sg.aor.2 opt. ἀποδρύφοι (Il.) ‖ ep.3pl.aor.pass. ἀπέδρυφθεν | **1 lacerate** (by dragging) —*a person* (esp. *a corpse*) Hom. ‖ PASS. (of a person at sea) be stripped —W.ACC. *of skin* (*by being dashed against a rock*) Od.(tm.) **2** (of a lion) **tear** —*a person's skin* (W.DAT. w. *its claws*) Theoc. ‖ PASS. (of skin) be shredded (on a rock) —W.PREP.PHR. *fr. a person's hands* Od.

ἀποδρῶ (athem.aor.subj.): see ἀποδιδράσκω

ἀποδύνω *vb.*: see ἀποδύω

ἀπ-οδύρομαι *mid.vb.* **lament intensely** Pl. Plu. —*oneself, one's afflictions, family, circumstances* A. Hdt. S. D.

ἀπόδυσις εως *f.* [ἀποδύω] **stripping off** (for exercise) P.u.

ἀποδυτήριον ου *n.* room in which one undresses (for the baths, gymnasium, palaestra), **changing room** Pl. X.

ἀπο-δύω, also **ἀποδύνω** (Od.) *vb.* [δύω¹] aor. ἀπέδυσα | ATHEM.AOR.ACT.: ἀπέδυν, imperatv. ἀπόδυθι, ptcpl. ἀποδύς | pf. ἀποδέδυκα (X.) ‖ neut.impers.vbl.adj. ἀποδυτέον | **1 strip off** —*someone's armour, clothing* Hom. Plu. ‖ MID. and ATHEM.AOR.ACT. **divest oneself** —W.ACC. *of a garment* Od. Ar. AR.(tm.) Theoc. Plb. Plu. —*of one's armour* Plu. —W.GEN. *of a cloak* Ar. **2 strip** —*someone* Hdt. Antipho Ar. Pl. + —(W.ACC. *of a cloak*) Theoc.; (fig.) —*a boy's soul* Pl. ‖ MID. and ATHEM.AOR.ACT. remove one's clothing (for an activity, esp. exercise), **undress oneself** Th. Ar. Pl. X. Plu.; **strip oneself** (prior to being whipped) Ar. ‖ PASS. be stripped Ar. —W.ACC. *of a cloak* Lys. Ar. **3** ‖ MID. and ATHEM.AOR.ACT. (fig.) prepare oneself (for an activity); (of a statesman) **get ready** —W.PREP.PHR. *for a magistracy or speaking in a court* Plu.

ἀπο-δωρέομαι *mid.contr.vb.* **give away** —*sthg.* Critias

ἀπο-είκω *ep.vb.* (of a god) **keep away** —W.GEN. *fr. the path of the gods* Il.(dub.)

ἀποειπεῖν and **ἀποειπέμεν** (ep.aor.2 infs.): see ἀπεῖπον

ἀποέργαθον (ep.Ion.aor.2), **ἀποέργω** *ep.Ion.vb.*: see ἀπείργω

ἀπό-ερσα *ep.aor.vb.* [reltd. ἔρρω] | 3sg.subj. ἀπόερση, 3sg.opt. ἀποέρσειε (*metri grat.*) | (of a river, a wave) **sweep away** —*someone* Il.

ἀπ-όζω *vb.* ‖ IMPERS. there comes a fragrance (of perfumes and spices) —W.GEN. *fr. Arabia* Hdt.

ἀπο-ζεύγνυμαι *pass.vb.* | aor. ἀπεζεύχθην | aor.2 (sts. w.mid.sens.) ἀπεζύγην | **1** (w.mid.sens., fig., of a person travelling) **untether** or **unyoke oneself** (as if an animal) —W.ACC. *as to one's feet* (*at the end, or perh. the start, of a journey*) A. **2** be unyoked; (fig., of a pair of brothers envisaged as a pair of animals drawing a wagon) **be parted** —W.GEN. *fr. their home* E.; (gener., of a person) —*fr. one's brother, spouse, children* E. **3** remain not yoked; (fig., of a woman) **be left free** —W.GEN. *fr. marriage* E.

ἀποζῆν (Att.inf.): see ἀποζώω

ἀπο-ζωγραφέω *contr.vb.* (fig., of a breath of mildness fr. the mind) **copy out** —*certain impressions* (*on the liver*) Pl.

ἀπο-ζώω *vb.* ‖ inf. (tm.) ἀπό ... ζώειν, Att. ἀποζῆν | (of settlers) **receive a livelihood** (fr. the land) hHom.(tm.) Th.

ἀποθανετέον (neut.impers.vbl.adj.): see ἀποθνῄσκω

ἀπο-θαρρέω Att.contr.vb. [θαρσέω] **take courage** X. Plb.

ἀπο-θαυμάζω, Ion. **ἀποθωμάζω** *vb.* **be deeply amazed** Hdt. X. —w. εἰ + INDIC. *that sthg. is the case* Aeschin.; **regard with intense wonder** —*someone* Hdt. —*a dream, message, custom, event* Od. A. Hdt. S.

ἀποθείομαι (ep.athem.aor.mid.subj.): see ἀποτίθημι

ἀπο-θεόω *contr.vb.* [θεός, θεόομαι] regard as divine, **deify** —*a king, his memory* Plb. Plu.

ἀπο-θεραπεία ᾱς *f.* cultic activity at a distance (fr. one's home); **public worship** (w.GEN. of gods) Arist.

ἀπόθεσις εως *f.* [ἀποτίθημι] **1 storing away** (of fruits, gifts) Pl. Plu. **2 exposing** (of unwanted children) Arist.

ἀπο-θεσπίζω *vb.* **1** (of an oracle) **foretell** —*an event* Plu. **2** proclaim as an oracular message, **recite as an oracle** —*a verse* Plu.; (fig., of Plato) —*a saying* Plu.; (of statesmen, philosophers) **prophesy, proclaim** Plu. —W.COMPL.CL. *that sthg. is the case* Plu.

ἀ-πόθεστος¹ ον *adj.* [privatv.prfx.; app.reltd. ποθέω] (of a dog) not desired, **neglected** Od.

ἀπό-θεστος² ον *adj.* [reltd. θέσσασθαι] (of wretchedness) to be averted by prayer, **to be wished away** Call.

ἀπόθετος ον *adj.* [ἀποτίθημι] **1** stored away; (of a gift) **reserved** (W.DAT. for someone) D. ‖ NEUT.PL.SB. reserves (of money) Plu. **2** not subject (to sthg.); (of a friend) **exempt** (W.GEN. fr. slander) Lys. **3** placed away (fr. common knowledge); (of poems) **secret, unknown** Pl.; (of curses) **esoteric** Plu. —**Ἀπόθεται** ὧν *f.pl.* **Apothetai** (name of a chasm nr. Sparta, in which deformed newborn children were abandoned) Plu.

ἀπο-θέω *contr.vb.* [θέω¹] | fut. ἀποθεύσομαι | **rush away** (fr. someone) X.; **flee** (by ship) Hdt.

ἀπο-θεωρέω *contr.vb.* **1** (of a commander) **watch from a distance** —*the activity of the cavalry* Plu. **2 observe** —*events unfolding* Plb. —*a rival's activity* Plu. ‖ PASS. be noticed —W.PTCPL. *as living in a certain way* Plu. **3** pay attention (to someone or sthg.); **note** —*a way of thinking, differences in lifestyle and government* Plu. —W.ACC. + PTCPL. *that someone acted in a certain way* Plu. **4 study** —*someone* (as the subject of a biography) Plu.

ἀποθεώρησις εως *f.* **study** (W.GEN. of someone's life) Plu.

ἀποθέωσις εως *f.* [ἀποθεόω] act or decree of deification, **deification** Plu.

ἀποθήκη ης *f.* [ἀποτίθημι] **1 storing up** (app. of goodwill, w. a foreign king) Hdt. **2 storehouse** (for supplies and funds) Th.; (for grain) NT.

ἀπο-θηλύνω *vb.* make effeminate, **weaken** —*someone* Plu. ‖ PASS. (of a people) become effeminate or weak Plb.

ἀπο-θηριόω *contr.vb.* **1** ‖ PASS. (of a person living in the wild) become like a beast (in appearance) Plb.; (of bodies, ulcers, tumours) become malignant Plb. **2** make (someone) like a beast (in behaviour and attitude); **make** (W.ACC. a people, an army) **savage** Plb. —W.PREP.PHR. *towards an enemy* Plb. ‖ PASS. (of a community) become savage Plb. —W.ACC. *in their souls* Plb.; (of people's souls) Plb.

ἀπο-θινόομαι *pass.contr.vb.* [θίς] (of a river's mouth) **be silted up** Plb.

ἀπο-θλίβω vb. 1 (of crowds) **tightly press upon** —*someone* NT.
2 (of certain locations) **compress** —*vapour and air* (*to form water*) Plu.
ἀπο-θνῄσκω vb. | fut. ἀποθανοῦμαι, Ion. ἀποθανέομαι, also ἀποθανεῦμαι | aor.2 ἀπέθανον ‖ neut.impers.vbl.adj. ἀποθανετέον (Arist.) | **1 die** Hom. + —W.PREP.PHR. or DAT. *fr. wounds, famine, disease* Hdt. Th. —W.COGN.ACC. *a noble death* X.; (of a person committing suicide) Hdt. Theoc.; (of animals) Hdt. Ar. NT.; (of a grain of wheat) NT.
2 (hyperbol.) **die** (of laughter) Ar.
3 (fig., of charcoal embers) cease to be alight, **die** Ar.
4 (specif.) **be killed** (in battle, by a murderer, or sim.) Hdt.(sts.tm.) Th. Ar. Att.orats. + —W.DAT. *by a thunderbolt* Pi.; (of cattle, for food) Od.; (of a snake, by its mate) Hdt. ‖ STATV.PRES. (of corpses, victims) **be dead** Hdt. Antipho Th.
5 be put to death (esp. as a legal punishment) Hdt. Th. Ar. Att.orats. +
ἀποθορών (aor.2 ptcpl.): see ἀποθρῴσκω
ἀπο-θραύω vb. **1** (of a ship) **break** or **knock off** —*another ship's stern* A. ‖ PASS. (of a ship's prow) be broken off Plu.; (fig., of a man chasing a prostitute) be crippled —W.GEN. *in his reputation* Ar.
2 ‖ PASS. (of a bone) be shattered (by a projectile) Plu.
ἀπο-θρηνέω contr.vb. **lament intensely** Plu. —*a dead relative, one's fate, one's beauty* Plu.
ἀπο-θριάζω vb. [θρῖον] strip (a fig) of leaves; (fig.) **make bare** (by circumcision) —*the head of a man's penis* Ar.
ἀπο-θρίζω vb. | aor. ἀπέθρισα | **1** cut away like a reaper; **cut off** —*someone's hair* E. —*genitals* (w. a sickle) Call.
2 cut apart —*sinews* Archil.
ἀπο-θρύπτομαι pass.vb. (fig., of a manual labourer) **be broken** or **torn apart** —W.ACC. *in his soul* (*just as in his body*) Pl.
ἀπο-θρῴσκω vb. | aor.2 ptcpl. ἀποθορών | **1 leap away** (fr. a ship that has run aground) Hdt.; **leap down** —W.GEN. *fr. a ship* (by diving, or to disembark) Il. —W.PREP.PHR. *fr. a horse* Hdt.; (of rocks) **bounce down** —W.PREP.PHR. *fr. a mountain top* Hes.
2 (of smoke) **rise up from** —W.GEN. *a land* Od.
ἀπο-θυμαίνω vb. release smoke or hot air; app. **fart** —W.DAT. *at someone* S.Ichn.
ἀπό-θυμος ον (also Ion. η ον) adj. [θῡμός] **1** (of an angry woman) **hostile** (W.DAT. to everyone) Semon.
2 (of actions, words) **unpleasant** Il. Hes. Hdt. Call. Mosch.
ἀπο-θύω[1] vb. [θύω[1]] **make a sacrifice of repayment** (to fulfil a vow) X.; **offer in repayment** —*thank-offerings, a tithe* (sts. W.DAT. *to a god*) X. Plu. —*money* (W.PREDIC.SB. *as a tithe*) X.; (fig.) —*slanders against one's superiors* (W.DAT. *to the deity Envy*) Plu.
ἀπο-θύω[2] (unless ἀποθυίω) vb. [θυίω] **rush away** (fr. the scene of a crime) Alc.
ἀποθωμάζω Ion.vb.: see ἀποθαυμάζω
ἀ-ποίητος ον adj. [privatv.prfx., ποιητός] **1** (of an outcome) **undone, annulled** Pi.
2 (of achievements) not to be accomplished, **impossible** (W.DAT. for humans) Plu.
ἀπ-οικέω contr.vb. [ἀπό] **1 live** or **dwell away** Th. Pl. X. Arist. Theoc. —W.GEN. *fr. one's father* E. —w. πρόσω + GEN. *far fr. a sense of shame* E. ‖ PASS. (of a man's home city) be inhabited from afar (i.e. be avoided) —W.PREP.PHR. *by him* S.
2 settle abroad, **emigrate** —W.PREP.PHR. *fr. a city* Isoc. Pl. —*to a region or city* Isoc. Pl. —W.ACC. *to an island* Pi.

ἀποικίᾱ ᾱς, Ion. ἀποικίη ης f. [ἄποικος] **1** act of forming a settlement abroad, **colonisation** Hdt. Th. Pl. Plu.; (wkr.sens.) **expedition** S.Ichn.
2 settlement abroad, **colony** Anacr. A. Pi. Hdt. Th. +; (ref. to the group of settlers) Hdt. Th. Isoc. Pl. +
3 dwelling away (fr. the city, on farms) Arist.
ἀπ-οικίζω vb. | fut. ἀποικιῶ | aor.pass. (w.mid.sens.) ἀπῳκίσθην | **1** (of a parent) **take** or **send** (W.ACC. a child) **away from home** E. —(W.PREP.PHR. *to a place*) Od.; **displace** —*a child* (W.GEN. *fr. her home*) E.; (of a wind) **carry away** —*someone* (W.PREP.PHR. *fr. a place*) S. ‖ MID. **emigrate** Plu. ‖ PASS. be resettled —W.PREP.PHR. *in a place* Pl.
2 send out (W.ACC. people) **to form a colony** Isoc.; (of a queen bee) —*young bees* X.
3 (of a people) **inhabit** (W.ACC. a region or settlement) **as a colony** Hdt. Th. Plb. ‖ PASS. (of a city) be settled as a colony Plb. Plu.
4 (of Tartaros) **locate** (W.ACC. someone) **in a new home** S. ‖ AOR.PASS. (w.mid.sens., of a quality) relocate oneself —W.GEN. *fr. the extremes* (W.PREP.PHR. *to the middle*) Pl.
5 ‖ PASS. (of sons) be given up for adoption Plu.
6 (of a bird) **inhabit** (W.ACC. locations) **far away** S.fr.
7 (of Epicureans) **locate** (W.ACC. the Deity) **away** —W.PREP.PHR. *fr. emotions or concern for mortals* Plu.
ἀποικίς ίδος f. **colony** Hdt.; (appos.w. πόλις *city*) Plu.
ἀποικισμός οῦ m. **founding of a colony** Arist.
ἀπ-οικοδομέω contr.vb. build or reinforce so as to block off; **barricade** —*doors, gates* Th. Plu. —*roads, watercourses, or sim.* Th. Ar.(cj., for ἀν-) D. ‖ PASS. (of a watercourse, its water) be dammed D. Plu.
ἄπ-οικος ου m. [οἶκος] **1** one who is away from home; **colonist** (W.GEN. fr. a community) Hdt. Th. X. D. +; **exile** (W.GEN. fr. one's homeland) S.; **immigrant** (W.GEN. fr. a people, personif.ref. to iron) A.
2 colony (sts. appos.w. πόλις *city*, W.GEN. of a land, a community) Ar. X. Plb. Plu.
ἀπ-οικτίζομαι mid.vb. **bitterly bemoan** —*one's afflictions* Hdt.
ἀπ-οιμώζω vb. | fut. ἀποιμώξομαι | **loudly lament** —*someone* A. E. Antipho Ar. Men.; **loudly bewail** —*the deaths of others, one's afflictions* A. S.
ἄ-ποινα ων n.pl. [copul.prfx., ποινή] **1** payment in exchange (for someone being released); **ransom** (sts. W.GEN. for a captive, a corpse) Il. Hdt. Pl. AR.; **fee** (for escaping death or suffering) Eleg.
2 penalty to settle a debt (incurred as a result of an offence); **compensation** (sts. W.GEN. for a theft, injury, killing, sacrilege, folly, arrogance) A. Hdt. E. Pl.; (W.GEN. for a sacrificial victim spared) E.; (for an abducted person) hHom.; (paid after showing disrespect) Il.; (paid by a murderer) D.
3 reward (W.GEN. for labours, achievements, athletic victories, excellence) Pi.; (app.ref. to a dowry) hHom.
ἀποινάω contr.vb. **1** ‖ MID. **hold to ransom** —*a captive* E.
2 punish with a fine —*a murderer* D.(law)
ἀπ-οίχομαι mid.vb. [ἀπό] **1 go away, depart** E. —W.GEN. *fr. battle* Il.
2 be away or **absent** (esp. fr. one's home) Od. S.; (of a lion) Plu.(oracle)
3 (of a person) **be missing** or **lost** E.
4 be gone, have departed Hdt. Theoc.; (of daylight) —W.GEN. *fr. a blind man's eyes* Theoc.; (of a person's good character) E.; (euphem., of dead people) Pi. Ar. AR. Plb. Plu.
5 forsake —W.GEN. *someone* Il.

ἀπο-καθαίρω *vb.* **1 wipe clean** —*one's hand* (*on a cloth*) X. —*a table* Ar. ‖ MID. **cleanse oneself** —W.GEN. *of wickedness* X. ‖ PASS. (fig., *of the moon*) **be cleansed** (fr. *darkness, after an eclipse*) Plu.
2 (fig., *of an aristocratic constitution*) **clean away, relegate** —*trades* (W.PREP.PHR. *into the hands of foreigners and slaves*) Plu. ‖ PASS. (*of toxins and waste in the body*) **be purged out** Pl. Plu.

ἀποκάθαρσις εως *f.* **1 vomiting** (W.GEN. *of bile*) Th.
2 cleansing (*in a ritual*) Plu.

ἀπο-καθίζω *vb.* **1 reside abroad** Plb.
2 (*of a magistrate*) **sit in isolation** (*to listen to accusers*) Plb.

ἀπο-καθιστάνω *vb.* **1 return** —*hostages* (*to their city*) Plb.
2 (*of a deliverer sent by God*) **restore** —*everything* NT.
3 (*of Jesus*) **reinstate** —*the kingdom* (W.DAT. *for Israel*) NT.

ἀπο-καθίστημι *vb.* ‖ pf. ἀποκαθέστακα (Plb.) ‖ **1 cause (someone) to return** (*to a previous location*); **return** —*a person, soldiers, allies* (W.PREP.PHR. *to a place, their home, safety*) Thphr. Plb. Plu.
2 restore (*to the proper place or rightful owner*); **return** —*hostages, captives, refugees* (sts. W.DAT. *to their relatives or home city*) Plb. Plu. —*a borrowed horse* X. —*captured cities, ships, territory* Plb. —*gifts* Plu.
3 restore to a previous condition; **repair** —*sanctuaries* Plb.; **restore** —*soldiers, subject peoples* (W.PREP.PHR. *to obedience*) Plb. —*a city* (*to its ancestral constitution, order, an alliance*) Plb. Plu.; (*of a deliverer sent by God*) —*everything* NT.; (*of a series of interconnected spheres*) —*a sphere* (*to a certain position*) Arist.
4 reinstate —*an ancestral constitution* (W.DAT. *for a community*) Plb. —*honours* (*for magistrates*) Plb.
5 make good —*losses, wrongs* Plb.
—**ἀποκαθίσταμαι** *pass.vb.* ‖ athem.aor.act. (w.pass.sens.) ἀπεκατέστην ‖ **1** (*of captives, deserters*) **be returned** Plb.
2 (*of statues, inscriptions*) **be repaired** Plb.; (*of the winding of a strip of papyrus*) **be restored** —W.PREP.PHR. *to its original configuration* Plu.; (*of a people*) —W.DAT. *or* PREP.PHR. *to an alliance, their original status* Plb.
3 (*of a constitution, honours*) **be reinstated** Plb.

ἀπο-καίνυμαι *mid.vb.* **far surpass** —*someone* (sts. W.DAT. *in a contest*) Od. AR.

ἀπό-καιρος ον *adj.* (*of an activity*) **ill-timed, inappropriate** S.

ἀπο-καίω, Att. **ἀποκάω** *vb.* ‖ aor. ἀπέκαυσα, ep.3sg.opt. (tm.) ἀπὸ ... κήαι ‖ **1 burn** (sthg.) **out**; **cauterise** X. —*an ulcer* D.; (fig., *of statesmen*) —*luxury, indulgence* (fr. *a city*) Plu.
2 burn severely; (*of a frost*) **dry out** —*vines* Plu.; (*of a wind*) **consume** —*an army, its equipment* Il.(tm.) X. ‖ PASS. (*of noses, ears*) **be burned off** (*in a blizzard*) X.

ἀπο-καλέω *contr.vb.* **1 summon** (W.ACC. someone) **back** (fr. *somewhere*) Hdt. X. Plu.
2 call aside —*one's officers* X.; **call away** —*soldiers* (fr. *a commander, w. honours and gifts*) Plu. —*a people* (fr. *an alliance*) Plb.
3 call by an alternative name; **rename** —*someone or sthg.* (W.PREDIC.SB. *such and such*) Hdt. S. E. Att.orats. Pl. + ‖ PASS. (*of persons*) **be called** —W.PREDIC.SB. *such and such* Isoc.

ἀπο-καλύπτω *vb.* **1 reveal** (fr. *beneath a covering*), **uncover** —*part of one's body* Pl.; (intr.) **remove a covering** (fr. *a basket*) Hdt. ‖ MID. **uncover** —*one's head* Plu.; **unveil oneself** Plu. ‖ PASS. (*of an arm*) **be bared** NT.
2 make clear —*the power of rhetoric* Pl. ‖ PASS. (*of Christ, God's righteousness, wrath, glory*) **be revealed** NT.
3 reveal —*one's thoughts, secrets* Pl. NT. Plu.; (*of a person's actions, power*) —*his character* Plu. ‖ MID. **show oneself** (*through one's words*) Plu. ‖ PASS. (*of secrets, thoughts, plans, ambition*) **be revealed** NT. Plu.
—**ἀποκεκαλυμμένως** *pf.mid.pass.ptcpl.adv.* **openly** —*ref. to speaking* Isoc.

ἀποκάλυψις εως *f.* **uncovering** (*of underground springs of water*) Plu.; **disclosure, revelation** (W.GEN. *of God's people, plan, judgement*) NT.; (W.GEN. *for peoples*) NT.

ἀπο-κάμνω *vb.* ‖ neut.impers.vbl.adj. ἀποκμητέον ‖ **1 grow weary** X. —W.PTCPL. *in doing sthg.* Pl. X. Plu.
2 cease from labouring S. Pl. Plu.; **give up trying** —W.INF. *to do sthg.* E. Pl.; **give up** —W.DAT. *in one's hopes* Plu.
3 avoid the effort of doing —*hard work* X.

ἀπο-κάμπτω *vb.* **1 turn aside** —W.PREP.PHR. fr. *one's path* Thphr.; (*of a horse*) **wheel round** X.
2 (*of a person walking*) **turn back** Arist.

ἀπο-καπύω *vb.* [καπνός, perh.reltd. κεκαφηώς] ‖ ep.aor. (tm.) ἀπὸ ... ἐκάπυσσα ‖ (*of a woman fainting*) **gasp out** —*her spirit* Il.

ἀπο-καραδοκέω *contr.vb.* **eagerly await** —*a person's reaction, arrival, the outcome of a battle* Plb.

ἀπο-καρτερέω *contr.vb.* **abstain completely** (fr. *food*); **starve oneself to death** Plu.

ἀποκατάστασις εως *f.* [ἀποκαθίστημι] **1 restoration** (W.GEN. *of hostages, to their homelands*) Plb.; (*of dedications, honours, allegiance*) Plb. Plu.; (*of all creation, by God*) NT.
2 restoration of order (*after a war or sim.*) Plb.
3 condition of being restored to normal*, **normality Plb.
4 ‖ PL. **complete cycles or revolutions** (*of the celestial bodies*) Plu.

ἀπο-κατατίθεμαι *mid.vb.* ‖ ep.3sg.athem.aor. ἀπεκάθετο ‖ **set down** (W.ACC. *one's helmet*) **on one side** AR.; **set down** (W.ACC. *a container*) **away** —W.GEN. *fr. one's lap* AR.

ἀπο-κάτημαι *Ion.mid.vb.* ‖ 3pl. ἀποκατέαται ‖ (*of disgraced persons*) **sit in isolation** Hdt.

ἀπο-καυλίζω *vb.* [καυλός] **snap like a stalk** —*an enemy's neck* E.; (*of a weapon*) **break off** —*the projecting part of a ram* Th.

ἀποκάω *Att.vb.*: see ἀποκαίω

ἀπο-κεάζω *vb.* ‖ ep.aor.ptcpl. (tm.) ἀπὸ ... κεάσσας ‖ **cut off** —*someone's hands* AR.

ἀπο-κεδάννυμι *vb.* ‖ ep.3pl.aor. (tm.) ἀπὸ ... κέδασσαν ‖ (*of winds*) **scatter abroad** —*clouds* AR.

ἀπό-κειμαι *mid.pass.vb.* [κεῖμαι] **1** (*of wives, children*) **be kept away** (sts. W.PREP.PHR. fr. *danger*) Lys. X. D. Arist. +; (*of information, in books*) Plu.; (*of emotions, in the heart*) X.
2 (*of money, equipment, documents, or sim.*) **be stored away** Lys. X. D. Arist. +; (*of information, in books*) Plu.; (*of emotions, in the heart*) X.
3 (*of the misfortunes of others*) **be stored up** —W.DAT. *by someone* (W.INF. *to build one's own reputation on*) D.; (*of laughter*) **be hoarded** (*through being withheld*) X.
4 (*of different qualities of fruits*) **be set apart** —W.DAT. *for different groups* X.; (*of locations*) —W.PREDIC.SB. *as safe havens* X.
5 (*of a prize*) **be kept** or **wait in reserve** —W.DAT. *for the victorious or the virtuous* Plu.; (*of wealth fr. wars*) —W.PREDIC.SB. *as a reward for courage* Plu.; (*of death*) —*as a blessing* S.; (*of merciful treatment*) —W.DAT. *for someone* D.
6 (*of censure*) **be delayed** —W.DAT. *for magistrates* (W.PREP.PHR. *until a certain occasion*) Pl.

7 (fig., of foresight) **be situated** or **lie far away** (fr. mortals) Pi.

ἀπο-κείρω *vb.* | aor. ἀπέκειρα, ep. ἀπέκερσα | **1 cut off** —*one's hair* Anacr.; **cut the hair of** —*someone* Thphr. ‖ MID. **cut off** —*a lock of one's hair* (*in mourning*) Il. Pl.; **cut off one's hair** (esp. for a ritual purpose) Ar. Is. Plu.; **get one's hair cut** (by a barber) Thphr.
2 ‖ MID. **shave** —*one's head* Hdt.; **shave oneself** Plu.
3 cut clean (of hair), **shear** —*horses* X. ‖ PASS. **be shorn** —W.INTERN.ACC. *in a certain style* Ar.; (of a personif. city) —W.ACC. *of a garland of towers* E.(tm.)
4 slice apart, sever —*sinews, a vein* Il.(tm.)
5 ‖ PASS. (fig., of a person, envisaged as a flower) **be cut down** E.

ἀποκεκαλυμμένως *pf.mid.pass.ptcpl.adv.*: see under ἀποκαλύπτω

ἀπο-κερδαίνω *vb.* **derive some benefit**; **make a gain** And.; **get pleasure** —W.GEN. *fr. a drink* E.*Cyc.*

ἀπο-κεφαλίζω *vb.* [κεφαλή] **behead** —*someone* NT.

ἀπο-κηδεύω *vb.* **complete the funeral rites for** —*someone* Hdt.

ἀπο-κηδέω *contr.vb.* **be careless** (in doing sthg.) Il.

ἀποκήρυξις εως *f.* [ἀποκηρύσσω] **disinheritance** (of a son) Plu.

ἀπο-κηρύσσω, Att. **ἀποκηρύττω** *vb.* **1 announce for sale by auction** —*captives, merchandise, assets* Hdt.(tm.) D. Plu. ‖ PASS. (of estates) be auctioned off Lys.
2 publicly reject; (of a father) **disinherit** —*a son* Pl.; **repudiate** —*the name given to a son* (*in order to disinherit him*) D. ‖ PASS. (of a son) be disinherited Pl.
3 ‖ IMPERS.PF.PASS. **there is a prohibition** —w. μηδένα + INF. *that anyone shd. join a conflict* X.

ἀπο-κίδναμαι *mid.vb.* (of a river) **branch off** —W.GEN. *fr. another river* AR.

ἀπο-κίκω *vb.* [perh.reltd. κιχάνω] | 3pl.aor. ἀπέκιξαν | (of aulos-players) app. **take away** or **shake off** (by blowing heavily) —*flowers* (W.GEN. *fr. a plant*) Ar.

ἀπο-κινδυνεύω *vb.* | fut.pf.pass. ἀποκεκινδυνεύσομαι | **take a great risk** Th. Lys. X. +; **venture at great risk** —W.INF. *to say sthg.* Ar. ‖ PASS. (of lives and money) be put at risk Th.

ἀπο-κινέω *contr.vb.* | iteratv.aor.2 ἀποκινήσασκον | **displace** —*a guard* (W.GEN. *fr. a doorway*) Od.; **remove** —*a cup* (W.GEN. *fr. a table*) Il.

ἀπόκινος ου *m.* app., a kind of comic dance; **wiggling away** (ref. to a slave's means of escaping an owner) Ar.

ἀπο-κλάζω *vb.* | aor. ἀπέκλαγξα | **shout forth, proclaim** A.

ἀπο-κλαίω, Att. **ἀποκλάω** *vb.* **mourn loudly** Hdt. —*the dead* Thgn. Hdt. Plu. —*oneself* Pl. Plu. —*one's afflictions, actions* A. Hdt. —(W.INTERN.ACC. *w. a groan*) S.; (mid.) —*one's afflictions* S. Ar.

ἀποκλάξας, ἀπόκλαξον (dial.aor.ptcpl. and imperatv.): see ἀποκλείω

ἀπόκλαρος *dial.adj.*: see ἀπόκληρος

ἀπο-κλάω *contr.vb.* | athem.aor.ptcpl. ἀποκλάς ‖ PASS.: aor.ptcpl. ἀποκλασθείς | **1 break** or **tear off** —*a piece of cake* Anacr. ‖ PASS. (of a tree) be uprooted —W.PREP.PHR. *by the wind* Plu.
2 ‖ PASS. (of a ship's tackle) be torn apart Theoc.

ἀποκλάω *Att.vb.*: see ἀποκλαίω

ἀπο-κλείω, Att. **ἀποκλῄω**, Ion. **ἀποκληίω** *vb.* [κλείω¹] | fut. ἀποκλείσω, Att. ἀποκλήσω | dial.aor.ptcpl. ἀποκλάξας, imperatv. ἀπόκλαξον | Att.pf. ἀποκέκληκα | **1 shut out** —*someone* (sts. W.GEN. *fr. a house, city, its gates*) A. Hdt. X. D. Theoc. —W.DAT. *by means of gates or doors* Ar. Is. ‖ PASS. be shut out Ar. —W.GEN. *of a city's gates* X.
2 close —*gates, doors* Hdt. Th. X. Theoc. NT. —*buildings, a citadel* Hdt. Ar. X. ‖ PASS. (of gates) be shut Hdt.
3 shut away —*someone* (*in a town, building, or sim.*) S. Th. Lys. Ar. D. ‖ PASS. be shut away Lys. X.; (fig., of draughts-players) be trapped —W.PREP.PHR. *by opponents* Pl.
4 (of mountains) **enclose** —*a region* Hdt.; (of pores) —*growths* Pl. ‖ PASS. (of a region) be enclosed —W.PREP.PHR. *by mountains* Hdt.; (of growths, inside pores in the body) Pl.
5 block off —*an enemy, supply-lines* X.; (of feathers in the sky, app.ref. to snow) —*sight* Hdt. ‖ MID. **block off** —*an enemy* (W.GEN. *fr. a river-crossing, sailing away, a way back*) Th. X. ‖ PASS. (of soldiers) be blocked off Hdt. Th. —W.GEN. *fr. their city, a way back, provisions* Hdt. X.; (of animals) X.; (of an island, a region) Hdt. Th.; (of a body of water) —W.GEN. *fr. its outlet* Hdt.; (of sunlight) X.
6 bar, block —*someone* (sts. W.GEN. or PREP.PHR. *fr. an activity, benefits*) Hdt. Ar. D. —(W.INF. or τοῦ + INF. *fr. doing sthg.*) Ar. D.; (of affidavits) —*cases* (W.GEN. *fr. coming into court*) D. ‖ PASS. be barred Pl. —W.DAT. *by a law* Is. —W.INF. or τοῦ + INF. *fr. doing sthg.* Th. D.
7 ‖ PASS. (of a sick person) be kept away —W.GEN. *fr. food* (*through loss of appetite*) D.

ἀπο-κλέπτω *vb.* **steal away** —*another's property* hHom.

ἀπό-κληρος, dial. **ἀπόκλαρος**, ον *adj.* [κλῆρος] (of persons, gods) **without a share** (W.GEN. of afflictions) Pi. Emp.

ἀπο-κληρόω *contr.vb.* **1 select by casting lots** —*a number of people* (sts. W.GEN. or PREP.PHR. *fr. a group*) Hdt. Th. Plb. Plu. —*magistrates, jurors* Th. Att.orats. Pl.; (intr.) **decide by casting lots** Arist. Plu. ‖ PASS. (of jurors) be chosen by lot D.
2 reject by casting lots —*superfluous candidates* Arist.
3 (of a commander) **allot** —*land* (W.DAT. *to veterans*) Plu. ‖ PASS. (of an army) be allotted —W.DAT. *to a commander* Plu.

ἀπόκλησις εως *Att.f.* [ἀποκλείω] **1 exclusion** (W.DBL.GEN. of a person, outside a city's gates) Th.
2 closure (of a harbour) Th.
3 blocking off (of supply-lines, by a wall) Th.

ἀπόκλητος ου *m.* [ἀποκαλέω] **member of the Select Council** (in the Aetolian League) Plb.

ἀποκλῄω *Att.vb.*: see ἀποκλείω

ἀπο-κλίνω *vb.* | neut.impers.vbl.adj. ἀποκλιτέον | **1** (intr.) **turn aside** X. Plb. Plu. —W.PREP.PHR. *towards a certain direction* Hdt. Theoc.; (tr., fig.) **twist aside, distort** —*a dream* (*so as to change its meaning*) Od. ‖ PASS. (of a boat) be directed away —W.PREP.PHR. *towards a river bank* Plu. ‖ AOR.PASS. (w.mid.sens.) turn aside —W.PREP.PHR. *towards a location* Theoc.
2 (tr.) **turn** (W.ACC. livestock) **back** —W.PREP.PHR. *to their pen* hHom.
3 (intr.) **lean down** or **forward** —W.PREP.PHR. *towards someone* Plu.; (of a body in motion) **tilt over** (in relation to an axis) Pl.; (tr.) **bow** —*one's head* Plu. ‖ PASS. (of a container, a carriage) be tilted over D. ‖ AOR.PASS. (w.mid.sens.) lean back Call.(tm.)
4 lay (W.ACC. oneself) **down** (on a couch) Plu.
5 (of regions) **slope** —W.PREP.PHR. *in a certain direction* Plb. Plu.
6 ‖ MID. (of the day) **decline** (towards evening) Hdt.
7 (of a speaker) **diverge** —W.GEN. *fr. the truth* Arist.; (of persons, characteristics) **lean away** (fr. a middle disposition) —W.PREP.PHR. *towards excess or deficiency* Arist.
8 turn away (in one's allegiance, attention); **incline** —W.PREP.PHR. *towards persons, their fortunes, a pursuit* Isoc. Pl. D. Arist. +

9 (of a person's prosperity) **decline** S.; (of a soul) —W.PREP.PHR. *towards brutality* Pl.
10 (of kinds of music) **tend** —W.PREP.PHR. *towards certain qualities* Pl.; (of constitutions) —*towards democracy or oligarchy* Arist.

ἀπόκλισις εως *f.* **1 inclining away** (of the sun, fr. its zenith) Plu.
2 rocking or **rolling motion** (on a boat) Plu.
3 swaying (fr. side to side, by a dense crowd) Plu.

ἀπο-κλύζω *vb.* **1** (of a storm) **wash clean** —*a stone slab* AR.
2 avert by purifications —*a dream* (i.e. the event foretold) Ar.
3 (fig., of public opinion) **wash away** —*good sense* (W.GEN. fr. *a person's soul*) Plu. ‖ MID. (fig.) **wash off oneself** —*what one has heard* (envisaged as a bitter residue) Pl.

ἀποκμητέον (neut.impers.vbl.adj.): see ἀποκάμνω

ἀπο-κναίω *vb.* [κνάω] **1 scrape** or **scratch away**; **harm** —*persons* (W.PTCPL. *by dragging them*) Ar.; **torment** —*oneself* (by prolonging one's life through exercise and medicine) Pl.; (of mice) **damage** —*a person's home* Call.; (of a god) **cause damage** Pl. ‖ PASS. **suffer physical pain** Pl.
2 cause (sts. W.ACC. someone) **irritation** —W.PTCPL. *by doing sthg.* Ar. Men. —W.DAT. *w. one's boasts* D.
3 wear down —*armies* (by prolonging a conflict) Plu. ‖ PASS. **be worn down** —W.DAT. *by taxes and conflicts* X.

ἀπ-οκνέω contr.vb. **1 shrink back** or **retreat from, shun** —*an enterprise, a risk* Th.
2 draw back (during a campaign) Th.
3 hesitate Th. Pl. D. —W.INF. *to do sthg.* Isoc. Pl. Plu.

ἀπόκνησις εως *f.* **reluctance** (W.GEN. for campaigning) Th.

ἀπο-κνίζω *vb.* **scrape away** —*scraps of food* (W.DAT. w. one's fingertips) Call.

ἀπόκνισμα ατος *n.* **scrap** (W.GEN. of dung, ref. to a person) Ar.

ἀπο-κοιμάομαι mid.contr.vb. | aor.pass. (w.mid.sens.) ἀπεκοιμήθην | **1 sleep away** (fr. one's normal location) Pl. Plu.(quot.com.)
2 (of persons, esp. soldiers) **fall asleep** Hdt. Ar. X.

ἀπό-κοιτος ον *adj.* [κοίτη] **sleeping away** (W.GEN. fr. one's companions) Aeschin. ‖ MASC.SB. (pejor.) **sleep-out** (ref. to a husband who does not sleep w. his wife) Men.

ἀπο-κολούω *vb.* (of Zeus) **cut short** —*the fulfilment* (of a plan) Call.(tm.)

ἀπο-κολυμβάω contr.vb. (of sailors) **dive overboard** Th.

ἀποκομιδή ῆς *f.* [ἀποκομίζω] **1 retreat** (by an army) Th.
2 sending out (W.GEN. of ships, by an ally) Plb.

ἀπο-κομίζω *vb.* | ep.aor.inf. (tm.) ἀπὸ ... κομίσσαι | aor.pass. (w.mid.sens.) ἀπεκομίσθην | **1 carry away** —*a casualty, corpse* Isoc. Plu. —*plunder, a decree* Men. Plb. ‖ PASS. (of a casualty, the remains of a body) **be carried away** (on a stretcher) And. X. D. Plu.
2 convey or **escort away** (fr. a location) —*a person* Th. X. AR.(tm.) Plb.; (of a commander) **conduct away** —*an army, a fleet* Plb. ‖ MID. **convey away** (by ship) —*soldiers* X.
3 ‖ MID. or AOR.PASS. **make one's departure** (by land or sea) Hdt. Th. Plb. Plu.

ἀπόκομμα ατος *n.* [ἀποκόπτω] **piece cut away, chip** (W.GEN. fr. a rock, fig.ref. to a hard-working but insensitive man) Theoc.

ἀποκοπή ῆς, dial. **ἀποκοπά** ᾶς *f.* **1 cutting off** (W.GEN. of a person's head) A.
2 striking out, cancellation (W.GEN. of debts) Att.orats. Pl. +
3 abrupt end (W.GEN. of a plain) Plu.
4 curtailment, abbreviation (of a word) Arist.

ἀπο-κόπτω *vb.* | PASS.: aor.2 inf. ἀποκοπῆναι | pf.inf. ἀποκεκόφθαι | 3pl.fut.pf. ἀποκεκόψονται | **1 cut so as to detach, cut off** —*a body part* Hom.(sts.tm.) + —*the ensign* (W.GEN. fr. *a ship*) Il. —*foliage* (fr. *a tree*) Od. ‖ PASS. **have** (W.ACC. one's hand) **cut off** Hdt. Plu.; (of body parts) **be cut off** X. Plu.; (of shoots, fr. a vine) Ar.
2 cut loose —*one's horse, anchor, bridges* Il. X. Plb. Plu.
3 cut away —*sheaves* (of straw) Call.; **cut out** —*an ulcer or sim.* D.
4 cut apart, sever —*someone's neck, a rope* Hom.(tm.) AR.(tm.) NT. Plu.; (of an axe) —*the sinews of a cow's neck* Od.
5 knock off (w. a club) —*the heads* (of spears) X. ‖ PASS. (of a rock) **be dislodged** (fr. a mountain, by storms) Plu.
6 (of an army) **knock out, dislodge** —*the enemy* (fr. a defensive position) X. ‖ PASS. (of soldiers) **be dislodged** —W.PREP.PHR. *fr. a defensive position* X.
7 cut off —*water channels, an enemy's supplies* Plu.; (of a fortified place) —*a region* (W.GEN. fr. certain activities) Plu. —*a person* (fr. a safe return home) Plu. ‖ PASS. (of an escape route) **be cut off** Plu.; (of a person's voice, by illness) Plu.; (fig., of a person) —W.GEN. fr. *hope* Plu.
8 (gener. or fig.) **cut short, curtail** —*interest payments, an enterprise, power, hope, good fortune* Plu. ‖ PASS. (of hope) **be curtailed** AR.(tm.) Plu.
9 ‖ PASS. (of a sequence of paeans) **be broken off** —W.DAT. *by a long syllable* (so as to mark the end) Arist.
10 ‖ PF.PASS.PTCPL.ADJ. (of an ascent) **rugged** or **precipitous** Plu.
11 ‖ MID. **beat one's breast to mourn** —*a dead person* E.

ἀπο-κορυφόω contr.vb. **1** (of rivers) **form into a point** —*the shape of a region* Plb.
2 answer with a concise summary, answer to the point Hdt.

ἀπο-κοσμέω contr.vb. (of servants) **tidy away** —*dishes* Od.

ἀπο-κοτταβίζω *vb.* (of a man sentenced to death by drinking hemlock) **toss out** (W.ACC. the remainder of his poison) **as if playing kottabos** X.

ἀπο-κουφίζω *vb.* **relieve by removal** (of a burden); **relieve** —*a city* (W.GEN. of idlers) Plu.; **bring relief** Plu. —W.GEN. fr. *afflictions* E.

ἀπο-κραιπαλάω contr.vb. **be hungover** or **groggy** Men. Plu.

ἀπο-κρατέω contr.vb. (of a river) **be greater** (than another, W.DAT. in volume) Hdt.; (of a vapour bath) **surpass** —*another bath's output of vapour* Hdt.

ἀπο-κρεμάννυμι *vb.* | aor. ἀπεκρέμασα | **1 hang** —*oneself* (W.DAT. w. a rope) Plb.; (of a dying bird) **hang down** —*its neck* Il.
2 hang up —*one's quiver* Hdt.

ἀπό-κρημνος ον *adj.* [κρημνός] (of a mountain, an area) **precipitous** Hdt. Th. X. ‖ NEUT.SB. **precipice** X.; (fig., ref. to a difficulty faced by a defendant making a speech) D.

ἀποκριδόν *adv.* [ἀποκρίνω] **by selection** —*ref. to putting forward a champion* AR.

ἀπόκριμα ατος *n.* **answer** (to a proposal) Plb.

ἀπο-κρίνω *vb.* | fut. ἀποκρινῶ ‖ PASS.: fut. (w.mid.sens.) ἀποκριθήσομαι | aor. (sts. w.mid.sens.) ἀπεκρίθην, ep.du.ptcpl. ἀποκρινθέντε, ep.3pl.subj. ἀποκρινθῶσι |
1 separate —*someone* (sts. W.GEN. fr. *a group*) Hdt. —*people* (fr. an army, a population) Hdt. AR. —*ships* (fr. the fleet) Hdt. ‖ AOR.PASS. **take oneself away** (fr. a group) Il. Th.; (of a monkey) **become separated** —W.GEN. fr. *other animals* Archil.; (of the elements that form a living thing) **be separated** (fr. one another, at its death) Emp. ‖ PF.PASS. (of daily life) **be separate** —W.PREP.PHR. fr. *domestic animals* Hdt.

2 app., separate by keeping apart (the sides of a boat), **distinguish, broaden** —*the stern of a boat* Hdt.
3 set apart (in categories), **distinguish** —*sthg.* (W.GEN. *fr. other things*) Pl. ‖ PASS. (of a people) be distinguished Th. —W.GEN. *fr. other peoples* Hdt.; (of matter, fr. other matter) Arist. ‖ PF.PASS.PTCPL.ADJ. (of a disease) distinct or specific Pl.
4 ‖ PASS. (of many symptoms of illness) be resolved —W.PREP.PHR. *into a single disease* Th.
5 make a selection (sts. W.DAT. by the number of votes or by a qualification) Pl. —W.GEN. *fr. two options* S.(dub.)
6 decide against, reject —*candidates* Pl. —*a kind of song, certain myths* Pl.; **disqualify** —*a competitor* (W.GEN. *fr. a victory*) Arist. ‖ PASS. (of an unsuitable person) be rejected —W.GEN. *fr. civic honours* Pl.
7 ‖ MID. and AOR. or FUT.PASS. (w.mid.sens.) **answer** —*a question* E. Th. Lys. Ar. Pl. +; **reply** E. Th. Ar. Att.orats. Pl. + —W.DAT. *to someone* (W.INF. *that he shd. do sthg.*) Thphr. —W.COMPL.CL. *how, whether or that sthg. is the case* Th. Ar. Att.orats. Pl. + ‖ PF.PASS. (of a question) be answered —W.DAT. *by someone* Pl. ‖ PF.PASS.NEUT.PTCPL.SB. answer given (W.DAT. by someone) Pl.
8 ‖ MID. (of a defendant) **make a reply** (to charges) Antipho Ar. Is. ‖ MID.MASC.PTCPL.SB. defendant Antipho

ἀπόκρισις εως (Ion. ιος) *f.* **1 answer, reply** (to a question or inquiry) Hdt. Th. Att.orats. Pl. X. +; (to a formal legal accusation) Att.orats.
2 action in response (to someone), **response, reaction** Thgn. Isoc. Men.

ἀπό-κροτος ον *adj.* [κρότος] trodden hard; (of terrain) **uneven, rough** Th. X. Plu.

ἀπο-κρούω *vb.* **1 drive away** —*enemy soldiers* X.; (of fear) —*a person* Plu. ‖ MID. drive away from oneself, **repel** —*enemies, assaults, danger* Hdt. Th. X. Plu. ‖ PASS. (of a commander, an army) be beaten back Th. Plb. Plu. —W.GEN. *fr. their attack* Th. X. Plu. —W.GEN. or PREP.PHR. *fr. a location* X. Plu.
2 ‖ PASS. (of a rider) be thrown —W.PREP.PHR. *fr. a horse* X.
3 ‖ PASS. (of a cup) be broken —W.ACC. *on its lip* Ar.

ἀπο-κρυπτάζω *vb.* [reltd. κρύπτω, κρυπτάδιος] ‖ iteratv.impf. ἀποκρύπτασκον ‖ keep out of sight, **hide away** —*a person* Hes.

ἀπο-κρύπτω, Aeol. **ἀπυκρύπτω** *vb.* **1** keep (someone or sthg.) out of sight; **hide from view** —*a person, cattle, cavalry, a weapon, one's wealth* Il. hHom. Ar. Isoc. X. +; —*horses* (W.DAT. *fr. someone*) Il.; (of archers) —*the sun* (w. *their volley of arrows*) Hdt.; (of Zeus, Night) —*the sun's light* Archil. A.; (of stars, outshone by the full moon) —*their own form* Sapph. ‖ MID. hide oneself Pl. X.; **hide** —*someone or sthg.* (somewhere) Th. Ar. X.; **cover up** —*the apparent bitterness of a statement* (by a clarification) Isoc.; (of poets) **conceal** —*themselves* (behind the characters in their poems) Pl. ‖ PASS. (of a lover) be hidden Ar.
2 (of sailors going far out to sea) **leave in the distance** or **out of sight** —*the coast* Pl.; (intr., of an army) **disappear** (into the distance) Th.
3 conceal by covering; (of snow) **cover, conceal** —*someone or sthg.* X.; (of a god) —*streams* (under rocks) hHom. Call. ‖ PASS. (of a sea) be covered —W.PREP.PHR. *by ships* Hdt.
4 (act. and mid.) conceal (fr. the awareness of others), **keep secret** —*one's hungry stomach* Od.(dub.) —*a person's identity, circumstances, faults, crimes, information* (sts. W.ACC. *fr. someone*) Hdt. Ar. Att.orats. Pl. X. + —W.COMPL.CL. *that sthg. is the case, how one does sthg.* Pl. X.; **keep a secret** E. Ar. Att.orats. X. —W.ACC. *fr. someone* Pl. —(W.COMPL.CL. *that one is such and such*) X. ‖ PASS. (of troubles, a kind of government) be kept secret Isoc. X.
‖ PF.MID.PASS.PTCPL.ADJ. (of the truth, a skill) secret Pl.
5 (of time) **obscure** —*crimes* Aeschin.; (of a person's folly) —*his wisdom* Pl.; (of excessive literary artistry) —*thought, characterisation* Arist.
6 ‖ MID. **dissemble** Pl. X. D. —W.ACC. + INF. *so that no one is aware* Lys.; **conceal** —w. μή + INF. *that one is such and such* Th.

ἀπόκρυφος ον *adj.* **1 hidden** (W.PREP.PHR. in a house) E.; (of a boy's sexual relationship) **secret** (W.GEN. fr. a parent) X.; (of statements, actions) NT.; (prep.phr.) ἐν ἀποκρύφῳ *in secret* Hdt.
2 (of a method, writings) **obscure, arcane** X. Call.

ἀπο-κτείνυμι, also **ἀποκτίννυμι** (Lys. +) *vb.* —also (pres. and impf.) **ἀποκτιννύω** (X. Plu.) **1 kill** —*someone* Pl. X. D. Arist. +; (of a vulture) —*living things* Plu.; (fig., of a self-critic) —*himself* Arist.
2 (of a disease) **kill** Pl.
3 (of a magistrate, statesman, prosecutor) **put to death** (w. or without a trial) —*someone* Lys. Pl. X. Plu.

ἀπο-κτείνω *vb.* —also (pres.) **ἀποκτέννω** (NT.) | fut. ἀποκτενῶ | aor.1 ἀπέκτεινα | aor.2 ἀπέκτανον | athem.aor.: 1pl. ἀπέκταμεν, ep.inf. ἀποκτάμεναι, also ἀποκτάμεν | pf.: ἀπέκτονα, also ἀπέκταγκα (Arist. +), ἀπέκτακα (Plb.) | plpf.: 3sg. ἀπεκτόνει, Ion. ἀπεκτόνεε, 3pl. ἀπεκτόνεσαν
‖ ATHEM.AOR.MID. (w.pass.sens.): 3sg. ἀπέκτατο, ptcpl. ἀποκτάμενος ‖ PASS.: aor.inf. ἀποκτανθῆναι (NT.) | pf.inf. ἀπεκτάνθαι (Plb.) |
1 kill Il. A. E. NT. —*a person* Hom. + —*an animal* Hom. Hdt. Aeschin. —*the body or soul* NT. ‖ ATHEM.AOR.MID. (w.pass.sens.) be killed Il.; (of bulls, for a sacrifice) Il.
2 (of stones, pieces of wood or iron) **bring death** (by falling) Aeschin.; (of a tower, by collapsing) **kill** —*someone* NT.
3 (hyperbol.) **destroy** —*someone* (by banishment) E.; (of persons, their manner or behaviour) **be the death of, kill** —*someone* E. Ar. Men.
4 be responsible for the death (of someone); (of a mother) **leave** (W.ACC. her child) **to die** E.; (of a commander) **cause** (W.ACC. his soldiers) **to die** Aeschin.; (of a person or god) **kill** —*someone* (through an intermediary) E.; (of a person's purpose or character, a marriage) —*someone* E.
5 (of magistrates, a jury, an accuser, or sim.) **put to death** (w. or without a trial) —*someone* Hdt. E. Th. Ar. Att.orats. + ‖ PASS. be put to death Plb.

ἀπό-κτισις ιος Ion.*f.* [κτίζω] **settlement, colony** Call.

ἀπο-κυέω contr.*vb.* (of a woman) give birth to, **bear** —*a child* Plu. ‖ PASS. (of a child) be born Plu.

ἀπο-κυλίω *vb.* **roll away** —*a boulder* (sts. w. ἐκ + GEN. *fr. the entrance it seals*) NT. ‖ PASS. (of a boulder) be rolled away —w. ἀπό + GEN. *fr. a tomb* NT.

ἀπο-κωκύω *vb.* **loudly lament** —*a dead person* A.

ἀποκώλῡσις εως *f.* [ἀποκωλύω] act of hindering, **opposition** (fr. a horse, W.GEN. to being bridled and mounted) X.

ἀπο-κωλύω *vb.* **1 hinder** —*someone* Hdt.(oracle) X. —(W.GEN. *fr. a journey*) X. —(W.INF. or μή + INF. *fr. doing sthg.*) E. Pl. X.; (of obstacles, a situation) —*a person, sound, entity* (sts. W.INF. or τοῦ + INF. *fr. doing sthg.*) Simon. Pl. X. Plu. ‖ PASS. (of an army) be hindered —W.PREP.PHR. *by the enemy* Th.
2 (intr.) **offer opposition** (to intruders) X.; (of a god, a government) **take counter-measures** Th. X.; (of a situation)

ἀπολαγχάνω

be a hindrance X. —w. τοῦ + INF. *to doing sthg.* X.; (of theoretical studies) —W.GEN. *to practical lessons* X.; (of nothing) Pl. —W.INF. *to doing sthg.* Pl.
3 (of a law) **be prohibitive** —W.INF. *to doing sthg.* Pl.; (of nothing) Th.

ἀπο-λαγχάνω *vb.* | *aor.*2 ἀπέλαχον | **1** obtain by lot (a portion) from (the whole); **obtain** —*a portion* (W.GEN. *fr. possessions, land, noble deeds*) B.(tm.) Hdt. —*decent burial (regarded as patrimony)* E.
2 lose when drawing lots Lys. Arist. Plu.
3 have no share (in someone's good fortune) E.

ἀπο-λάζυμαι *mid.vb.* [λάζομαι] **take back** —*one's estranged wife* E.

ἀπο-λακτίζω *vb.* **1** (fig.) **kick off** —*one's pains, sleep* Thgn. A.
2 spurn, reject —*Zeus' bed* A. —*good advice* Plu.

ἀπολακτισμός οῦ *m.* **kicking away** (W.GEN. of one's life, periphr.ref. to dying w. violent spasms) A.

ἀπο-λαμβάνω *vb.* | *fut.* ἀπολήψομαι, Ion. ἀπολάμψομαι | *aor.*2 ἀπέλαβον | *pf.* ἀπείληφα || PASS.: *aor.* ἀπελήφθην, Ion. ἀπελάμφθην | *pf.* ἀπείλημμαι, Ion. ἀπολέλαμμαι |
1 receive back (someone or sthg. previously lost); **recover** —*one's wife, son, slaves, captives or war dead* Hdt. E. Th. X. + —*territory, property, money* Hdt. Th. Att.orats. X. + —*one's authority, power, or sim.* Hdt. Isoc. —*(app.) one's youthfulness* Ar.
2 receive (that which is owed or promised to one); **receive** —*one's inheritance, pay, prize, penalty, or sim.* Hdt. Ar. Att.orats. Pl. X. + —*cities (in a treaty)* Plb. —*information, help* Att.orats.; **accept** —*oaths* Aeschin. D. || MASC.PTCPL.SB. recipient of (due kindness, ref. to a friend) Pl.
3 (of a creditor) **receive, regain** —*the principal sum, interest* Ar. Att.orats. X. +
4 receive, gain —*influence, familiarity, blessings* Isoc. Pl. NT.; (of camels) —*their own role (in an army)* X.; (of a liquid) —*uniformity* Pl.; (of an outline) —*clarity (fr. colouring)* Pl.; (of words) —*an iota* Pl.
5 take (someone) away (fr. a supporter or a group); **take aside** —*someone* Hdt. Ar. NT.(mid.); **abduct** —*someone* Men. || PF.PASS. be separated (fr. one's relatives) Men.
6 take (sthg.) aside; **separate out, set aside** (for special attention) —*a group* Pl. —*benefits* E. —*a certain entity or example* Pl. —*part of a policy, an argument, story* Th. Pl. Arist. || PASS. (of a sum of money) be set aside Plb.
7 cut off, intercept —*an army or fleet* Hdt. Th. || PASS. (of soldiers, a fleet) be intercepted Th.; (of a region) be cut off —W.PREP.PHR. *at an isthmus* Th.
8 shut away —*someone (inside a building)* Th.; **shut off, block off** —*a location* Th. —*someone's breath (so as to kill him)* Plu. || PASS. be shut off or trapped (by the enemy, in a location) Hdt. Th. Pl. X. +; (of a fleet) Hdt. Pl. X.; (of phlegm, in a sick person's veins) Pl.; (fig., of persons) —W.PREP.PHR. *in a situation or argument* Pl.
9 (of adverse winds) **prevent** —*an expedition* Pl. || PASS. (of an expedition) be prevented or stopped —W.PREP.PHR. *by circumstances* Th. D.
10 || PASS. (of persons at sea) be taken off course —W.PREP.PHR. *by the wind* Hdt.

ἀπο-λαμπρύνομαι *pass.vb.* **become illustrious** —W.DAT. *for one's achievements or wisdom* Hdt.

ἀπο-λάμπω *vb.* **1** (of light) **shine out** —W.GEN. *fr. a spear, star, god's eyes* Il. Hes.(mid.) Ar.; (of beauty) —*fr. a god's cheeks* hHom.; (mid., of beauty, fr. jewellery) Hom.
2 (of a garment, helmet, silver bow) **shine forth** Hom. AR.; (of gold) —W.GEN. *fr. a deer's antlers* Call.

ἀπο-λάπτω *vb.* (fig., of a philosopher, envisaged as a dog) **lap up** —*as high a payment as possible* Ar.(dub.)

ἀπόλαυσις εως *f.* [ἀπολαύω] **1 rejoicing** Th. Arist.
2 experience of joy, **pleasure, enjoyment** (sts. W.GEN. fr. sleep, property, food, drink, sex, achievements) E. Th. Isoc. X. Arist. +
3 benefit (W.GEN. fr. one's father, ref. to an inheritance) E.; **profit, advantage** (W.GEN. fr. sthg.) Pl. Arist.
4 (iron.) **reward** (W.GEN. for an unwelcome resemblance to someone) E.
5 gratification (sts. W.PREP.PHR. in relation to one's desires) Plb.

ἀπόλαυσμα ατος *n.* that which is enjoyed, **delight** (ref. to a person) Plu.

ἀπολαυστικός ή όν *adj.* **1** disposed to enjoyment; (of persons, their lifestyle, excess) **hedonistic** Arist.
2 (of wealth) **of the enjoyable kind** Arist.; (of virtues, for those who have them) Arist.
3 (of a wine) **agreeable** (in its favour) Plb.
—**ἀπολαυστικῶς** *adv.* **hedonistically** —*ref. to living* Arist.

ἀπολαυστός όν *adj.* (of wealth) **to be enjoyed** Plu.

ἀπο-λαύω *vb.* [reltd. λεία] | *fut.* ἀπολαύσομαι, also ἀπολαύσω (Plu.) | *aor.* ἀπέλαυσα | *pf.* ἀπολέλαυκα | **1** receive an advantage, **benefit** Isoc. Hyp —W.GEN. *fr. someone or sthg.* Hdt. Ar. Att.orats. Pl. X. + —W.PREP.PHR. *fr. someone's wisdom, one's activities* Pl. || MASC.PTCPL.SB. beneficiary (of another's labours) Arist.
2 have pleasure or **enjoyment** Ar. Pl. X. —W.GEN. *fr. one's homeland, property, activities, foods, drinks, or sim.* Th. Att.orats. Pl. X. + —*fr. successes, pleasures, youth, or sim.* E. Th. Ar. Att.orats. Pl. + —W.PREP.PHR. *fr. others' suffering* Pl.
3 (iron.) **do well, benefit** Ar. Iso. Pl. D. —W.PTCPL. *by going somewhere* Ar. —W.GEN. *fr. persons, their afflictions, crimes* E. Ar. Pl. Din.; **be the beneficiary** —W.GEN. *of an eye-disease* (W.PREP.PHR. *fr. someone*) Pl.
4 be a recipient (of sthg. unwelcome); **receive a share** —W.GEN. *of another's misfortunes, crimes, bad reputation, or sim.* Isoc. —*of the reality of wickedness* (W.PREP.PHR. *fr. its imitation*) Pl.
5 (pejor.) **take advantage** —W.GEN. *of persons, their body, a weakness* Att.orats. X. Thphr. —*of one's authority* Aeschin. —*of a silence* D.; **make a mockery** —W.GEN. *of someone* Plu.

ἀπο-λέγω *vb.* | *aor.* ἀπέλεξα | *pf.pass.ptcpl.* ἀπολελεγμένος, also ἀπειλεγμένος | **1** pick out (fr. a total); **select** —*several people, the best part (fr. an army)* Hdt. Th. —*the best passage (fr. a tragedy)* Ar. || MID. select for oneself —*soldiers* (W.GEN. *fr. an army*) Hdt. Th. || PF.PASS.PTCPL.ADJ. (of soldiers, magistrates, horses) selected (w.connot. of superiority) Hdt. Pl. X.
2 pick off —*burrs (fr. a fleece)* AL
3 reject —*someone (fr. a jury panel)* Plu. —*someone's help* Plb.; **refuse** —*a request* Plb. || MID. **reject** —*a supplication* Plu.; **refuse** —*a request or task* Plu.
4 || MID. publicly reject, **renounce** —*hostility, a claim, primacy* Plu.; (intr.) **surrender** (in battle, political life) Plu.

ἀπο-λείβω *vb.* **1 pour out a libation** Hes. A.(cj.)
2 || MID. (of oil) **drip out** —W.GEN. *fr. a surface, a god's hair* Od. hHom.; (of blood, fr. an animal or a monster's cheeks) Hes.

ἀπο-λείπω, Aeol. **ἀπυλείπω** *vb.* | *aor.*2 ἀπέλιπον | **1 leave behind** (by travelling onwards) —*a city, house, islands* Call. AR.(sts.tm.); (of a horse rider) —*others* (W.DAT. *by a certain distance*) X. || PASS. be left behind X. Men. Theoc.; (of an

animal) —W.GEN. or PREP.PHR. *by its mother, the flock* Anacr. Theoc.; (fig., of persons, in a discussion) Pl.
2 (of the best part of life) **pass by** —*someone* S.
3 abandon —*comrades, relatives, friends* Lyr.adesp. A. Hdt. E. Ar. Pl. + —*one's citadel, home, post* Hdt. Th. And. —*an alliance* Th.; (of a crew) —*their ship* D.; (of bees) —*their home, queen* Il. X.; (of shame) —*someone's eyes* AR.(tm.)
|| PF.PASS.PTCPL.ADJ. (of an orphan) **abandoned** Antipho
4 (of a wife) **desert** —*her husband* And. Ar. D. Men.; (of a man) —*a mistress, his fiancée* Ar. Men.(cj.)
5 leave out (sth.); (of soldiers taking up position) **leave open** —*a space* Hdt. X.; (of a person) **omit** —*charges, parts of an explanation* Pl. || MID. **leave aside**, **reserve** —*a seat* (W.DAT. *for someone*) AR.(tm.) || PASS. **be left out** Men. —W.GEN. *of an occasion* S. Pl.
6 leave undone —*tasks, crimes* Hdt. D. || PASS. (of part of a journey) **be left** (to complete) Plb.
7 lose —*one's life* Pi.(tm.) S.(tm.) E. —*one's infamous title* E.
8 leave behind (as a legacy) —*one's poetic art* Mosch.
9 (of a host) **let down, fail** —*a guest* Thgn.
10 (of Amazons) **surpass** —*men* Lys.; (of Athens) —*all humanity* (W.PREP.PHR. *in thinking and speaking*) Isoc.
|| PASS. (of a city) **be surpassed** Isoc.
11 (intr., of persons, birds) **depart** (fr. a place) Hdt. E. Th.; (of water, fr. a river, a region) Pl. Arist.; (of youthful beauty) X.; (of life) —W.GEN. *fr. cities* E.
12 (of a people) **withdraw** —W.PREP.PHR. *fr. a war* Th.; (of soldiers, sailors) **desert** X. D.
13 be in want (of sth.); **lack** D. —W.GEN. *goodwill* Th. Pl.
|| PASS. **be deprived** —W.GEN. *of one's memories, sense of shame, youthfulness, opportunities* E. Isoc.; **be left unaware** —W.GEN. *of the facts* Lys. D.
14 stop short Od. —W.INF. *of doing sth.* Hdt.; **stop** (during an explanation) Pl. Is. —W.PTCPL. *while doing sth.* X.
15 fall short —W.PREP.PHR. *of a certain height* (W.ACC. *by a certain measurement*) Alc. Hdt. —W.GEN. *of a certain age* Hes. —W.INF. or τοῦ + INF. *of being such and such* Din. Pl.; (of Zeus sending rain) —W.ACC. *of a certain depth* Hes.; (of ships) —W.INF. *of amounting to a certain number* Th.; (of feasts) —W.GEN. *of a certain total* Pl. || PASS. **be found wanting** —W.GEN. *in virtue, learning* Isoc. D. —*during a crisis* D. —W. τοῦ + INF. *in doing sth.* Ar.
16 (of a fruit harvest) **fail** Od.
17 (of a river after flooding) **fall** (sts. W.ACC. in volume) Hdt.
18 || PASS. **be separated** Pl. D. —W.GEN. *fr. someone, one's homeland* E. Isoc. Pl. X. —*fr. the truth* Hdt.; (of a virtue) —*fr. another virtue* E.

ἀπο-λείχω *vb.* **lick off** —W.PARTITV.GEN. *some blood* AR.

ἀπόλειψις εως *f.* [ἀπολείπω] **1 abandoning** (W.GEN. of a camp) Th.; **leaving behind** or **aside** (of a beloved, the sick and wounded, equipment) Plu.; **laying down** (of one's life) Hyp.
2 desertion (sts. W.GEN. by one's allies, soldiers, a crew) Th. X. D.
3 departure (by a wife, fr. her husband), **divorce** D. Plu.
4 (euphem.) **departure** (W.GEN. of mortals, ref. to death) Emp.

ἀπόλεκτος ον *adj.* [ἀπολέγω] (of soldiers) **chosen** (opp. conscripted) Th.; **picked out** (W.GEN. fr. the elite cavalry) Plb.; (of superior fruits) **selected** (W.DAT. for masters, opp. slaves) X.

ἀ-πολέμητος ον *adj.* [privatv.prfx., πολεμέω] (of regions) **untouched by war** Plb.

ἀ-πόλεμος, ep. **ἀπτόλεμος**, ον *adj.* **1** (of persons) **unwarlike** Il. Pl. X. Plu.; (of a woman's hand, a thyrsos) E.; (of activities, a procession, way of life) Plu.
2 (of a disarmed enemy) **incapable of fighting** X.
3 without conflict; (of marriages) **peaceful** E.; (of good order) Pi.; (of a voyage, interactions, periods of time, old age, a lifestyle) Plu.
4 (of hubris, reverence) **unconquerable** A.
5 (oxymor., of a war against one's children) **not a natural war** E.; (of a marriage, envisaged as a war) A.

—**ἀπολέμως** *adv.* **1 in an unwarlike manner** Pl. Plu.
2 peacefully Plu.

ἀπο-λεπτύνομαι *pass.vb.* [ἀπό] (of a substance) **be diluted** Pl.

ἀπο-λέπω *vb.* | ep.fut.inf. ἀπολεψέμεν | **1 peel away** (the skin) from (sth.); **strip** —*a branch* (w. *a knife*) hHom.; **flay** —*someone's back* (w. *a whip*) E.Cyc.
2 peel off —*a facemask* (envisaged as an egg-shell) Ar.; **lop off** —*the ears* (W.GEN. fr. someone) Il.(dub.)

ἀπολέσθαι (aor.2 mid.inf.), **ἀπολέσκετο** (3sg.iteratv.aor.2 mid.): see ἀπόλλυμαι, under ἀπόλλῡμι

ἀπο-λευκαίνω *vb.* (of a dust-cloud) **entirely whiten** —*the air* Plu.

ἀπο-λήγω, ep. **ἀπολλήγω** *vb.* **1 cease, desist** Il. Hes. AR. —W.GEN. *fr. an activity, emotion* Hom. Pl. AR. —W.PTCPL. *fr. doing sth.* Hom.; (of a spear in flight) **stop** Il.
2 (of a generation, an athlete's fame) **pass away** Il. Xenoph.; (of the elements of matter) **cease to be** Emp.; (of wind) **drop** Theoc.; (of sounds) **fade away** Pl.
3 (tr., of Aiolos) cause to stop, **stay, calm** —*the winds* AR.
4 (of words) **end** —W.PREP.PHR. *in a similar inflectional form* Plu.

ἀπο-ληρέω *contr.vb.* **speak utter foolishness** D.

ἀπόληψις εως *f.* [ἀπολαμβάνω] **interception** (W.GEN. of enemy soldiers) Th.

ἀπο-λιβάζω *vb.* [λιβάς] **trickle away**; (colloq.) **clear off** Ar.

ἀπο-λιγαίνω *vb.* **protest shrilly** Ar.

ἄ-πολις ι, gen. ιδος (Ion. ιος) *adj.* [privatv.prfx., πόλις] | acc. ἄπολιν | **1 without a home city, cityless** X. Arist.
2 not a citizen in one's home city; (of a disfranchised person) **not a citizen** Lys. Pl.; (of an evildoer) **not a true citizen** S.
3 deprived of or ejected from one's home city; (of captives, refugees) **stateless** E. X. Plb.; (of a person in exile) **outlawed** Hdt. Trag. Att.orats. Plu.
4 without cities; (of a war-torn region) **uninhabited** Plu.
5 (oxymor., of a sacked city) **not a city** A. E.; (of a city without lawcourts) **not a true city** Pl.

ἀπ-ολισθάνω *vb.* | aor.2 ἀπώλισθον | —also perh. **ἀπολισθαίνω** (Plu.) **1** (of a rider) **slip down** —W.GEN. *fr. his horse* Ar.
2 (of an arrow, a sword) **glance** or **slip off** (fr. its target) Plu.; (of a grappling-hook) Th.
3 move away easily, **slip away** —W.GEN. *fr. someone* Plu.

ἀπο-λιταργίζω *vb.* | fut. ἀπολιταργιῶ | **depart by leaping**; (colloq.) **hop off, skip away** —W.PREP.PHR. *fr. a doorway* Ar.

ἀ-πολίτευτος ον *adj.* [privatv.prfx., πολιτεύω] **1 not suited to political life**; (of persons) **unstatesmanlike** Plu.; (of the consulship of two warring consuls) **bad for governance** Plu.
2 not involved in civic life; (of a statesman's old age and death) **apolitical** Plu.
3 (of a people) **without an organised government** Arist.

ἀπο-λιχμάομαι *mid.contr.vb.* [ἀπό] (of fish) **lick** (W.ACC. blood) **off** —W.DBL.ACC. *someone, a wound* (i.e. someone's wound) Il.

ἀπολλήγω *ep.vb.*: see ἀπολήγω
ἀπ-όλλῡμι *vb.* —also (pres. and impf.) **ἀπολλύω** (Th. +) | impf. ἀπώλλῡν | fut. ἀπολῶ (also ἀπολέσω), Ion. ἀπολέω | aor. ἀπώλεσα, ep. ἀπόλεσσα | pf. ἀπολώλεκα |
1 destroy completely, **massacre** —*one's enemies* Hom. +; **kill, put to death** —*someone* S. Ar. NT.
2 (of a commander) **cause** (W.ACC. soldiers) **to die** A. And.; (of Ares) **kill off** —*soldiers* Il. Call.(cj.)
3 destroy completely —*a ship, container* Th. Ar.; **demolish** —*a city* Il. Ar.; (of crimes, hubris, greed) **destroy** —*a person, a people* Thgn.; (intr., of evil) **bring destruction** Pl.; (of a thief) NT.
4 cause (someone or sthg.) to be in a ruined condition; **bring ruin** Ar.; (of persons, their characters, behaviour, circumstances, or sim.) **bring to ruin** —*persons, their beauty, cities, resources* E. Ar. D. Men.; (hyperbol., of insects) —*a person* Ar.
5 (of a god, in a curse) **ruin** —*someone* Hippon.(tm.) Ar. Men.
6 cause (someone) to suffer defeat; **finish off** —*someone* (W.DAT. w. one's words or ability as a poet) S. Ar.; (of a personif. argument) —*another argument* Ar.
7 (of an adulterer) **corrupt, ruin** —*a man's wife* Lys.
8 lose (to death) —*one's comrades, relatives, horses* Hom. + —*one's life* Hom.(tm.) —*one's homecoming* Od.
9 lose (fr. one's presence, control, possession or use) —*someone* Thgn. Men. Call.*epigr.* —*one's kingdom, property, livestock* Hom. + —*a reward* NT. —*one's valued qualities* Il. Archil. Thgn.(sts.tm.); (of a horse) —*its courage* S.; (of entities) —*their essence or a quality* Pl.
10 ruin (financially) —*someone* Ar.; **wreck** —*someone's livelihood or trade* Od.(tm.) Ar.
11 waste —*money* Thphr. Men.; (intr.) **make a loss** (through investment or gambling) Ar. Men.

–ἀπόλλῡμαι *mid.vb.* | fut. ἀπολοῦμαι, Ion. ἀπολέομαι | aor.2 ἀπωλόμην, inf. ἀπολέσθαι, 3sg.iteratv. ἀπολέσκετο, Ion.3pl.opt. ἀπολοίατο | pf.act. ἀπόλωλα, plpf. ἀπωλώλειν | —also **ἀπολλύομαι** | only 3sg.opt. ἀπολλύοιτο (Pl.) |
1 experience death (freq. violent or painful); **perish, be killed, die** (esp. in battle) Hom. + —W.DAT. *w. a horrible death* Od.; (of animals) Th. Call.
2 (of ships, a city, or sim.) **be destroyed** Hom. +; (of a person's life) **be lost** (at sea, in battle) Call.*epigr.* —W.PREP.PHR. *because of vice* Isoc.; (of fruits, wool) **be ruined** (during growth) Od. Ar.; (of burst wineskins) NT.
3 (wkr.sens., of things) cease to exist or remain (in a location); (of water) **vanish** (fr. a pool) Od.; (of sleep) —W.DAT. *fr. sleepers* Il.(tm.); (of laughter) —W.PREP.PHR. *fr. humanity* X.; (of entities, their properties) Pl.; (of strife, fr. gods and men) Il.; (of Peace, fr. the earth) Ar.
4 come to grief, be done for Ar. Thphr. Men. Call.*epigr.* —W.DAT. *by one's foolish actions, one's fear* Od. X.; (hyperbol.) **be destroyed** (by women, insects) Ar.
5 (hyperbol.) **do oneself in** (w. exertion) Ar.
6 (in a curse) **be damned** Ar. Men. || FUT.PTCPL.ADJ. (of a malevolent person) **damnable** Ar. Men.; (of Poverty) Ar. Men.
7 (fig.) **be finished off** —W.PREP.PHR. *by arguments* Ar.
8 (of an item) **be lost** Ar.; (of a cargo, at sea) Archil.; (of land, through repossession) Thgn.; (of a person's valued qualities, a homecoming) Hom. Eleg.; (of sheep) **go astray** NT.
9 be ruined (financially) Ar.; (of business interests) Men.
10 (of wages for idle workers) **be wasted** Theoc.; (of part of a person's life) **be of no value** Theoc.

Ἀπόλλων, ep. **Ἄπόλλων**, ωνος, dial. **Ἄπλουν** ουνος (PL) *m.* | acc. Ἀπόλλωνα, also Ἀπόλλω (A. +) | voc. Ἄπολλον | **Apollo** (son of Zeus and Leto, brother of Artemis, assoc.w. archery, healing, prophecy and poetry) Hom. +
—**Ἀπολλωνιάς** άδος *f.* **Island of Apollo** (ref. to Delos) Pi.
—**Ἀπολλώνιον** ου *n.* **Apollonion** (ref. to a sanctuary) Th. +
—**Ἀπολλώνιος** ᾱ ον *adj.* of or relating to Apollo; (of the valley of Delphi) **of Apollo** Pi.; (of processions) **for Apollo** Pi.; (of Troy's walls, the delight of the Pythian games) **Apollonian** Pi. E.

ἀπο-λογέομαι *mid.contr.vb.* [ἀπό, λόγος] | aor. ἀπελογησάμην, also aor.pass. (w.mid.sens.) ἀπελογήθην || neut.impers.vbl.adj. ἀπολογητέον | **1 argue in one's defence** (in a court, assembly, conversation) Hdt. Th. Ar. Att.orats. Pl. + —W. ὑπέρ + GEN. *for one's actions* Att.orats. —W.COMPL.CL. *that sthg. is the case* X. Aeschin. Arist. —(W.DAT. *by one's conduct*) Lys. || MASC.PRES.PTCPL.SB. **defendant** Ar. Att.orats. +
2 defend oneself against —*charges, slanders* Antipho Th. D.
3 make in one's defence —*certain arguments* Th. Att.orats. Pl. + || PASS. (of arguments) **be made in defence** Antipho Pl.
4 speak in defence (of another, in a court, assembly, conversation), **give a defence speech** Th. Att.orats. Pl. X. + —W.PREP.PHR. *on someone's behalf* E. Att.orats. Pl. —*about certain matters or charges* Att.orats. Pl. —*about an alliance* (W.COMPL.CL. *that sthg. is the case*) Th. —W.INDIR.Q. (*about*) *how sthg. is the case* Pl. || IMPERS.PF.PASS. **the defence has been made** —W.DAT. *by someone* And.
5 (of cities' envoys) **speak in support** —W.PREP.PHR. *on behalf of one another* Hdt.; (of an orator) —*on behalf of his speeches* Isoc.

ἀπολόγημα ατος *n.* **1 counter-argument** (to a proposition), **defence** Pl. Hyp.(dub.)
2 plea made in defence (on behalf of a person's actions or a city) Plu.

ἀπολογίᾱ ᾱς *f.* **1 case for the defence** (in a court), **defence** (usu. ref. to a speech or speeches) Th. Att.orats. Pl. X. Arist. +
2 (specif.) **means or line of defence** (in a court), **defence** Att.orats.; (ref. to a person's lifestyle) Lys. Aeschin.; (ref. to an event) Lys.; (ref. to a likelihood) Arist.
3 opportunity to make one's defence, hearing of one's defence Att.orats.
4 (gener.) **defence** (of a person's actions or a city's reputation, made by envoys or a king) Th. Plb. Plu.
5 excuse (for mistakes, crimes, or sim.) Plb. Plu.
6 argument in defence (of a philosophical proposition) Arist.

ἀπο-λογίζομαι *mid.vb.* **1** (of a treasurer) **render an account** X. Plu.; **report on** —*public revenues* (W.DAT. *to the people*) Aeschin.
2 report at length (in an assembly) Plb. —*events* Plb. —W.COMPL.CL. *how someone has done sthg.* Plb.
3 make one's defence case (in an assembly) Plb.; **report in one's defence** —*one's circumstances, constraints, reasons* Plb. Plu. —W.COMPL.CL. *that sthg. is the case* Plu.; **speak to assert** —*a ruler's benevolence, one's positive disposition* Plb.
4 calculate in full —W.INDIR.Q. *whether sthg. is the case* Pl. || NEUT.PL.PF.PTCPL.SB. **supplies calculated** (to last for a period) X.
5 reckon —W.ACC. + FUT.INF. *that an event will happen* (W.GEN. *within a certain time period*) D.
6 assign (costs to someone); (of a commander) **charge** —*his expenses* (W.DAT. *to the people*) Plu.; (of philosophers) **assign** —*certain attributes* (W.PREP.PHR. *to a category*) Pl.
7 (of a prosecutor) **recapitulate, sum up** (in a speech) —W.COMPL.CL. *that one has done sthg.* D.

ἀπολογισμός οῦ *m.* **1 giving a justification** (for one's actions) Aeschin.
2 argument in one's defence, justification Plb. Plu.; **supportive argument** Plb.
3 account, report (sts. W.GEN. of sthg.) Plb. Plu.; **assessment** (of a situation) Plb.
4 calculation Plb.; **financial account** (W.GEN. for one's time as magistrate) Plu.

ἀπό-λογος ου *m.* [λόγος] **long or full narrative** (perh. w. implication of being tedious or false); **saga** (W.GEN. of Alkinoos, as told to him by Odysseus) Pl. Arist.

ἀπολοέω *contr.vb.*: see ἀπολούω

ἀπο-λοιδορέω *contr.vb.* **violently insult** or **revile** —someone Plb.

ἀπόλουσις εως *f.* [ἀπολούω] **washing away** (of pollution, in a ritual), **ablution** Pl.

ἀπο-λούω *vb.* | ep.aor.mid.subj. ἀπολούσομαι | —also **ἀπολοέω** *contr.vb.* | 3sg.impf. ἀπέλου (Ar.) | **1 wash away** —*gore* (sts. W.ACC. fr. a warrior) Il.(tm.) || MID. **wash off oneself** —*gore, filth* Il.(tm.) Semon.(tm.) —*brine* (W.GEN. fr. one's shoulders) Od. —*one's sins* (by baptism) NT.
2 wash clean —someone Hippon. Ar.; (intr.) **have a wash** Pl.

ἀπ-ολοφύρομαι *mid.vb.* **1 lament in full** or **to the end** —*the dead* Th. Pl.
2 lament loudly —*for oneself, one's situation* And. X.

ἀπο-λυμαίνομαι *mid.vb.* [λύματα] **remove dirt and pollution from oneself, cleanse oneself** (before making a sacrifice) Il.; (of a suppliant) —W.DAT. *by a sacrifice* AR.

ἀπολυμαντήρ ῆρος *m.* **one who has the off-scourings or scraps, scrounger, scavenger** (W.GEN. fr. feasts) Od.

ἀπολύσιμος ον *adj.* [ἀπόλυσις] (of a defendant) **deserving of acquittal** Antipho

ἀπόλυσις εως (Ion. ιος) *f.* [ἀπολύω] **1 act of releasing, release** (of a captive, a suspect) Pl. Plb.; **deliverance** (fr. evils) Arist. Plu.
2 acquittal (W.GEN. fr. a death sentence) Hdt.
3 departure (towards a location) Plb.

ἀπολυτικῶς *adv.* **with a disposition to acquit** (in a trial) X.

ἀπο-λυτρόω *contr.vb.* (of a captor) **release for a ransom** —*captives* (sts. W.GEN. at a price) Pl. Men. Plb. || PASS. be released —W.GEN. for a sum Plu.

ἀπολύτρωσις εως *f.* **1 ransoming** (W.GEN. of a captured city) Plu.
2 redemption (W.GEN. of Christ's people) NT.

ἀπο-λύω *vb.* **1 release, untie** —*a strap* (W.GEN. fr. a hook) Od. || PASS. (of a plough) be unfastened —W.GEN. fr. oxen AR.
2 release —*a cover or lid* Od.(tm.) —*a fish* (W.PREP.PHR. fr. a hook) Theoc.; (of a philosopher) —*the soul* (fr. association w. the body) Pl. || MID. release from oneself, **detach** —*a veil* Od. || PASS. (of a seal) be released —W.GEN. fr. the mouth (of a jar) Theoc.
3 (of a wave) **break away, detach** —*a ship's sides* (W.GEN. fr. the keel) Od.(tm.) || PASS. (of groups of soldiers, ships) be separated (after a clash or collision) Th.; (of a friendship) be dissolved Arist.
4 (of a writer) **detach** —*one part of a discourse* (fr. another) Isoc. || PASS. (of Forms and substances) be separated or isolated —W.GEN. fr. each other Arist.
5 disband —*an army, assembly* X. NT.; **dismiss** —someone (fr. a chorus) Ar. —*a crowd, an individual* (fr. one's presence) NT. || PASS. (of persons, members of an assembly) be dismissed NT.
6 set free, release (esp. for a ransom) —*a captive* Il. X. Men. Bion NT. —*slaves* (sts. W.DAT. to new owners) Att.orats. —*a corpse* (to its family, for burial) Il.; (of a god) —*a person* (fr. the body, at death) Pl.; (of rites) —*the dead* (W.GEN. fr. post-mortem punishment) Pl. || MID. **ransom, redeem** —someone Il.; **rescue** —*people* (W.GEN. fr. slavery) Pl. || PASS. be released Th. NT.
7 divorce —*a wife* NT.; (of a wife) —*a husband* NT. || PASS. (of a wife) be divorced NT.
8 release (fr. a current obligation); **relieve** —someone (W.GEN. of a task or duty) Hdt. X. || PASS. (of a sentry) be relieved (of his duty) X.
9 relieve (fr. a future obligation); **spare** (W.ACC. someone) **the trouble** —W.GEN. of a long speech, undergoing an examination, taking measurements E. Ar. Arist. || PASS. be exempted —W.GEN. fr. military service, enrolment Hdt. X.
10 relieve (someone) —W.GEN. of hesitation (through encouragement) E.; **provide relief** (to someone) —W.GEN. fr. sexual desires X. || MID. **relieve** —*one's fears* (w. one's words) Arist. || PASS. be relieved —W.GEN. fr. a source of fear or danger, an infirmity Th. Plb. NT.
11 (of a jury, magistrates, or sim.) **acquit** —someone (sts. W.GEN. of a charge) Hdt. Th. Ar. Att.orats. + —(w. μή + INF. of being such and such) Hdt. || MID. (of an answer) —*others' customs* (w. τοῦ + INF. of being such and such) Pl. || PASS. be acquitted Antipho Th. NT. —W.GEN. of a charge Antipho X. D. —w. μή + INF. of being or doing such and such Th.; be cleared —W.GEN. of suspicion Antipho Ar.
12 put an end to —*a person's troubles* AR.(tm.); (of a situation) **remove** —*a crime's infamy* D. || MID. **exonerate** —*oneself* (W.GEN. of a charge) Isoc.; **justify oneself** (in a debate, trial) Hdt. Arist.; **refute** —*accusations, slanders, suspicions* Th. Att.orats. Pl. + || PASS. (of grounds for suspicion) be removed Antipho; (of a charge) be dropped Hyp.
13 || MID. **cleanse oneself** —W.GEN. of a pollution Antipho || PASS. (of the dead) be absolved —W.GEN. of their wrongdoing Pl.
14 (of a creditor) **make a cancellation** (of a debt) NT.; **release** —*a mortgaged house* (W.DAT. to someone) Is.; (of profits) —*sums previously invested* Pl.
15 || MID. **depart** Plb. NT.; (euphem., of a person dying) **pass away** S. || PASS. (euphem.) be released (fr. life) S.

ἀπο-λωβάομαι *pass.contr.vb.* **suffer complete disgrace** S.

ἀπο-λωτίζω *vb.* | 3sg.fut. ἀπολωτιεῖ | **destroy as if plucking a flower; pluck away** —*the best citizens* (by killing them) E. —*a noble woman* (W.GEN. fr. her homeland, by enslaving her) E.

ἀπο-λωφάω (unless **ἀπολωφέω**) *contr.vb.* **relieve** —*one's thirst* AR.(tm.)

ἀπομαγδαλιά ᾶς (unless **ἀπομαγδαλία** ᾱς) *f.* [ἀπομάσσω] **piece of bread used for wiping** (one's fingers, after eating); **scrap-bread** (envisaged as dog food) Ar.; (used at Sparta as a voting-token) Plu.

ἀπο-μαίνομαι *pass.vb.* | aor.2 ἀπεμάνην | **recover from mad behaviour** Men.

ἀπομακτέον (neut.impers.vbl.adj.): see ἀπομάσσω

ἀπο-μαλακίζομαι *pass.vb.* (of persons) **be weakened completely** Plu. —W.PREP.PHR. by their vain hopes Plu.; **become too delicate** —W.PREP.PHR. for an austere lifestyle Plu.

ἀπο-μανθάνω *vb.* **unlearn** —*customs, tactics* Pl. X. Plu. —*one's supposed knowledge* Pl.

ἀπο-μαντεύομαι *mid.vb.* **discern like a diviner** —*what is coming next* Pl. —W.COMPL.CL. that sthg. is the case Pl.

ἀπόμαξις εως *f.* [ἀπομάσσω] **wiping clean** (of someone's brow) Plu.

ἀπο-μαραίνομαι *pass.vb.* **1** (of persons, their eloquence, influence and status) **wither** or **fade away** Pl. X. Plu.; (of bodily pleasures, anger, understanding, a vision of what is right) Pl. Plu.; (of the arts, in undistinguished cities) Plu. **2** (of a person, eyesight) **waste away, deteriorate** Plu.

ἀπο-μαρτυρέω *contr.vb.* **testify** Plb. —W.COMPL.CL. *that sthg. is the case* Plb.

ἀπο-μαρτύρομαι *mid.vb.* (of a philosopher) **give evidence against** —*a hypothesis* Pl.

ἀπο-μάσσω, Att. **ἀπομάττω** *vb.* | *neut.impers.vbl.adj.* **ἀπομακτέον** | **1 wipe clean** —*someone's forehead* Plu. ‖ MID. **wipe clean one's hand** —W.GEN. *on costly food* Ar. ‖ NEUT.IMPERS.VBL.ADJ. it is necessary to wipe one's mouth E.*Cyc.* **2 scrub down** —*initiates* (W.DAT. *w. mud and bran*) D. **3 wipe away** —*tears, sweat* Plb. Plu. ‖ MID. **wipe off from oneself** —*dust* NT.; (of a sea) **wipe off, shed** —*foam* (*on a shore*) Call. **4** wipe clear (of excessive content), **level off** —*a container* Theoc. **5 take impressions from** —*shapes* (*in soft materials*) Pl. ‖ MID. (fig., of a poet) **take an impression** (fr. a certain source) Ar.; (of friends) —W.PREP.PHR. *fr. each other* Arist. **6** ‖ MID. (of a poet) **use as one's model** —*another's best verses* Call.*epigr.*

ἀπο-μαστῑγόω *contr.vb.* (of a Persian king) **flog thoroughly** —*a person, the sea* Hdt.

ἀπο-μαστίδιος ον *adj.* [μαστός] (of a child) **newly weaned** E.*fr.*

ἀπο-ματαΐζω *Ion.vb.* [ματάζω] **respond in an insulting way** (app. w. a fart) Hdt.

ἀπο-μάχομαι *mid.vb.* | *aor.* ἀπεμαχεσάμην | **1** (of soldiers) **fight from** (a certain location); **attack** —W.PREP.PHR. *fr. boats* Plb.; **fight in defence** X. Plu. —W.PREP.PHR. *fr. boats, a height* Th. —*against assailants* Plb. Plu. **2 fight off, drive away** —*an enemy army* X. **3** (intr., of a person) **win a brawl** Lys. **4 offer opposition** or **resistance** (to instructions, a proposed course of action) Hdt. X. —W.PREP.PHR. or DAT. *to capture, one's desire, a malady* Plu.

ἀπό-μαχος ον *adj.* [μάχη] **away from combat**; (of wounded soldiers, ancillary personnel) **out of action** X.

ἀπο-μείρομαι *mid.vb.* **take as one's portion**; (of the morning) **account for** —*a third of the work* (*which needs to be done*) Hes.

ἀπο-μέμφομαι *mid.vb.* **find fault** —W.DAT. *w. someone* (W.ACC. *for sthg.*) Theoc.

ἀπο-μερίζω *vb.* **1 portion out** (parts fr. a whole); **divide off** —*some men, part of the day* (sts. W.PREP.PHR. *for a task*) Plb.; **transfer** —*soldiers* (W.GEN. *fr. one's army*, W.DAT. *to another commander*) Plb. ‖ PASS. (of soldiers) **be divided off** (for a task) Plb.; (of a group of magistrates) **be selected** Pl. **2 share out** —*one's wealth* (W.DAT. *w. one's companions*) Plb. **3** (of spectators) **assign fully** —*their support* (*to an athlete*) Plb. **4 separate out, distinguish** —*sthg.* (*fr. sthg. else*) Pl. ‖ PASS. (of a skill) **be distinguished** —W.GEN. *fr. related skills* Pl.

ἀπο-μερμηρίζω *vb.* **banish one's cares** Ar.

ἀπο-μεστόομαι *pass.contr.vb.* (fig., of a lover) **become filled to saturation** (w. desire) Pl.

ἀπο-μετρέω *contr.vb.* **1** (of a housekeeper) **make a distribution** (fr. the stores) X.; (of treasurers) —W.DAT. *to specific people* Arist. ‖ MID. **measure out** —*one's silver* X. **2** ‖ PASS. (of an area of land, a distance) **be measured out** Plb.

ἀπο-μηκύνω *vb.* **lengthen, draw out** —*a speech* Pl.; (intr.) **speak at length** Pl.

ἀπο-μηνίω *vb.* | *fut.* ἀπομηνίσω | *aor.ptcpl.* ἀπομηνίσᾱς | **be utterly furious** Hom. —W.DAT. *w. someone* Il.

ἀπο-μῑμέομαι *mid.contr.vb.* **1** (of soldiers in training) **act out** —*military activity* Pl.; (of performers) **portray** —*emotions, the character of someone's soul* X.; (of women) —*certain people* (*in a religious rite*) Plu. **2 mimic** (profanely) —*sacred rites* Plu. **3 imitate** (in one's conduct) —*someone's attitude, manner, posture and expression* Plu. —*a statesman, his politics* Aeschin. Plu.; (of parts of creation) **be a reflection** (of the nature of the universe) Pl. **4 replicate** —*Athena* (*by dressing up a woman*) Arist.; (of a person building a temple) **use as a model** —*the shape of the cosmos* Plu.; (of a god making a sphere) —*the sphere of the universe* Pl.; (of persons taking care of the parts of their bodies) —*the frame of the universe* Pl. **5** (of legislators) **model** —*new laws* (w. πρός + ACC. *on existing ones*) Pl. **6** (of painters) **represent** —*a landscape, its features* Pl.; (of a painting) —*someone's features* Plu. **7** (of a person creating words) **use imitation** (of the phenomena to be described) Pl; **imitate, echo** —*actions, phenomena* (sts. W.DAT. or διά + GEN. *by means of a letter or syllable*) Pl.

ἀπομίμησις εως *f.* **imitation** (w GEN. of the rotation of the universe, ref. to an act of turning around by worshippers) Plu.

ἀπο-μιμνήσκομαι *mid.vb.* | *fut.* ἀπομνήσομαι | *aor.* ἀπεμνησάμην | **remember to return** —*thanks, a suitable recompense* (W.DAT. *to someone*, sts. W.GEN. *for sthg.*) Il. Hes. E. Th.

ἀπό-μισθος ον *adj.* [μισθός] **1** without wages; (of troops) **unpaid** or **ill-paid** X. D. **2** without (further) hire; (of a mercenary) **discharged** D.

ἀπο-μισθόω *contr.vb.* **1 lease out** —*a plot of land* (sts. W.DAT. *to someone*) Th. Lys.; (fig.) —*one's ears* Pl. **2** (of a magistrate) **put out to contract** —W.INF. *doing sthg.* D.(law)

ἀπομνημόνευμα ατος *n.* [ἀπομνημονεύω] **story or saying that is remembered** (by others); **anecdote** Plu. ‖ PL. **recollections** Plu.; **memorable sayings** Plu.

ἀπο-μνημονεύω *vb.* **1 recite from memory** —*a composition, conversation, or sim.* (sts. W.DAT. *to someone*) Pl. D. ‖ PASS. (of a remark) **be quoted from memory** X. ‖ IMPERS.PASS. it is recorded —W.INDIR.Q. *what is the case* X. **2 recall** —*a myth, law, teachings, or sim.* Pl. Aeschin. Hyp. Plu.; **give a report** (of a story) Pl; **remember** —W.INF. *to do sthg.* Aeschin. ‖ PASS. (of a mythical race, dreams) **be remembered** Pl. **3 give a reminder** Pl. Plu.; **bring to mind** (W.DAT. *for someone*) —*a piece of information* Aeschin. **4** (of historians or other authorities) **relate** —*a remark, precept, the start of a paean* Plu. ‖ PASS. (of the names of people of long ago, a remark, an anecdote) **be related** Pl. Plu. **5 retain** (in one's mind) —*one's anger* Aeschin. —*wrongs that one has suffered* Arist.; **store up one's memory** (of an affront) Arist.; **harbour a grudge** —W.DAT. *against someone* X. Aeschin. **6** do (sthg.) in remembrance; perh. **decide** (W.INF. *to name one's son*) **in remembrance** (of an ancestor) Hdt.(dub.)

ἀπο-μνησικακέω *contr.vb.* (of a people) **bear a grudge** —W.DAT. *against another* Hdt.

ἀπομνήσομαι (fut.mid.): see ἀπομιμνήσκομαι
ἀπ-όμνῡμι vb. | impf. ἀπώμνῡν | fut. ἀπομοῦμαι | aor. ἀπώμοσα | —also (pres. and impf.) **ἀπομνύω** (Od. +) **1 make a denial on oath** Od. Alc. Hdt. Ar. Plu. —W.ACC. *by a god* S. Ar. —W. μή + INF. *that one does sthg.* Pi. E.*Cyc.* Pl. X. + —W.ACC. + INF. *that sthg. is the case* Plu. —W. ὡς + οὐ and INDIC. *that one did not say sthg.* D.; **swear by way of denial** —*an oath* Od. Alc. Plu. —*the opposite* (*of previous testimony*) D.
2 swear an oath of retraction; swear a disclaimer (against one's previous testimony) Aeschin.
3 disavow —*a son* (*as one's own*) And. ‖ MID. (of a Roman magistrate) **resign** —*his magistracy* Plu.
4 (app., gener.) **take an oath** Plu.; **swear** —*a certain oath* (W.ACC. + PF.INF. *that one has done sthg.*) Plu.
ἀπό-μοιρος ον adj. [μοῖρα] (of a person) **without a share** (W.GEN. in a celebration) A.(cj.).
ἀπο-μονόομαι pass.contr.vb. **become separated and isolated**; (of a commander) **become isolated** (fr. his allies, among the enemy) Plu.; **be excluded** —W.GEN. *fr. a peace agreement* Th.; (of solids) **be the residue** —W.GEN. *fr. a liquid* Pl.
ἀπ-ομόργνῡμι vb. | ep.3sg.impf. ἀπομόργνῡ | ep.3sg.aor.mid. ἀπομόρξατο | aor.pass.ptcpl. ἀπομορχθείς | **1 wipe away** —*blood, a tear* Il. —*ichor* (W.GEN. *fr. someone's arm*) Il.(tm.) ‖ MID. **wipe off oneself** —*dust* Il. —*sweat* (sts. W.GEN. *fr. one's brow*) Ar. AR.; **wipe away** —*one's tears* Od. —*foam* (W.PREP.PHR. *fr. a bull's mouth*) Mosch.; **wipe one's eyes** Ar.
2 wipe clean —*one's face and hands* (w. *a sponge*) Il.; (mid.) —*one's cheeks* (w. *one's hands*) Od. ‖ PASS. (fig.) be wiped clean —W.ACC. *of one's anger* Ar.
ἀπό-μουσος ον adj. [Μοῦσα] (of certain women) **not close to the Muses** (i.e. without musical or poetic skill) E.; (of songs) **discordant** E.(cj.).
—**ἀπομούσως** adv. **inartistically** —*ref. to a person being portrayed* A.
ἀπο-μῡθέομαι mid.contr.vb. **speak out in opposition** Il.
ἀπο-μύττω Att.vb. [reltd. μύξα] **wipe clean** —*someone's snotty nose* Pl. ‖ MID. **wipe** or **blow one's nose** Ar. X. Thphr.
ἀπόναιο, ἀποναίατο (2sg., Ion.3pl.athem.aor.mid.opt.): see ἀπονίναμαι
ἀπο-ναίω vb. | ep.aor. ἀπένασσα ‖ aor.pass. ἀπενάσθην |
1 send back —*a slave-girl* (*to her owner*) Il.
2 make (someone) dwell away from home; send out —*colonists* Call.; **banish** —*someone* AR. ‖ MID. go to live (in a location), **migrate** Hom.; (tr., of Apollo) **unseat, depose** —*Themis* (W.PREP.PHR. *fr. the Delphic oracle*) E. ‖ PASS. be transported away —W.GEN. *fr. one's homeland* E.
ἀπο-ναρκόομαι pass.contr.vb. [νάρκη] **become completely numb** Pl.
ἀπόνασθαι (athem.aor.mid.inf.): see ἀπονίναμαι
ἀπο-νέμω vb. | neut.impers.vbl.adj. ἀπονεμητέον |
1 distribute (a quantity of sthg., among several recipients); **apportion** —*land, property, gifts, honours, magistracies* (W.DAT. *to people, a community*) Isoc. Pl. Arist. + —*altars, statues, honours* (*to certain gods*) Hdt. Arist. —*an equal share* (*to different years*) Pl.; **assign** —*certain troops* (*to commanders*) Plb.
2 deliver —*instructions* (W.DAT. *to someone*) Pi. —*an accusation* (*to one's city*) Antipho
3 render, assign —*what is appropriate or sim.* (W.DAT. *to someone, a topic*) Arist. Plb.; (of fate) **grant** —*a noble death* (W.DAT. *to a noble person*) Isoc.; (of equality) —*the same reward* (*to all*) Isoc. ‖ PASS. (of honour) be awarded —W.DAT. *to good people* Arist.
4 assign —*a task* (W.DAT. *to someone*) Isoc. —*noble names* (*to noble things*) Pl.; (of a Fate) —*a status* (*to a goddess*) Telest. ‖ MID. **assign to oneself** (for discussion) —*part of an activity* Pl.
5 impart —*charm* (W.DAT. *to buildings*) Pl.; (of a god) —*beauty* (*to someone*) Isoc. —*a kind of motion* (*to the world*) Pl.
6 consider to belong (to someone or sthg.); **attribute** —*a privilege, certain actions, all that is good* (W.DAT. *to a blessed person*) Pl. Arist. —*importance* (*to one's activities, feelings, the soul's condition*) Pl. Din. —*that which is perceived* (*to an imprint on one's senses*) Pl. —*a shape* (*to an element*) Pl. —*certain qualities* (*to pleasure or intellect*) Pl. ‖ PASS. (of good characteristics) be attributed —W.DAT. *to a blessed person* Arist.
7 assign —*certain qualities* (W.PREP.PHR. *to a category*) Pl. —*a topic* (*to a science*) Arist. ‖ PASS. (of skills) be assigned (to a category) Pl. —W.PREDIC.SB. *as parts of a craft* Pl.
8 appropriate —*valuables* (W.DAT. *for oneself*) Arist. ‖ MID. take over for oneself, **adopt** —*customs* Pl.; **appropriate** —W.PARTITV.GEN. *a share of an estate* Pl.
9 ‖ PASS. (of a number of hearths) be subtracted (fr. the total number) Pl.; (of a share of farm produce) Pl.
ἀπονενοημένως pf.pass.ptcpl.adv.: see under ἀπονοέομαι
ἀπο-νέομαι, ep. **ἀπονέομαι** mid.contr.vb. [νέω³, νηέω] | ep.3pl.aor. (tm.) ἀπὸ ... νηήσαντο | **1 unload** —*a burden of shame* (W.GEN. *fr. one's chest*) E.
2 unload or **pile up** —*one's garments* (W.PREP.PHR. *on a rock*) AR.(tm.)
ἀπο-νέομαι ep.mid.contr.vb. | ἄπο- metri grat. | The pres.inf. sts. has fut. sense. | go away or back (fr. a place); **depart** (for a city) Od.; **return** (to one's land or city) Hom.
ἀπο-νεύω vb. **1** (of soldiers) **turn** or **veer off** (in a new direction) Plb.; (of a river-current) **be deflected** Plb. ‖ STATV.PF.PTCPL.ADJ. (of tents) turned away (W.PREP.PHR. in a certain direction) Plb.
2 (of a carriage likened to a ship) **capsize** Plu.
3 incline, go over (in one's attention) —W.PREP.PHR. *towards someone, an alliance, proposal, task* Plb. —*towards geometry, forensic oratory* Pl. Arist.
ἀπονήμενος (athem.aor.mid.ptcpl.), **ἀπονήσομαι** (fut.mid.), **ἀπόνητο** (ep.3sg.athem.aor.mid.): see ἀπονίναμαι
ἀ-πόνητος ον adj. [privatv.prfx., πονέω] (of persons) **free from suffering** S.
—**ἀπονήτατα** superl.adv. **with the least difficulty** Hdt.
—**ἀπονητί** adv. **without difficulty** Hdt. E.*lyr.fr.*
ἀπο-νήχομαι mid.vb. [ἀπό] **swim away** Plb. Plu.
ἀπονίᾱ ᾱς f. [ἄπονος] **idleness** (as a characteristic) X. Plu. ‖ PL. periods of idleness Arist.
ἀπο-νίζω vb. —also (pres. and impf.) **ἀπονίπτω** (Od., dub.; Plu.) | aor. ἀπένιψα, ep. ἀπόνιψα | **1 wash away** —*gore* (sts. W.PREP.PHR. *out fr. a wound*) Hom.(sts.tm.) ‖ MID. **wash off oneself** —*sweat, blood* Il. AR.
2 wash —*someone* (sts. before a meal) Od. Ar. Pl. Men.; **wash clean** —*a wound* E. ‖ MID. **wash oneself clean** Heraclit. Ar.; **wash one's hands** (esp. after a meal) Ar. Pl.; **wash clean** —*one's body, limbs* Od. Thphr. Call. NT. Plu.
ἀπόνιμμα ατος n. **wash-basin** Plu.
ἀπ-ονίναμαι mid.vb. [ὀνίνημι] | fut. ἀπονήσομαι ‖ ATHEM.AOR.: 3sg. ἀπώνητο, ep. ἀπόνητο | inf. ἀπόνασθαι | ptcpl. ἀπονήμενος | 2sg.opt. ἀπόναιο, Ion.3pl. ἀποναίατο |

have full benefit or enjoyment (fr. sthg.) Od. Hdt. —W.GEN. *of one's possessions, honour, a message* Hom. hHom. S. AR.

ἀπόνιπτρον ου n. [ἀπονίζω] **waste water** (fr. washing one's hands after a meal) Ar.

ἀπονίπτω vb.: see ἀπονίζω

ἀπο-νίσομαι (sts. written **ἀπονίσσομαι**) mid.vb. **go away** (fr. a place) AR.; (fig., of an ageing person's youth) **depart** Thgn.

ἀπο-νοέομαι pass.contr.vb. | aor.ptcpl. ἀπονοηθείς | pf. ἀπονενόημαι | **1 lose all sense** (of right and wrong) Plu. ‖ PF. be senseless or like a fool Men. ‖ PF.PTCPL. (of persons) senseless or foolish Isoc. D. Thphr.
2 become reckless (in desperate circumstances) X. Plb. Plu. ‖ PF.PTCPL.ADJ. **reckless** Th. X.

—**ἀπονενοημένως** pf.pass.ptcpl.adv. **recklessly** Isoc. X.

ἀπόνοια ας f. [νόος] **1 loss** of judgement (about right and wrong), **senselessness, folly** Att.orats. Plb. Plu.
2 recklessness (in desperate circumstances) Th. Plb. Plu.

ἄ-πονος ον adj. [privatv.prfx., πόνος] | compar. ἀπονέστερος (Pi.) | **1** (of soldiers) **trouble-free** A.; (of a life, activities, joy, benefits) Simon. A. Pi. And. Arist.
2 (of a mode of death) **painless** S. Pl.
3 (of persons) **averse to work** Pl. X. Arist.
4 not used to labour X.

—**ἀπόνως** adv. | compar. ἀπονώτερον, superl. ἀπονώτατα | **without difficulty, easily** Hdt. Th. X. Plu.

ἀπο-νοστέω contr.vb. [ἀπό] **return home** Hom. Hes. Pi. Hdt. + —W.GEN. *fr. a region* E.

ἀπο-νόσφι(ν) adv. and prep. **1** at a great distance, **far away** Od. AR. —W.GEN. *fr. someone* Od.
2 apart, **away** Il. AR. —W.GEN. *fr. someone* Hom. AR.
3 away —*ref. to turning oneself* Od.

ἀπο-νοσφίζω vb. **1** cause to be distant (fr. somewhere); **exclude** —*someone* (W.GEN. *fr. a house*) hHom.; **keep at a distance** (fr. oneself) —*prophecies* S.
2 cause (someone) to be separated (fr. sthg.); **rob** —*someone* (W.GEN. *of sthg.*) S.; (of fate) —*someone* (*of a homeland*) AR. ‖ PASS. (of prophetic maidens) be deprived —W.ACC. *of food* hHom.

ἀπο-νυκτερεύω vb. (of a soldier) **spend a night away** —W.GEN. *fr. his camp* Plu.

ἀπ-ονυχίζω vb. [ὄνυξ] | fut. ἀπονυχιῶ | **1** scratch or tear out with one's fingernails; (fig.) **scratch out** or **claw away** —*meals* (due to a member of the prytaneion, i.e. disqualify him fr. entitlements) Ar.
2 ‖ PF.PASS.PTCPL. having had one's nails trimmed —W.ADV. *carefully* Thphr.

ἀπο-νωτίζω vb. **make** (W.ACC. someone) **turn tail** (in flight) E.

ἀπό-ξενος ον adj. [ξένος¹] **1 estranged, banished** (W.GEN. fr. a land) A.
2 not welcoming; (of a coast) **inhospitable, unfriendly** (W.GEN. to anchoring) S.

ἀποξενόω contr.vb. **1 exile** —*someone* Pl. ‖ PASS. be exiled —W.GEN. *fr. one's country* Plu.
2 ‖ MID. **estrange oneself** (fr. one's family) S. ‖ PF.PASS. (of warriors abroad) be estranged —W.GEN. *fr. their homeland* E.
3 ‖ MID. (of exiles, migrants, soldiers) **live abroad** Pl. Arist.

ἀποξένωσις εως f. **stay abroad** Plu.

ἀπο-ξέω contr.vb. (of a warrior) **cut off** —*an enemy's arm* Il.(tm.)

ἀπο-ξηραίνω vb. make completely dry, **dry up** (by building dams) —*a river* Hdt.; **dry out** —*one's ships* (for repairs) Th.; (of particles) —*a surface* Pl. ‖ PASS. (of rivers) be dried up Hdt.; (of a blend of flesh, sinews and bone) dry out (so as to form nails for the fingers and toes) Pl.

ἀπο-ξυλόομαι pass.contr.vb. [ξύλον] **become as stiff as wood** (in one's joints) Men.

ἀπ-οξύνω vb. | pf.pass.ptcpl. ἀπωξυμμένος, also ἀπωξυσμένος | **1 sharpen** —*a stake* Od.(v.l. ἀποξύω) ‖ PF.PASS. (of the points of stakes) be made sharp Plb.; (of a metal fixture) be pointed Plb.
2 make sharp or **shrill** (when angry) —*one's voice* Plu.

ἀπο-ξυρέω contr.vb. **shave clean** —*a man, his face* Ar. —W.DBL.ACC. *a person, his head* (i.e. a person's head) Hdt. ‖ MID. **shave clean** —*one's chin* Plu.

ἀπο-ξυστρόομαι pass.contr.vb. [ξύστρον scythe] **become bent like a scythe**; (of swords) become bent Plb.

ἀπο-ξύω vb. **1 smooth down** —*oar-blades* Od.(cj., for ἀποξύνω)
2 (fig., of a god) **scrape off** —*someone's old age* Il. hHom.(tm.)

ἀπο-πάλλομαι mid.vb. (of barley-corns) **leap away** (fr. a hot surface) Plu.

ἀπο-παπταίνω vb. | Ion.3pl.fut. ἀποπαπτανέουσι | **look away, turn one's attention** (fr. a task) Il.

ἀπο-πατέω contr.vb. | fut. ἀποπατήσομαι ‖ neut.impers.vbl.adj. ἀποπατητέον | (colloq.) step away (to defecate), **go for a shit** Ar.; (fig., tr.) **shit out** —*a rope's length* Ar.

ἀπό-πατος ου m. [πάτος] place to which one steps aside (to defecate); (colloq.) **bog, latrine** Ar.

ἀπο-παύω vb. **1** cause (someone) to cease completely (fr. an activity); **stop** —*someone* (sts. W.INF. *fr. doing sthg.*) Od. A.(cj.) E. —(W.GEN. *fr. mourning*) Hdt.; (of nightfall) —*a warrior* Il.
2 end the involvement (of someone or sthg.) in (sthg.); **remove** —*an opponent* (W.GEN. *fr. a battle, by killing him*) Il.; (of a husband) —*his wife* (fr. his love, by his death) S.; (of a lawmaker) —*compulsory drinking* (fr. drinking sessions) X.
3 cause (an activity) to cease completely; **end** —*a party* Thgn. —*one's rage* Il. —*one's lamentation* S.; (of a deity) —*a mother's labour* Il. —*worries* Thgn. E.; (of a skill) —*pains* Pl.; (intr.) **make an end** —W.GEN. *of one's speech, involvement* (w. someone) Pl. X. —W. τοῦ + INF. *of sthg. happening* X.
4 ‖ MID. cease completely (fr. an activity); **refrain, hold back** Il. —W.GEN. *fr. a conflict, a sad song* Hom.; **come to an end** (of an activity) Thgn. Pl. Arist.; **cease** —W.NOM.PTCPL. *doing sthg.* Theoc.; (of animals) —W. τοῦ + INF. *fr. doing sthg.* X.; (of sounds) Pl.
5 ‖ MID. (of a person or heart) **have relief** —W.GEN. or PREP.PHR. *fr. grief, afflictions* hHom. S.

ἀπό-πειρα ας f. [πεῖρα] **test, trial** (W.GEN. of tactics, fighting at sea, a custom) Hdt. Th. Plu.; **sounding out** (W.GEN. of someone's opinion, intention) Plb.; **experiment** (to determine an ally's attitudes) D.

ἀπο-πειράομαι mid.contr.vb. | aor.pass. (w.mid.sens.) ἀπεπειράθην, Ion. ἀπεπειρήθην | **1** make a test, trial or experiment (by words or actions, usu. to learn sthg.); **make a trial** or **test** Hdt. Plu. —W.GEN. *of persons* (sts. W.INDIR.Q. *whether they will do sthg., what they will do*) Hdt. Ar. Pl. + —*of a ring, a snake* (sts. W.INDIR.Q. *whether it has a certain power*) Pl. Plu. —*of oracles, dreams, someone's opinion, ability* Hdt. And. Ar. Pl. + —*prose* (as a medium for praise) Isoc.; **test out** —W.INDIR.Q. *whether sthg. is the case* X. Plu.
2 venture —W.GEN. *upon a sea-battle* Th.; **make an attempt** (at negotiating a settlement) Plu.

3 make an attempt or **attack** —W.GEN. *on a region, people, defences* Hdt. Plu.

ἀποπειράω *act.contr.vb.* **make an attempt** —W.GEN. *on an enemy, their empire, a city, or sim.* Th. Plb.; **venture** —W.GEN. *upon a sea-battle* Th.

ἀπο-πέκομαι *mid.vb.* **thoroughly comb** —*one's hair* Call.(tm.)

ἀπο-πελεκάω *contr.vb.* **shape with an axe**; (fig., of birds) **hew out** —*gates* (W.DAT. *w. their beaks*) Ar.

ἀπο-πέμπω, Aeol. **ἀππέμπω** *vb.* **1** (act. and mid.) **send away, dismiss** —*a person* Hom. +; (specif.) **divorce** —*one's wife* Hdt.(mid.) D. ‖ MID. **rid oneself of** —W.ACC. *an enemy fleet* (W.DAT. *by a treaty*) Th.
2 send out (for a purpose) —*a person* (sts. W.PREP.PHR. *for a task*) Hdt. Ar. Isoc. Men. —*a woman* (*to marry*) Od. ‖ MID. (of wives) **send out** —*their husbands* (*as soldiers*) A.
3 (of an organ in a living organism) **expel** —*digested food* Pl. ‖ MID. **reject** —*pleasure* (*as an influence on one's decisions*) Arist.; (of the sun) **release** (as rain) —*moisture* (*drawn up fr. a river*) Hdt.
4 dismiss —*fears* AR.(tm.) ‖ MID. **avert** —*a terrifying vision* E.; **dispel** (*by means of a ritual*) —*a disease* Call.
5 send off, convey forth —*a person* (*esp. a guest*) Od. Pi. + —*offerings* (W.PREP.PHR. *to a sanctuary, a benefactor*) Hdt. Isoc. —*goods* (W.DAT. *to someone*) Od. Hippon. Hdt.(oracle) Lys. Ar. +; **send offerings** —W.DAT. *to someone* D.(oracle); **send a message** Ar.
6 send back, return —*possessions* (W.DAT. *to their owner*) Od. —*money on loan* Lys. —*a gift* (*to its giver*) Hes.

ἀπόπεμψις εως (Ion. ιος) *f.* **1 sending forth** (W.GEN. *of spies*) Hdt.
2 sending away, divorce (W.GEN. *of one's wife*) D.

ἀπο-πενθέω *contr.vb.* **be in full mourning** Plu.

ἀπο-περάω *contr.vb.* **cross over** (*a sea or river*) Plu.

ἀπο-πέρδομαι *mid.vb.* | fut. ἀποπαρδήσομαι | aor.2 act. ἀπέπαρδον | **fart explosively** Ar.

ἀπο-περκόομαι *pass.contr.vb.* [περκνός] (of ripening grapes) **darken** S.*fr.*

ἀποπέσησι (ep.3sg.aor.2 subj.): see ἀποπίπτω

ἀπο-πέτομαι *mid.vb.* | athem.aor. ἀποπτάμην, also athem.aor.act. ἀπέπτη | (of Pegasos, a bird, beetle) **fly away** Hes. Ar. Plu.; (of a person in a vision, a spirit) Hom. Hdt.; (of mortals dying, a soul) Emp. Pl.; (fig., of an uninterested lover) Pl.; (of the effects of wine) Ar.

ἀποπεφασμένως *pf.mid.ptcpl.adv.*: see under ἀποφαίνω

ἀπο-πήγνυμι *vb.* **1** (of hemlock) **completely numb** —*someone's limbs* Ar.
2 ‖ PASS. (of persons, their blood) **become completely frozen** X.

ἀπο-πηδάω *contr.vb.* **1 leap away** —W.PREP.PHR. *fr. a roof* Plu.; (of sailors) **leap out** (fr. a boat) Pl. Plb. Plu.; (of a rider) **dismount** Plu. —W.GEN. *fr. his horse* Plu.
2 (of runners) **bound off** (at the start of a race) Pl.; (of dogs) Plu.
3 leap back (in fear) Plu.; **leap away** —W.GEN. *fr. someone* (*i.e. abandon him*) X.; (of disputants, envisaged as cockerels) —W.PREP.PHR. *fr. a line of argument* Pl.
4 (gener.) **rush away** Pl. X. D. Plu.

ἀπο-πίμπλημι *vb.* **1** fill up (in number), **complete** —*a total* Hdt.
2 completely satisfy —*someone's heart* (*w. a gift*) Hdt. —*persons, anger, desires* Th. Pl. Plu. —*someone inquiring* Pl. ‖ PASS. (of a part of the soul) be completely satisfied Pl.
3 ‖ PASS. (of an oracle) be fulfilled Hdt.

ἀπο-πίνω *vb.* **drink deeply** Hdt.

ἀπο-πίπτω *vb.* | ep.3sg.aor.2 subj. ἀποπέσησι (ἄπο- metri grat.) | **1 fall off** or **from** (sthg.); **fall** —W.GEN. *fr. a ship, a horse* X. Plb.; (of a bat) —*fr. a chain of bats* (*hanging fr. the roof of a cave*) Od.; (of a cap) —*fr. a scabbard* Hdt.; (of a tiara) —*fr. a king's head* Plu.; (of a load on a person's back, a coffin's lid) **fall off** Th. Plu.
2 (of dew drops) **fall down** (fr. a cloud) Il.; (of coins) **fall out** —W.PREP.PHR. *fr. a container* Hdt.
3 (of scales) **fall away** —W.PREP.PHR. *fr. someone's eyes* NT.
4 be defeated Plb.; **be disappointed** —W.GEN. *in one's hope, an attack* Plb.

ἀπο-πιστεύω *vb.* **fully put one's faith** —W.DAT. *in sthg.* Plb.

ἀπο-πλάζομαι *pass.vb.* **1** (of a helmet) **be knocked off** Il.
2 (of an arrow) **glance off** —W.PREP.PHR. *fr. armour* Il.; (of a spear) **rebound** —W.GEN. *fr. a shield* Il.
3 (of persons) **be driven away** —W.GEN. or ADV. *fr. a place* (sts. W.DAT. *by a wind*) Od.; (fig.) **be diverted** —W.GEN. *fr. good sense* hHom. ‖ ACT. (of further themes) **divert** (a poet) —W.GEN. *fr. his song* AR.
4 ‖ AOR.PASS. (w.mid.sens.) **wander off** (by sea) Od.; (on foot) AR. —W.GEN. *fr. one's companions* Theoc.
5 be separated —W.GEN. *fr. one's homeland and parents* Od. —*fr. a person,* **help** AR. Theoc.; (of parts of an entity) Emp.

ἀπο-πλανάω *contr.vb.* **1 lead** (W.ACC. *one's audience*) **away** —W.PREP.PHR. *fr. the main topic* Aeschin. Plb.
2 (of false prophets) **lead astray** —*persons* NT.
3 ‖ MID. and AOR.PASS. **wander away, stray** Plu. —W.GEN. *fr. a path* Plu. —*fr. one's topic* Isoc.

ἀποπλάνησις εως *f.* **digression** (in a discussion) Pl. Arist.(quot.).

ἀπο-πλάσσομαι *mid.vb.* **model** (sthg.) from an original; (of a sculptor) **represent** —*Homer's Zeus* Plu.; (fig., of a tyrant) **model** —*his behaviour* (W.GEN. *on another person*) Call.

ἀπο-πλέω *contr.vb.* —also **ἀποπλείω** *ep.vb.* — **ἀποπλώω** *Ion.vb.* [πλέω¹] | fut. ἀποπλεύσομαι, also ἀποπλευσοῦμαι | Ion.3sg.athem.aor. ἀπέπλω (Od.) | **sail away, sail off** Od. Lyr. Hdt. Th. + —W.ADV. or PREP.PHR. **homewards** Il. Th. Pl. + —W.PREP.PHR. *to someone, a place* Lyr.adesp. Th. +; (of a ship) Th. —W.ADV. *to a city* Od. —W.GEN. *fr. the shore* Od.

ἀποπληκτικός ή όν *adj.* [ἀποπλήσσω] (of a person) of the paralysed kind, **disabled** Arist.

ἀπόπληκτος ον *adj.* **1 severely stricken** (physically); **paralysed** Hdt. S. Men. —W.ACC. *in one's jaws* (*so as to be unable to speak*) Ar.
2 severely stricken (mentally); (of children) **stupid** Plu.; (colloq., of a person) **idiotic, senseless** D. Men.; (of a course of action) Men. ‖ MASC.SB. **idiot** Men.

ἀπο-πληρόω *contr.vb.* **1** (of a disputant) **fill out, make complete** —*the rest* (*of an inquiry, a conversation*) Pl. ‖ PASS. (of mob rule) be made complete —W.PREP.PHR. *fr. a democracy's aggression and lawlessness* Plb.
2 completely satisfy —*someone inquiring, a mind, wishes, desires* Pl. ‖ PASS. (of persons) be completely satisfied Pl.

ἀποπλήρωσις εως *f.* **complete satisfaction** (W.GEN. *of someone's desire for revenge*) Plu.

ἀποπληρωτής οῦ *m.* **fulfiller** (W.GEN. *of someone's choices,* ref. to a daimon) Pl.

ἀπο-πλήσσομαι *pass.vb.* **be struck senseless** (by news) S.

ἀπο-πλίσσομαι *mid.vb.* | aor. ἀπεπλιξάμην | **skip away** (in a carefree manner) Ar.

ἀπό-πλοος, Att. **ἀπόπλους**, ου *m.* [πλόος] **sailing away** (fr. a place) Hdt. X. Arist. Plb. Plu.

ἀπο-πλύνω vb. | iteratv.impf. ἀποπλύνεσκον | (of the sea) wash thoroughly —*pebbles* Od.(v.l. ἀποπτύεσκον); (of particles of food or sim.) —*the region of the tongue* Pl. ‖ PASS. (of sea-lettuce) be washed thoroughly Plu.

ἀπο-πνέω contr.vb. —also **ἀποπνείω** ep.vb. | aor. ἀπέπνευσα | **1** breathe out, gasp out —*one's life-breath, soul* Il. hHom. Tyrt. Simon. —*one's youth* Pi.; (intr.) expire Call.; (fig., of flowers, envisaged as mourners) sigh Mosch. | see also ἀναπνέω 7
2 project with one's breath; (of the Chimaira) breathe forth —*fire* Il. Hes.; (of an animal) —*an odour* Od.; (of a person) —*a prophecy* (W.GEN. fr. *one's mouth*) Pi.; vent —*one's enmity* Il.
3 (of the passage of time) cause (W.ACC. *life*) to be exhaled —W.GEN. fr. *the limbs (of snakes which are being strangled)* Pi.
4 (intr., of a breeze) blow away, emanate —W.GEN. or PREP.PHR. fr. *a river, a region* Hdt. Plu.; (of a fragrance) exhale —W.GEN. fr. *someone's skin* Plu.
5 (intr., of leftover food) reek AR.

ἀπο-πνίγω vb. **1** choke off (someone's breathing, w. one's hands, a rope); strangle (in a murder, execution or sacrifice) —*a person* Hdt. Ar. X. + —*an animal* Hdt. ‖ PASS. be strangled Hdt. Plu.
2 completely deprive (someone or sthg.) of air; suffocate —*someone* (w. *a cloak*) Ar.; drown —*someone* Pl.; (of weeds) choke —*plants* NT. ‖ PASS. be suffocated (by smoke or an odour, one's equipment, being crushed) Ar. X. +; drown Pl. D. +
3 ‖ PASS. (of horses) have laboured breathing X.
4 (fig., of a bramble-bush) stifle —*a tree (by its proximity)* Call.
5 ‖ PASS. choke with rage —W.PREP.PHR. *at events* D.

ἀπο-πολεμέω contr.vb. fight mounted (on a donkey) Pl.

ἀπό-πολις, ep. **ἀπόπτολις** masc.fem.adj. [πόλις] | only nom., and acc. ἀπόπολιν | away from one's city, abroad S.; (of a murderer) banished from one's city A. S.

ἀποπομπή ῆς f. [ἀποπέμπω] sending away (W.GEN. of hostile forces, fr. *one's city*) Isoc.

ἀπο-πονέω contr.vb. complete, finish —*most of a task* Ar.

ἀπο-πορεύομαι mid.vb. depart, set out X. —W.PREP.PHR. fr. *a region, people, building* X. Plb.

ἀπο-πραΰνω vb. (of officials) soothe away —*disturbances* Plu.

ἀποπρεσβεία ᾱς f. [ἀποπρεσβεύω] report from an ambassador, despatch, report Plb.

ἀπο-πρεσβεύω vb. report as an ambassador Plb. —*a message (fr. another city)* Pl.

ἀπο-πρίασθαι aor.mid.inf. | imperatv. ἀποπρίω | buy (fr. someone) —*an oil-flask* Ar.

ἀπο-πρίω vb. saw off —*the bottom of a skull* Hdt.

ἄπο-προ (unless **ἀποπρό**) adv. and prep. [πρό] far away Il. —W.GEN. fr. *someone or somewhere* Il. E.

ἀπο-προαιρέω contr.vb. | aor.2 ptcpl. ἀποπροελών | remove, break off —W.PARTITV.GEN. *a piece of a loaf* Od.

ἀπο-προβάλλω vb. fling away —*one's shield* AR.

ἀποπροέηκε (ep.3sg.aor.): see ἀποπροΐημι

ἀπόπροθεν adv. and prep. [ἄποπρο] **1** from far away Il. AR. Theoc.
2 far away Hom. S.*Ichn.* —W.GEN. fr. *someone's sight* Archil.; (wkr.sens.) at a distance Thgn.

ἀπόπροθι adv. and prep. **1** far away Hom. AR. Theoc.(dub.) —W.GEN. fr. *persons, their sight, a region* Hes. AR.
2 from far away Call.

ἀπο-προθρῴσκω vb. | aor.2 ptcpl. ἀποπροθορών | (of a warrior) leap forth from —W.GEN. *a ship* AR.

ἀπο-προΐημι vb. | ep.3sg.impf. ἀποπροΐει | ep.3sg.aor. ἀποπροέηκε | **1** send (W.ACC. someone) off ahead Od.
2 send forth, shoot —*an arrow* Od.
3 let fall —*a sword* Od.
4 send away, dismiss —*someone* AR.(cj.)

ἀπο-προλείπω vb. leave far behind —*someone, one's home, an island* Hes.fr. AR. Mosch.

ἀπο-προτέμνω vb. | Ion.aor.2 ptcpl. ἀποπροταμών | slice off —W.PARTITV.GEN. *a portion fr. a pig's backbone* Od.

ἀπο-πτοέομαι pass.contr.vb. (of horses) be scared away Plb.

ἀπόπτολις ep.adj.: see ἀπόπολις

ἄποπτος ον adj. [ἀπόψομαι, see ἀφοράω] **1** (of sights) perh. not permitted to be seen Pi.fr.
2 not visible (by nature); (of a deity) invisible S.
3 not visible (due to distance); (of a person, a corpse) out of sight (W.GEN. of someone, a city) S.; (prep.phr.) ἐξ ἀπόπτου fr. *a distance* S. Plu.
4 visible from far away; (of a city) visible (W.PREP.PHR. fr. *a certain location* Arist.; (of a camp) conspicuous Plu.
5 (of a temple) looking out, facing (W.PREP.PHR. towards a location) Plu.

ἀπόπτυστος ον adj. [ἀποπτύω] **1** (of persons) rejected in disgust, detested, abominated S.; (W.DAT. by the gods) A.
2 to be rejected in disgust; (of a person's mind) loathsome E.; (of dew, fig.ref. to vaginal secretions) disgusting Ar.

ἀπο-πτύω vb. | impf. ἀπέπτυον (AR.) | aor. ἀπέπτυσα | **1** spit out —*saliva* X. —*dung (that has entered one's mouth)* Il. —*a kiss (fr. someone)* Theoc.; (intr.) spit Thphr.; (as a ritual response, to avert an evil or to express revulsion) E.
2 (of the sea) spew forth —*foam* Il. —*a person* Emp.; (intr., of a flame) spurt out AR. | see also ἀποπλύνω
3 (of persons, gods) reject with disgust —*someone* Hes. E. Call.(dub.) —*prayers, words, song, baggage, struggles* A. E. Ar.(quot. E.) —*a defiled bed* A.; (wkr.sens.) reject —*a lock of hair (as evidence of identity)* A.
4 loathe, detest —*a pestilence (fig.ref. to treachery)* A. —*a story (which is to one's discredit), kinship ties* E.

ἀπό-πτωμα ατος n. [πτῶμα] severe accident, disaster (in wartime) Plb.

ἀπο-πυδαρίζω vb. [πυδαρίζω, app. raise one's legs] dance —*an indecent dance* Ar.

ἀπο-πυνθάνομαι mid.vb. inquire —W.GEN. *of someone* (W.INDIR.Q. whether sthg. is the case) Hdt.

ἀπο-πυτίζω vb. [reltd. πτύω] (of wine, envisaged as blood fr. a sacrificial victim) gush forth Ar.

ἀπ-οργίζομαι pass.vb. become very angry Men.

ἀ-πόρευτος ον adj. [privatv.prfx., πορευτός] (of a path) impossible to go along Plu.

ἀπορέω¹ contr.vb. [ἄπορος] | Lacon.1pl. ἀπορίομες | aor. ἠπόρησα | **1** be without resources; be in need Th. Ar. X. —W.GEN. *of a leader, witnesses, soldiers, allies* Lys. Ar. X. + —*of supplies, money, luxuries, work, transport* Th. Lys. Ar. X. + ‖ PASS. (of what is needed) be lacking X. ‖ AOR.PASS. (w.mid.sens., of persons) be in need D.
2 be in financial need, be poor Lys. Pl. X. +; (mid.) Is. D. Men. ‖ PASS. be impoverished D.
3 (of citizens) have a lack —W.GEN. *of demagogues* D.; (of a woman) be without —W.GEN. *offspring, suitors* Ar. Pl.(mid.); (of persons) be at a loss —W.GEN *for words, ideas, or sim.* S. Lys. Ar. Pl. —*for sthg. to do* X.
4 be in a difficult situation; be in difficulties, be in trouble Th. Ar. X.(sts.mid.) —W.ACC. *over sthg.* Th.

5 experience difficulty in thinking (about one's situation or course of action); **be at a loss, perplexed** or **puzzled** Hdt.(sts.mid.) E. Th. Ar. Att.orats.(sts.mid.) +—W.ACC. *about a situation, way out, investigation, or sim.* Hdt. E.(mid.) Ar. Pl. NT.(mid.) —W.DAT. *because of sthg.* Isoc. X. —w. εἰς + ACC. *in regard to sthg.* S. —W.INF. (*about*) *how to do sthg.* Hdt. Lys. Ar. + —W.INDIR.Q. (*about*) *what to do, what is the case, whether sthg. is the case* Hdt. S. Att.orats.(sts.mid.) Pl. X.(sts.mid.) + —(*about*) *how, where or whether to do sthg.* Hdt. Th. Att.orats. +; (aor.pass., w.mid.sens.) —W.PREP.PHR. *in relation to sthg.* D.; (of the human intellect) Arist.
6 (philos.) **raise a question** —W.INDIR.Q. *of what is the case, of how or whether sthg. is the case* Arist. Plb. —W.COGN.ACC. Pl. ‖ NEUT.PASS.PTCPL.SB. **question** or **puzzle** Pl. Arist. ‖ IMPERS.PASS. **there is a question** (about sthg.) Arist. —W.INDIR.Q. (*about*) *which explanation to follow,* (*about*) *whether, why or how sthg. is the case* Arist.

ἀπορέω² Ion.contr.vb.: see ἀφοράω

ἀπορητικός ή όν *adj.* [ἀπορέω¹] **sceptical** (about a claim) Plu.

ἀ-πόρθητος ον *adj.* [privatv.prfx., πορθέω] **1** (of a city) **not sacked** Il. A. B. Hdt. E. +; (of a region, a people) **not pillaged** E. Lys.
2 (of a region) **impossible to pillage** Din.; (of a wall) **inviolable** Hdt.(oracle)
3 (of a sacred region) **not to be pillaged** Plb.

ἀπ-ορθόω contr.vb. [ἀπό] direct onto a straight course; (of a god or ruler) **correct** (through instruction) —*a person* S. E.; (of gods) **guide** —*a lot* (w. πρός + ACC. *towards the most just outcome*) Pl.

ἀπορίᾱ ᾱς, Ion. **ἀπορίη** ης *f.* [ἄπορος] **1 difficulty in crossing** (fr. one location to another) X.
2 difficulty of being approached (in an attack), **inaccessibility** (W.GEN. of nomads) Hdt.
3 difficult circumstance, **difficulty** Hdt. Th. Att.orats. Pl. Men.
4 lack of resources, **want, poverty** Th. Ar. Att.orats. +; **lack** (W.GEN. of someone able to help, money, food, protection, arguments) E. Th. Ar. Att.orats. Pl.; **failure in acquisition** Pl.; (fig.) **lack of talent** (shown by a poet) Pi.
5 lack of a way (of doing sthg.), **helplessness** E.; **difficulty** (W.GEN. or INF. of achieving sthg.) Th. Pl.
6 state of mental difficulty, **perplexity** Hdt. E. Th. Lys. Pl. +; **lack of knowledge** (W.GEN. about the perpetrator of a crime) Antipho; **distress, anxiety** (assoc.w. pains, poverty) Pl.
7 (philos., sg. and pl.) problem involving mental perplexity, **problem, difficulty** Pl. Arist.; (ref. to a starting-point for logical inquiry) Arist.

ἀπορμάω dial.contr.vb.: see ἀφορμάω

ἀπ-όρνυμαι mid.vb. [ἀπό] **start out, set off** —W.ADV., GEN. or PREP.PHR. *fr. somewhere* Il. Hes. hHom. Mimn. AR.; (of a river) AR.

ἄ-πορος ον *adj.* [privatv.prfx., πόρος] **1** (of seas, places, roads) without any passage, **impassable** Pl. X.
2 (of that which is sought, app.ref. to the truth) **inaccessible** Heraclit.
3 (of a course of action) **impracticable** Hdt. Th. Pl. ‖ NEUT.IMPERS. (sg. and pl., w. ἐστί or sim., sts.understd.) **it is impossible** —W.INF. or ACC. or DAT. + INF. (*for someone*) *to do sthg.* Pi. Th. Pl. X. Plu.
4 (of troubles, grief, fear, disgrace) **inescapable** Trag. Ar. ‖ NEUT.PL.SB. **dire straits** Hdt. Pl. X.
5 (of a trial, an accusation, questions, answers) **perplexing** Lys. Plu. ‖ NEUT.SB. state of mental difficulty (sts. W.INF. as

to how to do sthg.) E. Th. Ar. ‖ NEUT.PL.SB. state of helplessness E.
6 impossible to deal with; (of persons, their wickedness) **intractable** Hdt. E. Th. Pl.; (of armies) **impossible** (W.INF. to engage) Hdt.; (of a wind) **overwhelming** Hdt.
7 without any means (of achieving sthg.); **helpless, desperate** S. E. Antipho Th. Ar. +; (of words) **powerless** S.
8 without resources; **poor** Th. Ar. Isoc. Pl. +; **without means** (W.INF. for doing sthg.) Lys.; (of a person's life) **in need** Men.
9 not readily available; (of a sacrificial victim) **rare** Pl.; (of rations) **meagre** Pl.; (of debts) **hard to collect** D. ‖ NEUT.SB. lack (W.GEN. of a spear) E.

—**ἀπόρως** *adv.* | compar. ἀπορώτερον, also ἀπορωτέρως |
1 perplexingly E. Antipho Th. Isoc. Pl. +
2 helplessly Lyr.adesp. Pl. X.
3 without resources, in need Att.orats. +

ἀπ-ορούω *vb.* **1 leap away** (esp. fr. one's chariot) Hom.; **rush away** Call.; (of a bird) **dart away** AR.
2 (of a ship) **be forced back** (by an opposing current) AR.
3 (of columns) **rise rapidly** —W.GEN. *fr. their foundations* Pi.fr.

ἀπο-ρρᾱθῡμέω contr.vb. [ῥᾱθῡμέω] be at ease, **slack off** Pl. D. —W.GEN. *fr. a task* X.

ἀπο-ρραίνω *vb.* [ῥαίνω] (of male fish) **sprinkle out** (behind themselves) —W.PARTITV.GEN. *their milt* Hdt.; (of female fish) —*their eggs* Hdt.

ἀπο-ρραίω *vb.* [ῥαίω] strike down or beat (someone) out of (sthg.); **rob** —*someone* (W.ACC. *of possessions*) Od. —(*of life*) Od. Emp. —(W.GEN. *of honours*) Hes.

ἀπορραντήριον ου *n.* [ἀπορραίνω] basin for lustral water (in the entrance to a temple), font E.

ἀπο-ρράπτω *vb.* [ῥάπτω] **sew up** —*an animal's stomach* Hdt.; (fig.) —*someone's mouth* Aeschin.

ἀπο-ρράσσω *vb.* [ῥάσσω] | aor. ἀπέρραξα | **shear off** —*a helmet's crest* Plu.

ἀπο-ρραψῳδέω contr.vb. [ῥαψῳδέω] (of a soldier) **recite heroic songs** X.

ἀπο-ρρέω contr.vb. [ῥέω] | aor. ἀπέρρευσα (Plb.) | aor.2 pass. (w.act.sens.) ἀπερρύην | **1** flow out (fr. a source); (of a liquid) **flow forth** Pl. Plb. Plu. —W.PREP.PHR. *fr. a spring, a fruit* Hdt. Pl. ‖ AOR.2 PASS. (of a person's blood) flow out A. ‖ IMPERS. (fig.) there is an outflow (of gentleness) Plu.
‖ NEUT.PRES.PTCPL.SB. juice (fr. fruit) Hdt.; outflow (fr. a river) Pl.
2 flow away (fr. a location); (of a tidal surge) **ebb away** Pl.; (of soil) **flow away** (during a flood) Pl.; (fig., of desire, envisaged as a stream) **flow off** —W.GEN. *fr. a lover* Pl.
3 (of a breeze) **emanate** (fr. a river) Plu.; (of a flame) —W.GEN. *fr. a body* Pl.
4 (of fruit on a tree, leaves on a tree or garland) **fall off** Hdt. D. ‖ AOR.2 PASS. (of riders) fall Plu. —W.GEN. *fr. their horses* Plu.
5 (of the flesh of a woman on fire) **fall away** —W.PREP.PHR. *fr. her bones* E.; (of feathers) —W.GEN. *fr. a soul* Pl.; (fig., of beauty, prosperity, a memory) Archil. S. Theoc.
6 (of a person) **withdraw** Plb. —W.GEN. *fr. a court* Plu.; **move away** —W.PREP.PHR. *fr. someone* Plb.; (of friends) **become distant** (emotionally) —W.GEN. *fr. each other* Pl.

ἀπόρρηγμα ατος *n.* [ἀπορρήγνῡμι] piece broken off, **fragment** (fr. a burning building) Plu.

ἀπο-ρρήγνῡμι *vb.* [ῥήγνῡμι] | pf. ἀπέρρωγα ‖ MID.: dial.fem.nom.pl.ptcpl. ἀπορηγνύμεναι (Pi.) ‖ PASS.: aor.2 (sts. w.mid.sens.) ἀπερράγην | **1 break apart violently, smash to pieces** —*walls* Th. —*an animal's breastbone* E.

ἀπορρηθῆναι

—someone's power Plu. ‖ PF. (intr., of sinews) burst apart Archil.
2 break, snap —a shoelace Men.; (of an animal) —its leash Il. Thgn. Hdt. X.; (of a boat) —its mooring-ropes Thgn. ‖ PASS. (of a noose) break, snap Plu.
3 wrench out —a horse's tail Plu.; (of Polyphemos) **break off** —a mountain peak Od. —W.PARTITV.GEN. a rock E.Cyc.; (fig., of a statesman) **detach** —an alliance (W.GEN. fr. a peace treaty) Aeschin.
4 ‖ PF. (intr., of part of a rock face) break off (in a landslide) Plb. ‖ PASS. (of mountain peaks) break off Hdt. Plu.; (of a boat) become detached or break away Hdt.
5 (fig., of a person) **abruptly break off** —one's life (by dying) A. E. Plu.(quot.epigr.)
6 ‖ MID. (of lightning) **burst forth** Pi.
7 (of a commander) **detach** —units of soldiers Plu.; **separate** —himself (W.GEN. fr. his enemy) Plu. ‖ MID. and AOR.2 PASS. **separate oneself** —W.GEN. fr. the battle-line Plu.; (of soldiers) **break away** Th. Plu. ‖ PASS. become isolated Plu.
8 ‖ PASS. (of allied contingents) be detached or made to secede —W.PREP.PHR. fr. an army Hdt.
9 sprain —one's lower back Men. ‖ MID. (of horses) **dislocate** —their shoulders X.

ἀπορρηθῆναι (aor.pass.inf.): see ἀπείρω
ἀπόρρημα ατος n. [ἀπείρω] **prohibition** Pl.
ἀπόρρησις εως f. **1 forbidding** (someone to do sthg.) Pl. Is. D.
2 resignation (fr. a discussion) Pl.; **renunciation** (of a treaty) Plb.; **plea for inadmissibility** (W.GEN. of testimony) Plu.
ἀπόρρητος ον adj. **1** (of actions, penalties) **forbidden** (sts. W.DAT. for a community) S. E. Pl. ‖ NEUT.PL.SB. contraband Ar.
2 not to be discussed (for reasons of security); (of messages, actions) **secret** Hdt. And. Lys. +; (of a sacrificial flame, mysteries) E. ‖ NEUT.SB. secret activity Att.orats. Pl.; secret rite Lys. Ar. +; secret doctrine Pl.; (prep.phr.) ἐν ἀπορρήτῳ in secret Att.orats. Pl. X. ‖ NEUT.PL.SB. secrets Ar. Att.orats. +
3 inappropriate to discuss; (of women's ailments) **unmentionable** (among men) E.; (of parts of a woman's body) **private** Ar.
4 not to be mentioned; (of injustices) **unspeakable** Pl.; (of a birth, fr. an incestuous union) D. ‖ NEUT.PL.SB. abominable words (ref. to serious allegations) Lys. Isoc.; (ref. to abuse) D.
ἀπο-ρρῑγέω contr.vb. [ῥιγέω] | pf. ἀπέρρῑγα | **shrink away** (in fear) —W.INF. fr. doing sthg. Od.
ἀπο-ρρίπτω vb. [ῥίπτω] | aor. ἀπέρρῑψα, also ἀπέρῑψα, ptcpl. ἀπορίψᾱς (NT.), Aeol.ptcpl. (tm.) ἀπὸ ... ῥίψαις (Pi.) | **1 fling off** —one's veil, cloak Il.(tm.) Pi.(tm.); **throw off** —their riders Plb. Plu.; (fig.) **cast aside** —one's anger, sorrows Il. AR.; (of a poet's mouth) **reject** —a version of a story Pi.(tm.)
2 cast forth —a net Hes.; **project** (by talking) —spittle Thphr.; **throw forth** —a word, threats, insults, hints Pi. Hdt. Arist. ‖ PASS. (of reproaches) be uttered A. Hdt.
3 banish (into another territory) —a person A. Ar. ‖ PASS. be banished S. X. D. Plu.
4 reject —proposals S. ‖ PASS. (of a god) be spurned A.; (of prosperity, goodness) Hdt. D.
5 (intr., of persons on board a ship) **jump overboard** NT.
—**ἀπορρῑπτέω** contr.vb. **throw away** —items X. Plu.
ἀπορροή ῆς f. [ἀπορρέω] **1 flowing away, stream** (W.GEN. of blood, fr. a sacrificial animal) E.; (fig.) **surplus** (of grain) Plu.
2 emanation, effluence (of vapour, fr. certain kinds of trees) Plu.; (W.GEN. of particles, received through the eyes) Pl.; (fr. figures, perceived as colour) Pl.; (of beauty) Pl.
ἀπόρροια ᾱς f. **outflow** (of a river, fr. a city) X.
ἀπο-ρροιβδέω contr.vb. [ῥοιβδέω] (of birds of omen, in neg.phr.) **screech out** —intelligible cries S.
ἀπόρρους ουν Att.m. [ἀπορρέω] **outflow, stream** (W.GEN. fr. a spring) E.fr.
ἀπο-ρρυπαίνομαι pass.vb. [ῥυπαίνω] (of a father's exploits) **be tarnished** —W.PREP.PHR. by his sons S.Ichn.
ἀπο-ρρύπτομαι mid.vb. [ῥύπτω] **clean oneself thoroughly** Plu.
ἀπόρρυσις εως f. [ἀπορρέω] **outflow** (of water) Plb.
ἀπόρρυτος ον adj. **1** (of a spring of water) **free-flowing** Hes.
2 (of a human body) **subject to an outflow** (of matter) Pl.
3 (of the floor of a stable) allowing an outflow, **drainable** X.
ἀπορρώξ ῶγος masc.fem.adj. [ἀπορρήγνυμι] **1 broken off**; (of headlands, cliffs, rock faces, or sim.) **precipitous** Od. X. Call. Plb. + ‖ FEM.SB. **cliff** Plb.
2 separated off ‖ FEM.SB. **branch** (of a river) Hom. A.fr. AR.; (fig.) **streamlet** (of ambrosia and nectar, ref. to a potent wine) Od.; **offshoot** (of Erinyes, ref. to a misanthrope) Ar.
ἀπ-ορφανίζομαι pass.vb. (of young eagles) **be left orphaned** A.
ἀ-πόρφυρος ον adj. [privatv.prfx., πορφύρᾱ] (of the Roman toga uirilis) **without purple** (on its border) Plu.
ἀπ-ορχέομαι mid.contr.vb. [ἀπό] (of a suitor) **lose through dancing** (in a shameful manner), **dance away** —a proposed marriage Hdt.
ἀπο-σαλεύω vb. (of sailors) **ride** (sts. W.PREP.PHR. at anchor) **at a distance** (fr. the shore, a fleet) Th. D. Plu.
ἀπο-σαφέω contr.vb. [σαφής] **explain clearly** Pl.
ἀπο-σβέννυμι vb. ‖ athem.aor. ἀπέσβην | pf. ἀπέσβηκα ‖ PASS.: fut. ἀποσβήσομαι | aor. ἀπεσβέσθην | **1 put out completely, extinguish, quench** —a lamp, fire Ar. Pl. +; (fig.) —evil (envisaged as a fire) Pl. —a ruler's splendour Plu. ‖ PASS. (of a fire) be extinguished Pl. X.; (fig., of a person's light) be quenched (by old age) Pl.; (of coming into existence) be eliminated (fr. consideration) Parm.
2 (of an offshore wind) **quell, suppress** —an onshore breeze Plu.; (fig., of a woman) —her reproductive ability (by not having more children) Plu. ‖ PASS. (of a spring of water) be blocked up (by earthquakes) Pl.; (of a command) be overridden Pl.
3 ‖ MID., ATHEM.AOR., PF. and AOR.PASS. (intr., of fires, lamps, flames) **cease burning, burn out, go out** (w. time or fr. neglect) Heraclit. Lys. Ar. Pl. +; (of a person or name) **die** E. X. Call. +; (of training, virtues, skills) **die out** X.; (of a war) **cease** Plu.
4 ‖ PF. (intr., of a spring of water) be quenched or dried up A.(cj.)
5 ‖ PF. (intr.) **lose one's ardour** (when threatened) Plu.
ἀπο-σείομαι mid.vb. **1 shake off** (fr. oneself) —a wet cloak Call.; (of a dog emerging fr. a river) —its wetness Thgn.; (of gods) —their mist (so as to appear in human form) Ar.; (fig.) —a burden (of debt) Arist. —social restraints, an unwanted friend Pl. Plu.; (of old men) —their pains (by dancing) Ar. —old age Ar.
2 (of a horse) **throw off** —its rider Hdt. X. Plu.
ἀπο-σεμνύνω vb. **1** (of Protagoras) **solemnly uphold** —(his doctrine of) man as the measure of all things Pl. ‖ PASS. (of tragedy, developing fr. satyr plays) become fully dignified Arist.
2 ‖ MID. behave with excessive solemnity, **put on solemn airs** Ar.

ἀπο-σεύομαι *mid.vb.* | ep.3pl.impf. ἀπεσσεύοντο (AR.) | athem.aor. ἀπεσσύμην | ep.pf.ptcpl. ἀπεσσύμενος ‖ PASS.: aor. ἀπεσσύθην, ep.3pl. ἀπέσσυθεν | Lacon.3sg.aor.2 ἀπεσσύᾱ (unless ἀπεσσούᾱ) |
1 (intr.) **rush away** (esp. in fear) Hom. B. —W.GEN. *fr. one place* (*to another*) Il.; (fig., of sleep) **flee** —W.GEN. *fr. one's eyes* Mosch. ‖ AOR.2 PASS. (w.mid.sens., euphem., of a dead person) **be gone** X.(quot.)
2 (of a flame) **shoot forth** Hes. ‖ AOR.PASS. (w.mid.sens., of drops of blood) **gush forth** Hes.
3 (tr.) **chase away, expel** —*one's wife* (*fr. one's home*) AR.

ἀπο-σημαίνω *vb.* **1** **announce by signs or signals**; (of a chorus director) **send out a signal** (to the dancers) Pl.; (of a statesman) **allude** —W.PREP.PHR. *to his rival* Th.; (tr., of a portent) **indicate** —*a new age, bad outcome* Plu. ‖ PASS. (of messages) **be signalled** —W.PREP.PHR. *in dreams* Plu.
2 indicate one's decision Hdt. ‖ MID. **reach** or **give one's assessment** Hdt.
3 ‖ MID. **seal** (sthg.) as confiscated; **confiscate** —*someone's property* X.; **proscribe, condemn** —*someone* X.(dub.)

ἀπο-σήπω *vb.* | pf. ἀποσέσηπα | **1 lose through becoming rotten** ‖ STATV.PF. (of persons) **have** (W.ACC. *their toes*) **rotted away** (due to extreme cold) X.
2 ‖ PASS. (of toes) **rot away** X.

ἀποσιόω *Ion.contr.vb.*: see ἀφοσιόω

ἀπο-σῑμόω *contr.vb.* [σῖμός] (of sailors) app. **effect a turn outward** or **away** (to obtain a tactical advantage) Th.

ἀπο-σιωπάω *contr.vb.* **1 stay entirely silent** (during a meeting) Isoc. Plb. Plu.; (tr.) **suppress** —*a message received* Plb.
2 stop speaking Plb. Plu.; **pause** (during one's speech) Plu.

ἀποσιώπησις εως *f.* **falling silent** (after lamentation) Plu.

ἀπο-σκάπτω *vb.* **dig an intercepting moat** or **trench** Pl. X.

ἀπο-σκεδάννῡμι *vb.* **1 dismiss** —*a group* Hom.; (of a god) **disperse** —*a mist* AR. ‖ MID. (of hounds) **disperse** X.
2 cause to move away in various directions, scatter (using weapons) —*enemies* Plu. ‖ MID. (of soldiers) **scatter** X. ‖ PASS. **be scattered** (after a defeat) Hdt. Plu.
3 dispel —*cares, pains* (sts. W.GEN. *fr. one's heart*) Od.(tm.) Thgn.(tm.) AR. —*a pollution* (*fr. a community*) S. —*an enemy's insolence* D.(quot.epigr.); (of a threat) —*hostility* (*towards a leader*) Plu.
4 ‖ MID. (of soldiers) **stray** X. —W.GEN. or PREP.PHR. *fr. a camp, battle-line* X.

ἀπο-σκεπτέον *neut.impers.vbl.adj.* [σκέπτομαι] **one must pay thorough attention** —W.PREP.PHR. *to sthg.* Arist.

ἀπο-σκευάζω *vb.* **1** (act. and mid.) **dismantle, strip away** —*a roof* Lycurg. Plu.
2 ‖ MID. **pack away** —*property, equipment* Plb. Plu.
3 ‖ MID. **lay aside** —*men* (*fr. one's retinue*) Plu. —*a burden* (*fr. a magistracy*) Plu.

ἀποσκευή ῆς *f.* **1** (collectv.sg. and pl.) **movable property** (esp. of soldiers or refugees), **baggage** Plb. Plu.
2 (collectv.sg. and pl.) **baggage-train** (incl. slaves and soldiers' dependants) Plb. Plu.

ἀπό-σκηνος ον *adj.* [σκηνή] **one who has a separate tent** (opp. messmate) X.

ἀπο-σκηνόω (unless ἀποσκηνέω X.) *contr.vb.* **make one's camp separately, encamp away** Plu. —W.GEN. *fr. one's enemy, one's vanguard* X. Plu.

ἀπο-σκήπτω *vb.* **1** (of Zeus) **hurl down** —*thunderbolts* (W.PREP.PHR. *upon sthg.*) Hdt. —*an oracle's fulfilment* (*upon someone*) A.
2 (intr.) **fall like a thunderbolt**; (of blows fr. swords) **come down** —W.PREP.PHR. *upon an enemy's hands* Plu.; (fig., of a god's wrath) **swoop down** —W.PREP.PHR. *upon someone* E.; (of an army attacking) Plb.; (of persons meting out punishment) —*upon an evildoer* Aeschin. | see also ἐπισκήπτω 2
3 (intr., of a dream) **fall out, result** —W.PREP.PHR. *in an insignificant outcome* Hdt.

ἀπο-σκιάζομαι *pass.vb.* (of shadows) **be cast** Pl.

ἀποσκιασμός οῦ *m.* **casting of a shadow** (W.GEN. by a sundial's gnomon) Plu.

ἀπο-σκίδναμαι *mid.vb.* **1** (of a group) **disperse** Il. Hdt.
2 (of soldiers) **stray** Th. —W.GEN. *fr. a camp* Plu.
3 (of soldiers) **scatter** (fr. a battle) Plu.

ἀπο-σκίμπτομαι *pass.vb.* pf.inf. ἀπεσκίμφθαι | ‖ PF. (of anchors) **be fastened overboard** (so as to lie on the sea-bed) —W. ἐκ + GEN. *fr. a ship* Pi.

ἀπο-σκλῆναι *athem.aor.inf.* [reltd. σκέλλω] | 3sg. ἀπέσκλη | **shrivel** or **wither away** (fr. starvation) Ar. Men.

ἀπο-σκοπέω *contr.vb.* **1 look away** Pl.
2 (of a woman being led away to slavery) **look back at** —*her city* E.
3 look directly or **intently** —W.PREP.PHR. *towards someone* S.; **look out to see** —*ships* Plu.; **watch to see** —W.INDIR.Q. *whether someone is doing sthg.* Plu. ‖ MID. **intently await** —*an outcome* Plu.
4 pay close attention —W.PREP.PHR. *to sthg.* S. Pl. Arist.; **consider** —*grey* (W.PREP.PHR. *in relation to black*) Pl. —W.INDIR.Q. *whether sthg. is the case* E.

ἀπό-σκοπος ον *adj.* [σκοπός] (of a story) **wide of the mark** Emp.

ἀπο-σκοτόομαι *pass.contr.vb.* **be completely blinded** (due to smoke or sim.) Plb. —W.ACC. *in one's eyes* Plu.

ἀπο-σκυδμαίνω *vb.* **be utterly furious** —W.DAT. *w. someone* Il.

ἀπο-σκυθίζομαι *pass.vb.* **be scalped in Scythian fashion** ‖ PF. (of a woman) **have** (W.ACC. *her head*) **shaved bare** (as a mark of dishonour) E.

ἀπο-σκῡλεύω *vb.* **carry off as spoils** —*a shield* (W.GEN. *fr. a defeated enemy*) Theoc.

ἀπο-σκώπτω *vb.* **thoroughly mock** —*someone* Pl.

ἀπο-σοβέω *contr.vb.* **1** (of a horse, its forelock) **flick away** —*irritating creatures* X.(sts.mid.); (fig., of persons) —*someone* (as if w. a fly-swat) Ar. —*laughter* Ar.
2 scare off —*brigands* X. ‖ PASS. **be scared** (by bad news) Plb.
3 (intr., of a person) **hurry away, buzz off** Ar.

ἀπο-σπαράσσω *vb.* **tear off** —*someone's shoulder* E.

ἀπόσπασμα ατος *n.* [ἀποσπάω] **piece torn off, fragment** Pl.

ἀπο-σπάω *contr.vb.* **1 tear away** —*brooches* (w. ἀπό + GEN. *fr. clothing*) S.; (of a wolf) **wrest** —*an object* (*fr. a hound*) X.; (fig., of a person) —*someone* (*fr. an expectation*) S. —*hopes* (*fr. someone's heart*) S. ‖ PASS. (fig., of a girl, envisaged as part of a plant) **be torn away** —W.GEN. *fr. stock* (i.e. *family*) Pi.
2 wrench off —*doors, gates* Hdt. D.; (fig.) **wrench apart** —*words* (envisaged as planks joined together) Ar.; (intr., of a sheep) **twist free** (fr. someone carrying it) Men.
3 drag away —*someone* (W.GEN. or PREP.PHR. *fr. a person, an altar*) Hdt. S. E. Isoc. X. —(W.GEN. *by the hair*) A. —*a camel* (w. ἀπό + GEN. *fr. her young*) Hdt.; **draw away** —*a man* (W.GEN. *fr. a sword on which he is impaled*) S. ‖ PASS. **be dragged away** E. —W.GEN. or PREP.PHR. *fr. a person or sanctuary* Hdt. E. Th.
4 draw —*one's sword* (*fr. its scabbard*) NT.
5 separate —*one brother* (W.PREP.PHR. *fr. another*) Pl.; **deprive** —*an enemy* (W.GEN. *of plunder*) Plb. ‖ MID. **separate** —*a battle* (W.GEN. *fr. access to naval support*) Plu. ‖ PASS. (of

ἀποσπένδω

a wife) be separated —w.GEN. *fr. her husband* E.; (of part of an army) become separated (during a battle or a night march) Th. X. +; (of a girl) —*fr. dances (by a man)* Men.
6 lead away —*soldiers, a battle-line* (w.PREP.PHR. *fr. a location*) X.; (intr., of a commander) **withdraw** (w. some soldiers, fr. the rest of the army) X.; (of soldiers) **pull away** —w.GEN. *fr. the enemy* X.; (of a bird) X. ‖ AOR.PASS. (w.mid.sens.) withdraw —w. ἀπό + GEN. *fr. one's companions* NT.
7 (of rulers) **draw away** —*a population (fr. seafaring)* Plu.; (of heretics) —*Christ's disciples (to be their followers instead)* NT.
8 distract —*someone* (w. ἀπό + GEN. *fr. thinking*) Ar.; (of comforts) —*someone's soul* (w.GEN. *fr. philosophy*) Pl. ‖ PASS. (of jurors) be distracted —w.PREP.PHR. *fr. a defence case* Aeschin.

ἀπο-σπένδω vb. **pour out a drink-offering** (in a sacrifice or curse) Od. Antipho Theoc. —w.DAT. *to a deity* Od. Pl.; (tr.) **pour out** (w.ACC. wine) **as a drink-offering** E.

ἀπο-σπεύδω vb. **be strongly opposed** (to a course of action) Hdt. Th.; (tr.) **advise against** —*joining battle* Hdt. —w.ACC. + INF. *someone doing sthg.* Hdt.

ἀποσπογγίζω vb.: see ἀνασπογγίζω

ἀπο-σποδέω contr.vb. (hyperbol.) **completely pulverise** (by walking a great distance) —*one's toenails* Ar.

ἀποσταδόν neut.sg.adv. —also **ἀποσταδά** neut.pl.adv. [ἀφίσταμαι] standing apart, **from a distance** Hom.

ἀπο-στάζω vb. **1 release in drips**; (of a goddess) **drip** —*ambrosia* Theoc.; (of Apollo's hair) —*healing oil* Call.; (of Zeus' thunderbolts) —*a flame* Call.; (of gruel) —*barley groats* Call.; (fig., of a person) **let drip away** —*one's shame and grief (in tears)* A.
2 (intr., of blood) **dribble out** —w.GEN. *fr. a vein* E.; (fig., of a person's frenzy) **trickle away** S.

ἀποστασίᾱ ᾱς f. [ἀφίσταμαι] act of standing away or against; **revolt** (against an emperor) Plu.; **desertion** (fr. a religious leader) NT.

ἀποστάσιον ου n. **1 desertion, forsaking** (of a patron, by a metic at Athens) D. Arist.
2 certificate of divorce (given to a wife) NT.

ἀπόστασις εως (Ion. ιος) f. **1 standing away or against** (in one's allegiance); **secession, revolt** (by a community, sts. w.GEN. or PREP.PHR. fr. its allies) Antipho Th. Arist. Plb.; **defection** (fr. one ally to another) Th.; **rebellion** (by subjects, a region, sts. w. ἀπό + GEN. against their ruler) Hdt. Isoc. Pl. +; **abandonment** (of a pact) Pl.
2 departure (w.GEN. fr. life) E.
3 ceding, giving up (w.GEN. of possessions) D.
4 distance (betw. the earth and celestial bodies, camps, companies of soldiers) X. Plb.; **separation** (betw. levels of purity, pleasure, pain) Pl.; **interval** (betw. the parts of a soul) Pl.

ἀποστατέω contr.vb. **1 stand at a distance** (fr. someone) A. —w.GEN. *fr. an altar* E.; **be distant** (fr. a location) A. Pl.; (of outposts) —w.GEN. *fr. the army's main strength* X.; (fig., of protection in the form of a rescuer) A.; (of destruction) —*fr. someone* A.
2 distance oneself, stay away (out of disloyalty or a lack of interest) X. Plu. —w.GEN. *fr. one's friends* Ar.; (fig.) **dissociate oneself** —w.GEN. *fr. a lawgiver, principle, way of thinking* S. D.; (of propriety) **keep away** (fr. unjust conduct) A.
3 (of one god) **stand aloof** —w.GEN. *fr. another* A.*fr.*
4 differ (in one's physical features) —w.GEN. *fr. another's appearance* S.

5 (of equipment) **be missing** X.; (of components or properties) **be absent** —w.GEN. *fr. sthg.* Pl.; (of certainty) E.

ἀποστατήρ ῆρος m. one who can dismiss (a proposal, an assembly), **veto-holder** (at Sparta) Plu.(law)

ἀποστάτης ου m. one who stands away from or against (a superior); **mutineer** (in an army) Plb.; **rebel** (sts. w.GEN. against a king) Plb. Plu.; **defector** (w.GEN. fr. a king) Plu.; **runaway** (ref. to a slave) Plu.

ἀποστατικός ή όν adj. (of boldness, unrest in a region) of the kind associated with rebels or rebellion, **rebellious** Plu.
—**ἀποστατικῶς** adv. **rebelliously** Plu.

ἀπο-σταυρόω contr.vb. (tr.) **build a palisade** Th. X. +; (tr.) **fence off with stakes** —*routes, a location* Th. X. + ‖ PASS. (of a city, a plain) be fenced off with stakes X.

ἀπο-στεγάζω vb. **1 remove the covering from, expose, reveal** —*a flow of water (fr. a water-clock)* Emp.
2 unroof (by digging through) —*a roof* NT.

ἀπο-στέγω vb. (of fortifications) **keep out** —*an enemy* A.; (of a shield-boss) —*projectiles* Plb.; (of membranes) —*water* Emp.; (of arid soil) **fail to hold** —*rainwater* Pl.

ἀπο-στεινόομαι Ion.pass.contr.vb. [στενός] (of a boxer's eyes) **become narrow** (as his face becomes swollen) Theoc.

ἀπο-στείχω vb. | aor.2 ἀπέστιχον | **go away, depart** Hom. hHom. Hdt. S. Call. AR.; (of the sun, into the night) A.

ἀπο-στέλλω vb. **1 send forth** —*someone (for a task or purpose)* Hdt. S. E. Th. Att.orats. + —*military forces, ships* Hdt. Th. Isoc. X. —*a colony* Hdt. Aeschin. ‖ PASS. be sent forth (for a task) S. E. Att.orats. +; (of military forces) Hdt. X.
2 send (w.ACC. someone) **away** (esp. by ship) —w.PREP.PHR. *to somewhere (esp. to safety)* Hdt. E. Isoc.; **convey** (w.ACC. someone) **away** —w.GEN. *fr. an island* E.Cyc.
3 send off (by a courier, ship) —*a package, cargo, message* Hdt. Att.orats. + ‖ PASS. (of money, cargo) be sent out —w.DAT. *to someone (as a bribe)* Aeschin. Din.
4 banish —*someone* (usu. w.GEN. *fr. a place*) Hdt. S. E. Arist. —*poetry (fr. an ideal city)* Pl.; **dismiss** (fr. one's presence) —*someone* Hdt. E. Din. +; **expel** —*an army (fr. one's land)* E.; (fig., of the gods) **despatch** —*people (to Hades)* S. ‖ PASS. be sent away (as an exile) E.
5 ‖ MID. and AOR.PASS. (w.mid.sens.) **depart** S. E.; (of smoke fr. sacrifices) **drift** —w.ADV. *in a certain direction* E.*fr.*
6 (of a man, leaning forward like a wrestler) **hold** (w.ACC. his cloak) **away** —w.PREP.PHR. *fr. his body* Ar.
7 (app., intr., of the sea) **withdraw, go out** (after an earthquake) Th.(dub.)
8 (intr.) **send a request** NT.

ἀπο-στέργω vb. **abhor** —*bad news* A.; (of a lover) **reject, forsake** —*his longing* (w.GEN. *for someone*) Theoc.epigr.; **fall out of love** Theoc.

ἀπο-στερέω contr.vb. **1 deprive, rob** (esp. by deception, theft, murder) —*someone* (usu. w.GEN. *of possessions, people, life, benefits, hopes, states*) Hdt. Trag. Th. Ar. Att.orats. + —(w.ACC. *of someone, money, advantages*) S. Antipho Pl. Is. ‖ PASS. be robbed —w.GEN. *of someone or sthg.* Hdt. E. Th. Ar. Att.orats. + —w.ACC. *of allies, possessions, land, status* Hdt. S.Ichn. E. Th. Pl. +
2 deprive (of an opportunity), **prevent** —*someone* (w. μή + INF. *fr. doing sthg.*) Th. ‖ PASS. be prevented —w. μή + INF. *fr. doing sthg.* Antipho; be frustrated (in one's hope of doing sthg.) S.
3 (of a line of argument) **deprive** —*a god* (w.GEN. *of knowledge about sthg.*) Pl.; (of persons) —*pleasures (of their beauty)* Pl.

4 steal —*weapons, money* S. Lys. X.; **take away** —*tribes, authority* (sts. W.GEN. *fr. a ruler*) X.; (of Hades) —*someone's friends* S.
5 defraud, cheat Ar. X. + —*someone* Hdt. Ar. D. —(W.GEN. or ACC. *of pay, gratitude*) Pl. X. —*a creditor* (*by not repaying a debt*) Thphr.
6 withdraw, remove —*oneself* (W.GEN. *fr. someone or somewhere*) S. Th. —(*fr. obligations*) Antipho ‖ PASS. **be deprived** (*as a punishment*) —W.GEN. *of one's homeland* Hdt. E.
7 withhold (*sthg. offered or owed*); **renege** (*on a promise*) Pl. —W.ACC. *on deals* Isoc.; **withdraw** —*offers, ideas* A. Pl.; **withhold** —*rewards, payments, items borrowed* And. Ar. Pl. X. + —*a marriage, opportunities, responses* A. S. Antipho

ἀποστέρησις εως *f.* **act of depriving** (*someone, of sthg.*); **stealing** (*of a slave fr. his owner*) Pl.; **fraud** Isoc.; **withholding** (W.GEN. *of money owed*) D.; **deprivation** (W.GEN. *of the possibility of hearing sthg.*) Th.

ἀποστερητής οῦ *m.* **one who deprives** (*by fraud or meanness*), **cheat** Pl. Arist.

ἀποστερητικός ή όν *adj.* (*of schemes*) **fraudulent** Ar.

ἀποστερητρίς ίδος *fem.adj.* (*of a scheme*) **fraudulent** Ar.

ἀπο-στερίσκω *vb.* **deprive** —*a king* (W.GEN. *of his throne*) S.

ἀπόστημα ατος *n.* [ἀφίστημι] **1 result of separating; distance** (*betw. positions on a battlefield, ships at sea*) Plb.
2 separated mass (*of pus, in a body*), **abscess** Plu.
3 degree of separation (w. πρός + ACC. *in relation to one's ancestors*) Arist.

ἀπο-στίλβω *vb.* **1** (*of stones used as a seat*) **glisten brightly** —W.GEN. *w. oil or polish* Od.
2 (*of a steel breastplate*) **shine brightly** Plu.

ἀπο-στλεγγίζομαι *mid.vb.* [στλεγγίς] **clean oneself with a strigil** X.

ἀποστολεῖς έων *m.pl.* [ἀποστέλλω] **despatching officers** (*ref. to overseers of the equipping of triremes*) Aeschin. D.

ἀποστολή ῆς *f.* **1 sending forth** (*of someone, for a marriage, journey*) E. Arist.; **despatching** (*of ships*) Th.; **mission** (*in diplomacy or warfare*) Plb. Plu.
2 sending away, dismissal (*of someone*) Arist. Plu.
3 role or function of being an apostle, **apostleship** NT.

ἀπόστολος ου *m.* **1 one who is sent**, **messenger, envoy** Hdt. NT. Plu.; (*specif., appointed by Christ*) **apostle** NT.
2 group (*of ships*) *sent out*, **fleet, expedition** Lys. D.

ἀπο-στοματίζω *vb.* [στόμα] **1 teach by dictation** —*information, letters of the alphabet* Pl.; (*of the Sibyl*) **repeat** —*an oracle* Plu. ‖ NEUT.PL.PASS.PTCPL.SB. **piece of dictation** Pl.
2 provoke (W.ACC. *someone*) **to speak** (*incriminatingly*) NT.

ἀπο-στράπτω *vb.* (*fig., of desire*) **flash forth** —*its flame* AR.(tm.)

ἀπο-στράτηγος ου *m.* [στρατηγός] **1 ex-commander, deposed commander** D.
2 returning commander (*fr. a victory*) Plu.

ἀπο-στρατοπεδεύομαι *mid.vb.* **encamp at a distance apart** (sts. W.GEN. *fr. one's enemy*) X.

ἀπο-στρέφω, Aeol. **ἀπυστρέφω** *vb.* | iteratv.aor.2 ἀποστρέψασκον | **1 cause** (*someone or sthg.*) **to turn back** (*on one's course*); **turn** (W.ACC. *someone*) **back** Il. hHom.); **put to flight** —*an enemy* Il.; **turn around** —*ships* Od. Hdt. Th. + —*a herald, commander, wagon, army* Th. X.; (app., of Krataiis *Force*) **tip back** —*a boulder* Od.; (intr., of seafarers, cavalry, wanderers) **turn back** Hdt. S. Th. X.(also mid.) ‖ MID. (*of wine*) **turn away** —*desire* Even. ‖ PASS. (*of chariots, horses*) **be turned back** X.

2 twist back —*someone's hands and feet* (*behind the back, so as to bind them*) Od. S. Ar. —*someone's shoulder* Ar.; **wring** —*an animal's neck* Hdt.; (*of Hermes*) **reverse** —*cows' footprints* hHom.; (*fig.*) **twist** —*someone's words* Pl. ‖ PASS. **have** (W.ACC. *one's hands*) **wrenched back** D.; (*of ships*) **have** (W.ACC. *their rams*) **bent back** Hdt.; (*of a runner's ankles*) **be twisted** Ar. ‖ AOR.2 PASS. (*fig., of a defendant*) **twist oneself free** Pl.
3 turn (*someone or sthg.*) *towards another direction*; **turn** —*one's face* (*to someone*) Plu.; (*of the creator god*) **divert** —*channels* (*in the body*) X.; (intr., *of a ship's captain, an army*) **turn aside** Hdt. X.; (*of a river*) Hdt.
4 turn away (*in hostility*) —*one's neck, cheek* Thgn. E.; (*of fear*) —*a person* A.
5 ‖ MID. and AOR.2 PASS. **turn away** (*in rejection*) Hdt. S. Ar. Pl. X. D. —W.ACC. *fr. someone* S. E. Ar. X. —W.DAT. Sapph. —W.GEN. *fr. a house* S.; (*of a statue, as an omen*) —W.GEN. *fr. its normal position* E.; (*of a city*) **secede** —W.GEN. *fr. an ally* X. ‖ PF.PASS.PTCPL.ADJ. (*of words*) **hostile** Hdt.
6 ‖ MID. and AOR.2 PASS. **reject** —*someone* NT. —*the gods' will, instructions* E.
7 turn (*persons*) **aside** (*in their behaviour or attitude*); **mislead** —*a people* NT.; **dissuade** —*someone* (W.GEN. *fr. a bribe*) Din.; (intr.) **turn away** —W.PREP.PHR. *fr. one's evil ways* NT.
8 turn (*sthg.*) *away* (*so as to nullify the impact*); **avert** —*an affliction* A. AR.; **rebut** —*a charge* Ar.; (*of a person's conscience*) **stifle** —*his tongue* E.

ἀποστροφή ῆς *f.* **1 turning aside; change of direction** (*by a horse, river*) X. Plu.; **turning away** (*by a statue, as a supernatural event*) Plu.; **rebuttal** (*of a charge*) E.
2 means of turning away (*fr. a situation*); **way out** (sts. W.GEN. *fr. one's fate, evils*) Trag.; (*fr. a summons*) X.
3 expedient to which one turns; **resort** (sts. W.GEN. *for water, safety fr. an enemy, doing sthg.*) Hdt. Th. Hyp. D.; **refuge** Hdt. E. Th. X. +

ἀπόστροφος ον *adj.* (*of a man's eyes*) **turned away** (*by a god, so as not to see someone*) S.

ἀπο-στυγέω *contr.vb.* | aor. ἀπεστύγησα | aor.2 ἀπέστυγον | **utterly hate, detest** —*someone or sthg.* Hdt. S. E. Melanipp. Call. AR. —W.INF. *doing sthg.* Call.; **be appalled** —W.ACC. + INF. *that sthg. shd. happen* Hdt.

ἀπο-στυφελίζω *vb.* **force back** —*someone* (sts. W.GEN. *fr. a body*) Il.

ἀπο-σῡκάζω *vb.* (*fig., of an informer taking money, envisaged as squeezing magistrates*) **gather figs off the tree** Ar.

ἀπο-σῡλάω *contr.vb.* **1 rob, strip bare** —*someone* (W.ACC. *of property*) X. Is. —*a husband* (*of his wife*) E. —*someone* (W.GEN. *of his fatherland*) S. ‖ PASS. (*of Zeus*) **be robbed** —W.ACC. *of his sceptre and honours* A.
2 usurp —*authority* (W.GEN. *fr. legitimate rulers*) Pi.

ἀπο-συνάγωγος ον *adj.* [συναγωγή] **banned from the synagogue** NT.

ἀπο-σῡρίζω *vb.* **whistle aloud** hHom.

ἀπο-σῠρω *vb.* **1** (*of besiegers, a grappling tool*) **tear off** —*battlements* Th. Plb.
2 (*of besiegers*) **sweep off** —*soldiers on walls* Plb. ‖ PASS. (*of soldiers on ladders*) **be swept off** Plb.
3 (*of a boxer*) **graze** —*his opponent's forehead* Theoc.

ἀπο-συσσῑτέω *contr.vb.* **absent oneself from a public meal** Pl.

ἀπο-σφάζω, Att. **ἀποσφάττω** *vb.* **1 slit the throat of** —*someone* (*in a sacrifice*) Hdt. —(*in an execution*) Th. Lys.

—(in a murder) Ar. D. Men. + || MID. **slit one's own throat** X. || PASS. **have one's throat slit** (in a sacrifice) Hdt.; (fig., of a wineskin, w. play on sacrificial killing) Ar.; (in an execution) Hdt. X.; (in a murder) D. Men.
2 put to the sword, **butcher**, **slaughter** —someone (esp. a prisoner of war) Th. Lys. Pl. X. + —cattle Arist.; **stab** —oneself D. Arist. || PASS. **be butchered** (by thugs or soldiers) X. D. +

ἀπο-σφακελίζω vb. **1** (of horses) **suffer severe frostbite** Hdt.
2 (of children) **suffer severe convulsions** Plu.

ἀπο-σφάλλω vb. **1** (of storms) **drive off course** —a seafarer Od. || PASS. (of ships) **be driven off course** —W.GEN. fr. their destination Plu.
2 || PASS. **lose one's footing** Plu.
3 (of a commander, by being injured) **thwart**, **obstruct** —his soldiers (W.GEN. in their efforts) Il. || PASS. **be thwarted** —W.GEN. in undertakings, plans X. Plb. —in one's hope Hdt. E. Plb. Plu.
4 || PASS. **make a mistake** D. —W.GEN. in judgement A.
5 || PASS. **suffer a failure of**, **lose** —W.GEN. courage, good sense Sol. A.; **fail to attain** —W.GEN. true virtue Pl.

ἀποσφάττω Att.vb.: see ἀποσφάζω

ἀπο-σφρᾱγίζομαι mid.vb. **seal off** —the contents of a house E. || PASS. (of a container) **be closed with a seal** Plu.

ἀπο-σχαλίδωμα ατος n. [σχαλίς] **forked prop** (for nets) X.

ἀπο-σχεδιάζω vb. **act carelessly** Plb. || PASS. (of a law) **be enacted carelessly** Arist.

ἀπο-σχίζω vb. **1** (of Poseidon) **split asunder** —a rock Od.(tm.)
2 tear off —a myrtle leaf, a woman's girdle E. Theoc.; (fig.) **cut off** —a speaker (W.GEN. fr. his argument) Ar.
3 detach —someone (w. ἀπό + GEN. fr. an alliance) Hdt. || MID. and AOR.PASS. (w.mid.sens.) **separate oneself** (fr. a group) Pl. Plu. || PASS. (of soldiers) **be detached** —W.GEN. or ἀπό + GEN. fr. the rest of the army Hdt. X.; (of a population) **be separated off** —w. ἀπό + GEN. fr. another Hdt.; (of channels) **become separated** (fr. the main river) Hdt.
4 separate off (for analysis) —a people (W.PREP.PHR. in contrast to all others) Pl. || PASS. (of a skill) **be separated off** Pl.

ἀπο-σχοινίζομαι pass.vb. [σχοῖνος] **be roped away**; (fig., of an evildoer) **be barred** (fr. civic life) D.

ἀπο-σχολάζω vb. **find recreation** (in amusements) Arist.

ἀπο-σῴζω vb. **1 bring out** (of danger) **to safety**; (of a god) **bring salvation** Pl.; (of the sons of Asklepios) **heal** —someone (W.GEN. of a sickness) S.; (of a person, an event) **rescue** —someone Men.
2 bring back safely —someone or sthg. X. Men. || PASS. **get away safely** Hdt. D. Plu. —W.PREP.PHR. to somewhere Hdt. X. Plu.; **arrive safely** Men.
3 preserve —someone's intentions Pl.; (mid.) —someone's instructions E.fr. || PASS. (of a custom, record) **be preserved** Plu.

ἀπότακτος ον adj. [ἀποτάσσω] (of foods) **set apart** (for sacred animals) Hdt.; (of a day, W.DAT. for an activity) Critias

ἀποτάμνω dial.vb.: see ἀποτέμνω

ἀπο-τάσσω, Att. **ἀποτάττω** vb. **1 set apart** —soldiers (for a task) Plb. —resources, sums of money Plu. || PASS. (of soldiers, officials) **be assigned** (to a certain duty) D. Plb.
2 (of a philosopher) **assign** —a location (in a system, to sthg.) Pl.
3 || MID. **set oneself apart**; **bid farewell** NT. —W.DAT. to someone NT. —to one's property (in renunciation) NT.

ἀπο-ταυρόομαι mid.contr.vb. **make oneself utterly savage like a bull** —W.ACC. in one's stare E.

ἀπο-ταφρεύω vb. **dig separating trenches** X. Plu.; **isolate with trenches** —an enemy camp Plu. || PASS. (of a location) **be separated off by a trench** X.

ἀποτείνυμαι mid.vb.: see ἀποτίνυμαι

ἀπο-τείνω vb. **1** || PASS. (of a battle-line) **be extended outwards** X. || PF.PASS.PTCPL.ADJ. (of a blade fitted to an axle) **extending out** X.
2 extend —one's speech (usu. W.PREDIC.ADJ. to a great length or sim.) Pl. —(W.SUPERL.ADV. to a very great length) Plu. —rewards (W.COMPAR.PREDIC.ADJ. so that they go even further) Pl.; (intr.) **continue**, **go on** (in a discussion) Pl.
3 (of vessels) **prolong** —a ringing sound (when struck) Pl.; (of the sound of a trumpet) —its note Plu.

ἀποτειστέον (neut.impers.vbl.adj.): see ἀποτίνω

ἀπο-τειχίζω vb. **1 block off by fortification**; **wall off** —an isthmus, pass, ford, or sim. Hdt. Th. Plu. || PASS. (of a city, hilltop, land) **be walled off** Hdt. Th. X.
2 build a stockade against, **wall out** —enemy incursions Plu.
3 build a blockade against (a location, its defenders); **blockade**, **wall in** —an enemy, defences Th. Ar. X. Plu.; (intr.) **build a blockade** Th. X. || PASS. (of enemies, cities) **be walled in** Th. X. Plu.

ἀποτείχισις εως f. **blockading** (W.GEN. of an enemy city) Th.

ἀποτείχισμα ατος n. **1 defensive wall**, **stockade** Th. X.
2 blockade (shutting in an enemy) Th.

ἀποτειχισμός οῦ m. **walling-in**, **blockading** Plu.

ἀπο-τεκμαίρομαι mid.vb. (of sailors) **use signs to find**, **seek out** —channels AR.

ἀπο-τέλειος ον m. **local commander** (in a city in the Achaean League) Plb.

ἀποτέλεσμα ατος n. [ἀποτελέω] **1 perfection** Plb. Plu.
2 outcome, **result** (of certain principles of government) Plb.
3 event (in someone's life) Plu.

ἀπο-τελευτάω contr.vb. (of investigators) **finish off**, **end** —W.PREP.PHR. at a certain conclusion Arist.; (of actions, virtues, kinds of government) —in a certain state of affairs Pl. Arist.

ἀποτελεύτησις εως f. **outcome** (W.GEN. fr. thinking) Pl.

ἀπο-τελέω contr.vb. **1 bring** (an undertaking) **to an end**; **complete** —a wall Th. X. —actions, tasks Hdt. Isoc. Pl. + || PASS. (of a wall, bridge) **be completed** Th. Plu.; (of tasks, lines of argument) Pl. X. || PF.PASS.PTCPL.ADJ. (fig., of persons) **perfect** (in character or skill) Pl. X.; (of a subject of inquiry) **completed** Pl.
2 bring to pass (what is desired); **completely satisfy** —desires Pl. || PASS. (of persons) **be completely satisfied** —W.PREP.PHR. in an activity Pl.; (of desires, Eros) **be fulfilled** Pl.; (of a prayer) Pl.
3 bring about (as a result) —suffering, familial ties, an appropriate character Pl.; (of farms) **produce** —crops Pl.; (of diseased marrow) —fatal ailments Pl.; (of comparison) —an opinion Pl. || PASS. (of goods) **be produced** Pl.; (of better men, by a system of education) X. || NEUT.PL.PASS.PTCPL.SB. **outcomes** Pl. Plu.
4 (of persons, their activity) **render** —someone (W.PREDIC.ADJ. better or sim.) Isoc. Pl. +; (of laws) —a city (prosperous) Pl. || MID. **make** —a boy (W.PREDIC.ADJ. one's friend) X. || PASS. (of students) **turn out** —W.PREDIC.SB. as capable orators Isoc.; (of dreams) —W.PREDIC.ADJ. fulfilled Pl.
5 accomplish (obligations or intentions); **fulfil** —a vow (to a god) Hdt.; **perform** —rites, sacrifices Isoc. Pl. + —tasks, orders

Hdt. Isoc. Pl. + ‖ PASS. (of a service, duty) be performed And. Arist.
6 deliver (what is due); **pay out** —*first-fruits, tribute, rent* Pl. X. ‖ PASS. (of promised benefits) be delivered X.

ἀπο-τέμνω, dial. **ἀποτάμνω** vb. **1** cut apart, **cut open** —*a sacrificial animal, its throat* Il.(tm.) Plu.
2 cut (sthg.) off (fr. someone or sthg.); **cut off, sever** —*parts of a person or animal* Hdt. S.(tm.) X. AR.(tm.) Plu. —*plant tops, branches* Hdt. Pl. —*a slice of cake, portions of a mixture* Ar. Pl. —(fig.) *the head of an argument (likened to the Hydra)* Pl.; (intr., of a surgeon) **perform amputations** X. ‖ MID. **cut off** —*a lock of one's hair* Hdt. —W.PARTITV.GEN. *part of one's ear* Hdt.; **carve off** (to eat) —*someone's flesh* Il. ‖ PASS. (of parts of the body) be cut off Lys. Pl. X.; (of a person) have (W.ACC. one's head) cut off X. | see also ἐκτέμνω 1
3 **cut away, cut loose** —*traces (attaching trace-horses to the yoked pair)* Il.; (of a thief) —*a purse* Pl.
4 ‖ MID. **curtail** —*a city's power* Th.
5 (fig., of a regicidal queen) **cut off** or **away** —(perh.) *public execration* A.
6 ‖ MID. **separate** —*cattle* (W.GEN. *fr. the rest of the herd*) hHom.
7 separate (one part fr. another); (of a river, mountain range) **divide** —*a region* Hdt.; (geom., of a line) **cut off** —*half of a figure* Pl. ‖ MID. **cut off** —*one's location* (*by digging a trench*) Hdt. ‖ PASS. (of soldiers, a region) be cut off (in wartime) Hdt. X.; (of a people, by a border) Hdt.
8 ‖ MID. (of invaders) **appropriate** —*territory* Hdt. Isoc. D. —W.PARTITV.GEN. *a portion of a region* Isoc. Pl. AR. Theoc.
9 **divide off** (in a discussion) —*a part of an activity, a kind of knowledge* Pl. Arist.; (mid.) —*a number, skill* (fr. *others*) Pl. —*a part or feature* (*of sthg.*) Pl. Arist. ‖ PASS. (of a skill) be separated off —W.GEN. *fr. a larger set* Pl.

ἀπότευξις εως f. [ἀποτυγχάνω] **failure** (in a war, an election) Plb. Plu.; (of an expedition, one's hopes) Plu.

ἀπο-τήκω vb. (of substances) cause to dissolve, **melt away** —W.PARTITV.GEN. *part of sthg.* Pl. ‖ MID. (of moisture) **drip away** Plu. ‖ PASS. (of a quantity of gold) melt away Hdt.

ἀπο-τηλόθι adv. **far away** AR.

ἀπο-τηλοῦ adv. **far away** hHom. AR.; (as prep.) —W.GEN. *fr. an island* Od.

ἀποτίβατος dial.adj.: see ἀπρόσβατος

ἀπο-τίθημι vb. | ep.athem.aor.mid.subj. ἀποθείομαι |
1 ‖ MID. **take off** —*one's clothing* Od.(tm.) Hdt. Plb. NT.; (of mourners) **cut off** —*their hair* E.(tm.)
2 ‖ MID. put away from oneself, **put away** or **down** —*objects* Il. Alcm. Plb.; **lay aside** —*one's armour, weapons, baggage* (*on the ground*) Il. AR. Plb.(also act.); (of a woman) **set down, deliver** —*a baby* (W.GEN. *fr. her womb*) Call.
3 put away (in storage); **put away** —*sthg.* (*sts. in a container*) Il. D. Thphr. —*foodstuffs* (*for preservation*) X. Thphr.; (fig., of a father) **bury** —*his son* (*in a tomb*) Call.epigr. ‖ MID. put away for oneself, **stow away** —*money, foodstuffs* Ar. X. Call. +; **accumulate** —*popularity* (W.PREP.PHR. *w. someone*) Hyp. Plb. —*hardships* (*for one's old age*) X.
4 ‖ MID. **keep in reserve, hold back** —*resources, honours* Thgn. Aeschin. —*someone* (*for some purpose*) Din.; (fig.) —*lines of argument* Pl.
5 ‖ MID. **put aside, devote** —*a period of time* (W.PREP.PHR. *to a task*) Plb.
6 ‖ MID. **put away** (in custody) —*a prisoner, hostage* Plb. NT. ‖ PASS. (of persons) be put away (in a prison) Lycurg.
7 put outside; **expose** —*an unwanted child* Pl.; (mid.) —*one's children* E. Arist.

8 ‖ MID. **lay down** —*a magistracy* (*at the end of its term*) Plb. Plu.; **lay to rest** —*a war* Plb.
9 ‖ MID. put away from one's consideration, **disregard** —*the law* Th.; **reject** —*a friend* Call.
10 ‖ MID. **postpone, defer, put off** —*an activity, topics* E. Isoc. Pl. + —W.INF. *doing sthg.* Isoc.
11 ‖ MID. **put aside** —*allegations, a bad reputation, dishonour, strife* Il. Hes. Pi.; **lay aside** —*one's indignation, desire, anger, prejudice, or sim.* Hes.fr. Thgn. D. NT. Plu.; **lay to rest** —*antagonism* Pi.; **abjure, reject** —*excessive sexual passion* E.

ἀπο-τίκτω vb. **1** (of phlegm in the body) **generate** —*maladies* Pl.
2 (fig., of a mind) **bring to birth** —*true or false thoughts* Pl.; (of the agents in perception) —*perceptions and what is perceived* Pl.

ἀπο-τίλλω vb. **1 pluck out** —*someone's hair, animals' fur* Hdt.
2 pluck bare —*someone, a head* Ar. ‖ PASS. (of a bird) have a haircut —W.ACC. *in a certain style* Ar.; (of women) be plucked —W.ACC. *in the pubic area* (W.ACC. *in a certain style*) Ar.

ἀποτίλματα των n.pl. pieces plucked off; (pejor.) **scraps** (of wool) Theoc.

ἀπο-τιμάω contr.vb. **1 dishonour** —*someone* hHom. —*a pine tree* (*by not using it for a victor's crown*) Call.
2 ‖ MID. assign a value; **value** —*captives* (W.GEN. *at a certain sum*) Hdt. ‖ PASS. (of property) be valued D. Plu. —W.GEN. *at a certain sum* D.
3 mortgage —*one's property* (sts. W.DAT. *to someone*) D.(also mid.) ‖ PASS. (of property) be mortgaged D. —W.GEN. or PREP.PHR. *for a certain sum or asset* D.

ἀποτίμημα ατος n. **mortgaged property** Is. D. Arist.

ἀποτίμησις εως f. **1 mortgaging of property** D.
2 census (of Roman citizens) Plu.

ἀπό-τιμος ον adj. [τιμή] (of persons, a god) **without honour** Hdt. S.

ἀπο-τινάσσω vb. **shake off** —(perh.) *a garment* Iamb.adesp.(tm.) —*an ivy wreath* E. —*dust* (*fr. one's feet*) NT. —*a snake* (*fr. one's hand*) NT.

ἀπο-τίνυμαι, also **ἀποτείνυμαι** mid.vb. [reltd. ἀποτίνω] **avenge oneself** Thgn. Hdt. —W.GEN. *for sthg.* Od. Hdt.; **exact in revenge** —*a penalty* (W.GEN. *for sthg.*) Il.; (of Zeus) **take vengeance on** —*the ships* (*of the unjust*) Hes.

ἀπο-τίνω, ep. **ἀποτίνω** vb. | ep.inf. ἀποτινέμεν | ep.fut.inf. ἀποτισέμεν ‖ neut.impers.vbl.adj. ἀποτειστέον | **1 pay recompense for** —*one's actions* Hom. Hes. A. E. D. —*someone's grief* (*as caused by one's actions*) Il.; **make recompense** Hom. —W.ACC. *in the blows one receives* S.
2 pay —*a recompense* AR.(tm.); **pay out as recompense** —*compensation, penalties, fines, goods* Hom. Hdt. Ar. Att.orats. +; **pay a fine** Pl. Aeschin. D.
3 (of an avenging spirit) **offer in requital** —*a man* (*for murders perpetrated by his father*) A. ‖ MID. **make requital** (to others, for their good and bad conduct) Thgn.; **avenge oneself** Od. Sol.; **punish** —*someone* Od. E. X. —*violence, crimes* Od. E.; **exact for oneself** —*a penalty* (sts. W.ACC. *fr. one's enemies*) Od. E.
4 pay back —*sums of money* Isoc. D. —*a due explanation* Pl.; **return** —*acts of service* Od. E. Call. AR.; (of horses) —*the cost of their care* Il.
5 pay out (sts. on behalf of another) —*sums of money* Ar. Att.orats. Pl. +; **pay in full** —*a financial obligation, rent* D.

ἀποτμήγω

Arist.; (fig.) **pay over** —*one's children* (W.ACC. *as payment for someone else*) E.

ἀπο-τμήγω *vb.* | fut.mid. ἀποτμήξομαι | **1 cut off, sever** —*a person's head, hands, genitals* Hom.(sts.tm.) Hes.
2 separate, cut off —*someone* (sts. W.GEN. *fr. a group, fr. somewhere*) Il. —*a wife* (*fr. her marriage*) AR.; (of torrents) —*a valley's slopes* Il. || MID. **separate for oneself** —*sthg.* (W.INF. *so as to prevent it fr. holding onto sthg.*) Parm. || PASS. (of people) **be cut off** AR.

ἀποτμήξ ῆγος *masc.fem.adj.* sliced away; (of a cliff) **sheer** AR.

ἄ-ποτμος ον *adj.* [privatv.prfx., πότμος] (of persons) **ill-fated** Hom. Mosch.; (of wailing) A.; (of a person's fate) E.

ἀπο-τολμάω *contr.vb.* [ἀπό] **1 act audaciously** Th.; **dare recklessly** —W.INF. *to do sthg.* Att.orats. Plb. Plu. || MID. (of persons, actions) **be audacious** Pl. Plu. || PASS. (of actions) be dared recklessly Plu. || NEUT.PL.PF.PASS.PTCPL.SB. reckless assertions Pl.
2 have courage —W.INF. *to say sthg.* Plu.

ἀποτομάς άδος *f.* [ἀποτέμνω] **sliver** (of wood, used as a projectile) Tim.

ἀποτομή ῆς *f.* **1 cutting off** (of someone's hands) X.
2 ending, end point (of a road) Plb.

ἀπότομος ον *adj.* **1** cut away; (of citadels, land masses, mountains, their sides) **precipitous, sheer** Hdt. Pl. X. +; (fig., of a point of no return) S.
2 (of a summary) cut short, **abrupt** Plb.
3 (fig., of a person's fate) **sheer** E.
4 (fig., of Necessity's spirit) **unrelenting, severe** E.

–ἀποτόμως *adv.* **1 severely** Plb. Plu.
2 absolutely —*ref. to being good or bad* Isoc. —*ref. to offering any service* Plb.
3 precisely —*ref. to using words* Isoc.

ἀπο-τοξεύω *vb.* (fig., of a sophist envisaged as an archer) **shoot off** —*enigmatic phrases* Pl.

ἀπο-τορνεύομαι *pass.vb.* (fig., of words in a speech) **be thoroughly rounded** (as on a lathe) Pl.

ἄ-ποτος ον *adj.* [privatv.prfx., ποτόν] **1** (of bodies of water) **undrinkable** Heraclit. Hdt. Pl.
2 such as do not drink; (of strange animals) **non-drinking** Hdt. Pl.; (of persons, for specific reasons) S. X. Call.
3 (of persons) **deprived of anything to drink** X.

ἀπο-τρέπω *vb.* [ἀπό] **1** turn (someone or sthg.) away (fr. a course of motion); **turn away** or **back** —*a ship* Pi.; (of a god) —*an army, spear, bird* Il. Hes.(tm.) AR.; (of a lion) —*hunters and hounds* Il. || MID. **turn oneself back** (towards one's home or city, sts. to avoid sthg.) Th. Lys. Pl. + || PASS. (of a commander) be turned back Plu.; (of an attack, the flow of air) Pl.
2 turn (someone or sthg.) away (in a different direction); **turn away** —*oneself* (*to look elsewhere*) Pl.; **dismiss** —*one's attendants* Call. || MID. **turn oneself away** —W.PREP.PHR. *fr. dangers* Th.; **turn aside** —W.PREP.PHR. *for a task* Plu.; (tr.) **avoid** —*a threat, the truth* A. E.
3 turn aside —*a hostile god* Simon. A. Plu.(mid.); **avert** —*that which is about to happen* Hdt. —*that which is fated* (w. μή + INF. *fr. happening*) Antipho —*a threat* AR.; **prevent** —*someone or sthg.* Pl. X. D.
4 divert, distract —*invaders* Th. —*a people* (W.GEN. *fr. another*) Th. —*one's desires* Pl.; **pervert** —*the course of justice* B.
5 turn back (W.DAT. w. one's words) —*a warrior* (sts. W.GEN. *fr. battle, conflicts*) Il. Isoc.; **turn away** —*someone* (W.GEN. *fr. a course of action, mistakes*) Th. Lys. Isoc. || MID. turn oneself

away, desist Pl. Plu. —W.PTCPL. *fr. doing sthg.* Il. —W.GEN. *fr. a line of argument, thought or inquiry* Att.orats. X.; **cease** —W.INF. *to do sthg.* Antipho; **hesitate** D. —W.INF. *to do sthg.* E. D.
6 dissuade (esp. w. one's words) —*someone* Th. Ar. Att.orats. Pl. +; (mid.) Plb. —(W.GEN. *fr. an opinion, certain habits*) And. Isoc. —(W.INF. or μή + INF. *fr. doing sthg.*) Hdt. Pl.
7 (of warnings, threats, money, study) **deter** —*someone* (sts. W.INF. *fr. doing sthg.*) Att.orats. Pl. AR.; (of a person's advanced age) —*others* (*fr. an undertaking*) Isoc. || PASS. be deterred Plu. —W.DAT. or PREP.PHR. *by circumstances, fear, a fine* Th. D.

ἀπο-τρέχω *vb.* | fut. ἀποθρέξομαι | The aor. is supplied by ἀποδραμεῖν. | **1 run away** or **off** (fr. someone or somewhere) Ar. Pl. X. Men.; (of personif. islands) Call.
2 (of a youth) **go for a run** (to train as an athlete) Ar.
3 depart quickly Ar. Men.; (fr. an activity) Plu.
4 (wkr.sens., of ambassadors, temporary residents) **depart** (fr. a foreign city) Plb.
5 (of cities) **desert** (to a new ally) Plb.(treaty)

ἀποτριβή ῆς *f.* [ἀποτρίβω] **wear and tear** (W.GEN. of a ship's tackle) D.; **damage** (to plants on rocks, fr. climbers) Plu.

ἀπο-τρίβω *vb.* **1** (hyperbol., of a person's ribs) **wear out** —*stools* (*thrown at them*) Od. || MID. (fig., of a commander) **exhaust** —*an enemy* Plu.
2 rub down —*a horse* X.
3 rub off —*rust* (*fr. coins*) Theoc. || MID. **brush away, dismiss** —*a person, requests, or sim.* Plt. Plu.; **brush away from oneself** —*accusations, circumstances, danger, or sim.* Aeschin. D. Arist. Plb. Plu.
4 rub smooth; (fig., of old age) **blunt** —*a warrior's youthfulness* Theoc.

ἀποτρόπαιος ον *adj.* [ἀποτρέπω] (of gods, esp. Apollo) **averting evil** Ar. Pl. D. || MASC.PL.SB. averters of evil (ref. to gods) X. || NEUT.PL.SB. apotropaic rites Thphr.

ἀποτροπή ῆς, dial. **ἀποτροπά** ᾶς *f.* —also **ἀποτροπίη** ης (AR.) *ep.Ion.f.* **1 turning away** or **aside** (of sthg.); **diversion** (of a flow of water) Pl.; **alienation** (of the populace, fr. a politician) Plu.
2 turning away (of evils) from oneself; **averting** (W.GEN. of afflictions, dangers, or sim.) A. E. Isoc. Pl. +; (of speeches by a supporter of a defendant) Aeschin.
3 turning oneself away, **avoidance** (of action) Th.
4 prevention (of someone, fr. doing sthg.) Th. Pl.
5 deterrence (fr. wrongdoing) Pl.
6 (rhet.) **dissuasion** (as a genre) Arist.

ἀπότροπος ον *adj.* **1** turned away; (of a swineherd) **outcast** or **isolated** (fr. a palace) Od.
2 (of a judgement) **averse, hostile** Pi.
3 from which one turns away; (of Hades, blindness) **abhorred** S.; (of a flash of lightning) **ill-omened** Ar.
4 turning away (afflictions); (of gods, a favour) **averting** (usu. W.GEN. troubles) A. E.; (w. μή + INF. sthg. being the case, W.DAT. for someone) Pl.; (app., of a tomb where libations have been made, W.ACC. the pollution that comes fr. evildoers) A.

ἀπό-τροφος ον *adj.* [τρέφω] **brought up apart** (fr. one's mother) Hdt.

ἀπο-τρύχω *vb.* **wear out** —*oneself* (*by labour*) Plu. || PASS. (of a statesman) be worn out —W.DAT. *w. conflicts* Plu.

ἀπο-τρύω *vb.* **1** || MID. (of a ploughman) rub away, **wear out** —*the ground* S.
2 wear out —*an enemy* (*by delay and deprivation*) Plu. —*one's hope* S. || PASS. be worn out (by marches, undertakings) Plu.

ἀπο-τρώγω vb. **1** (of ravens) **bite off** or **away** —*fruit* (*fr. a tree*) Plu.; (fig., of a politician) **nibble away** —*someone's wages* Ar.; (of a harvester) **take a bite** —W.GEN. *out of a furrow* Theoc.
2 (fig., of Empedoclean philosophers) devour completely, **swallow** —*a significant problem* (*as if insignificant*) Arist.

ἀπο-τρωπάω contr.vb. **1** (of gods) **turn away** —*someone* (*fr. a course*) Hom.; **prevent** —*a city* (W.INF. *fr. doing sthg.*) Call.
2 ∥ MID. turn oneself away, **shy away** —W.GEN. *fr. an activity* Od.; (of hounds) —*fr. lions* Il.; (of a person) **decline, reject** —*an undertaking* AR.

ἀπο-τυγχάνω vb. **1** (of projectiles) **fail to hit** —W.GEN. *targets* Pl.
2 (of persons) **fail to attain** —W.GEN. *their goal, request, benefits* Pl. X. +; **fail** Att.orats. Pl. X. + —W.GEN. *in relation to someone, in a task* Pl. D. +; **go astray** X. —W.PTCPL. *by saying sthg.* Pl.
3 lose —W.GEN. *one's possessions* X.

ἀπο-τυμπανίζω vb. [τύμπανον] **1 execute on a stretching-frame** —*a person* Lys. D. + ∥ PASS. be executed on a stretching-frame Lys. D.
2 (gener.) **lynch** —*someone* Plu. ∥ PASS. be beaten to death Plu.

ἀπο-τυπόομαι mid.contr.vb. **1 imprint, impress** (as if on wax) —*thoughts or perceptions* (W.PREP.PHR. *upon someone or sthg.*) Pl.
2 mould —*sthg.* (w. πρός + ACC. *in accordance w. a pattern*) Pl.

ἀπο-τύπτομαι mid.vb. **cease beating one's breast** (in mourning) Hdt.

ἀποτύπωμα ατος n. [ἀποτυπόομαι] **imprint, impression** (on one's mind) Pl.

ἀποτυχία ᾱς f. [ἀποτυγχάνω] **failure** (opp. success) Plb.

ἀπ-ούατος ον adj. [app. οὖς] (of a messenger) perh. **ill-sounding** or **unwelcome to the ear** Call.

ἀπ-ουρᾱγέω contr.vb. (of a commander, troops) **provide protection at the rear** Plb.

ἀπουράμενος (ep.athem.aor.mid.ptcpl.), **ἀπούρᾱς** (ep.athem.aor.ptcpl.), **ἀπουρήσουσι** (ep.3pl.fut.): see ἀπηύρων

ἀπουρίσσουσι (ep.3pl.fut.): see ἀφορίζω

ἄπ-ουρος ον Ion.adj. [ὅρος] (of war) **away from** or **outside the borders** (W.GEN. of a region) S.(dub.) | see ἔπουρος 2

ἀπ-ουρόω contr.vb. [οὖρος¹] (of sailors) **meet unfavourable winds** Plb.

ἄ-πους ουν, gen. ποδος adj. [privatv.prfx., πούς] **1** (of living beings) **without feet** Pl. Arist.
2 (of a person) without the use of a foot, **lame** S.
3 (of hounds) without strong feet, **weak-footed** X.

ἀπουσίᾱ ᾱς f. [ἄπειμι¹] **1 state of being away, absence** (fr. a place) A. E. Th. D. Arist. Plb.; (ref. to a period of time) A. E. Arist.
2 lack (of a resource, opp. its possession) D.
3 non-involvement, abstention (fr. an alliance) Th. D.
4 non-existence, absence (of a quality or phenomenon) Pl. Arist.

ἀπο-φαγεῖν aor.2 inf. [ἀπό] | The pres. is supplied by ἀπεσθίω, the fut. and pf. by ἀπέδω. | (of a fighting-cock) **bite off** —*its opponent's wattle* Ar.

ἀπο-φαίνω vb. **1 show forth** (to the senses), **reveal** —*the sights of a region* (W.DAT. *to someone*) Hdt. —*one's character* Ar.; (of Lawfulness) —*blessings* Sol. ∥ MID. **display** —*one's musical art, achievements* A. Pl.; **give a display** (of one's abilities) X.

2 (of a man or woman) **beget** or **give birth to, produce** —*a child* Hdt. Is.; (fig., of philosophers) —*haters of philosophy* Pl.
3 cause to appear, render —*someone, a horse, its head* (W.PREDIC.ADJ. *such and such*) Ar. X.; **represent** (w. words) —*someone* (W.PREDIC.SB., ADJ. or PF.PTCPL. *as such and such*) Pl. Plb.
4 present —*evidence* Antipho; **adduce as evidence** (of nobility) —*wealthy ancestors* Pl. ∥ MID. **present as evidence** —*successes, testimonies* A. Hdt.
5 put forward, express —*one's opinion, an explanation* Hdt. Antipho; **give an explanation** Th. ∥ MID. **put forward, express** —*one's opinion* Hdt. E. Pl. Lycurg.; **make a suggestion** Hdt. —W.INF. *to do sthg.* D.
6 ∥ MID. **clarify, explain** Antipho X. —*phenomena, laws* Ar. Pl.; **define** —*a concept* Arist.
7 ∥ MID. **give a verdict** Pl. D.; (of an arbitrator) **announce** —*his decision* D.; (fig., of a line of argument) —*its judgement* Pl. ∥ PASS. (of a magistrate's decision) be announced D.
8 declare —*someone or sthg.* (W.PREDIC.SB., ADJ. or PTCPL. *to be such and such*) Th. Pl. D.(also mid.) Arist. + —W.COMPL.CL. or ACC. + INF. *that sthg. is the case* Hdt. Ar. Pl.(also mid.) +; (of a litigant) **identify** —*witnesses* (*when summoned to testify*) Antipho
9 show (by reasoning or evidence), **prove, demonstrate** —*someone* (W.PTCPL. *as being such and such*) Hdt. Th. Ar. Att.orats. —*sthg.* (W.PREDIC.ADJ. *to be of a certain kind*) Hdt. Antipho —W.COMPL.CL. *that sthg. is the case* Antipho Th. Pl.
10 unmask, expose —*someone* (sts. W.PREDIC.ADJ. *as being such and such*) Antipho Hyp. —(W.INDIR.Q. *for who they are*) Ar. —*offences* (W.PTCPL. *as being someone's*) Lys. ∥ MID. (fig., of boxing) **reveal** —*a family* (W.PREDIC.SB. *as a guardian of the greatest number of victors' crowns*) Pi.
11 issue a report Hyp. Din.; **make public** —*documents* D.; (of a council) **report** —*the perpetrators of a crime* Hyp.; (of a trustee, a magistrate) —*a sum of money* D. ∥ MID. **report** —*totals* X.
12 (of a husband) **allocate** —*everything that he has* (W.PREP.PHR. *into a family fund*) X.

—**ἀποπεφασμένως** pf.mid.ptcpl.adv. **openly, publicly** D.

ἀπόφανσις εως f. **statement** (ref. to a maxim) Arist.; **pronouncement** (by an authority) Arist.

ἀποφάργνῡμι Att.vb., **ἀποφάρξασθαι** (Att.aor.mid.inf.): see ἀποφράττω

ἀπόφασις¹ εως f. [ἀπόφημι] **1 denial** (of a statement) Pl. Arist.
2 negation (as a phenomenon) Pl. Arist.
3 negative (ref. to the word οὐ) Pl.

ἀπόφασις² εως f. [ἀποφαίνω] **1 assessment** (of persons, their actions) Plb. Plu.
2 response (W.PREP.PHR. *to charges*) Plb.; (about sthg.) Plu.
3 verdict, decision (fr. a judicial or legislative body, a king) D. Plb. Plu.; (W.GEN. *about an arbitration*) D.
4 declaration (of property, ref. to a written inventory) Hyp. D.
5 report (composed by the Areopagus) Din.

ἀπο-φάσκω vb. **make a denial** S.

ἀπο-φέρω vb. **1 carry off** or **away** (fr. an intended course); (of a god, wind) **drive off course** —*someone at sea* Il. Hdt. ∥ PASS. (of sailors) be taken off course (by a storm) Hdt. Th.; (fig., of a person) be carried off (into excess) Aeschin.
2 carry away —*a casualty, an infant* S. E. Th. X. —*sthg.* (sts. W.GEN. *fr. someone*) Od. S. Ar. Pl. X. ∥ MID. **carry away for oneself** —*offerings, casualties, possessions, or sim.* Hdt. Th.

ἀποφεύγω

Isoc. AR. ‖ PASS. (of a dead person, pieces of cloth) be carried away NT.
3 remove, take away —*sthg.* Ar. X. —*a prisoner* NT.; (*of horses drawing a chariot*) —*warriors* (*fr. battle*) Il. ‖ MID. **take away** (by killing) —*someone* Tim.; (fig., of a disease) **carry off** —*someone* Hdt. ‖ PASS. (of prisoners) be taken away X.; (of an offering, fr. an altar) Is.
4 take away (to one's home) —*a person, equipment* Ar. Thphr. ‖ MID. **bring back** —*one's life* (i.e. oneself, W.DAT. *to one's mother*) E.; **take away for oneself** —*scars* (*ref. to proof of fighting valiantly*) X. ‖ PASS. (of a person who falls ill abroad) be brought back —W.PREP.PHR. *to his homeland* X.; (of a dead person) Hdt. —*fr. prison* (*to his home*) Lys.
5 report —*messages* Il. X. ‖ PASS. (of an answer, esp. fr. a king or an oracle) be reported Hdt.; (of stories) Hdt.; (of a philosopher's previous conversations, to his present interlocutor) Pl.
6 ‖ MID. **win for oneself, obtain** —*one's return home* E.; **receive** —*prizes* Theoc. —*death* E.; (of a blind person) **regain** —*his sight* Call. ‖ ACT. **receive** —*a kiss* (*fr. the lips of one's beloved*) Bion (dub.)
7 hand back, return —*money, items on loan* Hdt. Ar.
8 hand over, deliver over —*one's property, weapons* Ar. X. —*private shrines* (*into public sanctuaries*) Pl.; **deliver** —*tribute payments, offerings* (*for a god or king*) Hdt. Th. X. —*a letter, goods* D. Thphr.; **pay tribute** Hdt. Th.; (fig., of a stammerer) **transmit, utter** —*his speech* (*to hearers*) Pl.
9 render —*an account* Att.orats. Arist.; **submit, bring** —*a lawsuit* Att.orats. ‖ PASS. (of a lawsuit) be submitted Aeschin.
10 report in a list —*personnel, taxpayers* Lys. D.; **report** —W.COMPL.CL. *that one has made a payment* D. ‖ PASS. (of a person) be reported on a list D. —W.PREDIC.ADJ. *as of a certain status* D.

ἀπο-φεύγω *vb.* **1 flee away** —W.PREP.PHR. *fr. somewhere* X. Plb.
2 flee from, avoid —*someone* Ar. X.
3 escape from —*someone* Ar. —*a battle* Hdt.; (of hares) **outrun** —*hounds* X.; **escape** Hdt. S. Th. Ar. + —*one's fate, death, accusations, afflictions* Hdt. S. E. Th. +; (of oxen, fr. a fire) Hdt.
4 shun —*a character flaw* Thgn. —*arrogance* Pi. —W.INF. *helping someone* X.
5 recover from —*a sickness* D.
6 (leg.) **successfully defend oneself against** —*one's prosecutors, an indictment, or sim.* Hdt. Ar. Att.orats. + —*one's opponents* (W.ACC. *in lawsuits*) D.; **be acquitted** Hdt. Th. Ar. Att.orats. +; (of decrees) **survive indictment** D.

ἀποφευκτικά ὧν *n.pl.* **ways to escape** (fr. prosecution) X.

ἀπόφευξις εως *f.* **escape** (fr. a criminal charge), **acquittal** Antipho Ar.; **means of escaping** Ar.

ἀπό-φημι *vb.* [φημί] | *aor.* ἀπέφησα (Pl. +) | *impf. and athem.aor.* ἀπέφην | *pres. and athem.aor.inf.* ἀποφάναι ‖ MID.: *pres. and athem.aor.2pl.imperatv.* ἀπόφασθε (Il.), *ptcpl.* (tm.) ἀπὸ ... φάμενος (E.) |
1 speak plainly Il. ‖ MID. **declare outright** —*messages* Il.
2 respond in the negative; refuse Pl. X.; **reply with a denial** (to a question or proposition) S. Pl. X. Arist.; **deny** —*propositions* (*to be true*) Pl. Arist. —w. μή + INF. *that sthg. is the case* Plu. ‖ MID. **say no, dissuade** E.(tm., cj.)
3 negate (in words) —*a property* (*of sthg.*) Arist. —*a word* Arist.; (of a word) **be a negation** (W.GEN. of another) Pl.; (of a statement) **involve a negation** —W.DAT. *by means of a homonym* Arist.

ἀπο-φθέγγομαι *mid.vb.* **speak out** NT.; **proclaim** —*sthg.* NT. —W.DIR.SP. *sthg.* (W.DAT. *to someone*) NT.

ἀπόφθεγμα ατος *n.* **terse utterance or expression, apophthegm** (of a Spartan, statesman, philosopher, poet) X. Arist. Plu.

ἀποφθεγματικός ή όν *adj.* **1** (of persons, esp. Spartans) **inclined towards terse utterances, terse** Plu.; (of a manner of speaking) Plu.
2 (of sayings) of the terse kind, **terse, pithy** Plu.

ἀπο-φθείρω *vb.* **1 utterly destroy** —*someone, an army* A. —*one's body* (*by fasting*) E. ‖ PASS. **perish** (by falling to one's death) E.
2 ‖ MID. **take oneself off** (to one's destruction) Men. —w. ἐς κόρακας *to the crows* (i.e. *to perdition*) Ar. ‖ PASS. (colloq., in curses) **be taken to perdition or disappear** Men. —W.GEN. *fr. a region* E.
3 ‖ PASS. (colloq., of a person) **get lost or vanish** (fr. somewhere, by going abroad as a mercenary) Men.

ἀπο-φθινύθω *vb.* **1 perish completely, die** (esp. in battle, famine, plague) Il. Hes. AR.
2 (tr.) **lose** —*one's life* Il.

ἀπο-φθίνω *vb.* | *fut.* ἀποφθίσω | *aor.* ἀπέφθισα, ep. ἀπέφθεισα (v.l. ἀπέφθισα) ‖ ATHEM.AOR.MID.: 3sg. ἀπέφθιτο, 3sg.imperatv. ἀποφθίσθω, *ptcpl.* ἀποφθίμενος, *opt.* ἀποφθίμην ‖ PASS.: ep.3pl.aor. ἀπέφθιθεν |
1 cause (someone or sthg.) **to perish completely; destroy utterly, kill** —*a person or animal* S. AR.; (of the sea) —*sailors* Hes. ‖ PASS. and ATHEM.AOR.MID. **be destroyed, perish, die** Hom. Hes. Thgn. Lyr. + —W.DAT. *because of grief, w. a terrible death* Od.
2 (of persons) **lose** —*their lives* (sts. W.PREP.PHR. *at someone's hands*) A. AR.
3 (intr., of fear) **perish utterly** A.; (of noble qualities) **die out** S.

ἀποφθορά ᾶς *f.* [ἀποφθείρω] **complete destruction** (W.GEN. app., of one's future progeny or of one's masculinity, by one's own castration) A.

ἀπο-φλαυρίζω *vb.* | *aor.* ἀπεφλαύρισα | Aeol.fem.aor.ptcpl. ἀποφλαυρίξαισα | **treat lightly** —*the anger of a god* Pi.; **disparage** —*a king's wealth* Hct.

ἀπο-φλύζω *vb.* [reltd. φλύω] | 3pl.aor. ἀπέφλυσαν, ep.subj. ἀποφλύξωσι | **splutter out** —*insolence* Archil. AR.

ἀπο-φοιβάζω *vb.* [φοιβάς] **deliver under inspiration** —*predictions* Plb.

ἀπο-φοιτάω *contr.vb.* **1** (of sailors) **wander off, desert** —w. πρός + ACC. *to someone paying more* Plu.
2 cease to attend lessons —w. παρά + GEN. *fr. a teacher* Pl.

ἀπό-φονος ον *adj.* [φόνος] (of killing) perh., **following on from a previous murder, sequential** E. [or perh. *unnatural*]

ἀποφορά ᾶς, Ion. **ἀποφορή** ῆς *f.* [ἀποφέρω] **1 tax, tribute** (to a ruler) Hdt. Plu.; **contribution** (fr. members of a league, for a war) Plu.
2 income (fr. an asset); **commission fee** (fr. slaves allowed by their owners to work independently) X. Aeschin. +; **fee, return** (fr. someone who had hired another's slave) And.; **rent** (in money or kind, for farmland) Arist. Plu.
3 removal (of sthg.) Arist.

ἀπο-φορτίζομαι *mid.vb.* (of a ship) **discharge** —*its cargo* NT.

ἀπόφραξις εως *f.* [ἀποφράττω] **barricade** (W.GEN. on a road) X.

ἀπο-φράς άδος *fem.adj.* [φράζω] (of a day) **not to be mentioned** (for religious reasons), **inauspicious, ill-omened** Pl. Plu.; (among the Romans) ἡμέραι ἀποφράδες *dies nefasti* (*days on which legal and public business was not transacted*) Plu.

ἀπο-φράττω *Att.vb.* [φράσσω] | aor.mid.inf. ἀποφάρξασθαι (Th.) | —also **ἀποφάργνῡμι** *Att.vb.* | aor. ἀπεφάργνυσα (Th.) || mid. ἀποφάργνυμαι (S.) | **1** (of persons) create a blockage against, **dam out** —*flood-water* D.; (of soldiers) **blockade** —*roads* Th.; (intr.) **create a blockade** (on a road) Plu. || MID. (of sailors) **block off** (w. their ships) —*their enemy* Th.
2 (of an aulos) **block up** —*its player's mouth* Plu.; (of desire for child-bearing, envisaged as an internal organ in a woman's body) —*the airways of the body* Pl.
3 || MID. (fig., of a messenger) **defend oneself against** —*the event one is reporting* S.

ἀπο-φυγγάνω *vb.* cease to be prosecuted, **be acquitted** D.

ἀποφυγή ῆς *f.* [ἀποφεύγω] **1 escape** (fr. afflictions, vice in oneself) Pl.
2 means of escape, **escape route** Th.; **way out** (W.GEN. fr. an accusation) Plu.; **escape** (ref. to death or a pleasure, W.GEN. fr. afflictions) Pl.

ἀπο-φῡσάω *contr.vb.* (of Zeus) **blow away** (ash, fr. someone) Ar.

ἀπό-φυσις εως *f.* [φύσις] **offshoot** (on a wooden stake) Plb.

ἀποφώλιος ον *adj.* [perh.reltd. ἀπαφίσκω] **1** app., not productive, (of the Minotaur) **sterile** Plu.(quot. E.); (in neg.phr., of sexual unions w. a god) **barren** Od. Hes.*fr.*
2 (of a man) **useless** (at fighting) Od.; (of persons) **futile** (W.ACC. in their thoughts) Od.; (of a person's thoughts) Od.

ἀπο-χάζομαι *mid.vb.* **draw back** —W.GEN. *fr. a pit* Od.

ἀπο-χαλάω *contr.vb.* **slacken off** (sthg. attached to a line); (fig.) **let out** —*one's thought* (*into the air*) Ar.

ἀπο-χαλῑνόομαι *pass.contr.vb.* (of a horse) **be unbridled** X.

ἀπο-χαλκεύομαι *pass.vb.* (of the teeth of a spear-head) **be forged from bronze** X.

ἀπο-χαρακόομαι *pass.contr.vb.* (of river banks) **be fenced off** —W.DAT. *w. palisades* Plu.

ἀπο-χειροβίωτος, also **ἀποχειροβίοτος** (Hdt.), ον *adj.* [χείρ, βιόω] (of a farmer, fisherman) earning a living with one's hands, **labouring manually** Hdt. X.

ἀπό-χειρος ον *adj.* (of a king) **without sufficient means** (W.GEN. for his plans) Plb.

ἀπο-χειροτονέω *contr.vb.* **1** vote out (someone or sthg.) with one's hand; (of the populace, a council, a commander) **depose** —*someone* D. Arist. Plu. —(W.PREP.PHR. or GEN. *fr. a magistracy or command*) Din. Plu.; **annul** —*agreements* D. || PASS. (of magistrates, commanders) be deposed D. Plu.; (of laws) be annulled D.; (of personif. Peace) be voted down (in the Assembly) Ar.
2 (of jurors) **vote against** —*men* (*being guarantors or having certain rights over an estate*) Is. D. —w. μή + INF. *doing sthg., sthg. being such and such* Is. D.
3 (of a populace) vote against (a charge); **acquit** —W.GEN. *a defendant* D.

ἀποχειροτονίᾱ ᾱς *f.* **deposition, dismissal** (of a magistrate) D.

ἀπ-οχετεύω *vb.* **divert** (W.ACC. a stream) **into another channel** Pl. || PF.PASS. (of a stream) be diverted Pl.

ἀπο-χέω *contr.vb.* | ep.3sg.aor. (tm.) ἀπὸ ... χεῦε | **pour away or out, spill** —*food* Od.

—**ἀποχεύομαι** *mid.vb.* (of a spring) **pour forth** —*water* E.

ἀποχή ῆς *f.* [ἀπέχω] **abstinence** (W.GEN. fr. food) Plu.

ἀπο-χηρόομαι *pass.contr.vb.* **be bereft** —W.GEN. *of someone* Ar.(quot.trag.)

ἀπο-χραίνω *vb.* create contrast by removing colour; (of artists) **bring into relief** or **highlight** (part of a painting) Pl. || PASS. (fig., of pleasures) be brought into relief —w. ὑπό + GEN. *by the juxtaposition of pains* Pl.

ἀπο-χράω *contr.vb.* | 3sg. ἀποχρῇ (unless ἀπόχρη), Ion. ἀποχρᾷ, inf. ἀποχρῆν, Ion. ἀποχρᾶν | 3sg.impf. ἀπέχρη, Ion. ἀπέχρᾱ | fut. ἀποχρήσω | aor. ἀπέχρησα || MID.: inf. ἀποχρῆσθαι | aor. ἀπεχρησάμην |
1 (of armies) **be sufficient** (for a task) Hdt. D. —W.INF. *to do sthg.* Hdt.; (of a water source) —W.DAT. *for an army* Hdt.; (of actions, punishments, afflictions, rewards) A. Ar. Att.orats.; (of weaving, to serve as a comparison) Pl.; (in neg.phr., of partial knowledge) Arist. || IMPERS. it is enough D. Arist. —W.DAT. *for someone* (W.INF. or DAT.PTCPL. *to do sthg.*) Hdt. D. —W.ACC. + INF. *that criminals pay a penalty* D.
2 (of proposals, achievements, discussions) **be satisfying** —W.DAT. *to someone* Hdt. Ar. Isoc. Pl. || PASS. (of persons) be satisfied —W.DAT. *w. proposals* Hdt. —W.INF. *ruling one people* Hdt. || IMPERS. it is satisfying Pl. D. —W.DAT. *for someone* (W.INF. *to do sthg.*) Att.orats. Pl.; (pass.) Hdt.
3 || MID. **make full use** —W.DAT. *of soldiers, traitors, their enthusiasm* Isoc. Plb. —*of advantages, opportunities, a base of operations* Th.; (euphem.) **dispose of** —W.ACC. *someone* Th.
4 || MID. **abuse** —W.DAT. *a person, wealth, words* (*so as to mislead*) D. Plu.

—**ἀποχρώντως** *ptcpl.adv.* **amply, sufficiently well** Th. Isoc. Pl. Plb. Plu.

ἀπο-χρήματος ον *adj.* [χρῆμα] (of penalties) **not merely involving one's property** A. [or perh. *keeping one away from one's property*]

ἀπ-οχυρόομαι *pass.contr.vb.* (fig., of a statesman) **be thoroughly fortified** —W.PREP.PHR. *against bribery* Plu.

ἀπο-χωλεύω *vb.* **make completely lame** —*one's horse* X. || PASS. (of soldiers) be severely crippled X.

ἀπο-χωλόομαι *pass.contr.vb.* [χωλός] (of horses) **become completely lame** Th.

ἀπο-χώννῡμι *vb.* [χωννύω, see χόω] | aor. ἀπέχωσα, also ἀπεχώννυσα | **block up** (for military purposes) —*harbours, rivers* X. Plu.

ἀπο-χωρέω *contr.vb.* | fut. ἀποχωρήσομαι | **1 go away, depart** E. Th. Ar. Pl. +; —W.GEN. or PREP.PHR. *fr. a building, camp* Ar. Pl.
2 separate oneself, **step aside** (fr. a crowd) Ar.; (of a horse) **go apart** —W.PREP.PHR. *fr. others* X.
3 distance oneself —W.GEN. *fr. a group* X. D. —*fr. an extremity of behaviour* Arist. || PF.PTCPL.ADJ. (of part of a palace) **remote** Plb.
4 (of armies, their commanders) **withdraw** Th. X. +; **retreat** (after a defeat) Th. X. +; (of an adviser) **retire** (fr. a debate) Th.
5 (of soldiers) **desert** X.; (of cities) **defect** Th.
6 (of water) **disperse** (fr. the body, through perspiration or urination) X.; (of blood) **discharge** (fr. a wound) D. || NEUT.PL.PTCPL.SB. **excrement** (fr. the human body) X.
7 have recourse —W.PREP.PHR. *to one's services to the city, special pleading* D.

ἀποχώρησις εως (Ion. ιος) *f.* **1** (sg. and pl.) act of retreating, **retreat** (fr. battle) Hdt. Th. X. +; **means of retreat** X.
2 place of safety, **refuge** Th.
3 (sg. and pl.) **emptying, evacuating** (of a body's contents) Pl.
4 (euphem.) **latrine** Plu.

ἀπο-χωρίζω *vb.* **1 separate off, detach** —*units of soldiers* Lys. || PASS. (w.mid.sens.) separate oneself —W.PREP.PHR. *fr. another* NT. || PASS. (of a hair) be separated —W.GEN. *fr. the skin* Pl.; (of water) —*fr. fire and air* Pl.; (of the substance that binds flesh to bones) —W.PREP.PHR. *fr. sinews* Pl.

ἀπόχωσις

2 separate off (in one's mind, for classification), **isolate, distinguish** —*groups of people, a kind of activity, a class of numbers, or sim.* Pl. —*the worse* (W.PREP.PHR. *fr. the better*) Pl. ‖ PASS. (of groups of people) **be distinguished** (fr. others) Pl.; **be isolated** —W.PREP.PHR. *fr. the business of kingship and statesmanship* Pl.; (of aspects of activities) —*fr. political science* Pl.; (of movement as a kind of change) —W.GEN. *fr. consistency* Pl.

ἀπόχωσις εως *f.* [ἀποχώννῡμι] **embankment** (of a river) Plu.

ἀπο-ψάω contr.vb. | 3sg.impf. ἀπέψη | fut. ἀποψήσω | **1 wipe away** —*foam* E. ‖ MID. **wipe off oneself** —*dirt* Ar.
2 wipe dry —*someone crying* Ar. ‖ MID. **wipe clean** —*one's hand* X.; **wipe oneself** (esp. one's hands or anus) Ar. | see also ἀναψάομαι
3 level off —*grain* (in a measuring-vessel) Thphr.

ἀπο-ψεύδομαι pass.vb. **be entirely deceived** —W.GEN. *in one's expectation* Plu.

ἀπό-ψηκτος ον adj. [ψήχω] **smoothed down**; (fig., of a remark) **smart, polished** S.*Ichn*.

ἀπο-ψηφίζομαι mid.vb. | neut.impers.vbl.adj. ἀποψηφιστέον | **1 vote for acquittal** Att.orats. Pl. —W.GEN. *for a defendant* Att.orats.; (fig., of a philosopher) —*for an argument* Arist.
2 (of demesmen) **disfranchise** (sts. W.GEN. someone) Aeschin. D.; (of a member of a phratry) —W.GEN. *a child* (w. *a non-citizen parent*) D.; **vote** —W. μή and ACC. + INF. *that someone is not free-born* Arist. ‖ PASS. (of citizens) be disfranchised D. Arist. Plu. —W.GEN. *fr. citizenship* Plu.
3 vote to reject (a proposal) X. Arist. Plu.; **vote against** —*a candidate* (for a magistracy) Plu. —*a proposal, an indictment* Att.orats. Pl. Plu. —*the death penalty* (W.GEN. *for someone*) Lycurg. —W. μή + INF. *doing sthg.* X. D. Din.
4 depose —*a king, magistrate* Plu. ‖ PASS. **be deposed** Plu.

ἀποψήφισις εως *f.* **1 acquittal** (W.GEN. of someone) Antipho
2 vote of expulsion (fr. citizenship), **disfranchisement** (W.GEN. by fellow demesmen) D. ‖ PL. **cases of disfranchisement** D.

ἀπο-ψῑλόω contr.vb. **1 make completely bare** (of hair); **pluck** (as a punishment) —*a woman's pubic region* Ar. ‖ PASS. (of a woman's pubic region) **be depilated** (cosmetically, by singeing) Ar.
2 (fig.) **strip completely bare** —*a person* (W.GEN. *of loved ones*) A. —*a household* (by killing someone) Hdt.

ἄπ-οψις εως (Ion. ιος) *f.* [ὄψις] **1 faculty of vision, sight** Hdt. Plb.
2 location with a good view, belvedere Plu.

ἀπο-ψύχομαι pass.vb. [ψύχω¹] | aor. ἀπεψύχθην (Il.) | 3sg.aor.2 subj. ἀποψυχῇ (Pl.) | pf. ἀπέψυγμαι (Arist.) | **1 be cooled** —W.ACC. *of sweat* (i.e. *dry it off*) Il. —(W.GEN. *fr. one's tunic*) Il.
2 ‖ IMPERS. **it becomes cool** (in the evening) Pl.
3 | PF. (fig.) **be coldly indifferent** —W.PREP.PHR. *to the future* Arist.

ἀπο-ψύχω vb. [ψύχω²] | aor. ἀπέψυξα (S.) | **1 leave off breathing, faint** Od. NT.
2 breathe out —*one's life* S.; (intr.) **breathe one's last, expire** Th. Bion

ἀπο-ψωλέω contr.vb. [ψωλός] | pf.pass.ptcpl. ἀπεψωλημένος | **cause** (a man) **to have the head of his penis exposed**; **strip bare the prick** —W.ACC. *of a man* (by arousal or circumcision) Ar. ‖ PF.PASS.PTCPL.ADJ. (of a man) **with his prick stripped bare** (by arousal or circumcision) Ar.

ἄππα masc.voc. **daddy** (affectionate address by a son) Call.

ἀπ-πάομαι Boeot.mid.contr.vb. [ἀνά] | aor.ptcpl. ἀππᾱσάμενος | **regain** —*one's homeland* Corinn.

ἀππαπαῖ (and **ἀπαπαῖ**), also **ἀπαππαπαῖ** (and **ἀπαπαπαῖ**) interj. (exclam. of grief or pain) **ah!, woe!** S. Ar.

ἀππέμπω Aeol.vb.: see ἀποπέμπω

ἀπρᾱγέω, Ion. **ἀπρηγέω** contr.vb. [privatv.prfx., reltd. πράσσω] **1 be inactive**; (of a commander, an army) **remain idle** Plb.; (of the gods) **do nothing** (in response to perfidy) Call.
2 (of cavalry) **be unsuccessful** (in an action) Plb.

ἀπρᾱγίᾱ ᾱς *f.* **1 inaction** (of an army) Plb.
2 lack of activity or **energy** (shown by a statesman) Plu.

ἀ-πρᾱγμάτευτος ον adj. [privatv.prfx., πρᾱγματεύομαι] (of a location) **secure against attack** Plb.

ἀπρᾱγμοσύνη ης *f.* [ἀπράγμων] **1 freedom from involvement in political and commercial affairs, tranquillity, leisurely lifestyle** Ar. Isoc. X. Plu.; (pejor.) **inactivity** Plu.
2 aversion to court proceedings, reluctance to litigate D.; **lack of experience** (w. the law) D.
3 isolationism (as an inter-state policy) Th.

ἀ-πρᾱ́γμων ον, gen. ονος adj. [πρᾶγμα] **1 away from involvement** (in civic life); (of persons, their lifestyle) **unpolitical, unofficious, quietist** Archil. Th. Ar. Isoc. +; (of a desirable place to settle in) **quiet, trouble-free** Ar.; (pejor., of a person) **detached** (W.GEN. fr. current affairs) Plb.; **idle** Plu.; (of a philosopher) **reclusive** Plu.
2 not litigious Antipho Ar. D.; **without experience** (in the law) D.
3 away from inter-state relations; (of a city, its peace) **isolationist** Th. ‖ NEUT.SB. **non-involvement** Th.
4 (of a master) **not troublesome, easy-going** (towards his slaves) Men.; (of a river-crossing) **trouble-free** Plu.; (of a person's sustenance, as provided by another) Plu.; (of enjoyment, studies) X. Plu.; (of a mode of death, W.DAT. for one's friends) X.

—**ἀπρᾱγμόνως** adv. **1 unobtrusively, peacefully** —*ref. to conducting oneself* Arist.(quot. E.) Plu.
2 without trouble, easily Th. X. Plu.

ἀπρᾱκτέω contr.vb. [ἄπρᾱκτος] **1** (of persons, cities) **be inactive, do nothing** Arist.; (tr., of a person) **refrain from doing** —*sthg.* Arist.
2 be unsuccessful (in a request) X.

ἄ-πρᾱκτος, Ion. **ἄπρηκτος**, ον (also ᾱ ον B.) adj. [πρᾱκτός] **1** (of persons, actions, or sim.) **not having achieved anything, unsuccessful** Il. Th. X. +; **unable to achieve anything, ineffective** Il. D. Plb. Plu.
2 (of persons, a period of time) **lacking activity, idle** Plb.; (of rest) **leisured** B.; (of a day) **without business** Plu.
3 impossible to take measures against; (of a dog's barking) **intractable** Semon.; (of griefs, evils) **incurable** Od. Pi.
4 impossible to achieve; (of tasks) **impracticable, unmanageable** Thgn. AR. Plb.; (of a hope, aims) **unattainable** Simon.
5 (of things) **left undone** X. D.; (of an action) **not completed** Thgn.
6 (of a person) app. **not plotted against** or **attacked** S.(dub.)

—**ἄπρᾱκτον** neut.sg.adv. —also **ἄπρᾱκτα** neut.pl.adv. **uselessly, in vain** Semon. B.*fr.*

ἀπρᾱξίᾱ ᾱς *f.* **1 lack of activity** Pl. Plu.; **lack of action** (in a specific situation) E. ‖ PL. **decrees suspending public business** (fr. the Roman consuls) Plu.
2 lack of achievement Aeschin.

ἀπρᾱσίᾱ ᾱς *f.* [ἄπρᾱτος] **impossibility of selling**; **lack of a market** (W.GEN. for sthg.) D.

ἄ-πρᾱτος ον adj. [πρᾱτός] **1** (of commodities) **impossible to sell, unsaleable** D.

2 unsold Lys. Ar. Aeschin.

ἀπρέπεια ᾱς *f.* [ἀπρεπής] **unseemliness, impropriety** (of conduct or sim.) Pl. Arist.

ἀ-πρεπής ές *adj.* [πρέπω] **1** (of decisions, actions, suffering, honours) **improper, unfitting** (sts. W.DAT. for someone) Th. Isoc. Pl. Arist. + || NEUT.SB. **disgrace** Th. Plb.
2 (of beauty and strength) **inappropriate** (in a cowardly person) Pl.; (of bad character, in a noble person) Arist.; (of a vice or desire, in someone of a certain status) Pl. Plb.; (of kinds of jokes, W.DAT. for freemen) Arist.
3 inappropriate (for certain purposes or occasions); (of topics, comparisons, or sim.) **unsuitable** Th. Isoc. Pl. Arist.
4 (of a man) **uncouth, indecent** (in his behaviour) Theoc.

—**ἀπρεπῶς**, Ion. **ἀπρεπέως** *adv.* **inappropriately, unworthily** hHom. Isoc. Pl. +

ἄπρηκτος Ion.*adj.*: see ἄπρᾱκτος

ἀ-πρίατος η ον *adj.* [privatv.prfx., πρίασθαι] (quasi-advbl., of a woman being freed) **without payment** Il.; (of a woman taken into slavery) hHom.; (of cattle being rustled) Pi.*fr.*

—**ἀπριάτην** *adv.* **without repayment** —*ref. to providing hospitality* Od.

ἄπριγδα *adv.* [ἀπρίξ] **with tightly clutching hands** —*ref. to plucking out one's hair* A.

ἀπρικτό-πληκτος ον *adj.* [πλήσσω] (of mourners' hands) **striking and tightly clutching** (their heads and hair) A.

ἀ-πρίξ *adv.* [copul.prfx., πρίω] **with a tight grasp, tightly** S. Pl. Theoc. Plb.

ἀ-προαίρετος ον *adj.* [privatv.prfx., προαιρετός] (of actions) **not chosen beforehand** (by their agents) Arist.

—**ἀπροαιρέτως** *adv.* **not by choice** Arist.

ἀ-προβούλευτος ον *adj.* [προβουλεύω] **1** (of actions) **not premeditated** Arist.
2 (of a matter laid before the Assembly) **without a preliminary proposal** (fr. the Council) Arist. Plu. || NEUT.SB. **lack of a preliminary proposal** D.
3 (of persons) **not deliberating in advance** (of doing sthg.) Arist.

—**ἀπροβουλεύτως** *adv.* **unpremeditatedly** —*ref. to killing someone* Pl.; **without the intention** (W.GEN. of killing) —*ref. to striking someone* Pl.

ἀπροβουλίᾱ ᾱς *f.* [ἀπρόβουλος] **lack of intent** (to commit a crime) Pl.

ἀ-πρόβουλος ον *adj.* (of sleep) **without precaution, heedless** A.(cj.) [unless *adv.* ἀπροβούλως **heedlessly**]

ἀπροθέτως *adv.* [πρό, θετός] **not by design** —*ref. to events occurring in war* Plb.

ἀ-πρόθῡμος ον *adj.* **not eager** Hdt. Th. X. Plu.

—**ἀπροθύμως** *adv.* **not eagerly, unenthusiastically** Pl. X. Plu.

ἄ-προικος ον *adj.* [προίξ] (of a woman given in marriage) **without a dowry** Att.orats. Men.

ἀ-προμήθητος ον *adj.* [προμηθέομαι] (of circumstances) **not foreseen** A.

ἀπρομηθίᾱ ᾱς *f.* [ἀπρομηθής] **lack of forethought** Pl.

ἀ-προνόητος ον *adj.* [προνοέω] **1** (of anger) **without forethought** (for its consequences) X.; (of forces in nature) **blind** Plu.
2 (of locations) **not previously considered, not reconnoitred** Plb.
3 (of soldiers, a region) **not alert, off guard** Plb.

—**ἀπρονοήτως** *adv.* **without forethought** X. Plb.

ἀ-πρόξενος ον *adj.* (of foreigners in a community) **protectorless, sponsorless** A.

ἀ-πρόοπτος ον *adj.* (of suffering) **unforeseen** A.

ἀ-πρόρρητος ον *adj.* (of aspects of a legal system) **impossible to describe in advance** Pl.

ἀ-πρόσβατος, dial. **ἀποτίβατος**, ον *adj.* [προσβατός] **1** (of a citadel) **inaccessible, unscaleable** Plu.
2 (fig., of an illness, envisaged as a wild beast) **unapproachable** S.

ἀ-προσδεής ές *adj.* [προσδέω²] (of a god) **without any needs** Plu.; (of a philosopher's intellect) **without need** (W.GEN. of external stimulus) Plu.

ἀ-προσδεητος ον *adj.* (of a people) **not in need** (W.GEN. of sthg.) Plb.

ἀ-πρόσδεικτος ον *adj.* [πρός, δείκνῡμι] (of a remote crag) **impossible to point out** A.

ἀ-πρόσδεκτος ον *adj.* [προσδέχομαι] (of behaviour) **unacceptable** Plb.

ἀ-προσδόκητος ον *adj.* [προσδοκητός] **1 not anticipated or expected**; (of persons arriving or attacking) **unexpected** Th. Plu.; (of gifts, routes, events, situations) A. S. Th. Ar. Att.orats. +; (prep.phr.) ἐξ ἀπροσδοκήτου *unexpectedly* Hdt. Pl. X. || NEUT.SB. **unexpectedness** Plu.
2 not anticipating or expecting (that sthg. will happen); (of persons being attacked) **without expectation** Th. X.

—**ἀπροσδοκήτως** *adv.* **unexpectedly** Th. Lys. X. D. +

ἀπροσηγορίᾱ ᾱς *f.* [ἀπροσήγορος] **lack of conversation** (w. someone) Arist.(quot.poet.)

ἀ-προσήγορος ον *adj.* **1** (of a lion) **impossible to confront** S.
2 (of a person's refusal to speak) **impossible to deal with** S.

ἀ-πρόσικτα των *n.pl.* [προσικνέομαι] **unattainable goals** Pi.

ἀ-πρόσιτος ον *adj.* [προσιτός] **1** (of places) **inaccessible** Plb.
2 (fig., of a person) **unapproachable** (W.DAT. w. arguments) Plu.

ἀ-πρόσκεπτος ον *adj.* [προσκέπτομαι] **1** (of an activity) **not considered in advance** X.
2 (of persons) **lacking in foresight** D.

ἀ-πρόσκλητος ον *adj.* [προσκαλέω] (of a verdict or penalty) **decided without a summons having been issued** D.

ἀ-πρόσκοπος¹ ον *adj.* [προσκόπτω] (of a person's conscience) **not stumbling** (by committing offences), **faultless, clear** NT.

ἀ-πρόσκοπος² ον *adj.* [προσκοπέω] (of the fate of mortals) **unforeseeable** A.(dub.)

ἀπροσλόγως *adv.* [πρὸς λόγον *to the point*, see λόγος 23] **pointlessly** —*ref. to reproaching someone* Plb.

ἀ-πρόσμαχος ον *adj.* [προσμάχομαι] (of Cerberus) **impossible to fight against, invincible** S.

ἀ-πρόσμικτος ον *adj.* [προσμείγνῡμι] (of a people) **not associating** (W.DAT. w. foreigners) Hdt.

ἀ-πρόσοιστος ον *adj.* [προσοίσω, see προσφέρω] (of an army) **impossible to engage, irresistible** or **hard to handle** A.

—**ἀπροσοίστως** *adv.* **unsociably** Isoc.

ἀ-προσόμῑλος ον *adj.* [προσομῑλέω] (of old age) **unsociable** S.

ἀ-προσόρᾱτος ον *adj.* [προσοράω] (of suffering) **unbearable to see** Pi.

ἀ-προσπέλαστος ον *adj.* [προσπελάζω] (of a tomb) **unapproachable** Plu.

ἀ-προστάσιον ου *n.* [προστάτης] (leg.) **lack of a patron** (as a punishable offence for a metic at Athens) D. Arist.

ἀ-πρόσφθεγκτος ον *adj.* [προσφθεγκτός] (of a person) **not addressed** E.

ἀ-πρόσφορος ον *adj.* (of islands) **unsuitable, inhospitable** (W.DAT. for sailors seeking to land) E.

ἀ-πρόσωπος ον *adj.* [πρόσωπον] (of a youth) **faceless** (i.e. without a face that catches the attention) Pl.

ἀ-προτίμαστος ον *ep.adj.* [προτί, μαίομαι] (of a woman) **not sought out** (for sexual encounters) Il.

ἀ-προφάσιστος ον *adj.* [προφασίζομαι] **1** (of allies) offering no excuse, **unhesitating, unswerving** X. Plb.; (of eagerness) Th.; (of a flight fr. battle) Plu.
2 (of moral baseness) **inexcusable** Plu.

—**ἀπροφασίστως** *adv.* **1 without room for excuses** Th.
2 without question, unhesitatingly Th. X. Plb.
3 unquestionably, undeniably X.
4 without any pretext D.

ἀ-πρόφατος ον *adj.* not foretold; (of attackers, whirlpools) **unforeseen** or **unforeseeable** AR.

—**ἀπροφάτως** *adv.* **1 unexpectedly** AR.
2 without discussion AR.

ἀ-προφύλακτος ον *adj.* [προφυλάσσω] (of a war) **impossible to take precautions against** Th.

ἀπταισίᾱ ᾱς *f.* [ἄπταιστος] absence of stumbling or mistakes, **faultlessness** (in playing music) Pl.

ἄ-πταιστος ον *adj.* [πταίω] (of horses) not liable to stumble, **steady, stable** X.; (fig., of statesmen) Plu.

—**ἀπταίστως** *adv.* **steadily, without stumbling** Pl. Plu.

ἀπτέον (neut.impers.vbl.adj.): see ἅπτω

ἀπτερέως *Ion.adv.* [ἄπτερος²] **swiftly** Hes.*fr.* Parm. AR

ἄ-πτερος¹ ον *adj.* [privatv.prfx., πτερόν] **1 without wings**; (of a class of animal) **wingless** Arist.; (of Erinyes, their flight) A.; (oxymor., of a bird, to which a woman likens herself) E.
2 without adult plumage; (of young birds) **unfledged** E.; (fig., of souls) Pl.; (of a rumour) **premature** A.
3 (of arrows) **featherless** Hdt.

ἄ-πτερος² ον *adj.* [prob., copul.prfx.] with rapid wings; (fig., of words) app. **swift** or **precise** Od.

ἀ-πτερύσσομαι *mid.vb.* [copul.prfx., πτέρυξ] (of a kingfisher) **flap the wings rapidly** Archil.

ἀ-πτήν ῆνος *masc.fem.adj.* [privatv.prfx., πέτομαι] **1** (of young birds) without the ability to fly, **unfledged** Il. Archil. AR.; (fig., of a child) E.(cj.)
2 (of humans, animals, an elderly bird) **flightless** Ar. Pl. Plu.

ἀπτο-επής ές *adj.* [1st el.uncert.; ἔπος] (of Hera) prob. **speaking recklessly** Il.

ἀπτόλεμος *ep.adj.*: see ἀπόλεμος

ἀπτός ή όν *adj.* [ἅπτω] (of substances) **touchable, tangible** Arist.; (of material bodies, space) **apprehensible** (by a kind of reasoning or the senses, esp. vision) Pl.

ἅπτω *vb.* | *fut.* ἅψω | *aor.* ἧψα || MID.: *fut.* (sts. w.pass.sens.) ἅψομαι | *aor.* ἡψάμην || PASS.: *aor.* ἥφθην, *Ion.* ἅφθην, *dial.* ἅφθην | *pf.* ἧμμαι, *Ion.* ἅμμαι || *neut.impers.vbl.adj.* ἁπτέον ||
1 fasten, attach —*a string* (*to a lyre*) Od. —*a noose* (W.PREDIC.ADJ. *so as to hang fr. a beam*) E. —*one's neck* (W.DAT. *to a noose*) E.; **fit** —*a lantern* (*around a torch-flame*) Emp. || MID. **fasten** —*a noose* (W.PREP.PHR. *fr. a beam*) Od. E. Theoc. —(W.DAT. *to one's neck*) AR.; **fasten** (W.ACC. *a noose*) **around oneself** Semon. A.*satyr.fr.* || PASS. (of a city) be joined —W.DAT. *to the walls of another city* Arist.
2 || MID. **take hold** (w. one's hand or hands) —W.GEN. *of a person, hand, head* Il. Hdt. E. Thphr. + —*of sthg.* Hom. +; (of suppliants or sim.) **cling** —W.GEN. *to someone, knees, a beard, piece of clothing or equipment* Hom. +; (fig., of envy, allegations) —*to someone* Pi. Pl.
3 || MID. place one's hand or hands (on persons or things); **touch** —W.GEN. *someone or sthg.* Hom. +; (of a person swearing an oath) —*someone's head, an animal, a tomb, offerings* Il. hHom. Hdt. Antiph.+; (of Jesus, so as to bless or heal) —*someone, part of the body* NT.
4 || MID. **knock on** —W.GEN. *a door* Men.
5 || MID. (of projectiles) **connect** (w. their target) Il.; (of a ship) **strike** —W.GEN. *rocks* Theoc.; (geom., of a body) **come into contact** (w. another) Arist.
6 || MID. **touch** (for the purpose of consumption) —W.GEN. *food and drink, animals* Od. Men. AR. Plu.; (of animals) —*human corpses* Th.
7 || MID. (w. sexual connot.) **touch** —W.GEN. *a woman's breasts* Theoc. —*one's marital bed, a woman's girdle* E. Call.; (euphem.) **have contact, associate** —W.GEN. *w. a sexual partner* Ar. Pl. Plu.
8 || MID. (w. aggressive connot., of a hound) **seize hold** —W.GEN. *of its prey* Il.; (of persons) **attack** —W.GEN. *someone* A. Lys. Ar. Men. —*arguments* Ar.; (of an army) **engage** —W.GEN. *w. an enemy* X. Plb.; (of persons) **lay into** —W.GEN. *one another* (W.PTCPL. *w. reproaches*) Hdt.
9 engage in —*a wrestling bout* (W.DAT. *w. an opponent*) A.; **join in** —*a dance* A. || MID. **have contact, be involved** —W.GEN. *w. that which is beautiful* Pl.; (of a god) **associate** —W.GEN. *w. an island* hHom.; (of persons) **engage, take part** —W.GEN. *in falsehoods, plots, activities* Pi. S. E. Th. Ar. +; **handle** —W.GEN. *topics, situations* E. Th. Pl.
10 || MID. (of persons, their bodies) **grasp, apprehend** (w. the senses, esp. touch) S. Pl.
11 || MID. touch (emotionally); (of persons, oracles, situations) **affect** —W.GEN. *someone's heart, soul* (sts. W.DAT. *w. words*) E. Ar. Pl. Theoc.; (of pain) —*the dead* S.
12 || MID. (fig., of old age) **take hold** —W.GEN. *of someone's head* Thgn.; (of a disease) —*of someone* S. Th.; (of rust) —*of gold* Thgn.; (of an idea) —*of someone* Call.
13 || MID. (of the head of a goddess) **touch** —W.GEN. *heaven* Call.; (fig., of athletes) **touch upon, reach** —W.DAT. *splendid achievements* Pi. —W.GEN. or DAT. *the Pillars of Hercules* (*ref. to the pinnacle of achievement in a contest*) Pi.; (of souls) —W.GEN. *their goal, the truth* Pl.; (of an activity) —*the truth* Pl. Arist.
14 || MID. (of a fire) **take hold** —W.GEN. *of a temple* Hdt. || PASS. and FUT.MID. (of wood or leaves) catch fire Od. Theoc.; (of crops, tents) Hdt. Plu.
15 kindle, light —*kindling* Hdt. —*a pyre, lamps, or sim.* Lyr. A. E. Ar. + —*a fire* E. Ar. || MID. **kindle, light** —*torches, firewood* Ar. Call. —*a light* (W.DAT. *for oneself*) Heraclit. || PASS. (of fire) be kindled Heraclit. || PF.PASS. (of pyres, torches, or sim.) be ablaze Hdt. E. Th. Ar. +
16 set on fire —*scrubland, crops, boats* Th. Ar.; **set fire** —W.PARTITV.GEN. *to a wall* Th. || PASS. (of a city) be set on fire E.

ἀ-πτώς ῶτος *masc.adj.* [privatv.prfx., πίπτω] (fig., of persons, envisaged as wrestlers) **without a fall** or **defeat** (in warfare, politics, philosophy, or sim.) Plu.; (of a philosopher's reasoning) Pl.

—**ἀπτωτί** *adv.* **without a fall** (in wrestling) Pi.

ἀπύ *Aeol.prep.*: see ἀπό

ἄ-πῡγος ον *adj.* [πῡγή] (of an unattractive woman) without (much of) a bottom, **rumpless** Semon.

ἀπυδέρθην (Aeol.aor.pass.inf.): see ἀποδέρω

ἀπυκρύπτω, ἀπυλείπω *Aeol.vbs.*: see ἀποκρύπτω, ἀπολείπω

ἀπυ-λιμπάνω *Aeol.vb.* [ἀπό, reltd. λείπω] **leave behind, abandon** —*a loved one* Sapph.

ἀ-πύλωτος ον *adj*. [privatv.prfx., πυλόω] **1** not fitted with gates; (of the Peiraieus, after the Peloponnesian war) **without gates** X.
2 (fig., of a person's mouth) **impossible to shut up** Ar.(v.l. ἀθύρωτος)

ἀ-πύργωτος ον *adj*. [πυργόω] (of a city) not fortified with towers, **unfortified** Od. AR.

ἀ-πύρηνος ον *adj*. [πυρήν] (of a fruit) **stoneless, pipless** Arist.

ἄ-πυρος ον *adj*. [πῦρ] **1** (of vessels and tripods) **not yet used on a fire** Il. Alcm.; (of certain kinds of vessels) **not for cooking** Pl.
2 without fire (during preparation or manufacture); (of gold) **unrefined** Scol. Hdt.; (of clay vessels) **not yet fired** Pl.; (fig., of a gadfly's sting, envisaged as an arrow-head) **not forged** A.(dub.)
3 not entailing fire; (of offerings of grain, fruit or wine) **fireless** A. Pi. E.*fr*.
4 (quasi-advbl., of a poisonous substance being stored) **away from fire** S.
5 without a fire (to provide warmth and comfort); (of a home, lifestyle) **fireless** Hes. Plu.
6 without heat; (of a meal) **cold** Plu.

ἀ-πύρωτος ον *adj*. [πυρόω] (of cauldrons) **not yet used on a fire** Il.

ἄ-πυστος ον *adj*. [πυνθάνομαι] **1** (of destruction of matter) **inconceivable, unheard of** Parm. Emp.
2 (of words) **inaudible** S.
3 (of a person) **not heard of** or **from** Call.; (of a person's tracks) **unknown** Call.; (of a person lost at sea) **heard of no more** Od.
4 (of persons) without knowledge, **unaware** (sts. w.GEN. of plots) Od.; **without news** (W.GEN. of someone) Call.

ἀπυστρέφω Aeol.vb.: see ἀποστρέφω

ἀπύω dial.vb.: see ἠπύω

ἀπφῦς ύος *m*. **daddy, papa** (children's word for father) Theoc.

ἀπ-ῳδός όν *adj*. [ἀπό, ἀοιδή] (of a person) **out of tune** E.*Cyc*.

ἄπωθεν (also **ἄπωθε** Call.) *adv*. **1 from far away** or **from a distance** S. Th. X. Arist. AR. Plu.
2 far away or **at a distance, away** S. E. Th. Ar. + —W.GEN. or PREP.PHR. *fr. someone, sthg., somewhere* E. Th. Ar. Att.orats. +
3 without association or **connection** (w. someone or sthg.) E. Arist.; **without involvement** —W.GEN. *in a period of tyranny* Arist.

ἀπ-ωθέω contr.vb. | fut.inf. ἀπώσειν, ep. ἀπωσέμεν | aor. ἀπέωσα, ep. ἄπωσα || MID.: aor. ἀπεωσάμην, ep. ἀπωσάμην | pf.inf. ἀπεῶσθαι, ptcpl. ἀπεωσμένος (Plu.) || PASS.: pf.ptcpl. ἀπωσμένος (Hdt.) || neut.impers.vbl.adj. ἀπωστέον |
1 push out —*the bolt* (fr. *a lock, so as to open a gate*) Il. || MID. **push aside, dislodge** —*a stone* (W.GEN. *fr. a cave's entrance*) Od.
2 move aside —*someone* E. || MID. **push away from oneself** —*someone* Il. Arist. NT.; (of an archer's hand) —*his bow* (as its string is drawn) Pl.
3 push off, dislodge —*towers* (fr. *a wall*) Th. —*a rider* (fr. *his horse*) X. —*milk* (W.GEN. *fr. tables*) Pi.*fr*.(tm.)
4 (of matter resisting compression) **push out** —*itself* (W.PREP.PHR. *in the opposite direction*) Pl. || PASS. (of human tissue emerging through punctured skin) be pushed back (by air) Pl.
5 (of mirrors) **push back, deflect** —*light* Pl.
6 (of a god) **drive away** —*a mist* Il.; (of a wind) —*someone nearing a destination* Od.(also mid.) E.; (of the sun) —*water that has evaporated* Hdt.; (of a night) —*distress* S. || PASS. (of a fox crossing a river) be swept away (by the current) Arist.
7 || PASS. be driven astray (by one's evil nature) —W.PREP.PHR. *into injustice or sim*. Pl.; be pushed away (fr. a goal) Pl.
8 drive back (by force, esp. in battle); **drive away, repel** —*opponents, a conflict* (sts. W.GEN. or PREP.PHR. *fr. someone or somewhere*) Hom. Th. D.; (of a god) —*a plague* Il.; (mid.) —*opponents, an attack* Il. Antipho Th. —(W.ACC. *in a sea-battle*) Th. —*fires, fighting, troubles* (sts. W.GEN. *fr. one's ships*) Il. —*trouble* Th.; (of a fire) —*someone* Hdt. || PASS. (of soldiers) be repelled Th.
9 || MID. **ward off, avert** —*that which is fated* (W.DAT. *by some stratagem*) E. —*a danger* Plu.; **fend off** —*a person's bad temper* Men.
10 expel —*someone* (sts. W.GEN. *fr. a house, land*) Od. S. E. D.; (mid.) —*someone* (W.GEN. or PREP.PHR. *fr. somewhere*) Od. E. —*Hunger* (W.GEN. *fr. one's house*) Semon. || PASS. be expelled (sts. W.GEN. fr. a land, one's home) Hdt. S. E. Ar.
11 || MID. **thrust aside from oneself** —*activities, afflictions, circumstances* hHom. Archil. Sol. Lyr. S. E. +
12 reject, spurn —*an ally, a guest* S. E. —*someone* (as a citizen) Lys. —*a warrior's mighty deeds* S.; (mid.) —*a messenger, friend, wife, ally, or sim*. Hdt. S. E. Th. + —*friendship, alliances, evidence* S. Th. Pl. || PASS. (of money) be kept at a distance (i.e. use of it be spurned) X.; (of alliances) be rejected Th.; (of the populace) be disregarded (by aristocrats) Hdt.
13 || MID. **reject** —*gains* Hdt. Pl. X. —*news, a request, or sim*. S. Th. NT.; (of swallows) —*bread* Carm.Pop.
14 refuse to follow —*orders, a person's example* S. E. || MID. **refuse** (to do sthg.) Hdt. S. Th. Pl.
15 (of a slave woman) **oust** —*a lawful wife* (W.GEN. *fr. her conjugal rights*) E.; (of a servile status) **debar** —*someone* (W.GEN. *fr. speaking*) E. || MID. **rob** —*a husband* (W.GEN. *of his wife*) E.

ἀπώλεια ας *f*. [ἀπόλλῡμι] **1** act of waste; **waste, wasting** (of possessions) Plb. NT.
2 act of destruction; **destruction** (of a person, a city, fish) Plb. NT.; **killing** (of someone) Plb.
3 severe loss or damage, **ruining, ruin** (sts. W.GEN. of oneself, one's cause) Arist. Plu.; **disaster, defeat** Plb.

ἀπώμοτος ον *adj*. [ἀπόμνῡμι] **1** (of strange phenomena or events) **sworn to be impossible** Archil. S.
2 (of persons) **under oath to abstain** (fr. doing sthg.) S.

ἀπώνητο (3sg.athem.aor.mid.): see ἀπονίναμαι

ἄπωσα (ep.aor.): see ἀπωθέω

ἄπωσις εως *f*. [ἀπωθέω] **driving out** (to sea, of wrecks, by a wind) Th.

ἀπωστός ή όν *adj*. **1** (of persons) **pushed** or **thrust out** (W.GEN. fr. their city or land) Hdt. S.
2 (of persons) **capable of being dislodged** (fr. luxuries) Hdt.

ἀπωτάτω superl.adv. [reltd. ἄπωθεν] **very far away** Plu. —W.GEN. *fr. someone, somewhere, a situation* D. Plu.

ἀπωτέρω compar.adv. **1 further away** S. Ar. Pl. + —W.GEN. *fr. someone or somewhere* Ar. Plu. —*than someone* Pl.
2 rather or **too far away** Plb.
3 more remote (by birth) Is. D. Plb.

ἀρά ᾶς, Ion. **ἀρή** (ep. **ἀρή**) ῆς *f*. **1** (sg. and pl.) **prayer, request** (to a deity) Hom. Hes. A. Hdt. E.
2 invocation of calamity (sts. following a broken oath), **curse, imprecation** (upon someone, sts. W.GEN. fr. someone, a mouth) Il. Tragg. Att.orats. +; (fr. the law) Pl.; (in written form) Att.orats.

—**Ἀρά** ᾶς *f*. **Ara, Curse** (as a name for an Erinys) A.; (personif. as a chthonic deity assoc.w. destruction and revenge) S.

ἄρα, ep. **ἄρ** (before a consonant) and **ῥα** (enclit.) *emph. and connective pcl.* | When emphatic (sections 1–7), the pcl. is usu. 2nd wd. or occas. later in its cl. When connective (section 8), it is usu. 2nd wd. in its cl., but is sts. 1st in NT. The pcl. is oft. preceded or followed by another pcl. |
1 (conveying a feeling of interest, urgency or excitement) **at once** Hom. +; (in narrative and enumeration) **then, next** Hom. +
2 (for emphasis or to draw attention) **take note!** Hom. +
3 (introducing an explanation) **now, namely** Hdt. Antipho X.
4 (conveying surprise, incredulity, scepticism or uncertainty about a statement) **then, it seems, it is claimed** Hdt. Trag. Th. Ar. Att.orats. +
5 (upon a discovery, revelation or confirmation) **after all, truth be told, in fact** Hom. +; ταῦτ' ἄρα ... *so, that's why* ... Hdt. Ar.
6 (in a conditional protasis) **perhaps, as it may be, after all** Hdt. Th. Ar. Att.orats. +
7 (in dir.q. or sim., sts. followed by ποτέ) **then, actually, in fact, really** Il. Pi. Trag. Ar. Pl. + | see also ταρ
8 (introducing an inference or asking an inferential q.) **in that case, so, then, therefore** S. E. Th. Pl. +; (in a conditional apodosis) Hdt. NT.

ἆρα, dial. **ἦρα** *interrog. and connective pcl.* [ἦ¹, ἄρα] | The pcl. is either (sections 1–4) interrog. and usu. 1st wd. in its cl., or (section 5) is an alternative *metri grat.* to ἄρα as a connective pcl. and usu. 2nd or 3rd wd. in its cl. |
1 (introducing a dir.q.) **is it the case that ...?** Lyr. Trag. Th. Ar. Att.orats. +; (followed by οὖν) Pl. D.; (followed by γε) E. Ar. Att.orats. +; (preceded by τίς) S. E. Ar.; (2nd wd. or later in its cl.) A. E. Ar. Pl. +
2 (followed by μή) **can it be that ...?** A. S. Pl.
3 (followed by οὐ, expecting a positive answer) **surely ...?** S. Ar. Att.orats. +
4 (occas., introducing an indir.q.) **whether** Pl. Arist.
5 [*metri grat.* for ἄρα] (marking a transition or inference) **in that case, so, then** Archil. Pi. S. E. Ar.; (in a dir.q.) Archil. A.; ἢν ἄρα μή ... *unless, perhaps ...* E.

ἀραβέω *contr.vb.* [ἄραβος] **1** (of armour) **clang** (when struck by a weapon) Hom.; (of a boxer's teeth) **rattle** (after a punch) Theoc.
2 (of the crunch of cracking teeth) **sound forth** Pi.*fr.*
3 (of a god) **make a noise** —W.INTERN.ACC. *of great terror* S.*fr.*
4 (tr., of Fates, animals) **gnash** —*their teeth* Hes. AR.

Ἀραβία *f.*, **Ἀραβικός** *adj.*, **Ἀράβιος** *adj.*: see under Ἄραψ
ἄραβος ου *m.* **1** percussive noise; **chattering** (W.GEN. of the teeth, in fear) Il.; **gnashing** (W.GEN. of teeth, by an animal) Hes.
2 ringing (W.GEN. fr. a shield struck by a spear) Call.

ἄραγμα ατος *n.* [ἀράσσω] sound produced by striking, **banging** (W.GEN. of drums) E.*Cyc.*

ἀραγμός οῦ *m.* **1** sound of collisions; **crashing** (sts. W.GEN. fr. an army, projectiles) A. E.; **rattling** (W.GEN. of horses' harnesses) E.
2 beating (W.GEN. of one's breast, in mourning) S.

ἆραι (aor.inf.), **ἀραίμην** (aor.mid.opt.): see αἴρω

ἀραιός ά (Ion. ή) όν *adj.* **1** (of a person's legs, hands, nose, wolves' tongues, trees) **slender, thin** Il. hHom. Pi.*fr.* Theoc.; (of a line of soldiers) **thin** X. Plu.; (of sinews) **delicate** AR.
2 (of ships, a harbour's entrance) **narrow** Od. Hes.
3 (of soil) **granular, fine** Plu.
4 (of a breeze) **light** Plu.
5 (of a voice) **thin, faint** Theoc.
6 (of a person's diet) small or poor (in quantity), **meagre** Arist.

ἀραῖος ᾱ ον (also ος ον A.) *adj.* [ἀρά] **1** of or associated with curses; (of Zeus the Protector of Suppliants) **invoked in curses** S.
2 under a curse (fr. another); (of persons, their fate) **cursed** Trag. Theoc.; (of a person on trial) **under oath** (such that he would incur a curse for perjury) S.
3 such that brings a curse; (of mortals) **bringing a curse** (W.DAT. on the gods) E.; (of a parent, on offspring) Pl.; (of persons, their cries or crimes, on their household) Trag.

ἀραιότης ητος *f.* [ἀραιός] **rarity** (opp. density) Arist.
ἀραιρήκεε (Ion.3sg.plpf.), **ἀραιρηκώς** (Ion.pf.ptcpl.), **ἀραιρημένος** (Ion.pf.pass.ptcpl.), **ἀραίρητο** (Ion.3sg.plpf.pass.): see αἱρέω
ἀράμενος (aor.mid.ptcpl.): see αἴρω
ἀράομαι, ep. **ἀράομαι** *mid.contr.vb.* [ἀρά] | impf. ἠρώμην, 3sg. ἠρᾶτο | fut. ἀράσομαι, Ion. ἀρήσομαι (ep. ἀρήσομαι) | aor. ἠρασάμην, Ion. ἠρησάμην + —also **ἄρᾱμαι** Aeol.vb. | inf. ἄρασθαι | 3pl.aor. ἀράσαντο |
1 formally ask (sthg., of a god); **pray** Hom. hHom. Hdt. AR. —W.INF. *to be or do sthg.* Hom. hHom. Sapph. Hdt. —W.ACC. + INF. *that someone do sthg., that sthg. be the case* Hom. Hdt. —W.DAT. *to gods or sim.* (sts. W.INF. *that one may be or do sthg.*) Od. S. E. —(W.ACC. + INF. *that someone do sthg., that sthg. be the case*) Il. S. E. Ar.
2 pray for —*blessings* (W.DAT. *for someone*) Sapph. Hdt.
3 invoke a curse S. Call. —W.DAT. *on someone, one's house* E.; **invoke** —*Erinyes* Od. —*afflictions* S. E. —(W.DAT. *on one's stomach*) AR. —W.COGN.ACC. *curses* (sts. W.DAT. *on someone, a city*) Trag. And.; **pray** (W.DAT. *to a god*) **for the fulfilment of** —W.ACC. sense, W.PREP.PHR. *against someone*) E.
4 (intr.) **make a vow** Il. —W.DAT. *to a god* (W.ACC. + FUT.INF. *that one's son will do sthg.*) Il.

—**ἀράω** *act.contr.vb.* | ep.inf. ἀρήμεναι | **pray** —W.ACC. + FUT.INF. *that sthg. will be the case* Od.

ἀραρίσκω *vb.* | ep.impf. ἀράρισκον ‖ AOR.: imperatv. ἄρσον, 2pl. ἄρσετε | ptcpl. ἄρσας ‖ AOR.2: ἤραρον, ep. ἄραρον, ep.3sg. ἄραρε (S.) | inf. ἀραρεῖν | ptcpl. ἀραρών ‖ PF.: ἄραρα, Ion. ἄρηρα ‖ PLPF.: Ion.2sg. ἠρήρησθα (Archil.), 3sg. ἠρήρει, also ἀρήρει ‖ MID.: aor.ptcpl. ἀρσάμενος (Hes.) | Ion.3pl. aor.2 opt. ἀροροίατο | PASS.: ep.3pl.aor. (w.mid.sens.) ἄρθεν (Il.) | ep.pf.ptcpl. ἀρηρέμενος (AR.) |
1 attach or fix (sthg., to sthg. else); **fit** —*lids* (on containers) Od.; (intr., of a lining) —W.PREP.PHR. *inside a helmet* Il.; (of an entablature) —*on columns* AR.
2 fit —*one's boots* (W.PREP.PHR. *around one's feet*) Od. Theoc. —*one's hand* (W.DAT. *in another's*) AR.
3 fix together —*horns* (to make a bow) Il. —*rafters* (in a roof) Il.; (of soldiers) **link together** —*each other* (W.DAT. w. *their shields*) Il.; (intr., of defences, roof tiles) **fit together** Il. —W.DAT. w. *others* AR. ‖ AOR.PASS. (w.mid.sens., of ranks of soldiers) **draw together** Il.
4 create by fitting together; construct —*a wall* (W.DAT. w. *stones*) Il.; (mid., of Hephaistos) —*a shield* Hes.
5 fasten into place; fit, fix —*doorposts* (on a threshold) Od. —*beams* (on the ribs of a boat) Od.; (intr., of a person's arm) **be fixed securely** (w. chains) A.; (of doors, W.DAT. w. *bars*) E.; (of beams, in their joints) Od.; (fig., of a sound) **lodge, stick** —W.DAT. *in someone's ears* Simon. ‖ PASS. (of planks) be fixed —W.DAT. w. *pegs* AR.; (of a robe) be fastened —W.DAT. w. *pins* AR.
6 (intr., of a nightingale, as an exemplar of grief) **be fixed** —W.DBL.ACC. *in someone, in the heart* (i.e. in someone's

heart) S.; (of a festival) **have a secure outcome** —W.DAT. *for a competitor* Pi.
7 (intr., of a person) **be steady** —W.DAT. *in his mind* Archil.; (of a family's glory, a person's oath) **be firm** Pi. E.; (of a person's arrangements) **be ready** E. || IMPERS.PF. it is settled E. Men.
8 equip, furnish —*a ship* (W.DAT. *w. oars, spears and shields*) Od. AR.; **supply** —*one's appetite* (W.DAT. *w. food*) Od.; (intr., of river banks) **be equipped** —W.DAT. *w. stakes* Il.; (fig., of a person) **be endowed** —W.DAT. *w. cruelty* AR. || PASS. (of doors) be furnished —W.DAT. *w. panels* AR.
9 properly stow —*supplies* (W.DAT. *in containers*) Od.
10 suit, match —*a prize* (W.PREP.PHR. *to someone's desires*) Il.; (intr., of spears) **fit, suit** —W.DAT. *the hand* Hom.; (of a stone) **be suitable** (as an anchor) AR.; (of a plan) —W.DAT. *for someone* Od.
11 (fig.) **contrive** —*death* (W.DAT. *for one's enemies*) Od.
—**ἀραρότως** *pf.ptcpl.adv.* **1 steadily, firmly** —*ref. to things staying in place* A. E.; **persistently** —*ref. to serving someone* Pl.
2 in close ranks —*ref. to an army awaiting attack* Plu.
3 firmly, securely —*ref. to constructing rafts* Plb.
—**ἀραρώς**, Ion. **ἀρηρώς**, υἷα ός *pf.ptcpl.adj.* | also ep.fem. ἀρᾰρυῖα *metri grat.* | **1** (of limbs) **attached** (W.PREP.PHR. to one's body) AR.; (of doors) **fixed** (in a gateway) Il.; (of gates) **fitted** (W.DAT. to lintels) Hes.; (of trees) **fixed firm** (W.DAT. w. strong roots) Il.; (of doorposts, w. nails and pegs) Parm.
2 (of persons) **steadfast** Il.; (W.DAT. or ACC. in their thoughts) Od. Hes. Plu.; (of a person's spirit) Theoc.
3 (of clothing, armour, equipment) **fitted** (W.DAT. w. decorations, plates, clasps, fixtures) Hom.; (of a city, walls, a precinct, w. defences) Hom.; (of a wagon, w. upper bodywork) Od.
4 (fig., of a person) **endowed** (W.DAT. w. the favours of a people, w. beauty) Pi. E.
5 (of gates, doors) **fitting together** Hom.; (of a plough-handle) **fitted together** AR.; (of bones) **fixed together** (W.DAT. by the gluing of Harmonia) Emp.
6 (of soldiers) **in close array** Il.; (of containers) **arranged in order** (along a wall) Od.; (of tribes of early humans) **organised** (in diverse forms) Emp.
7 (of armour) **close-fitting** Il. Plb.; (of a helmet) **fitted** (W.DAT. or PREP.PHR. to someone's temples) Hom. Hes.; (of a whip, to the hand) Il.
8 (of Zeus' thunderbolt) **appropriate** (W.PREP.PHR. in every victory) Pi.; (of conclusions) Plu.
—**ἄρμενος** η ον (also ος ον Hes.) *athem.mid.pass.ptcpl.adj.*
1 (of a yard-arm) **fitted, attached** (W.DAT. to a mast) Od.
2 (of a potter's wheel, axe, knife) **fitting** (W.PREP.PHR. in the hand or hands) Hom. hHom.; (of boots) **close-fitting** Hes.
3 (of resources) **prepared, ready** Hes.
4 (of persons) **fit** (W.PREP.PHR. for a task) AR.; (of tools, timbers, cargo, a day, year) **suitable** (for sthg.) Hes.; (of circumstances) **convenient** AR. Theoc.
—**ἄρμενα** ων *neut.pl.athem.mid.pass.ptcpl.sb.* **1 suitable words** Hes.
2 conveniences or **necessities** (ref. to foods, clothing, or sim.) Hes. Thgn. Pi.
3 app. **weapons** or **tools** Alc.; **equipment** AR.(dub.)
4 tackle (on a ship) AR. Theoc. Plb.
ἄρᾱς (aor.ptcpl.): see αἴρω
ἀράσσω, Att. **ἀράττω** *vb.* | iteratv.impf. ἀράσσεσκον (Pi.) | fut. ἀράξω, dial. ἀραξῶ | ep.aor. ἄραξα | **1 strike** (someone or sthg., w. one's hand or foot); **thump, punch** (someone

Ar.; **strike** (a door) E.; **kick** —*a door* (W.DAT. *w. one's foot*) Call.; (of mourners) **beat** —*their breasts, heads* A. E.; (of animals) **stamp on** —*the ground* Pi. || PASS. (of persons) be beaten up Ar.
2 knock on —*a door* E. Ar. Theoc.
3 strike (w. a hammer) A.; **hammer together** —*a boat* (W.DAT. *w. pegs and joints*) Od. || PASS. (of anvils) be struck —W.DAT. *w. hammers* AR.
4 strike (w. an implement or projectile); **strike** (someone) E. —W.DAT. *w. stones* E. —*one's eyes* (W.DAT. *w. one's hand*) S. —(w. *brooches*) S.(cj.); (intr.) —W.PREP.PHR. *through someone's flesh* (W.DAT. *w. a spear*) Hes.; (fig.) —*someone* (W.DAT. *w. threats, abuse*) S. Ar. || PASS. (of eyes) be struck —W.PREP.PHR. *by someone's hands and a pointed implement* S.; (of soldiers) —W.DAT. *w. stones* A.
5 || MID. (of the Clashing Rocks) **crash together** AR. || PASS. (of swimmers) be dashed —w. πρός + ACC. *against rocks* Hdt.
ἄρατε (2pl.aor.imperatv.), **ἄρατο** (dial.3sg.aor.mid.): see αἴρω
ἀρᾱτός, Ion. **ἀρητός**, ep.Ion. **ἀρητός**, ή όν, Aeol. **ἄρᾱτος** ᾱ ον *adj.* [ἀράομαι] **1** prayed against; (of grief, a wound) **accursed** Il.(dub.) S.
2 (of a goddess) prayed to, **invoked** Sapph.
3 (of a person) prayed for, **desired** Call.
—**ἀρητόν** *ep.Ion.neut.adv.* **gladly, readily** Call.
ἄ-ραφος ον *adj.* [privatv.prfx., ῥάπτω] (of a tunic) **not sewn together** (i.e. woven in one piece), **seamless** NT.
ἀράχνη ης, dial. **ἀράχνᾱ** ᾱς *f.* —also **ἀράχνης** (Hes.), **ἄραχνος** (A.), ου *m.* **1 spider** Hes. A. B. E.*fr.* Call. Theoc.
2 spider-web Philox.Leuc.
ἀράχνιον ου *n.* **spider-web** Od. Hes. X. Theoc. Plu.
Ἄραψ αβος *m.* Arab man, **Arab** Plb. NT. Plu.
—**Ἀραβίᾱ**, dial. **Ἀρραβίᾱ** (Theoc.), ᾱς, Ion. **Ἀραβίη** ης *f.* **Arabia** (incl. the Syrian desert, the land E. of the Nile, the Sinai and the Arabian Peninsulas) A. Hdt. E. X. Theoc. +
—**Ἀράβιος** ᾱ (Ion. η) ον *adj.* of or relating to the Arabs; (of a city, mountain, region, sea) **Arabian** Hdt. || MASC.SB. **Arab** man (ref. to the king) Hdt. X. || MASC.PL.SB. **Arab men** Hdt. X.
—**Ἀραβικός** ή όν *adj.* **1** of or relating to the Arabs; (of kings) **Arab, Arabian** Plu.
2 of or relating to Arabia; (of a sea) **Arabian** Plu.
ἀρβύλη ης, dial. **ἀρβύλᾱ** ᾱς *f.* **1** a kind of footwear, **ankle-boot** A. E.; (gener.) **shoe** E.
2 footstall (on the board of a chariot) E.
—**ἀρβυλίς** ίδος *f.* | ep.dat.pl. ἀρβυλίδεσσι | **ankle-boot** (worn by travellers) Theoc.
Ἀργαδεῖς, Att. **Ἀργαδῆς**, έων *m.pl.* **Argades** (one of the four Ionic tribes) E. Plu.
ἀργάεις εσσα εν *dial.adj.* [ἀργός] | dial.contr.nom.sg. ἀργᾶς | (of an eagle, a bull) **white** A. Pi.
ἀργαλέος ᾱ (Ion. η) ον *adj.* [ἄλγος] | Ion.contr.fem.nom. ἀργαλῆ (Anacr.) | **1** (of gods, monsters) **troublesome, cruel** Il. hHom. Theoc.
2 full of trouble; (of toils, tasks, activities) **troublesome** Hom. +; (of winds, a sea, weather, summers, nights) Hom. Hes. Alc. Ar. AR. Plu.
3 full of pain; (of wounds, illnesses, a memorial, memory, messages) **painful** Hom. Hes. Eleg.; (of places, routes) Hom. Hes. Anacr. Emp.; (of evils, dangers) **grievous** Hom. Mimn. AR.; (of situations, esp. warfare, old age) Hom. +; (of feelings) Il. Hes. Eleg. || NEUT.IMPERS. (w. ἐστί) **it is grievous** —W.INF. *to do sthg.* Tyrt.
4 (of a workman's head) **sore** (fr. carrying sthg.) Alc.

ἀργᾶς

5 (of fetters) **unbearable** Od. Hes. hHom.; (of breathing) **difficult, arduous** Il.; (of a means of entry, paths, a journey) Od. AR. Mosch. Plu. ‖ NEUT.IMPERS. (w. ἐστί, sts.understd.) it is difficult Il. —W.INF. *to do sthg.* Il. hHom. Thgn. —W.ACC. or DAT. + INF. *for someone to do sthg.* Hom. Hes.

6 (of gods) **hard** (W.INF. to oppose or defeat) Il.; (of talk, to bear) (of Zeus' mind, to understand) Hes.; (of cattle, to drive) Od.; (of a ditch, to cross) Il.

7 (of persons, their voices) **annoying** Ar. Aeschin. Men.; (of songs) **unpleasant** Plu.

—**ἀργαλέον** *neut.adv.* (phr.) ἀργαλέον ὡς *to a terrible degree, terribly* (intensv., W.ADJ. *clever*) Ar.

—**ἀργαλέως** *adv.* (w. ἔχειν, of a person's heart) *be troubled* Thgn.

ἀργᾶς[1] ᾶ *m.* a kind of venomous snake, **argas** Plu.

ἀργᾶς[2] (dial.contr.nom.sg.): see ἀργᾶεις

Ἀργᾶς ᾶ *m.* [perh. ἀργᾶς[1]] **Argas** (nickname for Demosthenes, perh. likening him to the snake) Aeschin. Plu.

Ἀργεία *f.*, **Ἀργεῖος** *adj.*: see under Ἄργος[2]

Ἀργει-φόντης (or **Ἀργεϊ-**) ου (Ion. εω), dial. **Ἀργειφόντᾱς** (**Ἀργεϊ-**) ᾶ *m.* [ἀργᾶς[1] or perh. ἀργός *dog*, unless Ἄργος[1] *Argus*; θείνω] | voc. Ἀργεϊφόντα | (epith. of Hermes) slayer of serpents or dogs, **serpent-killer** or **hound-killer** Hom. Hes. hHom. Alcm. [or perh. *slayer of Argus*]

Ἀργειώνη ης *f.* [Ἄργος[2]] **Argive woman** (ref. to Helen) Hes.fr.

ἀργέλοφοι ων *m.pl.* worthless parts of a sheep, **scrag-ends** Ar.

ἀργεννόεις εσσα εν *adj.* [ἀργεννός] (of a chalk cliff) **white** Pi.(cj., for ἀργινόεις)

ἀργεννός ή όν *adj.* [ἀργός] (of clothing, heifers, ships) **white** Hom. E.

ἀργεστής οῦ (Ion. έω, ep. ᾶο) *m.* one who brightens (the sky, by clearing the clouds), **clearer** (appos.w. Νότος *South Wind*) Il. AR.(dub.); (appos.w. Ζέφυρος *West Wind*) Hes.

—**ἀργέστης** ου (ep. ᾶο) *m.* **North-West Wind** Eleg.adesp. AR. Plu.

ἀργέτα (ep.acc.), **ἀργέτι** (ep.dat.): see ἀργής

ἀργέω *contr.vb.* [ἀργός] **1** (of persons) **be unoccupied** X. Plu. —W.GEN. *w. their own work* (while doing sthg. else) Pl.; (of a sword, fire-brand, workshop, wealth, abilities) **be unused** E. D. Plu.; (of weapons) **be in reserve** Plu.

2 (of land) **lie fallow** X. Plu.; (fig., of a woman) Plu. ‖ PASS. (of tasks, an inquiry) be neglected or not undertaken X.

3 (of persons) **be idle** or **lazy** Pl. X. D. Plu.

4 (of wealthy persons) be free from work, **be at leisure** X. Plu.

5 (of a plan) **come to an end** (prematurely) Plb.

ἀργής ῆτος *masc.fem.adj.* [ἀργός] | ep.acc. ἀργέτα, dat. ἀργέτι | **1** (of a lightning-bolt, light) **bright, white** Hom. Emp. Ar.; (of Zeus, fig.ref. to fire as an element) Emp.

2 (of human or animal fat) **white, shiny** Il. Hes.; (of a robe, fleece, tuft of wool) **brilliant white** Il. A. S.; (of land) **light** (in the colour of its soil) S.

ἀργηστής οῦ, dial. **ἀργηστάς** ᾶ *masc.adj.* **1** (of bulls) **white** Theoc.; (of foam fr. a panting horse) A.

2 (of headlands) **shining** B.; (of an arrow likened to a snake) **gleaming** A.

ἀργίᾱ, dial. **ἀεργίᾱ** ᾱς, ep.Ion. **ἀεργίη** ης *f.* [ἀργός] **1** (pejor.) **idleness** (w.connot. of laziness) Od. Hes. E. Att.orats. +

2 inactivity (of a person, body, soul) Pl. Arist.; (of a fallow field) Aeschin.(oracle)

3 period of inactivity, **time of leisure** (W.GEN. fr. one's tasks) Pl.

ἀργι-βρέντᾱς ᾱ *dial.m.* [ἀργός; βρέμω, βροντή] (epith. of Zeus) **bright-flashing thunderer** Pi.fr.

ἀργι-κέραυνος ον *adj.* [κεραυνός] (epith. of Zeus) **with bright lightning** Il. Pi. B.

ἀργί-λοφος ον *adj.* [λόφος] (of a hill) **white-crested** Pi.fr.

ἀργῑλώδης ες *adj.* [ἄργῑλος *clay*] (of a region, its soil) **abounding in clay** Hdt. Plu.

ἀργι-νεφής ές *adj.* [ἀργός, νέφος] (of a liquid) **cloudy-white** S.fr.

ἀργινόεις εσσα εν *adj.* (of mountains) **gleaming** hHom.; (of cities, perh. on chalk hills) Il.; (cf frost) AR.; (of a horse's bit) AR. | see also ἀργεννόεις

ἀργι-όδους (also **ἀργιόδων** AR.) οντος *masc.fem.adj.* [ὀδούς] (of boars) **white-tusked** Hom. hHom. AR.; (of hounds) **white-toothed** Il.

ἀργί-πους πουν, gen. ποδός *adj.* [πούς] (of dogs, rams) **swift-footed** or **agile-footed** Il. S.

ἄργματα των *n.pl.* [ἄρχω] first parts (of sacrificial offerings), **firstlings, choice parts** Od.

ἀργμένος (Ion.pf.mid.ptcpl.): see ἄρχω

Ἀργόθεν *adv.*: see under Ἄργος[2]

ἀργολίζω *vb.* [Ἄργος[2]] **side with Argos** X.

Ἀργολίς *fem.adj.*, **Ἀργολικός** *adj.*: see under Ἄργος[2]

Ἀργο-ναύτης ου (Ion. εω) *m.* [Ἀργώ] sailor aboard the Argo, **Argonaut** Arist. Call.

ἀργο-ποιός όν *adj.* [ἀργός, ποιέω] (of piety) **producing idleness** (among those who practise it) Plu.

ἀργός ή όν *adj.* **1** (of geese, oxen) **brilliant** or **shining white, white** Hom.; (of Boreas) **bright** (w.connot. of dispersing clouds) Call.(cj.)

2 (of dogs) **swift** (sts. W.ACC. or their feet) Hom.

ἀργός όν (also ή όν Arist.), ep. **ἄεργος** ον *adj.* [privatv.prfx., ἔργον] **1** not labouring; (of persons) **leisured** (as a mark of noble birth or luxury) Hdt. Ar. X. +; **at ease** (W.GEN. fr. activities, tasks) Thgn. E. Pl. ‖ NEUT.SB. creature without an activity Arist.

2 not active (in certain tasks, sts. w.connot. of laziness); (of persons, gods, bees) **idle** (sts. W.ACC. or DAT. or PREP.PHR. in their thinking, an activity, a location) Hom. +; (of a person's tongue, limbs, soul, desires) S. Pl. X. ‖ COMPAR. (of a location, occupied by an army) of relative inactivity X. ‖ NEUT.SB. idleness Th. Plu.

3 (of persons) **not involved** (W.GEN. in shameful acts) A.; (of sections of a drama) **without action** Arist.

4 (of spears) **ineffective** (against armour) E.; (of a city, against its enemies) X. ‖ COMPAR. (of a large fleet) slower (in its manoeuvres) Th.

5 (of assets, land, a period of time, a task) **unproductive** Ar. Isoc. X. D. +; (of words) **futile** NT.

6 not worked upon; (of land) **fallow, uncultivated** Th.(oracle) Isoc. X.; (of corn) **not ground** Arist.; (of a tortoise shell, as a lyre) **inactive** Call.

7 (fig., of a kind of friendship) **undeveloped** Arist.

8 (of tasks) **not completed** S. E.; (of a fighting-style) **not attempted** (by pancratiasts) Pl.

9 (of past events) **undone** Thgn. (cj.)

—**ἀργῶς** *adv.* **idly, lazily** X. D. Plb. Plu.

ἄργος εος *n.* tract of flat land, **plain** Call.

Ἄργος[1] ου *m.* **1 Argos** (name of Odysseus' dog) Od.

2 Argus (hundred-eyed herdsman, Io's guard, slain by Hermes) A. Mosch.

3 Argus (builder of the Argo) AR.

Ἄργος[2] εος (ους) *n.* **1 Argos** (city in the Peloponnese, sts. called Achaean) Hom. +; (ref. to its plain) Hom. E. Th.; (gener., ref. to the Peloponnese) Hom.
2 Argos (ref. to the whole of mainland Greece) Hom.
3 Argos (known as Pelasgian, the realm of Peleus, incl. Phthia and Hellas) Il.
4 Argos (city in Akarnania, known as Amphilochian) Th. Plb.
—**Ἄργοσδε** *adv.* **to Argos** (i.e. Greece) Il.
—**Ἀργόθεν**, Aeol. **Ἄργοθεν** *adv.* **1 from Argos** (in the Peloponnese) S. E. AR. Theoc.
2 from Argos (as the whole of mainland Greece) Ibyc. E.
—**Ἀργεία** ᾶς *f.* **1 Argive woman** (fr. Peloponnesian Argos) Theoc.
2 Argive woman (i.e. Greek) E.
3 Argive territory (in the Peloponnese) Th. Isoc. X. Plb.; (in Akarnania) Th.
—**Ἀργεῖος** ᾱ (Ion. η) ον *adj.* **1 of or from Argos** (in the Peloponnese); (of men) **Argive** Pi. Hdt. X. +; (of women) A. Hdt. +; (of Hera) Il. Hes. A. E.; (of the region, the city) A. E.; (of a cup) Semon. || MASC.PL.SB. **Argives** (as a population or military force) Hom. +
2 of or from Argos (as the whole of mainland Greece); (of Helen) **Argive, Greek** Hom. Hes.*fr.* Alc.; (of women, a ship, the region) A. E. || MASC.PL.SB. **Argives** (fr. all over Greece) Hom.
3 of or from Argos (in Akarnania), **Argive** Th.
—**Ἀργολᾶς** ᾶ *dial.masc.adj.* (of an army fr. Greece) **Argive** E.
—**Ἀργολικός** ή όν *adj.* **1** (of a woman) **of or from Argos** (in the Peloponnese), **Argive** Plu.
2 of or relating to Argos; (of a sea) **Argolic** D. Plb. || FEM.SB. **territory around Argos, Argolid** Plu.
3 of the type from Argos; (of a bowl, celery) **from the Argolid** Hdt. Call.; (of shields) **Argolic** Plu.
—**Ἀργολίς** ίδος *fem.adj.* **of or from Argos** (in the Peloponnese); (of women) **Argive** Plu.; (of clothing) A.; (of the region) Hdt. Plu.; (of a rock) E. || SB. **land of Argos** Plu.
ἀργυρ-άγχη ης *f.* [ἄργυρος, ἄγχω] **silver-quinsy** (supposed throat illness feigned by an orator bribed not to speak) Plu.
ἀργυρ-αμοιβός οῦ *m.* **money-changer** Pl. Theoc.
ἀργυρ-ἀσπιδες ων *m.pl.* [ἀσπίς[1]] **soldiers who have silver shields, silver-shield men** Plb. Plu.
ἀργύρειος ον *adj.* **of or for silver**; **silver-mines** Th. X. D. Plb. Plu. || NEUT.PL.SB. **silver-mines** Att.orats. Pl. X. Plb. Plu.
ἀργύρεος ᾱ (Ion. η) ον, also **ἀργυροῦς** ᾶ (Ion. ῆ) οῦν, dial. **ἀργύριος** ᾱ ον *adj.* | Aeol.neut.nom.acc.pl. ἀργύρᾱ |
1 made from or consisting of silver; (of armour, implements, vessels, furniture, ornaments, or sim.) **of silver** Hom. +; (of wealth, coinage) Pl. Plu.
2 (of a mythol. race of men) **of silver** Hes.; (of one of the four castes or breeds of men in the ideal state, or of persons belonging to it) Pl.
3 like silver (in colour); (of a girl's face, an egg) **silvery** Alcm. Ibyc.; (of eddies) Hes.
4 (of mines) **containing silver, silver** Hdt.
5 (of Peitho) **associated with silver, mercenary** Anacr.
ἀργυρ-ήλατος ον *adj.* [ἐλαύνω] (of vessels) **of beaten silver** E.
ἀργυρίδιον ου *n.* [dimin. ἀργύριον] **petty cash, small change** Ar.; (pejor.) **filthy lucre** (ref. to wealth) Isoc.
ἀργυρίζομαι *mid.vb.* (of statesmen) **make money** (by extortion or embezzlement) Din.
ἀργυρικός ή όν *adj.* (of penalties) **monetary** Plu.
ἀργύριον ου (dial. ω) *n.* [dimin. ἄργυρος] **1** (oft.pl.) **piece of silver, silver coin** Timocr. Ar. X. +

2 (collectv.sg.) **silver money** (opp. gold) Hdt. +; (gener.) **money** Hdt. Ar. Att.orats. +; **sum of money** (ref. to a total, reward, debt, bribe) Hdt. Th. Ar. +
3 silver (ref. to the metal, used for making coins) Timocr. Hdt. Th. Att.orats. +
ἀργύριος *dial.adj.*: see ἀργύρεος
ἀργυρίς ίδος *f.* [ἄργυρος] | Aeol.acc. ἄργυριν (Alcm.) | Aeol.dat.pl. ἀργυρίδεσσι | **silver cup** Alcm. Pi.
ἀργυρῖτις ιδος *f.* **silver-ore** X. D.(quot.)
ἀργυρο-γνώμων ονος *m.* **one who is skilled with silver, assessor of silver** Arist.; **silversmith** Plu.
ἀργυρο-δίνης ου (Ion. εω), dial. **ἀργυροδίνᾱς** ᾱ *masc.adj.* [δίνη] (of rivers) **with silvery eddies** Il. Hes. B. Call.
ἀργυρο-ειδής ές *adj.* [εἶδος[1]] (of eddies or whirlpools) **with a silvery appearance, silvery** E.
ἀργυρό-ηλος ον *adj.* [ἧλος] (of swords, chairs) **with silver studs, silver-studded** Hom. hHom.
ἀργυροκοπεῖον ου *n.* [ἀργυροκόπος] **silversmith's workshop** Plb.
ἀργυρο-κόπος ου *m.* [κόπτω] **silversmith** NT.
ἀργυρολογέω *contr.vb.* [ἀργυρολόγος] (of commanders) **collect money** or **tribute** X. Plu. —W.PREP.PHR. *fr.* **allied cities** X. —W.ACC. **in regions** or **cities, among peoples** Th. Aeschin. Plb. Plu.; (of a woman) —*fr.* **individuals** Plu.
ἀργυρολογία ᾱς *f.* **collection of tribute** X.
ἀργυρο-λόγος ον *adj.* [λέγω] **gathering silver**; (of Athenian ships) **collecting tribute** (fr. allies) Th. Ar.
ἀργυρόομαι *pass.contr.vb.* (of songs, likened to prostitutes) **be covered with silver** —W.ACC. **on their faces** Pi.; (fig., of persons) **be rewarded with silver** Pi.
ἀργυρό-πεζα ης *fem.adj.* [πεζός] (epith. of Thetis) **silver-footed** (perh. because of her sandals or fr. standing in sea-foam) Hom. Hes. hHom.; (of Aphrodite) Pi.
ἀργυρό-πους πουν, gen. ποδος *adj.* [πούς] (of couches, chairs, litters) **with silver feet** X. D. Plb. Plu.
ἀργυρό-ριζος ον *dial.adj.* [ῥίζα] (of streams, in a region where silver is mined) **with silver roots** Stesich.
ἀργυρό-ρρυτος ον *adj.* [ῥυτός] (of the banks of a river, in a region where silver is mined) **flowing with silver** E.
ἄργυρος ου *m.* [ἀργός] **1 a kind of white metal, silver** (used on chariots and furniture and for armour, decorations, jewellery, offerings) Hom. +; (ref. to a cup) Pl.
2 silver (as a commodity) Od. hHom. Hippon. Eleg. Hdt. Th.
3 silver coinage (opp. gold or bronze) A. Hdt. E. Ar. +; (gener.) **money** S. Theoc.; **sum of money** (ref. to a bribe) S.
ἀργυρο-στερής ές *adj.* [στερέω] (of a robber's life) **of stealing silver** A.
ἀργυρό-τοιχος ον *adj.* [τοῖχος] (of a bath) **silver-sided** A.
ἀργυρό-τοξος ον *adj.* [τόξον] (epith. of Apollo) **with silver bow** Hom. hHom. || MASC.SB. **silver-bowed archer** (ref. to Apollo) Il.
ἀργυροῦς *adj.*: see ἀργύρεος
ἀργυρο-φάλαρος ον *adj.* [φάλαρα] (of cavalry) **with silver trappings** Plb.
ἀργυρώδης ες *adj.* (of a region) **rich in silver-ore** X.
ἀργύρωμα ατος *n.* **article of silverware, silver cup** or **utensil** Men. || COLLECTV.PL. **silverware** or **silver plate** Men. Plb.
ἀργυρ-ώνητος ον *adj.* [ὠνητός] (of servants) **bought with silver** Hdt.; (of woven cloths) **valuable, precious** A. || MASC.FEM.SB. **bought slave** E. Isoc. D. Plu.
ἀργύφεος η ον *ep.Ion.adj.* [ἄργυφος] **1** (of clothing, a fleece) **silver-white** Od. Hes. hHom. AR.; (of a goddess's breasts, her hands) hHom. AR.; (of the blaze on a bull's forehead) Mosch.

2 (of an underwater cavern) **silvery, bright** Il.

ἄργυφος η ον *ep.adj.* [ἀργός] (of sheep) **silver-white** Hom.; (of a nymph's garments) hHom.

Ἀργώ οῦς *f.* **Argo** (Jason's ship) Od. Pi. Hdt. E. +

—Ἀργῷος ᾱ (Ion. η) ον *adj.* **1** (of the ship) **Argo** E. AR. **2** (of a harbour) **for the Argo** AR.

ἄρδευσις εως *f.* [ἀρδεύω] **means of irrigation** (ref. to the branching of a river) Plb.

ἀρδεύω *vb.* [ἄρδω] (of a river) **irrigate** —*land* A. ‖ PASS. (of places) **be irrigated** Plb.

ἄρδην, dial. **ἀέρδην** (A.) *adv.* [αἴρω] **1 raised to a high elevation, high** —*ref. to carrying someone or sthg.* Trag. —*ref. to leaping across a ditch* S.
2 completely, entirely Aeschin. —*ref. to causing destruction* A. E. Att.orats. +
3 (w. πάντες *all*) **together** E. Ar. X.

ἄρδις εως (Ion. ιος) *f.* | Ion.acc.pl. ἄρδῑς | **arrow-head** Hdt. Call.; (fig., W.GEN. of a gadfly, ref. to its sting) A.

ἀρδμός οῦ *m.* [ἄρδω] **watering-place** (for animals) Hom.

ἄρδω *vb.* | dial.3pl. ἄρδοντι | impf. ἦρδον, iteratv. ἄρδεσκον | aor. ἦρσα, 3sg.subj. ἄρσῃ, ptcpl. ἄρσᾱς | **1** (of a river) **irrigate** —*land* A. Hdt.; **provide water for** —*a people* Pi.; (of rain) —*the belly* E. ‖ PASS. (of a region) **be irrigated** Hdt AR. —W.ACC. *w. respect to its crops* Ar.; (of trees, crops, plants) **be watered** (by a river, by hand) Ibyc. Hdt. Pl.; (of animals) **receive water** —W.PREP.PHR. *fr. springs* hHom.
2 (of persons) **give water to, water** —*an animal* hHom. Hdt. Plu. —*gardens* Hdt.; **irrigate** —*a plain* X. ‖ PASS. (of animals) **receive water** Hdt.; (of crops, plants) **be watered** (by hand or artificial means) Hdt.
3 (fig., of persons) **cultivate** —*prosperity* Pi. —*rationality* (*in a youth*) Pl.; **refresh, nourish** —*oneself* (w. drinking-parties) Pl.; (of victorious athletes) —*their family line* (w. their praise) Pi.; (of wine, beautiful sights) —*souls* Pl. X.; (of poetry) —*desires and emotions* Pl. ‖ PASS. (of souls) **be nourished** Pl.
4 (of a person) **soak** —*someone, clothing* Ar. Theoc.; (fig.) —*one's mind* (w. wine) Ar.
5 (of moisture) **dampen, moisten** —*human tissue, marrow* Pl. ‖ PASS. (of soil) **be moistened** AR.; (of the human body) Pl.

Ἀρέθουσα ης, dial. **Ἀρέθοισα** ᾱς *f.* **Arethousa** (name of a fountain on Ithaca) Od.; (at Syracuse) Pi. Theoc. Plb. Mosch.; (at Chalkis) E.

ἀρειάω *contr.vb.* [ἀρειή] **threaten** —W.INF. *to do sthg.* Hippon.

ἀρειή ῆς *Ion.f.* (collectv.sg.) **threats, threatening speech** Il.

ἀρει-μανής ές *adj.* [Ἄρης, μαίνομαι] (of the hands of Gaulish warriors) **war-crazed** Plu.(quot.eleg.)

Ἄρειοι *m.pl.*: see Ἄριοι

Ἄρειος (or **ἄρειος**) ᾱ ον, Ion. **Ἀρήιος** (or **ἀρήιος**) η ον, Aeol. **ἀρεύιος** ᾱ ον *adj.* [Ἄρης] **1 of or relating to Ares;** (of a bird) **of Ares** (w.connot. of being aggressive) AR.; (of the hill that became the site of the Areopagus) E.
2 of or relating to warfare; (of warriors) **warlike** Hom. Ibyc.; (of a people, an Amazon queen) **warrior** A. E.; (of armour, defences, weapons) **for war** Hom. Alc. Hdt.; (of contests) **military** (opp. gymnastic) Hdt. ‖ MASC.SB. **warrior** (as a translation of the name *Xerxes*) Hdt.

—Ἄρειον πεδίον ου *n.* **Plain of Ares** (ref. to the *Campus Martius* at Rome) Plu.

—Ἄρειος πάγος, Ion. **Ἀρήιος πάγος**, ου *m.* **Hill of Ares, Areopagus** (at Athens, as the location of a court) A. Hdt. Att.orats. Pl. +; (pl. for sg.) E. | see also Ἄρης 2

ἀρειότερος η ον *Ion.compar.adj.* [ἀρείων] (of an action) **better** (than sthg., in value) Thgn.

ἀρεί-φατος, ep. **ἀρηίφατος**, ον *adj.* [Ἄρης, θείνω] **1** (of persons) **slain in battle** Hom.; (of deaths) **in battle** E.
2 (of contests, afflictions) **martial, warlike** A. E.

ἀρείων, dial. **ἀρήων**, ον, gen. ονος *compar.adj.* [ἀρετή; cf. ἄριστος] | masc.acc.sg. ἀρείονα, also ἀρείω | masc.acc.pl. ἀρείους | **1** (of a person) **better** (sts. W.GEN. than another, in status, character, courage, strength, sts. assoc.w. being older) Hom. Hes. A. B. AR. Theoc.; (app., of giants) Ibyc.
2 (of a man's flesh) **in better condition** (than at present, through divine preservation) Il.
3 (of a god) **stronger** (than a man) Il. hHom.; (of a hawk, than a nightingale) Hes.; (of a wall, than another) Il.
4 better (in quality); (of a possession, situation, attitude, course of action, counsel) **better** (sts. W.GEN. than another) Hom. Lyr. A. AR.

—ἄρειον *neut.compar.adv.* **more correctly** —*ref. to thinking* Od.

ἄ-ρεκτος ον *ep.adj.* [privatv.prfx., ῥέζω] **1** (of tasks) **not accomplished** Il.
2 (of an event) **undone, negated** Simon.

ἀρέομαι (dial.fut.mid.): see ἄρνυμαι

Ἀρεο-παγίτης ου *m.* [Ἄρης, πάγος] **Areopagite** (a member of the council that met on the Areopagus at Athens) Att.orats. +

—Ἀρεοπαγῖτις ιδος *fem.adj.* | acc. Ἀρεοπαγῖτιν | (of the council) **Areopagitic** Arist.

ἀρέσαι (aor.inf.), **ἀρέσασθαι** (aor.mid.inf.): see ἀρέσκω

ἀρέσθαι (aor.2 mid.inf.): see ἄρνυμαι

ἀρέσκεια ᾱς *f.* [ἀρέσκω] (pejor.) **eagerness to please; obsequiousness** Arist. Plb.; **adulation** (in honouring a king) Plb.

ἀρέσκευμα ατος *n.* **act of obsequiousness** Plu.

ἀρεσκόντως *ptcpl.adv.*: see under ἀρέσκω

ἄρεσκος η ον *adj.* (pejor., of persons) **eager to please, obsequious** (not for one's own gain, opp. κόλαξ *flatterer*) Arist. Thphr.

ἀρέσκω *vb.* [perh.reltd. ἀρετή or ἀραρίσκω] | impf. ἤρεσκον | fut. ἀρέσω | aor. ἤρεσα, ep. ἄρεσσα, inf. ἀρέσαι ‖ MID.: fut. ἀρέσομαι, ep. ἀρέσσομαι | aor. ἠρεσάμην, ep. ἀρεσάμην, inf. ἀρέσασθαι ‖ PASS.: 3sg.aor.opt. (w.mid.sens.) ἀρεσθείη (S., dub.) |
1 (of persons) **be pleasing** —W.DAT. *to someone* Hdt.(sts.mid.) Pl. X. +; (of Dionysus) **give pleasure** —W.DAT. *to someone* Ion ‖ IMPERS. **it is pleasing** —W.DAT. *to someone* (W.INF. *to do sthg.*) Hdt. Theoc. —(W.ACC. + INF. *that sthg. is the case*) Pl. ‖ MID. **please** —W.ACC. *someone* (W.DAT. *w. sthg.*) Theoc.
2 (of persons) **make amends** (for their misdeeds) Il. ‖ MID. **make amends** —W.ACC. *for outrages* Hom. —W.DAT. *w. words* Od.
3 satisfy, appease —W.DAT. *gods* S. ‖ MID. **appease** —*someone* (sts. W.DAT. *w. words and gifts*) Hom. —*gods* (w. *sacrifices, altars*) A. AR. —W.DAT. *gods* (W.ACC. *w. libations*) Thgn.; **placate, win over** —*someone* (sts. w. *words*) AR.; **satisfy** —*guests* (sts. w. *advice*) AR.
4 ‖ MID. **satisfy** —*one's heart* (w. *food and drink*) Call.(cj.) AR.; (of Erinyes) —*their hearts* (W.GEN. w. *blood*) Hes.
5 have pleasant qualities; (of events, a person's words, appearance, circumstances) **please** —*someone* S. E. Th. Ar. +; (of events, a person's words or suggestions, circumstances) **be pleasing** (usu. W.DAT. to someone) Hdt. S. Th. Ar. + ‖ AOR.PASS. (w.mid.sens., of a person's words) **be pleasing**

—w.dat. *to someone* S.(dub.) ‖ pass. (of persons) be pleased Th. —w.dat. *w. sthg.* Hdt. Th. Arist.
6 (of persons) **be in favour** —w.dat. *w. a city* Lys.
—**ἀρεσκόντως** *ptcpl.adv.* **agreeably, pleasantly** E. Pl. X. Men.
ἀρεστός ή όν *adj.* **1** (of offerings, rites, a murder) **pleasing** (to a god) S. Plu.; (of possessions, words, events, a way of life) Hdt. S. Lys. X. Men. +
2 (of a person) **pleasing, appealing** (w.dat. to someone, w. sexual connot.) Hdt. X.
3 (of persons) **acceptable** (w.dat. to someone) X. Plu.; (of a person's work) Semon.
—**ἀρεστῶς** *adv.* **in a manner pleasing** or **satisfying** (w.dat. to oneself) Hdt.
ἀρέτ-αιχμος ον *adj.* [ἀρετή, αἰχμή] **valiant with the spear** B.
ἀρετάω *contr.vb.* (of persons) **prosper** (under a good king) Od.; (of evil-doing) **succeed** Od.
ἀρετή ῆς, dial. **ἀρετά** ᾶς, Aeol. **ἀρέτᾱ** ᾱς *f.* [perh.reltd. ἀραρίσκω] **1 excellence** (in physical or mental ability) Hom. Pi. S. Isoc.; (w.gen. of a runner's feet) Il. Pi.; (w.acc. in running, at an activity) Il.; (w.adv. at boxing) Pi.; (w.inf. at fighting) Il.; (shown by horses, hounds) Il. Hdt. Pl.
2 excellence (in courage), **valour** Hom. +; **act of bravery** Pi. Hdt. E. Th. Lys.
3 excellence (in character, as shown by gods, men, women) Hom. +; (sg. and pl.) a kind of excellence, **virtue** (sts. w.gen. of a person at a certain task) Lyr. Pl. + ‖ collectv.pl. exemplar of excellence Pi.
4 goodness (shown to someone) Th. X. +
5 excellence (in morals); **virtue** (opp. κακία *vice*) Hes. Sapph. Att.orats. +; (philos.) **moral excellence** (to be achieved through the laws) Pl.; (as a necessity for the happy life) Arist.; (as the mean betw. vices at each extreme) Arist.
6 excellence (in quality); **excellence** (of land for its fertility, beauty) Hdt. Th.; (of wool) Hdt.; (of the eyes) Arist.; (w.gen. of a person's life, a city's constitution) Pl.
7 prosperity Od. Hes.
8 fame Od. Hes. Pi. S. Lys. + ‖ pl. **glories** Thgn. Pi. Lys. +
—**Ἀρετή** ῆς, **Ἀρετά** ᾶς *f.* **Excellence, Virtue** Lyr. E. X. Plu.
Ἄρευς Aeol.m.: see Ἄρης
ἀρή¹ ῆς *f.* **ruin, destruction** (for a person or household, esp. ref. to death in battle) Hom. Hes. A.
ἀρή² Ion.f.: see ἀρά
ἄρναι (ep.2sg.aor.2 mid.subj.): see ἄρνυμαι
ἀρήγω *vb.* | ep.inf. ἀρηγέμεν | fut. ἀρήξω, ep.inf. ἀρήξεμεν | aor.inf. ἀρῆξαι | **1** (of gods, soldiers, or sim.) **give help** or **support** Hes. Trag. X. —w.dat. *to suppliants, allies, guests* (sts. w.dat. *in battle, w. one's strength, w. words*) Il. hHom. A. E. X. +; (of a navy) —*to the infantry* Hdt.; (of persons) —*to Justice* S.; (of women, musical instruments) Ar.(mock-trag.); (fig., of boldness) —*to youth* Pi. ‖ impers. **it is helpful** —w.inf. *to be* or *to do sthg.* A. Pi.
2 provide protection —w.dat. *for one's city, its altars, one's land* A. Ar. X.
3 avert, prevent —w.acc. *capture* A. —*death, shame* (w.dat. *for someone*) E.
4 (gener., of persons) **attend** —w.dat. *to altars* A.; (of maids) —*to a lady's bed* Pi.
ἀρηγών όνος *f.* **helper, supporter** (ref. to a goddess) Il.
ἀρηί-θοος ον *adj.* [Ἄρης, θοός¹] (of youths, warriors) **swift in battle** Il. AR.
ἀρηι-κτάμενος (better written **ἄρηι κτάμενος**) η ον *ep.adj.* [κτείνω] (of a youth) **slain in battle** Il.
Ἀρήιος Ion.adj.: see Ἄρειος
ἀρηίφατος ep.adj.: see ἀρείφατος

ἀρηί-φιλος η ον *ep.adj.* [Ἄρης, φίλος] (of warriors) **dear to Ares, warlike** Hom. Hes. Lyr. AR.
ἀρήμεναι (ep.inf.): see ἀράω, under ἀράομαι
ἀρημένος η ον *ep.pf.pass.ptcpl.adj.* [perh. ἀρή¹] **1** (of persons) **worn out** (by old age, sleepiness, fatigue or anguish) Hom.
2 (of persons) **wounded** Od.
ἀρήν ἀρνός *m.f.* [reltd. ῥήν] | dat.pl. ἄρνασι, ep. ἄρνεσσι | **1** male or female sheep, **sheep, ram** or **ewe** Hom.
2 male or female young sheep, **lamb** (esp. as a sacrificial offering) Hom. +
ἄρηξις εως *f.* [ἀρήγω] **help, support** (w.gen. fr. someone) A. S.; **remedy** (w.gen. against sufferings) S.
ἄρηρα (Ion.pf.), **ἀρήρει** (Ion.3sg.plpf.), **ἀρηρέμενος** (ep.pf.pass.ptcpl.): see ἀραρίσκω
ἀρηρομένος (Ion.pf.pass.ptcpl.): see ἀρόω
Ἄρης εως (Ion. εος, also εω Archil., ep. ηος), Aeol. **Ἄρευς** ευος *m.* | acc. Ἄρεα, Att. η, ep. ηα, also ην, Aeol. ευα | dat. Ἄρεϊ, Att. ει, ep. ηι, Aeol. ευι | voc. Ἄρες, ep. Ἄρες, Aeol. Ἄρευ ‖ sts. Ἆ- Hom. A. S. |
1 Ares (god of war and destruction, son of Zeus and Hera) Hom. +; (fig., ref. to a warlike person) Plu.(quot.epigr.)
2 Ἄρεος πάγος *Hill of Ares, Areopagus* S. | see Ἄρειος πάγος, under Ἄρειος
3 (meton.) **war, battle** Hom. Alc. Tyrt. A. +; **violence** A. +; **aggression, warlike spirit** Trag. Ar.; **violent death** Il. S.; (phr.) Ἄρη βλέπειν **give a warlike look** Ar.
ἀρήσομαι (Ion.fut.mid.): see ἀράομαι
ἄρηται (3sg.aor.2 mid.subj.): see ἄρνυμαι
ἀρητήρ ῆρος *ep.Ion.m.* [ἀράομαι] one who prays, **priest** Il.
—**ἀρήτειρα** ης *ep.Ion.f.* —**ἀράτειρα** ᾱς *dial.f.* **priestess** Call. AR.
ἀρητός Ion.adj.: see ἀρατός
ἀρήων dial.compar.adj.: see ἀρείων
ἀρθείς (aor.pass.ptcpl.): see αἴρω
ἄρθεν (ep.3pl.aor.pass.): see ἀραρίσκω
ἀρθήσομαι (fut.pass.): see αἴρω
ἀρθμέω *contr.vb.* [ἀρθμός] (of opponents) **be joined** (in friendship) Il. ‖ pass. **be reconciled** AR.
ἄρθμιος ᾱ (Ion. η) ον *adj.* **1** (of the elements of matter) **fitted together** Emp.
2 (of persons, cities) **on friendly terms** (w.dat. w. other people) Od. Hdt. AR.; **in league** (w.dat. w. another) Thgn.; (of allies) **united** Hdt. ‖ neut.pl.sb. **peaceful relations** (w.dat. for two groups) Hdt.; **friendliness** (towards someone) Call.
3 (of deeds) **harmonious** Emp.
ἀρθμός οῦ *m.* [ἀραρίσκω] **1 joining** (w.gen. of strings on a musical instrument) Telest.
2 bond (betw. people) hHom. A. Call. AR.
ἄρθρον ου *n.* **1 joint** (in the human body) Emp. S. E. Pl. ‖ collectv.pl. **socket** (of the ankle bone) Hdt. ‖ pl. (fig., ref. to sobriety and scepticism) **joints** (w.gen. of the mind) Plb.(quot.com.)
2 limb (esp. leg or arm) S. E. Ar.
3 ‖ pl. **genitals** (of a mare) Hdt.
4 joint (betw. classes or topics) Pl.
5 (gramm.) **joining word** (betw. clauses), **connective** Arist.
ἀρθρόω *contr.vb.* (of the tongue) **articulate** —*the voice* (so as to produce distinctive sounds) X.
ἀρθρώδης ες *adj.* (of a hound's head) **closely knit** X.
ἀρι-γνώς ῶτος *masc.fem.adj.* [intensv.prfx., γιγνώσκω] (of persons) **very famous** Pi.
ἀρί-γνωτος ον (also η ον, dial. ᾱ ον) *adj.* [γνωτός] **1** (of persons, their offspring) **very recognisable** (by their

ἀρίδακρυς

features or appearance) Hom. Sapph. Anacr.; (of Zeus' help) Il.; (of houses) Od.; (of a portent) B.
2 (of Zeus' eagle, a sandal) very visible, **conspicuous** Lyr.
3 (of a person, sexual unions w. gods) **famous, celebrated** B. AR.; (of glory) B.
4 (of a person) **notorious** Od.

ἀρί-δακρυς υ, gen. υος *adj.* [δάκρυ] (of wailing) **very tearful** A.

ἀρι-δείκετος ον *ep.adj.* [δείκνυμι] (of persons) very distinguished, **pre-eminent** (sts. W.GEN. among a group) Hom. Hes.

ἀρί-δηλος ον *adj.* [δῆλος] **very clear**; (of persons) **easily identified** AR.; (of a person's deeds, the details of a situation) **obvious** Hdt. AR.(dub., v.l. ἀίδηλος)

—**ἀρίζηλος** ον (also η ον) *adj.* **1 very clear**; (of deities) **prominent** (visually) Il.; (of pieces of gold, lightning, a star, a bull likened to a star) **bright, conspicuous** Il. S.*Ichn.* AR. Theoc.; (of a voice, sound, rebuke) **very clear** Il. AR.
2 (of persons) **very distinguished** Hes. Call. Theoc.

—**ἀριζήλως** *ep.adv.* **plainly** —*ref. to a story being told* Od.

ἀρι-ζήλωτος ον *adj.* [ζηλωτός] (of Athens) **greatly envied** Ar.

ἀρι-ήκοος ον *Ion.adj.* [ἀκούω] **1** (of Apollo) **ready to listen** AR.
2 (of a statue) **much heard of, famous** Call.

ἀριθμέω *contr.vb.* [ἀριθμός] | Ion.3sg. ἀμιθρεῖ (Call.), dial.3pl. ἀριθμεῦντι | ep.impf. (trisyllab.) ἠρίθμεον ‖ PASS.: fut. ἀριθμήσομαι (E.) | ep.aor.inf. ἀριθμηθήμεναι | **1 count up, number** —*people, cities, possessions, periods of time, or sim.* Od. Th. Ar. Pl. X. + —*votes cast, benefits listed* Ar. Pl. + —W.INDIR.Q. *how much there is, how many there are* (*of sthg., in a group*) X. Thphr. Men.; (intr.) **make a count** Pl. Hdt. Th. + ‖ PASS. (of persons, their hairs, troubles) **be counted** Il. Hdt. Mosch. NT.
2 **count out** —*people* (*into groups*) Od. X. —*gold, silver* (*in payments or banking*) X. D. Theoc.*epigr.* ‖ PASS. (of tribes) **be counted out** (into army divisions) Hdt.
3 **reckon, consider** —*someone* (W.PREP.PHR. **as being among the living**) E. —*a crime* (*among acts of generosity*) D. ‖ PASS. (of a person) **be reckoned** —W.GEN. *as one of a group* E. Theoc. —W.PREP.PHR. *among a group* E. (of aristocracy) —*among forms of government* Isoc.
4 ‖ PASS. (of descendants) **be traced back** —W.PREP.PHR. *to an ancestor* Theoc.

ἀρίθμημα ατος *n.* **total number** (W.GEN. of votes cast) A.

ἀρίθμησις ιος *Ion.f.* **counting, count** Hdt.

ἀριθμητικός ή όν *adj.* **1 of or relating to arithmetic**; (of proportion, equality) **arithmetical** Arist.; (of skills) **numerical** Pl. ‖ FEM.SB. **arithmetic** Pl. Arist.
2 (of persons) **numerically skilful** Pl. ‖ MASC.SB. **arithmetician** Arist.

ἀριθμητός ή όν *adj.* **1** (of killings) **countable** Plu.; (of a quantity of items; of number or that which has number) Arist.
2 (of survivors) **easily counted** Theoc.
3 (of a suitor) **of some value** (in his beloved's eyes) Theoc.

ἀρίθμιος ᾱ (Ion. η) ον *adj.* [ἀριθμός] (of a constellation) **counted, reckoned** (W.PREP.PHR. among the stars) Call.

ἀριθμός οῦ *m.* **1 counting, numbering** Pi. Hdt. E. Th. +
2 **taking account or evaluation**; **regard** (W.GEN. for a woman) Call.*epigr.*; **reckoning** (W.GEN. by a person's words) E.
3 **numerical sum, number, total number** (of persons, animals, things) Od. Hes.*fr.* Semon. Pi. Hdt. Trag. +

4 **collection** (of individuals forming a group), **number, company** (of men, envoys, disciples) Od. Hdt. NT.
5 **quantity, amount** (of a material, gold, money, time) Lyr.adesp. Att.orats. X.; **length** (of a body part, journey) Pl. X.
6 (pejor.) **quantity** (esp. opp. quality), **mass** (of people, insects, words) S. E. Ar.
7 **numbered or countable item** (in a series or list), **item** E. Arist.; **piece** (of a wrecked ship) E.; (pejor.) **mere entity, cipher** (ref. to a person) E.
8 **science of numbers, arithmetic, calculation** A. E. Pl.
9 **mathematical unit or aggregate of units, number** (as odd or even) Pl.; (as underlying the organisation of time and space) Pl.; (as the cause of being and generation) Arist.; (existing as an ideal entity, opp. as a mathematical object) Arist.
10 (rhet.) **numerical measurement** (W.GEN. of the configuration of speech, ref. to rhythm) Arist.

Ἀριμασποί ῶν *m.pl.* [Scythian loanwd.] **1 Arimaspians** (sts. appos.w. ἄνδρες; Scythian name for one of their tribes, translated into Greek as *One-eyed*) Hdt. Call.
2 ‖ ADJ. (of cavalry) **Arimaspian** A.

—**Ἀριμάσπεα** ων *n.pl.* **Arimaspea** (a poem about the Arimaspians) Hdt.

Ἄριοι, also **Ἄρειοι**, ων *m.pl.* [Iran.loanwd.] **1 Arians** (ancient name for the Μῆδοι *Medes*) Hdt.
2 **Arians** (inhabitants of the Persian satrapy of Areia) Hdt.

—**Ἄριος** ᾱ ον *adj.* **1** (of a lament) **Arian, Median** A.
2 (of a commander) **Arian** A.(cj.)

ἀρι-πρεπής ές *adj.* [intensv.prfx., πρέπω] **1 very distinctive** (visually); (of a horse, mountain, person's beauty) **conspicuous** Hom. hHom.; (of Apollo's aigis, stars) **very bright** Il.; (of a meadow) **magnificent** hHom.; (of a container) **ornate** Od.
2 (of persons) **very distinguished, pre-eminent** (in character, status, achievements) Hom. hHom. Semon. AR.

ἀρί-σημος ον *adj.* [σῆμα] **1** (of children, events) **very notable** hHom. Tyrt.
2 (of a path) **very distinct** (amid vegetation) Theoc.

ἀρισθ-άρματος ον *adj.* [ἄριστος, ἅρμα] (of a prize) **for the winning chariot** Pi.

ἀρι-σκυδής ές *adj.* [intensv.prfx., σκύζομαι] (of Hera) **easily angered** Call.

Ἀρισταῖος ου *m.* **1 Aristaios** (son of Apollo and the nymph Kyrene, inventor of bee-keeping) Hes. Philox.Leuc. Call. AR.
2 **Aristaios** (epith. of Zeus or Apollo) Pi. Call. AR.

ἀριστ-αλκής ές *adj.* [ἄριστος, ἀλκή] (of the strength in an athlete's limbs) **with pre-eminent power** B.

ἀρίστ-αρχος ον *adj.* [ἄρχω] (epith. of Zeus) **best-ruling** Simon. B.

ἀριστάω *contr.vb.* [ἄριστον] | pf. ἠρίστηκα ‖ 3sg.pf.pass. ἠρίστηται | **1 eat one's first meal of the day, have breakfast** X. Thphr. NT. Plu.; (of horses) X.
2 **eat one's second meal of the day, have lunch** Anacr. Lys. Ar. X.; **eat a lunch** or **dinner** —W.COGN.ACC. *that is elaborate or sumptuous* Men. Plu. ‖ IMPERS.PF.PASS. **lunch has been eaten** Ar.
3 (of a guest) **dine** (at no particular time of day, at someone's home) NT.

ἀριστείᾱ ᾱς, Ion. **ἀριστείη** ης *f.* [ἀριστεύω] **1 excellence** (esp. in warfare) S. Pl.
2 **noble exploit** or **achievement** Plu.
3 **account of the prowess** or **exploits** (W.GEN. of a warrior, ref. to a section of the *Iliad*) Hdt.

ἀριστεῖον, Ion. **ἀριστήιον**, ου *n*. **1 prize for valour** Hdt. X. D. + ‖ COLLECTV.PL. prize for excellence (in athletics or war) Hdt. S. Att.orats. +; (W.GEN. in a battle) Hdt. Lys. Plu. **2 distinction** (ref. to a noble wife) Isoc.; **honour** (ref. to games and a sacrifice) Plu. ‖ COLLECTV.PL. spoils (fr. a hunt, a war) E. Plu.
3 memorial of valour (ref. to a statue of a god, a tripod) D.

ἀριστερός ά (Ion. ή) όν *adj*. [reltd. ἄριστος] | ep.gen.dat. sg.pl. ἀριστερόφι | **1 on the left side**; (of a part of a person's body) **left** Il. Hdt. E. Th. +; (of a horse in a team, its rein) Il. S.; (of a troop of soldiers, wing of a fleet, place) Th. X.
2 ‖ FEM.SB. **left hand** (sts. W.GEN. of someone or sthg., esp. as an indication of position) Hdt. S. E. Th. + ‖ NEUT.SB. **left** (opp. δεξιόν *right*) Arist. ‖ NEUT.PL.SB. **left side** or **wing** (sts. W.GEN. of an army, fleet, battle, animal's head) Hom. +; (phr.) ἀριστερὰ χειρός (sts. χειρῶν) *left-hand side* Od. hHom. Alcm. AR.
3 on the left (w.connot. of being inauspicious); (quasi-advbl., of a bird flying by) **on the left** Od.; (prep.phr.) ἐπ' ἀριστερά *leftward* (ref. to going astray towards misfortune) S. ‖ FEM.SB. **left side** Pl.

ἀριστεύς έως (Ion. έος, ep. ῆος) *m*. [ἄριστος] | gen.dat.du. ἀριστέοιν ‖ PL.: nom. ἀριστεῖς, Att. ἀριστῆς, dial. ἀριστέες (Theoc.) | acc. ἀριστέας, also ἀριστεῖς (Plu.), ep. ἀριστῆας, Aeol. ἀρίστηας | gen. ἀριστέων, ep. ἀριστήων | dat. ἀριστεῦσι, ep. ἀριστήεσσι |
1 one who is of the top rank (in ability, valour or status), **leader, champion, chieftain** Hom. Alc. A. Pi. Hdt. +; (appos.w. ἀνήρ) Hom. E.; (pl., appos.w. κούρητες *young warriors*) Il.
2 one who is of the highest status (by birth), **noble** Od. S. E.

ἀριστεύω *vb*. | iteratv.impf. ἀριστεύεσκον | **1** (of persons) **be the best** or **bravest** Hom. Pi. Hdt. Isoc. —W.GEN. *in an army, of the commanders, in a land* Il. Hdt. S. E. —W.INF. *at doing sthg*. Il.; **be the victor** Pi. —W.ACC. *in an athletic event* Pi.; **win** —*the fairest prizes for valour* (W.GEN. *in an army*) S.
2 (of a warrior) **show one's prowess** Il. Tyrt.
3 be the best (of a kind); (of water, spears, songs, plans, opinions) **be the best** hHom. A. Pi. Hdt.
4 be the best (in a certain aspect); (of Aphrodite) **be pre-eminent** (in beauty) Theoc.; (of land, in fertility) Pi.; (of a city, for beautiful women) Pi.
5 (of persons) **be outstanding** or **exceptional** E. Pl. X. + —W.DAT. *in abilities or achievements* Il. Isoc. Theoc. —W.ACC. *in an activity* Theoc. —W.COGN.ACC. *in a feat of valour* Plu. —W.GEN. *among one's contemporaries* Th.(quot.epigr.) X.

ἀριστήιον Ion.n.: see ἀριστεῖον

ἀριστίζω *vb*. [ἄριστον] provide lunch for, **lunch** —*someone* Ar.

ἀριστίνδην *adv*. [ἄριστος] **on the basis of excellence** —*ref. to appointing or serving as a magistrate* Pl. D. Arist. Plb. Plu. —*ref. to serving in an army* Isoc. —*ref. to executing people* And.

ἀριστο-βούλη ης *fem.adj*. [βουλή] **best in counsel** (epith. of Artemis, conferred by Themistokles) Plu.

ἀριστό-γονος ον *adj*. [γόνος] (of a mother) **with noblest offspring** Pi.

ἀριστό-καρπος ον *adj*. [καρπός¹] (of Sicily) **with the best fruits and crops, best in harvests** B.

ἀριστοκρατέομαι *pass.contr.vb*. [κράτος] (of persons, cities) be governed by the best men, **be ruled by nobles** Ar. Pl. X. Arist.

ἀριστοκρατίᾱ ᾱς *f*. rule by the best men (as identified on the basis of virtue, wisdom or birth), **aristocracy** Th. Isoc. Pl. +; (on the basis of wealth) Pl.

ἀριστοκρατικός ή όν *adj*. **of an aristocratic kind**; (of persons) **in favour of aristocracy** Pl. Arist. Plu.; (of constitutions, assemblies, agendas, a partnership) **aristocratic** Arist. Plb. Plu.

—**ἀριστοκρατικῶς** *adv*. **on an aristocratic basis** —*ref. to appointing magistrates or regulating lawcourts* Arist.

ἀριστό-μαντις εως *m*. [μάντις] **best of seers** S.

ἀριστο-μάχος ον *adj*. [μάχομαι] (of Herakles) **best at fighting** Pi.

ἄριστον ου *n*. [app.reltd. ἦρι¹, ἔδω] meal in the early part of the day, **breakfast** Hom. +; (for a horse) X.

ἀριστο-πάτρᾱ ᾱς *dial.fem.adj*. [ἄριστος, πατήρ] (epith. of Artemis) **with the noblest father** B.

ἀριστοποιέομαι *mid.contr.vb*. [ἄριστον, ποιέω] | impf. ἠριστοποιούμην | **1** make or get one's breakfast or **lunch** Th. X. D. +
2 ‖ PASS. (of foods) be prepared as breakfast X.

ἀριστο-πόνος ον *adj*. [ἄριστος] (of hands) **labouring excellently** Pi.

ἀριστό-ποσις ιος *dial.fem.adj*. [πόσις¹] (of Hera) **with the noblest husband** Pi.*fr*.

ἄριστος η (dial. ᾱ) ον *superl.adj*. [reltd. ἀρείων] **1 best** (in ability, skill, strength); (of warriors, sailors, rulers, craftsmen, or sim.) **best** Hom. Lyr. Hdt. Men. +; (of persons, W.INF. at doing sthg.) Hom. Hdt. Th. X.; (W.DAT. at sthg., w. a weapon) Hom. AR.; (W.ACC. in strength, heart) Sol. Ar.; (of horses, herds) Hom.; (of oxen, W.INF. at working) Hes. Call.; (W.ACC. at a task) Call.
2 best (in status and wealth); (of men) **noblest** Hom. Hdt. S. AR.; (of gods) **chief** Hom. Theoc. ‖ MASC.PL.SB. chieftains or nobles Hom. AR.
3 best (in character, virtue or beauty); (of men) **best, noblest** Hom. +; (W.ACC. in beauty) Hom.; (of women, sts. W.ACC. in beauty) Hom. hHom. Alcm. Semon. S. E. ‖ MASC.VOC.SB. (iron.) right honourable friend (as a term of address by an intellectual superior) Pl. +; top man (W.ACC. in one quality, oft. in ctxt. of rebuking) Il.
4 best (of a kind); (of armour, ships, wine, resources, experience) **best** Hom. Hes. Alc. Eleg. +; (of locations, land, rivers) Od. Hdt.; (of a day, W.INF. for doing sthg.) Hes.; (of omens, W.DAT. for a task) Hes.; (of actions, situations, ideas, qualities) Hom. +; (of a form of government) Hdt. Arist.

—**ἄριστα** *neut.pl.adv*. **1 in the best way** Hom. Sol.; (exclam., sts. followed by γε) **very well said!** Pl. Men.
2 at its best —*ref. to land yielding a crop* Hdt.
3 to the best extent Hippon. Men.

Ἀριστοτέλης ους *m*. **Aristotle** (philosopher, 384–322 BC)

ἀριστο-τέχνᾱς ᾱ *dial.masc.adj*. [ἄριστος, τέχνη] (epith. of Zeus) **of surpassing skill** Pi.

ἀριστό-τοκος ον *adj*. [τόκος] (of offspring) **nobly born** E.

—**ἀριστοτόκεια** ᾱς *ep.fem.adj*. [τοκεύς] (of a woman) **bearing the best children** Theoc.

Ἀριστοφάνης ους *m*. **Aristophanes** (Athenian comic dramatist, 5th–4th C. BC) Pl. Arist. Plu.

—**Ἀριστοφάνειος** ᾱ ον *adj*. ‖ NEUT.SB. verse of Aristophanes Plu.

ἀριστό-χειρ χειρος *masc.fem.adj*. [ἄριστος, χείρ] (of a contest) about the strongest hand, **of prowess** S.

ἀρι-σφαλής ές *adj*. [intensv.prfx., σφάλλω] (of a path) **very slippery** or **treacherous** Od.

ἀρι-φραδής ές *adj*. [φράζω] **1 very identifiable**; (of a landmark, scar, signs) **very conspicuous** Hom.; (of a particular person's bones) **distinct** (fr. the others on a pyre) Il.
2 (of walls) **clearly visible** (at night, as if in daylight) Theoc.

—**ἀριφραδέως** Ion.adv. **plainly, unmistakably** AR. Theoc.
Ἀρκάς άδος m. | Aeol.dat.pl. Ἀρκάδεσσι | **1 Arkas** (eponymous hero of Arcadia, son of Zeus and Kallisto) Plb. **2** ‖ ADJ. (of a man) **of or from Arcadia, Arcadian** Il. A. Pi. E. Th. +; (of horses) Call. ‖ PL. **Arcadian men** (as a population or military force) Lyr. Hdt. E. Th. Isoc. +
—**Ἀρκαδίᾱ** ᾱς, Ion. **Ἀρκαδίη** ης f. **Arcadia** (mountainous and landlocked region of the Peloponnese, assoc.w. Hermes and Pan, famous for its flocks) Il. +
—**Ἀρκαδίηθεν** Ion.adv. **from Arcadia** AR.
—**Ἀρκαδικός** ή όν adj. **1** (of women, boys) **Arcadian** Theoc. Plu.; (of cities, enclosures) Th. X. Call. Plb.; (of a festival) Plu.; (of inlanders, opp. islanders) Men. ‖ NEUT.SB. **Arcadian division** (in an army) X.; **Arcadian League** (of cities) X.
2 (of a tale) **of or relating to the Arcadians, Arcadian** Plb.
ἄρκεσις εως f. [ἀρκέω] **help, aid** S.
ἀρκετός ή όν adj. (of trouble encountered in one day) **sufficient** (W.DAT. for that day) NT. ‖ NEUT.IMPERS. (w. ἐστί understd.) **it is enough** —w. ἵνα + SUBJ. *that sthg. shd. be the case* NT.
ἄρκευθος ου (dial. ω) f. **juniper** AR. Theoc.
ἀρκέω contr.vb. | impf. ἤρκουν | fut. ἀρκέσω | aor. ἤρκεσα, dial. ἄρκεσα ‖ MID.: aor. ἠρκεσάμην ‖ PASS.: aor. ἠρκέσθην |
1 (of persons, their armour, virtues) **hold off, repel** —*destruction, death, ruin* (usu. W.DAT. or PREP.PHR. *fr. someone, the body*) Hom. Hes. hHom. S. E.
2 (of persons) **provide protection** or **defence** E. —W.DAT. *for someone, a city or land* E.; (of armour, an altar) Il. —*for someone* Il. E.
3 (of persons, cities) **assist, help** Il. S. E.; **be beneficial** or **helpful** —W.DAT. *to someone* Od. S. E. AR.; (of weapons, prayers, knowledge about sthg.) Trag.
4 (of persons, a city) **be sufficient** (in strength or ability, to accomplish sthg.) S. E. Th. Pl.; **do enough** E. Th. —W.PTCPL. *by speaking, dying, or sim.* Trag.
5 be sufficient (in quantity, quality, extent, effect); (of items, actions, speeches, opportunities, skills, or sim.) **be enough, suffice** Archil. Even. X. —W.DAT. *for someone, a group* (sts. W.INF. *to do sthg.*) Pi. Hdt. S. E. Th. AR. +; (of crimes, afflictions) —*for someone* Hdt. S. E.; (of a period of time) A. Isoc. ‖ NEUT.PL.PTCPL.SB. **sufficiency** (of means) E. X.
6 (of persons) **be satisfied** —W.PTCPL. *in doing sthg.* S. E. —W.PF.INF. *to have done sthg.* Plb. ‖ PASS. **be satisfied** —W.DAT. *w. wages, stipulations, answers* Hdt. Arist. NT. Plu.
7 (of meats, repairs, peace) **have a sufficient longevity, last** Th. X.
8 be sufficient (in comparison w. someone or sthg.); (of a person) **be a match** —W.DAT. or PREP.PHR. *for an enemy* S. Th.; (of joy) —W.PREP.PHR. *for sorrows* E.
—**ἀρκεῖ** 3sg.impers.contr.vb. | also ἀρκοῦν (ἐστί) | inf. ἀρκεῖν | **it is sufficient** S. E. X. —W.DAT. *for someone* (W.INF. *to do sthg., to be such and such*) Trag. Antipho Ar. + —w. ὡς or ὅτι + INDIC. *that someone does sthg.* Th. And. X. —W.ACC. + INF. *that sthg. is the case* Th.
—**ἀρκούντως** ptcpl.adv. **1 sufficiently** (in quantity) Th. X. **2 sufficiently** (in quality) A. E. Th. X. +
3 satisfactorily X. Is. D. Arist. Plb.
ἄρκιος ᾱ (Ion. η) ον (also ος ον Theoc.) adj. | dial.acc.pl. ἀρκίος (Call.) | **1** (of an asset) **reliable** Hes.; (of a livelihood, reward) **secure** Hom. Hes.; (of a prospect) **certain** Il.
2 (of persons) of sufficient strength, **strong enough** (W.INF. to lift sthg.) Call.; of sufficient means, **able** (W.INF. to give compensation) AR. (of a prize) **sufficient** (in value) Theoc.

3 (of a path) **sufficiently wide** (W.DAT. for two people) Theoc.
ἄρκος εος n. that which provides defence, **defence** (ref. to a person) Alc.; (W.GEN. against arrows, ref. to greaves) Alc.(v.l. ἕρκος)
ἀρκούντως ptcpl.adv.: see under ἀρκέω
ἀρκτέον (neut.impers.vbl.adj.): see ἄρχω
ἄρκτος ου m.f. **1 bear** or **she-bear** Od. hHom. Hdt. X. +; (kept as domesticated) Isoc. Theoc.; (ref. to Kallisto) Call.
2 bear-girl (title of a pre-adolescent attendant of Artemis at Athens) Ar.
—**Ἄρκτος** ου f. **Bear** (the constellation, also called Ἅμαξα *Wain*) Hom. Hdt. S. E. +; (as the direction indicated by this constellation) **north** Hdt. E. X. — ‖ PL. **northern regions** Pl. Plb.
—**Ἀρκτοῦρος** ου m. [οὖρος²] Guard of the Bear (a star named fr. its position in the sky), **Arcturus** Hes. AR. Plu.; (appos.w. ἀστήρ *star*) Hes.; (ref. to the time of its appearance, close to the autumnal equinox) S. Th. Pl. D.
ἄρκυς υος f. | nom.pl. ἄρκυες, Att. ἄρκῡς | acc.pl. ἄρκυας, Att. ἄρκῡς | fixed net for hunting, **hunting net** A. E. Lyr.adesp. Ar. X. +; (specif.) **purse-net** (for hares) X.; **net-trap** (for a person) A. ‖ PL. meshes of a net A. E. Plu.; perh., snares or trap (in which an animal would be killed by a hunter's sword) E.; (fig., ref. to chains) E.
ἀρκυστασίᾱ ᾱς f. —also **ἀρκυστάσιον** ου n. [ἀρκύστατα] **line of purse-nets** X.
ἀρκύ-στατα των n.pl. [ἄρκυς, στατός] fixed hunting nets (forming a trap), **staked nets** Trag.
ἀρκυ-ωρός οῦ m. [οὖρος²] one who oversees fixed hunting nets, **net-keeper** X.
ἅρμα, Aeol. **ἄρμα**, ατος n. [rel.d. ἀραρίσκω] **1 chariot** (esp. for a god, warrior or soldier) Hom. +; (poet.pl.) Hom. hHom. Lyr. +
2 racing-chariot Pi. S. E. Th. Ar. +; (poet.pl.) Pi. E. AR.
3 a kind of oriental carriage (for travelling longer distances), **travelling-carriage** X. NT.
4 team, yoked pair (of horses) E. Ar. Pl. X.; (fig., of three goddesses) E.
ἁρμαλιή ῆς Ion.f. **supplies, rations** (of food for slaves and animals) Hes. Theoc.; **provisions** (for sailors) AR.
ἁρμ-άμαξα ης f. [ἅρμα] **carriage** (assoc.w. Persian men and women) Hdt. Ar. X.
ἁρμάτειος ον adj. **1** (of wheel-hubs) **of a chariot** E.
2 (of a cabin) **of a chariot-like carriage** X.
ἁρματεύω vb. **drive a chariot** (in a race) E.
ἁρματηλασίᾱ ᾱς f. [ἁρματηλά-της] **chariot-driving** X.
ἁρματηλατέω contr.vb. **be a chariot-driver** Hdt.; **be a charioteer** (in a race) X.
ἁρματ-ηλάτης ου, dial. **ἁρματηλάτᾱς** ᾱ m. [ἐλαύνω] one who drives a chariot; **chariot-driver** (in the Persian army) X.; **charioteer** (in a race) Pi. S. X.
ἁρματ-ήλατος ον adj. (of Ixion) **driven round on a chariot wheel** (as a mode of torture) E.
ἁρματόεις εσσα εν adj. (of a seat) **for a chariot** Critias
ἁρματό-κτυπος ον adj. [κτύπος] (of a noise) **of chariots clattering** A.
ἁρματο-πηγός οῦ m. [πήγνυμι] **chariot-maker** (appos.w. ἀνήρ) Il. Theoc.
ἁρματοτροφέω contr.vb. [τρέφω] **breed chariot-horses** X.
ἁρματοτροφίᾱ ᾱς f. **breeding of chariot-horses** X.
ἁρματροχιή ῆς ep.Ion.f. [τροχός] **track made by chariot wheels, wheel-track** Il.

ἄρμενα *neut.pl.athem.mid.pass.ptcpl.sb.*: see under ἀραρίσκω

Ἀρμενίᾱ ᾱς, Ion. **Ἀρμενίη** ης *f.* **Armenia** (a mountainous region in eastern Anatolia; a Persian and then a Seleucid satrapy w. a vassal king) Hdt. X. Plb. Plu.; (as a Roman client kingdom) Plu.

—**Ἀρμένιοι** ων *m.pl.* men of Armenia, **Armenians** Hdt. X. Plu.

—**Ἀρμένιος** ᾱ (Ion. η) ον *adj.* of or belonging to Armenia; (of persons) **Armenian** X.; (of a king) X. Plu.; (of mountains, land) Hdt. X.

ἁρμογή ῆς *f.* [ἁρμόζω] fitting together, **joining, union** (of different elements in a constitution) Plb.

ἁρμόδιος ᾱ (Ion. η) ον *adj.* **1** (of doors) **fitting together well** Thgn.
2 (of a feast, youthful vigour) **suitable, fitting** Thgn. Pi.

—**ἁρμοδίως** *adv.* **conveniently** Plu.

ἁρμόζω, Att. **ἁρμόττω** *vb.* [ἁρμός] | *impf.* ἥρμοζον, dial. ἅρμοζον | *fut.* ἁρμόσω | *aor.* ἥρμοσα, dial. ἅρμοσα | *pf.* ἥρμοκα ‖ MID.: *ep.imperatv.* ἁρμόζεο | *aor.* ἡρμοσάμην, dial.3sg. ἁρμόξατο ‖ PASS.: *fut.* ἁρμοσθήσομαι | *aor.* ἡρμόσθην | *pf.* ἥρμοσμαι, Ion. ἅρμοσμαι |

1 join (things) together (for the purpose of construction); **join** —*planks* (*to each other*) Od.; **construct** —*a ship* Od.(mid.) E.; (fig., of a poet) **fit together** —*words* Pi. ‖ PASS. (of stonework, a wall) be fitted together Hdt. E.
2 (gener.) **make or construct; fashion** —*a beam* (*fr. a tree*) AR.; (of a statesman) —*a fair legal system* (W.PREP.PHR. *for everyone*) Sol. ‖ MID. **prepare for oneself** —*a feast* Alcm.
3 bring (sthg.) **into contact** (w. sthg. else); **plant** —*one's feet* (W.PREP.PHR. *on the ground*) E. —(W.PREP.PHR. *in the footstalls of a chariot*) E.; **press** —*one's lips* (*to another's*) E.; **apply** —*a toxin* (*to a garment*) S.; (of a hero, in answer to prayers) **bestow** —*lifelong prosperity* (W.DAT. *on the young and old*) Pi.; (intr., of events, ref. to the guilt that ensues) **be transferred** —(W.PREP.PHR. *to someone else*) S. ‖ MID. **join** —*one's next step* (W.DAT. *to the previous ones*) S. ‖ PASS. (of bolts) be attached —(W.DAT. *to walls*) E.
4 equip —*horses* (W.DAT. *w. bridles*) E.; **adorn** —*one's hair* (W.DAT. *w. garlands*) Pi.; **fasten** —*someone* (W.PREP.PHR. *in chains*) E.
5 apply good order or discipline; govern —*a people* Pi.; (intr., of a Spartan) **be a harmost or governor** (in a subject city) X. ‖ PASS. (of a person) be ruled (by laws) S.; be disciplined (by a teacher) Ar.
6 betroth —*a girl* (W.DAT. *to a man*) E. —*a man* (*to a woman*) Pi.; **arrange** —*a marriage* Pi. E.; (intr., of a father) **arrange a betrothal** Hdt. ‖ MID. **betroth to oneself** —*a woman* Hdt. ‖ PASS. (of a marriage) be pledged —W.DAT. *for a bride and groom* S.
7 (intr., of a rhythm) **be suitable** Arist.; (of decrees, a task) —W.DAT. *for someone* And. Men.; (of music) —*for an emotion* B.; (of civility) —W.PREP.PHR. *for social interaction* Isoc. ‖ PF.MID. (of an activity) be suited —W.PREP.PHR. *to certain goals* Critias
8 (of a bird) **correspond** —W.PREP.PHR. *to a god* Ar.; (of predictions, to later events) S.
9 (intr., of armour, clothing) **fit** —W.DAT. *on someone, the body* Il. Pi. X. —W.PREP.PHR. *around one's body* X.; (of footwear) —W.DAT. *on someone, the feet* Ar. X.; (of objects) —W.PREP.PHR. *into classes* Pl.; (fig., of a statesman, likened to a boot) —W.DAT. *on either of two factions* (*likened to the left and right foot*) X.
10 (of an argument, a principle) **apply, be relevant** Arist.; (of information) —W.DAT. *to a situation* S.; (of a poem) D.
11 (of music) **attain** —*concord* (*by experimentation, not measurement*) Pl.; (fig., of persons and their words) **harmonise** —W.DAT. *w. each other* Pl. ‖ PASS. be brought into harmony or attunement Pl.; (fig., of a soul, w. itself) Pl.
12 (of a musician) **tune** —*a certain musical mode* (*i.e. make use of it in his compositions*) Telest. ‖ MID. **tune** —*a lyre* (sts. W.ACC. *to a certain musical mode*) Ar. Pl.; (fig.) **tune oneself** —W.ACC. *w. the best harmony* Pl.; **attune** —*the harmony of one's body* Pl. ‖ PASS. (of lyres) be tuned Pl.; (of wailing) be attuned —W.DAT. *to lamentation* Tim.; (fig., of two people) —W.ADV. *in a certain musical mode* Pl.

—**ἁρμόζει**, Att. **ἁρμόττει** *3sg.impers.vb.* **1 it is fitting** Hyp. —W.INF. *to do sthg.* Att.orats. —W.ACC. + INF. *that someone shd. do sthg.* S. —W.DAT. + INF. *for someone to do sthg.* X. D.
2 it is convenient —W.DAT. + INF. *for someone to do sthg.* Att.orats.

—**ἁρμόζων**, Att. **ἁρμόττων**, ουσα ον *ptcpl.adj.* **1** (of guest-gifts) **suitable** Pi.; (of ingredients, for a mixture) X.; (of actions, for a situation) D.; (of an excuse) D.; (of exhortations, W.GEN. for a task) Plb.; (of an opportunity) Hyp. D.
2 (of each of the senses) **suited or adapted** (W.PREP.PHR. to its task) X.; (of the length of a conversation, to pleasure) Pl.

ἁρμοῖ *adv.*: see under ἁρμός

ἁρμονίᾱ ᾱς, Ion. **ἁρμονίη** ης *f.* **1 means of joining; joint or fastening** (for wooden planks) Od.
2 join, seam (betw. wooden planks or panels) Hdt. Ar.
3 ‖ COLLECTV.PL. **agreement or concord** (betw. two parties) Il.
4 way in which parts (of a person) **are put together; constitution, temperament** (of a woman) E.
5 established arrangement, order (W.GEN. fr. Zeus) A.; **attunement, structure** (of opposing forces) Heraclit.; (fig.) **arrangement** (W.GEN. of words forming a hymn) Pl.
6 art of musical composition, music E.*fr.* Ar.
7 a kind of musical scale, harmonia or mode (assoc.w. a specif. region and style) Lyr. Ion Ar. Pl. +
8 harmony, concord (in sounds) Pl.; (fig., in a person's disposition, body) Pi. Pl.; (ref. to a relationship betw. numbers) Pl.; (in the movement of the planets, in the universe) Pl.
9 change of pitch, intonation Arist.; (in pronouncing a particular word) Pl.

—**Ἁρμονίᾱ** ᾱς, Ion. **Ἁρμονίη** ης *f.* **1 Harmonia** (daughter of Ares and Aphrodite, wife of Kadmos) Hes. +; (opp. Conflict) Emp.
2 Harmony (assoc.w. the Muses) E.

ἁρμονικός ή όν *adj.* **1** (of persons) **skilled in music or harmonics** Pl. ‖ MASC.PL.SB. musical theorists Thphr.
2 (of a branch of inquiry) **of or relating to musical harmonies, harmonic** Arist. ‖ NEUT.PL.SB. theory of music Pl. Arist.

ἁρμός οῦ *m.* **1 fastening** (on a door) E.; **peg** (fitted to a piece of wood) E.*fr.*; (collectv.sg.) **construction** (of a hare's ligaments) X.
2 joint (betw. wooden beams, two panels in a door) E.*fr.* Plu.; (betw. rocks sealing a tomb) S.(dub.)

—**ἁρμοῖ** *adv.* **1 just now, recently** A. Call. Theoc.
2 at present, now Pi.*fr.* S.(cj.) Ar.(cj.)

ἁρμόσματα των *n.pl.* pieces of joined work, **fittings** (on a ship) E.

ἁρμοστής οῦ *m.* —also **ἁρμοστήρ** ῆρος (X.) *m.* **one who keeps good order; harmost** (Spartan governor of a subject city) Th. Att.orats. X. +; **governor** (in a city subject to the Persians or Macedonians) X. Plu.

ἁρμοστός ή όν *adj.* (of an object) **suitable** (for blocking a tunnel) Plb.
ἁρμόστωρ ορος *m.* **commander** (of sailors) A.
ἁρμόττω *Att.vb.*: see ἁρμόζω
ἀρνᾶ ᾶς *dial.f.* [ἀρήν] **fleece** Theoc.(cj.)
ἀρνακίς ίδος *f.* **sheepskin** (used for bedding, clothing, or sim.), **fleece** Ar. Pl. Theoc.
ἄρνασι (dat.pl.): see ἀρήν
ἀρνειός οῦ *m.* **1** male sheep, **ram** Hom. AR.
2 (gener.) **sheep** (either male or female) AR.
ἄρνειος ᾱ (Ion. η) ον *adj.* **1** of or from a lamb; (of meat) **lamb** Hdt.(oracle) X.
2 (of slaughter) **of sheep** S.
ἀρνέομαι *mid.contr.vb.* | fut. ἀρνήσομαι | aor. ἠρνησάμην, also pass. (w.mid.sens.) ἠρνήθην | pf. ἤρνημαι | **1 deny** (a claim or charge); **make a denial** hHom. Hdt. Trag. Th. Att.orats. +; **deny** —*a crime, statement, or sim.* E. Att.orats. X. Arist. —W.INF. *doing sthg.* A. S.*fr.* —W.ACC. + INF. *that sthg. is the case* D. —w. μή + INF. or W.COMPL.CL. + οὐ *that sthg. is the case* Ar. Att.orats. + —W.PTCPL. *that one is such and such* E. Men.
2 refuse (a request, offer, task, opp. accepting it); **refuse, decline** Il. Thgn. Hdt. Ar. —*a request, proposal* Hom. Hes. —*a task, duty* S. D. —W.INF. *to do sthg.* E. Call.
3 refuse (to give) —*an object that has been requested* Od.
4 refuse to acknowledge (someone or sthg.); **disown, reject, repudiate** —*someone* (*as an associate or authority*) NT. —*one's handwriting, a will, legal guarantee* Hyp. D. —*one's good qualities* Arist.; **disregard** —*oneself* (*so as to follow Jesus*) NT.; **renege on** —*contracts, decisions* E.*fr.* Ar.
ἄρνεσσι (ep.dat.pl.): see ἀρήν
ἀρνευτήρ ῆρος *m.* [pop.etym. ἀρνειός] **diver** (fig.ref. to a person falling to his death) Hom.
ἀρνήσιμος ον *adj.* [ἄρνησις] (of information) **deniable** S.
ἄρνησις εως *f.* [ἀρνέομαι] **1 act of denial, denying** (sts. W.GEN. of a charge) A. E. Plu.; **denial** (ref. to a written statement) Pl.
2 opportunity to deny, denying S.; (w. τὸ μή + INF. *that sthg. is the case*) D.
3 act of refusing, refusing (of a request) Plu.
ἀρνίον ου *n.* [dimin. ἀρήν] **young sheep, lamb** Lys.; (gener.) **sheep** NT.
ἀρνός (gen.): see ἀρήν
ἄρνυμαι *mid.vb.* | imperatv. ἄρνυσο | fut. ἀροῦμαι, dial. ἀρέομαι ‖ AOR.2: ep. ἀρόμην, 3sg. ἤρετο | ep.2sg.subj. ἄρηαι, 3sg. ἄρηται | opt. ἀροίμην | inf. ἀρέσθαι | ptcpl. ἀρόμενος |
1 gain, obtain, get —*a wife* Sapph. —*a rescuer* S. —*glory, honour, wealth, a prize, or sim.* Hom. Hes. Xenoph. A. Pi. + —*recompense, justice* Il. S. —*knowledge* (*of sthg.*) S. —*a reputation for boldness or cowardice, a life of shame* Pi. S. Pl.; **accept** —*rule* (*over an island, fr. Zeus*) Od.; **take** —*an opportunity to escape* S.
2 (of contestants) **gain, take** (as a prize) —*a woman, horse* Il.; (of men, horses) **win** —*prizes* Il. —*a victory* Hes. Xenoph. S.; (of runners) **compete for** —*a prize* Il.; (gener., of persons) **strive** or **contend for** —*one's reputation, life* Hom.
3 receive —*a wound* Il. —*a punishment, harm* (*as a penalty*) E. AR.; (of Delphi) **acquire** —*pollution* A.
4 earn —*a wage, gratitude* Il. Pi. Pl. Arist.
5 (of a ship) **take up, bear** —*a cargo* Il.
ἄρξευμαι (dial.fut.mid.): see ἄρχω
ἀρόμενος (aor.2 mid.ptcpl.), **ἀρόμην** (ep.aor.2 mid.): see ἄρνυμαι
ἄρον (aor.imperatv.): see αἴρω

ἄρος εος *n.* [perh.reltd. ἄρνυμαι] **help** or **protection** (offered by the statue of a god) A.(dub.)
ἄροσα (dial.aor.): see ἀρόω
ἄροσις ιος *Ion.f.* [ἀρόω] **ploughland** Hom. AR.
ἀροτήρ ῆρος *m.* **1 ploughman** Il. Hes. E. Call. AR.; (opp. a nomad) Hdt.; (fig., ref. to a father) E.
2 plougher (appos.w. βοῦς *ox*) Hes. Plu.
ἀρότης ου (Ion. εω), dial. **ἀρότᾱς** ᾱ *m.* **1 ploughman** Pi. Hdt.; (W.GEN. of the Muses, fig.ref. to a poet) Pi.; (fig., W.GEN. of the sea, ref. to a fisherman) Call.
2 plougher (appos.w. βοῦς *ox*) AR.
ἄροτος ου *m.* **1 arable land** Hdt.; (specif.) **field** Od.; (ref. to the site of a battle, envisaged as harvested by Ares) A.
2 crop, harvest S. E.; (fig., w.GEN. consisting of children) E.
3 activity of ploughing, ploughing Hes. Thgn. Hdt. E. AR.; (fig., ref. to procreation by a male) E. Pl. Men.
4 season for ploughing, plough-season Hes. Ar.; (gener., ref. to a year) S.
ἀροτρεύς έως (dial. έος) *m.* **ploughman** Hellenist.poet.
ἀροτριάω *contr.vb.* | ep.dat.ptcpl. (w.diect.) ἀροτριόωντι | (of persons) **plough** Call. NT.
ἄροτρον ου *n.* **plough** Hom. +
ἀροῦμαι (fut.mid.): see ἄρνυμαι
ἀροῦμαι (fut.mid.): see αἴρω
ἄρουρα ᾱς (Ion. ης) *f.* [ἀρόω] **1 arable land, farmland, ploughland** Il. Hes. Lyr. A.*fr.* Hdt. +
2 (sg. and pl.) **field** Hom. Hes. Lyr. Hdt. S. +; (fig., ref. to a woman, her womb) Thgn. Pi. Trag. Pl.; (ref. to human marrow in which divine seed is planted) Pl.
3 estate (ref. to a person's ancestral home) Od. Pi.
4 (gener.) **ground, earth** Hom. Hes. Tyrt.; **soil** A. Pi. S.
5 land (opp. sea) Hom.; **region** Od. Pi. AR.
6 aroura (a measure of arable land in Egypt, comprising 100 square cubits) Hdt.
ἀρουραῖος ᾱ ον *adj.* **1** of or from ploughland; (of a mouse) of the fields, **field** Hdt. Ar.; (of a goddess) **of a farm** Ar.
2 in the countryside (opp. the city); (of landowners) **rural** Plu.; (of a role in a tragedy, i.e. one not performed at the City Dionysia) D.
ἀρόω *contr.vb.* | ep.inf. ἀρώμεναι (Hes.) | aor. ἤροσα, dial. ἄροσα, ep.inf. ἀρόσσαι ‖ PASS.: aor. ἠρόθην | Ion.pf.ptcpl. ἀρηρομένοι | **1** (of persons or oxen) **plough** Od. Hes. Scol. Hdt. Ar. Pl. + —*farmland, a region* Hes. Tyrt. Pratin. E.*fr.* X. +; (intr., fig., of the Muses, envisaged as preparing the ground for a poet) Pi.; (of fishermen) —*the sea* E.*fr.* ‖ PASS. (of land) be ploughed Il. Hdt. +; (of a furrow) AR.; (fig., of the sea) A.
2 sow seed Call. —w. εἰς + ACC. *in a garden* Pl.; (fig., of a man) **plant seed in** —W.ACC. *a field* (fig.ref. *to a woman's womb*) Thgn. —*a woman* S. ‖ PASS. (fig. of a person) be sown (i.e. conceived) S.
ἁρπάγδην *adv.* [ἁρπαγή] **with a sudden grasp** or **snatch** AR.
ἁρπαγή ῆς, dial. **ἁρπαγά** ᾶς *f.* [ἁρπάζω] **1** (sg. and pl.) **act of plundering** (a location, esp. by soldiers), **plundering, robbery** Sol. A. Hdt. E. Th. Ar. +; **foraging** (for supplies, by soldiers) Th.
2 (sg. and pl.) **act of taking by violence, robbery, theft** (of an item, money, property) Hdt. E. Isoc. Pl. Plb.
3 abduction (of a person) A. Hdt. E. Isoc. +; (pl. for sg.) Hdt. E.
4 (sg. and pl.) **stealing** (of other men's wives, ref. to seduction) And.; **rape** (of boys, by men) Plb.
5 (sg. and pl.) **ravaging** (of persons, by birds of prey) A.; (of a people, by the Sphinx) E.; (by daimons, ref. to the destruction of land) E.

6 that which is seized, **plunder** (ref. to treasure, property, slaves) A. Th. X. +; **prey** (for hounds or beasts, ref. to a person) A. E.
7 greediness (for food and drink) X. NT.
ἁρπάγη ης *f.* **1 hook** (for drawing a bucket fr. a well) Men.
2 app. **rake** E.*Cyc.*
ἁρπάγιμος ᾱ ον *dial.adj.* (of women) **abducted** (by a god) Call.
ἅρπαγμα ατος *n.* **act of embezzlement** Aeschin.
ἁρπάζω *vb.* | fut. ἁρπάσω, ep. ἁρπάξω, Att. ἁρπάσομαι | aor. ἥρπασα, ep. ἥρπαξα, dial. ἅρπασα | pf. ἥρπακα ‖ PASS.: pf. ἥρπασμαι | aor. ἡρπάσθην, also ἡρπάχθην (Hdt.) | **1** quickly take hold; **grab, seize** —*a spear* (W.PREP.PHR. *fr. someone's body*) Il. —*an object, a quantity of sthg.* Il. Hes. Pi. S.*fr.* + —*the reins of one's horses* E. —*an idea, opportunity, wealth, honour* Hdt. S. E. Pl. X. +; (intr., of a greedy person) **snatch at** (food) Pl.
2 grab, grasp —*someone* S. E. Men. NT. —(W.ADJ. *around the middle*) Hdt. D. —(W.GEN. *by the ankle*) E.*Cyc.*; (of soldiers) **arrest** —*someone* NT.; **capture** —*a location* X.
3 (wkr.sens.) **take up** (in one's arms) —*a baby* E.; **obtain** —*a desired item* Pl. X. ‖ PASS. (of gold) be obtained Hdt.
4 (of a horse) **grasp** —*its bit* X.; (of a bird of prey) **snatch up** —*an animal, bird, corpse* Hom. S. Ar. —*money* Ar.; (of Harpies) —*food* Ar.; (of the Devil, envisaged as a bird) —*seed* NT.; (of predators) —*animals, their own young* Il. Hdt. NT.; (of a dog) —*someone's dinner* Ar. ‖ PASS. (of persons, animals) be carried off Hdt. E. X.
5 snatch away —*animals, objects* (sts. W.GEN. or PREP.PHR. *fr. a person, a location*) Il. Hdt. Th. Ar. X. +; (fig., of a chasm in the ground) **swallow** —*someone* E. ‖ PASS. (of a person) be snatched away —W.PREP.PHR. *fr. someone, hands* E.; (of horses, items) Hdt. X.
6 snatch up (so as to rescue or relocate) —*someone* Pi. E. NT.
7 (of a wind, wave, river) **snatch away** —*someone* Od. A. E.*Cyc.* X.; (of the sea) —*clothing* E.
8 abduct, kidnap —*a woman* Il. Hdt. E. And. + —*a man, child* E.; (of a god) —*half of a man's soul* Call.*epigr.*; (of a god, nymph, wind) **snatch up and away** —*a child* Od. Hes. Thgn. Pi. Pl. + ‖ PASS. (of persons, esp. women) be abducted Hdt. E. Isoc. Pl. X. +
9 steal —*money, a weapon, slaves, or sim.* Thgn. X. Is. D.; (fig., of a ship) —*someone's beloved* Call.; (intr.) **commit robbery** S. Ar. Pl. +; (wkr.sens.) **be rapacious** D. ‖ PASS. (of a city's funds) be stolen Lys.
10 plunder S. Th. Ar. Att.orats. + —*allies, a region, kingdom* X. D. NT.; **take as plunder** —*items* (sts. W.GEN. or PREP.PHR. *fr. someone, a location*) Hdt. X. D.; (intr., of wolves) **raid** X. ‖ PASS. (of items) be taken as plunder X. Men.
11 (fig.) **captivate** —*a man's eyes* Call. —*a woman's gaze* AR. —*a man* Plu.; (of fear, anger) **overpower** —*a person, tongue* A. Ar.
ἁρπακτήρ ῆρος *m.* **pillager** (of livestock) Il.
ἁρπακτής οῦ *m.* **snatcher** (of the living, ref. to Hades) Call.*epigr.*
ἁρπακτός ή όν *adj.* **1** (of wealth) **to be snatched** (by humans, opp. bestowed by the gods) Hes.
2 (of sailing in spring) **snatched, taken hurriedly** Hes.
ἁρπακτύς ύος *f.* **abduction** (of a nymph, by a god) Call.
ἁρπαλέος ᾱ (Ion. η) ον *adj.* **1** (of love, youthful charms) **attractive, appealing** Mimn. Thgn.
2 (of profits, a gift) **coveted** Od. Pi.
—**ἁρπαλέως** *adv.* **1 ravenously** —*ref. to eating* Od. AR.
2 eagerly Thgn. B. Ar.

3 gladly —*ref. to sleeping after toil* Mimn. —*ref. to exulting* AR.
ἁρπαλίζω *vb.* **eagerly welcome** —*a city's ruin* A.; **greet** (news) —W.DAT. *w. wailing* A.
ἅρπαξ αγος *masc.fem.adj.* **1** (of persons) **rapacious, greedy** X.; (of wolves) **ravenous** NT.; (fig., of a plague) Call.
2 ‖ MASC.SB. **robber** Ar. X. NT.; **plunderer** (of public funds) Ar.
3 ‖ FEM.SB. (personif.) **Acquisitiveness, Snatch** Hes.
ἁρπάξ-ανδρος ᾱ ον *adj.* [ἀνήρ] (of the Sphinx) **man-snatching** A.
ἅρπασμα ατος *n.* **1** that which an animal seizes, **quarry** Pl.
2 result of seizing (money), **embezzlement** Men.
3 seizure (of a hostage, by a raiding-party) Plu.
ἅρπασος ου *m.* [reltd. ἅρπη] bird of prey, **snatcher** Call.
ἁρπεδόνη ης *f.* **1 snare** or **trap** (for catching a deer) X.
2 strand of thread (in a linen cuirass) Hdt.
ἅρπη ης *f.* **1** bird of prey, **snatcher** (prob. ref. to the lammergeier) Il.
2 tool for harvesting, **sickle** or **scythe** Hes. E. AR.
ἁρπίς (unless **ἁρπίς**) ῖδος *f.* | ep.dat.pl. ἁρπίδεσσι | a kind of footwear, **sandal** Call.
Ἅρπυια ᾱς (Ion. ης) *f.* [ἁρπάζω] **1 Snatcher** (a female daimon, assoc.w. storms and whirlwinds) Od. Hes. Thgn.
2 Harpy (a female bird-monster, assoc.w. Zeus) Ar. AR.; (fig., ref. to a tax collector) Plu.
—**ἅρπυια** ης *Ion.f.* **snatcher** (epith. of the mother of the horses of Achilles) Il.
Ἀρραβίᾱ *dial.f.*: see under Ἄραψ
ἀρραβών ῶνος *m.* [Semit.loanwd.] **deposit, down-payment** Is. Arist.; **advance** (of money, ref. to a bribe) Plu.
ἀ-ρραγής ές *adj.* [privatv.prfx., ῥήγνυμι] (of armour) **not broken** (by a projectile) Plu.
ἄ-ρρατος (or **ἄρρᾱτος**) ον *adj.* (of persons) **tenacious, resolute** Pl.
ἀρρενωπίᾱ ᾱς *Att.f.* [ἀρρενωπός] **masculinity** (in conduct) Pl.
ἀρρεν-ωπός όν *Att.adj.* [ἄρσην, ὤψ] with a masculine appearance; (of a characteristic) **manly** Pl. ‖ NEUT.SB. strong masculinity in facial features Plu.
ἄ-ρρηκτος ον *adj.* [privatv.prfx., ῥηκτός] **1** (of bonds, knots) **unbreakable** Hom. Semon. A. AR. Plu.; (fig., of a close-knit band of soldiers) Plu.; (of oaths) AR.
2 (of a person, body, neck, heart) **invulnerable** Pi. AR. Theoc.
3 (of a wall, city, house) **unbreachable** (by weapons) Hom. Hes.; (of a shield, crocodile skin) A. Hdt. S.; (of the body of a bronze giant) AR.; (of a cloud) Il.
4 (of a person's voice, its pitch) **unbreakable, unflagging** Il. Plu.
5 (of hail) **hard as iron** Theoc.
—**ἀρρήκτως** *adv.* **unbreakably** —*ref. to making a resolution* Ar.
ἄρρην *Att.adj.*: see ἄρσην
ἀρρηνής ές *adj.* (of a dog) **growling** or **fierce** Theoc.
ἄ-ρρητος ον (also dial. ᾱ ον E.) *adj.* [privatv.prfx., ῥητός]
1 (of a speech, warnings, words) **not said** (i.e. kept to oneself) Od. S.; (of topics) **not discussed** (yet) X. Plu.; (of verses) **not spoken** (previously) B.*fr.*; (of a person's words) **retracted** Pl. Aeschin.
2 (of persons) not mentioned, **unsung, uncelebrated** Hes.; (of a son, source of help, message) **kept secret** Call. AR. Plu.
3 not to be mentioned (out of sanctity); (of rituals, rites, sacrifices, knowledge) **to be kept secret** Lyr.adesp. Hdt. E. Ar. X. +; (of the Maiden Persephone) **not to be named** E.; (of a mother of Dionysus) Plu. ‖ NEUT.PL.SB. secret rites E.

ἀρρηφορέω

4 not to be mentioned (out of propriety); (of events, deeds, messages, or sim.) **unspeakable, outrageous** S. E. D. Plu.; (of words, insults) **obscene** D.; (of a person's sexual behaviour) **shameful** Plu.
5 (of the Form of Not-Being) **impossible to express** Pl.
6 (of numbers) **irrational** Pl.

ἀρρηφορέω (unless **ἐρρηφορέω**) *contr.vb.* | *impf.* ἠρρηφόρουν | **be an arrephoros** (one of two girls who supervised the weaving of the peplos for the Panathenaia) Ar.

ἀρρηφορία (v.l. **ἐρρηφορία**) ᾱς *f.* **procession of the arrephoroi** (at Athens) Lys.

ἄ-ρρῑς ῑνος *adj.* [privatv.prfx., ῥίς] (of hounds) **without a good nose, with no sense of smell** X.

ἄρριχος ου *f.* wicker basket, **basket, hamper** Ar.

ἀρρυθμέω *contr.vb.* [ἄρρυθμος] (of songs) **be out of rhythm** —W.DAT. *w. the metre* Pl.

ἀρρυθμία ᾱς *f.* **lack of rhythm** or **harmony** (in someone's manners) Pl.

ἀ-ρρύθμιστος ον *adj.* [privatv.prfx., ῥυθμίζω] (of a primary material) **unstructured** Arist.

ἄ-ρρυθμος ον *adj.* [ῥυθμός] **1** (of a style of diction) **not rhythmical** or **metrical** Arist.; (fig., of Eros) without due measure and order, **discordant** E. || NEUT.SB. lack of rhythm Pl.
2 (of a body) **ill-proportioned** X.; (of entertainment) **badly organised** Men.
—**ἀρρύθμως** *adv.* **with poor timing, not gracefully** Plu

ἀ-ρρῡσίαστος ον *adj.* [ῥῡσιάζω] (of persons) **not to be seized in reprisal** A.

ἀρρωδέω *Ion.contr.vb.*, **ἀρρωδίη** *Ion.f.*: see ὀρρωδέω, ὀρρωδίᾱ

ἀ-ρρώξ ῶγος *masc.fem.adj.* [privatv.prfx., ῥήγνῡμι] (of ground) **unbroken** (by agricultural tools) S.

ἀρρωστέω *contr.vb.* [ἄρρωστος] (of persons) **be unwell** X. Is. D. + —W.COGN.ACC. *w. a certain ailment* Arist.

ἀρρώστημα ατος *n.* **1 ailment** Hyp. D. Arist. +
2 infirmity (of character, ref. to greed) Plu.

ἀρρωστίᾱ ᾱς *f.* **1 lack of strength; weakness** Th.; **infirmity, ill-health** (of a person's body) Isoc. D. Plb. Plu.; **ailment, illness** Att.orats. X. Thphr. +; (fig., suffered by a city) Plu
2 period of infirmity, **illness** Hyp. Plb. Plu.; (fig., ref. to tyranny) Plu.
3 weakness (in a person's character) Plu.
4 lack of power, **incapacity** (w. τοῦ + INF. for doing sthg.) Pl.
5 lack of enthusiasm (w. τοῦ + INF. for doing sthg.) Th.

ἄ-ρρωστος ον *adj.* [privatv.prfx., ῥώννῡμι] **1** (of persons, their nature) without strength, **weak, infirm** Isoc.
2 unwell, sick Plb. NT.
3 weak (W.ACC. in one's soul) X.; (of a soul) **ailing** X.
4 without eagerness, **reluctant** Th.
—**ἀρρώστως** *adv.* **in an ailing way** Att.orats. Plu.

ἀρσάμενος (aor.mid.ptcpl.), **ἄρσᾱς**[1] (aor.ptcpl.): see ἀραρίσκω

ἄρσᾱς[2] (aor.ptcpl.): see ἄρδω

ἀρσενικός ή όν *adj.* [ἄρσην] of the male kind; (of the fire of passion) **for a boy** Call.*epigr.*

ἀρσενο-γενής ές *adj.* [γένος, γίγνομαι] (of insolent acts) **male-generated** A. [or perh., of a family line *male-born*, i.e. *male*]

ἀρσενο-πληθής ές *adj.* [πλῆθος] (of a crowd, envisaged as a swarm) **full of men** A.

ἄρσετε (2pl.aor.imperatv.): see ἀραρίσκω

ἄρση (3sg.aor.subj.): see ἄρδω

ἄρσην, Att. **ἄρρην**, Ion. **ἔρσην**, εν, gen. ενος *adj.* **1** of the male sex; (of gods, humans, their offspring, a foot, body, or sim.) **male** Il. Hes. Hdt. Trag. Ar. Att.orats. +; (of part of a population, opp. female) Pl. X. AR. || MASC. or NEUT.SB. **male** or **man** (sts.ref. to a husband or father) Parm. Hdt. Trag. Th. +; **boy** (sts.ref. to a son) Hdt. Is. +; male part (of an androgyne) Pl. || NEUT.SB. male sex X.; masculinity E. Pl.
2 (of animals, birds, fish) **male** Hom. +; (of plants) Hdt. || MASC. or NEUT.SB. male (in a herd, flock, or sim.) Od. Hdt. X. Arist.
3 with characteristics seen as typically male; (of a woman's mind) **manly** E.; (of unscented oil, used by athletes) Call.; (of styles of music) **masculine** (w.connot. of being loud and vigorous) Ar.; (of a tree) **sturdy** S.; (of the sound of waves) **mighty** S.
4 (gramm., of a word, noun, proper name) **masculine** Ar.

ἀρσίπους *masc.fem.adj.*: see ἀερσίπους

ἄρσις εως *f.* [αἴρω] **raising** (of a machine, by means of ropes) Plb.

ἄρσον (aor.imperatv.): see ἀραρίσκω

ἀρτάβη ης *f.* [Iran.loanwd.] **artaba** (a Persian dry measure) Hdt.; (in Egypt) Plb.

ἀρταμέω *contr.vb.* [ἄρταμος] **1 cut into pieces** —*a sacrificial bull* E.; (of horses) **tear apart** (w. their jaws) —*men* E.
2 slaughter —*travellers* (W.DAT. *w. a bow*) A.*fr.*

Ἄρταμις *dial.f.*: see Ἄρτεμις

ἄρταμος ου *m.* **butcher** or **cook** X.

ἀρτάνη ης *f.* [ἀρτάω] rope for hanging (a person), **halter** A. S.

ἀρτάω *contr.vb.* | *pf.pass.*: Ion.3pl. ἀρτέαται, *ptcpl.* ἠρτημένος | **1 suspend** —*beams, a cauldron* (W.PREP.PHR. *fr. sthg.*) Th.; (of a charioteer) **let** (W.ACC. his body) **hang** —W.ADVBL.PHR. *backward* (W.DAT. *on the reins*) E. || PASS. (of objects) be suspended or hung (usu. W.DAT. or PREP.PHR. *fr.* or *by sthg.*) E. Ar. X.; (of a chain, rope) Pl. X.; (fig., of vices) be derived —w. ἐκ + GEN. *fr. bribe-taking* D.; (of a type of friendship) —*fr. another kind* Arist.
2 fasten, tie —*stones* (*to inflated wine-skins*) X. || PASS. (of equipment) be tied —W.DAT. *to men or horses* X.; (fig., of persons) be attached (to an empire) —w. ἀπό + GEN. *by a thread* (fig.ref. *to a governor*) Plu.
3 hang —*one's neck* (*in a noose*) E. || MID. **hang oneself** —W.DAT. *w. a noose* E. || PF.PASS. (of a person) be hanged —w. ἐν + DAT. *in a noose* E.
4 || MID. (of persons, their success) **depend** —w. ἐκ + GEN. *on someone* Hdt.; (of a place, its safety) —*on someone or sthg.* Hdt. X.; (of the universe and nature) —*on a first principle* Arist.; (of conclusions) —*on a premise* Pl.; (of all objects studied by a science) —*on its fundamental concern* Arist.

ἀρτεμής ές *adj.* (of persons) **unharmed, safe and sound** Hom. Hippon.(cj.) Sapph. Call. AR.; (as a supposed etymology, for the name Ἄρτεμις) Pl.

Ἄρτεμις, dial. **Ἄρταμις** (Alcm. Stesich.), also **Ἄρτιμις** (Tim.), ιδος (also ιτος Alcm.) *f.* | acc. Ἄρτεμιν, also Ἀρτέμιδα (hHom.) | voc. Ἄρτεμι | **Artemis** (Olympian maiden archer-goddess, sister of Apollo, assoc.w. hunting and childbirth, sts. assoc.w. Delos) Hom. +; (assoc.w. Ephesus) Tim. X. Men. NT. Plu.; (assoc.w. rivers) Pi.; (assoc.w. bearing light or w. the moon) S. E. Call.; (perh. identified w. Hekate) A.

—**Ἀρτεμίσιον**, dial. **Ἀρταμίτιον** (Ar.), ου *n.* **1** sanctuary of Artemis, **Artemision** Hdt. Plb.
2 Artemision (promontory on the Euboean coast, site of a naval battle in 480 BC) Hdt. Th. Ar. Att.orats. Pl. Plu.

—**Ἀρτεμίσιος** ου *m.* **Artemisios** (name of a month in Sparta and Macedonia, sts. appos.w. μήν) Th. Plu.

ἀρτέμων ωνος *m.* [ἀρτάω] a kind of sail; app. **foresail** NT.
ἀρτέομαι *mid.contr.vb.* [ἄρτι, ἀραρίσκω] **prepare oneself** —W.INF. *to do sthg.* Hdt. —W.ACC. *for a battle* Hdt. —W.PREP.PHR. *for war* Hdt.
ἄρτημα ατος *n.* [ἀρτάω] that which is suspended from or attached to a cord or rope; **earring** Hdt.; **buoy** Plu.
ἀρτηρίᾱ ᾱς *f.* [αἴρω] **windpipe** (into the lungs or the stomach) Pl.; **nostril** (of a horse) E. ‖ PL. **bronchial tubes** (W.GEN. of the lungs) S.
ἄρτησις ιος *Ion.f.* [ἀρτέομαι] **apparel** Hdt.(v.l. ἄρτισις)
ἄρτι *adv.* [ἀραρίσκω] **1 just now, just recently, lately** Scol. Hdt. S. E. Th. +; **right now** or **only just** Thgn. Pi. Trag. Ar. Isoc. +; (phrs.) ὡς ... ἄρτι *as soon as ...* Theoc.; ἐν τῷ ἄρτι *a moment ago* Pl.; ἀπ' ἄρτι *right now* NT.
2 at this late time, only now, at last, too late (esp. in the ctxt. of learning sthg.) S.*Ichn.* E. Ar. X. +
3 right away, at once Men. NT.; **soon** X.
4 at present Theoc. NT.; (phrs.) ἕως ἄρτι *until now* NT.; ἀπ' ἄρτι *from now on* NT.
ἀρτιάζω *vb.* [ἄρτιος] **play at odds-and-evens** —W.DAT. *w. coins, knucklebones* Ar. Pl.
ἀρτιάκις *adv.* **by an even number** or **by an even number of times** —ref. *to multiplying* Pl.
ἀρτιασμός οῦ *m.* **odds-and-evens** (a kind of game) Arist.
ἀρτί-γαμος ον *adj.* [ἄρτι, γάμος] (of girls) **just married** A.*fr.*
ἀρτι-γλυφής ές *adj.* [γλύφω] (of a statue) **newly carved** Theoc.*epigr.*
ἀρτί-γομφος ον *adj.* [γόμφος] (of slats) **tightly fastened in** S.*Ichn.*(cj.) | see ἐνήλατα
ἀρτί-δακρυς υ *adj.* [δάκρυ] **close to tears** E.
ἀρτι-επής ές *adj.* [ἄρτιος, ἔπος] —also **ἀρτιέπεια** ης (Hes.) *ep.Ion.fem.adj.* **1 ready with words**; (of a person or voice) **articulate** Simon. Pi.; (of the Muses) Hes.
2 (pejor., of persons) **glib** or **ranting** Il.
ἀρτίζομαι *mid.vb.* (of nymphs) bring into order, **array, organise** —*their dancing* Theoc.
ἀρτιζυγίᾱ ᾱς *f.* [ἄρτι, ζυγόν] **recent union** (W.GEN. w. husbands, abstr. for concr., i.e. recently wedded husbands) A.
ἀρτι-θανής ές *adj.* [θνήσκω] (of a person) **recently deceased** E.
ἀρτί-κολλος ον *adj.* [ἄρτιος, κόλλα] **1 glued closely**; (of a tunic smeared w. a poisonous substance) **clinging closely** (to its wearer's body) S.; (fig., of arrangements) **well fitted together** A.
2 (quasi-advbl., of a person arriving) **at exactly the right time** (W.INF. to learn sthg.) A.(dub.)
ἀρτικροτέομαι *pass.contr.vb.* [κρότος] (fig., of the two elements of a plot) **be hammered tightly together** (by a tragedian) Arist.
ἀρτι-μαθής ές *adj.* [ἄρτι, μανθάνω] (of a person) having recently learned, **newly aware** (W.GEN. of troubles) E.
ἀρτι-μελής ές *adj.* [ἄρτιος, μέλος] (of persons) **sound-limbed** Pl.
Ἄρτιμις *dial.f.*: see Ἄρτεμις
ἄρτιος ᾱ (Ion. η) ον *adj.* [ἄρτι] **1** (of things) **well matched** or **closely fitting** (w. other things); (of benefits, thoughts, circumstances) **appropriate** Eleg. Pi. E.; (of words) **suited** (W.DAT. to one's thoughts) Hom.; (of the way in which a person thinks) **harmonious** (W.DAT. w. one's comrade) Hom.
2 (of a mind) **sane, sound** Eleg.
3 (of persons) **prepared, ready** (W.INF. to do sthg.) Hdt.

4 (of a number) **even** Pl. Arist. Plu.; (of persons, items) **even** (in number), **paired** Pl. X. ‖ NEUT.SB. **evenness** Pl. Arist.
ἀρτιότης ητος *f.* **evenness** (as a quality of a number) Arist.
ἀρτι-παγής ές *adj.* [ἄρτι, πήγνυμι] (of stakes for hunting nets) **recently set up** Theoc.*epigr.*
ἀρτί-πλουτος ον *adj.* [πλοῦτος] (transf.epith., of the possessions of a poor man) **newly rich** E.
ἀρτί-πους πουν, gen. ποδος, ep. **ἀρτίπος** ον *adj.* [πούς]
1 [ἄρτιος] (of persons) with strong feet, **sound-footed** Od. Hdt. Pl. Plu.; (of Ruin) **swift-footed** Il.
2 [ἄρτι] (quasi-advbl., of a person arriving) **with timely footsteps** S.
ἄρτισις *Ion.f.*: see ἄρτησις
ἀρτί-στομος ον *adj.* [ἄρτιος, στόμα] (of speech) **precisely spoken** Plu.
ἀρτι-τελής ές *adj.* [ἄρτι, τέλος] **newly initiated** (in a mystery rite) Pl.
ἀρτί-τομος ον *adj.* [τέμνω] (of a Gorgon's head) **newly severed** AR.
ἀρτι-τρεφής ές *adj.* [τρέφω] (transf.epith., of the screams of infants) **just nursed** (at their mothers' breast) A.
ἀρτί-τροφος ον *adj.* (of girls) only just reared, **scarcely of age** A.(cj.)
ἀρτι-φανής ές *adj.* [φαίνομαι] (of Dawn) **newly appearing** E.*fr.*
ἀρτί-φρων ον, gen. ονος *adj.* [ἄρτιος, φρήν] **1** (of persons) of sound mind, **sane, sensible** Od. E.
2 of an agile mind, **able-minded** (opp. physically strong) Pl.
3 conscious, aware (W.GEN. of sthg.) A.
ἀρτί-χειρ χειρος *masc.fem.adj.* [χείρ] (of children) with strong hands, **sound-handed** Pl.
ἀρτί-χριστος ον *adj.* [χριστός] (of a poisonous substance) **freshly smeared** (on clothing) S.
ἀρτίως *adv.* [ἄρτι] **just now, recently** Sapph. S. E. Ar. Pl. X. +
ἀρτο-κόπος ου *m.f.* [ἄρτος; reltd. πέσσω, πόπανον] **bread-baker, baker** (in an Oriental court) Hdt. X.; (at Athens) Pl.
ἀρτοποιίᾱ ᾱς *f.* [ἀρτοποιός] **bread-making** (as an industry) X.
ἀρτο-ποιός οῦ *m.* [ποιέω] **bread-maker, baker** X. Plu.
ἀρτο-πώλης ου *m.* [πωλέω] **bread-seller** Arist.
—**ἀρτόπωλις** ιδος *f.* female bread-seller, **bread-woman** Anacr. Ar.
ἀρτοπώλιον ου *n.* bread shop, **bakery** Ar.
ἄρτος ου *m.* **loaf of bread** (usu. made of wheat, sts. opp. μᾶζα *barley-cake*) Od. Hes. Xenoph. Lyr. Hdt. Lys. +; (sg.) **bread** (sts. meton.ref. to food or a meal) Sol. Hippon. Hdt. Th. Ar. X. +
ἀρτοσῑτέω *contr.vb.* [σῖτος] **eat wheat bread** X.
ἀρτοφαγέω *contr.vb.* [φαγεῖν] **eat bread** Hdt.
ἀρτῦναι ῶν *m.pl.* [ἀρτύνω] **artynai** (magistrates at Argos and Epidauros) Th.
ἀρτῡνω *vb.* [ἀρτύω] | fut. ἀρτυνῶ, Ion. ἀρτυνέω | aor. ἤρτῡνα ‖ MID.: aor. ἠρτυνάμην ‖ PASS.: aor. ἠρτύνθην, ep. ἀρτύνθην | **1 prepare** —*gifts, help, an ambush, a battle* Od. AR.; **arrange** —*soldiers, dancers* Il. hHom. ‖ MID. **fit** —*oars* (sts. W.PREP.PHR. *into their leather thongs*) Od. AR. ‖ PASS. (of a battle, i.e. its participants) **be set ready** Il.
2 contrive —*lies, death* Od.; (mid.) —*a plan, treachery* Il. AR.
3 ‖ MID. **equip oneself** (for a contest) AR.
ἄρτυς υος *f.* **covenant** or **treaty** (betw. peoples) Call.
ἀρτῡω *vb.* [ἀραρίσκω] | impf. ἤρτυον, dial. ἄρτυον | fut. ἀρτύσω | aor. ἤρτῡσα ‖ 3sg.fut.pass. ἀρτυθήσεται (NT.) |
1 make ready, arrange —*a marriage, murder, scheme, or sim.* Od. Hdt. Call. Plb.; **fashion** —*parts of a tripod* Il.

2 season —*a meal* Arist. ‖ PASS. (of salt that has lost its flavour) **be seasoned** NT.

ἀρύβαλλος ου *m.* a kind of flask, **decanter** Ar.

ἀρύσσομαι *mid.vb.* [ἀρύω] **draw** —*liquids* (W.PREP.PHR. *fr. a well*) Hdt.

ἀρυστήρ ῆρος *m.* | ep.dat.pl. ἀρυστήρεσσι | **1 ladle** Alc. Call. **2 ladleful** (of wine, dregs) Semon. Hdt.

ἀρύστιχος ου *m.* [dimin.] **ladle-cup** (for soup) Ar.

ἀρύταινα ης *f.* **scoop** or **ladle** (for bathwater) Ar. Thphr.

ἀρύω *vb.* —also (pres.) **ἀρύτω** *Att.vb.* | impf. ἤρυον | aor. ἤρυσα ‖ MID.: Att. ἀρύτομαι, Aeol.masc.nom.pl.ptcpl. ἀρυτήμενοι | aor. ἠρυσάμην, ptcpl. ἀρυσάμενος, ep. ἀρυσσάμενος |
1 draw off (a liquid, w. a container); **draw wine** Hes. X.; (fig.) **draw inspiration** (fr. Zeus) Pl.; **draw out** —*a person's soul* (W.PREP.PHR. *fr. the chest*) AR. ‖ MID. **draw water** (fr. the sea, a river) Alc. X.; **draw wine** Pl.; **draw** —*a liquid* Simon. E. Pl. —W.PARTITV.GEN. *some wine or water* Alc. Ar.; (of Bacchants) —W.ACC. *honey and milk* (*fr. rivers*) Pl.; (fig.) **draw off** —*the wealth* (*of a people*) Plu.; **gather up** —W.PARTITV.GEN. *some sunlight* Hdt.
2 ‖ MID. (of a mist) **take up water** (into itself) —W.PREP.PHR. *fr. rivers* Hes.

ἀρχᾶ *dial.f.*: see ἀρχή

ἀρχᾱγέτᾱς *dial.m.*, **ἀρχᾱγός** *dial.m.*: see ἀρχηγέτης, ἀρχηγός

ἀρχᾶθεν *dial.adv.*: see under ἀρχή

ἀρχαικός (unless **ἀρχᾱικός**) ή όν *adj.* [ἀρχαῖος] (of thoughts) **old-fashioned** Ar.

—**ἀρχᾱικῶς** *adv.* **in an old-fashioned way** Arist.

ἀρχαιό-γονος ον *adj.* [γόνος] (of the Erekhtheids) **of ancient ancestry** S.

ἀρχαιολογέω *contr.vb.* [λόγος] **say the old commonplaces** (before a battle) Th.

ἀρχαιολογίᾱ ᾱς *f.* **1 ancient lore** Pl.
2 ancient history Plu.

ἀρχαιο-μελι-σῑδωνο-φρῡνιχ-ήρατος ον *adj.* [μέλι, Σῑδών, Φρύνιχος, ἐρατός] (of songs, fr. the *Phoenician Women* by the early tragedian Phrynichus) **lovely old-timey honey-sweet Sidono-Phrynichan** Ar.

ἀρχαιό-πλουτος ον *adj.* [πλοῦτος] (of persons, a palace) **of ancient wealth, ancestrally rich** A. S. Lys. Arist.

ἀρχαιο-πρεπής ές *adj.* [πρέπω] (of honour, ancestral ways) **of ancient eminence, venerable** A. Pl.

ἀρχαῖος ᾱ (Ion. η) ον *adj.* [ἀρχή] **1** such as existed at the beginning (of time); (of gods, Zeus' laws) **primeval, primordial** A. Pi.*fr.* S. Call.; (of darkness) S.; (of the stars) Call.
2 such as existed at the earliest time; (of an ancestor) **original** A.; (of an attribute of a goddess) S.; (of clothing) Hdt.; (of a language, a writing style) Hdt. Arist. ‖ NEUT.SB. **earliest period** Hdt.
3 such as existed in an earlier time; (of persons, generations) **ancient, of long ago, in the past** A. Hdt. S. Ar. +; (of a territory, city) Hdt. Ar. +; (of circumstances, events, achievements) Pi. S. Att.orats. ‖ MASC.PL.SB. **ancestors** Ar. Att.orats. +; **predecessors** Arist. ‖ NEUT.SB. **antiquity** Th. ‖ NEUT.PL.SB. **ancient times** Th. Call.; **ancient events** Th. D.
4 (of the condition of flesh, before being afflicted w. disease) **original** A.
5 such as originated at an earlier time; (of gods, families, races) **ancient** Hdt. And. Ar. Pl. +; (of cities, structures) A. Lyr. Hdt. +; (of monuments, sanctuaries, festivals, legends, laws, customs) Pi. Hdt. Trag. Th. Ar. +; (of inventions, coins, clothes) Pi. Ar.

6 old (in age); (of persons) **old** E. Ar.; (of a bush) Theoc.; (of a disease) **long-lived** Ar.
7 (of a monster, throne, pledge, custom) **venerable** A. S. Lys. Din. Call.
8 (pejor., of persons, their advice, a song, words) **old-fashioned, antiquated** A. Ar. Pl.
9 of the earliest time (in a given period or process); (of a disciple) **early** NT.; (of a legal charge) **first** Hdt. ‖ NEUT.SB. **original capital** X. Is. D.; **principal** (in a loan) Ar. D. ‖ NEUT.PL.SB. **original property** D.
10 such as comes from an earlier time (in one's life); (of a friend) **old** Dionys.Eleg. E.*Cyc.*; (of a gift, footwear) E. X.
11 such as belongs to an earlier time (in a given period); (of a servant, ruler, companion, nickname) **former, previous** Hdt. E. X. Aeschin. +; (of a position, height, course) Hdt.; (of days) NT.; (of fear, a speech, an opinion) A. Hdt.; (of the condition of persons, bodies, flesh) A. S. Pl. ‖ NEUT.SG. or PL.SB. **previous condition** Ar. Isoc. +

—**ἀρχαῖον** *neut.adv.* **1 from long ago** A.
2 in ancient times Hdt. Th.
3 previously, in the past Hdt. Th. +

—**ἀρχαίως** *adv.* **1 in an old style** Isoc. Aeschin.
2 in an old-fashioned way Pl. D. Arist.

ἀρχαιότης ητος *f.* **old-fashioned character** (of music) Pl.

ἀρχαιοτροπίᾱ ᾱς *f.* [ἀρχαιότροπος] **old-fashioned manner** (of behaviour) Plu.

ἀρχαιό-τροπος ον *adj.* [τρόπος] (of a people's habits) **old-fashioned** Th.

ἀρχαιρεσίη ᾱς, Ion. **ἀρχαιρεσίη** ης *f.* [ἀρχή, αἵρεσις] **selection of magistrates**; **electoral assembly** Hdt. Pl. Arist. Plb. Plu. ‖ COLLECTV.PL. **elections** (on one occasion) Att.orats. X. Arist. Plb. Plu.

—**ἀρχαιρέσια** ων *n.pl.* (collectv.) **elections** (on one occasion) Plb. Plu.

ἀρχαιρεσιάζω *vb.* **1** (of magistrates) **hold an election** Plu.
2 (of persons) **participate in an election** Plu.; **elect** —*a magistrate* Plu.
3 (of a candidate) **canvass for an election** Plb.; (of supporters) **campaign** —w. ὑπέρ + GEN. *on behalf of a candidate* Plu.

ἀρχε-δίκᾱς ᾱ *dial.masc.adj.* [ἄρχω, δίκη] (of persons) **ruling justly** or **by right** Pi.

ἀρχεθεωρίᾱ *f.*, **ἀρχεθέωρος** *m.*: see ἀρχιθεωρίᾱ, ἀρχιθέωρος

ἀρχεῖον ου *n.* [ἀρχή] **1 building for civic officials**; **government hall** Att.orats. X. Plb. Plu.; **official residence** (of the Persian king) X. ‖ PL. **official buildings** (at Sparta, containing a common dining-hall) Arist.; **headquarters** (ref. to the *principia* in a Roman camp) Plu.
2 assembly or **board of magistrates** (esp. of the Spartan ephors) Arist. Plb. Plu. ‖ PL. **magistracies** (sts.ref. to magistrates) Arist. Plu.

ἀρχέ-κακος ον *adj.* [ἄρχω, κακός] (of Paris' ships) **originating disaster** (for the Trojans) Il.

ἀρχέ-λᾱος ου, dial. **ἀρχέλᾱς** ᾱ (Ar.) *m.* [λᾱός] | Ion.gen.pl. ἀρχελείων A.(dub.) | **leader of an army** A.; (as a comic title for a statesman) **chieftain** (W.GEN. of a people, the market-place, harbours, or sim.) Ar.

ἀρχέ-πλουτος ου *m.* [πλοῦτος] **master of one's wealth** S. [or perh. *founder of prosperity*]

ἀρχέ-πολις ιος *dial.masc.fem.adj.* [πόλις] (of a woman) **ruling a city** Pi.

ἀρχέτᾱς ᾱ *dial.m.* **1 leader, ruler** (ref. to a king or sim.) E.
2 ‖ ADJ. (of a throne) **of a ruler** E.

ἀρχεύω vb. [ἀρχός] **be the leader** —w.DAT. *of soldiers* Il. —w.GEN. *of an army* AR.

ἀρχέ-χορος ον adj. [ἄρχω, χορός] (of a footstep) **starting a dance** E.

ἀρχή ῆς, dial. **ἀρχά** ᾶς f. | The noun reflects the notion of *primacy* either in *being first* (1–8) or in *being chief* (9–12). |
1 beginning, start (W.GEN. of an event or situation) Hom. +; (of a friendship, ref. to a gift) Od.; (of a marriage, ref. to hands being clasped) E.; **opening** (of a song, speech, discussion, book) Terp. Pi.*fr.* Trag. Arist. NT.
2 foundation (for a song, course of action) Pi. D.; **cause** (of trouble or sim., sts.ref. to a person) A. E.; **source** (of afflictions) E.; (of motion, as a basic principle) Arist.
3 beginning (as a point in time, oft. in prep.phrs.), **earliest time, outset** Od. Hes. Eleg. Pi. Hdt. Trag. +
4 beginning (of all time, creation) Pl. X. NT.
5 beginning (of a piece of material); **end, extremity** (of a rope, cable) Hdt. E.; **corner** (of a cloth) NT.
6 original condition or **state** Sol. Ar. Pl.; **initial stage** (of a person's misfortune) E.
7 (philos.) **principle** (sts. W.GEN. of matter, generation) Arist.; (producing change) Arist.
8 principle (in a science, statesmanship, behaviour) D. Arist.
9 primacy (in a region or group of people); **authority, power** (sts. W.GEN. at sea, over a region or a people) Hdt. Trag. Th. +; **rule** (W.GEN. by a people, a demos) Isoc. X.; **magistracy** Hdt. S. E.*fr.* Th. Att.orats. +; **command** (of a ship or fleet) E. Th.; **regime** (in a city) A. Th.; **specific authority, prerogative** (of a ruler) S.
10 authority (ref. to a person who has command); **leader** (of an army, in a city) A. E.; **magistrate** Th. And.(decree) NT.; (collectv.sg.) **board of magistrates** Att.orats.
11 area of authority; realm, kingdom (W.GEN. of a god or ruler) Pi. Hdt. Th.; **empire** (sts. W.GEN. of a people) Th. Arist.; **province** (ref. to a satrapy) Hdt.
12 period of authority; reign (of a king) Hdt. S.; **term of office** (of a magistrate) Antipho

—**ἀρχῆθεν**, dial. **ἀρχᾶθεν** adv. **1 from the outset, in the first place** Pi. Hdt. Plb.
2 originally Hdt. Plb.
3 immediately Plu.

—**ἀρχήν** fem.acc.adv. **1 at first, at the outset, in the first place** Hdt. S. Th. Att.orats. +; (advbl.phr.) τὴν ἀρχήν *in the first place, in the beginning* Hdt. Th. Att.orats. +; τὰς ἀρχάς *at first* Plb.
2 at the earliest time Hdt.

ἀρχη-γενής ές adj. [γένος, γίγνομαι] (of words) **being the start** or **cause** (W.GEN. of weeping) A.

ἀρχηγετεύω vb. [ἀρχηγέτης] (of a god) **be the ruler** —W.GEN. *of the dead* Hdt.

ἀρχηγετέω contr.vb. **make a beginning** S.

ἀρχ-ηγέτης ου (Ion. εω), dial. **ἀρχᾱγέτᾱς** ᾱ m. [ἡγέομαι]
1 principal leader, chief, prince (of a region, a people) B. Hdt. Trag.; (ref. to a king in Sparta) Plu.(law)
2 original leader, founder (of a settlement) Pi. Pl. X. +; (appos.w. ἥρως *tutelary hero*) D.(oracle); (title of Apollo at Cyrene and at Naxos in Sicily) Pi. Th.; (Spartan title of Herakles or any of his sons) X.
3 instigator (W.GEN. of someone's fortune, ref. to a god) E.; **author** (W.GEN. of someone's birth, ref. to a father) E.(dub.)

—**ἀρχηγέτις** ιδος f. | dat. ἀρχηγέτῑ (Ar.) | **1 leader** (ref. to a capital city) Plb.
2 Foundress (Athenian title of Artemis and Athena) Ar. Plu.

ἀρχ-ηγός, dial. **ἀρχᾱγός**, οῦ m. (also f.) [ἄρχω, ἄγω]
1 instigator (W.GEN. of an event or situation) Att.orats. X. NT.; **founder** (of a science) Arist.; **initiator** (W.GEN. of evils, appos.w. λόγος *message* or νύξ *night*) E. Men.; (W.GEN. of benefits, appos.w. θάνατος *death*) Hyp.
2 chief (W.GEN. among the gods) B.; **ruler** (sts. W.GEN. of a people) E. Theoc. NT. Plu.; (appos.w. φῶς *man*) A.; **leader** (W.GEN. of an army) E. Th.(quot.epigr.) D.(quot.epigr.); (of a political club) X.
3 original leader or **founder** (sts. W.GEN. of a settlement, people, family) B. S. Isoc. Arist. +; (ref. to a goddess) Hdt.

—**ἀρχηγός**, dial. **ἀρχᾱγός**, όν adj. **1** (of honours) **of a ruler** E.
2 || NEUT.SB. **basic force** or **principle** (underlying things) Pl.

ἀρχῆθεν adv.: see under ἀρχή

ἀρχι-γραμματεύς έως m. **chief clerk** (in a royal court) Plb. Plu.

ἀρχίδιον ου n. [dimin. ἀρχή] **1** (derog.) **minor magistracy** Ar.
2 minor magistrate D.

ἀρχιερατικός ή όν adj. [ἀρχιερεύς] (of the family) **of the high priest** (in Jerusalem) NT.

ἀρχ-ιερεύς έως, Ion. **ἀρχιέρεως** εω m. [ἄρχω] **1 high priest** Hdt. Pl.; (in Jerusalem) NT.; *pontifex maximus* (at Rome) Plb. Plu.
2 priest of high rank; *pontifex* (at Rome) Plu.; **chief priest** (ref. to a member of the ruling council in Jerusalem) NT.

ἀρχ-ιερωσύνη ης f. **magistracy of the** *pontifex maximus*, **supreme pontificate** Plu.

ἀρχιθεωρέω contr.vb. [ἀρχιθέωρος] **be an embassy-leader** D.

ἀρχιθεωρία, also **ἀρχεθεωρία**, ᾱς f. **leadership of an embassy** Lys. Din.

ἀρχι-θέωρος, also **ἀρχεθέωρος**, ου m. [ἄρχω, θεωρός] **leader of a sacred embassy** (to Olympia, Delos, or sim.) And. Arist. Din.

ἀρχί-κλωψ ωπος m. [κλώψ] **chief robber** or **brigand** Plu.

ἀρχικός ή όν adj. [ἀρχή] **1 of the kind that has a position of authority;** (of a family) **royal** A. Th. Pl.; (of a person) **in authority** (sts. W.GEN. over people, a ship) Isoc. Pl. X.; (of excellence, a branch of knowledge) **sovereign** Arist.
|| NEUT.SB. **authority** (over an army) X.; (ref. to a father) Arist.
2 (of a man, a people) **inclined to rule, domineering** Isoc. Pl.
|| NEUT.SB. **domineering force** (ref. to a person's spirit) Arist.
3 (of kings, commanders, magistrates) **suited to ruling** X. Plu.; (of a bailiff) **able to govern** X.; (of the front of the human body) **fit to lead** Pl. || NEUT.SB. **aptitude for command** X. || NEUT.PL.SB. **ruling principles** (ref. to knowledge, opinion and reason) Pl.
4 (of activities or qualities) **characteristic of leadership** Arist.

ἀρχι-κυβερνήτης ου m. [ἄρχω] **chief pilot** (of a fleet) Plu.

Ἀρχίλοχος ου m. **Archilochus** (of Paros, early 7th-C. BC iambic and elegiac poet) Pi. Hdt. Pl. +

ἀρχί-μιμος ου m. [ἄρχω] **lead mime-actor** Plu.

ἀρχι-οινοχόος ου m. **chief cup-bearer** (to a king) Plu.

ἀρχι-πειρατής οῦ m. **pirate chief** Plu.

ἀρχι-συνάγωγος ου m. [συναγωγή] **leader of a synagogue** NT.

ἀρχιτεκτονέω contr.vb. [ἀρχιτέκτων] **1 be the chief constructor** or **commissioner** (for a civic building) Plu.; (fig.) **be foreman** (for a scheme) Ar.
2 || PASS. (of a house) **be built by a master builder** Thphr.

ἀρχιτεκτονικός ή όν *adj.* **1** (of a branch of knowledge) **of a master craftsman** Pl.; (of thought) **constructive** Arist. ‖ FEM.SB. **master art** (w. other crafts subordinated to it) Arist. **2** suited to being a master craftsman ‖ MASC.SB. **director** (ref. to a physician) Arist.

ἀρχι-τέκτων ονος *m.* **1 master builder** or **craftsman** (of a bridge, channel, sanctuary, ship, walls) Hdt. Pl. Arist. +; **foreman, chief of works** (opp. manual labourer) Pl. Arist.; **builder** Plu. **2 chief designer** (of a building or sim.) X. Arist. Plb.; (fig.) **architect** (of a scheme) E.*Cyc.* D.; (W.GEN. of a system in ethics) Arist.; (ref. to Reason) Arist. **3 manager** (of the theatre at Athens) D.

ἀρχι-τελώνης ου *m.* **chief tax-collector** (in a Roman city) NT.

ἀρχι-τρίκλινος ου *m.* [τρίκλινον] **master of a banqueting-hall, chief steward** (at a wedding feast) NT.

ἀρχι-υπασπιστής οῦ *m.* **commander of the shield-bearers** (in Alexander the Great's retinue) Plu.

ἀρχο-ειδής ές *adj.* [εἶδος¹] (of Unity) **with the nature of a fundamental principle** Arist.

ἀρχός οῦ *m.* **1 leader, chief** (sts. appos.w. ἀνήρ) Hom. Archil.(dub.) Pi. E.*fr.*; (W.GEN. of a people, an army, sailors, a fleet, or sim.) Hom. Hes.*fr.*(dub.) hHom. Pi. Theoc.; (W.GEN. of robbers) hHom. **2 chief** (of birds, ref. to Zeus' eagle) Pi.

ἄρχω *vb.* | ep.inf. ἀρχέμεναι | impf. ἦρχον, dial. ἄρχον, ep. ἄρχον | fut. ἄρξω | aor. ἦρξα, ep. ἄρξα | MID.: pres.ptcpl. ἀρχόμενος, also ἄρχμενος (Call.) | fut. (sts. w.pass.sens.) ἄρξομαι, dial. ἀρξεῦμαι | aor. ἠρξάμην | pf. ἦργμαι, Ion.ptcpl. ἀργμένος ‖ PASS.: fut. ἀρχθήσομαι | aor. ἤρχθην ‖ neut.impers.vbl.adj. ἀρκτέον ‖ The vb. reflects the notion of *being primary* either in *beginning* (1-8, act. and mid.) or in *exercising authority* (9-12, act.). In NT., the aor.mid. is sts. used w. a pres.inf. as a periphrasis for an impf., e.g. ἤρξατο διδάσκειν *he was teaching.* |

1 make a beginning (of an action, an emotion); **begin** —W.GEN. *a conflict, meal* Il. A. Hdt. Th. + —*a conversation, song* Hom. + —*fear, panic, counsel* Tyrt. —W.ACC. *atrocities, a song, grief* Lyr. A. + —W.DAT. *w. libations* Pi. —W.INF. *to do sthg. or be such and such* Hom. +; (intr.) **make a start** Il. Th. ‖ MID. **begin** —W.GEN. *a speech, activity, magistracy, or sim.* Od. Hes. Lyr. E. X. + —W.INF. *to do sthg.* Il. Lyr. Th. + —W.PTCPL. *doing sthg.* A. Pl. X.; (intr.) Od. Hes.*fr.* Pi.(dub.) S. Lys. Ar. + ‖ PASS. (of an ode, war) be started Pi. Th. X.; (of a storage container for food or wine) be started on Hes.

2 ‖ MID. **start** (to speak or sing, by making mention or by invocation), **begin** —W.GEN. or ἐκ + GEN. *w. someone* (*esp. a god*) Il. +

3 take the lead (in a task, a dance) Il. S.; **be the first** or **the instigator** Il. —W.PTCPL. *in or by doing sthg.* Il. Hes. Hdt. Antipho

4 (of a gift, day, insult) **be the beginning** (of an event) Hdt. Th. —W.GEN. *of sorrows, troubles, freedom* S. Th. X.; (of a plague) —*of lawlessness* Th.

5 (of a contest) **begin** Carm.Pop. ‖ MID. (of seasons) **begin** Thgn. Pl. Plb.; (of an undertaking) Sol.; (of troubles) Hdt. Th.; (of a plague) **originate** (in a location) Th.

6 (in ctxt. of listing, grouping or explaining) **start** (fr. someone, sthg., somewhere); **begin** —W.PREP.PHR. *fr. or w. a certain individual* Pl. ‖ MID. **begin** —W.GEN. *fr. a location* Od. —W.PREP.PHR. *fr. or w. someone or sthg.* Th. Ar. Pl. + —*w. Zeus* (*in making a libation*) Ion

7 start (fr. a period of time); **begin** (doing sthg.) —W.PREP.PHR. *fr. childhood* Hdt. Pl. ‖ MID. **begin** (one's narrative) —W.PREP.PHR. *fr. a certain period* Plb.

8 ‖ MID. **make the first sacrificial offering** —W.GEN. *consisting of a boar's legs* Od. —W.DAT. *to Hestia* (*w. a libation*) hHom.

9 (of a person, city, people) **rule** Od. Archil. Thgn. A. Pi. Hdt. + —W.GEN. *over a city, region, people* Hdt. Trag. Th. Lys. Ar. + —W.DAT. *over the gods* A.; **be a magistrate** Hdt. Th. + —W.COGN.ACC. *w. a certain office* Hdt.; **be an archon** (at Athens) D. —W.COGN.ACC. *for a term of office* Th. ‖ FEM.PRES.PTCPL.SB. **female archon** Ar. ‖ PASS. **be ruled over** A.(dub.) Hdt. S. Th. + ‖ MASC.PASS.PTCPL.SB. **subject** (in an empire) Hdt. X.

10 (of a military leader) **be in command** Hom. + —W.GEN. *of an army, crew, ships* Hom. + —W.DAT. *of soldiers, ships* Hom. Hes. E. ‖ PASS. (of soldiers, a camp) be commanded S. X.

11 exercise authority —W.GEN. *over someone* S. E. X.; **have control** —W.GEN. *over one's limbs, oneself* S. Pl. —*over fortune, events* Hdt. Th.; (fig., of desire) —W.PREP.PHR. *in someone* P.

12 be a guide, lead the way (to a place) Hom. —W.DAT. *for a group, a blind man* (sts. W.ACC. *by a certain route*) Hom. hHom. —(W.INF. *to do sthg.*) Il.

ἄρχων οντος *m.* **1 one who rules; king, lord** (of a region or city) Trag. X. Arist.; **ruler** (ref. to Kronos) Tim.; **leader** (W.GEN. of the Jewish people, ref. to their high priest) NT. **2 commander** (of military forces); **commander** (of a fleet) Th. X.; **captain** (of a ship) Hdt. Plb.; **officer** (in an army) A. Hdt. S. Th. + **3 one who holds an office; magistrate** (in a Greek city) Hdt. Th. Pl. X. +; (among the Persians, sts.ref. to a satrap) Hdt. X.; (ref. to a Roman consul, tribune, provincial governor) Plb. Plu.; **leader** (of a synagogue) NT. **4 archon** (title of each of a group of nine magistrates at Athens, one of whom gave his name to the year) Hdt. Th. X. + **5 owner** (of an estate) X.; **master** (W.GEN. over animals) X.; **quartermaster** (in charge of supplies) X. **6 prince, ruler** (of the world, demons, or sim., ref. to a powerful evil spirit) NT. **7** (fig.) **master** (ref. to reason in humans) Pl.

ἀρχ-ώνης ου *m.* [ὠνέομαι] **chief contractor** (W.GEN. for a tax that is to be collected) And.(cj.)

ἀρῶ (fut.), **ἄρω** (aor.subj.): see αἴρω

ἀρωγή ῆς, dial. **ἀρωγά** ᾶς *f.* [ἀρήγω] **help, aid** (sts. W.GEN. fr. someone, esp. a god) Il. A. S. Ar. AR. Plu.; **favour** (for one party, fr. a judge in an athletic contest) Il.; **relief** (W.GEN. for a disease, toils) Pl. Plu. (fig.) **support** (fr. a god, an army) A. S.

ἀρωγός όν *adj.* **1** (of persons) **helpful** (W.DAT. to someone) A. Pi.; (W.GEN. in a craft) S.; (of arrows, to someone) S. **2** (of olive oil) **beneficial** (W.DAT. for human hair) Pl.; (of a course of action) S. **3** (of a ship's tackle) **useful** (for a task) Th.; (of evidence) **in support** (W.GEN. of a person's court case) A. **4** ‖ MASC. or FEM.SB. **helper** or **ally** (sts. W.DAT. to someone, sts. W.GEN. or PREP.PHR. in sthg.) Hom. Trag. AR. Plu.; **supporter** (in a trial) Il. A.; **benefactor** (W.DAT. to all, ref. to a statue of a deified ruler) Theoc.

ἄρωμα¹ ατος *n.* [ἀρόω] **stretch of ploughed land, field** Ar.
ἄρωμα² ατος *n.* **fragrant spice** X. Plb. NT. Plu.
ἄρωμαι (aor.mid.subj.): see αἴρω
ἀρωματο-φόρος ον *adj.* [ἄρωμα², φέρω] (of a land) **spice-producing** Plu.

ἀρώμεναι (ep.inf.): see ἀρόω
ἀρώσιμος ον *adj.* [ἀρόω] (of a field, fig.ref. to a woman) **fit for ploughing** or **sowing** S.
ἇς[1] *dial. temporal conj.* [ἕως[1]] —also **ἆς** *Aeol. temporal conj.* **1** (ref. to present or past time) **as** or **so long as, while** —W.PRES. or IMPF.INDIC. *sthg. is or was the case* Sapph. Pi. Theoc.
2 (ref. to future time) **as** or **so long as, while** —w. κε or κα + PRES.SUBJ. *sthg. is the case* Sapph. Ar. Theoc.
ἇς[2] (dial.fem.gen.sg.relatv.pron.): see ὅς[1]
ἆσα (ep.aor.): see ἀάω
ἆσαι (aor.inf.), **ἄσαιμι** (aor.opt.): see ἄω
ἆσαι (aor.inf.): see ἄδω
ἄ-σακτος ον *adj.* [privatv.prfx., σάσσω] (of the earth around a plant) **not compacted** X.
ἀ-σαλαμίνιος ον *adj.* [Σαλαμίνιος] (of persons) **not from Salamis** (w.connot. of being unskilled in seafaring) Ar.
ἀ-σάλευτος ον *adj.* [σαλεύω] **1 not shaken**; (of a siege-engine, the gods' abode) **steady, stable** Plu.; (of a person's lifestyle, a regime, popular support) E. Plu.
2 (of a ship's bow) **immobile, stuck** (on a sandbank) NT.
—**ἀσαλεύτως** *adv.* **resolutely** —*ref. to soldiers enduring* Plb.
ἄσαμεν (ep.1pl.aor.): see ἄεσα
ἀσάμινθος ου *f.* **bath-tub** (usu. made of polished earthenware) Hom.; (made of silver) Od.
ἄσαμος *Aeol.adj.*: see ἄσημος
Ἀσάνα, Ἀσαναία *Lacon.f.*: see Ἀθάνα
Ἀσάναι *Lacon.f.pl.*: see Ἀθῆναι
Ἀσαναῖος *Lacon.adj.*: see Ἀθηναῖος, under Ἀθῆναι
ἀ-σάνδαλος ον *adj.* [privatv.prfx., σάνδαλον] (of Aphrodite) **without sandals** Bion
ἄ-σαντος ον *adj.* [σαίνω] (of a person's spirit) **impossible to soothe, implacable** A.
ἀσάομαι *mid.contr.vb.* [ἄση] | Aeol.aor.ptcpl. ἀσάμενος || PASS.: aor. ἀσήθην | **grieve, feel anguish** Sapph. Alc. || PASS. **suffer grief, be distressed** —W.ACC. or PREP.PHR. *in one's heart* Thgn. Hdt. Theoc.
—**ἀσάω** *act.contr.vb.* **be distressed** —W.ACC. *in one's heart* Thgn.
ἄ-σαρκος ον *adj.* [privatv.prfx., σάρξ] **1** (of a hound's chest) **without much flesh, lean** X. Plu.
2 (of a soul separated fr. the body) **fleshless** Plu.
ἀσάρος ᾱ ον *Aeol.adj.* [ἄση] (of persons) **annoying** Sapph.
ἄσασθαι (aor.mid.inf.): see ἄω
ἄσατο (3sg.aor.mid.): see ἀάω
ἀσάφεια ᾱς *f.* [ἀσαφής] **1 uncertainty** (assoc.w. ignorance) Pl. Plb. Plu.; (personif.) **Uncertainty** Emp.
2 obscurity (of an image) Pl.; (in a written law, message) Plu.
3 indistinctness (in a person's pronunciation) Plu.
4 obscuring (of someone's view, by obstacles) Plu.
ἀ-σαφής ές *adj.* [privatv.prfx.] **1 not clear** (to the senses); (of impressions in wax, a path) **indistinct** Pl. Plu.; (of a speech, murmurings) Pl. Plb. Plu.; (of a scent) X. || NEUT.SB. **obscurity** (of the past) Arist.
2 (of night-time, opp. sunshine) **dim** X.
3 not clear (to the mind); (of persons) **hard to understand** Ar. Pl.; (of fire-signals) **confusing** Th.; (of a statement, motivation, or sim.) **obscure** S. E. Aeschin. Arist. +; (of an art, inquiry, painting) **vague** Pl. || NEUT.SB. **obscurity** (in a person's speech) Arist.
4 (of wishful thinking) **vague** Th.
—**ἀσαφῶς** *adv.* **1 without certainty** Th. X.
2 obscurely —*ref. to explaining sthg.* Pl. Plb. Plu.
3 for no obvious reason Th.

ἀσάω *contr.vb.*: see under ἀσάομαι
ἄ-σβεστος ον (also η ον Il.) *adj.* [σβέννῡμι] **1** (of a flame, fire) **inextinguishable** Il. Call. NT. Plu.; (fig., of tremors, laughter, shouting, courage, fame, splendour) **ceaseless** Hom. Hes. Pi. Ar.; (of the stream of Okeanos) A.
2 || FEM.SB. **unslaked** or **dehydrated lime** Plu.
ἀσβόλη ης *f.* [ἄσβολος] **soot** (fr. a fireplace) Semon.
ἀσβολόομαι *mid.contr.vb.* | dial.pf.ptcpl. ἀσβολωμένος | **besmirch oneself with soot** || MASC.PL.PF.PTCPL.SB. **sooty men** (nickname of a people in Phocis) Plu.
ἄσβολος ου *f.* **soot** Hippon Ar. Plu.
ἄσδω *Aeol.vb.*: see ᾄζω
ἀσέβεια ᾱς *f.* [ἀσεβής] **irreverent conduct** (towards gods), **irreverence, impiety** E. Att.orats. Pl. X. +; (ref. to murder) Antipho Isoc.
ἀσεβέω *contr.vb.* **1 be irreverent, impious** or **sacrilegious** (sts. W.PREP.PHR. *towards a god, guest, sanctuary, rites,* or sim.) Hdt. E. Th. Ar. Att.orats. +. —W.ACC. *towards a god or guest, festival, decree* A. Pl. D. —W.COGN.ACC. Pl. || PASS. (of gods) **suffer impiety** Lys. || NEUT.PL.PF.PASS.PTCPL.SB. **acts of sacrilege** Lys. Aeschin.
2 || PASS. (of acts) **be committed sacrilegiously** And.
3 || PASS. (of a farm) **suffer the consequences of impious conduct** (on the part of its owner) Pl.
ἀσέβημα ατος *n.* **impious act, sacrilege** Th. Att.orats. Men. +
ἀ-σεβής ές *adj.* [privatv.prfx., σέβω] (of persons) **irreverent, impious, sacrilegious** (sts. W.PREP.PHR. *towards the gods*) S. E. Att.orats. Pl. +; (of an act, statement, strategy, behaviour) Thgn. Att.orats. Pl. +; (of a death, marriage, intention) A.
—**ἀσεβῶς** *adv.* **impiously, abominably** Plb.
ἀ-σείρωτος ον *adj.* [σειρά] (of Night's chariot, drawn by a yoked pair) **without trace-horses** E.
ἀσελγαίνω *vb.* [ἀσελγής] | impf. ἠσέλγαινον | fut. ἀσελγανῶ | **be unruly** or **offensive, behave outrageously** Att.orats. Pl. Plu. —W.ACC. or PREP.PHR. *against someone* D. || NEUT.PL.PF.PASS.PTCPL.SB. **outrageous acts** D.
ἀσέλγεια ᾱς *f.* **unruliness, indecency, insolence** Att.orats. Pl. Arist. Plb. NT. Plu.; (assoc.w. demagogues) Arist.; **lack of restraint** (W.PREP.PHR. in relation to one's desires) Plb.
ἀσελγής ές *adj.* (of persons) **unrestrained, unruly, insolent** (in behaviour) Att.orats. Arist. Plu.; (of an act, conduct, speeches) **indecent, outrageous** Att.orats. Men. Plb. Plu.
—**ἀσελγῶς** *adv.* **1 outrageously, indecently** Att.orats. Arist. —*ref. to putting on a festival* Isoc. —*ref. to men being fat* Ar.
2 insolently, abusively Att.orats. Plu.
ἀ-σέληνος ον *adj.* [privatv.prfx., σελήνη] (of a night) **moonless** Th. Plb. Plu.
ἀσεπτέω *contr.vb.* [ἄσεπτος] **be irreverent** (to the gods) S.
ἄ-σεπτος ον *adj.* [σεπτός] (of persons, actions) **impious** S. E.
ἀσεῦμαι (dial.fut.mid.): see ᾄδω
ἄση ης, Aeol. **ἄσα** ᾱς *f.* [ἀάω] **1 vexation, annoyance, distress** Sapph. Alc. Anacr. Hdt. E.
2 (medic.) **bout of nausea** Pl.
ἀσήθην (aor.pass.): see ἀσάομαι
ἀ-σήμαντος ον *adj.* [privatv.prfx., σημαίνω] **1** (of sheep) **not guided** (by shepherds) Il.
2 (of a sacrificial bull) **not marked** (w. a seal) Hdt.
3 (fig., of a person's soul) **not entombed** (W.GEN. by a body) Pl.
ἄ-σημος, Aeol. **ἄσᾱμος**, ον *adj.* [σῆμα] **1 without markings**; (of gold, silver) **not minted, uncoined** (opp. ἐπίσημος) Hdt. Th.; (of shields) **without devices** E.
2 (quasi-advbl., of a person doing sthg.) **without a trace** S.

ἀσήμων

3 (of oracles, speech, shouting) **unintelligible** Hdt. Trag. Plu.; (of a rumour, situation) **unclear** E.; (of the whirr of birds' wings, to a seer, in neg.phr.) S.
4 (of persons, cities) **not distinguished, insignificant** E. NT. Plu.; (of a night) **ordinary** (i.e. not during a festival) Antipho
5 (of sacrificial rites) **conveying no definite sign** S.; (of breezes, fig.ref. to fortune or circumstances) E.
6 (of a scream, spoken sound, part of a word) **without any meaning** Arist.
7 (of items of food) **not identifiable** A.; (of reefs) **hidden** Alc. Anacr.; (of an escape) **unnoticed** Plb.
—**ἀσήμως** adv. **without any indication** (i.e. silently) X.
ἀ-σήμων ον, gen. ονος adj. (of sounds) **unclear** S.
ἄ-σηπτος ον adj. [σήπω] (of a material) **not likely to rot** X.
ἀσθένεια ᾱς, Ion. **ἀσθενείη** ης f. [ἀσθενής] **1** deficiency of (physical) strength, **weakness** Th. Isoc. Pl. +
2 feebleness (fr. exertion, old age, hunger, disease) Hdt. E. Th. Att.orats. +; **disease, sickness** Th. Pl. X. NT.; **ailment** Pl.
3 fragility (of a wall) Th.; (of the body as the soul's vessel) Pl.
4 weakness (of human nature or in moral character) Isoc. Pl. +; (of peoples) Th. Att.orats. +; (of legal systems) Arist.
5 lack of resources Hdt. X.
ἀσθενέω contr.vb. **1 be weak** (fr. an illness or w. fatigue) E. Th. Ar. Att.orats. + —w.acc. *in one's body* E. Pl. —*w. a certain disease* Is.; (of a person's soul) X.
2 be poor or **needy** Ar. NT.
ἀ-σθενής ές adj. [σθένος] **1 without** (bodily) **strength;** (of persons) **weak** A. Hdt. E. Ar. Pl. +; (of animals) Pl. X.; (of a person's skull, eyeballs) Hdt. X.
2 debilitated (by age, illness, exertion, hunger, wine); (of persons, their bodies) **infirm, sick, weary** Pi. Hdt. E. Th. Att.orats. +; (of animals) X.
3 without strength (of mind or character); (of persons, their intellects, spirit, soul, or sim.) **feeble** Pl. X. ∥ NEUT.SB. weakness (of resolve) Th.
4 without influence or status; (of persons) **uninfluential, insignificant** Hdt. E. Th. Att.orats. +; (of a person in exile) **helpless** E. ∥ NEUT.SB. weakness (of a woman) E.
5 (of persons, a city) **without resources** Hdt. E. Th. X.
6 (of peoples, armies, a commander, city, resources, capability) **weak** Hdt. S. E. Th. Att.orats. +
7 (of persons, human nature) **powerless** (to do sthg.) E. Th. Pl. +; (of a crowd, its ability to govern) **ineffective** E. Pl.; (of cunning, plans, actions, or sim.) A. E. Th. Pl.
8 (of materials, structures) **weak** Hdt. Th. +; (of a battle-line, a fort) **vulnerable** Hdt. Th. X.; (of a stratagem) **invalid** A.
9 deficient in vigour or **intensity;** (of a drink) **weak** E.; (of a fire) Pl.; (of a person's strength, self-defence, self-esteem, desires) E. Th. Pl.; (of fear, ignorance) E. Pl.
10 (of a liquid) **insufficiently dense** (for anything to float) Hdt.
11 (of rivers, esp. in summer) **deficient in volume, low** Hdt.
12 (of land) **deficient in nutrients, weak** X.
—**ἀσθενῶς** adv. | compar. ἀσθενέστερον, also ἀσθενεστέρως (Pl.) | **1 infirmly, weakly** Pl.
2 without vigour, feebly —*ref. to investigating, desiring* Pl.
3 poorly, weakly —*ref. to a city being resourced* Th.
4 vulnerably —*ref. to an army being positioned* X.
ἀσθενικός ή όν adj. **1** (of a person) **weakish** (as an example of a prosaic adj.) Arist.
2 (of a person's stupidity) **causing weakness, enfeebling** Men.
ἀσθενόω contr.vb. (of a ruler) **weaken** —*a people* (*by attacking them*) X.

ἄσθμα (or perh. **ἆσθμα**) ατος n **1 gasping for breath, panting** Il. A. Pl. AR. Plu.; (by a dying or drowning person) Pi. Tim.
2 gasp of breath (drawn by boxers, horses racing) Call. AR.
3 breath (of a dead musician, living on in his music) Mosch.
ἀσθμαίνω vb. **1 gasp for breath** (after running) Il. Plu.; (of dying persons or animals) Il. H.om. Pi.; (of a boar, while fighting) Il.
2 strain or **exert oneself** (while doing sthg.) A.
Ἀσία ᾱς, Ion. **Ἀσίη** ης f. **1 Asia** (ref. to Lydia, then to Ionia, later to Asia Minor) Hes.fr. +
2 Asia (ref. to the Roman province) NT. Plu.
—**Ἀσιανός** ή όν adj. **1 of** or **from Asia;** (of men, woman) **Asian** Th. Plu.; (of Magnesia) **Asiatic** (opp. Thessalian) Th.
2 of or **from the Roman province of Asia;** (of persons) **Asian** NT.; (of performers) **Asiatic** (w.connot. of degeneracy) Plu.
3 (of orators, their style) **of the Asian kind** (opp. Atticist), **Asianist** Plu.
—**Ἀσιάς** άδος fem.adj. **1** (of a clan at Sardis) **Asian** Hdt.; (of the region) A. E.; (of the mainland) A. ∥ SB. Asia E.
2 from Asia; (of the kithara) **Asian** E. ∥ SB. Asiatic lyre Ar.(quot. E.)
3 of Asia or **Asians** (in character); (of Bacchants) **Asiatic** E.; (of speech) **of Asians** E. Tim.; (of wailing, w.connot. of being exotic and elaborate) E.fr. Tim.
4 of the Roman province of Asia; (of cities) **in Asia** Plu.
—**Ἀσιᾶτις,** Ion. **Ἀσιῆτις,** ιδος f. **of** or **from Asia;** (of a woman) **Asiatic** E.; (of the region) A. E.; (of a monarchy) E.
—**Ἀσιήτᾱς** ᾱ dial.m. | gen.pl. Ἀσιητᾶν | (of songs) **Asiatic** (w.connot. of being exotic and elaborate) E.
—**Ἄσιος** ᾱ (Ion. η) ον adj. (of a meadow on the Asia Minor coast) **Asian** Il. [unless Ἀσίω *of Asies,* gen.sg. of pers. name Ἄσίης]
—**Ἀσίς** ίδος fem.adj. **1** (of slaves) **Asian** E.
2 (of the region, the mainland) **Asian** Hes.fr. A. AR. Mosch. ∥ SB. Asia A.
Ἀσι-άρχης ου m. [ἄρχω] **Asiarch** (title of a magistrate in the cities of the Roman province of Asia) NT.
Ἀσιᾱτο-γενής ές adj. [γένος, γίγνομαι] (of strength) **Asiatic in origin, Asian** A.
ἀ-σίγητος ον adj. [privatv.prfx., σιγάω] (of a cauldron at Dodona, assoc.w. oracular messages) **not silent, noisy** Call.
ἀ-σίδηρος ον adj. **1** (of levers made fr. branches) **not made of iron** E.
2 (of the hand of a person w. no weapon) **without iron** E.; (of soldiers) **unarmed** Plu.
ἄ-σικχος ον adj. [σικχός] (of Spartan children) **not fastidious** (over food) Plu.
ἄσιλλα ης f. **yoke** (w. a basket suspended fr. each end) Arist.(quot.epigr.)
ἀ-σινής ές adj. [privatv.prfx., σίνος] **1** (of persons, cows) **unharmed** Od. A. Hdt. Plb.; (of a rope, building) **undamaged** Ibyc. Lyr.adesp. Hdt.; (of a person's fortune, life) **secure** A.
2 (app. of a rescuer or deliverance) **unharmed** A.
3 (of persons) **not causing damage** Hdt.; (of wild animals) **not harmful** X.; (of wealth, pleasures, bad qualities) Sapph. Pl. Arist.
4 (of a horse's halter) **not irritating** X.
—**ἀσινῶς** adv. **1 safely** —*ref. to soldiers advancing* X.
2 without causing damage X. Plu.
ἄσις ιος Ion.f. **silt** (borne by a river) Il.
Ἀσίς fem.adj.: see under Ἀσίᾱ
ἀσιτέω contr.vb. [ἄσιτος] (of soldiers) **go without food** (on campaign) Pl. X.; (of a person) **starve oneself** (to death) E.

ἀσῑτίᾱ ᾱς, Ion. **ἀσῑτίη** ης f. **1 lack of food** Hdt.
2 deprivation of food, starvation (as a means of suicide) E.
3 abstinence from food (to aid recovery fr. fever) Arist.
4 lack of appetite (while anxious and seasick) NT.

ἄ-σῑτος ον adj. [privatv.prfx., σῖτος] **1** without food (by abstinence); (of persons) **not eating** X.; (in a time of grief) Od. S. E.; (in a time of anxiety) NT. Plu.; (of cicadas) Pl.
2 (of soldiers, hunters) without eating (until a task is accomplished), **unfed** Th. X.
3 without food (fr. a lack or deprivation); (of a person in exile, soldiers, sailors) **hungry** S. X. D.; (of a prisoner) **starved** Plu.

ἀσκαλαβώτης ου m. a kind of lizard, **gecko** Ar.

ἄ-σκαλος ον adj. [privatv.prfx., σκάλλω] (of sown fields) **not hoed** Theoc.

ἀσκάντης ου m. small seat for reclining, **little couch** Ar. Call.

ἀσκαρδάμυκτον neut.adv. —also **ἀσκαρδαμυκτί** (X.) adv. [privatv.prfx., σκαρδαμύσσω] **without blinking** Ar. X.

ἀσκαρίζω vb. [reltd. σκαίρω] **squirm about** Hippon.

ἄ-σκαφος ον adj. [σκάπτω] (of land) **not dug** Pratin.

ἀ-σκελής[1] ές adj. [app. copul.prfx., σκέλλω] dried out; (fig., of persons in need of refreshment) **withered, parched** (so as to be weary) Od.
—**ἀσκελές** neut.adv. —also **ἀσκελέως** Ion.adv.
1 unrelentingly —ref. to being angry Hom.
2 unceasingly —ref. to weeping Od.

ἀ-σκελής[2] ές adj. [privatv.prfx., σκέλος] (of the world, envisaged as a body) **without legs** Pl.; (of a statue of Priapos) Theoc.epigr.

ἀ-σκέπαρνος ον adj. not shaped by an adze; (of a rock used as a seat) **unhewn** S.

ἄ-σκεπτος ον adj. [σκέπτομαι] **1** (of persons) not looking attentively, **inattentive, unaware** Pl.
2 (of a possibility, a question) **overlooked, not considered** Ar. Pl. X. Plb.
—**ἀσκέπτως** adv. **without due circumspection** or **consideration** (sts. w.GEN. of sthg.) Th. Isoc. Pl. Plb.

ἀσκέρη ης Ion.f. **felt shoe** (for cold weather) Hippon.
—**ἀσκερίσκα** ων n.pl. [dimin.] **felt shoes** Hippon.

ἀ-σκευής ές adj. [privatv.prfx., σκευή] (of a doctor) **without equipment** Hdt.

ἄ-σκευος ον adj. (of a person) **not equipped** S.; (w.GEN. w. military support) S.

ἀσκεψίᾱ ᾱς f. [σκέπτομαι] **lack of care and attention** (by a historian) Plb.

ἀσκέω contr.vb. | ep.3sg.impf. ἤσκειν ‖ neut.impers.vbl.adj. ἀσκητέον | **1** prepare (a material, by working it); **card** —wool Il.; **shape** —horn Il.
2 make ready, smooth —a folded tunic Od.
3 craft, fashion —a bowl, bed-post, dance-floor Hom.; (intr.) **work with skill** (when making sthg.) Il. Hes. ‖ PF.PASS. (of a figure on a shield or basket) be fashioned AR. Mosch.
4 adorn —someone, one's body (w.DAT. in finery) Hdt. E.; (intr.) **adorn oneself** E.; (mid.) E. ‖ PF.PASS. (of persons) be dressed —w.DAT. in finery A. E.; (of a chariot, girdle) be decorated —w.DAT. w. ornaments Il. S.; (of a room, building, monument) be adorned Hdt. S.Ichn. —w.DAT. w. columns, marble Hdt.; (fig., of funeral ashes) be tricked out —w.DAT. w. words (so as to purport to be those of a certain person) S.
5 ‖ MID. **equip** —one's body (w.DAT. w. weapons) E. ‖ PF.PASS. (of persons) be equipped —w.DAT. w. ships, soldiers, cavalry E.; (of creatures) —w. limbs Emp.
6 prepare (someone, for sthg.); **train up** —someone, a body or soul E. Isoc. Pl. X. —(w.ACC. in sthg.) Ar. X. —one's tongue (by talking too much) Ar.; (fig., of a community) —its enemy D.
7 (intr., of athletes) **train** Isoc. Pl. —w.ACC. for an event, a sport Hdt. Pl.; (of soldiers) Isoc. X. —w.COGN.ACC. Arist. ‖ MID. (of soldiers) **train** X. D.
8 (intr.) **practise** —w.INF. how to do sthg. X.; **train, exercise** —w.ACC. for virtues Isoc.; (of philosophers) Pl. —for chit-chat Ar.
9 honour —a god Pi. —evil men Isoc. ‖ PASS. (of Themis) be honoured Pi.
10 cultivate —one's faculties, privileges Ar. Isoc. Pl. X. —recklessness Isoc. ‖ PASS. (of virtue) be cultivated Pl. X.
11 endeavour, strive —w.INF. to do sthg. S. Isoc. X. NT.; **make a practice** —w.INF. of doing sthg. E. X.
12 practise —a trade, profession, lifestyle Hdt. E. Pl. —certain methods, schemes Hdt. E. —truthfulness, virtue, or sim. Hdt. S. E. Isoc. + —wickedness Trag. Isoc.; **perform** —one's duties X.

ἀ-σκηθής ές adj. [privatv.prfx.] **1** (of persons, esp. warriors and sailors) **unscathed, unharmed** Hom. Sol. Call. AR.; (of a dove) AR.
2 (of a journey home) **safe** AR.

ἀσκήματα των n.pl. [ἀσκέω] **training exercises** (for soldiers, cavalry, gymnasts) X.

ἄ-σκηνος ον adj. [privatv.prfx., σκηνή] (of a soldier's way of life) **without tents** Plu.

ἄσκησις εως (Ion. ιος) f. [ἀσκέω] **1 practice, training** (sts. w.GEN. of the body; for athletics, cold conditions, war) Isoc. Pl. X. +; (sts. w.GEN. of the intellect; in philosophy, the pursuit of virtue or sim.) Isoc. Pl. X. Arist. ‖ PL. exercises (for athletics, warfare, citizenship, in pursuit of virtue) Pl. Arist.
2 method of training, exercise (for a horse-rider) X.
3 ‖ PL. practices (w.GEN. of piety) Isoc.

ἀσκητέος ᾱ ον vbl.adj. (of silence) **to be practised** (on a night march) X.

ἀσκητής οῦ m. **1** one who undergoes training (in a profession or skill); **trainee** (w.GEN. in noble deeds, tactics) X.; (appos.w. ἀνήρ) Plu.
2 athlete Ar. Isoc. Pl. X.

ἀσκητικός ή όν adj. **1** of or belonging to an athlete; (of an ailment) **athletic** Ar.
2 (of the life of Spartan women) **arduous** Pl.

ἀσκητός ή (dial. ᾱ́) όν adj. **1** skilfully fashioned or prepared; (of a bed, hat, clothing) **well made** Od. Hes. Theoc.; (of unguents) **carefully prepared** Xenoph.; (of yarn) **finely spun** Od.
2 (of a woman) **adorned** (w.DAT. w. a cloak) Theoc.
3 (of wealth, virtue, happiness) **acquired by training** Pl. X. Arist.

ἀσκίον ου n. [dimin. ἀσκός] leather pouch (for carrying a liquid), **small flask** Plu.
—**ἀσκίδιον** ου n. **small flask** Ar.

ἄ-σκιος ον adj. [privatv.prfx., σκιά] (of persons) **shadowless** Plb.

Ἀσκληπιός, dial. **Ἀσκλᾱπιός**, οῦ m. **Asklepios** (warrior and healer, sts. regarded as a deity; son of Apollo, father of Makhaon and Podaleirios) Il. +
—**Ἀσκληπιάδης** ου (Ion. εω) m. **1 son of Asklepios** (ref. to Makhaon and Podaleirios) Il. E.
2 son or **follower of Asklepios** (ref. to a physician) Thgn. Pl.
—**Ἀσκληπίδαι** ῶν m.pl. **sons of Asklepios** (ref. to Makhaon and Podaleirios) S.
—**Ἀσκληπίεια** ων n.pl. **festival of Asklepios** Pl.
—**Ἀσκληπιεῖον** ου n. **sanctuary of Asklepios** Thphr. Plb.

ἄ-σκοπος ον *adj.* [privatv.prfx., σκοπέω] **1** without sight; (of an eye) **blind** Parm.; (fig., of a person) **insensitive** Il.; (of the gods) **unwatchful** (W.GEN. of murderers) A.
2 not seen or foreseen; (of the underworld) **not visible, hidden** S.; (of a sudden death) **unexpected** Men.; (of words, a length of time) S.
3 impossible to comprehend; (of a speech) **unintelligible** A.(dub.); (of an act, a manner of death) **unimaginable** S.
—**ἀσκόπως** *adv.* **aimlessly** Plb. Plu.

ἀσκός οῦ *m.* **1** bag made from animal skin (esp. for storing a liquid); **leather sack** or **flask** (esp. ref. to a wineskin) Hom. +; (used by swimmers carrying food) Th.; (used by Aiolos for storing the winds) Od.; (made fr. skin flayed fr. a person) Sol. Ar.
2 skin (fr. Marsyas) Hdt.; (fr. an animal) Plb.; (made into a flotation device) X.; (filled w. water and used as a mattress) Plu.
3 pouch (fig., ref. to a woman's vagina) Archil.
4 (in oracular language) **belly** E. Plu.; **bladder** (ref. to a person at sea) Plu.
5 bellows (used by blacksmiths) Plb.

ἀσκωλιάζω *vb.* [perh. ἀσκός] (of persons) **hop** (on one leg) Ar. Pl. [perh. originally as part of a competition involving jumping onto wineskins]

ἄσκωμα ατος *n.* [ἀσκός] **leather sleeve** (for a ship's oar-hole) Ar.

ᾆσμα, also **ἄεισμα**, ατος *n.* [ᾄδω] **song** (usu. ref. to an ode, choral lyric or popular verse) Hdt. Ar. Pl. X. D. +

ἀσματο-κάμπτης ου *m.* [κάμπτω] **ode-distorter** (ref. to a dithyrambic poet) Ar.

ἀσμενέω *contr.vb.* [ἄσμενος] **welcome** —*a revolution* Din.

ἀσμενίζω *vb.* **be glad** or **pleased** Plb. —W.DAT. or PREP.PHR. *about sthg.* Plb.; **gladly accept** —*a responsibility* Plb.

ἄσμενος (unless **ἀσμένος**) η (dial. ᾱ) ον *adj.* [perh. ἁνδάνω] (of a person) **glad** (at sthg. happening) Hom. +; (of a face) **joyful** E.; (quasi-advbl., of persons quenching their thirst) **eagerly** Th.
—**ἀσμένως** (unless **ἀσμενῶς**) *adv.* **gladly** A. Att.orats. Pl. X. +

ἀ-σόλοικος ον *adj.* [privatv.prfx.] (of jocularity) **not coarse** Plu.

ἄσομαι (fut.mid.): see ᾄω
ᾄσομαι (fut.mid.): see ᾄδω

ἀσοφίᾱ ᾱς *f.* [ἄσοφος] lack of wisdom, **foolishness** Plu.

ἄ-σοφος ον *adj.* [privatv.prfx., σοφός] **1** (of persons) **unskilled** Thgn. Pi.
2 imprudent X.; (of oracles fr. Apollo) **foolish** E.

ἀσπάζομαι *mid.vb.* | neut.impers.vbl.adj. ἀσπαστέον | **1** greet (w. personal contact); **welcome** —*a person, a group* (sts. W.DAT. *w. one's hand, words, a kiss*) Hom. +; **greet with a kiss** or **embrace** —*someone* X.; **clasp in welcome** —*someone's hand* E.
2 respectfully or warmly acknowledge (someone, fr. a distance); **salute, greet** —*someone* Pl.; **honour** —*a god* X.; **acclaim** —*someone (as a king)* NT. —*a commander (as victorious)* Plu.; (of defeated sailors) —*their opponents* (W.DAT. *w. their oars*) Plu.
3 acknowledge (without any warmth) —*a statue of a deity* E. —*sophistry* Pl.
4 (of a person departing) **bid** (W.ACC. *someone* or *somewhere*) **farewell** E. Lys. +; **kiss goodbye** —*someone, one's child's hand* E. X.; (of a father and son, on parting) **embrace** —*each other* X.
5 be fond of, cherish —*someone* or *sthg.* Hdt. Att.orats. Pl. X. —*an animal* Pl.; (of a wife) **love** —*her husband* X.
6 treat affectionately, **embrace** —*someone* E. Pl. X. Arist. —*one's trees* Ar.; **caress** —*one's beloved* Pl. X.; (of dogs) **fawn on** —*someone familiar* Pl. X.; (fig., of philosophers) **cling to** —*the truth* Pl. || PASS. (of a boy) receive affection Pl.
7 gladly **receive** or **welcome** —*wine, works of art, benefits* Pl. —*an event or conduct* E. Pl.; (of hounds) **take up with delight** —*trails* X.

ἀσπαίρω *vb.* **1** (of a newborn child, fish out of water) **wriggle** Od. hHom. Hdt.; (of an animal) Il. Call.; (fig., of a statesman) **resist, object** Hdt.
2 move convulsively (in death-throes); (of a person, an animal) **writhe** Hom. A. E. Antipho; (of hanged persons) **twitch** —W.DAT. *w. their feet* Od.; (of a dying man's heart) **throb, jerk** Il.

ἀσπάλαθος ου *m.f.* a kind of thorny bush, **bramble, bramble-bush** Theoc. || COLLECTV.PL. mass of brambles (beside a road) Pl.; (as bedding) Thgn.

ἀσπαλιευτής οῦ *m.* **fisherman, angler** Pl.
ἀσπαλιευτικός ή όν *adj.* (of a set of skills) **of an angler** Pl.

ἀσπάραγος *m.*: see ἀσφάραγος²

ἄ-σπαρτος ον *adj.* [privatv.prfx., σπαρτός] (of land) **unsown** Od.; (of plants) **wild** Cd.

ἀσπάσιος ᾱ (Ion. η) ον (also ος ον Od.) *adj.* [ἀσπάζομαι] **1** (of a person) **welcome** Hom. hHom. Stesich.; (of the shore, to a swimmer) Od.; (of nightfall, dawn) Il. AR.; (of an outcome) Plu.
2 (of persons) **glad** Hom. hHom. Lyr.adesp. AR.
—**ἀσπασίως** *adv.* **1 welcomely, pleasingly** —*ref. to the sun setting* Od.
2 gladly, joyfully Hom. Hes. A. Hdt. Corinn. +

ἄσπασμα ατος *n.* gesture of affection, **embrace** E.

ἀσπασμός οῦ *m.* **1** gesture of friendship, **embrace** Thgn.
2 act of greeting (esp. verbal), **greeting, salutation** NT. Plu.
3 devotion (opp. aversion) Pl.

ἀσπαστικός ή όν *adj.* [ἀσπαστός] (of a meeting) **of a welcome kind** Plb.

ἀσπαστός ή (dial. ᾱ́) όν *adj.* **1** (of a person) **welcome** Od. E.; (of land, to a sailor) Mosch.; (of words) AR.; (of an event, a situation) Od. Hdt.
2 (of a kind of pleasure) **to be welcomed** Pl.
—**ἀσπαστόν** *neut.adv.* **1 welcomely, pleasingly** —*ref. to the sun setting* Od.
2 joyfully Hes. AR.
—**ἀσπαστῶς** *adv.* **gladly** Hdt. AR.

ἄ-σπειστος ον *adj.* [privatv.prfx., σπένδω] not appeased by libations; (of an evildoer) **implacable** D.

ἄ-σπερμος ον *adj.* [σπέρμα] (of a people) **without progeny** Il.

ἀσπερχές *neut.adv.* [σπέρχω] **unceasingly** —*ref. to being angry* Hom. —*ref. to pursuing, attacking* Il. AR. —*ref. to labouring* Il.

ἄ-σπετος ον *adj.* [ἐνέπω] **1** (of a sound or sight) **indescribable** Od. hHom. S. AR.; (of the charging of the Titans, a noise) **unspeakable, terrible** Hes. AR.
2 impossible to tell of (w. respect to magnitude); (of the aither, a body of water, forest, the ground) **unspeakably great, immeasurable** Hom. +; (of a wooden stake, pig's belly) E.Cyc. AR.; (of a journey) AR.; (of a tumult) Hom. Hes. AR.; (of fury, grief) Il. AR.; (of glory, wealth) Hom. Hes. AR.; (of a breeze) **exceptionally strong** AR.
3 impossible to tell of (w. respect to quantity); (of animals, riches, gifts, cares) **countless** Hom. B. AR.; (of an army) **immense** AR.; (of smoke, rainfall, hail, sweat, gore) **abundant** Hom. hHom. Eleg. E. AR.; (of meat, money, a harvest, foliage, liquid) Od. AR.; (of panting) **heavy** AR.

4 impossible to tell of (w. respect to duration); (of a person's voice) **endless** hHom.; (of a period of time) Emp.

—**ἄσπετον** neut.adv. **1 immensely** —*ref. to being afraid* Il.
2 with a great noise —*ref. to groaning* AR.
3 abundantly —*ref. to drinking* AR.
4 incessantly —*ref. to rain falling* AR.

ἀσπιδ-αποβλής ῆτος *m*. [ἀσπίς¹, ἀποβάλλω] one who throws away his shield, **deserter, runaway** Ar.

ἀσπιδη-φόρος ον *adj*. [φέρω] (of soldiers) **shield-bearing** A. E. ‖ MASC.PL.SB. infantrymen E.

ἀσπίδιον ου *n*. [dimin. ἀσπίς¹] **1 tiny shield** (for a pet bird) Thphr.
2 simple shield (opp. an ornate one) Plu.(quot.epigr.)

ἀσπιδιώτης ου, dial. **ἀσπιδιώτας** ᾱ *m*. one who uses a shield, **shield-fighter, warrior** (opp. cavalry, sts. appos.w. ἀνήρ) Il.; **infantryman** Theoc. Plb.

ἀσπιδό-δουπος ον *adj*. [δοῦπος] (of races for hoplites) **clattering with armour** Pi.

ἀσπιδο-πηγεῖον ου *n*. [πήγνυμι] **shield-factory** D.

ἀσπιδοῦχος ου *m*. [ἔχω] one who holds a shield, **warrior** E.

ἀσπιδο-φέρμων ον, gen. ονος *adj*. [φέρω] (of warriors) **shield-bearing** E.

ἀσπίς¹ ίδος, Aeol. **ἄσπις** ιδος *f*. **1 shield** (usu. round or oval in shape) Hom. +; (ref. to a larger and rectangular or figure-of-eight form) Il.; (fig., ref. to a person) A.; (collectv.sg., ref. to a line or troop of soldiers) Hdt. E. Th. +; (meton., ref. to fighting by a single warrior) E. ‖ PL. shields (ref. to infantry) Plu.
2 shield-side (ref. to the left-hand side of a soldier or an army) A. X. Thphr. Plb.

ἀσπίς² ίδος *f*. **asp** or **cobra** Hdt. Ar. NT. Plu.

ἀσπιστήρ ῆρος *m*. [ἀσπίς¹] one who uses a shield, **shield-fighter, warrior** (sts. appos.w. ἀνήρ) S. E.

ἀσπιστής οῦ (ep. ᾰ̄ο), dial. **ἀσπιστᾱ́ς** ᾶ *m*. **1 shield-fighter, warrior** (sts. appos.w. ἀνήρ or sim.) Il. E.
2 app., one who makes shields ‖ ADJ. (of labours of a shield-maker) E.

ἀσπίστωρ ορος *masc.adj*. (of noisy throngs) **of warriors** A.

ἄ-σπλαγχνος ον *adj*. [privatv.prfx., σπλάγχνον] without guts; (fig., of a person) **gutless, cowardly** S.

ἄ-σπονδος ον *adj*. [σπονδή] **1** (of a paean for Death) **without drink-offerings** or **libations** E.
2 without libations (to solemnise an agreement); (of a truce) **not formalised** Th.; (quasi-advbl., of soldiers reclaiming their dead or departing fr. a battlefield) **without a truce** Th.
3 without an alliance ‖ NEUT.SB. **neutrality** Th.
4 without any possibility of a truce; (of a commander) **implacable** (towards tyrants) Plu.; (of conflict) **relentless** A. Aeschin. D. Plb. Plu.; (of the terms of a conflict) **allowing no truce** E.

ἄ-σπορος ον *adj*. [σπόρος] (of farmland) **not sown** (w. seed, during wartime) D. Plu.; (of the land in a desert) **untilled** Plu.

ἀ-σπούδαστος ον *adj*. [σπουδαστός] (of a goal) not to be pursued, **undesirable** or **ill-intentioned** E.

ἀσπουδεί (unless **ἀσπουδί**) *adv*. [σπουδή] **without a struggle, easily** —*ref. to being defeated, achieving sthg.* Il.

ἅσσα (Ion.neut.pl.relatv.pron.adj.): see ὅστις

ἄσσα (Ion.neut.pl.indef.pron.adj.): see τις

ἀσσάριον ου *n*. [Lat.loanwd.] *assarius*, **as** (Roman copper coin of low value, equiv. to four *quadrantes*) NT. Plu.

ἆσσον (unless **ἄσσον**) *compar.adv*. [ἄγχι] **1 nearer, closer** (sts. W.GEN. to someone or sthg.) Hom. Hes. Alcm. Semon. Hdt. S. +
2 close by —*ref. to sailing along a coast* NT. [or perh. *as close as possible*]

—**ἀσσοτέρω** *compar.adv*. **nearer, closer** (W.GEN. to sthg.) Od.

Ἀσσύριοι ων *m.pl*. **Assyrians** (ref. to the inhabitants of Assyria, esp. as military opponents of the Persians) Hdt. Pl. X. Plu.

—**Ἀσσύριος** ᾱ (Ion. η) ον *adj*. **1** of Assyria or the Assyrians; (of persons) **Assyrian** Hdt. X.; (of a region or river in Mesopotamia) Hdt. Call.; (of a region S. of the Black Sea, betw. the R. Halys and R. Iris) AR.; (of merchandise, cuneiform characters) Hdt.; (of characters in an Aramaic script) Th. ‖ MASC.SB. (w.art.) the Assyrian (ref. to the king of Assyria) X.
2 (of a history) **about the Assyrians** Hdt.
3 of or from the East; (of a man) **Asiatic, eastern, oriental** (w.connot. of extravagance) Bion; (w.connot. of being a magician) Theoc.

—**Ἀσσυρίᾱ** ᾱς, Ion. **Ἀσσυρίη** ης *f*. territory of the Assyrians, **Assyria** Hdt. X.

ᾄσσω, Att. **ᾄττω**, ep. **ἀίσσω**, also **ἀίσσω** (S. E.) *vb*. ‖ impf. ᾖσσον, ep. ἤισσον ‖ fut. ᾄξω ‖ AOR.: ᾖξα, ep. ἤιξα, dial. ἄιξα (B.) ‖ ptcpl. ᾄξᾱς, ep. ἀίξᾱς ‖ MID.: ep.aor.inf. ἀίξασθαι ‖ PASS.: aor. (w.mid.sens.) ἠίχθην, 3du. ἀιχθήτην ‖ iteratv.aor.2 ἀίξασκον ‖
1 move rapidly and directly (towards a destination); (of gods, persons, animals) **dart, rush** Hom. +; (of chariots, ships) Il. E. AR.; (of a wind) S.; (of a thought, likened to a god) Il.; (mid. and aor.pass., of warriors, gods) Il.
2 move rapidly (aloft, in the sky); (of a comet) **shoot** (through the sky) Pl. AR.; (of birds) **soar** Hom. AR.; (of winged deities, Harpies, Boreads) hHom. AR.; (fig., of a person contemplating cosmology) —W.PREDIC.ADJ. *in the heights* E.
3 move with levity and ease; (of flying fish) **leap along** AR.; (of a ghost) **flit** Od. E.; (of a star) **glide** E.; (of smoke) **drift** Od. AR.; (fig., of a person, likened to a cloud or to a ship without ballast) E. Pl. ‖ MID. (of a man's unkempt hair) **flutter** —W.PREP.PHR. *in a breeze* S. ‖ AOR.PASS. (of reins) fall easily or slip (fr. a charioteer's hands) Il.
4 (of a warrior) **move to attack** —W.DAT. *w. a weapon* Hom. E.; (of a boxer) AR.; (fig., of a politician) Plu.
5 (of projectiles) **whizz** Il.(also aor.pass.); (of light fr. a beacon, reflected sunlight) **dart** Il. AR.; (of a jet of flame) **burst forth** (fr. a monstrous bull) AR.; (of lightning) **flash forth** X.
6 (of an impulse, fear, pains) **rush** —W. διά + GEN. *through the body* E.; (of desire, likened to a wind) Ibyc.; (of harm) —W.DAT. *upon a household* S.; (of troubles) E.; (of a message) —W. περί + ACC. *around a singer's lips* Call.
7 (of persons) **spring up** (in order to speak or flee) Hom.
8 (of a tree) **spring up** (fr. the ground) Pi.(dub.) ‖ MID. (of heads) **spring forth** (fr. the shoulders) Hes.; (of branches, fig.ref. to limbs) Emp.
9 turn eagerly (to an activity or objective); **rush eagerly** —W.PREP.PHR. or ADV. *towards politics, an investigation, someone's assets* E. Pl. Is. D.; **veer** —W.PREP.PHR. *to one's true nature* Men.; **be eager** E. —W.INF. *to say sthg*. Pl.(dub.)
10 (tr.) **set in motion** —*a violent act* S.; **waft** —*the breeze* (W.DAT. *w. a fan*) E.

ἀ-σταγής ές *adj*. [privatv.prfx., στάζω] not merely trickling; (of water, prob. ref. to rain) **pouring** Call.

ἀστάθμητος

—**ἀσταγές** neut.adv. in streams —ref. to tears flowing AR.

ἀ-στάθμητος ον adj. [σταθμητός] without the possibility of calculation or inference; (of stars, app. ref. to comets) **unpredictable** or **irregular** (in movement) X.; (of a man, a populace) **unstable** (in outlook, desires, or sim.) Ar. Pl. D. Plu.; (of life) **uncertain** (for mortals) E. ‖ NEUT.SB. **uncertainty** (of the future) Th.; **unpredictability** (of a disaster) Th.

ἄ-στακτος ον adj. [στακτός] (of springs of water) not merely trickling, **gushing** E.

—**ἀστακτί** (also **ἀστακτεί** S.) adv. **in floods** —ref. to weeping S. Pl.

ἀ-στάλακτος ον adj. [σταλάσσω] not dripping; (of the air in a cave) **dry** Plu.

ἀστάνδης ου m. [Iran.loanwd.] **messenger** (at the Persian court) Plu.

ἀ-στασίαστος ον adj. [privatv.prfx., στασιάζω] **1** not affected by factionalism; (of a region, population, city) **free from factional unrest** Th. Lys. Isoc. Pl. Arist.; (of a kingdom) Plb.; (of a board of magistrates) Pl.; (of a particular type of constitution) Arist. Plb.
2 (of a sole ruler, opp. the majority as rulers) without the possibility of factional unrest, **stable** Arist.
3 (of an army) **free from sedition** (against its commander) Plb.
4 (fig., of a person) free from internal unrest, **settled** (in himself) Pl.; (of a mixture of wisdom and pleasures) **stable** Pl.

—**ἀστασιαστότατα** neut.pl.superl.adv. with least factional unrest, **most co-operatively** —ref. to a city being governed Pl.

ἀστατέω contr.vb. [ἄστατος] be unstable; (of a stormy sea) **be rough** Plu.

ἄ-στατος ον adj. [στατός] **1** (of a body in a circular orbit) **never at rest** Arist.
2 not remaining the same (on every occasion, in position or character); (of locations, demands, explanations) **subject to change** Plb.

ἀσταφίς ίδος f. [σταφίς] **raisin** X.; (collectv.) **raisins** Hdt. Pl.

ἄσταχυς υος m. [στάχυς] **ear of corn** Il. hHom. B. Hdt. Call.

ἀ-στέγαστος ον adj. [privatv.prfx., στεγάζω] not covered; (of a ship) **not decked** Antipho ‖ NEUT.SB. lack of shelter (fr. the sun) Th.

ἀστεΐζομαι mid.vb. [ἀστεῖος] **speak in an urbane way** Plu.

ἀστεῖος ᾱ ον adj. [ἄστυ] **1** of or befitting the city or town (opp. the countryside, in quality or sophistication); (of persons, their lifestyle) **urbane, civilised, smart** Isoc. Pl. X. Men. Plu.; (of ideas, speeches) **refined, clever** Ar. Pl.; (of a remark) **witty** Ar. Arist.; (iron., of the foolishness of a speech) Pl.; (pejor., of persons) Pl.
2 (of pigs, a feast) **appealing** Ar. Pl.; (of people of small stature) **attractive** (in appearance, opp. καλός handsome) Arist.; (of a blush) **charming** Pl. ‖ NEUT.PL.SB. pleasantries D.
3 (of persons) **noble** (in character or appearance) NT.; (of a magistrate, w.connot. of being just) Plu.; (of the pursuit of virtue) Men.; (iron., of defecting to the enemy) Ar.
4 (of a situation, thanks for a person's help) **fine** Men ; (iron., of a reward, an unpleasant situation, the outcome of an accident) Ar. Men.

—**ἀστείως** adv. **1 cleverly** —ref. to speaking Plu.; **politely** —ref. to speaking about sthg. unpleasant Plu.
2 (iron.) **pleasantly** Men.

ἀ-στεμφής ές adj. [privatv.prfx., στέμβω agitate] **1** (quasi-advbl., of a sceptre being held) **motionless, steady** Il.
2 (of persons, their intention, strength) **steadfast** Il. AR. Theoc.; (pejor.) **inflexible** Anac.

—**ἀστεμφές** neut.adv. **1 firmly** Hes.
2 stiffly, rigidly —ref. to lying on the ground after a fall Mosch.

—**ἀστεμφέως** Ion.adv. **steadfastly, unflinchingly** Od. Hes.

ἀ-στένακτος ον adj. [στένακτος] **1 not lamenting** (over someone's suffering or death) S. E.
2 (of a day) **without lamentation** E.

—**ἀστενακτεί** adv. **without groaning** (in complaint) Ar.

ἀστέον (neut.impers.vbl.adj.): see ἄδω

ἄ-στεπτος ον adj. [στέφω] (of a god, ref. to a statue) **not garlanded** E.

ἀ-στεργάνωρ ορος dial.masc.fem.adj. [στέργω, ἀνήρ] (of Io's maidenhood) **man-hating** A.

ἀ-στεργής ές adj. [στέργω] **1** (of a god's anger) **not loving, hateful** S.
2 (of harm) not desirable, **abhorred** S.

ἀστέριος ᾱ ον adj. [ἀστήρ] (app. of a wagon, as part of the Plough constellation) **starry** Call.

ἀστερίσκοι ων m.pl. [dimin. ἀστήρ] **little stars** (in the Little Bear constellation) Call.

ἀστερο-ειδής ές adj. [εἶδος¹] (of the vault of the sky) **starry** Ar.(quot. E.)

ἀστερόεις εσσα εν adj. **1** (of the sky) full of stars, **starry** Hom. Hes. hHom.; (of a garland, fig.ref. to a constellation) AR.
2 (of a cuirass) **glinting like a star** Il.; (of Hephaistos' bronze house) **sparkling** Il.

ἀστεροπή ῆς, dial. **ἀστεροπᾶ** ᾶς f. [στεροπή, ἀστραπή] **lightning** Il. Hes. hHom. Sol.; (sg. and pl.) **lightning-bolt** (esp. wielded by Zeus) Il. Hes. Pi. Ar.; **flash of lightning** Call. AR.

ἀστεροπητής οῦ (Ion. έω) m. **sender of lightning** (epith. of Zeus) Il. Hes. S.

ἀστερ-ωπός όν adj. [ἀστήρ, ὤψ] **1** with a starry appearance; (of the aither, the brightness of night) **starry** E.; (of a divine palace, Olympos) E.fr. Lyr.ades.
2 (of a warrior) **with a dazzling appearance** E.

ἀ-στέφανος ον adj. [privatv.prfx.] (of places assoc.w. a god, the hair of mourners) **without garlands** E.; (of a life-and-death contest) **without a garland** (as a prize) E.

ἀ-στεφάνωτος ον adj. [στεφανόω] **1** (of persons) **not garlanded** or **crowned** (during a sacrifice) Sapph. X.; (of athletic and military victors) Fl. D. Plu.; (of the Athenians, by other Greeks, to signify dishonour) Aeschin.
2 deprived of a garland or **crown** (as a penalty) Aeschin.

ἀστή ῆς f. [ἀστός] **1** female inhabitant of a settlement, **native woman** (among the Lycians, Scythians or Spartans, opp. a slave or foreigner) Hdt. ‖ ADJ. (of a courtesan, at Athens) of the city (opp. foreign) Plu.; (of a wife) native (to Rome) Plu.
2 female citizen (at Athens) A. Is. D.; (appos.w. γυνή) Is. D. Plu.; (appos.w. κόρη¹) Men.

ἄ-στηνος ον adj. [perh. copul.prfx.; reltd. δύστηνος] (of people) **utterly wretched** Call.

ἀστήρ έρος m. ‖ dat.pl. ἀστράσι ‖ **1 star** Hom. +; (ref. to Sirius) Il. Hes. AR.; (ref. to Venus) Hom. Hes. Ion E. +; (ref. to Arcturus) Hes.; (ref. to a meteor, comet, or sim.) Il. Ar. Pl. +; (considered to be a deity) Men ; (as a companion of Night) Theoc.; (fig., ref. to the light fr. a beacon) E.; (ref. to wealth) Pi.; (ref. to an illustrious person) E. Call.
2 star (ref. to a golden ornament) Hdt. Plu.

ἀ-στιβής ές adj. [στείβω] **1** (app. of a path or journey to the underworld) **not embarked upon** A.

2 not trodden under foot; (of a route) **untravelled** Lyr.adesp.; (of woodland) **without a beaten track** Plu.; (of a location) **remote** S. X.
3 (of a sacred grove) **not to be trodden in** S.

ἀστικός ή όν *adj.* [ἄστυ] **1** of or relating to the town or city (opp. the country); (of the population, altars, Dionysia festival) **of the city** A. Th. Plu.
2 of or relating to the town or city (opp. its foreign residents); (of ritual pollution) **for the locals** A.
3 (of lawsuits) between citizens, **civil** Lys.
4 (of a landowner, young man) **of the city-dwelling type** (sts. w.connot. of sophistication) D. Men.; (of a person's lips) **urbane** (opp. rustic and rough) Theoc.

ἄ-στικτος ον *adj.* [privatv.prfx., στικτός] (of persons) **not tattooed** Hdt.

ἄ-στιπτος ον *adj.* [στιπτός] (of an island) **untrodden, without beaten paths** S.

ἄ-στολος ον *adj.* **1** [στόλος] (app. of a path or journey to the underworld) **ill-travelled** A.
2 [στέλλω] (of a tunic) **not girded** or **stitched up** Plu.(quot. S.)

ἄ-στομος ον *adj.* [στόμα] **1** (of a horse) **without a mouth** (that is obedient to a bit), **hard-mouthed** S. Plu.
2 (of hounds) without a strong mouth, **weak-jawed** X.
3 without a sharp edge; (of badly tempered iron) **brittle** Plu.

ἀστό-ξενος ου *m.f.* [ἄστυ, ξένος²] **citizen-stranger** or **citizen-guest** (w.connot. of an ancestral affiliation w. the city) A.

ἄ-στοργος ον *adj.* [privatv.prfx., στοργή] **1** (of a person) without natural affection, **heartless** Aeschin.; (of Eros) Bion; (of death) **cruel** Theoc.*epigr.*
2 (of a lover) without sincere love, **unaffectionate** (towards his beloved) Theoc.; (of a wife, towards her husband) Theoc.

ἀστός οῦ *m.* [ἄστυ] **1** inhabitant of a settlement, **townsman, local** Hom. +; (opp. a ruler) Thgn. Pi. AR.; (opp. inhabitants of the countryside) E.; (opp. a foreign visitor) Pi. Hdt. S. E. And. +
2 inhabitant of a settlement (w. civic rights), **citizen** Is. D. Arist.; (opp. a metic) Ar. Pl. X.; (opp. a slave) Hdt. Th.

ἄστος *contr.adj.*: see ἄιστος

ἀστοχέω *contr.vb.* [ἄστοχος] **1** (of a commander leading a charge) be off target, **miss** —W.GEN. *the enemy* Plu.
2 miss —W.GEN. *an opportunity, what is beneficial or fitting* Plb. Plu.; **make a mistake** Plb. —W.GEN. *in relation to one's allies, a battle, policy, the future* Plb.

ἀστοχία ας *f.* **1 mistake, blunder** Plb.
2 guesswork (of philosophers) Plb.

ἄ-στοχος ον *adj.* [privatv.prfx., στόχος] **1** with a poor aim; (of a sophist) **falling short** (W.GEN. of philosophers and statesmen, in their ability) Pl.
2 (of accusations) not targeted, **random** Plb.

—**ἀστόχως** *adv.* **randomly** —*ref. to taking opportunities* Plb.

ἀστράβη ης *f.* **1** a kind of saddle (for a mule, w.connot. of luxury), **saddle** D.
2 saddled mule Lys.

ἀ-στραβής ές *adj.* [privatv.prfx., στρέφω] **1** (of a person's body) **not twisted** or **contorted** Arist.; (of the triangles forming the elements of matter) Pl.
2 (fig., of a defender, envisaged as a pillar) **unswerving** Pi.

ἀστραβίζω *vb.* [ἀστράβη] (of a woman) **ride with a saddle** —W.DAT. *on a camel* A.

ἀστράγαλαι ῶν *f.pl.* [ἀστράγαλος] **knucklebones** (thrown in games by Eros, fig.ref. to madness and uproar) Anacr.

ἀστραγαλίζω *vb.* **play with knucklebones** Pl.

ἀστραγάλισις εως *f.* playing with knucklebones, **game of knucklebones** Arist.

ἀστράγαλος ου *m.* **1** joint of the spine; **vertebra** (at the top of the spine) Il. ‖ COLLECTV.PL. spinal column Od.
2 ankle-bone (of a human) Hdt. AR.(dub.); **hock** (of a horse) Hdt. X.
3 knucklebone (esp. made fr. the ankle-bones of sheep or other animals, used in games of throwing and catching) Il. Hdt. Ar. Pl. +; (made of gold) AR.; (made of wood, used as earrings) Anacr.; (fig., exemplifying that which is well formed, ref. to a woman's feet) Theoc.

ἀστραπή ῆς, dial. **ἀστραπά** ᾶς *f.* [reltd. ἀστεροπή]
1 lightning (as a phenomenon) Hdt. Ar.(quot. S.) Pl.; (sg. and pl.) **flash** or **bolt of lightning** B. Hdt. Trag. Th. Pl. +
2 bright light (fr. a lamp) NT.
3 flash (ref. to a glance fr. someone's eyes) E. Ar.

ἀστραπηφορέω *contr.vb.* [ἀστραπήφορος] (of a draught animal, envisaged as yoked to Zeus' chariot) **carry lightning-bolts** Ar.(quot. E.)

ἀστραπή-φορος ον *adj.* [φέρω] (of the fire at the birth of Dionysus) **lightning-borne** E.

ἀστράπτω *vb.* ‖ iterativ.impf. ἀστράπτεσκον ‖ aor. ἤστραψα ‖
1 (of Zeus) **send lightning** Il. Hes. B.; (fig., of Perikles, likened to Zeus in his anger) Ar. Plu.(quot.com.); (of a demagogue) Ar.
2 (of lightning) **flash** NT. ‖ IMPERS. there is a flash of lightning Arist.
3 (of a metal object, its gleam) **flash brilliantly** Lyr.adesp. S. X. AR.; (of an army, a battlefield) **gleam** —W.DAT. or PREDIC.ADJ. w. *armour* E. X. Plu.; (of a face, clothing) **shine** Pl. NT.
4 (of Typhon) **flash** —*a flame* (fr. his eyes) A.; (intr., of excited hounds) **be bright** —W.DAT. *in their eyes* X.; (of a bull's eyes) Mosch.

ἀστράσι (dat.pl.): see ἀστήρ

ἀ-στρατεία ᾱς *f.* [privatv.prfx.] **1 freedom from military service** (in peacetime) Ar.
2 avoidance of military duty Ar. Att.orats. Pl.

ἀ-στράτευτος ον *adj.* [στρατεύω] **1** not having been on campaign, **without military experience** Lys.
2 evading military service Ar. Aeschin. ‖ MASC.SB. shirker D.
3 (of an old man) **unfit for military service** Plu.

ἄ-στρεπτος ον *adj.* [στρεπτός] (quasi-advbl., of a person departing) **not turning round** (to look back) Theoc.

ἄστρις ιος *Ion.f.* [ἀστράγαλος] **knucklebone** Call.

ἀστρο-γείτων ον, gen. ονος *adj.* [ἄστρον] (of mountain peaks) **neighbouring on the stars** A.

ἀστρολογέω *contr.vb.* [ἀστρολόγος] **be an astronomer** Plb.

ἀστρολογία ᾱς *f.* systematic study of the stars (for time-keeping and navigation, as a branch of mathematics), **astronomy** Isoc. X. Arist. Plb. Plu.

ἀστρο-λόγος ου *m.* [λέγω] **1** one who describes and explains the stars (esp. their movements), **astronomer** X.
2 one who describes the stars (esp. their movements, together w. other events, to make predictions), **astrologer** Plu.

ἄστρον ου *n.* [ἀστήρ] (usu.pl.) **star** Hom. +; (as an aid to time-keeping and navigation) Od. Hdt. Trag. Pl. +; (sg., ref. to Sirius) Alcm. Alc. Thgn. X.; (ref. to a heavenly body, such as a planet, the sun or moon) A. Pi. Pl. Arist.; (as a deity) E. Pl.

ἀστρονομέω *contr.vb.* [ἀστρονόμος] **study the stars** Ar. Pl. ‖ IMPERS.PASS. astronomy is studied (in a certain way) Pl.

ἀστρονομία ᾱς *f.* study of the stars (esp. their movements, sts. assoc.w. geometry), **astronomy** Pl. X.; (perh.concr., ref. to a scientific instrument) Ar.

ἀστρονομικός ή όν *adj*. **1** (of persons) **skilled in astronomy** Pl.
2 (of questions) **about astronomy** Pl.
ἀστρο-νόμος ου *m*. [νέμω] **one who systematises the stars** (esp. their movements), **astronomer** Pl.; (perh.concr., ref. to an instrument) Ar.
ἄ-στροφος ον *adj*. [privatv.prfx., στρέφω] **1** (of a person's eyes) **not turned** (towards sthg.) A.; (quasi-advbl., of a person departing) **not turning round** (to look back) S.
2 (of a process) **not involving twisting** Pl.
ἀστρ-ωπός όν *adj*. [ἄστρον, ὤψ; reltd. ἀστερωπός] (of the abodes of the gods, ref. to the heavens) **starry** E.
ἀστρωσία ᾱς *f*. [ἄστρωτος] **deprivation of bedding**, **sleeping rough** (as part of military training) Pl.
ἄ-στρωτος ον *adj*. [privatv.prfx., στρωτός] **not spread with coverings**; (of a person who sleeps on the ground) **without any bedding** Pl.; (of the ground) **bare** E.
ἄστυ εος (Att. εως) *n*. | Att.nom.acc.pl. ἄστη | **1 town** or **city** (esp. as a place of habitation, opp. a centre of commerce or politics) Hom. +; (W.GEN. or ADJ. of a named city) Hom. +
2 lower city (opp. an acropolis) Il. Hdt.
3 town or **city** (w. or without art., ref. to Athens, opp. the demes of Attica) Hdt. Th. Ar. Att.orats. +; (opp. Phaleron or Peiraieus) Th. Att.orats. +
—**ἄστυδε** *adv*. **to the city** Hom. | see also ἀστυάνακτες
ἀστυ-άνακτες ων *m.pl*. [ἄναξ] **city-lords** (epith. of gods) A.(dub., cj. ἄστυδ᾽ ἄνακτες)
ἀστυ-βοώτης εω *Ion.m*. [βοάω] **one who calls out in a city**, **town-crier** (appos.w. κῆρυξ) Il.
ἀστυγειτονέομαι *mid.contr.vb*. [ἀστυγείτων] (of a tribe) **live as a neighbour** —W.PREP.PHR. *beside another tribe* A.
ἀστυ-γείτων ον, gen. ονος *adj*. **1** (of an observation post) **near a city** A.; (of cities, peoples) **neighbouring one's town** Hdt. E. Th. + ‖ MASC.SB. **neighbour to one's city** Hdt. Th. Att.orats. +
2 (of wars) **between neighbouring cities** Arist. Plb.
ἀστυδρομέομαι *pass.contr.vb*. [δρόμος] (of a city) **be overrun street by street** (by an army) A.
ἀστύ-θεμις ιδος *masc.adj*. [θέμις] | acc. ἀστύθεμιν | (of a ruler) **exercising righteous governance in a city** B.
ἀστύ-νικος ον *adj*. [νίκη] (of Athens) **victorious as a city** A.
ἀστυνομία ᾱς *f*. [ἀστυνόμος] **magistracy of town steward**, **town stewardship** Arist.
ἀστυνομικός ή όν *adj*. (of laws, affairs) **of or relating to town stewardship**, **municipal** (opp. commercial) Pl. Arist.
ἀστυνόμιον ου *n*. **court of the town stewards** Pl.
ἀστυ-νόμος ον *adj*. [νέμω] (of gods) **city-guiding** A.; (of mankind's impulses) **organising cities** S.
—**ἀστυνόμος** ου *m*. **magistrate who governs a town or city**, **town steward** (opp. regulator of markets and land steward) Pl. Arist.; (specif., one of ten magistrates at Athens, responsible esp. for ensuring that streets were kept clean and building regulations observed) Is. D. Arist.
—**ἀστύνομος** ον *adj*. (of celebrations) **administered by the city**, **civic**, **public** Pi.
ἄστυρον ου *n*. [dimin. ἄστυ] **little city** (at the time of its foundation) Call.
ἀ-στυφέλικτος ον *adj*. [privatv.prfx., στυφελίζω] (of a god) **unshaken** (by blasts of wind) Call.; (of the Spartan kings' authority) **unchallenged** (by the people) X.
ἀ-στύφελος η ον *adj*. [στυφελός] (of a land) app., **not rugged**, **fertile** Thgn.
ἀ-συγγνώμων ον, gen. ονος *adj*. (of a person) **unforgiving**, **merciless** D.

ἀ-συγκόμιστος ον *adj*. [συγκομίζω] (of a farmer's crop) **not gathered in** X.
ἀ-σύγκριτος ον *adj*. (of persons or things) **incomparable** Plu.
ἀ-σῡκοφάντητος ον *adj*. [συκοφαντέω] (of an aspect of a person's character) **beyond reproach** Aeschin.
ἀ-σῡλαῖος ον *adj*. [σύλη] **of Asylum** (title of a god, at Rome) Plu.
ἀ-σύλητος ον *adj*. [συλάω] (of castaways) **inviolable** E.
ἀσῡλίᾱ ᾱς *f*. [ἄσυλος] **inviolability** (sts. W.GEN. fr. someone, granted to suppliants, athletes abroad, fugitives, or sim.) A. Plu.; (assoc.w. a region) Plb.
ἀ-συλλόγιστος ον *adj*. [συλλογίζομαι] **1** (of a kind of proof) **not forming a syllogism**, **not syllogistic** Arist.
2 (of a historian) **not using reasoning** Plb.
—**ἀσυλλογίστως** *adv*. **illogically** Plu.
ἄ-συλος ον *adj*. [σύλη] **1 free from seizure by way of reprisal**; (of persons) **safe** E. P.; (of a land) E.
2 (of persons) **unharmed** (by dangers at sea) E.; **immune** (W.GEN. fr. marriage) E.
3 **not to be harmed**; (of a priest, magistrate, magistracy) **inviolable** Plu.; (of a dedication, sanctuary) Plb. Plu.; (of Being) Parm. ‖ NEUT.SB. **inviolability** (of a Vestal Virgin, at Rome) Plu. ‖ NEUT.PL.SB. **sanctuaries** (esp. ref. to their treasuries) Plu.
ἀ-σύμβατος, Att. **ἀξύμβατος** ον *adj*. [συμβατός] (of discussion betw. rivals) **not bringing an agreement** Plb. ‖ NEUT.SB. **lack of agreement** w. an enemy) Th.
—**ἀσυμβάτως** *adv*. **irreconcilably** Plu.
ἀ-σύμβλητος, Att. **ἀξύμβλητος**, ον *adj*. [συμβλητός] **1** (of numerical units) **impossible to combine** Arist.
2 (of items not fr. the same genus) **not comparable** Arist.
3 (of an event) **impossible to understand** S.
ἀ-σύμβολος ον *adj*. [συμβολή] **making no contribution**; (of a male prostitute, a parasite) **not contributing** or **paying** (for a dinner) Aeschin. Men.; (of a person in need, an adviser) **with nothing to offer** Plu.; (of a man's stomach, to the rest of his body) Plu.
ἀ-σύμμαχος ον *adj*. (of a man) **without an ally** E.*fr*.
ἀσυμμετρίᾱ ᾱς *f*. [ἀσύμμετρος] **1 incommensurability** Arist.
2 wrong size (of ladders, for walls) Plb.
3 disproportion (assoc.w. ugliness, in a person's soul) Pl.
ἀ-σύμμετρος ον *adj*. **1 not with the same measurements**; (of things) **of different lengths** Arist.; (of a distribution of goods) **unbalanced** Pl.
2 not in due proportion; (of a hound, person, their body) **ill-proportioned** X. Arist. Plu.; (of a wooden stake) **disproportionate** (in its length and thickness) X.; (of a creature) **unsymmetrical** (W.DAT. in the most important respects) Pl.
3 (of a statesman, his pre-eminence) **incompatible** (W.PREP.PHR. w. democracy, its political equality) Plu.; (of a statesman's virtue, W.DAT. w. his era) Plu.
ἀ-συμπαθής ές *adj*. (of a person) **without sympathy** (for another) Plu.
ἀ-σύμφορος, Att. **ἀξύμφορος** ον *adj*. **1 not making a contribution**; (of an action, statement, emotion, or sim.) **not beneficial**, **inexpedient** Th. Att.orats. Pl. +; (of a day) **not suitable** (for plants, i.e. their growth) Hes.
2 (of menial tasks) **not fitting** (for someone) E.
—**ἀσυμφόρως** *adv*. **disadvantageously** X. Arist.
ἀ-σύμφυλος ον *adj*. **without affinity to one's people** (W.DAT. in one's attitudes and lifestyle) Plu.
ἀσυμφωνίᾱ ᾱς *f*. [ἀσύμφωνος] **discord** (in a discussion) Pl.

ἀ-σύμφωνος ον adj. 1 (of music) not harmonious Pl.
2 (of persons, a city) in disagreement (W.DAT. or PREP.PHR. w. someone) Pl. NT. Plu.
3 (of peoples) with different languages Pl.
—ἀσυμφώνως adv. discordantly Pl.
ἀ-σύνδετος ον adj. 1 not bound together; (of a hare's shoulders) loose X.
2 (of phrases, a literary style) not joined by conjunctions, asyndetic Arist.
ἀ-σύνδηλος ον adj. (of hiding-places) altogether obscure Plu.
ἀσυνεσίᾱ, Att. ἀξυνεσίᾱ, ᾱς f. [ἀσύνετος] lack of understanding or good sense (sts. w.connot. of moral failure), thoughtlessness, folly E. Th. X.
ἀ-σύνετος, Att. ἀξύνετος, Aeol. ἀσύννετος, ον adj. [συνετός] 1 (of mankind) without comprehension (W.GEN. of an explanation) Heraclit.
2 without understanding or good sense (sts. w.connot. of moral failure); (of a crowd, a person, their mind, thoughts, words) foolish, thoughtless, senseless Alc. Demod. Hdt. E. Th. Ar. +
3 impossible to understand; (of words, a riddle, a bird's cry) unintelligible E.
—ἀσύνετα neut.pl.adv. senselessly E.
ἀσυνήθεια ᾱς f. [ἀσυνήθης] 1 unfamiliarity Arist. Plb.; (W.GEN. of a sight) Plb.
2 inexperience (W.GEN. in forensic oratory) Arist.
ἀ-συνήθης ες adj. 1 (of persons, a region, method) unfamiliar, unknown (to someone) Emp. Arist. Plu.
2 (of persons) not accustomed (W.DAT. to someone) Plu.; unfamiliar (W.GEN. w. lettering) Plb.
ἀ-σύνθετος, Att. ἀξύνθετος, ον adj. 1 not made of parts put together; (of things) not composite Pl. Arist.; (of οὐσία Being) Arist.
2 (of a populace) incohesive, disunited D.
3 making no compact, not in alliance (w. πρός + ACC. w. people's lives) Plb.
ἀσυννέτημμι Aeol.vb. [ἀσύνετος] be unable to understand —the positioning of the winds Alc.
ἀ-σύννους ουν Att.adj. (of laziness in philosophy) thoughtless Pl.
ἀ-σύνοπτος ον adj. [συνοπτός] (of facts) not obvious (W.DAT. to the general public) Aeschin.
ἀ-σύντακτος, Att. ἀξύντακτος, ον adj. [συντάσσω] 1 not combined in order; (of persons) not organised (for opposition) X. D.; (of soldiers, a crowd) not in battle-order X. Plu.; (of an army's circumstances) in disorder X.
2 (of lawlessness among soldiers) undisciplined Th.
3 (of the body of a hound) not well arranged, poorly co-ordinated X.
—ἀσυντάκτως adv. in disarray —ref. to disembarking Plu.
ἀσυντονώτατα neut.pl.superl.adv. [σύντονος] very lazily X.
ἀ-συρής ές adj. [perh.reltd. σύρω] (fig., of an immoral person, lifestyle, language) filthy Plb.
ἀ-συσκεύαστος ον adj. [συσκευάζω] (of a ship's tackle and cargo) not properly packed X.
ἀ-σύστατος, Att. ἀξύστατος, ον adj. [συνίστημι] 1 (of earth) not compacted together (by pressure) Pl.
2 (of anguish) impossible to resist or withstand A.
3 (of a poet) incoherent Ar.
ἀσύφηλος ον adj. 1 (of a word, an action) insulting, hurtful Il.
2 (of youth) headstrong, wayward Eleg.adesp.

ἀσυχᾷ dial.adv., ἀσυχίᾱ dial.f., ἄσυχος dial.adj.: see ἡσυχῇ, ἡσυχίᾱ, ἥσυχος
ἀ-σφάδαστος ον adj. [σφαδάζω] (of a person dying fr. wounds, the lunge of a person committing suicide onto his sword) without a struggle or convulsions A. S.
ἄ-σφακτος ον adj. [σφακτός] (of sheep) not slaughtered (in sacrifice) E.
ἀσφάλεια ᾱς (Ion. ης) f. [ἀσφαλής] 1 sure footing (of a person) Th.
2 stability (of a city, empire, constitution) S. Th. X. Arist.
3 safety, security (for someone or sthg.) A. Hdt. E. Th. Att.orats. +; protection (provided by someone or sthg.) Hdt. Th. X.; safe passage (for someone) Hdt. X.; place of refuge Th.; safe method (W.GEN. for arguing) X.; period of security Isoc.
4 caution (in planning) Th.; precaution (W.GEN. consisting of an action or plan) Antipho And.
5 certainty (about sthg.) Th.; reliability (of a report) NT.; reliable answer Pl.
ἀσφάλειος (perh. also ἀσφάλιος) ον adj. steadying (epith. of Poseidon) Ar. Plu.
ἀ-σφαλής ές adj. [σφάλλω] 1 not liable to fall over; (of the gods' home) steady, unshakeable Od. Hes. Pi.; (of the gates of Hades) Theoc.; (of a citadel, roof, foundation) A. Pi. E.fr.; (of a divine decree) S.; (fig., of a speaker) unassailable (in his argumentation) X.
2 (fig., of persons) not tripped up (by deception), cautious Pl.
3 (of persons) steadfast, unfaltering (in their character) S. E. Th.; (of forethought) reliable E. Th.
4 (of a road, house, city, a person's passage fr. somewhere) safe, secure (esp. fr. attack) S. E. X.; (of a person's life, destiny, course, plans, or sim.) Lyr. A. E. ‖ NEUT.SB. safety (for someone) Hdt. E. Th. Pl. +; safe place X. ‖ NEUT.IMPERS. (w. ἐστί, sts.understd.) it is safe E. Pl. —W.DAT. + INF. for someone to do sthg. Hdt. E. Ar. X.
5 (of evidence, a case, an answer, information) sure, certain E. Pl. NT. ‖ NEUT.SB. certainty (about sthg.) E. NT.
—ἀσφαλές neut.adv. 1 unfalteringly —ref. to leaping Il.
2 securely —ref. to looking (i.e. having a look of security) Pi.
—ἀσφαλῶς, Ion. ἀσφαλέως adv. | compar. ἀσφαλέστερον, also ἀσφαλεστέρως (Th.) | 1 with stability, steadily Hom. Archil. Hdt. E.; unfalteringly —ref. to a boulder rolling Il. —ref. to speaking Od. Hes.
2 in safety, securely Od. Hdt. Trag. Th. +
3 with certainty —ref. to learning S.; as a matter of fact, certainly Theoc.
4 cautiously —ref. to deliberating E. And.
ἀσφαλίζομαι mid.vb. 1 protect oneself against —projectiles Plb.; (of a shield) keep away —damage (W.PREP.PHR. by means of iron edging) Plb.
2 defend (sthg. or somewhere) against attack or approach; protect —locations (w. barricades, soldiers) Plb.; (of a lake) —a column of soldiers (fr. one side) Plb. ‖ ACT. (of soldiers, using their weapons as a barricade) protect —the sides, heads (of a body of men) Plb. ‖ PASS. (of a city) be protected (by walls, a river, or sim.) Plb.
3 make secure (w. sentries, against intrusion) —a tomb NT. ‖ PASS. (of a tomb) be made secure (w. sentries) NT.
4 fasten, secure —prisoners' feet (into stocks) NT.; (fig.) make safe —one's dealings w. one's enemies Plb.
5 (of a satrap) obtain with certainty, secure —support Plb.
ἄσφαλτος ου f. bitumen, pitch Alc. Hdt. X. Theoc. Plu.

ἀσφάραγος¹ ου *m.* [perh.reltd. φάρυγξ] **windpipe** (in the neck) Il.

ἀσφάραγος² (also **ἀσπάραγος**) ου *m.* **asparagus** Plu.

ἄσφε (Aeol.acc.3pl.pers.pron.), **ἄσφι** (dat.): see σφεῖς

ἀσφόδελος ου *m.* **asphodel** (a kind of plant used as a cheap food source) Hes. Theoc.

—**ἀσφοδελός** όν *adj.* (of a meadow, in the underworld) **of asphodel** Od.; (of a meadow, on earth, where a god's cattle graze) hHom.

ἀσχαλάω *contr.vb.* [ἀσχάλλω] | (w.diect.) ep.3sg. ἀσχαλάᾳ, 3pl. ἀσχαλόωσι, ptcpl. ἀσχαλόων, inf. ἀσχαλάᾶν | **be distressed** or **aggrieved** Hom. AR. Theoc. —W.GEN. *because of sthg.* Od. —W.DAT. *at troubles* Archil. E. —*at being pursued* A.

ἀσχάλλω *vb.* | fut. ἀσχαλῶ | **be distressed** or **grieved** Od. Hes.*fr.* Thgn. Hdt. S. E.*fr.* + —W.DAT. or PREP.PHR. *at sthg.* A. X. D. Plb. Plu.; (tr.) **grieve over** —*someone's death* E.

ἄ-σχετος, ep. **ἀάσχετος**, ον *adj.* [privatv.prfx.; reltd. σχεῖν, see ἔχω] **1 impossible to hold back** or **restrain**; (of persons, their strength, weapons) **irresistible** Hom. AR.; (of a bull) Hes.; (of flames, fr. fire-breathing bulls) AR.
2 (of a bleeding wound) **uncontrollable** Bion; (of grief, an affliction) Il. Alc.
3 (of a stench, actions, a rebuke) **unbearable** AR.
—**ἄσχετον** *neut.adv.* —also **ἄσχετα** *neut.pl.adv.* **without restraint** —*ref. to feeling desire, punishing someone* AR.
—**ἀσχέτως** *adv.* **without restraint** —*ref. to flowing* Pl.

ἀ-σχημάτιστος ον *adj.* [σχηματίζω] (of οὐσία Being) **shapeless** Pl.

ἀσχημονέω *contr.vb.* [ἀσχήμων] **1 be unsightly** or **ugly** (in form, movement) Pl. X.; **be awkward** (in manner) Pl.; **lose one's dignity** (through being handled aggressively) E.
2 be disgraceful (in behaviour, lifestyle or work) Aeschin. D. Arist. Plu.
3 be disgraced (by making a mistake) Pl.

ἀσχημοσύνη ης *f.* **1 absence of good form**; **awkwardness, unseemliness** (in a person's proportions, way of moving or behaving) Pl.; **ungracefulness** (in music) Pl.; **distortion** (of a person's face when playing an aulos) Arist.
2 unseemliness (in behaviour, words) Pl.; **disgraceful conduct** Aeschin.
3 disgrace (for someone behaving in a certain way) Arist.; **humiliating situation** Pl.

ἀ-σχήμων ον, gen. ονος *adj.* [σχῆμα] **1** (of persons) **unseemly** (in behaviour) Hdt. Arist.
2 (of emotions) **unsuitable** Pl.; (of an action, event, behaviour, or sim.) **disgraceful, discreditable** E. Pl. X Aeschin. Arist. +; (of depictions, accounts) **indecent** Arist.; (of diseases) **foul** Pl.
—**ἀσχημονέστατα** *neut.pl.superl.adv.* **most improperly** —*ref. to interpreting sthg.* Pl.

ἄ-σχιστος ον *adj.* [σχιστός] **1** (of animals) **uncloven** (opp. cloven-footed) Arist.
2 (of a sphere surrounding the earth) **undivided** Pl.; (of an activity) **not divided** (into its different types) Pl.

ἀσχολέω *contr.vb.* [ἄσχολος] | aor.pass. (w.mid.sens.) ἠσχολήθην (Plu.) | **be busy** (w. one's work or sim.) Arist. || MID. and AOR.PASS. **be busy** (w. one's work, troubles, or sim.) Arist. Thphr. Men. Plb. Plu.

ἀσχολία ᾱς *f.* **1 lack of leisure** Att.orats. Pl. X. +
2 lack of time or **opportunity** (sts. W.INF. or w. τὸ μή or τοῦ + INF. to do sthg.) Antipho X. Arist.
3 engagement, employment Pi. Th. Att.orats. Pl. X. +
4 trouble Pl. X.

ἄ-σχολος ον *adj.* [σχολή] **1 without leisure**; (of persons, an army) **busy, occupied** (sts. W.PREP.PHR. w. a task) E. Pl. D. Arist. Plu.; (of persons, their mind) **not at leisure** (sts. W.INF. to do sthg.) Pi. Arist. Plu.; (pejor., of the Greeks) **over-busy** (w. ἐς + ACC. in every branch of learning) Hdt.
2 (of time, war, politics) **without opportunity for leisure** Pl. Arist.
—**ἀσχόλως** *adv.* **in a preoccupied way** D.

ἀσώδης ες *adj.* [ἄσις] (of a shore) **silty** A.

ἀ-σώματος ον *adj.* [privatv.prfx., σῶμα] **without a body** or **physical existence**; (of the harmony of a lyre, the Forms, an ordering principle, or sim.) **immaterial, incorporeal** Pl. Arist. || NEUT.PL.SB. **immaterial entities** (opp. perceptible objects) Pl. Arist. Plu.

ἀσωτεύομαι *mid.vb.* [ἄσωτος] **live wastefully** Arist.

ἀσωτία ᾱς *f.* **1 profligacy, prodigality** Arist. Plu.
2 dissipation (in behaviour) Isoc. Pl. Plb. Plu.

ἄ-σωτος ον *adj.* [σῴζω] **1 wasteful** (in the use of resources); (of a person) **profligate, prodigal** (esp. w. money) Pl. D. Arist. Plu.
2 (of an act) **ruinous** (W.DAT. for a family) A.
3 impossible to rescue (morally); (of a family) **reprobate** S.; (of a lifestyle) **depraved** Plb.
—**ἀσώτως** *adv.* **profligately** —*ref. to spending, living* Isoc. D. NT. Plu.

ἄτᾱ *dial.f.*: see ἄτη

ἀτακτέω *contr.vb.* [ἄτακτος] (of persons) **be insubordinate** (towards superiors) Lys. X. D. Arist.; (of a man, towards a god) X.

ἄ-τακτος ον *adj.* [τακτός] **1** (of soldiers, sailors) **not in battle order** Hdt. Th. X. Lycurg. Men.
2 (of preparations for war) **ill-arranged** D.
3 not well ordered or **controlled**; (of soldiers, a population) **unruly** Isoc.; (of pleasures, desire) Pl.; (of nature) D.; (of uproar, fr. a battle) Th.; (of a kind of government) Arist.
4 (of kinds of music, questions of law) **unregulated** Pl.
5 (of certain causes, their outcomes) **irregular** Pl. Arist.
—**ἀτάκτως** *adv.* **1 in a disorderly way** —*ref. to moving* Isoc. Pl.; **in a disorderly state** Pl.
2 in disarray —*ref. to soldiers attacking or sim.* Th. X.
3 in a disorderly manner (opp. w. moderation) —*ref. to conducting oneself, spending money* Isoc. Pl. Arist.
4 irregularly —*ref. to performing acts of worship* Isoc. —*ref. to receiving payment* D.

ἀ-ταλαίπωρος ον *adj.* (of an investigation) **not painstaking** Th.

Ἀταλάντη ης, dial. **Ἀταλάντᾱ** ᾱς *f.* **Atalanta** (huntress, mother of Parthenopaios) Hes.*fr.* Thgn. S. E. Pl. X. +

ἀ-τάλαντος ον *adj.* [copul.prfx., τάλαντον] **1 of the same weight or value**; (of a warrior, an adviser) **equal** (W.DAT. to Zeus, Ares, or sim.) Hom.; (of Strife, W.ADV. in every direction) Emp.
2 (of warriors) **similar** (W.DAT. to a blast of wind, the swift night) Il.; (of dead warriors, to beached sea-monsters) AR.; (of Polydeukes, to a star) AR.
3 (of Chiron) **resembling** (W.DAT. both a god and a horse) AR.

ἀταλά-φρων ον, gen. ονος *adj.* [ἀταλός, φρήν; unless privatv.prfx., ταλάφρων] (of an infant) **tender-minded, innocent** Il.

ἀτάλλω *vb.* [ἀταλός] | only pres. and impf. | ep.ptcpl. ἀτάλλων (Hes.) | **1** (of a child) **frolic, play** Hes.; (of sea-creatures) **leap** Il. Mosch.

2 (of a child) **gently nurture** —*his young life* S.; (of Hope) —*a person's heart* Pi.*fr.* ‖ PASS. (of cattle) be cared for (in their stall) hHom.

ἀταλός ή (dial. ἅ) όν *adj.* **1** (of a girl, filly, ewe) **tender, delicate** Hom. E.; (of a boy's spirit) **gentle** (W.DAT. to his father) Pi.; (of Hekate's thoughts) hHom.
2 (of the thoughts of youths) **playful** Il. Hes.
3 (of a boy, a girl's mind) **young** (w.connot. of inexperience) AR. Mosch.

ἀταμιεύτως *adv.* [privatv.prfx., ταμιεύω] **uncontrollably** —*ref. to acting under the impulse of anger or ambition* Pl. Plu.

ἀταξίᾱ ᾱς, Ion. **ἀταξίη** ης *f.* [ἄτακτος] **1 lack of order** (of items in storage) X.; **disorder** (in the blood or soul) Pl.; (in the universe, matter, nature, or sim.) Pl. Arist.; (in motion) Pl.; **disarray** (W.GEN. in the laws) Aeschin.
2 disorder, disturbance (in a city) Pl. X. D. Arist.
3 lack of restraint (in a people's habits) Pl.
4 (in military ctxt.) lack of discipline, **disorder, disarray** (in an army, a fleet) Hdt. Th. X. Plb.; **insubordination** X.

ἀτάομαι *pass.contr.vb.* [ἄτη] (of a person) **suffer ruin** S. E.

ἀ-ταπείνωτος ον *adj.* [privatv.prfx., ταπεινόω] (of a statesman) **not humiliated** (by a defeat) Plu.

ἀτάρ, ep. **αὐτάρ** *conj.* [αὖτε, ἄρα] **1 but, however, nevertheless** Hom. +; (in response to μέν) Hom. +; (in a q., to raise an objection) E. X.
2 (without adversative connot.) **and, then** Hom. +; (in response to μέν) Hom. +; **but now, next** (sts. w. δή) A. E. Ar. Pl. X.
3 (in response to εἰ, in the apodosis of a conditional sentence) **then** Il.

ἀ-τάρακτος ον *adj.* [privatv.prfx., ταράσσω] **1** (of a star's course) **impossible to disturb** Pl.
2 (of a horse's motion) **steady** X.
3 (of a person) **stable** (in character) X.
—**ἀταράκτως** *adv.* **1 without confusion** —*ref. to cavalry adopting a formation* X.
2 steadily —*ref. to cavalry advancing* X.

ἀταραξίᾱ ᾱς *f.* absence of unrest, **tranquillity** Plu.

ἀ-τάραχος ον *adj.* [ταραχή] **not disturbed** (by terrors) Arist.

ἀ-τάρβακτος ον *adj.* [reltd. τάρβος] (of persons, their resolve) **unflinching** Pi. B.

ἀ-ταρβής ές *adj.* [τάρβος] **1** (of a person, mind or head) **fearless** Hom. Pi.; **without fear** (W.GEN. of a sight) S.
2 (of Zeus' hand) **causing no fear** A.; (of a journey) AR.

ἀ-τάρβητος ον *adj.* [ταρβέω] (of a person or heart) **unafraid** Il. Hes.; (of an army) A.*fr.*
—**ἀτάρβητα** *neut.pl.adv.* **without fear** S.

ἀταρβο-μάχᾱς ᾱ *dial.masc.adj.* [μάχη] (of Herakles) **fearless in battle** B.

ἀταρπιτός *ep.f.*, **ἀταρπός** *ep.f.*: see ἀτραπιτός, ἀτραπός

ἀταρτηρός όν *ep.adj.* **1** (of persons) **wicked, hurtful** Od. Hes.; (of words) **abusive** Il.
2 (of the mouth of the Black Sea) **grim** Theoc.

ἀτασθαλίᾱ ᾱς, Ion. **ἀτασθαλίη** ης *f.* [ἀτάσθαλος] (sg. and pl.) wicked or presumptuous conduct, **wickedness, wantonness, folly** Hom. Hes. Thgn. Lyr. Hdt. +

ἀτασθάλλω *vb.* (of persons) **be presumptuous** Od.

ἀτάσθαλος ον *adj.* **1** culpably reckless (w.connot. of a selfish disregard for social decency); (of a man, stepmother, population) **wicked** Hom. Hes. Thgn. Lyr. Hdt. AR.; (of Apollo) **unruly** hHom.; (of a messenger, fig.ref. to a fart) hHom.
2 (of plans, actions, words) **reckless** Hom. Hes. hHom. Hdt. AR.; (of aggression, arrogance) **wanton** Hom.; (of harm) **grievous** Theoc.

ἀ-ταύρωτος ον (also η ον Ar.) *adj.* [privatv.prfx., ταυρόομαι] not subjected to a bull (perh. w. allusion to the purity of a sacrificial heifer); (of a girl, about to be sacrificed) **virgin** A.; (of a wife) **chaste** Ar.

ἀταφίᾱ ᾱς *f.* [ἄταφος] **lack of burial** Plu.

ἄ-ταφος ον *adj.* [τάφος¹] without funeral rites or a tomb; (of corpses) **unburied** Hdt. S. E. Th. +; (of ways of disposing of the bodies of criminals) **without burial** Pl.

ἅτε *conj.* [ὅστε] **1 just as, like** Thgn. Lyr. Hdt. S. E. Hellenist.poet.; (answered by ὧδε) Theoc.
2 inasmuch as, because (sts. reinforced by δή) —W.PTCPL. (sts. gen. absolute) *sthg. is the case* Pi. Hdt. Th. Ar. Pl. +; (reinforced by περ¹) Arist.; (w.ptcpl.understd.) Hdt. Th. Pl.

ἅτε and **ἅ τε** (dial.fem.sg.relatv.pron.): see ὅστε

ἆτε, also **ᾆτε** *dial.fem.adv.*: see under ὅστε

ἄ-τεγκτος ον *adj.* [τέγγω] impossible to soften (w. water); (fig., of a person, heart, character) **hard, stubborn** S. E. Plu.

ἀ-τειρής ές *adj.* [τείρω] **1** not worn away; (of bronze, rocks, earth) **hard** Hom. AR.; (of a man's voice, shoulders) **untiring** Il. AR.; (of prosperity) **enduring** Pi.
2 (of a person or heart) **stubborn** Hom. Theoc.; (of rays of light) **unyielding** Emp. ‖ NEUT.SB. stubbornness Pl.

ἀ-τείχιστος ον *adj.* [τειχίζω] (of persons) **not protected by fortifications** Th. Lys.; (of a settlement, harbour, region, or sim.) **not walled, open** Th. Isoc. X. Plb. Plu.

ἀ-τέκμαρτος ον *adj.* [τεκμαίρομαι] **1** without any sign (to aid understanding); (of an oracle) **incomprehensible** Hdt.; (of a kind of fear) **indistinct** Th.; (of a sound) Plu.
2 without any sign (to aid prediction); (of a person, likened to a bird) **unpredictable** Ar.; (of circumstances, events) A. Pi. Pl.; (of life) Hermoloch.
3 without demarcation; (of a desert) **featureless** Plu.; (of pathways) **obscured** (by snowfalls) Plu.
—**ἀτέκμαρτα** *neut.pl.adv.* **without warning** —*ref. to a cloud descending* Pi.
—**ἀτεκμάρτως** *adv.* **without indication** (of purpose) X.

ἀτεκνίᾱ ᾱς *f.* [ἄτεκνος] absence of offspring, **childlessness** Arist. Plu.

ἄ-τεκνος ον *adj.* [τέκνον] **1** without a child; (of a woman, her life) **childless** Hes. S. E.; (of a man, family) A. B. E. Arist. +; (W.GEN. in relation to male children) E.; (of a mother) **bereft of a child** (by his death) E.
2 (of a wife) **barren** E.
3 (of a blight) **causing childlessness** A.

ἀτέλεια ᾱς, Ion. **ἀτελείη** ης *f.* [ἀτελής] **1 exemption** (sts. W.GEN. fr. military service, taxes or liturgies) Hdt. Att.orats. +
2 immunity (fr. duties) A.
3 (wkr.sens.) **freedom from expense** D.

ἀ-τέλεστος ον *adj.* [τελέω] **1** (of a task, event, journey, plan) **not completed, unaccomplished** Hom.; (of a summons) **unfulfilled** hHom.
2 impossible to accomplish; (of a task or request) **unfulfillable** Eleg. Antipho
3 uninitiated (sts. W.GEN. in sacred rites) E. Pl. Arist. +
—**ἀτέλεστον** *neut.adv.* **endlessly** —*ref. to feasting* Od.

ἀ-τελεύτητος ον *adj.* [τελευτάω] **1** not brought to a goal or end; (of a task) **unaccomplished** Il.; (of an intention) **unfulfilled** Il.; (of Being, in neg.phr.) **incomplete** Parm.
2 (of traversal of an infinite space) impossible to bring to an end, **endless** Arist.
3 (of a person) failing to achieve a conclusion, **inconclusive** S.

ἀ-τέλευτος ον *adj.* [τελευτή] (of the sleep of death) **endless** A.

ἀ-τελής ές *adj.* [τέλος] **1** not completed; (of a building) **unfinished** Th.; (of a plan, task, victory, peace) **not accomplished** S. Th. X.; (of death as retribution) **unfulfilled** Od. E.; (of an inquiry) **not concluded** Pl.; (of a part of creation, a soul, mankind, a standard for measurement) **imperfect** Pl. ‖ NEUT.SB. **imperfection** Pl.
2 not finished (in growth or development); (of persons) **incomplete** (in their training) Pl.; **not fit** (for a task) Pl. Arist.; (of children) **not ready** (for civic participation) Arist.; (of fruit) **unripe** Pi.*fr.*
3 without purpose; (of mourning, an aspect of music) **pointless** Stesich. Pl.; (of nature's work) **purposeless** Arist.
4 not accomplishing (a goal); (of a person) **unsuccessful** (sts. W.GEN. in sthg.) Pl.; (of persons, their mind) **ineffectual** (for sthg.) Pi. And.; (of a verdict) And. D.; (of smoke, fig.ref. to malicious speech) Simon.
5 without end points; (of hotter and colder, as ranges of temperature) **endless** Pl.
6 exempt from financial obligation; **exempt** (sts. W.GEN. fr. taxes, liturgies, military service) Hdt. Att.orats. +; (of land, assets, commodities) **tax-free** Hdt. D. Arist. Thphr.; (of a sum of money) without further taxation, **net** X. D.
7 (of persons) **not initiated** (W.GEN. in sacred rites) hHom.; (fig., of Philosophy) without a completed marriage rite, **unwed** Pl.
—**ἀτελῶς** *adv.* **incompletely** —*ref. to participating* Arist.
ἀτέμβω *vb.* | only pres. | **1 disappoint, cheat** —*a guest, someone's heart* (*of what is right*) Od. ‖ PASS. **be cheated** —W.GEN. *of one's due share* Hom.
2 ‖ PASS. **be bereft** —W.GEN. *of iron, one's youth* Il.
3 ‖ MID. **be reproachful** AR. —W.DAT. *to someone* AR.; **disapprove** —W.INF. *of doing sthg.* AR.
ἀ-τενής ές *adj.* [copul.prfx., τείνω] **1** intently straining; (of ivy) **clinging** S.
2 (of persons, their mind) **intent** (on sthg.) Hes. Pi. Plu.; **earnest** Pl. Plu.
3 (pejor., of persons, their character) **stubborn** Ar. Plu.; (of anger) A. ‖ NEUT.SB. **stubbornness** Plu.
4 (of laments) **intense** Call.
—**ἀτενές** *neut.adv.* **1 closely** —*ref. to resembling sthg.* Pi.
2 intently —*ref. to looking at someone* Plb. Plu.
—**ἀτενῶς** *adv.* **resolutely** Plu.
ἀτενίζω *vb.* (of persons, their eyes, sight) **look intently** —W.DAT. OR PREP.PHR. *towards someone, sthg., somewhere* Plb. NT.; **concentrate** (sts. W.PREP.PHR. on sthg.) Plb.
ἀτενισμός οῦ *m.* **concentration** (of the mind, on a subject) Plb.
ἄτερ *prep.* | freq. following its noun | **1** at a distance, **away** —W.GEN. *fr. a group, a person* Il. S. Theoc. NT.
2 without —W.GEN. *someone or sthg.* Hom. Hes. Mimn. Lyr. Trag. +
3 independently —W.GEN. *of a god* Il. Thgn. Pi. E.
4 except —W.GEN. *for someone* Alc. Pi.
5 separately —W.GEN. *fr. others* AR.
ἀ-τέραμνος ον *adj.* [privatv.prfx.; perh.reltd. τείρω or τέρην] **1** (of a rock) not softened, **hard** Theoc.
2 (of a woman's heart) **pitiless** Od.; (of anger) **stubborn** A. ‖ NEUT.SB. **hardness** (of character) Plb.
3 (of thunder) **relentless** A.
ἀτεράμων ον, gen. ονος *adj.* [reltd. ἀτέραμνος] (of war veterans) **tough** Ar.; (pejor., of citizens) **stubborn** Ar. Pl.
ἄτερθε(ν) *prep. and adv.* [ἄτερ] **1** at a distance, **apart** or **away** —W.GEN. *fr. someone or sthg.* Pi. B.
2 (as adv.) **separately** Pi.

3 without —W.GEN. *sthg.* A.
4 except —W.GEN. *for someone* S.
ἀ-τέρμων ον, gen. ονος *adj.* [privatv.prfx.] without limit; (of sleep) **endless** Mosch.; (of rays of light, perh. in their number) E.; (of a robe) A.
ἅτερος *dial.adj.*, **ἅτερος** Aeol.adj.: see ἕτερος
ἅτερος (crasis for ὁ ἕτερος): see ἕτερος
ἀ-τερπής ές *adj.* [τέρπω] **1** not pleasing; (of hunger, afflictions, old age, or sim.) **joyless, painful** Il. Hes. A. Theoc.(cj.) Mosch. Plu.; (of a message) E.; (of a banquet) **foul** Od.
2 (of a dancer) **displeasing** Plu.; (of a dance performance, W.INF. to watch) X.; (of memorials) Plu.; (of the style and content of a historical work) Th.; (in neg.phr., of an achievement) Plu.
3 without joy; (of the underworld, a location, boat) **dismal** Od. Simon. A.
ἄ-τερπος ον *adj.* (of misery) **joyless** Il.(dub.)
ἀτέρωτα Aeol.adv. [reltd. ἕτερος] **at another time** (in the past) Sapph.
ἀ-τευχής ές *adj.* [privatv.prfx., τεύχεα] (of a person) **without armour** E.
ἀτεχνία ᾱς *f.* [ἄτεχνος] **1 lack of skill** or **expertise** Pl. Plu.; (caused by false reasoning) Arist.
2 absence of technique (W.GEN. in rhetoric) Pl.
ἄ-τεχνος ον *adj.* [τέχνη] **1** without skills; (of primitive men) **unskilled** Pl.; (of labourers) Arist.
2 without much skill; (of a craftsman) **inexpert** Pl.
3 not involving expertise; (of a pursuit, technique, treatment fr. physicians, features of a speech) **not skilful, unscientific** Pl. Arist. Plu.; (of dramatic technique, a scene) **inartistic, naive** Arist.
4 not from an acquired ability; (of personal attributes, ability as an actor) **not learnt, innate** Arist.; (of proofs in an argument) **not artificial** Arist.
5 (of visual effects in drama) **outside the main craft** (of poetics) Arist.
—**ἀτέχνως** *adv.* **inexpertly, unscientifically** Pl. X. Plu.
ἀτεχνῶς *adv.* **simply, truly, absolutely** Ar. Pl. Plu.; (W.SB. ADJ. *such and such*) Ar. Pl. Arist. Plu.
ἀτέω *contr.vb.* **be reckless** Il. Hdt.
ἄτη (also **ἀάτη** Call.) ης, dial. **ἄτᾱ**, Aeol. **ἀυάτᾱ** (i.e. **ἀfάτᾱ**) ᾱς *f.* [reltd. ἀάω] **1 delusion, infatuation** (inflicted on a person's mind by a god, esp. Zeus) Hom. Archil. Lyr. Trag. AR. ‖ PL. **delusional thoughts** Il. Hes. S.*fr.*
2 reckless behaviour (sts. assoc.w. delusion), **recklessness, folly** Il. Sol. Pi. Trag. ‖ PL. **reckless acts** Il. Pi. S.
3 ruin, calamity, harm Od. Hes. Eleg. Lyr. Hdt. Trag. +; **affliction** (inherited fr. one's ancestors) E.; **anguish** (fr. a wound or disease) S. ‖ PL. **disasters** Hes. Trag.; (wkr.sens.) **troubles** Thgn.
4 cause of ruin, **bane** (ref. to a person, the Trojan Horse) S. E. Call.
—**Ἄτη** ης, dial. **Ἄτᾱ** ᾱς *f.* **Ate** (personif. Ruin, daughter of Zeus or Eris, instigator of delusion and destruction) Il. +
ἄ-τηκτος ον *adj.* [τηκτός] **1** (of snow) **not melted** Pl.; (of earth) **not soluble** (in water or fire) Pl.
2 (of minerals) **not fusible** Pl.
3 (fig., of stubborn persons) **not softened** (by the laws) Pl.
ἀ-τημελής ές *adj.* [τημελέω] not receiving care; (of women) **neglected** AR.; (of hair) **unkempt** Plu.
—**ἀτημελῶς** *adv.* (of a woman's hair and clothing, w. ἔχειν) *be in disarray* Plu.

ἀ-τημέλητος ον *adj.* not cared for; (of a patient) **neglected** X.; (of soldiers) **unsupervised** X.; (of beacons) A.
—ἀτημελήτως *adv.* (of a person's affairs, w. ἔχειν) *be in a state of neglect* X.
ἀτημελίη ης *Ion.f.* **neglect** (of one's hairstyle) AR.
ἀτηρία ᾱς *f.* [ἀτηρός] **ruinous behaviour** X.
ἀτηρός ά όν *adj.* [ἄτη] **1** (of a person or mind) **ruined** Thgn. **2** (of a person, a creature) **ruinous, baneful** S. E.; (of an irritation, ref. to a slave's master) Ar.; (of a person's fortune, distress, an affliction) A. E.; (of intentions, actions) S. Pl. ‖ NEUT.SB. **bane** (inflicted by Erinyes) A.
Ἀτθίς ίδος *fem.adj.* [reltd. Ἀθάνᾱ, Ἀθῆναι] (of Pallas) **Attic** E.; (of ships) E.; (of a region, Salamis) E. AR. ‖ SB. **Attica** E. ‖ PL.SB. **Attic women** Call.
ἀτίετος ον *adj.* [ἀτίω] **1** (of persons in exile) **not honoured** A.(cj.); (of Erinyes, their functions) **despised** (by the Olympians) A.
2 (of a man) **disrespectful** (W.GEN. of his friends) E.
ἀ-τίζω *vb.* [privatv.prfx., τίω] | ep.fut. ἀτίσσω | ep.aor. ἄτισσα (AR.) | 2sg.aor.subj. ἀτίσῃς | **1** (of a lion) **pay no attention** (to hunters) Il.
2 treat with no respect, **scorn** —*gods, suppliants, allies, justice, a decree, or sim.* Trag. AR.
3 disdain —W.INF. *to do sthg.* AR.
4 deprive —*a goddess* (W.GEN. *of gifts*) AR.
ἀ-τιθάσευτος ον *adj.* [τιθασεύω] (of beasts) **untameable** Plu.
ἀτῑμαγελέω *contr.vb.* [ἀτῑμαγέλης] | dial.masc.nom.pl. ptcpl. ἀτῑμαγελεῦντες | (of bulls) scorn the herd, **stray** Theoc.
ἀτῑμ-αγέλης εω *Ion.masc.adj.* [ἄτῑμος, ἀγέλη] (of a bull) scornful of the herd, **straying, aloof** Theoc.
ἀτῑμάζω *vb.* [ἄτῑμος] | iteratv.impf. ἀτῑμάζεσκον | aor. ἠτίμασα, ep.ptcpl. ἀτῑμάσσᾱς (Call.) ‖ neut.impers.vbl.adj. ἀτῑμαστέον | **1** treat without respect or honour, **dishonour** —*someone deserving of respect or honour* Hom. + —*gods, an altar* Od. A. E. Ar. Call. —*a king's household, realm* Od. A. —*lowly people* Od. D. ‖ PASS. suffer an affront A. Hdt. E. X. +; (of a corpse, tomb) be dishonoured S. E.
2 insult (w. one's behaviour) —*one's wife, father, son* hHom. S. E.; **maltreat** —*someone* NT.
3 scorn (esp. in favour of another) —*one's spouse, suitors, a son, one's marriage* Hom. A. E. D. ‖ PASS. (of a man) be rejected (by Aphrodite) Pi.*fr.*; (of a wife) be scorned (by her husband) E.; (of children, by their fathers) AR.
4 disdain —W.INF. *to do sthg.* E. Pl.
5 treat as unworthy (of sthg.); **deny** —*someone* (W.GEN. *sthg. requested or deserved*) A. S. —(w. τὸ μὴ οὐ + INF. *the opportunity to do sthg.*) S.; (of the Council) **disqualify** —*a candidate* Lys. —*the young* (*fr. magistracies*) Th.
6 regard with little respect, **think little of** —*one's soldiers* X. —*advice, divine plans, human frailty, philosophy, beauty* A. E. Pl. X.; **hold in contempt** —*supplications, an oath, folly* A. E. Isoc.; (of a method of argumentation) **treat with disdain** —*a person of low status* Pl.
7 bring into dishonour (w. actions or words), **disgrace** —*a city* A. S. And.; **discredit** —*the products of statesmanship* Pl. ‖ PASS. (of a king) be humiliated S. Lys.; (of a beloved, through rejection) Pl.; (of the title of sophist) be in disgrace Isoc.
8 bring into dishonour (esp. as a punishment), **disgrace** —*a statesman, soldiers, the wicked* Lys. Isoc. X. ‖ PASS. be disgraced (as a punishment) X. NT.
9 disfranchise —*citizens* Lys.

ἀτῑμαστέος ᾱ ον *vbl.adj.* (of rhetoric as a subject) **not to be valued highly** Pl.
ἀτῑμαστήρ ῆρος *m.* **dishonourer** (of someone, through banishment) A.
ἀτῑμαστός όν *adj.* (of old men) **not esteemed** Mimn.
ἀ-τῑμάω *contr.vb.* [privatv.prfx.] | ep.impf. ἀτίμων | aor. ἠτίμησα, dial.ptcpl. ἀτῑμάσᾱς (Pi.) | **1** treat with dishonour or disrespect, **dishonour** —*a person* Hom. Hes. hHom. —*a god* S. Call. —*a Muse* (W.DAT. *w. one's songs*) Tim.; (of gods) —*a person* Mosch.
2 treat with disdain —*sycophants* Isoc.
3 regard as of little value, **scorn** —*a good man, advice, achievements* Hom. —*an island* hHom. —*appropriateness* Pi.
ἀ-τίμητος ον *adj.* [τίμητός] **1** (of a refugee) **without dignity or rights, not respected** Il.
2 (of a person, friendship) of no value, **not valued** or **honoured** Thgn. X.
3 (of a dowry) **not assessed** or **valued** Is.
4 (of damages in a trial) not assessed (by a jury), **with a fixed penalty** (sts. W.GEN. at a certain sum) Aeschin. D.
ἀτῑμίᾱ ᾱς, Ion. **ἀτῑμίη**, ep.Ion. **ἀτῑμίη** (Od. Tyrt.) ης *f.* [ἄτῑμος] **1 dishonour** Alc. A. Hdt. S. Isoc. +; (suffered by a city) Isoc. D.; **disgrace** (W.GEN. of clothing, ref. to rags worn by a king) A.; **indignity** Tyrt. Att.orats. +
2 insult Od.; **insulting act** D.; (W.GEN. towards the gods) E.; **derision** (W.GEN. fr. someone) Pi.; **low esteem** (W.GEN. for the life of a poor man) E.*fr.*
3 loss of an honour, privilege or right (as a punishment); **dishonour** Th. Lys. +; **disqualification** (W.DBL.GEN. of someone, fr. a civic role) Pl.; (specif.) **disfranchisement** (of a citizen) Att.orats. Pl.
4 lack of a privilege or right, **disadvantage** (for a metic) X.
ἀτῑμο-πενθής ές *adj.* [πένθος] **lamenting one's dishonour** A.
ἄ-τῑμος ον *adj.* [τῑμή] **1** relatively without honour; (of a god) **lowly** (among the others) Il. Hes.; (of a person) Hdt. Isoc. X. +; (of a seat in a king's court) X.; (of a person's status) Theoc.; (of animals) Arist.
2 lacking or deprived of honour; **dishonoured** Il. Thgn. Trag. Lys. Isoc. +; (of a god's work, decrees) S. E.; **dishonourably deprived** (W.GEN. of one's home) A.; (of a dead person, W.GEN. of all honours, due burial) A.
3 without (a specific) honour; **not honoured** (w. a political office) Arist.; (w. an answer fr. a person or oracle) S.
4 (of actions, speech) without respect, **disrespectful** Pi. Hdt.
5 without any honour or dignity; (of old age, a death, afflictions) **undignified, shameful** Mimn. Trag. Pl. Arist.; (of behaviour, a life, action) Ar. X.; (of titles) X. Arist.
6 without civic rights and privileges; (of exiles, outlaws, convicts) **in dishonour, without rights** S. E. Pl. X.; (of citizens) **disfranchised** Hdt. Th. Ar. Att.orats. +; **deprived through disfranchisement** (W.GEN. of a right, citizenship) Th. Att.orats.
7 without value; (of waste, dirt) **worthless** Pl.; (of imports, fig.ref. to people) Ar.; (of citizenship, a marriage w. an inferior) X. D.; (of words) X.; (of anything unintelligent) X.; (in neg.phr., of silver) X.; (of a recompense) A.; (of light) Pl.
8 without a high value; (of possessions) **ordinary** Pl.; (of gold in plentiful supply) **of low price** X.; (of dialectic inquiry, virtue) **of low value** Pl.
9 without penalty or recompense; (of arrogant persons) **unpunished** Od.; (of innocent victims, a god's wrath) **unavenged** A. E.
—ἀτίμως *adv.* **with indignity, shamefully, disrespectfully, dishonourably** Trag. Pl.

ἀτῑμόω *contr.vb.* | fut.pf.pass. ἠτῑμώσομαι (D.) | **1** treat with dishonour; **dishonour** —*one's brother* D. —*a Muse* (W.DAT. w. new songs) Tim.; **brand with infamy** —*a magistrate, an opponent* Pl.; **slight** —*an argument* A.; (of a lawgiver) **put to shame** —*an adulteress* Aeschin. ‖ PASS. suffer dishonour (fr. rejection) A. Hdt.; (of a king) be insulted E.; (of cities) suffer disgrace Isoc.
2 deprive (someone) of honour, rights and privileges (of citizenship, in part or in whole); **disfranchise** —*someone* Att.orats. +; (of a comic poet) **outlaw** —*certain kinds of comic character* Ar. ‖ PASS. be disfranchised Att.orats. +; be deprived —W.GEN. *of personal rights* D.

ἀ-τῑμώρητος ον *adj.* [τῑμωρέω] **1** (of guilty persons) **unpunished** (by gods or men) Hdt. Th. Att.orats. Pl.
2 (of virtuous persons) **free from punishment** (W.GEN. for offences) Pl.
3 (of citizens in a sacked city) **unavenged** (by an ally) Th.; (of the dead, victims of corruption, a death) Antipho Aeschin.
—**ἀτῑμωρήτως** *adv.* **with impunity** Pl.

ἀτίμωσις εως *f.* [ἀτῑμόω] **disrespect** (W.GEN. for a father, hospitality) A.

ἅτις (dial.fem.pron.adj.): see ὅστις

ἀτίσῃς (2sg.aor.subj.), **ἄτισσα** (ep.aor.), **ἀτίσσω** (ep.fut.): see ἀτίζω

ἀτιτάλλω *vb.* [ἀτάλλω] | aor. ἀτίτηλα | **1** (of a mother, nurse, tutor, or sim.) **nurture, care for** —*a child* Hom. Hes. Lyr. AR. Mosch.; (fig., of an island) **foster** —*a child* Theoc.
2 rear —*horses, pigs* Hom. ‖ PASS. (of a goose) be reared Od.
3 pamper —*an ageing lover* hHom. —*a deity* (W.DAT. w. offerings) Theoc.; (pejor.) **coax** —*someone* (W.DAT. w. tricks) Hippon.

ἀ-τίτης ου, dial. **ἀτίτᾱς** ᾱ *masc.adj.* [privatv.prfx., τίνω]
1 (of a matricide) not paying the penalty, **unpunished** A.
2 (of old men) perh. **unable to contribute** (to an expedition, as soldiers) A.

ἄ-τιτος (also perh. **ἄτῑτος** Il.) ον *adj.* **1** (of a dead soldier) **unavenged** Il.
2 (of blood-money for a slain kinsman) **unpaid** Il.(dub.)

ἀ-τίω *vb.* **despise** or **treat with dishonour** —*a poor man* Thgn.

Ἀτλᾱ-γενής ές *adj.* [Ἄτλᾱς; γένος, γίγνομαι] (of the Pleiades) **born of Atlas** Hes.

Ἄτλᾱς αντος *m.* **1 Atlas** (a Titan, who supported the sky, son of Iapetos) Od. +; (ref. to any support for the sky) Pl.; (as the exemplar of a strong man) Men.
2 Mount Atlas (in NW. Africa, as a pillar for the sky) Hdt.
3 Atlas (the first king of Atlantis) Pl.
—**Ἀτλαντικός** ή όν *adj.* **1** of or belonging to Atlas; (of regions in the far west, boundary markers) **of Atlas** E.; (of the sea) **Atlantic** Pl. Plb. Plu.; (of islands) **in the Atlantic** Plu.
2 (of the family) **of Atlas** (the first king of Atlantis) Pl.
3 (of an account) **about Atlantis** Plu.
—**Ἀτλαντίς** ίδος *f.* **1 daughter of Atlas** Hes. S.*Ichn.* AR. Plu.
2 Atlantic (the sea beyond the Pillars of Hercules) Hdt.
3 Atlantis (mythical island in the far west) Pl.

ἀτλητέω *contr.vb.* [ἄτλητος] **be unable to endure; be indignant** (about an insult) S.

ἄ-τλητος, dial. **ἄτλᾱτος**, ον *adj.* [privatv.prfx., τλητός]
1 impossible to endure; (of grief, pain, fear, or sim.) **unbearable** Il. Hes.*fr.* Thgn. Pi. Hdt.(oracle) +; (of bad news) S.; (of treachery) AR.; (of offspring conceived in incest, W.INF. to look at) S.
2 (of deeds) **not to be dared** A.

ἀτμήν ένος *m.* **slave** Call.

ἄ-τμητος ον *adj.* [privatv.prfx., τμητός] **1** not cut back or down; (of hair) **untrimmed** or **unshorn** AR.; (of vines) **unpruned** Plu.; (of farmland) **not ravaged** (by invaders) Th.
2 not cut into; (of silver mines) **unopened** X.
3 impossible to cut up; (of an object, part of a concept or topic) **indivisible** Pl. Arist.
4 ‖ NEUT.SB. that which is impossible to cut (easily or well) Arist.

ἀτμίζω *vb.* [ἀτμίς] (of a hot spring) **steam** X.; (of a meal, as it is served) Philox.Leuc.

ἀτμίς ίδος *f.* **smoke, fumes** (fr. sthg. burning) Hdt. NT.; **vapour** (fr. bitter and bilious humours in the body) Pl.

ἀτμός οῦ *m.* **vapour** (ref. to the warm aroma fr. a funeral pyre or sacrifice) A. E.*fr.*; **hot breath** (fr. Erinyes) A.; **smoke** (fr. a smouldering corpse, its wounds) E.*fr.* AR.

ἄ-τοιχος ον *adj.* [privatv.prfx., τοῖχος] (of the perimeter of a tent-structure) **unwalled** (by covering materials) E.

ἄ-τοκος ον *adj.* [τόκος] **1** without childbirth; (of wives) **childless** Hdt. E. Is.
2 (of old women) not able to bear children, **barren** Pl.
3 (of money on loan) not bearing interest, **interest-free** Pl. D.

ἀ-τόλμᾱτος ον *dial.adj.* [τολμητός] (of a hardship) **unendurable** Pi.

ἀτολμία ᾱς *f.* [ἄτολμος] **1** lack of daring or courage, **cowardice** Th. X. Plu.
2 lack of enterprise (of a historian) Plb.

ἄ-τολμος ον *adj.* [τόλμα] **1** without daring or courage; (of a person, heart, mind, resolve) **cowardly** Pi. Th. Ar. D. +; (of a woman's temperament) A.; (of hesitation) Plu.
2 unable to bring oneself (W.INF. to do sthg.) A.
3 not reckless, **cautious** Plu.
—**ἀτόλμως** *adv.* **in a cowardly manner** Plb.

ἄ-τομος ον *adj.* [τομή] **1** (of a meadow) **uncut, unmown** S.
2 impossible to cut or divide (into smaller parts); (of a line, a magnitude) **indivisible** Arist.; (of education, into different branches of knowledge) Pl.; (of things, into genus or species) Arist.; (of the Forms) Arist. ‖ NEUT.SB. indivisible thing Arist.
3 ‖ NEUT.PL.SB. **atoms** Democr. Arist.; indivisible terms or definitions Arist.
4 (of differences in character) **extremely small** Plu.

ἀτονέω *contr.vb.* [τόνος] (of a horse) **be weary** Plu.

ἀτόνως *adv.* without exertion, **mildly** —*ref. to punishing* Plu.

ἀτοπίᾱ ᾱς *f.* [ἄτοπος] **1** unusual nature, **eccentricity, oddity** (of a person) Ar. Pl.; **strangeness** (of a disease, event, thoughts, requests) Th. Ar. Isoc. Pl. +; **absurdity** (of a line of argument) Isoc.
2 ‖ PL. strange forms (of monstrous creatures) Pl.
3 unusual extent (of behaviour); **severity** (of reprisals) Th.; **extravagance** (of a historian, in invective) Plb.
4 estrangement, alienation (betw. people) Plb.

ἄ-τοπος ον *adj.* [τόπος] **1** not in one's own place (w.connot. of strangeness); (of a bird) **foreign, exotic** Ar.
2 not in the right place; (of an uninformed person) **unsuitable** (as a teacher) Pl.; (of evidence, a defence case) **irrelevant** (to the court) Lys. Plb.; (of an action) **out of place** Men.; (euphem., of a bad omen) **inopportune** Men.
3 (of pleasure, desire) **extraordinary** (in extent, quality or character) E. Ar.
4 (of persons) strange (in behaviour or thought), **eccentric** Pl. Arist. Men.; (of persons who behave boldly or shamefully) **perverse** Isoc. D.
5 (of an event or action) strange (in nature), **surprising** Lys. Ar. Pl. X. Men.; **shocking** Arist. Men. Plb. NT.; (of a sick

person's breath) **unnatural, foul** Th. ‖ NEUT.SB. (as exclam.) weird! Men.

6 (of a message) **strange** (to one's mind) E.; (of a situation, action, statement) Att.orats. Pl. X. +; (of a blend of pleasure and pain) Pl. ‖ NEUT.SB. **strange situation** D.; **strange instance** (W.GEN. of pettiness) Pl.; **that which is strange** (opp. customary) Th.

7 (of an action) improper, **outrageous, wrong** Plb. NT.

—**ἀτόπως** *adv.* **1 in a strange** or **puzzling way** Pl. Arist.

2 unexpectedly Pl. Men.; **surprisingly well** —*ref. to defending oneself* Th.

ἄτος *adj.*: see ἄατος

ἀ-τράγῳδος ον *adj.* [τραγῳδός] (of the prosperity of the wicked) **not suitable for a tragic plot** Arist.

ἄτρακτος ου *m.* **1 spindle** Sapph.(or Alc.) Hdt. Ar. Pl.

2 arrow Trag.; (as a Lacon. wd.) Th.

ἀτρακτυλλίς (also **ἀτρακτυλίς**) ίδος *f.* a kind of thorny plant (resembling a spindle), **spindle-thistle** X. Theoc.

ἀτραπιτός, ep. **ἀταρπιτός**, οῦ *f.* [reltd. ἀτραπός] **pathway** Hom. hHom. Call. AR.

ἀ-τραπός, ep. **ἀταρπός**, οῦ *f.* [privatv.prfx., perh. τρέπω] **1 pathway** (esp. ref. to a short-cut or mountain pass) Hom. +; (in the sea) Mosch.; **track** (used by animals) X.; **passage** (made by ants) Ar.

2 (fig.) **course** (of tales) Emp.; **way, manner** (of inquiry) Parm.; (W.ADJ. *of a statesman*) Pl.; (ref. to a method of suicide, escaping debt, reaching one's goal, a way of life) Ar. Pl.

Ἀτρείδης *m.*: see under Ἀτρεύς

ἀτρέκεια, Boeot. **ἀτρέκια**, ᾶς, Ion. **ἀτρεκείη** ης *f.* [ἀτρεκής] **1 truth** (about someone or sthg.) Pi.*fr.* Hdt.; (as if fr. an oracle) Corinn.

2 (personif.) **Strictness** (in law or business) Pi.

ἀτρεκής ές *adj.* **1** (of joints betw. beams) **precise** E.*fr.*; (of a reflection of a person on a shield) **undistorted** AR.

2 (of the truth, a total, timing, date) **exact** Pi. Hdt. Plu.; (of an opinion) **accurate** Plb.; (of dreams) **true** Mosch. ‖ NEUT.SB. **exact report** Hdt.; **certainty** (about sthg.) Hdt.

3 (of a judge) **strict** Pi.; (of conduct, opinion) **rigid, unswerving** E.

4 (of a person's step) **sure, steady** Pi.

—**ἀτρεκές** *neut.adv.* **1 precisely** —*ref. to hitting one's target* Il. —*ref. to words having the same meaning* Plu.

2 truly, really Call.; (w.neut.art.) Thgn.

3 exactly, with certainty —*ref. to knowing* AR. Theoc.

4 simply, precisely Od.

—**ἀτρεκέως** *Ion.adv.* —also **ἀτρεκῶς** (Plb.) *adv.* **1 with certainty** —*ref. to speaking, learning, knowing, or sim.* Hdt. AR. Theoc. Plb.

2 truly, accurately —*ref. to speaking, learning, knowing, or sim.* Hom. hHom. Hdt. AR. Theoc.*epigr.*

3 evidently —*ref. to sthg. being the case* hHom. Thgn. AR.

ἀτρεμαῖος ᾱ ον (also ος ον) *adj.* [ἀτρεμής] (of the sound of a person's voice) **gentle, soft** E.; (of a goad) **calm** E.

—**ἀτρεμαῖα** *neut.pl.adv.* **1 without fear** A.(cj.)

2 quietly, softly —*ref. to lamenting* E.

—**ἀτρεμαίως** *adv.* **calmly** Call.

ἀτρέμας, also **ἀτρέμα** *adv.* **1 without motion or trembling, still, motionless** —*ref. to sitting, standing, sleeping, or sim.* Hom. Hdt. E. Ar. Antipho X. —*ref. to holding sthg.* Il. —*ref. to eyes resting* Od. X.

2 gently E. Ar. Mosch.; **in a leisurely manner** —*ref. to moving* X. D.; **at ease** —*ref. to resting one's mind* B.; **calmly** —*ref. to*

investigating, smiling Pl. Theoc.; app. **slightly** —*ref. to a back stiffening* Men.

3 steadily —*ref. to watching someone* AR.

4 quietly —*ref. to approaching someone* E.

5 with composure —*ref. to concealing one's feelings* Hdt.

ἀτρεμεί *adv.* **without trembling, still** Ar.

ἀτρεμέω *contr.vb.* [ἀτρεμής] **1** (of hair) **lie still** (in the wind) Hes.

2 (of persons, esp. soldiers) **stay still** (i.e. in position) Plu.

3 (of persons) **be at ease** Plu.; (of a populace, a city) **remain undisturbed** Plu.; (of passions, senses) **be stable** Plu.

ἀ-τρεμής ές *adj.* [privatv.prfx., τρέμω] **1 without trembling or agitation**; (of the sea) **calm** Semon.; (of a person's expression) X.; (of the heart of Truth) Parm. ‖ NEUT.SB. **calmness** (among a group of people) X.

2 without flexibility or deviation; (of a lance) **sturdy** (opp. flexible) Plb.; (of Roman roads) **straight** Plu.

3 (of Being) **unchanging** Parm.; (of visions of the Forms) Pl.

—**ἀτρεμέως** *Ion.adv.* **without shaking** Thgn.

ἀτρεμία ᾱς *f.* **1 absence of (fearful) trembling, fearlessness** Pi.

2 absence of motion, stillness X.

ἀτρεμίζω *vb.* | fut.inf. ἀτρεμιεῖν (Hdt.) | fut.mid.inf. ἀτρεμίεσθαι (Thgn., cj.) | **1 stand still** Antipho; (in neg.phr., of a shield brandished by a soldier) **remain still** Hdt.

2 (of soldiers) **remain at rest** Hdt.; (of an empire) **stay calm** Hdt.; (fig., of the fire of desire) Call. ‖ MID. (of a city) **remain quiet** Thgn.

3 (of prosperous persons) **live peacefully** (opp. seeking change) Thgn. Antipho; (of a king) **be unambitious** Hdt.

ἄ-τρεπτος ον *adj.* [privatv.prfx., τρέπω] **1 impossible to turn back**; (of murder) **irreversible** AR.

2 not turned; (of persons, their character, facial expression, thoughts, ambition) **unmoved, unswayed** (by changes in their circumstances) Plu.; (W.PREP.PHR. by someone's attitude) Plu.

ἄ-τρεστος ον *adj.* [τρέω] **without trembling** (fr. fear); (of persons, a woman's heart) **fearless** A. S. Pl.; (of women) **without fear** (W.GEN. of battle) A.; (quasi-advbl., of a person sleeping) **secure** S.

—**ἄτρεστα** *neut.pl.adv.* **without fear** E.

—**ἀτρέστως** *adv.* **fearlessly, boldly** A.

Ἀτρεύς έως (dial. έος) *m.* **Atreus** (son of Pelops by Hippodameia, father of Agamemnon and Menelaus) Hom. +

—**Ἀτρείδης** (also **Ἀτρεΐδης**) ου (ep. ᾱο, also εω), dial. **Ἀτρείδᾱς** (also **Ἀτρεΐδᾱς**) ᾱ *m.* | du.nom. Ἀτρείδᾱ, dat. Ἀτρείδαιν ‖ PL.: Aeol.nom. Ἀτρείδαι | gen. Ἀτρειδῶν, Ion. Ἀτρειδέων, dial. Ἀτρείδᾱν | **son of Atreus** (ref. to Agamemnon or Menelaus) Hom. +

ἄ-τρητος ον *adj.* [privatv.prfx., τρητός] (of cloths) **not perforated** (by being stitched) Pl.

ἀ-τρίακτος ον *adj.* [τριακτήρ] **incapable of being thrown three times** (in wrestling); (fig., of ruin) **unconquerable** A.

ἀ-τριβής ές *adj.* [τρίβω] **1 not rubbed or worn down**; (of uninhabited regions) **without paths** Th.; (of pathways) **not worn down** X.; (of horses) **not hardened** (W.ACC. + PREP.PHR. as to their feet, for rough ground) X.; (of the universe, blessings fr. a deity) **unimpaired** X.

2 (of historians) **unfamiliar** (W.GEN. w. sthg.) Plb.

ἄτριον *dial.n.*: see ἤτριον

ἄ-τριπτος ον *adj.* [τριπτός] **1** (of a nobleman's hands) **not worn** (by labouring) Od.

2 (of corn) **untrodden** (by oxen) X.; (of paths) Call.(cj.); (of thorn-bushes) Theoc.

ἄ-τριχος ον *adj.* [θρίξ] (of a man's chest) **hairless** (fr. being plucked) Call. ‖ FEM.SB. hairless one (ref. to a snake) Hes.*fr.*
ἀ-τρόμητος ον *adj.* [τρομέω] (of a person) **fearless** B.
ἄ-τρομος ον *adj.* [τρόμος] without trembling (fr. fear); (of a heart, strength) **fearless, unflinching** Il. AR.; (quasi-advbl., of Zeus careering as a bull) Mosch.
ἀτροπίη ης *Ion.f.* [ἄτροπος] **1 inflexibility** (of character) Thgn.
2 (sg. and pl.) **cruelty** AR.
ἄ-τροπος ον *adj.* [τρέπω] **1** without turning; (of Endymion's everlasting sleep) **undisturbed** Theoc.
2 (of Delos) not easily turned (w. a plough), **rugged** Call.
3 (of hostile words) impossible to turn away, **unyielding** Pi.
—**Ἄτροπος** ου *f.* **Atropos** (one of the three Moirai) Hes. Pl.
ἀτροφέω *contr.vb.* [ἄτροφος] go unnourished; (of a tree, severed limbs) **waste** or **wither away** Plu.
ἄ-τροφος ον *adj.* [τρέφω] (of horses) lacking nourishment, **poorly fed** X.
ἀ-τρύγετος ον (also dial. ᾱ ον Stesich.) *adj.* [privatv. or copul.prfx., 2nd el. unknown] ‖ This adj. is sts. interpr. as *not harvested, barren* (privatv.prfx., reltd. τρυγάω), sts. as *impossible to dry up* (reltd. τρύγη *dryness*), sts. as *murmuring loudly* (copul.prfx., reltd. τρύζω). | (of the sea) **unharvested, barren** (or *inexhaustible* or *murmuring loudly*) Hom. +; (of the aither) Il. Hes.*fr.* hHom. Stesich.
ἀ-τρύμων ον, gen. ονος *adj.* [privatv.prfx., τρύω] (of persons) **not worn down** (W.GEN. by afflictions) A.
ἀ-τρύπητος ον *adj.* [τρυπάω] (of an ear) **unpierced** Plu.
ἄ-τρυτος ον *adj.* [τρύω] **1** not growing tired or distressed; (of a person, strength of body or voice) **unwearied, tireless** Plu.; (of Athena's foot) A.; (of chattering birds) Call. ‖ NEUT.SB. freedom from fatigue Arist. Plu.
2 (of toils, griefs) **endless** Pi. Hdt. S. Mosch.; (of a road or journey) Theoc. Plu.; (of time, chaos) B.
Ἀ-τρυτώνη ης *f.* [perh. privatv.prfx., pop.etym. τρύω] **Atrytone** (title of Athena, perh. *Unwearied*) Hom. Hes.
ἄ-τρυφος ον *adj.* [privatv.prfx., τρύφος] (of cheese) **not crumbly** Alcm.
ἄ-τρωτος ον *adj.* [τρωτός] **1** (of a person, bowels) **not wounded** S. E.*fr.* Plu.; (of a woman's nipple, suckled by a snake) A.; (fig., of a heart, by misfortunes or criticism) Pi.
2 (of a ship) **undamaged** (in a battle) Plb.
3 impossible to wound; (of persons or demigods) **invulnerable** Pi. E. Arist.
4 (fig., of a philosopher) **uninfluenced, unaffected** (by money) Pl.; (of a wealthy man, by philosophy) Plu.
ἄττα (Att.neut.pl.): see ὅστις
ἄττα[1] (Att.neut.pl.): see τις
ἄττα[2] *masc.voc.* **father** (sts.w. γεραιέ or γέρον, in address to any older man) Hom. Call.
ἀτταγᾶς ᾶ *m.* | acc.pl. ἀτταγᾶς, also ἀτταγέας (Hippon.) | a kind of bird (common in marshy areas), **black francolin** (resembling the black partridge) Ar.; (regarded as a delicacy) Hippon. Ar.
ἀττανίτης εω *Ion.m.* [loanwd.] a kind of cake, **waffle** Hippon.
ἀττάραγος ου *m.* **crumb** (of bread, exemplifying sthg. tiny) Call.*epigr.*
ἀτταταῖ *interj.* **ah!** (as an exclam. of pain or shock) S. Ar.
ἀττέλεβος ου *Ion.m.* a kind of edible locust Hdt.
Ἄττης *interj.* **Attes!** (w. Ὕης, as a ritual cry in the cult of Sabazios) D.
Ἀττικίζω *vb.* [Ἀττικός] (of Greeks, a Persian satrap) **side with Athens** (in wartime) Th. D.; (of a faction of citizens) **support Athens** (within their own city) X. Plu.
Ἀττικισμός οῦ *m.* **loyalty to Athens** (against other Greeks) Th.
Ἀττικιστί *adv.* **in the Attic dialect** or **script** Pl.
Ἀττικίων ονος *m.* [dimin. Ἀττικός] (derog.) **petty Athenian** Ar.
Ἀττικός ή όν *adj.* **1** of or from Attica; (of women) **Attic** Hdt. Plu.; (of a man, esp. a farmer) P. Men. Plu.; (of wasps) Ar.; (of the region) Hdt. Th. Ar. X. +; (of sanctuaries) Th.; (of goods, honey, pastries) Hdt. Ar. Pl.; (of the dialect) Sol. Hdt. Pl.; (of the alphabet) D.; (provb.) Ἀττικὸς γείτων *Attic neighbour* (ref. to a troublesome neighbouring people) Arist. ‖ MASC.PL.SB. Attic men Alc. Plu. ‖ FEM.PL.SB. Attic women Ar. ‖ FEM.SG.SB. region of Attica, Attica Hdt. Th. Ar. Att.orats. +
2 of or from Attica and specifically Athens; (of the people) **Attic, Athenian** Hdt.; (of orators, writers, comedians) Arist. Plu.; (of a citizen abroad) Sol. Theoc.; (of dances) Hdt.; (of a political system) Pl.; (of the citizens, an army) A. Hdt.; (of a history) **about Athens and Attica** Th.
3 of or relating to the Athenians; (of ships) **Athenian** Hdt. Th. X. Plu.; (of a region) **belonging to the Athenians** Hdt.; (of the market) **of the Athenians** Th. D.; (of fluency in speech) Plu.; (of a war, treaties) **with Athens** Th.
4 (of dry measures) of the Attic standard, **Attic** Hdt. Th. X. Plb. Plu.; (of coinage) Th. X. D. +
—**Ἀττικωνικοί** ῶν *m.pl.* **Atticorians** (opp. Laconians) Ar.
—**Ἀττικῶς** *adv.* **in the Attic dialect** D.
ἄττω *Att.vb.*: see ἄσσω
ἀτυζηλός ή όν *adj.* [ἀτύζομαι] (of panic among birds) **bewildering** AR.
ἀτύζομαι *pass.vb.* | aor.ptcpl. ἀτυχθείς | **1** (of persons, birds, snakes, horses) **be terrified** Hom. Pi. B. AR. —W.PREP.PHR. *by sthg.* Il. —W.ACC. *at a sight, someone's anger* Il. AR.; **be abashed** (at a shameful action) AR.
2 (of a person or mind) **be distraught** (w. grief) E. AR.; (of a bird) S.
3 (of persons) **be anxious** —W.GEN. *for their life* AR.
4 (of women) **be shocked** Od.; (of a person) **be stunned** —W.DAT. *w. helplessness* AR.
—**ἀτύζω** *act.vb.* **1** (of fear) **terrify** —*men* AR.
2 (of a marvel, ref. to a work of art) **stun** —*someone's heart* Theoc.
ἀ-τυράννευτος ον *adj.* [privatv.prfx., τυραννεύω] (of a city-state) **not ruled by a tyrant** Th.
ἀτυφία ᾱς *f.* [ἄτυφος] freedom from arrogance, **modesty, humility** Plu.
ἄ-τυφος ον *adj.* [privatv.prfx., τῦφος] without pride or delusion; (of Socrates) **not puffed up** (w. play on Τυφώς *Typhon*) Pl.; (of clothing, behaviour) **unostentatious** Plu.
ἀτυχέω *contr.vb.* [ἀτυχής] **1 be unfortunate** Att.orats. Arist. Men.
2 suffer a misfortune Ar. Att.orats. + —W.COGN.ACC. D.; (euphem., of a debtor) D.; (of a city, army, commander, ref. to suffering a military defeat) Isoc. D. Arist. —W.ACC. *in a battle* Arist. ‖ NEUT.PL.AOR.PASS PTCPL.SB. misfortunes D.
3 be unsuccessful, fail Th. Isoc. —W.ACC. *in warfare* Isoc. —W.PTCPL. *in doing sthg.* Th. Men. —W. ἐν + DAT. *in one's business* D.; **fail to achieve** —W.GEN. *sthg.* Lys. Isoc. Pl. X. ‖ NEUT.PL.PF.PASS.PTCPL.SB. failures D.
4 meet with refusal Hdt. X.; (of a person praying) —W. παρά + GEN. *fr. the gods* X.
ἀτύχημα ατος *n.* **misfortune** or **disaster** (suffered by a person or city) Att.orats. Arist. Men.; (ref. to a death) Antipho; (ref. to a military defeat) D. Din. (euphem., ref. to

condemnation for an offence) Plb.; (W.PREP.PHR. w. respect to the city treasury, ref. to a debt) Is.

ἀ-τυχής ές *adj.* [privatv.prfx., τύχη] (of persons) **unfortunate** Att.orats. Arist. Men. Plu.; (of the outcome of a revolt) Plu.; (euphem., of persons) **in trouble** (for a crime) Pl.

—**ἀτυχῶς** *adv.* **1 unfortunately** —*ref. to faring at the hands of one's rivals* Isoc.; **wretchedly** —*ref. to meeting one's death* Plb.

2 unsuccessfully —*ref. to waging war* Plu.

ἀτυχίᾱ ᾱς *f.* **1 misfortune** or **disaster** (suffered by a person) Att.orats. +; (suffered by a city, esp. in wartime) Att.orats.; (personif.) **Misfortune** Lyr.adesp.

2 (euphem.) **misfortune** (ref. to being defeated in court) D.; (assoc.w. a person, ref. to a crime or shameful act) Din. Plb.; (ref. to a mismatch, W.GEN. of two personalities) Pl.

αὖ *adv.* **1 again, another time** —*ref. to doing sthg. repeatedly or on several occasions* Hom. A. Ar.; (w. μάλα) A. S.; (w. πάλιν) E. Th. Ar.

2 (w. ordinal num., in the enumeration of events or persons) **in turn, next** Il. A. +

3 (gener.) **in addition, furthermore, moreover** Hom. +; (answering a cl. w. μέν) **and** Hom.; (reinforcing δέ or οὐδέ) **in addition** Hom. +; (reinforcing τε) Pl. X.; (before or after αὖθις) Pl. X.

4 in response —*ref. to speaking, sacrificing* Hom.

5 but, on the other hand Hom. Thgn.; (reinforcing δέ, sts. answering a cl. w. μέν) Hom. +

αὖ αὖ *interj.* **bow-wow** (as the bark of a dog) Ar.

αὐαίνω, Att. **αὑαίνω** *vb.* [αὖος] | Att.fut. αὐανῶ | aor.ptcpl. αὐήνᾱς, subj. αὐήνω ‖ MID.: impf. ηὐαινόμην | Att.fut. αὐανοῦμαι ‖ PASS.: aor.ptcpl. αὐανθείς, Att. αὐανθείς | **1 dry, dry out** —*fish, locusts* (*in the sunshine*) Hdt. ‖ PASS. (of a stick of wood) **be dried out** (to be used as a staff) Od.

2 ‖ PASS. (of vegetation, trees) **wither** X.

3 (fig., of Lawfulness) **shrivel up** —*the flowers of ruinous behaviour* Sol.; (of a person) **waste away** —*his life* S. ‖ MID.PASS. (of a person, a family) **wither away** A. S.

αὐαλέος η ον *Ion.adj.* —also **αὐαλέος** ᾱ ον *dial.adj.* (of a person's skin) **dry** (fr. the summer heat) Hes.; (of a mouth, fr. fasting) Call.; (of the breath of labouring oxen) AR.; (of brushwood) AR.

ἀνάτᾱ *Aeol.f.*: see ἄτη

αὐγάζω *vb.* [αὐγή] | MID.: dial.imperatv. αὐγάσδεο | fut. αὐγάσομαι | ep.aor.inf. αὐγάσσασθαι ‖ PASS.: aor.ptcpl. αὐγασθείς | **1 see as in strong light, see clearly** —*a harbour, one's spear* S. E.; (mid.) —*horses, a flame* Il. E.

2 (of Helios, Zeus) **look upon** —*someone* E. Call.; (intr., of Zeus) **gaze** (fr. heaven) E. ‖ MID. (intr.) **look** Hes. Carm.Pop. Call. AR. —W.DAT. **at someone** Call.

αὐγή ῆς, dial. **αὐγά** ᾶς *f.* **1** (sg. and pl.) **ray** or **beam of light** (fr. the sun) Hom. +; (fr. lightning) Il. Hes. S.; (fr. a star, the moon) Il. hHom.; (fr. a fire, lamp) Philox.Leuc. Pl. ‖ PL. (gener.) **source of light** E. Pl. Plb.

2 (sg.) **bright light, glare** (fr. the sun, a fire, beacon, or sim.) Hom. Hes. A. Emp. E. Pl. +; (ref. to a flame) Il.; (ref. to dawn) NT.

3 pure light (in which one sees clearly) Pl.

4 gleam (reflected fr. armour, a robe, teeth) Il. E. Theoc. Plu.; **radiance** (of a goddess) hHom.; (of colours) Plu. ‖ PL. **glint** (of light seen in a mirror) E.; **radiance** (of gold, tears of amber) Pi. E.

5 ray of light (fr. the eyes) S. E. Licymn. Pl.; (fr. the soul) Pl. ‖ PL. **eyes** (as the source of rays of light) Il. hHom. E.

Αὔγουστος ου *m.* [Lat.loanwd.] **1 Augustus** (title of Gaius Julius Caesar Octavianus as sole ruler of the Roman empire) NT.

2 August (month in the Roman calendar, named in honour of Augustus) Plu.

αὐδάζομαι *mid.vb.* [αὐδή] | aor. ηὐδασάμην, also ηὐδαξάμην (Hdt.) | **say** —W.DIR.SP. *sthg.* Hdt.; (of a dove) **speak** —W.DAT. *in a human voice* Hdt.; (tr., of a god) **proclaim** —*a message* Call.

αὐδάω *contr.vb.* | impf. ηὔδων | fut. αὐδήσω, dial. αὐδάσω | aor. ηὔδησα, dial. αὔδᾱσα, Aeol.ptcpl. αὐδάσαις (Pi.), 1pl.dial.subj. αὐδάσομεν (Pi.) | 3sg.iteratv.aor.2 αὐδήσασκε ‖ MID.: 3sg.impf. ηὐδᾶτο | fut. αὐδήσομαι, dial. αὐδάσομαι ‖ PASS.: aor.ptcpl. αὐδηθείς, dial. αὐδᾱθείς |

1 speak, talk Hom. hHom. Hippon. Pi. +; **say** —*words, a prayer, one's thoughts, or sim.* Hom. hHom. Pi. Hdt. + —W.COMPL.CL. *that sthg. is the case* Il. E. —W.DIR.SP. *sthg.* E.; (of an inscription) —W.INDIR.Q. *what is the case* Theoc.*epigr.*; (of an oracular oak tree) **foretell** S. ‖ MID. **speak** S.; **utter** —*vile words, a shriek* A. E.; **pronounce** —*an oath* Pi. ‖ PASS. (of statements, words) **be spoken** S. E.

2 speak of, mention —*someone or sthg.* S. E.; **indicate** (w. one's words) —*a certain person* E.; (of a poet) **proclaim** (in an ode) —*a contest* Pi. ‖ MID. (of a person, rumour) **speak of** —*sthg.* Trag.

3 (oft. imperatv.) **explain** (to someone) E. AR. —*sthg.* A. S.; (of a legend) **inform** (about a locality) E.

4 speak to, address —*someone* Hom. hHom. E. —(W.INTERN.ACC. w. *words*) Il. hHom. E.; **call out to** —*an ally* S.; **invoke** —*a god* E.

5 give an order (sts. W.DAT. or ACC. to someone) —W.INF. *to do sthg.* Pi. Trag. Ar. D.(oracle) ‖ MID. **order** —*someone* (W.INF. *to do sthg.*) S.

6 designate or **specify, call** —*a person, place* (W.PREDIC.SB. *by a certain name*) E. ‖ PASS. (of a person) **be named** —W.PREDIC.ADJ. *as dead, of such and such a place* S. E.; **be called** —W.PREDIC.SB. *the son* (W.GEN. *of someone*) S.; (of an island) —*by a certain name* AR.

αὐδή ῆς, dial. **αὐδά** ᾶς, Aeol. **αὔδᾱ** ᾱς *f.* **1 sound of a voice** (human or divine); **voice, speech** Hom. Hes. Lyr. Trag. Hellenist.poet.; **song** Pi.; **utterance** A. E.; **report** (of someone's deeds) S.

2 ability to speak, voice Il. E. Mosch.; (given to Hephaistos' mechanical helpers, to Pandora) Il. Hes.; (given by the Muses) Hes.

3 chirping (of a cicada) Hes.; **call** (of a bird) Ar.; (of a swallow, to which the twang of a bow-string is likened) Od.

4 music (fr. a trumpet or cymbals) E.

αὐδήεις, dial. **αὐδάεις**, εσσα εν *adj.* **1** (of mortals, opp. gods) **with a human voice** Od. Hes.*fr.*; (of a goddess) Od. Call. AR.; (of a horse speaking miraculously) Il.; (of an oak beam made by Athena) AR.

2 (of an adornment, fig.ref. to an ode) **vocal, singing** Pi.*fr.*

3 (of a message) **clear** or **loud** B.

αὐδρίᾱ ᾱς *f.* [reltd. ἄνυδρος] **absence of moisture** (in soil) Pl.

αὐ-ερύω *ep.vb.* [ἀνά, ἐρύω] | aor. αὐέρυσα | **1 drag up** (out of the ground) —*beams* (*supporting a wall*) Il.

2 draw back (a bow-string) Il. Theoc.

3 draw back (a sacrificial victim's neck) Il.

ἀνήρω *Lacon.vb.*: see αἴρω

αὐθάδεια ᾱς *f.* [αὐθάδης] **1 obstinacy** Pl. Arist. Plu.

2 sternness (as a quality of the Spartans) Isoc.

3 arrogance Plb. Plu.

αὐθ-άδης ες *adj.* [αὐτός, ἁνδάνω] **1** pleasing oneself, **self-centred** E. Arist. Thphr. Plu.; (W.GEN. in one's thoughts) A. **2 obstinate** (towards others) Hdt. E. Pl. Arist. Plu.; (of a woman's mind) E.; (of a hound) X. ‖ NEUT.SB. **obstinacy** Plu. **3 stern** (towards others) Isoc. Plb. **4** (fig., of the point of a spike) **remorseless** A.
—**αὐθάδως** *adv.* | *compar.* αὐθαδέστερον | **1 obstinately** Ar. Plu.
2 sternly Th. Pl.
3 arrogantly Pl. Plu.
αὐθᾱδίᾱ ᾱς *f.* **obstinacy, obduracy** Trag. Ar. Men.
αὐθᾱδίζομαι *mid.vb.* **act obstinately** Pl.
αὐθᾱδικός ή όν *adj.* (of a hand) **overbearing** Ar.
αὐθᾱδισμα ατος *n.* **act of obstinacy** (before the gods) A.
αὐθᾱδό-στομος ον *adj.* [στόμα] (of Aeschylus) **self-indulgent in speech** Ar.
αὐθ-αίμων ον, *gen.* ονος *adj.* [αὐτός, αἷμα] (of a person) of the same blood, **kindred** (W.GEN. w. someone) S.
—**αὐθαιμοι** ων *m.pl.* **kinsmen** S.
αὐθ-αίρετος ον *adj.* [αἱρετός] **1** (of commanders) **self-appointed** X.
2 of one's own choosing; (of prosperity, an outcome, a love) **self-chosen** B. Arist. Men.; (of conflict, suffering, dangers, death, or sim.) **self-inflicted** B. S. E. Th. X. +; (of slavery) Th. D.
3 (of deliberation as a course of action) **available for oneself to take up** Th.
—**αὐθαιρέτως** *adv.* **by one's own choice** Plu.
αὐθ-έκαστος ον *adj.* **1** (of a person) calling each thing just what it is, **straightforward, truthful** Arist. Plu.
2 (pejor.) **wilful** or **blunt** (W.DAT. in one's manner) Men.
—**αὐθεκάστως** *adv.* **in a straightforward way** Plu.
αὐθέντης (also **αὐτοέντης** S.) ου *m.* [αὐτός; ἁνύω, see ἁνύω] **1** person responsible (for an action); **perpetrator** (W.GEN. of a crime) Plb.
2 person responsible (for a death, esp. a murder); **killer, murderer** Hdt. S. E. Antipho Th. AR.; (W.GEN. of someone) E. AR. | see also αὐτοφόντης
3 ‖ ADJ. (of murder) of one's kindred A. E.
αὐθ-ημερόν, Ion. **αὐτημερόν** *adv.* [ἡμέρα] **1 on the same day** A. Hdt. Th. Ar. Pl. +
2 at once Th. X.
αὖθι *adv.* [αὐτόθι] **1** in a certain place, **there** or **here** Hom. Hes. hHom. B.*fr.* Call. AR.
2 at a certain time, **right then** or **now** Hom. Hes. Pi. Call. AR.
3 (for αὖθις before a consonant) **thereafter** or **hereafter** Call.
4 (for αὖθις before a consonant) **again, a second time** Call.
αὐθι-γενής ές *adj.* [γένος, γίγνομαι] **1** originating in a certain location; (of cypress-wood) **grown on the site** (of a temple) E.*fr.*; (of a river) **with a local source** Hdt.; (of water in a lake) **from a natural source** Hdt.
2 (of a deity) **local** B. Hdt.; (of a lament by a Muse assoc.w. Thrace) **native** (to a barbarian and wild land) E.
αὖθις Att.*adv.*: see αὖτις
αὐθ-όμαιμος ον *adj.* [αὐτός, ὅμαιμος] (of youths) **of the same blood** S.
αὐίαχος ον *ep.adj.* [copul.prfx., ἰαχή] (quasi-advbl., of the Trojans advancing) **with much shouting** Il.
αὐλά *dial.f.*: see αὐλή
αὐλαία ᾱς *f.* [αὐλή] **1 covering** or **curtain** (in an entrance or on a litter) Plb. Plu.; **tapestry** (in a dining-room) Thphr.
2 hunting net Plu.

αὐλακίζομαι *pass.vb.* [αὖλαξ] (of land) **be ploughed into furrows** Pratin.
αὖλαξ ακος *f.* —also **ἆλοξ** οκος (Trag. +) *f.* | see also ὦλξ | **1 furrow** (in ploughed soil) Hes. A. Pi. Hdt. Hellenist.poet.; (as a boundary for a city, ref. to the Pomerium at Rome) Plu.; (fig., in which ideas grow) A.; (in the sea) Lyr.adesp. Tim.; (ref. to a bird's course in the sky) Ar.; (W.GEN. for children, ref. to a wife) S. E.; (collectv.sg.) **farmland** Ar. Theoc.
2 cut (in a surface) resembling a furrow; **gash** (fr. a sword wound) E.; **scratch** (fr. fingernails) A.; (on a writing-tablet, fr. a knife) Ar.
3 large cut (through a standing crop); **swathe** Theoc.; (fig., made by a spear, through ranks of soldiers) E.
αὔλειος ᾱ (Ion. η) ον (also ος ον) *adj.* [αὐλή] | *fem.dat.pl.* αὐλείαις *metri grat.* (Theoc.) | (of a doorway, threshold) **of the courtyard** (around or beside a house or sanctuary) Od. Sol. Pi. Hdt. S. E. +; (around a cave) hHom. ‖ FEM.SB. **courtyard door** Ar. Theoc. Plb. Plu. | cf. μέταυλος
αὐλέω *contr.vb.* [αὐλός] | *dial.3p .fut.* αὐλησεῦντι (Theoc.) | **1 play the aulos** Carm.Pop. Hdt. Ar. Pl. X. + —W.DAT. *for an audience, dancer, chorus* Thgn. Hdt. Pl. X. +; app. **play a horn** (to send a signal) X. ‖ MID. **play the aulos for oneself** (while dancing) Pl. ‖ PASS. **listen to aulos music** X. Thphr.; **be played to** —w. ὑπό + GEN. *by an aulos-girl* Thphr.; (of marching soldiers) **be accompanied by aulos music** X.; (of a house) **be filled with aulos music** E.
2 play (a tune) on the aulos; **pipe** —*a tune* Alcm. Hippon. Ar. Pl. + ‖ PASS. (of a tune) **be played** on the aulos X.
αὐλή ῆς, *dial.* **αὐλά** ᾶς *f.* [reltd. ἰαύω] **1** app., place in which to spend the night; **enclosure, yard** (in front of a house or hut and containing other buildings) Hom. hHom. Archil. B. S. E.
2 courtyard (in the centre of a palace complex) Il.; (among the rooms of a house) Hdt. Ar. Pl. D. NT.; (in a gymnasium) Pl.
3 farmyard, fold (for livestock) Hom. hHom. E.*Cyc.* Theoc. NT.
4 courtyard (of a temple or sanctuary) Hdt. E. D.
5 hall (w. a ceiling, inside a house) Ar.
6 chamber, room S.
7 place of residence (in its entirety); **dwelling, hall** (of a god, esp. Zeus, a ruler, hero) Od. Pi. Hdt. Trag. Ar. NT.; **den** (of beasts) S.; **abode** (of a shepherd) E.; (of the dead) E.; (ref. to a cave) S.
8 place of residence (for a monarch or governor), **court, palace** Theoc. Plb.; (ref. to a Roman praetorium) NT.
αὔλημα ατος *n.* [αὐλέω] **aulos-tune** Ar. Pl. X. Plu.
αὔλησις εως *f.* **aulos-playing** (as an ability or activity) Pl. Arist.
αὐλητήρ ῆρος *m.* **aulos-player** (sts. appos.w. ἀνήρ) Hes. Archil. Eleg. Mosch.
αὐλητής οῦ *m.* **aulos-player** (usu ref. to a foreigner or slave) Thgn. Hdt. Th. And. +; (appos.w. ἀνήρ) D. Plu.
αὐλητικός ή όν *adj.* **1** (of matters) **relating to aulos-players** Pl.; (of a soul) **suitable for an aulos-player** Pl. ‖ FEM.SB. **art of the aulos-player** Pl. Arist. Plb. Plu.
2 (of reeds) **for the aulos** Plu.
αὐλητρίς ίδος *f.* **female aulos-player, aulos-girl** (ref. to a slave, hired for music and oft. sex) Ar. Att.orats. Pl. X. +
αὐλίζομαι *mid.vb.* [αὐλή] | *aor.* ηὐλισάμην, also pass. (w.mid.sens.) ηὐλίσθην (Hdt. +) | **1** (of livestock) **be in a stall** or **pen** Od. Theoc.; **be housed** —W.PREP.PHR. *in a cave* Hdt.; (fig., of an impoverished woman) **be lodged** —W.PREP.PHR. *in ragged clothing* E.

2 (of handmaids) **sleep** (in an ante-chamber) AR.; (of birds) **roost** Hdt. AR.
3 (of persons, esp. soldiers) live out in the open (esp. at night), **encamp, bivouac** Hdt. Th. X. +; **lodge** (for a night) —W.PREP.PHR. *in a village, a cave* X. AR. NT.; (of sailors) **spend the night** (in a backwater) AR.

αὐλικός ή όν *adj.* **1** (of persons) **suited to the royal court** Plb. ‖ MASC.SB. **courtier** Plb. Plu.
2 (of cunning, officiousness) **of a courtier** Plb. Plu.

αὔλιον ου *n.* [dimin. αὐλή] **1** small enclosure (for livestock), **pen, fold** X. AR. Theoc.; **outhouse** (ref. to a cow-shed, farm building) hHom. Aeschin. AR.
2 (sg. and collectv.pl.) **dwelling** (ref. to a cave) S. E.*Cyc.*; **lair** (of beasts) S.

αὔλιος ᾱ (Ion. η) ον *adj.* [αὐλή] (of a star, as a sign of the time to return fr. pasture) **for the fold** Call. AR.

αὖλις ιος *Ion.f.* | acc. αὖλιν | nom.pl. αὔλιες (Call.) | **1 shelter** (ref. to a soldier's bivouac, a location) Il. AR.; **dwelling** (for a ploughman, tribesmen) Hellenist.poet.; (ref. to a cave) E.*Cyc.*; **roost** (for birds) Od.; **lair** (of a lion) Theoc.
2 **fold, pen** (for livestock) hHom. Hellenist.poet.

Αὖλις ιδος *f.* **Aulis** (a seaport in Boeotia on the Euripos Strait opposite Euboea, fr. which the Greeks departed for Troy) Il. +

αὐλίσκος ου *m.* [dimin. αὐλός] **1 small pipe** (into a container) Arist.(dub.) Plb.; **spindle** (through a voting-pebble) Arist.; **socket** (in an arrow-head) Plb.; **tube** (of a telescope) Plb.
2 (specif.) **small aulos** (for accompanying higher-pitched singing) Thgn. Pi.*fr.*

αὐλῑτής οῦ *m.* [αὐλή] **one who works on a farmstead, farmhand** (appos.w. ἀνήρ) AR.

αὐλοποιική ῆς *f.* [αὐλοποιός] **craft of the aulos-maker** Pl.

αὐλο-ποιός οῦ *m.* [ποιέω] **aulos-maker** Pl. Arist.

αὐλός οῦ *m.* **1 hollow tube, pipe** Th.; **straw** (for drawing up liquids) Archil.; **socket** (on a spear-head, for the shaft) Il. X.; **groove** or **sheath** (on a brooch) Od.; (fig.) **stream** (of blood, fr. a person's nose) Od.
2 (specif.) **reed instrument** (like an oboe or shawm, usu. one of a pair played as a double instrument), **aulos** Il. Hes. Archil. Thgn. Lyr. Hdt. +; (meton. for αὐλητρίς *aulos-girl*) Ar.

αὐλῳδίᾱ ᾱς *f.* [ἀοιδή] **song for the aulos** Pl.

αὐλών ῶνος *m.* (also *f.* S. Ar) **1** enclosed **passageway** (oft. for water, naturally formed betw. mountains or banks); **strait** (betw. two seas) A. S.; **gorge** (through which a river flows) hHom. Hdt. Plu.; (gener.) **valley, defile** Ar. Plb. Plu.
2 channel or passageway (made artificially, for water); **conduit** (into a chamber) Hdt.; **moat** (for defensive purposes) E. X.; **pipe** (fig.ref. to a vein) Pl.

αὐλ-ῶπις ιδος *fem.adj.* [ὤψ] (of a metal helmet) app., with a slit for the eyes, **slitted** or **slit-visored** Il.

αὐξάνω *vb.* | impf. ηὔξανον | fut. αὐξήσω | aor. ηὔξησα | pf. ηὔξηκα ‖ MID.: impf. ηὐξανόμην | fut. αὐξήσομαι | pf. ηὔξημαι, Ion. αὔξημαι | plpf. ηὐξήμην ‖ PASS.: fut. αὐξηθήσομαι, aor. (sts. w.mid.sens.) ηὐξήθην | —also (pres. and impf.) **αὔξω** | impf. ηὖξον ‖ MID.: ηὐξόμην, dial. αὐξόμην |
1 cause (persons, animals, vegetation) to grow; **raise** —*animals* Pl.; **cultivate** —*trees* Pi.*fr.*; (intr., of children, flowers, seeds) **grow** NT. ‖ MID. and AOR.PASS. (of children, animals) **grow** Hdt. S.*Ichn.* E. Pl.; (of hair) Hdt.; (of seeds, vegetation) Mimn. Ibyc. S. +; (fig., of excellence, a victory) Pi.
2 cause (sthg.) to grow (in size); (of oil) **enlarge** —*a flame* X.; (of daytime) —*grapes* S.*fr.*; (fig., of a soldier) —*his people's glory* Pi. ‖ MID. (of a settlement) **grow** Pl.; (of the elements of matter) Emp.; (of a volcanic island, fr. beneath the sea) Pi.; (of the moon, W.DAT. w. the sun's rays) Tim. ‖ PASS. (of an empire, war, struggle) be extended Ar. Isoc. Theoc.(cj.)
3 cause to grow (in volume or number); (of persons, Time) **increase** —*burnt offerings* Pi. —*prosperity, wealth, injustice* A. E. Pl.; (intr., of a population) **grow large** NT. ‖ MID. and AOR.PASS. (of a population) **grow** Hdt.; (of a cloud) **thicken** E.; (of troubles) **increase** Men. ‖ PASS. (of gain, commerce) be increased A. D.
4 cause to grow (in physical strength or force); (of a doctor) **build up** —*his patients* Pl.; (fig., of a Muse) **swell** —*winds of song* Pi.; (intr., of songs) E. ‖ MID. and AOR.PASS. (of limbs and strength) **grow strong** Hes.; (of the wind) **rise, get up** Hdt.
5 cause to increase (in power); **advance** —*a tyrant, evil men, one's allies* Sol. E.*fr.* X.; **strengthen** —*a city* (W.DAT. w. *laws*) S.; (wkr.sens.) **support** —*the Greek cause* Hdt. ‖ MID. and AOR.PASS. (of persons, communities) **grow** (in power) Hdt. E. Th. D.
6 cause to thrive or prosper; **nurture** —*a tyrant* (W.PREP.PHR. w. *hope*) Thgn. —*one's children and homeland, a statesman* E. Pl. —*the common good* E. Th. D.; (of a god, Time) **raise up** —*a person, his fortunes* S.; (intr., of the word of God) **spread** NT. ‖ MID. and AOR.PASS. **develop** (in one's skills) Pl.; (of a juror) **swell** (w. his privileges) Ar.; (of the beginning and the end of a competition) **grow** —W.PREDIC.ADJ. *sweet* Pi. ‖ PASS. (of an opportunity, a situation) be improved Eleg.adesp. X.
7 cause to increase (in intensity); **strengthen** —*someone's confidence* Pi. B.; (of wealth, an idea) —*arrogance* B. Hdt.; (of pleasure, a delay) —*desire* Pl. Men. ‖ MID. (of confidence, desire, delight) **grow** Thgn. Pi. Pl. ‖ PASS. (of a person's strength, a ruler's power) be increased A. Hdt.
8 cause to grow (in fame); **extol, exalt** —*a person, family, city, mountain* Pi. S. E. Pl. + —*a people's laws* Pi. —*Zeus' majesty* Arist.*lyr.*; (of the troubles of life) **make** (W.ACC. someone) **great** S. ‖ PASS. (of a god or commander) be extolled Pi. Hdt. E.
9 (intr.) **use amplification** (as a rhetorical technique) Arist.

αὔξη ης *f.* **1 growth** (of the body, vegetation) Pl.
2 (math.) **extent** or **dimension** (of a solid body) Pl.

αὔξημα ατος *n.* **growth** (of a child) E.*fr.*

Αὐξησίη ης *Ion.f.* **Increase** (a goddess of fertility) Hdt.

αὔξησις εως *f.* **1 increase** (in quantity) X. Arist.; **augmentation** (of weights, measures, the value of coinage) Arist.
2 **increase** (in size) Pl. X. Arist.; **growth** (of a youth, an animal, or sim.) X. Arist.; **increment** Pl.
3 **increase** (in power) Th. Arist. Plu.; (in virtue, appetite) Arist.; (in the severity of a crime) Arist.
4 **extent** (of a region) Hdt.; **magnitude** (of sthg.) Arist.
5 **development** (of a discovery) Arist.
6 **strengthening, amplification** (of one's point, in a speech) Arist.; (pejor.) **exaggeration** (in a report) Plb.

αὐξητικός ή όν *adj.* **1** (of a biological process) **of growth** Arist.; (of part of the soul) **concerned with bodily growth** Arist.
2 (of a rhetorical technique) **for amplification** (of a simple statement) Arist.

αὔξιμος ον *adj.* (of motherly care) **good for growth** X.

αὔξω *vb.*: see αὐξάνω

αὐονή (unless **αὐονή**) ῆς, dial. **αὐονά** (unless **αὐονά**) ᾶς *f.* [αὖος] **1 withering** (for mortals, caused by Erinyes) A.; **drought** Archil.

2 perh. **blight** Semon. [or perh., dry or harsh sound, *shrieking* or *yapping* (of a woman likened to a dog)]

αὖος, Att. **αὖος**, η ον *adj.* **1** dry (after being wet or moist); (of a person) **dry** Ar.; (of trees, the ground) Od. Hes.; (of wood, as fuel) Od. Pl. Theoc. Plu.; (of a wooden club) **seasoned** Theoc.
2 lacking nutritive moisture; (of a tree stump, garland, rose, vines) **dried up** Il. Ar. Call. Theoc.; (of part of the nail of a finger or toe) Hes.; (of cattle in summer) **parched** Theoc.; (fig., of a person) **shrivelled** (w. fear or numbness) Men.; (of a style of speaking) Plu.
3 dried (for use or preservation); (of oxhide on shields) **dried** Il.; (of hippopotamus hide, a lionskin) Hdt. Theoc.; (of fish, seeds, acorns) Hdt. Theoc.; (of seaweed, as a cushion) Theoc.
—**αὖον** *neut.adv.* **dryly, gratingly** —*ref. to armour making a sound* Il.

ἀυπνίᾱ ᾱς *f.* [ἄυπνος] **wakefulness** (of guards) Pl.

ἄ-υπνος ον *adj.* [privatv.prfx., ὕπνος] **1** without sleep; (of persons) **sleepless** (fr. noise, grief) Od. E.; (of a person being punished) A.; (of eyes) E.; (of nights, old age) Od. E.; (of sleep) **restless, broken** (w. illness, grief) S. E.; (of daybreak, or perh. nightingales) **wakeful** Ibyc.
2 without rest; (of persons) **wakeful** (for a task) Od. E. X.; (of a serpent, its eyes) E. AR.; (of nights spent as a sentry, vigils) Il. E.; (of fishing) S.; (fig., of springs of water) **unresting, continuous** S.; (of music) E.
3 (of reality, opp. a dream-like state) **apart from sleep** Pl.

αὔρᾱ ᾱς, Ion. **αὔρη** ης *f.* [prob.reltd. ἀήρ] **1 breeze** (esp. assoc.w. a sea, river or pleasant location) Od. Hes. hHom. Lyr. Hdt. Trag. +; (as an exemplar of changeability) Pi. E.; (fig., W.GEN. of a household, war) E. Ar.
2 aroma (W.GEN. fr. torches) Ar.
3 impulse (W.GEN. of a person's character) E.; **onrush** (ref. to a pre-natal pang) E.

αὔριον *adv.* **1 tomorrow, on the next day** Hom. +; (prep.phr.) ἐς (εἰς) αὔριον *until tomorrow* Od. Hes. E. Pl. +; *tomorrow, on the next day* Hom. E. Lys. Ar. +
2 (quasi-adjl., of a day, moment or period of time, event) **of the next day, tomorrow** S. E. Lys. X. +; ἡ ... εἰς αὔριον ἡμέρα or τὸ ... ἐς αὔριον *the next day* S.; τὸ or ἡ αὔριον *the next day* Theoc. NT.

ἄυσα (ep.aor.), **ἀῦσαι** (aor.inf.): see ἀΰω²

αὔσιον *neut.adv.* **in vain** Ibyc. | cf. τηΰσιος

Αὔσονες ων *m.pl.* **Ausones** (a people inhabiting Italy) Arist.

—**Αὐσόνιος** ᾱ (Ion. η) ον *adj.* **of or relating to the Ausones**; (of the land) **Ausonian** AR.; (of the Adriatic, Tyrrhenian or Sicilian Sea) Pi.*fr.* Call. AR.; (of Scylla) AR.

αὐσταλέος ᾱ ον, ep.Ion. **ἀυσταλέος** η ον *adj.* [αὖος] **1** dry (fr. lack of water); (of a person) **parched** (w. thirst) Call.; (of Death-Mist) **shrivelled** Hes.
2 dried and rough (w. dirt); (of persons, esp. beggars) **unkempt** Od.; **caked** (W.DAT. w. filth, dust) AR.; (of hair) Theoc.; (of cheeks) **stained** (fr. crying) AR.

αὐστηρίᾱ ᾱς *f.* [αὐστηρός] **harshness** (W.GEN. of a person, his character) Plb. Plu.

αὐστηρός ά όν *adj.* [αὖος] **1** dry (to the taste); (of water, opp. honey) **plain** Pl.; (of particles of food or drink) **rough** Pl.
2 dry or hard (in character, w.connot. of simplicity); (of persons, their lifestyle) **austere** Arist. Plb. Plu.
3 (of a poet) **harsh, rough** (in style) Pl.; (of a literary work) **dry, austere** (in its contents) Plb.; (of speeches, brevity) Plu.
4 (of persons, their manner) **severe, stern, harsh** Plu.; **exacting** (in business) NT. ‖ NEUT.SB. **sternness** Plu.

αὐστηρότης ητος *f.* **dryness** or **roughness** (of wine, opp. sweetness) Pl. X.; (fig.) **harshness** (W.GEN. of old age) Pl.

αὐτά *dial.f.*: see αὐτή

αὐτ-άγγελος ου *m.* [αὐτός] **one who brings news** (W.GEN. of sthg.) **in person** S. Th. Plu.

αὐταγρεσίη ης Ion.*f.* [αὐτάγρετος] **one's own free choice** Call.

αὐτ-άγρετος ον *adj.* [ἀγρέω] **1** (of situations, an ability, manner of dying) **chosen by oneself** Od. hHom. AR.
2 (of a runaway) **captured by oneself** AR.
3 (of a person) **choosing for oneself** (when to die) Semon.

αὐτ-άδελφος ου *adj.* [ἀδελφός] (of blood) **of one's very own brother or sister** A.; (of a head, meton.ref. to a person) S. ‖ MASC.SB. **one's very own brother** S. E.*fr.*

αὑταῖς (Att.3pl.fem.dat.reflexv.pron.): see ἑαυτόν

αὔτ-ανδρος ον *adj.* [ἀνήρ] (of a ship or fleet, in ctxt. of capture or loss) **together with its men, men and all** AR. Plb. Plu.
—**αὐτανδρί** *adv.* **men and all** —*ref. to a ship being captured* Plb.

αὐτ-ανέψιος ου *m.* [ἀνεψιός] **1 first cousin** A. E. Pl.
2 ‖ ADJ. (of a group) consisting of one's first cousins A.

αὐτάρ *ep.conj.*: see ἀτάρ

αὐτάρκεια ᾱς *f.* [αὐτάρκης] **self-sufficiency** (as a mark of persons, their means or lifestyle, a city) Arist. Plu.; (as a mark of the highest good, philosophical contemplation) Pl. Arist.

αὐταρκέω *contr.vb.* (of a citizen) **be self-sufficient** Arist.

αὐτ-άρκης ες *adj.* [ἀρκέω] **1** (of persons) **self-sufficient** (in resources) Hdt. Th. Pl. +; (of a family) Arist.; (of a city, its location) Th.; (of a region) Isoc. Plb.; (of fields) Lyr.adesp.; (of the highest good) Arist.
2 self-sufficient (in strength); (of persons) **strong enough on one's own** X. Plb.; (of help in battle) **all-sufficient** S.; (of a body) **strong enough alone** (against a disease) Th.; (of a skill, decree, constitution) D. Plb.
3 (of an infant's bowels) acting under their own control, **independent** A.
—**αὐτάρκως** *adv.* **self-sufficiently** —*ref. to living* X. Arist.

αὐταρχέω *contr.vb.* [ἀρχός] **be a sole ruler** —W.GEN. *over a people* Pi.*fr.*

αὑτάς (Att.3pl.fem.acc.reflexv.pron.): see ἑαυτόν

αὖ-τε *adv.* [τε¹] **1 for another time, again** Hom. Xenoph. Lyr. A. +; (reinforced by ἐξαῦτις) Il.; (w. δή) Hom.; (w. δή in crasis, as δηὖτε, perh. also δαὖτε) *once again* Hippon. Lyr. A.; (also in crasis, in q., sts. w. indignant or impatient tone) **this time** Il. Archil. Sapph. Pi.; (in q., w. δῆτα) Theoc.
2 in addition, further Hom. hHom. Ar. Theoc. Mosch.; **in turn** Il. Alc. A.; **in response** Hom.
3 on the contrary, on the other hand (sts. responding to a cl. w. μέν, sts. reinforced by νῦν) Hom.; (reinforcing δέ) A. Pi. Theoc.

αὐτεῖ *Lacon.adv.*: see αὐτοῦ

αὐτ-έκμαγμα ατος *n.* [αὐτός, ἐκμάσσω] **exact impression** (in wax); (fig.) **exact image** (of one's father, ref. to a baby) Ar.

αὐτ-επάγγελτος ον *adj.* [ἐπαγγέλλω] making an offer of one's own accord; (quasi-advbl., of a person doing sthg.) **voluntarily** Hdt. E. Th. Isoc. D.

αὐτ-επιτάκτης ου *m.* [ἐπιτάσσω] one who is in command independently (of all others), **sole director** Pl.

αὐτεπιτακτικός ή όν *adj.* (of a branch of expertise) **of the kind of a sole director** Pl.

αὐτ-επώνυμος ον *adj.* (of a son) **with the same name** (W.GEN. as his grandfather) E.

αὐτ-ερέτης ου *m.* (ref. to a soldier) **one who rows for himself** (opp. being a passenger) Th.

αὐτέω *contr.vb.* [αὐτή] | Ion.1sg. and 3pl.impf. αὔτευν |
1 shout (esp. in battle or grief) Il. A. E. Theoc.; (fig., of a person's fame) **cry out** A.
2 call or **shout out** (to someone) E. —W.INTERN.ACC. *a cry for help* E.; **call on** —*someone* (*for help*) Il. —(W.INF. *to do sthg.*) E.; **invoke** —*a god* A. E. Ar. AR.
3 announce —*a murder, cause for alarm* E. —W.INF. *that one possesses sthg.* E.; (of a person being killed) —*the blow that he has received* A.
4 chant —*songs* E.*fr.*
5 (of helmets) **ring out** (when struck) Il.; (of chariot wheels) **clatter** Hes.

αὐτή ῆς, dial. **αὐτά** ᾶς *f.* [αὔω²] **1 shout** Hom. AR.; (collectv.sg.) **shouting** Alc. Hippon. E. Tim. AR.; (specif.) **war-cry** Hom. Hes. hHom. Pi. AR.
2 blast (fr. a trumpet) A.; **sound** (of a lyre) Pi.*fr.*; **whistle** or **squeak** (of a syrinx, to which the sound of an axle is likened) Parm.
3 noise, clamour (fr. a battle, a hunt) Il. AR. Theoc.
4 sound (W.GEN. of a particular dialect of Greek) A.

αὐτή¹ (fem.demonstr.pron. and adj.): see οὗτος
αὐτή² (crasis for ἡ αὐτή): see αὐτός C
αὐτῇ (Att.3sg.fem.dat.reflexv.pron.): see ἑαυτόν
αὐτηγί (fem., w.pcl. γε): see οὑτοσί, under οὗτος
αὐτ-ήκοος ου *m.* [αὐτός, ἀκούω] one who hears or listens in person; **actual hearer** (W.GEN. of someone) Th. Pl. Plu.
αὐτ-ῆμαρ *adv.* **1 on the same day** (as specified) Hom. Call. AR.
2 for that one day (i.e. not for any longer) AR.
αὐτημερόν Ion.*adv.*: see αὐθημερόν
αὐτήν (Att.3sg.fem.acc.reflexv.pron.), **αὐτῆς** (gen.): see ἑαυτόν
αὐτῖ Boeot.*adv.*: see αὐτοῦ
αὐτίκα, Aeol. **αὔτικα** *adv.* **1 at this or that very moment; immediately, at once** (sts. reinforced by νῦν) Hom. +; **straightaway** (W.GEN. at night) Theoc.; (quasi-adjl., of fear, struggle, benefit, or sim.) **present, immediate** Th.; (of a day) **at the start** (of one's afflictions) S.
2 now or **at the time** (opp. subsequently) Od. Thgn. A. E.; (phrs.) τὸ αὐτίκα *for that moment* (*only*), *for the present* Th.; ἐς or ἐπὶ τὸ αὐτίκα *in* or *for the present* Th. X.; ἐν τῷ αὐτίκα *at present* Th.
3 at a particular time (in the immediate future, opp. the present), **soon** Eleg. Ar. Tim. Pl. +; **at a later time** D. AR.; (quasi-adjl., of a city's doom) **imminent** Call.
4 as a ready example, for example Ar. Pl. D. Call.
αὖτις, Att. **αὖθις** *adv.* [αὖ] **1 back** —*ref. to moving* Hom. Thgn. S. Ar. —*ref. to taking sthg.* Il. —*ref. to sending someone* S.
2 in turn (at a later time) Sol. A. S. Pl.
3 again, once more Hom. Eleg. A. Pi. Hdt. +; (responding to μέν) **secondly** S.; (responding to πρῶτα) Hdt.; (as exclam. of approval) **again!, encore!** X.
4 later, thereafter or **hereafter** Hom. Eleg. A. Pi. Parm. Hdt. + | see also εἰσαῦτις
ἀυτμή, also **αὐτμή** (Hes.), ῆς *f.* [ἄημι] **1 breath** Il. AR.; (fr. oxen) AR.; (fr. Hephaistos or a fire, fig.ref. to a flame) Hom. hHom. Call. AR.; **blast of air** (fr. bellows or sim.) Il. Hes. AR.
2 blast (W.GEN. of wind) Od.
3 vapour Hes. hHom. AR.; **smoke** (fr. a burning stake) Od.
4 aroma (fr. a burnt sacrifice) Od.; **fragrance** (fr. perfumed oil) Il.; (fr. a meadow) Mosch.
ἀυτμήν ένος *m.* **1 breath** (of a person) Il. AR.
2 blast (W.GEN. of wind) Od.

αὐτο-αγαθόν οῦ *n.* [αὐτός, ἀγαθός] **good** or **goodness in its essence** (as an example of a Platonic Form) Arist.
αὐτο-άνθρωπος ου *m.* **man in his essence** (as an example of a Platonic Form) Arist.
αὐτο-βοεί *adv.* [βοή] with a mere war-cry, **without a struggle** —*ref. to making a capture or sim.* Th. Plu.
αὐτό-βουλος ον *adj.* [βουλή] with one's own plan, **self-willed** A.
αὐτο-γενής ές *adj.* [γένος, γίγνομαι] (of a course of action) generated by oneself, **self-created** or **chosen** A.
αὐτο-γέννητος ον *adj.* [γεννητός] (of a sexual union) producing offspring by one's kin, **begetting by incest** S. [or perh., with one's own offspring, *incestuous*]
αὐτογνωμονέω *contr.vb.* [αὐτογνώμων] **act according to one's own judgement** X.
αὐτο-γνώμων ον, gen. ονος *adj.* (quasi-advbl., of a magistrate judging or ruling) **by one's own assessment** or **judgement** (opp. by written laws) Arist.
—**αὐτογνωμόνως** *adv.* **by one's own assessment** Plu.
αὐτό-γνωτος ον *adj.* [γνωτός] (of a person's passionate disposition) deciding for oneself, **self-willed, independent** S.
αὐτο-γραμμή ῆς *f.* **line in its essence** (as an example of a Platonic Form) Arist.
αὐτό-γραφος ον *adj.* [γραφή] (of documents) written with one's own hand, **autograph** Plu.
αὐτό-γυος ον *adj.* [γύης] (of a plough) with a shaft of the same one piece (as the stock), **of a single piece** (opp. made of two pieces fastened together) Hes. AR.
αὐτο-δαής ές *adj.* [δαῆναι] (of dance-steps) **self-taught** S.
αὐτο-δάικτος ον *adj.* [δαΐζω] **slain by one's kin** A.
αὐτ-οδάξ *adv.* with one's very teeth, **bitingly** —*ref. to being angry* Ar.; (quasi-adjl., of a person's temper) **snappish** Ar.
αὐτό-δεκα *indecl.num.adj.* [δέκα] **exactly ten** Th.
αὐτό-δηλος ον *adj.* [δῆλος] (of a circumstance) **clear in itself** A.
αὐτο-δίδακτος ον *adj.* [διδακτός] (of a bard) **self-taught** Od.; (of a person's heart, as he chants) A.
αὐτό-δικος ον *adj.* [δίκη] (of the sanctuary at Delphi) **with its own jurisdiction** Th.
αὐτόδιον *adv.* **straightaway** Od.
αὐτο-διπλάσιον ου *n.* [διπλάσιος] **doubleness in its essence** (as an example of a Platonic Form) Arist.
αὐτο-έκαστον ου *n.* **each object in its essence** (as an example of a Platonic Form) Arist.
αὐτοέντης *m.*: see αὐθέντης
αὐτό-ετες *neut.adv.* [ἔτος] **within the same year** —*ref. to reaching a destination* Od.
—**αὐτοέτει** *adv.* **in a single year** Theoc.
αὐτόθεν, also (*metri grat.*) **αὐτόθε** (Theoc.) *adv.* **1 from that very location, from right there** or **that place** Pi. Hdt. S. Th. Pl. +; (reinforced by ἐκ + GEN.) Hom. Hdt. Th. Call. +; (by ἀπό + GEN.) A.
2 from this very location, from right here or **this place** Pi. Th. Ar. Pl. +; **from this point** (in a line of argument) Pl.
3 from that or **this very time, at once, straightaway** Il. hHom. Th. And. +
αὐτόθι *adv.* **in this or that location, here** or **there** Hom. +; παρ' αὐτόθι *on the spot, there and then* Il.(v.l. παρ' αὐτόφι)
αὐτό-ιππος ου *m.* [ἵππος] **horse in its essence** (as an example of a Platonic Form) Arist.
αὐτοῖς (Att.3pl.masc.neut.dat.reflexv.pron.): see ἑαυτόν
αὐτο-κάβδαλος ον *adj.* [αὐτός, perh.reltd. κόβαλος] (of speeches without a formal opening) **offhand, casual** Arist.

—**αὐτοκαβδάλως** *adv.* in a casual way —*ref. to speaking about dignified subjects* Arist.

αὐτο-κασιγνήτη ης, dial. **αὐτοκασιγνήτᾱ** ᾱς *f.* [αὐτός] one's very own sister Od. hHom. E. AR.

αὐτο-κασίγνητος ου *m.* one's very own brother Il. hHom. AR. Mosch.

αὐτο-κέλευστος ον *adj.* [κελεύω] (quasi-advbl., of a person doing sthg.) prompted by oneself, **on one's own initiative** X.

αὐτο-κελής ές *adj.* [κέλομαι] (quasi-advbl., of a person doing sthg.) prompted by oneself, **on one's own initiative** Hdt.

αὐτό-κλητος ον *adj.* [κλητός] **1** (of a god) **personally inviting** (pollution into a house) A.
2 (quasi-advbl., of a person coming out of a house) self-summoned, **without a summons** S.

αὐτό-κομος ον *adj.* [κόμη] (of a mane) **of natural hair** Ar.

αὐτο-κρατής ές *adj.* [κρατέω] **1** (of a mind) ruling by itself, **with sole authority** (for a task) E.
2 (of a man's genitals) **self-governed** Pl.

αὐτοκρατορικῶς *adv.* [αὐτοκράτωρ] **in the manner of a supreme ruler** Plu.

αὐτο-κράτωρ ορος *masc.fem.adj.* [κράτος] **1** with authority for oneself; (of citizens) **free** (fr. foreign rule) Th.; (of youths) **independent** (of their parents) X.; (of voluntary exiles) **with full authority** (W.GEN. over themselves, in their new home) Arist.; (of a city, over itself) Th.
2 with control over oneself; (of a mind) **self-governed** Pl.; (of the universe) **in control** (W.GEN. of its own course) Pl.
3 (of a person) **with full mastery** (W.GEN. of one's plans and fortune) Th.
4 (of fighting) in command of itself, **in which every man takes charge for himself** Th.
5 (of magistrates) **with full powers** (sts. W.INF. to do sthg.) Th. Ar. Att.orats. X. Arist. +; (of a king, for committing perjury) D.; (of the Assembly, during a crisis) And.; (of commanders, for a campaign) Th. X. D. +
6 (of a commander) **with sole authority** (over an army) X.; (of a person, W.GEN. over a ship) D.; (of rulers, for governing) D. Arist.; (of a commander at Rome, ref. to a *dictator*) Plb. Plu.; (of reason) Th. ‖ MASC.SB. imperator (ref. to a commander specially honoured at Rome) Plu.; (ref. to a Roman emperor) Plu.
7 (pejor., quasi-advbl.) **on one's own authority** (opp. that of the laws) Pl.; (of a magistrate ruling) **as an autocrat** (in a city) Pl.

αὐτό-κτιτος ον *adj.* [κτίζω] (of a cave) made independently (of human activity), **formed naturally** A.

αὐτοκτονέω *contr.vb.* [αὐτοκτόνος] **be a killer of one's kin** S.

αὐτό-κτονος ον *adj.* [κτείνω] killing one's own; (of a matricide's or fratricide's hand) **killing one's kin** A. E.; (of the deaths of two brothers) by killing one another, **mutual, fratricidal** A.

—**αὐτοκτόνως** *adv.* **1** by kindred slaughter —*ref. to dying* A.
2 by killing in person A.

αὐτό-κωλος ον *adj.* [κῶλον] (derog., of a woman w. no noticeable bottom) **nothing but leg** Semon.

αὐτό-κωπος ον *adj.* [κώπη] (of a sword) cast with its own hilt, **hilt and blade together** A.

αὐτο-λήκυθος ον *adj.* with one's own oil-flask (perh. as a mark of poverty) ‖ MASC.PL.SB. Tramps (name of a fraternity of wealthy youths unaccompanied by slaves) D.

αὐτό-μαρτυς υρος *m.* [μάρτυς] one who is a witness in person, **eyewitness** A.

αὐτοματίζω *vb.* [αὐτόματος] act on one's own initiative or independently (of a superior) X. ‖ PASS. (of beneficial actions) be done spontaneously Plu.

αὐτό-ματος η ον *adj.* [reltd. μέμονα, μένος] | The adj. is freq. quasi-advbl. | **1** (of person or animals doing sthg.) through one's own will, **of one's own accord, unbidden, spontaneously** Il. Thgn. Pi.*fr.* B. Th. Ar. +; (of feet moving) AR.; (of a response fr. the Pythia) Pi.
2 (of inanimate things) happening or acting without external intervention; (of Hephaistos' tripods moving) **spontaneously** Il.; (of gates opening, bolts moving, fetters breaking) Il. E. X. AR. NT.; (of weapons, statues, or sim. doing sthg.) Hdt. E. AR.; (of an event happening) Pl. X. +; (of blessings coming to someone) E. Ar. X. +
3 (of natural phenomena) happening in the ordinary course of events; (of a disease spreading, land being fruitful, a river rising, plants growing) **spontaneously, naturally** Hes. Hdt. Pl. +; (of the way of life of early humans) provided by nature, **naturally provided** Pl.; (of food) Pl.
4 (of a person doing sthg.) **from one's natural ability** X.; (of a death, a reason for growth) **natural** Lys. Pl. D.; (of salt crusts, manure) **from nature** Hdt. X.; (of an event) **in the natural course** D.
5 (of persons finding sthg.) **by accident** Pl.; (of a temple being burned down) Hdt. ‖ NEUT.SB. chance (as a cause) Lys.
6 (prep.phrs.) ἀπὸ τοῦ αὐτομάτου (or ταὐτομάτου) *spontaneously* or *naturally* Hdt. Th. Pl. X. +; (also) ἐκ τοῦ αὐτομάτου X.; *by accident* or *chance* Pl. X. Is. +

—**αὐτομάτως** *adv.* **1** of one's own accord, spontaneously —*ref. to persons or animals doing sthg.* Plb. Plu.; **automatically** —*ref. to a mechanical snail moving* Plb.
2 by natural causes, **spontaneously, naturally** Theoc. Plb. Plu.
3 by accident or chance Plb. Plu

αὐτο-μήτωρ ορος *masc.fem.adj.* [μήτηρ] (of a woman) perh. **just like a** or **her mother** Semon.

αὐτομολέω *contr.vb.* [αὐτόμολος] | aor. ηὐτομόλησα | pf. ηὐτομόληκα | **1** be a deserter, **desert** (to the enemy, fr. an army, fleet, or sim.) Hdt. And. Ar. X. +; (of helots, slaves in wartime) Th. Ar. D.; (of a ship) Hdt. Th.
2 (of a citizen) **change sides** (betw. factions) Aeschin. D.
3 (of a slave) **abscond** (fr. his master) Ar.
4 defect (fr. a social circle, for another lifestyle) Aeschin.

αὐτομολίᾱ ᾱς *f.* **desertion** (by sailors, soldiers or allies) Th. Plu.

αὐτό-μολος ον *adj.* [ἔμολον, see βλώσκω] leaving on one's own initiative ‖ MASC.SB. deserter (fr. an army, city, king) Hdt. Th. Isoc. X. +; (appos.w. ἀνήρ or γυνή) Hdt.; (appos.w. τριήρης *trireme*) Plu.; runaway (ref. to a slave) Aeschin.

αὑτόν (Att.3sg.masc.acc.reflexv.pron.): see ἑαυτόν

αὐτονομέομαι *mid.contr.vb.* [αὐτόνομος] (of communities) **be self-governing** (esp. w. no external political pressure) Th. D. Plb. Plu.

αὐτονομίᾱ ᾱς *f.* **1** self-governance (of a city), **independence** Th. Isoc. X. +
2 independence (in behaviour); (pejor.) licence (among Spartan youths) Isoc.

αὐτό-νομος ον *adj.* [νόμος] **1** with one's own laws (i.e. free fr. external rule and influence); (of persons, peoples, cities, settlements) **self-governing, independent** (sts. w. ἀπό + GEN. fr. external rulers) Hdt. Th. Att.orats. X. +; (of a

sanctuary) Th. X.; (of a region) Th.; (of dissidents living in isolation) Th.
2 observing one's own law; (quasi-advbl., of a dissident going to her death) **voluntarily** S.
3 (of a youth) **independent** (of a guardian) X.
4 (of a constitution without a king) **free** Plu.

αὐτο-νυχεί (also **αὐτονυχί**) adv. [νύξ] **on this** or **that very night** Il. AR.

αὐτό-ξυλος ον adj. [ξύλον] (of a cup) of mere wood, **of simple wood** (i.e. unshaped and undecorated) S.

αὐτοπάθεια ᾱς f. [πάθος] **1 one's own experience** Plb.
2 one's own emotion, **sincerity of emotion** Plb.

—αὐτοπαθῶς adv. from one's own experience or emotions; **genuinely, sincerely** Plb. Plu.

αὐτό-παις παιδος m. [παῖς¹] **true son** (W.GEN. of Zeus, ref. to Herakles) S.

αὐτό-πετρος ον adj. [πέτρος] (of a platform) **of natural rock** (opp. constructed by man) S.(cj.)

αὐτο-πήμων ον, gen. ονος adj. [πῆμα] (of lamentation, quasi-personif.) **with its own pain** A.

αὐτο-ποιητικός ή όν adj. (of an art) of or relating to making things themselves (opp. imitations), **of making real items** Pl.

αὐτο-ποιός όν adj. [ποιέω] (of olive trees) **self-perpetuating** S.

αὐτο-πολις ιος dial.fem.adj. [πόλις] | nom.pl. αὐτοπόλιες | (of a city) being a city in one's own right, **independent** Th.(treaty)

αὐτο-πολίτης ου m. **citizen of an independent city** X.(cj.)

αὐτό-πρεμνος ον adj. [πρέμνον] (quasi-advbl., of trees being destroyed) together with the stump, **roots and all** S.; (of land assigned to a conqueror) **root and branch** (i.e. entirely and absolutely) A.; (fig, of words) **uprooted** Ar.(mock-trag.)

αὐτ-όπτης ου (Ion. εω) m. [ὄψομαι, see ὁράω] **1** one who sees or watches for oneself, **eyewitness** Hdt. Pl. X. D. +
2 one who investigates in person, **investigator** (ref. to a historian, scout) Hdt. Plb.

αὐτο-πώλης ου m. [πωλέω] **seller of one's own products** Pl.

αὐτοπωλικός ή όν adj. of or relating to a manufacturer who sells directly || FEM. and NEUT.SB. direct sale Pl.

αὐτό-ρριζος ον adj. [ῥίζα] (of the hearth of a land, fig.ref. either to a mountainside dwelling or to a primeval settlement) **self-rooted** or **self-founded** E. [or perh. *itself including the roots (of a later city)*]

αὐτό-ρυτος ον dial.adj. [ῥυτός] (of a shower of gold) **flowing spontaneously** Pi.

αὐτός ή (dial. ἅ) ό, Aeol. **αὖτος** ᾱ ο pers.pron. and adj.
| neut.sg. sts. αὐτόν, esp. in ταὐτόν (see **C**) | dial.masc. and neut.gen.sg. αὐτῶ, Aeol. αὔτω || du. αὐτώ || PL.: dial.masc.acc. αὐτώς | fem.acc. αὐτᾱς (Theoc.) | ep.gen.dat. αὐτόφι(ν) || There are three principal functions: **A** as adj. *self* or emph. pron. *he himself*, **B** as an anaphoric 3sg. and pl.pers.pron. *him, her, it, them*, and **C** as adj. w.art. *the same*. |

—A emph. pron. and adj. **1 self** (w. a noun or pers.pron., or as a pron., emphasising that the reference is to that person or thing truly, and not to another or others) Hom. + • ὑπὸ λόφον αὐτόν *under the plume itself* or *the very plume* Il.
• τοὔργον τάχ᾽ αὐτὸ δείξει *the deed itself will soon provide proof* Ar. • ἐγὼν ὑποθήσομαι αὐτός *I myself will make a suggestion* Od. • (without pers.pron.) αὐτὸς ἧσθαι ἐνὶ κλισίῃσι λιλαίομαι *I myself desire to sit amid the tents* Il.
2 (w. ἐκεῖνος or οὗτος, for emph.) • αὐτὰς ἐκεῖνας εἰσορᾶν

δοκῶ σ᾽ ὁρῶν *as I look at you, I think that I see those women in person* E. • αὐτὸ τοῦτο τὸ Βυζάντιον, ὅπου νῦν ἐσμεν *this very Byzantium, where we are now* X.; (advbl.phrs.) αὐτὸ τοῦτο, αὐτὰ ταῦτα *for this very reason* Pl. X.
3 (ref. to a person, opp. someone inferior or sthg. ancillary) Hom. + • αὐτὸν καὶ θεράποντα *himself and his attendant* Il.
4 (ref. to a master or slave-owner) Ar. Pl. Thphr. Men. Theoc.
• ἔνδον ἐστὶν αὐτός *the master is inside* Men.
5 (w. an ordinal number, to emphasise one of a group of persons or things) Th. X. + • αὐτοκράτωρ δέκατος αὐτός *the commander himself as the tenth* (i.e. in charge of nine) X.
6 (in reciprocal combinations, w. ἑαυτοῦ, αὑτοῦ, αὐτοῦ, or sim.) Trag. + • αἰσχύνεις πόλιν τὴν αὐτὸς αὑτοῦ *you disgrace your own city* S. • ἀπειλοῦσιν αὐτοὶ καθ᾽ αὑτοὺς ἐμβαλεῖν *they threaten to invade by themselves* X.
7 || GEN. (w. a possessv.adj., for reinforcement) Hom. +
• πατρός τε μέγα κλέος ἠδ᾽ ἐμὸν αὐτοῦ *my father's great renown and my very own* Il.
8 || DAT. (sts. w. σύν) together, complete with, and all Hom. +
• αὐτοῖσι συμμάχοισι *with his allies and all* or *as well* A.
9 (w. ἑαυτοῦ and compar. or superl.adj.) Hdt. • αὐτὸς ἑωυτοῦ ῥέει πολλῷ ὑποδεέστερος ἢ τοῦ θέρεος *it flows much more weakly than in the summer in relation to itself* Hdt.
10 on one's or **its own, alone** Hom. + • ἄνευ τοῦ σίτου τὸ ὄψον αὐτό *the meat on its own without the bread* X.
11 of one's or **its own accord, of oneself** or **itself** Hom. + • τί με σπεύδοντα καὶ αὐτὸν ὀτρύνεις; *why do you urge me when I am already eager by myself?* Il. • ἥξει γὰρ αὐτὰ κἂν ἐγὼ σιγῇ στέγω *it will come to pass on its own, even if I keep quiet about it* S.
12 (philos., of a Platonic Form) **by** or **in its very self** or **essence** Pl. Arist. || NEUT. (ref. to a noun of any gender)
• αὐτὸ δικαιοσύνη *justice in itself* or *its essence* Pl. • αὐτὸ ἄνθρωπος *man in himself* or *his essence* Arist.

—B 3sg.pl.pers.pron. (usu. in acc., dat. or gen.) **him, her, it, them** (rarely as first wd. in a sentence, unless emph.) Hom. +; (also nom.) **he, she, it** NT. • (pleon., within a relatv.cl. as in the same case) ὧν ὁ μὲν αὐτῶν *the one of which* Call.epigr.; οὗ τὸ πτύον ἐν τῇ χειρὶ αὐτοῦ *in whose hand is the winnowing-shovel* NT.

—C adj. (in attributive position w.art.) Hom. + • ἡ αὐτὴ (or αὑτὴ) γυνή *the same* or *that very woman* Is.; (W.DAT. as someone) A. Hdt. +; (also sts. without art.) Hom. Pi. AR.
• αὐτὴν ὁδόν *the same road* AR.; (not in attributive position) ἐν αὐτῇ τῇ ἡμέρᾳ *on the same* or *that very day* NT.

—αὐτότατος η ον superl.adj. || MASC.SB. **his very self** Ar.

αὐτός (crasis for ὁ αὐτός): see αὐτός **C**

αὐτόσε adv. **1** (ref. to movt.) **to there, thither** Th. Ar. Pl. X.
2 (ref. to adding sthg.) **to that** Pl.

αὐτο-σίδᾱρος ον dial.adj. [σίδηρος] (of suicide) **with self-inflicted steel** E.

αὐτό-σπορος ον adj. [σπόρος] (of fields) **self-sown** A.fr.

αὐτό-σσυτος ον adj. [σεύω] (of a god) **urging on in person** (a pollution) A.

αὐτοσταδίη ης Ion.f. [στάδιος] standing in the very place; (prep.phr.) • ἐν αὐτοσταδίῃ *in close combat* Il.

αὐτό-στολος ον adj. [στόλος] **undertaking a journey in person** (opp. sending another) S.

αὐτό-στονος ον adj. [στόνος] (of lamentation, quasi-personif.) **grieving of its own accord** A.

αὐτο-σφαγής ές adj. [σφάζω] **1 slain by one's own hand** S.(dub.) E.
2 slain by one's own kin S.(dub.)

αὐτοσχεδά neut.pl.adv.: see αὐτοσχεδόν

αὐτοσχεδιάζω *vb.* [αὐτοσχεδόν] **1** speak on the spur of the moment, **extemporise** Isoc. Pl. Plu.
2 **act on one's own initiative** X.; (of a civilian, acting as a commander) **be an improviser** X.; (of a statesman) **improvise** —*necessary responses* Th.
3 (pejor.) **act rashly** or **unadvisedly** Isoc. Pl. Aeschin. Arist.
αὐτοσχεδίασμα ατος *n.* **improvisation** (ref. to a poem) Arist.
αὐτοσχεδιαστής οῦ *m.* **improviser** (W.GEN. in military matters) X.
αὐτοσχεδιαστικός ή όν *adj.* (of the origin of tragedy) **in improvisation** Arist.
αὐτοσχεδίη ης *Ion.f.* **1 proximity** (ref. to close combat) Il. Tyrt.
2 impromptu manner, improvisation (when playing a lyre) hHom.
—**αὐτοσχεδίην** *Ion.adv.* **in close combat** Hom.
—**αὐτοσχέδιος** ον *adj.* (of divination) **involving guess-work** or **improvisation** Plu.
αὐτο-σχεδόν *neut.adv.* —also **αὐτοσχεδά** (Il.) *neut.pl.adv.*
1 right up close —*ref. to fighting, attacking* Hom. Hes. Tyrt.
2 at once, right away AR.
αὐτο-τελής ές *adj.* [τέλος] **1** having one's own end or purpose; (of a philosophical investigation) **having an end in itself** Arist.
2 having one's own authority; (of a judge) **independent** (of a jury) Arist.; (of a decree) perh. **made on one's own authority** (without proper consultation) Hyp.; (of a single branch of government) having sole power, **absolute** Plb.
3 (of a conclusion, the reliability of a history) **final, unconditional** Plb.; (of listing names of places) **sufficient** (as a description of a region) Plb.; (of a victory) **entirely the responsibility** (W.GEN. of the commander) Plb.
4 (of a people, a sanctuary) **with one's own taxation** (i.e. free fr. any obligation to pay tribute) Th. | see τέλος 13
—**αὐτοτελῶς** *adv.* **1 unconditionally** —*ref. to making a treaty* Plb.
2 independently —*ref. to commanding an expedition* Plu.
αὐτό-τοκος ον *adj.* [τόκος] (of a hare) **with its offspring too** A.
αὐτο-τραγικός ή όν *adj.* (pejor., of an ape, fig.ref. to an orator and actor) exactly of the tragic kind, **truly tragic** D.
αὐτο-τράπεζος ον *adj.* [τράπεζα] (of persons) **at the same table** (W.DAT. as the immortals) Emp.
αὐτο-τροπέω *contr.vb.* perh., act in one's own manner, **improvise** hHom.
αὐτοῦ (Att.3sg.masc.neut.gen.reflexv.pron.): see ἑαυτόν
αὐτοῦ, Lacon. **αὐτεῖ**, Boeot. **αὐτῖ** *adv.* [αὐτός] **1 in the same place** Hom.
2 in a particular place; **right here** (sts. w. ἐνθάδε or sim.) Hom. +; **right there** (sts. w. ἐκεῖ, ἔνθα, κεῖθι, or sim.) Hom. +; (phr.) *παρ' αὐτεῖ* in this place Alcm.; (w. ταύτῃ or τῇ) **on that very spot** Hdt.
3 at a particular time; **right now** or **then** Hom.
αὐτουργέω *contr.vb.* [αὐτουργός] (of soldiers) **personally prepare** —*their meals* Plu.
αὐτουργίᾱ ᾱς *f.* **1 one's own act** (ref. to a crime) A.
2 labour of one's own hands (opp. slave labour) Plb. Plu.
3 personal experience (opp. study) Plb.
αὐτουργικός ή όν *adj.* || FEM.SB. craft of making actual objects (opp. imitations) Pl.
αὐτουργός όν *adj.* [ἔργον] **1 working oneself, personally involved in labour** Th. X. Plu.; (of a hand) **itself doing the task** S.; (gener., of persons) **personally involved** (W.GEN. in events, achievements, hardship) Plb. Plu. || MASC.SB. **working farmer** (ref. to a freeholder) E. Th. Pl. +

2 working by oneself (W.GEN. at philosophy) X.
3 (of produce) **made by oneself** (opp. purchased) Pl.
αὐτούς (Att.3pl.masc.acc.reflexv.pron.): see ἑαυτόν
αὐτόφι(ν) *ep.gen.dat.pl.pron.*: see αὐτός, also αὐτόθι
αὐτό-φλοιος ον *adj.* [φλοιός] (of a piece of wood used as a club) **with its bark on** Theoc.
αὐτο-φόνος ον *adj.* [θείνω] (of evils, deaths) **entailing the murder of kin** A.
—**αὐτοφόνως** *adv.* **from murder by kin** —*ref. to dying* A.
αὐτο-φόντης ου *m.* **entailing the murder of kin** S.(v.l. αὐτοέντης) E.
αὐτό-φορτος ον *adj.* [φόρτος] **1 carrying one's own baggage** (i.e. without a slave to carry it) A.
2 (of a freight ship) **together with its cargo** Plu.
αὐτο-φυής ές, gen. έος (οὗς) *adj.* [φύω] | Att.masc.fem. acc.sg. αὐτοφυᾶ (X.) | **1** (of fruit or crops) of natural growth, **self-grown** Plu.; (of an animal's bedding, ref. to its fur) Pl.
2 (gener.) occurring naturally (opp. man-made); (of a threshold in Hades, a harbour, defences, fissures in a rock) **natural** Hes. Th. Plu.; (of visions) **spontaneous** Pl.; (of a remedy, fig.ref. to wine) Ion || NEUT.SB. natural disposition or ability (of a person) Pl. Arist
3 (of resources) **indigenous** (to a region, opp. imported) X.
4 in one's natural condition; (of a horse's pace) **normal** X.; (of a hill, a rock-face) **natural** X. Plb.; (of a wooden club) **self-shaped** Theoc.
—**αὐτοφυῶς** *adv.* by one's own nature, **naturally** Pl.
αὐτό-φυτος ον *adj.* [φύω] **1 growing naturally**; (of sores, opp. wounds) **natural** Pi.
2 (of produce) **grown by oneself** (opp. imported) Arist.
αὐτό-φωρος ον *adj.* [φώρ] **1 in the very act of theft**; (of wrongdoers) **caught in the act** Th.; (prep.phr.) *ἐπ' αὐτοφώρῳ* in the act of theft Hdt. Att.orats.; (gener.) *in the act of committing a crime* Hdt. E. Ar. Att.orats. +; *as if in the act itself, beyond doubt* Att.orats. Pl. X. Plu.
2 (of crimes) **self-detected** (by the perpetrator) S.
αὐτό-χειρ χειρος *masc.fem.adj* [χείρ] **1** (quasi-advbl., of a person doing sthg., esp. killing) **with one's own hand** Trag. Antipho Ar. Isoc. Pl. NT.; (of a mode of death) **by one's own hand** E. Pl.
2 || MASC.SB. **doer** (W.GEN. of sthg.) Isoc.; **perpetrator** (W.GEN. of a crime) S. D.; (ref. to a murderer, sts. W.GEN. of someone) S. Att.orats. Pl. X. +; (ref. to a victor) Plb.
3 (of bloodshed) **by the hand of one's kin** S. E.
—**αὐτοχειρί**, also **αὐτοχερί** (Call.) *adv.* **with one's own hand** —*ref. to killing* Lycurg.; **at one's own hand** —*ref. to dying* Call.*epigr.*
αὐτοχειρίᾱ ᾱς *f.* action involving one's own hand; **murder itself** (opp. plotting a murder) Pl. X.
—**αὐτοχειρίᾳ**, Ion. **αὐτοχειρίῃ** *adv.* **with one's own hand, personally** Hdt. —*ref. to killing* Hdt. D. Arist. —*ref. to seizing someone* D.
αὐτό-χθονος ον *adj.* [χθών] (quasi-advbl., of a home being destroyed) **together with the ground itself, ground and all** A.
αὐτό-χθων ον, gen. ονος *adj.* **1** of or from the land itself; (of persons, peoples, esp. Athenians, Arcadians) **indigenous** Hdt. E. Th. Ar. Att.orats. +; (of Athens) E.
2 (of virtue) **indigenous** (to one's country) Lys.
αὐτό-χόωνος ον *ep.adj.* [χόανος] of a lump of iron exactly as from the melting-pot, **unwrought, rough** Il.
αὐτό-χρημα *adv.* [χρῆμα] as a matter of actual fact, **truly** Ar.
αὐτῷ (Att.3sg.masc.neut.dat.reflexv.pron.), **αὐτῶν** (gen.pl.): see ἑαυτόν

αὔτως (sts. **αὕτως**) adv. **1** in the same manner (as described), **in the same way, likewise** Il. Hes. hHom. Thgn. S. Hellenist.poet.; **just like** (W.DAT. women) —ref. to a man dressing Anacr.(dub.); **identically** —ref. to a reflection showing AR. | for ὡς δ' αὔτως see ὡσαύτως
2 in the same manner (as at present), **just as one is** Hom. AR. Theoc.; **just as it is** (i.e. without delay) Il. AR.; (i.e. in unexceptional circumstances) Il.
3 in the same manner (as previously); **just as in the past** or **before** Hom. AR.; **just as it was made** —ref. to a cauldron retaining its colour Il. AR.
4 by oneself or itself, **alone** Hom. Theoc.; **of one's own accord** AR.; **on its own, only** —ref. to doing sthg. (i.e. doing nothing else) AR.; (pejor.) **merely** Hom. Thgn. Theoc.; **emptily, in vain** Hom. hHom. AR. Theoc.
5 (pejor.) **in one's own way, just like that** Od.
6 (introducing a compl.cl. w. ὡς) **for this reason** (as follows) AR.
7 app. **as well as possible** —ref. to propitiating a god AR.
αὐτῶς (dial.masc.acc.pl.): see αὐτός
αὐχαλέος η ον Ion.adj. [αὔχη] (of persons) **boastful** Xenoph.
αὐχενίζω vb. [αὐχήν] **cut the throat of** —animals S.
αὐχένιος ᾱ (Ion. η) ον adj. (of sinews, the throat) **of** or **in the neck** Od. A.fr.
αὐχέω contr.vb. | impf. ηὔχουν | fut. αὐχήσω | **1 pride oneself** —W.PREP.PHR. or DAT. **on sthg.** Thgn.(dub.) Hdt. E. —W.INF. on achieving sthg. Hdt. Th.
2 be confident E. —W.ACC. + INF. that sthg. is or will be the case A. E. —W.FUT.INF. that one will do sthg. A. E. Plu.(quot.com.); **suppose** —W.INF. that one is such and such or is doing sthg. E. —W.ACC. + INF. that sthg. is or will be the case A. E.
αὔχη ης, dial. **αὔχᾱ** ᾱς f. **1 self-confidence, pride** Pi.
2 perh., instance of boasting, **boast** Ibyc.
αὔχημα ατος n. **1 reason for pride** S.
2 proud attitude, **pride, self-confidence** Th.; **boast** (expressed in an image or words) E. Plu.
3 acclaim (for someone after his death) Pi.
αὐχήν ένος, Aeol. **ἄμφην** ενος (Theoc.) m. **1 neck** (of a human or god) Hom. +; (ref. to the head and neck together) Il. Stesich. Pl.; (of an animal) Hom. +; (of a bird, snake) Hom. Pi. Hdt. Call.; (pl. for sg., of a horse) S.fr.; (fig., W.GEN. of the Isthmos) B. E.; (ref. to the personif. Hellespont) Tim.; (ref. to a land mass betw. two seas) AR.
2 (specif.) **throat** (of a human) Il. Hes.; (of a bird) E.
3 narrow strip (of land or water); **isthmus** Hdt. X.; **pass** (through a mountain range) Hdt.; **ridge** (ref. to the Acropolis) E.fr.; **strait** (of a sea, esp. when yoked w. a bridge) A. Hdt.; **narrow channel** (of a river, opp. its delta) Hdt.
αὔχησις εως f. [αὐχέω] **cause for pride** (ref. to a city's most distinguished citizens) Th.
αὐχμέω contr.vb. [αὐχμός] **have dry** or **rough skin** (fr. not anointing oneself w. oil) Od. Ar. Thphr.; (of a fluid in the body) **be parched** (fr. malnutrition) Pl.; (fig., of a lonely lover's soul, desires) **dry up, wither** Pl.
αὐχμήεις εσσα εν adj. (of Pan) **shaggy** (in appearance) hHom.
αὐχμηρός ά (Ion. ή) όν adj. **1** (of plains, fields) **dry, parched** Lyr.adesp. Pl. Plu.; (of a saline substance in soil) Plu.
2 (of diseases) **parching** Emp.
3 (of persons, their hands, hair) **dried out, rough** (fr. not being washed and anointed) Anacr. E. Pl. X. +; (of a lion's mane) **matted** Theoc.
4 (of floors) **squalid, unwashed** E.

αὐχμός οῦ m. **1 drought** Emp. Hdt. E.fr. Th. Ar. +; (fig.) **dearth** (W.GEN. of wisdom) Pl.; **meagreness** (in one's hospitality) Plu.
2 squalor, **filth** (on a person's body) Lyr.adesp. Pl. Plu.
αὐχμώδης ες adj. **1** (of hair) **dried out** (fr. not being anointed) E.
2 || NEUT.SB. dryness (in a region) Hdt.
αὔω[1] vb. scoop up (ignited fuel); **get a light** (for a new fire) Od.
αὔω[2] vb. | fut. αὔσω | aor. ἤϋσα, ep. ἄϋσα, aor.inf. ἀῦσαι, Boeot.aor.ptcpl. ἀούσᾱς | **1** (of warriors, gods) **shout out** (in battle, victory) Hom. Corinn. Theoc. —W.COGN.ACC. Il.; (of a steersman) AR.
2 shout or **call out** —W.ACC. 'companions', 'slaves', or sim. Hom. S. Tim. Call. Theoc.; **invoke** —a goddess AR.
3 (of women) **shriek, cry out** (in shock, labour, grief) Od. Simon. Trag.; (of a child) Theoc.
4 (of a shield) **ring** (when struck) Il.; (of the sea) **roar** AR.; (of lands) **resound** (w. the echo of a loud crash) Call.
Αὔως Aeol.f.: see Ἠώς, under ἠώς
ἀφ' prep.: see ἀπό
ἀφ-αγνίζομαι mid.vb. [ἀπό] | aor. ἀφηγνισάμην | **purify oneself** —W.DAT. in the sight of gods E.
ἀφαίρεσις εως f. [ἀφαιρέω] **1 taking away** (W.GEN. of gifts, fr. their recipients) Pl.; **confiscation** (W.GEN. of property) Pl. Arist.; **robbery** Men. Plb.; **means of removal** (W.GEN. of evil, fr. the soul) Pl.
2 removal, **cancellation** (of parts of a legal code) Plu.
3 (math.) **subtraction** Arist.
4 (log.) **abstraction** (as a process of inquiry, opp. empirical investigation) Arist.
ἀφαιρετέος ᾱ ον vbl.adj. (cf a piece of armour) **to be removed** X.; (of certain musical styles, fr. an ideal city) Pl.
ἀφαιρετός όν adj. (of impurities in gold) **removable** Pl.
ἀφ-αιρέω, Ion. **ἀπαιρέω** contr.vb. | aor.2 ἀφεῖλον, inf. ἀφελεῖν | pf. ἀφῄρηκα, Ion. ἀπαίρηκα || MID.: ep.imperatv. ἀποαίρεο | fut. ἀφαιρήσομαι, also ἀφελοῦμαι (Plb.) || PASS.: Ion.aor.subj. ἀπαιρεθέω | Ion.pf.ptcpl. ἀπαραιρημένος |
1 take away —left-over food Od. —tables and cups Semon.(tm.) —a duty (W.GEN. or DAT. fr. someone) X. —a cause of anxiety, someone's anger, disgrace A. E. NT.; (of Peace) —elaborately uniformed officers (W.GEN. fr. a populace) Ar. || PASS. (of a person's authority, a share) be taken away Hdt. NT.
2 || MID. **take away** —persons, objects (W.GEN. or DAT. fr. someone) Il.(sts.tm.) Thphr. —a livelihood, homecoming, authority, sight, vigour, or sim. (sts. W.GEN. or DAT. fr. someone) Hom.(sts.tm.) Hes. Pi. Trag. Th. + —life (W.ACC. fr. someone) S. —W.PREP.PHR. fr. someone) NT.; (of a bird) —another's food Semon.
3 take (sthg.) away (fr. somewhere); **take away** —a boulder (fr. an entrance) Od. —madness, a source of death (W.GEN. fr. a house, country) A.
4 || MID. **deprive, strip** —someone (W.GEN. of resources, a privilege, achievement, or sim.) Hdt. Th. Lys. X. + || PASS. be deprived —W.ACC. of a person, ship, authority Hdt. Is.
5 || MID. take away by theft, **steal** —a prize (sts. ref. to a captive) Il. —weapons S. —property (W.GEN. fr. others) X.
6 || MID. deprive (someone) by theft; **rob** —someone (W.ACC. of a concubine, children) Il. E. —(of a sacrificial victim) A. —(of possessions, rewards, abilities, or sim.) Hdt. S. Ar. + —(of victory, glory, prosperity, hope) Il. Isoc. Men. || PASS. be robbed Hdt. —W.ACC. of someone, a pledge A. E. D.
7 detach (sthg.) from (someone or sthg.); **remove**

Ἄφαιστος

—someone's garland Ar. —someone's ear (w. a sword) NT. —burdens (fr. a donkey) Hdt. ‖ MID. **strip** —someone's armour (W.GEN. fr. his shoulders) Il. ‖ PASS. (of a bridle, fig.ref. to a restraint) **be removed** —W.GEN. fr. a household A.
8 lift (sthg.) **off** (sthg. else); **take off** —the lid (W.GEN. fr. a jar) Hes. —foods (fr. a fire) Ar. —a tuft of wool (W.PREP.PHR. fr. a cloak) Thphr. —an offering (fr. an altar) Men.
9 move (sthg.) **away** (fr. somewhere); **brush aside** —someone's hair (W.GEN. fr. his face, so that he can see) E.
10 take away (elements, fr. a larger body); **separate** —a kind of person, a people (W.PREP.PHR. fr. others) Pl. ‖ MID. **remove** —flaws (W.PREP.PHR. fr. a hound's body and character) X. —the sting (fr. someone's anger) Ar.
11 take away (part of sthg.); **subtract** —a number of years, an amount Is. D. —an agreement (fr. a treaty) Th. —a single word (fr. a speech) Isoc. —sthg. (W.PREP.PHR. fr. a characteristic of someone) Pl.; (intr.) **make a subtraction** Thgn. Pl. Arist. —W.GEN. fr. the number of one's slaves X. —fr. someone's honour Sol. —W.GEN. or PREP.PHR. fr. an amount, a wage Isoc. Thphr. ‖ PASS. (of a person's size) **be reduced** Pl.
12 ‖ MID. **obstruct** —someone (w. μή + INF. fr. doing sthg.) S. E. —a court's authority Pl.; (of an event, circumstances) —someone E. —W.INF. fr. completing sthg. Pi. ‖ PASS. (of a person's eye) **be prevented** —W.INF. fr. seeing a place E.
13 ‖ MID. **terminate** —someone's ability to sing Il.; (of time) **bring to an end** —the memory of sthg. D.; (of night) **break off** —a battle Th.; (leg.) **revoke** —a decree And.; (intr., of darkness) **bring an end** (to sthg.) A. X.
14 ‖ MID. (leg.) **secure the release of** —slaves, captives (W.PREP.PHR. εἰς ἐλευθερίαν for free status) Att.orats. Pl. ‖ AOR.PASS.MASC.PTCPL.SB. **one from whom a slave has been released** Pl. [This formula describes a procedure for enforcing the temporary release of an alleged slave fr. a person claiming to be his master, by a third party who asserts that he is of free status, pending a trial of the issue.]

Ἄφαιστος dial.m.: see Ἥφαιστος

ἀφ-άλλομαι mid.vb. | aor. ἀφηλάμην | Aeol.athem.aor.ptcpl. ἀπάλμενος (Bion) | aor.2 ptcpl. ἀφαλόμενος (Plu.) | **1 leap** or **jump away**; **jump down** —W.PREP.PHR. fr. a ship A. —W.GEN. fr. one's horse Plu.; (of a flea) **leap off** or **away** —W.PREP.PHR. onto someone's head Ar.; (of Eros, envisaged as a bird) Bion
2 (of a waterfall) **plunge away** —W.GEN. fr. a cliff Plb.

ἄ-φαλος ον adj. [privatv.prfx., φάλος] (of a kind of helmet) **without metal plates** Il.

ἀφ-αμαρτάνω vb. [ἀπό] | ep.aor.2 ἀφάμαρτον, also ἀπήμβροτον | **1** (of a warrior) **fail to strike**, **miss** Il. —W.GEN. his target (sts. W.DAT. w. his spear) Il. —his enemy (while charging) Il.
2 fail utterly (in one's objectives) X. D.
3 be deprived —W.GEN. of one's husband, father Il.(sts.tm.)

ἀφ-αμαρτοεπής ές adj. **rambling in one's speech** Il.

ἀφ-ανδάνω vb. | Ion.aor.2 inf. ἀπαδεῖν | (of a story, actions, opinions) **be unpleasant** —W.DAT. to someone Od. Hdt. S.

ἀφάνεια ᾱς f. [ἀφανής] **1 uncertainty** (W.GEN. of fortune) Pi.
2 invisibility, **annihilation** (of Justice's altar, caused by a crime) A.
3 obscurity (W.GEN. of a citizen's social status) Th.

ἀφ-ᾱνέω contr.vb. [ἄϊνω winnow] app. **winnow** —ears of corn Ar.(v.l. ἀφαύω)

ἀ-φανής ές, Aeol. **ἀφάνης** ες adj. [privatv.prfx., φαίνομαι] **1 not in view**; (of persons) **out of sight** X.; (of a cleft in the ground, a hiding-place, an area) **not in plain sight** Hdt. Th.; (of financial assets) **invisible** (prob. opp. estates, houses, or sim.) Lys. Ar.
2 seen no more; (of persons, corpses, a writing-tablet, swords, part of a lover's soul) **missing** E. Antipho Th. Men. Call.epigr.; (of the name of a devastated region) **forgotten** E.
3 impossible to see; (of a person, the sun) **invisible** (miraculously) Hdt. Pl.; (of Persephone, Hades) **obscure** S. Ar.; (of a dead person in Hades, of the underworld) **out of sight** Sapph. A. Pi.fr.; (of ants, when underground) **not visible** Hdt.
4 hidden from view; (of a dagger, a person's wealth) **concealed**, **hidden** Th. Lys. Men.; (of the mind of the gods, reason, a secret) Sol. E. Th. ‖ NEUT.SB. **that which is concealed** Scol.; **hidden essence** (W.GEN. of wisdom) Sol.; **concealment** Pl.
5 not on display or obvious; (quasi-advbl., of persons assaulting, departing, divining) **unnoticed** Th. X.; (of a deed, departure, favour, signal) **secret** E. Th. D.; (of an opportunity) **hidden** Eleg.adesp.; (of an attunement or structure) **not apparent** Heraclit.
6 not clear (to one's understanding); (of a location, legal charge, prospects, evidence, or sim.) **uncertain** Hdt. S. E. Antipho Th. X. +; (of a tale or sim.) **dubious** Hdt.; (of diseases, a person's fate) **strange** Hdt. S. ‖ NEUT.SB. **uncertainty** E. Th.
7 (of a people, family) **not distinguished** E. Call.epigr.
—**ἀφανῶς** adv. **secretly, covertly** Th. Isoc. X. Arist. Plb.

ἀφανίζω vb. | fut. ἀφανιῶ | aor. ἠφάνισα | pf. ἠφάνικα ‖ PASS.: aor. (sts. w.mid.sens.) ἠφανίσθην | **1 hide from sight**, **conceal** —someone, a corpse Hdt. Antipho Ar. X. —one's camps X. —a will, an asset (in someone's inheritance) D.; (of a cloud) —the sun X.; (of night) —land and sea Lyr.adesp. ‖ MID. and AOR.PASS. **go out of sight** or **into hiding** Hdt. X.; (of hogs) **disappear** (into woodland) X. ‖ PASS. (of a corpse) **be concealed** Hdt. S. Antipho
2 ‖ PASS. (of persons) **be lost** (in a sand-storm, at sea) Hdt. Th. X.; (of a writing-tablet) **disappear** (into the sea) E.; (of a horse, in a river) Plu.; (of a river, into the earth) Hdt.; (of a way of life, Peace, skills) Th. Ar.
3 ‖ PASS. (of persons, a horse) **become invisible** or **vanish** (miraculously or strangely) Hdt. Lys.; (of islands, into the sea) Hdt.; (of a crown, in a dream) Hdt.
4 (fig.) **conceal** —someone's actions, bad jokes, pleasures Antipho Ar. Pl. —W.COMPL.CL. that sthg. is the case X.; (of a man's status) —his repulsive features X. ‖ PASS. (of events) **be covered up** Antipho
5 take away from view; **spirit away** —a witness, message Antipho —someone (W.GEN. fr. a city) E.; **clear away** —an olive stump Lys.; **drive away** —the Muses (by singing badly) Ar. —Poverty Ar. —a lawsuit Ar. —grief S.
6 steal away —labourers, property, products, or sim. X. Aeschin. D. —a city's naval capability Aeschin. —a prospect of rescue Men.; **squander** —money Is. Aeschin. ‖ PASS. (of plunder) **be stolen away** Hdt.
7 erase —traces of bloodshed Antipho —an inscription, memorial Th.; **blot out** (by doing good) —evil actions, one's infamy Th.
8 make (sthg.) **difficult to perceive**; **mar, deface** (by one's behaviour) —one's reputation or ancestors' virtues Th.; (of dew) **obscure** —the scent of an animal X. ‖ PASS. (of an opinion) **be obscured** or **distorted** (by a messenger) Th.
9 (of a person, when fasting in a melodramatic manner) **make** (W.ACC. his face) **unrecognisable** NT.
10 annihilate —a city, population X.; **destroy** —statues D.; (of an ulcer) —underlying tissue Plb.; (of moths and rust)

—*property* NT.; **nullify** —*laws, rights* Lys. Is.; (fig., of a line of argument) **eliminate** —*a problem* Pl. ǁ PASS. (of a person, tuft of wool) **be destroyed** (in flames) Hdt. S.
11 (euphem.) **put away** —*enemies* (*by secret executions*) Th. —*someone* (*perh. into slavery*) Men.
12 ǁ PASS. (of persons) **be destroyed, perish** NT.; (of property) **decay** Lys.

ἀφάνισις εως *f.* **1** causing (of sthg.) to disappear; **way of disposing** (W.GEN. of a lawsuit) Ar.; **suppression** (W.GEN. of a treaty) D.
2 obliteration (W.GEN. of all discourse) Pl.
3 act of disappearing, **disappearance** (W.GEN. of a person, supernaturally) Hdt.

ἀφανισμός οῦ *m.* **1** making (someone or sthg.) cease to exist; **eradication** (of one's enemies in a war) Plb.; **destruction** (of a city by burning, a regime, a city's prosperity) Plu.
2 disappearance (of a person, supernaturally) Plu.

ἀφανιστέος ᾱ ον *vbl.adj.* (of a text) **to be destroyed** Isoc.

ἄ-φαντος ον *adj.* [privatv.prfx., φαίνομαι] **1** (of persons) made invisible (through destruction), **annihilated** Il. A. S.
2 (of persons) **made invisible** (miraculously) Pi. E. AR. NT.; **put out of sight** (by a storm) A.; (by murder, suicide, drowning) S. E. AR.; **gone away** (to a location) Theoc.
3 (of a reef, tripod) **concealed** A. AR.; (of storm-winds, a spark) **hidden** Alc. S.; (of a hiding-place in the earth) **invisible** E.*fr.*; (quasi-advbl., of a person going) **unnoticed** E. AR.
4 (of the track of a ship's oars) **disappearing** (in the sea) A.
5 (of night) **unclear, obscure** Parm.; (of acts of justice) E.
6 (of persons) **obscure, undistinguished** Pi. AR.
—**ἄφαντον** *neut.adv.* **in obscurity, unnoticed** —*ref. to a lowly man blustering* Pi.

ἀφ-άπτω, Ion. **ἀπάπτω** *vb.* [ἀπό] ǀ Ion.aor.ptcpl. ἀπάψᾱς ǁ pf.pass.ptcpl. ἀφημμένος, Ion. ἀπαμμένος ǀ **1** tie —*knots* (*in a strap*) Hdt. ǁ PF.PASS. (of the mouth of a wineskin) **be tied off or closed** Hdt.; (of a lionskin) **be tied on** (as a cloak) Theoc.
2 ǁ PF.PASS. (of persons) **be fastened** —W.GEN. *to sthg.* Plu.

ἄφαρ *adv.* **1 straightaway, at once** Hom. hHom. A. Pi.*fr.* Emp. +; **without hesitation** —*ref. to standing one's ground* Il.; (w.connot. of surprise) **suddenly** Il. S. AR.
2 swiftly, quickly Hom. hHom. Pi. Emp. E. Hellenist.poet.; (app.adjl. w. εἰσί *are*, of the Boreads' feet) **swift** Thgn.
3 without hesitation or doubt, **really, truly** Hom.

ἄ-φαρκτος, also **ἄφρακτος**, ον *adj.* [privatv.prfx., φράσσω] **1** (of a dwelling) **unfenced** Th. Arist.; (of a camp) **unfortified** Th. Plu.; (of persons) **without protection** (W.GEN. OR DAT. fr. friends or a fleet) S. Th.; (fig.) **off one's guard** E. Th. Ar.
2 (of ships) **undecked** Plb. Plu.
3 (of tears) impossible to restrain, **irrepressible** A.

ἄ-φαρος ον *adj.* [φάρος¹] (of land) **unploughed** Call.

ἀφαρπαγή ῆς *f.* [ἀφαρπάζω] snatching away, **rapaciousness** Sol.

ἀφ-αρπάζω *vb.* ǀ fut. ἀφαρπάσομαι, ep. ἀφαρπάξω ǁ PASS.: aor. ἀφηρπάσθην ǀ pf. ἀφήρπασμαι ǀ **1 wrench** —*a helmet* (W.GEN. fr. someone's head) Il. —*a standard* (fr. its bearer) Plu. ǁ PASS. (of doors) **be wrenched off** Lys.; (of bark) **be ripped** —W.GEN. *fr. a tree* X.
2 swiftly **take away** —*wine-bowls* E.; (wkr.sens.) **take away** —*a prisoner, baggage* Plu.
3 snatch away, steal —*valuables, a garland, equipment* X. D. Plu. —*offerings* (W.GEN. *fr. a table*) Ar. —*food* (*fr. someone's lips*) AR. —*a bath-tub* (*fr. someone*) Ar.(dub., cj. ὑφ-); (of a gust of wind) —*a standard* Plu. ǁ PASS. (of weapons) **be snatched away** (by the wind) X.
4 (fig., of a man's eyes) **seize eagerly upon** —*women's beauty* S.

ἀφάρτερος η ον *Ion.compar.adj.* [ἄφαρ] (of horses) **faster** Il.

ἀφασίᾱ ᾱς, ep.Ion. **ἀμφασίη** (unless **ἀφασίη**) ης, dial. **ἀμφασίᾱ** ᾱς *f.* [ἄφατος] **speechlessness** (caused by fear, sorrow, amazement or confusion) Hom. E. Ar. Pl. +

ἀφάσσω *Ion.vb.* [ἀφάω] ǀ aor. ἤφασα ǀ **feel, touch** —*someone's ears, hair, robe, a fleece* Hdt. AR.(also mid.) —*a wound* AR.

ἄ-φατος ον *adj.* [privatv.prfx., φατός] **1 not famous** Hes.
2 (of wealth, words, strength) **indescribable** Hdt. E. AR. ǁ NEUT.IMPERS. (w. ἐστί understd.) it is impossible to tell —W.INDIR.Q. *how sthg. is the case* Ar.; (w. ἐστί) it is impossible to speak —W.PREP.PHR. *about someone or sthg.* Plb.
3 (of a creature, its body) **monstrous** Pi. AR.; (of deeds, a crisis, afflictions) **unspeakable** B. Ar. Plu.; (of thunder) S.; (of darkness, fig.ref. to blindness) S.
—**ἄφατον** *neut.adv.* **unspeakably** —*ref. to being thirsty or angry* Call.

ἀφ-αυαίνομαι *Att.pass.vb.* [ἀπό, αὐαίνω] ǀ fut. ἀφαυανθήσομαι ǀ (of a person) **be parched** (fr. thirst) Ar.

ἀφαυρός ᾱ (Ion. ή) όν *adj.* **1** weak (by nature); (of a person) **feeble** Hom. Xenoph. Pi. AR.; (of a horse's belly, in relation to the rest of its body) X.; (of fishing-hooks, compared w. a huge fish) Theoc.
2 (of evil) **of little impact** Arist.
3 weakened (by circumstances); (of men) **enfeebled** (in hot weather) Hes.; (of a person's throw) Il.; (of gratitude) AR.
4 (of persons) perh. **poor, humble** AR.

ἀφ-αύω *Att.vb.* [ἀπό, αὖος] **dry out** —*ears of corn* Ar.(dub., v.l. ἀφάνέω) —*beans* Ar.(dub., v.l. ἀφεύω)

ἀφάω *contr.vb.* [ἀφή, ἅπτω] ǀ ep.ptcpl. (w.diect.) ἀφόων ǀ **handle** —*one's bow* Il.

ἀ-φεγγής ές *adj.* [privatv.prfx., φέγγος] **1** without light; (of daylight) **dark** (to a blind man) S.; (fig., of a portent) **gloomy** (i.e. unfavourable) S.; (of the eye of night) **lightless** E.
2 (of a scent) **invisible** A.

ἀφ-εδρών ῶνος *m.* [ἀπό, ἕδρα] discrete place to sit; **latrine** NT.

ἀφέηκα (ep.aor.1): see ἀφίημι

ἀφειδέω *contr.vb.* [ἀφειδής] **1** be unsparing; **show no concern** —W.GEN. *for one's own life or person* S. Th. Lys. Plu.; **take a risk** E. AR.
2 hold nothing back, **be ungrudging** AR.
3 show no regard —W.GEN. *for someone* AR. —*for a task* S.; **ignore** —W.GEN. *a challenge* AR.

ἀ-φειδής ές *adj.* [privatv.prfx., φείδομαι] **1** (of storm-winds) **unsparing** (W.GEN. of ships) A.; (of Eros) **merciless** Call.*epigr.*
2 (of persons) **without regard** (W.GEN. for fear) AR.; (of a naval landing) **without concern** (for preserving ships) Th.
3 (of gold) **unlimited** Call.
—**ἀφειδῶς**, dial. **ἀφειδέως**, ep. **ἀφειδείως** *adv.*
1 unsparingly —*ref. to mixing wine, giving gifts, celebrating* Alc. Hdt. Isoc. AR.; **unreservedly** —*ref. to attending to a task, joining battle* D.
2 without limit —*ref. to shooting arrows* Hdt.
3 without mercy —*ref. to killing, punishing* Hdt. X.
4 (w. ἔχειν) **be careless** —W.GEN. *about oneself* Arist.

ἀφείθην (aor.pass.), **ἀφεῖκα** (pf.): see ἀφίημι

ἀφεῖλον (aor.2): see ἀφαιρέω

ἀφεῖμεν (1pl.athem.aor.), ἀφεῖτε (2pl.athem.aor.opt.): see ἀφίημι

ἄφειρκτος (unless ἄφερκτος) ον adj. [ἀπείργω] (of a person) shut away (in the innermost part of a house) A.

ἀφεκτέον, ἀφεκτέα (neut.sg. and pl. impers.vbl.adj.): see ἀπέχω

ἀφέλεια ᾱς f. [ἀφελής] simplicity (in lifestyle or manner) Plb. Plu.; (in character) Plu.

ἀφελής ές adj. [ἀφελεῖν, see ἀφαιρέω] 1 deprived or devoid (of excess, ornamentation, or sim.); (of persons) plain, unpretentious (in manner, clothing, lifestyle) Plb. Plu.; (of a house, meal, lifestyle, speech) Plu.; (of meetings betw. statesmen) Plb.; (of a sentence) simple (i.e. composed of only one colon) Arist. ‖ NEUT.SB. simplicity Plu.
2 (pejor., of plains, perh. fig.ref. to poetic style) flat (i.e. bland) Ar.(dub.)

—ἀφελῶς adv. | superl. ἀφελέστατα | 1 in a straightforward way, simply Plb. Plu.
2 app. thoughtlessly, frivolously Thgn.
3 ‖ SUPERL. with complete innocence —ref. to speaking Plu.

ἀφ-έλκω, Ion. ἀπέλκω vb. | aor. ἀφείλκυσα | 1 drag away —someone or sthg. (sts. W.PREP.PHR. or ADV. fr. someone, fr. or to somewhere) Hdt. E. Lys. Ar. Pl. + ‖ PASS. be dragged away S.
2 tow away —ships Th. Plu.
3 pull off, remove —lids (W.GEN. fr. casks) Archil. —meat (fr. a skewer) Ar.; (mid.) —a sheath (fr. a spear) Ar.
4 distract —someone (W.PREP.PHR. fr. pleasure) Arist.; (of a lack of self-control) lead astray —someone (W.PREP.PHR. towards pleasures) X.
5 (of an Erinys) draw off, suck up —clots of blood A.

ἀφελότης ητος f. [ἀφελής] sincerity (W.GEN. of heart) NT.

ἄφενος, also ἄφνος (Pi.), εος n. | also ep.masc.gen.sg. ἀφένοιο (Call.) | riches, wealth Hom. Hes. hHom. Thgn. Pi.fr. Call.; prosperity (ref. to comfortable circumstances) Sol. Thgn.

ἄφερκτος adj.: see ἄφειρκτος

ἀφ-ερμηνεύω vb. explain —philosophical doctrines, a name Pl. Plu.; (intr.) give an explanation Pl.

ἀφ-έρπω vb. 1 go away, depart S. Theoc.
2 creep or slink away (in silence) S.

ἄ-φερτος ον adj. [privatv.prfx., φερτός] (of death, suffering, malign influences) unbearable A.; (of cold weather) A.

ἄφες (athem.aor.imperatv.): see ἀφίημι

ἀφέσιμος ον adj. [ἀφίημι] (of a day) free (of civic duties) Arist.

ἄφεσις εως f. 1 setting free, release (W.GEN. of captives, ships) D. Plb. NT. Plu.; (of the world, fr. supervision by its creator) Pl.; (pejor.) letting go (of a criminal, ref. to his assisted escape) Din.
2 dropping, cancellation (W.GEN. of a legal charge or obligation) Isoc. Pl. D.; remission (of a debt, lease, interest) D. Plu.; forgiveness (of sins) NT.
3 release (fr. duties); leave of absence (for a magistrate) Arist.; relief (W.GEN. fr. a magistracy) Plu.; exemption (fr. military service) Plu.
4 bill of divorce Plu.
5 sending forth, launching (of a projectile) Plb. Plu.

ἀφεστήξω (fut.pf.): see ἀφίσταμαι, under ἀφίστημι

ἄφετε (2pl.athem.aor.imperatv.): see ἀφίημι

ἀφετέος ᾱ ον vbl.adj. [ἀφίημι] 1 (of persons) to be set free Pl.
2 (of certain philosophers, rhythms) to be ignored Arist.

ἀφέτης ου m. one who releases (a catapult), artilleryman Plb.

ἄφετος ον adj. 1 (of sacred or honoured animals, in a precinct) free to roam Pl. Plu.; (of a temple-attendant, philosopher kings, students) E. Pl.; (of an exile) A.; (of the floating island of Delos) Call.
2 (of a king) at liberty (throughout Greece) Isoc.
3 (of pasture) unrestricted Plu.; (of running) Plu.

ἄφευκτος adj.: see ἄφυκτος

ἀφ-εύω, Ion. ἀπεύω vb. [ἀπό] | aor. ἄφευσα (perh. better ἀφῆσα), Ion. ἀπεῦσα | 1 singe clean (of hair) —a pig Semon. —a man, parts of his body Ar.; singe off —hair Ar.
2 roast —beans Ar.(v.l. ἀφαύω)

ἀφ-έψω, Ion. ἀπέψω vb. 1 boil down —fruit (for its juice) Hdt. ‖ PASS. (of river water) be boiled (for sterilisation) Hdt.
2 refine —gold Hdt.; (fig.) —the populace Ar.

ἀφέωνται (3pl.pf.mid.pass.): see ἀφίημι

ἀφή ἧς f. [ἅπτω] 1 touching, fingering (by a harpist) Plu.; grasp Hippon.(dub.); (fig.) grip, hold (exercised by a woman's personality) Plu.
2 contact (betw. two surfaces) Arist.
3 sense of touch, touch Pl. Arist.; contact (as a sensation) Arist.
4 setting on fire, lighting (W.GEN. of lamps) Hdt.

ἀφ-ηγέομαι, Ion. ἀπηγέομαι mid.contr.vb. [ἀπό] 1 (of a commander, soldiers) lead the way Pl. X. +; (of a horse) X.
2 describe —monuments, regions, a vision, an event, or sim. Hdt. E. Plu. ‖ PASS. (of things) be described Hdt.
3 report —a name Hdt. —bones (i.e. their number) Hdt. —the reason for sthg. Hdt. Plu. —W.COMPL.CL. that sthg. is the case Hdt. X.

ἀφῆκα (aor.1): see ἀφίημι

ἀφ-ήκω vb. (of study) arrive (at a goal) Pl.

ἀφ-ῆλιξ, Ion. ἀπῆλιξ, ικος masc.fem.adj. | compar. ἀφηλικέστερος (Hdt.) | past the prime of life, old hHom. Hdt.

ἄφ-ημαι mid.vb. [ἧμαι] (of Zeus) sit apart (fr. the other gods) Il.

ἀφήμως adv. [perh. copul.prfx.; φήμη] app. with one voice, in unison —ref. to a group responding hHom.(dub.)

ἀφῄρηκα (pf.): see ἀφαιρέω

ἀφ-ησυχάζω vb. [ἀπό] stay calm (during a crisis) Plb.

ἀφήτωρ ορος m. [perh. ἀφίημι] (epith. of Apollo) one who shoots, archer Il.

ἀφθαρσίᾱ ᾱς f. [ἄφθαρτος] imperishability (assoc.w. gods) Plu.

ἄ-φθαρτος ον adj. [privatv.prfx., φθαρτός] not subject to decay; (of a hypothetical ideal man, first principles, matter, or sim.) imperishable Arist. NT. Plu. ‖ NEUT.SB. imperishability or the imperishable (as a generic quality of substances, gods and the elements of matter) Arist. Plu.

ἄ-φθεγκτος ον adj. [φθέγγομαι] 1 unable to speak; (of an informant, fig.ref. to a person's scent) voiceless A.
2 (of a sacred place) where silence is required S.
3 (of a speech, phrases) inexpressible Pl.
4 (of an affliction) not to be mentioned, unspeakable B.fr.

ἄ-φθιτος ον adj. [φθιτός] 1 (of gods) imperishable Hes. hHom. A.fr. Pi. +; (of divine horses) E.; (of an honoured mortal) A. Pi. E.; (of a god's chair, house, a golden wheel-rim) Il.; (of a sceptre, flame, Stygian water, a centaur's cave, the Golden Fleece) Il. Hes. A. Pi.; (of life) S.fr.; (of Earth) S.
2 (of Zeus' thoughts, Hermes' memory) everlasting, unfading Il. hHom. AR.; (of a mortal's fame) Il. Thgn. Lyr.; (of honour, prosperity) hHom. Pi. Theoc.; (of songs) Lyr.adesp.;

(of an affliction) Mimn. || NEUT.PL.SB. everlasting counsels hHom. Ar.
3 (of vines) **never wasting away** (fr. poor soil quality) Od.
4 (of a task) **unending** AR.
5 (of a life) app. **free from destruction** Simon.

ἄ-φθογγος ον *adj.* [φθόγγος] **1** without a spoken sound; (of a person) **silent** A. Plu.; (of a corpse) Thgn.; (of an utterance) E.; (of a messenger, ref. to a beacon-flame) Thgn.
2 speechless, dumbfounded (in sorrow, fear, astonishment, or sim.) hHom. Hdt. Trag. Call. +
3 without a voice; (of a beast) **dumb** E.
4 without a (vowel) sound || NEUT.PL.SB. plosive consonants Pl.

ἀ-φθόνητος ον *adj.* [φθονέω] **1** not subject to being envied, **unenvied** A.; (of due praise) **impossible to envy** Pi.
2 not envious, **ungrudging** (W.DAT. towards someone's words) Pi.

ἀφθονίᾱ ᾱς *f.* [ἄφθονος] **1 generosity** Pl. Plu.
2 abundance (of people, songs, resources, time) Pi. Emp. Att.orats. Pl. X. +; **abundant material** (sts. W.GEN. for sthg.) Att.orats.; **abundant reason** (W.INF. to do sthg.) Lys.

ἄ-φθονος ον *adj.* [φθόνος] | compar. ἀφθονώτερος, also ἀφθονέστερος | **1** (of persons, cities) **unenvious, ungrudging** Pi. Hdt. Pl.; (of divine care) Pl.
2 (of Earth) **generous** hHom.; (of a person's hand) **liberal** Pi. E.; (of meadows, land) **bountiful** Pl. X.; (of philosophy, i.e. in its benefits) Pl.; (of an answer) **full** A.
3 great in quantity; (of harvests, a water supply, natural resources) **plentiful, in abundance** Hes. Hdt. Th. Pl. +; (of property, wealth, prosperity, supplies, or sim.) hHom. Sol. A.*fr.* Hdt. Ar. Pl. +; (of oil) Hdt.; (of time, an opportunity) E. Pl. || NEUT.SG. and COLLECTV.PL.SB. abundance Isoc. X. D.
4 with abundant resources; (of places) **with plentiful supplies** (for soldiers) X.; (of a lifestyle) **affluent** Isoc. X.
5 great in number; (of soldiers) **numerous** E. Th.; (of animals) Hdt. X. Men.; (of ships, objects) X. Men.; (of crimes, appeals) Aeschin. D.; (of examples) Pl. | see also ὅσος 4
6 great in extent or intensity; (of land) **extensive** Hdt.; (of a fire, its strength, the handhold offered by a horse's mane) **ample** A. X.; (of lamentation) **unrestrained** Hdt.
7 (of a prosperous life) without envy, **unenvied** A.

—**ἀφθόνως** *adv.* **1 not enviously** Pl.
2 ungrudgingly Pl. Aeschin.
3 generously X. Arist.
4 plentifully, abundantly, in profusion Sol. Th. Aeschin.
5 affluently X.
6 (w. ἔχειν) **have enough** —W.GEN. *of sthg.* Pl.

ἀφῖγμαι (pf.mid.): see ἀφικνέομαι

ἀφίδρῡμα ατος *n.* [ἀφιδρύομαι] that which is set up (in public), **statue** (of a god) Plu.

ἀφ-ιδρύομαι *mid.vb.* [ἀπό] (of the gods) **settle** (W.ACC. someone) **away** —W.GEN. *fr. her homeland* E.

ἀφ-ιερόω *contr.vb.* **1** || PASS. (of a murderer) be ritually purified A.
2 consecrate —*locations* Plu.

ἀφιέρωσις εως *f.* **consecration** (of a sanctuary) Plu.

ἀφ-ίημι, Ion. **ἀπίημι** *vb.* | PRES. (ῑ usu. in Att., sts.ep.): 3sg. ἀφίησι, Ion. ἀπίει, 3pl. ἀφιᾶσι, Ion. ἀπιεῖσι | Att.imperatv. ἀφίει || IMPF.: ἀφίειν (also ἠφίειν Pl.), 3sg. ἀφίει (ep. ἀφίει), also ἠφίει (ἤφῑε NT.), 3pl. ἀφίεσαν (also ἠφίεσαν X.) || aor.1 ἀφῆκα, ep. ἀφέηκα || ATHEM.AOR.: du. ἀφέτην, 1pl. ἀφεῖμεν, 3pl. ἀφεῖσαν | imperatv. ἄφες, 2pl. ἄφετε | subj. ἀφῶ, opt. ἀφείην, 2pl. ἀφείητε, also ἀφεῖτε | ptcpl. ἀφείς, Ion. ἀπείς | PF.: ἀφεῖκα || MID.: athem.aor. ἀφείμην | imperatv. ἀφοῦ, 2pl. ἄφεσθε || pf.mid.pass. ἀφεῖμαι, 3pl. ἀφέωνται (NT.) || PASS.: aor. ἀφείθην, Ion. ἀπείθην | 2sg.plpf. ἀφεῖσο || neut.impers.vbl.adj. ἀφετέον |
1 send forth, hurl, throw —*a spear, discus, or sim.* Il.; **shoot** —*arrows* Hdt. X.; **shed** —*tears, sweat* Aeschin. Plu.; (intr.) **make a throw** (w. a discus) Il.; (of men, male serpents) **ejaculate** —*semen* Archil. Hdt.(mid.) || PASS. (of sparks) be shed (fr. a comet) Il.(tm.)
2 (fig.) **utter** —*words, lamentation* Hdt. S. E. D.; (of a delighted person) **radiate** —*all kinds of colours* Pl.
3 cause to go away; (of a god) **take away** —*the force* (fr. a spear) Il.
4 release —*a suspended beam* (so that it may fall) Th. —*water* (so as to flood trenches) X.; **let out** —*one's breath* (sts. at death) E. Th. —*blood* (fr. a sacrificial victim) E.; (fig.) **let** (W.ACC. one's tongue, voice) **loose** (to speak) E. Pl.; **vent** —*one's anger* S. D.
5 launch —*one's ships* (W.PREP.PHR. towards a place, i.e. set sail for it) Hdt.; (intr., of sailors) **put out** (to sea) Hdt. Th.; (fig.) **launch** —*oneself* (into an activity or career) Pl. Plu. || PASS. (of soldiers) be sent forth Hdt.
6 let (someone or sthg.) fall (fr. oneself); (of an eagle) **drop** —*a snake* (fr. its talons) Il.; (of grapes) **shed** —*their blossom* Od.; (fig., of a person) **let slip** —*an opportunity* D. || MID. **release** —*one's arms* (W.GEN. fr. someone's neck) Od.; **let go** —W.GEN. *of a person, robe, stick* S. E. Ar. —*of safety, one's power, a right* Th. X. D. —*of a person being questioned, a discussion* Pl. Aeschin. || PASS. (of prosperity) be lost S.
7 send away, dismiss —*someone* Il. S. E. —*one's wife or son* (so as to disown them) Hdt. Arist.; **disband** —*an army, jury* Hdt. Ar.; **drive away** —*oxen* Hdt.
8 release, free —*a captive* Il. Ar. —*someone* (W.GEN. fr. an obligation) Hdt. D. —(W.INF. to do or suffer sthg.) Hdt.; **allow** —*someone* (W.SUBJ. or ἵνα + SUBJ. to do sthg.) NT. —*a boat* (W.INF. to drift) Hdt. || PASS. be freed —W.GEN. *fr. danger, an accusation* Th. Men.; be allowed —W.INF. *to do sthg.* Pl. Arist.; be discharged fr. one's duty Arist.
9 (leg.) **acquit** —*someone* Antipho —(W.GEN. of a charge) D.; (fig.) **let** (W.ACC. someone) **off the hook** (in a discussion) Pl. || PASS. be acquitted D.; be let off the hook Pl.
10 leave (someone or sthg., W.PREDIC.ADJ. or SB. in a certain state or as such and such); **leave** —*someone* (abandoned or unsupervised) S. Pl. —(as an orphan) NT. —*one's homeland* (unguarded) Hdt. —*an island, class of people* (free) Th. Plb. —*the birth-rate* (unregulated) Arist.
11 (of hunters) **leave alone** —*hares* X. || PASS. (of a sanctuary) be set apart Pl.
12 abandon —*a region* (W.DAT. to the enemy) A. Hdt. || MID. **let go** —W.GEN. *of one's city* Isoc.; (of a poet) —*of certain conventions* Arist. || PASS. (of a region) be lost (to the enemy) Hdt.
13 hand over —*someone* (W.DAT. to the enemy) D. —*one's estates* (as public property) Th.
14 put away (fr. oneself) —*one's thirst, anger* Il. A.; **give up** —*a task, topic* Hdt. Th. Pl. Arist. —*the comforts of luxurious marital beds* A. —*lamenting* E.; **neglect** —*reverence* S.; **break off** —*a marriage, alliance, truce* E. Th.; **exclude** (fr. a total) —*small sums of money* Hdt.
15 remit, cancel, drop —*charges, lawsuits, debts* Hdt. D. NT. —*previous punishments, a certain sum* (fr. a document) And.(law) Ar. D.; **forgive** —*offences, sins* Hdt. D. NT. —*someone* NT. || PASS. (of an obligation to pay tribute) be cancelled Plb.; (of sins) be forgiven NT.

ἀφ-ικάνω vb. | ep.impf. ἀφίκᾱνον | **draw near** AR. —W.ADV. or PREP.PHR. *to sthg., somewhere* Il. hHom.; **reach** —*one's destination* Od. hHom. AR.

ἀφ-ικνέομαι, Ion. **ἀπικνέομαι** mid.contr.vb. | fut. ἀφίξομαι, Ion.2sg. ἀπίξεαι, Aeol.3sg. ἀπίξεται | aor.2 ἀφικόμην | dial.aor.imperatv. ἀφίκευσο (Theoc.) | pf. ἀφῖγμαι, inf. ἀφῖχθαι | 3sg.plpf. ἀφῖκτο, Ion.3pl. ἀπίκατο |
1 arrive (at a location); **arrive** Hom. +; (of a reptile, at a nest) Theoc.; (of grain, fr. overseas) D.
2 come —W.PREP.PHR. *to or into a place* Hom. + —*within bow range* X.; **reach** —*a place* Hom. Hes. Stesich. Pi. Trag.; (of shouting, combat, fame) —*a place* Il. Xenoph.; (of a discus-thrower) —*a target* (w. his throw) Od.
3 come —W.PREP.PHR. *to someone* Hdt. X. Theoc.; **meet** —*someone* Od. A. E. —W.DAT. w. *someone* (sts. W.PREP.PHR. *in battle, hostility*) Pi. Hdt. E. Th.; (of pain) **come upon** —*someone* Il.; (of a season, news) **arrive** Thgn. Th.
4 enter —W.PREP.PHR. *into conversation, an investigation, certain circumstances or conditions* Hdt. Trag. Th. +; (of goodwill) **pass** —W.PREP.PHR. *into a stronger bond* Arist.
5 go —w. ἐπί or ἐς + πάντα *to every length* (in doing sthg.) S. E.; **come** —w. ἐς ὀλίγον *very close* (W.INF. *to being defeated*) Th. —w. ἀχρί + τοῦ and INF. *as far as being hungry* X.; (of a line of argument) —W.PREP.PHR. *to a certain point* Arist.
6 (of a command) **come** —W.PREP.PHR. *very close to a death sentence* S.

ἀφίκτωρ ορος m. **1** one who approaches in supplication, **suppliant** A.
2 (epith. of Zeus) **god of suppliants** A.

ἀφ-ῑλάσκομαι mid.vb. [ἀπό] (of a murderer) **propitiate away** —*the anger* (of relatives of a victim) Pl.

ἀ-φίλητος ον adj. [privatv.prfx., φιλητός] **unloved** (W.DAT. by a relative) S.

ἀφιλίᾱ ᾱς f. [ἄφιλος] **lack of friends** Arist. Plu.

ἀφιλονίκως adv. [φιλόνῑκος] **without great eagerness for victory, uncontentiously** Plb.(dub.)

ἀφιλοπλουτίᾱ ᾱς f. [φιλόπλουτος] **indifference to wealth** Plu.

ἀ-φιλόπονος ον adj. **not fond of labour, not industrious** Plb.

ἄ-φιλος ον adj. [φίλος] **1 without a friend, friendless** Trag. Lys. Ar. Pl. +; **bereft** (W.GEN. of friends) E.; (of old age, misfortune) **lonely** S. E.
2 (of a chthonic deity) **not loved, hated** A.; (of deeds) **unappreciated** S.
3 not friendly, hostile S. Pl.; (of behaviour) S. E.; (fig., of a line of argument) Arist.
—**ἀφίλως** adv. **not like a friend** A.

ἀ-φιλόσοφος ον adj. **1** (of persons) **not philosophical** (in character) Pl. Plb.; (of mankind) Pl.
2 (of a lifestyle, behaviour) **without philosophy** Pl. Plu.

ἀφιλοτῑμίᾱ ᾱς f. [ἀφιλότιμος] **lack of ambition** Arist.

ἀ-φιλότῑμος ον adj. **1 without ambition** Is. Lycurg. Arist. Plu.
2 without excessive ambition, not emulous (in relation to others) Plb. ‖ NEUT.SB. **freedom from personal ambition** Plu.
3 (of a statesman's conduct, benefactions) **not munificent** Plu.
—**ἀφιλοτίμως** adv. **without personal prejudice** —*ref. to a historian writing* Plb.

ἀφιλοχρημᾱτίᾱ ᾱς f. [φιλοχρήματος] **contempt for wealth** Plu.

ἄφιξις εως, Ion. **ἄπιξις** ιος f. [ἀφικνέομαι] **1 approach, coming** (sts. W.PREP.PHR. *to a location*) Hdt. D.; **arrival** (sts. W.PREP.PHR. *fr. a location*) Hdt. Att.orats. Plu.; (ref. to a supplication) A.
2 visit (W.PREP.PHR. or ADV. *to someone, a location*) Hdt. Isoc. +
3 departure (fr. a location) NT.

ἀφ-ιππάζομαι mid.vb. [ἀπό] **ride away on horseback** Plb. Plu.

ἀφ-ιππεύω vb. **ride away on horseback** X. Plu.

ἀφιππίᾱ ᾱς f. [ἄφιππος] **lack of good horsemanship** X.

ἄφ-ιππος ον adj. [ἀπό, ἵππος] **1** (of persons) **not used to riding** Pl.
2 (of a region) **not suited to cavalry** X. Plu.

ἀφ-ίστημι, Ion. **ἀπίστημι** vb. | fut. ἀποστήσω | aor.1 ἀπέστησα | also MID.: aor.1 ἀπεστησάμην ‖ The act. and aor.1 mid. are tr. For the intr. mid. see ἀφίσταμαι below. The act. athem.aor., pf., plpf. and fut.pf. are also intr. |
1 station out of the way —*part of an army* X.
2 (of a god) **remove** —*a disease* Call.; (of a process) **separate** (sthg.) —w. ἀπό + GEN. *fr. sthg. else* Pl.; (fig., of confidence) **put away** —*grief* A. ‖ PASS. (of reverence) **be cast off** A.
3 depose —*a commander* X.; **hinder** —*someone* (W.GEN. *fr. a line of questioning*) E. ‖ PASS. (of a magistrate) **be deposed** —W.GEN. *fr. office* Pl.
4 keep off —*an attack* Th. ‖ AOR.MID. **keep** (W.ACC. an attack) away —W.GEN. *fr. a city* E.
5 cause (W.ACC. allies, subjects) **to revolt** or **secede** Hdt. Th. And. + —w. ἀπό + GEN. *fr. a king, commander* Hdt. —W.GEN. *fr. allies* And.; **seduce away** —*a boy* (W.GEN. *fr. one's rival*) Lys.
6 (of cavalry) **draw back** (their horses) Hdt.
7 weigh out —*a debt* (to repay it) Il. —*parts of sthg.* X. ‖ AOR.MID. **weigh out for oneself** —*a sum of money* D.

—**ἀφίσταμαι** mid.vb. | Ion.3pl. ἀπιστέαται ‖ also ACT.: athem.aor. ἀπέστην | pf. ἀφέστηκα, 3pl. ἀφεστᾶσι, also ἀφεστήκᾱσι (X.), inf. ἀφεστάναι, also ἀφεστηκέναι (D.) | masc.nom.pl.ptcpl. ἀφεστηκότες, also ἀφεστῶτες, Ion. ἀπεστεῶτες, ep. ἀφεσταότες | 3sg.plpf. ἀφειστήκει, Att. ἀφειστήκη, ep. ἀφεστήκει, Ion. ἀπεστήκεε | fut.pf. ἀφεστήξω ‖ AOR.PASS. (w.mid.sens.): ἀπεστάθην (A. E.) |
1 (of skin, flesh) **separate itself, fall away** X. —w. ἀπό + GEN. *fr. the bone* Pl.
2 stand off (at a distance) E. —W.GEN. *fr. sthg.* Pl.; **stand back** (to view sthg.) Pl.; (of a horse) **stand away** —W.GEN. *fr. the chariot it draws* Il.; (fig., of a constitution) **be distant** —W.GEN. *fr. a middle form* Arist. ‖ AOR.PASS. **stand back** (to view sthg.) E.
3 stand aside or **clear** Il. E. Antipho Ar. Pl. + —W.DAT. *for someone* E. D. —W.GEN. *fr. a murder* E.; (in fear, anger, horror, reverence) Hom. Pi. E. ‖ AOR.PASS. **stand aside** —W.GEN. *fr. a crime in progress* A.
4 stand aloof Il. E. —W.GEN. *fr. one's spouse* Od.; **distance oneself** NT. —W.GEN. *fr. toils, danger, public affairs, or sim.* Isoc. D. Men. —*fr. a proposal* Th
5 depart S. —W.GEN. or PREP.PHR. *fr. a location* S. E. Ar. NT. —W.PREP.PHR. *into another kind of life* E.; (of an army) **withdraw** —W.PREP.PHR. *fr. or to a location* Th. X.; (fig.) —W.GEN. *fr. one's natural manner* Ar.; (of a god's goodwill towards a city) E. ‖ STATV.PF. (fig.) **be out** —W.GEN. *of one's mind* S.
6 withdraw, shrink back NT. —W.GEN. *fr. duties, dangers* Lys. Isoc. —W.INF. *fr. doing sthg.* E.
7 revolt, secede Hdt. Antipho Th. Lys. —W.GEN. or ἀπό + GEN. *fr. rulers, allies* Hdt. Th. + —W.PREP.PHR. *in favour of another group or of democracy* Hdt. Th. X.; (of a slave, comrade) **run away** Lys. X. NT. —W.GEN. *fr. persons, their care* Hdt. S.

8 surrender a claim —W.GEN. *to a woman, property, damages awarded* And. D.; (of a city) **give away a claim** —W.GEN. *to its assets* D.
9 desist (fr. doing sthg.) E. Pl. Thphr.; (of a lover) **back off** Men.
ἀφῖχθαι (pf.mid.inf.): see ἀφικνέομαι
ἄφλαστον ου *n.* **stern-post** (of a ship) Il. AR.; (collectv.pl.) Hdt.
ἄ-φλεκτος ον *adj.* [privatv.prfx., φλέγω] **1** (of sacrificial offerings) **left unburnt** E.
2 (of foods) **uncooked, raw** AR.
ἄ-φλοιος ον *adj.* [φλοιός] (of a stake) **without bark** Pl.u.(quot.epigr.)
ἀφλοισμός οῦ *m.* **foam** (around the mouth of an angry warrior) Il.
ἀφνειός (also **ἀφνεός**) ά (Ion. ή) όν (also ός όν) *adj.* [ἄφενος] **1** (of a person, esp. a king, his life, hands) **wealthy** Hom. Hes. Thgn. Lyr. A. +; (W.GEN. in substance, gold, clothing) Hom.; (W.DAT. in flocks, possessions, land) Hes. Thgn. Theoc.
2 (fig., of a person) **rich** (W.ACC. in self-confidence) Hes.
3 (of a house or palace, hearth, city, peak, region) **rich** Hom. A. Pi. Th. +; (of a house, W.GEN. in substance) Il.
4 (of a rich man's hand) **generous** Pi.
5 (of a hope) **for wealth** Sol.
6 (of a statue) **of great value** Call.
ἄφνος *n.*: see ἄφενος
ἄφνω *adv.* **suddenly, unexpectedly** A.fr. E. Th. D. Men. +
ἀ-φόβητος ον *adj.* [privatv.prfx., φοβητός] **unafraid** (W.GEN. of Justice) S.
ἀφοβίᾱ ᾱς *f.* [ἄφοβος] **fearlessness** Pl. Arist. Plu.
ἄ-φοβος ον *adj.* [φόβος] **1** (of a person, army, soul) **fearless** Pi. S. E. Ar. Pl. + || NEUT.SB. **fearlessness** (opp. courage) Pl.
2 free from fear (when a threat has been removed) E. Hyp.
3 (of beasts) **not to be feared** S.; (of a marriage, a sight) A. Plu.
—**ἀφόβως** *adv.* **1 fearlessly, intrepidly** Pl. Plu.
2 free from fear X. NT.
ἀφοβό-σπλαγχνος ον *adj.* [σπλάγχνον] (of a person) with fearless innards, **fearless, gutsy** Ar.
ἄφ-οδος, Ion. **ἄποδος**, ου *f.* [ἀπό, ὁδός] **1 act of departing, departure** Hdt. X. Plb.; **retirement** (to one's bed) Hdt.
2 means of departing, way out Hdt. X.; (ref. to a path) X.
3 place to withdraw to; toilet, latrine Ar.
ἀ-φοίβαντος ον *adj.* [privatv.prfx., φοιβάω] (of a murderer) **uncleansed** A.
ἀφ-ομοιόω *contr.vb.* [ἀπό] **1 make** (W.ACC. oneself) **similar** —W.DAT. *to a madman* (in speech and behaviour) Pl.; **make** (W.ACC. sthg.) **resemble** —W.DAT. *sthg. else* X.; **make** (W.ACC. one's life) **conform** —W.PREP.PHR. *to a moral standard* Plu.; (of a chameleon) **assimilate** —*itself* (W.PREP.PHR. *to the colour white*) Plu. || MID. and AOR.PASS. (w.mid.sens.) make oneself resemble, **act like** —W.DAT. *a madman, tyrant* Pl.; (of a philosopher) **assimilate oneself** (to the nature of reality) Pl. || PASS. (of an adult) become similar (to an infant, in stature and mind) Pl.
2 make (W.ACC. falsehood) **resemble** —W.DAT. *the truth* Pl. || PASS. (of the universe, the nature of things) be modelled —W.DAT. *on certain entities* Pl. Arist.; (of a representation) be made to resemble —W.DAT. or PREP.PHR. *the real thing* Pl.
3 imagine (W.ACC. the gods) **to be like** —W.DAT. *humans or animals* Arist. Plu.
4 compare —*humans* (W.DAT. *w. animals, monsters*) Pl. Aeschin. —*sthg.* (w. *sthg. else*) Pl.

5 match —*objects* (W.DAT. *to letters of the alphabet*) Pl.; **create a resemblance** (in the sound of a word) Pl. —W.DAT. *to motion* Pl. || PASS. (of a name) be formed —w. ἀπό + GEN. *fr. the action involved* Pl.
6 (of an artist) **portray** —*shapes* X. Arist.; (intr., of an artist or poet) **make a representation** (of sthg.) Pl.; (of an entity) **make a copy** Pl. || PASS. (of hues) be represented (using mixtures of colours) Pl.; (of an image, a predicate) be copied Pl.
ἀφομοίωμα ατος *n.* **representation** (of an activity) Pl.
ἀφ-οπλίζομαι *mid.vb.* remove one's equipment; **take off** —*one's armour* Il.
ἀφ-οράω, Ion. **ἀπορέω** *contr.vb.* | fut. ἀπόψομαι | aor.2 ἀπεῖδον | **1** see from a distance, **see, have in view** —*someone or sthg.* Hdt. Ar.(mid.) X. Lycurg. Plb. Plu.
2 look out —W.ADV. *in a specific direction* Pl.
3 look (w. the eyes or mind) —W.PREP.PHR. *at or towards someone or sthg.* Th. Isoc. Pl. Plb. Plu.
4 look at, view —*sthg.* (w. πρός + ACC. *in relation to sthg. else*) Pl.
5 look or **face away** X. Men.
ἀ-φόρητος ον *adj.* [privatv.prfx., φορητός] (of soldiers) **unbearable** (W.DAT. due to their shouting) Th.; (of enemies, foreign rulers, their authority) Plu.; (of a person's manner) Aeschin.; (of a storm, frost) Hdt.; (of a disaster, pain, evil) X. D. Arist.
ἀφορίᾱ ᾱς *f.* [ἄφορος] **1 failure of production; dearth** (of crops) Antipho X. Lycurg. Plb. Plu.; (W.GEN. of children) Pl.; (fig., of intellect) X.
2 inability to bring forth, barrenness (in a region) Plu.; (in a population) Pl.; (in body and soul) Pl.
ἀφ-ορίζω *vb.* [ἀπό] | fut. ἀφορίσω, Att. ἀφοριῶ | —also perh. **ἀπουρίζω** *ep.vb.* | 3pl.fut. ἀπουρίσσουσι (v.l. ἀπουρήσουσι, see ἀπηύρων) | **1 mark off** (W.ACC. a location) **with boundaries** Hyp.; perh. **remove** (W.ACC. fields) **by adjusting boundaries** Il.(dub.); (of boundaries) **separate off** —*a river* (fr. *a city*) Pl. || MID. **mark off for oneself** —*territory* Isoc. Pl.; **appropriate** —*divine privileges* E. || PASS. (of territory) be marked off (for colonists) Isoc.
2 define —*a skill* Pl. || MID. **define** —*a kind of person* (W.PREDIC.PTCPL.PHR. *as being such and such*) Pl. —*a period of time* Aeschin.; (of a line of argument) —*a word* Pl. || PF.PASS. (of persons, a limit, a part) be specified Pl. Arist. || NEUT.PL.PF.PASS.PTCPL.SB. pre-defined kinds of case (in law) Arist.
3 exclude (fr. a category, fr. consideration) —*certain people or things* Pl.(also mid.) D. Arist.; (of a law) —*certain temples* Arist. || PASS. (of certain aspects of poetry) be divided off —W.PREP.PHR. *fr. poetry as a whole* Pl.
4 || MID. **treat** (W.ACC. sthg.) **as distinct** Pl. || PF.MID. (of a class of people) be distinct (fr. another) Pl. || PASS. be distinguished —W.ACC. *by one's skills* Pl.; (of an item, within a category) Pl. Arist.
5 conclude —*a book* Plb.; (mid.) —*an explanation* Isoc.
6 put outside a boundary, cast out (fr. society) —*a person* NT.
7 isolate, single out —*a category of people* (for a specific role) D.; **set apart** —*someone* (W.PREP.PHR. *for a task*) NT. || PF.PASS. (of a magistracy) be solely concerned —W.PREP.PHR. *w. sacrifices* Arist.
8 separate off —*one group* (W.PREP.PHR. *fr. another*) NT. || PF.MID. (of priests) be separate (fr. the rest of the population) Pl.
ἀφ-ορμάω, dial. **ἀπορμάω** *contr.vb.* | dial.masc.nom.pl. aor.pass.ptcpl. (w.mid.sens.) ἀφορμᾱθέντες, Aeol.

ἀφορμή

ἀπορμᾰθέντες | **1** make a departure (usu. by sea); **depart** S. Th. + —W.GEN. or PREP.PHR. *fr. a location* E. Th.; (of a ship) X. || MID. **depart, set out** Od. Ar. AR. —W.GEN. or ADV. *fr. a location* Il. S. + —*fr. a person* AR.; (of ships) Th. || AOR.PASS. (w.mid.sens.) depart Sapph. —W.ADV. *fr. a location* Pi.*fr.*
2 rush forth Plb.; (of lightning) **shoot forth** S.

ἀφ-ορμή ῆς, **ἀφορμᾱ́** ᾶς *f.* **1** place from which to start out; **base** (for an army, ref. to a region) Th. Plb.; **foundation** (sts. W.PREP.PHR. for sthg.) Att.orats.
2 time for starting; **occasion** (W.GEN. for happiness) E.; **opportunity** (W.GEN. or DAT. for speeches) E.; (for action) Att.orats. +
3 inducement D.; (ref. to pay) D.; (W.GEN. to foolish thought) D.
4 provision of resources, **start in life** (W.DAT. for children) E.; (sg. and pl.) **resources, means** (for living, war, a task) Att.orats. X.; (ref. to an alliance) D.
5 financial assets, **capital** Att.orats. X. Arist.
6 material (for an encomium) Isoc.; **asset** (ref. to books, fidelity) Isoc. D.

ἀφ-ορμίζω *vb.* **unmoor** —*one's fleet* (W.GEN. *fr. a land*) E. || MID. **cast off** Th.

ἀ-φόρμικτος ον *adj.* [privatv.prfx., φορμίζω] (of a chant fr. Erinyes) unaccompanied by a lyre, **mournful** A.

ἄφ-ορμος ον *adj.* [ἀπό, ὁρμή] (of a person) **hastening away** (W.GEN. fr. a region) S.

ἀ-φορολόγητος ον *adj.* [privatv.prfx., φορολογέω] (of conquered peoples) **not subjected to tribute** Plb. Plu.

ἄ-φορος ον *adj.* [φέρω] **1** (of trees, soil) not suitable for producing (fruit or crops), **not fruitful, unproductive** Hdt. X.
2 (of a tree) **barren** (as a result of a supernatural event) Plu.
3 (of a poison, fig.ref. to anger) **causing infertility** (in the ground) A.

ἀφ-οσιόω, Ion. **ἀποσιόω** contr.vb. [ἀπό] **1 purify from blood-guilt** —*a person, city* Pl.; **purge** —*a city* (W.ACC. *of impiety*) Aeschin. || MID. **effect purification** —W.PREP.PHR. *for someone* Pl. D. Plu.; **absolve oneself** (of responsibility) Pl.
2 || MID. **fulfil** —*an oath, an oracle's orders* Hdt.; **fulfil one's sacred duty** —W.DAT. *to a god* Hdt.; **satisfy one's conscience** Pl.
3 || MID. **regard as sacrosanct** —*an obligation* Plu.
4 || MID. **perform one's public duty in a perfunctory way, act perfunctorily** Isoc. Pl. Is. Plu.; **perfunctorily discharge** —*one's commission* Plu.
5 || MID. **revoke** —*a curse* Plu.
6 || MID. **express abhorrence** (sts. w. no religious connot.) Plu.

ἀφοσίωσις εως *f.* **formality** (in a ceremony, w.connot. of insincerity) Plu.; **formal expression** (W.GEN. of respect for the dead) Plu.

ἀφόων (ep.pres.ptcpl.): see ἀφάω

ἀφραδέω contr.vb. [ἀφραδής] **1 be thoughtless** or **inconsiderate** Il.
2 be heedless (of a threat) Od.

ἀ-φραδής ές *adj.* [privatv.prfx., φράζω] **1 without due attention, heedless** Od.
2 without good sense, foolish hHom.
3 (of the dead) **no longer with intellect or sense, senseless** Od.

—**ἀφραδέως** Ion.adv. **1 not sensibly** Il.
2 heedlessly Il. AR.

ἀφραδίη ης Ion.*f.* **1** lack of good sense, **folly** Hom. Hes. hHom. Eleg. AR.
2 lack of awareness or understanding, **senselessness, ignorance** (about one's situation) Hom.; (about sthg.) Ar.(oracle)
3 lack of due attention (to sthg.), **negligence** Il. hHom.

ἀφράδμων ep.adj.: see ἀφράσμων

ἀφραίνω *vb.* [ἄφρων] **1** lack good sense or restraint, **be foolish** or **reckless** Hom. Thgn.
2 (of a seer) **be out of one's mind** Od.

ἀφρακτίται ῶν *m.pl.* [ἄφαρκτος] **crew of an undecked ship** Plb.

ἄφρακτος adj.: see ἄφαρκτος

ἀφράσμων, ep. **ἀφράδμων**, ον, gen. ονος *adj.* [ἀφραδής]
1 (of mortals) **without sense** (W.INF. to foresee their fate) hHom.
2 (of a woman) without good sense, **foolish** A.

—**ἀφρασμόνως** adv. **without forethought, unintentionally** A.

ἄ-φραστος ον *adj.* [privatv.prfx., φράζω] **1 beyond description**; (of sandals) **marvellous** hHom.; (of a tale) S.
2 (of an anxiety) **unspeakable** A.; (of fetters, fig.ref. to a poisoned robe) S.; (of a defilement) E.
3 (of a hiding-place) not likely to be thought of, **unimaginable, unlikely** Hdt.
4 (of footprints) **imperceptible** hHom.; (of Zeus' plans) A.
5 (of an animal's den) **concealed** AR.; (of a means of access to a target) Plu. || NEUT.SB. hidden lair (of a bird or animal) AR.

—**ἀφράστως** adv. **beyond imagining, unexpectedly** —*ref. to seeing someone* S.

ἀφραστύς ύος *f.* **foolish thought** Call.

ἀφρέω contr.vb. [ἀφρός] **1** (of horses) **fleck** (W.ACC. their chests) **with foam** Il.
2 (of seawater) **foam** (around a ship) AR.

ἀ-φρήτωρ ορος Ion.*m.* [privatv.prfx., φράτηρ] **not a (good) member of a phratry, clanless** or **antisocial man** Il.

ἀφρίζω *vb.* [ἀφρός] **1** (of racehorses' breath) **foam, froth** S.
2 (of persons) **foam at the mouth** (as a result of seizures) NT.

ἀφρικτί adv. [privatv.prfx., φρικτός] **without shuddering** Call.

Ἀφρογένεια ας *f.* [ἀφρογενής] **Foam-child** (title of Aphrodite) Mosch. Bion

ἀφρο-γενής ές *adj.* [ἀφρός; γένος, γίγνομαι] (of Aphrodite) **born from the foam** (of the sea) Hes.(dub.)

ἀφροδισιάζω *vb.* [Ἀφροδίσιος] **have sex** Pl. X. Arist. || PASS. (of a woman) **be made to have sex** X.

ἀφροδισιαστικός ή όν *adj.* (of gratification) **sexual** Arist.

Ἀφροδίσιος ᾱ (Ion. η) ον *adj.* [Ἀφροδίτη] **1** of or relating to Aphrodite; (of an oath) **by Aphrodite** Pl.; (of desire) **from Aphrodite** Pi.*fr.*; (of flowers, fig.ref. to delights) Pi.
2 of or relating to sexual intercourse; (of an act, a bed) **sexual** Semon.; (of conversations) **about sex** Semon.

—**Ἀφροδίσια** ων *n.pl.* **1 sexual relations** Pl. X. Arist. Plb. Plu.; (experienced by animals) X.
2 rites of Aphrodite (perh. ref. to a ceremony) X.

—**Ἀφροδίσιον** ου *n.* **Aphrodision** (a sanctuary sacred to Aphrodite) X.; (ref. to a statue of Aphrodite) Plu.

Ἀφροδίτη ης, dial. **Ἀφροδίτᾱ** ας *f.* [pop.etym. ἀφρός *sea-foam*] | Aeol.voc. Ἀφρόδιτα | **1 Aphrodite** (goddess assoc.w. sexuality, said to have come fr. Ouranos' severed genitals thrown into the sea, or to be a daughter of Zeus and Dione) Hom. +; (invoked by women in oaths) Ar.; (ref. to the highest throw at dice among the Romans) Plu.; (assoc.w. a star, i.e. the planet Venus) Arist.

2 (meton.) **sex, sexual pleasure** Od. +; **sexual desire** X.
3 (gener.) **desire** (for war) E.
4 perh. **loveliness** (of a statue of a woman) A.; **charm** E.

ἀφρονέω *contr.vb.* [ἄφρων] **be foolish** Il. A.(cj.) E.

ἀφροντιστέω *contr.vb.* [ἀφρόντιστος] | neut.impers.vbl.adj. ἀφροντιστητέον | **1 be negligent** Pl.
2 **disregard** —W.GEN. *someone or sthg.* Pl. X. Plb.
—W.INDIR.Q. *how people will respond* Plu.

ἀ-φρόντιστος ον *adj.* [privatv.prfx., φροντίζω] **1 not thoughtful, unthinking** X.
2 (of Eros) **careless** (about his targets) Theoc.
3 (of a contest) not thought of, **unimagined** A.
—**ἀφροντίστως** *adv.* **1 inattentively** S. E. X. Plb.
2 (euphem.) **irrationally** (i.e. in madness) S.

ἀφρόνως *adv.*: see under ἄορων

ἀφρός οῦ *m.* **1 foam** (on a sea or river) Il. Hes. hHom. E. +; (on wine) Tim.; (ref. to phlegm in a body) Pl.
2 **foam, froth** (around the mouth of a hungry, angry or panting animal) Il. Hes. A. E. Ar. +
3 **froth** (at a person's mouth, usu. fr. poison, madness, demonic possession) Archil. E. NT.; (ref. to blood, sts. mixed w. vomit or sweat) A. S. Ar.

ἀφροσύνη ης, dial. **ἀφροσύνᾱ** ᾱς *f.* [ἄφρων] **1 lack of a sound mind, madness** Il. E.; **mindlessness** (among women, assoc.w. childbirth) E.; (among persons sleeping, distraught or hungry) Pl. X.; (as if inflicted by the gods) Aeschin.
2 **irrationality, lack of intelligent design** (as incompatible w. the orderliness of the universe) X.
3 lack of good sense, **foolishness** Hdt. Att.orats. Pl. X. +
4 foolish behaviour, **folly** Od. Eleg. B. S. E. Th. +; (opp. temperance) Pl.; (wkr.sens.) **frivolity** (assoc.w. youth) S.

ἀ-φρούρητος ον *adj.* [privatv.prfx., φρουρέω] **1** (of an aspect of civic life) **not under supervision** (by magistrates) Pl.
2 (of communities) **not garrisoned** (by a foreign ruler) Plb. Plu.

ἄ-φρουρος ον *adj.* [φρουρά] **1** (of statesmen) **without an escort of guards** Plu.; (of a location) **unguarded** Plu.
2 (fig., of a soul) **off guard, not vigilant** Pl.
3 (of a person) **exempt from garrison duty** Arist.

ἀφρώδης ες *adj.* [ἀφρός] resembling foam; (of spittle on a delirious person's face) **foamy** E.; (of acidic liquids) Pl.

ἄ-φρων ον, gen. ονος *adj.* [privatv.prfx., φρήν] **1** (of statues) **without a mind** X.; (of a corpse) **without sense** X.
2 lacking a sound mind, **mad, crazed** Il.; **delirious** (fr. a poison) X.; (of a startled hare) **senseless** X.
3 (of animals, opp. humans) **irrational** X.
4 lacking good sense; (of persons) **unwise, foolish** Hom. +; (of a mind, heart, soul) Od. hHom. Pl. X.; (of speech, zeal, courage, fear) E. Pl. X.; (of laws) E.; (fig., of an olive tree) Call. || NEUT.SB. **foolishness** Th. Pl. X.
5 (of a person) **not clever** (as a speaker or musician) Il.
6 (of an injury) that takes away the wits, **maddening** A.
—**ἀφρόνως** *adv.* | compar. ἀφρονεστέρως (Pl.) | **1 foolishly** S. Isoc. +
2 **senselessly** —ref. to hounds running around X.

ἀφύαι ων *f.pl.* small fish (of various species), **small fry** Ar.

ἀφ-υβρίζω *vb.* [ἀπό] **behave outrageously** Plu.

ἀφ-υδραίνομαι *mid.vb.* **wash oneself** —W.DAT. *w. water* E.

ἀ-φυής ές *adj.* [privatv.prfx., φυή] | Att.acc. ἀφυᾶ | **1 without a suitable nature**; (of a person) **unsuited** (for evil) S.; (of locations) **not favourable** (for soldiers, commerce) Plb.
2 **without natural ability**; (of persons) **not gifted** (for a task) Isoc. Pl. X.; (gener.) **inept** Isoc. Arist.
3 (of persons) **ill-natured** Pl. Arist.

—**ἀφυῶς** *adv.* **not in a fit state** (for war) Plb.

ἄ-φυκτος, also **ἄφευκτος** (Plu.), ον (dial. ᾱ ον Pi.) *adj.* [φυκτός] **1** impossible to escape or avoid; (of hands, fetters) **inescapable** Pi. E.; (of a goad, arrows) Trag.; (of gifts fr. the gods, their glance, the Fates' plans) Sol. Lyr.adesp. A. Pl.; (of afflictions, death, conflict) Sol. Simon. A. Pl.; (of hounds, fig.ref. to Erinyes) S.
2 (of a question) **inescapable** (i.e. demanding a particular answer) Pl.; (of an argument) **irrefutable** Ar. Aeschin.
3 (of a person) **unable to escape** (fr. someone's grip) Ar.

ἀφυλακτέω *contr.vb.* [ἀφύλακτος] **1** not be on one's guard, **not be vigilant** X. Plb.; **be careless** —W.GEN. *about one's circumstances* X.
2 || PASS. (of a location) **be unguarded** Plb.

ἀ-φύλακτος ον *adj.* [φυλάσσω] **1** without protection; (of persons, their limbs) **unprotected** Pl. X.; (of a location) **unguarded** (in wartime) Hdt. Th. +; (of property, plunder, poverty) X.
2 not on one's guard, **not vigilant, inattentive** Hdt.(dub.) Th. X. + || NEUT.SB. lack of vigilance Th.
3 (of night-time) **without need for guards** A.
4 (of contingencies) **not guarded against** Arist.
5 (of a fated death) impossible to guard against, **inevitable** Plu.
—**ἀφυλάκτως** *adv.* **1 without taking precautions** X.
2 (w. διακεῖσθαι) *be off one's guard* Plb.

ἀφυλαξίᾱ ᾱς *f.* **1 failure to provide protection** X.
2 failure to be cautious, **negligence** Antipho
3 **absence of a bodyguard** X.

ἄ-φυλλος ον *adj.* [φύλλον] **1** without leaves; (of pieces of wood) **stripped of leaves** Il. Plu.(quot.epigr.); (perh. of a crag) **leafless** A.fr.; (transf.epith., of a suppliant's prayers) **without foliage** (i.e. without an olive-branch) E.
2 (of blight) **stripping leaves** (fr. vegetation) A.

ἀφύξω (dial.fut.), **ἀφύξω** (fut.): see ἀφύσσω

ἀφ-υπνίζω *vb.* [ὕπνος] (of a person, cockerel, trumpet) **wake** (W.ACC. *someone*) **from sleep** E. Plu.

ἀφ-υπνόω *contr.vb.* **drop off to sleep** NT.

ἀφυσγετός οῦ *m.* matter carried along in a river, **driftwood** or **mud** Il.

ἀφύσσω *vb.* | ep.impf. ἄφυσσον | fut. ἀφύξω, dial. ἀφυξῶ | aor. ἤφυσα, ep. ἄφυσσα, ep.imperatv. ἄφυσσον || MID.: aor. ἠφυσάμην, ep.3sg. ἀφύσσατο | **1 draw** —*wine* Call. —(W.PREP.PHR. *fr. a bowl*) Hom. hHom. E. Theoc. —(*into a vessel*) Od. Hes. —*oil* (*fr. a lamp, using a wick*) Call. || PASS. (of wine) be drawn —W.GEN. *fr. vessels* Od.
2 || MID. **draw** (W.ACC. *water, wine*) **for oneself** Hom. E. —W.PREP.PHR. *fr. a vessel* Il.; (of servants) **draw** —*water, wine* Call. AR.; (of a witch) **scoop up** —*blood* (W.DAT. *w. her hands*) AR.
3 **get together** or **heap up** —*wealth* (W.DAT. *for someone*) Il. || MID. **gather** or **heap up for oneself** —*leaves* (*as a bed*) Od.

ἀφ-υστερέω *contr.vb.* (of an envoy) **come too late** Plb.; (of ships) **lag behind** Plb.

ἀ-φύτευτος ον *adj.* [privatv.prfx., φυτευτός] (of farmland) **unplanted, fallow** X.

ἀ-φώνητος ον *adj.* [φωνέω] **1** (of grief) **unspeakable** Pi.
2 (of a person) not speaking, **silent** S.

ἀφωνίᾱ ᾱς *f.* [ἄφωνος] inability to speak, **speechlessness** Pl.

ἄ-φωνος ον *adj.* [φωνή] **1 without speech** (by nature); (of a person) **mute, dumb** Hdt. Ar.; (of a building, objects) E. Aeschin. D.
2 **without speech** (at a specific time); (of persons) **speechless, silent** Thgn. Pl. +; **unable to utter** (W.GEN. *a curse*) S.; (quasi-advbl., of persons praying) **in silence** Pi.

3 without any sound; (of sheep) **silent** NT.; (of hills) Mosch.; (quasi-advbl., of birds hiding) **in silence** S.
4 unable to express oneself (W.DAT. in writing) Pl.
5 ‖ NEUT.SB. **consonant** (opp. φωνῆεν *vowel*) Pl. Arist.; **plosive consonant** (opp. a vowel and ἡμίφωνον *continuant*) Pl. Arist.
—ἄφωνα *neut.pl.adv.* **speechlessly, silently** A.
—ἀφώνως *adv.* **speechlessly, silently** S.
ἀχά *dial.f.*: see ἠχή
Ἀχαΐα ᾶς (unless **Ἀχαιά** ᾶς), Ion. **Ἀχαιίη**[1] ης *f.* [ἄχος] app. **Griever** (cult title of Demeter mourning for Persephone) Hdt. Ar.(dub.)
Ἀχαΐα *f.*, **Ἀχαιιάς** *fem.adj.*, **Ἀχαιία**[2] *Ion.f.*, **Ἀχαιικός** *adj.*, **Ἀχαιΐς** *fem.adj.*, **Ἀχαϊκός** *Att.adj.*: see under Ἀχαιός
ἀχαιινέη ης *Ion.f.* species of deer AR.
ἀχαΐνη ης *f.* large loaf made for the Thesmophoria Carm.Pop.
Ἀχαιός ά (Ion. ή) όν *adj.* **1 Achaean** (i.e. Greek) Il. A. Pi.; (of an army) E. ‖ MASC.PL.SB. **Achaeans** (esp. as a military force) Hom. Hes. Lyr. + ‖ FEM.PL.SB. **Achaean women** Od.
2 (of a man) **Achaean** (fr. the northern Peloponnese) Hdt. S. + ‖ MASC.PL.SB. **Achaeans** (as a population or military force) Pi. Hdt. +
3 ‖ MASC.PL.SB. **Achaeans** (fr. Phthiotis in Thessaly) Il. Pi. Hdt.
—**Ἀχαΐα** ᾶς, Ion. **Ἀχαιίη** (also **Ἀχαΐη** Semon.) ης *f.* **1 Achaea** (a region in the northern Peloponnese) Semon. Hdt. Th. +
2 Achaea (a region in Thessaly) Hdt.
3 Achaea (a Roman province consisting of Attica, Boeotia and the Peloponnese) NT.
—**Ἀχαιιάς** άδος *fem.adj.* **1** of or relating to the Achaeans or Achaea (i.e. the Greeks and Greece in general) ‖ PL.SB. **Achaean or Greek women** Hom. AR. Theoc.
2 of or relating to the Achaeans or Achaea (in the Peloponnese); (of cities) **Achaean** Call. ‖ PL.SB. **Achaean women** Call. Theoc.
—**Ἀχαιικός**, Att. **Ἀχαϊκός**, ή όν *adj.* **1** of or relating to the Achaeans or Achaea (i.e. the Greeks and Greece in general); (of Argos) **Achaean** Hom.; (of an army, ships) Il. A. E.; (of harbours) Arist.(quot.trag.); (of a herald) E.
2 of or relating to the Achaeans or Achaea (in the Peloponnese); (of a people) **Achaean** Hdt.; (of a man) Plb.; (of mountains) X.; (of a city) Th. Plb Plu.; (of ships, troops) Plb.
3 perh., of or relating to the Achaeans or Achaea (in Thessaly); (of a town) **Achaean** E.
4 (of a proposal for action) suited to the Achaeans (in the Peloponnese), **popular in Achaea** Plb.
—**Ἀχαιΐς** ΐδος *fem.adj.* **1** of or belonging to the Achaeans or Achaea (i.e. the Greeks and Greece in general); (of the region, a city) **Achaean** Hom. Call. AR.; (of a girl) AR.; (of a ship) E. Call. AR.(dub.) ‖ SB. **Achaea** Hom. AR.; **Achaean woman** Hom.
2 of or belonging to the Achaeans or Achaea (in the Peloponnese); (of a region, city) **Achaean** E. Isoc. X. AR.; (of an attack) A.
3 of or belonging to the Achaeans or Achaea (in Thessaly); (of a region) **Achaean** A.
4 ‖ SB. **Achaea** (ref. to the Roman province) Plu.
ἀ-χάλινος ον *adj.* [privatv.prfx., χαλινός] (of a horse) **unbridled** Plu.; (fig., of a person's mouth) Lyr.adesp. E. Ar. Pl.
—**ἀχάλινα** *neut.pl.adv.* **with unbridled zest** —*ref. to horses eating* E.
ἀ-χαλίνωτος ον *adj.* [χαλινόω] (of a horse) **unbridled** X.

ἀ-χάλκευτος ον *adj.* [χαλκεύω] (of fetters, fig.ref. to a net) **not made of bronze** A.
ἄ-χαλκος ον *adj.* [χαλκός] without bronze; (of Ares, as a god of plague) **not armed** (W.GEN. w. shields) S.
ἀχάνη ης *f.* app., a large Persian dry measure (equiv. to 45 Attic medimnoi, or a vessel of this capacity) Ar.; (ref. to a box, for a folding ladder) Plu.
ἀ-χανής ές *adj.* [χάσκω] **1** [privatv.prfx.] not opening one's mouth, **in stunned silence** Plb.
2 [copul.prfx.] (of the opening betw. two doors) **gaping** Parm.; (of a sea, a location) **wide open** Plu.
ἀ-χαράκωτος ον *adj.* [privatv.prfx., χαρακόω] (of a camp) **not fortified with a palisade** Plb. Plu.
ἄ-χαρις ι, gen. ιτος *adj.* [χάρις] **1** (of a girl) **charmless** Sapph.; (of a character trait) **unpleasant, displeasing** Hdt.; (of a symposium) Thgn.; (of odours) Hdt. X.; (of singing) E.*Cyc.*; (of a request, an aim) Thgn. Pl.; (of a way of life) Ar.
2 (of a disaster, misfortune, suffering) **unpleasant, painful** Hdt.
3 (of a task) **thankless** Hdt.; (oxymor., of thanks) E.
4 (oxymor., of a kindness, ref. to mourning) **unkind** A.
5 (of a vengeful murder) **not gratifying** (for its perpetrator) E.
ἀχαριστέω *contr.vb.* [ἀχάριστος] **1 show ingratitude** —w. πρός + ACC. to someone X. ‖ PASS. (of persons, virtue) **meet with ingratitude** Plb. Plu.
2 withhold kindness or **indulgence** Arist. —W.DAT. *for sthg.* Pl.
3 not do a favour —W.DAT. *for someone* Plu.
ἀχαριστία ᾱς *f.* **1 ingratitude** (towards a benefactor) X. D. Plb. Plu.
2 lack of grace (in a person's manner), **inelegance** Pl.
ἀ-χάριστος ον *adj.* [χαρίζομαι] ‖ep.compar. ἀχαρίστερος ‖
1 (of a meal, wine) **displeasing** Od. Thgn.; (of words, suggestions) Od. X.
2 (of persons) **ungrateful** Hdt. E Ar. Pl. +; (W.DAT. or PREP.PHR. to someone) E. X.; (fig., of a stomach) Call.; (of actions) Aeschin.
3 (of expenditure, zeal) **unrewarded** Lys. X.; (of a duty) **thankless** X.; (of foods eaten greedily) Call.
4 (quasi-advbl., of persons doing sthg.) perh. **not out of kindness** Arist.
—**ἀχαρίστως** *adv.* **1 without gratitude** Lys. X.
2 unthanked —*ref. to helping someone* X.
3 begrudgingly Isoc.
ἀ-χάριτος ον *adj.* [χάρις] **1** (of persons) **unpleasant** Hdt.; (of kinds of recreation or marriage) **unwelcome** (in a city) Pl. Plu.; (oxymor., of a favour, ref. to service to the gods) **not favoured** E.
2 (oxymor., of kindness, ref. to offerings to the dead) **unkind** A.
—**ἀχαρίτως** *adv.* **begrudgingly** X.
Ἀχαρναί ῶν, dial. **Ἀχάρναι** ᾶν *f.pl.* **Acharnai** (the largest deme in Attica, nr. Mt. Parnes) Fi. Th. Plu.
—**Ἀχαρνεύς** έως *m.* **1 man from Acharnai, Acharnian** Th. Ar. Att.orats. +; (pl., title of a play by Aristophanes) Plu.
2 perh., man from Acharnai (a deme in Cos, also called Halasarna), **Acharnian** Theoc.
—**Ἀχαρνῇδαι** ῶν *m.pl.* **sons of Acharneus** (flattering ref. to the men of the deme Acharnai) Ar.
—**Ἀχαρνικός** ή όν *adj.* of or relating to Acharnai; (of old men) **Acharnian** Ar.; (of a Muse) Ar.; (of a woman) Ar. ‖ MASC.PL.SB. **Acharnian men** Ar

ἀ-χείμαντος ον *adj.* [privatv.prfx., χειμαίνω] **1** (of breezes) **not stormy** Alc.
2 (of a city) **untroubled by storms** B.*fr.*

ἀ-χείματος ον *adj.* [χεῖμα] (of a seafarer) **untroubled by storms** A.

ἄ-χειρ χειρος *masc.fem.adj.* [χείρ] **without hands**; (fig., of a soldier's back) **defenceless** X.

ἀ-χειροποίητος ον *adj.* (of a temple) **not built by human hands**, **not man-made** NT.

ἀ-χείρωτος ον *adj.* [χειρόω] (of subjects in revolt) **unconquered** Th.; (of the olive tree, as esp. resilient) S.

Ἀχελῷος, ep. Ἀχελώιος, ου *m.* **1 Acheloos** (longest river in Greece, extending fr. Epeiros to the Corinthian gulf) Hes. Hdt. +; (personif., as a river god, father of Dirke and the Sirens) Il. S. +; (meton., ref. to freshwater) E. Ar. Call.*epigr.*
2 Acheloos (river in Lydia) Il.; (in Boeotia) Pi.*fr.*

—Ἀχελωίδες ων *f.pl.* **1** daughters of Acheloos, **Acheloides** (ref. to the Sirens) AR.
2 ‖ ADJ. (of communities situated along a river nr. the Strymonian gulf) **waterside** or **freshwater** A.

ἄχερδος ου *f.* (*m.* Theoc.) **wild pear tree** S. Call.(cj.); (ref. to its wood) Od. Theoc.

Ἀχερδούσιος ᾱ ον *adj.* (of a man) of or from Acherdous (a deme in Attica), **Acherdousian** Aeschin. Arist.

ἀ-χέρνιπτος ον *adj.* [privatv.prfx., χερνίπτομαι] (of water fr. the R. Styx) **not fit for handwashing** (before a sacrifice) A.*fr.*

ἀχερωίς ίδος *f.* **white poplar tree** Il. AR.

Ἀχέρων οντος *m.* **1 Acheron** (river in Hades, assoc.w. ἄχος *grief*) Od. +; (personif., as a river god) S.
2 Acheron (river in Thesprotia, assoc.w. an oracle of the dead) Hdt. Th.
3 Acheron (river in Bithynia, thought to flow into Hades) AR.

—Ἀχερόντιος ᾱ ον *adj.* (of the lake, harbour, a crag) of the Acheron (in Hades), **Acherontian** E. Ar.

—Ἀχερούσιος ᾱ ον *adj.* **1** (of the banks, strait) of the Acheron (in Hades), **Acherousian** A. E.
2 (of a lake, assoc.w. the river in Thesprotia) **Acherousian** Th.

—Ἀχερουσιάς άδος *fem.adj.* **1** (of the lake in Hades) **Acherousian** Pl.
2 (of a peninsula in Bithynia, a headland) **Acherousian** X. AR.

—Ἀχερουσίς ίδος *fem.adj.* (of a headland in Bithynia) **Acherousian** AR.

ἀχέτᾱς *dial.m.*: see ἠχέτης

ἀχεύω *vb.*: see under ἄχνυμαι

ἀχέω *contr.vb.* [reltd. ἰαχέω] **proclaim, broadcast** —*the content of secret rites* hHom.

ἀχέω *dial.contr.vb.*: see ἠχέω

ἀχέων *masc.ptcpl.*: see under ἄχνυμαι

ἀχήματα των *dial.n.pl.* [ἠχέω] **sounds** (of singing) E.

ἀχήν ῆνος *dial.m.* **pauper** Theoc.

ἀχηνία ᾱς *f.* **lack** (of money, a physical attribute) A.

ἀχθαίνω *vb.* [ἄχθος] | aor.ptcpl. ἀχθήνᾱς | **be grieved** Call.

ἀχθεινός ή όν *adj.* (of a haughty person) **oppressive** E.; (of a task, joking) **burdensome** E. Plu. ‖ NEUT.SB. burdensome phase (of life, ref. to old age) X.

—ἀχθεινῶς *adv.* **with sorrow** —*ref. to seeing a sight* X.

ἀχθηδών όνος *f.* **burden** (fr. an affliction) A.; **pain, anguish** Th. Pl.; (shown on one's face) Th.

ἄχθομαι *pass.vb.* | impf. ἠχθόμην | fut. ἀχθεσθήσομαι, also ἀχθέσομαι | aor. ἠχθέσθην | **1 bear a weight or burden**; (of a soldier) **be burdened** —W.DAT. *by a shield* Theoc.; (of a tree) **be overloaded** —W.DAT. *w. branches* AR.; (of a ship) **be loaded** (w. cargo) Od.; (of a table) —W.GEN. *w. food* Xenoph.
2 be burdened (w. physical pain); **be racked** —W.DAT. *w. pains* Il.; **be sore** —W.ACC. *fr. a wound* Il.; (of a horse, fr. pulling a chariot) hHom.
3 be burdened (w. mental pain); **be grieved** or **upset** Hdt. Ar. Pl. X. —W.ACC. *in one's heart* Il. —*at events* E.*fr.* X. —W.DAT. or PREP.PHR. *at* or *about sthg.* Hdt. S. Lys. Ar. —W.NOM.PTCPL. *fr. doing sthg.* S. E. Ar. Att.orats. —W. εἰ + FUT.INDIC. *if sthg. will be the case* E. Th.; (of a person's heart) A.
4 be worn out (by someone's behaviour or speech) Ar. Pl. —W.DAT. *because of someone or sthg.* Hdt. Ar.; **be fed up** —W.DAT. *w. someone or sthg.* Ar.; **be discontented** Th. —W.DAT. *w. one's situation* Th.
5 be resentful Hdt. Th. —W.DAT. *towards persons, their behaviour, a task, situation* Hdt. E. Th. Lys. —W.GEN. *of sthg.* Plu.; **resent** —W.NOM.PTCPL. *doing sthg.* E.; (of a rope, fig.ref. to a phallus) —*being rubbed* Ar.
6 be angry Hdt. Ar. Pl. —W.DAT. or PREP.PHR. *at persons, their conduct* Hdt. Isoc. Pl. Call. —W. ὑπέρ + GEN. *about someone* Ar. —*on behalf of someone* Pl. —W.ACC.PTCPL. *that someone is suffering sthg.* Il. —W. εἰ + INDIC. *that someone shd. do sthg.* Theoc.
7 be annoyed And. Ar. + —W.DAT. *at someone, because of sthg.* Th. Ar. Att.orats. + —W.NOM.PTCPL. *w. doing sthg.* E. Ar. Pl. + —W.GEN.PTCPL. *at someone doing sthg.* Hdt. Th. +

ἄχθος εος (ους) *n.* **1 weight** (of sthg.) Il.; **load** (on a ship, wagon, animal, slave, or sim.) Hom. Hes. Tyrt. Hdt. Ar. +; (ref. to the heavens supported by Atlas) A.
2 (fig.) **burden** (W.GEN. for the land, ref. to a worthless person) Hom. S. Pl.; (ref. to a corpse) E.; (ref. to wealth) Pl.; (ref. to a difficult situation, a storm) Thgn. A.; (ref. to a duty) Pi.
3 (gener.) **burden** (sts. W.GEN. of sorrow, fr. old age, afflictions) Trag. Plu.; (placed on someone by Eros) Pl.; (ref. to envy) A.; (ref. to oppression, fr. a person) Plu.
4 grief, pain, sorrow, distress Hes. Thgn. Trag. Plu.

ἀχθοφορέω *contr.vb.* [ἀχθοφόρος] **1 be a load-bearer** (for someone, as a slave) Plb.
2 carry one's own equipment Plu.

ἀχθο-φόρος ον *adj.* [φέρω] **bearing a load**; (of beasts) **of burden** Hdt.

ἄχι *dial.adv.*: see ἧχι

Ἀχιλλεύς έως (ep. ῆος), also ep. Ἀχιλεύς ῆος (έως E., dial. έος Pi.) *m.* **Achilles** (son of Peleus and Thetis, king of Phthia in Thessaly, commander of the Myrmidons) Hom. +

—Ἀχίλλειος (also Ἀχίλειος E.), Aeol. Ἀχιλλήιος, ᾱ ον, Ion. Ἀχιλλήιος η ον *adj.* **1** (of the son) **of Achilles** E.; (of the fleet) E.; (of the weapons, armour, tomb) Lyr.adesp. S. E. ‖ NEUT.SB. Achilleion (a sanctuary assoc.w. the hero's tomb) Hdt.
2 (of friends) **like Achilles** Theoc.
3 (of the Racecourse, ref. to a region in Scythia) **of Achilles** Hdt.
4 ‖ NEUT.SB. Achilleion (a city on the R. Maeander) X.
5 ‖ FEM.SB. Achillean (a kind of barley cake) Ar.

ἀ-χίτων ον, gen. ωνος *adj.* [privatv.prfx., χιτών] (of a man) **without a khiton** or **tunic** X. Plu.

ἀχλαινία ᾱς *f.* [ἄχλαινος] **lack of a cloak** E.

ἄ-χλαινος ον *adj.* [χλαῖνα] **without a cloak** Simon. Call.

ἄ-χλοος ον *adj.* [χλόη] (of plains) **without vegetation** (during a famine), **barren** E.

ἀχλυόεις εσσα εν *adj.* [ἀχλύς] (of the air) **cloudy** (w. smoke) AR.; (fig., of subjugation) **gloomy** Hdt.(quot.epigr.)

ἀχλύς, ep. **ἀχλῦς**, ύος *f.* **1 mist** Od. AR.; (sent by a goddess for concealment) Od.
2 mistiness (over the eyes, assoc.w. desire, drunkenness, joy) Archil. Critias AR.; (sent by a deity to impair vision) Il.; (assoc.w. blindness) **darkness** NT. Plu.; (assoc.w. the moment of death) Il. AR.; (personif.) **Mist** (assoc.w. death) Hes.
3 gloom (assoc.w. a disaster) A.

ἀχλύω *vb.* | aor. ἤχλῡσα | **1** (of the sea) **grow murky** (under a cloud) Od.; (of the sky) Call.
2 (fig., of a girl's eyes) **grow misty** (w. longing) AR.

ἄχματα των *n.pl.* [ἄγω] app. **cargo** Alc.

ἄχνη ης, dial. **ἄχνᾱ** ᾱς *f.* [perh.reltd. ἄχυρον] **1** aggregation of small drops (of water); **spray** (fr. the sea) Hom. Simon.; **dew** S.; (fig., fr. tears) S.
2 aggregation of bubbles in a liquid; **foam** (of a wave, seawater) Hom. Tim. AR.; **froth** (of wine, as a libation) E.
3 aggregation of small particles (of a solid); **chaff** Plu.; (collectv.pl.) Il.

—**ἄχνην** *adv.* **for the tiniest bit** (of time) —*ref. to sleeping* Ar.

ἄχνυμαι *mid.vb.* [ἄχος] | redupl.fut. ἀκαχήσω (hHom.) | redupl.aor.2 act. ἤκαχον, ptcpl. ἀκαχών | ep.aor.1 ἀκάχησα | ep.3pl.aor.2 ἀκάχοντο, aor.2 opt. ἀκαχοίμην | PF.: ἀκάχημαι, ep.3pl. ἀκηχέαται (v.l. ἀκηχέδαται), inf. ἀκάχησθαι, ptcpl. (accented as pres.) ἀκαχήμενος, ep. ἀκηχέμενος | ep.3pl.plpf. ἀκαχείατο (v.l. ἀκηχάατο) |
1 be sorrowful Hom. Hes. hHom. AR. Theoc. —W.ACC. or DAT. *in one's heart* Hom. Hes. Pi. —W.GEN. or DAT. *for someone* Hom. —W.PREP.PHR. *about someone* hHom. AR. Mosch.; (of a heart) Hom.; (fig., of a herald's message-stick) Archil.
|| REDUPL.AOR.2 ACT.PTCPL.ADJ. **aggrieved** (W.DAT. in one's heart) Hes.
2 be distressed or **in anguish** (w. anxiety, terror, anger, pain, dishonour) Hom. Simon. AR. —W.ACC. *in one's heart* Od. Thgn.; (of a heart) Il.
3 (tr.) **distress, grieve** —*persons, their heart* Hom. hHom.; **harass** —*people* Od. hHom.
4 lament —*a situation, someone's fated death* Pi. S.

—**ἄχομαι** *mid.vb.* | only pres. | **be sorrowful** Oc. —W.ACC. *in one's heart* B.*fr.*

—**ἀχεύω** *vb.* | only pres.ptcpl. | **1 be sorrowful** Hom. Sapph. —W.GEN. *for someone* Od. —W.ACC. *in one's heart* Hom. Hes.
2 be distressed —W.ACC. *in one's heart* Il.

—**ἀχέων** ουσα *masc.fem.pres.ptcpl.* **1 sorrowing** Hom. AR. Mosch. —W.ACC. *in one's heart* Il. —W.GEN. *for someone* Il. —W. ἐπί + DAT. AR.
2 (of a heart) **anguished** AR.

ἄ-χολος ον *adj.* [privatv.prfx., χόλος] **1 removing bile**; (of a drug) **easing anger** Od.
2 without bile; (fig., of a city) **gutless** Alc.

ἄχομαι *mid.vb.*: see under ἄχνυμαι

ἄ-χορδος ον *adj.* [χορδή] (of a lyre, fig.ref. to a bow) **stringless** Lyr.adesp.; (of a melody) **without strings** Arist.(quot.poet.)

ἀ-χόρευτος ον *adj.* [χορεύω] **1 untrained in dancing** Pl.
2 unaccompanied by dancing or celebration; (fig., of reproaches, troubles, a tale) **joyless** S. E. Telest

ἀχορηγησία (unless **ἀχορηγία**) ᾱς *f.* [ἀχορήγητος] **lack of supplies** (for a war) Plb.

ἀ-χορήγητος ον *adj.* [χορηγέω] **not equipped** (for a task) Arist.; (of a form of government) **not supplied** (W.GEN. w. necessary resources) Arist.

ἄ-χορος ον *adj.* [χορός] **1** (of a land) **unfamiliar with dancing** E.*Cyc.*
2 (of Ares, death) without dancing or celebration, **joyless** A. S.

ἄχος εος (ους) *n.* **1 distress** (in mind or heart), **distress, grief, sorrow** Hom. Hes. Lyr. Hdt. Trag. +; (ref. to a love-pang) AR. Theoc.; **cry of anguish** A. E.
2 pain (in the body) A. Pi. S. Ar.(mock-trag.) AR.; (ref. to a wound) A.
3 that which causes grief, **affliction, suffering** (ref. to exile, loss, abuse, or sim.) Il. Lyr. Trag. +; **calamity** (ref. to a defeat) A.; **trouble** (in the sky, ref. to a storm) S.; **plague** (of serpents) A.; (ref. to a person, because of his ill fate) **cause of grief** (W.DAT. to himself and his friends) S.

ἄχος *dial.m.*: see ἦχος

ἀχράαντος *ep.adj.*: see ἄχραντος

Ἀχραδούσιος ον *adj.* of or from Achradous (w. play on ἀχράς and the Attic deme Acherdous), **Pearswickian** Ar.

ἄ-χραντος, ep. **ἀχράαντος** (Call.), ον *adj.* [privatv.prfx., χραίνω] **not tainted**; (of a girl's blood, her girdle) **unsullied, virgin** E. AR. Mosch.; (of spring-water) Call.; (of a cup) Theoc.; (of meat, by poison) Plu.; (fig., of evidence) Pl.

ἀχράς άδος *f.* **1 wild pear** Men.; (fig., ref. to a turd) Ar.
2 wild pear tree Plu.

ἀ-χρεῖος, Ion. **ἀχρήιος**, ον *adj.* [χρεία] **1** (of persons) of no benefit (to others), **useless, unprofitable** Hes. B. S. E. Th. +; (of the populace, as a government) Hdt.; (of a wounded body) A.; (of a contest, strength, life, pleasures) E.; (of ambition) D.; (of a person's use of words) Hes.
|| NEUT.IMPERS. (w. ἐστί understd.) **it is useless** —W.ACC. + INF. *for women to give advice* E.
2 (of persons) of no benefit (to themselves), **helpless** X.
3 of no use (for a specific purpose); (of persons) **unfit** (for combat) Th. X.; (W.INF. for doing sthg.) Pl.; (W.PREP.PHR. for sthg.) Arist.; (of equipment, books) **useless** X. Arist.; (of tactics) **ineffective** D. || NEUT.SB. group unfit for combat Hdt.; useless part (W.GEN. of life, after a person's prime) Th. || NEUT.PL.SB. useless matters Th.
4 (of bodily outgrowths) **unnecessary** X.; (of spending) Th.
5 (of a hoard of gold) **not in use** Theoc.
6 (of obedient slaves) **undeserving** (of special treatment) NT.

—**ἀχρεῖον** *neut.adv.* **1** to no benefit, **in vain** —*ref. to looking for help* Il.; **inanely, frivolously** —*ref. to laughing* Od.
2 without cause, **needlessly** —*ref. to dogs barking* Theoc.

ἀχρειόω *contr.vb.* **make** (W.ACC. horses) **useless** (through overwork) Plb. || PASS. (of animals) **become incapacitated** (through blindness) Plb.

ἀχρηματίᾱ ᾱς *f.* [ἀχρήματος] **lack of money** Th. Plu.

ἀ-χρήματος ον *adj.* [χρῆμα] (of persons, a city) without money, **poor** A. Hdt. Arist. Plu.

ἀχρημοσύνη ης *f.* [ἀχρήμων] **lack of money, poverty** Od. Thgn.

ἀ-χρήμων ον, gen. ονος *adj.* [χρῆμα] **without money, impoverished** Sol. E.

ἀχρηστίᾱ ᾱς *f.* [ἄχρηστος] **uselessness** (of persons, to others) Pl.; (of justice) Pl.

ἄ-χρηστος ον *adj.* [χρηστός] **1** of no benefit (sts. W.DAT. to someone); (of persons) **not useful** (esp. to a city or ruler) Hdt. E. Att.orats. Pl. +; (of Poverty and Helplessness, as deities) Hdt.; (of houses, resources) X. D. +; (of ideas, activities, or sim.) Hdt. E. Th. + || NEUT.SB. useless subject matter Isoc.
2 of no use (for a specific task); (of persons, their bodies, hands) **useless** Hdt. Att.orats. +; (of things) Hdt. Pl. +; (of a marriage, for social advancement) X.

3 (of persons) **of no use** (for anything) Thgn. Pl.; (of male bees, a disobedient horse, a corpse) X. Arist.; (of corners in a camp) X.
4 (of money, justice) **not in use** Pl. ‖ NEUT.SB. **disuse** Pl. ‖ NEUT.PL.SB. **items not in use** Pl.
5 (of an animal) **without the use** (W.DAT. *of understanding*) E.

—**ἀχρήστως** *adv.* **to no benefit** Isoc.

ἄχρι, also **ἄχρις** (Il. Hellenist.poet.) *adv., prep. and conj.* [reltd. μέχρι] **1** (*adv.*) **to the uttermost, utterly** —*ref. to cutting, breaking or crushing sthg.* Il.
2 (modifying a prep.phr.) **as far as, right up** —w. ἐπί, ἐς, ποτί, πρός, ὑπό *to, into, under* (*a place, part of the body*) Thphr. Hellenist.poet. Plb.
3 (modifying an adv. of time) **as far as, up to** —W.ADV. *now, today* Plu.
4 (prep.) **as far as, up to** —W.GEN. *a point in time, location, extent, circumstance* Od. Sol. Hdt. X. D. AR. +
5 within —W.GEN. *a period of time* NT.; **for the duration** —W.GEN. *of a period of time* Plu.
6 (conj., freq. ἀχρὶ οὗ) **up to a point in time when, until** —W.INDIC. *sthg. happened* X. NT. Plu. —w. ἄν (freq. omitted) + AOR.SUBJ. *sthg. shd. happen* Hdt. X. Men. Call. + —W.OPT. D. Plu. —w. ἧς ἡμέρας + AOR.INDIC. or SUBJ. *the day when sthg. happened or shd. happen* NT.
7 as long as, while —W.INDIC. *sthg. is or was the case* Call. Plu. —w. ἄν + PRES.SUBJ. Plu.
8 as far as (in spatial extent) —W.IMPF.INDIC. *sthg. was the case* X.

ἄ-χρυσος ον *adj.* [privatv.prfx., χρυσός] (of persons) **lacking gold** Pl.

ἀ-χρώματος ον *adj.* [privatv.prfx., χρῶμα] (of that which truly exists) **colourless** Pl.

ἄ-χρως ων, gen. ω *adj.* [χρώς] (of a substance) **colourless** Pl. Arist.

ἀ-χρωστος ον *adj.* [χρῴζω] (of a person's knees) **untouched** (W.GEN. *by a suppliant's hands*) E.

ἄ-χυμος ον *adj.* [χυμός] (of a substance) **flavourless** Arist.

ἀχυρμιά ᾶς *f.* [ἄχυρον] **chaff-heap** Il.

ἀχυρο-δόκη ης *f.* [δέχομαι] **area for gathering chaff** (on a threshing-floor), **chaff space** or **receptacle** X.

ἄχυρον ου *n.* **1** piece of straw, **straw** Thphr. Theoc.; (collectv.pl.) Hdt. X. Thphr. Plb.; (collectv.sg.) NT.
2 ‖ COLLECTV.PL. **chaff** (left after winnowing) X.
3 outer husk (of barley) ‖ COLLECTV.PL. **bran** (fig., ref. to a city's foreign residents) Il.
4 ‖ COLLECTV.PL. **grain** (prior to winnowing) X.

ἀχυρός οῦ *m.* **bran-heap** Ar.

ἀχώ dial.*f.*: see ἠχώ

ἀ-χώριστος ον *adj.* [privatv.prfx.] **1** [χωριστός] (of two objects forming a unity) **inseparable** Pl.; (of two parts of the soul) Arist.
2 [χῶρος] **without a place** (in an activity), **left out** X.

ἄψ *adv.* [reltd. ἀπό] **1 back again** —*ref. to moving* Hom. Hes. hHom. Hellenist.poet.; **back** (to a previous state of affairs) —*ref. to making amends* Il.
2 away (fr. someone or sthg.) —*ref. to retreating* Il. Hes. —*ref. to throwing sthg.* Od. —*ref. to hiding* (fr. view) Sapph.
3 backwards (i.e. behind oneself) —*ref. to looking* Il.
4 back —*ref. to giving, taking, or sim.* Hom. Theoc.
5 again, another time Hom. Hes. AR. —*ref. to a new year coming* Od. hHom.; (w. αὖτις or πάλιν) Hom. Hes. hHom. Theoc.

ἀ-ψάλακτος ον *adj.* [privatv.prfx.; ψαλάσσω *touch* or *pluck*, reltd. ψάλλω] (of a defeated enemy) **unmolested, unharmed** Ar.

ἄ-ψαυστος ον *adj.* [ψαύω] **1** (of sacrificial offerings, a statue) **untouched** Hdt. Plu.
2 (of water, a staff) **not to be touched, sacred** Th. Plu.
3 (of a person) **not touching** (W.GEN. *a weapon*) S.; (of a spear tip, W.GEN. *someone's organs*) AR.

ἀ-ψεγής ές *adj.* [ψέγω] (of a portent) **not reproachful** (in its message) S.
—**ἀψεγέως** Ion.*adv.* **without reproach** AR.

ἄ-ψεκτος ον *adj.* [ψεκτός] (of a person) **not reproachable, blameless** Thgn.

ἄψερον neut.*adv.* [ἄψ] **next** (in time) Alc.; (as prep.) **after** —W.GEN. *an event* Alc.(cj.)

ἀψεύδεια, Boeot. **ἀψευδία**, ᾱς *f.* [ἀψευδής] **absence of falsehood, truthfulness** Pl. Corinn.

ἀψευδέω contr.*vb.* **1 be honest** (in one's words) S. X. Aeschin.; (in trading) Hyp. D.
2 make no mistakes (in one's understanding) Pl.

ἀ-ψευδής ές *adj.* [privatv.prfx., ψεῦδος] **1 without falsehood;** (of persons, their character, speech) **truthful** Hes. A. E. Pl. D.; (of a god, his throne) A. E. Pl.; (of an oracle, a message) Hdt. E. Aeschin. Call.; (of divination) A.; (of an anvil) **sound** Pi.; (of a test of friendship) **sure** E.
2 (of a person, his perception) **not making mistakes, infallible** Pl.
—**ἀψευδέως** Ion.*adv.* **really and truly** (W.ADJ. *best*) Hdt.

ἀψευστέω contr.*vb.* [ἄψευστος] **be honest** (in one's words) Plb.

ἄ-ψευστος ον *adj.* [ψεύδω] (of a custom) **not to be broken, inviolable** Plu.

ἄ-ψηκτος ον *adj.* [ψήχω] **1** (of a boot) **of unscraped leather** (i.e. w. hair or bristles still present) Ar.
2 (of hair) **uncombed** AR.

ἀ-ψηλάφητος ον *adj.* [ψηλαφάω] (of a preventive measure) **unattempted** Plb.

ἀ-ψήφιστος ον *adj.* [ψηφίζομαι] **not having voted** (in a trial) Ar.

ἀ-ψηφοφόρητος ον *adj.* [ψῆφος, φέρω] (of a division of a citizen body) **not having voted** (in a trial) Plb.

ἀψικορία ᾱς *f.* [ἀψίκορος] **quickness to be sated, fickleness** (in a people's nature) Plb.

ἀψί-κορος ον *adj.* [ἅπτω, κόρος²] **1** (of young men) **quickly sated** (in their desires) Arist.
2 ‖ NEUT.SB. **appetite** (for fame) Plu.

ἀψιμαχέω contr.*vb.* [ἅπτω, μάχη] **engage in combat involving brief contact, skirmish** Plb.; (fig., in an argument) Plb.

ἀψιμαχία ᾱς *f.* **1 grasping after conflict, bellicosity** (shown by statesmen) Aeschin.
2 altercation (ref. to an argument) Plb. Plu.; (ref. to a fight) Plu.
3 skirmish (betw. armies) Plu.

ἀψίνθιον ου *n.* a kind of bitter plant, **wormwood** X. Men.

ἀψίς ῖδος *f.* [ἅπτω] ‖ ep.acc. ἄψιν (Hes.) ‖ **1** outer rim of a wheel, **felloe** Hes.; (gener., ref. to a wheel) Hdt. E.; (meton., ref. to a chariot) E.; (fig.) **frame** (W.GEN. *for verses*) Ar.
2 vault (of the sky) Pl.
3 circular join, seam (on a ball) AR.
4 fastening (of cords together) ‖ PL. **mesh** (made of linen, for fishing) Il.

ἄψις εως *f.* **contact** (betw. two items) Pl.

ἀψ-όρροος ον *adj.* [ἄψ, ῥέω, or perh. ἄψορρος] (of the R. Okeanos) **flowing back** (into itself) Hom. Hes.

ἄψ-ορρος ον *adj.* [perh. ἔρρω] (quasi-advbl., of persons going, coming, leaping) **back** Il. hHom. S. AR.; (of a bird flying) Theoc.; (of a wave rushing) Il.

—**ἄψορρον** *neut.adv.* **1 back** —*ref. to moving* Hom. Hes. A. S. AR.

2 again —*ref. to speaking, catching one's breath* Hom. —*ref. to coming to a place* AR.

ἄψος εος *n.* [ἅπτω] **joint** (betw. two bones) || PL. (gener.) **limbs** Od. AR.

ἀ-ψόφητος ον *adj.* [privatv.prfx., ψοφέω] (of a person) **without noise** (W.GEN. fr. high-pitched wailing) S.

—**ἀψοφητί** *adv.* without a sound, **quietly** Pl. D. Plu.

ἄ-ψοφος ον *adj.* [ψόφος] without a sound; (of a person's step, a path) **noiseless** S. E. Call.

ἄ-ψυκτος ον *adj.* [ψύχω¹] (of a substance) **impossible to cool** Pl.

ἀ-ψυχαγώγητος ον *adj.* [ψυχαγωγέω] (of a certain kind of reading-material) **unalluring, unappealing** Plb.

ἀψυχία ᾱς *f.* [ἄψυχος] lack of spiritedness, **cowardice** A. E.

ἄ-ψυχος ον *adj.* [ψυχή] **1** without life or soul; (of a corpse, a creature) **lifeless** E. Pl.; (of ghosts) AR.; (of a dead animal's horn, as part of a lyre) E.; (of a reflection) E.; (oxymor., of a life, ref. to an apparition fr. Hades) Ar.; (fig., of a lover, through desire) Archil.

2 (of objects, materials, minerals, or sim.) **inanimate** Pl. X. D. Arist. +; (of food in Orphism, ref. to vegetables, opp. meat) **soulless, bloodless** E. Pl.

3 || COMPAR. (of certain bones) without much of the soul Pl.

4 without spiritedness; (of persons) **cowardly** Plb.; (of hounds) X.

ἀῶ (dial.acc.): see ἠώς

ἄω *vb.* | fut. ἄσω | AOR.: inf. ἆσαι, subj. ἄσω, opt. ἄσαιμι | ATHEM.AOR. (unless pres.): ep.inf. ἄμεναι, Ion.1pl.subj. (disyllab.) ἕωμεν || MID.: ep.3sg. ἄαται (Hes.) | fut. ἄσομαι | aor.inf. ἄσασθαι | **1 satisfy** —*a child* (W.GEN. w. food) Il. —*Ares* (w. blood) Il.; **glut** —*ravening dogs* (sts. W.DAT. w. one's fat) Il. || MID. **satisfy** —*one's heart* (W.GEN. w. food and drink) Il.

2 exhaust —*one's horses* (W.GEN. w. running) Il.

3 (intr., act. and mid.) **have one's fill** —W.GEN. *of lamenting, war* Il. Hes.; (of a spear, lion) **have its fill** —W.GEN. *of flesh* Il. Theoc.

ἀ-ώδης ες *adj.* [privatv.prfx., ὄζω] (of liquids for making ointments) **odourless** Pl.(cj.)

ἀῶθεν *dial.adv.*: see under ἠῶθεν

ἀών *dial.f.*: see ἠιών

ἀῶος *dial.adj.*: see ἠῷος

ἀωρεῖτο (dial.3sg.impf.pass.): see αἰωρέω

ἀωρί *adv.* [ἄωρος¹] at an untimely hour, **late** (W.ADV. or GEN. at night) Antipho Ar. Theoc.

ἀωριᾶν *adv.* in an untimely way, **late** Ar. | see also ἀνωρίη

ἀωρό-νυκτος ον *adj.* [νύξ] (of screaming) **late at night** A.

ἄ-ωρος¹ ον *adj.* [privatv.prfx., ὥρα] **1** not in season; (of storms) **unseasonable** A.; (of conduct) **unsuitable** (W.GEN. for one's old age) Plu.; (of ambition) **ill-timed** Plu.

2 not at the right time (in a person's life); (of women) **unripe** (for marriage) Plu.; (of fates, death, afflictions) **untimely, premature** Scol. A. E. Antipho; (quasi-advbl., of a person dying) Sol. Hdt.(v.l. ἄνωρος) E. Theoc.*epigr.*

3 (of drunkenness) at the wrong time (of day), **too early** Plu.

4 no longer at the right time (of life); **past one's youth** Pl. X.; (of marriages) **too late** Plu.

ἄ-ωρος² ον *adj.* [ὤρη *shank*] (cf Scylla's tentacles) **shankless** (i.e. boneless) Od.

ἄωρος³, also **ὦρος** (Call.), ου (Aeol. ω) *m.* **sleep** Sapph. Call.

ἄωρτο (ep.3sg.plpf.pass.): see ἀΐρω

ἀώς, also **Ἀώς** *dial.f.*: see ἠώς

ἀωτέω *contr.vb.* —also **ἀωτεύω** *vb.* [reltd. ἄωτος¹] **sleep** Simon. B. —W.INTERN.ACC. *a sweet or long sleep* Hom.

Ἄωτις ιος *dial.f.* [Ἠώς] | dat. Ἄωτῑ | **Aotis** (name of an unidentified goddess assoc.w. the dawn or the East, perh. ref. to Ortheia or Artemis) Alcm.

ἄωτος¹ ου *m.* —also **ἄωτον** ου (Call. AR.) *n.* [perh. ἄημι] **1** pile or nap (fr. a sheep or flax); **wool** (W.GEN. fr. a sheep, used for a sling) Il.; **fleece** (on or fr. a ram) Od. AR. Theoc.; (gener.) **fabric** (made of linen, used for bedding) Il.

2 that which is on the surface; **foam** (W.GEN. of a wave, as an exemplar of whiteness) Call.

3 that which is the best part (of sthg.); **excellence** (W.GEN. of life) Pi.; **bloom, prime** (of youth) A.; **essence** (W.GEN. of justice, honey) Pi.; (ref. to the purest water) Call.

4 one who is the best (of a kind); **flower, pick, cream** (of a country's men) A.; (W.GEN. of warriors, sailors, heroes, nobles) A. Pi. Theoc.; (of horses) Pi.

5 that which is the best (of a kind); **finest prize** (ref. to a wreath, song, sts. W.GEN. among wreaths or songs) Pi.; **finest gift** (W.GEN. fr. the Graces, a poet's tongue, music) Pi.; **finest achievement** (W.ADJ. in athletics) Pi.; (W.GEN. of a poet's skill) Pi.

ἄ-ωτος² ον *adj.* [privatv.prfx. οὖς] without ears; (of a wine-jar) **without handles** Call.

Β β

βᾶ[1] (dial.3sg.athem.aor.): see βαίνω
βᾶ[2] *interj.* (app. equiv. to voc. βασιλεῦ) **lord** (as an address to Zeus) A.
βαβαί (also **βαβαιάξ** Ar.) *interj.* [perh.reltd. παπαῖ] (expressing astonishment, consternation, irritation, or sim.) E.*Cyc.* Ar. Pl.
βαβράζω *vb.* (of cicadas) **chirp shrilly** Anan.
Βαβυλών ῶνος, Aeol. **Βαβύλων** ωνος *f.* **Babylon** (city on the Euphrates, capital of Babylonia) Alc. A. Pi.*fr.* Hdt. Ar. X. +; (exemplifying a large and very rich city) Hdt.; (as an oppressive power) NT.
—**Βαβυλώνιος** ᾱ (Ion. η) ον *adj.* (of the city, land, monuments, forms of currency) of Babylon or the Babylonians, **Babylonian** Hdt. X. Arist.; (of a kind of garment) Plu.; (of a man) Hdt.
—**Βαβυλώνιοι** ων *m.pl.* men of Babylon or Babylonia, **Babylonians** (as a population or military force) Hdt. +; (title of a play by Aristophanes) Arist. ‖ MASC.FEM.SG.SB. Babylonian man or woman Hdt. Plu.
—**Βαβυλωνίᾱ** ᾱς *f.* **Babylonia** (country NE. of Arabia) X. Arist. Plb. Plu.
βάγματα των *n.pl.* [βάζω] **utterances** (of lamentation) A.
βάδην *adv.* [βαίνω] **1 on foot** (opp. on horseback or on board ship) A. Plu.
2 at a steady walking pace (opp. at a run or gallop) X.; (phr.) θᾶττον ἢ βάδην *quicker than walking pace* (i.e. almost at a run) X. Plu.; **with steady progress** A. S.*Ichn.* Ar.; (milit., opp. running, falling into disorder) Hdt. X. +
3 at a relatively slow pace Plb.; **with faltering steps** (due to age or dejection) Il. Plu.; (phr.) μόλις βάδην *barely putting one foot in front of the other* X.
4 bit by bit, gradually —*ref. to starving* Ar.
βαδίζω *vb.* [reltd. βάδην] | fut. βαδιοῦμαι | aor. ἐβάδισα | pf. βεβάδικα ‖ neut.impers.vbl.adj. βαδιστέον, also pl. βαδιστέα ‖ freq. W.PREP.PHR. *to or into a place or situation,* or W.ADV. *somewhere or in a certain manner* ‖
1 (of persons, animals) go forward on foot (opp. stand still, lie, be carried, ride, swim, fly), **walk** Ar. Att.orats. +; (fig., of words) Pl.
2 (w. focus on manner, demeanour, relative position) **walk** (fr. side to side, in front, upright, in procession, slowly, cheerfully, or sim.) hHom. S. Ar. Pl. +; (opp. run, jump) X.; (of a mechanical snail) **move slowly** Plb.
3 (w. focus on the place or circumstance) **walk** (over sand, through fire, in the street, alone, while talking, without shoes, a long way, or sim.) hHom. Carm.Pop. Ar. Att.orats. +
4 (in requests) **walk, come, go** Ar. + • βάδιζε δεῦρο; *will you step this way?* Ar. • τί οὐ βαδίζομεν *why don't we go?* Pl.
5 be on one's way (esp. in haste, a state of anger, relief, indifference); **get going, be off** Ar. D.; (freq. imperatv., as an impatient or angry command) Ar. Men. Plu.
6 (w. focus on destination) **walk, come, go** (to or towards a place) Ar. Att.orats. +
7 walk or **go** (to or up to a person) Ar. Att.orats. +; (w. focus on motion diminished) **visit, keep company** (w. a person, certain kinds of people; sts. w. sexual connot.) Ar.
8 make one's way (to another city, region, country, esp. overland); **walk, proceed, journey** S. Ar. Att.orats. Pl. +; (through the air or by boat) Ar. X.
9 (of a leader, troops) **go out, march** (across territory, against enemies) D. Plu.; (of lions) **advance** (on prey) Plu.
10 (w. focus on an official or legal purpose); **come, go, proceed** (to another state or leader, before the people or a court) D. Plb. Plu.
11 exercise a right of entry, **enter, walk** (into property, over a piece of land) Ar. Is. D.; (w. focus on motion diminished) **come** (into hereditary property) Is. D. Plu.
12 progress (in one's life) or enter into a new phase; **proceed, advance** (along a particular path, in one's thought, action, life) X. Theoc. Plu.; **enter** (into office, political life) Arist. Plu.; (of a widow) **move on** (to another husband) D.
13 (of writers, orators, or sim.) **proceed, advance** (in knowledge, in one's argument or against another's) Att.orats. Pl. +
14 (of night, day) move at a regular pace, **proceed** E.; (of wind, water) **pass** (along a route) Ar. D.
15 (of the body, institutions, power) proceed in development, **grow, develop** Plu.; (of a sickness, doctrine) **spread** D. Plu.
16 (of nature, a thing by its nature) **tend** (in a certain direction) D. Arist.; (of circumstances) **proceed** D. Arist. Plu.; (of prices) **go** —W.PREP.PHR. *lower* D.
17 (of excrement) **be disposed of** Ar.
βάδισις εως *f.* **1 walking** (as a form of motion, sts. opp. flying, leaping; also as an exercise for health) Arist.
2 manner of walking, **walk, gait** Ar. Plu.; **movement** (of a hare, evading hunters) X.
βάδισμα ατος *n.* manner of walking, **walk, gait** X. D.
βαδισμός οῦ *m.* activity of walking, **walking** Pl.
βαδιστής οῦ *m.* **steady runner** E.
βαδιστικός ή όν *adj.* (of a person) **of the kind who likes walking** Ar.
βάδος ου *m.* [reltd. βάδην] act of walking, **walk** Ar.
βάζω *vb.* | 2sg.aor.subj. βάξῃς (Anacr.) | 3sg.pf.pass. βέβακται (Od.) | **talk, speak** Od. —W.DAT. w. harsh or abusive words Hes. A. —W.ACC. *words of abuse* Od. —W.NEUT.PL.ACC.ADJ. as SB. *things that are right, deceitful, boastful, empty, or sim.* Hom. Hes. Anacr. A. Pi.*fr.* E. AR. —W.ADV. *well, abusively, divisively* Od. E. —(W.ACC. *to or about someone*) Il. A. E. —(W.PREP.PHR. *against a city*) A. ‖ PASS. (of a statement) be spoken Od.

βαθέως *adv.*, **βαθίον** *dial.compar.adv.*: see under βαθύς
βᾶθι (dial.athem.aor.imperatv.): see βαίνω
βάθιστος (ep.superl.adj.): see βαθύς
βαθμίς ίδος *f.* [βαθμός] **1 base** (of a statue) Fi.
2 step (in the progression of a person's life) Pi.
βαθμός οῦ *m.* [βαίνω] **1 step, pace** (as a measure of distance) Plb.
2 rank (in social standing) NT.
βάθος εος (ους) *n.* [βαθύς, βένθος] **1** quality of being deep in extension downwards or inwards (freq. w.connot. of expansiveness); **depth** (of a river, the sea, snow, earth, a trench, flesh, or sim.) Hdt. E. Pl. X. +
2 distance from the top or surface downwards or from the outer part inwards (freq. given in numerical units, sts. opp. width, length); **depth** Hdt. Pl. X. Arist. +; **depth** or **height** (of a manufactured object) E. X. Plb.; **length** (of a horse's hair) Hdt.; (of a body of water, a stretch of land) Plb. Plu.; **height** (of land, above sea-level) Pl. Plb.; **depth inland** (fr. the coast) Plu.
3 distance from front to back; **depth** (of a cube or other solid) Pl. Arist.; (of ranks of fighting men, ships, military huts, wagons) Th. X. Plb. Plu. ‖ PL. geometry of solids Pl.
4 deep part far from the top, surface or edge; **depth, depths** (of the earth, underworld, a hill, river, the sea, marshes) A. Emp. E. Ar. Pl. +; **deep interior** (of a statue, a human body) Plu.; **depression** (on the earth's surface) Pl.; **heights** (of the sky) E. Ar.
5 quality of wide distribution or density; **thickness** (of ash in the air, trees) Plu.; (concr.) thickest part, **depths** (of a wood) Theoc.
6 quality of intellectual depth, **profundity** (of persons, their thought, discourse, soul) Pl. Plb. Plu.; (of God) NT.
7 extremeness of degree; **huge extent** (of wealth, empire) S. E. Plu.; (of a disaster) A. E.; (of poverty, spiritual riches) NT.
8 depth (of a drinking bout, ref. to duration or intensity) Theoc.
βάθρον ου *n.* [βαίνω] | freq. collectv.pl. | **1** solid ground or substructure (for edifices); **foundation** (of a bridge) Plu.; (of a city) E.; (of the world, ref. to a layer of air) Pl.
2 (fig.) that which is the underpinning (of cities or human conduct); **foundation** (ref. to Eunomia, Justice) Pi.; (W.GEN. of Justice, w.connot. of section 5) S.
3 (fig.) that which is at the extreme point ‖ PL. extremity (of danger) E.
4 (fig.phrs., ref. to a person being ruined) ἐκ βάθρων *from the foundations* E.; αὐτοῖσιν βάθροις *foundations and all* (i.e. utterly) E.
5 base, pedestal (for statues, altars) A. Hdt. E. X.; (in heaven, for self-control, the nature of beauty) Pl.
6 solid ground or land which affords a firm or age-old foundation for settlement; **foundation, domain, sacred ground** S. E.; (of the dead, below the earth) S.
7 natural raised flat surface (suitable for sitting or standing on); **rocky seat, ledge** or **platform** (on the Areopagus) E.; (in a sanctuary at Kolonos) S.
8 constructed step or platform; **ledge, landing stage** (on the side of a canal) Hdt.; **step, platform** (for a herald) E.; **step** (up to an altar or building, in the street, down into the underworld) S. E. Plb.; **rung** (of a ladder) E.
9 manufactured seat (of wood, stone); **bench** (for a pupil, magistrate, or sim.) Lys. Pl. D. Plu.; **seat** (in a theatre) Plu.
βαθύ-βουλος ον *adj.* [βαθύς, βουλή] (of thinking) **with deep deliberation** A.
βαθύ-γεως ων, also **βαθύγειος**, Ion. **βαθύγαιος**, ον *adj.* [γῆ] (of territory) **possessing deep soil** Hdt Call. Plu.

βαθυ-δείελος ον *adj.* (of a city, on Keos) app. **steeped in evening sunshine** B.
βαθύ-δενδρος ον *adj.* [δένδρεον] (of ground) **densely wooded** Lyr.adesp.
βαθυδῑνήεις εντος *masc.adj.* [βαθυδίνης] (of rivers) full of deep swirling water, **deep-eddying** Il. hHom.
βαθυ-δίνης εω *Ion.masc.adj.* [δίνη] (of rivers, Okeanos) of deep swirling water, **deep-eddying** Hom. Hes. hHom.
βαθύ-δοξος ον *adj.* [δόξα] (of a people) **of abundant glory** Pi.; (of a tribute, due to ancestors) Pi.*fr.*
βαθύ-ζωνος ον *adj.* [ζώνη] (of noble women, female deities) app., having a band or belt over which a robe falls down in a deep fold, **with a deep-folded robe** Hom. Hes.*fr.* hHom. A. Pi. B. S.*Ichn.*; (of Persian women) A.
βαθύ-θριξ τριχος *masc.fem.adj.* [θρίξ] | neut.nom.acc.pl. βαθύτριχα | (of sheep) **thick-fleeced** hHom.
βαθύ-κολπος ον *adj.* [κόλπος] (of noble women, female deities) app., wearing a garment which falls in a deep fold, **in a deep-folding robe** Il. hHom. Pi. Lycophronid. Theoc.; (of young widows, their chests) Il. A.
βαθυ-κρήμνος ον *adj.* [κρημνός] (of a river's edge) **steep-banked** Pi.; (of the sea's deep shores) **steep-cliffed** Pi.
βαθύ-λειμος ον *adj.* [reltd. λειμών] (of a city) **with rich meadows** Il.
βαθυ-λείμων ονος *masc.adj.* [λειμών] (of a foot-race, at the Pythian games) **in the low-lying field** (at Kirrha, beneath mountain slopes) Pi.
βαθυ-λήϊος ον *adj.* [λήϊον] (of an island) **with rich crops** AR.
βαθύ-μαλλος ον *adj.* [μαλλός] (of the Golden Ram's skin) **rich-fleeced** Pi.
βαθυ-μήτα *dial.m.* [μῆτις] | only nom. | (epith. of Chiron) **deep thinker** Pi.
βαθύνω *vb.* [βαθύς] | fut. βαθυνῶ | ep.3sg.aor. βάθυνε | **1** (of a torrent) **make deep holes in** —*a stretch of ground* Il.
2 (of a builder) **make deep** —*a foundation* NT.
3 (of a military leader) **deepen, extend** —*a battle formation* X.
βαθύ-ξυλος ον *adj.* [ξύλον] **1** (transf.epith., of the foliage of a wood) **densely timbered** E.
2 (of a pyre) **piled high with logs** B.
βαθυ-πέδιος ον *adj.* [πεδίον] (of Nemea) **of the low-lying plain** (beneath mountain slopes) Pi.
βαθυ-πλόκαμος ον *adj.* (of women, female deities) **with thick locks of hair** B. AR. Mosch.
βαθύ-πλουτος ον *adj.* [πλοῦτος] **1** (epith. of Peace) **with depths of wealth** E.*fr.*; (of a life) B.
2 (of land) **very fertile** A.
βαθυ-πόλεμος ον *adj.* (epith. of Ares) **steeped in war** Pi.
βαθυ-ρρείτης ᾱο *ep.masc.adj.* [ῥέω] (of Okeanos) **deep-flowing** Il. Hes.
βαθυ-ρρείων οντος *masc.ptcpl.adj.* (of rivers) **deep-flowing** AR.
βαθύ-ρριζος ον *adj.* [ρίζα] (of a tree) **with deep roots** S. AR.
βαθύ-ρροος ον, contr. **βαθύρρους** ουν *adj.* [ῥόος] (of Okeanos, rivers) **deep-flowing** Hom. Hes.*fr.* hHom. S.
βαθύς εῖα (Ion. έα, ep.Ion. έη) ύ *adj.* | gen. βαθέος, fem. είᾱς (ep.Ion. είης, also έης, dial. έᾱς) | dat. βαθεῖ, fem. είᾳ (ep.Ion. είῃ, also έῃ) ‖ compar. βαθύτερος | superl. βαθύτατος, ep. βάθιστος |
1 extending a long way down or up from the earth's surface (sts. in terms of measurement; freq. w.connot. of being broad); (of the sea, a river, body of water, ground) **deep** or **expansive** Hom. +; (of crags) Plb. Plu.; (of the air) hHom. Ibyc. B.

2 (of a channel, ditch, hole, grave, well) extending a long way down from ground level, **deep** Il. Pi. Hdt. X. +
3 situated relatively low down between high sides; (of valleys, a ravine) **deep, high-sided** Il. X. +; (of an enclosure for animals) Hom.; (of a furrow) Call. Plu.; (fig., of a furrow in the mind) A.
4 (of a physical action) taking a long downward course; (of a fall) **steep** A.
5 situated or happening deep (within the earth or sea); (of places; of streams, their bed) **deep, in the depths** Il. Pi. Pl. Mosch.; (of things relating to fish) Pi. Pl.
6 (of things in the landscape or atmosphere) spread densely to a depth or height; (of woodland, vegetation, marshes, pasture, crops, land or soil for crops) **deep, thick, abundant** Hom. Hes. Thgn. A. Hdt. E. +; (of snow, frost, mud, ash, sand, dunes) Il. Plu.; (of air, ash in the air, a squall, sea-spray, mist, darkness) Hom. Simon. E.*fr.* Plu.
7 extending a long way from top to bottom (freq. w.connots. of being rich, dense, or sim.); (of hair, a beard) **long, thick** Semon. X. Plu.; (of the flank of a wrestler, horse or dog; of the divide of a dog's face) **deep** or **long** Ar. X.; (of a throat and voice, a stomach and appetite) **deep** or **huge** AR. Theoc.; (of folds, a garment) **ample, rich** Hdt. Mosch.; (of the defence provided by towers; of ladders) **high** A. Plu.; (of a kind of leaf) **long** Plb.; (of a cup) **deep** or **capacious** S. Theoc.; (of a layer of wax) Pl.; (of bedding) AR. Theoc.; (of shovellings of earth) Plu.
8 extending a long way from the exterior to the interior (w.connot. of some extreme degree, severity, remoteness, or sim.); (of a wound, cut) **deep** E. Pl. Plu.; (of grooves, in wood) X.; (of a cave) Ar.
9 (of an area of land or sea) extending a long way from one end to the other (esp. fr. the coast out to sea or inland); (of a gulf, sea-route) **broad, long** Il. Pi. AR.; (of a beach) Il. Theoc. || COMPAR. (of one part of Europe) stretching further inland (fr. the Mediterranean) Plb.
10 (milit., of ranks or formations) extending a long way from front to back, **deep, solid** X. Plb. Plu.
11 extreme in degree (in terms of some intrinsic characteristic); (of persons, their attributes) **thoughtful, serious** Hdt. Pl. +; (of the mind) **deep-thinking, feeling deeply** Il. Thgn. Pi.; (of thought, motivation, love) **deeply felt** A. Pi. Theoc.; (of men, in terms of means) **very substantial** X.; (of a drinker) **heavy** Call.*epigr.*
12 (of a people's way of life) **advanced, sophisticated** Hdt.; (of an estate, glory, success) **abundant, immense** Pi. Call.; (of debt, danger, ruin) **extreme** Pi. B.; (of sleep) **deep** Call.*epigr.* Theoc. NT. Plu.; (of the path of wisdom, teachings) **profound** Pi. Plu.
13 (of a period of time) being at an extreme point; (of daybreak) **very early, at the first glimmer** Ar. Pl. Theoc. NT.; (of evening, night) **advanced, very late, in the depths** Plu. || NEUT.SB. advanced point (W.GEN. in old age) Ar.
—**βαθύ** *neut.adv.* **with a deep blow** or **cut** —*ref. to striking the ground (w. a mattock)* Men.
—**βαθίον** *dial.compar.adv.* **more deeply** —*ref. to being buried* Theoc.
—**βαθέως** *adv.* **deeply** —*ref. to sleeping* Theoc. Plu.
βαθυ-σκαφής ές *adj.* [σκάπτω] (of dust, i.e. the ground) **dug deep** (for a burial) S.
βαθύ-σκιος ον *adj.* [σκιά] (of a hollow, grove, mountain) affording deep shade, **very shady** hHom. Lyr.adesp. Theoc.
βαθύ-σπορος ον *adj.* [σπόρος] (of land, fields) suitable for abundant sowing, **fertile** E.

βαθύ-στερνος ον *adj.* [στέρνον] (of a lion) **deep-chested** Pi.; (fig., of Earth) **deep-bosomed** Pi.
βαθύ-σχοινος ον *adj.* [σχοῖνος] (of rivers) **thick with reeds** Il. hHom.
βαθύ-φρων ονος *masc.fem.adj.* [φρήν] (of a man) **deep-thinking** Sol.; (of the Fates) Pi.
βαθύ-φυλλος ον *adj.* [φύλλον] (of a plane tree) **thick with leaves** Mosch.
βαθυ-χαίτης ου *adj.* [χαίτη] (of a person) **with thick** or **long hair** Hes.
βαθύ-χαος (or **βαθυχαῖος**) ον *adj.* [χάος, see χάϊος] (of men) **of ancient nobility** A.(dub.)
βαθύ-χθων ονος *masc.fem.adj.* [χθών] (of a land) **with deep soil** A.
βαίνω *vb.* [reltd. βάσκω, βίβημι] | ep.inf. βαινέμεναι (AR.) | fut. βήσομαι, dial. βάσομαι, also βᾱσεῦμαι (Theoc. Bion) | also act.fut. (causatv.) βήσω (AR.) | aor.1 (causatv.) ἔβησα (only tm., w. cpd.vbs.), ep. βῆσα, dial. ἔβᾱσα (E.), dial.1pl.subj. βάσομεν (Pi.) || ATHEM.AOR.: ἔβην (ep. βῆν, dial. ἔβᾱν), 3sg. ἔβη (ep. βῆ, dial. ἔβᾱ, also βᾶ), 3pl. ἔβησαν (ep. βῆσαν, also ἔβαν, βάν, dial. ἔβᾱσαν), 3du. ἐβήτην, ep. βήτην, βάτην | imperatv. βῆθι (dial. βᾶθι), 3sg. βάτω (S.), 2pl. βᾶτε | subj. βῶ, ep. βείω, dial.1pl. βάμες (Theoc.) | opt. βαίην | inf. βῆναι, ep. βήμεναι, βήμεν, dial. βάμεν | ptcpl. βάς, βᾶσα, βάν || PF.: βέβηκα, dial. βέβᾱκα, 3pl. βεβήκασι (in cpds.), βεβᾶσι (Trag.), ep. βεβάᾱσι | subj. βεβήκω (S.) | inf. βεβηκέναι, ep. βεβάμεν | ptcpl. βεβηκώς (dial. βεβᾱκώς), also βεβώς (ep. βεβαώς) || PLPF.: ep.3sg. ἐβεβήκει, also βεβήκει, dial. βεβᾱκει, ep.3pl. βέβασαν || EP.AOR.MID. (w.act.sens.): 2sg. ἐβήσαο (hHom.), 3sg. ἐβήσατο, βήσατο (Hes. AR.), also ἐβήσετο, βήσετο (Hom.) || freq. W.PREP.PHR. *to a place or sim.* | The sections are grouped as: (1–16) personal subjects, (17–22) non-personal subjects, (23) causatv. uses. |
1 move by taking steps; **step, tread** Hom. +; (ep.aor.mid.) Od. hHom.; (in rhythm, esp. in dancing) Lyr.adesp. Th. Ar. Pl. Call.
2 go about habitually (in a place); **walk, range** Pi. E. Pl.; (ep.aor.mid.) hHom.
3 make one's way (on foot or by other means, to a person, place or event); **set out, go, come** Hom. +; (ep.aor.mid.) Il. AR.
4 make a move (esp. w. urgency); **start up, set out** Hom. hHom. Trag. +—W.INF. *to go or do sthg.* Hom.
5 (specif., of leaders, armies, fleets) make one's way (on an expedition), **set out, go, come** Hom. hHom. Pi. Trag. Ar. +
6 (of ships) **come, go** hHom. S. E. Call.
7 (of warriors, defenders, enemies) **take up a position, take a stand** Hom. E. +
8 step up, mount or **embark** (onto an animal, vehicle, ship, ladder, wall, or sim.) Hom. +; (ep.aor.mid.) Il. Hes.; **step** (into, onto or out of sthg., such as a bath, bed, bench) Hom. Hes. E. AR.; (on a prostrate body) Il. Iamb.adesp. Theoc.; (fig., on oaths) Hippon.; (tr., ep.aor.mid.) **mount** —*a chariot* Il.
9 || STATV.PF. stand or be (in a place, on the ground, in a situation, or sim.) Hom. +
10 || STATV.PF. be mounted, ride (on an animal or vehicle) Od. +
11 (of a male animal) **mount** (a female) Thgn.; (of a man, his male lover, envisaged as animals) Pl. || PASS. (of female animals) be mounted Hdt.
12 step, step down (on the ground, the shore, esp. fr. a vehicle, ship, wall) Hom. Hes. E. AR. Theoc.
13 make one's way (in a certain capacity, as a god, protector, messenger, enemy, or sim.); **come, arrive, go** Hom. Pi. S. E.

14 go away (freq. w.connot. of haste, abandonment, emotion); **go, leave, disappear** Hom. Hes.fr. Trag. Ar. –
15 go away for ever (to ruin, oblivion, death, heaven, immortality); **go, leave, pass on** Hom. Hes. Thgn. Pi. Trag. +
16 make one's way (on a non-material path); **come** (to a certain point in one's life or thoughts) S. E.; **attain** (to a certain standard or level) Pi. S. E. Call.; **go, step, move** (beyond certain limits) Thgn. S. Pl.
17 (of heavenly bodies, the universe) **move, progress, travel** Od. Pl.; (of song, fame, prophecy, virtue) Pi. S. E.
18 (of events or circumstances, things seen, thought, said or heard) **come** (upon someone or sthg., or to a certain point or level) Il. Pi. Trag. +
19 (of circumstances, time) **go, disappear, pass** Il. +
20 (of moisture) **go, disappear** (fr. leather being tanned) Il.; (of an object, into the sea) Pi.
21 ‖ STATV.PF. (of a house, statue, ladder, ship, or sim.) be **positioned, rest** or **stand** (in a place, on a foundation, or sim.) Pl. X. Plb. Plu.; (of a tyranny) be **established** Hdt.; (of a man's thinking) be **steady** Plu. ‖ PF.PTCPL.ADJ. (of a kind of fighting) **stationary** Plu. ‖ NEUT.PF.PTCPL.SB. **steadfastness** (of a person) Plu.
22 ‖ PASS. (of a line of verse) be **scanned** Arist.
23 (causatv., only act.fut. and aor.1) **drive** —horses, a chariot Il. Pi.; **bring** —a person (to or fr. a place) E. Call.; **set** —a person (on a path) Parm.; **bring down, dislodge** —warriors (fr. a chariot) Il.; **send** —a person (to ruin) AR.

βαΐον ου n. [Egyptian loanwd.] **frond** (of a palm tree) NT.

βαιός ά (Ion. ή) όν adj. | compar. βαιότερος | **1 small** in size; (of an island) **small** A. AR.; (of a tongue) **small** E.; (of the bow and torch of the infant Eros) Mosch.; (of a portion of wealth) A.; (quasi-advbl., of Eros crouching) **low** AR. ‖ COMPAR. (of an entity) **smaller** Parm.
2 (quasi-advbl., of a person travelling) **with a small retinue** S.
3 (of a person) **lowly** S.; (of a habitation) S.
4 (of speech) **low, quiet** S.
5 (of anxieties) **slight** S.
6 (of a period of time) **short** Sol. Lyr.adesp. S.
7 (of weapons) **few** A. Pi.fr.; (of rags) S.; (of figs) Anan. ‖ NEUT.PL.SB. **few words** S.; **few pleasures** Ar.
8 ‖ NEUT.PL.SB. **short themes** (in poetry) Pi.

—**βαιόν** neut.adv. **1 to a small extent, little** S.
2 at a short distance (away) S. AR.
3 for a short time Hes. S.
4 after a short time S.

βαίτη ης, dial. **βαΐτα** ας f. stitched leather garment, **cloak** (worn by rustics) Hdt. Theoc.

βακίζω vb. [Βάκις] **keep going on about Bakis** Ar.

Βάκις ιδος m. | voc. Βάκι, acc. Βάκιν | **Bakis** (legendary Boeotian seer, whose prophecies were collected in written form) Hdt. Ar. Call.

βάκκαρις ιδος f. [app. Lydian loanwd.] | Ion.dat. βακκάρῑ | acc.pl. βακκάρεις | a kind of perfumed ointment; perh. **hazelwort** or **sowbread** Semon. Hippon.

βακτηρία ᾱς, Ion. **βακτηρίη** (cj. **βατηρίη**) ης (Hippon.) f. [reltd. βάκτρον] **stick, staff** Hippon. Th. Lys Ar. Pl. X. +; (carried by men attending the Assembly) Ar.; (by jurors, painted in the colour of the court assigned) D. Arist.

βακτήριον ου n. **stick, walking-stick** Ar.

Βάκτρα ων n.pl. **1 city of Bactra** (in Asia), **Bactra** Hdt. Plb.
2 territory of Bactra, Bactria, Bactriana Men. Plu.

—**Βάκτριος** ᾱ (Ion. η) ον adj. (of the walls) **of Bactra** or **Bactria, Bactrian** E.; (of the land or territory) (of the race) Hdt.; (of a man) A. ‖ MASC.PL.SB. **Bactrians** A. Hdt. X. Plu.

—**Βακτριανός** ή όν adj. (of cavalry) **Bactrian** Plu. ‖ MASC.PL.SB. **Bactrians** Hdt. Plb. ‖ FEM.SB. **Bactria** or **Bactriana** Plb.

βακτρεύματα των n.pl. [reltd. βάκτρον] **support as though from a walking-stick, support** (W.GEN. for a blind man's steps, given by another person) E.

βάκτρον ου n. **1 sceptre** (of a king) A.
2 staff (carried by Herakles, ref. to his club) Theoc.; (W.ADJ. **wreathed** w. ivy, ref. to the Bacchic thyrsos) E.
3 stick, walking-stick (for the aged, infirm or blind) E. Call. AR.
4 (ref. to a person) **staff, support** (for another) E.

βάκχᾱ dial.f.: see βάκχη

βακχάζω vb. [βάκχος] (of warriors) **be in a state of frenzy, be mad** or **raging** S.(dub.) | see καχάζω

βακχάω contr.vb. **be in a state of frenzy**; (of a warrior) **be mad** —w. πρός + ACC. for battle A.

βακχέ-βακχος ου m. **hymn invoking the name of Bacchus, Bacchus hymn** Ar.

βακχείᾱ ᾱς f. [βακχεύω] **1** (sg. and pl.) **Bacchic worship** or **revelry** E. Pl. Plu.; (reflected in a style of dancing or song) Pl. Arist.
2 ritual, revelry (of worshippers of Rhea) E.
3 drunken revelry E.
4 frenzy, madness (of Erinyes) A.
5 ecstatic or **transported state** (afforded by philosophy) Pl.

βάκχειος ον adj. **1 of** or **associated with Bacchants**; (of the thyrsos, fire fr. torches, a kind of song, a way of moving) **Bacchic** E.
2 of or **associated with Bacchus**; (of a grape-cluster) **Bacchic** S.fr.; (of a style of music, at the god's wedding) X.
3 (of Aeschylus) **associated with the Dionysiac art** (of tragedy), **Bacchic, inspired** Ar.
4 (of Cassandra, as seer) **frenzied, ecstatic** E.; (of a kind of lament) E.

—**Βάκχειος** ου m. **Bacchic god** (title of Dionysus) Hdt. S. E.Cyc.(dub.) Ar. ‖ ADJ. (of Dionysus, the god) **Bacchic** hHom. S.

—**βάκχεια** ων n.pl. **1 Bacchic rites** Ar.; (sg.) Ar.
2 Bacchic or **drunken revelry** Plu.

βακχεύματα των n.pl. **1 Bacchic worship** or **revelry** E. Plu.; (sg.) E.
2 ecstatic or **transported state** (of Cassandra, in prophecy) E.

Βακχεύς έως m. **Bacchus, Reveller** (title of Dionysus) S. E.

βακχεύσιμος η ον adj. **relating to Bacchic behaviour** ‖ NEUT.SB. **possession by Bacchus** E.

βάκχευσις εως f. **celebration of Bacchic rites** E.

βακχευτικός ή όν adj. (of a person) **disposed to Bacchic behaviour** Arist.

βακχεύω vb. [βάκχος] | pf.pass. βεβάκχευμαι | **1** (of persons) **be a devotee of Bacchus, engage in ecstatic** or **frenzied Bacchic rites** Hdt. E.; (fig., of the hair of a devotee) **stream in revelry** E.
2 engage in ecstatic or **frenzied rites** (in the cults of Orpheus or the Great Mother) E. Pl.
3 (of Cassandra, as seer) **be in an ecstatic** or **frenzied state** E.; (of certain poets) Pl.
4 (of a person) **be crazed** —W.ACC. in the mind E.; (of a person, Lyssa, a poisoned bird) **behave in a crazed** or **frenzied manner** S. E.

5 be drunk or **crazy** (w. wine) Plu.; (w. power, adulation of a leader) Plu.
6 (causatv., of murder, Erinyes) **make** (W.ACC. someone) **crazed** E. ‖ PF.PASS. **be possessed** —W.DAT. w. madness E.

βάκχη ης, dial. **βάκχᾱ** ᾶς f. **1 female devotee of Bacchus, Bacchant** (esp. on Kithairon, Parnassos, at Delphi) Alcm. Trag. Ar. Pl. Plu.; (W.GEN. of the god) E.; (as exemplifying a crazed murderous person) Plu. ‖ PL. **Bacchae** (as the title of a play or poem) A. E. Theoc.
2 crazed celebrant (W.GEN. of Hades, ref. to a murderer) E.; **crazed devotee** (of the dead, ref. to Antigone) E.
3 ecstatic one (ref. to Cassandra) E.

βακχίᾱ ᾶς, Ion. **βακχίη** ης f. [βάκχιος] **Bacchic revelry, carousing** Archil. Philox.Leuc.(cj.)

Βακχιάδαι ῶν (Ion. έων) m.pl. **Bacchiadae** (aristocratic family fr. Corinth, descendants of a legendary king Bacchis) Hdt. Arist. AR. Plu.

βακχιάζω vb. [βάκχιος] **1 act like a Bacchic devotee** E.
2 act like a Bacchant, be drunk or **disorderly** E.Cyc.

βακχικός ή όν adj. [βάκχος] (of behaviour) **characteristic of a Bacchant, Bacchic** Plu. ‖ NEUT.PL.SB. **Bacchic rites** Hdt.

βάκχιος ᾱ (Ion. η) ον adj. **of or associated with Bacchus or Bacchants**; (of rites, frenzy or tumult) **Bacchic** Pi.fr. S. E.(dub.); (of the vine or wine) S. Ar.; (of a dance) E.; (of Thebes) S.
—**Βάκχιος** ου m. **god of Bacchic rites** or **wine, Bacchic god** S. E. Ar. Tim. Men.; (meton.) **wine** E.

βακχίς ίδος fem.adj. (of the Nymphs of the Corycian cave) **Bacchic** S.

βακχιώτᾱς ᾱ dial.m. **inspirer of Bacchic frenzy** (title of Dionysus) S.

βάκχος ου m. **1 male devotee of Bacchus, Bacchant** E. Pl.(quot.)
2 celebrant (of the Great Mother) E.fr.
3 crazed celebrant (W.GEN. of Hades, ref. to a murderer) E.
—**Βάκχος** ου m. **Bacchus** (name of Dionysus) Carm.Pop. S. E. Even. D.(oracle) Call.epigr. Theoc.; (meton.) **wine** E.

Βακχυλίδης ου m. **Bacchylides** (of Ceos, lyric poet, c.520–c.450 BC) Plu.

βαλαν-άγρᾱ ᾱς, Ion. **βαλανάγρη** ης f. [βάλανος, ἀγρέω] **1 hook for catching** (and pulling out) **the bolt-pin** (fr. the bar of a gate), **bolt-hook** Hdt. X.
2 app. **bolt-pin** Plb.

βαλανεῖον ου n. [βαλανεύς] (sts.pl.) **bath-house, baths** Ar. Pl. Is. D. Thphr. +

βαλανείτης ου m. **bath-keeper** (in charge of refilling water) Plb.

βαλανεύς έως m. **bath-house attendant** Scol. Ar. Pl. Thphr.

βαλανευτικός ή όν adj. ‖ FEM.SB. **art of the bath-house attendant** Pl.

βαλανεύω vb. **be a bath-house attendant** Ar.; (provb.) ἐμαυτῷ βαλανεύσω **I'll be my own attendant** (i.e. look out for myself) Ar.

βαλανη-φάγος ον adj. [βάλανος, φαγεῖν] **acorn-eating** Hdt.(oracle) Plu.

βαλανη-φόρος ον adj. [φέρω] (of a palm) **date-bearing** Hdt.

βάλανος ου f. **1 acorn** (fr. the oak, esp. as food for humans and animals) Hes. Pl. Theoc. Plb.; (collectv.) Od. Scol. Plu.
2 date (fr. the palm tree) Hdt. X.
3 bolt-pin (used to lock a door-bar in place, by being inserted vertically through it and fixed into a socket in the ground) Th. Ar.; **pin** (inserted into the clasp of a necklace, w. further connot. of penis) Ar.
4 ballot-ball (assigning a court to a juror) Arist.

βαλανόω contr.vb. ‖ pf. βεβαλάνωκα ‖ **1 bolt** —a door Ar.
2 ‖ PASS. (of places) **be bolted shut** Ar.; (fig., of a person, ref. to being constipated) Ar.

βαλάντιον n.: see βαλλάντιον

βαλανωτός ή όν adj. (of a door-bar) **bolted** Parm.; (of a door) X.

βαλβίς ῖδος f. **1 groove** (for an athlete's toes) **in the starting-block of a race-track**; **groove, mark** Carm.Pop.
2 starting-line (in a chariot-race) AR.
3 (fig., sg. and pl.) **starting-line** (of an activity, a period of life) E. Ar.; (since the same line marked the finish in certain races) **finishing-line** (ref. to battlements, as an attacker's goal) S.

βάλε (aor.2 imperatv.), **βαλεῖν** (aor.2 inf.): see βάλλω

βαλήν m.: see βαλλήν

βαλιός ά όν adj. **1** (of horses, lynxes, deer, a heifer) **dappled** E.
2 (of Zephyr's wings) app. **swift** Call.

βαλλάντιον (or **βαλάντιον**) ου n. **bag** or **pouch** (for carrying money), **purse** Ar. Pl. X. Thphr. NT. Plu.

βαλλαντιοτομέω contr.vb. [βαλλαντιοτόμος] **be a cutpurse** or **pickpocket** Pl. X.

βαλλαντιο-τόμος ου m. [τέμνω] **cutpurse, pickpocket** (sts. as a general term of abuse) Ar. Pl. Aeschin.

βαλλήν (or **βαλήν**) indecl.m. [loanwd.] **great king** (as an address to Darius) A.

Βαλληνάδε adv. [w. play on βάλλω, Παλλήνη] **to Ballene** (com. name, alluding to the Athenian deme Pallene) Ar.

βάλλω vb. ‖ dial.1pl. βάλλομες (Bion) ‖ fut. βαλῶ, also Att. βαλλήσω (Ar.), Ion. βαλέω ‖ aor.2 ἔβαλον, ep. βάλον, inf. βαλεῖν, Ion. βαλέειν, imperatv. βάλε ‖ pf. βέβληκα ‖ plpf. ἐβεβλήκειν, ep.3sg. βεβλήκει(ν) ‖ MID.: 3sg.iteratv.impf. βαλλέσκετο ‖ aor.2 ἐβαλόμην, ep. βαλόμην, Ion.imperatv. βαλεῦ ‖ PASS.: fut. βληθήσομαι, also fut.pf. (w.fut.sens.) βεβλήσομαι (E.) ‖ aor. ἐβλήθην ‖ ep.aor.: 3sg. ἔβλητο, also βλῆτο, 3sg.subj. βλήεται, 2sg.opt. βλεῖο, inf. βλῆσθαι, ptcpl. βλήμενος ‖ pf. βέβλημαι, ep.3sg. and pl. βεβλήαται ‖ neut.impers.vbl.adj. βλητέον ‖ For the ep.pf.pass. βεβόλημαι see below. ‖ The sections are grouped as: (1–4) throw w. the hand, (5) throw or let fly a missile, (6) throw out of or into a particular place, (7–10) set in a particular place, (11) bring into a particular condition, (12–13) impose or inflict, (14) lay down a foundation, (15–16) place in the heart, mind or womb, (17–21) impel forward, (22–23) move a part of the body, (24) impel by striking, (25) strike one thing against another, (26) throw down forcefully, (27–29) let fall or throw away, (30–42) strike w. a missile or blow. ‖
1 project with a motion of the hand, throw, cast, fling —objects (freq. W.PREP.PHR. onto, into or fr. sthg. or somewhere) Hom. +
2 (specif.) **throw, cast** —dice, a particular throw A. E. Ar. Pl. Arist.; (intr.) πῶς ἔβαλες; **how did you throw?, what luck?** Call.epigr. ‖ PASS. (of dice) **be cast** Plu.
3 cast —lots Call.(mid.) NT.; (as an address to fate) βάλε δή (or μοι), βάλε **grant** (me), **grant** (W.OPT. that sthg. be so) Alcm. Call.
4 cast (into the sea); **drop, cast** —anchor-stones Od.; (mid.) —an anchor Pi. Hdt. Pl. Plu.
5 throw or **let fly** (a missile); **throw, aim** —a weapon, stone, fire, or sim. (sts. W.PREP.PHR. at persons or things) Hom. Simon. Pi. Hdt. E. +; (of Zeus) —a thunderbolt Lyr.adesp.; **shoot** —an arrow Hdt. Call. Theoc.; (intr.) **let fly, shoot** (sts. W.DAT. w. a missile) Hom. Tyrt. A.fr. Hdt. E. Th. + ‖ MID. (of persons)

βάλλω

aim at one another Il. ‖ PASS. (of a thunderbolt) be thrown A.

6 throw (someone or sthg., out of or into a place); **cast** —*a person* (W.PREP.PHR. *into a storeroom*) Od. —(W.PREP.PHR. or ADV. *into the underworld*) hHom. S. E. —(*into prison*) NT.; **cast out** —*a person, an unburied body, an unwanted baby* (usu. W.PREP.PHR. or ADV. *fr. a land*) Trag. Corinn. AR. —*awe* (*fr. a city*) A. ‖ MID. (of a naval commander) **cast** —*enemy sailors* (W.PREP.PHRS. *fr. their ships, into the sea*) Pi.

7 set (someone or sthg., in a particular place); **place, put** —*a corpse* (W.PREP.PHR. *into a person's hands*) I.. —*animals* (*on a ship*) Od. —*fetters* (*around horses' feet, a person's hands or body*) Il. A. —*wheels* (*on both sides of a chariot*) Il. —*rugs* (*on chairs*) Od. —*a bar* (*on a door*) Anacr. —*a garment* (*over one's eyes*) E. —*one's foot* (*on a land, a threshold*) E. AR. —*one's fingers* (*in a person's ears*), *wine* (*into wineskins*) NT. ‖ PASS. (of a bed of leaves) be set on the ground Od.

8 set —*an ox* (W.PREP.PHR. *to the plough*) Mosch.; (mid.) —*a plough* (*to oxen*) Hes.

9 deposit —*money* (W.DAT. *w. bankers*) NT.

10 place (sthg., on or around the body); **place** —*a garment* (W.PREP.PHR. *around a person, one's own or another's shoulders or body*) Hom. E. —*a garland* (*on a person's head*) Pi.; (mid.) —*a garment, knapsack, weapon* (*around or over one's shoulders*) Hom. hHom. —*a shield* (*around one's sides*) E.

11 bring (someone, into a particular condition); **bring, cast** —*a person* (W.PREP.PHR. *into quarrels and strife*) Il. —(*into trouble*) Od. Thgn. Pi. —(*into enmity, fear, i.e. put him at enmity, cause him to be afraid*) A. Hdt. E. —*a country* (W.DAT. *into danger*) A.; (of a sea-battle) —*a city* (W.PREP.PHR. *to its knees*) Hdt.

12 impose or inflict (sthg. unwelcome); **lay** —*a whip* (W.PREP.PHR. *on horses*) Od.; **inflict** —*pain* (W.DAT. *on a person*) S.; **throw** —*blame* (w. εἰς + ACC. *upon a person*) E.

13 (of a god) impose (sthg. welcome); **cast** —*sleep* (W.PREP.PHR. *on a person's eyes*) Od.; **place, instil** —*strength, courage, desire* (*in a person's heart or limbs*) Il. hHom.; **set, establish** —*friendship* (W.PREP.PHR. *betw. people*) Il.

14 ‖ MID. lay down (a foundation); **establish** —*foundations, building works* Pi.*fr.* Pl. AR. —*a stockade, a camp* Plb. Plu.; (fig.) —*a foundation* (W.GEN. *for songs, for freedom, of wise words*) Pi. —*an excuse* (*for war*) AR.; app. **handle, settle** —*disputes and agreements* (W.PREP.PHR. *w. foreigners*) AR. ‖ PASS. (of beginnings) be laid Pi.

15 place (sthg., in the heart or mind); (of gods) **plant** (a thought) —W.PREP.PHR. *in a person's mind* Od. —*clever ideas* (*in a person's heart*) Pi.; (of a person) —*words or circumstances* (W.DAT. or PREP.PHR. *in one's mind, i.e. take them to heart*) A. S.; (of Virtue) —*a bounty* (*in the mind*) Arist.*lyr.* ‖ MID. **set, store** —*sthg.* (W.PREP.PHR. *in one's mind, i.e. take it to heart, pay heed to it*) Hom. Hes. Thgn. Hdt. —*anger* (*in one's heart*) Il.; **contemplate** —*sthg.* (*in one's mind*) Hom. Plu.; (intr.) **decide** (to do sthg.) —w. ἐπί + GEN. *on one's own initiative* Hdt.

16 ‖ MID. (of a cow) **take** —*an offspring* (W.PREP.PHR. *into its belly, i.e. conceive*) Hdt.

17 impel forward, **drive** —*one's horses* (W.ADV. *in front of another's*) Il. —*cattle* (*to higher ground*) Theoc.; (of waves) —*a person, a ship* (W.PREP.PHR. *against rocks*) Od.

18 drive, thrust —*a sword* (W.PREP.PHR. *into a person*) E. —*a stake* (*into an eye*) E.*Cyc.*

19 drive (sthg., W.PREP.PHR. *into the sea*); **launch** —*ships* Od.; (of a torrent) **wash** —*driftwood* Il.; (of a river) **empty** —*its stream* AR.; (intr.) Il. AR.

20 (intr., of horses) **rush on, dash** Il.; (of a storm) **rush down** NT.

21 (intr., in threats or curses, usu. imperatv.) **go** —W.PREP.PHR. *to the crows* (*i.e. to hell*) Ar.; (euphem.) —*to blessedness* Pl. Men.

22 move (a part of one's body); **turn** —*one's eyes, head* (W.ADV. or PREP.PHR. *in a particular direction*) Hom. E. AR.; **cast** —*one's hands, arms, talons* (W.PREP.PHR. *around someone or sthg., on or around a part of the body*) Od. Hes. hHom. Simon. E. AR.; (of a wounded warrior) **droop** —*his head* (W.ADV. *to one side*) Il.; **throw** —*one's soul* (W.PREP.PHR. *into sthg.*) Bion

23 (w. aggressive connot.) **lay** —*a hand* (W.PREP.PHR. *on a person*) E.; (of Erinyes) **direct** —*their steps* (W.PREP.PHR. *against a person*) E.

24 impel by striking, **knock** —*a helmet* (W.PREP.PHR. *fr. a person's head*) Il. —*a whip* (*fr. a person's hands*) Il. —*a severed head* (W.ADV. *far*) Il.; (of Zeus, w. a thunderbolt) —*charioteers* (*fr. a chariot*) Il.

25 strike (one thing against another); **strike** —*one's hands* (W.PREP.PHR. *against the ground*) Od.; (of a tree) —*its branches* (*against another tree*) Il. ‖ PASS. (of children) be dashed —W.PREP.PHR. *against the ground* Il.

26 throw down forcefully; (of an attacker, horse, weapon) **strike** or **knock down** —*a person* (W.ADV. or PREP.PHR. *to the ground, into the dust*) Hom. E. AR.; (of a boar) —*trees* (W.ADV. *to the ground*) Il. ‖ PASS. (of a building) be dashed —W.PREP.PHR. *to the ground* E.

27 let fall (fr. the hands), **drop** —*a baby* (W.ADV. *to the ground*) hHom. AR.; (of a charioteer) —*reins* Simon.

28 cast off (as a natural process); **let fall, shed** —*tears* Od. Thgn. E. Ar.; **lose** —*teeth* Arist.; **give up** —*one's life* Pi.

29 throw away, waste —*one's life* (w. ἐς + ACC. *on an empty hope*) Simon. —*a favour* (*on an unreliable person*) E.

30 strike (w. a missile); **strike, hit** —*a person, part of the body, armour, other physical objects* (freq. W.DAT. *w. a javelin, arrow, stone, or sim.*) Hom. + —W.DBL.ACC. *persons, in a part of their body or on their armour* Hom.; (intr.) —W.PREP.PHR. *against armour or a part of the body* Il.; (imperatv., repeated, as an urgent exhortation) *strike, strike!* E. ‖ PASS. be struck or hit Hom. + —W.ACC. *in a part of the body* Il.; (of fortifications) Il.

31 inflict by striking, **inflict** —W.DBL.ACC. *a wound on a person* Il.

32 (of Zeus) strike —*persons, places, objects* (usu. W.DAT. *w. a thunderbolt*) Od. Hes. hHom. A. E. Ar. ‖ PASS. (of a person or place) be struck —W.DAT. *by a thunderbolt* AR. Plu.

33 (of a missile) strike, hit —*a person* Il.; (of a bow) **shoot** —*a bird* S.

34 (of a scorpion) **sting** —*a person* Scol.

35 (of specks of blood or dust) **strike, hit** —*persons, objects* Il.; (of a drop of rain) Ar.; (of lustral water) —*a sacrificial victim* E.; (of a murdered man) —*his murderer* (W.DAT. *w. a drop of bloody rain, fig.ref. to his blood*) A.; (of pollution) —*a person, a statue* E. ‖ MID. **splash** —*one's skin* (W.DAT. *w. water*) hHom.

36 (of the sun) **strike** —*earth, heaven, or sim.* (sts. W.DAT. *w. its rays*) Od. E. Tim.; (of dawn) —*heaven* AR. ‖ PASS. (of a person's face) be struck —W.DAT. *by the sun's rays* Theoc.

37 aim at (w. a missile); **pelt** —*persons* (w. stones or sim.) Od. Hippon. Hdt. E. Th. +; (fig., of a pine tree, W.DAT. *w. cones*)

Theoc.; (imperatv., usu. repeated, as an urgent exhortation) *stone* (*him, them*)*!* Ar. X. Plb. ‖ PASS. be pelted (w. stones) Ar.
38 aim at (w. a token of admiration or love); **pelt** —*a person* (W.DAT. *w. apples*) Theoc.; (of Eros) **strike** —*a person* (W.DAT. *w. a ball*) Anacr.; **shower** —*a person* (W.DAT. *w. leaves or garlands*) Pi. E. Bion ‖ PASS. be struck —W.DAT. *by an apple* Ar.
39 strike —*a person* (*w. arrows of praise*) Pi. —(W.DAT. *w. a dart fr. the eye*) A.
40 strike, shower —*a person* (W.DAT. *w. insults, censure, resentment*) S. E. Ar.
41 (of a resentful look) **strike** —*a person* A.; (of longing) Lyr.adesp.; (of resentment, W.DAT. *w. a stone*) Pi.; (of a time, w. surprise) Pi.
42 (of sounds) **strike** —*persons, their ears* Il. Pi. S. AR.; (of a smell) —*persons* S.

—**βεβόλημαι** ep.pf.pass. | ptcpl. βεβολημένος | 3pl.plpf. βεβολήατο | **1** (of a bull) **be struck down** or **laid low** AR.; **be stung** —W.DAT. *by a gadfly* AR.
2 (of a person) **be stricken** —W.DAT. *w. grief, helplessness, speechlessness* Hom. AR.

βᾱλός dial.m.: see βηλός
βάλσαμον ου n. aromatic resin, **balsam** Plu.
βαλῶ (fut.): see βάλλω
βᾶμα dial.n.: see βῆμα
βαμβαίνω vb. [app.reltd. βαμβαλύζω] (of a warrior) **falter** (through fear) Il.; (of a singer's tongue, without the inspiration of his beloved) Bion
βαμβαλιαστύς ύος f. jumble of dialects, **babble** hHom. | see κρεμβαλιαστύς
βαμβαλύζω vb. [app.reltd. βαμβαίνω] (of a person) **shiver** (fr. cold, fear) Hippon. Iamb.adesp.
βᾶμεν (dial.athem.aor.inf.), **βᾶμες** (1pl.subj.): see βαίνω
βάμμα ατος n. [βάπτω] **dye** Ar. ?l.
βάν (ep.3pl.athem.aor. and neut.ptcpl.): see βαίνω
βανᾰ Boeot.f.: see γυνή
βαναυσίᾱ ᾶς, Ion. **βαναυσίη** ης f. [βάναυσος] **1 manual occupation, artisanry** (sts. w.pejor.connot.) Hdt. Pl.
2 vulgarity Arist.
βαναυσικός ή όν adj. **1** (of an art or craft) **of the manual kind** X.
2 (of a part of the population) **of the artisan class** Arist.
βάναυσος ον adj. **1** (of work, an art, craft, or sim., sts. w.pejor.connot.) **of an artisan, manual** S. Pl. Arist. Plb. Plu. ‖ NEUT.SB. **manual work** Plu.
2 (of a class, part of the population) **of the artisan** or **manual worker** Plb. Plu.; (of the way of life) Arist. ‖ NEUT.SB. **artisan class** Arist. Plu.
3 (of a man) **of the artisan class** Arist.
4 (pejor., of persons or things) **of a low** or **vulgar kind** Pl. Arist. Plb.
—**βάναυσος** ου m. **1 manual worker, artisan** (esp. opp. one engaged in agricultural labour, trading, or sim., sts. w.pejor.connot.) Pl. X. Arist. Plu.
2 ordinary or **common man** Arist. Plu. ‖ PL. **lower** or **uneducated classes** Plb. Plu.
βαναυσουργίᾱ ᾶς f. [ἔργον] **manual work** Plu.
βάξῃς (2sg.aor.subj.): see βάζω
βάξις εως (dial. ιος) f. [βάζω] **1 talk, report, story** (about events, persons or their actions) Mimn. Thgn. Trag. AR.
2 (pejor.) **words, talk** (dismissed as angry, hostile or empty) S. E.
3 words of great import, wisdom or prophecy; **utterance, pronouncement** A. Emp. S. AR.; (in a prayer) S.

βαπτίζω vb. [βάπτω] | fut. βαπτίσω | aor. ἐβάπτισα ‖ PASS.: aor. (sts. w.mid.sens.) ἐβαπτίσθην | pf. βεβάπτισμαι |
1 plunge —*a person* (*into a pond*) Men. ‖ PASS. (of persons) **be immersed** (*in a river, the sea, a marsh*) Plb. Plu.
2 sink —*a ship* (*in battle*) Plb. Plu. ‖ PASS. (of a ship) **be sunk** Plb.
3 (intr., of a wineskin) app. **get wet** (in the sea) Plu.(oracle)
4 (fig., of Bacchus, envisaged as a gale) **plunge** —*a person* (W.DAT. *into sleep*) Even. ‖ PASS. **be soaked** (i.e. drunk, w. wine) Pl.; **be in deep water** (in an argument) Pl.; **be immersed** —W.DAT. *in debts* Plu.
5 ‖ MID. and AOR.PASS. **wash ritually** (before a meal) NT.
6 ritually immerse, **baptise** —*a person* (W.DAT. *w. water*) NT. —(w. ἐν + DAT. *in water, fire, the Holy Spirit*) NT. ‖ PASS. **be baptised** NT.
βάπτισμα ατος n. **baptism** NT.
βαπτισμός οῦ m. **ritual washing** (W.GEN. of utensils) NT.
βαπτιστής οῦ m. one who baptises, **baptist** (ref. to John) NT.
βαπτός ή (dial. ά) όν adj. **1** (of a spring) **dipped into** (W.DAT. *w. pitchers*) E.
2 (of colours) **for use in dyeing** Pl.
3 (of garments) dyed, **brightly coloured** Ar.; (of a bird, as though dyed) Ar.
4 (of the hue of a garment) **discoloured, stained** Plu.
βάπτω vb. | fut. βάψω | aor. ἔβαψα ‖ PASS.: aor.2 ἐβάφην | pf. βέβαμμαι | **1 plunge** or **dip** (usu. into a liquid); **plunge** —*an axe* or *adze* (w. ἐν + DAT. *into water*) Od.; **dip** —*a tube, torch, substance* (w. εἰς + ACC. *into water*) Emp. E. Pl. —*a garland* (*into perfume*) Plu. —*a branch* (w. ἐκ + GEN. *in a potion*) AR. —*a fingertip* (W.GEN. *in water*) NT. —*a piece of food* (*in a dish*) NT. ‖ PASS. (of a substance) **be dipped** or **steeped** —W.DAT. *in blood* Pl.; (of Eros' weapons) —*in fire* Mosch.
2 dip —*a pitcher* or *vessel* (*into water, to draw it up*) E. Thphr. Men. Theoc.; (intr.) **dip one's pitcher** Call.
3 draw up by dipping; draw up —*honey* (W.DAT. *w. a pitcher*) Theoc.
4 make wet by dipping; wet —*one's feet* (*in the sea*) AR. —*a garment* (*w. an unguent*) S. —*a weapon* (*w. sacrificial blood*) X. ‖ PASS. (of a person) **be drenched** (by falling into a well) Men.
5 (intr., of a ship) **plunge below the waves, sink** E.(dub.)
6 (specif.) immerse in dye, **dye** —*wool* Ar. Pl.; (intr.) **dye** —W.COGN. or INTERN.ACC. *w. a particular dye* or *colour* Pl. Plu. ‖ MID. (of an actor) **dye oneself** —W.DAT. *w. frog-green dyes* Ar.; (of a man) **dye one's hair** Men. ‖ PASS. (of wool, fabrics) **be dyed** Hdt. Pl. Men. Plu.
7 ‖ MID. create for oneself (sthg. of a particular colour) by dyeing; **dye** —*a saffron gown* Ar. —*purple covers* Plu.
8 (fig.) **dye** —*a person* (W.COGN.ACC. *w. a red-coloured dye, ref. to bloodying him*) Ar. ‖ MID.PASS. **be dyed** —W.ACC. *w. a particular colour* (ref. to shitting oneself) Ar.
9 plunge —*a sword* (W.PREP.PHR. *into a person's flesh*) E.; **dip** —*a sword* (W.PREP.PHR. *in slaughter*) A. —(*in an army*) S.; (fig., of a sword) **dye** —*a robe* (*in blood*) A.
βάραθρον, ep. **βέρεθρον**, ου n. **1 deep recess, chasm** (beneath the earth or in a cliff) Hom. ‖ PL. **vast depths, abyss** (of Hades, the sea) AR.
2 death-ravine or **pit** (at Athens, into which criminals condemned to death were thrown) Hdt. Pl. X. Plu.; (in threats or insults) **hell, damnation** (as the place to which one is sent) Ar. Men.
3 underground prison, death-pit (ref. to the Tullianum at Rome) Plu.
4 deep bog or **mire** Plb. Plu.

βαραθρώδης

5 (fig.) **hell-hole** (ref. to a region) D. Plu.
6 (fig.) **pitfall** (ref. to a topic posing difficulty or danger for a speaker) D.
βαραθρώδης ες *adj.* (of a place) **chasm-like, cavernous** Plu.
βαρβαρίζω *vb.* [βάρβαρος] 1 **speak a barbarian** or **foreign language** Hdt.
2 speak (Greek) with a foreign accent, **speak like a barbarian** Pl.
3 (of a Roman) write (Greek) like a foreigner, **use barbarisms** Plb.
4 **be a supporter of barbarians** (i.e. Persians) X.
βαρβαρικός ή όν *adj.* 1 (of a people or race) in the category of barbarian (opp. one's own), **barbarian** Pl. Arist. Plu. ‖ NEUT.SB. barbarian people Th. Plu.
2 (of lands, cities, troops, ships, spoils, or sim.) belonging to or consisting of barbarians, **barbarian** Hdt. Th. Pl. X. D. + ‖ NEUT.SB. barbarian force or battle-line X. Plu. ‖ NEUT.PL.SB. foreign places Plu.
3 (of events or circumstances) relating to barbarians, **barbarian** X.; (of fears of attack, war) **from barbarians** Plb. Plu.
4 (of a kind of government, institution or custom, way of thinking, speaking or behaving, sts. pejor.) characteristic of barbarians, **barbarous, uncivilised, savage** Isoc. Pl. Arist. Plb. Plu.; (of an action, a battle) Plb. Plu. ‖ NEUT.SB. (sg. and pl.) barbarian way of life, thought or custom Th. Arist. Plu.
5 (of weapons, dress, textiles, artefacts, buildings, or sim., sts. pejor.) of barbarian craftsmanship or style, **barbarian, outlandish** Pl. X. Men. Plu.
6 (of a word, a name) in a foreign language, **foreign** Pl.; (of a battle-song) Lys.
7 (of a place) far off and unknown, **alien** Pl.
—**βαρβαρικῶς** *adv.* | compar. βαρβαρικώτερον | 1 **in an uncivilised** or **savage way** Plu.
2 in the barbarian language, **in Persian** X.
βαρβαρισμός οῦ *m.* [βαρβαρίζω] 1 **foreign pronunciation** Plu.
2 unintelligible language, **gibberish** Arist.
βαρβαρόομαι *mid.pass.contr.vb.* [βάρβαρος] | pf.ptcpl. βεβαρβαρωμένος | 1 **become barbarian, go native** E.
2 ‖ PF.PASS.PTCPL.ADJ. (of the frenzied screeching of birds) **unintelligible** S.
βάρβαρος ον *adj.* 1 (of races, groups of people, individuals) **barbarian, foreign** (opp. Greek) Hdt. Trag. Th. +; (opp. Roman or other) Plb. NT. Plu. ‖ MASC.PL.SB. barbarians A. Hdt. E. Th. + ‖ MASC.SG.SB. the barbarian (usu. collectv., ref. to the barbarian enemy, sts. ref. to their king or leader) Hdt. Th. +
2 (of lands, cities, troops, ships, or sim.) belonging to or consisting of barbarians, **barbarian** Pi. Hdt. Trag. + ‖ FEM.SB. barbarian land or territory Th. D. Plb. Plu.
3 relating to barbarians; (of a story) **barbarian** (in origin) E.; (of an expedition, a war) **against barbarians** E. Plb.; (of a marriage) **with a barbarian** E.
4 (of customs, institutions) **barbarian, foreign** E. Arist.; (of weapons, clothes, footwear, their style or appearance, sts. pejor.) A. Hdt. E. +
5 (of a god, persons, their nature, actions or life, sts. ref. to Greeks) **barbarous, savage, uncivilised** E. Th. Ar. +; (of a desert) **wild** Plu. ‖ NEUT.SB. barbaric element (in a person's nature) E. D.
6 (of language, utterances, cries, songs, a name) **barbarian, foreign** Anacr. Hdt. Trag. Pl. Plu.
7 (of a sound) **savage** A.

—**βάρβαρα** *neut.pl.adv.* **in a barbarian manner** E.; **savagely** Lyr.adesp.
βαρβαρό-φωνος ον *adj.* [φωνή] (of persons) **speaking a foreign language** (i.e. not Greek) Il. Hdt.(oracle); (of the cry) **of foreign voices** Hdt.(oracle)
βάρβιτος ου *m.* (*or perh. f.*) [loanwd., reltd. βάρμος] long-armed bowl lyre; **lyre** B.*fr.* E. Ar. Arist. Theoc.
βάρδιστος (ep. and dial.super.adj.), **βαρδύτερος** (dial.compar.adj.): see βραδύς
βαρέω *contr.vb.* [βαρύς] ‖ PASS. (of hearts) **be made heavy** or **dulled** —w. ἐν + DAT. **through drink and worries** NT. | see also βόρημαι
—**βεβαρηώς** υῖα ός *ep.pf.ptcpl.adj.* (of the limbs of a dying person) **heavy** AR.; (of persons, W.DAT. w. wine) Od.
—**βεβαρημένος** η (dial. ᾱ) ον *pf.pass.ptcpl.adj.* 1 **weighed down** (by a burden) AR.
2 **labouring** (W.DAT. w. the pains of childbirth, shortness of breath) AR. Theoc.
3 (of a deity) **heavy** (w. nectar) Pl.; (of persons, W.DAT. w. food, grief) Plu.; (of persons, their eyes, w. sleep) NT.
βαρέως *adv.*: see under βαρύς
βᾶρις ιδος (Ion. ιος) *f.* [Egyptian loanwd.] | acc. βᾶριν | Ion.dat. βάρῑ | dat.pl. βάρισι, also βαρίδεσσι (A.) | 1 **a kind of river-boat** (on the Nile), **barge** Hdt.
2 **a kind of non-Greek sea-going vessel, ship** A. E.
βάρμος ου *m.* [reltd. βάρβιτος] **lyre** Alc.
βάρος εος (ους) *n.* [βαρύς] 1 **property of being heavy, heaviness, weight** Hdt. Arist. Plb.
2 **heavy weight** or **load** (of materials, objects, structures) Trag. Ar. X. Plb. Plu.; (of children in the womb) A.
3 heavy weight impeding movement; **heaviness, weight** (of ships) Plb.; (of clothing, armour) E. Pl. X. Plu.; **massiveness** (of an army) Plb.
4 weight exerting downward force, **weight, pressure** X. Arist. +
5 weight as bearing down in an attack or onslaught; **pressure, force** (of armies, bodies, weapons, animals) Plb. Plu.; (of a man, in wrestling-holds) Plu.; (of water, against a barrier) Plu.
6 feeling of weight (in the body), **heaviness** E. Pl. Plu.
7 feeling of weight (in the mind or one's life, fr. emotions, duty, demands), **pressure, burden** Trag. Pl. +; (of old age) Call.
8 weight in terms of power or influence, **strength, importance** (of armies, states, persons, their qualities or attributes) E. Plb. NT. Plu.
9 **weight, weightiness** (of a poetic style, bombastic phrases) Ar.
βαρυ-άλγητος ον *adj.* [ἀλγέω] (of things said) **grievously hurtful** S.
βαρυ-αχής ές *adj.* [ἄχος] (of a fate) **grievously distressing** S.
βαρυ-ᾱχής ές *dial.adj.* [ἠχή] (of bulls) **loud-bellowing** B.; (of thunder, Okeanos) **loud-echoing** Ar.
βαρυ-βόᾱς ᾱ *dial.masc.adj.* [βοή] (of a river channel) **loud-roaring** Pi.*fr.*
βαρυ-βρεμέτᾱς ᾱ *dial.m.* [βρέμω] (epith. of Zeus) **loud-thunderer** S.
βαρύ-βρομος ον *adj.* [βρόμος] (of the sea, waves, shores, thunder) **loud-resounding** B. E. Ar.; (of music, instruments) Lasus E. Ar.
βαρύ-βρως ῶτος *masc.fem.adj.* [βιβρώσκω] (of disease) **cruelly devouring** S.
βαρύγδουπος *adj.*: see βαρύδουπος

βαρυ-γόνατος (also **βαρύγουνος**) ον *dial.adj.* [γόνυ] (of a person) heavy at the knee, **lazy** Theoc.; (of a personif. river) **slow** Call.

βαρυδαιμονέω *contr.vb.* [βαρυδαίμων] (of youths) **have miserable luck** (in chariot-racing) Ar.

βαρυδαιμονίᾱ ᾱς *f.* **lucklessness, wretchedness** Antipho Lys.

βαρυ-δαίμων ονος *masc.fem.adj.* with an oppressive deity; (of a city, person, life, situation) **ill-fated, accursed** Alc. E. Ar. Plu.(quot.epigr.)

βαρύ-δικος ον *adj.* [δίκη] (of a punishment) **of hefty justice** A.

βαρυ-δότειρα ᾱς *f.* [δοτήρ] **grievous bestower** (ref. to Fate) A.

βαρύ-δουπος (also **βαρύγδουπος**) ον *adj.* [δοῦπος] (of Zeus, Poseidon) **loud-rumbling** Pi. Mosch.; (of winds) **loud-roaring** Pi.; (of the Erotes) **noisy** Ion

βαρύ-θροος ον *adj.* [θρόος] (of Tritons, blowing conchs) **deep-sounding** Mosch.

βαρυθυμέομαι *mid.contr.vb.* [βαρύθυμος] **be furious** Plu.

βαρυθυμίᾱ ᾱς *f.* **despondency** or **resentment** Sapph.(pl.) Plu.

βαρύ-θυμος ον *adj.* [θυμός] (of persons) with agonised heart, **resentful, indignant** Call. Plu.; (of a city) Plu.; (of anger) E.

βαρύθω *vb.* | *iteratv.impf.* βαρύθεσκον | **1** (of a shoulder) **be weighed down** or **burdened** —w.PREP.PHR. *by a wound* Il.; (of limbs) **be heavy** or **worn out** —w.DAT. *through intense activity* AR.; (of a person's body, due to old age) AR.; (of a ship, in a rough sea) move ponderously, **struggle** AR.
2 (of persons) **be overwhelmed** —w.DAT. *by a stench* AR. —w.PREP.PHR. *by lawlessness* Hes.

βαρύ-κομπος ον *adj.* [κόμπος] (of lions) **loud-roaring** Pi.

βαρύ-κοτος ον *adj.* [κότος] (of Erinyes) **oppressive in rancour** A.

βαρύ-κτυπος ον *adj.* [κτύπος] (of Zeus, Poseidon) **loud-rumbling** Hes. hHom. Semon. Pi.; (of waves) Semon.

βαρύ-λογος ον *adj.* [λόγος] (of hatred) **expressed in harsh words** Pi.

βαρύ-μηνις ιος *masc.fem.adj.* —also **βαρυμάνιος** ου *dial.masc.adj.* [μῆνις] (of a daimon, Ajax) **oppressive in wrath** A. Theoc.

βαρύνω *vb.* | *impf.* ἐβάρυνον, *ep.* βάρυνον | *fut.* βαρυνῶ || PASS.: *fut.* βαρυνθήσομαι | *aor.* ἐβαρύνθην, *dial.3pl.* βάρυνθεν | **1** weigh down (so as to impede movement); (of a weapon embedded in the body) **weigh down, encumber** —*a warrior, his thigh* Il.; (of garments) —*a swimmer* Od.; (of a recalcitrant horse) —*a chariot* Pl.
2 || PASS. (of a warrior's head) be weighed down —w.DAT. *by his helmet* Il.; (of shields, by javelins embedded in them) Plu.; (of a soul, by things of this world) Pl.; (of warriors) be laden —w.DAT. *w. weapons* Theoc.; (of a statue) —*w. garlands* Call.; (of persons) be made heavy —w.PREP.PHR. *by overeating* E.
3 be a physical burden or cause physical distress; (of a child in the womb, labour-pains) **burden, be heavy on** —*a woman* Simon. Call.; (of cold, the sun) **oppress** —*people* Bion || PASS. (of a pregnant woman) be heavily burdened X. —w.DAT. or PREP.PHR. *w. childbirth, labour-pains* E. Call.; (of persons) be oppressed or afflicted —w.DAT. *by foul weather, hunger, sufferings, or sim.* Trag. Th. X. Plu.; suffer pain —w.ACC. *in the head* (i.e. have a headache) Pl.; be sickened —w.DAT. *by a stench* S.; (of a horse) be distressed —w.DAT. *by its bridle, the terrain* X.
4 || PASS. (of persons, their limbs) feel heavy or weary Il. Ar. Pl. AR. Plb.; (of a dying person's eyes) become heavy E.
5 impose a non-physical burden; (of a person's services) **burden** —*someone* (w. *an obligation*) X.; (of a governor) —*a province* (W.DAT. *w. expenses*) Plu. || PASS. (of persons or places) be burdened —W.DAT. *w. expenses, taxes, or sim.* Plb. Plu.
6 cause distress or annoyance; (of a defendant) **annoy** —*the jury* X.; (of things heard) —*a person's heart* Pi. || PASS. be distressed or aggrieved (sts. W.DAT. or PREP.PHR. at things said or done) Thgn. Pi. Trag. Th. X. Call. +; be made angry —W.DAT. *by someone* Call.
7 || MID. (tr.) feel a grievance against, be bitterly opposed to, **resent** —*persons, their power, war, oligarchy, or sim.* Plu.

βαρυ-όπᾱς ᾱ *dial.masc.adj.* [ὄψ] (epith. of Zeus) **loud-voiced** Pi.

βαρυ-πάλαμος ον *adj.* [παλάμη] (of anger) **heavy-handed** Pi.

βαρυ-πενθής ές *adj.* [πένθος] (of battles) **heavy with grief** B.

βαρυ-πετής ές *adj.* [πίπτω] (of the feet of Erinyes) **falling heavily** (on their victim) A.

βαρύ-ποτμος ον *adj.* [πότμος] **1** (of persons) **ill-fated** S. E. Plu.
2 (of misfortunes) **calamitous** S. E.

βαρύς εῖα ύ *adj.* | *fem.gen.pl.* βαρεῶν (A., dub.) || *compar.* βαρύτερος, *superl.* βαρύτατος | **1** (of things, natural or manufactured) **of great weight, heavy** Pl. X. Arist. AR. +
2 (of men, their limbs, hands) heavily built, **hefty, powerful** Hom. Pi. E. AR. Theoc.; (of a lion's neck) Theoc.
3 heavy (w. additional weight); (of clouds) **heavy** (w. rain) Ar.; (of pregnant women, w. children) Call.; (of a man) **corpulent** (W.DAT. in physique) Plu.; (of troops) **laden, encumbered** (w. equipment, booty) Plb. Plu.
4 (of men, troops) **heavy-armed** Pl. Plb. Plu.
5 (of ships) heavy (in terms of manoeuvrability), **unwieldy** Hdt. Plu.
6 (of things worn or carried) **heavy, burdensome** X. Plb. NT. Plu.; (of an unborn baby) AR.; (of a person's ashes, w. emotional connot.) A.; (fig., of a yoke or collar, imposed on a subjugated people) Call. Plu. || FEM.PL.SB. heavy harness A.
7 (of persons, their step or progress) weighed down (by physical or emotional burdens), **burdened, slow** Hdt. S. E. Theoc. Plu.
8 powerfully affecting the body or senses; (of sleep, a surfeit of food) **heavy** X. Theoc. NT.; (of a smell, air, vapour) **foul** Hdt. E.*Cyc.* Theoc. Plu.; (of wine, snake venom) **powerful, potent** E.*Cyc.* AR.
9 (of a place) **insalubrious** or **disagreeable** X.
10 (of an earth-tremor, a storm) **intense, powerful** Hes. Simon.(cj.) Plu.; (of a river) **mighty** Plb.
11 (of a person's heart) **strong, stout** Plu.
12 (of persons, esp. enemies or authorities, deities, divine forces, painful emotions, actions or circumstances) bearing down or weighing heavily, **harsh, oppressive, grievous, bitter** Hom. Hes. Eleg. Pi. B. Trag. Th. +
13 (wkr.sens., of persons) **difficult, troublesome** Thgn. E. Att.orats. Pl. +; (of mathematical concepts) **hard** Plu.
14 (of persons, events, or sim.) weighty in importance, **imposing, significant** Plb. Plu.
15 (of things said or reported) **serious** or **grievous** A. S. Att.orats. Pl. +
16 (of vocal or musical sounds) deep in pitch or tone, **deep, low** (freq. opp. ὀξύς *high-pitched*) Pl. Arist. Plu.
17 (of the voice of the Cyclops) deeply resonant, **booming** Od.; (of a subterranean noise) E.; (of a lion's roar) AR.; (of groaning) **deep, heavy** Pi.*fr.* Call.
18 (of vowels or syllables) **bearing the grave accent** Pl.

—**βαρύ** *neut.sg.adv.* —also **βαρέα** (Hom.) *neut.pl.adv.* **with a deep** or **grievous sound** Hom. Anacr. A. Call. Mosch. Plu.
—**βαρέως** *adv.* **1 heavily** (opp. lightly) Pl. X.
2 in a way which is difficult or **grievous** Ar. +
3 in a way which is resentful or **indignant** Hdt. +
βαρυ-σίδηρος ον *adj.* (of a kind of sword) **of heavy iron** Plu.
βαρυ-σκίπων ωνος *m.* **bearer of a heavy club** (ref. to Herakles) Call.
βαρύ-σταθμος ον *adj.* [σταθμός] (of iron coinage) **heavy in weight, heavy** Plu.; (of a kind of water) Arist.; (fig., of poetic verses, ref. to their subject matter) **weighty** Ar.
βαρύ-στονος ον *adj.* [στόνος] **1** (of events) **causing heavy groaning, grievous** S.
2 (derog., of actors) **bellowing, bawling** D.
—**βαρυστόνως** *adv.* **with heavy groaning** —*ref. to bearing misfortunes* A.
βαρυ-συμφορώτατος η ον *superl.adj.* [συμφορά] (of a man) **of most grievous misfortune** Hdt.
βαρυ-σφάραγος ον *adj.* [reltd. σφαραγέομαι, σφαραγίζω] (of Zeus, as god of thunder) **deep-rumbling** Pi.
βαρυ-ταρβής ές *adj.* [τάρβος] (of the sound of a drum) **deep and terrifying** A.*fr.*
βαρύτης ητος *f.* **1** property of being heavy, **heaviness, weight** (opp. κουφότης lightness) Pl. Arist.
2 physical weight; heaviness, weight (W.GEN. of armour) Plu.; (of ships, as affecting manoeuvrability) Th. Plb.; (of a person's body) Plu.
3 weariness (of a soldier's body) Plu.
4 weight of responsibility, burden of office Plu.
5 severity, seriousness (of a person, character, facial expression) Arist. Plu.; **dejectedness** Plu.
6 harshness, oppressiveness, severity (of persons, esp. rulers or enemies) Isoc. D. Plb. Plu.
7 severity, intensity (of an eye infection) Plb.; (of grief) Plu.
8 low pitch, deep tone (of a voice or lyre, opp. ὀξύτης *high pitch*) Pl.
9 (gramm.) **grave accent** Arist.
βαρύ-τιμος ον *adj.* [τιμή] **1** (of the tombs of heroes) **highly honoured** A.(dub.)
2 (of perfumed oil) **with a high price, costly** NT.
βαρύ-τλατος ον *dial.adj.* [τλητός] (of a misfortune) **hard to endure** B.
βαρύ-τονος ον *adj.* [τόνος] (of a hare's chest, in neg.phr.) app., having heavy sinews, **well-developed** X.
βαρύ-φθογγος ον *adj.* [φθόγγος] (of a lion) **loud-roaring** hHom. B.; (of a bow-string) **loud-twanging** Pi.
βαρυφροσύνη ης *f.* [βαρύφρων] **oppressive state of mind, resentment** Il.
βαρύ-φρων ον, gen. ονος *adj.* [φρήν] **1** (of a person) **stout-hearted, resolute** Theoc.
2 cruel-hearted AR.
3 (of misfortunes) **heavy on the heart** Lyr.adesp.
βαρύ-φωνος ον *adj.* [φωνή] (of an old man) **gruff-voiced** Men.
βαρύ-ψῡχος ον *adj.* [ψῡχή] (of a man) **of heavy spirit, dejected** S.
βάς, βᾶσα (masc.fem.athem.aor.ptcpl.): see βαίνω
βασανίζω *vb.* [βάσανος] | fut. βασανιῶ | aor. ἐβασάνισα || PASS.: aor. ἐβασανίσθην | pf. βεβασάνισμαι || neut.impers.vbl.adj. βασανιστέον | **1 test** (gold) **for genuineness or quality** (in fire or by rubbing it on a touchstone); **assay** —*gold* Isoc. Pl. || PASS. (of gold) **be assayed** Pi.*fr.* Pl.

2 test (someone) **for good character or integrity; examine** —*a person, mind, soul, words, actions* Pl. Plu. —*a city* Pl. || PASS. (of persons) **be tested** or **examined** Pl.
3 test (sthg.) **for quality or effectiveness; test** —*an argument* Pl. —*tragic dramas* Ar.; **try out** —*one's entire tongue* (i.e. employ every kind of verbal strategy) Ar. || PASS. (of arguments) **be tested** Pl.
4 be a test of quality or genuineness; (of customs, power, high office) **test** —*a man, his character* Pl. Plu.; (of the weight of words) —*two poets* (i.e. determine their respective merits) Ar. || PASS. (of persons using make-up) **be shown up** —W.PREP.PHR. *by tears* X.
5 investigate fully (to establish the truth); **examine** —*a basket's contents* Ar. —*a criminal matter* Antipho Th. —*a topic, historical events, or sim.* Ar. Pl. Plb.
6 question forcefully, interrogate, grill —*a person* Hdt. Ar. X.
7 examine through torture (to extract information), **torture** —*a person* (esp. an enemy, criminal or suspect) Hdt. Ar. Plu. —*a slave* (to obtain testimony admissible in court, esp. at Athens) Ar. Att.orats. —(fig.) *lyre-strings* (by tightening) Pl.; (intr.) **administer torture** Ar. Att.orats. || PASS. **be tortured** Hdt. Th. Att.orats. Plu.
8 torture —*a person* (as a punishment, before execution) Plu.
9 inflict acute physical or mental distress; torture, torment —*persons, their spirit* NT. Plu. || PASS. (of persons) **be in great distress** (at sea or in illness) NT.
10 inflict great stress or damage (on sthg.) || PASS. (of a ship) **be battered** —W.PREP.PHR. *by waves* NT.; (of an orator's speech) **be tortured** —W.DAT. *by rhetorical artifices* Plu.
βασανιστέος ᾱ ον *vbl.adj.* (of men holding office) **to be tested** (as to integrity) Pl.
βασανιστής οῦ *m.* **torturer** or **interrogator** Att.orats. NT.
—**βασανίστρια** ᾱς *f.* **tester** or **interrogator** (W.GEN. of words, ref. to a poet's tongue) Ar.
βάσανος ου *f.* [Egyptian loanwd.] **1 a kind stone** (app. quartz or jasper) used as a test for genuineness or quality of gold (judged fr. the mark left on it when rubbed by the gold), **touchstone** Thgn. Pi. Pl.; (fig., for a person, the mind, soul, poetry, when these are envisaged as gold) Thgn. Pi. Pl.
2 (gener.) that which serves as a test for genuineness, quality or integrity, **test, proof** (of persons, their character, actions, physical constitution, motives, or sim.) Eleg.adesp. B. S. Ar. Att.orats. Pl. +; (of strength, in a fight) S.; (of an abstr. quality) Pl.; (of facts) Pl.
3 (sg. and pl.) **interrogation under torture** (esp. of slaves, in a judicial investigation), **torture** Hdt. Att.orats. Arist. Plb. Plu.
4 torture (as punishment) Plu.
5 severe pain, torment NT.
βάσευμαι (dial.fut.): see βαίνω
βασιλείᾱ ᾱς, Ion. **βασιληίη** ης *f.* [βασιλεύω] **1 office or status of king, queen or ruler, kingship, sovereignty** or **royalty** Hdt. Th. Ar. Isoc. +
2 || PL. **royal family or court** Plb.
3 royal power and the territory over which it extends, kingdom, empire Hdt. Th. Isoc. Pl. +
4 period or style of royal power, reign, rule Hdt. Isoc. Pl. X. Arist. +; (of the deities Kronos and Necessity) Pl.
5 system of government by a king, kingship Th. Isoc. Pl. +
6 power similar to that of a king or ruler, dominion, overlordship Ar. NT.
7 kingship, kingdom (W.GEN. of God, Satan) NT.; (of heaven) NT.

βασίλεια ᾱς (Ion. ης), dial. **βασιλέᾱ** (or **βασίλεα**) ᾱς (Pi.) *f.* [βασιλεύς] **1** royal lady, **queen** Od. A. Hdt. E. Pl. AR. Plu.; **princess** Od. S. E.
2 queen (of the Olympian deities, ref. to Hera) Hes.*fr.* hHom. Pi.*fr.*; (as title of other deities) Pi. Emp. Hdt. Licymn. Ar. Men. +; (fig., ref. to song) Pratin.

βασιλεῖδαι ῶν *m.pl.* **royal line** or **family** S. Pl.

βασιλείδιον ου *n.* [dimin.] (pejor.) **small king, kinglet** (ref. to both physical stature and political power) Plu.

βασίλειον, Ion. **βασιλήιον**, ου *n.* **1** seat of a king (either permanent or temporary), **palace, headquarters** or **capital** Isoc. X. Plb. Plu.; (fig., W.GEN. of the soul) Plu. ‖ PL. royal residence or palace complex Hdt. Ar. +; realm (of Hades) Mosch.
2 ‖ PL. royal power or kingship Hdt.
3 royal treasury Hdt. Plu.; (pl.) Isoc. Plu.

βασίλειος ον (also ᾱ ον A.), dial. **βασιλήιος** ον (Ion. η ον) *adj.* **1** of or relating to a king or sovereign (his person or rule); (of an estate, palace, buildings, family) **royal** Hom. A. Hdt. E. Th. +; (of a throne, hearth, decrees) Hdt. S. Plu.; (of a burial, an offering) A. Hdt.; (of a body, eyes, suffering) A. E.
2 (specif.) of or relating to the Persian king (his person or rule); (of a headdress, throne, palace, gods, an army, power, or sim.) **royal** A. Hdt. Pl. X. Plu.
3 relating to being in a dominant or ruling position; (of an honour fr. Zeus) **lordly** Hes.; (of a Scythian tribe and the territory it inhabits) **ruling, elite** Hdt.
4 (of a stoa in Athens) of the archon basileus, **royal** Ar. D. Arist.
5 (of perfume, a couch) **fit for a king** Sapph. Thgn.
6 (as cult title of Artemis) **royal** Hdt.; (of a temple wall) perh. **of the goddess** (ref. to Hera) Alc.
7 (of a cubit or palm, as a measure) of a greater length, **royal, king-size** Alc. Hdt.

βασιλεύς έως (Ion. έος, ep. and dial. ῆος) *m.* | acc. βασιλέᾱ, contr. βασιλῆ (Hdt.(oracle) E.*fr.*), ep. and dial. βασιλῆα | Aeol.gen. βασίληος ‖ PL.: nom. βασιλεῖς, Att. (also Hes.) βασιλῆς, ep. and dial. βασιλῆες, Ion. βασιλέες, Aeol. βασίληες | acc. βασιλέας, Att. βασιλῆς, ep. and dial. βασιλῆας |
1 one who exercises overall authority (over a people or peoples); **ruler, leader, chief, king** (in heroic times, in Greek or Hellenistic states, amongst non-Greek peoples) Hom. +; (at Rome) **king** Plu.; (in Egypt, ref. to the Pharaoh) NT.
2 (specif.) **king of the Persians** A. Hdt. +
3 man of royal, ruling or elite rank; **ruler, leader, chief, prince** Hom. Scol. A. Pi. E. Isoc. +
4 ‖ PL. kings, rulers, ruling family or line Hom. Hes. Hdt. Trag. +
5 basileus (as the title of one of the nine archons at Athens) Ar. Att.orats. Pl. Arist. Plu.; (as a magistracy in other Greek states) Isoc. Arist.
6 king, sovereign (as the title of a god, esp. Zeus, Hades) Hes. hHom. Eleg. Lyr. Trag. +; (ref. to God) NT.
7 one who excels (amongst others of the same kind); **king** (W.GEN. of birds, ref. to the eagle) A. Pi.; (of rivers, ref. to the Phasis) Call.
8 one that has supremacy (over all else); **king** (ref. to war) Heraclit.; (ref. to law) Pi.*fr.*; (ref. to wine) Ion

—**βασιλεύτερος** η ον *compar.adj.* (of a man, a family) **more royal in rank** Hom. Tyrt. AR.

—**βασιλεύτατος** η ον *superl.adj.* **most royal in rank** Il. Hes.*fr.*

βασιλευτός ή όν *adj.* [βασιλεύω] (of a populace) **suited to rule by a king** Arist.

βασιλεύω *vb.* [βασιλεύς] **1 be king** or **ruler, reign** (sts. W.GEN. over a people or place) Hom. + ‖ AOR. become a king Hdt. Th. Isoc. X. Plb. Plu.
2 be queen (in one's own right or as a king's wife) Hom. Hdt. Isoc. Plu.
3 (of a family) **rule, reign, be in power** Pi. Isoc. Plu.; (of persons other than the usual kings) Hdt. Pl. X.; (of the citizen, in a democracy) Aeschin.
4 (of gods, divine or natural forces) **rule, enjoy supremacy** Hes. Ar. Tim. Pl. +; (of law) Pl.; (of music, emotions, abstr. qualities) Pl. NT.; (of a person or soul, over oneself) Pl. X.
5 be as though a king; **be the king** (in a game) Pl.; **act the king** —W.GEN. *over one's gold* Theoc.
6 ‖ PASS. (of city-states, a land or people) be ruled by a king Hdt. Lys. Isoc. Pl. Arist. +; (of gods) —W.PREP.PHR. *by Zeus (as king)* Isoc.; (of persons, a people or group) be ruled or governed (by a king or other authority, by law) Hdt. Lys. Arist. Plu.; (of the honour of royalty) be held by a king —W.PREP.PHR. *improperly* Pi.
7 hold the office of archon basileus (at Athens) Isoc. D.

βασιληίη Ion.*f.*, **βασιλήιον** Ion.*n.*, **βασιλήιος** *dial.adj.*: see βασιλείᾱ, βασίλειον, βασίλειος

βασιληίς ίδος *fem.adj.* (of rank) **royal** Il. Hes. E. AR.; (of rule) Ariphron; (of a girl) AR.

βασιλίζω *vb.* be on the side of a king (in a war) Plu.

βασιλικός ή όν *adj.* **1** (of land, property, an army, affairs, attributes, or sim.) of or belonging to a ruler or king, **royal** E. Isoc. Pl. X. +; (specif., ref. to the Persian king) Att.orats. X. Plb. Plu.
2 relating to a king; (of marriage, concubinage, friendship) **with royalty** E. Plu.; (of debts, offences) **involving the king** Plb.; (of an old form of government) Arist.
3 (of a family or dynasty) consisting of kings, **royal** A. E. Isoc. +
4 (of persons) belonging to the royal household or the ruling class, **royal, ruling** or **elite** Pl. Plb. Plu.
5 ‖ MASC.PL.SB. household or troops of a king Plb. Plu.
6 (of the art, practice, class, or sim.) **of leadership** or **kingship** Pl. +
7 (of persons) having attributes appropriate for a leader, **leader-like, kingly** Pl. X. +
8 (of appearance, attributes, activities) appropriate for royalty or a leader, **kingly, dignified, regal** Hdt. Isoc. Pl. X. +; **imperious, commanding** E. Plu.
9 ‖ FEM.SB. (at Rome) colonnaded hall or basilica Plu.
10 (as the name of the road connecting Persian territories, its military posts) **royal** Arist. Plu.; (of the canal betw. the Euphrates and Tigris) Plb.
11 in the top or ruling position; (of reason) **royal, sovereign** Pl.; (of beauty) X.; (of a divine law) NT.

—**βασιλικῶς** *adv.* **1** in the role of a king Arist.
2 regally Plb. Plu.; (opp. tyrannically) Isoc.
3 commandingly, with authority X. Plu.
4 splendidly, impressively, majestically Isoc. Plb. Plu.

βασίλιννα ης *f.* **queen** D.

βασιλίς ίδος *f.* **1** woman in a royal family, **queen, princess** E. Plu.; (appos.w. νύμφη *bride*, γυνή *wife*) E. Pl.
2 ‖ ADJ. (of a marriage, a house) **royal** E.

βασιλίσκος ου *m.* [dimin. βασιλεύς] **minor ruler, chieftain** Plb.

βασίλισσα ης *f.* **queen** X. Theoc. Plb. NT. Plu.

βάσιμος ον *adj.* [βαίνω] **1** (of a way through, of terrain) able to be traversed, **passable** Tim. X. Plu.; (fig., of a topic in a speech) D.
2 (of a period of past time) **affording a secure basis** (W.DAT. for historical inquiry) Plu.

βάσις εως *f.* **1** action of walking or moving forward, **stepping, walking** S. E. Pl. || PL. (periphr.) movements (W.GEN. of wheels, i.e. moving wheels) S.
2 movement (W.GEN. of the mind) A.(dub.)
3 footstep, step (in dancing) Pi. E. Ar. Pl.
4 foot (in metre) Pl. Arist.
5 tread, print (of a boot) E.
6 lower limb or **foot** (of a human or animal) S. E. Pl. NT.
7 positioning or means of advancing (on the ground, for a phalanx), **footing** Plu.
8 place (for matter) to stop or be still; **fixed** or **resting position** Pl.
9 base (of the brain or neck) Plu.
10 base, pedestal (for offerings, a cauldron, a statue) Theoc.*epigr.* Plb. Plu.; (for siege-engines, their parts) Plb Plu.
11 base, baseline (of a wedge or triangular shape) Plb.; (of a solid or plane geometric figure) Pl. Arist. Plu.

βασκαίνω *vb.* [βάσκανος] | aor.pass.subj. βασκανθῶ | **1** cast the evil eye; (of a bird) **cast a spell on, be bad luck for** —*an activity* Call. || PASS. incur the evil eye Theoc.
2 cast envious looks at, **begrudge** —*a person or people* Isoc. Plu.; (intr.) **be envious** Isoc. D. Theoc. Plu.
3 cast aspersions at in an envious way, **disparage, denigrate** —*a person or people, their work or success* Isoc. D. Men. Plu. —*an outcome* D.; (intr.) **be disparaging** D. Plu.

βασκανίᾱ ᾱς, Ion. **βασκανίη** ης *f.* **malign influence** (fr. a spirit) Pl.; **malevolence, envy** (fr. a person) D. Call.*epigr.* Plb.; (personif.) **Envy** Call.

βάσκανος ον *adj.* (of persons, an action) **malevolent** D. Plu.; (of spirits) Plu.; (of Poverty) Ar.
—**βάσκανος** ου *m.* **devil** (as a term of abuse) Ar. D. Men.

βασκᾶς ᾶ *m.* a kind of duck; perh. **teal** Ar.

βάσκω *vb.* [iteratv. βαίνω] | only pres.imperatv. | **make a move, be on one's way** Il. Ar. AR.; **step forth** A.

βάσομαι (dial.fut.): see βαίνω

βᾶσσα *dial.f.*: see βῆσσα

Βασσαρίδες ων *f.pl.* [app. βασσάριον] **Bassarids** (female worshippers of Dionysus) Anacr. A.(title, also given as Βασσάραι)

βασσάριον ου *n.* app. **desert** or **fennec fox** Hdt.

βάσταγμα ατος *n.* [βαστάζω] **burden** (ref. to caring for the dead) E.; (W.GEN. for a city, ref. to the forced surrender of military equipment) Plb.

βαστάζω, dial. **βαστάσδω** (Alc.) *vb.* | fut. βαστάσω | aor. ἐβάστασα | **1** take the weight of (someone or sthg.); **bear the burden of, carry** —*a massive stone* Od. —*wooden stakes* Plb. —*a yoke* (fig.ref. to an obligation) NT.; (of Jesus) —*the cross* NT.; (of siege-engines) —*stones* Plb. || PASS. (of a person) be carried NT.
2 carry, bear (in a funerary procession) —*a body, a bier* E. NT. Plu. || MASC.PL.PTCPL.SB. pall-bearers NT.
3 bear, put up with —*a responsibility, burden, heat* S. NT.; (intr.) **endure** NT.
4 have in the hands or on one's person; **hold** —*a bow, a sword* Od. S. E. —*gourds* Alc. —*a lyre* Pi. —*a writing-tablet* E.; **carry** —*a water-pot, purse* NT.; **bear** —*weapons* S. E. Men. Theoc. + —*stones* (to be used as weapons) NT.; **raise** —*a drink* (as a toast) Simon.
5 hold —*the hand of one's master or bride* A. E. —*a loved one, a lock of his hair, his remains* S. —*a child* Plb. || MID. **hold** —*a dying wife* E.(cj.)
6 (of a womb) **carry** —*a child* NT
7 hold under one's control; (of the embrace of a rock) **hold fast** —*Prometheus* A.; (of the goddess Hora) **hold, carry** —*a man* (W.DAT. in rough or gentle hands) Pi.
8 take away or carry off (in theft or destruction); **take** —*a statue* Plb. —*money* NT.; **destroy** —*a kingdom* (W.PREP.PHR. fr. the roots) Plb.; (of a wind) **carry away** —*siege-towers* Plb.
9 take away or carry off (as a benefit or duty); **take away** —*illnesses* NT.; **take off** —*a master's shoes* NT.
10 lift up in terms of fame or regard; **exalt** —*God's name* NT.; (of a poet) —*a man* Pi.; (of a person, by his presence) —*a place* Pi. || PASS. (of certain writers) be popular Arist.
11 hold, weigh —*a consideration, circumstance, or sim.* A. Ar. Plb.

Βάταλος *m.*: see Βάτταλος

βᾶτε (2pl.athem.aor.imperatv.), **βάτην** (ep.3du.athem. aor.): see βαίνω

βατέω *contr.vb.* [βαίνω] | dial.3pl.pass. βατεῦνται | || PASS. (of female goats) be mounted (by males) Theoc.

βατηρίη Ion.*f.*: see βακτηρίᾱ

βατιᾱ ᾶς *dial.f.* [βάτος¹] **bramble thicket** Pi.

βατιδο-σκόπος ον *adj.* [βατίς, σκοπέω] (of Harpies) **looking out for skate** (to eat) A.

βατίς ίδος *f.* a kind of fish; app. **skate** Ar. Philox.Leuc.

βατο-δρόπος ου *m.* [βάτος¹, δρέπω] **clearer of brambles** hHom.

βατός ή όν *adj.* [βαίνω] (of land) **passable, crossable** X.; (when water has receded) Plb. Plu.(quot. Men.)

βάτος¹ ου *f.* (also *m.* NT.) **thorn-bush, bramble** Od. Hellenist.poet. Plb. NT.

βάτος² ου *m.* **bath** (a Hebrew liquid measure) NT.

βατράχειος ον *adj.* [βάτραχος] **of** or **associated with frogs** || NEUT.PL.SB. frog-green dyes Ar.

βατραχίς ίδος *f.* **frog-green garment** Ar.

βάτραχος ου *m.* **frog** Hdt. Ar. Pl. Theoc. Mosch.; (as a wooden toy) Ar.

βατταλογέω *contr.vb.* [reltd. βατταρίζω; λόγος] **speak repetitively and mechanically** (when praying), **gabble** NT.

Βάτταλος (or **Βάταλος**) ου *m.* [app.reltd. βατταρίζω, w. play on βάταλος *anus*, alluding to homosexuality] **stammerer** (derog. nickname of Demosthenes) Aeschin. D. Plu.

βατταρίζω *vb.* speak falteringly, **stammer** Pl.

Βάττος ου *m.* **Battos** (of Thera, legendary founder of Cyrene and a dynasty) Pi. Hdt. Ar. Call.
—**Βαττιάδης** εω Ion.*m.* **son** or **descendant of Battos** (ref. to Callimachus) Call.*epigr.*
—**Βαττιάδαι** ῶν, dial. **Βαττίδαι** ᾶν *m.pl.* **descendants of Battos** Pi. Hdt. Call.

βάτω (3sg.athem.aor.imperatv.): see βαίνω

βατώδης ες *adj.* [βάτος¹] (of an area of ground) **thick with brambles** Plb.

βαΰζω, dial. **βαΰσδω** *vb.* **1** (of a dog) **bark** Theoc.; (of persons) **yap** Ar.
2 (of persons) give voice to distress or discontent, **growl** —W.ACC. about someone or sthg. A.

βαυκο-πανοῦργος ου *m.* [βαυκός app. **coy** or *mannered*] perh. **pretentious charlatan** Arist.

βαφεύς έως *m.* [βάπτω] **dyer** (of textiles) Pl. Plu.

βαφή ῆς *f.* **1** art of dyeing (of textiles), **dyeing** Hdt. Plu.
2 substance that colours, **dye** (esp. exemplifying that which enhances, permeates or is difficult to remove) Pl. Plu.; (fig.,

ref. to scientific knowledge, enhancing rhetorical skill) Plu.; (ref. to blood, in a dead man's beard) A.
3 ‖ PL. dyes or colours (of clothing, battle dress, decoration) A. Plu.; (meton.) dyed robe (W.GEN. of saffron, i.e. saffron-dyed robe) A.; hue (of a statue, arising fr. exposure to the elements) Plu.
4 ‖ PL. dipping (of arrows, in the Hydra's blood) E.
5 dipping, tempering (of metal fr. the furnace, in water or vinegar, to impart particular properties) S. Plu.; (exemplifying a skill that a woman does not possess) A.
6 temper, hardness (of a bladed weapon) Plu.; (fig., of a military state) Arist.

βάψω (fut.): see βάπτω
βδάλλω vb. **obtain milk** (fr. an animal) Pl.; (tr.) **milk** —*an animal* Pl.
βδέλλα ης f. blood-sucking creature, **leech** Hdt.; (to which Love is compared) Theoc.
βδέλυγμα ατος n. [βδελύσσομαι] **abominable thing** NT.
βδελυγμία ᾱς f. **nausea** (at the thought of food, when full) X.
βδελύκ-τροπος ον adj. [τρόπος] (of Erinyes) **repulsive in manner** A.
βδελυρεύομαι mid.vb. [βδελυρός] **act despicably** D.
βδελυρίᾱ ᾱς f. **repulsive** or **despicable behaviour** Att.orats. Plb. Plu.
βδελυρός ά όν adj. [app.reltd. βδέω] (of persons) **despicable, loathsome, repulsive** (in nature or behaviour) Ar. Aeschin. D. Thphr. Men. Plu.; (hyperbol., of Socrates, in his technique of argument) Pl.
—**βδελυρῶς** adv. **in a disgusting manner** D.
βδελύσσομαι, Att. **βδελύττομαι** mid.vb. | aor.pass. (w.mid.sens.) ἐβδελύχθην | **1 be disgusted by, find repugnant** —*persons, their character, behaviour, or sim.* Ar. Pl. Plb. Plu.; (wkr.sens.) **detest** —*persons or things* Plu.
2 feel sick (at the sight, smell, taste or thought of sthg.) Ar. Plu.
βδέω contr.vb. **1 fart** Ar. ‖ MID. **fart on one another** Ar.
2 fart —W.INTERN.ACC. *frankincense* Ar.
βδύλλω vb. **fart in terror** Ar. —W.ACC. *of someone* Ar.
βεβάᾱσι (ep.3pl.pf.): see βαίνω
βέβαιος ον (also ᾱ ον) adj. **1** offering security from danger or risk; (of buildings, places) **safe, secure** Th. Plb. Plu.; (of a vehicle) Pl.; (of ice, for walking on) Th.; (of an association w. someone) S.; (of a venture, way of life, or sim.) Th. Pl. Plu.
2 that may be depended on not to disappoint expectation; (of persons, their characters, intentions) **steadfast, dependable** A. E. Th. Ar. +; **counted on** (W.INF. to behave in a certain way) Th.; (of fighting) **stubborn, resolute** Th.; (of a fighter) **sure** (W.DAT. on his feet) Plu. ‖ NEUT.SB. **fixedness, steadfastness** or **constancy** E. Th. Pl. +
3 (of a state, condition or attribute) that may be depended on not to fail or end; (of rule, a form of government, an institution, or sim.) **safe, secure, sure, lasting** Th. Lys. Isoc. +; (of peace, freedom, possessions, qualities, outcomes, or sim.) E. Th. Att.orats. +; (of a marriage) Men.; (of existence, things existing in the cosmos) Pl. Arist. ‖ NEUT.SB. **security** or **permanence** Th. Arist. | NEUT.SUPERL.SB. **utmost reliability** Pl.
4 (of bad things, such as mistrust, slavery, enmity) **lasting** Th. +
5 (of expectations, a beginning, trust, fear, or sim.) that may be depended on to turn out as justified, **sure, firm, confident** Th. Ar. Att.orats + ‖ NEUT.SB. **certainty** (of an outcome) Hdt. Th.(pl.)
6 (of a sign, signal, prediction) that may be depended on to

be correct or true, **sure, certain, convincing, conclusive** A. Th. Plu.; (of testimony, things said or written) Is. +; (of an opinion, argument, proof, or sim.) And. Pl. + ‖ NEUT.SB. **certainty** or **precision** Pl.
7 (of activities, preparations, remedies, a refuge, defence) that may be depended on to attain the desired result, **sure, reliable** Trag. Th. Att.orats. +; (of arrows) **hitting the mark** S.; (of a law, legal process, claim to an inheritance) **effective** Is. D. Plu.; (of learning, an art or science) **secure, valid** Pl.
8 ‖ NEUT.SB. **security** (for a loan) D.
—**βέβαια** neut.pl.adv. **securely, steadily** E.
—**βεβαίως**, Aeol. **βεβάως** adv. | compar. βεβαιότερον, also βεβαιοτέρως (Isoc. X.), superl. βεβαιότατα | **1** in a manner which is free from danger or risk, **safely, securely** Alc. A. D. Plb. Plu.
2 in a manner which is dependable, **securely, surely** E. Th. +
3 in a manner which is optimistic, **confidently** Th. Plb. Plu.
4 in a manner which is certain (as to facts or truth), **certainly, surely** Parm. E. Th. Pl. +
5 in a manner which attains the desired result, **surely, effectively, decisively** Th. Isoc. Pl. Is.
6 ‖ COMPAR. in a more reliable or determined way Th. Att.orats. +
βεβαιότης ητος f. **1 firmness** (of warp-threads) Pl.
2 security, safety (of a place) Th.; (of existing possessions) Plu.
3 security, stability, durability (in personal, political or military affairs) Pl. D. Arist. Plu.
4 fixity (of things which exist or are not in flux) Pl.
5 steadfastness (of a military commander) Plu.
6 assurance, guarantee (of good faith) Th.
7 validation (for prayers, by the gods) Plu.
8 correctness, certainty (in a written work) Pl.
βεβαιόω contr.vb. **1** (of persons or things) **confirm** (sthg., as true, right or valid); **confirm, corroborate** —*a statement, opinion, or sim.* Att.orats. Pl. Arist. +; **affirm** —W.INF. *that one wishes to do sthg.* D. —W.ACC. + INF. *that sthg. is the case* D. —W.COMPL.CL. D. ‖ PASS. (of happenings) be confirmed (as true) Th. +
2 strengthen or **support, encourage** —*the acquaintance (of one person w. another)* Isoc.
3 strengthen or **support** (inadvertently or misguidedly), **validate, sanction** —*someone's behaviour, wrongdoing, praise, or sim.* Att.orats. Plb. ‖ MID. **gain sanction for** —*one's illegal acts* D.
4 make firm or **stable, establish, secure, guarantee** —*freedom, democracy, a person's safety or support, one's life, or sim.* Th. Att.orats. Plb. Plu. ‖ PASS. (of peace) gain stability or become lasting Th.
5 make good, honour —*a promise* X. Din. Plb. Plu.
6 ‖ MID. **secure, consolidate** —*a friendship* Th. —*oneself* (i.e. *one's military strength*) Th.; **secure** or **consolidate one's hold on** —*a city, empire, allies, territories* Th. Plu.; **be sure of, ensure** —*a victory* Plu.
7 ‖ MID. **secure one's ground, confirm one's opinion, gain reassurance** (in argument) Pl.; (tr.) **establish securely, confirm in one's own mind** —*a principle, concept, or sim.* Pl. ‖ PASS. (of things) be confirmed or made secure (in the mind) Pl.
8 (in legal or quasi-legal ctxt.) **give validity** (through adherence or by formal sanction); **confirm, ratify** or **implement** —*a bequest, will, agreement, law, or sim.* Att.orats. Plb. ‖ MID. **confirm** —*laws* Pl. —*the terms of an alliance* Plb.; (intr.) **get confirmation** (of an agreement) Plb. ‖ PASS. (of a title) be confirmed Plu.

βεβαίωσις εως *f.* **1 assurance** (of good faith) Th. **2 confirmation** (of a decision, things said) Th. Pl. **3 guarantee** (of the honouring of loan contracts) Plu. **4** (leg.) **warranty** (for ownership of property) Aeschin.

βεβαιωτής οῦ *m.* **1 guarantor** (of an alliance, good faith) Plb. Plu.; **sanctioner** (for a leader, ref. to a god) Plu. **2 reliable authority** (as to facts, the reasons for war) Plb. Plu.; **substantiator** (of things said and written) Plu.

βέβᾱκα (dial.pf.), **βεβάμεν** (ep.pf.inf.), **βέβασαν** (ep.3pl.plpf.), **βεβᾶσι** (3pl.pf.), **βεβαώς** (ep.pf.ptcpl.): see βαίνω

βέβακται (3sg.pf.pass.): see βάζω

βέβαμμαι (pf.pass.): see βάπτω

βεβαρημένος *pf.pass.ptcpl.adj.*, **βεβαρηώς** *ep.pf.ptcpl.adj.*: see under βαρέω

βεβάως *Aeol.adv.*: see under βέβαιος

βέβηκα (pf.): see βαίνω

βέβηλος, dial. **βέβαλος**, ον *adj.* [perh.reltd. βαίνω] **1** (of a place) app., **that may be trodden upon, not sanctified, unhallowed** A. ‖ NEUT.SB. (sg. and pl.) **unsanctified ground** Hdt. S. Th. **2** (of persons) **not initiated** (into particular rites or truths), **uninitiated, profane** Pl. Call. Theoc. **3** ‖ NEUT.PL.SB. **public** or **accessible utterances** (of oracle-mongers, opp. arcane ones) E.

βεβηλόω *contr.vb.* **profane** —*the Temple, the Sabbath* NT.

βεβίηκα (pf.): see under βιάομαι

βέβλαμμαι (pf.pass.): see βλάπτω

βέβληκα (pf.), **βέβλημαι** (pf.pass.), **βεβλήσομαι** (fut.pf.pass.): see βάλλω

βεβόλημαι *ep.pf.pass.*: see under βάλλω

βεβουλευμένως *pf.mid.ptcpl.adv.*: see under βουλεύω

βέβρῑθα (pf.): see βρίθω

βεβρός όν *adj.* (of a slave-master) perh. **demented** Hippon.

βεβροτωμένος η ον *pf.pass.ptcpl.adj.* [βρότος] (of armour) **covered in gore, bloodstained** Od.; (of a snake's head) Stesich.

βέβρῡχα (pf.): see βρυχάομαι

βεβρώθοις (ep.2sg.pf.opt.), **βέβρωκα** (pf.), **βεβρωμένος** (pf.pass.ptcpl.), **βεβρώς** (pf.ptcpl.), **βεβρώσομαι** (fut.pf.pass.): see βιβρώσκω

βεβωμένος (Ion.pf.pass.ptcpl.): see βοάω

βεβώς (pf.ptcpl.): see βαίνω

βείομαι (ep.fut.mid.), **βέῃ** and **βέεαι** (2sg.): see βιόω

βείω (ep.athem.aor.subj.): see βαίνω

βεκκε-σέληνος ου *m.* [app. βεκός, σελήνη] **aboriginal pre-lunar man** (ref. to an elderly and old-fashioned person, app. w. allusion to the origins of language and the antiquity of the moon) Ar. | cf. προσεληναῖος

βεκός (or **βέκος**) *indecl.* **bread** (said to be a Phrygian wd., the utterance of which by a baby was taken as evidence that Phrygian was the original language of mankind) Hdt.; (eaten by Cyprians) Hippon.

βέλεμνον ου *n.* [reltd. βέλος] (usu.pl.) **missile, arrow** or **weapon** Hom. A. E. Hellenist.poet.

Βελλεροφόντης ου, dial. **Βελλεροφόντᾱς** ᾱ, also **Βελλεροφῶν** ῶντος (Theoc.) *m.* **Bellerophon** (rider of Pegasos and slayer of the Chimaira) Il. Hes. Pi. Ar. Theoc.

βελόνη ης *f.* [reltd. βέλος] **needle** Aeschin. NT. P.u.

βελονο-πώλης ου *m.* [πωλέω] **needle-seller** Ar.

βέλος εος (ους) *n.* [βάλλω] | dat.pl. βέλεσι, ep. βέλεσσι, also βελέεσσι | **1 object thrown** (at someone, in contempt or in an attack), **missile** Od. Hes.; (W.ADJ. *of ivy*, ref. to a thyrsos) E. **2 spear** or **javelin** (thrown in battle, hunting or athletics) Il. + **3 arrow** Hom. hHom. Alc. Pi. Hdt. Trag. + **4 missile, projectile** (discharged fr. a siege-engine) Arist. Plb. Plu. **5 machine for discharging missiles** Plb. **6 range** or **path of a missile** Il. Tyrt. X. AR. Plb. Plu. **7** (gener.) **weapon** (of any kind) Od. + **8 bolt, thunder** or **lightning** (fr. Zeus) A. Pi. Hdt. S. Ar. Plb.(quot.); **jet** (of volcanic fire) E.; **arrow** (of rain, hail) S. **9** (fig.) **arrow, dart, stroke** (of misfortune, illness, death, freq. seen as coming fr. the gods) Hom. hHom. A. S. Ar. Pl. +; (of love or desire) Anacr. A. Pi. E. Hellenist.poet. **10 inflicted wound** or **pain** (fr. or as though fr. a weapon); **injury** (in war) Il.; **pang** (fr. the goddesses of childbirth) Il. Theoc.; **blow** (fr. the hand) E.; **sting** (of a gadfly) A. **11 missile** (ref. to a tactic, argument or accusation) A. Pi. Pl.; (ref. to a kind of poetry, aimed by a poet at a patron) Pi. **12 look** (fr. the eye) cast like an arrow, **darting glance** A.

βελό-στασις εως *f.* [στάσις] **emplacement for the discharge of missiles** Plb.

βελο-σφενδόναι ῶν *f.pl.* [σφενδόνη] app. **missiles from slings** Plu.

βέλτερος ᾱ ον *compar.adj.* **1** (of persons or things) **better, preferable** Thgn. AR. ‖ NEUT.SB. **that which is better** A. **2** ‖ NEUT.IMPERS. (w. ἐστί, sts.understd.) **it is better** (sts. W.DAT. for someone) —W.INF. or CL. **to do sthg.** or **if someone does sthg.** Hom. Hes. hHom. Alc. Thgn. AR.

—**βέλτερα** *neut.pl.adv.* **better** —*ref. to faring* A.

—**βέλτιστος**, also **βέλτατος** (A.), η ον *superl.adj.* | dial.voc. βέντιστε (Theoc.) | **1** (of persons, material and non-material things) **best** (in quality, suitability, usefulness, or sim.) A. Th. Ar. Att.orats. Pl. +; (of persons, W.INF. at doing sthg.) Th. ‖ MASC.PL.SB. **aristocrats** X. **2** (of a man, as a term of commendation, w. pers. name) **most excellent** Pl. D. ‖ MASC.VOC.SB. (as a respectful term of address, sts. w. pers. name) **my dear sir** Ar. Att.orats. Pl. Men. Theoc. + **3** ‖ NEUT.SB. (sg. and pl.) **that which is best** A. E. Ar. Isoc. +; (sg.) **the aristocracy** X. **4** ‖ NEUT.IMPERS. (w. ἐστί) **it is best** —W.INF., or W.ACC. or DAT. + INF. (*for someone*) **to do sthg., that sthg. shd. be the case** Ar. Isoc. Pl. X.; (also neut.pl.) Ar.

—**βέλτιστα** *neut.pl.adv.* **in the best way, best** Th. Isoc. Pl. +

βελτίων ον, gen. ονος *compar.adj.* | neut.nom. βέλτιον (Mimn.) | masc.fem.acc. βελτίω (sts. βελτίονα) ‖ PL.: masc.fem.nom. βελτίονες or βελτίους, acc. βελτίους (sts. βελτίονας) | neut.nom.acc. βελτίω (sts. βελτίονα) | **1** (of persons) **better, superior** (in character, status, ability, or sim.) E. Ar. Att.orats. +; (of an animal) Isoc. X. **2** (of material and non-material things) **better, preferable** (in quality, suitability, usefulness or sim.) E. Th. Ar. Att.orats. + **3** ‖ NEUT.SB. (sg. and pl.) **that which is better** or **preferable** E. Th. Ar. Att.orats. + **4** ‖ NEUT.IMPERS. (w. ἐστί, sts.understd.) **it is better** —W.INF. **to do sthg.** Mimn. Att.orats. Pl. +

—**βέλτῑον** *neut.adv.* **better** E. Ar. Att.orats. Pl. +

—**βελτῑόνως** *adv.* **better** Pl.

βεμβικιάω *contr.vb.* [βέμβιξ] (of a person) **spin like a top** Ar.

βεμβικίζω *vb.* **spin** —*oneself* (*in a dance*) Ar.

βέμβιξ ῑκος *f.* **1 spinning-top** Ar. Call.epigr. **2 spinning movement** (of a dancer), **pirouette** Ar.

Βενδῖς ῖδος *f.* Bendis (name of Thracian Artemis) Hippon.
—**Βενδίδειον** ου *n.* sanctuary of Bendis (in Attica) X.
—**Βενδίδια** ων *n.pl.* festival of Bendis Pl.
βένθος εος (ους) *n.* [reltd. βάθος] | ep.dat.pl. βένθεσσι |
 1 **deep water, depths** (of the sea, a lake) Il. A.*fr.* || PL. depths (of the sea) Hom. Hes. Alcm. Pi. Ar. AR.
 2 **deep body** (of water) Emp.; **deep water** AR.
 3 **deep interior, depth** (of a vortex) Emp. || PL. depths (of a wood) Od.; (of a bronze vessel) Emp.
 4 || PL. depths (of night) Stesich.
—**βένθοσδε** *adv.* **into the deep water** (W.GEN. of the sea) Od.
βέντιστε (dial.voc.superl.adj.): see βέλτιστος, under βέλτερος
βέομαι (ep.fut.mid.): see βιόω
βερβέριον ου *n.* a kind of garment (perh. headdress) Anacr.
βέρεθρον *ep.n.*: see βάραθρον
Βερενίκη ης, dial. **Βερενίκα** ᾶς *f.* Berenike (name of various Hellenistic royal women) Call. Theoc. Plb. Plu.
—**Βερενίκειος** ᾱ ον *adj.* (of the daughter) **of Berenike** Theoc.; (of a lock of hair, transformed into a constellation) Call.
Βερέσχεθοι ων *m.pl.* perh. **Spirits of Folly** Ar.
βεῦδος εος *n.* a woman's khiton of delicate fabric, **dress** Call.
βῆ (ep.3sg.athem.aor.), **βῆθι** (athem.aor.imperatv.): see βαίνω
βηλός, dial. **βαλός**, οῦ *m.* [βαίνω] **threshold** Il. A. Emp.
βῆμα, dial. **βᾶμα**, ατος *n.* 1 manner of walking, **step, gait** Sapph.
 2 **step, pace** Pi. Trag. Ar. X.; (as a measure of distance) X. Plu.; (W.GEN. of a foot) NT.
 3 **footprint** (of Herakles, stamped in rock) Hdt. || PL. **tracks** (of cattle) hHom. S.*Ichn.*
 4 **step, ledge** (of rock) S.
 5 **raised position** (for orators or magistrates to stand or sit on); **platform** Th. Ar. Att.orats. Arist. Plu.; (in Roman ctxt.) **rostrum, tribunal** Plb. NT. Plu.; (meton. for oratory, politics, the centre of affairs) Att.orats. Plu.
βηματίζω *vb.* measure (sthg.) in paces || MID. **measure** —*the path of flying wine-drops* (W.DAT. *w. one's eye*) Dionys.Eleg. || PASS. (of a road) be measured or paced out Plb.
βῆμεν and **βήμεναι** (ep.athem.aor.infs.): see βαίνω
βῆν (ep.athem.aor.), **βῆναι** (athem.aor.inf.): see βαίνω
βήξ βηχός *m.* (*f.* Plu.) **cough** Th. Plu.
βῆσα (ep.aor.), **βήσατο** and **βήσετο** (ep.3sg.aor.mid.), **βήσομαι** (fut.): see βαίνω
βῆσσα ης, dial. **βᾶσσα** ᾶς *f.* **hollow, glen** (amid mountains) Hom. Hes. Archil. Thgn. Pi. S. AR.
βησσήεις εσσα εν *adj.* 1 (of mountains) **with glens** or **valleys** Hes.
 2 (of glades, copses) **of** or **in a valley** Hes.
βήσσω, Att. **βήττω** *vb.* [βήξ] | aor. ἔβηξα | **cough** Hippon. Hdt. Ar. X. Call.
βήσω (fut.): see βαίνω
βῆτα *indecl.n.* [Semit.loanwd.] **beta** (letter of the Greek alphabet) Ar. Pl. Arist. Call.
βηταρμός οῦ *m.* [βητάρμων] a kind of dance AR.
βητάρμων ονος *m.* [βαίνω; 2nd el.perh.reltd. ἀραρίσκω, ἁρμονίᾱ] perh., one who steps in rhythmical harmony, **dancer** Od.
βήτην (ep.3du.athem.aor.): see βαίνω
βίᾱ ᾶς, Ion. **βίη** ης *f.* | ep.gen.dat. βίηφι | 1 **physical strength and power** (of men and gods), **might** Hom. +; (of elephants) Plb.; (personif.) **Might, Strength** Hes. A. Plu.
 2 **fighting strength and power, force** Hom. +
 3 **physical force** or **threat of force, coercion, violence** Hom. + || PL. acts of violence Od. Plu.
 4 **authoritative force, power** or **imperious power** Hom. +
 5 **irreverent** or **nefarious conduct, abuse, violence** Od. +
 6 **constraint** (fr. circumstances, persons) Thgn. S. E. Th. +
 7 **strong resistance, defiance** Trag. Th. +; (of a horse) X.
 8 **huge effort** or **exertion** Hom. Hes. Alc. Ar. Pl. +
 9 **force, firmness, pressure** or **powerful momentum** (relating to actions, movement) B. Hdt. Trag. Ar. Pl. +
 10 **might, violence** (of winds, the sea, a current, fire) Il. Ar. Pl. Plb. Plu.
 11 **force, power** (of thoughts, emotions, character) Il. Isoc. Pl.
 12 **force exerted** (over a person, in argument) Pl. Arist.; (over concepts, in their assignment to categories) Pl.
 13 (in poet.periphrs., w.adj. or gen., esp. of a proper name) Hom. + • βίη Ἡρακληείη *Heraklean might* (i.e. *mighty Herakles*) Il. • Κύκλωπος βίη *violent Cyclops* Od. • παιδὸς βία *strong son* Pi.
 14 (dat., quasi-advbl.) βίᾳ (or βίῃ, βίηφι) *by force, with violence* Hom. +; (also prep.phrs.) εἰς βίαν Arist. Men.; ἐκ βίας S. Men.; διὰ βίας Pl. Arist. Plu.; μετὰ βίας Isoc. D. Plb. NT. Plu.; ὑπὸ βίας (βίης) Hdt. Pl. Plu.; πρὸς βίαν *through force, violence or defiance* (sts. W.GEN. *against someone*) Trag. +; πέρ (for ὑπὲρ) βίαν *with exceeding strength* Alc.
 15 (dat., quasi-prep.) *in defiance of or despite* (W.GEN. *someone or sthg.*) Trag. +
βιάζομαι *mid.vb.* | aor. ἐβιασάμην || aor.pass. ἐβιάσθην | pf.mid.pass. βεβίασμαι || neut.impers.vbl.adj. βιαστέον |
 1 **use force** or **violence** S. Th. Ar. +; **seize, overpower** —*a person* Od. E. And. +; **rape** —*a woman, a boy* Lys. Ar. + || PASS. be seized or be a victim of violence hHom. Th. Att.orats. +
 2 **do violence to** —*oneself* (i.e. commit suicide) Pl.
 3 **use military force, make an attack** Isoc. + —W.ACC. *against an enemy, cities* X. +; **beleaguer** —*an opponent* Il. || PASS. be attacked, beleaguered or overwhelmed Il. Th.
 4 (of persons, troops) **force a way, struggle** (into a place, through enemy positions, territory or water) A. Th. +; **force** —*a passage, a landing* Th. Plu.
 5 exert all one's energy to make progress (over land or water, in a task), **struggle** AR. Plb. Plu.; **struggle against, defy** —*missiles* Mimn. —*the winter, a storm* Plu. || PASS. (of water) be struggled against Plu.
 6 (of a horse) **be defiant** or **charge forward** A. Pl. X. Plu.
 7 (of a god, persons, esp. authorities) **use coercion** Sol. S. Th. +; **coerce, constrain** —*persons* (sts. W.INF. *to do sthg.*) Thgn. E. Th. + —*a horse* X. || PASS. (of persons, animals) be coerced (sts. W.INF. to do sthg.) Sol. A. S. Th. Ar. +
 8 act in an abusive or reckless way (towards that which is owed respect), **commit a violation** X. D.; **violate, defy** —*laws, institutions, omens, suppliants, elders, fortune* Hdt. Trag. Th. + —*moderation* Th.; (of ships) —*constellations* (indicating winter) Theoc.; (of a statement) —*facts* Arist. || PASS. (of persons or things) be defied or disrespected S. E. D.
 9 exert all one's energy to make progress (on a non-material path towards a goal); **exert oneself, forge on** (sts. W.INF. in doing sthg.) Lys. + || PASS. (of the Kingdom of Heaven) be struggled for NT.
 10 exert willpower (on oneself); **force** —*one's facial expression* A. —*one's ailing body* Plu. —*oneself* (W.INF. *to do sthg.*) Men.
 11 force (oneself on others, or others into a different place or situation); **push oneself** (into an office or official body) Pl. X. D. Plu.; **pass off** —*foreigners* (as citizens) D.; **oust** —*a*

βιαιολεχής

rival And. ‖ PASS. (of rulers) be ousted —W.DAT. *by sedition* Pi.; (of peoples) be displaced Th.
12 force (sthg., on others); **argue forcibly** (sts. W.COMPL.CL. that sthg. is the case) Ar. Pl. +; **force, push through** —*an argument, proposal, law* Pl. + ‖ PASS. (of an argument) be dragged in Arist.
13 force —*a material or physical element* (*in a particular direction*) Pl.
14 (of fire, air, water) **force a way** Pl. D.
15 (of famine, war) **cause trouble, rage** Hdt. Fl.; (of war, poverty, misfortune, a storm) **constrain** —*persons, a people, their characters* Antipho + ‖ PASS. (of persons, peoples) be constrained or hard pressed Th. +
16 (of law, virtue) **exercise power** or **constraint** Pl. Arist.; (of desires, thoughts, attributes) **drive, overpower** —*persons, their nature* Thgn. Att.orats. +; (of smells) **violently affect** —*the body* Pl. ‖ PASS. (of persons, their actions, words) be driven (by emotions, illness, tiredness) S. D. Flu.; (by wine) X.
17 (of a fateful day) **be pressing** E.
—**βιάζω** *act.vb.* **constrain** —*a person* (*w. argument*) Od.
βιαιο-λεχής ές *adj.* [βίαιος, λέχος] (of a person) perh. **with a violated marriage** Lyr.adesp. [or perh. *with a marriage entailing violence*]
βιαιομαχέω *contr.vb.* [μάχομαι] (of ships, elephants) **fight by ramming** Plb.
βίαιος ον (also ᾱ ον) *adj.* [βία] **1** (of persons, their temperament) **forceful, powerful, violent, coercive** A. +
2 (of persons, in interaction) **defiant, wilful** Fl.; (of horses) X.
3 (of actions) involving violence or coercion, **violent** Od. A. Hdt. E. Th. +; (of sexual acts) E. X.
4 (of the Fates, Necessity, the gods' favour) **powerful, inexorable** or **cruel** A. Pi.*fr.*; (of a fortune, a time) **adverse** Plu.
5 (of events or processes) **forceful, powerful, violent** Pl. +; (of a fight, attack, retreat) A. Th. +; (of missiles, their path or impact, a ramming move) Plb. Plu.; (of a plague) S. ‖ NEUT.SB. **violent process** Pl.
6 (of the sea, winds) **powerful, raging** Pi.*fr.* Lyr.adesp. Plb. NT. Plu.
7 (of death) by violence, **violent** Hdt. E. Pl. +
8 (of circumstances, actions, words) **coerced, forced, compulsory** or **controlled** Thgn. Pi. E. Th. +; (of taxes) Th. ‖ NEUT.SB. that which is forced or compulsory Pl. Arist. Plu.; **use of force** E.*fr.* ‖ NEUT.SUPERL.SB. utmost compulsion (of law) Pi.*fr.*
9 ‖ NEUT.PL.SUPERL.SB. most powerful things (on earth) Simon.
—**βίαια** *neut.pl.adv.* **with violent acts** A.
—**βιαίως** *adv.* | compar. βιαιότερον, superl. βιαιότατα | **with** or **because of force** or **violence, forcefully** or **violently** Od. A. Pi. E. Th. +
βιαιότης ητος *f.* **abusive** or **violent behaviour** Att.orats.
βιάομαι *mid.contr.vb.* [βίᾱ; reltd. βιάζομαι] | ep.3pl. (w.diect.) βιόωνται, ep.ptcpl. (w.diect.) βιώμενος (Mosch.), imperatv. βιῶ (Hdt.), 3sg.imperatv. βιάσθω, ep.3pl.opt. βιῶατο | ep.3pl.impf. (w.diect.) βιόωντο | fut. βιήσομαι, 2sg. (w.pass.sens.) βιήσεαι (Thgn.) | 3sg.aor. ἐβιήσατο, ep. βιήσατο | aor.pass.ptcpl. βιηθείς (Hdt.) | pf.mid.pass.ptcpl. βεβιημένος ‖ for pf.act. see below |
1 seize, overpower or **attack** —*a person, enemy, animal* Hom. Hdt. AR.; **assault, abuse** —*persons* Od. Hct.; **rape** —*a woman* Hdt.; (intr.) **use force** or **violence** —W.DAT. *w. one's hands* AR. Mosch.

2 get the better of —*a person* (W.DAT. *by lies*) Il.; **coerce** —*a person* (*to act against his will*) Od.
3 (of a donkey) **defy** —*its driver* Il.
4 deprive, rob —W.DBL.ACC. *a person of a wage* Il.
5 violate the honour of, **dishonour** —*a person or god* Hom. Hes.; (of mere semblance) **degrade** —*truth* Simon.; (of deceit) —*that which is illustrious* Pi.
6 exert all one's energy (to bend metal) AR.; (of physicians) put pressure on, **pull about, wrench** —*a person's foot* Hdt.
7 force one's way (through enemy territory) Hdt. —W.ACC. *against wave or wind* AR.
8 (of waves) **drive, carry along** —*a swimmer* (W.PREP.PHR. *onto a shore*) Od. ‖ PASS. (of fire-ships) be driven (by wind) Hdt. AR.; (of a mass) yield to force Pl.
9 (of Persuasion) **be a driving force** A.; (of urges, habits, wine, envy) **drive, overpower** —*a person or mind* Thgn. Simon. B. Parm. ‖ PASS. (of a person) be overpowered (by love) Thgn. —W.DAT. *by necessity* AR.
10 (of poverty) **grind down** —*a person* Sol.; (of Orpheus' lyre) **overpower** —*the Sirens' voices* AR.; (of old age) **force** —*a man* (W.INF. *to fall down*) Mosch. ‖ PASS. (of persons) be overcome —W.DAT. *by death or illness* Hdt.
—**βεβίηκα** *pf.act.vb.* (of grief, need) **constrain** —*an army* Il.
βιασμός οῦ *m.* [βιάζομαι] **rape** (W.GEN. of a girl) Men.
βιασταί ῶν *m.pl.* **violent men** NT.
βιαστικός ή όν *adj.* **1** of the kind that uses physical force ‖ NEUT.SB. **violent part** (of the art of fighting) Pl.
2 (of a law) of the kind that exercises constraint, **coercive** Pl.
βιάτᾱς ᾶ *dial.masc.adj.* [βιάομαι] (of Ares, men, their spirit) **mighty** Alcm. Pi.; (of the son of the vine, fig.ref. to wine) Pi.
βιβάζω *vb.* [reltd. βαίνω] | fut.pt.pl. βιβῶν (S.) | **1 cause to walk away, shift** —*a person* (W.PREP.PHR. *fr. a path*) S.Ichn.
2 cause to rise upwards (in renown), **exalt** —*a city* (W.PREP.PHR. *to the heavens*) S.
3 cause (female animals) to be **mounted** (by males); **inseminate** —*bitches, mares* Plu.
βιβάσθων *masc.pres.ptcpl.* [reltd. βιβάω] | only nom. | (of a warrior) **stepping out** —W.NEUT.PL.ADV. *w. long strides* Il.
βιβάω *contr.vb.* [reltd. βιβάζω] | iteratv.impf. ἐβίβασκον | **take repeated steps**; (of a god, a man) **step out** hHom. A.(dub.) —W.NEUT.PL.ADV. *w. monstrous strides* hHom.; (of revellers singing or dancing) —W.NEUT.PL.ADV. *lightly* Pi.
—**βιβάς** ᾶσα *masc.fem.athem.pres.ptcpl.* | masc.gen. βιβάντος | **taking repeated steps**; (of a warrior, his underworld soul; of a ram, leading the flock) **stepping out** —W.NEUT.PL.ADV. *w. long strides* Hom.; (of a warrior) —W.ADV. *w. high steps* Il.; (of Apollo, in a dance) —W.NEUT.PL.ADV. + ADV. *finely and high* hHom.; (of a warrior mounting his chariot) **stepping up** —W.NEUT.PL. ADV. *lightly* Hes.
βιβλιακός *adj.*: see βυβλιακός
βιβλιᾱ-φόρος ου *m.* [βυβλίον, φέρω] **message-carrier, courier** Plb.
βιβλίδιον *n.*: see βυβλίδιον
Βίβλινος ου *masc.adj.* (of fine wine) from Biblos (app. in Thrace), Bibline Hes. E. ‖ SB. Bibline wine Theoc.
βιβλιοθήκη *f.*, **βιβλίον** *n.*, **βίβλος** *f.*: see βυβλιοθήκη, βυβλίον, βύβλος
βιβρώσκω *vb.* | ep.aor.2 ἔβρων (tm., see ἐπιβιβρώσκω) | pf. βέβρωκα, ptcpl. βεβρωκώς, also 3εβρώς (S.) | ep.2sg.pf.opt. βεβρώθοις ‖ PASS.: aor. ἐβρώθην | pf.ptcpl. βεβρωμένος | fut.pf. βεβρώσομαι |

1 eat voraciously (sts. w.connot. of cannibalism or savagery); **devour** —*humans* Il.; **eat** —*flesh* Hdt. ‖ PASS. (of children's flesh) be eaten A.
2 ‖ PF.PTCPL. (of a snake) gorged —W.ACC. *on noxious herbs* Il.; (of birds) —*on blood* S.; (of a lion) —W.PARTITV.GEN. *on an ox, flesh and blood* Od. Theoc.; (fig., of persons) —*on a poet's songs* Ar.
3 eat (food) as a meal or for subsistence; (of persons, soldiers) **eat** X. Plb. NT. —*food* Plu. ‖ PASS. (of bark) be eaten (by an army) Plu.; (of one's livestock or possessions) be devoured or used up (by others) Od.

βιβῶν (fut.ptcpl.): see βιβάζω
βιήσατο (ep.3sg.aor.mid.), **βιήσομαι** (fut.mid.): see βιάομαι
βίηφι (ep.gen.dat.): see βίᾱ
Βῑθῡνοί ῶν *m.pl.* **Bithynian tribes** or **people** Hdt. Th. X. AR. Plb. Plu.
—**Βῑθῡνίᾱ** ᾱς *f.* **Bithynia** (region on the NW. coast of Asia Minor, later a Roman province) NT. Plu.
—**Βῑθῡνίς** ίδος *fem.adj.* **1** (of a part of Thrace) **Bithynian** X.; (of the land, sea) AR. ‖ SB. Bithynia X.
2 (of a nymph) from Bithynia, **Bithynian** AR.
βῖκος ου *m.* [prob. Semit.loanwd.] a kind of container; **jar** (of wine) Hdt.
βίμβλις ιδος *dial.f.* [βύβλος] papyrus rope (on a ship) ‖ PL. rigging Alc.
βῑνέω *contr.vb.* | pf. βεβίνηκα ‖ PASS.: iteratv.impf. βινεσκόμην | **1** (of a man) **fuck** —*a woman, a man* Archil. Hippon. Ar.; (intr.) Ar. ‖ PASS. (of a woman or man) be fucked Ar.; (iterativ., of a young man) get regularly buggered (i.e. rent oneself out) Ar.
2 ‖ MASC.PL.PASS.PTCPL.SB. (derog.) catamites, bumboys Ar.
βῑνητιάω *contr.vb.* [desideratv.] (of a woman) **want a fuck** Ar.
βιο-δότης ου *m.* [βίος, δίδωμι] (ref. to a god) **provider of one's livelihood** Pl.
βιό-δωρος ον *adj.* [δῶρον] (of the daughters of Inakhos, i.e. river-waters; of the earth) **life-giving** A.*fr.* S.; (of a remedy, ref. to wine) Pi.*fr.*
βιο-θάλμιος ον *adj.* [θάλλω] (of a man) **enjoying a vigorous life** hHom.
βιο-θρέμμων ον, gen. ονος *adj.* [τρέφω] (of Aither) **life-nurturing** (W.GEN. for all) Ar.
βιός οῦ *m.* **bow** (for shooting arrows) Hom. hHom. AR.
βίος ου *m.* **1** existence or condition of being alive; **life** (of a person or group of persons) Trag. +; (opp. spiritual existence of the soul) X.; (of animals, plants) A. Emp. Ar. +
2 life force (of an individual, leaving the body on death) Trag. +
3 life as a possession (in the face of imminent death, or in terms of being saved or lost), **life** or **precious life** Trag. +; (of one's children) E. Lys.; (exemplifying what is most valuable) A. E.
4 length or course of a life (esp. in terms of number of years or as encompassing different periods), **life** Hes.*fr.* +
5 circumstances of life (esp. happy, miserable, dangerous, public, private, or sim.), **life** Od. +
6 way of living life (w. certain customs or ethics, performing certain activities, or sim., freq. judged as good or bad), **life, way of life** Archil. +; (of different kinds of animals) Semon. Arist.
7 means for supporting one's life, **livelihood, resources, subsistence** Hes. +; (of spiders) X.
8 life worthy of the name or life to the full, **life, good life** Mimn. S. E. Pl. +
9 life story or career (esp. of a hero or famous man, studied or written about), **life, biography** Plu.
10 life experience in general, **life** (of a community or generation, or of all humankind) Trag. +
11 eternal existence (on Olympos, in the land of the blessed, in the underworld), **life, existence** Stesich. Pi. Arist.; (of the soul, sts. as reincarnated) Pi. Emp.

βιο-στερής ές *adj.* [στερέω] bereft of the means of living, **indigent, destitute** S.
βιοτείᾱ ᾱς *f.* [βιοτεύω] **1 way** or **means of making a living** (ref. to farming) X.
2 style of living (in terms of simplicity or extravagance) Plb.
βιοτεύω *vb.* [βίοτος] **1 live out** —*an incarnation* (W.ADV. *on earth*) Pl.
2 continue to live (opp. die), **live, live out one's life** E. X. Plu.
3 live, pass one's life (in a certain manner, such as happily, intemperately, or sim.) Th. Isoc. X. Arist. Plu.
4 make a living, support oneself (fr. the land, war, stealing, or sim.) Th. X.
5 (of words in poetry, opp. deeds) continue in existence, **survive, last** Pi.
βιοτή ῆς, dial. **βιοτά** ᾱς *f.* **1** state of being alive, **life** Hdt.
2 course of a life, **life** or **lifetime** Pi. E. Ariphron
3 manner or circumstances of life, **life** or **lifestyle** Od. Pi. B. Trag. Ar. +
4 good life (in terms of dining or sim.) Philox.Leuc.
5 means of sustaining life, **sustenance** S.
βιοτήσιος ον *adj.* (of produce for sale) **providing a living** AR.
βιότιον ου *n.* [dimin. βίοτος] **nice little livelihood** Ar.
βίοτος ου *m.* **1** state of being alive, **life** Hom. Mimn. A. Emp. Ion E. AR.
2 course of a life, **life** or **lifetime** Il. Anacr. Thgn. Simon. Pi. Trag. +
3 manner or circumstances of life, **life** or **lifestyle** Thgn. Pi. S. E.
4 life to the full, **good life** Thgn. E.*Cyc.*
5 means of sustenance or income, **livelihood** (sts. concr., ref. to goods or produce) Hom. Hes. Sol. Trag. Ar. AR.
βιόω *contr.vb.* | FUT.: βιώσομαι, ep. βείομαι, also βέομαι, 2sg. βέῃ (or perh. βέεαι) | AOR.2: ἐβίων, inf. βιῶναι, 3sg.imperatv. βιώτω, ptcpl. βιούς, subj. βιῶ, opt. βιῴην | also aor.1 ἐβίωσα | pf. βεβίωκα ‖ MID.: pres. βιόομαι ; 2sg.aor. (causatv.) ἐβιώσαο (Od.) ‖ neut.impers.vbl.adj. βιωτέον |
1 continue to live (opp. die, esp. after a critical event), **live, survive** Hom. Hdt. E. Ar. Pl. + ‖ MID. (causatv.) **save the life of** —*a person* Od.
2 be alive on earth (for a period of time), **live** Hdt. Att.orats. +
3 live (in another existence or reincarnation) Emp. Pl. Men.
4 live (through a period of time, a stage in life) Isoc. +
5 live one's life (w. certain people, in certain conditions, by certain standards, good or bad) Il. S. Att.orats. +; (mid.) Arist.
6 (of hounds) **live** —W.DAT. *on certain foods* X.; (of a person) **make a living, support oneself** hHom. Isoc. +; (mid.) Hdt. Arist.
7 live life to the full Plu.
βιόωνται (ep.3pl.mid.), **βιῶατο** (ep.3pl.opt.mid.): see βιάομαι
Βίστονες ων *m.pl.* inhabitants of a region on the southern coast of Thrace, **Bistones** Hdt. E.
—**Βιστόνιος** ᾱ (Ion. η) ον *adj.* (of the lyre of Orpheus) **Bistonian** (i.e. Thracian) AR.; (of nymphs) Mosch.
—**Βιστονίς**, also **Βιστωνίς** (AR.), ίδος *fem.adj.* (of a region) **Bistonian** AR.; (of a lake) Pi.*fr.* Hdt.; (perh. of mares) Call.

βιῶ¹ (mid.imperatv.), **βιωόμενος** (ep.mid.ptcpl.): see βιάομαι

βιῶ² (aor.2 subj.): see βιόω

βιώσιμος ον *adj.* [βιόω] **1** (of a kind of life) **worth living** S. **2** ‖ NEUT.IMPERS. (w. ἐστί, sts.understd., in neg.phr.) life is worth living (sts. W.DAT. for someone) Hdt. E ; (pl.) life is possible (for humans, in a particular region) Hdt. **3** (of time that remains) **for living** E. **4** (of a sick person, in neg.phr.) **likely to live** Men.

βίωσις εως *f.* **manner of living** NT.

βιωτέον (neut.impers.vbl.adj.): see βιόω

βιωτικός ή όν *adj.* (of things) **relating to daily living** Plb. NT.

βιωτός ή όν *adj.* **1** (in neg.phr., of a life) **worth living** S. Ar. Pl.; (of a situation) **able to be survived** X. **2** ‖ NEUT.IMPERS. (w. ἐστί, sts.understd., usu. in neg.phr.) life is worth living (freq. W.DAT. for someone) Pl. D. Men. Plu.

βιώτω (3sg.aor.2 imperatv.): see βιόω

βλάβεν (ep.3pl.aor.2): see βλάπτω

βλαβερός ά (Ion. ή) όν *adj.* [βλάβη] **1** (of the outdoors) causing physical or material harm, **harmful, damaging** (to goods, living things) Hes. hHom.; (of certain food, drink, clothing, or sim., to people) X. Arist. Plu.; (of hunger, thirst) Pl.; (of certain practices, to farming) X. **2** (of a voyage) **disastrous** X. **3** (of persons, their attributes or actions, circumstances) causing damage of a non-material kind, **damaging, injurious, detrimental** Even. Isoc. Pl. X. D. +; (of a god) Plu. **4** (of speeches, topics, things learned or thought) **harmful, corrupting** Isoc. Pl. Arist.

—**βλαβερῶς** *adv.* **in a harmful manner** Pl.

βλάβη ης, dial. **βλάβα** ᾱς *f.* **1 harm, injury, damage, detriment** (to oneself or others) Trag. Th. +; (W.GEN. fr. a god) S. E. **2 penalty** (for one's actions, behaviour or words) A. D. Arist. Plb. **3** (leg.) **damage, injury** (to persons or property) A. Ar. Att.orats. +; money paid for injury, **damages** Att.orats. **4** (ref. to a person or thing) source of harm, **scourge** A. S. Ar.

βλάβομαι *ep.mid.vb.*: see βλάπτω

βλάβος εος (ους) *n.* **1 harm, injury** (to a person) E. Antipho Arist. **2 opprobrium** (due to a wrong action) Hdt. E. X. **3 fault, flaw** (in a poetical expression) Ar. **4** (leg.) **damage, injury** (to persons or property) D. Arist.; money paid for injury, **damages** Pl. D.

βλαισός ή όν *adj.* (of persons) **bow-legged** X.

βλαίσωσις εως *f.* a kind of rhetorical technique (app. involving the twisting of an argument); perh. **retortion** Arist.

βλᾰκείᾱ ᾱς *f.* [βλᾰκεύω] **laxness, indolence** Pl. X. Plb.; (in a horse) X.

βλᾰκεύω *vb.* [βλάξ] (of persons) **be lax** X.

βλᾰκικός ή όν *adj.* (of a character trait or reaction) **of the kind which is lax** Pl.

—**βλᾰκικῶς** *adv.* **in a lax manner** Ar.

βλᾰκώδης ες *adj.* ‖ compar. βλᾰκωδέστερος ‖ (of a horse) not readily responsive, **sluggish** (opp. spirited) X.

βλάξ βλᾱκός *masc.fem.adj.* ‖ compar. βλᾱκότερος, superl. βλᾱκότατος ‖ **1** (of a horse) **idle, lazy** X. **2** (of a person) **stupid, obtuse** Pl. X. Arist. ‖ MASC.SB. **fool, idiot** X. Plb.

βλάπτω *vb.* ‖ fut. βλάψω ‖ aor. ἔβλαψα, ep. βλάψα ‖ pf. βέβλαφα ‖ MID.: fut. (w.pass.sens.) βλάψομαι ‖ PASS.: fut. βλαβήσομαι ‖ aor. ἐβλάφθην ‖ aor.2 ἐβλάβην, ep.3pl. ἔβλαβεν, also βλάβεν, ptcpl. βλαβείς ‖ pf. βέβλαμμαι ‖ —also **βλάβομαι** *ep.mid.vb.* [βλάβη] ‖ The vb. is freq. intr. in all senses. ‖

1 (of a divine agent, objects, terrain) obstruct the course (of someone or sthg. moving forward at speed); **trip up, impede** —*persons, animals, their limbs* Hom. X. ‖ PASS. (of persons, animals, a chariot) be impeded or made to fall Il. A. **2** obstruct the progress (of someone or sthg.); (of piracy, weather, topography, sounds, sights, delay) **impede, thwart** —*persons, troops, ships* Th. +; (of the gods) **hinder** —*Odysseus* (W.GEN. *fr. his voyage home*) Od. ‖ PASS. (of persons, horses, things) be impeded or thwarted Il. Th. **3** (of old age, tiredness, hunger wounds, or sim.) **wear down, undermine** —*persons, bodies, minds, activities* Mimn. Pl. X. ‖ PASS. (of persons, limbs) be weakened or fail Hom. + **4** do physical or mental harm (to someone or sthg.); (of a divine or non-human agent, persons, their actions, wine, poison, or sim.) **harm, injure** —*a person, an animal, their attributes, physical objects* Hom. Thgn. Trag. Th. + ‖ PASS. be harmed or injured Il. +; be impaired (in the mind) Hes.*fr.* Mosch. —W.GEN. *in the mind* Thgn.; (of weapons, property) be ruined Il. Plu. **5** (of water, effluent) **do damage to** —*territory, persons, their property* Th. D. + ‖ PASS. (of persons) suffer damage (fr. water) D. **6** (leg.) cause loss or damage (to someone); (of persons, their actions) **injure** —*persons, their interests or property* Att.orats. + ‖ PASS. (of persons) be offended against or injured Hes. Att.orats. + **7** diminish or degrade (someone or sthg. deserving respect); **harm, abuse, violate** —*a suppliant, temple, offerings, or sim.* E. Th. —*justice* Hes. Eleg.adesp. —*a person (in terms of due honour)* Tyrt. Thgn. S. + —*the soul* Pl. —*a precept* Pi. ‖ PASS. (of things) be harmed A. E. **8** (of persons, their attributes, actions, words, writings) bring harm, loss or censure; **harm, hurt, damage** —*persons, their life* Hes. Hdt. S. E. Th. Ar. + —*oneself, one's affairs* E. +; (of suspicion) **mar, spoil** —*confidence in sthg.* Plu. ‖ PASS. (of persons) be harmed or incur censure A. Pi. E. Th. + **9** cause loss or disadvantage (to an enemy, politically or militarily); (of a people, their leaders, an army) **harm, hurt, damage** —*other persons or peoples, their territory, a faction* E. Th. + ‖ PASS. (of persons, a people) be harmed Th. + **10** (of an enemy) cause loss or disadvantage (to one's own side); **harm, hurt, damage** —*one's people, army, territory, allies or interests* Th. + ‖ PASS. (of one's own side) be harmed Th. **11** cause loss or disadvantage (to the common interest, politically or militarily); (of one's own people or their actions, leaders, allies, policy) **harm, disadvantage** —*a city-state, leaders, fellow citizens or troops, certain classes or interests* E. Th. + ‖ PASS. (of people, the common interest) be harmed or disadvantaged Hes. E. Th. + **12** (of a rhetorical technique, a theme) **detract from** —*a speech, an argument* Isoc. Pl.; (of truth) —*an impression (in poetry)* Th.

βλαστάνω *vb.* ‖ aor.2 ἔβλαστον, dial. βλάστον (Pi.) ‖ —also **βλαστέω** *contr.vb.* ‖ 3sg. βλαστεῖ (Lyr.adesp. Bion) ‖ ep.impf. βλάστεον (AR.) ‖ aor. ἐβλάστησα (Emp. Arist. NT.) ‖ pf. ἐβλάστηκα (E., dub.) ‖ 3sg.plpf. ἐξεβλαστήκει (Th.) ‖ —also **βλαστάω** (NT.) *contr.vb.*

1 (of trees, vegetation, grass, crops) **put out shoots, come into bud** or **flower, grow** Lyr.adesp. Emp. S. E. Th. Ar. +; (of feathers) **sprout** Pl.; (of the crop of Sown Men) **spring up** E.;

(of a person, envisaged as a plant) **grow** Ar.; (of the root of an embryo in the womb) Plu.; (fig., of plans) —W.PREP.PHR. *fr. the furrows of the mind* A. ‖ NEUT.PL.PRES.PTCPL.SB. vegetation Plu.
2 (of persons, other beings) **be born** or **spring up** (sts. W.ADV., GEN. or PREP.PHR. fr. a particular parent, stock or heritage) Pi. Emp. S. E. Ar. X. AR. | see also ἀναβλαστάνω (tm.)
3 (of persons) grow, develop or mature, **grow up** S. Plu.; (of bodies, skin) **grow** Pl. Plu.
4 (of an island) **spring up** —W.PREP.PHR. *fr. the sea* Pi.; (of a kingdom) **arise** (out of Sparta) Plu.(oracle)
5 (of laws, an institution, a practice) **spring up, arise** S.; (of sorrow, mistrust) A. S.; (of sense, plans, virtues) S. Ar. Plu.
6 (causatv., of a woman, the Gorgon's blood) **bring forth** —*offspring, a brood of snakes* AR.; (of the earth) —*creatures* AR.

βλάστη ης, dial. **βλάστα** ᾱς *f.* **1 shoot** (of a tree) Pl.
2 process of growing, **growth** (of feathers, living creatures, the human race) Pl.; (of a child) S.*Ichn.*; (fig., W.ADJ. *of rock*, into which Niobe was metamorphosed) S.; (of children, the young) Lyr.adesp. Pl.
3 ‖ PL. begetting or conception (of a child) S.; origins (of a person, in terms of ancestry) S.

βλάστημα ατος *n.* **1** offshoot, **branch** (of a tree) E. ‖ PL. shoots (W.ADJ. *of ivy*) E.; greenery or crops E.; plants or flowers Isoc.
2 offspring (w. ἐκ + GEN. of a particular mother) A.; **crop** (W.GEN. of children) E. ‖ PL. offspring (W.GEN. of a particular parent) E.; (ref. to lambs) E.*Cyc.*

βλαστημός οῦ *m.* **1 growth** (W.GEN. of the body) A.
2 offspring (W.GEN. of a woman) A.

βλαστός οῦ *m.* **1 shoot** (of a tree or plant) Hdt. X. Plu.
2 offshoot (W.GEN. of worry, ref. to a hymn) Lyr.adesp.

βλασφημέω contr.vb. [2nd el.reltd. φήμη] **1** (in religious ctxt.) speak irreverently or profanely, **blaspheme** Pl. Thphr. NT. —W.PREP.PHR. *towards or against the gods* Pl. —*against the Holy Spirit* NT.; (tr.) **blaspheme against** —*a goddess* NT.
2 speak disparagingly or **in a defamatory way** Att.orats. Pl. Arist. NT. Plu. —W.PREP.PHR. *about or against someone or sthg.* Att.orats. Plu.; (tr.) **insult, revile** —*Jesus* NT. ‖ PASS. be insulted or reviled Plu.

βλασφημία ᾱς *f.* **1** irreverent language, **profanity, blasphemy** E. Isoc. Pl. NT.
2 defamation, vilification, slander Att.orats. Plb. NT. Plu.

βλάσφημος ον *adj.* **1** (of statements) **disparaging, defamatory, abusive** Isoc. D. Plu.; **blasphemous** NT.
2 (of a person) **disparaging** Arist.(quot.) Plu.

βλαύτη ης *f.* a kind of simple footwear, **slipper** Pl. Plu. —**βλαυτίον** ου *n.* [dimin.] slipper Ar.

βλᾱχά *dial.f.*: see βληχή

βλάψις εως *f.* [βλάπτω] **injury, harm** (inflicted on a person) Pl.

βλαψί-φρων ονος *masc.fem.adj.* [φρήν] damaged in the mind, **demented** A.

βλεῖο (ep.2sg.aor.pass.opt.): see βάλλω

βλεμεαίνω *vb.* (of a god, warrior, wild animal or its spirit) **exult** —W.DAT. *in strength* Il.

βλέμμα ατος *n.* [βλέπω] **look, expression** (in the eye, on the face) E. Ar. D. Men. Plu.

βλέπος ους *n.* **look, expression** Ar.

βλεπτός ή όν *adj.* (of a thing) **able to be seen** S.

βλέπω *vb.* | fut. βλέψομαι | aor. ἔβλεψα ‖ neut.impers.vbl.adj. βλεπτέον | **1** have the faculty of sight (opp. be blind or have one's eyes shut); **be able to see** Semon. Trag. Antipho Ar. + —*persons or things* NT.
2 enjoy the faculty of sight (as representing all faculties), **have consciousness, be alive** Trag. Antipho Aeschin. +; see —*the sky, sun, light of day, a particular day* Trag. Plb.
3 (of law) **be living** (in a ruler) X.; (of reported things) **be real** A.
4 direct one's gaze or turn one's face (towards someone or sthg.); **look** Trag. Ar. + —W.ADV. or PREP.PHR. *in a particular direction, towards or at persons or things* Hippon. B. Hdt. S. E. +; (tr.) **look at** —*persons or things* Anacr. Pi. S. E. Men. +
5 see (w. the eye or mind); **see** S. E. Pl. + —*persons or things* (sts. doing sthg. or being in a certain state), happenings, facts, or sim. B. S. E. Ar. Pl. + —W.INDIR.Q. or COMPL.CL. *what (whether or that sthg.) is the case* S. Ar. Plb. NT. ‖ PASS. (of things) be seen Plu.
6 turn one's attention or concern (towards someone or sthg.); **look** Ar. Pl. + —W.ADV. or PREP.PHR. *in a particular direction, to persons or things* Sol. Pi. Trag. Th. Ar. Att.orats. + —W.INF. *to doing sthg.* Ar. Men.; **take notice of, look at** —*events, problems, questions, duties* E.*Cyc.* Pl. Arist. +
7 look for help, protection or guidance; **look** —W.ADV. or PREP.PHR. *in a particular direction, to gods, leaders, relatives, principles, good things, or sim.* S. E. And. Ar. Pl. X. +
8 look out for danger, **take care** NT. —w. μή + SUBJ. *not to do sthg., that sthg. does not happen* NT.; **look to the danger** —W.PREP.PHR. *fr. someone* NT.
9 have or give a look (indicative of a state, emotion or general character); **look** —W.ADV. *a certain way, w. a certain expression* Anacr. Pi. S. E. Ar. X. +; **give a look of** —W.ACC. *terror* (i.e. a terrifying look) A. —*fire, death, lightning, a bitter spice* (i.e. bitterness), or sim. Ar. Men.
10 (of places, objects, parts of the body, battle formations) **look, point, face** —W.ADV. or PREP.PHR. *in a particular direction* Ar. X. Theoc. Plb. NT. Plu.; (of laws, government, or sim.) —*to a certain principle, end, or sim.* Pl. Arist.

βλεφαρίς ίδος *f.* [βλέφαρον] **eyelash** Ar.; (pl.) Ar. X.

βλέφαρον, dial. **γλέφαρον** (Alcm. Pi.), ου *n.* [app.reltd. βλέπω] | fem.gen.pl. βλεφάρων (Hes.) | ep.gen.du. βλεφάροιιν | **1 eyelid** AR.; (pl.) Hom. +
2 (meton.) **eye** (W.GEN. of the Cyclops) E.*Cyc.*; (collectv.sg. for pl.) **eyelids, eyes** (as the site of tears, sleep, death) B. E.; (pl.) Hes. +
3 (fig.) **eye** (W.GEN. of day, ref. to the sun) S.; (of night, W.ADJ. *lightless*, ref. to darkness) E.
4 capacity for seeing, **sight** E.; (W.GEN. of the eyes) E.

βλέψις εως *f.* catching sight, **sight** (of sthg.) Plu.

βλήεται (ep.3sg.aor.pass.subj.), **βληθήσομαι** (fut.pass.): see βάλλω

βλῆμα ατος *n.* [βάλλω] **1** result of a throw (at dice); **cast, throw** E.
2 result of a hit (by a thrown weapon), **wound** Hdt.

βλήμενος, βλῆσθαι (ep.aor.pass.ptcpl. and inf.): see βάλλω

βληστρίζω *vb.* [reltd. βάλλω] (of long years of life) **toss** (W.ACC. one's thoughts) **this way and that** Xenoph.

βλητέον (neut.impers.vbl.adj.), **βλῆτο** (ep.3sg.aor.pass.): see βάλλω

βλητός ή όν *adj.* (of women, in childbirth) **struck down** (by Artemis, resulting in death) Call.; (of a man, W.PREP.PHR. by Apollo, i.e. dying prematurely) Call.

βλῆτρα ων *n.pl.* **clamps** or **bolts** (for the shaft of an extra-long lance) Il.

βληχάομαι *mid.contr.vb.* [βληχή] (of sheep or goats) **bleat** Ar. Men. Theoc.; (of young children) Ar.(dub., cj. ἀμβληχ-)

βληχή ῆς, dial. **βλᾱχά** ᾶς *f.* **1** (sg. and pl.) **bleating** (of sheep or goats) Od. E.*Cyc.* AR.
2 wailing (of infants being slaughtered) A.

βληχρός ά όν, Aeol. **βλῆχρος** ᾱ ον *adj.* [perh.reltd. βλάξ; see also ἀβληχρός] **1** (of winds, showers of rain) lacking force or intensity, **slight, gentle** Alc. Plu.; (of rivers, seas) **sluggish** Pi.*fr.* AR.
2 (of a sickness) **lingering** Plu.
3 (of the beginning of a quarrel) **slight, small** B.; (perh. of a recompense) B.
βληχώ οῦς, Ion. **γληχών** ῶνος, dial. **γλάχων** ωνος *f.* | acc. βληχώ, dial. γλάχωνα, also γλᾱχώ | a kind of mint (w. medicinal properties), **pennyroyal** Hes.*fr.* hHom. Hippon. Ar. Theoc.; (ref. to pubic hair) Ar.
βληχωνίᾱς ου *m.* (appos.w. κυκεών *gruel drink*) **pennyroyal variety** (ref. to a liquid medicine) Ar.
βλῑμάζω *vb.* | dial.1pl. βλῑμάδδομες | probe with the fingers, **grope, feel up** —*birds* (*to test for fatness, w. sexual connot.*) Ar. —*Pylos* (w. play on πύλαι 8) Ar.
βλιτο-μάμμᾱς ου *m.* [βλίτον *a kind of spinach, w. insipid edible leaves*; μάμμη] app. **wishy-washy mummy's boy** Ar.
βλίττω Att.*vb.* [reltd. μέλι] | 3sg.aor.opt. βλίσειε | extract honey (fr. a bee's nest); (fig.) **get honey** —w.PREP.PHR. *out of poor people* (*i.e. do the impossible*) Pl.; (tr.) **steal honey from** —*Demos* (*i.e. rob the people*) Ar. —*a person* (*compared to a wasp's nest, i.e. get stings but no honey*) Ar. | PASS. (of honey) be extracted Pl.(cj.)
βλοσυρός ά (Ion. ή) όν (also ός όν Hes.) *adj.* **1** (of Ares, the Fates) app. **fierce, grim** Hes.; (of the face, brows or forehead of a person, warrior, Panic) Il. Hes. AR. Theoc.; (of lions) Hes.; (of the look of a lioness, protective of her new cubs) Call.
2 (of blood-pollution) **terrible, horrible, ghastly** A.; (of froth, fr. the mouth of a drowning man) Tim.; (of the headland at the entrance of Hades) AR.
3 (of a midwife) perh. **tough** or **severe** Pl.; (of rulers, w.ACC. in their characters) Pl.
—**βλοσυρόν** *neut.adv.* **with a severe look** Plu.
βλοσυρό-φρων ον, gen. ονος *adj.* [φρήν] **grim-minded** A.
βλοσυρ-ῶπις ιδος *f.* [ὤψ] (of the Gorgon) **grim-faced, fiercely glaring** Il.
βλύζω *vb.* | aor. ἔβλυσα | (of water) **gush forth** AR.
βλωθρός, also **γλωθρός** (Hes.), ή όν Ion.*adj.* (of trees) app. **tall** Hom. Hes.*fr.* AR.
βλώσκω *vb.* | pres. only in cpds. κατα-, προ- | fut. μολοῦμαι | aor.2 ἔμολον, ep. μόλον, inf. μολεῖν | pf. μέμβλωκα | **1** (of a person, god, animal, army, ship) **come** or **go** (sts. w.ADV. or PREP.PHR. to or fr. a place or person, to a time of life, into or through a condition, or sim.) Hom. Hes.*fr.* Semon. Lyr. Trag. Ar. +
2 (of a period of time, natural phenomena, death, trouble, or sim.) **come, arrive** Il. Mimn. Sol. Lyr. Trag. || PF. (of a day) have passed Od.
βοά dial.*f.*: see βοή
βο-άγρια ων *n.pl.* [βοῦς, ἀγρέω] **hides flayed from oxen, shields of oxhide** Hom.
βοᾱθοέω dial.contr.*vb.*: see βοηθέω
βόᾱμα ατος dial.*n.* [βοάω] **1 acclamation** (for a leader) A.
2 loud strain (w.GEN. of a lyre) Ar.(quot. Lyr.adesp.)
βοᾱτις ιδος dial.fem.*adj.* (of a voice) **crying out, clamorous** A.
βό-αυλον ου *n.* —also **βόαυλος** ου (Theoc.) *m.* [βοῦς, αὐλή] **cattle stall** or **shed** AR. Theoc.
βοάω contr.*vb.* [βοή] | ep.pres. (w.diect.): 3sg. βοάᾳ, 3pl. βοόωσι, ptcpl. βοόων | impf. ἐβόων, ep. βόων, iterat. βοάασκον (AR.) | fut. βοήσομαι, dial. βοάσομαι, also βοήσω (AR.) | aor.: ἐβόησα, ep. βόησα, dial. ἐβόᾱσα, βόᾱσα, Ion. ἔβωσα || MID.: 3sg.Ion.aor. ἐβώσατο || PASS.: Ion.aor. ἐβώσθην, Ion.pf.ptcpl. βεβωμένος |

1 raise one's voice (breaking silence, or interrupting and dominating dialogue, freq. amidst an assembly or crowd); **make a noise, cry out, shout** Il. Th. Ar. Aeschin. D. +
2 cry out (to attract attention, sts. w.DAT. to someone); **shout, call out** Hom. Hes.*fr.* Hct. S. E. Ar. +; (of heralds, messengers) Il. Thgn. X. Plu.
3 cry out (in urging or commanding; sts. w.DAT. to others, w.INF. to do or not do sthg.); **shout** Il. S. E. Th. Ar. +; **raise a shout of aggression** or **battle-cry** Hom. A. Hdt. Plu.
4 shout (in hunting) X.; (mid., when urging horses) E.
5 cry out (in anger, grief, triumph, praise, glee, mockery, or sim.); **shout, shriek, cry** Hom. Hes. Hdt. Trag. + || PASS. (of terrible cries) be raised E.
6 cry out (in naming someone); **call out** —*a person's name* Hdt.; **cry out** —w.ACC. (*representing dir.sp.*) *a deity or person* (*i.e. their name*) Hippon. Pi. B. Hdt. S. E. +; (mid.) Theoc. • βοᾶτε ... Ἄρτεμιν *cry out 'Artemis'* S.
7 cry out (in lamenting sthg.); **cry out, shout** —w.ACC. (*representing dir.sp.*) *misfortunes, pain, broken oaths* S. E.
8 cry out (in demanding sthg.); **cry out, shout** —w.ACC. (*representing dir.sp.*) *fire, water, or sim.* E. Men. Plu.
9 || PASS. (of a person) be bawled at Ar.
10 || PASS. (of people, their achievements, happenings, a saying) be broadcast, become common talk Hdt. Thphr. Men.
11 (of singers, a chorus) **raise one's voice** E. Ar. Call.
12 (of a baby) **cry out** Lys. Ar. Fl.
13 (of birds, animals) **call** or **cry out** Thgn. X.; (of a cicada) **ring out** Ar.; (of a serpent) **shriek** Pi.; (of a person compared to a serpent) A.
14 (of a musical instrument) **sound loudly** E.*fr.* Ar.; (mid.) E.
15 (of the noise of shouting) **ring** (in one's ears) A.
16 (of iron, in the foundry) **ring** A. E. Arist.(quot.poet.) AR.; (of a land, city, river, house, w. voices or talk) A. E. Arist.(quot.poet.) AR.; (of a shore, wave or forest, in the wind) **roar** Il. Hes. A. AR.; (of a whirlpool) AR. || PASS. (of a land) be made to resound —w.DAT. *w. wedding songs* E.
17 (of an image on a shield, a writing-tablet) send out a clear message, **cry out, shout** A. E.; (of the heart, thoughts, a part of the body, in pain) A. A. Pl.; (of truth, facts, sthg. mentioned) Ar. D. Arist.; (of murder) —w.ACC. (*representing dir.sp.*) *'Erinys'* (*i.e. vengeance*) A.
βοεικός ή όν *adj.* [βόειος] (of a yoked pair) **of oxen** Th. X.
βόειος ᾱ (Ion. η) ον, ep.Ion. **βοεος** η ον *adj.* [βοῦς] **1** (of the necks, throats) **of oxen** Pi. E.; (of the foot, back) **of a bull** Carm.Pop. Mosch.
2 derived from oxen; (of the hide or stomach) **from an ox** Od. Hes. Plb.; (of dung) **from oxen** Il.; (of a bow-string) **of ox-gut** Il.; (of milk) **from cows** E.*Cyc.* Plu.; (of meat) **from cattle** (i.e. beef) Hdt. Pl.; (of fat) Ar.
3 (of straps, reins) **of oxhide** Il.; (of thongs for a boxer's hands) Theoc.; (of leggings) Od.
4 (hyperbol., of words) as big as an ox, **ox-size** Ar.
—**βοείη**, also **βοέη**, ης ep.Ion.*f.* **1 oxhide** (raw or tanned, ref. to the whole hide or a piece of it) Hom. hHom. AR.
2 oxhide shield (sts. appos.w. ἀσπίς¹) Il. AR.
βόεσσι (ep.dat.pl.): see βοῦς
βοεύς ῆος ep.*m.* **leather rope** (on a ship) Od. hHom.
βοή ῆς, dial. **βοά** ᾶς *f.* **1** raised voice or voices, **shouting, clamour, cry** (esp. of an assembly or crowd) Hdt. S. E. Ar. Isoc. Pl. +; (of children) Ion
2 crying out (to attract attention or be heard); **cry, shout** Trag. Ar. Plu.; (of heralds) Pi. E.*Cyr.* Call.
3 crying out (when attacked or in danger); **cry of alarm, cry for help, shout, shouting** Od. Trag. Th. +

4 cry or cries (of incitement, esp. to rowers, troops; also, of the battle fray); **shout, shouting** Hom. A. Hdt. E. Th. Ar. +; (specif.) **shout of aggression, battle-cry** Il. Trag. Th. Ar. +
5 crying out (in pain, anguish); **cry** Hom. Hdt. Trag. +
6 crying out (in excitement, triumph, praise, approval); **shouting, acclamation** (for a military or athletic victor, a leader or deity) A. Pi. B. E. Ar. +; (at miraculous or fortunate circumstances) Hdt. Ar. Pl.; (as the method of voting in the Spartan assembly) Th. Plu.
7 cry (of babies) Pl.; (of newborn Athena) Pi.
8 cry, shriek, bray (or sim., of birds and animals) Hdt. S. E. Ar.
9 resonating sound, **strain** (of musical instruments, singing, chanting) Il. Pi. B. E. Ar.; **call** (of trumpets) A. Call.

βοηδρομέω *contr.vb.* [βοηδρόμος] **rush to bring help** (in war, distress or other adverse circumstances) E. Plu.

Βοηδρόμια ων *n.pl.* **Boedromia** (festival of Apollo at Athens) D. Plu.

Βοηδρόμιος ου *m.* **Helper in Distress** (cult title of Apollo) Call.

Βοηδρομιών ῶνος *m.* **Boedromion** (third month of the Athenian year, in late summer or autumn; sts. appos.w. μήν²) D. Thphr. Plu.

βοη-δρόμος ον *adj.* [βοή, δραμεῖν] (of persons, their steps or effort) **rushing to the rescue** E.

βοήθ-αρχος ου *m.* [βοηθός, ἄρχω] **leader of a relief force** Plb.

βοήθεια ᾱς *f.* [βοηθέω] **1 help, aid, assistance, support** (in military, political or legal affairs) Th. Att.orats. +; (for oneself, one's family or community) Att.orats. Pl. X. Arist. +; (for an argument, rhetorical style) Pl. Arist.; (fr. a god, fortune) Pl. Lycurg. D. Arist. Plu.
2 remedy, relief (in dangers, illness, weakness, difficulties) X. Arist. Plb. Plu.
3 (concr.) **reinforcement** (military or naval) Th. Isoc. +
4 ‖ pl. safety tackle (on a ship) NT.

βοηθέω, dial. **βοᾱθοέω** (Pi.) *contr.vb.* [βοηθόος] | neut.impers.vbl.adj. βοηθητέον | **1 come to the rescue** (in a time of danger), **bring help** or **relief** —w.dat. *to others, a ship, god, sanctuary* A. Hdt. Ar. +
2 (specif., of a people, leaders, armies, ships) **bring help** or **relief** (in battle, war or political strife) —w.dat. *to a land, people, army, or sim.* Hdt. E. Th. Lys. Ar. + —w.prep.phr. *to a location, against an enemy or attack* Hdt. +
3 (of a god, oracle, divine agents) **give succour** —w.dat. *to mortals, suppliants, victims, or sim.* Hdt. Ar. Pl. +
4 (of persons) **give support** (to someone or sthg., w. words, actions, money); **help** (freq. w.dat. persons, their interests) E. Ar. Att.orats. +; (of a poet, in celebrating a hero) Pi. ‖ pass. (of a person) be given help Arist.
5 (in legal or political ctxts.) **give support to, defend** —w.dat. *persons* Att.orats. + —*a treaty, agreement, law, justice, a form of government, or sim.* Th. Ar. Att.orats. +
6 help, defend —w.dat. *oneself, one's interests* Th. Ar. +
7 find help or relief (for sthg. bad); **remedy** —w.dat. *bad situations, wrongs, misfortunes, debts, or sim.* Att.orats. +; (of doctors) **administer remedies** Plu.
8 give support (to sthg. bad); **help** —w.dat. *wrongdoing, weaknesses, persons doing wrong or making mistakes* Att.orats. +
9 (of a speaker or writer) **back up** —w.dat. *a person, an argument* Att.orats. Pl. +; **come to the rescue** (in an argument) Pl.
10 (of laws, thoughts, an argument) **help, defend** —w.dat. *persons, their case, a proposition* Att.orats. +; (of conditions, events, emotions) **give advantage** —w.dat. *to a person* Pl. Plu.

βοήθημα ατος *n.* **1 help, aid, support** (in fighting, ref. to a mechanical device) Plb.; (in danger or difficulty, ref. to a circumstance) Plb. Plu.; (in writing prose, ref. to literary devices) Arist.; (for craftsmen, ref. to what is good) Arist.
2 remedy (for illness, digression in oratory) Plu.

βοηθητικός ή όν *adj.* **1** (of persons) **able to give help** (sts. w.dat. to others) Arist. Plu.
2 (of a kind of constitution) **effective** (w.prep.phr. against certain crimes) Arist.

βοη-θόος ον *adj.* [βοή, θοός¹] **1** (of a warrior, a war-chariot) **hastening to battle** or **to the rescue** Il.
2 ‖ masc.fem.sb. bringer of help (ref. to a deity) Call. Theoc.

βοηθός οῦ *m.f.* **1 bringer of help** or **relief** (in time of unrest or war; freq.pl., ref. to men, cities, ships) Hdt. Th. Isoc. Pl. +
2 defender (ref. to a goddess) Call.; (ref. to a tyrant) Pl.
3 helper, defender, advocate (sts. w.dat. for a person, a people, their cause) Att.orats. Pl. +; (in a lawsuit) Antipho Plu.; (for an argument) Pl.
4 (ref. to a skill, law, argument) **help, aid, support** Pl. Arist.

βοηλασίᾱ ᾱς, Ion. **βοηλασίη** ης *f.* [βοηλάτης] driving away of cattle (fr. their owners), **cattle-rustling** Il. Plu.

βοηλατέω *contr.vb.* be a cattle-driver, **be a herdsman** Plu.

βοηλάτης ου, dial. **βοηλάτᾱς** ᾱ *m.* [βοῦς, ἐλαύνω] **1** one who drives an ox (yoked to a plough or cart), **ox-driver** Lys. Pl. Plu.
2 one who drives off cattle, **cattle-rustler** (ref. to Hermes) S.*Ichn.*
3 (quasi-adj.) **cow-driver** (appos.w. μύωψ *gadfly*) A.
4 ox-driver (appos.w. διθύραμβος *dithyramb*, w. allusion to the award of oxen as prizes and their sacrifice during a festival) Pi.

—**βοηλάτις** ιος *Ion.fem.adj.* (of a stick) **ox-driving** Mosch.

βοηλατικός ή όν *adj.* ‖ fem.sb. art of being an ox-driver Pl.

βοη-νόμος ον *adj.* [νέμω] (of a boy) **cattle-pasturing** Theoc.

βοητύς ύος *f.* [βοάω] **loud talking** Od.

βόθρος ου *m.* **1** hole in the ground, **hole, pit** (containing water, used for washing clothes) Od.; (for planting, esp. of trees) Il. X. Arist. Plu.; (for a fire) hHom.; (for religious offerings) Plu.; (over which a sacrificial victim is slain) Od. AR.; (for a burial) X.
2 hole (in snow, melted by fire) X.

βόθυνος ου *m.* hole in the ground, **hole, pit** (for planting) X.; (into which an animal or blind person may stumble) NT.

Βοίβη ης *f.* **Boibe** (town in SE. Thessaly) Il.

—**Βοιβηΐς** ίδος *f.* **Boibeis** (name of the nearby lake, appos.w. λίμνη) Il. Hdt.

—**Βοιβιάς** άδος *f.* **Boibias** (alternative name of the lake) Pi.; (appos.w. λίμνη) Hes.*fr.*

—**Βοίβιος** ᾱ ον *adj.* (of the lake) **Boibian** E.

βοιδάριον ου *n.* [dimin. βοῦς] **little ox** Ar.

βοίδιον ου *n.* **little ox** Ar. Men.

Βοιωτ-άρχης ου *m.* —also **Βοιώταρχος** ου (X.) *m.* [Βοιωτοί, ἄρχω] officer of the Boeotian league, **Boeotarch** (one of seven) Hdt. Th. X. Aeschin. Plb. Plu.

—**Βοιωταρχέω** *contr.vb.* hold the office of Boeotarch Th. D. Plu.

—**Βοιωταρχίᾱ** ᾱς *f.* office of Boeotarch Plu.

Βοιωτιάζω *vb.* [Βοιωτοί] **1 favour the Boeotian cause** X. Aeschin. Plu.
2 speak in the Boeotian dialect X.

Βοιωτιουργής ές *adj.* [ἔργον] (of a military helmet) **of Boeotian workmanship** or **style** X.

Βοιωτοί ῶν *m.pl.* men of Boeotia, **Boeotians** (as a population or military force) Il. + || SG. Boectian man B. S. Th. Ar. Plu.

—**Βοιωτίδιον** ου *n.* [dimin.] **dear little Boeotian** Ar.

—**Βοιώτιος** ᾱ (Ion. η) ον *adj.* **1** of Boeotia or the Boeotians; (of a warrior, man, woman; sts. w. pers. name) **Boeotian** Il. Ar. X. Plb.; (of officials) D.; (of bandits) Ar.; (phr.) Βοιωτία ὗς *Boeotian pig* (as a provbl. taunt, fr. the alleged rusticity and dull-wittedness of the people) Pi. || MASC.SB. (sg.) Boeotian man Men.; (pl.) Boeotian people Pi. Ar.
2 (of cavalry, ships, the army) **Boeotian** Hdt Th. X. D.
3 (of the land, a city, plain) **Boeotian** Hes.*fr.* Hdt. S.*Ichn.* Th. +
4 of or relating to Boeotia or the Boeotians; (of political affairs, war) **Boeotian** Th. Plu.; (of wine-cups, sandals, hats, in terms of provenance or style) B. Hdt. D. || MASC.SB. (w. νόμος understd.) Boeotian melody Ar.

—**Βοιωτίᾱ** ᾱς, Ion. **Βοιωτίη** ης *f.* land of the Boeotians, **Boeotia** (region of central Greece) Alc.(or Sapph.) Hdt. Th. Ar. Att.orats. +

—**Βοιωτικός** ή όν *adj.* (of a war) conducted in Boeotia or against Boeotians, **Boeotian** Plu.

—**Βοιωτίς** ίδος *fem.adj.* (of the land, cities, woods) **of Boeotia** Stesich. X. Mosch.

βολαῖος ᾱ ον *adj.* [perh. βόλος] (of a tuna fish) perh. **caught in a net** Plu.(quot.poet.)

βόλβιτος ου *m.* —or perh. **βόλβιτον** ου *n.* [reltd. βόλιτα] **excrement, shit** Hippon.

βολβός οῦ *m.* a kind of edible bulb (prob. of the tassel-hyacinth); **bulb** Ar. Pl. Theoc.

βολή ῆς *f.* [βάλλω] | freq.pl. | **1 throwing** (of stones) E. Plu.; (of discuses) Plu.; (of garlands) Plu.
2 throwing, launching (of javelins) Pl. Plu.
3 shooting (of arrows) Pl.; (ref. to a specific instance) **arrow-shot** AR.
4 discharge (of a missile) Pl.; (ref. to a specific instance) **missile-cast** AR.
5 throw, cast (of knucklebones) Plu.
6 act of striking or result of being struck (by a missile), **stroke, blow** Od. Hes. E. Ar. Pl.
7 throw or cast (as a measure of distance); **range** (W.GEN. of a javelin or stone) Th. X. Plu.; **throw** (of a stone, as a general measure of moderate distance) NT.
8 bolt (W.ADJ. *of thunder*) A. E.
9 ray (sts. W.GEN. of the sun, dawn) S. E. AR.
10 glance (W.GEN. of the eyes) Od. Plu.
11 dash, wipe (of a sponge) A.
12 fall (W.GEN. of snow) E.

βολίζω *vb.* throw a leaded line (over a ship's side, to determine depth of water), **take soundings** NT.

βολίς ίδος *f.* **throwing-spear** (used in hunting) Plu.

βόλιτα ων *n.pl.* [reltd. βόλβιτος] **cattle-dung** Ar.

βολίτινος η ον *adj.* (of a monster's leg) **made of dung** Ar. S.

βόλλᾱ *Aeol.f.*: see βουλή

βόλλομαι *Aeol.mid.vb.*, **βόλομαι** *ep.mid.vb.*: see βούλομαι

βόλος ου *m.* [βάλλω] **1 cast** (of a fishing-net) Hdt.(oracle) Theoc.; (fig., ref. to a ruse to entrap a person) E.
2 catch (of fish) A. Plu.; (fig., ref. to a person caught by a ruse) E.

βομβάξ, also **βομβαλοβομβάξ** *interj.* [βόμβος] **blah blah!** (ref. to bombastic or burbling talk) Ar.

βομβαύλιος ου *m.* [βομβυλιός, αὐλός] (derog.) **bumble-piper** Ar.

βομβέω *contr.vb.* [βόμβος] | dial.3pl. βομβεῦντι, fem.nom.ptcpl. βομβεῦσα (Theoc.) | ep.aor. βόμβησα | **1 emit** a resonant sound; (of a helmet, spear-head, wine-jug, falling to the ground) **clang** Hom.
2 (of oars, dropped fr. rowers' hands) **clatter** (against each other) Od.
3 (of a stone discus) **whizz, hum** Od.
4 (of caves, as sea surges in) **boom** AR.
5 (of bees, wasps, smaller winged insects) **buzz** Ar. Theoc.; (fig., of people envisaged as bees, their appetites) Pl.
6 (of the sound of a person's words, after he has stopped speaking) **go on ringing** (in another's ears) Pl.

βομβηδόν *adv.* **with a buzzing din** AR.

βόμβος ου *m.* **1 booming sound** Pl.
2 buzz, drone (of auloi) Ar.

βομβυλιός οῦ *m.* **bumblebee** Ar. Isoc.

βόμβυξ ῡκος *m.* **lowest note** (on an aulos) Arist. || PL. deep-toned auloi A.*fr.*

βοοκτασίη *Ion.f.*: see βουκτασίη

βοόστασις *ep.f.*: see βούστασις

βορᾱ́ ᾶς, Ion. **βορή** ῆς *f.* [βιβρώσκω] **1** animal flesh as food (for animals or monsters); **food, meat** A. Hdt. E.*Cyc.* Ar. Pl. Arist.
2 human flesh as food; **food, meat** (eaten by monsters) E.*Cyc.* Ar. Plu.; (eaten unwittingly by humans) A. Hdt. E.; (ref. to unburied bodies, as carrion for animals, birds, fishes) Trag.; (ref. to a cremated body, eaten by fire envisaged as an animal) Hdt.
3 animal flesh as food (for humans, breaking vegetarian principles), **meat** Emp.
4 (gener.) **food** or **meal** (eaten by humans) Pi.*fr.* Trag.

βορβορό-θῡμος ον *adj.* [βόρβορος, θῡμός] (of threats) **from muckraking minds** Ar.

βόρβορος ου *m.* **mud, sludge** (in which one treads or is thrown) Ar. D.; (befouling a house) Semon.; (in a lake, marsh, the sea) Asius Ar. Plu.; (in the underworld) Ar. Pl.; (fouling clear water) A.

βορβορο-τάραξις εως *m.* (ref. to a person) **mud-churner, muckraker** Ar.

βορβορύζω *vb.* (of a person or his stomach, compared to a pot of soup) **gurgle** Hippon.

βορβορώδης ες *adj.* (of mud) **sludgy** Pl.

Βορεάς (or **βορεάς**) άδος *f.* [Βορέᾱς] **1** a daughter of Boreas, **Boread** S.
2 || ADJ. (of a wind) blowing from the north, **northerly** A.*fr.* B.

Βορέᾱς (or **βορέᾱς**) ου (dial. ᾱ, Ion. **Βορέης** (also **Βορῆς**, ep.Ion. **Βορρῆς**) έω (ep. ᾱο), Att. **Βορρᾶς** ᾶ, Aeol. **Βορίαις** ᾱ *m.* **1 Boreas, North Wind** (freq. personif., blowing esp. fr. Thrace, freq. appos.w. ἄνεμος *wind*) Hom. +
2 north (indicating direction, esp. in prep.phrs.) Od. +

βόρειος, dial. **βορήιος** (B.), ᾱ (Ion. η) ον (also ος ον) *adj.*
1 (of winds) coming from the north, **northerly** B. Arist. AR. || NEUT.SB. northerly wind Ar. X.
2 (of a coast) **facing north** S.
3 (of a sea, gulf, shore) situated to the north (relative to other locations), **northern** Hdt. Call. Plu.; (of one of the Long Walls of Athens) **north** And. Pl. Aeschin. || NEUT.PL.SB. northern lands Plu.

—**Βορήιοι** ων *ep.masc.pl.adj.* (of the sons) **of Boreas** (ref. to Zetes and Kalais) AR.

—**Βορραῖος** ᾱ ον *Att.adj.* (of one of the gates of Thebes) **northern** A.

βορή *Ion.f.*: see βορᾱ́

βόρημαι *Aeol.pass.vb.* [βορᾱ́, βιβρώσκω] (fig., of a person) **be consumed** —W.ACC. *in the heart* (by a recollection) Sapph. [or perh.reltd. βαρέω, i.e. *be weighed down*]

Βορῆς Ion.m., **Βορρᾶς** Att.m., **Βορρῆς** ep.Ion.m.: see Βορέᾱς

βορός ά όν adj. (of a giant dung-beetle) **voracious** Ar.

βόρυες ων m.pl. unidentified Libyan animals Hdt.

βόσις ιος Ion.f. [βόσκω] **1 pasture** (for flocks) Theoc. **2 food** (for fish, ref. to a carcass) Il.

βοσκή ῆς, dial. **βοσκά** ᾶς f. **1** (pl.) **pasture** (for flocks) A.fr. E. **2 food** (for Erinyes, ref. to a person's blood) A.

βόσκημα ατος n. **1** that which is fed or pastured; (sg. and pl.) **animal** or **beast** (such as sheep, cattle, pigs, dogs, horses, sts. opp. human being) S. Ar. Pl. X.; (collectv.sg., ref. to a chariot team) **beasts fed** (W.GEN. by someone's hand) E. ‖ PL. (gener.) livestock, cattle E. Pl. X. + **2** that which provides nourishment; **sustenance, food** (W.GEN. for Erinyes, ref. to a person) A.; (fig., for grief, ref. to a pollution) A.; (W.DAT. for a person, fig.ref. to her conduct or suffering) S.; (for a poet, ref. to the aither) Ar.

βόσκω vb. | dial.3pl. βόσκοντι (Theoc.) | ep.impf. βόσκον | fut. βοσκήσω ‖ MID.: ep.3pl.iteratv.impf. βοσκέσκοντο | fut.: ep.2pl. βώσεσθε (AR.), dial. βοσκήσεῖσθε (Theoc.) ‖ neut.impers.vbl.adj. βοσκητέον |
1 pasture, graze, feed —*cattle, goats, pigs* Hom. Theoc. NT. **2** ‖ MID. (of cattle, horses, goats, wild animals, birds) **pasture, graze** or **feed** Hom. hHom. Hdt. Ar. Hellenist.poet. NT. —W.ACC. *on meadows, pasture, grass, or sim.* hHom. Anacr. Ar. Call. Theoc.; (of persons, envisaged as animals) Pl. **3** ‖ MID. (of prophetic maidens) **feed on** —*honeycombs* hHom.; (of eagles) —*a hare* A. **4** (of a person) **feed, maintain** —*oneself, one's stomach* Od. Plu. —*one's family, slaves* Ar. Call. Plu. —*a guest* Hdt.; (of a god) —*a temple servant* E.; (of bees) —*drones* Hes.; (of material resources) —*a family* Od.; (of nobility of birth, in neg.phr.) —*a person* E.; (of a sick man) —*his sickness* (w. *his flesh*) S.; (of a person) app. **maintain** —*a beak* (i.e. *be a bird*) Ar. ‖ MID. **keep oneself fed** E. Ar. AR. **5 maintain** (w. rations, pay, or by providing employment) —*persons, military forces* Hdt. Th. Ar. **6** (of the earth, sea, sun) **feed, maintain, nurture** —*persons, living things* Od. S. AR.; (of land, its produce) hHom. E. Theoc. Plu. **7** ‖ PASS. (of Ares) be fed —W.DAT. *on human blood* A.; (fig., of a child) be nurtured —W.DAT. *by gentle breezes* S.; (of youthful growth) —W.PREP.PHR. *in sheltered places* S.; (hyperbol., of music) be kept alive —W.PREP.PHR. *in a dead musician's panpipe* Mosch. **8** (fig., of hopes) **feed, sustain** —*exiles* E.; (of prosperity or misfortune) —*persons* S.fr. ‖ PASS. (of a person) be fed —W.DAT. *on hopes* S. E.; (of a heart) —*on lamentations* A.

Βόσπορος[1] ου m. [pop.etym. βοῦς, πόρος] **Bosporos** (sts. called Thracian, strait connecting the Black Sea and the Propontis) A. Hdt. AR. Plb.; (ref. to the Hellespont, the strait connecting the Propontis and the Aegean) A.
—**Βοσπόριος** ᾱ ον adj. (of the shores) **of the Bosporos** (Thracian) S.; (of the waters, ref. to the Hellespont) S.

Βόσπορος[2] ου m. **Bosporos** (sts. called Cimmerian, strait connecting the Black Sea and the Maeotian Sea; also name of the territory on both sides of the strait) A. Hdt. Aeschin. D. Plb. Plu.

βόστρυχος ου m. | freq.pl. | **1** length of hair, **lock** Archil. Trag. Ar. Plu.; (of Berenike, ref. to a constellation) Call.; (collectv.sg.) E.
2 (fig.) **tress** (W.GEN. of lightning) A.

βοτάμια ων n.pl. unknown custom or festival (assoc.w. Argos) Th.(dub.)

βοτάνη ης, dial. **βοτάνᾱ** ᾱς f. [βόσκω] **1 pastureland, pasture** (for animals) Il. E. Call. Theoc.; (fig., for humans) Pl.
2 food provided by a pasture, **pasturage** Od. hHom. Pl.
3 pasturage (W.GEN. of the Nemean lion, ref. to celery, used to crown victors at the games) Pi.
4 (gener.) **vegetation, herbage** E.fr.
5 plant or **herb** Plu.

βοτήρ ῆρος m. **1** one who pastures (animals), **herdsman** Od. Trag. AR. Theoc. Plu.
2 herder (appos.w. κύων *dog*) S.; (fig., W.GEN. of birds, ref. to an augur) A.

βοτηρικός ή όν adj. (of a Roman festival) **pastoral** Plu.

βοτόν οῦ n. creature which grazes, **beast** A. S. ‖ PL. beasts, cattle, livestock Il. Alcm. Semon. Trag. Ar. Pl. +

βοτρῡδόν adv. [βότρυς] **in clusters** —*ref. to bees flying* Il.

βοτρυό-δωρος ον adj. [δῶρον] (epith. of Peace) **giving grape-clusters** Ar.

βοτρυόεις εσσα εν adj. **1** (of the vine) **laden with grape-clusters** Ion
2 (of locks of hair) **clustering in curls** AR.

βοτρυό-παις παιδος masc.fem.adj. [παῖς[1]] (of the vine) with grape-clusters as offspring, **grape-bearing** Theoc.epigr.

βότρυς υος m. | acc.pl. βότρυας, also βότρῦς | **cluster** or **bunch of grapes** Il. Hes. hHom. S.fr. E. Ar. Pl. +

βοτρυώδης ες adj. **1** (of the joy of the vine, its greenery) **clustered with grapes** E.
2 (of a girl's cheek) **covered in clusters of curls** E.(cj.)

βούβαλος ου m. —also **βούβαλις** ιος Ion.f. **antelope** (as native to Africa) Hdt. Plb.

βουβόσιον ου n. reltd. βούβοτος] **herd of cattle** Call.

βου-βότᾱς ᾱ dial.m. [βοῦς, βοτήρ] **1** pasturer of cattle, **herdsman** Pi.
2 ‖ ADJ. (of promontories) with pastures for cattle Pi.

βού-βοτος ον adj. [βόσκω] (of an island) **grazed by cattle** Od.

βού-βρωστις ιος Ion.f. [βοῦς, βιβρώσκω] **1** perh. **extreme hunger** or **indigence** Il.
2 perh., appetite of an ox (or one large enough to eat an ox), **ravenous appetite** Call.

βουβών ῶνος m. **groin** Il. Men. Plu.

βουβωνιάω contr.vb. **suffer from swelling in the groin** Ar.

βου-γάιος ου m. [βοῦς, perh.reltd. γαίω] (voc., as a term of abuse) perh. **big bully** or **braggart** Hom. [or perh. *lumbering ox*]

βου-γενής ές adj. [γένος, γίγνομαι] **1** (of primeval beings) **born of oxen** Emp.
2 (of Danaos) **descended from a cow** (i.e. Io) Call.

βου-δόκος ον adj. [δέχομαι] (of a cauldron) **large enough to hold an ox** Call.

βου-δόρος ον adj. [δέρω] (hyperbol., of days in winter) ox-flaying, **fit to take the hide off an ox** Hes.; (of fire-darts) Tim.(dub.)

βου-θερής ές adj. [θέρος] (of a meadow) **where cattle graze in summer** S.

βου-θόρος ου masc.adj. [θρώσκω] (of a bull) **mounting cows** A.

βουθυσίᾱ ᾱς f. [βούθυτος] **ox-sacrifice** Pi.

βουθυτέω contr.vb. **1 sacrifice an ox** or **oxen** S. E. X. Aeschin. Plb. Plu.
2 (gener.) **make a great sacrifice of** —*a pig, goat and ram* Ar.

βού-θυτος ον adj. [θύω[1]] (of honours, days, festivals, or sim.) **of ox-sacrifice** A. B. E.; (of altars) **for ox-sacrifice** S. Ar.

βουκανάω contr.vb.: see βυκανάω

βού-κερως ων, gen. ω adj. [κέρας] (of Io) **with the horns of a cow** A.; (of a statue of Isis) Hdt.

βουκολέω contr.vb. [βουκόλος] | iteratv.impf. βουκολέεσκον | **1 herd cattle** Hom. Pl. Theoc.; (tr.) **herd** —*cattle* Il. hHom.
2 || MID. (of cattle, horses, deer) **graze** Il. Call. Theoc.; (of a dung-beetle, envisaged as a herd-animal) Ar.; (fig., of stars) **roam as a herd** —W.PREP.PHR. *over the sky* Call.
3 tend —*Sabazios* (*perh. envisaged as a bull-god*) Ar.
4 serve the interests of, **look after** —*a person* hHom.(cj.) —*the public executioner* (i.e. *give him employment by getting oneself executed*) Ar.
5 keep a mental eye on, **brood upon** —*a disaster* A.; (mid.) —*an ordeal* A.
6 hoodwink, cheat —*a person* Men.
βουκολιάζομαι, dial. **βουκολιάσδομαι** mid.vb. | dial.fut. βουκολιαξεῦμαι | **sing pastoral songs** Theoc. Mosch.
—**βουκολιάσδω** dial.act.vb. | impf. βουκολίασδον | **sing pastoral songs** Bion
βουκολίαι ῶν f.pl. **1 herds of cattle** Hes.
2 herding of cattle hHom. AR.
3 cattle-pastures Hdt.
βουκολιαστάς ᾶ dial.m. [βουκολιάζομαι] **singer of pastoral songs** Theoc.
βουκολικός ή (dial. ά) όν adj. [βουκόλος] (of song) **bucolic, pastoral** Theoc. Mosch.; (of Muses) Theoc.
βουκόλιον ου n. (usu.pl.) **herd of cattle** Hdt. Pl. X. Theoc. Plu.
βου-κόλος, dial. **βωκόλος**, ου (dial. ω) m. [βοῦς; reltd. πόλος, πέλω] (sts. appos.w. ἀνήρ or sim.) **herder of cattle, herdsman, cowherd** Hom. Hes. Archil. Hdt. S. E. +; (ref. to the gadfly pursuing Io as a heifer, also to her guardian Argos) A.
βού-κρανος ον adj. [κρᾱνίον¹] (of primeval beings) **ox-headed** Emp. | see also βούπρωρος
βουκτασίη (also **βοοκτασίη** AR.) ης Ion.f. [κτείνω] **killing of oxen** (in a sacrifice) Call. AR.
βου-κτόνος ον adj. (of slaughter) **ox-killing** E.fr.(cj.)
βουλά dial.f.: see βουλή
βουλαῖος ᾱ ον adj. [βουλή] **1** (cult title of Zeus, Athena, Hestia, as having a shrine in the Council-chamber) **of the Council** Antipho Aeschin.
2 (of a Roman god) **of counsel** (ref. to Consus) Plu.
βούλ-αρχος ου m. [ἀρχός] **leader in counsel** A.
βουλᾱφόρος dial.m.: see βουληφόρος
βουλείᾱ ᾱς f. [βουλεύω] **service in the Council** Ar. X.
βούλευμα ατος n. | freq.pl. | **1** thought about one's situation or future action, **intention, plan** Hdt. Trag. Ar. Plu.
2 thought about hostile or ill-intentioned action, **plan, plot, scheme** Pi. Hdt. Trag. Ar. D. Plu.
3 thought about correct future action (for others), **proposal, advice** Trag. Plu.
4 activity of forming policy (for a city or army, by leaders, advisers or an assembly), **deliberation** Hdt. E. Th. Lys. Isoc. Plu.
5 intention (of a king, a political or military leader, an assembly), **plan, decision, policy, strategy** Hdt. Trag. Th. And. Ar. +
6 intention, design (of a god) Pi.fr. Trag. Ar.
7 results of deliberation or discussion, **conclusion** Pl.
βουλευμάτιον ου n. [dimin.] **little plan** Ar.
βούλευσις εως f. **1 deliberation** E.(cj.) Arist.
2 (leg.) **criminal intent** Hyp. D. Arist.
βουλευτήριον ου n. [βουλευτής] **1 meeting-place of councillors** or **council-chamber** A. Hdt. E. Pl. X. +
2 body of council members, **council** Hdt. E. Th. Pl. Plb.
3 (specif., at Athens) meeting-place of the Boule, **Council-chamber** Th. Ar. Att.orats. Pl. Arist. Plu.
4 (at Rome) **Senate House** Plb. Plu.
5 (ref. to a person) source of advice, **adviser** (W.GEN. in wrongdoing) A. || PL. (ref. to persons, W.ADJ. deceitful) **counsellors** E.
βουλευτής οῦ m. **1 counsellor** (ref. to an elder) Il.
2 member of a council, **councillor** Th. Pl. Arist. Plb. NT.
3 (specif., at Athens) **member of the Council** Hdt. Th. Ar. Att.orats. +
4 (at Rome) **senator** Plb. Plu.
5 (leg.) one who premeditates a criminal act, **deliberate planner** (W.GEN. of a murder, an assault) Antipho
βουλευτικός ή όν adj. **1** (of persons) **prone to** or **good at deliberation** Arist. || NEUT.SB. deliberative part (W.GEN. of the soul) Arist.
2 (of opinion, a subject of study, or sim.) concerned with deliberation, **deliberative** Arist. (of a desire) based on deliberation, **deliberate** Arist.
3 (of a person, class or office, within a state) of the deliberative type, **deliberative** Pl. Arist. || NEUT.SB. deliberative class Pl. Arist.
4 (specif., at Athens, of the oath) **taken by a member of the Council** X. D. || NEUT.SB. Council section (of theatre seats) Ar.
5 (at Rome, of a man, the rank) **senatorial** Plu. || NEUT.SB. body of senators or senatorial class Plu.
βουλευτός, dial. **βωλευτός**, ή όν adj. **1** (of a death, the means of its execution) **planned, plotted** A. Call.
2 (of things) **to be deliberated** Arist.
βουλεύω vb. [βουλή] | aor. ἐβούλευσα, ep. βούλευσα | pf. βεβούλευκα || MID.: fut. βουλεύσομαι | aor. ἐβουλευσάμην, dial.masc.acc.pl.ptcpl. βωλευσαμένως (Th., treaty) | pf. βεβούλευμαι || PASS.: fut. βουλευσομαι (A.) | aor. ἐβουλεύθην || neut.impers.vbl.adj. βουλευτέον, also pl. βουλευτέα (Th.) |
1 take thought (by oneself or w. others, about a situation or course of action), **deliberate** Hom. Thgn. Hdt. E. Th. + —W.COGN.ACC. Hom. —W.INDIR.Q. *how sthg. may come about* Od.; (mid.) Thgn. Hdt. Trag. —W.INDIR.Q. *what one shd. do, how* (or *whether*) *one shd. do sthg.* Antipho Th. +
2 (specif., of a king) exercise a deliberative role, **give advice** or **make decisions** —W.DAT. *for people* Il.
3 think over, consider, ponder —*advice, an issue* Od. Archil.; (mid.) Semon. Thgn. A. Hdt. E. Th. +
4 come to a decision (after deliberation); **decide, resolve** Il. Hes. —W.COGN.ACC. *on a plan* Il. E. —W.INF. *to do sthg.* Hom. S. E. Th. —W.COMPL.CL. *that one ought to do sthg.* Th.; (mid.) Hdt. E. Th. + —W.INF. Hdt. S. Th. +
5 decide on, devise —*a plan, an action* Hom. Hdt.(also mid.) Trag. Th. + || PASS. (of things) be decided on A. Hdt. Th. + || IMPERS.PF.PASS. it has been decided or planned —W.DAT. *by someone* (W.ADV. *in a certain way*) Hdt. Plu. —W.ACC. + INF. *that someone shd. do sthg.* Hdt. | NEUT.PL.PRES. or PF.PASS.PTCPL.SB. plans or decisions Hdt. X.
6 devise a hostile plan, **plot, scheme** Hes. E.
7 plan, plot, contrive, devise —*deception, harm, vengeance, death, or sim.* (sts. W.DAT. *against someone*) Hom. Thgn. Pi.fr. B. Hdt. Trag. +; (mid.) Il. Hdt. E. || PASS. (of things) be plotted Antipho
8 (in legal ctxt.) **premeditate an act** Antipho
9 give advice (sts. W.DAT. *to someone*) Thgn. Trag. Ar. + —W.INF. *to do sthg.* A. —*about how to do sthg.* Pi.; (tr.) **advise** —*a course of action* Tyrt. A. E. Th. +
10 (of anxious thought) **suggest** (W.DAT. *to someone*) —W.COMPL.CL. *that sthg. may be the case* S.

11 be a member of a council Arist.; (specif., at Athens) **be a member of the Council** Ar. Att.orats. Pl. + —W.COGN.ACC. *a particular Council* Lys.; (of a particular Council) **be in existence** Lys.
12 (at Rome) **be a member of the Senate** Plu.
—**βεβουλευμένως** *pf.mid.ptcpl.adv.* **in a premeditated way, with intent, deliberately** D.

βουλή ῆς, dial. **βουλά**, also **βωλά** (Call.), ᾶς, Aeol. **βόλλᾱ** ᾱς *f.* [βούλομαι] **1 will, resolve, purpose, design** (of a god or human) Hom. Hes. Eleg. Lyr. Trag. Antipho +
2 deliberation, consideration, planning (by individuals) Hom. Hes. Thgn. Hdt. S. Th. +
3 communal decision-making, deliberation, discussion, debate Hom. Tyrt. Pi. Hdt. Pl. +
4 result of deliberation, **decision, resolution, plan** Hom. Hes. Hippon. A. Pi. Hdt. +
5 counsel, advice (offered to others) Hom. Hes. A. Pi. Hdt. E. +
6 council (of leading warriors, called to advise the commander-in-chief) Hom.; (of gods) Hes.
7 deliberative or decision-making body (in various city-states), **council** Alc. Hdt. +
8 (specif., at Athens, fr. 6th C.) **Council** (of 500 members, meeting for prior consideration of the Assembly's business, and exercising general oversight of state administration) Hdt. +
9 (at Rome) **Senate** Plu.

βουλήεις εσσα εν *adj.* (of a man) **full of good counsel** Sol.
βούλημα ατος *n.* **1 aim, intention, purpose** Isoc. Pl. D. Arist. NT.
2 express wish, decision (of the Roman Senate) Plb.
3 intended sense, meaning (behind a person's words) Plb.

βούλησις εως *f.* **1 wish, will, desire** E. Th. Pl. D. Arist. +
2 ‖ PL. **wishes** (W.GEN. of a testator) Is.
3 purpose (W.GEN. of an activity) Pl.; **intention** (of a poem) Pl.
4 meaning (W.GEN. of a word) Pl.

βουλητός ή όν *adj.* (of things) **wished for** Pl. Arist.
βουληφόρος, dial. **βουλᾱφόρος**, ου *m.* [βουλή, φέρω] one who gives counsel or advice, **counsellor, adviser** (sts. appos.w. ἀνήρ or ἄναξ) Hom. Hes.*fr.* ‖ ADJ. (of assemblies) rendering counsel, **advisory** Od. Pi.
—**βουληφόρως** *adv.* **in terms of good advice** Men.

βουλιμιάω *contr.vb.* [βοῦς, λιμός] | aor. ἐβουλίμίασα | **1 be ravenously hungry** Ar. X.
2 (of troops on the march) **be faint with hunger** X. Plu.

βούλιος ον *adj.* [βουλή] | compar. βουλιώτερος | (of the mind of Zeus) **purposeful** A.(dub.cj.) ‖ COMPAR. (of action) requiring more deliberation A.

βούλομαι, ep. **βόλομαι**, Aeol. **βόλλομαι**, dial. **δήλομαι** (Theoc.) *mid.vb.* | impf. ἐβουλόμην, later ἠβουλόμην, ep.3sg. βούλετο | fut. βουλήσομαι | aor.pass. (w.mid.sens.) ἐβουλήθην, later ἠβουλήθην | pf. βεβούλημαι ‖ ἠ- perh. not before 3rd C. BC |
1 wish, desire Hom. + —W.INF. *to do sthg.* Hom. + —W.ACC. + INF. *someone to do sthg., sthg. to happen* Od. Hdt. E. + —W. εἰ + OPT. *that sthg. might happen* Hdt.; (in q., w. 2sg. or pl. *do you wish ... ?*) —W.SUBJ. *that someone shd. do sthg.* S. E. Ar. Pl. +
2 (wkr.sens.) **be willing** or **ready** —W.INF. *to do sthg.* Il. Thgn. E. Th. Ar. +
3 (w. ellipse of inf.) **wish for, desire, want** —sthg. (most freq. neut. indef., interrog., demonstr. or relatv. pron.) Hom. + ‖ PASS. (of things) **be desired** Plu.

4 wish in preference, prefer —W.INF. or ACC. + INF. *to do sthg. or that sthg. shd. be the case* (usu. + ἤ or μᾶλλον ἤ *rather than sthg. else*) Hom. + —W.ACC. *someone* Archil. —(w. ἀντί + GEN. *to someone else*) Thgn.
5 (of things) **profess, aspire, aim** —W.INF. *to do or be such and such* Pl. Arist.
6 (of statements, laws, or sim.) **wish to communicate, mean, signify** —sthg. Pl.

βουλό-μαχος ον *adj.* [μάχη, w. play on name Λάμαχος] (of a man) **wanting a battle** Ar.
βου-λῡτός οῦ *m.* [βοῦς, λύω] time for unyoking oxen, **end of the working day** Ar. AR.
—**βουλῡτόνδε** *adv.* **towards the end of the working day** Hom.
βοῦνις ιος *fem.adj.* [βουνός] (of a land) **hilly** A.
βουνο-ειδής ές *adj.* [εἶδος¹] (of a place) **mound-like** Plu.
βουνομίᾱ ᾱς *f.* [βουνόμος] **grazing of cattle** Pi.*fr.*
βου-νόμος ον *adj.* [νέμω] (of herds) **of grazing cattle** S.
βού-νομος ον *adj.* (of land) **grazed by cattle** S. Ar.(quot. A.)
βουνός οῦ *m.* **hill** Hdt. Call.(cj.) Plb. NT. Plu.
βουνώδης ες *adj.* (of terrain) **hilly** Plb. Plu.
βού-παις παιδος *m.* [βοῦς, παῖς¹] **brawny boy** Ar. AR.
Βούπαλος ου *m.* **Boupalos** (Chian sculptor, target of abuse by Hipponax) Hippon. Ar.
—**Βουπάλειος** ον *adj.* (of a feud) **with Boupalos** Call.
βού-πεινα ης *f.* [βοῦς, πείνη] perh., hunger which makes one want to eat an ox, **immense hunger** Call.
βου-πελάτης ου *m.* **herder of cattle** AR.
βου-πλήξ ῆγος *m.* [πλήσσω] implement for striking cattle, **ox-goad** Il. [or perh. *butcher's axe*]
βου-πομπός όν *adj.* (of a festival) **with a procession of oxen** (for sacrifice) Pi.*fr.*
βου-πόρος ον *adj.* [πείρω] **1** (of a roasting-spit) **for piercing oxen** Hdt. E.*Cyc.*; (of such a spit, as a makeshift weapon) E. X.
2 ‖ MASC.SB. **ox-piercer** (perh. fig.ref. to a large obelisk) Call.
βού-πρῳρος ον *adj.* [πρῷρα] (of a river god) **ox-faced** S.(v.l. βούκρανος)

βοῦς, dial. **βῶς**, βοός *m.f.* | acc. βοῦν, ep. and dial. βῶν | du. βόε ‖ PL.: nom. βόες, also βοῦς (Plu.) | acc. βοῦς, also βόας, dial. βῶς | gen. βοῶν, also as monosyllab. (Hes.) | dat. βουσί, ep. βόεσσι |
1 bovine animal; (*m.*) **ox, bull, bullock** (sts. w.adj. ἄρσην *male* or appos.w. ταῦρος *bull*) Hom. +; (as a disguise of Zeus) Mosch.; (as the Egyptian deity Apis) Arist.
2 (*m.*) young bull (castrated and used as a work animal, for carts, ploughs, threshing), **ox, bullock** Hom. + ‖ DU. and PL. **bullock team** Hom. +
3 ox (exemplifying that which is strong, large or valuable, esp. as a relative measure of cost or size) Il. +; (provbl.phr.) βοῦς ἐπὶ γλώσσῃ (ἐπιβαίνων, βέβηκε) *an ox (stepping or is standing) on one's tongue* (so that one cannot speak freely) Thgn. A.
4 (*f.*) **cow** (esp. as giving birth to calves, being milked) Hom. +; (fig.ref. to a woman) A. Pi.
5 (*f.*) young cow, **heifer** Hom. +; (ref. to Io metamorphosed) A. B. Call. Mosch.
6 (*m.* or *f.*) **ox** (as an animal for sacrifice and feasting) Hom. +; (as having thick hide or hair, or as a source of hide, horn, bone or sinew) Hom. +; (as a prize or gift) Il. +; (represented in an image or as a statue) Il. Men. Plu.
7 (specif., *f.*) **ox-hide shield** Il.
8 ‖ PL. (usu. *f.*) **oxen, cattle** Hom. +; (representing wealth and prosperity, desirable as gifts, prizes or booty) Hom. +;

βουσόος (belonging to Apollo, the Sun, Geryon) Od. +; (sacred in Egypt) Hdt.

βου-σόος ον *adj.* [σεύω] (of a gadfly) **driving oxen wild** Call.

βού-σταθμος ου *m.* [σταθμός] | nom.pl. βούσταθμοι, also neut.nom.acc. βούσταθμα | **ox-stall, cattle-shed** S.*Ichn.* E.

βού-στασις εως, ep. **βοόστασις** ιος *f.* [στάσις] **ox-stall** A. Call.

βουσφαγέω *contr.vb.* [σφάζω] **slaughter an ox** E.

βούτης ου, dial. **βούτας** ᾶ *m.* **1 tender or driver of oxen, oxherd** Hellenist.poet.; (ref. to Argus) A.; (ref. to Paris, on Ida) E.; (ref. to a worshipper of Zagreus, i.e. Dionysus) E.*fr.* **2** || ADJ. of or relating to oxen; (of stalls) for oxen E.; (of slaughter) of oxen E.

βού-τομον ου *n.* [τέμνω] app., plant by which cattle (i.e. their tongues) are cut; a kind of rush-like plant, **sedge** Ar. Theoc.

βου-τύπος ου *m.* [τύπτω] **man who strikes down oxen, oxfeller** AR.

βουφονέω *contr.vb.* [βουφόνος] **slaughter oxen** Il.

Βουφόνια ων *n.pl.* **Ox-Slaughter** (ritual at the Athenian Dipolieia festival) Ar.

βουφονίη ης *Ion.f.* **slaughter of oxen** Call.

βου-φόνος ον *adj.* **1** (of sacred feasts) **with slaughter of oxen** A. **2** || MASC.SB. (ref. to Hermes, as cattle-thief) **cattle-killer** hHom.

βουφορβέω *contr.vb.* [βουφορβός] **be an oxherd** E.

βουφόρβια ων *n.pl.* (collectv.) **herd of oxen** E.

βου-φορβός οῦ *m.* [φέρβω] **one who provides food for oxen, oxherd** E. Pl.

βού-χιλος ον *adj.* [χιλός] (of a meadow) **with fodder for oxen, cattle-pasturing** A.

βόων (ep.impf.): see βοάω

βο-ώνης ου *m.* [ὠνέομαι] (ref. to an official) **cattle-buyer** (for sacrifices) D.

βο-ῶπις ιδος *fem.adj.* [ὤψ] (epith. of Hera) perh. **large-eyed** Il. hHom.; (of other female deities, nymphs or mortal women) Il. Hes. hHom. Pi. B. [also interpr. as *ox-eyed* or *mild-eyed*]

βοωτέω *contr.vb.* [βοώτης *ox-driver*] **drive oxen** (for ploughing), **plough** Hes. Call.

Βοώτης ου *m.* **Boötes, Wagoner** (a constellation, containing the bright star Arcturus) Od.

βραβεία ᾱς *f.* [βραβεύω] **arbitration, mediation** E.(dub.)

βραβεύς έως *m.* | acc. βραβῆ || PL.: nom. βραβῆς | acc. βραβέας (Pl.) | **1 one who ensures that the rules of a competition are enforced, umpire** S. Pl. **2 arbiter, judge** (W.GEN. of a trial) E.; (of the valour and fear of soldiers, ref. to Hades) D.(quot.epigr.) **3 overseer** (W.GEN. of a killing) E.; (of sufferings at Troy, ref. to Helen) E. **4 enforcer** (W.GEN. of an order) E. **5 commander** (in war) A.; (W.GEN. of cavalry) A.

βραβευτής οῦ *m.* [βραβεύω] **1 arbiter, adjudicator** (W.GEN. of a legal issue, of what is right, ref. to a juror) Is. Arist.; (of a philosophical argument) Pl. **2 umpire** (in a military contest, ref. to Fortune) Plb.; (ensuring fair play in an election) Plu.

βραβεύω *vb.* [βραβεύς] **1 be an arbiter** Plu.; (tr.) **adjudicate, evaluate** —*arguments* E. —*rights* D. || PASS. (of policies) be determined —W.PREP.PHR. *by someone* Isoc. **2** (intr., of Fortune, a god) **be determiner of an outcome** Isoc. Men. Plb.; (tr.) **decide** —*affairs* Plb. Plu. || PASS. (of a battle, i.e. its outcome) be decided Plb.; (of an endeavour) be granted success Plu. **3 settle by arbitration or negotiation, settle** —*a dispute, wars* Plu.; **broker** —*peace* Plu. **4 manage, have control or charge of** —*everything* E. —*political and legal affairs, an athletic contest, or sim.* D. Arist. Plb. Plu. || PASS. (of actions, events) be controlled —W.DAT. or PREP.PHR. *by persons or circumstances* Plb. Plu.; (of a form of government) Plb.; (of magistracies, i.e. their assignment) be fixed (to someone's advantage) Plu. **5 preside over** —*a debate, court, legal case* Plb. Plu.; (intr.) **preside** (during an election) Plu. || PASS. (of elections) be presided over —W.PREP.PHR. *by someone* Plu.

βράβιλον (or **βράβυλον**) ου *n.* **a kind of fruit; perh. sloe** Theoc.

βράγχια ων *n.pl.* [perh. βράγχος] **gills** (of sea-creatures) Lyr.adesp.(cj.) Theoc. [or perh. *fins*]

βράγχος ου *m.* **hoarseness or sore throat** Th.

βραδέως *adv.*: see under βραδύς

βράδινος *Aeol.adj.*: see ῥαδινός

βράδιον (compar.adv.): see βραδέως, under βραδύς

βραδύνω *vb.* [βραδύς] | aor.ptcpl. βραδύνᾱς (Plu.) | **1 walk slowly** E. Ar. Plu. **2 make slow progress** (on a march, journey or voyage) Plu. **3** (provbl.) **make slow progress** (when hastening) Pl. **4 be slow** (in committing to an action), **hesitate** A. S. Ar. Men. Plu.; (mid.) —W.INF. *to do sthg.* A. **5 be slow** (to depart or arrive), **delay, tarry, be late** Plu. || PASS. (of a departure) be delayed S.

βραδυπλοέω *contr.vb.* [πλόος] **make slow progress on a voyage** NT.

βραδύ-πορος ον *adj.* [πόρος] (of entry into a silted river-mouth) **with slow progress** (W.DAT. for supply-ships) Plu.

βραδύ-πους πουν, gen. ποδος *adj.* [πούς] (of a person's progress) **slow-footed** E.

βραδύς εῖα ύ *adj.* | compar. βραδύτερος, dial. βαρδύτερος (Theoc.) | superl. βραδύτατος, ep. and dial. βάρδιστος | **1** (of a person, god, animal) **slow in ability to walk or run** (sts. due to lameness, old age, tiredness, obesity), **slow** Hom. Thgn. E. Ar. Pl. X. + **2** (of gait, bodily movements) **slow** E. Pl. Arist.; (of a river) Hdt.; (of physical bodies, sounds) Pl. || NEUT.SB. slowness (in music) Pl. **3** (of persons) making slow progress (on a journey), **slow** S.; (of men, ships, an army, their march or transport) Th. X. Plb. Plu.; (of flight) Plu. **4 slow in agility or manoeuvrability**; (of ships) **slow, sluggish** (due to their size) Plu.; (of troops, due to armour, tiredness, losses) Th. Plb.; (W.DAT. at defending themselves) Th. || COMPAR. (provbl., of persons) too slow (W.INF. to capture things which fly) Theoc. **5** (of persons, events) taking a long time (to arrive or happen), **slow, late, delayed** S.; (of help, punishment) D. Arist. Plb. Plu. **6** (of the Seasons) slow to come round, **tardy** Theoc.; (of a time) **long delayed** S. **7** (of a journey) **started late** S. | COMPAR. (of a departure) relatively late Th. **8** (of persons) taking a long time (to get started, commit to action), **slow, dilatory** E. Th. Ar. Men. Plu.; (provbl., of a donkey) Ar. || NEUT.SB. slowness, dilatoriness Th. **9** (of persons, their perceptions) lacking mental agility, **slow** Ar. Pl. Arist. Plb. Plu.; (W.INF to realise sthg.) Th.; (w. τοῦ + INF. to believe) NT. **10** (of persons, their attributes, words) **not hasty** E. Pl. D.; **not ready or fluent** (W.INF. at speaking) E. || NEUT.SB. carefulness Pl.

—**βραδέως** *adv.* | compar. βραδύτερον, also βράδιον (Hes. Pl.) | superl. βραδύτατα | **1** in a slow manner, **slowly** Th. Pl. X. Arist. Plu.
2 in a deliberate manner, **carefully** Th. Isoc. Pl. Arist.
3 in a delayed or dilatory manner, **slowly, tardily** Th. Pl. X. Plb. Plu.
4 || COMPAR. later (in the day) —*ref. to the sun shining* Hes.
βραδυτής ῆτος *f.* **slowness** (in movement or progress) Pl. X. Arist. Plu.; (in taking action) Il. S. Th. Isoc. D. +; (in music or rhythm) Pl.
βρᾱϊδίως *Aeol.adv.*: see ῥαδίως, under ῥάδιος
βράκος *Aeol.n.*: see ῥάκος
βράσσω, Att. **βράττω** *vb.* **1** winnow Pl.
2 || PASS. (of seawater) seethe or be sprayed in the air AR.
βράσσων (ep.compar.adj.): see βραχύς
Βραυρών ῶνος *f.* **Brauron** (town on E. coast of Attica, w. a sanctuary of Artemis) Hdt. Plu.
—**Βραυρωνάδε** *adv.* **to Brauron** Ar.
—**Βραυρωνόθεν** *adv.* **at Brauron** D.
—**Βραυρώνιος** ᾱ ον *adj.* (of the meadows) **of Brauron** E.; (of Artemis) Din. || NEUT.PL.SB. festival at Brauron Ar. Arist. Men.(cj.)
βράχεα ων *n.pl.* [app. βραχύς] area of shallow water, **shallows, shoals** Hdt. Th. Plb.
βραχεῖν *aor.2 inf.* | only 3sg. ἔβραχε, ep. βράχε | **1** emit a loud reverberating sound; (of bronze armour) **clang, crash** Il. Hes.
2 (of a burdened oak axle) **rumble** Il.; (of large wooden doors, when opening) Od. | see also βρέμω
3 (of Ares, a wounded horse, a deity as a lion) **roar, bellow** Il. hHom.; (of a helmsman, to the rowers) AR.
4 (of the earth, streams) **thunder** (w. fighting or fleeing warriors) Il.
βραχείς (aor.2 pass.ptcpl.): see βρέχω
βραχιονιστήρ ῆρος *m.* [βραχίων¹] arm-encircling band (worn by Sabine fighters), **armlet** Plu.
βραχίων¹ ονος *m.* **1** arm (freq. w.connot. of strength) Hom. Hippon. Emp. Hdt. Trag. Ar. +
2 (specif.) **upper arm** (opp. πῆχυς *forearm*) Pl. X.
βραχίων² (compar.adj.): see βραχύς
βραχύ-βιος ον *adj.* [βραχύς, βίος] (of creatures) **short-lived** Pl.
βραχυ-γνώμων ον *adj.* | compar. βραχυγνωμονέστερος | || COMPAR. (of animals) less intelligent (W.GEN. than a human being) X.
βραχύ-δρομος ον *adj.* [δρόμος] (of hares) **running a short distance** X.
βραχύ-κωλος ον *adj.* [κῶλον] (of sentences) **with short clauses** Arist.
βραχυλογίᾱ ᾱς *f.* [βραχύλογος] **brevity of speech** Pl. Plu.
βραχύ-λογος ον *adj.* [λόγος] **brief in speech, using few words** Pl. Plu.
βραχύνω *vb.* **shorten** —*a syllable (in pronunciation)* Plu.
βραχυ-όνειρος ον *adj.* (of sleep) **with brief dreams** Pl.
βραχύ-πορος ον *adj.* [πόρος] (of life-cycles) **of brief passage** Pl.
βραχύς εῖα (Ion. έα) ύ *adj.* | compar. βραχύτερος, also βραχίων (E.), ep. βράσσων | superl. βραχύτατος, also βράχιστος (Pi. S. Ar.) | **1** (of a dimension or distance) **short** (opp. long) Pi. Hdt. Pl. +
2 (of an area of land) **narrow** (opp. wide) Th. Pl. +; (of a battle formation) X. Plb.
3 (of a route, journey, crossing) **short in distance** (and so taking little time to travel), **short** S. Th. +; (of a path in a task, poetry or argument) Pi. Pl.; (towards happiness) X.
4 (of missiles) **short-range** Plu.
5 extending relatively little above or below ground; (of a wall, hill, stalk of grain) **low, small** Th. X.; (of a river) **shallow** Hdt. Pl. || NEUT.SB. shallow space (left at the top of a chest) Hdt.
6 (of mud perh., just below the surface (of the sea), **at a shallow depth** Pl.
7 (of persons, animals, parts of the body, hair, clothes, weapons, or sim.) **short** (in height or length) Semon. A.*satyr.fr.* Pi. Hdt. S.*Ichn.* Pl. +; (of a person) **too small** (W.INF. to reach sthg.) Pi.; (of a crouching person) **low** S.
8 (of an occupation) **narrow in scope, specialised** X.
9 (of persons, their bodies, attributes) falling short (according to various criteria), **limited, insignificant** Pi. S. E. Th. +; (of a person's thinking) Il.; (of a mouth) **inadequate** (W.INF. to recount certain things) Pi.
10 (of an urn, containing a dead person's ashes) **small** (by contrast w. the living person) S.
11 (of groups of people, troops, possessions, resources, money) **small, limited** or **meagre** E. Th. Att.orats. + || PL. few, not many or not much Th. +
12 (of a period of time, a lifespan, events, or sim.) **short, brief** Pi. B. Hdt. Trag. +
13 (of things, usu.abstr., such as hope, difference, enmity, gain) small in terms of importance, **slight, insignificant** Pi. S. E. Th. +
14 (of speech) **short, brief** (sts. w.connot. of lack of importance) Pi. Trag. Th. Ar. Att.orats. +; (of shorthand writing) **compressed** (i.e. briefly worded) Plu.
15 (of a vowel or syllable) **short** (in pronunciation) Pl. Arist.
16 (of a name, as containing few syllables) **short** X.
17 (prep.phrs.) διὰ βραχέος (βραχέων) *in a short time* Th.; *in few words, in brief, concisely* Att.orats. Pl. Plb.; *for a short time, briefly* D.; *over a short distance* Th.; ἐν βραχεῖ *in few words, in brief, concisely* Pi. S. E. Antipho Ar. Pl. +; *in a short time* Th. Plu.; ἐπὶ βραχύ *for a short time, briefly* Th. Plb.; *in brief, concisely* Plb.; *over a short distance* X.; *to a small degree, slightly* Arist. Plb.; κατὰ βραχύ *by small amounts, gradually* Th. Plb.; *to a small degree, slightly* Pl. Plb.; *on a small scale* Th.; *in brief, concisely* Pl.; *in small pieces* Pl.; μετὰ βραχύ *after a short time* NT.; παρὰ βραχύ *to a small degree, slightly* Plu.
—**βραχύ** *neut.sg.adv.* | superl. βραχύτατον | **1** by a small amount or to a small degree, **little** S. E. Th. D. Theoc. +
2 || SUPERL. by or over the shortest or a very short distance Th. X.
3 briefly, concisely, in few words S.
—**βραχέα**, Aeol. **βρόχεα** *neut.pl.adv.* | compar. βραχύτερα | **1 to a small extent** Th.
2 || COMPAR. over a shorter distance X.
3 for a short time, briefly Sapph. X.
4 briefly, concisely, in few words Isoc. Is.
—**βραχέως** *adv.* | compar. βραχύτερον, superl. βραχύτατα | **1** || COMPAR. to a lesser degree Pl.
2 || COMPAR. more shallowly —*ref. to digging* X.
3 for a short time, briefly Th. Pl.
4 briefly, concisely, in few words Th. Pl. X. Arist. Plb. Plu.; (superl.) Pl.
βραχυ-σίδᾱρος ον *dial.adj.* [σίδηρος] (of a javelin) **with a short iron tip** Pi.
βραχυ-σκελής ές *adj.* [σκέλος] (of an animal) **with short legs** S.*Ichn.*
βραχυσυλλαβίη ης *Ion.f.* [συλλαβή] **fewness of syllables** (in a word) Call.*epigr.*

βραχύτης ητος *f.* **1 shortness** (in dimension) Pl.; (of a hare's tail) X.
2 shortness in duration; **shortness** (of days, i.e. daylight hours) Plu.; (of a vowel or syllable, in pronunciation) Pl Arist.
3 shortness in terms of an expected standard; **brevity** (of preparatory thought) Th.; **shallowness** (of judgement) Th.

βραχύ-τονος ον *adj.* [τόνος] (of military catapults) with short cordage, **short-range** Plu.

βραχυ-τράχηλος ον *adj.* (of a horse) **short-necked** Pl.

βραχυ-χρόνιος ον *adj.* (of the human species) having a brief duration of life, **short-lived** Pl.

βρέγμα ατος *n.* [reltd. βρεχμός] upper part of the head; **head, cranium** (of a man) Call.; (of Zeus, fr. which Athena was born) Call.

βρεκεκεκέξ *interj.* (representing a frog's croak) **brekekekex** Ar.

βρέμω *vb.* | only pres., except perh. aor.2 ἔβραμον (Call., v.l. ἔβραχον) | **1** (of wind, waves, the sea) **roar, thunder** Il.(also mid.) E. AR.; (of wave-beaten headlands) S.; (of Hephaistos' furnaces) Call.; (of the parched breath of plough-oxen) AR.
2 (of an army in motion, compared to a mountain torrent; also in combat) **make a thunderous din** A.; (of an advancing commander) —W.DAT. *w. his troops* E.
3 (of a wild animal) **roar, rage** AR.; (of a warrior) A.; (of a madman) —W.ACC. *w. terrible threats* (W.DAT. *against a person*) E.
4 (of a lowly person) **clamour** —W.ADV. *unnoticed* Pi.; (of a disaffected person's heart) **grumble, murmur** A.; (of sedition) A.
5 (of the crash of a shield) **ring out, resound** E. Call.(dub.); (of the Trojan Horse, w. its concealed armed warriors) E.
6 ‖ MID. (of mountains and glens) **resound, reverberate** (w. an echo) Ar.; (of meadows and streams, w. the cries of swans) AR.
7 (of a voice) **ring out** S.*Ichn.*; (of an aulos) —W.ACC. *w. sacred melodies* E. ‖ MID. (of a lyre and song) resound Pi.; (of the screams of babies being slaughtered) A.

βρένθειος ᾱ ον *adj.* (of perfume) made from a flower (unidentified), **floral** Sapph.

βρενθύομαι *mid.vb.* **behave haughtily** Ar.

βρέξις εως *f.* [βρέχω] **wetting** (of a horse's hooves, to clean them) X.

βρέτας εος *n.* | dat. βρέτει ‖ PL.: nom.acc. βρέτη, also βρέτεα | gen. βρετέων (disyllab.) | **wooden image** (of a god), **image, statue** A. E. AR. Call. AR. Plu.

Βρεττανοί ῶν *m.pl.* **1 inhabitants of Britain, Britons** Plu
2 Britons (name of a tribe in Gaul) Plu.

—**Βρεττανίᾱ** ᾱς *f.* **Britain** Plu.

—**Βρεττανικός** ή όν *adj.* (of the islands) **of the Britons** Plb.

βρέφος εος (ους) *n.* **1 baby, infant, young child** (human or divine; in the womb, newborn or a little older) Simon. A. Pi. Hdt. E. X. +; (ref. to an adult, in the eyes of a parent) Call.
2 baby (of an animal); **baby** (appos.w. mule, carried by a pregnant mare) Il.; (of a mule, as a seeming impossibility) Hdt.; (ref. to the Minotaur) Plu.(quot. E.) ‖ PL. (collectv.) young (of goats) Call.

βρεχμός οῦ *m.* [reltd. βρέγμα] upper part of the head; **head, crown** Il. Call.

βρέχω *vb.* | aor. ἔβρεξα ‖ PASS.: aor. ἐβρέχθην, ptcpl. βρεχθείς | aor.2 ptcpl. βραχείς (Men.) | pf. βέβρεγμαι | **1** make wet (w. rain or snow); (of god) **water** —*the land* X.; (of Zeus) **shower** —*a city* (W.DAT. *w. snowfalls of gold*) Pi. ‖ PASS. (of a hill) be showered —W.DAT. *w. snow* Pi.; (of a statue) be rained on Plb.
2 (of God) **send rain** —W.PREP.PHR. *on the just and the unjust* NT.; **rain down** —*fire and brimstone* NT.
3 wet —*a horse's forelock* (*to clecn it*) X. —*a person's feet* (W.DAT. *w. tears, as though washing them*) NT.; (of a horse) **drench** —*a charioteer* (W.DAT. *w. sweat*) Pl. ‖ MID. **soak oneself** —W.PREP.PHR. *in water* Hdt. ‖ PASS. (fig.) be bathed —W.DAT. *in the rays of violets* Pi.
4 get (W.ACC. a part of the body) **wet** (wading through water) Hdt. Pl. X. ‖ PASS. (of persons) get wet (up to a certain level on the body) X. Plu.
5 ‖ PASS. (of substances, fruits, areas of ground) be moistened (w. water, milk, other liquids) Pl. Plb. Plu.; (of bricks, grain) get soaked (by flood-water) X. D.
6 ‖ PASS. (of persons) become sodden or inebriated Philox.Leuc.(cj.) Men. —W.DAT. *w. drink* E.

Βριάρεως (also **Ὀβριάρεως** Hes.) εω (ῃος Call.) *m.* **Briareos** or **Obriareos** (a hundred-handed giant) Il. Hes. Pl. Call.; (nickname for Archimedes, as inventor of mechanical devices) Plu.

βριαρός ή όν *Ion.adj.* [reltd. βριάω, βρίθω] **1** (of a helmet) **strong, sturdy** Il. AR.; (of a spear) AR.; (of a vine trunk) AR.
2 (of Athena, a baby son of Ares) **mighty** Lyr.adesp. AR.

βριάω *vb.* | 3sg. βριάει, ptcpl. βριάων | **1** (of Zeus) **make strong** or **mighty** (a man) Hes.; (of Hekate) **make great** (in number) —*flocks and herds* Hes.
2 (intr., of a man) **be strong** or **mighty** Hes.

βρίζω *vb.* | aor. ἔβριξα | **1 be sleepy, be drowsy, doze** Il. A. E.
2 (fig., of blood-guilt) **slumber, be dormant** A.

βρι-ήπυος ον *adj.* [reltd. βριαρός; ἠπύω] (epith. of Ares) **mighty-voiced** Il. Hes.*fr.*

βρῖθος εος (ους) *n.* [βρῑθύς] **1 great weight** or **heaviness** (of a person) E.; (of objects, ships) Plu.
2 weight, burden (of misfortunes) Arist.

βρῑθοσύνη ης *f.* **great weight** or **heaviness** Il. AR.

βρῑθύς εῖα ύ *adj.* [reltd. βριαρός] ‖ compar. βρῑθύτερος | **1** (of a spear, a stone) **heavy** Il. AR.
2 ‖ COMPAR. (of a remedy) heavier to bear, more oppressive A.
3 (of a warrior) **mighty** Plu.(quot A.)

βρίθω *vb.* | dial.3pl. βρίθοντι (B.) ep.impf. βρῖθον | fut. βρίσω, ep.inf. βρῑσέμεν | aor. ἔβρῑσα | statv.pf. βέβρῑθα | 3sg.plpf. βεβρίθει |
1 (of ripening grain) **be heavy** Hes.
2 (of the earth, an orchard, a region, or sim.) **be heavy** or **laden** (usu. W.DAT. w. foliage, flowers, fruits, trees) Il. hHom. Pi.*fr.* Lyr.adesp. Theoc. —*w. prosperity* (*i.e. fruitfulness*) E.; (of trees) —*w. fruit* Od.; (of a ship) —*w. weapons* Od.; (of the Golden Fleece) —*w. tufts of wool* AR.; (of the earth, w. rain) Il. ‖ PASS. (of shores) be heavy or laden —W.DAT. *w. corpses* (*fr. a shipwreck*) Tim.
3 (of baskets) **be heavy** or **filled** —W.GEN. *w. cheeses* Od.; (of tables) —*w. food and wine* Od.; (of furrows) —*w. cut ears of corn* hHom.; (fig., of streets) —*w. carousals* B.*fr.*
4 (hyperbol., of a person) **be laden** —W.DAT. *w. dirt* E.
5 ‖ STATV.PF.PTCPL.ADJ. (of conflict) **heavy, oppressive** Il.
6 (of a meteorite) **fall heavily, crash down** Plu.
7 bring one's weight to bear; lean heavily (against an object, to move it) AR.; (of warriors) **press hard, advance relentlessly** Il.; (of an avenging spirit) —W.DAT. *w. sword, fire, battle* E.; (of cavalry) **press in a solid mass** —W.PREP.PHR. *towards a wing* Plu.

8 (of a suitor) preponderate (over others), **prevail** —W.DAT. *w. wedding gifts* Od. [or perh. tr. *load (a bride) w. wedding gifts*]
9 carry weight, be mighty —W.DAT. *through strength, wealth* S. —*through innate nobility* Pi.
10 (tr.) **load** —*ships* (W.GEN. *w. warriors*) Lyr.adesp.; (of prosperity) —*a person* (W.DAT. *w. wealth*) Pi.
11 (of a god) **weigh down, tip** —*the scales (deciding fate)* A.; (intr.) B.
12 (of a horse, burdened by evil) **weigh down** (the chariot of the soul) Pl.

—**βρῑθόμενος** η ον *pres.pass.ptcpl.adj.* **1** (of chariot axles) **heavy-laden** A.
2 (of a person) **laden** (W.DAT. w. garlands) Theoc.; (of stalks, W.GEN. w. ears of corn) Hes.; (fig., of a woman, W.DAT. w. vigorous life and growing children) Lyr.adesp.
3 (of a poppy) **weighed down** (W.DAT. by its seed and rain) Il.; (of vine-rows, by leaves, tendrils, grape-clusters) Hes.; (of dying earth-born warriors, by their heads) AR.

βρῑμάομαι (also **βρῑμόομαι** X.) *mid.contr.vb.* [βρίμη] **make menacing noises, vent one's anger** Ar. —W.DAT. *against someone* X.

βρίμη ης *f.* **mighty** or **menacing power** (of Athena) hHom.; (of Medea) AR.

Βρῑμώ *f.* | only nom.acc. Βρῑμώ | **Brimo, Goddess of Menacing Might** (title of Hekate) AR.; (title of Demeter) Carm.Pop.

βρῑσ-άρματος ον *adj.* [βρίθω, ἅρμα] **1** (epith. of Ares) **pressing hard in the chariot** Hes.
2 (of Thebes) **with a mighty chariot force** Pi.*fr.*

βροδοδάκτυλος Aeol.*adj.*, **βρόδον** Aeol.*n.*, **βροδόπᾱχυς** Aeol.*adj.*: see ῥοδοδάκτυλος, ῥόδον, ῥοδόπηχυς

βρόκχος *m.*: see βρόχος

βρομέω *contr.vb.* [βρόμος] **1** (of flies) **buzz** Il.
2 (of the Clashing Rocks, fire-storms around them) **roar** AR.; (of mountain valleys) **resound** —w. ὑπό + DAT. *in response to a lion's roar* AR. | see also ὑποβρομέω

βρόμιος ᾱ ον *adj.* (of a lyre) **resounding** Pi.; (of castanets) **crashing** E.

Βρόμιος ου *m.* **Bromios, Loud-Roarer** (name of Dionysus) Lyr. A. Dionys.Eleg. E. Ar. D.(oracle); (of Ares) Lyr.adesp.
—**Βρόμιος** ᾱ ον *adj.* (of delight, assoc.w. a festival of the god) **Bromian, Bacchic** Ar.; (of nymphs, accompanying him) Scol.
—**Βρομιάς** άδος *fem.adj.* (of a feast) **in honour of Bromios** Pi.*fr.*

βρόμος ου *m.* [βρέμω] **1 roar** (of a forest-fire or blasts fr. a furnace) Il. AR.; (of squally winds) A.*fr.* AR.
2 crash (of a lightning-bolt) Pi.; (of a hail of stones) A.; **rumble** (beneath the earth, compared to thunder) E.
3 bellow (of a stag) Alc.
4 bray (of the aulos) hHom.
5 din (of Bacchus' retinue) hHom.; (of snorting war-horses) A.; (of cymbal-clappers) Plu.

βροντάω *contr.vb.* [βροντή] | aor. ἐβρόντησα, ep. βρόντησα | **1** (of Zeus) **thunder** Hom. Hes. Ar. Plu.; (of clouds, the sky) Ar.; (of Perikles, envisaged as Zeus) Ar. Plu.
|| IMPERS. **it is thundering** Arist. Plu.
2 (fig., of a person) **make a vocal noise like thunder, thunder, rumble** Ar. Men.; (of soup, in an unsettled stomach) Ar.; (of a court) Ar.; (of a poet, in neg.phr.) Call.

βροντή ῆς *f.*, dial. **βροντά** ᾶς *f.* **1 thundering, thunder** (sent by Zeus or as a natural phenomenon) Hom. +
2 thunder (described as χθονία *chthonic* or νερτέρα *subterranean*, or to which a subterranean sound is likened, ref. to the sound of an earthquake or of the earth reverberating in response to thunder) A. E. Ar.

βροντήματα των *n.pl.* [βροντάω] **claps of thunder** A.

βροντησι-κέραυνος ον *adj.* [κεραυνός] (of the Clouds) **thundering with the lightning-bolt** Ar.

βρότειος (also **βρότεος**) ᾱ (Ion. η) ον (also ος ον) *adj.* [βροτός] **1** (of a person) **mortal, human** E.
2 (of attributes, activities, concerns, or sim.) of or relating to mortals, **mortal, human** Od. Hes. Archil. Lyr. A. +
|| NEUT.PL.SB. **human affairs** A. E.
3 (of a friendship or sexual union) **with a mortal** hHom. A. Pi. E.

βροτήσιος ᾱ ον *adj.* **1** of or relating to mortals (opp. gods); (of tribes) **mortal, human** Alcm.; (of a man) Pi.; (of physical attributes, tasks, ills) Hes. Pi.*fr.* E.
2 (of sacrifices) **human** (opp. animal) E.

βροτόεις εσσα εν *adj.* [βρότος] (of spoils, fr. a slain warrior) covered in gore, **gory** Il. Hes.; (of limbs) Stesich.

βροτοκτονέω *contr.vb.* [βροτοκτόνος] **be a killer of human beings, be a murderer** A.

βροτο-κτόνος ον *adj.* [βροτός, κτείνω] (of sacrifices) in which humans are slain, **murderous** E.

βροτο-λοιγός όν *adj.* (epith. of Ares) bringing destruction to mortals, **man-destroying** Hom. Hes. Tyrt. A.

βροτός οῦ *m.f.* **1** (*m.*) mortal man, **mortal** (opp. immortal god) Hom. Hes. Iamb. Eleg. Lyr. +; (appos.w. ἀνήρ) Hom. Hes. hHom. || PL. mortals (opp. gods) Hom. +; (opp. the dead) S.
2 (*f.*) **mortal woman** Od. A.
3 (w. less focus on mortality) **human, person** Hom. + || PL. humans or people Hom. +; (opp. animals, birds) Ar.
—**βροτός** όν *adj.* (of the race) of mortals, **mortal, human** Pi.

βρότος ου *m.* **gore** (on wounded or dead bodies) Hom.

βροτο-σκόπος ον *adj.* [βροτός, σκοπέω] (of Erinyes) **keeping watch on mortals** A.

βροτο-στυγής ές *adj.* [στυγέω] (of darkness, the Gorgons) **hated by mortals** A.

βροτο-φθόρος ον *adj.* [φθείρω] (of wild beasts) destroying humans, **deadly** A.; (of blight on a land) A.

βροτ-ωφελής ές *adj.* [ὄφελος] (of care) helpful to humans, **beneficial** B.

βρόχεα Aeol.*neut.pl.adv.*: see βραχέα, under βραχύς

βροχή ῆς *f.* [βρέχω] **rain** NT.

βρόχθος ου *m.* [reltd. 2nd el. of ἀναβρόξαι] **throat, gullet** Theoc.

βρόχος (also **βρόκχος** Thgn., cj.) ου *m.* **1 loop in a length of rope** (esp. w. a running knot which causes the loop to tighten as the rope is pulled); **noose** (for hanging) Od. Trag. D. AR. Theoc. +; (for strangling animals) Hdt.
2 noose (for tying a person) E.
3 noose (for catching animals or birds) Thgn. E. Ar. Pl. X.; (of a lasso, for catching humans or animals) Hdt.; (thrown around a battering-ram) Th.; (fig., ref. to a trap or snare for humans) A. E.*fr.* || PL. meshes (of a net, for fish, birds, animals) E. X.; (fig., for humans) E.

βρῦ *interj.* | acc. βρῦν (as though declinable *m.*) | **bru** (a baby's cry for drink) Ar.

βρυάζω *vb.* [βρύω] **1** (of a person) **swell** (w. an emotion) A.(dub.)
2 (of a wine-cup) **bubble** —W.DAT. w. *foam* Tim.
3 (of soldiers) **carouse, get drunk** Men.

βρυγμός οῦ *m.* [βρύκω] **gnashing** (W.GEN. of teeth) NT.

βρύκω (also **βρύχω** NT. Plu.) *vb.* **1** (of Polyphemos) sink one's teeth into, **chomp** —*human limbs* E.Cyc.; (of a woman, envisaged as a bitch) —*lungs and guts* Ar.; (of a bird) —*fingers* Ar.; (intr., of persons) **chomp away** (at food) Ar.
2 (fig., of disease) **bite, gnaw** S.; (of smoke) —*the eyes* Ar. || PASS. be gnawed (by disease) S.
3 gnash —*one's teeth* NT.; (intr.) Plu.(quot.com.)

βρύλλω *vb.* [βρῦ] (of a person, using baby language) **get one's feed** Ar.

βρύον ου *n.* [βρύω] **seaweed** Theoc. Plu.

βρύσσος ου *m.* **sea-urchin**; (fig.) **cunt** Hippon.

βρῦτος ου *m.* —or perh. **βρῦτον** ου *n.* **barley beer** Archil.

βρυχάομαι *mid.contr.vb.* | 3sg.impf. βρυχᾶτο (S.) | ep.3sg.aor. βρυχήσατο | statv.pf.act. βέβρυχα, ptcpl. βεβρυχώς | ep.3sg.statv.plpf. βεβρύχει || PASS.: aor.ptcpl. (w.mid.sens.) βρυχηθείς |
1 (of a bull) **bellow** S. Theoc.; (of an elephant) Plu.; (of Aeschylus, envisaged as a boar or lion) Ar.
2 (of persons, in pain, grief or fury) **bellow, howl** Il. S. Men. AR.; (of a boar) AR.; (of Fate, in battle) Hes.
3 (of waves, river-water) **roar** Hom. AR.; (of a rock, echoing Charybdis) Or.

βρυχή ῆς *f.* [βρύκω] **rattling** (W.GEN. of teeth, *r.* a boxer's blows) AR.

βρυχηδόν *adv.* [βρυχάομαι, also perh. βρύκω] **with a snarling howl** —*ref. to warriors* (*compared to dogs*) *killing one another* AR.

βρυχηθμός οῦ *m.* **bellowing** (in distress or rage) Men.

βρύχημα ατος *n.* **bellow** (of distress or pain) Plu.

βρύχιος ᾱ (Ion. η) ον (also ος ον) *adj.* [reltd. 2nd el. of ὑπόβρυχα] **1** (of seawater) **of the deep** A. Tim.; (of the sea) **deep** AR.; (of rocks) in the depths, **underwater** AR.
2 (of a thunderous noise) in the depths (of the earth), **underground, subterranean** A.

βρύχω *vb.*: see βρύκω

βρύω *vb.* **1 swell with an abundance of growth**; (of an olive shoot) **blossom** —W.DAT. *w. flowers* Il.; (of a branch, a myrtle garland) **bloom** (w. leaves or flowers) S. Ar.
2 (of the earth) **abound with vegetation** X.; (of a place) **abound** —W.GEN. *in bay, olive, vines* S.
3 (of persons) **be luxuriantly decked** —W.DAT. *w. garlands* B.; (of a personif. city) —*w. bryony* E.
4 (of Excellence) **blossom** or **flourish** —W.DAT. *w. unfading fame* B.
5 (of a populace) **teem, abound** —W.DAT. *w. flowers of youth* Tim.
6 (of a god) **swell** —W.DAT. *w. boldness* A.
7 (of the lips of Apollo) **be brimming** —W.DAT. *w. prophetic skill* A.fr.; (of a song) —*w. poetic skill* Scol.
8 (of shrines) **abound** —W.DAT. *in feasts* B.; (of streets) —W.GEN. *w. hospitality* B.
9 be granted an abundance; (of a person) **abound** —W.DAT. *in blessings* A.; (of a way of life) —*in bees, sheep and olives* Ar.

βρῶμα ατος *n.* [βιβρώσκω] **1 foodstuff, food** (for humans or animals) Th. Ar. Pl. X. Arist. +; (ref. to spiritual sustenance) NT.
2 food at table, food, dish Anan. Philox.Leuc. X. Arist. +

βρωμάομαι *mid.contr.vb.* [reltd. βρέμω] (of a donkey-jug, pouring out wine) **bray** Ar.

βρώμη ης *f.* [βιβρώσκω] **food for a meal** (for men or animals), **food, meal** Od. hHom. AR.

βρωσείω *vb.* [desideratv. βιβρώσκω] **long to eat** Call.

βρώσιμος η ον *adj.* **1** (of a remedy) **of an edible kind** A.
2 (of a foodstuff) **available to eat** NT.

βρῶσις εως (Ion. ιος) *f.* **1 eating** (opp. drinking) Thgn. E.fr. Pl. X. Arist. Plb.; (W.GEN. of children) Isoc. Pl.
2 food (opp. drink) Hom. Hes. Th. AR. Plb. +; (ref. to spiritual sustenance) NT.
3 process of eating away (at materials), **corrosion** NT.

βρωτῆρες ων *m.pl.* (ref. to destructive agents) **devourers** (W.GEN. of seeds) A.

βρωτόν οῦ *n.* (sg. and pl.) **that which may be eaten, foodstuff, food** Hdt. E. X. D. Plu.

βρωτύς ύος *f.* **food** (opp. drink) Hom. Philox.Leuc.

βυβλιακός (also **βιβλιακός**) ή όν *adj.* [βυβλίον] **1** (pejor., of the state or practice of a writer), based upon books (opp. experience of the real world), **book-learned** Plb. || MASC.PL.SB. book-learned persons Plb.
2 || SUPERL. (of Varro, as writer and reader) **with an exceptionally large bibliography** (W.PREP.PHR. in historical works) Plu.

βυβλίδιον (also **βιβλίδιον**) ου *n.* [dimin.] **1 small piece of papyrus, little document, note** Plb. Plu.
2 (pejor.) **scrap of paper** D.
3 small book, booklet (W.GEN. of memoirs) Plu.

βύβλινος η ον *adj.* [βύβλος] (of a ship's cable) **made from papyrus** Od.; (of ropes for Xerxes' bridge of boats) Hdt.; (of a yoke, ref. to this bridge) Hdt.(oracle); (of Egyptian sails, sandals) Hdt.

βυβλιο-θήκη (also **βιβλιοθήκη**) ης *f.* [βυβλίον] **collection of written works** or **place where they are kept, library** Plb. Plu.

βυβλίον (also **βιβλίον**) ου *n.* [βύβλος] **1 papyrus sheet** or **roll** (on which text can be written); **sheet, roll** Pl. X. D. Arist. +
2 sheet or roll containing a communication (esp. for political or military purposes); **message, letter** Hdt. Plu.; (written as a rhetorical exercise) Isoc.
3 official document (relating to laws, decrees, financial or legal business); **document** Ar. Att.orats. +; **notice** (W.GEN. of divorce) NT.
4 written work (literary, philosophical, rhetorical or scientific); **work, book** Ar. Att.orats. Pl. X. Call. Plb. +; (pejor., as a source of theoretical opp. practical knowledge) Pl. Plb.
5 specific revered work (of religious ritual or teaching); **book** (w. prophecies or instructions for ritual) Ar.; (of teaching or prophecy) NT.
6 book (as a division of a longer work) Plb. Plu.

βύβλος (also **βίβλος**) ου *f.* **1** (collectv.sg.) **papyrus reed plants, papyrus** A. Hdt.; (as a typical Egyptian food, ref. to the pith) Hdt.
2 papyrus fibre, strip or **stem** (used in Egypt, for garland-making) Plu.; (for wrapping around the horns of a sacrificial bull) Hdt.; (used in boatbuilding, either for caulking or ropemaking) Hdt.
3 papyrus sheet (made fr. strips, as a writing material) Hdt. Pl.
4 papyrus roll (containing writing) A. Hdt. X. Plb.
5 writing contained in a roll, work, book Isoc. Pl. Plb. NT. Plu.
6 specific revered work (of religious ritual or teaching), **book** Pl. D. NT. Plu.
7 book (as a division of a longer work) Plb. NT.

Βυζάντιον ου *n.* **Byzantium** (city on the European side of the Bosporos, later Constantinople) Hdt. Th. Ar. Att.orats. +

—**Βυζάντιοι** ων *m.pl.* **men of Byzantium, Byzantines** (as a population or military force) Hdt. Th. +

—**Βυζάντιος** ᾱ ον *adj.* (of a person) **from Byzantium** Hdt. Pl. +

βύζην *adv.* [βύω] **with a plugging** or **cramming tactic** —*ref. to closing channel-entrances* (*w. ships packed close together*) Th.

βυθίζω *vb.* [βυθός] (of an enemy) **send to the depths, sink** —*a ship* Plb. ‖ PASS. (of a ship) **be sunk, sink** (*due to enemy action, overloading, a storm*) NT. Plu.

βύθιος ᾱ ον *adj.* **1 of** or **from the depths of the earth** or **sea**; (pejor., of a desert) **endless, yawning** Plu.
2 (of the sound of cymbal-clappers) **very deep** or **infernal** Plu.

βυθός οῦ *m.* [reltd. βυσσός] **1 deepest part of the sea** or a **body of water** (esp. as a place of destruction, darkness or remoteness); **depths, bottom** A. S. Ar. Men. +
2 (fig.) **depths** (W.GEN. of a military rout, envisaged as a turbulent sea) Plu.
3 deep interior, depths (W.GEN. of a forest) Plu.
4 depths (of a wound, fr. where blood wells up) S.
5 lowest level (of soil in a plant bed) X.
6 (fig.) **depths** (W.GEN. of nonsense) Pl.

βυκανάω (also written **βουκανάω**) *contr.vb.* [βῡκάνη] **sound the horn** (as a signal) Plb.

βῡκάνη ης *f.* [Lat. *bucina*] **horn** (sounded for herding animals or on the battlefield) Plb.

βῡκανητής οῦ *m.* **sounder of the horn** (in an army) Plb.

βῡκανιστής οῦ *m.* **horn-player** (in the theatre) Plb.

βύκται άων *ep.masc.pl.adj.* (of winds) perh. **blustery, gusting** or **buffeting** Od. AR.

βῡνέω *contr.vb.* [reltd. βύω] **fill to the brim; stuff** —*mouths* (W.DAT. *w. gold coins, to buy silence*) Ar.; (of a sausage-seller, in a threat) —*a person's anus* (W.PREP.PHR. *like a sausage-skin*) Ar.

βύρσα ης *f.* **1 hide** (of an animal, raw or tanned) E. Ar. X. D. Theoc. Plu.; (of a live animal) Theoc.; (of a human, under threat of tanning) Ar.
2 (specif.) **oxhide** Hdt.
3 drum-skin E.

βυρσ-αίετος ου *m.* [αἰετός] **leather-eagle** (nickname of Kleon, ref. to his father's trade and the bird's rapacity) Ar.

βυρσεύς έως *m.* **leather-worker, tanner** NT.

βυρσίνη ης *f.* **leather whip** (for swatting politicians, w. play on μυρσίνη *myrtle branch*, used for swatting flies) Ar.

βυρσοδεψέω *contr.vb.* [βυρσοδέψης] **be a tanner** Ar.

βυρσο-δέψης ου *m.* [δέψω] **kneader of hides, tanner** Ar. Pl.

βυρσο-παγής ές *adj.* [πήγνῡμι] (of cymbal-clappers) **fastened with leather** Plu.

βυρσο-παφλαγών όνος *m.* [Παφλαγών, as name of a slave fr. Paphlagonia] **rawhide Paphlagon** (nickname of Kleon, ref. to his father's trade and alleged barbarian descent) Ar.

βυρσο-πώλης ου *m.* [πωλέω] **leather-seller** Ar.

βυρσο-τενής ές *adj.* [τείνω] (of a drum) **of stretched hide** E.

βυρσό-τονος ον *adj.* (of a drum's circle) **of stretched hide** E.

βυρσο-φώνης ου *m.* [φωνή] (ref. to Salmoneus) **creator of a voice from hides** (i.e. thunder fr. drums) S.*fr.* [perh. βυρσοφωνῆς]

βύσσινος η ον *adj.* [βύσσος] (of garments and cloths) **made of linen** A. Hdt. E.

βυσσοδομεύω *vb.* [βυσσός; reltd. δόμος, δέμω] **build in the depths; secretly meditate, plot** —*harm, trickery, or sim.* (sts. W.DAT. or PREP.PHR. *in one's mind*) Od. Hes.

βυσσός οῦ *m.* [reltd. βυθός] **deepest part of the sea** or a **body of water, depths, bottom** Il. Hdt. Call.

—**βυσσόθε(ν)** *adv.* **1 from the depths of a sea** or **river** S. Call. Mosch.
2 from the depths of the earth Call.

βύσσος ου *f.* [Semit.loanwd.] **flax** (and the linen woven fr. it); **linen** Theoc. NT.

βυσσό-φρων ον, gen. ονος *adj.* [βυσσός, φρήν] (of an Erinys) **deep-scheming** A.

βύω *vb.* | PASS.: pf.ptcpl. βεβυσμένος | 3sg.plpf. ἐβέβυστο, ep. βέβυστο | **1 fill to the brim** ‖ PASS. (of a basket) **be stuffed full** —W.GEN. *of yarn* Od.; (of a person's mouth, w. gold) Hdt.; (fig., of a person) —W.GEN. *of anger* Call.
2 ‖ PASS. (of a jar) **be plugged** or **stoppered** —W.DAT. *w. a sponge* Ar.; (of a baby, i.e. its mouth) —*w. a honeycomb* (*to stop it fr. crying*) Ar.

βῶ (athem.aor.subj.): see βαίνω

βωκόλος *dial.m.*: see βουκόλος

βωλά *dial.f.*: see βουλή

βωλάκιος ᾱ ον *adj.* [βῶλαξ] (of earth) **formed of clods, clodded** Pi.

βῶλαξ ακος *f.* [βῶλος] **lump of earth, clod** Pi. AR.; (collectv.sg.) **soil, earth** (of a country) Theoc.

βωλευσαμένως (dial.masc.acc.pl.aor.mid.ptcpl.): see βουλεύω

βωλευτός *dial.adj.*: see βουλευτός

βωλίον ου *n.* [dimin. βῶλος] **bit of dirt** Ar.

βωλοκοπέω *contr.vb.* [κόπτω] **break up clods of earth;** (fig.) **harrow** —*a person* (w. blows and threats) Men.

βῶλος ου *f.* **1 lump of earth** or **fertile soil, clod** S. X. Arist. AR. Plu.; (as a symbol of a land) Plu.; (used as a missile) X. Men. Plu.
2 (collectv.sg.) **clods, soil, earth** Od. Ar. AR. Mosch. Plu.(oracle)
3 ball of earth (torn fr. Olympos, becoming a celestial body) E.

βωμίδες ων *f.pl.* [βωμός] **steps** Hdt.

βώμιος ᾱ ον (also ος ον) *adj.* **1** (of the edge, base, hearth) **of an altar** S. E.
2 (of attendants, suppliants) **at an altar** E.; (of sustenance for a temple orphan) E.

βωμο-ειδής ές *adj.* [εἶδος¹] (of a grave-monument) **in the form of an altar** Plu.

βωμολοχεύματα των *n.pl.* [βωμολοχεύομαι] **cheap tricks, buffoonery** Ar.

βωμολοχεύομαι *mid.vb.* [βωμολόχος] **behave like a buffoon, play the fool** Ar. Isoc.

βωμολοχία ᾱς *f.* **1 clowning, buffoonery, playing the fool** Pl. Arist.
2 crudeness, vulgarity Plu. ‖ PL. **crude jokes, scurrilities** Plu.

βωμο-λόχος ον *adj.* [λοχάω] **1** app., **lurking at an altar** (perh. as an itinerant performer, to beg for food or money); (of a person) **clownish, buffoonish** Ar.; (of words) Ar.; (of an idea) Ar. ‖ MASC.SB. **buffoon** Ar. Arist.
2 (of remarks) **crude, vulgar, scurrilous** Plu. ‖ NEUT.SB. **vulgarity, scurrility** (of an orator) Plu.

βωμός οῦ, Aeol. **βῶμος** ου *m.* **1 stand** (for the body of a chariot, after removal of its wheels) Il.
2 base, pedestal (for a statue) Od.
3 altar (dedicated to gods, heroes or ancestors; a religious focus for a people, tribe or family, where rites are performed, oaths sworn, or the truth asserted) Hom. +; (resorted to for asylum) Od. +; (debarred to those not ritually clean) A. +; (of underworld gods, fig.ref. to a corpse) Pl.

βωνίτᾱς ᾱ *dial.m.* [βοῦς] **herdsman** Call.

βῶς *dial.m.f.*: see βοῦς
βωστρέω *contr.vb.* [reltd. βοάω] **1 summon by shouting, call out to** —*a god or person* Od. Ar. Theoc.
2 raise a hue and cry for —*a missing person* Mosch.

βωτι-άνειρα ᾱς (Ion. ης) *fem.adj.* [βόσκω, ἀνήρ] (of the earth, a land) **nurturing men, sustaining mankind** Hom. Hes.*fr.* hHom. Alcm.
βώτορες ων *m.pl.* [reltd. βοτήρ] **pasturers, herdsmen** Hom.

Γ γ

γα *dial.pcl.*: see γε
γᾶ *dial.f.*: see γῆ
γάγγαμον ου *n.* a kind of fishing-net; (fig.) **drag-net** (W.GEN. of slavery) A.
γᾱγενής *dial.adj.*: see γηγενής
Γάδειρα, Ion. **Γήδειρα**, ων *n.pl.* Gadeira, Gadir (Lat. *Gades*, mod. Cadiz; Phoenician colony on a promontory on the coast of Spain, nr. the Pillars of Hercules) Pi. Hdt.
—**Γᾱδειραῖος** ᾱ ον *adj.* (of the strait) **of Gadeira** (i.e. strait of Gibraltar) Plu.
—**Γᾱδειρικός** ή όν *adj.* (of the territory) **of Gadeira** Pl.
γάζα ης *f.* [Iran.loanwd.] store of valuable items, **treasure** (esp. of Eastern monarchs) Plb. NT. Plu.
γαζοφυλάκιον ου *n.* [γᾱζοφύλαξ] secure place for storing money and valuables (in a temple), **treasury** NT.; **strong-box** (for money donated) NT.
γαζο-φύλαξ ακος *m.* custodian of a store of money or valuables, **state treasurer** Plu.
γᾶθεν *dial.adv.*: see under γῆ
γᾱθέω *dial.contr.vb.*: see γηθέω
γαῖα ᾱς (Ion. ης), Boeot. **γῆα** ᾱς *f.* [reltd. γῆ] | ep.gen.pl. γαιάων, also (disyllab.) γαιέων (hHom.) | **1 earth, land** (sts. opp. sea or heaven) Hom. Hes. Eleg. Lyr. Trag. Ar. +
2 specific region of the earth, **land, country** Hom. Hes. Eleg. Pi. B. Trag. +
3 surface of the earth (at any one place), **earth, ground** Hom. Hes. Thgn. Pi. B. Trag. +
4 earth (as a material), **earth, soil** Hom. Hes. hHom. Thgn. Pi. E.
5 earth (as a primordial element, along w. fire, water, air) Emp.
6 (personif.) **Gaia, Earth** (primordial goddess, mother of many offspring, esp. by union w. her son Ouranos) Hom. Hes. A. Pi. E. Call. AR.
γαιά-οχος, Ion. **γαιήοχος**, ον *adj.* [perh.reltd. ὄχος]
1 (epith. of Poseidon) perh. **earth-carrying** Hom. Hes. Stesich. A. Pi. S. + || MASC.SB. (ref. to Poseidon) **Earth-carrier** Hom. hHom. Pi. X.
2 [as if reltd. ἔχω] (epith. of Zeus, at Argos) **protecting the land** A.; (of Artemis, at Thebes) S.
γαιη-γενής ές *Ion.adj.* [γένος, γίγνομαι] (of the Sown Men) **earth-born** AR.
Γαιήιος ου *Ion.masc.adj.* (of the giant Tityos) **born of Gaia** Od.
γαιο-νόμοι ων *m.pl.* [νέμω] **dwellers in a land** A.(cj.)
γάϊος ᾱ ον *dial.adj.* [γῆ] **1** (of dust) **of the earth** A.
2 (epith. of Zeus, as Hades) **of or beneath the earth** A.(cj.)
3 (of a person) **on land** (opp. aboard ship) A.
—**Γάϊος** ᾱ ον *dial.adj.* (of a shrine, or perh. a child) **of Earth** E.
γαῖσος ου *m.* [Lat. *gaesum*] **javelin, spear** Plb.

γαίω *vb.* [reltd. γάνυμαι] (of Zeus, a god sitting next to him) **exult** or **glory** —W.DAT. *in splendour* Il.; (of the sun) —*in solitude* Emp.; (mid., of persons) —*in perverse behaviour* Thgn.(cj.)
γάλα ακτος *n.* | also dat. γάλακι (Call.) | dat.pl. γάλαξι (Pl.) | **1 milk** (of animals and humans) Hom. +; (provbl.) ὀρνίθων γάλα *birds' milk* (ref. to an impossible or rare luxury) Ar.
2 (meton.) woman who breast-feeds another's baby, **wet-nurse** Call.*epigr.*
γαλα-θηνός ή όν *adj.* [θῆμαι] **1** sucking milk; (of newborn animals) **suckling, unweaned** Od. Anacr. Hdt. Theoc.; (of a baby) Simon. Theoc.
2 (of the heart or nature) of an unweaned baby, **babyish** Simon.
γαλακτο-πότης ου, dial. **γαλακτοπότᾱς** ᾱ *m.* (ref. to an individual or a people, as living off their livestock) **milk-drinker** Hdt. E.
γαλάνᾱ *dial.f.*, **γαλάνεια** *dial.f.*: see γαλήνη
Γαλάξια ων *n.pl.* [γάλα] **Galaxia** (Athenian festival in honour of the Mother of the Gods, i.e. Cybele, taking its name fr. γαλαξία, a barley porridge cooked in milk) Thphr.
Γαλάται ῶν *m.pl.* **1** Celtic people of North Europe and North Italy, **Gauls** Plb. Plu. || SG. **Gallic man, Gaul** Plb. Plu.
2 people of Galatia (region of central Asia Minor, settled by Celts), **Galatians** Call. Plb. Plu. || SG. **Galatian man, Galatian** Plu.
—**Γαλατίᾱ** ᾱς *f.* **1 Gaul** (region of N. Europe or N. Italy) Plb. Plu.
2 Galatia (region of central Asia Minor) Plb. Plu.
—**Γαλατικός** ή όν *adj.* **1** of or related to Gaul or the Gauls; (of the people, their territories, cities, weapons, artefacts, or sim.) **Gallic** Plb. Plu.; (of wars fought against them) Plu.
2 (of territory) **Galatian** NT.
—**Γαλατικῶς** *adv.* **in the Gallic style** —*ref. to dressing* Plu.
Γαλάτεια ᾱς *f.* **Galateia** (sea-nymph, daughter of Nereus) Il. Hes.; (wooed by Polyphemos) Hellenist.poet.
γαλε-άγρᾱ ᾱς *f.* [γαλῆ, ἀγρέω] **weasel trap** or **cage**; **cage** (for prisoners) Plu.
γαλέη *dial.f.*: see γαλῆ
γαλεός οῦ *m.* **dogfish** Philox.Leuc.
γαλεώτης ου *m.* [reltd. γαλῆ] a kind of lizard, **gecko** Ar.
γαλῆ ῆς, dial. **γαλέη** ης (Theoc.) *f.* **weasel, ferret, marten** or **polecat** Semon. Hdt. Ar. Arist. Thphr. Theoc.
γαλήνη ης, dial. **γαλάνᾱ** ᾱς *f.* —also dial. **γαληναίη** ης (Call. AR.) *f.* [reltd. γελάω] **1** stillness of the sea (fr. absence of wind), **calm at sea, calm** Od. Lyr.adesp. E. Th. Pl. X. +
2 (gener. or fig.) **calm, stillness, quiet, tranquillity** (of the mind, soul, places, circumstances) A. S. AR. Plu.; **freedom, respite** (W.GEN. fr. undesirable emotions, physical disturbances) E. Pl.

γαληνός

3 (personif., as a sea-nymph) **Galene, Galaneia** or **Galenaie** Hes. E. Call.*epigr.*
γαληνός όν *adj.* **1** (of the sea) **calm** Plb. ‖ NEUT.PL.SB. calm (W.PREP.PHR. after stormy waves) E.
2 (fig., of a person, talk) **mild, gentle** E.
Γάλλαι ῶν *f.pl.* —also **Γάλλοι** ων (Plb.) *m.pl.* **Gallai** or **Galloi** (castrated male priests or votaries of Cybele) Lyr.ade*sp.* Plb.
γάλοως οω *ep.f.* ‖ dat.sg. and nom.pl. γαλόῳ ‖ husband's sister, **sister-in-law** Il. Call.
γᾶμα (dial.aor.): see γαμέω
γαμβρός οῦ, Aeol. **γάμβρος** ου *m.* **1** man related by marriage; **son-in-law** Hom. Hes. Pi. B. Hdt. E. +; (pl. for sg.) E.
2 brother-in-law Il. Hdt. S.
3 (gener., esp.pl.) **marriage-relation, in-law** A. Pi. E.
4 man about to marry or just married, **bridegroom** Sapph. Pi. Theoc.
5 potential bridegroom, **suitor** Pi.
γαμετή ῆς, dial. **γαμετά** ᾶς *f.* [γαμέω] **married woman, wife** A. Pi.*fr.* Arist. Men. Plb. Plu.; (appos.w. γυνή) Hes. Lys. Pl. X. Is. +
γαμέτης ου, dial. **γαμέτας** ᾶ *m.* **husband** or **bridegroom** A. E. X. Call. Plu.
γαμέω *contr.vb.* ‖ dial.inf. γαμῆν (Alcm.), perh. also γαμέν (Stesich.) ‖ fut. γαμῶ, ep. γαμέω ‖ aor. ἔγημα, ep. γῆμα, dial. ἔγᾶμα, also γᾶμα, later ἐγάμησα (NT.) ‖ pf. γεγάμηκα ‖ MID.: fut. γαμοῦμαι, later γαμήσομαι (Plu.) ‖ aor. ἐγημάμην ‖ PASS.: aor. ἐγαμήθην (Plu.) ‖ neut.impers.vbl.adj. γαμητέον (Plu.) ‖
1 (of a man) take as a wife, **marry** —*a woman* Hom. +; (intr.) Od. +; **enter upon** —W.COGN.ACC. *a marriage* A. Hdt. E. Ar. Pl. Plu. —(W.ACC. *w. someone*) Hdt. E. Plu.
2 (of a woman) **marry** NT. —*a man* NT.; (iron., w.connot. of being man-like) E.
3 (of a man) **take as a lover** or **mistress** —*a woman* Od. S.; (euphem.) **have sex with** —*a woman* (W.DAT. or ADV. *by force*) E.
4 ‖ MID. (of a woman) **marry** —W.DAT. *a man* Od. S. E. Ar. X. Is. +; (intr.) Od. + —w. ἐς + ACC. *into a royal family* E.; **enter upon** —W.COGN.ACC. *a marriage* E. ‖ AOR.PASS. be married (sts. W.DAT. to someone) Plu.
5 ‖ MID. (iron., of a man, w.connot. of being woman-like) **marry** Anacr.
γαμήλευμα ατος *n.* **marriage** A.
γαμηλία ᾶς *f.* **wedding feast** Is. D.
γαμήλιος ον *adj.* of or for marriage; (of rites, libations, songs, a bed, garland, or sim.) **wedding, nuptial** A. E. Ar. Bion Plu.; (of Aphrodite) **overseeing marriage** (W.DAT. for maidens) E.*fr.*
Γαμηλιών ῶνος *m.* **Gamelion** (seventh month of the Athenian year) Lys.
γαμίζω *vb.* [γάμος] **give in marriage** (a daughter) NT. ‖ PASS. be given in marriage NT.
γαμικός ή όν *adj.* (of laws, causes, arrangements) **relating to marriage** Pl. Arist.; (of sexual intercourse) **within marriage** Arist. ‖ NEUT.PL.SB. wedding ceremonies Th.; matters relating to marriage Th. Arist.
—**γαμικῶς** *adv.* **on the scale of a wedding feast** —*ref. to providing a dinner for one's friends* Arist.
γάμιος ᾱ ον *adj.* (of music) **for a wedding** Mosch.
γαμίσκομαι *pass.vb.* (of women) **be given in marriage** Arist.; (of men or women) NT.
γάμμα *indecl.n.* [Semit.loanwd.] **gamma** (letter of the Greek alphabet) Pl.; (ref. to its shape) X.
γάμορος *dial.m.*: see γεωμόρος
γάμος ου *m.* [γαμέω] **1** contracting or state of marriage, **marriage** Hom. +; (pl. for sg.) Pi.*fr.* Trag. Ar.; (pl., meton.ref. to a bride) S.

2 occasion or celebration of marriage, **wedding** Hom. hHom. Archil. Thgn. Lyr. E. ‖ PL. wedding, wedding celebrations E. Ar. D. Arist. Thphr. Men. +
3 (euphem.) **sexual encounter, union** (outside marriage) Pi.; (betw. Heaven and Earth) A.*fr.*; (sts.pl. for sg., ref. to rape by a god) E.; (ref. to prostitution) D.
γαμφηλαί ῶν *f.pl.* **jaws** (of lions, horses) Il.; (of Typhon) A.; (of birds of prey) E. Ar.(mock-oracle) AR.
γαμψός ή όν *adj.* [reltd. κάμπτω, γνάμπτω] (of birds, app.ref. to their talons) **hooked, crooked** Ar.
γαμψ-ῶνυξ υχος *masc.fem.adj.* [ὄνυξ] (of birds of prey) **with hooked talons** Hom. Hes. A.; (of the Sphinx) S.; (gener., of birds, their way of life) Ar.
γανάω *ep.contr.vb.* [reltd. γάνυμαι] ‖ only ptcpl.: ep. (w.diect.) masc.acc. γανόωντα, nom.pl. γανόωντες, fem. γανόωσαι, perh. also masc.pl. γανάοντες (A., cj.) ‖
1 (of metal armour) **shine, gleam** Hom.
2 (of vegetation, a flower) **be radiant** Od. hHom.
3 (tr.) **glorify** —*the gods* A.(dub.)
γανόομαι *pass.contr.vb.* ‖ aor. ἐγανώθην ‖ pf.ptcpl. γεγανωμένος ‖ be brightened, **be gladdened** or **delighted** —W.NEUT.ACC. over sthg. A.*satyr.fr.* Ar. —W.PREP.PHR. *by singing* Pl. ‖ PF.PTCPL.ADJ. (of a person) perh., glistening (w. oil) Plu.; (of a style of public speaking) ornate, flashy Plu.
γάνος εος (ους) *n.* **gleam, sparkle, radiance, lustre** (of water, wine, honey) A. E. Ar. Philox.Leuc.; (of a hyacinth) E.*fr.*; (of spoils, nailed up in a temple) A.
γάνυμαι *mid.vb.* ‖ ep.fut. γανύσσομαι ‖ brighten up, **be glad** or **delighted** Il. A. AR. —W.DAT. or PREP.PHR. *at sthg.* E. Ar. Pl. AR. —W.DAT. + PTCPL. *at someone doing sthg.* Hom.
Γανυμήδης ους (ep. εος) *m.* **Ganymede** (cup-bearer and beloved of Zeus) Il. +
γάπεδον *dial.n.*: see γήπεδον
γᾱ-πετής ές *dial.adj.* (γῆ, πίπτω) (of teeth, sown like seeds) **falling to earth** E.
γᾱπονέω *dial.contr.vb.* [γᾱπόνος] **till, farm** —*fields* E.
γᾱ-πόνος ου *dial.m.* [γῆ, πονέω] (appos.w. ἀνήρ) one who toils on the land, **farmer** E.
γᾱ́-ποτος ον *dial.adj.* [πίνω] (of libations) **to be drunk by the earth** A.
γάρ *pcl.* [γε, ἄρα] ‖ The main uses are given in six groups: **(A)** causal (offering the reason for what precedes); **(B)** explanatory (explaining or amplifying what precedes); **(C)** anticipatory (preceding the cl. for which it offers the reason or explanation, or inserted parenth. within it); **(D)** in responses (to statements or qs., usu. expressing assent or confirmation); **(E)** in interrogative responses (exploring the consequences of a preceding statement); **(F)** with other pcls. or conjs. Only the most common applications of the wd. are illustrated. It normally stands in second position, sts. later. ‖
—**A** (causal) **for, because, since** Hom. + • τῇ δεκάτῃ δ' ἀγορήνδε καλέσσατο λαὸν Ἀχιλλεύς· τῷ γὰρ ἐπὶ φρεσὶ θῆκε θεὰ λευκώλενος Ἥρη· κήδετο γὰρ Δαναῶν *and on the tenth day Achilles called the troops to an assembly; for the white-armed goddess Hera put it in his mind, because she was concerned for the Danaans* Il.
—**B** (explanatory) **what I mean is that, the fact is that** Hom. + • ἀλλὰ τόδ' αἰνὸν ἄχος κραδίην καὶ θυμὸν ἱκάνει· Ἕκτωρ γάρ ποτε φήσει ... *but this is the terrible anxiety that assails my heart, that one day Hector will say ...* Il.; (introducing a proof or example) • μαρτύριον δέ· Δήλου γὰρ καθαιρομένης ... *here is the evidence: that when Delos was being purified ...* Th.

—C (anticipatory, freq. after a voc. address) **since, as** Hom. + • Ἀτρείδη ... πολλοὶ γὰρ τεθνᾶσι κάρη κομόωντες Ἀχαιοί ... τώ σε χρή ... *son of Atreus ... since many long-haired Achaeans have been killed ... so you must ...* Il.; (parenth.) νῦν δ', αὐτὸς γὰρ ἄκουσα θεοῦ καὶ ἐσέδρακον ἄντην, εἶμι *but now (since I have heard the goddess and seen her face to face) I shall go* Il.

—D (in responses) • καὶ δῆτ' ἐτόλμας τούσδ' ὑπερβαίνειν νόμους; —οὐ γάρ τί μοι Ζεὺς ἦν ὁ κηρύξας τάδε *And so did you dare to transgress these laws? —Yes, for it was not Zeus who made this proclamation* S. • φασίν νιν ... οἴχεσθαι δορί. —ἔστιν γὰρ οὕτως *They say it (Troy) has been destroyed by warfare. —Yes, that is so* E.; (in elliptical rhetorical q.) τί γάρ; *certainly (i.e. for what else could be the case?)* Trag. Pl. | For ἦ γάρ; *isn't that right?* see ἦ¹ 2; for πῶς γάρ; *how could that (not) be so?* see πῶς 9.

—E (in interrogative responses) • ἐγώ σ' ἔθρεψα, σὺν δὲ γηράναι θέλω. —πατροκτονοῦσα γὰρ ξυνοικήσεις ἐμοί; *I brought you up and want to grow old with you. —Then are you going to live with me when you are my father's murderer?* A. • ἦ ζῇ γὰρ ἁνήρ; —εἴπερ ἔμψυχός γ' ἐγώ. —ἦ γὰρ σὺ κεῖνος; *So (in the light of what you have said) is the man alive? —Yes, at least if I am alive. —So (do you mean that) you are he?* S.

—F (freq. w. another pcl. or conj.) esp. ἀλλὰ γάρ or (w. a wd. interposed) ἀλλὰ ... γάρ *but as a matter of fact, however* Hom. +; γὰρ οὖν *for indeed, for in fact* Hom. +; καὶ γάρ *yes indeed, and in fact* Hom. +; οὐ γὰρ ἀλλά *for in fact, for actually* E. Ar. Call. | For εἰ γάρ (in wishes) see εἰ 2; see also τοιγάρ, τοιγαροῦν, τοιγάρτοι.

γαργαίρω vb. [γάργαρα *heaps*] (of the sea) **teem** —W.DAT. w. bodies (*of drowning men*) Tim.

γαργαλίζω vb. (of an admixture of pain) **tickle** (a person) Pl. ‖ MID. (of the soul) feel a tickling sensation, **tickle, tingle** Pl. ‖ PASS. (of a person) be tickled Arist.

γαργαλισμός οῦ m. **tickling, tingling** (as a bodily sensation) Pl.

γάργαλος ου m. **tickle, tingle** (of pleasure) Ar.

γάρῡμα dial.n.: see γήρυμα

Γαρυόνᾱς dial.m.: see Γηρυόνης

γᾶρυς dial.f., **γαρύω** dial.vb.: see γῆρυς, γηρύω

γαστήρ έρος (also γαστρός) f. | acc. γαστέρα | dat. γαστέρι, γαστρί | **1 belly, stomach** (of humans or animals, freq. assoc.w. a craving for food) Hom. +; (derog., ref. to a person) Hes.
2 belly, womb (of a woman or female animal) Il. +
3 stuffed animal belly, **sausage** or **haggis** Od. Ar.
4 (fig.) **belly, bulge** (of a shield, ref. to its surface) Tyrt.

γάστρη ης Ion.f. lower rounded part, **belly** (W.GEN. of a cauldron) Hom.

γαστρίδιον ου n. [dimin. γαστήρ] **belly, stomach** Ar.

γαστρίζω vb. **1 punch in the stomach** —*a person, oneself* Ar. ‖ PASS. be punched in the stomach Ar.
2 ‖ MID.PASS. have a full stomach Men.

γαστρίη ης Ion.f. **stomach-ache** Hippon.

γαστριμαργία ᾱς f. [γαστρίμαργος] **gluttony** Pl. Arist.

γαστρί-μαργος ον adj. [μάργος] (of persons, gods) having an excessive appetite for food, **gluttonous** Pi. Arist. Plb.

γάστρις ιδος m. **glutton** Ar.

γαστρο-ειδής ές adj. [εἶδος¹] (of a kind of warship, ref. to the shape of its hull) belly-like, **full-bellied** Plu.

γαστρός (gen.): see γαστήρ

γαστρώδης ες adj. (of well-fed men) **pot-bellied** Ar.

γάστρων ωνος m. (ref. to a person) **pot-belly** Ar.

γᾱτομέω dial.contr.vb. [γᾱτόμος] (of miners) **cleave** —*the ground* AR.

γᾱ-τόμος ον dial.adj. —also **γειοτόμος** ον ep.adj. (AR.) [γῆ, τέμνω] (of a mattock, plough) **ground-cleaving** A.fr. AR.

γαυλικός ή όν adj. [γαῦλος] (of cargoes) **of merchant-ships** X.

γαυλός οῦ m. **milk-pail** Od. Theoc.; (gener.) **bucket, pail** Hdt. AR.

γαῦλος ου m. **cargo vessel, merchant-ship** Hdt. Ar. Call.

γαυρίαμα ατος n. [γαυριάω] **arrogance, vanity** (of a person or lifestyle) Plu.; **boasting, pride** (W.GEN. in victory) Plu.

γαυριάω contr.vb. [γαῦρος] | ep.3pl.impf.mid. (w.diect.) γαυριόωντο | **1** (of a horse) **strut proudly** X.(mid.) Plu.; (fig., of persons, compared to horses) Plu.
2 (of persons) **take pride** —W.DAT. or ἐπί + DAT. *in an event, in having done sthg.* D. Plu. —W.PREDIC.ADJ. *in being unwashed* Semon.; (mid., of bulls) —w. ἐπί + DAT. *in themselves (i.e. their strength)* Theoc.

γαυρόομαι pass.contr.vb. **exult, take pride** —W.DAT. or ἐπί + DAT. *in sthg.* E. X. Plu. —W.NOM.PTCPL. *in doing sthg.* E.; (of persons, their feelings) **be exultant** E.fr. Plu.

—**γαυρόω** act.contr.vb. **make** (W.ACC. persons) **proud** (of their achievements) Plu.

γαῦρος ον adj. **1** (of a person) with proud bearing or behaviour, **proud, haughty** E. Ar.; **taking pride, exulting** (W.DAT. in one's hair, wealth) Archil. E.; (of a person's lineage) **grand** E.fr. ‖ NEUT.SB. arrogance, vainglory E.
2 (of a horse, w. its head raised high) **with proud bearing** AR.
3 ‖ COMPAR. (of a woman) more skittish or standoffish (W.GEN. than a calf) Theoc.

γαυρότης ητος f. **proud bearing** (of a horse) Plu.; **self-confidence** (of enemy troops) Plu.; **effrontery** (of a donkey) Plu.

γαύρωμα ατος n. instance of pride or vanity, **pretentious show** (W.GEN. by the living, ref. to lavish funeral rites) E.

γε, dial. **γα** enclit.pcl. | The pcl. is used (**A**) w. intensv. force (to emphasise or concentrate attention on the wd. to which it is attached), (**B**) w. limitative force (to restrict or deny the applicability of a wd. or statement). It may also precede other pcls. (**C**). |

—**A 1** (intensv., w.adj.) • ἀπόρῳ γε τῷδε συμπεπλέγμεθα ξένῳ *this stranger I have become entangled with is unmanageable* E.
2 (w.adv., freq. w. ellipse of vb.) • πρῴ γε στενάζεις *you lament too early* A. • σοφῶς γε *cleverly done!* Ar. • (w.adv. expressing degree) μάλιστά γε *most of all* Il. + • ὀλίγον γε *to a small extent* Ar.
3 (w.sb.) • καὶ μὴν Διός γε μείζονα ζώης χρόνον *well, may you live longer than Zeus himself* E.
4 (w.pron. or pronominal adj.) ἔγωγε, σύ γε, ὅδε γε, οὗτός γε (or sim.), also ep. (w.art. as demonstr.pron.) ὅ γε (also ὅγε) Hom. +
5 (w.vb.) • εὐδαιμονεῖ γ' ἄνθρωπος *what a happy man he is* Ar.
6 (in answers, to reinforce assent or dissent) • οὔκουν ἐπ' αὐτῇ πράσσεται τὰ πρόσφορα; —κόσμος γ' ἕτοιμος *Then are the appropriate arrangements not being made for her? —Yes, the finery is ready* E. • ὀρθοῖς ἔμελλον ὄμμασιν τούτους ὁρᾶν; ἥκιστά γε *Was I to look upon them with steady eyes? Never!* S.

—**B 1** (limitative) **at least, at any rate** Hom. + • ῥεῖα θεός γ' ἐθέλων καὶ ἀμείνονας ἠέ περ οἵδε ἵππους δωρήσαιτο *a god, at least if he were willing, could give better horses than these* Il.

• ἀλλ' ὧδέ γ' Ἀτρείδας ἂν εὐφράναιμί που *but in this way at least I might give pleasure to the sons of Atreus* S.
2 (w. force of a denial) • οὐ μὲν ἀπύργωτόν γ' ἐδύναντο ναιέμεν εὐρύχορον Θήβην *they could not live in spacious Thebes, not when it was unfortified* Od. • φησίν γε· φάσκων δ' οὐδὲν ὧν λέγει ποεῖ *well, so he says; but he does none of the things he says* S.
3 (w. relatv.pron., conditional, causal and temporal conjs., emphasising the limitation introduced in the subordinate cl.) • πῶς γὰρ κάτοιδ' ὅν γ' εἶδον οὐδεπώποτε *how can I know a man when I have never seen him?* S. • λείψεις τόδ' ἁγνὸν τέμενος ἐναλίας θεοῦ;—εἰ μὴ θανοῦμαί γ'· εἰ δὲ μή, οὐ λείψω ποτέ *Will you leave this holy sanctuary of the sea-goddess?—If* (i.e. *only if*) *I shall not be put to death; otherwise, I shall never leave it* E. • οἷς χρεών, ἐπειδή γε καὶ ξυνωμόσαμεν, ἐπαμύνειν *we should go to their aid, since, after all, we have sworn an alliance with them* Th.
—C 1 (preceding another pcl., usu. adding emphasis to it) esp. γε δή, γε μέντοι, γε μήν, γέ τοι | for γ' οὖν see γοῦν
2 (interposed betw. demonstr.pron. and suffix, as αὑτηγί for -ί γε) see οὑτοσί, under οὗτος

γεγάᾱσι, γεγᾶσι (ep.3pl.pf.), **γεγάκειν, γεγάμεν** (dial.pf.inf.), **γεγαώς** (ep.pf.ptcpl.): see γίγνομαι
γέγᾱθα (dial.pf.): see γηθέω
γέγειος ᾱ ον *adj.* (of a herd of cattle, athletic games, a story) **old, ancient** Call.
γεγένημαι (pf.mid.pass.): see γίγνομαι
γέγηθα (pf.): see γηθέω
γέγονα (pf.), **γέγονει** (ep.3sg.plpf.): see γίγνομαι
γέγωνα *pf.vb.* (w.pres.sens.) | 3sg. γέγωνε | ptcpl. γεγωνώς | 3sg.plpf. (w.impf.sens.) ἐγεγώνει | —also (pres.) **γεγώνω** *vb.* | ep.inf. γεγωνέμεν | imperatv. γέγωνε (Trag.) | subj. γεγώνω (S.) | 3sg.impf. ἐγέγωνε, ep. γέγωνε —also **γεγωνέω** *contr.vb.* | inf. γεγωνεῖν (Il. +), imperatv. γεγώνει (E., cj.), 3sg.imperatv. γεγωνείτω (X.) | Ion.impf. ἐγεγώνευν, ep. γεγώνευν | fut. γεγωνήσω (E.) | aor.inf. γεγωνῆσαι (A.) || neut.impers.vbl.adj. γεγωνητέον (Pi.) |
1 make one's voice heard (by calling out loudly) Hom. Pl. Arist.; **cry aloud, shout** (sts. W.DAT. to someone) Hom. Hes.fr. B. E. X. Plu.
2 (of a poet) **lift up one's voice** Pi.; (tr.) **proclaim** —*a victor* (*in the games*) Pi.
3 (tr., wkr.sens.) **speak of, tell of, describe** —*sthg.* (sts. W.DAT. *to someone*) Od. A. —(W.ACC.PTCPL. *as being in such and such a state*) E.; **say, tell** —*sthg.* Trag. —W.INDIR.Q. *what is the case* E.
γεγωνίσκω *vb.* **1** (of a person addressing a crowd) **make oneself heard** (by speaking loudly) Th.; (tr., of a person praying silently, in neg.phr.) **speak aloud, voice** —*one's words* E.
2 (wkr.sens.) **say, tell** —*sthg.* A.
γεγωνός όν *adj.* (of words of anger, addressed to Zeus in heaven) **shouted aloud** A.
γεγώς (pf.ptcpl.): see γίγνομαι
γέεννα ης *f.* [Semit.loanwd.] **Gehenna, Hell** (as place of punishment after death) NT.; (phr.) ἡ γέεννα τοῦ πυρός *hellfire* NT.
γεηρός ά όν *adj.* [γῆ] (of accretions on which the soul feeds) **full of or covered in earth, earthy** Pl.
γείνατο (ep.3sg.aor.1.mid.), **γείνεαι** (ep.2sg.aor.1 mid.subj.), **γείνεο** (ep.aor.2 mid.imperatv.), **γείνετο** (ep.3sg.aor.2 mid.), **γεινόμεθα** (ep.1pl.aor.2 mid.), **γεινόμενος** (ep.aor.2 mid.ptcpl.): see γίγνομαι
γειόθεν *Ion.adv.*: see γῆθεν, under γῆ

γειομόρος *ep.m.*, **γειοτόμος** *ep.adj.*: see γεωμόρος, γᾱτόμος
γεῖσα ων *n.pl.* **1** (archit.) **top course of a stone or brick wall, coping** (sts. W.GEN. of a wall) S. E.
2 (pl. for sg.) **coping-stone** E.
γειτνίᾱσις εως *f.* [γειτνιάω] **1** physical closeness, **proximity** (of one place or people to another) Plb. Plu.
2 area adjoining a particular point, **neighbourhood, vicinity** Plu.
3 closeness in appearance or nature, **similarity** (of one thing to another) Arist.
γειτνιάω *contr.vb.* [γείτων] **1** (of an individual) **be a neighbour** (sts. W.DAT. to someone) Ar. D. Men. Plu.
2 (of places, peoples, troops, trees) **be adjacent** or **close** (sts. W.DAT. to others) Arist. Plb. Plu.
3 (of things) **be close in nature, be similar** (sts. W.DAT. to others) Arist.
γειτονεύω *vb.* (of a state) **be a neighbour** —W.DAT. *of another* X.
γειτονέω *contr.vb.* | Ion.fem.nom.ptcpl. γειτονεῦσα (Call.) |
1 (of a person, a personif. tree) **be a neighbour** (sts. W.DAT. of another) Pl. Call.
2 (of a person) **live close** —W.DAT. *to a place* A.; (of smoke) **be close** —W.DAT. *to the clouds* A.; (of a place) **be close by** S.
3 (of people of a certain era) **come next after** —W.DAT. *the preceding era* Pl.
γειτόνημα ατος *n.* **neighbouring place** (ref. to the sea) Alcm. Pl.
γειτονίᾱ ᾱς *f.* state of being a neighbour, **neighbourship** Pl. Arist.
γείτων ονος *m.f.* **1 neighbour** (sts. W.GEN. or DAT. of someone or sthg., or of a place) Od. +
2 || ADJ. (of persons, places, things) **neighbouring** (sts. W.GEN. or DAT. on others) Pi. Tag. Isoc. Pl. +
3 (prep.phrs.) εἰς γειτόνων *to one's neighbours'* (*house*) Men.; ἐκ (τῶν) γειτόνων *from one's neighbours, from next door* Lys. Ar. Pl. Men.; (also quasi-adjl., of an Erinys) *next* (*to another*) E.(cj.); ἐν (τῶν) γειτόνων *in the neighbourhood* Men.; (W.GEN. *of a country*) Lycurg.; (also quasi-adjl., of a piece of ground) *adjacent* (W.DAT. *to someone, i.e. to his land*) D.
γέλαισα (Aeol.fem.ptcpl.): see γελάω
γελᾱνής ές *dial.adj.* [reltd. γελάω, γαλήνη] (of a person's heart or spirit) **calm** Pi. [or perh. *glad, cheerful*]
γελᾱνόω *dial.contr.vb.* **calm** —*one's anger* B.
γελασείω *vb.* [desideratv. γελάω] **want to laugh** Pl.
γέλασμα ατος *n.* [γελάω] (fig.) **laughter, smile, sparkle** (W.GEN. of waves) A.
γελαστής οῦ *m.* one who laughs (at another), **mocker** S.
γελαστός ή όν *adj.* (of actions) fit to be laughed at, **laughable** Od.(dub., v.l. ἀγέλαστος)
γελαστύς ύος *Ion.f.* that which causes laughter, **amusement, entertainment** Call.
γελάω *contr.vb.* | also ep.1sg. (w.diect.) γελόω (Od.) | ep.3pl. (w.diect.) γελόωσι (Call.), dial. γελᾶντι (Theoc.) | dial.fem.nom.ptcpl. γελάοισα (Theoc.) | ep.nom.pl.ptcpl. γελώωντες (v.l. γελόωντες), also (w.diect.) γελόωντες | ep.3pl.impf. γελώων | fut. γελάσομαι | aor. ἐγέλασα, ep. ἐγέλασσα, also γέλασσα, γέλασα, dial. ἐγέλαξα (Theoc.) || PASS.: aor. ἐγελάσθην | —also **γέλαιμι** Aeol.vb. | fem.ptcpl. γέλαισα |
1 laugh or **smile** (w. pleasure or amusement) Hom. + —W.DAT. or ἐπί + DAT. *at someone or sthg.* Scol. Ar. Pl. X.; (of a person's heart) **rejoice** Hom. || PTCPL.ADJ. (of a person's face) **smiling** E.

2 laugh derisively A. Pi. S. —w. ἐπί + DAT. *at someone or sthg.* Hom. Thgn. Trag. Ar. Pl. + —w. εἰς + ACC. S. —W.GEN. S.
3 (tr.) **laugh at, mock** —*someone* Theoc. ‖ PASS. be laughed at or mocked Trag. D.
4 (fig., of the earth) give off a joyous light, **shine, beam, smile** —W.PREP.PHR. *beneath the flash of bronze armour* Il.; (of the earth, sky, sea, shores, the halls of Zeus) **smile, rejoice** (in response to a pleasing event or circumstance) Hes. hHom. Thgn. AR.; (of a person, likened to the sea) **smile, sparkle** Semon.

Γελέων οντος *m.* **Geleon** (son of Ion, eponymous founder of one of the four Ionic tribes) Hdt. E. ‖ PL. Geleontes (members of the tribe) Plu.

γελοιάω contr.vb. [reltd. γελάω] | only fem.aor.ptcpl. γελοιήσᾱσα | (of Aphrodite) **laugh** hHom.

γελοῖος, Att. **γέλοιος,** ᾱ ον, ep. **γελοίιος** η ον adj. [γέλως]
1 provoking laughter; (of actions, circumstances, things said) **amusing, funny** Il. Archil. Ar. Pl. X. Arist.; (of a person) Pl. Aeschin. ‖ NEUT.SB. amusement, fun (as the essence of comic drama) Arist. ‖ NEUT.PL.SB. jokes Thgn. A.*satyr.fr.* S.*Ichn.* Isoc. D.
2 provoking derisive laughter; (of actions, circumstances, arguments, or sim.) **ridiculous, absurd** Hdt. Ar. Pl. X. D. Arist. +; (of a person) Pl. X. Arist. Men. ‖ NEUT.SG.SB. absurdity Pl.; ridicule Pl. Arist.

—γελοίως adv. | compar. γελοιοτέρως (Pl.) | **1** in a manner provoking laughter, **amusingly, comically** Pl.
2 in a manner provoking derisive laughter, **absurdly, ridiculously** Timocr. Pl. X. Arist. Plu.

γελόω (ep.1sg.), **γελόωσι** (ep.3pl.), **γελόωντες** and **γελόωντες** (ep.nom.pl.ptcpl.): see γελάω

γέλως ωτος *m.* [γελάω] | acc. γέλωτα, also γέλων (Trag. Ar.), ep. γέλω | dat. γέλωτι, ep. γέλῳ | **1 laughter** (sts. at the expense of another) Hom. +
2 (ref. to a circumstance) subject for laughter, **laughing matter** Hdt. E. Th. Ar. D. AR. Plu.
3 (ref. to a person) object of laughter, **laughing stock** Archil. Semon. Hdt. S. Pl. Call.
4 Laughter (as a Spartan deity) Plu.

γελωτοποιέω contr.vb. [γελωτοποιός] create laughter, **make jokes, play the fool** Pl. X. Hyp. Plu.

γελωτοποιίᾱ ᾱς *f.* creating laughter, **making jokes, playing the fool** X.

γελωτο-ποιός οῦ *m.* [ποιέω] **1** one who creates laughter or tells jokes (as a professional entertainer), **comedian** X. Plu.
2 (pejor.ref. to Thersites) **buffoon** Pl.

γελώων (ep.3pl.impf.), **γελώοντες** (ep.nom.pl.ptcpl.): see γελάω

γεμίζω vb. [γέμω] | aor. ἐγέμισα | **1 load** —*a ship* (W.GEN. *w. a cargo*) Th. Isoc. X. D. Plb. —*urns* (w. dead men's ashes) A. —*pack-animals* (w. corn) X. ‖ MID. (of a merchant) **load cargo** D. ‖ PASS. (of a ship) be loaded D.
2 (fig.) **load** —*the hull of one's ship* (ref. to one's belly) E.*Cyc.*; **stuff, cram** —*oneself* (w. food) Men. ‖ PASS. (of a person, compared to a ship) be loaded (w. food) E.*Cyc.*
3 (wkr.sens.) **fill** —*baskets* (W.GEN. *w. food*) NT. —*a jar* (w. water) NT.; **soak** —*a sponge* (W.GEN. *in vinegar*) NT. ‖ PASS. (of a house) be filled (w. people) NT.; (of a ship, w. water, i.e. be swamped) NT.

γέμος ους *n.* (app.fig.) **load, cargo** (ref. to the body parts of a dead person, carried in his hands) A.

γέμω vb. | only pres. and impf. | **1** (of a ship) **be fully laden** Hdt. X. Plb.; **be laden** —W.GEN. *w. a cargo* Th. X. —*w. persons* Theocr.(cj.); (fig., of freighters, ref. to portable tables) —*w. food* Philox.Leuc.; (of a ship, sent by a Muse) —*w. songs* B.; (of a house, envisaged as a ship) —*w. an excess of wealth* A.
2 (fig., of a boast) **be laden** —W.GEN. *w. truth* A.; (of a person) **be laden** or **burdened** —W.GEN. *w. another's shouting and foul smell* S. —*w. misfortunes* E.
3 be filled to capacity; (of flasks) **be full** —W.GEN. *of perfume* Ar.; (of a room) —*of smoke* E.*fr.*
4 have an abundance (of people or things); (of places, buildings) **be full** —W.GEN. *of people, ships, provisions, gold, or sim.* E. Pl. X. Men. Plb. Plu.
5 have an abundance (of non-material things); (of a city) **be full** —W.GEN. *of incense, paeans and lamentations* S.; (of books, speeches) —*of certain topics* Isoc. Pl.; (of a person, soul, city, or sim.) —*of vices, virtues, emotions, afflictions* Isoc. Pl. Plb. NT. Plu. —w. ἐκ + GEN. NT.

γεν-άρχᾱς ᾱ dial.m. [γένος, ἄρχω] originator of a race; (ref. to a god) **ancestor, founder** (W.GEN. of a city) Call.

γενεά ᾶς, Ion. **γενεή** ῆς *f.* [reltd. γένος, γίγνομαι] | ep.gen.dat. γενεῆφι | **1** line of descent, **ancestry, lineage** Hom. Hes. A. Pi. Hdt. S. +
2 stock, breed (of horses) Il.
3 persons belonging to the same line of descent, **family, race** Hes. Pi. Trag. AR.
4 persons belonging to the same ethnic line, **race, nation** A. Pi.
5 gender, sex (ref. to womankind) E.
6 (fig.) **family, class** (of concepts) Pl.
7 (collectv.) **progeny, offspring** Hom. Hes. Sol. Lyr. Hdt. Pl. Plu.; (ref. to a single person) Hes. Pi. Call.(cj.) ‖ PL. children or families Plb. Plu.
8 generation (in a line of descent, ref. to persons) Hom. Pi. S. Pl. D. NT.; (ref. to the time when they are living) Hes.*fr.* Pi. Hdt. Th. Ar. Isoc. +; **age, era** (of humans, opp. those who preceded them) Hdt.
9 span of life, **lifetime** (of people, leaves) Il. Ar.
10 time of birth; γενεῇ (or γενεῆφι) *in respect of birth* (i.e. in age, ref. to being oldest, youngest, or sim.) Hom. Theoc.; (prep.phr.) ἐκ γενεῆς (unless γενετῆς) *from birth* (ref. to having a congenital illness or bodily feature) Hdt.; ἀπὸ γενεᾶς (ref. to a number of years elapsing) X. Plb.
11 place of birth, **birthplace** Hom.

γενεᾱλογέω, Ion. **γενεηλογέω** contr.vb. [λόγος] trace or describe a line of descent; **trace the ancestry of** —*oneself or another* Hdt. Pl. Hyp.; **trace** —*someone's ancestry, one's family relationship* Hdt. X.; (intr.) **trace an ancestry** (one's own or another's) Hdt. Pl. Plu. ‖ MASC.PL.PTCPL.SB. persons who trace ancestries, genealogists Isoc. Thphr. ‖ PASS. (of things) be traced genealogically Hdt. Pl.

γενεᾱλογίᾱ ᾱς *f.* tracing of ancestry, **genealogy** Isoc. Pl. Plb.

γενεᾱλογικός ή όν adj. (of a method of historical investigation) **genealogical** Plb.

γενεή Ion.*f.*: see γενεά

γενέθλη ης, dial. **γενέθλᾱ** ᾱς *f.* [γένος, γίγνομαι] **1** line of descent, **ancestry, lineage** Hom. Hes.*fr.* Hdt.(oracle) Call. AR.
2 (collectv.sg.) persons belonging to the same line of descent, **race, nation** Hes.*fr.*; (ref. to female fellow-members of the same race) **kin, sisterhood** S.
3 (gener.) **breed, race** (W.GEN. of animals) hHom. Call.; (of fools) Simon.; (of heroes) Corinn.
4 type, kind (of wife) Hes.
5 progeny, offspring (ref. to foals, sired by the same male) Il.; (ref. to a single person) **child** or **descendant** (W.GEN. of someone) hHom. Call. AR.

γενέθλιος

6 (ref. to a goddess) **parent, mother** (W.GEN. of all people or things) Alc.
7 (ref. to a region) **birthplace, source** (W.GEN. of silver) Il.

γενέθλιος ον (also Ion. η ον Call.) *adj.* **1** relating to one's family or race; (of tutelary gods) **ancestral** A. Pi. Plu.
2 relating to birth and procreation; (of gods) **of birth** Pl.; (of the act of begetting) **generative** S.; (of Helios) **productive** (W.GEN. of sunbeams) Pi.
3 (of a curse) **by a parent** A.; (of the shedding of the blood) **of a parent** E.
4 relating to the place of birth; (of the R. Triton, the ground and olive tree of Delos, as representing the birthplaces of Athena and Apollo) **natal** A. Call.
5 relating to the day of birth; (of a gift) **for a birthday** A.; (of the seventh day) **after birth** Call. ‖ FEM.SB. birthday (as an anniversary) Plu.; day of founding (of a country) Plu. ‖ NEUT.PL.SB. celebrations of a birth Pl.; birthday or birthday celebrations (as an anniversary) E. Pl. X. Plu.

γένεθλον ου *n.* **1** line of descent, **lineage** A.
2 (ref. to an individual) **child** or **descendant** (W.GEN. of someone) Trag. ‖ PL. (gener.) children S.; (periphr., W.GEN. of mortals, ref. to the human race) S.; young (of an eagle) A.

γενειάς άδος *f.* [reltd. γένειον] **1** hair on a man's chin, **beard** Semon. Trag. Theoc.; (as clasped by another, in a gesture of entreaty) E. Call.; (pl. for sg.) Od. E. AR.
2 chin (of a man) E.

γενειάσδω *dial.vb.* **begin to grow one's first beard** Theoc.

γενειάσκω *vb.* **begin to grow one's first beard** Pl. X.

γενειάω *contr.vb.* **1 grow one's first beard** Od. X.
2 have a beard, **be bearded** Pl.; (of a woman, wearing a false one) Ar.

γενειήτης ου, dial. **γενειήτᾱς** ᾱ *m.* (epith. of Herakles, Pan) **bearded one** Call. Theoc.

γένειον ου, Aeol. **γένυον** ω *n.* [γένυς] **1 chin** or **bearded chin**, **chin** or **beard** (freq. as clasped by another, in a gesture of entreaty) Hom. +; (pl. for sg.) S. Call. Theoc. Plu.; (sg., meton. for the person entreated) E.
2 ‖ PL. jaws (of serpents) Hes.

γενέο (Ion.2sg.aor.2 mid.imperatv.), **γένεο** (Ion.2sg.aor.2 mid.): see γίγνομαι

γενέσια ων *n.pl.* [γένεσις] **1 celebration of the anniversary of a parent's death** Hdt.
2 celebration of the anniversary of a birth, **birthday celebrations** NT.

γένεσις εως (Ion. ιος) *f.* [γίγνομαι] **1** process of bringing or coming into existence, **coming into being, birth, creation, origin** (of gods, living beings, natural phenomena, abstr. things) Parm. Emp. Ar. Pl. Arist. +
2 (ref. to Okeanos) **source, originator** (of the gods) Il.
3 process of being born, **birth** E.*fr.*
4 circumstances of a person's birth, **birth, origins** Hdt. Isoc. X.
5 line of descent, **lineage** Hdt. S. Isoc. Hyp.
6 procreation (of children) X.; (fig.) **production** (of textiles) Pl.
7 class or **breed** (of animals) Pl.; **line** (of kings) Pl.
8 (gener.) **becoming** (opp. οὐσία *being*) Pl.
9 temporary (but renewable) period of existence, **incarnation** Pl.
10 (concr.) that which comes into existence, **existing world, creation** Pl.

γενέσκετο (3sg.iteratv.aor.2 mid.): see γίγνομαι

γενέτειρα ᾱς *f.* [γενέτης] (epith. of Eileithuia) **bringer to birth** (of children) Pi.

γενετή ῆς *f.* occasion of birth; (only in prep.phr.) ἐκ γενετῆς *from birth* Hom. Hes. Xenoph. Hdt.(dub.) Arist. Plb. +

γενέτης ου, dial. **γενέτᾱς** ᾱ *m.* **1** procreator, **father** E. Call.*epigr.*
2 (ref. to a god) **ancestor** (of a race) E.
3 ‖ PL. (appos.w. θεοί) *ancestral gods* A.; *gods overseeing birth* E.
4 offspring, **child** S. E.

Γενετυλλίς ίδος *f.* (sg. and pl.) **Genetyllis** (goddess assoc.w. childbirth or female sexuality) Ar.

γενέτωρ ορος *m.* **1** begetter, **progenitor** (appos.w. πατήρ *father*) E.; (W.GEN. of men and gods, ref. to Aither) E.*fr.*; **father** Corinn.
2 ancestor, **forefather** Hdt. E.

γένευ (Ion.2sg.aor.2 mid.): see γίγνομαι

γενή ῆς *f.* circumstances of birth, **birth, origins** (of a person) Hippon. Call.

γενηθήσομαι (fut.pass.): see γίγνομαι

γένημα ατος *n.* **produce, fruit** (W.GEN. of the vine, ref. to wine) NT.

γένυον Aeol.*n.*: see γένειον

γενής ῆδος *f.* [reltd. γένυς] tool used for breaking up ground, **pickaxe** S.

γενήσομαι (fut.mid.): see γίγνομαι

γέννα ης (dial. ᾱς) *f.* [reltd. γένος, γίγνομαι] **1** occasion of coming into being, **birth** A.; (of entities) Parm. Emp.
2 line of descent, **ancestry, lineage** A. Pi.
3 stock (as shared by members of the same nation) E.
4 (collectv.sg.) persons belonging to the same line of descent, **family, race** A. E.; **nation** E.
5 (gener.) **breed, race** (ref. to humans) E.; (W.GEN. of men, ref. to the male sex) E.; (of Centaurs, wild animals) E. Ar.; (fig.) **kind, species** (of deeds) A.
6 progeny, **offspring** A. E.; (of an eagle) A.; (of the hare family, ref. to a single creature) A.; (ref. to a single person) **child** Pi.*fr.* E.; (fig.) **progeny, product** (of a concept) Pl.
7 generation (ref. to persons in a line of descent) A.

γεννάδᾱς ᾱ *dial.masc.adj.* (of a man, as a term of general commendation) of good breeding or character, **fine, upright, gentlemanly** Ar. Pl. Arist.

γενναιοπρεπῶς *adv.* [γενναῖος, πρέπω] in a manner befitting one's good breeding, **bravely** or **generously** Ar.

γενναῖος ᾱ ον (also ος ον) *adj.* [γέννα] **1** true to one's nature or lineage; (of cowardice, in neg.phr.) **in one's nature** Il.; (of pain) **genuine, true** S.
2 (of persons) descended from noble ancestors, **of noble birth, high-born** Archil. Hdt. Trag. Pl. +; (of the generative seed of Zeus, a person's lineage) **noble** A.*fr.* E.*fr.*; (of households) E.; (of a deity's foot, a person's arm) E. ‖ MASC.PL.SB. nobles (as a class) Th. ‖ NEUT.SB. noble birth S.
3 (gener., of persons) **of good standing, respectable** Hdt.; (of children) **legitimate** Hdt.
4 (of animals, birds) **well-bred, of good pedigree** Ar. Pl. X.
5 (fig., of a poetical expression) **of good pedigree** Ar.; (of a lifestyle) **high-class** Ar.
6 (of persons) noble-minded, **noble, honourable** Hdt. S. E. Ar. +; (of a person's temperament) Pi. E.; (of words, thoughts, actions, or sim.) Hdt. S. E. Th. Ar. +; (of an opinion) **honest** Hdt. ‖ NEUT.SB. nobility of character S. Th.
7 (as a term of general commendation, of persons or things) of good character or quality, **excellent, admirable** Ar. Pl. +; (as a courteous voc. address) ὦ γενναῖε *my worthy friend* Pl.

—γενναίως adv. | compar. γενναιοτέρως (Pl.) | superl. γενναιότατα | **1 truly, genuinely** A. E. Ar. Pl. **2 nobly, bravely, stout-heartedly** Hdt. E. Th. Ar. Pl. + **3 noble-mindedly, generously** E. Ar. Men.

γενναιότης ητος *f.* **1 nobility of birth** E. **2 nobility of mind, generosity of spirit** E. Th. X. Lycurg. Plb. **3 bravery** (of troops) Plb. **4 excellence** or **productivity** (of land) X. Plb.

γέννατο (Aeol.3sg.aor.1 mid.): see γίγνομαι

γεννάω contr.vb. | aor. ἐγέννησα, dial. ἐγέννᾱσα | **1** (of a father) **engender, beget** —*a child* Lyr.adesp. S. E. Isoc. + **2** (of a mother) **give birth to, bear** —*a child* A. E. Pl. + **3** (of mother and father) **produce** —*a child* Pl.(also mid.) X. +; (intr.) Pl. ‖ MASC.PL.AOR.PTCPL.SB. **parents** Pl. Is. **4** ‖ PASS. (of persons) **be born** Xenoph. Pi. S. E. + —W.DAT. or ἐκ + GEN. **to** or *fr. a mother* Hdt. E.; **be begotten** —w. ὑπό + GEN. **by someone** Isoc.; **be sprung** —W.ADV. *fr. a city* Pi. **5** (fig., of cities) **give birth to, produce** —*people* Isoc. Pl.; (mid., of a land) —*people* Pl.; (of the creator god) —*the world* Pl. **6** (of a man) **develop, grow** —*a large body* S. **7** (fig., of persons, things, natural phenomena) **produce** —*certain qualities* or *effects* Pl. ‖ PASS. (of natural phenomena or abstr. qualities) **be produced** Pl.

γεννήεις εσσα εν adj. (of sexual organs) **generative** Emp.

γέννημα ατος *n.* **1 that which is born, child, offspring** S. Pl. ‖ PL. (fig., ref. to sinful people) **brood** (W.GEN. of vipers) NT. **2** (pl. for sg.) **action of engendering** (a child), **begetting** A. **3 inherited nature, breeding** (W.GEN. of a child) S.(dub.) **4 that which is produced** or **manufactured, product** Pl. ‖ PL. **produce** (of the earth) Plb. **5 production** (of an artistic representation) Pl.

γέννησις εως *f.* **1 begetting, procreation** (of children) Pl. Arist. **2 giving birth** Arist. **3 birth** (of a person) Plu. **4** (fig.) **production** (W.GEN. of things) Pl. Arist.

γεννῆται ῶν *m.pl.* [reltd. γένος] (at Athens) **fellow members of a clan** (i.e. a family group), **clansmen** Pl.(dub.) Is. D.

γεννήτειρα ᾱς *f.* **one who gives birth, mother** Pl.

γεννητής οῦ *m.* **1 man who begets** (a child), **father** Pl. ‖ PL. **parents** (ref. to mother and father) S. Pl. **2** (fig.) **begetter, originator** (of an action) Arist.

γεννητός ή όν adj. **1** (of a son) **begotten, natural** (opp. adopted) Pl. **2** ‖ MASC.PL.SB. **those who are born** (W.GEN. of women, ref. to mankind) NT. **3** (of things or beings) **generated** Pl. **4** (of matter) **capable of being generated, generable** Arist.

γεννήτωρ ορος *m.* **1 ancestor** (of a person or race) A. E. **2 father** Pl. ‖ PL. **parents** (ref. to mother and father) E. Pl. **3** (fig.) **begetter, producer** (W.GEN. of sthg.) Pl.

γεννικός ή όν adj. [reltd. γενναῖος] (of persons, their characters) **excellent, admirable** Ar. Pl. Men.

—γεννικῶς adv. **boldly** Ar.

γενόμην (ep.aor.2 mid.): see γίγνομαι

γένος εος (ους) *n.* [γίγνομαι] **1 line of descent** (esp. as an indication of identity or relationship), **ancestry, lineage, birth** Hom. + **2** (collectv.sg.) **persons belonging to the same line of descent, family, race, clan** Od. Eleg. Pi. Hdt. Trag. + **3 persons belonging to the same ethnic line, race, nation** Hdt. Trag. Th. +; **tribe** (as a subdivision of a race) Hdt. Th. **4** (gener.) **breed, race** (of gods, mortals, Centaurs, or sim.) Il. +; (of women, ref. to the female sex) Hes. A. Hdt. E.; (of animals, birds, fishes, bees) Hom. + **5** (collectv.) **progeny, offspring, descendants** Od. +; (of horses, ref. to mules) S.; (ref. to a single person) **child** or **descendant** Il. hHom. Alc. S. E.; **product** (of Gaia, ref. to adamant) Hes. **6 generation** (as a period of time) Od. Thgn. **7 time of birth** (as a criterion of relative age) Il. E. **8 group of persons of a particular type; class** (of slaves, athletes, old men, seers, philosophers, or sim.) Trag. Ar. Pl. +; (pl., of persons sharing the same profession, as divisions of the Egyptian populace) Hdt. **9 kind, species** (of animals or birds) Hdt. X. **10 classification** (of persons, by age, sex, nationality) Arist. **11** (philos.) **kind, category** (of elementary substances) Pl. **12** (as a term in a definition) **category of things which differ in kind, genus** (as superordinate to εἶδος species) Arist. **13** (gramm.) **gender** (of words) Arist.

γέντο[1] ep.3sg.athem.aor.mid. (of a charioteer, a warrior) **grasp, seize** —*a whip, spears* Il.; (of Hephaistos) —*a hammer and tongs* Il.

γέντο[2] (ep.3sg.athem.aor.mid.): see γίγνομαι

γένυς υος *f.* | acc. γένυν, also (metri grat.) γένῡν (E.) | dat. γένυι (Pi., disyllab.) ‖ PL.: acc. γένυας, ep. γένῡς | gen. γενύων (sts.disyllab.) | dat. γένυσι, ep. γένυσσι, also γενύεσσι | **1** (collectv.sg.) **jaws** (of an animal) Pi. E. AR.; (pl., of a person or animal) Il. Pi Trag. Ar. AR. **2 cheek** or **cheeks** (of a person or animal) Thgn. E. Theoc.; (pl., of a person) Od. Pi. E. Ar. **3 throat** (of a bird) Ar.; (pl., of a person or bird) E. **4 lower jaw** (of a hare) X. **5** (fig.) **blade** (of an axe); (meton.) **axe** S.; (pl., ref. to its double blades) S.

γεραιός (also perh. **γεραός**) ά (Ion. ή) όν adj. [γέρας, reltd. γέρων] ‖ sts. γεραιός | **1** (of persons, sts.w. respectful connot.) **aged, elderly, old** Pi. Trag. Tim. AR. **2** ‖ MASC.FEM.SB. (freq. in voc. address) **old man** or **woman** Od. hHom. S. E. Ar. X. +; **senior man** (in a community), **elder** Hom. Tyrt. ‖ FEM.PL.SB. **senior women, matrons** Il. **3** (of a person's body, limbs, hand, or sim.) **old, aged** S. E.; (of a bed) **of an old man** E. **4** (of a city) **ancient, venerable** A.

—γεραίτερος ᾱ ον compar.adj. **1** (of a person) **older** (than another) Hom. Sapph. A. E. Ar. Pl.; **elder** (of two) Hdt. Ar.; (of a person's birth) **earlier** (than another's) S. ‖ MASC.PL.SB. **older persons, elders, seniors** E.*fr.* Antipho Th. Lys. Ar. Pl. + **2 of a comparatively advanced age, elderly** Hom.

—γεραίτατος η ον superl.adj. (of a person) **eldest, most senior** E.*Cyc.* Pl. X. Theoc. ‖ MASC.PL.VOC.SB. (in respectful address) **most senior** or **venerable men** Ar.

γεραιό-φρων ονος masc.fem.adj. [φρήν] **old in thought, made wise by age** A.(cj.)

γεραίρω vb. [γέρας] | ep.impf. γέραιρον | aor. ἐγέρᾱρα | **1 bestow an honour** or **privilege** (on someone); **honour** —*gods, persons* (sts. W.DAT. w. *choice food, gifts, garlands,* or sim.) Hom. Pi. B. X. Aeschin.(quot.epigr.) Theoc. + —*a dead hero, palace, sacrifice* (w. dances) Hdt. E. Pl. —*altars* (w. festivals) Pi. ‖ PASS. (of a god) **be honoured** or **respected** E.; (of a person) **be rewarded** —W.DAT. w. *privileges* X. **2** (specif., of a singer, poet, Muse) **honour, celebrate** —*gods, persons, places* hHom. Pi. B. Ar. **3** (of a person, through his achievements) **be a source of honour to, honour** —*his city* or *ancestors* Pi. ‖ PASS. (of a house) **be honoured** (by someone's success) E.*fr.*

4 (of priestesses, entitled γεραραί) **perform respectfully, celebrate** —*rites* (W.DAT. *in honour of a god*) D.(oath)

γεραίτερος, γεραίτατος *compar. and superl.adj.*: see under γεραιός

γεράν-δρυον ου *n.* [δρῦς] **old tree** or **trunk** AR.

γερανοβωτίā ᾱς *f.* [γέρανος, βόσκω] **crane-rearing** Pl. [or perh. *crane-farm*]

γέρανος ου *f.* **1** a kind of bird, **crane** Il. +
2 a kind of dance (practised at Delos), **crane-dance** Plu.

γεραός *adj.*: see γεραιός

γεραρός ά (Ion. ή) όν *adj.* [γέρας] **1** (of a person) **dignified, impressive, majestic** Il. X. Plu.
2 (of a table, laden for a feast) **impressive, splendid** Xenoph.
3 || FEM.PL.SB. Venerable Women (title of a group of priestesses) D.
4 (of persons) **elderly** AR. || MASC.PL.SB. senior men (in a community), **elders** A.

γέρας αος (Att. ως) *n.* | PL.: nom.acc. γέρᾱ, Ion. γέρεα, ep. γέρᾰ | gen. γερῶν, ep. γεράων | dat. γέρασι, ep. γεράεσσι |
1 gift of honour, prize (reserved for a leader, fr. the spoils of war) Hom. E.; **portion of honour** (ref. to the backbone of a roasted ox, reserved for a ruler) Od.
2 that which is enjoyed as an honour or right (by gods, persons, the dead), **honour, privilege, prerogative** Hom. Hes. Simon. Trag. Th. +
3 that which is given as a mark of honour, **honour, privilege, reward, prize** Od. Hes. Sol. Pi. B. Hdt. +
4 position of honour, **rights, privileges** (of a ruler or leader) Hom. E.

γεράσμιος ᾱ ον (ος ον E.) *adj.* **1** (of the backbone of an ox) served as a mark of honour, **honorific** hHom.
2 (of a nurse) deserving of honour, **honoured** A.*satyr.fr.*
3 (of hair, eyes) of an old person, **elderly** E.

γερασ-φόρος ον *adj.* [φέρω] **winning honour, honoured** Pi.

γεργέριμος ου *f.* a kind of over-ripe olive Call.

γέρεα (Ion.nom.acc.neut.pl.): see γέρας

γεροντᾰγωγέω *contr.vb.* [γέρων, ἀγωγός] **be an old man's guide** S. Ar.

γεροντίᾱ ᾱς *f.* **Council of Elders** (at Sparta) X.

γεροντικός ή όν *adj.* (of baths, in gymnasia) **for an old man** Pl.; (of a weapon, ref. to a staff) **of an old man** Call.*epigr.*; (of caution) **that comes with age** Plu.

γερόντιον ου *n.* [dimin. γέρων] **1 feeble** or **wretched old man** Ar. X. Theoc. Plb. Plu.
2 Council of Elders, Senate (at Carthage) Plb.

γεροντο-διδάσκαλος ου *m.* **old man's teacher** Pl.

Γεροντομανίᾱ ᾱς *f.* **Old Men's Madness** (title of a comedy) Arist.

γερουσίᾱ ᾱς *f.* —also (perh.) Lacon. **γερωχίᾱ** ᾱς (Ar.) *f.* **1** (in Greek city-states, esp. Sparta) **Council of Elders** Ar.(dub.) X. D. Arist. Plu.; (at Rome and Carthage) **Senate** Plb. Plu.; (at Jerusalem) **Sanhedrin** NT. | see also ἀγερωχία
2 (gener.) **body of elders** Pl.; (specif.) **embassy of elders** E.

γερουσιαστής οῦ *m.* **senator** (at Carthage) Plb.

γερούσιος ᾱ ον *adj.* (of wine) **reserved for the elders** Hom.; (of an oath) **taken by the elders** Il.

γέρρον ου *n.* **1** object made from pliant wood or osiers; **wicker shield** Hdt. X. Plb. Mosch. Plu.
2 || PL. **wicker barriers** (controlling access to the Assembly) D.; app., wicker screens or awnings (of market-place stalls) D.

γερρο-φόροι ων *m.pl.* [φέρω] **troops armed with wicker shields** Pl. X.

γέρων οντος *m.* **1 old man** Hom. +; (appos.w. πατήρ, ἀνήρ, or sim.) Hom. +

2 senior man, elder (in a community) Hom. +; (in city-states, esp. Sparta) **elder statesman** Hdt. Pl. Arist. Plb. Plu.

—**γέρων** ον *adj.* **1** (of a horse) **old, elderly** S.; (of a man's foot or eye, a woman's flesh) E.; (of a shield, garment, boat) Od. Theoc.
2 (of a saying, a story) of long standing, **old** A. E.; (of dirt) S.
3 (of murder) committed in an earlier generation, **old, ancient** A.

γερωχίᾱ Lacon.*f.*: see γερουσίᾱ

γεῦμα ατος *n.* [γεύω] **1** act of tasting (a sample of wine), **taste** E.*Cyc.*
2 sample (of wine) that is tasted, **sample for tasting** Ar.
3 (fig.) **taste, sample** (of a poet's compositions) Plu.
4 perceived quality or property (of what is tasted), **taste** Plu.

γεῦσις εως *f.* **1 taste** (as a sense) Democr. Arist. Plb.
2 perceived quality or property (of what is tasted), **taste** Plb. Plu.

γευστός ή όν *adj.* || NEUT.SB. (sg. and pl.) **what is perceptible by taste** Arist.

γεύω *vb.* | aor. ἔγευσα || MID.: dial.1pl. γεύμεθα (Theoc.) | fut. γεύσομαι | aor. ἐγευσάμην | pf γέγευμαι || neut.impers. vbl.adj. (w.act.sens.) γευστέον |
1 allow or cause (someone) to have a taste (of sthg.); **make** (W.ACC. someone) **taste** —W.GEN. *blood, their own children* Pl. Plb.; **let** (W.ACC. a dog) **get a taste** —W.GEN. *for leather* Theoc. || MID. **have a taste of, taste** or **consume** —W.GEN. *items of food or drink* A. Hdt. E. Pl. X. D. + —*dead persons* (*during a famine*) Th.; (of birds) **feed on** —W.GEN. *corpses* Th.; (hyperbol., of Erinyes) —*an army* S.; (intr.) **consume food, eat** NT.
2 (specif.) offer (a sample of wine) for tasting; **let** (W.ACC. someone) **have a taste** —W.ACC. *of unmixed wine* E.*Cyc.* || MID. **have a taste** (of wine) E.*Cyc.* Ar.
3 (fig., of a god) **give a taste** —W.ACC. *of a sweet life* Hdt.; (of civic institutions) —W.GEN. *of pleasures* Pl.; (tr.) **let** (W.ACC. someone) **have a taste** —W.GEN. *of good news, freedom, benefits, or sim.* Men. Plu. —W.ACC. *of a draught of freedom* Plu.(quot.com.)
4 || MID. (fig.) **taste, experience** —*power, freedom, benefits* Hdt. —*grief, troubles, toils* Pi. S. E. —*pleasures, arguments, sensations, a subject of study, or sim.* Pl. —*death* Theoc.*epigr.* NT. —*life* (i.e. *be born*) Theoc. —*bloodshed* (i.e. *taste blood, become involved in murder*) Plb. Plu.
5 || MID. (fig., of a combatant) **have a taste of, feel** —W.GEN. *an opponent's spear-point, arrow, fists* Hom. —*opponents* (i.e. *their valour*) B.
6 || MID. (fig.) **try out, test** —W.GEN. *an opponent* (sts. W.DAT. *w. a weapon*) Hom. —*one's prowess* Pi. —*a door* (i.e. *try to force it*) Ar.; (of a seer) —*burnt offerings* S.
7 || MID. (fig.) **have benefit** or **enjoyment** —W.GEN. *fr. a person, crowns of victory* Pi.
8 || MID. (fig., gener.) **participate in** or **undertake** (sthg.); **take part in** —W.GEN. *contest* Pi.; **attempt** —W.GEN. *valiant deeds* Pi.; (of a poet) **take up** —W.GEN. *hymns* Pi.

γέφῡρα ᾱς (Ion. ης) *f.* **1** earth heaped up alongside a river-bed, **embankment, dyke** Il.
2 earth heaped up across a trench (on a battlefield), **causeway** E.
3 structure affording a passage across water, **bridge** A. Hdt. Th. Pl. X. +
4 (fig., ref. to the Isthmos of Corinth) **bridge** or **causeway** (W.GEN. or ADJ. *of the sea*, i.e. *across it*) Pi.

5 (fig.) π(τ)ολέμοιο γέφυραι *causeways of battle* (ref. to the open pathways of the battlefield, or perh. to ranks of men thought of as stemming the tide of war) Il.

γεφυρίζω vb. **shout ritual abuse on the bridge** (against the sacred procession as it crossed a river betw. Athens and Eleusis); (gener., of persons) **shout insults at, mock** —*someone* Plu.

γεφυριστής οῦ m. **scurrilous writer, lampooner** Plu.

γεφυροποιέω contr.vb. [γεφυροποιός] **build a bridge** Plb.

γεφυρο-ποιός οῦ m. [ποιέω; transl. of Lat.wd., as if *bridge-builder*] ***pontifex*** (high-ranking priest at Rome) Plu.

γεφυρόω contr.vb. **1** (of a fallen tree) **dam** —*a river* Il.
2 (of a god) **create by means of a causeway** —*a path* (*across a trench*) Il.
3 create a bridge across, bridge —*a river, strait, channel* Hdt. Pl. Plb. Plu. —*burning timber* (w. prostrate bodies) Hdt. ‖ PASS. (of a strait) **be bridged** Hdt. Plb.
4 create or enable (a route) **by means of a bridge; bridge** —*a way across* (fr. shore to ship, by means of a pontoon or sim.) Plu.; (fig., of a god) —*a return journey* (across the sea, W.DAT. for someone) Pi.; (of Carthaginians) —*the crossing to Italy* (by occupying the intermediate island of Sicily) Plb.
5 join by a bridge (of boats) —*two opposite shores* Hdt.(oracle)
6 (intr.) **build a bridge** Hdt.

γεφυρωτής οῦ m. **bridge-builder** (in an army) Plu.

γεωγραφία ᾱς f. [γῆ, γράφω] **geographical treatise** Plu.

γεωδαισία ᾱς f. [reltd. δαίομαι²] **dividing of land, land-measurement, surveying** Arist.

γεωδαίτης ου m. **land surveyor** Call.

γεώδης ες adj. **1** (of terrain) **rich in soil, soil-covered** (opp. stony) Pl. X. Plb. Plu.
2 (of objects or substances) **partaking of the nature of earth, earth-like, earthy** or **earthbound** Pl.

γεώ-λοφον ου n. —also **γεώλοφος** ου (Plb.) m. [λόφος; reltd. γήλοφος] **hill** Theoc. Plb.

γεωμετρέω contr.vb. [γεωμέτρης] **1 measure** or **survey land;** (math.) **practise the science of geometry** Pl. Arist. Plb. Plu.
2 (tr.) **make geometric measurements of, measure** —*the surface of the earth* Pl. —*a distance betw. two points* X. —*the air* Ar.

γεω-μέτρης ου m. [μετρέω] **one who practises geometry, geometrician** Pl. X. Arist. Plu.

γεωμετρία ᾱς, Ion. **γεωμετρίη** ης f. **science of measuring the physical world, geometry** Hdt. Isoc. Pl. +; (perh.concr., ref. to a scientific instrument) Ar. ‖ PL. **geometric calculations** Pl.

γεωμετρικός ή όν adj. **1** relating to geometry; (of equality, proportion) **geometrical** Pl. Arist.; (of necessities, i.e. inescapable proofs) Pl.; (of a mistaken belief) Arist.; (of problems) Plu.; (of a number) **determined geometrically** Pl.
2 (of the science) **of geometry** Pl. Arist. ‖ FEM.SB. **science of geometry** Pl. Arist. ‖ NEUT.PL.SB. **geometry** Pl.
3 ‖ MASC.SB. **geometrician** Pl. Arist. Plu.

γεω-μόρος, dial. **γᾱμόρος**, ep. **γειομόρος** (Call. AR.), ου m. [reltd. μείρομαι] **1 one who has a share of the land, landowner, landholder** A. Hdt. Th. Pl. Plu.; (fig., ref. to Erinyes, W.GEN. in a country) A.
2 farmer Call. AR.
3 ‖ ADJ. (of an ox) **earth-ploughing** AR.; (of ants) **earth-boring** AR.

γεώπεδον n.: see γήπεδον

γεω-πείνης εω Ion.masc.adj. [πείνη] (of persons) **short of land** Hdt.

γεωργέω contr.vb. [γεωργός] **1 work** or **cultivate the land, farm, be a farmer** Th. Ar. Att.orats. Pl. +; (of a person's hands) **do farm-work** E.
2 (tr.) **cultivate, farm** —*land, an estate, or sim.* Th. Ar. Att.orats. + —*mountains* Isoc. —(hyperbol.) *rocks* (i.e. poor land) Isoc. Men.
3 (fig.) **work on, cultivate** —*a type of behaviour* (that brings in a livelihood) D.

γεωργήματα των n.pl. **farming activities** Pl.

γεωργήσιμος ον adj. (of land) **able to be cultivated, suitable for farming** Plb.

γεωργία ᾱς f. **1 agriculture, farming** Th. Isoc. Pl. X. D. +; **cultivation** (W.GEN. of a region) Th.
2 farmland, farm Isoc. Pl. X. D. Arist.

γεωργικός ή όν adj. **1 relating to agriculture;** (of a mode of life, equipment, activities, or sim.) **agricultural, farming** Ar. Pl. X. D. Arist.; (of the art) **of agriculture** Pl. X.; (of a book) **on agriculture** Plu. ‖ FEM.SB. **art of agriculture** Pl. Arist.
2 (of a person, a section of the population) **engaged in agriculture, agricultural, farming** Ar. Pl. Arist.; **skilled in agriculture** Pl. X.

γεωργός οῦ m. [reltd. ἔργον] **one who works the land, farmer** A.satyr.fr. Hdt. Th. Ar. +

—**γεωργός** όν adj. **1** (of a life) **spent in farming** Ar.
2 (of oxen) **that till the land** Ar.

γεωρυχέω contr.vb. [reltd. ὀρύσσω] **excavate earth, dig a tunnel** Hdt.

γεωτομίη ης Ion.f. [γῆ, τέμνω] **cleaving of the earth, ploughing** Call.

γῆ γῆς, dial. **γᾶ** γᾶς f. [reltd. γαῖα] ‖ Ion.gen.pl. γέων ‖ dial.gen.du. γαῖν (A., cj.) ‖ **1 earth, land** (sts. opp. sea or heaven) Hom. +
2 specific region of the earth, **land, country** Od. +; (ref. to one's homeland) Od. +
3 whole of the known or inhabited earth, **world** Hdt. +
4 surface of the earth (at a specific place), **earth, ground** Od. +
5 earth, land (for cultivation) Hes. +
6 earth (as a material), **earth, soil** Hdt. +
7 earth (as a primordial element, along w. fire, water, air) Heraclit. Pl. Arist.
8 (personif., as a primordial goddess) **Ge, Earth** (also called Gaia) Il. +

—**γῆθεν**, dial. **γᾶθεν**, Ion. **γειόθεν** (Call.) adv. **1 from the earth** or **ground** Trag. Call.
2 from one's homeland E.

γῆα Boeot.f.: see γαῖα

γη-γενέτᾱς ᾱ dial.masc.adj. [γενέτης] **1** (of a giant, the family of Erekhtheus) **born of Earth** E.
2 (of silver) **produced by the earth, earth-born** Tim.

γη-γενής, dial. **γᾱγενής**, ές adj. [γένος, γίγνομαι] **1 born of the goddess Earth** (esp. by her union w. Ouranos); (of Typhon, Argus) **born of Earth** A.; (of the Cyclopes, other monstrous figures; of a dragon, its coils) E. AR.
2 (of a Giant, an army of Giants) **born of Earth** S. E.; (of a battle, fought by the gods) **against the Earth-born** (i.e. the Giants) E. ‖ MASC.PL.SB. **Earth-born** (ref. to the Giants) E. Ar. Call.
3 (fig., of a blast of breath) **gigantic** Ar.
4 (of autochthonous ancestors or primeval men) **born of Earth** or **from the earth, Earth-born** or **earth-born** A. Pl. Arist.; (specif., of Erekhtheus or Erikhthonios, as ancestor of the Athenians) Hdt. E.; (of the crop of Sown Men created by Kadmos; of one of them or a descendant) E.; (of the

Γήδειρα

warriors created fr. the dragon's teeth sown by Aietes) AR. || MASC.PL.SB. earth-born (ref. to the Sown Men) Pl. Arist.(quot. Trag.); (created by Aietes) AR.; (gener., ref. to primeval men) Arist.
5 || MASC.PL.SB. (derog.) earth-born men (w.connots. *impious*, like the Giants, and *cloddish*) Ar.
6 (of the body, opp. the soul) born on earth, **earthly** Pl.

Γήδειρα *Ion.n.pl.*: see Γάδειρα

γήδιον ου *n*. [dimin. γῆ] **piece of land, plot, small farm** Ar. X. Arist.

γῆθεν *adv*.: see under γῆ

γηθέω, dial. **γᾱθέω** *contr.vb*. [reltd. γαίω, γάνυμαι] | dial.fem.nom.pl.ptcpl. γᾱθεῦσαι (Theoc.) | ep.impf. ἐγήθεον, also γήθεον | fut. γηθήσω | aor. ἐγήθησα, ep. γήθησα, dial. γᾱ́θησα | statv.pf. γέγηθα, dial. γέγᾱθα | plpf. ἐγεγήθειν, ep.3sg. γεγήθει, Boeot.3sg. γεγᾱ́θει | statv.pf. more freq. than pres. |
1 feel delight, be glad or **happy, rejoice** (because of a particular circumstance) Hom. Hes. Thgn. Pi. Trag. Ar. + —W.NOM.PTCPL. *at seeing someone or sthg*. Hom. hHom. Pi. E. AR. —W.ACC. + PTCPL. *at someone coming into view* Il. —W.ACC. *at sthg*. Il. —W.DAT. AR. —W.GEN. Corinn.; (of a person, likened to the sea) **be radiant** or **have a happy look** Semon. || PRES.PTCPL.ADJ. (of a person's heart) **joyful, cheerful** A. | PF.PTCPL.ADJ. (of a person) **full of joy, delighted** S. Ar. Pl. D. AR. Theoc. +; (of a glance) Plu.; (of a tear, w. ἐπί + DAT. *at an outcome*) S. | see also ἀμφιγηθέω
2 take delight or **pleasure** —W.PTCPL. *in doing sthg*. Il. Hes. S. E. Pl. —W.DAT. *in someone or sthg*. E. Ar. Call AR. —w. ἐν + DAT. Pi. —w. περί + DAT. Theoc.
3 || PF.PTCPL. (quasi-advbl., of a person doing sthg.) **gleefully** or **with impunity** S. | see also χαίρω 6

γῆθος εος (ους) *n*. **feeling of joy, delight** Plu.

γηθοσύνη ης *f*. **feeling of joy, delight** Hom. hHom. AR.; (pl.) hHom. AR.; (personif., as a goddess) **Joy** Emp.

γηθόσυνος η ον *adj*. **1** (of persons) **full of joy, joyful, delighted, rejoicing** Hom. AR.; **delighting, exulting** (W.DAT. *in lust for battle*) Il.; (quasi-advbl., of a dolphin leaping) **for joy** Mosch.
2 delighted (W.DAT. *by someone, women's jesting*) AR.

γήϊνος η ον *adj*. [γῆ] **1 made of** or **from earth**; (of bricks, walls) **earthen** Pl. X.;(quasi-advbl., of a woman moulded by the gods) **from earth** Semon.
2 (of a race of beings) arising from the earth, **earth-born** Pl.
3 (of wood, the body opp. the soul, parts of the body, particles within it) consisting of the element earth, **earthy** Pl. Arist.; (of a number) **of particles of earth** Arist.

γη-λεχής ές *adj*. [λέχος] (of persons assoc.w. the oracle at Dodona) **sleeping on the ground** Call.

γή-λοφος ου *m*. [λόφος, reltd. γεώλοφος] **hill** Pl. X.

γῆμα (ep.aor.): see γαμέω

γηοχέω *contr.vb*. [reltd. ἔχω] **hold land, be a landowner** Hdt.

γή-πεδον, dial. **γᾱ́πεδον** (A.), ου *n*. —also **γεώπεδον** ου (Hdt.) *n*. [πέδον] **plot of land** (for cultivation) Hdt. Pl. Arist. || PL. **regions, tracts** (of a country) A.(cj.)

γηραιός ά όν (also ός όν Antipho) *adj*. [γῆρας] **1** (of a person) having reached old age, **elderly** Antipho Pl. Plb. Plu. || FEM.SB. **old woman** E.
2 (of the mind or foot) of an old person, **old** A. E.; (of a stage of life) Pi.
3 (quasi-advbl., of persons dying) **in old age** Hes. Hdt. E. Th. Pl. +
4 (of death) **in old age** Antipho

γηραλέος ᾱ ον *adj*. **1** (of a person) **elderly** Xenoph. A. Theoc.
2 (of the teeth or eyes) of an old person, **old** Anacr. Pi.

γήρανσις εως *f*. [γηράσκω] **process of growing old, ageing** Arist.

γῆρας αος (Att. ως) *n*. [reltd. γέρας] | dat. γήραϊ, γήρᾳ | period or condition of old age, **old age** Hom. +; (fig., W.GEN. *of a pollution*, ref. to its termination) A.

γηράσκω *vb*. —also (pres.) **γηράω** (X. +) *contr.vb*. | ep.inf. γηρασκέμεν | ep.impf. γηράσκον | fut. γηράσω (Pl.), dial.inf. γερᾱσέμεν (Simon.) || ATHEM.AOR.: ep.3sg. ἐγήρᾱ, also γήρᾱ | ep.ptcpl. γηράς (Il.), dat.pl. γηράντεσσι (Hes.) | also ptcpl. γηρείς (Xenoph.) | inf. γηρᾶναι or γηράναι (A. S.) || aor.1 ἐγήρᾱσα (Hdt. +) | pf. γεγήρᾱκα (S. E. +) |
1 (of persons, animals) **grow old, age** Hom. Hes. Semon. Eleg. Trag. +; (of a person's body) Hdt.; (of a flower) Theoc.; (fig., of time) A.; (mid., of a raven) Hes.fr.
2 (of fruit) **come to maturity** Od.; (of products of the land) **decline** (opp. *flourish*, in an annual cycle) X.
3 (fig., of material or non-material things) **grow old, weaken** or **deteriorate with age** S. E. Pl. X.

γηροβοσκέω *contr.vb*. [γηροβοσκός] (of a son) **care for** (W.ACC. *a parent*) **in old age** E. | PASS. (of patriotic soldiers) be cared for in old age (by the state) Ar.

γηρο-βοσκός οῦ *m*. [γῆρας, βόσκω] (ref. to a son) **carer in old age** (for a parent) S. E. X.

γηροκομέω *contr.vb*. [γηροκόμος] **care for** (W.ACC. *one's nurse*) **in old age** Call.*epigr*.

γηροκομίᾱ ᾱς *f*. **provision of old-age care** (for one's animals) Plu.(pl.)

γηρο-κόμος ου *m*. [κομέω] (ref. to a son) **provider of old-age care** (for a parent) Hes.

γηροτροφέω *contr.vb*. [γηροτρόφος] | fut.pass. γηροτροφήσομαι | (of a son) **support** or **maintain in old age** —*a parent or grandparent* Is. D.; (of fellow citizens, in place of sons who died in war) Pl. || PASS. (of parents) be supported in old age Att.orats.; (of a commander, envisaged as father of his countrymen) be cherished in old age Plu.

γηρο-τρόφος ου *m*. [γῆρας, τρέφω] one who provides support and maintenance in old age; (ref. to a son) **nurse in old age** (for a parent) E. Pl. D.; (f g., ref. to Hope) Pi.*fr*.

γήρῡμα, dial. **γᾱ́ρῡμα**, ατος *n*. [γηρύω] **sound** (app. of singing) Alcm.(pl.); (of a trumpet) A.

Γηρυόνης ου (Ion. εω), dial. **Γᾱρῡόνᾱς** ᾱ, ep. **Γηρυονεύς** ῆος *m*. —also **Γηρυών** όνος (A.) *n*. | ep.acc. Γηρυονῆα, also Γηρυονέα | **Geryon** (a mythical three-bodied monster, killed by Herakles) Hes. Lyr. A. Hdt. +

γῆρυς, dial. **γᾶρυς**, υος *f*. **sound of the voice; sound, voice, speech, cry** (of persons, gods, birds, animals) Il. Simon. B. S. E. Ar. +; (of a musical instrument) B. S.*Ichn*.

γηρύω, dial. **γᾱρύω** *vb*. | ῠ usu. in pres. and impf. (ῡ in pres.mid. A. Theoc.), ῡ in fut. and aor. || dial.inf. γᾱρύμεν, γᾱρύεν | dial.impf. γᾱ́ρυον | aor. ἐγήρῡσα || MID.: fut. γηρύσομαι, dial. γᾱρύσομαι || PASS.: aor. (w.mid.sens.) ἐγηρύθην |
1 (act. and mid.) **give voice to, utter, speak** —*true things, ineffectual things, certain words or sounds* Hes. Pi. B. Trag. Ar. Theoc.
2 (act. and mid.) **speak** or **sing of** —*someone or sthg*. Hes. Pi. AR.
3 (mid., intr.) **sing** hHom.; (of owls) **screech** Theoc.

γήρως (Att.gen.): see γῆρας

γήτειον ου *n*. **onion** Ar. Call.

γήτης ου *m*. [γῆ] **man of the soil**, **farmer** S.

Γίγαντες ων *m.pl.* | dat. Γίγᾱσι, ep. Γιγάντεσσι (Pi.) | **1 Giants** (a race of huge and powerful beings, children of Gaia and Ouranos, defeated in a battle w. the Olympian gods) Od. Hes. Xenoph. Pi. B. S. + **2 gigantic** or **earth-born warriors** (sprung fr. the dragon's teeth sown by Aietes) AR.

—**Γιγάντειος** ᾱ ον *adj.* (of a war) **of the Giants** (against the gods) Call.

—**Γίγᾱς** αντος *m.* **Giant** (as an individual member of the race) E. Call.; (as exemplifying a huge and powerful warrior) A. E. ǁ ADJ. (of the West Wind) **powerful as a Giant** A.

Γιγαντομαχίᾱ ᾱς *f.* [μάχομαι] **battle of the Giants** (against the gods) Pl.; (ref. to a sculpture depicting it) Plu.

Γιγαντο-φόνος ον *adj.* [θείνω] (of a battle) **Giant-slaying** E.

γίγαρτον ου *n.* **grape-pip** Simon. Ar.

γίγγλυμος ου *m.* **joint** (in a cavalryman's cuirass, allowing arm-movement) X.

γίγνομαι, Ion. and dial. **γίνομαι** *mid.vb.* | Ion.3sg.iteratv.impf. γῑνέσκετο (Hes.*fr.*) | fut. γενήσομαι | aor.2 ἐγενόμην, ep. γενόμην, Ion.2sg. γένεο, also γένευ, Ion.imperatv. γενέο, 3sg.iteratv. γενέσκετο | also (*metri grat.*) ep.1pl.aor.2 γεινόμεθα (Il. Hes.), ptcpl. γεινόμενος (Hom. +), also perh. (unless fr. a pres. γείνομαι) 3sg. γείνετο (Call. Mosch., cj.), imperatv. γείνεο (Call.) | also ep.3sg.aor.1 γείνατο (Call., dub.) | athem.aor.2 ἔγεντο (Hes. +), also ep. γέντο (Hes. +) | pf. γέγονα, ep.3pl. γεγάᾱσι, also γεγᾶσι (Emp.), ptcpl. γεγονώς, ep. γεγαώς, poet. γεγώς (S. E. Ar.), inf. γεγονέναι, dial. γεγάμεν (Pi.), also γεγάκειν (Pi.) | 3sg.plpf. ἐγεγόνει, ep. γεγόνει, Ion. ἐγεγόνεε ǁ MID.PASS.: pf. γεγένημαι | plpf. ἐγεγενήμην | PASS.: fut. γενηθήσομαι (Pl.) | aor. ἐγενήθην (Lys. Plb. +) ǁ also aor.1 mid. (causatv.) ἐγεινάμην, ep.3sg. γείνατο, Aeol. γέννατο, dial. γήνατο (Ibyc.) | ep.2sg.subj. γείνεαι | The senses are grouped in three sections. In **A**, the vb. is used in the sense *come into being*, w. no complement; in **B** it is used as a copula, linking subject and complement. In aor. and pf. it is sts. equiv. to εἶναι *be*. In **C** (aor.1) it is causatv., *bring into being*. |

—**A 1** (of persons) **come into being, be born** Hom. +; **be the child** —W.GEN. or ἀπό or (most commonly) ἐκ + GEN. *of someone (father, mother, both parents, remoter ancestors)* Il. +; **originate** —W.PREP.PHR. or ADV. *fr. a city or country* Hdt. E. ǁ PF. **be in the condition of having been born, exist, live, be** Hom. +
2 (of things or occurrences in the natural world) **be produced, come into being** Hom. +
3 (gener., of things, circumstances) **come about, originate, arise** Hom. +
4 (of times, such as day, night, seasons) **come, arrive** Hom. + ǁ PF. (of time) **have elapsed** Hdt. +
5 (of events or sim.) **take place, occur, happen** (sts. W.DAT. to or for someone) Hom. +
6 ǁ IMPERS. **it happens, it turns out** —W.ACC. + INF. *that sthg. is the case* Thgn. NT. —W. ὥστε and ACC. + INF. Isoc. X.

—**B 1** (of persons or things) **become, come** or **prove to be** —W.PREDIC.SB. or ADJ. *such and such* Hom. +; (w.pron.) τί γένωμαι; (or sim.) *what am I to become (i.e. what is to become of me)?* A. +
2 come to be, get to be —W.ADV., PREP.PHR. or GEN. *in a certain place, condition, situation, class, or sim.* Hom. +
• μηδὲν ἐμποδὼν γένῃ *do not get in the way* E. • (impers.) χρῆν γὰρ Κανδαύλῃ γενέσθαι κακῶς *for it was bound to turn out badly for Kandaules* Hdt. • ἐς Λακεδαίμονα ... ἐγίνετο *he started on his way to Lacedaemon* Hdt. • οὐ γὰρ ἂν δι' ἔχθρας οὐδέτεροι γενοίμεσθα *for I shall not get to be on hostile terms with either of them* Ar. • γενόμενος τῶν βασιληίων δικαστέων *having become one of the royal judges* Hdt.
• (w.possessv.gen.) οὐκέθ' αὑτῶν γίγνονται *they become no longer in control of themselves* Pl.
3 (of countable items) **come** or **amount to** —W.NUM.ADJ. or SB. *a certain number* Hdt. +
4 (periphr., w.aor. or pf.ptcpl.) • μὴ προδοὺς ἡμᾶς γένῃ *do not become our betrayer* S. • ἀποτετραμμένοι ἐγένοντο *they had become alienated (fr. others)* Th.

—**C** (causatv., in aor.1) **1** (of a father) **beget** —*a child* Hom. hHom. Trag. AR. —(*fig.*) *one's own death (i.e. one's murderer)* A.
2 (of a mother) **give birth to, bear** —*a child* Hom. Hes. Alc. Ibyc. Trag. Call. +; (of a mare, a sheep) —*offspring* Semon. Theoc.; (of Gaia) —*features of nature* Hes.; (fig., of a native city or island) —*a person* E. Tim. ǁ FEM.PTCPL.SB. **mother** Hdt. X.
3 (of both parents) **produce** —*a child* Hom. E. ǁ MASC.PL.PTCPL.SB. **parents** Hdt. X. Theoc.

γιγνώσκω, Ion. and dial. **γῑνώσκω** *vb.* | fut. γνώσομαι, dial.3sg. γνωσεῖται (Call.) ǁ ATHEM.AOR.: ἔγνων, 3sg. ἔγνω, ep. γνῶ, 3pl. ἔγνωσαν, dial. ἔγνον (Pi.) | imperatv. γνῶθι, pl. γνῶτε | subj. γνῶ, ep. γνώω, ep.1pl. γνώομεν | opt. γνοίην | inf. γνῶναι, ep. γνώμεναι | ptcpl. γνούς | pf. ἔγνωκα ǁ PASS.: fut. γνωσθήσομαι | aor. ἐγνώσθην | pf. ἔγνωσμαι ǁ neut.impers.vbl.adj. γνωστέον |

1 gain knowledge or **understanding** (of circumstances, facts, or sim.); **come to know, know, understand** (sthg.) Hom. + —W.ACC. sthg. Hom. +; (in dialogue) ἔγνως *you understood, you are right* S. E. ǁ PASS. (of things) **be** or **become known** Hdt. +
2 know, recognise, realise —W.NOM.PTCPL. *that one is doing sthg.* or *is in a certain state* B. S. E. Ar. Isoc. +
—W.ACC. + PTCPL. or PREDIC.ADJ. *that sthg. is the case, that someone is doing (or is) such and such* Hom. +
—W.GEN.PTCPL. Il. Pl. ǁ PASS. (of persons or things) **be known** —W.NOM.PTCPL. *to be doing sthg., to be in a certain state* Pi.*fr.* Hdt. Th.
3 know, understand, recognise —W.INDIR.Q. or COMPL.CL. *what (or that sthg.) is the case* Hom. + —W.ACC. + INDIR.Q. or COMPL.CL. *about someone, what (or that sthg.) is the case* Il. + —W.ACC. + INF. *that sthg. is the case* Th. ǁ PASS. (of persons or things, w. pers. for impers.constr.) **it is known of (someone or sthg.)** —W.INDIR.Q. *what or whether sthg. is the case* Hdt. Ar. Pl.
4 know how or **learn** —W.INF. *to do sthg.* S. E.
5 understand the meaning of, interpret —*an oracle* Hdt. —(W.NEUT.ACC. *in a certain way*) Hdt.; (gener.) **decide** —W.INDIR.Q. *what sthg. means* Hdt.
6 get to know, become familiar with —*a person, a city* Od. Pi. —W.GEN. *a person* Od. ǁ PASS. (of persons or to become known) —W.DAT. *to someone* E.
7 know the identity of, know, recognise —*someone or sthg.* Hom. Pi. Hdt. E. + —W.GEN. Od. ǁ PASS. **be recognised** E. Th. +
8 know the true nature or character of, know, understand —*someone or sthg.* Hom. Theoc.
9 (euphem., of a man) **be sexually intimate with, have had intercourse with** —*a woman* NT. Plu.
10 form an opinion, think, judge —W.NEUT.ACC. or ADV. *the same, the opposite, in a certain way* Hdt. E. Th. +
—W.NOM.AOR.PTCPL. *that one has done sthg.* Antipho
11 (freq. in legal or political ctxt.) **form a judgement** or **decision, decide** Hdt. Pl. —W.NEUT.ACC. or ADV. *in a certain way* Th. Att.orats. —W.ACC. + INF. *that sthg. is the case* Hdt.

γίνομαι —W.INF. or ACC. + INF. *to do sthg., that someone shd. do sthg.* Hdt. And. Isoc.; **decide how** —W.INF. *to do sthg.* A. || PASS. (of persons) **be judged guilty, be condemned** A.; (wkr.sens.) **be adjudged** —W.INF. *to be doing sthg.* D.; (of things) **be decided** E. Th. Isoc.; (specif., of a decision, a verdict, or sim.) **be reached** Th. Isoc. D.

γίνομαι Ion. and dial.mid.vb.: see γίγνομαι

γλαγερός ά όν *adj.* [γλάγος] **milky** Philox.Leuc.

γλάγος εος *n.* [reltd. γάλα] **milk** (fr. animals) Il. Pi.*fr.* Mosch.

γλακτο-φάγος ον *adj.* [φαγεῖν] (of a people) **living on coagulated milk, curd-eating** Il. || MASC.PL.SB. (as the name of a people) **Curd-Eaters** Hes.*fr.*

γλάμων ον, gen. ωνος *adj.* **blear-eyed** Lys. Ar.

γλαρίς ίδος *f.* **chisel** Call.

γλαυκιάω *contr.vb.* [γλαυκός] | ep.ptcpl. (w.diect.) γλαυκιόων | (of a lion) **glare, gleam** —W.ADV. *terribly* (W.DAT. *w. its eyes*) Hes.*fr.*

γλαυκ-όμματος ον *adj.* [ὄμμα] (of a horse) **blue-eyed** or **grey-eyed** Pl.; (of a man) Plu.(quot.epigr.)

γλαυκός ή (dial. ά) όν *adj.* **1** (of the sea) **grey-blue** or **grey-green** Il. E. Ar. Hellenist.poet.; (of sea-nymphs) E. AR. Theoc.; (of snakes) Pi.; (of the olive tree, its foliage) B. S. E. || FEM.SB. **grey-blue** or **grey-green sea** Hes. || NEUT.SB. **grey-blue** or **grey-green** (as a colour) Pl.
2 (of daylight) perh. **blue** or **bright** Theoc.; (of air or mist) perh. **grey** Mosch.
3 (of peoples or individuals) with pale blue or pale grey eyes, **blue-eyed** or **grey-eyed** Xenoph. Hdt. Ar st. Plu.; (of the Graces) Ibyc.; (of Athena) E. Theoc. || FEM.SB. **Blue-eyed** or **Grey-eyed One** (ref. to Athena) Call.

γλαυκότης ητος *f.* **pale blue** or **greyness** (of eyes) Plu.

γλαυκό-χρως ων *adj.* [χρώς] | acc. γλαυκόχροα | (of an olive garland) **grey-green** Pi.

γλαυκ-ῶπις ιδος *fem.adj.* [ὤψ] | acc. γλαυκώπιδα, also γλαυκῶπιν | (as epith. of Athena) app. **blue-eyed** or **grey-eyed** Hom. Hes. Stesich. Pi. S. Ar.; (of Cassandra) Ibyc. || SB. (ref. to Athena) **Blue-eyed** or **Grey-eyed One** Hom. Hes. hHom. Pi. [unless, when applied to Athena, *owl-eyed*, as if reltd. γλαύξ]

—**γλαυκώψ** ῶπος *masc.fem.adj.* (of serpents) **blue-eyed** or **grey-eyed** Pi.

γλαύξ, Att. **γλαῦξ**, γλαυκός *f.* **1** a kind of owl, **Little Owl** (esp. assoc.w. Athena, and stamped on Athenian coins) Alcm. Ar. Thphr. Men. Plu.; (provbl., ref. to doing sthg. not needed) τίς γλαῦκ' Ἀθήναζ' ἤγαγε; *who has brought an owl to Athens?* Ar.
2 owl (meton.ref. to an Athenian coin) Ar. Plu.

γλάφυ εος *n.* [γλαφυρός] **hollow place** (in a rock), **cavern** Hes.

γλαφυρία ᾶς *f.* **smoothness, polish** (of a pillar) Plu. || PL. (fig. and pejor., ref. to other forms of expertise, opp. military tactics) **mere refinements** Plu.

γλαφυρός ά (Ion. ή) όν *adj.* [perh.reltd. γλύφω] **1** (of caves, rocks) **hollowed out, hollow** Hom. Hes.; (of ships) Hom. hHom. Lyr.adesp. AR.; (of a lyre, ref. to its soundbox) Od. hHom.; (of a casket) AR.; (of a harbour, as being indented into the coast) Od.
2 (of chariots) perh. **ornately carved** or **chiselled** Pi.
3 (of babies) **perfectly formed** Plu.; (of a person, in looks; of a lifestyle) **refined** Plu.; (of places for social gatherings) **elegant** Plu.; (of a sculptor's craftsmanship) **polished** Theoc.*epigr.*; (of a style of jesting) **subtle** Plu. | NEUT.SB. **technical refinement** (in an art or science) Plu.
4 (of the usefulness of a reform of the calendar) **extreme** Plu.
5 (fig., of a lawgiver) **polished, skilled** Arist.; (of people) **subtle, astute** Ar.

—**γλαφυρῶς** *adv.* **with finished craftsmanship** Arist. Plu.

γλάφω *vb.* (of a lion) **scrape** —*the ground* (W.DAT. *w. its paws*) Hes.

γλάχων *dial.f.*: see βληχώ

γλεῦκος εος (ους) *n.* [reltd. γλυκύς] **sweet grape-juice** Call.; **sweet new wine** NT.

γλέφαρα *dial.n.pl.*: see βλέφαρα

γλήνεα εων *n.pl.* [perh.reltd. γλήνη] app. **precious objects, treasures** Il. AR.

γλήνη ης *f.* [perh.reltd. γαλήνη, γελάω] **1 eyeball** Hom. S. AR.
2 (ref. to a person, as a term of abuse) app. **useless creature** Il.

γληχών *Ion.f.*: see βληχώ

γλισχρ-αντιλογ-εξ-επίτριπτος ον *adj.* [γλίσχρος, ἀντίλογος] (of a petty dispute) **sticky-contentious-utterly-damnable** Ar.

γλίσχρος ᾱ ον *adj.* [reltd. γλοιός] **1** (of a bodily secretion) **glutinous, viscous** Pl.; (fig., of a word, in pronunciation) Pl.; (of a quality of the sinews) **gummy** Pl.
2 (of a person) **grasping** or **stingy** Ar. Arist.
3 slight in quality or extent; (of buildings) **flimsy, insubstantial** D.; (of ground) **poor, infertile** Plu.; (of a meal, financial resources) **meagre, scanty** Plu.; (of connections) **tenuous, slight** Pl. Plu.

—**γλίσχρως** *adv.* | superl. γλισχρότατα | **1 tenaciously, determinedly** Ar. Pl.
2 stingily —*ref. to providing help* Plu.
3 only with a struggle, with difficulty, barely —*ref. to accomplishing sthg.* Pl. X. D. Arist. Plu.
4 tenuously, speciously —*ref. to arguing, making connections or comparisons* Isoc. Pl.

γλισχρότης ητος *f.* **1 stickiness** or **viscosity** Arist.
2 stinginess or **parsimony** Arist. Plu.

γλίσχρων ονος *m.* (pejor.) **grasping** or **stingy fellow** Ar.

γλίχομαι *mid.vb.* [reltd. γλίσχρος] | only pres. and impf. |
1 stick or **cling** (to a goal, desire or ambition); **cling on** —W.GEN. *to a small span of life* (i.e. **prolong life briefly**) Isoc. —W. τοῦ + INF. *to remaining alive* Pl. Arist.; **cling to a policy** —W. μή + INF. *of not doing sthg.* Th.
2 have as one's objective, strive after —W.GEN. *sthg.* Hdt. Pl. D. Arist. Plu. —W. περί + GEN. Hdt.(dub.); **strive, be eager** —W.INF. *to do sthg.* Isoc. Pl. D. Plu. —W. ὡς + FUT.INDIC. Hdt.
3 (of sailors) **have as one's destination, make for** —W.GEN. *a place* Plu.

γλοιός οῦ *m.* **1 viscous** or **glutinous substance**; **slime** Semon.; **gum** (fr. trees) Hdt.
2 (ref. to a person, as a term of abuse) **slimy** or **sticky fellow** Ar.

γλοιώδης ες *adj.* (of a word, in pronunciation) **glutinous, gluey** Pl.

γλουτός οῦ *m.* **buttock** (of a person or animal) Il. Plu.; (pl. or du.) Il. Hdt. X.

γλυκαίνομαι *pass.vb.* [γλυκύς] | aor. ἐγλυκάνθην | (of grapes) **be sweetened** or **ripened** —W.PREP.PHR. *by the sun* X.; (of poison, in neg.phr.) **become sweet** Mosch.

γλυκερός ά (Ion. ή) όν *adj.* **1 sweet to the taste** (opp. bitter); (of honey) **sweet** (sts. as exemplifying the quality) Od. Pi.*fr.* Ar. AR. Theoc.; (of fig trees, meton. for their fruit) Od.; (of dew, placed on a person's tongue by the Muses) Hes.
2 pleasant to the taste; (of wine, milk) **delicious, tasty** Od.; (of food, after labour) Il. hHom.; (of flowers, for bees) Theoc.; (of pasture) hHom. Theoc.
3 (of water) **fresh** (i.e. not salty or brackish) Od.

4 pleasant to the ear; (of song, speech) **sweet, sweet-sounding** Hom. hHom. Sapph. Hellenist.poet.
5 (gener.) having a pleasant effect on the mind, body or senses; (of sleep) **sweet, pleasant, delightful, welcome** Hom. AR. Theoc.; (of a season of the year, a time of day) Hellenist.poet.; (of activities, conditions, feelings or emotions) Hes. Pi. Call. AR.
6 (of persons, things closely assoc.w. individuals) dear to one's heart; (of a child, a wife) **sweet, dear, precious, cherished** Od. hHom. Thgn. E. Theoc.; (of lovers, their lips or tongue) Sol. Ar. Theoc.; (of life, youth) Hes. Anacr. Theoc.; (of one's native land) Od.; (of a homecoming) Od. Archil. Pi.; (of one's sight; of his eye, to the Cyclops) AR. Theoc.

γλυκύ-δωρος ον *adj.* [δῶρον] **1** (of a Muse, Victory) **giving sweet gifts** B.
2 (of an ornament fr. the Muses, ref. to a song of praise) **given as a sweet gift** B.

γλυκυθῡμίᾱ ᾱς *f.* [γλυκύθῡμος] sweetness of heart, **fondness, liking** (of animals for their owners) Plu.; (of persons, W.PREP.PHR. for pleasures) Pl.

γλυκύ-θῡμος ον *adj.* [θῡμός] (of a person, Eros, sleep) **sweet-hearted** Il. Ar.; (of a love-song) Bion

γλυκύ-καρπος ον *adj.* [καρπός¹] (of the vine) **sweet-fruited** Theoc.

γλυκύ-μᾱλον ου *dial.n.* [μῆλον²] **sweet-apple** (ref. to an apple grafted on a quince) Sapph. Call.; (as a term of endearment for a beloved) Theoc.

γλυκυ-μείλιχος ον *adj.* (epith. of Aphrodite) **sweet and gentle** hHom.

γλυκύ-οξυς εια υ *adj.* [ὀξύς] (of cakes) **sweet and sharp** Philox.Leuc.

γλυκύ-πικρος ον *adj.* [πικρός] (epith. of Eros) **bitter-sweet** Sapph.

γλυκύς εῖα (Ion. είη) ύ, Aeol. **γλύκυς** ηα υ *adj.* | compar. γλυκύτερος, also γλυκίων (Hom. Hellenist.poet.) | superl. γλυκύτατος, also γλύκιστος (B. Philox.Leuc.) | **1 sweet to the taste** (opp. bitter); (of honey, esp. as exemplifying the quality) **sweet** Il. E. Hellenist.poet.; (of nectar and ambrosia) Il. Call. Theoc.; (of grape-juice) Ar.; (gener., of any tasteable substance) Pl. X. Arist. Plu. | NEUT.SB. sweetness Pl. Arist.
2 pleasant to the taste; (of items of food) **delicious, tasty** E.*Cyc.* Ar. Philox.Leuc.; (of wine) E.*Cyc.* Ar.; (of a corpse, W.DAT. for birds) S.
3 (of water, a river) **fresh** (opp. brackish or salty) Xenoph. Hdt.; (of a lake) **freshwater** Plb. Plu.
4 pleasant to the ear; (of speech, song, music, poetry) **sweet-sounding, sweet** Il. Pi. B. S. Ar. Pl. +; (of a poet) Call.; (fig., of a mixing-bowl of songs; of the fruit of the mind, ref. to a poem) Pi.
5 (of an odour) **pleasant, fragrant** Ar.
6 having a pleasant effect on the mind, body or senses; (of love, desire) **sweet, delightful** Hom. hHom. Alcm. Archil. Thgn. Pi. +; (of sleep) Hom. hHom. Alcm. Sapph. Pi. E. +
7 (of things closely assoc.w. individuals) dear to one's heart; (of life) **sweet, dear, precious, cherished** Od. Lyr. A. Hdt. E. Call.*epigr.* +; (of one's homeland, a homecoming, family members or thoughts of them) Od. Pi. E.; (of a mother's breast) Call.; (of the light of one's eyes) Theoc.; (of his eye, to the Cyclops) Theoc.
8 (gener., of states, circumstances, events) **pleasant, delightful, agreeable, welcome** Il. Lyr. Hdt. Trag. Ar. Pl. +; (of death, deities bringing it) S.; (of a person, ref. to his death, W.DAT. to someone) S.(dub.) || NEUT.IMPERS. (w. ἐστί understd.) it is pleasant —W.INF. to do sthg. A. B. E.

9 (of persons) showing sweetness or affection, **sweet, pleasant** (sts. opp. bitter, i.e. unpleasant, W.DAT. towards another) Sol. Thgn. Plu.; (of a person's temperament) E.
10 (of persons, their temperament) inspiring affection or delight, **sweet, delightful, beloved** Sapph. Pi. Theoc. || FEM.VOC.SB. dear one, sweet one Men. || SUPERL.VOC. (of a man or baby) sweetest, dearest Ar. || SB. (ref. to a man or woman) dearest one, darling, sweetheart Ar. Men.
11 (iron., of a man) **delightful, amusing** Pl.
—**γλυκύ** neut.adv. **sweetly** —ref. to singing, smiling Theoc.
—**γλυκέως** adv. **sweetly** Alcm.

γλυκύτης ητος *f.* **1 sweetness** or **pleasantness** (of things, to the taste) Hdt. Pl. Plu.; (as a quality inherent in life) Arist.
2 freshness (of water, opp. brackishness or saltiness) Plu.

γλύκων ωνος *m.* (as a term of endearment, addressed to a man) **sweetie** Ar.

γλύφανος ου *m.* [γλύφω] tool for carving, **knife** or **chisel** hHom. Call. Theoc.

γλυφίδες ων *f.pl.* **1** carved grooves (prob. two at right angles to each other, in the butt of an arrow-shaft, to receive the bow-string); (collectv.) **notched end** (of an arrow) Hom. Hdt. AR.; (meton.) **arrows** E.
2 (archit.) app. **capitals** AR. [or perh. *glyphs*, on a frieze]

γλύφω *vb.* | aor.mid. ἐγλυψάμην | **carve, sculpt** (in wood or stone) —*a statue* Hdt. —*toy ships* Ar.; **engrave** —*seals, rings* Hdt. Pl. || MID. **have** (W.ACC. a statue) **carved for oneself** Theoc.*epigr.*; **have** (W.ACC. a representation of sthg.) **engraved** —w. ἐν + DAT. *on a ring* Plu. || PASS. (of a figure) be sculpted Pl.

γλωθρός Ion.*adj.*: see βλωθρός

γλῶσσα, Att. **γλῶττα**, ης (dial. ᾱς) *f.* [reltd. γλῶχες]
1 tongue (of a person or animal) Hom. Hes. Hdt. S. E. Th. +; (specif., as the organ of speech) Il. Hes. Sapph. Eleg. Pi. Trag. +; (as the organ of taste) X.
2 tongue, language, dialect (of a people) Hom. hHom. Sol. A. Hdt. S. +
3 speech, voice, words (of people, sts. opp. thoughts or actions) Il. Sol. Thgn. Pi. B. Trag. +; (prep.phrs.) ἀπὸ γλώσσης *by word of mouth* (opp. *in writing*) Hdt. Th.; κατὰ γλῶσσαν *by hearsay* (opp. *by personal sighting*) S.
4 obsolete or **unusual word** (requiring explanation, opp. ὄνομα κύριον *standard word*) Arist.
5 (fig.) that which is tongue-like; **reed mouthpiece** (of an aulos) Aeschin.; **tongue** (of fire) NT.

γλωσσαλγίᾱ ᾱς *f.* [reltd. ἄλγος] tediousness of speech, **tiresome talk, prattle** E.

γλωσσάομαι mid.pass.contr.*vb.* | pf.ptcpl. γεγλωσσαμένος | || PF.PTCPL.ADJ. (of the cry of partridges) perh., **chattering** or **articulate** Alcm.

γλωσσ-αργος ον *adj.* [perh.reltd. ἀργός] (perh., of speech) swift-tongued, **voluble, garrulous** Pi.*fr.*

γλωσσό-κομον ου *n.* [reltd. κομέω] container for reed mouthpieces (of an aulos); (gener.) **money-box** NT. Plu.

γλῶττα Att.*f.*: see γλῶσσα

γλωττοστροφέω Att.contr.*vb.* [reltd. στρέφω] (fig.) **twist the tongue** (i.e. speak cleverly and deceptively) Ar.

γλῶχες ων *f.pl.* [reltd. γλῶσσα] app., projecting points; **beards** or **ears** (on a millet crop) Hes.

γλωχίν (or **γλωχίς**) ῖνος *f.* **1** perh. **hook** (to which a yoke-binding was attached) Il.
2 barb (of an arrow) S.
3 edge or **corner** (of a chair-frame) Call.

γναθμός οῦ *m.* [γνάθος] (sg. and pl.) **jaw** Hom. AR. Theoc.

γνάθος ου *f.* **1** (sg. and pl., also sg. for pl.) **jaw** (of a person, animal or reptile) Hippon. Pi. Hdt. E. Ar. Pl. +; (as a symbol of gluttony) E.*satyr.fr.*
2 (fig.) **jaw** (of a spike, envisaged as biting into a body) Ar.; (of a sea, ref. to a dangerous cape) A.; (sg. and pl., of fire or lava, as consuming corpses or fields) A.; (pl., of ulcerations or poison, envisaged as devouring the flesh) A. E.

γναμπτός ή όν *adj.* [γνάμπτω] **1** (of fish-hooks, jewellery) **bent, curved** Hom. hHom.; (of a hawk's talons) Hes.; (of a racecourse, labyrinth) **bending, curving** Pi. Call.
2 (of limbs) able to be bent, **flexible, pliant, supple** Hcm. hHom.; (of a boar's jaws) Il.
3 (of a person's will, in neg.phr.) able to be bent or changed, **flexible** Il.

γνάμπτω *vb.* [perh.reltd. κάμπτω] | fut. γνάμψω | ep.aor. γνάμψα ‖ aor.pass. ἐγνάμφθην | **1** cause to bend, **bend** —*a spear* (w. one's hands) AR.; **bend, flex** —*one's knees* AR. ‖ PASS. (of a sword, striking an impenetrable object) be bent —W.ADV. *back* B.
2 (of sailors) sail around, **round** —*a headland* AR.
3 (fig., of threats) **bend, move, force** —*a person* (w. ὥστε + INF. *to do sthg.*) A. ‖ PASS. be bowed down —W.PREP.PHR. *by misfortune* Plu.; be overwhelmed —W.PREP.PHR. *by the artistry of a painting* Plu.

γνάπτω *vb.* ‖ PASS. be lacerated or mangled A.(dub., cj. κνάπτω)

γναφεῖον *n.*, **γναφεύς** *m.*, **γναφευτικός** *adj*, **γναφεύω** *vb.*: see κναφ-

γνάψις εως *f.* [γνάπτω, κνάπτω] **carding** (of wool) Pl.

γνήσιος ᾱ (Ion. η) ον *adj.* [reltd. γένος, γίγνομαι] **1** (of a child) born legitimately (of parents lawfully married), **legitimate, true-born** Hom. E. Th. Ar. Att.orats. +
‖ MASC.SG.SB. legitimate child Hdt. ‖ PL.SB. legitimate children E. Arist. Plu.; (fig.) true sons (W.GEN. of a country) D.
2 (of hounds which are good at following a scent) **true-bred** X.
3 qualified (for a certain status) by birth; (of citizens) **legitimate, true** D. Arist.; (of a ruler) Call. Plu.; (of an heir) Plu.
4 (of things) associated with true birth; (of thoughts) **appropriate to a legitimate son** (opp. a bastard) E.; (of virtues) **truly inherited, innate** Pi.; (of hymns) **genuinely inspired, of a true poet** B.
5 (of a wife) **legally wedded** X. Plu.; (of a marriage) **lawful** E.
6 (of a literary work, a letter) **genuine, authentic** (opp. spurious) Plu.
7 (of friends, lovers, soldiers) **true, genuine** Pl. Plb. Plu.; (of friendship, virtues, accomplishments, or sim.) Lys. Isoc. Pl.; (gener., of persons) **sincere, honest** Plb.

—**γνησίως** *adv.* **1 legitimately, of legitimate parentage** —*ref. to being born or having children* E. Isoc. D.
2 by inheritance or **right of birth** Lys. D.
3 (gener.) **truly, genuinely, sincerely** Isoc. Pl. Men. Plb.; (quasi-adj., of philosophers) **true, genuine** Pl.

γνησιότης ητος *f.* **legitimacy of birth** Arist.

γνοίην (athem.aor.opt.), **γνούς** (athem.aor.ptcpl.): see γιγνώσκω

γνόφαλλον Aeol.*n.*: see κνέφαλλον

γνύξ *adv.* [reltd. γόνυ] **to one's knees** —*ref. to falling (under a blow or in supplication)* Il. AR.

γνυσί (ep.neut.dat.pl.): see γόνυ

γνῶ (athem.aor.subj., also ep.3sg.athem.aor.), **γνῶθι** (athem.aor.imperatv.): see γιγνώσκω

γνώμᾱ dial.*f.*: see γνώμη

γνῶμα ατος *n.* [γιγνώσκω] **1 judgement, opinion, way of thinking** A. E. Call.(cj.)
2 means of forming a judgement, **test, proof** (of sthg.) Hdt. S.

γνωματεύω *vb.* form a correct opinion about, **discern the reality behind** —*shadows* Pl.

γνώμεναι (ep.athem.aor.inf.): see γιγνώσκω

γνώμη ης, dial. **γνώμᾱ** ᾱς *f.* **1** faculty or application of thought, **thought, thinking, judgement, understanding** Thgn. Pi. Hdt. Trag. Th. +
2 result of thinking, **thought, opinion, belief, judgement** Thgn. Pi. B. Parm. Hdt. Trag. +
3 expressed opinion, **judgement, point of view, advice** Hdt. S. E. Th. Ar. +; (of an oracle) Hdt. **decision** (ref. to a judicial verdict) Hdt.
4 thinking or planning, **intention, purpose, determination, plan** Pi. Hdt. Trag. Th. +; (specif.) **motion, proposal** Hdt. E. Th. Ar. +
5 underlying meaning or intention (of sthg.); **purport, general sense** (W.GEN. of a speech, opp. the actual words) Th.; **purpose** (of a fortification) Th.
6 terse and pointed observation, **precept, maxim, aphorism** S. X. Arist.
7 ‖ PL. perh., ways of distinguishing (W.GEN. good and bad) Thgn. | cf. γνῶμα 2

—**γνωμίδιον** ου *n.* [dimin.] **little idea** Ar.

γνωμολογέω contr.*vb.* [λόγος] **use maxims** or **aphorisms** Arist. Men.

γνωμολογία ᾱς *f.* **1 use of maxims** or **aphorisms** Arist.
2 speaking in aphorisms (as a technique of sophistic rhetoric) Pl.
3 (gener.) **maxim, aphorism** Plb. Plu.

γνωμονικός ή όν *adj.* [γνώμων] skilled in forming a judgement, **skilled** X.; (W.GEN. in sthg.) Pl.

γνωμοσύνη ης *f.* **understanding, good judgement** Sol.

γνωμοτυπέω contr.*vb.* [γνωμοτύπος] **coin memorable phrases** or **maxims** Ar.

γνωμοτυπικός ή όν *adj.* **clever at coining maxims** Ar.

γνωμο-τύπος ον *adj.* [γνώμη, τύπτω] **1** (fig.) beating out clever thoughts or memorable phrases; (of persons engaging in debate, their thinking) **idea-coining, maxim-minting** Ar.
2 (of country people) **fond of coining maxims** Arist.

γνώμων ονος *m.* **1** one who is able to form an accurate judgement; **judge, assessor, interpreter** (W.GEN. of prophecies, a situation) A. Th.; (of tastes, ref. to the tongue) X.
2 instrument for measuring angles; **gnomon, pointer** (of a sundial) Hdt. Plu.; **set-square** Thgn.; (prep.phr., in fig.ctxt., ref. to determining an issue) παρὰ γνώμονα *following the set-square, precisely* Thgn.
3 ‖ PL. milk teeth (of a horse, as indicators of its youth) X.

γνῶναι (athem.aor.inf.), **γνώομεν** (ep.1pl.athem.aor.subj.): see γιγνώσκω

γνωρίζω *vb.* [reltd. γνώριμος, γιγνώσκω] | fut. γνωριῶ, also γνωρίσω (NT.) | aor. ἐγνώρισα ‖ neut.impers.vbl.adj. γνωριστέον | **1** impart knowledge of, **explain, interpret** —*omens* (W.DAT. *for people*) A.; **make known, reveal** —*sthg.* (W.DAT. *to someone*) NT.; (intr.) **spread knowledge** —*w.* περί + GEN. *of sthg.* NT.; (of hounds) **give an indication** (of a hare's whereabouts, to hunters) X.
2 make known, identify —*a person* (W.DAT. *to another*) E. —(W.COMPL.CL. *as being born of certain parents*) E.; make acquainted, **introduce** —*a person* (W.DAT. *to another*) Plu.

3 gain knowledge of, **become aware of** —*sthg.* E. —W.ACC. + PTCPL. *sthg. happening* S.; (intr.) **gain knowledge** Arist.; **learn** —W.INDIR.Q. *what is the case* Arist. ‖ PASS. (of regions of the world, races) be known Plb.
4 get to know, become acquainted with —*a person* Pl. Is. D. ‖ PASS. (of a person) become known —W.DAT. *to another* D.
5 apprehend the identity of, **recognise, identify** —*someone or sthg.* (*by sight, hearing or the intellect*) E. Th. Isoc. Pl. X. D. +; **acknowledge** —*someone* (*as one's son*) Plu. ‖ PASS. (of persons or things) be recognised or identified Hdt. Pl. D. Arist. +
6 apprehend the nature of, **understand** —*sthg.* Isoc. Pl. Aeschin. Arist. —W.INDIR.Q. *what sthg. is* Pl. —*persons* (W.INDIR.Q. *of what kind they are, i.e. their true nature*) Isoc. Aeschin. ‖ PASS. (of persons) be recognised (for what they are) Isoc.; (of hope, for what it is) Th.

γνώριμος ον (also η ον) *adj.* **1** (of things) **well-known, familiar** (sts. W.DAT. to someone) Pl. X. Aeschin. D. Arist. +
2 (of arguments, facts) **intelligible** (sts. W.DAT. to someone) Att.orats.
3 (of traces of a quarry) **recognisable** (to hounds) X.
4 (of a person) **well-known** (usu. W.DAT. to someone) Pl. X. Is. Aeschin.; (of a dog) **familiar** (W.DAT. w. someone) X. ‖ MASC.FEM.SB. **acquaintance** or **friend** Od. Th. Lys. Pl. X. D. +
5 (of a person) **well-known, notable** (in a community) Att.orats. ‖ MASC.PL.SB. **notable** or **prominent persons** X. Arist. Plu.

—γνωρίμως *adv.* **1 intelligibly** —*ref. to hinting, writing* E. D.
2 (w. ἔχειν) *be on familiar terms* —W.DAT. w. someone D.

γνώρισις εως *f.* **1 acquisition of knowledge** Pl.
2 becoming acquainted, **acquaintance** (W.GEN. w. a person, a place) Pl. Arist.

γνώρισμα ατος *n.* **1** means of identification, **distinguishing mark** (made by builders on timber or stone) X.
2 token of recognition (ref. to an ornament, toy, or sim., enabling a long-lost child's identity to be verified) Men. Plu.
3 ‖ PL. **tokens, proofs, marks** (W.GEN. of loyalty or bravery, ref. to war-wounds) Plu.

γνωριστής οῦ *m.* one who acquaints himself with facts; (ref. to a juryman) **reviewer, appraiser** (W.GEN. of a case) Antipho

γνωριστικός ή όν *adj.* (of philosophy) concerned with understanding, **cognitive** (opp. experimental) Arist.

γνωσθήσομαι (fut.pass.): see γιγνώσκω

γνωσιμαχέω *contr.vb.* [γνῶσις, μάχομαι; or perh. γιγνώσκω, μάχη] react against one's former understanding (i.e. change one's mind), or perh., understand the true nature of a contest (i.e. recognise that one cannot win); **admit one's error, have second thoughts, give way** Hdt. E. Ar. Isoc.; **accept the fact** —W.NOM. and μή + INF. *that one is not equal to the enemy* Hdt.

γνῶσις εως *f.* [γιγνώσκω] **1** acquisition or possession of understanding, **understanding, knowledge** (sts. W.GEN. of sthg.) Pl. X. Arist. Plb. NT. Plu.
2 ‖ PL. (ref. to the bodily senses) means of acquiring knowledge (W.GEN. about sthg.) Arist.
3 recognition, identification (W.GEN. of a person) Th.
4 acquaintance (w. a person) Isoc. Aeschin.
5 (leg.) **finding, decision, verdict** (of a court or arbitrator) Att.orats. Arist.

γνώσομαι (fut.mid.), **γνωστέον** (neut.impers.vbl.adj.): see γιγνώσκω

γνωστήρ ῆρος *m.* (in commercial ctxt.) one who establishes another's identity, **guarantor of identity** X.

γνώστης ου *m.* **1** one who has knowledge, **expert** (W.GEN. in sthg.) NT.
2 guarantor, surety (W.GEN. for another's good faith) Plu.

γνωστικός ή όν *adj.* (of knowledge, a skill) **cognitive, intellectual, theoretical** (opp. practical) Pl.

γνῶτε (2pl.athem.aor.imperatv.): see γιγνώσκω

γνωτός (also **γνωστός**) ή όν (also ός όν S.) *adj.* **1** (of facts, places, objects) **known, well-known, familiar** (sts. W.DAT. to someone) Pi. S. X. Plb. NT. ‖ NEUT.IMPERS. (w. ἐστί, sts.understd.) it is evident —W.COMPL.CL. *that sthg. is the case* Hom. X.
2 (of a person) **known** (W.DAT. to someone) A. NT.; (of a person, personif. Poverty) **well-known** Thgn. E. ‖ MASC.SB. **acquaintance** (W.GEN. of someone) NT.
3 (of prophetic skill) **learned** (W.PREP.PHR. fr. birds or gods) S.
4 (of things) capable of being known or understood, **knowable, intelligible** Pl. Arist.
5 (of a miracle) **notable, remarkable** NT.

—γνωτός οῦ *m.* **relative, kinsman** (esp.ref. to a brother) Il. Call. AR.

—γνωτή ῆς *f.* **kinswoman** Il.

γνώω (ep.athem.aor.subj.): see γιγνώσκω

γοάω *contr.vb.* | ep.3sg. γοάει, 3pl. γοάουσι, dial.3pl. γοάοντι, ep.inf. γοήμεναι, ep.ptcpl. (w.diect.) γοόων, fem. γοόωσα, ep.1pl.opt. γοάοιμεν, 3pl. γοάοιεν | ep.3pl.impf. γόων, also (unless aor.2) γόον | iteratv.impf. γοάασκον, also γόασκον ‖ MID.: ep.2pl.opt. γοάοισθε | ep.fut. γοήσομαι |
1 cry out in lamentation, lament, wail Hom. hHom. Thgn. AR. Mosch.; (mid.) Trag. X. Mosch.
2 (tr.) **lament, bewail** —*a person, one's fate* Hom. hHom. AR. Mosch.; (mid.) —*a person* Il. E. Ar.(mock-trag.) —*someone's departure, one's marriage bed* S. ‖ PASS. (of a murderous event) be lamented A.

γογγύζω *vb.* **murmur in displeasure, grumble** NT.

γογγυλίς ίδος *f.* [γογγύλος] **turnip** Ar. Plu.

γογγύλλω *vb.* **round out** (a wax model, in producing a mould for bronze-casting) Ar.

γογγύλος η ον *adj.* **curved** or **spherical in shape**; (of a tortoise) **round** S.*Ichn.*; (of stones) A.*fr.* Call.; (of olives) Plb.; (of the letter omicron) Pl.; (predic., of food that is kneaded) Ar.

γογγυσμός οῦ *m.* [γογγύζω] **muttering, grumbling** NT.

γοεδνός ή όν *adj.* [γόος] (of a person) **lamenting, in mourning** A.; (of words) **of lamentation** A. ‖ NEUT.PL.SB. **laments** A.

—γοεδνά *neut.pl.adv.* **mournfully** A.

γοερός ά (Ion. ή) όν *adj.* **1** (of women, nightingales, voices) **lamenting, mournful** E. Call. Mosch.; (of a song) **of lamentation** E.; (of tears, anguish) **sorrowful** E. AR.
2 (of sufferings) causing lamentation, **lamentable, pitiable** A.

γοήμεναι (ep.inf.), **γοήσομαι** (ep.fut.mid.): see γοάω

γόης ητος *m.* [reltd. γοάω] **1 sorcerer, magician** A.(dub.) Hdt. E. Pl. Call. Plu.
2 (as a term of insult) **charlatan, cheat, fraud** Att.orats.

γοητᾶς ᾶ *dial.m.* [γοάω] one who wails in lamentation, **mourner** Tim.

γοητεία ᾶς *f.* [γοητεύω] **1 sorcery, magic, witchcraft** Pl. Plu.
2 beguilement, delusion (ref. to the effects of music) Plb.
3 (pejor.) **misleading** or **devious behaviour** or **language** D. Din. Plb. Plu.

γοήτευμα ατος *n.* instance of bewitchment, **magic spell, trick, deception** Pl.

γοητεύω vb. [γόης] **bewitch, beguile, deceive** (esp. by persuasive language) —persons, their minds Pl. ‖ PASS. **be beguiled or deceived** Pl. X. D.

γόμος ου m. [γέμω] **cargo, freight** (carried by ships) A.(dub.) Hdt. D. NT.

γομφίος ου m. [γόμφος] 1 (usu.pl.) **peg-like tooth, molar** Hdt. Ar. X.; (pl., ref. to a beetle's mandibles) Ar. 2 ‖ PL. **teeth** (of a key) Ar.

γομφό-δετος ον adj. [δέω¹] (of a ship) **fastened with dowels** A.

γομφόομαι pass.contr.vb. (of a ship) **be fastened with dowels, be bolted together** A.; (fig., of a plan) Ar.

γομφο-παγής ές adj. [πήγνυμι] (fig., of compound words, envisaged as planks) fixed together with pegs or dowels, **solidly bolted** Ar.

γόμφος ου m. 1 **wooden bolt, peg, dowel** (for fastening timbers together) Od. Hes. Parm. Hdt. Arist. AR. 2 **metal pin, nail, rivet** A. Plb.; (fig., ref. to a fixed decision) A. 3 ‖ PL. (fig.) **pegs, rivets, links** (uniting the elements making up the body) Pl. 4 ‖ PL. (ref. to teeth) **molars** Tim.

γόμφωμα ατος n. **structure fastened together with bolts, framework** (of a siege-engine) Plu.

γομφωτικός ή όν adj. (of the art) **of fastening with dowels, of joinery** Pl.

γόνα (Aeol.neut.nom.acc.pl.), **γονάτεσσι** (ep.dat.pl.), **γόνατος** (gen.sg.): see γόνυ

γονεύς έως (Ion. έος) m. [γίγνομαι] 1 man who begets (a child), **father, parent** Hes. Hdt. Pl. D. Call. Plb.; (pl. for sg.) E. Antipho; (ref. to a snake) Hdt. ‖ PL. **parents** (father and mother) hHom. Thgn. Pi. Hdt. S. E. + 2 **forefather, ancestor** Hdt. Is.

γονή ῆς, dial. **γονά** ᾶς f. 1 (sts.pl. for sg.) **process or occasion of giving birth, birth** hHom. S. E. Pl. Theoc. 2 **time of birth, birth** (as a criterion of relative age) S. 3 (usu.pl.) **generation, procreation** Pi. Aeschir.; (W.GEN. of children, a person) E. Pl. 4 (collectv.) **progeny, offspring** S.fr.; (W.GEN. of children, periphr. for children) Il. E. ‖ PL. **children** S.; (pl. for sg., ref. to one child) S. 5 (usu.pl.) **line of descent, lineage, parentage, birth** (esp. as an indication of identity or relationship) S. E. Ar.(mock-trag.) D. Plu. 6 **persons belonging to the same line of descent, family, race** Od. E. 7 **generation** (ref. to persons in a line of descent) A.; (pl. for sg.) Pi. 8 **breed, race** (of quadrupeds) S.fr. 9 (sg. and pl.) **generative seed, semen, seed** Hes. Pi. Hdt. S. E. 10 **seed, source** (of things born fr. heaven, opp. fr. the earth) E.fr.; (fig., of a family curse) A.

γονιάς ου m. (appos.w. χειμών **wintry storm**, sense uncert.) A.

γόνιμος ον adj. [γίγνομαι] 1 having generative power; (of marrow, a process of nature) **generative, reproductive** Pl.; (of a mother's limbs) **birth-giving** E.; (of fields) **fertile** Lyr.adesp.; (fig., of a poet) **creative, potent** Ar. 2 (fig., of a product of the mind, the benefits assoc.w. certain virtues) **true-born, genuine, real** Pl.

γόννοις (Aeol.neut.dat.pl.): see γόνυ

γόνος ου m. (also f. E. Ar.) 1 (collectv.) **progeny, offspring, children** Hom. Hes. hHom. A. Pi. Hdt.; **young** (of an animal) Hdt. 2 (ref. to an individual) **offspring, son** Hom. hHom. Pi. Hdt. Trag. AR. +; **daughter** E. Ar.; (ref. to a remoter descendant) Hom.; **young bird, fledgling** Call.

3 **line of descent, lineage, parentage, birth** (as an indication of identity or relationship) Od. 4 **persons belonging to the same line of descent, family, race** Od. 5 **gender, sex** (w. ἔρσην male) Hdt. 6 **birth** (of a god) hHom. 7 **begetting, procreation** A.; (dat.) γόνῳ by begetting, by birth (opp. by adoption, ref. to being a natural father or son) Att.orats. Men. 8 (fig.) **produce, yield** (W.GEN. fr. allied tribute) Ar.

γόνυ γόνατος (Ion. γούνατος, ep. γουνός) n. ‖ PL.: Ion.nom.acc. γούνατα, dial. γώνατα (Call.), ep. γοῦνα, Aeol. γόνα ‖ Ion.gen. γουνάτων, ep. γούνων, Aeol. γόνων ‖ Ion.dat. γούνασι, ep. γούνεσσι, also γονάτεσσι (Call. Theoc.), γνυσί (hHom., cj.), Aeol. γόννοις (Theoc.) ‖ 1 (sg. and pl.) **knee** (of persons or animals, freq. as the seat of strength or swiftness) Hom. + 2 (sts.sg. for pl.) **knee** (as clasped, or before which one falls, in supplication) Hom. + 3 ‖ PL. **knees** (of a seated person), **lap** Hom. Hdt. Att.orats. Pl. Theoc.; (of a statue of a god, on which offerings may be placed) Il.; (fig.phr.) ταῦτα θεῶν ἐν γούνασι κεῖται this lies in the lap of the gods (i.e. of the Fates, who spin the threads of destiny while seated) Hom. 4 (prep.phrs., fig., ref. to a city or land being brought) ἐπὶ γόνυ, ἐς γόνυ **to the knees** (as a symbol of humiliation or defeat) A. Hdt. 5 (provb.) γόνυ κνήμης ἔγγιον (or sim.) the knee is closer than the shin (i.e. charity begins at home) Arist. Theoc. 6 **joint, knot** (in the stem of a reed) X.; **section between two joints, length** (of reed) Hdt.

γονυπετέω contr.vb. [γονυπετής] **fall down on one's knees** (before sacred objects) Plb. —W.PREP.PHR. **before a person** NT.; (tr.) **kneel before** —a person NT.

γονυ-πετής ές adj. [πίπτω] **falling to one's knees** Tim.; (of a suppliant's posture) **kneeling** E.

γόον (ep.3pl.impf. or aor.2): see γοάω

γόος ου m. [γοάω] (sg. and pl.) **wailing, moaning, lamentation** Hom. hHom. Simon. Pi. Trag. Ar. +

γοόων (ep.ptcpl.): see γοάω

Γοργάδες ων f.pl. [reltd. Γοργώ] **Gorgons** E.fr.

Γόργειος ᾱ (Ion. η) ον adj. (of the head or heads) **of the Gorgon** or **Gorgons** Hom. Hes.; (of shapes or figures) **of Gorgons** A.

Γοργίας ου m. **Gorgias** (sophist and rhetorician, fr. Leontini in Sicily, c.485–380 BC) Ar. Isoc. Pl. +

—**Γοργίειος** ον adj. (of words) **typical of Gorgias** X.

γοργο-λόφας ᾱ dial.m. [γοργός, Γοργώ; λόφος] (ref. to Lamakhos) **fearsomely crested** or **Gorgon-crested one** Ar.

—**Γοργολόφα** ᾱς dial.f. (epith. of Athena) **Goddess of the fearsome crest** Ar.

Γοργόνειος ον adj. [Γοργώ] (of plains) belonging to the Gorgons, **Gorgonian** A. ‖ NEUT.SB. (ref. to a sculpture) **Gorgon's head** Isoc. Plu.

γοργό-νωτος ον adj. [νῶτον] (of a shield) with a Gorgon depicted on the surface, **Gorgon-fronted** Ar.

γοργόομαι mid.contr.vb. [γοργός] (of a horse) **be awe-inspiring** or **behave with spirit** X.

γοργός ή όν adj. 1 (of an eye or look) **grim, fierce, awesome, dazzling** A. E.; (of a warrior) E.; (W.DAT. in his eyes or looks) E.; (of persons, esp. soldiers) Ar. X.; (of a cavalry manoeuvre) X. 2 (of a horse, its movements) **spirited** X.

Γοργο-φόνᾱ ᾱς *dial.f.* [Γοργώ, θείνω] (ref. to Athena, as helper of Perseus) **Gorgon-slayer** E.
γοργύρη ης *f.* **dungeon, prison** Hdt.
Γοργώ οῦς *f.* | acc.pl. Γοργούς | —also **Γοργών** όνος *f.* [γοργός] **1** (sg. and pl.) **Gorgon** (one of three sisters, snake-haired monsters, whose look turned the beholder to stone) Il. Hes. A. Pi. E. +; (specif., ref. to Medusa, killed by Perseus) Hes. A. Pi. Hdt. E. +
2 Gorgon (ref. to the head only, as represented in art, esp. on shields; or that of Medusa, worn by Athena on her aigis) Il. E.*fr.* Ar.
γοργ-ωπός όν *adj.* —also **γοργώψ** ῶπος *masc.fem.adj.* [ὤψ] having a fierce or grim face; (of Erinyes, snakes) **fierce-eyed** E.; (of a person's eyes or looks, light fr. the eyes of Typhon) **fierce** A. E.; (of Athena's shield) **grim-faced** (w. further connot. *Gorgon-faced*) E.
—**γοργῶπις** ιδος *fem.adj.* (epith. of Athena) **fierce-eyed** S. || SB. (ref. to Athena) **Fierce-eyed Goddess** E.
γοῦν, ep. **γ' οὖν**, Ion. and dial. **γῶν** *pcl.* [γε, οὖν] | The pcl. has limitative or intensv. force, much like γε. | **1** (limitative) **at least, at any rate** Hom. + • μὴ ἐμέ γ' οὖν οὗτός γε λάβοι χόλος *may I at least not be seized by anger of this kind* Il.
• ἔστιν λόγῳ γοῦν *he is alive, at least according to report* E.
• εἰ μὴ ἑώρακας, ἀκήκοας γοῦν *if you have not seen, at least you have heard* Pl.
2 (w. conditional conj.) εἴ γ' οὖν *even if* Il.
3 (expressing qualified assent) • καὶ βωμός, Ἕλλην οὗ κατεστάζει φόνος; —ἐξ αἱμάτων γοῦν ξάνθ' ἔχει θριγκώματα *And is this the altar where Greek blood is shed? —Well, certainly it has copings red with blood* E.
4 (emph., reinforcing assent) • ἔστ' οὖν ὅπως ἄν ... ; —δεῖ γοῦν *So might I (do sthg.)? —Yes, you must* E.*Cyc.*
5 (emph., in ironical or sarcastic exclamations) • χαρίεντα γοῦν πάθοιμ' ἄν *I should be in a pretty state* Ar.; (also w. ἄν interposed) καλῶς γ' ἄν οὖν δέξαιντό μ' οἴκοις ὧν πατέρα κατέκτανον *a fine welcome home they would give me, when I have killed their father* E.
γοῦνα (ep.neut.nom.acc.pl.): see γόνυ
γουνάζομαι *ep.mid.vb.* [γόνυ] | fut. γουνάσομαι | 2sg.aor.subj. γουνάσσηαι (AR.) | —also **γωνάζομαι** *dial.mid.vb.* clasp (a person's) knees in supplication; (gener.) earnestly and humbly plead with, **implore** —*a person or god* (sts. W.GEN. or πρός or ὑπέρ + GEN. *by their knees, parents, a god, or sim.*) Hom. Stesich. AR. —(W.INF. *to do sthg.*) Il. AR.; (intr.) **plead, beg** Il.
γούνατος (Ion.gen.), **γούνεσσι** (ep.dat.pl.): see γόνυ
γουνόομαι *ep.mid.contr.vb.* earnestly and humbly plead with, **implore** —*a person, the gods, the dead* Hom. Anacr. —(W.INF. *to do sthg.*) AR.; (intr.) **plead, beg** Archil. AR.
γουνο-παχής ές *ep.adj.* [γόνυ, πάχος] (of a monstrous figure) with thickness in the knees, **swollen-kneed** Hes.
γουνός¹ οῦ *m.* perh. **high ground, hill** Hom. Hes. hHom. Pi. Call.; (specif., ref. to Cape Sounion) Hdt.
γουνός², **γούνων** (ep.gen.sg. and pl.): see γόνυ
γοῦρος ου *m.* **a kind of cake** Sol.
γοώδης ες *adj.* [γόος] (of melodies) **mournful** Pl.
γόων (ep.3pl.impf.): see γοάω
γρᾴδιον (also **γρᾴδιον**) ου *n.* [dimin. γραῦς] (usu.pejor.) **old woman, hag** Ar. D.; (w.connot. of helplessness) **feeble** or **wretched old woman** X. || VOC. (usu.pejor.) old woman Ar.; (addressed to a servant) old lady Men.
γραῖα, dial. **γραίᾱ** (Theoc.), ᾱς, Ion. **γραίη** ης *f.* [reltd. γραῦς] **old woman** Od. Hes. S. E. Ar. Pl. +; (appos.w. γυνή, δαίμων, or sim.) A. E. || ADJ. (of an arm, hand, cheek) old, elderly E.; (transf.epith., of tears fr. the eyes) E.; (of heather) A.; (of bags) Theoc.
—**Γραῖαι** ὦν *f.pl.* **Graiai** (three sisters of the Gorgons, born grey-haired) Hes.
Γραικός ή όν *adj.* (of persons) **Greek** Call. Plu. [old ethnic adj. originating fr. NW. Greece, subsequently used by foreigners as synonymous w. Ἕλλην]
γράμμα ατος *n.* [γράφω] **1** that which is drawn or inscribed; **drawing, picture, design** E. Pl. Theoc.
2 inscribed or written character of an alphabet or writing system; **letter** A. Hdt. E. Th. Ar. Pl. +; (specif., ref. to one inscribed on an Athenian juror's ticket, determining his allotment to a particular court) Ar. Arist.
3 || PL. **letters** (as the object of teaching and learning), reading and writing, literacy Ar. Isoc. Pl. X. D. Arist. +
4 || COLLECTV.PL. continuous piece of writing; (gener.) writing, text A. Hdt. E. +; (specif.) written message, letter Hdt. E. Th. Att.orats. +; written instructions And. X. D.
5 || COLLECTV.PL. inscription Hdt. And. Pl. X. D. Theoc.; (sg.) Pl. X. D. Call. Theoc.
6 || PL. (in legal or civic ctxt.) written document or documents Ar. Att.orats. +
7 || PL. (usu. W.ADJ. δημόσια *public*) records, archives Aeschin. Arist.
8 || PL. (esp. in political ctxt.) written laws or rules Ar. Isoc. Pl. Is. Arist.
9 clause (in a treaty or law) Th. D.
10 literary work, **writing, book, treatise** Pl. Call.*epigr.* || PL. writings (of one or more persons) E. Pl. X.
γραμματείᾱ ᾱς *f.* [γραμματεύω] tenure of office as secretary (to a ruler), **secretaryship** Pl.
γραμματείδιον (sts. written **γραμματίδιον**) ου *n.* [dimin. γραμματεῖον] (sts. pejor.) **little document, note** Att.orats. Thphr. Men. Plu.
γραμματεῖον ου *n.* [γράμμα] **1** that on which one writes; **writing-tablet** (for a pupil practising letters) Pl.; (for an umpire to record scores) Plu.
2 that which has been written on; (usu. in legal or civic ctxt.) **written document** Ar. Att.orats. Arist. Plu.; **register** (of names) Att.orats.; **written notice** (displayed in public) Arist.
3 secretarial department (at the Macedonian court) Plb.
γραμματεύς έως *m.* (also *f.* Ar.) **1** (esp. at Athens) **secretary, clerk** (serving either a single official or a public body) Th. Ar. Att.orats. Arist. Plb.
2 (pejor.) **petty clerk, scribbler** D.
3 secretary (to a ruler) Isoc. X. Plb.; **secretary of state** NT.; (to a confederation of cities) Plb.
4 (fig., ref. to the faculty of memory) **recorder** Pl.
5 expert in the laws of the Jews, **scribe, lawyer, scholar** NT.
γραμματεύω *vb.* **1** (at Athens) **serve as secretary** (to a public body, on a specific occasion) Th. And.(law) Ar.; **hold the office of secretary** —W.DAT. *to an official or body of officials* D.; (pejor.) **be a clerk** D.
2 (at Thebes) **serve as secretary** —W.DAT. *to military commanders* X.
γραμματηφόρος *m.*: see γραμματοφόρος
γραμματίδιον *n.*: see γραμματείδιον
γραμματικός ή όν *adj.* **1** (of persons) having a knowledge of letters, **able to read and write, literate** Pl. X. Arist.; (of the skill) **of reading and writing** Pl.; (of a verbal composition) **linguistically correct, grammatical** Arist. || FEM.SB. reading and writing, literary skill Isoc. Arist. Plb.
2 || MASC.SB. one who is able to read and write, literate person Pl.; one who is concerned with language and

literature, literary person Arist. Plb.; literary or linguistic scholar, grammarian Plu. || NEUT.PL.SB. linguistic or literary matters Arist.
3 || FEM.SB. system of writing, alphabet, script Plu.
—**γραμματικῶς** adv. in a manner that is linguistically correct, **grammatically** Pl. Arist.
γραμματιστής οῦ m. 1 one who uses the art of writing; **scribe** Hdt.; (specif.) **secretary** (of a ruler) Hdt.; **record-keeper, registrar** (of a treasury) Hdt.; (fig., ref. to the faculty of memory) **recorder** (W.GEN. of spoken words) Pl.
2 teacher of reading and writing, **schoolmaster** Pl. X. D. Plu.
γραμματο-διδασκαλεῖον ου n. place where reading and writing are taught, **school** Plu.
γραμματο-κύφων ωνος m. [κῦφός] (pejor.) man who is always hunched over papers, **petty clerk** D.
γραμματο-φόρος (also **γραμματηφόρος**) ου m. [φέρω] carrier and deliverer of documents or letters, **courier** Plb. Plu.
γραμματο-φυλάκιον ου n. [reltd. φυλακεῖον] place for keeping documents safe, **archive room, registry** Plu.
γραμμή ῆς, dial. **γραμμά** ᾶς f. [γράφω] 1 line traced on a surface by a pen or other instrument; **line** (traced on a writing-tablet by a teacher) Pl.
2 (geom.) **line** (drawn or notional) Pl. X. Arist. Plb. Plu.; (phr.) ἡ ἐκτὸς γραμμή **outline** (of an object) Plb.
3 (astron.) **line** (dividing the sky into parts, or linking the stars to form the outlines of constellations) Call.
4 **line** (on the ground, separating teams in a tug-of-war) Pl.
5 **line** (in a board-game) Theoc.; **move** (in this game) Plb. | see also ἱερός 16
6 **starting-line** or **finishing-line** (of a racecourse) Pi. Ar.; (fig., ref. to the end of the course of life) E.
γραμμικός ή όν adj. (of a geometrical demonstration or proof) characterised by the use of drawn lines, **using diagrams, diagrammatic** Plu.
γραο-σόβης ου m. [γραῦς, σοβέω] one who scares away old women, **crone-scarer** Ar.
γραπτέον (neut.impers.vbl.adj.): see γράφω
γραπτός ή (dial. ᾱ) όν adj. [γράφω] 1 (of a law) written down, **written** Pl.
2 (of an image of a god) represented by drawing or painting, **drawn** or **painted** Plu.
3 (of stonework) **painted** E.fr.
4 (of a kind of flower) marked with patterns resembling letters, **inscribed, lettered** Theoc.
γραπτύες ων f.pl. | only contr.acc. γραπτῦς | 1 **scratches** (on the legs, fr. thorns) Od.
2 **inscribed writings** (on pillars) AR.
γραῦς γρᾱός, Ion. **γρηῦς** (ep.Ion. **γρηῧς**) γρηός f. [reltd. γέρων] | voc. γραῦ, Ion. γρηῦ, ep.Ion. γρηΰ | acc.pl. γραῦς | 1 **old woman** Hom. hHom. Archil. E. Ar. Pl. +; (appos.w. γυνή, ἀμφίπολος, or sim.) Od. E. Ar. D. Men. || ADJ. (of a crow, as a prophetic bird) **old** Call.
2 **wrinkly skin, scum** (on the surface of heated liquids) Ar.
γραφεύς έως m. [γράφω] 1 **painter, artist** Emp. E. And. Ar. Isoc. Pl. +
2 **scribe, copyist** Arist. Plb. Plu.; app. **secretary** (of a king) X. Plu.
γραφή ῆς f. 1 drawing of lines or application of colour (in order to produce a likeness to an object or person); **drawing** or **painting, art** Hdt. E. Pl. +
2 that which is drawn or painted; **drawing** or **painting, picture** A. Hdt. E. X. +; **drawing, illustration** (ref. to a map) Hdt.; woven or embroidered picture, **design** A.

3 process of writing; **writing** E. Pl.
4 **writing down, registration** (W.GEN. of a lawsuit) Arist.
5 that which is written; **writing** (engraved on bronze) S.; (ref. to an inscription) Th.; (ref. to a letter) E. Th.; **text** (W.GEN. of a law) E. || PL. writings (of poets) E.; written documents (ref. to treaties) Arist.
6 **text, passage** (in the Holy Scriptures) NT.; (collectv.) **scripture** NT. || COLLECTV.PL. scriptures NT.
7 (leg.) written accusation (in a public prosecution, opp. δίκη private prosecution); **indictment** (ref. to the terms of the accusation) Ar. Att.orats. Pl. +; (gener.) case proceeding from such an indictment, **prosecution** Ar. Att.orats. Pl. +
γραφικός ή όν adj. 1 (of persons) **skilled in drawing** or **painting** Pl.; (of the art) **of drawing** or **painting** Pl. || FEM.SB. art of drawing or painting Pl. X. Arist.
2 (of Erotes) **represented in art** Plu.
3 (of a verbal style) **suited for written compositions** Arist.; (of subject matter) **suited for writing about** (W.PREP.PHR. in a particular way) Plu.
—**γραφικῶς** adv. **as in a painting** —ref. to being dressed like a goddess Plu.
γραφίς ίδος f. implement for writing or graphic representation (on a wax tablet), **stylus** Pl.
γράφω vb. | fut. γράψω | aor. ἔγραψα, ep. γράψα | pf. γέγραφα || PASS.: fut. γραφήσομαι | aor. ἐγράφην | pf. γέγραμμαι | fut.pf. γεγράψομαι || neut.impers.vbl.adj. γραπτέον || The sections are grouped as: (1) cut into (sthg.), (2–4) draw or paint (lines or images), (5–13) write or inscribe (text), (14) list (persons), (15) propose in writing, (16–17) draw up an indictment.
1 (of a spear-point) **cut into, scratch, graze** —a bone Il.
2 depict (by lines or colouring), **draw** or **paint** —figures, scenes, images Hippon. Hdt. Ar. Pl. +—maps of the world Hdt. —murals X.; (intr.) **be a painter** Pl. || MID. **have** (W.ACC. pictures) **painted** —w. 2ND ACC. of sthg. Hdt. || PASS. (of a wheel) be traced (in outline) —W.DAT. by a peg and string E.; (of figures or images) be depicted or painted A. Ar. Isoc.; (fig., of a person) be pictured (in someone's mind) —W.ADV. inartistically (i.e. in an unappealing guise) A.
3 **decorate** (by lines or colouring), **paint** —a statue Pl. —votive tablets Isoc.
4 draw (a line); (fig., of Fortune) **prescribe** (by drawing a finishing-line) —W.ACC. + INF. that persons shd. run to a certain finishing-line (i.e. aim for a certain goal, in the course of their life) Pi.
5 **inscribe** or **write** —symbols, letters of the alphabet, a text or inscription (freq. W.PREP.PHR. on a certain material or object, in writing-tablets, or sim.) Il. Hdt. +; (intr.) use the art of writing, **write** Hdt. +
6 **inscribe** (w. a written text) —a statue, captured armour Pi. E. —a writing-tablet E. —oar-blades, votive tablets Ar. || PASS. (of pillars) be inscribed And.; (of a person) have (W.ACC. one's offence) inscribed (i.e. branded) —w. ἐν + DAT. on one's face and hands Pl.
7 put into writing, **write down, record** —facts, names, decisions, thoughts, or sim. Hdt. +; **record, describe** —a person (W.PREDIC.ADJ. as being responsible) Hdt. —W.INF. or ACC. + INF. oneself (or another) as being such and such Is. || MID. write for one's own use, **write** —memoranda Ar. Pl.; **write down** —someone's words Call.; (intr.) **make a written note** Hdt. || PASS. (of a person) be recorded —W.PTCPL. as having done sthg. Isoc.
8 || MID. (fig.) **write, record, etch** —things said (W.PREP.PHR. on or within one's mind) A. S. || PASS. (of advice) be inscribed

(in the mind) A.; (of a person, i.e. his name) be written —W.ADVBL.PHR. *in someone's mind* Pi.
9 frame in writing, **write** —*laws* Sol. E. Att.orats. Pl. + ‖ PASS. (of laws, rules, or sim.) be written or prescribed A. E. Ar. Att.orats. + ‖ IMPERS.PF. or PLPF.PASS. it has (or had) been prescribed (in a law or other document, sts. W.ACC. + INF. that sthg. shd. be the case) Th. +
10 (in legal ctxt.) **write, compose** —*documents* Antipho —*a will* Pl. Is. ‖ MID. have written for oneself, **draw up** —*an agreement* D. ‖ PASS. (of a will) be written Is.; (of an agreement, a provision in a treaty) be drafted Th. Isoc.; (of things) be specified —W.PREP.PHR. *in an agreement* Isoc.
11 (of an author, usu. in prose opp. poetry) **write** (sts. W.PREP.PHR. *about sthg.* Hdt. +; (tr.) **write, compose** —*a narrative, speech, or sim.* Isoc. + ‖ PASS. (of speeches or sim.) be written Isoc. +
12 record in writing, **write about** —*certain subjects or events* Hdt. Th. X. + ‖ PASS. (of things) be written about or described Th. +
13 write (sts. W.DAT. or PREP.PHR. *to someone*) —*a letter or message* Hdt. E. Th. Isoc. X. —*sthg.* (*in a letter or message*) Hdt. Isoc. + —W.COMPL.CL. *that sthg. is the case* Th.; (intr.) Hdt. E. Th. + ‖ MID. **have** (W.ACC. letters) **written** Hdt. ‖ PASS. (of things) be written (in letters) Hdt. E. Th. +
14 write (a name) in a list or document; **name, specify** (in a will) —*guardians, heirs* Pl.; **register, enrol** —*a man* (W.GEN. *among the cavalry*) X. ‖ MID. **enrol** —*a person* (W.PREDIC. ACC. *as one's pupil*) Pl.; (intr.) **register oneself** (as a resident alien) Pl. ‖ PASS. (of jurors) be registered Ar.; (of persons) be listed X.; (of a person, envisaged as a resident alien) be registered on the list —W.GEN. *of a certain patron* S.
15 make a written proposal (before a public body, esp. the Assembly); **draft, propose** —*a resolution, vote, law, decree, course of action* (*such as war or peace*) Critias Ar. Att.orats. X. + —W.ACC. + INF. *that sthg. shd. be done* Att.orats.; (intr.) **make a proposal** D. ‖ MID. **propose** —*a law* D.; **make a written request for** —*an audience* (w. *the Council*) D. ‖ PASS. (of a resolution or sim.) be drafted or proposed Att.orats.
16 ‖ MID. (leg.) draw up an indictment (freq. W.COGN.ACC. γραφήν); **draw up an indictment, be prosecutor** Ar. Att.orats. Pl.; (tr.) **indict, prosecute** —*someone* (*sts.* W.GEN. *for a specified crime*) Th. Att.orats. Pl. X.; **allege in an indictment** —W.ACC. + INF. *that someone is guilty of a crime* Ar. —W.COMPL.CL. *that sthg. is the case* Isoc.; **indict** —*an action* (sts. W.GEN. *for illegality*) D. —*a statement* (w. ὡς + PREDIC.ADJ. *as being untrue*) D. ‖ PASS. (of a person) be indicted or prosecuted (sts. W.GEN. for a crime) Att.orats.; (of a proposal, sts. W.GEN. for illegality) Aeschin. ‖ NEUT.PL.PF.PASS.PTCPL.SB. terms of an indictment D.
17 ‖ MID. **draw up, bring** —*a lawsuit* Ar. Isoc. Pl. ‖ PASS. (of a lawsuit) be brought Pl. —W.DAT. *against someone* Ar.
γρηγορέω *contr.vb.* [reltd. ἐγρήγορα, ἐγείρω] stay awake or alert, **be constantly watchful** NT.
γρηῦς *Ion.f.*, **γρηῦς** *ep.Ion.f.*: see γραῦς
γρῑπεύς έως *m.* [γρῖπος *fishing-net*] **fisherman** Theoc. Mosch.
γρῖφος ου *m.* [reltd. γρῑπεύς] **intricate or ensnaring saying, riddle** Ar.
γρόμφις ιος *f.* female pig, **sow** Hippon.
γροσφο-μάχοι ων *m.pl.* [γρόσφος, μάχομαι] **javelin-fighters** (ref. to *uelites* in the Roman army) Plb.
γρόσφος ου *m.* a kind of javelin (used by Roman *uelites*), **javelin** Plb. Plu.
γροσφο-φόροι ων *m.pl.* [φέρω] **javelin-bearers** (ref. to Roman *uelites*) Plb.

γρῦ *indecl.sb.* (colloq., app. representing a very small unit of articulate sound, in neg.advbl.phr.) οὐδὲ γρῦ *not even a squeak* (or gener., *not even a tiny bit*) —*ref. to answering, reporting, or sim.* Ar. D. Men. —*ref. to being different* Men.
γρύζω *vb.* | fut. γρύξομαι | aor. ἔγρυξα | (colloq.) **make a sound, say a word, open one's mouth** (usu. w. the implication that even this is undesirable) Hippon. Ar. Pl. Men.; (usu. w.neg.) **utter** —W.NEUT.ACC. *anything at all, anything offensive, even this much* Ar. Pl. Is. —W.DBL.ACC. *anything good or bad about someone* Call.
γρυκτός ή όν *adj.* ‖ NEUT.IMPERS. (w. ἐστί, in q.) is there a single word to be said (W.DAT. by someone)? Ar.
γρῡλίζω *vb.* | dial.2pl.fut. γρῡλιξεῖτε | (of pigs and piglets) **grunt** Ar.
γρῡπ-αίετος ου *m.* [γρύψ, αἰετός] **griffin-eagle** (a mythical creature, as a heraldic emblem on a shield) Ar.(quot. A.)
γρῡπός ή όν *adj.* **1** (of a person) having a hooked or aquiline nose, **hook-nosed** (opp. σιμός *snub-nosed*) X.; (of hounds) X.; (of a person's nose) **aquiline** Arist. ‖ NEUT.SB. hooked or aquiline nature (of a nose) Pl. Arist.
2 (of a full stomach) **rounded, bulging** X.
γρῡπότης ητος *f.* **hooked** or **aquiline shape** (of a nose) X. Plu.
γρύψ γρῡπός *m.* **griffin** (a mythical creature, w. the head and wings of an eagle and body of a lion, said to guard the gold of Scythia) A. Hdt. Plu.
γύαλον ου *n.* **1** convex metal plate (front or back) of a cuirass; **plate** Il.
2 rounded hollow (of a chamber or receptacle); **hollow, recess** (of a cave) S. E.(pl.) ‖ PL. hollows (of goblets, into which wine is poured) E.
3 ‖ PL. hollows, glens, vales, dells (ref. to secluded or sheltered locations, esp. Delphi, lying beneath Parnassos) Hes. hHom. A. Pi. B. E.
4 ‖ COLLECTV.PL. precinct, sanctuary (of Delphi) E.; (of Troy) Ar.
—**γυαλός** όν *adj.* (of a rock, affording concealment) **hollow** Call.
Γύγης ου (Ion. εω) *m.* **Gyges** (7th-C. BC Lydian king, proverbial for his riches) Archil. Hippon. Hdt. Pl.
γύης ου *m.* | dial.gen.pl. γυᾶν | **1** curved wooden handle of a plough, **plough-tree** Hes.
2 measure of arable land; **field** (for sowing) E.; (collectv.) **land** (sown by a people) E. ‖ PL. (gener.) fields, acres (usu. assoc.w. ploughing, sowing or fertility) Archil. Lyr.adesp. Trag. Ar. AR. Theoc.
3 (fig., ref. to a woman's womb) **field** (for sowing of children) S.
γυῖα ων *n.pl.* **1** limbs (of the body, esp. as the seat of strength or sites of movement) Hom. Hes. Sol. Lyr. A. Emp. +; (ref. to a boxer's forearms) Theoc.; (periphr., w. ποδῶν) **legs** Il.
2 ‖ SG. limb (ref. to an arm) Theoc.; (collectv.) limbs, body Pi.
γυι-αλκής ές *adj.* [ἀλκή] (of wrestlers' bodies, a wrestling contest) **strong-limbed** B.
γυι-αρκής ές *adj.* [ἀρκέω] (of relief fr. pain) assisting the limbs, **limb-strengthening** Pi.
γυιο-βαρής ές *adj.* [βάρος] (of wrestling bouts, fig.ref. to combat in war) weighing down the limbs, **limb-wearying** A.
γυιο-βόρος ον *adj.* [βιβρώσκω] (fig., of obsessive desire for a person) eating at the limbs, **strength-consuming** Hes.
γυιο-δάμᾱς ᾱ *dial.m.* [δαμάζω] (ref. to a pancratiast) **subduer of limbs** Pi.
γυῖον *n.*: see γυῖα
γυιο-πέδαι ῶν (dial. ᾶν) *f.pl.* limb-shackles, **fetters** A. Pi.

γυιός ά όν *adj.* [reltd. γυῖα] impaired in the limbs; (of oxen) **lame** Call.
γυιόω *contr.vb.* impair the limbs of, **lame, cripple** —*horses* Il. ‖ PASS. (of Typhon) be crippled (by Zeus) Hes.
γυλι-αύχην ενος *masc.adj.* [γυλιός, αὐχήν] (pejor., of a person) app., having a neck shaped like a knapsack, **thick-necked** Ar.
γυλιός οῦ (or **γύλιος** ου) *m.* **pack, knapsack** (for provisions or sim., carried by soldiers) Ar.
γυμνάζω *vb.* [γυμνός] | aor. ἐγύμνασα | pf. γεγύμνακα ‖ MID.: Lacon.pres. γυμνάδδομαι (Ar.) ‖ neut.impers.vbl.adj. γυμναστέον | **1** train by physical exercises, **train, exercise** —*persons, oneself, one's body* Isoc. Pl. X. Arist. + —*horses* E. X.; (fig., of the earth) —*farmers* X.; (intr., of dancing) **provide exercise** X. ‖ PASS. (of a person's body) be exercised Isoc.
2 ‖ MID. **perform physical** or **athletic exercises, engage in gymnastics** Hdt. Melanipp. Th. Ar. Att.orats. +; (w. further connot. of sexual activity) Thgn. A.*satyr.fr.*; (w̄kr.sens., of a woman) **take exercise** X.; (of parts of a dancer's body) **get exercise** X.
3 give training or practice (in either a physical or a mental activity); **train** —*persons, one's mind* (sts. W.PREP.PHR. *in some activity*) Isoc. Pl. —*troops* Plb. Plu. —W.ACC. + INF. *someone to do sthg.* X. ‖ MID. **train oneself, gain practice** (sts. W.PREP.PHR. in some activity) Isoc. Pl. X.; (of ships) **practise manoeuvres** X.; (tr.) **practise** —*warfare, a skill* Pl.
4 ‖ AOR.PASS. **become trained** or **practised** (sts. W.PREP.PHR. in some activity) Isoc. Pl. Arist. ‖ PF.MID. or PASS. **be well-trained, be practised** or **skilled** (sts. W.PREP.PHR. for some purpose or in a particular activity) Isoc. Pl. Arist. +
5 (of wanderings, longing for home) **wear down, weary, exhaust** —*a person* A. ‖ PASS. **be driven to exhaustion** —W.ACC. *by excessively long journeys* A.
γυμνάς άδος *fem.adj.* **1** (of a dead woman's body) **naked** E.
2 [reltd. γυμνάζω] (of a team of horses) **being exercised** or **racing** E.
γυμνασίᾱ ᾱς *f.* [γυμνάζω] **1** physical training, **exercise** Isoc. Pl. Arist. Plu.
2 training (of troops) Plb.
3 **exercise, training** (in an intellectual activity) Pl.; (W.GEN. of the mind) Isoc.; **training, practice** (W.PREP.PHR. for a political life) Plb.
γυμνασιαρχέω *contr.vb.* [γυμνασίαρχος] **1 hold the office of gymnasiarch** Lys. X. Is. Plu.
2 ‖ PASS. (of athletes) **be managed by gymnasiarchs** X ; (of a populace) **be provided with gymnasiarchs** X
γυμνασιαρχίᾱ ᾱς *f.* **office of gymnasiarch** Isoc. X. Arist. Plu.
γυμνασιαρχικός ή όν *adj.* (of the rods, as symbol of the office) **of a gymnasiarch** Plu.
γυμνασί-αρχος ου *m.* [γυμνάσιον, ἄρχω] superintendent of athletic training, **gymnasiarch** (a wealthy Athenian citizen who, as a leitourgia, met the expenses of a team of runners competing in a torch-race at one of the festivals) And. D. Plu.
γυμνάσιον ου *n.* [γυμνάζω] **1 physical exercise, training** Pl. X. ‖ PL. physical exercises or training, gymnastic contests, athletics Pi.*fr.* B.*fr.* Hdt. Ar. Isoc. Pl. +
2 ‖ PL. (fig.) training, exercise (of intellectual faculties) Isoc. Pl.; (also sg.) Isoc.
3 ground (and associated buildings) where physical exercises and athletic activities are practised, **gymnasium** Hdt. E. Ar. Att.orats. Pl. +
4 ‖ PL. (gener.) exercise grounds (in the countryside) E.; (for horses) E.; (fig., for the intellectual faculties) Isoc.

5 (fig.ref. to a group of people who hold similar opinions) **club, school** Ar. Pl.
γυμναστής οῦ *m.* one who gives training in physical exercise, **gymnastic trainer** Pl. X. Arist. Plu.
γυμναστικός ή όν *adj.* **1** (of a person) of the gymnastic kind, **devoted to physical exercise** Plu.
2 ‖ MASC.SB. one who gives training in physical exercise, gymnastic trainer Pl. Arist.
3 (of a kind of treatment or training) **involving physical exercise** Isoc. Pl.; (of a skill or technique) **gymnastic** Pl.
‖ FEM.SB. art of physical exercise, gymnastics Pl. Arist.
‖ NEUT.PL.SB. gymnastic pursuits Pl.
—γυμναστικῶς *adv.* **in a gymnastic manner, athletically** Ar.
γυμνής ῆτος *m.* [γυμνός] **1 light-armed soldier** X.; (pl.) Tyrt. Hdt. E. X.
2 ‖ ADJ. (of troops) **light-armed** E.
γυμνητείᾱ ᾱς *f.* (collectv.) **light-armed troops** Th.
γυμνητεύω *vb.* **fight in light armour** Plu.
γυμνητικός ή όν *adj.* (of weaponry) of the light-armed type, **light** X.
γυμνικός ή όν *adj.* [γυμνός] (of a contest) **gymnastic, athletic** Hdt. Th. Ar. Isoc. Pl. X. +; (of exercises) X.
γυμνῑτεύω *vb.* **be naked** or **poorly clothed** NT.
γυμνο-παγής ές *adj.* [πήγνῡμι] (of shipwrecked men) **freezing in nakedness** Tim.
Γυμνο-παιδίαι ῶν *f.pl.* [παῖς¹] **Gymnopaidiai, Festival of the Naked Boys** (at Sparta) Hdt. Th. Pl. X. Plu.
γυμνός ή (dial. ά) όν *adj.* **1** (of persons, the body, parts of the body) having little or no covering, **naked, bare, exposed** Hom. +; **bare, stripped** (W.GEN. of garments) E. Plu.; (of statues) **nude** Hdt.
2 not having the proper or expected covering; (of persons) **stripped, unclothed** (i.e. wearing only an undergarment, opp. cloak or sim.) Ar. Pl. Aeschin. D.
3 (of a foot-race) **naked** (opp. the race run in armour) Pi.
4 (of soldiers) **without armour, unarmed, weaponless** Il. Hdt. E. Plu.; **not equipped** (W.GEN. w. armour) Plu.; (of a king) **stripped, denuded** (W.GEN. of armed escorts, his weapons) A. E.
5 (fig., of a competitor) **naked, empty-handed** (i.e. without weapons as a prize) S.
6 lacking the protection of armour; (of baggage-animals) **unprotected** (W.GEN. by armed soldiers) X.; (of a phalanx, by cavalry) Plu.; (of parts of a soldier's body, a section of an army) **exposed** Plb. Plu.; (of soldiers, W.PREP.PHR. to arrows) X. ‖ NEUT.PL.SB. exposed or unprotected parts (of the body or of an army; freq. ref. to a hoplite's right side, as not covered by his shield) Th. X. Plu.
7 (of weapons) removed from a protective covering; (of a bow, an arrow) **exposed** (fr. its case or quiver) Od.; (of a sword, dagger) **unsheathed** (W.GEN. fr. its scabbard) Pi. X.; (of a sword) **naked** AR. Theoc. Plu.
8 (of persons) **stripped** (W.GEN. of tragic attire, i.e. of pompous show) Pl.; stripped bare (of that which conceals their true nature), **uncovered, undisguised** Pl.
9 not having the proper or expected covering; (of places) **bare, denuded** (of vegetation or sim.) Plu.; (W.GEN. of trees) Pi.; (of a carriage) **stripped, divested** (W.GEN. of its curtains) Plu.; (of the soul, W.GEN. of the body) Pl.; (of a speech designed for reading, W.GEN. of the advantages of oral delivery) Isoc.
10 lacking anything of an additional nature; (of an indefinite pronoun) **bare, plain, bald** Pl.; (of a kiss) **mere** Mosch.

Γυμνο-σοφισταί ῶν *m.pl.* **Gymnosophists** (name given to a group of ascetic philosophers in India) Plu.

γυμνότης ητος *f.* **nakedness** NT.

γυμνόω *contr.vb.* | *aor.pass.* (sts. w.mid.sens.) ἐγυμνώθην | **1 make bare** (a person's body or part of it); **bare** —*one's arm, neck, throat* Plu. —*a corpse* (by removing a covering of earth) S. ‖ PASS. (of parts of one's body) be left bare Call.; be shown naked Plu. ‖ AOR.PASS. (of a fallen warrior) have (W.ACC. one's flesh) left exposed Tyrt.; (of a corpse) be uncovered (by the removal of a shroud) E.
2 ‖ MID. make oneself bare, **show oneself naked** Od. Plu. ‖ AOR.PASS. (w.mid.sens.) strip naked Od. Th. AR.; strip oneself —W.GEN. of one's rags Od.
3 ‖ PASS. (of soldiers) be bare (of weapons), be defenceless Plu. ‖ AOR.PASS. (of soldiers, parts of their bodies, a fortification) be made bare of protection, be left exposed Il. Hes. Tyrt. A. Theoc.; (w.mid.sens.) strip oneself —W.GEN. of one's weapons E.
4 lay bare, expose —*an animal's flesh* (by skinning it) E. ‖ PASS. (of ribs) be laid bare (by tearing away flesh) E.
5 ‖ AOR.PASS. (of a sword) be exposed (fr. its scabbard), be unsheathed Hdt.
6 make (sthg.) **bare** (of sthg. else); **strip** —*bones* (W.GEN. of their flesh) Hdt. ‖ AOR.PASS. (of the soul) be stripped or divested —W.GEN. of the body Pl.; (of phrases) —of poetic colouring Pl. ‖ PF.PASS. (of wood) have been left bare (of decoration) Plb.
7 app. **strip off** —*one's cloak* Call.

γύμνωσις εως *f.* **1 nakedness** Plu.
2 exposed side (of a hoplite's body, i.e. the right, as not protected by his shield) Th.

γυμνωτέος ᾱ ον *vbl.adj.* (of a person) **to be stripped bare** (W.GEN. of all rewards) Pl.

γυνά *dial.f.*: see γυνή

γυναικεῖος ᾱ ον (also ος ον), Ion. **γυναικήιος** η ον *adj.* [γυνή] **1** of or relating to a specific woman or women; (of plotting) **by women** Od.; (of the guile; of the hand, i.e. the action) **of a woman** Hdt. S. Ar.(quot. A.); (of a quarrel) **over a woman** E.; (of the death) **of a wife** S.
2 of or relating to unspecified women; (of bathing water) **used by a woman** Hes.; (of the rule or power) **of women** A.; (of plays, regulations) **about women** Ar. Pl.; (of a tragic event) **involving women** Plu.; (of shouting) **by women** Plu.; (of the rearing of a child) Pl.; (of excursions out of doors) Pl. Plb.
3 of or relating to women (opp. men); (of the sex) **female** A. E. Ar. Pl. Thphr.; (of the nature) **of women** S.*fr.* X. Plu.
4 consisting of women; (of choruses, processions, an army) **of women, female** A. Pi. Hdt. E.
5 characteristic of or appropriate to women; (of clothing) **women's, female** Hdt. Lys. Ar. Pl. +; (of unguents) Call.; (of virtue, frailties, offences) E. Th. Aeschin.; (of occupations, interests, emotions) Hdt. Melanipp. Pl. Plb.; (of forms of mourning) E.
6 associated with or specific to women; (of festivals, a goddess) **women's** Pl. Plu.; (of a custom) A.; (of the labours of childbirth) A.*fr.*; (of chambers, their doors) A. ‖ FEM.SB. women's apartments Hdt.; (w. ἀγορά understd.) women's market (perh. where female slaves were bought or hired, or where goods made for or by women were sold) Thphr.
7 having the characteristic qualities of a woman; (of a statue, likeness) **of a woman** Hdt. Plb.; (of a body, voice) **female** Plu.; (of forms or shapes) A.(dub.)
8 (of a deed) befitting a woman, **womanly** E.
9 (pejor., of tricks) **womanlike, womanish** E.; (of abusive talk) Pl.; (of intellect, character, reasoning) Pl. Plb.; (of courage, an enterprise) Pi.*fr.* Plu.; (of expressions of grief, by men) Archil. Pl. Plu.; (of a man, W.ACC. in spirit) Aeschin.
10 (of a type of aulos, app.ref. to its higher register) **feminine** (opp. ἀνδρεῖος *masculine*) Hdt.

—**γυναικείως** *adv.* (pejor.) **like a woman** —*ref. to losing one's temper* Pl.

γυναικίζω *vb.* | *fut.* γυναικιῶ | (of a man) **be like a woman** —W.DAT. *in speech* Ar. ‖ MID. **behave in a womanish way** (by excessive self-abasement in religious worship) Plb.

γυναίκισις εως *f.* behaving like a woman, **female impersonation** Ar.

γυναικισμός οῦ *m.* **womanish behaviour** (ref. to being superstitious) Plu.; (ref. to excessive self-abasement by a man before superiors) Plb.

γυναικό-βουλος ον *adj.* [βουλή] (of schemes) **of female planning** A.

γυναικο-γήρῡτος ον *adj.* [γηρύω] (of a rumour) **voiced by a woman** A.

γυναικοθύμως *adv.* [θῡμός] **with the passion** or **petulance of a woman** (ref. to female or male behaviour) Plb.

γυναικοκρατέομαι *pass.contr.vb.* [κράτος] (of a populace) **be dominated by women** Arist.

γυναικοκρατίᾱ ᾱς *f.* **dominance by women** Arist. Plu.

γυναικομανέω *contr.vb.* [reltd. μαίνομαι] **be mad about women** (by modelling one's behaviour on them to an excessive degree) Ar.

γυναικό-μῑμος ον *adj.* [μῑμέομαι] (of the upturned hands of a person beseeching the gods) **in imitation of a woman** A.; (of clothing worn by a man) E.

γυναικό-μορφος ον *adj.* [μορφή] (of a man, in disguise) **in female form** E.

γυναικονομίᾱ ᾱς *f.* [γυναικονόμος] **post of women's officer** Arist.

γυναικο-νόμος ου *m.* [νέμω] official with responsibility for women (in a city-state), **women's officer** Arist. Plu.

γυναικο-πληθής ές *adj.* [πλῆθος] (of a gathering) **crowded with women** A. E.

γυναικό-ποινος ον *adj.* [ποινή] (of a war) **for vengeance over a woman** A.

γυναικο-φίλᾱς ᾱ *dial.m.* [φιλέω] **lover of women** Theoc.

γυναικό-φρων ονος *masc.fem.adj.* [φρήν] (of a man's heart) **with womanish feelings** E.*fr.*

γυναικο-φυής ές *adj.* [φυή] (of beings) **of female nature** or **form** Emp.

γυναικό-φωνος ον *adj.* [φωνή] (of a man) **with a woman's voice** E.

γυναικώδης ες *adj.* (pejor., of a man, a man's attitudes or emotions) **womanish** Plb. Plu.

γυναικών ῶνος *m.* **women's quarters** (in a house) X.

γυναικωνῖτις ιδος *f.* **women's quarters** Lys. Ar. X. Plu.

γυναι-μανής ές *adj.* [μαίνομαι] **1** (of Paris) driven mad by a woman (i.e. Helen), **woman-crazed** Il.
2 (epith. of Dionysus) **who maddens women** hHom.

γύναιος ᾱ (Ion. η) ον *adj.* **1** (of gifts) **for a woman** Od.; (of the form or shape) **of a woman** Mosch.
2 ‖ NEUT.SB. (w. affectionate connot., ref. to a wife) **little woman** Ar.; (derog. or patronising) **woman, female** And. Pl. D. Arist. Men. Plu.

γυνή, dial. **γυνά̆**, γυναικός *f.* | also Boeot.nom. βανά̆ (or βανᾱ̆) | voc. γύναι ‖ du.nom.acc. γυναῖκε, gen.dat. γυναικοῖν

γύννις

|| PL.: nom. γυναῖκες, gen. γυναικῶν, dat. γυναιξί, Aeol. γυναίκεσσι |
1 woman Hom. +; (appos.w. ἀμφίπολος, δμωή *serving-woman*, δέσποινα *lady*, or sim.) Hom. +; (opp. man or goddess) Hom. +; (derog., ref. to a man) A. || FL. **women, womankind** (as a collective group in society, esp. as the weaker or unwarlike sex) Hom. +
2 older or married woman, **woman, wife** (as spouse or cohabiting partner) Hom. +
3 female (of an animal species) Arist.

γύννις ιδος *m.* **effeminate man, sissy, weakling** A.*satyr.fr.* Ar. Theoc.

γῡπάριον ου *n.* [dimin. γύπη] (hyperbol., ref to a habitation) **little cranny** Ar. [or perh. dimin. γύψ *vulture's nest*]

γύπη ης *f.* **cavity, crevice** (ref. to an underground hiding-place) Call.

γῡπιάς άδος *f.* [γύψ] (of a rock) **frequented by vultures** A.

γυρῖνος ου *m.* [γυρός] (appos.w. βάτραχος) **little round frog, tadpole** Pl.

γυρός ά (Ion. ή) όν *adj.* (of a man) **curved, round** (W.PREP.PHR. in the shoulders) Od.

γῦρος ου *m.* **rounded figure, circle** Plb.

γύψ γῡπός *m.* | dat.pl. γῡψί, ep. γύπεσσι | **vulture** Hom. E. Ar. Plb. Plu.; (fig., ref. to a person) E.

γύψος ου *f.* **gypsum** or **limestone** (and their products); (specif.) **chalk** or **plaster** (as body-paint for warriors) Hdt.; (as exemplifying whiteness) Pl.

γυψόω contr.vb. **whiten with chalk** or **plaster** —*a corpse* (when mummifying it), *soldiers and their weapons* Hdt.

γῶν Ion. and dial.pcl.: see γοῦν

γωνάζομαι dial.mid.vb.: see γουνάζομαι

γώνατα (dial.neut.nom.acc.pl.) see γόνυ

γωνίᾱ ᾱς, Ion. **γωνίη** ης *f.* **1** (geom.) **angle** Pl. X. Arist. Plb.
2 instrument for measuring angles, **set-square** Pl.; **quadrant** (for measuring vertical angles) Plu.
3 place where walls of a building join at an angle; **corner** (on the exterior side) Hdt. NT.; (on the interior) Hdt. Ar. Pl.; (pejor., ref. to a place of seclusion) Pl. NT.
4 place where roads join at an angle; **corner** (W.GEN. of a street) NT.

γωνιασμοί ῶν *m.pl.* **right-angled corners**; (fig.) **squarings-off** (W.GEN. of words) Ar.

γωνιώδης ες *adj.* (of the turn of the coastline around a promontory) forming an angle, **angular** Th.

γωρῡτός οῦ *m.* **bow-case** Od.

Δ δ

δᾶ *interj.* (expressing horror) **ah!** A. E. Ar.
δᾱγῦς ῡδος *dial.f.* **doll, figurine** (perh. of wax, w. rigid limbs and body) Theoc.
δᾳδουχέω *contr.vb.* [δᾳδοῦχος] **be a torch-bearer** (in a ceremony) E.
δᾳδοῦχος ου *m.* [δάς, ἔχω] **torch-bearer** (ref. to hereditary priests of the Eleusinian Mysteries) X. Arist. Plu.
δάε (ep.3sg.aor.2), **δάεν** (3pl.aor.2 pass.), **δαήμεναι** (ep.aor.2 pass.inf.): see δαῆναι
δαημοσύνη ης *f.* [δαήμων] **mastery, skill** (in a particular activity) AR.
δαήμων, contr. **δάμων** (Archil.), ον, gen. ονος *adj.* [δαῆναι] | superl. δαημονέστατος | (of warriors, carpenters, athletes, seers, helmsmen) **skilled, experienced** (sts. W.GEN. or PREP.PHR. in sthg.) Hom. Hes.*fr.* Archil. Pl. X. AR.
δαῆναι *aor.2 pass.inf.* [reltd. διδάσκω] | (w.act.sens.) 1sg. ἐδάην, 3pl. δάεν (Pi.*fr.*), ep.inf. δαήμεναι, ptcpl. δαείς | subj. δαείω, 1pl. δαῶμεν | fut. δαήσομαι, 2sg. δαήσει || ACT.: 3sg.redupl.aor.2 (causatv.) δέδαε, also δάε, ἔδαε (AR.) | pf. δεδάηκα, 3pl. δεδάᾱσι, ptcpl. δεδαηκώς, also δεδαώς || MID.: redupl.aor.2 inf. (w.diect.) δεδάασθαι || MID.PASS.: pf.ptcpl. δεδαημένος, inf. δεδαῆσθαι |
1 (aor.2 pass., fut. and redupl.aor.2 mid.) **get to know, learn** —*sthg.* (sts. W.GEN. *fr. someone*) Hom. Stesich. Eleg. Pi.*fr.* Trag. Hellenist.poet. —W.GEN. *about sthg.* Il. —W.INDIR.Q. *whether sthg. is the case* Hom.; **perceive** —*sthg.* B.; **recognise, identify** —*someone* A.; (aor.) **have learned, know** —*sthg.* hHom. Pi. || AOR.2 PASS.PTCPL.SB. **one who knows, wise man** Pi.
2 || PF.ACT. **have learned, know** —*sthg., or about sthg.* Od. hHom. Hdt. AR. —W.INF. *how to do sthg.* AR. —W.COMPL.CL. *that sthg. is the case* hHom. || PF.MID.PASS.PTCPL.ADJ. **knowledgeable, skilled, experienced** (W.GEN. at hunting, about ships, horses) AR. —W.INF. *at playing the pipes, fighting* AR. Theoc.
3 || AOR.2 ACT. (causatv.) **teach** —W.DBL.ACC. *sthg. to someone* Od. —W.ACC. + INF. *someone to do sthg.* Od. AR. Theoc.
δᾱήρ έρος *m.* husband's brother, **brother-in-law** Il.
δάηται (ep.3sg.pres. or aor.mid.pass.subj.): see δαίω
δάθιος *Boeot.adj.*: see ζάθεος
δαί *pcl.* [reltd. δή] **then, but** (w. interrogs. *who?, what?, how?,* or sim.) Hom. A. E. Ar. X. Men.(dub.) Plb.
δαΐ (ep.dat.sg.): see δάϊς²
Δᾱιάνειρα *dial.f.*: see Δηάνειρα
δαιδαλέ-οδμος ον *adj.* [δαίδαλεος, ὀδμή] (of perfumes) **wonderfully scented** Emp.
δαιδάλεος ᾱ (Ion. η) ον *adj.* [δαίδαλος] (of arms, armour, metalwork) **wonderfully crafted** Hom. Hes. Theoc.; (of a balcony, thrones, chests, altars) Hom. Simon. B. AR.; (of a carriage) Pi.*fr.*; (of a lyre) Il. Pi.; (of textiles) Hes. E.; (of a loom) Theoc.; (of a whip) AR.
δαιδάλλω *vb.* **artfully fashion** —*a shield* Il.; **decorate, adorn, embellish** —*a bed* (W.DAT. w. *gold, silver and ivory*) Od.; (fig., of Zeus) —*a city* (w. *feats of courage*) Pi.; (of a poet) —*topics* (w. *verses*) Pi. || PASS. (fig., of a person) **be adorned** —W.DAT. w. *songs* Pi.; (of stories) —w. *lies* Pi.; (of wealth) —w. *virtues* Pi.
δαίδαλμα ατος *n.* **work of art** (ref. to a female figure carved on a wooden cup) Theoc.
δαίδαλος ον *adj.* **made with great skill and ingenuity**; (of brooches, robes, or sim.) **wonderfully made, finely decorated** Od. A. Bion; (of Herakles' club) **skilfully carved** E. || NEUT.PL.SB. **skilfully crafted pieces** (of metalwork or carpentry) Il. Pi. AR.; **finely made decorations, intricate designs** (on a shield, crown, robe or golden basket) Il. Hes. AR. Mosch.
Δαίδαλος ου *m.* **Daedalus** (mythol. and prototypical master craftsman, creator of the Cretan labyrinth and father of Icarus) Il. +
δαιδαλόω *contr.vb.* | dial.fut.inf. δαιδαλωσέμεν | (fig.) **adorn** —*someone* (W.DAT. w. *praise-songs*) Pi.
δαΐδος (gen.sg.): see δάς
δαΐζω *vb.* [δαίομαι²] | ep.inf. δαϊζέμεναι | fut. δαΐξω | aor. ἐδάϊξα | PASS.: aor.ptcpl. δαϊχθείς | pf.ptcpl. δεδαϊγμένος |
1 cut up, divide up —*meat* (fr. *a sacrificed boar*) Od.; **butcher** (w. a sacrificial knife) —*a person* A.
2 (of warriors, arrows) **cleave, pierce** —*a shield, a man's back* Il. Tyrt.; (of persons) **rend, tear** —*one's hair, veil, the tunic on an enemy's chest* I.. hHom.(mid.); **cleave, split** —*the heads of enemies* A.; (fig., of civil strife) **tear apart** —*a city* A.
3 strike down, kill —*persons, animals, a monster* Il. AR. || PASS. (of persons, animals) **be struck down or slain** (oft. W.DAT. or PREP.PHR. by a weapon) Il. Pi. E. AR.
4 (of a storm-wind at sea) **crush, afflict** —*someone's spirit* B. || PASS. (fig., of a person) **be torn** (in one's heart, betw. two choices) Il.; (of the heart or spirit) **be stricken** (w. distress) Hom.
δαϊ-κτάμενος η ον *aor.pass.ptcpl.adj.* [δάϊς², κτείνω] **killed in battle** Il.(dub.) [prob. to be written δαΐ κτάμενος]
δαϊκτήρ ῆρος *masc.adj.* [δαΐζω] (of lamentation) **heart-rending** A.
δαΐκτωρ ορος *masc.adj.* (of a marriage) **bringing butchery** A.
δαιμονᾱ̂ ᾶς *dial.f.* [δαίομαι²] **distribution, allocation** Alcm.
δαιμονάω *contr.vb.* [δαίμων] **be possessed by a spirit, be possessed, be maddened** A. E. Plb. Plu.; **be deluded** X.; **be obsessed** (w. the supernatural) Plu.
δαιμονίζομαι *pass.vb.* **be possessed by an evil spirit** NT.
δαιμόνιον ου *n.* [δαιμόνιος] **1 that which defines or relates to the gods, divinity, divine power** (as an abstr. concept or

319

δαιμόνιος

a force) A. Hdt. +; (ref. to Socrates' personal divine guide) Pl. X.

2 (as a specific being) **divinity, spiritual power, god** Men. NT. Plu.; **demon, spirit** NT.

3 that which relates to the spiritual world, **realm of spiritual powers** Pl.

δαιμόνιος ᾱ (Ion. η) ον (also ος ον A. Lys.) *adj.* **1** of or belonging to the gods or supernatural beings; (of the will, power, favour, anger) **of the gods** Hdt. Isoc. D. Plu.; (of actions, visitations) Pl. || NEUT.SB. (sg. and pl.) action or manifestation of the gods, divinity, supernatural occurrence A. E. Pl. +

2 having qualities belonging to the gods; (of people, places, night, the eyes of a goddess) **divine, godlike, holy** hHom. Pi. Ar. Pl.; (of a clod of earth) **supernatural** Pi. AR.

3 caused by the gods; (of sufferings, portents, blessings, or sim.) **heaven-sent** Lyr. A. S. Lys. +; (of human fortunes) **in the hands of the gods** (i.e. not under human control) X. || NEUT.SB. act of a god (ref. to sthg. outside human control) Th. X.

4 || NEUT.PL.SB. matters of the heavens (ref. to cosmology, as being remote fr. human affairs) X.

5 (hyperbol., of human men, their wisdom, a scheme) **superhuman** Pl.; (of persons, actions, limbs) **wonderful** Pi. Pl. X.; (of the stature of trees, hyperbole, the power of rhetoric) **extraordinary** Pl.

6 || MASC.FEM.VOC. (as a traditional and formal term of address, sts. iron.) **my dear fellow, dear lady, dear girl** Hom. Hes. Hdt. Ar. Pl. AR. +; (W.GEN.PL. ἀνδρῶν, ἀνθρώπων, ξείνων) *my dear man, my dear guest* Od. Hdt. Ar.

—**δαιμονίᾳ** *fem.dat.sg.adv.* **through divine influence** Pi.

—**δαιμόνια** *neut.pl.adv.* **extraordinarily** —*ref. to being eager to do sthg.* A.

—**δαιμονίως** *adv.* | superl. δαιμονιώτατα | **1 through divine influence** X. Aeschin.

2 by divine providence —*ref. to doing sthg. fortuitously* Plb.

3 like one possessed, frenetically, obsessively Aeschin. Plb.

4 (hyperbol.) **marvellously, extraordinarily, extremely** Ar. Pl. Theoc.*epigr.* Plu.

δαιμονοβλάβεια ᾱς *f.* [δαίμων, βλάβος] derangement inflicted by a god or spirit, **bewitchment, delusion** Plb.

δαίμων ονος *m.f.* [δαίομαι²] **1** one who apportions (fortune or sim.); **god** or **goddess** (ref. to a specific personalised deity) Il. +; (ref. to an unnamed or indefinite deity, e.g. *some god*) Hom. +; (in general or non-specific ctxts., e.g. *like a god*) Hom. +

2 (gener.) **divine power, divine will, will of heaven** Hom. +

3 destiny, fortune, fate (sts. as unpredictable or arbitrary) Od. +; (specif., of a particular individual) Il. Hes. Pi. Trag. Men.

4 spirit (ref. to incorporeal beings able to influence human fortunes, and blamed for any unexpected developments, whether good or bad) Od. Ar. Men.; (appealed to or spoken of alongside the gods, as being worthy of veneration) Hdt. E. Men.; (as a class of supernatural beings superior to humans, but inferior to gods) Hes. Pl. Arist. Plb. Plu.; (ref. to mortals, such as Ganymede, elevated by the gods) Hes. Alcm. Thgn.

5 spirit, soul (of a deceased person, w. the ability to influence human affairs and fortunes; the target of prayers) A. E.

6 governing spirit, genius (determining the destiny of mortals, esp. of a particular individual or class of people) Heraclit. Lys. Isoc. Pl. +; (as a protecting and positive force) **patron** or **tutelary spirit** A. Pl. Plb.; (as the subject of toasts at drinking parties) ἀγαθὸς δαίμων *Kind Spirit* Ar.; δαίμων Πράμνιος *spirit of Pramnian wine* Ar.

7 evil spirit, demon (liable to possess people) NT.

δαίνῡμι *vb.* [reltd. δαίομαι², δατέομαι] | imperatv. δαίνῡ | ep.3sg.impf. δαίνῡ | fut. δαίσω | aor. ἔδαισα || MID.: 2sg.subj. δαινύῃ, ep. δαινύῃ, ep.opt.3sg. δαινῡτο, 3pl. δαινῦατο | ep.2sg.impf. δαίνυο | aor. ἐδαισάμην || PASS.: aor.ptcpl. δαισθείς | —also **δαινύω** *vb.* | ep.3sg.impf. δαίννε (Call.) |

1 hold a feast Pi.; **hold** —W.COGN.ACC. *a feast* Il. Call.; **celebrate** or **mark with a feast** —*a wedding, funeral* Hom. hHom. Archil.(mid.) Pi. E.

2 provide a feast for, feast —*someone* A. Hdt. E.

3 | MID. **participate in a banquet, feast oneself** Hom. Pi. Hdt. AR.; **feast on** —*sthg.* Hom. Hippon. Thgn. S. E. Theoc.; (of funeral pyres, an ulcerous sickness) **consume** —*persons* Pi. S. || PASS. (of a person) be consumed —W.DAT. *by fire* E.

δαίομαι¹ *mid.pass.vb.*: see δαίω

δαίομαι² *mid.vb.* [reltd. δαίνῡμι, δατέομαι] | ep.3pl.pf.pass. δεδαίαται | **1** (of persons) **carve, divide up** —*meat (for a feast)* Od.; (fig., of Euripides) **carve up, slice through** —*words* Ar.

2 (of gods) **apportion** —*evils* (W.DAT. *to mortals*) Pi.

3 || PASS. (of a population) be divided —W.ADV. *in two parts* Od.; (of sheep) be distributed Od.; (fig., of a person's heart) be torn or stricken Od.

δᾶος *dial.adj.*: see δήιος

δᾱιό-φρων ον, gen. ονος *dial.adj.* [δήιος, φρήν] with wretched thoughts; (of a lament) **miserable, forlorn** A.

δαίς δαιτός *f.* [reltd. δαίνῡμι, δαίομαι²] **1 feast, banquet** (oft. as a ritual to mark a marriage or funeral, w. a portion offered to the gods) Hom. +; (ref. to the food eaten at such an event) Il. A. Hdt.

2 (ref. to any sumptuous or abundant food) **feast** (of meat) E.*Cyc.*; (of sheep eaten by a lion, a human body eaten by animals) Il. S. E.

δαΐς *f.*, **δάις¹** *Aeol.f.*: see δάς

δάις² *ep.f.* | only acc.sg. δάϊν (Call.) and dat.sg. δαΐ | **battle, fighting** Il. Hes. A. Hellenist.poet.

δαισθείς (aor.pass.ptcpl.): see δαίνῡμι

δαιταλεύς έως *m.* [reltd. δαίνῡμι] one who attends a feast, **banqueter** (ref. to the eagle which ate Prometheus' liver) A.

δαίτη ης *f.* [δαίς] **feast, banquet** Hom. Call. AR.

—**δαίτηθεν** *adv.* **from a banquet** Od. Theoc.

δαιτι-κλυτός ά όν *dial.adj.* (of Corinth) **famous for feasts** Pi.

δαιτρεύω *vb.* [δαιτρός] **1 carve up** —*meat* Od. —*sacrificial animals* AR.; **sacrificially butcher, sacrifice** —*horses* AR.; (intr.) **carve** Od.

2 apportion out, distribute —*booty* Il.; (intr.) **make a distribution** Il.

δαιτρόν οῦ *n.* **assigned portion, share** (of wine) Il.

δαιτρός οῦ *m.* [reltd. δαίομαι²] **carver** (of meat) Od.

δαιτροσύνη ης *f.* | ep.gen.pl. δαιτροσυνάων | **art of carving and apportioning meat** Od.

δαιτυμών όνος *m.* [δαιτύς] | ep.dat.pl. δαιτυμόνεσσι | one who attends a feast, **banqueter** Od. Alcm. Stesich. Hdt. Pl. Call.

δαιτύς ύος *f.* [reltd. δαίς] **feast, banquet** Il.

δαΐ-φρων ον, gen. ονος *adj.* [perh.reltd. δαῆναι; φρήν] **1** (of persons) **skilled, wise** Hom. Hes. hHom. Pi. AR. Theoc.

2 [app. assoc.w. δάις²] (of warriors) **warlike** Il. Hes. Stesich. B.

δαίω *vb.* | ep.3sg.pf. δέδηε, 3sg.plpf. δεδήει || MID.PASS.: ep.3sg.pres. or aor.subj. δάηται || PASS.: pf.ptcpl.

δεδαυμένος | **1 set on fire, burn** —*logs* AR.; **kindle** —*a fire, flames* Hom. hHom. A. AR.; (fig., of the radiance of the golden fleece) —*longing* AR. ‖ PASS. (of fires) **be kindled** Il. E.
2 ‖ PF. and PLPF. (fig., of eyes) **blaze** —W.DAT. *w. fire* Il.; (of battle, rumour, wailing, uproar, fear, slaughter) **blaze, spread like wildfire** Hom. Hes.; (of friendliness) **shine forth** Emp.
3 ‖ MID.PASS. (of fire, flames, a lightning-flash) **burn, blaze** Il. hHom. S.; (of wood and incense, lamps) Od. Call. Theoc.; (of Troy) —W.DAT. *w. fire* Il. E.; (fig., of eyes, metal) **flash fire** Od. Hes.; (of Dionysus) **blaze with fire** (in his eyes) Ar.
4 ‖ PASS. (of thigh-bones) **be burnt up** Semon. AR.; (fig., of a person, w. love, grief) Call.*epigr.*(cj.) AR.
δακέ-θῡμος ον *adj.* [δάκνω, θῡμός] (of the sweat of exertion, a physical affliction) **gnawing the soul, agonising** Simon. S.
δάκετον ου *n.* creature that bites or devours, **noxious animal** (ref. to a garden pest, insect, or sim.) Ar.; (ref. to Cerberus) Call.
δακνάζομαι *mid.pass.vb.* **be stung with grief** A.
δάκνω *vb.* | fut. δήξομαι | aor.2 ἔδακον, ep.inf. δακέειν ‖ PASS. fut. δηχθήσομαι | aor. ἐδήχθην, dial.ptcpl. δαχθείς (Pi.*fr.*) | pf. δέδηγμαι, dial.ptcpl. δεδαυμένος (Pi.) |
1 (of persons, dogs, snakes, insects, or sim.) **bite** Il. + —*someone or sthg.* Il. + ‖ PASS. **be bitten** A. +
2 (of a person) **bite, nibble** (a lover's lips) Hippon. Ar.
3 (of a person, compared to a newly harnessed foal) **champ at, gnash** —*the bit* A.
4 (of a person) **bite** —*one's lip* (*to fortify one's spirits*) Tyrt. S. —*oneself* (*to repress laughter*) Ar.; **bite back** —*one's anger* Ar. AR.; (intr.) **bite one's lip** (to fortify one's spirits) Men.
5 (fig.) cause pain (comparable to that of a bite); (of smoke) **sting** —*the eyes* Ar. ‖ PASS. (of a person) be stung —W.DAT. *by the goads of Aphrodite* E.; be made to smart —W.PREP.PHR. *by soap* Ar.
6 (intr., of weapons) **wound** A. ‖ PASS. (fig., of a household) be wounded or lacerated —W.DAT. *by murder* A.
7 (fig., of a person, envisaged as a dog or sim.) **snap** (at someone) Men.
8 (gener., of persons, news, events) afflict with mental or emotional pain, **sting, hurt, annoy** —*someone, the heart* Il. Hes. Simon. Hdt. Trag. Ar. +; (intr.) **sting, cause grief** or **pain** S. E. Ar. + ‖ PASS. (of persons, their hearts) be stung, pained or smitten (sts. W.DAT. by a calamity, troubles, grief, passion) Thgn. Pi. Trag. Ar. +
9 ‖ PASS. (of wax) be smitten —W.DAT. *by the warmth of the sun* (*in a comparison w. a person smitten by love*) Pi.*fr.*
δάκος εος (ους) *n.* **1** creature that bites, **dangerous animal, beast, monster** A. E. Call.; (ref. to the Trojan Horse) A.
2 bite, sting (fig.ref. to the effects of slander) Pi.
δάκρυ, Boeot. **δάκρον** *n.* | only nom.acc.sg., dat.acc.pl. δάκρη (Pi.*fr.*), dat.pl. δάκρυσι | **1 tear, teardrop** Hom. +; (collectv.sg.) **tears** Hom. B. Trag. Corinn. Hellenist.poet.
2 drop (of resin) E.; (W.GEN. of incense) Pi.*fr.*
δάκρυμα ατος *n.* [δακρύω] **1 tear** A. E.
2 that which is wept over, **cause for tears, woe** Hdt.
δακρυο-γόνος ον *adj.* [δάκρυον] (of Ares) **causing tears** A.
δακρυόεις εσσα εν *adj.* | see also ζακρυόεις | **1** (of persons, goddesses, a nightingale) **full of tears, tearful** Hom. B. E. AR. Theoc.; (of a rock, ref. to the petrified Niobe) Call.; (of laments) Od. E.
2 (of war, weapons, sorrows, fate) causing tears, **grievous, bitter** Il. Hes. Anacr. Ibyc. Thgn. E.; (of pinewood, ref. to Paris' ship) E.

—**δακρυόεν**, also **δακρυόειν** (AR.) *neut.adv.* **tearfully** Il. AR.
δάκρυον ου *n.* [δάκρυ] | ep.gen.dat.sg.pl. δακρυόφι | **1 tear, teardrop** Hom. +; (collectv.sg.) **tears** Hom. +
2 sap, resin (fr. a tree) Hdt.
δακρυο-πετής ές *adj.* [πίπτω] (of sufferings) making tears fall, **pitiful** A.
δακρυ-πλώω *Ion.vb.* [δάκρυ, πλέω¹] (of a drunkard) **be awash with tears** Od.
δακρυρροέω *contr.vb.* [δακρύρροος] (of persons, their eyes) **shed tears** S. E. Plu.
δακρύ-ρροος ον *adj.* [ῥέω] **1** (of a dirge) **flowing with tears** E.
2 (of streams) **of flowing tears** E.
δακρυσίστακτα *neut.pl.adv.* [στάζω] **with dripping tears** A.
δακρυ-σταγής ές *adj.* (of lamentation) **with dripping tears** Tim.
δακρῡτός όν *adj.* [δακρύω] **1** (of a hope, ref. to a person) **wept over, longed for with tears** A.
2 (of bloody deeds) **lamentable** E.
δακρυ-χέω *contr.vb.* ‖ PTCPL.ADJ. (of persons) shedding tears Hellenist.poet.; (of a lament) with shedding of tears A.
δακρύω *vb.* [δάκρυ] **1** (of persons, their eyes) **shed tears, weep** Hom. B. Hdt. Trag. Ar. Att.orats. + —W.DAT. **over sthg.** A. —w. ἐπί + DAT. Att.orats. Plb. Plu.; **tearfully utter** —W.INTERN.ACC. *laments* S.
2 (tr.) **weep for** or **over, bewail** —*someone or sthg.* Simon. Trag. Ar. Att.orats. Pl. +; (mid.) A. ‖ PASS. (of a calamity) be wept over E.
3 (causatv.) **make** (W.ACC. one's eyelids) **wet with tears** E. ‖ PF.MID.PASS. (of persons, their eyes or cheeks) stream with tears Hom. Plu.
δάκτυλα (neut.nom.acc.pl.): see δάκτυλος
δακτυλῆθραι ῶν *f.pl.* [δάκτυλος] coverings for the fingers, **gloves** X.
δακτυλιαῖος ᾱ ον *adj.* (of a wooden shaft) **of a finger's width** (W.DAT. in thickness) Plb.
δακτυλίδιον ου *n.* [dimin. δάκτυλος] **toe** Ar.
δακτυλιογλυφία ᾱς *f.* [δακτύλιος, γλύφω] **art of engraving rings** Pl.
δακτύλιος ου *m.* [δάκτυλος] **1 finger-ring, ring** Sapph.(or Alc.) Hdt. Ar. Pl. X. +
2 ring (on a horse's bit) X.; (on a hunting net) X.
δακτυλοδεικτέω *contr.vb.* [δακτυλόδεικτος] **point with one's finger** (to indicate a villain) D.
δακτυλό-δεικτος ον *adj.* [δάκτυλος, δείκνῡμι] **1** (of houses) pointed at by everyone, **imposing, majestic** A.
2 (of a tune on the aulos) **produced by the fingers** A.*fr.*(dub.)
δάκτυλος ου *m.* | neut.nom.acc.pl. δάκτυλα (Theoc.) |
1 finger Hippon. Hdt. +
2 toe Ar. X. Thphr. Plu.
3 finger, finger's width (as a measurement) Hdt.; (phr.) δάκτυλος ἀμέρα *there is only a small part of the day left* Alc.
4 metrical foot consisting of a long syllable followed by two short syllables (reminiscent of the finger w. its joints), **dactyl** Ar. Pl.
δᾱλέομαι *dial.mid.contr.vb.*: see δηλέομαι
δᾱλίον ου *n.* [dimin. δᾱλός] **little firebrand** Ar.
Δάλιος *dial.adj.*: see Δήλιος, under Δῆλος
Δᾱλο-γενής ές *dial.adj.* [Δῆλος; γένος, γίγνομαι] (of Apollo) **Delos-born** B. Lyr.adesp.
Δᾱλος *dial.f.*: see Δῆλος
δᾱλός οῦ *m.* [reltd. δαίω] **1 firebrand, torch** (for setting sthg. alight) Hom. Hes. E. Plu.

δαμᾷ

2 burning log (on a fire) Od. hHom. Lyr.adesp. A. AR.
3 lightning-bolt Il.

δαμᾷ and **δαμάᾳ** (ep.3sg.fut.): see δάμνημι

δαμάζω, Aeol. **δαμάσδω** (Theoc.) vb. [δάμνημι] | Only pres. and impf.: for other tenses see δάμνημι. | **1** (of persons) **tame, master** —animals X. ‖ PASS. (of horses) be tamed or broken in Plu.
2 (of Centaurs) **subdue, conquer** —a region E.; (of fire) —a dead man's proud spirit A.; (of Necessity) —iron E.; (of a wound) —a person Theoc. ‖ PASS. (of a woman) be mastered or overcome —W.DAT. by adulterous passion Pi.; (of iron) —by fire Hes.

Δαμαῖος ου m. [δάμνημι] (epith. of Poseidon) **Horse-tamer** Pi.

δαμάλη ης f. [δάμνημι] **cow, heifer** E. Theoc.

δαμάλης εω Ion.m. **conqueror** (ref. to Eros) Anacr.

δαμαλίζομαι mid.vb. **tame, break in** —horses E.

δάμαλις εως f. [δαμάλη] **cow, heifer** A. B.

δάμαρ αρτος f. **wife** Hom. hHom. Pi. Trag. Ar.(mock-trag.) Att.orats.(law) +

δάμασα and **δάμασσα** (ep.aor.): see δάμνημι

δαμάσδω Aeol.vb.: see δαμάζω

δαμασί-μβροτος ον adj. [δάμνημι, βροτός] (of Sparta, weapons) **man-conquering** Simon. Pi. B.

δαμάσ-ιππος ον adj. [ἵππος] (of Athena) **horse-taming** Lamprocl.; (of Lydia) B.

δαμασί-φρων ον, gen. ονος adj. [φρήν] (of the magic bridle used to control Pegasos) **spirit-taming** Pi.

δαμασί-χθων ονος masc.adj. [χθών] (of Poseidon, as god of earthquakes) **earth-subduing** B.

δαμάσσει (ep.3sg.fut.): see δαμάζω

δαμάτειρα ᾱς f. (ref. to a goddess, or perh. a mortal woman) **subduer, conqueror** (W.GEN. of hunger) Call.

Δᾱμάτηρ dial.f.: see Δημήτηρ

δαμείην (aor.2 pass.opt.), **δαμείω** (ep.aor.2 pass.subj.), **δαμήμεναι** (ep.aor.2 pass.inf.), **δάμην** (ep.aor.2 pass.), **δαμῆναι** (aor.2 pass.inf.): see δάμνημι

δάμιος dial.adj.: see δήμιος

δᾱμιουργός dial.m.: see δημιουργός

δαμνάω contr.vb. [δάμνημι] | only pres. and impf. | 3sg.impf. ἐδάμνᾱ, ep. δάμνᾱ | **1** (of gods, weapons, shackles, poverty, fear) **overwhelm, conquer** —persons, their minds Il. Hes.fr. Sapph. Alc. Thgn. AR.
2 (of fire) **destroy, consume** —flesh and bones Od.

δάμνημι vb. | ep.3sg.iteratv.impf. δάμνασκε | ep.fut.: 3sg. δαμᾷ, also (w.diect.) δαμάᾳ, also δαμάσσει (AR.), 3pl. (w.diect.) δαμόωσι | aor. ἐδάμασα (Pi.), ep. δάμασα, also ἐδάμασσα, δάμασσα, ep.subj. δαμάσσω, 1pl. δαμάσσομεν ‖ MID.: δάμναμαι, ep.2sg. δάμναι (dub.) | aor. ἐδαμασάμην, ep. δαμασάμην, also ἐδαμασσάμην, δαμασσάμην, ep.subj. δαμάσσεται ‖ PASS.: δάμναμαι | ep.3sg.impf. δάμνατο | aor. ἐδαμάσθην, ep. δαμάσθην | aor.2 ἐδάμην, ep. δάμην, 3pl. δάμεν, inf. δαμῆναι, ep. δαμήμεναι, ep.subj. δαμείω, 2 and 3sg. δαμήῃς, δαμήῃ, 2pl. δαμήετε, opt. δαμείην ‖ also 3sg.aor.imperatv. δμηθήτω (Il.), ptcpl. δμηθείς, dial. δμαθείς, dial.3pl. δμᾰθεν (Pi.), inf. δμηθῆναι (AR.) ‖ ep.pf. δέδμημαι | ep.plpf. δεδμήμην | ep.fut.pf. δεδμήσομαι |
1 (of animals) **under control; control, master** —horses Pi. E. ‖ MID. **tame, break in** —animals Hom. ‖ PASS. (of horses) be broken in X.; be controlled —W.DAT. by persons Il.; (fig., of persons) —by Zeus' whip Il.
2 bring (persons) under the control (of oneself or another); (of Zeus) **control, master** —persons Il. A.(mid.); (of persons) —a madman NT.; (of Zeus, a person) **make** (W.ACC. persons) subject —W.DAT. or ὑπό + DAT. to someone, his rule Il. AR. ‖ PASS. (of a person) be brought under control, submit Il. ‖ PF., PLPF. and FUT.PF.PASS. (of gods, persons) be in subjection —W.DAT. or ὑπό + DAT. to a god or man Hom. hHom.
3 bring (emotions) under control; **control, master, curb** —one's passionate spirit Hom.
4 (w. sexual connot.) **bend to one's will, take** —a woman B. AR. ‖ PASS. (of women) be taken (usu. W.DAT. by a man, a god) Il. Hes. B. Theoc.
5 overcome by force; (sts.mid., of gods or persons) **vanquish, rout, conquer, overpower** —persons, armies, or sim. Hom. Hes. Pi. Hdt.(quot.epi.gr.) Theoc. —someone, the mind (W.DAT. w. wine) Od.; **do violence to** —oneself (w. blows) Od.; (of Zeus' thunderbolt, in neg.phr.) —Athena's aigis Il.; (of a wrestler) **overcome, defeat** —opponents Pi.; **gain victory in, win** —a contest Pi. ‖ PASS. (of gods, persons, armies, cities) be conquered or overpowered (sts. W.DAT. by persons, weapons) Hom. Hes. Pi. Trag.
6 (act. and mid., of gods, persons, weapons, death) **strike down, destroy, slay** —persons, wild animals Hom. Hes. Lyr. E. AR. ‖ PASS. be struck down, destroyed or slain (sts. W.DAT. or ὑπό + DAT. by a god, person, weapon, death, war) Hom. Semon. Simon. Trag. AR.
7 (of gods, fate) **cause** (W.ACC. someone) **to be vanquished** or **struck down** (sts. W.DAT. or ὑπό + DAT. by a warrior, his spear) Hom.
8 (usu.mid.) overpower (someone) with an emotion; (of Aphrodite, Eros, a beloved person) **overcome, overwhelm, master** —gods and mortals, their minds (sts. W.DAT. w. love or desire) Il. Hes. hHom. Thgn.
9 (sts.mid., of emotions, circumstances, natural phenomena) overcome (someone or sthg.); (of love, desire) **overwhelm, master** —someone, the mind or heart Il. Hes. Archil.; (of sleep) —the eyes AR.; (of cold, frost, poverty, petrification) —someone Od. Thgn. S.; (of rust) —weapons B.fr. ‖ PASS. (freq. pf. of plpf.) be overcome —W.DAT. by sleep, exhaustion Hom. Hes. E. AR. —by longing, love Sapph. Thgn. Pi. Ar. —by madness E. —by poverty Thgn. —by the sea (i.e. fr. swimming in it) Od.; (of pain) —W. ὑπό + GEN. by joys Pi.
10 ‖ PASS. (of a rule or restriction) be overcome Parm.

δᾱμογέρων dial.m., **δᾱμόομαι** dial.mid.contr.vb., **δᾶμος** dial.m., **δᾱμόσιος** dial.adj., **δᾱμότᾱς** dial.m., **δᾱμότερος** dial.adj., **δᾱμοῦχος** dial.adj.: see δημ-

δαμόωσι (ep.3pl.fut.): see δάμνημι

δᾱμώματα των dial.n.pl. [δῆμος] **song performed in public or for the people, community song** Stesich.

δάμων adj.: see δαήμων

Δᾶν (dial.acc.sg.): see Ζεύς

δᾱναιός dial.adj.: see δηναιός

Δαναός οῦ m. **Danaos** (mythol. ancestor figure and ruler of Argos) Pi. +
—**Δαναοί** ῶν m.pl. descendants of Danaos, **Danaans** (usu. ref. to Greeks in general, esp. opp. Trojans) Hom. +
—**Δαναΐδαι** ῶν m.pl. descendants of Danaos, **Danaans** (ref. to troops fr. Argos, or Greeks in general) E.
—**Δαναΐς** ίδος fem.adj. (of girls) **Danaid, Greek** E. ‖ SB. daughter of Danaos (ref. to Amymone) AR. ‖ PL.SB. Danaids (the fifty daughters of Danaos, instructed by their father to kill their husbands on their wedding night) A.(title)

δανείζω vb. [δάνειον] | fut. δανείσω | pf. δεδάνεικα | **1 lend** —money or goods (esp. at interest) Ar. Pl. + —W. ἐπί + DAT. at a certain rate of interest Att.orats. Pl. —W. ἐπί + DAT. or εἰς +

ACC. w. sthg. as security D. Arist. Plu.; (intr.) **be a lender** D. Plu. ‖ PASS. (of money) be lent out Ar. X. D. Plb.

2 ‖ MID. (of persons) **borrow** —*money* Ar. Att.orats. Pl. X. —(w. ἐπί + DAT. *at interest*) D.; (of gods, in a creation myth) —*matter* (*fr. the universe, to create mortal bodies*) Pl.; (pers.) **be a borrower, be lent money** X. D. Arist. Thphr. Plu. —W.GEN. *at interest* D.; (fig.) **be temporarily granted** —*a concession* (*in an argument*) Pl.

δάνειον ου *n.* [δάνος] **1 loan** D. Arist.
2 debt NT. Plu.

δάνεισμα ατος *n.* [δανείζω] **granting of a loan, loan** Th. Pl. Is. D.

δανεισμός οῦ *m.* **1** (sg. and pl.) **granting of loans, money-lending** Pl. Arist. Plu.
2 borrowing, taking out of loans Pl.; (fig.) **debt** (of blood repaid w. blood) E.

δανειστής οῦ *m.* **money-lender** D. NT. Plu.

δανειστικός ή όν *adj.* **1** (of the practice) **of money-lending** Thphr.
2 (of men) **engaged in money-lending** Plu.

δᾱνός ή όν *adj.* [prob.reltd. δάος, δαίω] ‖ superl. **δᾱνότατος** ‖ (of wood) **dry, dried out** Il. Ar. Call.; (of the mouths of corpses) Call.

δάνος εος *Ion.n.* **loan, debt** Call.*epigr.*

δάος εος *Ion.n.* [reltd. δαίω] **torch** Hom.

δᾶος *dial.adj.*: see δήιος

δαόω *dial.contr.vb.*: see δηόω

δαπανάω *contr.vb.* [δαπάνη] **1** (act. and mid.) **meet one's expenses; make payments, spend money** Hdt. Th. Lys. Is. Plu. —W.PREP.PHR. *on sthg.* Th. X. Arist. —w. ἐπί + DAT. *on behalf of someone* NT.; **pay, spend** —W.ACC. *sums of money* Thgn. Th. Ar. Att.orats. + ‖ PASS. (of money) be spent Hdt. Lys. X. Arist.
2 spend all of, squander —*one's resources* Th. NT.; (intr., of a city) **waste money** Th.
3 ‖ PASS. (fig., of persons) be exhausted or consumed (by illness) Plu.

δαπάνη ης, dial. **δαπάνᾱ** ᾱς *f.* [δάπτω] **1** (sg. and pl.) **expense, expenditure, outlay** (of money, goods, or sim.) Hes. Thgn. Pi. Hdt. E. Th. +; (fig., of effort, W.INF. to believe sthg.) E.
2 tendency to lavish expenditure, extravagance Aeschin.

δαπάνημα ατος *n.* [δαπανάω] **1 money** or **payment to cover expenses** X. Is. Arist. Plu.
2 necessary supplies, necessities (of an army) Plb.

δαπανηρίᾱ ᾱς *f.* [δαπανηρός] **lavish expenditure, extravagance** Arist.

δαπανηρός ά όν *adj.* [δαπάνη] **1** (of wars, public services, projects, ambition) **costly, exorbitant, wastefully expensive** X. D. Arist. Plu.; (of financial activity) **involving lavish spending** Arist.
2 (of persons) spending lavishly, **extravagant, spendthrift** Pl. X. D. Arist. Plu.
3 (fig., of wealth) **exacting a heavy cost** (for its possession) E.

—δαπανηρῶς *adv.* **at great expense** —*ref. to building a wall* X.

δάπανος ον *adj.* (of hope, as sthg. on which the desperate are prepared to stake everything) **exorbitant, spendthrift** Th.

δά-πεδον, dial. **ζάπεδον** (Stesich. Xenoph.), ου *n.* [δῶ¹, πέδον] **1 floor** (of a room) Hom. hHom. Xenoph. X.; (of a temple) E. Ar.; **precinct** (of a temple) E. Ar.

2 flat surface or **floor, pitch, field** (for athletic contests) Od. Pi. B.; **plain** Pi. E. Ar.; **ground, earth** Stesich. Pi. E. X. AR.; **ground level** Hdt. X.; **surface** (of the earth) Ar.
3 deck (of a ship) hHom.

δάπις ιδος *f.* [loanwd., reltd. τάπης] **carpet, rug** Ar. Men. Plu.

δάπτω *vb.* ‖ fut. **δάψω** ‖ aor. **ἔδαψα**, dial. **δᾶψα** (Pi.) ‖ **1** (of wolves, lions) **rend** —*a stag* Il. [or perh. **devour**]; (of persons) —*one another* Emp.; (fig.) —*a city* Alc.
2 (of a spear) **rend, tear** —*flesh* Il.; (of a mourner) —*one's cheek* A.; (fig., of envy) —*a person* Pi.; (intr., of injustice) S. ‖ PASS. (of a person) be rent (W.ACC. in one's heart) —W.DAT. *by anxious thoughts* A.
3 (of fire) **consume, destroy** —*persons or things* Il. A. AR.; (of a poisoned garment) —*flesh* E.; (of a moth or weevil, in neg.phr.) —*gold* Pi.*fr.* ‖ PASS. (of a city) be consumed —W.DAT. *by fire* B.

Δάρδανος ου *m.* **1 Dardanos** (mythol. ancestor of the Trojans) Il. +
2 descendant of Dardanos or **inhabitant of Dardania, Dardanian** (usu. equiv. to *Trojan*, sts. appos.w. ἀνήρ) Il. Pi.

—Δαρδάνειος ᾱ ον *adj.* (of halls) **Dardanian, Trojan** E.

—Δαρδανίδης ου (ep. ᾱο), dial. **Δαρδανίδᾱς** ᾱ *m.* **descendant of Dardanos** (usu. ref. to Priam) Il. hHom. Ibyc. E. ‖ PL. **descendants of Dardanos** (ref. to Trojans) Pi. E.

—Δαρδάνιος ᾱ (Ion. η) ον *adj.* **1** (of gates, a plain) **Dardanian, Trojan** Il. Alc. ‖ MASC.PL.SB. **Dardanians, Trojans** Il.
2 ‖ FEM.SB. **Dardania** (an ancient city founded by Dardanos, before Troy was built) Il.; (the region around Troy) E. AR.

—Δαρδανίς ίδος *fem.adj.* (of Cassandra) **descended from Dardanos, Dardanian** Pi. ‖ PL.SB. **Dardanian women** Il.

—Δαρδανίωνες ων *m.pl.* **descendants of Dardanos, Dardanians** Il.

δαρδάπτω *vb.* [app.reltd. δάπτω] **1** (of jackals) **rend** or **devour** —*a stag* Il.; (of bedbugs) —*a person's sides* Ar.; (fig., of a desire) **gnaw away at** —*a person* Ar.
2 (of guests) **devour, consume** —*their host's possessions* Od.

Δᾱρεικός οῦ *m.* [prob. Δᾱρεῖος] (sts. appos.w. στατήρ *stater*) **Daric** (Persian coin, usu. gold) Hdt. Th. Lys. Ar. +

Δᾱρειο-γενής ές *adj.* [Δᾱρεῖος; γένος, γίγνομαι] (of Xerxes) **descended from Darius** (i.e. his son) A.

Δᾱρεῖος ου *m.* —also **Δᾱριᾱν** ᾶνος (A.) *dial.m.* **Darius** (name of several Persian kings, esp.ref. to Darius I, father of Xerxes, died 486 BC) A. Hdt. Th. +

δαρήσομαι (fut.pass.): see δέρω

δαρθάνω *vb.* ‖ only 3sg.aor.2 **ἔδραθε** ‖ **sleep** Od.

δᾱρό-βιος ον *dial.adj.* [δηρός, βίος] (of the gods) having a long life, **long-lived** A.

δᾱρός *dial.adj.*: see δηρός

δᾴς δᾳδός, also uncontr. **δαΐς** δαΐδος, Aeol. **δαΐς** δαΐδος *f.* **1 firebrand, torch** Hom. Hes. Sapph. Pi. E.*fr.* Ar. +
2 (collectv.sg.) **firewood** Th. Ar. X. Plb.

δάσασθαι (aor.mid.inf.): see δατέομαι

δά-σκιος ον *adj.* [intensv.prfx., reltd. διά, Aeol. ζά; σκιά] **1** (esp. of woods, mountains) having thick shade, **shady** Hom. hHom. Semon. Pi. B. E. +
2 (fig., of the paths of Zeus' thoughts) **tangled, obscure** A.
3 (of a beard) **bushy, thick** A. S.

δάσμευσις εως *f.* [δασμός] **distribution** (of food) X.

δασμολογέω *contr.vb.* [λόγος] **1 collect tribute from** —*persons, populaces* Isoc. Hyp. Plu. ‖ PASS. be made to pay tribute Isoc.
2 (of a woman) **collect** or **levy** —*money* (W.PREP.PHR. *fr. her lovers*) D.

δασμολογίā ᾶς *f.* **collection of tribute** Plu.

δασμός οῦ *m.* [δατέομαι] **1 division** (of booty, goods, powers) Il. Hes. hHom. Thgn. **2 tribute** S. E. Isoc. Pl. +; (W.GEN. paid to someone) S.

δασμοφορέω contr.vb. [δασμοφόρος] (of a populace) **pay tribute** (of money) A. || IMPERS.PASS. **tribute is paid** —W.DAT. *to someone* X.

δασμο-φόρος ον *adj.* [δασμός, φέρω] (of persons, regions) **paying tribute** Hdt. X.

δάσονται (ep.3pl.fut.mid.): see δατέομαι

δασπλής ῆτος *masc.fem.adj.* (of Charybdis, fig.ref. to annihilation) **ghastly** Simon.

—**δασπλῆτις** ιδος *fem.adj.* (of an Erinys, Hekate) **fearful, grim, ghastly** Od. Hes.*fr.* Theoc.

δάσσασθαι (ep.aor.mid.inf.): see δατέομαι

δασύ-θριξ τριχος *masc.fem.adj.* [δασύς, θρίξ] (of a goat) **thick-haired** Theoc.

δασύ-κερκος ον *adj.* [κέρκος] | dial.masc.fem.acc.pl. δασυκέρκος | (of foxes) **bushy-tailed** Theoc.

δασύ-μαλλος ον *adj.* [μαλλός] (of rams, a goatskin) **thick-fleeced** Od. E.*Cyc.*

δασύνομαι pass.vb. (of a woman) **become hairy** Ar.

δασύ-πους ποδος *m.* [πούς] animal with hairy feet, **hare** Arist.

δασυ-πώγων ον, gen. ωνος *adj.* (of a man) **bushy-bearded** Ar.

δασύς εῖα (Ion. έα) ύ *adj.* **1 covered with a rough growth** (opp. ψιλός *bare*); (of hares, goatskins, rawhide, rawhide shields) **shaggy, hairy** Od. Hdt. X.; (of uncivilised people, their armpits) Ar. Thphr. **2** (of cloaks, shoes, sleeves) **thick** or **thickly lined** Hippon. X. **3** (of brushwood) **bushy, leafy** Od.; (of a lettuce, wreath) Hdt. Pl. Plu. **4** (of places) **bushy, thickly wooded** Hdt. Th. X.; (W.DAT. w. trees) Hdt. Lys. X. Plu.; (W.GEN.) X. || NEUT.SB. **thickly wooded ground** X. Men.; (pl.) Ar.

δασύ-στερνος ον *adj.* [στέρνον] (of wild beasts, centaurs) **shaggy-chested** Hes. S.

δασύτης ητος *f.* **aspiration** (of rho and the vowels) Arist. Plb.

δατέομαι mid.contr.vb. [reltd. δαίνῡμι, δαίομαι²]
| ep.3pl.impf. δατέοντο, ep.Ion. δατεῦντο | ep.3pl.fut. δάσονται | aor. ἐδασάμην, ep. ἐδασσάμην || 3sg.pf.pass. δέδασται |
1 (of persons) **divide up, share out** (amongst themselves) —*spoils, possessions, inheritances* Hom. Hes. Pi. AR. —*land* Pi. Plu. —*portions of meat* (*at a feast*) Od. —*rations, corn* Hes. Hdt.; (of opposing troops) **share** —*the rage of battle* Il. **2 divide into portions** —*an ox* Hes.; **divide up** (into smaller units) —*an army, city, country, the calendar year* Hdt. **3 divide off** (for others, as their portion), **apportion, assign, allot** (freq. W.DAT. to someone) —*land, a home, honour, a task* Od. Hes. hHom. Alcm. Hdt. X. +; **distribute** —*seed* (*to furrows*) Hes. **4** (of wild animals) **rip to pieces** —*a person, parts of the body* Hom. E.; (of horses, chariots, w. their hooves or wheel-rims) —*the ground, a fallen warrior* Il. **5** || PF.PASS. (of land, possessions) **be divided up** Hom. Hdt. Call.; **be apportioned** —W.DAT. *to someone* E.

δατήριος ον *adj.* (of a dream) **concerning division** (W.GEN. of wealth) A.

δατητής οῦ, dial. **δατητάς** ᾶ *m.* **1 divider** (W.GEN. of wealth, ref. to Ares) A. **2** (leg.) **liquidator** (of a business partnership or sim.) Arist.

Δαυλίς ίδος *f.* **Daulis** (city in Phocis) Il.
—**Δαυλίā** ᾶς *f.* **Daulia** (region in Phocis) S. Th.
—**Δαυλιάς** άδος *f.* **Daulian lady** (name for the nightingale, into which Prokne, wife of Tereus, king of Daulia, was transformed) Th.
—**Δαυλιεύς** έως *m.* man from Daulis or Daulia, **Daulian** A.
—**Δαύλιοι** ων *m.pl.* **Daulians** Hdt.

δαῦλος ον *adj.* app., **thick** or **shaggy**; (fig., of the paths of Zeus' thoughts) **dark, opaque** A.

δαῦτε (crasis for δὴ αὖτε): see αὖτε 1

δάφνη ης, dial. **δάφνā** ᾶς *f.* [app.loanwd.] **laurel, bay-laurel** (ref. to the tree or its leaves; esp. assoc.w. Apollo, prophetic inspiration and prophecy) Od. +

δαφνηφορέω contr.vb. [δαφνηφόρος] (of soldiers, in a triumphal procession) **hold a laurel branch** Plu. [or perh. *wear a laurel garland*]

δαφνη-φόρος ον *adj.* [δάφνη, φέρω] **1** (of branches) **bearing laurel leaves** E.; (of Roman *fasces*) **wreathed with laurel** Plu.; (as cult title of Apollo) **laurel-bearing** Plu. **2** (of rites) **in which laurel is carried** or **worn** A.

δάφνινος η ον *adj.* (of a sapling) **of laurel** Call.

δαφνώδης ες *adj.* (of dells) **full of laurels** E.

δα-φοινός (also **δαφοινεός** Il.dub.) Hes.) όν *adj.* [intensv.prfx., reltd. διά, Aeol. ζά; φοινός, φοίνιος] **1** (of an eagle's prey, a wounded lion's head) **red with blood, bloodied, bloody** Pi. Theoc.; (of the garment of Fate) **red** (W.DAT. w. the blood of men) Il. (dub.) Hes. **2** (of a snake, jackal, lion, lionskin, lynx-hide) **blood-red** Il. hHom. E. [or perh. *tawny*] **3** (of a firebrand) **glowing red** A. **4** (of the Fates; of an affliction ref. to a dragon; of Zeus' eagle) **bloody, bloodthirsty, murderous** Hes. hHom. A.

δαχθείς (aor.pass.ptcpl.): see δάκνω

δαψίλεια ᾶς *f.* [δαψιλής] **1 abundance** (of spoils, supplies, commodities grown or caught at sea) Plb. Plu. **2 lavish expenditure** Plb. Plu.

δαψιλής ές *adj.* [reltd. δάπτω, δαπάνη] **1** (of wine, supplies, land, an amount) **abundant, plentiful** Hdt. X. Plb. Plu.; (of a stream) **copious** Plu. **2** (of a gift) **lavish** Hdt.; (of meals) Plu. **3** (of a person) **liberal, generous** (in giving) Plu. **4** (of a measure of length) reckoned generously, **generous** Plb.

—**δαψιλές** neut.adv. **plentifully** —*ref. to making threats* Call.
—**δαψιλῶς**, dial. **δαψιλέως** *adv.* | superl. δαψιλέστατα |
1 abundantly, plentifully, liberally Theoc. Plb.
2 luxuriously X.
3 extravagantly X.

δαῶμεν (1pl.aor.2 pass.subj.): see δαῆναι

δέ *pcl.* [reltd. δή] | The functions of the pcl. are given in two groups: (**A**) connective (linking sentences, cls. or phrs., freq. answering μέν), both continuative (*and*) and adversative (*but*); (**B**) apodotic, introducing a main cl. after a subordinate cl. There are numerous applications of the pcl.; only the most common are illustrated. It usu. stands in second position, sts. later. |
—**A 1** (connective, answering μέν) | see μέν 5–6
2 (continuative, connecting sentences or cls.) • ὣς ἔφατ' εὐχόμενος, τοῦ δ' ἔκλυε Φοῖβος Ἀπόλλων, βῆ δέ ... *so he spoke in prayer, and Phoibos Apollo heard him, and he went* ... Il.
3 (connecting phrs. in apposition) • πατὴρ ὁ σός, ἀδελφεὸς δὲ ἐμός *your father, and my brother* Hdt.

4 (connecting wds. in anaphora) • κινεῖ κραδίαν, κινεῖ δὲ χόλον *she stirs up her heart and stirs up her anger* E.
5 (adversative, in balanced expressions) • πολλοὶ ἀνδρεῖοί εἰσιν, ἄδικοι δέ *many are courageous, but unjust* Pl.
6 (more strongly adversative, introducing an objection) • σιγᾷς; σιωπῆς δ' οὐδὲν ἔργον ἐν κακοῖς *You are silent? But silence is no use in misfortune* E.
7 (after a preceding neg. expression) • οὐκ ἐπὶ κακῷ, ἐπ' ἐλευθερώσει δέ *to bring not harm but liberation* Th.
8 (implying a causal connection, equiv. to γάρ *for*) • εὐνῇ δ' οὔ ποτ' ἔμικτο, χόλον δ' ἀλέεινε γυναικός *but he never went to bed with her, because he was afraid of his wife's anger* Od.
9 (in qs.) • τίς δ' ὅδε Ναυσικάᾳ ἕπεται; *and who is this following Nausikaa?* Od.
—B (apodotic, introducing a main cl., esp. after a relative, temporal or conditional protasis) • τοὺς ἂν ἐγὼν ἐπιόψομαι, οἱ δὲ πιθέσθων *those whom I shall select, let them obey* Il. • οἱ δ' ἐπεὶ ἐκ πόλιος κατέβαν, τάχα δ' ἀγρὸν ἵκοντο *after they had descended from the city they quickly reached the farmland* Od. • εἰ δέ κε μὴ δώωσιν, ἐγὼ δέ κεν αὐτὸς ἕλωμαι *if they do not give, then I myself shall take* Il.

δέατο *ep.3sg.impf.mid.* [reltd. δῆλος; cf. δοάσσατο¹] (of a person) **seemed** —W.INF. + PREDIC.ADJ. *to be such and such* Od.
δέγμενος (ep.athem.pres.ptcpl.): see δέχομαι
δεδάασθαι (aor.2 mid.inf.), **δεδάᾱσι** (3pl.pf.): see δαῆναι
δεδαγμένος (dial.pf.pass.ptcpl.): see δάκνω
δέδαε (3sg.aor.2), **δεδάηκα** (pf.), **δεδαημένος** (pf.pass.ptcpl.), **δεδαῆσθαι** (pf.pass.inf.): see δαῆναι
δεδαίαται (ep.3pl.pf.pass.): see δαίομαι²
δέδαρμαι (pf.pass.): see δέρω
δέδασται (3sg.pf.pass.): see δατέομαι
δεδαυμένος (pf.pass.ptcpl.): see δαίω
δεδαώς (pf.ptcpl.): see δαῆναι
δέδεγμαι (pf.mid.): see δέχομαι
δεδέηκα (pf.): see δέω²
δέδειχα (pf.): see δείκνῡμι
δέδεκα (pf.): see δέω¹
δέδεμαι (pf.pass.): see δέω¹
δέδεξο (ep.pf.mid.imperatv.), **δεδέξομαι** (ep.fut.pf.mid.), **δέδεχθε** (ep.2pl.pf.mid.imperatv.): see δέχομαι
δέδηγμαι (pf.pass.): see δάκνω
δέδηε, δεδήει (ep.3sg.pf. and plpf.): see δαίω
δεδήσομαι (fut.pf.pass.): see δέω¹
δέδια (pf.): see δείδω
δεδίδαχα (pf.): see διδάσκω
δεδίσκομαι *ep.mid.vb.*, **δεδίττομαι** *Att.mid.vb.*: see δειδίσσομαι
δεδισκόμενος (ep.mid.ptcpl.): see δειδίσκομαι
δεδίωγμαι (pf.pass.): see διώκω
δεδιώς (pf.ptcpl.): see δείδω
δέδμᾱνται (dial.3pl.pf.pass.): see δέμω
δέδμημαι¹, δεδμήμην (ep.pf. and plpf.pass.): see δάμνημι
δέδμημαι² (pf.pass.), **δέδμητο** (ep.3sg.plpf.pass.): see δέμω
δεδμήσομαι (ep.fut.pf.pass.): see δάμνημι
δέδογμαι (pf.mid.pass.): see δοκέω
δέδοικα (pf.), **δεδοίκω** (dial.pf.): see δείδω
δεδόκημαι (pf.mid.pass.): see δοκέω
δεδοκημένος (ep.pf.mid.ptcpl.): see δέχομαι
δέδορκα (pf.): see δέρκομαι
δεδραγμένος (pf.mid.ptcpl.): see δράσσομαι
δέδρᾱκα (pf.): see δράω
δέδῡκα (pf.): see δύω¹

δέελος ου *m.* —or **δέελον** ου *n.* [perh. δέω¹] | only acc.sg. δέελον | app., **faggot, bundle** (of branches) Il.
δέη (neut.acc.pl.): see δέος
δέημα ατος *n.* [δέω²] that which is asked for, **request** Ar.
δέησις εως *f.* **1** (freq.pl.) **plea, request, entreaty** Att.orats. Pl. Men. Plb. Plu.; **prayer** NT.
2 need (ref. to human wants, necessities and desires) Arist.
δεήσω (fut.): see δέω²
δεητικός ή όν *adj.* **1** (of a person) **inclined to ask for help** Arist.
2 (of a person, speech) **supplicatory, pleading** Plu.
δεθήσομαι (fut.pass.): see δέω¹
δεῖ *3sg.impers.contr.vb.*: see under δέω²
δεῖγμα ατος *n.* [δείκνῡμι] **1 demonstration, evidence, proof** (W.GEN. of sthg.) E. Ar. Men.; (in legal ctxt., w. κατά + GEN. against someone) D.
2 that which is shown as a sample or illustration; **sample** (of fruit or corn, shown to potential buyers) D. Plu.; (gener.) **sample, specimen, example, illustration** (sts. W.GEN. of sthg.) Isoc. Pl. D. Arist. Plb. Plu.
3 place where samples of goods are displayed, **market** (at the Peiraieus) X. D. Thphr.; (at Rhodes) Plb.; (fig., W.GEN. of lawsuits) Ar.
δειγματίζω *vb.* put on public show, **make an example of** —*a person* NT.
δειδήμων ονος *masc.fem.adj.* [δείδω] (of persons) **cowardly** Il.
δειδίσκομαι *ep.mid.vb.* [prob.reltd. δείκνῡμι] | ptcpl. δειδισκόμενος, also δεδισκόμενος | PF. (w.pres.sens.): 3pl. δειδέχαται (also as 3sg. Call.), ptcpl. δειδεγμένος (Call.) | PLPF. (w.impf.sens.): 3sg. δείδεκτο, 3pl. δειδέχατο |
1 welcome, greet —*someone* Od. Call.; **offer a welcome** or **greeting** Od. Call. AR.
2 greet (W.ACC. someone) **with a drink** or **toast** Il.; (intr.) Od.
3 hold up, show —*a child* (W.DAT. *to its father*) AR.
δειδίσσομαι *ep.mid.vb.* —also **δεδίσκομαι** (hHom.(cj.) Stesich.) *ep.mid.vb.* — **δεδίττομαι** *Att.mid.vb.* [δείδω] | ep.fut. δειδίξομαι | ep.aor.inf. δειδίξασθαι | aor.ptcpl. δειδιξάμενος |
1 frighten, alarm, scare —*a person* Il. Hes. hHom.(cj.) Stesich. Ar. Pl. + —(w. ἀπό + GEN. *away fr. a corpse*) Il. —(W.INF. *into fleeing*) Theoc.; (intr.) **cause alarm** AR.
2 ‖ PASS. **be terrified** Plu.
δείδω *statv.pf.vb.* [fr. archaic pf. δέδϝοια] | 1sg. also δέδια, ep. δείδια, 1pl. δέδιμεν, ep. δείδιμεν, imperatv. δέδιθι, ep. δείδιθι, inf. δεδιέναι, ep. δείδιμεν, ptcpl. δεδιώς, ep. δειδιώς, also δειδώς (AR.) | plpf. ἐδεδίειν, ep.3sg. δείδιε, ep.1pl. ἐδείδιμεν, 3pl. ἐδεδίεσαν, also ἐδέδισαν, ep. ἐδείδισαν, also δείδισαν ‖ also statv.pf. δέδοικα, ep. δείδοικα, dial. δεδοίκω (Theoc.) | statv.plpf. ἐδεδοίκειν | ep.3sg.fut. δείσεται, ep.inf. δείσεσθαι | aor. ἔδεισα, ep. ἔδδεισα, also δεῖσα |
1 (of persons, animals) **fear, be afraid of** —*someone or sthg.* Hom. +
2 be afraid, be frightened (sts. W.PREP.PHR. about or because of sthg., for someone or sthg.) Hom. + —W.INF. *to do sthg.* Hom. + —W.ACC. + PRES. or AOR.INF. *that someone will do sthg., that sthg. will be the case* Hom. + —w. μή or ὅπως μή or ὡς + CL. *that sthg. may happen, that sthg. is the case* Hom. +; (tr.) **be worried about** —*someone or sthg.* (w. μή + CL. *in case they may do sthg., that sthg. may happen*) Hom. +
3 ‖ NEUT.PF.PTCPL.SB. **state of fear** Th.
δειελιάω *contr.vb.* [δείελος] **have an evening meal** Od.

δειελινός ή όν *adj.* **1** (of darkness) **of evening** AR.
2 (quasi-advbl., of persons doing sthg.) **in the evening** Call. Theoc.

δείελος η ον (also ος ον AR.) *adj.* [δείλη] **1** of or relating to the evening; (of a time of day) **evening** Od. AR. Theoc.
2 ‖ MASC.SB. **evening** Il. Call. AR.; (neut.pl.sb.) Hes.
3 ‖ FEM.SB. **afternoon or evening** Il.(cj., for δείλη)
—**δειελόν** οῦ *n.* **evening meal** Call.

δεικανάω *ep.contr.vb.* [δείκνῡμι] | iteratv.impf. (w.diect.) δεικανάασκον (Theoc.) | 3pl.impf.mid. (w.diect.) δεικανόωντο, also ἐδεικανόωντο (AR.) |
1 ‖ MID. **offer a welcome** or **greeting** (to someone) Od. —W.DAT. w. cups (i.e. **offer a toast**) Il.; **greet** —someone (W.DAT. w. words and embraces) AR.
2 (act.) **hold up, show** —sthg. (W.PREP.PHR. to someone) Theoc.

δεικηλίκτᾱς ᾱ *Lacon.m.* [δείκηλον] **actor** Plu.

δείκηλον ου *n.* [reltd. δείκνῡμι] **1 representation, performance** (of a story about a god) Hdt.
2 image, reflection (of a person) AR.; **spectre, phantom** (created by sorcery) AR.

δείκνῡμι *vb.* —also (pres. and impf.) **δεικνύω** | dial.3sg. δείκνῡ (Hes.) | imperatv. δείκνυε, 3sg. δεικνύτω | impf. ἐδείκνυον, 3sg. ἐδείκνυε, dial. δείκνυε, 1pl. ἐδείκνῡμεν (E.), 3pl. ἐδείκνῡσαν | fut. δείξω, Ion. δέξω | aor. ἔδειξα, Ion. ἔδεξα | pf. δέδειχα ‖ PASS.: aor. ἐδείχθην | pf. δέδειγμαι ‖ neut.impers.vbl.adj. δεικτέον |
1 make visible (to the eyes of others), **show, exhibit, display** (freq. W.DAT. to someone) —sthg. Hom. + —a person, oneself, one's face, head, body S. E. Ar. ‖ MID. **display** —prizes Il.
2 show, point out, indicate (usu. W.DAT. to someone) —a person, place, or sim. Hom. hHom. Hdt. S. E. Th. + —W.INDIR.Q. where sthg. is Od.; **point** —w. ἐς + ACC. to someone or sthg. Hdt.; (mid.) hHom.
3 show (personal qualities or a type of behaviour); **display, exhibit, manifest** —good faith, virtue, enthusiasm, or sim. A. Antipho Th. +
4 make clear (to the understanding), **show, demonstrate, explain, prove** —sthg. Od. + —W.COMPL.CL. or INDIR.Q. that (what, whether) sthg. is the case Scol. Trag. Th. + —W.NOM. or ACC.PTCPL. that one (or someone) is (or is doing) such and such E. Th. +; (w. ellipse of ptcpl.) E.
5 teach —W.DAT. + INF. someone to do sthg. Fi. E.; **teach, counsel, instruct** —W.DAT. + INF. someone to do sthg. E. Ar. —W.ACC. + INF. E.; (intr.) **give guidance** or **instructions** Hes. hHom.
6 ‖ FUT. (intr., of persons or things) **make clear, prove** or **demonstrate** (a point) S. E.fr. Th. Ar. + ‖ IMPERS. **it will become clear** Ar. D.
7 ‖ MID. **welcome, greet** —someone Hom.; **greet with a drink, toast** —someone hHom. | cf. δειδίσκομαι, δεικανάω

δεικτηριάς άδος *f.* **actress** Plb.

δεικτικός ή όν *adj.* (of arguments based on undisputed facts) **able to provide proof, demonstrative** Arist.

δείλᾱ *dial.f.*: see δείλη

δειλαίνω *vb.* [δειλός] **be cowardly** Arist.

δείλαιος ᾱ (Ion. η) ον *adj.* | sts. δειλαῖος in Att. | **1** (of persons) **wretched, miserable, pitiful** Hippon. Trag. Ar. Att.orats. Hellenist.poet.; (of animals) Theoc.
2 (of old age, slavery, sufferings) **woeful, painful** S. E.
3 (of an offering to the dead) **paltry** A.

δειλακρίων ωνος *m.* [dimin. δειλακρος] (as a jocular term of address) **pitiful man, miserable fellow** Ar.

δείλακρος ᾱ ον *adj.* [reltd. δειλός] (of persons) **wretched** Carm.Pop. Ar.

δείλατα (ep.neut.nom.acc.pl.): see δέλεαρ

δείλη ης, dial. **δείλᾱ** ᾱς *f.* **afternoon** Hdt. S.fr. Th. X. +; (W.ADJ. πρωίη *early*) Hdt.; (W.ADJ. ὀψία, ὀψίη *late*) Hdt. Th. + | see also δείελος 3

δειλίᾱ ᾱς, Ion. **δειλίη** ης *f.* [δειλός] **cowardice** Hdt. S. E. Th. +; (as a legal charge comparable to treason and punishable by death) Ar. Att.orats.

δειλίᾱσις εως *f.* [δειλιάω] **timidity** Plu.

δειλιάω *contr.vb.* (of the heart) **be in a state of fear** NT.

δειλινός ή όν *adj.* [δείλη] ‖ NEUT.ADV. **in the evening** Men. Theoc.

δείλομαι *mid.vb.* | only 3sg.impf. δείλετο (v.l. δύσετο) | (of the sun) **move towards evening** Od.

δειλόομαι *mid.contr.vb.* [δειλός] **be cowardly** S.Ichn.

δειλός ή (dial. ά) όν *adj.* [reltd. δείδω] **1** (of persons, their words or behaviour) **timorous, cowardly** Il. Hdt. S. E. Th. Ar. +; (of wealth) **conducive to cowardice** E. Ar.; (of animals) **timid** Hdt. ‖ NEUT.SB. **cowardice** E.
2 (of persons, esp. in exclams., usu. w.connot. of pity, sts. of contempt) **wretched, miserable, pitiful** Hom. Alc. Thgn. Emp. Hellenist.poet.; (of old age, poverty) Hes. Thgn. ‖ NEUT.PL.SB. **misfortunes, miseries** Emp.
3 (of persons, their minds, behaviour) **ignoble, good for nothing, worthless** Od. Hes. Eleg. Scol. B. Ar. +; (of gains) **base, mean** Thgn. S.; (of thrift, when it comes too late) **worthless, woeful** Hes.

δεῖμα[1] ατος *n.* [reltd. δείδω] **1** (abstr., sts.pl.) **fear, terror** Il. +
2 (concr.) that which causes fear, **object of dread** (ref. to a person) S.; (usu.pl., ref. to monsters, beasts, figures on a shield, nightmares) Trag. AR.
3 terrifying deed AR.

δεῖμα[2] (ep.aor.): see δέμω

δειμαίνω *vb.* | only pres. and impf. | **1 fear, be afraid of** —someone or sthg. Tyrt. Hdt. Trag. Mosch.
2 be afraid, be frightened hHom. Hdt. Trag. Ar. Pl. AR. + —W.INF. to do sthg. E. Mosch. —W.ACC. + AOR.INF. that someone will do sthg., that sthg. will happen E. —w. μή + SUBJ. or OPT. that sthg. may happen Thgn. Hdt. S. Theoc. Mosch.

δειμαλέος η ον *Ion.adj.* (of a voice) **frightened** Mosch.

δειματόω *contr.vb.* **1 frighten, terrify** —someone Hdt. Ar.
2 ‖ MID.PASS. **be frightened of** —everything S.Ichn. ‖ PTCPL.ADJ. (of persons, their words) **frightened** A. E.

δείμομεν (ep.1pl.aor.subj.): see δέμω

Δειμός οῦ *m.* (personif., as a god who stalks the battlefield) **Fear** Il. Hes.

δεῖν[1] (inf.): see δέω[1]

δεῖν[2] (inf.): see δεῖ, under δέω[2]

δεῖνα *masc.fem.neut.indef.pron.* | nom.acc. δεῖνα | gen. δεῖνος | dat. δεῖνι | masc.nom.pl. δεῖνες | gen.pl. δείνων ‖ always w.art.: ὁ δεῖνα, ἡ δεῖνα, τὸ δεῖνα | **1 someone or other, something or other** Lys. Ar. D. Arist.
2 (ref. to a specific individual whose name is being avoided) **a certain person** Ar.
3 (as substitute for a pers. name) **so-and-so** D. Men. NT.; ὁ δεῖνα ... ὁ δεῖνα *man A ... man B* D. ‖ PL. **such-and-such people** D.
4 (mildly or jocularly pejor.) **that so-and-so** Ar.
5 ‖ NEUT. (euphem., ref. to the sexual organs) **his or her what-do-you-call-it** Ar.
6 ‖ NEUT.SG.INTERJ. (expressing hesitation, while a speaker struggles to remember a technical term, prepares to say

sthg. difficult or plays for time) **what do you call it, how shall I put it, wait a minute** Ar. Men.

Δείναρχος ου *m.* **Dinarchus** (Athenian orator, born c.361 BC) Plu.

δεινο-θέτᾱς ᾱ *dial.m.* [δεινός, τίθημι] **mischief-maker** (ref. to Eros) Mosch.

δεινολογέομαι *mid.contr.vb.* [λόγος] **complain bitterly** Hdt. —W.COMPL.CL. *that sthg. is the case* Hdt. Plu.

δεινολογίᾱ ᾱς *f.* **speech of bitter complaint** Plb.

δεινοπαθέω *contr.vb.* [πάσχω] **complain bitterly** (of one's wrongs) D. Plb.

δεινό-πους ποδος *masc.fem.adj.* [πούς] (of a personif. curse) **dreadful of foot, diabolically hounding** (a wrongdoer) S.

δεινός ή (dial. ά) όν *adj.* [reltd. δείδω] **1** (of persons, things, circumstances) causing fear, **terrifying, terrible, frightening, dire** Hom. + ‖ NEUT.SB. **cause of fear, terror** A.
2 (of persons or situations) **to be feared, threatening, dangerous** (usu. W.DAT. to a person) Hdt.; **giving cause to fear** (w. μή + SUBJ. that someone may do sthg., that sthg. may happen) Hdt. ‖ NEUT.SB. (sg. and pl.) **threatening or dangerous situation, danger** Simon. Hdt. + ‖ NEUT.IMPERS. (w. ἐστί or sim.) **it is to be feared, there is a danger** —w. μή + SUBJ. *that sthg. may happen* Hdt. And.; **it is dangerous** —W.INF. *to do sthg.* Lys.
3 (gener., esp. of happenings, circumstances, sufferings) **dreadful, terrible, frightful, awful** Hom. +; (phr.) δεινὸν (or δεινὰ) ποιεῖσθαι (sts. ποιεῖν) *take it badly, be indignant, complain* (sts. W.INF. or ACC. + INF. or W.COMPL.CL. *that sthg. shd. be the case*) Hdt. Th.
4 (of persons or things) **inspiring awe, awesome, formidable, strange, wondrous, remarkable** Hom. +
5 (of persons) **clever, skilful, ingenious, cunning** Hdt. S. E. +; **clever, adept** (W.INF. at doing sthg.) Trag. +
6 apt, liable (W.INF. to do sthg.) D. Thphr.

—**δεινόν** *neut.sg.adv.* **1 terrifyingly, dreadfully** —*ref. to shouting, glaring, thundering* Hom. Hes. Alc. Hdt. S. +
2 terribly —*ref. to suffering* Pi.

—**δεινά** *neut.pl.adv.* **terrifyingly** Il. Hes. S. E. +

—**δεινῶς** *adv.* **1 terribly, horribly, dreadfully** S. E. Lys. Ar. +; (w. ἔχειν or sim.) **be in a dreadful state** Lys. Isoc. Pl. +; (w.impers. ἔχει) *it is a dreadful situation* (W.DAT. *for someone*) E. Antipho; (w. φέρειν) *take it badly, be very upset* Hdt.
2 (w.vb., freq. one expressing emotion) **remarkably, exceedingly** Hdt. S. X. +; (w.adj.) Hdt. Aeschin. D. Plu.
3 cleverly Pl.

δεῖνος (gen.sg.): see δεῖνα

δεινότης ητος *f.* [δεινός] **1 terror, menace** (of an attacking fleet) Th.; (of laws, a person's behaviour) Th. Plb.
2 dreadfulness (of sufferings, crimes, or sim.) Th. Isoc. Pl.
3 cleverness, shrewdness, skill (of persons, esp. speakers, sts. pejor.) Th. Att.orats. Pl. Arist. Plu.

δεινόω *contr.vb.* **exaggerate the dreadfulness of** —*disasters, conditions* Th. Plu.

δειν-ωπός όν *adj.* —also **δεινώψ** ῶπος (S.) *masc.fem.adj.* [ὤψ] (of the Fates, Erinyes) **dread-faced, with terrifying appearance** Hes. S.

δείνωσις εως *f.* [δεινόω] **1 exaggeration** (as a rhetorical technique) Pl. Arist.
2 indignation (provoked in a listener) Arist. Plu.

δεῖξις εως *f.* [δείκνῡμι] (log.) **demonstration, proof** Arist.

δείους (ep.gen.sg.): see δέος

δειπνέω *contr.vb.* [δεῖπνον] | dial.3pl.fut. δειπνησεῦντι |
1 have a meal, dine Hom. hHom.; (specif.) **have one's evening meal** Th. Ar. Att.orats. Pl. +
2 dine on —*sthg.* Hes. Hippon.(cj.) X.; (of dogs) **feast on** —*someone* Call.

δειπν-ηστος ου *m.* [ἐσθίω] **meal-time** Od.

δειπνητήριον ου *n.* [δειπνέω] **dining room** Plu.

δειπνητής οῦ *m.* **guest at a dinner-party** Plb.

δειπνητικῶς *adv.* **like a gourmet** —*ref. to preparing a meal* Ar.

δειπνίζω *vb.* [δεῖπνον] | aor. ἐδείπνισα, ep.ptcpl. δειπνίσσᾱς | **entertain** (W.ACC. persons) **with a meal** Od. Hdt. X. Plu.

δειπνο-λόχος η ον *adj.* [λοχάω] (of a wife) **lying in wait for a meal, greedy, gluttonous** Hes.

δεῖπνον ου *n.* **1** (gener.) **meal** (usu. ref. to the main meal of the day, at whatever time it is taken; in the classical period, usu. an afternoon or evening meal, opp. ἄριστον *breakfast*) Hom. +
2 (ref. to a more formal meal, provided for guests or friends or for the public) **dinner, feast, banquet** Pi. Hdt. +
3 (in specif.ctxts.) **meal** (ref. to an animal providing the food) Od.; (ref. to food on a table, placed on an altar for a god, snatched by the Harpies) A.; (ref. to the human flesh eaten by Thyestes) Trag.
4 meal, feast (for birds of prey, ref. to a corpse or other bird) Hes. A. Ar.

δειπνοποιέω *contr.vb.* **1 prepare dinner** X.
2 ‖ MID. **dine** Th. X. D. Plb. Plu.

δειπνοφορίᾱ ᾱς *f.* [δειπνοφόρος] **bearing of a meal** (to a deity, by girls in a ritual procession) Men.

δειπνο-φόρος ου *f.* [φέρω] (ref. to a girl in a ritual procession) **meal-bearer** Plu.

δειρά *dial.f.*, **δειρή** *Ion.f.*: see δέρη

δειράς άδος *f.* —also perh. **δεράς** (S., cj.) *f.* [perh.reltd. δέρη] **ridge** (of rock) hHom. Pi. S. E. AR.; **rocky face** (of the petrified Niobe) S.

δειροτομέω *Ion.contr.vb.* [δέρη, τέμνω] **cut the throat of, butcher, kill** —*persons, cows* Hom. hHom.

δείρω *Ion.vb.*: see δέρω

δείς δέν, gen. δενός *pron.* [created secondarily fr. οὐδείς] **someone, something** (opp. οὐδείς) Alc. Democr.

δεῖσα (ep.aor.), **δείσεσθαι** (ep.fut.mid.inf.), **δείσεται** (ep.3sg.fut.mid.): see δείδω

δεισ-ήνωρ ορος *masc.fem.adj.* [δείδω, ἀνήρ] (in neg.phr., of an act by a woman) **man-fearing** A.

δεισιδαιμονέω *contr.vb.* [δεισιδαίμων] **have a superstitious fear** Plb.

δεισιδαιμονίᾱ ᾱς *f.* **1 superstition** Plb. Plu.
2 (in neutral sense) **religious observance** Plb. NT.

δεισι-δαίμων ον, gen. ονος *adj.* [δείδω] **1 god-fearing, pious** X. Arist. NT.
2 superstitious Thphr.

δέκα *indecl.num.adj.* **ten** Hom. +

δεκα-βάμων ον, gen. ονος *dial.adj.* [βῆμα, βαίνω] (of the tuning arrangement of an eleven-stringed lyre) **comprising ten intervals** Ion

δεκά-βοιον ου *n.* [βοῦς] **ten-oxen-worth** (as a term of valuation at Athens, reputedly derived fr. the introduction by Theseus of coins stamped w. an ox) Plu.

δεκαδαρχίᾱ ᾱς *f.* [δεκάς, ἀρχή] **ruling council of ten men** D. Plu.

δεκάδ-αρχος ου *m.* [ἄρχω] **1 commander of ten soldiers** X.
2 (in the Roman army) *decurio* Plb.

δεκαδεύς έως *m.* member of a squad of ten soldiers X.

δεκαδιστής οῦ *m.* tenth-day diner (member of a club which held dinner-parties on the tenth day of the month) Thphr.

δεκα-δύο δυοῖν (or δυεῖν) *masc.fem.neut.pl.num.adj.* twelve Plb. NT. Plu.

δεκά-δωρος ον *adj.* [δῶρον *breadth of the hand, palm*, as a unit of length, i.e. about 3 inches] (of a wagon) ten palms in length, **two and a half feet long** Hes.

δεκα-επτά *indecl.num.adj.* **seventeen** Arist. Plu.

δεκαετηρίς ίδος *f.* [δεκαετής] **period of ten years** Pl.

δεκα-ετής ές (or **δεκαέτης** ες), also **δεκετής** ές (or **δεκέτης** ες) *adj.* [ἔτος] **1** (of a boy) **ten years old** Hdt. Pl. **2** (of a period of time, war, treaty) lasting ten years, **ten-year** S. Th. Ar. Pl. Aeschin. Plu. **3** (of a seed-time, ref. to one year in a chronological sequence) **tenth annual, tenth** E. **4** (quasi-advbl., of persons roaming) **for ten years** E.

—**δεκέτις** ιδος *fem.adj.* **1** (of a girl) **ten years old** Ar. **2** (of a period of time) **ten-year** Pl.

δεκαετία, also **δεκαέτεια** (Arist.), ᾶς *f.* period of ten years, **decade** Arist. Plu.

δεκάζω *vb.* [perh.reltd. δέχομαι] **bribe** —*jurors* Isoc. Arist. Plu. —*the populace, troops, individuals* Plu.; (intr.) **give bribes** (to jurors) Isoc. Aeschin. Arist.; (to the populace) Plu. ‖ PASS. (of jurors) **be bribed** or **take bribes** Lys. Aeschin. Thphr.; (of other persons) Plu.

δεκάκις *num.adv.* [δέκα] **1** on ten occasions, **ten times** Il. Att.orats. X. **2** increased by a factor of ten, **tenfold, ten times as much** Il. Pl.; **ten times** (W.ADJ. *as much*) Il.; (in multiplication) δέκα δεκάκις *ten times ten* Pl. **3** (hyperbol., ref. to dying) **ten times over** D ; (ref. to being adopted, being a slave) Men. Plb.

δεκά-κλινος ον *adj.* [κλίνη] (of a room) **having space for ten couches** X.(cj. ἐνδεκάκλινος)

δεκα-μηνιαῖος ᾶ ον *adj.* [μήν²] (of a period of time) **lasting ten months** Plu.

δεκά-μηνος ον *adj.* (of persons or animals) **ten months old** X. Theoc.; (of an event) **in the tenth month** (after sthg.) Hdt.

δεκα-μναῖος ον *adj.* [μναῖος] (of a salary) **of ten minae** Plb.

δεκά-μνως ων, gen. ω *adj.* [μνᾶ] ‖ dat. δεκάμνῳ ‖ (of a sum of money) **of ten minae** X.; (of a breastplate) **worth ten minae** Ar.

δεκ-άμφορος ον *adj.* [ἀμφορεύς] (of a bowl) holding ten amphoras of wine, **ten-keg** E.*Cyc.*

δεκα-ναΐα ᾶς *f.* [ναῦς] **fleet of ten ships** Plb.

δεκα-οκτώ *indecl.num.adj.* **eighteen** NT. Plu.

δεκα-πάλαι *adv.* [πάλαι] (hyperbol.) **for ten aeons** —*ref. to being ready* Ar.

δεκα-πέντε *indecl.num.adj.* **fifteen** X. Plb. NT. Plu.

δεκά-πηχυς υ *adj.* [πῆχυς] (of a statue) **ten cubits tall** Hdt. Plb.

δεκαπλάσιος ᾱ ον *adj.* **1** (of penalties, sums of money, places, pains) **tenfold, ten times more** or **greater** (sts. W.GEN. than sthg.) Att.orats. Pl. Plb. ‖ FEM.SB. (w. τιμή understd.) **fine of ten times the amount** D. ‖ NEUT.SB. **ten times more** (sts. W.GEN. than sthg.) Pl. D. Plu. **2** (fig., of a person) **ten times greater** (in his own estimation) Pl.

δεκά-πλεθρος ον *adj.* [πλέθρον] (of an outer fortification) **measuring ten plethra** (in length) Th.

δεκαπλοῦς οῦν *Att.adj.* (of fines, sums of money) **tenfold, ten times as much** Att.orats. Arist.

δεκά-πους πουν, gen. ποδος *adj.* [πούς] (of a shadow, stick) **ten feet long** Ar. Call.

δεκ-άρχης εω *Ion.m.* [ἄρχω] **commander of ten soldiers** Hdt.

δεκαρχία ᾱς *f.* [ἀρχή] **1 ruling council of ten men** Isoc. X. **2 rule by a council of ten men** X.

δεκάς άδος *f.* **1** (ref. to people) **group** or **company of ten** Hom. Alcm. Hdt. Plu.; (ref. to ships) A. **2** (milit.) group of ten soldiers, **squad of ten** X. Plu. **3** (without precise numerical connot.) **select group** (of persons w. shared characteristics) E. **4 decade** (W.GEN. of years) Call. **5 ten** (as a number or concept) Arist. Plu.; (as part of a compound numeral, such as ἑκατοντάδες ἓξ καὶ δεκάς *six hundred and ten*) Hdt.; δεκάδες δύο *two tens (i.e. twenty)* Hdt.

δεκασμός οῦ *m.* [δεκάζω] payment of bribes, **bribery** Plu.

δεκά-σπορος ον *adj.* [δέκα, σπόρος] (of a length of time) of ten sowings, **lasting ten years** E.

δεκαταῖος ᾱ ον *adj.* [δεκάτη, under δέκατος] **1** (quasi-advbl., of persons arriving, corpses being recovered) **on the tenth day, after ten days** Pl. Plb. Plu. **2** (of tribute) **of a tenth** (ref. to a tithe) Call.

δεκα-τάλαντος ον *adj.* [δέκα, τάλαντον] (of a lawsuit) **for the recovery of ten talents** Aeschin.; (of a boulder) **weighing ten talents** Plu.

δεκατεία ᾱς *f.* [δεκατεύω] selection of one man in every ten for execution, **decimation** Plu.

δεκα-τέσσαρες, Att. **δεκατέτταρες**, α, gen. ων *pl.num.adj.* **fourteen** NT. Plu.

δεκάτευμα ατος *n.* [δεκατεύω] tenth part, **tithe** (W.GEN. of one's profits) Call.*epigr.*

δεκατευτήριον ου *n.* place where customs duties are collected, **customs office** X.

δεκατεύω *vb.* [δέκα] **1 make** (W.ACC. persons, cities) **pay a tithe** Lycurg.(law) D. —W.DAT. *to a god* Hdt. Plb. **2 pay as a tithe, make a tithe of** —*goods, produce* X. Plb. Plu. ‖ PASS. (of goods) **be paid as a tithe** —W.DAT. *to a god* Hdt. **3** kill one in ten (as a form of punishment), **decimate** —*deserters* Plu. ‖ PASS. (of a populace) **be decimated** X.

δεκάτη *f.*: see under δέκατος

δεκατη-λόγος ου *m.* [δεκάτη 3, under δέκατος; λέγω] collector of ten-percent customs duty, **customs officer** D.

δεκατη-μόριον ου *n.* **tenth part, tenth** Pl.

δέκατος η (dial. ᾱ) ον *adj.* [δέκα] **1** (of persons or things) **tenth** (in a list or sequence) Hom. + **2** (of a commander or official, w.art.) **one of ten** Hdt.; (without art.) Plu.; (w. αὐτός) Th. And. Pl. X. Aeschin.; (of a contributor) ἕκτος καὶ δέκατος *one of sixteen* D. **3** (of a part of a whole) **tenth** Hes. Att.orats. Arist. Plu. —**δεκάτη** ης *f.* **1 tenth day** (in a sequence) Hom. Hes.; (of a month) Hes. And. Call.*epigr.* Plu.; (fr. the end of a month) D. Plu.; **tenth-day celebration** (sts. W.GEN. for a baby, ref. to its naming ceremony) Ar. Is. D. **2 tenth part** (W.GEN. of incoming revenue) Ar.; (specif.) **tithe** (sts. W.GEN. of goods, spoils, or sim., esp. given to gods or rulers) Hdt. Lys. X. D. Arist. Plu. **3 ten-percent tax** (ref. to customs duty) X. D.

δεκα-τρεῖς τρία, gen. τριῶν *pl.num.adj.* **thirteen** Plu.

δεκά-φυλος ον *adj.* [φυλή] (of the Athenians) **divided into ten tribes** Plu.

δέκαχα *adv.* **in ten ways** or **parts** —*ref. to distributing people* Hdt.(cj.)

δεκά-χαλκον ου *n.* [χαλκός] **ten-khalkous coin** (ref. to the Roman *denarius*, worth ten *asses*) Plu. ‖ see χαλκοῦς, under χάλκεος

δεκά-χειλοι αι α *Ion.pl.num.adj.* [χίλιοι] (of warriors) **ten thousand** Il.

δεκά-χους ουν *Att.adj.* [χοῦς¹] (of a water-clock) **holding ten khoes** (approx. 32 litres) Arist.

Δεκέλεια ᾱς, Ion. **Δεκελέη** ης *f.* **Dekeleia** (deme in northern Attica, site of a Spartan garrison in the Peloponnesian war) Hdt. Th. Att.orats. X. +

—**Δεκελειᾶσι** *adv.* **at Dekeleia** Isoc.

—**Δεκελειόθεν**, Ion. **Δεκελεῆθεν** *adv.* (ref. to motion) **from Dekeleia** Call.; (ref. to a person's origin) Lys.; (appos.w. ἐκ δήμου) Hdt.

—**Δεκέλειος** ον *adj.* (of a war, assoc.w. Spartan occupation of the territory) **Dekeleian** Isoc. D.

—**Δεκελειεύς**, also **Δεκελεύς**, έως (Ion. έος) *m.* **inhabitant of Dekeleia, Dekeleian** Hdt. D. ∥ PL. **Dekeleians** Hdt. Lys.

δεκετής (or **δεκέτης**) *masc.adj.*, **δεκέτις** *fem.adj.*: see δεκαετής

δεκ-ήρης ους *f.* [δέκα, ἐρέσσω] **ten-rowed ship** (w. three banks of oars, and rowers seated in groups of ten, so that one level of oars had four men per oar and two levels had three) Plb. Plu.

δέκομαι *dial.mid.vb.*: see δέχομαι

δέκτης ου *m.* [δέχομαι] **one who takes handouts, beggar** Od.

δεκτικός ή όν *adj.* **capable of receiving**; (of a person) **amenable** (W.GEN. to authority) Plu.; (of substances, entities) **receptive** (usu. W.GEN. of sthg.) Arist.

δέκτο (ep.3sg.athem.aor.mid.): see δέχομαι

δεκτός ή όν *adj.* **1** (of a person) **well-received** NT.; **welcome** NT.

2 (of a year) **favourable, auspicious** NT.

δέκτωρ ορος *m.* **one who accepts or welcomes** (a person); (fig.) **host** (of bloodshed, i.e. of a murderer) A.

δεκ-ώρυγος ον *adj.* [δέκα, ὄργυια] (of hunting nets) **measuring ten fathoms** (in length) X.

δελεάζω *vb.* [δέλεαρ] **1 lay bait** (for animals, fish); (fig.) **lure, entice** —*persons* Plb. Plu. ∥ PASS. (of animals) **be lured by bait** Isoc.; **be lured** —W.DAT. *by their stomach* X.; (fig., of persons, oft. W.DAT. by leisure, comfort, gifts) D. Plb. Plu.

2 set as bait —*a pig's chine* (*to catch a crocodile*) Hdt. —(fig.) *small amounts of money* (W.DAT. *for persons*) Plu.

δέλεαρ ατος *n.* ∥ nom.acc.pl. δελέατα, also dial. δέλητα (Theoc.), ep. δείλατα (Call.) ∣ **1 bait** (for animals or fish) X. Call. Theoc. Plb.

2 (fig.) **bait, lure** (for a person) E. Pl. Plb. Plu.; **enticement** (W.GEN. to evil) Pl.

δελέασμα ατος *n.* [δελεάζω] **bait, enticement** (for a person) Ar. Plu.

—**δελεασμάτιον** ου *n.* [dimin.] **enticement** (W.GEN. to the spirit, ref. to delicacies) Philox.Leuc.

δέλτα *indecl.n.* [Semit.loanwd.] **delta** (letter of the Greek alphabet) Pl. X. ∥ ACC.ADV. **in the shape of a delta** (i.e. triangular) —*ref. to women's pubic hair being trimmed* Ar.

—**Δέλτα** *indecl.n.* **Delta** (of the Nile in Egypt, ref. to the triangular-shaped body of fertile land at its mouth) Hdt. Pl. Plb.

δελτάριον ου *n.* [dimin. δέλτος] **small writing-tablet** Plb. Plu.

δελτίον ου *n.* **writing-tablet** Hdt.

δελτο-γράφος ον *adj.* [δέλτος, γράφω] (of Hades' mind) **inscribing** (human actions) **as if on a tablet, recording** A.

δελτόομαι *mid.contr.vb.* (fig.) **record on the tablets of one's mind, take note of** —*someone's words* A.

δέλτος ου *f.* [prob. Semit.loanwd.] **1 writing-tablet** (ref. to a wooden panel, or two or more panels for folding together, w. a surface of wax, scratched w. a stylus) Hdt. Trag. Ar. Call.

Plu.; (W.GEN. of Zeus, for recording human crimes) A.*fr.* E.*fr.*; (fig., W.GEN. of the mind, as receptacle of memories) A.

2 tablet (of bronze, w. a carved inscription) S. Plu.

δελφάκιον ου *n.* [dimin. δέλφαξ] **piglet** Ar.

δελφακόομαι *mid.pass.contr.vb.* [δέλφαξ] (of a piglet) **become a full-grown pig** Ar.

δέλφαξ ακος *f.* **pig** Hippon. Hdt. Philox.Leuc.

Δέλφειος ον *adj.* [δελφίς, Δελφοί] (of an altar, established at Delphi in honour of Apollo's appearance as a dolphin) **Delphian** hHom.(dub., v.l. Δελφίνιος)

Δελφίνιος ον *adj.* (cult title of Apollo, ref. to his assoc.w. dolphins) **Delphinian** hHom. Call. Plu.

—**Δελφίνιον** ου *n.* **Delphinion** (temple of Apollo Delphinios, in Athens and elsewhere) Plu.; (in Athens, as the location of a lawcourt for cases of justifiable homicide) Att.orats. Arist.

δελφῑνο-φόρος ον *adj.* [δελφίς 2, φέρω] (of ships' yard-arms) **bearing dolphin-bombs** Th.

δελφίς ῑνος *m.* **1 dolphin** Hom. +

2 dolphin-bomb (ref. to massive dolphin-shaped weights of lead, suspended fr. the yard-arms of ships' masts to be dropped onto enemy vessels) Ar.

Δελφοί ῶν *m.pl.* **1 Delphi** (name of the city-state and panhellenic oracular sanctuary of Apollo, beneath Mt. Parnassos in Phocis) hHom. +

2 Delphians (ref. to the inhabitants) Pi. + ∥ SG.ADJ. (of an individual) **Delphian** Hdt. E.(dub.) And. +; (of the populace) Call.

—**Δελφός** οῦ *m.* **Delphos** (mythol. king of Delphi) A.

—**Δελφίς** ίδος *fem.adj.* **1** (of the Pythian priestess) **Delphian, Delphic** Pi. E.; (of maenads following Dionysus on Mt. Parnassos) E. Ar. ∥ PL.SB. **Delphian women** E.

2 (of the city, region) **Delphian, Delphic** E.; (of a rock or cliff, ref. to Parnassos) S. E. Theoc.*epigr.*

—**Δελφικός** ή όν *adj.* **1 of a Delphian** or **the Delphians**; (of a sword) **Delphian, Delphic** E.; (of a knife) **of the Delphic type** Arist.

2 of or relating to Delphi and its oracle; (of Apollo, as a cult title) **Delphian, Delphic** Pl.; (of the sanctuary, the Pythian games) S.; (of the maxim γνῶθι σαυτόν *know yourself*) Pl.

δέμα ατος *n.* [δέω¹] **tether** (for horses or sim.) Plb.

δέμας *n.* [δέμω] ∣ only nom.acc.sg., and dat.sg. δέμαϊ (Pi.*fr.*) ∣ **1 bodily structure, body, frame, form** (of persons, animals, monsters, freq. in ctxts. referring to their appearance) Hom. Hes. Xenoph. Lyr. Trag. AR.; (ref. to a corpse) S. E.; (of a poppy, a vine) Stesich.(cj.) S.*fr.*; (of night) Parm.; (of an aulos) Pratin.

2 (periphr., w.adj. or gen.) κτανεῖν ... μητρῷον δέμας *kill one's mother* A.; νυμφεύου δέμας Ἠλέκτρας *marry Electra* E.

—**δέμας** *acc.adv.* **in the form or likeness of, like** —W.GEN. *fire* Il. —*the sun* Pi.*fr.*

δέμνιον ου *n.* (freq.pl. for sg.) **bed** Hom. Hes. Pi. S. E. Hellenist.poet.

δεμνιο-τήρης ες *adj.* [τηρέω] (of the labour) **of keeping a bedside vigil** (over one's offspring, a sick man) A.

δέμω *vb.* ∣ ep.impf. δέμον ∣ aor. ἔδειμα, ep. δεῖμα, ep.1pl.aor.subj. δείμομεν ∥ MID.: 3sg.aor. ἐδείματο, ep. δείματο ∥ PASS.: pf. δέδμημαι, dial.3pl. δέδμᾱνται (Theoc.) ∣ 3sg.plpf. ἐδέδμητο, ep. δέδμητο ∣

1 build, construct —*a wall, dwelling, shrine, road, city, or sim.* Hom.(sts.mid.) Hdt. E. Tim. Call. AR.; **build up** —*a vineyard* hHom. ∥ PF. and PLPF.PASS. (of dwellings, walls, or sim.) **have been built** (usu. W.ADV. or PREP.PHR. in a particular place) Hom. Hdt. Theoc.

2 ∥ MID. **cause to be built, have built** —*a house, shrine, altar, foundations* Od. Hdt. Call. AR. Plu.

δέν *neut.pron.*: see δείς

δενδίλλω *vb.* **glance** (w. one's eyes) Il. AR.

δενδρεό-θρεπτος ον *adj.* [δένδρεον, τρέφω] (of rain) **nourishing trees** Emp.

δένδρεον ου, Aeol. **δένδριον** ω *n.* —also **δένδρον** ου *n.* —also **δένδρος** ους *n.* | dat.sg. δενδρέῳ and gen.pl. δενδρέων are disyllab. in ep. ‖ PL.: nom.acc. δένδρα, δένδρεα, also δένδρη (E.*fr.*) | gen. δένδρων, δενδρέων | dat. δένδρεσι, also δένδροις (Pl. X.) ‖ δένδρος only acc.sg. (Hdt., dub.), dat. δένδρει (Theoc.) | **tree** (wild or cultivated) Hom. +

δενδρήεις, dial. **δενδράεις**, εσσα εν *adj.* (of an island, grove, or sim.) abounding in trees, **thickly wooded** Od. hHom. Hellenist.poet.

δένδριον *Aeol.n.*: see δένδρεον

δενδρο-έθειρα ᾱς *fem.adj.* (of glens) tree-tressed, **thick with leafy trees** Tim.

δενδρο-κόμος ον *adj.* [κόμη] (of a nightingale's haunts, mountain peaks) tree-tressed, **thick with leafy trees** E. Ar.

δενδροκοπέω *contr.vb.* [κόπτω] **cut down all the trees** (in laying waste to a region) X.

δένδρον, also **δένδρος** *n.*: see δένδρεον

δενδρο-πήμων ον *adj.* [πῆμα] (of harm, ref. to scorching winds) **blighting trees** A.

δενδροτομέω *contr.vb.* [τέμνω] **cut down all the trees** (in laying waste to a region) Th.; (tr., fig.ref. to flogging) **ravage** —*someone's back* Ar.

δενδρο-φόρος ον *adj.* [φέρω] (of regions) **wooded** Plb. Plu.

δενδρο-φυής ές *adj.* [φυή] (quasi-advbl., of the first race of men springing up) **tree-like** Lyr.adesp.

δενδρό-φυτος ον *adj.* [φύω] (of a region) **wooded** Plu.

δενδρῶτις ιδος *fem.adj.* (of a mountain) **wooded** E.; (cf the bloom) **of trees** A.*fr.*(cj.)

δεννάζω *vb.* [δέννος] | aor. ἐδέννασα | **1 mock, revile** —*persons, things* Thgn. S. E.
2 shout in abuse —W.INTERN.ACC. *terrible words* S.

δέννος ου *m.* **insult, abuse** Archil. Hdt.

δεξαμενή ῆς *f.* [δέχομαι] **1 receptacle** (for liquids), **storage-tank** Hdt. Pl.
2 receptacle (of the primary elements, in the creation of the universe, ref. to Space) Pl.

δεξιά *f.*: see under δεξιός

δεξί-μηλος ον *adj.* [μῆλα] (of a temple, an altar, statues) **receiving sheep as sacrifices** E.

δεξιό-γυιος ον *adj.* [δεξιός, γυῖα] (of a wrestler) **with nimble limbs** Pi.

δεξιο-λάβος ου *m.* [app. δεξιός, λαμβάνω] perh. **armed man** or **bodyguard** NT.

δεξιόομαι *mid.contr.vb.* [δεξιός] | ep.3pl.impf. (w.diect.) δεξιόωντο ‖ aor.pass. ἐδεξιώθην | **1** offer one's right hand (usu. in greeting or welcome, sts. to express affection or emotion, or as a pledge of friendship); **give one's hand to, greet** —*someone* hHom. Ar. Att.orats. X. AR. Plt. + ‖ PASS. (of a person) be shaken by the hand (in congratulation) Pl.
2 (gener.) **greet, welcome** —*someone* (W.DAT. w. *praises*) S.; perh. **raise one's hand in salutation** —W.DAT. *to the gods* A.
3 greet (by offering a cup) with the right hand; **offer a toast** —W.DAT. *to someone* Men.; (of symposiasts) **toast one another** —W.ACC. w. *constant draining of cups* E.
4 (of political candidates) meet and greet, **canvass** —*the public* Plu.

δεξιός ά (Ion. ή) όν *adj.* | ep.gen.dat.sg.pl. δεξιόφιν | **1** on the right side (opp. left); (of parts of the body) **right** Hom. +
2 (of a yoked horse) **right, right-hand** Il. S.; (of the wing of an army or fleet) A. Hdt. E. Th. Ar. X. +; (of the side of a ship) E. NT. ‖ NEUT.SB. right wing (of an army) Th. X. Plb. Plu. ‖ NEUT.PL.SB. right-hand side, right Pl.
3 (of persons or places, ref. to location) **on the right** (of someone or sthg.) Thgn. X. Call. Plb.
4 (of a bird of omen, thunder) **on the right** (as the auspicious side) Hom. Hippon. X. Call.; (gener., of birds, portents) **of good omen, auspicious** A. E.; (of a tutelary deity) **favourable, kindly** Call.; (of song, as the companion of victorious achievements) Pi. ‖ NEUT.PL.SB. favourable oracular responses AR.
5 (of a horseman, vine-grower) **dextrous, skilful, adroit** Anacr. Ar.; (of a pancratiast, W.DAT. w. his hands) Pi.
6 (of persons, ideas, remarks) **intelligent, clever, astute** Hdt. Antipho Th. Ar. Pl. X. +; (of a poet) **talented** Ar.; (of an art) **skilled, sophisticated** Ar. ‖ NEUT.PL.SB. clever ideas Ar.
7 (prep.phrs., w. χείρ) δεξιὰν κατὰ χεῖρα *on the right-hand side* (W.GEN. *of someone*) Pi.*fr.*; ἐπὶ δεξιᾷ χειρός *on the right* Pi. X. Theoc.; (also) ἐκ δεξιῆς χειρός Hdt.; (more freq., neut.pl. without χείρ) ἐπὶ (τὰ) δεξιά *to* (or *on*) *the right* (sts. W.GEN. *of someone*) Il. Hdt. Pl. X. Men. AR.; (also) εἰς τὰ δεξιά Hdt. Pl. Arist.; ἐκ (τῶν) δεξιῶν *from* (or *on*) *the right* (sts. W.GEN. *of someone*) X. Pl. NT. Plu.; (also) ἀπὸ τῶν δεξιῶν Hdt. Plb.; ἐπὶ δεξιόφιν *on the right* (W.GEN. *of sthg.*) Il.; ὑπὲρ δεξιῶν *above and to the right* X. | see also ἐπιδέξια, under ἐπιδέξιος

—**δεξιά** ᾶς, Ion. **δεξιή** ῆς *f.* **1 right hand** Il. Pratin. S. E. Ar. Pl. +
2 pledge, pact (fr. the custom of offering the right hand in confirmation of an agreement) Il. E. X. Arist. Plu.
3 right-hand side; (prep.phrs.) ἐν δεξιᾷ *on the right* (sts. W.GEN. *of someone*) Hdt. E.*Cyc.* Th. Pl. +; (also) ἐκ δεξιᾶς Hdt. Th. Ar. Pl. +; (also) ἐπὶ δεξιᾶς (W.GEN. *of sthg.*) Plu.; εἰς (τὴν) δεξιάν *to* (or *on*) *the right* Hdt. Pl. X. Men.

—**δεξιά** *neut.pl.adv.* **on the right** E.

—**δεξιῶς** *adv.* **cleverly, adroitly, astutely** Ar.

δεξιό-σειρος ον *adj.* (σειρᾷ] (fig., of Ares) serving as the right trace-horse, **pulling vigorously, taking the lead** S.

δεξιότης ητος *f.* **cleverness, astuteness** Dionys.Eleg. Hdt. Th. Ar.

δεξί-πυρος ον *adj.* [δέχομαι, πῦρ] (of altars) **receiving fire** E.

δέξις εως *f.* **reception, welcome** E. Pl.

δεξί-στρατος ον *adj.* [στρατός] (of a market-place) serving as host to the army, **where the army gathers** B.

δεξιτερός ά (Ion. ή) όν *adj.* [δεξιός] | ep.gen.dat. δεξιτερῆφι |
1 (of parts of the body) **on the right, right** Hom. Hes. Eleg. Pi. Parm. Hellenist.poet. ‖ FEM.SB. right hand Il. Pi. AR. Theoc.
2 (of a yoked bull) **right, right-hand** AR.

δεξίωμα ατος *n.* [δεξιόομαι] **agreement confirmed with a handshake, pledge, pact** S.

δεξι-ώνυμος ον *adj.* [ὄνομα] (of the hands of voters) app. **right and aptly named** (as indicating a good omen and a favourable attitude) A.

δεξίωσις εως *f.* [δεξιόομαι] **1** (usu.pl.) act of offering the right hand in greeting, **greeting, welcome, handshake** Plu.
2 (specif.) **canvassing** (by politicians) Plu.

δέξο (ep.athem.aor.imperatv.): see δέχομαι

δέξω (Ion.fut.): see δείκνῡμι

δέομαι *mid.contr.vb.*: see under δέω²

δέον¹ (ep.impf.): see δέω¹

δέον² (neut.ptcpl.), **δεόντως** (ptcpl.adv.): see under δέω²

Δεόνῡσος *Ion.m.*: see Διόνῡσος

δέος ους (ep. δείους) *n.* [reltd. δείδω] | acc.pl. δέη (Lys.) |
1 fear, terror, dread (sts. W.GEN. of someone or sthg.) Hom. +; (W.COMPL.CL. that sthg. may happen) Od. Th. Ar. +
2 cause or **reason for fear** Il.; (W.INF. of suffering sthg.) Hom. hHom.
3 means of inspiring fear, **terror, threat** Th. Lys.

δέπας αος *ep.n.* [app.loanwd.] | dat.sg. δέπαϊ, also δέπᾳ (before a vowel) | nom.acc.pl. δέπᾰ (before a vowel) | ep.dat.pl. δεπάεσσι, also δέπασσι | **1 drinking-cup, cup, goblet** Hom. hHom. Stesich. E. Ar.(mock-ep.) Tim. +
2 cup, bowl (ref. to the boat in which Helios crossed Okeanos by night) Stesich.

δέπαστρον ου *n.* **cup, goblet** Carm.Pop.

δέραια ων *n.pl.* [δέρη] **1 necklace** E. Men. Plu.
2 collar (for a dog) X.

δεράς *f.*: see δειράς

δέργμα ατος *n.* [δέρκομαι] **1** act of looking, **glance, gaze, glare** (of a serpent, lioness) A. E.
2 || PL. **eyes** E.

δέρη ης, Aeol. **δέρᾱ** ᾱς, Ion. **δειρή** ῆς, dial. **δειρᾱ́** ᾶς *f.*
1 neck, throat (of persons or animals) Hom. Hes. Thgn. Lyr. A. Hdt. +
2 throat (as the source of the voice) A. Theoc.
3 throat, gullet (down which food passes) hHom. E.
4 neck (W.GEN. of the Peloponnese, ref. to the Isthmus) B.
5 mouth, rim (of the underworld) Hes.
6 mountain valley, glen Pi.

δερκιάομαι *mid.contr.vb.* [δέρκομαι] | 3pl. (w.diect.) δερκιόωνται | (of the Graces) **give a look** —W.NEUT.INTERN.ACC.ADJ. *that is beautiful* Hes.

δέρκομαι *mid.vb.* | 3sg.iteratv.impf. δερκέσκετο | act.aor.2 ἔδρακον, ep. δράκον, inf. δρακεῖν | act.pf. (usu. w.pres.sens.) δέδορκα || PASS. (w.mid.sens.): aor. ἐδέρχθην, δέρχθην (A. S.), aor.2 ptcpl. δρακείς (Pi.) |
1 look at, see —*someone or sthg.* Hom. Pi. B. Trag. Ar. Hellenist.poet.; **observe** —*sthg.* (W.DAT. *w. the mind*) Emp. —W.INDIR.Q. *what is the case* A.; (of destiny) **look upon, watch over** —*a ruler* Pi.; (of the sun) **look down on** —*persons, things on earth* E.
2 (intr.) **look, glance, gaze** Hes. Trag. AR. —W.ADV. *behind oneself* Hes. —W.PREP.PHR. *at or towards someone or sthg.* Od. Hes. A.*satyr.fr.* E. AR. Theoc.
3 have a way of looking (of a particular kind); **look, glance** —W.NEUT.ACC.ADJ. (sg. or pl.) *meltingly* Ibyc. —*brightly, fearlessly* Pi. —*beautifully* E.*Cyc.*; **stare, gaze, glare** —*keenly, fiercely, terrifyingly, murderously* Il. Hes. hHom. Ar.; **have a look of** —W.ACC. *fire, war* Od. A.
4 have the power of sight; (of a person, eyes) **see** S.; (of eagles) —W.ADV. *sharply, keenly* Il.
5 see —*the light of day* (ref. to being alive) Pi. E. —*darkness* (ref. to being dead or blind) E.; (intr.) **see the light of day, be alive** Hom. A. S.
6 (of fame; of light, fig.ref. to fame or glory) **gleam, shine** Pi.
7 (fig., of footprints) **look, face, point** —W.PREP.PHR. *in a certain direction* S.*Ichn.*

δέρμα ατος *n.* [δέρω] **1 skin** or **stripped skin** (of an animal); **skin, hide** (freq. used as clothing, to make leather goods, coverings for shields, wineskins, as a marketable commodity) Hom. Hes. Alcm. Pi. Hdt. E.*Cyc.* +; (of a ram, ref. to the Golden Fleece) Pi.
2 skin (of humans) Hom. Hdt. Ar. Pl. AR. Theoc. +; (in ctxt. of flogging) Ar. X. D.; (when flayed) Hdt. X. Plu.
3 shell (of a tortoise) Ar.

δερμάτινος η ον *adj.* (of straps, shields, or sim.) **made of animal hide, leather** Od. Hdt. NT.

δερματουργικός ή όν *adj.* [ἔργον] (of the process or craft) **of tanning leather** Pl.

δέρον (ep.impf.): see δέρω

δέρος *n.* [reltd. δέρμα] | only nom.acc. | **skin, hide** (of an animal, sts.ref. to the Golden Fleece) E. AR.

δέρσις εως *f.* [δέρω] **skin, hide** (of an animal) Th.

δέρτρον ου *n.* [reltd. δέρω] **membrane encasing the intestines**; (gener.) **intestines** (of Tityos, torn by vultures) Od.

δέρω, Ion. **δείρω** (Hdt. Ar.) *vb.* | impf. ἔδερον, ep. δέρον | fut. δερῶ | aor. ἔδειρα || PASS.: fut. δαρήσομαι (NT.) | pf. δέδαρμαι | **1 skin, flay** —*an animal, its body* Hom. Hdt. Ar.; **skin off** —*hides* AR. || PASS. (of an animal) **be skinned** Ar.
2 (sts. hyperbol.) **flay** or **skin alive** —*a person* Ar. Pl.; **skin** —W.DBL.ACC. *a person into a wineskin or bag* (*i.e.* use his hide as leather) Ar. || PASS. (of a person) **be flayed alive** Ar.; **be flayed to make** —W.PREDIC.SB. *a wineskin* Sol.
3 (wkr.sens.) **flog, beat, thrash** —*a person* NT. || PASS. (of a person) **be thrashed** NT. Plu.

δέσις εως *f.* [δέω¹] **1 binding together** (ref. to the yoking of a pair of draught animals) Pl.
2 complication (of a dramatic plot, opp. λύσις *resolution*) Arist.

δέσματα των *n.pl.* [reltd. δεσμός] **1 fetters, chains** Od.
2 headbands, headgear (ref. to an ensemble of fillet, coif, braids and head-scarf) Il.

δεσμευτικός ή όν *adj.* [δεσμεύω] (of an item) **for use in fettering** Pl.

δεσμεύω *vb.* [δεσμός] **1 place in bonds, tie up** —*a god, a person* hHom. E. NT.; **imprison** —*a person* X. NT. || PASS. **be bound** —W.DAT. *w. chains and shackles* NT.; (fig.) **be imprisoned** (in one's body, like an oyster in its shell) Pl.
2 tether —*a horse* X.; (fig.) **restrain** —*a child* (envisaged as a horse, W.DAT. *w. a bridle*) Pl.
3 bind together into a bundle (sheaves of corn) Hes. —*faggots* Plb. —*loads* (*for carrying*) NT.

δέσμη ης *f.* **bundle** (of animal-skins, as cargo on a ship) D.(witness); (of weeds, for burning) NT.

δέσμιος ᾱ ον *adj.* **1** (of ropes) **binding** E.; (of an incantation) **trapping** (W.GEN. a person, the mind) A.
2 (of persons or animals) **bound, tied** S. E. AR. Plb. NT. Plu. || MASC.SB. **prisoner** NT.
3 (of a paean) **celebrating captivity** Ar.

δεσμός οῦ *m.* [δέω¹] | nom.pl. δεσμοί | also neut.nom.pl. δεσμά | **1 halter, tether, leash** (for animals) Il. Hdt.; **mooring-rope** Od. Thgn.
2 strap, cord (knotted, to fasten a chest or the bar of a gate) Od.; **fastening** (of a chest) AR.
3 rivet (to attach handles to a tripod) Il.
4 pack-strap, girth (to secure baggage to animals) X.; **twine** (to bind a bundle of firewood) Arist.
5 (fig.) **connecting bond** (betw. things) Pl. AR. Plu.
6 (esp.pl., and sg. for pl.) **bond, chain** (used to restrain a person or animal) Hom. +; **swaddling-band** (for a baby) hHom.; (fig.) **bond, impediment** (w. which wine hampers the tongue) Hes.*fr.*; **knot** (in a problem) Arist.
7 condition of being bound, bondage A. E.
8 process of tying or binding, binding, fettering (W.GEN. + PREP.PHR. of one person, by another) Pl.
9 (sg. and pl.) **captivity, imprisonment** (esp. as a penalty) Hes. Hdt. S. +; **imprisonment, kidnapping** (as a crime) Arist.
10 (medic.) app. **gout** Call.

δεσμο-φύλαξ ακος *m.* **prison guard, jailer** NT.

δεσμώματα των *n.pl.* **bonds, fetters, chains** A.

δεσμωτήριον ου *n.* [δεσμώτης] **1 place of imprisonment, prison** Hdt. Th. Att.orats. Pl. +
2 chain-gang (of slaves, doing agricultural work) Plu.

δεσμώτης ου *m.* [δεσμός] **one who is held in bonds or in prison, captive, prisoner** A. Hdt. S. Th. Pl. +

—δεσμῶτις ιδος *fem.adj.* (of animals) **captive** or **trussed up** S.

δεσπόζω *vb.* [δεσπότης] | fut. δεσπόσω, ep. δεσπόσσω | aor.inf. δεσπόσαι (E.) | **1** (of persons, sts. things) **be master, have control, rule** (freq. W.GEN. over people, places) hHom. Hdt. Trag. Isoc. Pl. +
2 master —W.GEN. *horses* E.; (fig.) —*someone's meaning* A.
3 be the rightful owner —W.GEN. *of a lock of hair* A.
4 rule —W.ACC. *a city* E. ‖ PASS. (of cities) be ruled Pl.

δέσποινα ης (dial. ᾱς) *f.* [reltd. δεσπότης] **1 lady, mistress** (of the house, servants) Od. Hdt. Trag. Ar. Pl. X. +; (appos.w. ἄλοχος, γυνή *wife*) Od.; (as voc. address) Trag.
2 (as title or voc. address, ref. to a goddess, local nymph, personif. place or entity, freq. appos.w. name) **Lady, Mistress** (sts. W.GEN. of a place, a sphere of activity) Anacr. Pi. B. S. E. Ar. +
3 (gener.) **princess** (of the Colchians, ref. to Medea) Pi.
4 (pejor., ref. to a wife) **lord and master** (of her husband) Ar.(quot. E.) Men.

δεσπόσιος ον *adj.* [δεσπότης] (of arrogance) **of one's masters** A.

δεσποστός ή όν *adj.* (of persons, their nature) **suited to being ruled by a despot** Arist.

δεσποσύνη ης *f.* **despotism** Hdt.

δεσπόσυνος ον (also dial. ᾱ ον Pi.) *adj.* **1** (of the house or property) **of one's master** hHom. A. Pi. E. Ar. X.; (of compulsion, labours) **imposed by one's master** A. E.; (of a marriage-song) **for one's master** E.*fr.*
2 [δέσποινα 1] (of a prayer) **of one's mistress** E.
3 [δέσποινα 2] (transf.epith., of the knees of a goddess) **queenly** Tim.
4 ‖ MASC.PL.SB. masters Tyrt. Plu.

δεσποτεία ᾱς *f.* **1 condition of being a master, mastership** (opp. slavery) Pl.; (over slaves) Arist.
2 despotism Isoc. Pl. Arist.

δεσποτέω *contr.vb.* **1** (of the head) **be master** —W.GEN. *of all parts of the body* Pl.
2 ‖ PASS. (of a person) be subject —W.DAT. or PREP.PHR. *to another's power* A. E.; (of a life, society) be subject to despotic rule A.

δεσπότης ου (Ion. εω), dial. **δεσπότᾱς** ᾱ *m.* voc. δέσποτα | **1 master** (of a household or slaves) Tyrt. Sol. Hippon. Scol. Hdt. Trag. +; (in voc. address) Trag. Ar. Men.
2 (ref. to a god) **lord, master** Hdt. E. X.; (W.GEN. of a place, ships) Pi.; (of another god) E.; (in voc. address) Sapph. Pi. S. E. Ar.
3 (ref. to an oriental king, freq. in voc. address) **lord, master** A. Hdt. X.
4 master, owner (of a horse) Pi. E.; (W.GEN. of land, material possessions) Hdt. S. Isoc.
5 ruler (W.GEN. of a place) Archil. Pi. Isoc.
6 (pejor.) **despot** Hdt. Pl.; (ref. to a nation or ruler) **master** (of another nation) Th. Isoc. Plb.
7 (ref. to a husband) **lord and master** (W.GEN. of a wife, her body) E.
8 (gener.) one who is in control, **master** (W.GEN. of a victory celebration) Pi.; (of prophecies, ref. to a seer) A.; (of troops) E.; (of politicians, ref. to the populace) D.; (fig., ref. to law) Hdt.; (ref. to sleep, over a person) X.

δεσποτικός ή (dial. ᾱ́) όν *adj.* **1** of or relating to a master (of a household or slaves); (of the misfortunes; of the hand, meton. for control) **of one's master** X. Call.; (of a person) **exercising mastership** Arist.; (of management, expertise, right behaviour) **relating to mastership** Arist. ‖ FEM.SB. mastership Arist.
2 (gener., of persons, injustice) **behaving like a master, dominating, controlling, autocratic** Pl.; (of persons) **capable of exercising mastery** (W.GEN. over others) X.
3 (of persons, a populace, political system) **despotic, autocratic** Pl. Arist. Plu.; (of tyranny) **exercising despotic power** (W.GEN. over a political community) Arist. ‖ NEUT.SB. despotism Pl.

—δεσποτικῶς *adv.* | compar. δεσποτικωτέρως (Arist.) | **1** in the manner of a mistress (of a household) X.
2 despotically, autocratically Isoc. D. Arist. Plb. Plu.

δεσπότις ιδος *f.* | acc. δεσπότιν | **1 mistress** (of a household or slaves) S. E.; (of Iris, ref. to Hera) Call.; (of a city, ref. to Reverence) Pl.; (W.GEN. of the body, ref. to the soul) Pl.; (of the art of war, ref. to kingship) Pl.
2 mistress, owner (of a decorated strap, ref. to Aphrodite) Call.

δεσποτίσκος ου *m.* [dimin. δεσπότης] (in voc. address) **dear master** E.*Cyc.*

δεταί ῶν *f.pl.* [δέω¹] tied bundles (of firewood), **faggots** Il. Ar.

δεύομαι *mid.vb.*: see δεύω²

δεῦρο (also **δεύρω** Il.), also perh. Aeol. **δεῦρυ** *adv.* **1 to this place, hither, here** Hom. +; (also) τὸ δεῦρο E. E.
2 (quasi-imperatv.) **here, come here** hHom. Sapph. Thgn. B. E. Ar. Pl.; (also) ἄγε δεῦρο (or δεῦρ' ἄγε) Hom.
3 (introducing an imperatv. or hortative subj.) ἄγε δεῦρο (or δεῦρ' ἄγε) **come, come on** Hom.; (without ἄγε) Hom. A.*satyr.fr.* E. Ar. Pl.
4 (quasi-adjl., of a journey, voyage) **to this place, here** S.
5 at this place, here; τὰ δεῦρο *things over here* (opp. *there*) Ar.; *things of this world* (opp. *abstr. Forms*) Arist.
6 to this point or **situation** E.; (phr.) τὸ μέχρι δεῦρο *up to this point* (in an argument) Pl.; (also) μέχρι δεῦρο (W.GEN. *in an argument*) Pl.
7 up to this point in time, until now E. Pl.; (also) μέχρι (τοῦ) δεῦρο Th. Pl.; δεῦρ' ἀεί *right up to this point* A. E. Ar.

—δευρί *adv.* (w. stronger force) **to this very place, hither** Ar. Att.orats. Men. Plu.

Δεύς Boeot.*m.*: see Ζεύς

δευσο-ποιός όν *adj.* [δεύω¹, ποιέω] (of garments) **dyed with indelible colour, colour-fast** Pl.; (fig., of belief) **indelible** Pl.; (of wickedness, fear) **ingrained** Din. Plu.

δεύτατος *superl.adj.*: see under δεύτερος

δεῦτε *adv.* [δεῦρο, w. 2pl. ending -τε] **1** (in pl. or du. ctxts., quasi-imperatv.) **here, come here** Hom. Sapph. A.*satyr.fr.* Pi.*fr.* Men. Call. +
2 (introducing an imperatv. or hortative subj.) **come, come on** Hom. Hes. NT. Plu.; (also) δεῦτ' ἄγετε Il.; δεῦτ' ἄγε Od.
3 (w.vb. of motion) to this place, **hither, here** Pi.*fr.*

δευτερ-αγωνιστής οῦ *m.* [δεύτερος] actor who plays a secondary character, **supporting actor** (w. further connot. *political supporter*) D.

δευτεραῖος ᾱ (Ion. η) ον *adj.* [δευτέρᾱ, see under δεύτερος] **1** on the second day; (quasi-advbl., of persons arriving or sim.) **on the next day** Hdt. X. Plb. NT.
2 (reckoning back in time inclusively; of a person lying dead) **for two days, since the day before** Is.
3 ‖ FEM.SB. next day Hdt.

δευτερεῖα ων *n.pl.* second prize; (fig.) **second place** (in a vote or judgement of merit) Hdt. Pl. Plu.

δευτερεύω *vb.* (of persons) **be second, be inferior** (in ability or influence) —W.GEN. *to none* Plb. —W.DAT. *to someone* Plu.

δευτεριάζω *vb.* [δευτερίᾱς *inferior wine made fr. a second pressing of the grapes*] (w. sexual connot.) have the second pressing, **take the next turn** (w. a woman) Ar.

δεύτερος ᾱ (Ion. η) ον *adj.* **1** second in order (in a list or sequence); (of persons or things) **second** Il. + ‖ NEUT.PL.SB. second prize Il.
2 (quasi-advbl., of persons doing sthg.) second (after another), **next** Il. A.; (of persons being left behind) **later** (W.GEN. than someone, i.e. surviving him) Il.
3 second (w.connot. of repeating or continuing the first); (of a pursuit, expedition, speech) **second, further, additional** A. Pi. S.
4 second (reproducing the first); (of a Geryon, an Ajax) **second** A. E.
5 second (in a company of two); (of a person) **one of two** Hdt. • δευτέρη αὐτή *herself and one other* Hdt.
6 second in time; (of a day, year, or sim.) **second, next, following** Hdt. S. Th. +; (W.GEN. after an event) Hdt.; (of a period of time) **later** Pi.
7 second in estimation, quality or status; (of persons or things) **second** Il. +; (w. μετά + ACC. after someone or sthg. else) Alcm. Hdt. E. Th.; (W.GEN. to none) Hdt. Arist. Plb. Plu.; (of things) **of secondary importance, secondary** S. E. Pl. Plb.; (W.GEN. to sthg. else) D. ‖ NEUT.PL.SB. second rank (among persons) Hdt.
8 (of things) **second best, next best** (after sthg. else) S. E.; (provbl.) δεύτερος πλοῦς *next best course* Pl. Arist. Men. Plb.
—**δευτέρᾱ** ᾶς *f.* **second day** (of a month) D. Plu.; **second from last day** (of a month) Aeschin.
—**δεύτερον** *neut.sg.adv.* **1 secondly, second, next** (in a sequence) Il. +; (also) τὸ δεύτερον E.
2 for a second time, again Hom. +; τὸ δεύτερον *for the second time* Sapph. Hdt. Trag. +
—**δεύτερα** *neut.pl.adv.* **1 next** (in a sequence) Hdt. AR.; (W.GEN. after sthg.) Hdt.; (also) τὰ δεύτερα Th.; (phr.) δεύτερα δραμεῖν *come second (in a race)* E.*lyr.fr.*
2 (sts. w. τά) **for a second time** Hdt.
3 as a second choice, as the next best thing Hdt.
—**δευτέρως** *adv.* **1 for a second time** Pl.
2 secondarily (opp. first or primarily) Pl. Arist.
—**δεύτατος** η ον *superl.adj.* (of a person) **last** (to arrive) Hom.; (of a word, to be spoken) Od. ‖ NEUT.PL.SB. last course (of a meal) Pi.
—**δεύτατον** *neut.adv.* **most recently** Mosch.
δευτερουργός όν *adj.* [ἔργον] (of motions) operating secondarily, **secondary** Pl.
δεύω[1] *vb.* | iteratv.impf. δεύεσκον | **1** (of persons) **moisten, wet, drench, soak** —*parts of the body, the earth* (sts. W.DAT. w. tears, blood) Hom. E. AR.; (of a bird) —*its wings* (W.DAT. w. brine) Od.(mid.); (of tears, rain, blood, other liquids) —*persons or things* Hom. AR. Mosch.; (of slaughter) —*the earth* (W.GEN. w. blood) E. ‖ PASS. (of persons or things) be made wet (usu. W.DAT. by sthg.) Hom. Xenoph. Emp. E. AR.; (of grains) be steeped —W.DAT. *in honey* Pl.; (fig., of places) be bathed —W.DAT. *in heat and light* Emp.
2 (causatv.) **make flow, shed, spill** —*an animal's blood* S.
3 (intr., of persons) moisten for the purpose of kneading, **moisten dough, mix water and flour** X.; (tr., of the creator god, in creating bone) **moisten** —*earth* (w. marrow) Pl. ‖ PASS. (of bread) be made by moistening —W.DAT. *w. water* X.
δεύω[2] *ep. and Aeol.vb.* [δέω[2]] | 3sg.aor. ἐδεύησε | fut.mid. δευήσομαι | **1** (act.) **fail** —W.INF. *to do sthg.* Od.
2 ‖ IMPERS. (prob.) **it is necessary** —W.INF. *to do sthg.* Alc.
3 ‖ MID. **lack, want, need, be short of** —W.GEN. *a person* Hom. —*a meal, clothing, good sense, help* Hom. AR. —*a staff* E.; (of she-goats) —*young* Call.; **be left without, be bereft of** —W.GEN. *life* Il.; **be left wanting, be in need** Il. AR.

4 ‖ MID. **fall short of, be inferior to** —W.GEN. *someone* Hom.
5 ‖ MID. **fall short, be found wanting** —W.GEN. *in battle* Il. —W.DAT. *in courage* Il.
6 ‖ MID. (of time) **be wanting, be short** —W.INF. *for doing sthg.* AR.
δέφομαι *mid.vb.* [reltd. δέψω] (of a man) **knead oneself, masturbate** Ar.
δεχ-άμματος ον *adj.* [δέκα, ἅμμα] (of a hunting net) **of ten knots** or **meshes** (in height) X.
δέχαται (ep.3pl.athem.pres.): see δέχομαι
δεχ-ήμερος ον *adj.* [ἡμέρᾱ] (of a truce) of ten days, **lasting for ten days** Th. Plb. [or perh. *for ten days at a time, i.e. renewable every ten days*]
δέχομαι, dial. **δέκομαι** *mid.vb.* | ep.athem.pres.: 3pl. δέχαται, ptcpl. δέγμενος, inf. δέχθαι | impf. ἐδεχόμην, ep.athem. ἐδέγμην | fut. δέξομαι | aor. ἐδεξάμην | ep.athem.aor.: 3sg. δέκτο, also ἔδεκτο, imperatv. δέξο, 2pl. δέχθε (AR.) | pf. δέδεγμαι, ptcpl. (in ep., w.pres.sens.) δεδεγμένος, ep.imperatv. (w.pres.sens.) δέδεξο, 2pl. δέδεχθε | also irreg.ep.pf.ptcpl. (w.pres.sens.) δεδοκημένος | ep.fut.pf. (w.fut.sens.) δεδέξομαι |
1 receive (sthg. offered or handed over); (of persons) **receive, accept, take** —*sthg.* Hom. + —(W.PREP.PHR. *fr. someone*) Il. —(W.GEN.) Il. S. —(W.DAT.) Hom. Hes.; (of the gods, the dead) —*offerings* Il. hHom. S. Ar.; (of streams) —*water* Hdt.; (of a storage-tank, river) —*water, tributaries* Hdt.; (of a harbour) —*a fleet* Hdt.
2 receive (a visitor); **receive, welcome** —*someone* (sts. W.DAT. or PREP.PHR. *into a house, land, city*) Hom. Semon. Hdt. S. E. Th. + —(W.PREDIC.SB. *as an ally*) Th.; (of places) —*occupants* Hdt. Pl. ‖ MASC.PTCPL.SB. host Hdt.
3 accept (an event, statement, or sim.); **accept** —*one's fate, a reproach* Hom. —*an oracle, omen* Hdt. S. Ar.; (intr.) A. X.; (tr.) —*a legal judgement, proposal, alliance* hHom. Hdt. Th. —*orders* Th.
4 accept, take on —*a task* E. —*an expense* Plb.
5 consent to, listen to —*someone's words* E.; (wkr.sens.) **be aware of, hear** —*a cry* E.
6 accept, believe —*statements* Hdt.; **accept** (a statement) —W.PREP.PHR. *fr. someone* (W.ACC. + INF. *that sthg. is the case*) Hdt.
7 agree, consent, choose —W.INF. *to do sthg.* Hdt. Th. And. Pl.; **prefer** —W.INF. *to do sthg.* (w. ἤ or μᾶλλον ἤ + INF. *than to do sthg. else*) And. Lys. Pl. X.
8 (in athem. and pf. forms) **wait for, watch for** —*an attacker* Il. —W.ACC. + FUT.INF. *someone to come or appear* Od. —W.ACC. + COMPL.CL. *someone until he shd. do sthg.* Il.; (of prizes) **await** —*competitors* Il.; (intr.) **wait, watch** Il. Hes. AR. —W.COMPL.CL. *for the time when sthg. might happen* Hom. Theoc. —W.INDIR.Q. *to see what will happen* AR.
9 await, meet, withstand, face —*enemy forces, their attack* Hdt. E. Th. X.
10 (of the beginning of a voyage) **await** (the Argonauts) Pi.
11 (of a place) **come next** —w. ἐκ + GEN. *after another* (along a coastline) Hdt.; (of trouble) **follow** —w. ἐκ + GEN. *after trouble* Il. Hes.
δέψω *vb.* | aor.ptcpl. δεψήσᾱς | **make supple or soft by working with the hands, knead** —*wax, a human scalp* Od. Hdt.
δέω[1] *contr.vb.* | ptcpl. δέων, gen. δέοντος, sts. δῶν, δοῦντος, inf. δεῖν | impf. ἔδεον, ep. δέον | fut. δήσω | aor. ἔδησα, ep. δῆσα | pf. δέδεκα | MID.: 3sg.iteratv.aor. δησάσκετο ‖ PASS.: fut. δεθήσομαι | aor. ἐδέθην | pf. δέδεμαι, plpf. ἐδεδέμην, ep.3sg. δέδετο, ep.3pl. δέδεντο, Ion. ἐδέδεατο | fut.pf.

δέω

δεδήσομαι | —also redupl.pres. **δίδημι** | 3pl. διδέᾱσι (X.), 3pl.imperatv. διδέντων (Od.) | 3sg.impf. δίδη (Il.) |
1 fasten together into a bundle, **bind** or **tie together** —sheaves of corn Il.(mid.) Hes. || PF.PASS. (of corn) be bound (in sheaves) hHom.
2 fasten together to make secure, **fasten together** —blocks of stone (W.DAT. w. metal) Hdt. —a wall (w. asphalt) Theoc.
3 fasten one thing to another; **fasten** or **bind** —an object (W.DAT. or PREP.PHR. to another) Hom.(sts.mid.) Hdt. Ar.; **fasten, secure** —a mast (W.DAT. w. forestays) AR. || PF. and PLPF.PASS. (of persons) be tied —w. ὑπό + DAT. beneath sheep Od.; (of an object) be fastened —w. ἐκ - GEN. to sthg. Hdt.; (of blocks of stone) —w. πρός + ACC. to each other (by metal) Th.
4 tie, fasten, attach —a rope or sim. (W.DAT. or PREP.PHR. to or around sthg.) Hom.(sts.mid.) AR.
5 attach (sthg.) to a fixed object (w. a length of rope or sim.); **tether** —a horse, dog Il. X. —a corpse, child, bird (sts. w. ἐκ + GEN. to sthg.) Il.(sts.mid.) Hdt. —an island (w. πρός + ACC. to another, by a chain) Th. || PF. and PLPF.PASS. (of horses, birds) be tethered Il. E. Ar. X.; (of ships) be moored Od.
6 fasten in bonds or shackles (for the purpose of restraint or punishment); **bind, fetter, tie up** —persons or animals, their limbs (freq. W.DAT. or PREP.PHR. w. bonds, shackles, a harness) Hom. + || PASS. (esp. PF.) be bound or tied up Hom. +
7 confine in prison (whether or not in shackles), **imprison** —persons Hdt. S. Th. Att.orats. + || PASS. be imprisoned Hdt. Th. Att.orats. Pl. +
8 (fig., of a god) **fetter, shackle** —someone's strength Il.; (of a danger) —a person (W.DAT. w. nails of adamant) Pi.; (of despair) —the mind AR.; (of a god) **hold back, hinder** —someone (W.GEN. fr. his journey) Od. || PF.PASS. (fig., of a person's heart) be fettered —W.DAT. by grief, misery E. AR.; (of a tongue, by poverty) Thgn.; (of wisdom, limbs) be in thrall —W.DAT. to gain, hope Pi.
9 bind up —a wound Od.; (mid.) —one's head AR.
10 || MID. tie to oneself, **tie, fasten** —sandals (W.PREP.PHR. beneath one's feet) Hom. Hes. hHom. || PASS. have (W.ACC. leggings) tied —W.PREP.PHR. around one's shins Od.

δέω² contr.vb. | fut. δεήσω | aor. ἐδέησα, ep.3sg. perh. ἐδέησε or δέησε (Il.) | pf. δεδέηκα || For ep. forms see δεύω². |
1 (of persons) **be in want** or **need** —W.GEN. of someone (W.ACC. + INF. to be their defender) Il.; (of an example) —of another example Pl.; (of a profession) —of a certain type of person X.(dub.)
2 (of persons, W.GEN. πολλοῦ, μικροῦ, ὀλίγου, παντός, τοσούτου) be far (by a short distance, as far as can be, so far) —W.INF. fr. doing sthg. Th. Att.orats. Pl. +; (W.ADVBL.ACC. τοσοῦτον, ἀκαρές so far, within a hair's breadth) Pl. Men.; (of a fire, w. ἐλαχίστου) come very close —W.INF. to doing sthg. Th.; (of persons, w. πολλοῦ or τοῦ παντός, without inf.) be far or as far as can be (fr. doing sthg.) A. Pl. D.
3 || PTCPL. (to express numerals falling short of a multiple of ten by one or two) lacking —W.GEN. one (or two) Hdt. +
• πεντήκοντα δυοῖν δέοντα ἔτη fifty years less two (i.e. forty-eight) Th.; (also w. μικροῦ) Is. D. • μικροῦ δέοντα τέτταρα τάλαντα not far short of four talents D.
—**δεῖ** 3sg.impers.contr.vb. | inf. δεῖν | subj. δέη, also δῆ (Ar.) | opt. δέοι | impf. ἔδει, Ion. ἔδεε | fut. δεήσει | aor. ἐδέησε |
1 there is a need, it is necessary —W.INF. or ACC. + INF. (for someone) to do sthg. Il. + —W.DAT. + INF. E. X. —W.ACC. and ὅπως + FUT.INDIC. S.

2 it is necessary, inevitable or **fated** —W.ACC. + INF. that someone shd. do sthg., that sthg. shd. happen Hdt. S. E. Ar.
3 (w.connot. of moral obligation) **it is right** or **appropriate** —W.INF. or ACC. + INF. (for someone) to do sthg., for sthg. to happen Hdt. S. +
4 there is need (freq. W.DAT. for someone) —W.GEN. of sthg. Hdt. Trag. + —W.ACC. + GEN. A. E.
5 there is need —W.NEUT.ACC. ἕν or τι + DAT. of one thing (or sthg.) for someone E. Antipho
6 πολλοῦ (sts. πολλοῦ γε or γε δαὶ) δεῖ **it is far** (fr. being the case), far from it Ar.(quot. E.) Att.orats. Pl.; **it is far** —W.INF. or ACC. + INF. fr. (sthg.) being the case Pl.
7 || INF. (in quasi-advbl. phrs.) ὀλίγου or μικροῦ δεῖν **all but, almost** Att.orats. Pl. X. Plb. Plu.; (w. numeral) ἑνὸς δεῖν πεντήκοντα one short of fifty Ar st. | cf. δέω² 3
8 || NEUT.PTCPL. (pres., fut., aor.) it being needed, necessary, right or appropriate (sts. W.INF. to do sthg.) Hdt. +
—**δέον** οντος neut.ptcpl.sb. **1** (sg. and pl.) **what is needed, necessary, right** or **appropriate** Thgn. S. Ichn. E. Th. +
2 (prep.phrs.) ἐν (τῷ) δέοντι **at the moment of need, opportunely** Hdt. E. Th. Ar. +; εἰς (τὸ) δέον **as needed, opportunely, appropriately** Hdt. S. E. Th. Ar. +
—**δεόντως** ptcpl.adv. as ought to be, **rightly, appropriately** Pl. Plb.
—**δέομαι** mid.contr.vb. | fut. δεήσομαι | pf. δεδέημαι || aor.pass. (w.mid.sens.) ἐδεήθην | **1** (of persons or things) **lack, want, need, be short of** —W.GEN. someone or sthg. Pi. Hdt. Trag. Th. Ar. +; (of persons) **be in need** A. Hdt. E. Ar. + || NEUT.PTCPL.SB. (milit.) section (of an army) needing support Plb.
2 (of persons) **need** —W.INF. to do sthg. Hdt. E. Pl.; (of tasks) —W.PASS.INF. to be done X.
3 || IMPERS. there is need —W.GEN. + DAT. of sthg. for someone (i.e. someone needs sthg.) Pl. —W.DAT. + INF. for someone to do sthg. S.(dub.)
4 want, desire —W.INF. to do sthg. Ar. —W.ACC. + INF. sthg. to happen Hdt.
5 beg, ask —W.INF. to do sthg. Hdt. —W.ACC. + INF. that someone shd. do sthg. Hdt. —W.GEN. (sts. omitted) + INF. (someone) to do sthg. Hdt. Th. Att.orats. + —w. ὥστε + INF. Th. —W.GEN. + COMPL.CL. (ὅπως + FUT.INDIC. or SUBJ., ὅπως, ὅπως ἄν, or εἴ κως + OPT.) Hdt. Ar. Plu. —W.ACC. and ὅπως + FUT.INDIC. Th.(dub.)
6 beg, ask for (sts. W.GEN. fr. someone) —W.GEN. sthg. Hdt. S. Th. Ar. + —W.NEUT.ACC.PRON. or ADJ. (sg. or pl.) Th. Ar. Att.orats. +
7 make a request (sts. W.GEN. of someone) Hdt. Th. Ar. + —W.COGN.ACC. Ar. Is. Aeschin.

δέω³ Aeol.vb.: see δήω

δή pcl. | The functions of the pcl. are given in five groups: (**A**) most commonly, to lend emphasis truly, actually, indeed, usu. following, but occas. preceding, the wd. emphasised; (**B**) to mark the beginning of a new cl., after a subordinate cl.; (**C**) to resume the narrative after an interruption or digression; (**D**) to convey a note of irony, indignation, scepticism or reservation; (**E**) combined with other pcls. or conjs. |
—**A 1** (emph., w.adj.) • ὠκύμορος δή truly fated to die young Il.; (superl.) κάρτιστοι δή the very mightiest Il.; (freq. w.adjs. expressing quantity) χρόνος πολὺς δή a long time indeed E.; μόνη δὴ θνητῶν quite alone among mortals S.; ἐννέα δὴ ... ἐνιαυτοί fully nine years Il.
2 (w.adv.) • καλῶς δὴ λέγετε you put it really well Ar.; (superl.) μακαριώτατα δή in the very happiest circumstances

X.; (esp. w.advs. expressing time or frequency) νῦν δή *right now* or *now at last* Hom. +; τάχα δή *very soon* Hom. +; πολλάκις δή *very often* Ar. +; δὴ τότε (opening a cl. or sentence) *then indeed* Hom. Hes. Sol. A. Pi. + | see also νυνδή, under νῦν

3 (w.pron., pronominal adj. or adv.) • ἐγὼ δή *I for my part* Hdt. +; (in surprised or indignant qs.) σὺ δή ... ; *you of all people ... ?* A. +; ἥδε δὴ ἡώς *this very dawn* Od.; οὕτω δή *in this very way* Hom. +

4 (preceding indef.pron., emphasising lack of particularity) • ἦν δή τις *there was a certain person* S.; εἰς δή τινα τόπον *to some place or other* Pl.

5 (w.sb., lending general emph.) • γήραϊ δὴ πολέμοιο πεπαυμένοι *it was through old age that they had ceased from fighting* Il.; κακῶν δὴ πέλαγος *a sea of troubles indeed* A.

6 (w.vb., sts. adding a note of emotion) • ὄλωλα δή *I am done for* S.; οἴμοι, βλέπω δὴ παῖδ' ἐμὸν τεθνηκότα *alas, I see my son dead* E.; (freq. w.imperatv.) τέτλαθι δή *bear up* Od.; ἄκουε δή *listen* A. +; ἄγε δή *come* (w. 2nd imperatv. *do sthg.*) Hom. +

7 (w.dir. or indir.interrog., relatv.pron., local or temporal adv., conditional conj., or neg.) • τίς (or ὅστις) δή, πῶς (or ὅπως) δή (or sim.) *who then, how then* Hom. +; ὃς δή Hom. +; ὅθι δή, ὅτε δή (or sim.) *where, when indeed* Hom. +; εἰ δή, ἐὰν δή (or sim.) *if then* Hom. +; οὐ δή, μὴ δή *not indeed* Hom. +

—**B** (apodotic, to mark the beginning of a new cl., after a subordinate cl.) • εἰ δέ μοι οὐκ ἐπέεσσ' ἐπιπείσεται ... φραζέσθω δὴ ἔπειτα *if he will not take heed of my words ..., then let him consider* Il.; ἐπειδὴ ἐκεῖνος ἀπεκρίνατο ... ἠρώτων δή *when he replied to me ..., I asked* Lys.; ἐνδεξαμένου δὲ τὸν λόγον ... Πεισιστράτου μηχανῶνται δή *when Peisistratos accepts the offer, they make a plan* Hdt.

—**C** (resumptive, picking up a train of thought) • στρατευσάμενος ἐπὶ τοὺς Ἀσσυρίους ..., ἐπὶ τούτους δὴ στρατευσάμενος ... *marching against the Assyrians ..., so then marching against them ...* Hdt.; οἷον γεωργικὸν ἄνδρα ..., τοῦτον δὴ ἴσως δεῖ ... *such as a farming man ..., he indeed perhaps ought to ...* Pl.

—**D** (w. ὡς and ptcpl., conveying irony, indignation or scepticism) • ὡς δὴ γυναῖκα σώφρον' ἐν δόμοις ἔχων *as if you had a virtuous wife in your house* E.; ἐθρύπτετο ὡς δὴ οὐκ ἐπιθυμῶν λέγειν *he was coy, as if not wishing to speak* Pl.; (in causal or purpose cl., implying reservation) ἢ ὅτι δὴ ῥυπόω; *is it just because I am dirty?* Od.; ἵνα δὴ ἄτοπον λέγῃς *just so that you may say something paradoxical* Pl.

—**E 1** (emphasising another pcl. or conj.) • ἀλλὰ δή or ἀλλὰ ... δή *but then* Th. Pl. +; γὰρ δή *for then* Hom. +; δὴ γάρ (opening a cl.) *for indeed* Hom. Hes. Hellenist.poet.+; γε δή *really, indeed* Hom. +; (emphasising the connection betw. two cls.) μὲν δή and δὲ δή Hom. +

2 (w. καί connective) καὶ δή *and indeed* Hom. +; (w. καί non-connective, drawing attention or stressing actuality) • ἀλλ' εἷς οὑτοσὶ καὶ δή τις ὄρνις ἔρχεται *but look, here comes a bird* Ar.; βλέψον κάτω.—καὶ δὴ βλέπω *Look down.—I am doing so* Ar.; (in a supposition, imagining a possibility as actual fact) καὶ δὴ τεθνᾶσι *so imagine they are dead* E.

δηάλωτος *Ion.adj.*: see δηιάλωτος

Δηάνειρα, ep. **Δηιάνειρα**, dial. **Δᾱιάνειρα**, ᾱς *f.* Deianeira (wife of Herakles) Hes.fr. B. S. Plb. Plu.

δῆγμα ατος *n.* [δάκνω] **bite** (of dogs, snakes, wild beasts, persons) Plu.; **sting** (of a scorpion) X.; (fig., of pain) A.; (of an informer) Ar.

δηγμός οῦ *m.* **1 bite, sting, source of pain** (ref. to an event and its consequences) Plu.

2 sting, mordancy (of philosophical arguments) Plu.

3 astringent, caustic (ref. to a medical treatment) Plu.

δηθά *adv.* [reltd. δήν] **for a long time** Hom. Hes. Thgn. AR. Theoc.; μετὰ δηθά *long afterwards* AR.

δῆθεν (also **δῆθε** E.) *pcl.* [reltd. δή] **1** (usu. conveying pretence, unreality, scepticism, irony or indignation) **apparently, ostensibly, to be sure** Hdt. Trag. Th. Pl. +
• φεύγεσκον δῆθεν *they were apparently in flight* Hdt.; ὡς δῆθεν οὐκ εἰδυῖα *as if unaware* E.; ὡς Ζεὺς ἀνάσσοι δῆθεν *so that Zeus might rule, indeed!* A.

2 (adding gener. emph., like δή) **indeed, actually** AR.

δηθύνω *vb.* [δηθά] **remain too long, delay** Hom. AR.

δηιάασκον (iteratv.impf.): see δηόω

δηι-άλωτος, also contr. **δηάλωτος**, ον *Ion.adj.* [δήιος, ἁλωτός] (of a city) **captured by the enemy** A. E.

Δηιάνειρα *ep.f.*: see Δηάνειρα

δήιος (contr. **δῆος**) η ον *Ion.adj.* —also **δάιος** (contr. **δᾷος**) ᾱ ον (also ος ον) *dial.adj.* [perh.reltd. δαίς²] | In ep., freq. δήιος. Att. uses the dial. form. |

1 (of war, weapons, bloodshed, sufferings, or sim.) **destructive, cruel** Il. Tyrt. Trag. AR.; (of persons, monsters) A. E.

2 (of persons, armies, regions, or sim.) **hostile, enemy** Il. Eleg. Trag. AR. || MASC.PL.SB. **enemies** Il. Eleg. Pi. Trag. AR. Theoc.

3 (of a person, a combatant's path, the onrush of storm-clouds) **warlike** Ar.; (of armour) **martial** AR.

4 (of persons) perh. **wretched** A. S.

5 [app. assoc.w. δαίω] (of fire, heat) **raging** Il. Alcm. Stesich. A. E. AR. Mosch.

δηιοτής ῆτος *Ion.f.* **warfare, fighting** Hom. Hes. Callin. AR.; **combat, struggle** (w. a monster) Od.

δηιόω *Ion.contr.vb.*: see δηόω

δή κοτε *Ion.adv.*: see δή ποτε

δηκτήριος ον *adj.* [δάκνω] **biting** or **stinging**; (of questions) **causing pain** (W.GEN. to the feelings) E.

δήκτης ου *m.* (ref. to a dog) **biter** Call.; (fig., ref. to an axe, W.DAT. w. both edges) Call.

δηλα-δή *adv.* [δῆλος] **clearly, evidently, certainly** Hdt. S. E. Ar. Men.; (implying falsity) **ostensibly** Hdt.; (iron.) **for sure** Plu.

δηλέομαι, dial. **δᾱλέομαι** (Theoc.) *mid.contr.vb.* | pf.pass. δεδήλημαι | **1** cause physical harm; (of persons, weapons, sickness, or sim.) **harm, hurt, injure, damage** —*persons, their bodies, land, crops, or sim.* Hom. hHom. Thgn. Hdt. AR. Theoc.; (intr.) **do harm** Hom. || PASS. (of a body) be ravaged (by sickness or grief) E.; (of soil) be harmed (by drought or excessive rainfall) Hdt.

2 violate —*a sworn truce* Il.; (intr., of a plan) **be harmful** Il. || PASS. (of a person's affairs) be harmed Hdt.

δήλημα ατος *n.* cause of harm, **bane** (ref. to a monster, winds, insults) Od. hHom. S.

δηλήμων ονος *m.f.* one who does harm; (ref. to a god) **malevolent creature, destroyer** Il.; (ref. to a person, snakes) **bane** (W.GEN. of mankind) Od. Hdt.

δήλησις ιος *Ion.f.* causing of harm, **harming** Hdt.

δήλομαι *dial.mid.vb.*: see βούλομαι

δηλον-ότι *adv.* [δῆλος, ὅτι¹] **clearly, evidently, obviously** Att.orats. Arist. Men.; (iron. or sarcastic) Att.orats. [also written δῆλον ὅτι; see δῆλος 7]

Δῆλος, dial. **Δᾶλος**, ου *f.* **Delos** (island in the Cyclades, an important religious centre, birthplace of Apollo and Artemis) Od. +

—**Δήλιος**, dial. **Δάλιος**, ᾱ ον (also ος ον E.) *adj.* of or belonging to Delos; (of rocks, a lake, palm tree, swan) **of Delos, Delian** A. E. Ar. Call.; (of Apollo) Pi. B. S. E. Th. Ar. +; (of gods and goddesses, ref. to Apollo, Artemis, Leto) Ar.; (of a person) Isoc. ‖ MASC.PL.SB. **inhabitants of Delos, Delians** Hdt. Th. Call. Plb. Plu.

—**Δηλιάς** άδος *fem.adj.* (of a girl, nymph, lake, glen) **Delian** hHom. E. Call. ‖ PL.SB. **Delian women** E. Call.

—**Δηλιακός** ή όν *adj.* (of a chorus of women, an inscription, a person) **Delian** Th. Arist. Plu.

—**Δήλια** ων *n.pl.* **Delian Festival** Th. X.

δῆλος η ον (also ος ον E.) *adj.* **1** (of persons, their actions, things) clear to the eye, **clear, visible** A.*satyr.fr.* Hdt. E. Th. Ar. +
2 (of things) **clear, perceptible** (to any of the five senses) Emp.
3 (of facts, situations) clear to the mind, **clear, evident, plain** Od. +
4 (of a person, sts. an activity) δῆλος εἶναι (or similar vb.) *be clearly* —W.NOM.PTCPL. *doing sthg., or such and such* S. E. Th. Ar. + —W. ὡς + NOM.PTCPL. S. Lys. X. —W. ὅτι + INDIC. Hdt. Th. Ar. +; δῆλος εἶναι or δῆλος (alone) *be clearly (doing sthg. or such and such)* Th. Ar. Pl.
5 δῆλον (also δῆλα) ποιεῖν *make clear* —W.NOM.PTCPL. *that one is doing sthg.* Hdt. Th. —W. ὅτι or ὡς + VB. *that sthg. is the case* Hdt. Th. D.
6 ‖ NEUT.IMPERS. (w. ἐστί or sim., sts.understd.) *it is clear (that sthg. is the case)* S. Th. Pl. + —W. ὅτι or ὡς + VB. *that sthg. is the case* Hdt. S. E. Th. Ar. +
7 (quasi-advbl.) δῆλον ὅτι *clearly* X. + | cf. δηλονότι

δηλόω *contr.vb.* | aor. ἐδήλωσα | fut.pass. δηλωθήσομαι, also δηλώσομαι (S.) ‖ neut.impers.vbl.adj. δηλωτέον | **1** (of a person) make visible, **reveal, show, exhibit** —*a person, one's face* (W.DAT. *to someone*) S. —*one's offspring (to mankind)* S.
2 (of a god, dream, oracle) **reveal, disclose** —*facts, troubles* A. S. Th.
3 (of a person) **make clear** or **intelligible, clarify** —*a statement* A. ‖ PASS. (of an oracular command) be stated clearly S.
4 reveal personal qualities or aspects of behaviour; **demonstrate, display** —*natural talent* Th. —*shamelessness* Ar. —*one's intellect* Th. —*one's support (for someone)* Th.
5 (gener.) show (by speech or action), **show, reveal, demonstrate** —*facts, circumstances* Hdt. S. E. Th. + —W.COMPL.CL. or INDIR.Q. *that sthg. (or what) is the case* Hdt. S. Th. Ar. + —W.NOM.PTCPL. *that one is doing sthg., or is such and such* S. Antipho Ar. —W.ACC. + PTCPL. *that someone is such and such, that sthg. is the case* Hdt. S. —W.ACC. + PREDIC.ADJ. *that someone is such and such* S. —W.ACC. + INF. *that someone is doing sthg.* Ar.; (intr., of persons, facts, circumstances) **give evidence** or **proof** (of sthg.) S. Th. Att.orats. ‖ PASS. (of things) be revealed, made clear or demonstrated Hdt. S. Th. + —W.NOM.PTCPL. *to be such and such* Th.
6 (of a person) **be clearly** —W.NOM.PTCPL. *doing sthg.* S. —W. ὡς + NOM.FUT.PTCPL. *about to do sthg.* S.; (of a war) **be seen** —W.NOM.PF.PTCPL. *to have been such and such* Th.; (of a country) **show** (W.ACC. itself, i.e. be clearly seen) —W.NOM.PTCPL. *to be such and such* Hdt.
7 (intr., of things) **be clear, be revealed** And. + ‖ IMPERS. it is clear (that sthg. is the case) Pl. X. Arist. —W.COMPL.CL. *that sthg. is the case* Hdt. Pl. +
8 (of a writer) **indicate, state** (sthg.) Hdt. Th. —*sthg.* Th. —W.DIR.SP. Th.; (of a letter) **say** —*sthg.* Th.

9 (of words or names) **represent, signify, mean** —*sthg.* Pl.; (intr.) **have a significance** or **meaning** Pl.

δήλωμα ατος *n.* **means of representing** or **signifying, representation, indication** (of sthg.) Pl.

δήλωσις εως *f.* **indication, demonstration** (of sthg.) Th. Pl. Arist. Plu.

δημαγωγέω *contr.vb.* [δημαγωγός] **1** be a leader or champion of the people, **be a popular leader** Ar. Isoc. Arist.
2 (tr., usu.pejor.) **court popularity** or **win favour with** —*persons, citizens, the mob* D. Arist. Plu. —*common soldiers* X.; (intr.) **court popular favour** Plu. ‖ PASS. (of soldiers) be courted (opp. commanded) Plu.

δημαγωγίᾱ ᾱς *f.* **1** leadership of the people, **position of popular leader** Th. Ar. Arist. Plu.
2 (pejor.) **courting of popular favour** Plb. Plu.

δημαγωγικός ή όν *adj.* **1** ‖ NEUT.PL.SB. qualities of a popular leader Ar.
2 (pejor., of a politician) **rabble-rousing, trading on popular support** Plb.

δημ-αγωγός οῦ *m.* [δῆμος, ἀγωγός] **1** (w. neutral connot., but sts.pejor. in specific ctxts.) leader or champion of the common people, **popular leader, demagogue** Th. Att.orats. X. Arist. Thphr. Plu.
2 (pejor.) one who gains influence by rabble-rousing or courting popular favour, **demagogue** Plb. Plu.

δημαρχέω *contr.vb.* [δήμαρχος] **1** (at Athens) **hold the office of demarch** Is. D.
2 (at Rome) **hold the office of tribune** Plu.

δημαρχίᾱ ᾱς *f.* **1** (at Athens) **office of demarch** D.
2 (at Rome) **office of tribune, tribuneship** Plu.

δημαρχικός ή όν *adj.* (at Rome, of official records) **relating to the tribunes** Plu.

δήμ-αρχος ου *m.* [δῆμος, ἄρχω] **1** (at Athens) **demarch** (chief officer of a deme, appointed annually) Ar. D. Arist.
2 (in Egypt) **village headman** Hdt.
3 (at Rome) **tribune** Plb. Plu.

δημ-εραστής οῦ *m.* **lover of the people** (ref. to a politician) Pl.

δήμευσις εως *f.* [δημεύω] **confiscation by the state** (of possessions, esp. fr. a convicted criminal) Att.orats. Pl. Arist. Plu.

δημεύω *vb.* [δῆμος] **1** seize for the benefit of the public, **confiscate** —*possessions (of criminals or sim.)* Th. Att.orats. Arist. Plb. Plu. ‖ PASS. (of possessions) be confiscated Att.orats. X. +
2 ‖ PASS. be made public; (of power) be in the hands of the people E.*Cyc.*; (of things) be public knowledge Pl.

δημηγορέω *contr.vb.* [δημηγόρος] **1** make a public speech or speeches Ar. Att.orats. X. Arist. NT. Plu.; **deliver** (W.COGN.ACC. a speech) **before the people** D.
‖ NEUT.PF.PASS.PTCPL.SB. public speeches D.
2 (pejor., of a disputant) **talk like a public speaker, deliver a harangue** Pl.; **deliver** (W.NEUT.INTERN.ACC. certain words) **like a public speech** Pl.

δημηγορίᾱ ᾱς *f.* **1 public speaking, popular oratory** Pl. X.; (opp. legal oratory) Arist.; (pejor., opp. reasoned argument) Pl.
2 performance as a public speaker, public speech X. Aeschin. D. Arist. Plb. Plu.

δημηγορικός ή όν *adj.* **1** (of persons) **skilled in public speaking** X.
2 (of a speech) **public, political** (opp. legal or epideictic) Arist.; (of the technique) **of public speaking** Pl.; (of the style of language) **of public speeches** Arist. ‖ FEM.SB. art of public

speaking Pl. ‖ NEUT.PL.SB. public speeches Arist.; (pejor.) material suited to populist speeches Pl.

δημ-ηγόρος ον *adj.* [δῆμος, ἀγορεύω] **1** (of the verbal devices, honours) **of a public speaker** A. E.
2 ‖ MASC.SB. **public speaker, popular orator** Pl. X.

δημηλασίᾱ ᾱς *f.* [δημήλατος] **banishment by the people** (as a penalty for bloodshed) A.

δημ-ήλατος ον *adj.* [δῆμος, ἐλαύνω] (of exile) **as a result of banishment by the people** A.

Δημήτηρ, dial. **Δᾱμάτηρ**, τρος (also dial. τερος) *f.*
1 Demeter (goddess of corn and agriculture, mother of Persephone and assoc.w. the Eleusinian Mysteries) Hom. +
2 (meton.) **corn** Hdt.(oracle)

—**Δημήτριος** ᾱ ον *adj.* (of sustenance) **from Demeter** (ref. to grain) A.*fr.*

δημίζω *vb.* [δῆμος] (of politicians) **declare one's allegiance to the people** Ar.

δημιοεργός *ep.m.f.*: see δημιουργός

δημιο-πληθής ές *adj.* [δήμιος, πλῆθος] (in an oracular utterance, of livestock) **belonging to the people in abundance** (w. further connot. *consisting of people in abundance*) A.

δημιό-πρᾱτα των *n.pl.* [πρᾱτός] **confiscated goods sold at public auction** Pl.

δημιοργός *Ion.m.*: see δημιουργός

δήμιος, dial. **δάμιος**, ον (also ᾱ ον A.) *adj.* [δῆμος]
1 belonging to the people; (of the ears and mind) **of the people** A.
2 provided by the people; (of offerings to the gods) **by the people, public** A.
3 affecting the whole people; (of a wound, fig.ref. to a disaster) **public, communal** A.
4 acting in relation to the whole people; (of a scourger) **public, official** A.
5 available to or shared by the whole people; (of houses, altars) **public** Od. A.; (of a business or concern) **public** Od. Call.
6 (of umpires at games) from or chosen by the people (opp. their rulers), **public, popular** Od.
7 ‖ MASC.SB. (ref. to a slave) **public executioner** Lys. Ar. Pl. Arist. Plu.
8 ‖ NEUT.SB. **public, populace, community** A.

—**δήμια** *neut.pl.adv.* **from the communal supply** —*ref. to drinking wine* Il.

δημιουργέω *contr.vb.* [δημιουργός] **1** (intr., of persons) **practise a craft** or **handicraft** Pl.
2 (of persons, crafts, a god or other agent) **manufacture, produce** —*objects, beings* Pl. ‖ PASS. (of things) **be manufactured or produced** Pl. Arist. Plu.
3 (fig.) **craft, mould** —*one's son* (W.PREP.PHR. *in the ways of virtue*) Plu.

δημιουργίᾱ ᾱς *f.* **1 craftsmanship, handicraft, skilled manual work** (as an occupation or activity) Pl.
2 manufacture, production (W.GEN. of sthg.) Pl.
3 craftsmanship, workmanship (ref. to the finished product) Pl. Plu.
4 public office Arist.

δημιουργικός ή όν *adj.* **1** (of the life, skill, techniques) **of a craftsman** Pl.; (of the class) **of craftsmen** Pl.
2 (of teaching, a branch of learning) **concerned with practical skills** Pl.
3 (of a population) **consisting of artisans** Plb.
4 (of the class) **of public officials** Arist.

—**δημιουργικῶς** *adv.* **in a craftsmanlike way** (i.e. carefully and precisely) —*ref. to giving instructions* Ar.

δημιουργός, ep. **δημιοεργός**, Ion. **δημιοργός**, dial. **δᾱμιουργός** (Plb.), οῦ *m.* (sts. *f.*) [δήμιος, ἔργον] **1** one whose work concerns the people (i.e. a person w. a professional skill, not working for a private employer but available to the public at large); **public worker, professional** (ref. to a prophet, doctor, carpenter, bard, herald) Od. Pl.
2 (gener.) **craftsman, artisan** Hdt. S.(dub.) Ar. Att.orats. Pl. +; (opp. ἰδιώτης *layman*) Isoc. Pl.; (collectv.pl., ref. to a group or class) Ar. Pl. Arist. Plu.
3 (ref. to a god or other agent) **creator** (sts. W.GEN. of heaven, night and day, existing things) Pl. X.
4 (ref. to persons or abstr. concepts) **creator, producer** (W.GEN. of speeches, laws, deeds, virtue, friendship, health) Att.orats. Pl. +
5 (as a title used in various Greek cities) **public official, magistrate** Th.(treaty) Arist. Call. Plb. Plu.
6 (quasi-adjl., of dawn) **that rouses people to work** hHom.

δημο-βόρος ον *adj.* [δῆμος, βιβρώσκω] (fig., of a king) **feeding on the people** Il.

δημο-γέρων, dial. **δᾱμογέρων**, οντος *m.* **elder of a community, elder** Il. E. Arist.

Δημόδοκος ου *m.* **Demodocus** (of Leros, epigrammatist, prob. 6th C. BC) Arist.

δημόθεν *adv.*: see under δῆμος

δημό-θροος οον, Att. **δημόθρους** ουν *adj.* [θρόος] (of talk, curses) **voiced by the people** A.; (of anarchy) **with the people in uproar** A.

δημο-κηδής ές *adj.* [κῆδος] (transl. Lat. *Publicola*) **caring for the people** Plu.

δημό-κοινος ου *m.* [κοινός] **public executioner** Antipho Isoc.

δημοκοπέω *contr.vb.* [κόπτω] (pejor.) **court popular favour** Plu.

δημοκοπίᾱ ᾱς *f.* **practice of courting popular favour** Plu.

δημοκοπικός ή όν *adj.* (of a way of life) **of a demagogue, demagogic** Pl.

δημό-κραντος ον *adj.* [κραίνω] (of a curse) **ratified by the people** A.

δημοκρατέομαι *pass.contr.vb.* [κράτος] | fut.mid. (as pass.) δημοκρατήσομαι | (of peoples, cities) **be governed democratically** Hdt. Th. Ar. Att.orats. Pl. +; (fig., of a person, opp. living under the tyranny of passion) Pl.

δημοκρατίᾱ ᾱς, Ion. **δημοκρατίη** ης *f.* **government by the people, democracy** (as a political system, or ref. to a specific instance) Hdt. Th. Ar. Att.orats. Pl. +

δημοκρατικός ή όν *adj.* **1** (of acts, laws, justice, governments) relating to a democracy, **democratic** Ar. Pl. Arist. Plb. Plu.
2 (of a person) **democratic** (in one's political affiliation) Lys. Pl. Arist. Plb. Plu.

Δημόκριτος ου *m.* **Democritus** (philosopher, 5th–4th C. BC, fr. Abdera in Thrace) Arist. Plu.

δημό-λευστος ον *adj.* [λεύω] (of death) **by public stoning** S.

δημο-λογικός ή όν *adj.* (of a person) **of the public-speaking kind, demagogic** Pl.

δημόομαι, dial. **δᾱμόομαι** *mid.contr.vb.* **1** (of a poet) **sing for the people** —*sthg. sweet* Pi.
2 (of a sophist) **curry popular favour** Pl.

δημο-πίθηκος ου *m.* (ref. to a politician) **jackanapes of the people** Ar.

δημό-ποίητος ον *adj.* [ποιητός] ‖ MASC.PL.SB. **persons made citizens by the community, naturalised citizens** Plu.

δημό-πρᾱκτος ον *adj.* [πρᾱκτός] (of a vote) **taken by the people** A.

δημο-ρριφής ές *adj.* [ῥίπτω] (of curses) **hurled by the people** A.

δημός οῦ *m.* **fat** (of oxen, sheep, sacrificial offerings) Il. Hes. hHom. Ar. AR.; (of corpses, as devoured by dogs, birds, fish) Il.

δῆμος, dial. **δᾶμος**, ου *m.* **1** (gener.) **district, region, land** Hom. Hes. hHom.; (fig., W.GEN. of dreams) Od.
2 (specif., in Athens, Attica and other states) **district, deme** (ref. to a local community, w. social and administrative functions) Hdt. Th. Ar. Att.orats. +
3 community, people, populace, population (of a country, region, or city) Hom. +
4 entire body of citizens (as participating in government or decision-making), **citizen body, people** A. Hdt. E. Th. Ar. +; (as assembled for debate) **people, popular assembly** Hdt. Th. Ar. +
5 government by the people, **popular government, democracy** Hdt. Th. Ar. Att.orats. +
6 common people (opp. royalty, nobility, the ruling classes) Il. +; (ref. to an individual) **one of the common people** Il.(dub.)
7 rank and file (of soldiers, opp. officers) X.

—**δημόθεν** *adv.* **1** (in an oracular utterance, app.ref. to both origin and movt. of a person) **from the country** (i.e. of the same country and coming fr. the countryside) AR.
2 from the public stores —*ref. to giving food* Od.
3 by the people —*ref. to a crime being lamented* A.(cj.)

Δημοσθένης ους *m.* | *acc.* Δημοσθένην | **Demosthenes** (Athenian orator and politician, 384–322 BC) Aeschin. +

—**Δημοσθενίζω** *vb.* (of writers) **imitate Demosthenes** Plu.

—**Δημοσθενικός** ή όν *adj.* (of the style) **of Demosthenes, Demosthenic** Plu.

δημοσίᾳ *fem.dat.adv.*: see under δημόσιος

δημοσιεύω *vb.* [δημόσιος] **1 seize for the benefit of the public, confiscate** —*a person's assets* X.
2 (intr.) **be a public employee** (usu. as a doctor) Ar. Pl.
3 engage in public life (opp. keeping oneself to oneself) Pl.
4 be at the service of the people Plu.; **be publicly available** —W.PREP.PHR. *for hire* Plu.
5 || PTCPL.ADJ. (of a bath-house) **public** Plu.
|| NEUT.PL.PF.PASS.PTCPL.SB. **popular sayings** Arist.

δημόσιος, dial. **δᾱμόσιος**, ᾱ (Ion. η) ον *adj.* [δῆμος]
1 belonging to the people or the state; (of land, property, wealth, resources, buildings) **public** Sol. Xenoph. Th. Att.orats. + || NEUT.PL.SB. **public money** Ar.
2 (of money, land) seized by the state, **confiscated** Lys Pl.
3 relating to the whole people; (of a decision) **by the people, public** Hippon.; (of activities, sufferings) **public, communal** Sol. Thgn. + | NEUT.PL.SB. **public affairs** Hdt. +
4 (of lawsuits) **public** (as affecting the community, opp. private) Att.orats. X. Arist. Thphr.
5 available to the whole people; (of a road) **public** Hdt. Men.; (of baths) Plb. || NEUT.PL.SB. **public or popular things** Call.*epigr.*
6 acting in relation to the whole people; (of a priestess) **public, official** Call.
7 (of support or maintenance of persons) **at public expense** Arist.; (prep.phr., ref. to bringing up a child) ἐν τῷ δημοσίῳ *at public expense* or *as a public responsibility* (opp. privately) Hdt. || NEUT.PL.SB. **food provided at public expense** Hdt.

—**δημόσιος** ου *m.* **1** official appointed by the state, **public official** (ref. to an auctioneer) Hdt.; (ref. to a clerk) D.; (ref. to an executioner) Aeschin. Plu.; (ref. to a policeman) Ar.
2 animal for state sacrifice, **public victim** Ar.

—**δᾱμοσίᾱ** ᾱς *dial.f.* (w. σκᾱνᾱ understd.) **public tent** (living quarters and administrative centre of Spartan kings) X.

—**δημόσιον** ου *n.* **1 state** (as a corporate institution) Hdt. X. Aeschin.
2 public funds, treasury Hdt. Th. Ar. Att.orats. +
3 public prison Th.
4 perh. **town hall** Plu.

—**δημοσίᾳ**, Ion. **δημοσίῃ** *fem.dat.adv.* **1 publicly** or **in public** (opp. privately) Th. Att.orats. +
2 in a public capacity, officially Th. Att.orats. +
3 at public expense Hdt. Th. Ar. +

δημοσιόω *contr.vb.* **1 confiscate** —*land* Th.
2 || PASS. (of information) be made public Pl.

δημο-τελής ές *adj.* [τέλος] (of a sacrifice, festival) **provided at public expense** Hdt. Th. Pl. Aeschin. D. +

δημότερος, dial. **δᾱμότερος**, ᾱ (Ion. η) ον *adj.* (of women) belonging to the community, **from the city** AR.
|| MASC.PL.SB. **common people** Call. AR.

δημοτεύομαι *mid.vb.* [δημότης] **be a member of a deme** Lys. Pl. D.

δημότης ου, dial. **δᾱμότᾱς** ᾱ *m* [δῆμος] **1** man belonging to the common people, **man of the people, commoner** (opp. man of rank) Hdt. E. X. Plb. Plu.; (appos.w. ἀνήρ) Tyrt. S.; (at Rome) **plebeian** (opp. patrician) Plu.
2 member of a particular community; **citizen** (opp. foreigner) E. || PL. (gener.) townsmen, citizens Pi. S. E. Plb.
3 (at Athens) member of a deme, **demesman** or (most freq.) **fellow demesman** Ar. Att.orats. Pl. Arist. Thphr. +; (appos.w. ἀνήρ) Ar.

—**δημότις**, dial. **δᾱμότις**, ιδος *f* **1** woman of the common people, **commoner** (opp. queer) Plb. Plu.
2 woman of a particular community, **local woman** or **fellow citizen** Ar. Theoc.

δημοτικός ή όν *adj.* **1** belonging to the common people; (of persons) **ordinary, from the general public** D.; (at Rome) **plebeian** Plu. || MASC.PL.SB. ordinary people, members of the general public Ar. X. D. Arist.; plebeians Plu.
2 associated with the common people; (of a contest, for nobles) **with commoners** X.; (of a writing system, in Egypt) **common, popular** (opp. sacred i.e. demotic opp. hieroglyphic) Hdt.; (of a belief) **commonly held, popular** Arist.; (of clothing, wine, or sim.) **ordinary, everyday** Plb. Plu.
3 (esp. in political ctxt.) favouring the common people; (of persons) on the side of the people, **democratic** Ar. Att.orats. Pl. +; (of an action, speech, invention, system of government) **democratic, populist** Th. Ar. Att.orats. +
4 (gener., of persons, their behaviour or speech) showing the characteristics appropriate to a man of the people, **ordinary, straightforward, civil, affable** Pl. X. Plb. Plu.
5 (of a sanctuary) **belonging to a deme** D.(law)

—**δημοτικῶς** *adv.* **democratically, in a spirit of equality** D. Arist. Plu.

δημοῦχος, dial. **δᾱμοῦχος**, ον *adj.* [ἔχω] (of goddesses) **guarding a land** or **people** S. || MASC.PL.SB. (ref. to persons, sts. appos.w. ἄνδρες) **guardians of the people** (W.GEN. of a land) S.

δημο-φάγος ον *adj.* [φαγεῖν] (fig., of a tyrant) **feeding on the people** Thgn.

δημο-χαριστής οῦ *m.* [χαρίζομαι] (pejor.) **people-flatterer** E.

δημώδης ες *adj.* **1** (of music, self-control) as popularly understood, **ordinary, conventional** Pl.
2 (of a quotation, version of events) **widely known, popular** Plu.

δημ-ωφελής ές *adj.* [ὄφελος] (of a leader) **helpful to the common people** Plu.; (of speeches) **for the common good** Pl.

δήν *adv.* **1 for a long time, long** Hom. Sol. Thgn. A. Call. AR. **2** (phrs.) ἐπὶ δήν *for a long time* AR.; μετὰ δήν *after a long time* Call.

δηναιός, dial. **δᾱναιός**, ά (Ion. ή) όν *adj.* **1** existing for a long time in the future; (of a person) **long-living** Il.; (of old age, renown) **long-lasting** AR. Theoc.; (of a period of time) **long** AR.
2 already existing for a long time; (of the Graiai, the throne of Kronos, the privileges of deities) **age-old, ancient** A.
3 existing a long time ago; (of poets, a custom) **ancient** Call.
4 (quasi-advbl., of persons arriving) **after a long time** AR.
—**δηναιόν** *neut.adv.* **for a long time** AR.

δηνάριον ου *n.* [Lat.loanwd.] **denarius** (Roman silver coin) NT. Plu.

δήνεα έων *n.pl.* **thoughts, plans** (good or bad) Hom. Hes. Semon. Thgn. AR.

δηξί-θῡμος ον *adj.* [δάκνω, θῡμός] (fig., of the flower of love) **gnawing at the soul** A

δῆξις εως *f.* **sting** (of a jibe) Plu.

δήξομαι (fut.mid.): see δάκνω

δήος Ion.*adj.*: see δήιος

δηόω, Ion. **δηιόω**, dial. **δαόω** (Pi., cj.) *contr.vb.* [reltd. δήιος] | ep.ptcpl. δηιόων, ep.3pl.opt. δηιόωεν | impf.: 3pl. ἐδῄουν, Ion. ἐδηίουν, ep. δήουν, also ἐδίουν (AR.) | iteratv.impf. (w.diect.) δηιάασκον (AR.) | fut. δηώσω | aor. ἐδῄωσα ‖ PASS.: ep.3pl.impf. (w.diect.) δηιώωντο |
1 (usu. of warriors) **cut down, slay** —*persons* Hom. Hes. Pi.(cj.) AR.; (intr.) **inflict slaughter** Il. ‖ PASS. (of persons) be slain Hom. AR.
2 (of warriors) **hack at** —*shields* Il.; (of wolves) **tear, rend** —*a stag* Il.; (of a lion, weapon) —*the guts* (*of a cow, warrior*) Il.
3 (of persons) **ravage, lay waste, devastate** —*regions, cities, or sim.* Hdt. S. Th. Ar. X. D. +; (of a gale) —*cornfields* Sol. ‖ PASS. (of regions, cities, or sim.) be laid waste Hdt. +

δή ποτε (or **δήποτε**), Aeol. **δή ποτα**, Ion. **δή κοτε**, dial. **δή ποκα** (Call.) *indef. temporal adv.* [ποτέ] **1 at some time, once upon a time** Hom. Lyr. Trag. Call. AR.
2 at last E.
3 (reinforcing a temporal adv.) αἰεὶ δή ποτε *ever and always* Th.
4 (wkr.sens., after interrog. or relatv.) **ever** Hdt. S. E. Ar. Pl. +

δή-που *indef.adv.* **1** (in statements, replies or qs., usu. strongly affirmative, but sts. w. a note of hesitation) **I think, I believe, I expect, doubtless, surely** A. S. Th. Ar. Att.orats. Pl. +
2 (in surprised or incredulous qs.) οὐ δήπου ... ; *surely not ... ?* S. Ar. Pl. X.

δήπουθεν *adv.* [strengthened form of δήπου] **certainly, surely** Ar. Att.orats. Pl. Men. Plb. Plu.

δηριάζομαι *mid.vb.* [δῆρις] (of a person) **dispute, quarrel** —W.DAT. *w. persons* Pi.*fr.*

δηριάομαι *ep.mid.contr.vb.* | always w.diect. | 3pl. δηριόωνται, 3du. δηριάασθον, 3pl.imperatv. δηριαάσθων, inf. δηριάασθαι | 3pl.impf. δηριόωντο |
1 (of warriors) **do battle, fight** Il.
2 (of persons) **dispute** (about land and boundaries) Il.; **quarrel** Od.
3 (of persons) **contend, compete** (in a race) AR.; (of women) —W.DAT. *w. men* (*in a ritual exchange of taunts*) AR.; (of bulls, for a mate) AR.
—**δηριάω** *act.contr.vb.* | only masc.nom.pl.ptcpl. δηριῶντες (Pi.), (w.diect.) δηριόωντες (AR.) | **1** (of warriors) **quarrel** AR.

2 (of wrestlers, chariots) **contend, compete** (w. others) Pi. AR.

δηρίομαι *mid.vb.* | fut. δηρίσομαι | ep.3pl.aor. δηρίσαντο ‖ AOR.PASS. (w.mid.sens.): ep.3du. δηρινθήτην, inf. δηρινθῆναι | **1** (of warriors) **do battle, fight** Il. AR.
2 (of persons) **quarrel** Od.
3 contend, compete —W.COGN.ACC. *in a contest* AR. —W.DAT. *in boxing* AR.; (of boxers) —W.PREP.PHR. *for a prize* Theoc.; (of a poet) —W.DAT. *w. other poets* Pi.
—**δηρίω** *act.vb.* | aor. ἐδήρισα, dat.du.ptcpl. δηρισάντοιν | (of persons) **contend, compete** —W.PREP.PHR. *in poetic skill* Thgn.; (of an animal, in neg.phr.) **rival** —W.DAT. *a dog* (W.PREP.PHR. *in value*) Theoc.

δῆρις ιος *dial.f.* | acc. δῆριν | **contention, strife, struggle** (in war, competitions, disputes, or sim.) Hom. Hes. Ibyc. A. B. D.(quot.epigr.) AR.; (personif.) **Strife** A. Emp.

δηρός, dial. **δᾱρός**, όν *adj.* [reltd. δήν] **1** long-lasting; (advbl.acc.phr.) δηρὸν (δαρὸν) χρόνον *for a long time* Hom. hHom. Ibyc. Trag. AR.
2 (of the step of time) **long, unhastening, unending** E.
—**δηρόν** *neut.adv.* **for a long time** Hom. Hes. Thgn. Pi. Trag. AR. Mosch.; (also) ἐπὶ δηρόν Il. AR. Mosch.; μετὰ δηρόν *after a long time* AR.

δῆσα (ep.aor.), **δησάσκετο** (3sg.iteratv.aor.mid.), **δήσω** (fut.): see δέω¹

δῆτα *adv.* [reltd. δή] **1** (in qs., to mark an inference or consequence) **then, in that case** Hdt. Trag. Lys. Ar. Pl. • ἀλλ' οὐ μεγαίρω τοῦδε τοῦ δωρήματος. —τί δῆτα μέλλεις μὴ οὐ γεγωνίσκειν τὸ πᾶν; *I do not begrudge this gift.—Then why do you delay to tell all?* A.; (conveying surprise or indignation) τί φῄς; ἔπειτα δῆτά μ' ἐξενίζετε; *What are you saying? And after that you were still willing to entertain me?* E.; ταυτὶ δῆτ' ἀνέκτ' ἀκούειν; *Can one really bear to listen to this?* Ar.
2 (in affirmative answers, usu. echoing a word of the previous speaker) **indeed, yes** Trag. Ar. Pl. • φεῦ. —φεῦ δῆτα *Alas! —Alas indeed!* S.; δεῦρ' ἔξελθε. —νὴ Δί', ὦ πάτερ, ἔξελθε δῆτα *Come out here.—Yes, in heaven's name, father, do come out!* Ar.; (echoing or endorsing one's own words) ὥς μ' ἀπώλεσας· ἀπώλεσας δῆτα *you have destroyed me; yes, destroyed me* S.
3 (emph., in neg. statements) οὐ δῆτα *certainly not* Trag. Ar. Att.orats. Pl. +; (in neg. commands or wishes) • μὴ δῆτ' ἄπολις γενοίμαν *may I never be deprived of my city* E.; (ellipt.) μὴ δῆτα *do not, no!* Trag. Ar. Att.orats.
4 (as colloq. connective) καὶ δῆτα *and then* Th. Ar. Pl. X. D.

δῆτε (crasis for δὴ αὖτε): see αὖτε 1

δηχθείς (aor.pass.ptcpl.), **δηχθήσομαι** (fut.pass.): see δάκνω

δήω, Aeol. **δέω** *vb.* | pres.indic. has fut. sense | (of persons) **will find, encounter** or **come upon** —*persons, places, things, circumstances* Hom. Alc. Call.*epigr.* AR.; **will attain** or **achieve** —*a goal, result* Hom.

Δηώ οὖς *f.* | voc. Δηοῖ, acc. Δηώ, dat. Δηοῖ | **Deo** (alternative name for Demeter) hHom. S. E. Ar. Hellenist.poet.

Δί (contr.dat.sg.), **Δία** (acc.sg.): see Ζεύς

διά, also **διαί** (A.), Aeol. **ζά** *prep.* | ep. sts. διά *metri grat.* | W.ACC. and GEN. |

—**A** | space or location |

1 (ref. to a fire being visible) from the other side of, **through** —W.GEN. *a roof* X.
2 in the midst of, **amid** —W.ACC. or GEN. *a group, hilltops, flames, the air* Hom. | see also μέσ(σ)ον 2, 8, 9
3 (ref. to being pre-eminent) in the company of, **among** —W.GEN. *a group* Il. Pi. Hdt.

διαβαδίζω

4 along the length of, **along** —W.GEN. *the seashore* Hdt.
5 on the other side of, **over** —W.GEN. *the sea* Pi.
6 (ref. to teeth chattering, having a word) **in** —W.ACC. or GEN. *the mouth* Il. Ar. X. | see also στόμα 3
—B | movt. |
1 in a line, from one end, side or surface to the other; **through** —W.ACC. or GEN. *a solid object or mass* Hom. +; —*an opening* (natural or bodily) Hom. +; —*a group* Il. Pi. —*places, regions, peoples* Hom. +; (ref. to shedding tears) **through** (i.e. from) —W.GEN. *one's eyes* S. | see also πῦρ 10, 11
2 in all parts of, **throughout, all over** —W.GEN. *a city, the ranks of an army, one's body, or sim.* Hom. +
3 over the top of (sthg.) from one side to the other; **over** —W.ACC. or GEN. *the sea, a hill* A. Pi. X.
—C | time |
1 for the whole of, **throughout** —W.GEN. *a period of time* Hdt. S. Th. + | see also βραχύς 17, μακρός 10, πᾶς 9, πλεῖστος 7, τέλος 6
2 in the course of, **in** —W.ACC. or GEN. *a period of time* Il. + | see also βραχύς 17, ἐλάχιστος 7, νύξ 1
3 **after** —W.GEN. *an interval* Hdt. S. E. Th. + | see also μακρός 10
4 at intervals of —W.GEN. *a length of time* Hdt. S. Ar. Pl. + | see also πενταετηρίς 2
5 (phrs.) διὰ μέσου *in the meantime* (see μέσ(σ)ον 5); δι' ὀλίγης παρασκευῆς *at short notice* (see παρασκευή 4)
—D | separation |
1 **separate by, at** —W.GEN. *a specified distance* Hdt. Th. X. | see also βραχύς 17, ἐλάσσων 7, μακρός 10, πλεῖστος 5, πολύς 9, τοσοῦτος 4
2 **at intervals of** —W.GEN. *a number of units of distance* Hdt. Th.
3 (phr.) ἄλλος δι' ἄλλου *one after another* E.
—E | origin |
(ref. to being descended) **through** —W.GEN. *kings* X.
—F | cause |
1 owing to, **because of, through** —W.ACC. *someone or sthg.* Od. +; —W.GEN. *disasters* Th.
2 (ref. to sthg. acting) **in and of** —W.ACC. *itself* Pl.
—G | agent, instrument or means |
1 (ref. to speaking or sending a message) through the medium of, **through** —W.GEN. *someone* Hdt. X. +
2 by means of, **by** —W.ACC. or GEN. *the will of a divinity, force, or sim.* Hom. +; **through** —W.GEN. *the spoken or written word, riddles, or sim.* Pi. Hdt. E. Ar. + | see also βία 14
3 through the action of, **through** —W.GEN. *someone, oneself* Od. +
4 with the use of, **with** —W.GEN. *ink, blood, a part of the body, sacrificial offerings* S. | see also χείρ 9, 15
—H | purpose |
with a view to, **for** —W.ACC. *a particular result* Th. Pl. Arist.
—I | state or condition |
1 in a state of, **in** —W.ACC. or GEN. *fear, grief, unpopularity, agreement, war, friendship, or sim.* Hes. Hdt. Trag. Th. +; **at** —W.GEN. *peace, fault* Hdt. Th.; **on** —W.GEN. *the defensive* Th.
2 engaged in, **in** —W.GEN. *an activity* Hdt. S. E.
3 (ref. to esteeming sthg.) **of** —W.GEN. *no value* S.
4 (phr.) διὰ κενῆς *in vain, pointlessly* (see κενός 13)
—J | manner |
1 in, with —W.GEN. *passion, haste, reverence, perseverance, drunkenness, or sim.* S. E. Pl. X.
2 (phrs., ref. to speaking or sim.) διὰ βραχέων *briefly* (see βραχύς 17); δι' ἐλαχίστων *most briefly* (see ἐλάχιστος 5); διὰ μακρῶν *at length* (see μακρός 2)

3 (phrs.) διὰ μυχῶν *covertly* (see μυχός 15); διὰ σπουδῆς *with eager haste* (see σπουδή 1); διὰ τάχους or ταχέων *with speed* (see τάχος 5, ταχύς 11)

δια-βαδίζω *vb.* **make one's way across** (a marsh) Th.

δια-βαίνω *vb.* | *fut.* διαβήσομαι *athem.aor.* διέβην, *ptcpl.* διαβάς, *Aeol.* ζάβαις, *ep.inf.* διαβήμεναι || *neut.impers. vbl.adj.* διαβατέον |
1 (of a warrior, wrestler, person lifting sthg.) **plant one's feet apart** Il. Tyrt. Thgn. X. AR.; (of a pathic) Ar.; (of a man) **straddle** (an area) —W.COGN.ACC. *w. a great step* Ar. || STATV.PF. **stand** (W.DAT. *w. one's legs*) **apart** X.; (of a woman) **sit astride, straddle** (a man, in sexual intercourse) Ar.
2 (tr.) **cross over** —*a trench, river, sea, or sim.* Il. Hes. Alc. A. Hdt. E. +; (fig.) **stride through** —*stenches and threats* Ar.
3 (intr.) **cross over** (usu. W.PREP.PHR. *to a place*) Od. Hdt. Th. +; (of a pestilence, fig.ref. to the consequences of war) E.
4 **turn** —W.PREP.PHR. *to someone* (W.DAT. *in one's argument*) Hdt.

δια-βάλλω *vb.* 1 **throw** (W.ACC. *stones*) **across** —W. ὑπέρ + GEN. *over a road* Thphr.
2 **take** (W.ACC. *one's ships*) **across** —W.PREP.PHR. *to an island* Hdt.
3 **go across, cross** —*a bridge, a sea* E. Th.; (intr.) —W.PREP.PHR. *to a place* Hdt. E. Th.
4 **set at variance** —*two persons* (w. each other) Pl. —*persons* (W.DAT. *w. others*) Arist. || PASS. **be set at odds, fall out** —W.DAT. or εἰς or πρός + ACC. *w. someone* Hdt. Th. +
5 **discredit, denounce, slander** —*someone* Hdt. E. Th. Ar. Att.orats. + —(W.DAT. or εἰς or πρός + ACC. *to or in the eyes of another*) Hdt. S. Th. Ar. +; **slanderously accuse** —*someone* (W.COMPL.CL. *of doing sthg.*) Th. Ar.; (of behaviour) **bring** (W.ACC. *someone*) **into discredit** Th.; (intr.) **make disparaging** or **slanderous statements** Hdt. Th. Ar. Att.orats. + || PASS. **be disparaged** or **slandered** Hdt. Th. +; **be discredited** —W.DAT. *in someone's eyes* E. Th.; **be accused** —W.COMPL.CL. *of doing sthg.* Hdt.; (of a message) **be denounced** —W.PREP.PHR. *to someone* Hdt.
6 (act. and mid.) **mislead, deceive** —*someone* Hdt. Ar.; (intr., act.) **make misleading statements** Hdt. Is. D. || PASS. **be misled** Hdt.

δια-βαπτίζομαι *mid.vb.* **get oneself wet**; (fig.) app. **plunge into a contest** —W.DAT. *w. someone* D.

δια-βασανίζω *vb.* **thoroughly test** —*persons, laws* (for their suitability) Pl. || PASS. (of persons) **be thoroughly tested** Pl.

διάβασις εως (Ion. ιος) *f.* [διαβαίνω] 1 **act of going across, crossing** (of a sea, river, ditch, or sim.) Hdt. Th. X. +
2 **means of crossing** (ref. to a bridge or sim.) Hdt. X. +
3 **crossing-place** (over a river, oft. ref. to a ford) Th. X. +; (over or out of a ravine) X.
4 **channel** (for seawater to pass through) Pl.
5 **walkway, gangway** (on a ship) Plu.

δια-βάσκω *vb.* (of a cockerel) app. **strut around** Ar.

δια-βαστάζω *vb.* **weigh in one's hand** —*a golden cup* Plu.

διαβατέος ᾱ ον *vbl.adj.* [διαβαίνω] (of a river or ravine) **to be crossed** X.

διαβατήρια ων *n.pl.* **offerings for safe passage** (made before crossing a border or river) Th. X. Plu.

διαβατός ή όν *adj.* 1 (of rivers, plains) **able to be crossed** Hdt. Th. Pl. X.
2 (of an island) **easily crossed over to, accessible** Hdt.

δια-βεβαιόομαι *mid.contr.vb.* **assert confidently, guarantee** —*nothing* Arist. —W.ACC. + INF. or COMPL.CL. *that someone will do sthg., that sthg. is the case* D. Plu.; **make certain,**

ensure —*the implementation of an agreement* Plb.; (intr.) **make a confident assertion** Plb. Plu.

διαβήτης ου *m*. [διαβαίνω] **pair of compasses** Ar. Pl.

δια-βιάζομαι *mid.vb*. **1** (of persons) **force** —W.ACC. + INF. *someone to do sthg*. E.; **overcome** —*an ailment* Plb.
2 (of air) **force a way through** —*the veins* Pl.

δια-βιβάζω *vb*. | fut. διαβιβῶ | **take, lead** or **transport across** (a river, sea, bridge, or sim.) —*persons, troops, animals* (freq. W.PREP.PHR. or ADV. *to a place*) Hdt. Th. Att.orats. X. Plb. Plu.; **take** (W.ACC. people, troops) **across** —W.ACC. *a river* Pl. Plb. Plu. || PASS. (of cattle) be transported across (a river) X.

δια-βιβρώσκω *vb*. | 3pl.aor.2 διέβρον | (of mice) **nibble through** —*clothes* Call. || PASS. (of flesh) be consumed (by disease or decay) Pl.

δια-βιόω *contr.vb*. | fut. διαβιώσομαι | aor.inf. διαβιῶναι || neut.impers.vbl.adj. διαβιωτέον | **1 live through, pass** —*a period of time, one's life* (W.ADV. or PREDIC.ADJ. *in a certain way*) Isoc. Pl.; (intr.) **spend one's life** —W.ADV., ADJ. or PTCPL. *in a certain way or condition, or doing sthg*. Pl. X.
2 live —w. ἀπό + GEN. *off sources of income* Plu.

δια-βλέπω *vb*. **1 look intently** Pl. NT. —w. εἰς or πρός + ACC. *at someone* Aeschin. Plu.; **see clearly enough** —W.INF. *to do sthg*. NT.
2 (of a person regaining consciousness) **open one's eyes** Plu.

δια-βοάω *contr.vb*. **1 cry aloud, proclaim** —*one's sufferings* A. —W.COMPL.CL. *that sthg. is the case* Th.
2 || PASS. (of persons, events) be widely talked of, be celebrated Plu.
3 || MID. (of a politician) **engage in a shouting match** (w. opponents) D.

διαβόητος ον *adj*. (of persons or things) **talked about, celebrated** Plu.

διαβολή ῆς *f*. [διαβάλλω] **1 slander, false accusation, misrepresentation** Hdt. E. Th. Ar. Att.orats. Pl. +
2 prejudice (against a person, created by a speaker) Arist.
—**διαβολίη** ης *Ion.f*. —also **διᾱβολίᾱ** ᾱς *dial.f*. | διᾱ- *metri grat*. | **slander** Thgn. Pi.

διάβολος ον *adj*. **1** (of persons) **making malicious accusations, slanderous** Ar. Men. || MASC.SB. **slanderer** X.
2 (of a state of mind) **prejudicial** (to someone) And.
3 || MASC.SB. **Devil** (ref. to Satan) NT.
—**διαβόλως** *adv*. **slanderously** Th.

διαβόρος ον *adj*. [διαβιβρώσκω] **1** (of a disease) **consuming, devouring** S.
2 (of a tuft of wool) **consumed** (by poison) S.

δια-βουλεύω *vb*. **1** || MID. **hold a discussion, deliberate** Th. And. —W.INDIR.Q. *on whether to do sthg., what to do* Pl. Plb.
2 (of the Council) **complete a term of office** Arist.

διαβούλιον ου *n*. **1 discussion, deliberation, debate** Plb.
2 decision, resolution Plb.

διά-βροχος ον *adj*. [βρέχω] **1 made thoroughly wet**; (of ships, land) **waterlogged** Th. Plb. Plu.; (of curtains) **soaked** (fr. immersion in a river) Plu.
2 (of a glen) **watered** (W.DAT. by streams) E.; (of a promontory) **washed** (W.DAT. by waves) Call.
3 (of persons, ref. to their beards) **soaked, drenched** (W.DAT. w. spittle) E.; (of shields, w. blood) Plu.
4 (of eyes) **moist** (w. tears) E.

δια-βῠνέομαι *mid.contr.vb*. (of mourners) **push** (W.ACC. an arrow) **through** —w. διά + GEN. *their hands* Hdt.
—**διαβύνομαι** *pass.vb*. (of a steering-oar) **be pushed through** —w. διά + GEN. *a ship's keel* Hdt.

δια-γαληνίζω *vb*. [γαλήνη] **make calm** —*one's facial expression* Ar.

δι-αγανακτέω *contr.vb*. **be thoroughly indignant** D. Plu.

διαγανάκτησις εως *f*. **indignation** Plu.

δι-αγγέλλω *vb*. **1 pass on** or **spread a report**; (of persons, rumours) **pass on, announce, report** (sts. W.DAT. or PREP.PHR. or ADV. to people or places) —*events, circumstances* E. Pl. X. Aeschin. NT. Plu.; **spread the news** —W.COMPL.CL. *that sthg. is the case* Pi.; (intr.) **pass on a message** or **news** (usu. W.DAT. or PREP.PHR. to people) Th. Pl. X.
2 give orders —W.INF. *to do sthg*. E. || MID. **pass on an order from one to another** X.
3 || PASS. (of news) be passed on —W.DAT. *to someone* X.; be widely reported Isoc. Plb. || IMPERS.PASS. news is brought —W.COMPL.CL. *that sthg. is the case* X.

δι-άγγελος ου *m*. **1 one who passes on information, informant** (W.GEN. about sthg.) Th.
2 soldier who passes on the watchword; (in the Roman army) **tesserarius** Plu.

δια-γελάω *contr.vb*. **1 laugh at, mock** —*someone* E. X.; (intr.) **jest, engage in mockery** Plu. || PASS. **be treated with derision** Plb.
2 || NEUT.PL.PTCPL.SB. (fig.) **smiling surface** (W.GEN. of the sea, as an exemplar of that which is deceptive) Plu.

δια-γίγνομαι *mid.vb*. **1 exist through** (a period of time); **exist, live** —W.ACC. *so many years* Pl.; **get through, pass, survive** —*a night* X.
2 pass one's life —W.PREP.PHR., NOM.PTCPL. or PREDIC.ADJ. *in a certain condition, doing sthg., being such and such* Th. Ar. X. Plb. Plu.; (gener.) **spend one's time** (in some way) X. Aeschin.
3 continue to live, stay alive, survive Isoc. Pl. X. Aeschin. Plu.; (of a political system) **continue to exist** X. Arist.
4 make one's living —w. ἀπό + GEN. *by one's craft* Arist.
5 remain to the end (of a course of training) X.
6 continue —W.NOM.PTCPL. *doing sthg*. Pl. X.
7 (of a period of time) **intervene, elapse, pass** Att.orats. Plb. NT. Plu.

δια-γιγνώσκω, Ion. **διαγῑνώσκω** *vb*. | fut. διαγνώσομαι | aor.2 διέγνων | pf. διέγνωκα | **1 know one from another, distinguish between, tell apart, pick out** —*persons* Il. Th. Ar. Isoc. Pl. X. —*someone's bones* (fr. *those of others*) Il. —*pure gold* (fr. *impure*) Hdt.; **distinguish between** —*different things* Pl. X. +; **distinguish, determine** —W.INDIR.Q. *which* (of alternatives) *is the case* Hdt. Th. Pl. Thphr.; (intr.) **distinguish** (betw. persons, things) Il. Hdt. Th. Men. || PASS. (of things) be distinguished (fr. each other) Aeschin. D.
2 discern, recognise —*a fact or circumstance* S. Ar. Pl. + —W.COMPL.CL. *that sthg. is the case* Ar. Isoc. —W.ACC. + PTCPL. *that someone is such and such* Ar. || PASS. (of things) be recognised —W.PREDIC.ACC. *as being such and such* And.
3 || PASS. (of a person) **be marked out** or **renowned** —W.DAT. *for sthg*. Pi.fr.
4 know how to ensure —W.ACC. + INF. *that sthg. happens* Th.
5 reach a decision, decide Th. Pl. —W.COMPL.CL. or INDIR.Q. *that sthg.* (or *what*) *shd. be done, whether sthg. is the case* Isoc. —W.INF. *to do sthg*. Hdt. Plb. Plu.; (tr.) **take a decision about** —*sthg*. X. || IMPERS.PLPF.PASS. it had been decided —W.ACC. + INF. *that sthg. was the case* Pl.
6 (leg.) **determine, decide** —*a lawsuit* A. Ar. Att.orats.; (intr.) **give judgement, reach a verdict** Th. Att.orats. || PASS. (of a verdict) be reached Th. || IMPERS.PASS. a verdict is reached Is.

δι-αγκυλόομαι *pass.contr.vb.* [ἀγκύλος] | only pf.ptcpl. διηγκυλωμένος | ‖ PF.PTCPL.ADJ. (of soldiers) with one's hand in the thong of a javelin X.

δια-γλαύσσω *vb.* [reltd. γλαυκός] (of paths) **gleam** (in the light of dawn) AR.

δια-γλάφω *vb.* **scoop out** —*beds* (*for persons, in sand*) Od.

διαγνώμη ης *f.* [διαγιγνώσκω] **decision, resolution** Th.

διαγνώμων ον, gen. ονος *adj.* (of persons) **capable of recognising** (W.GEN. righteous acts) Antipho

διάγνωσις εως *f.* **1** act or means of making a distinction; **distinguishing** (W.INDIR.Q. which side is winning) Th.; **distinction** (sts. W.GEN. betw. persons or things) Pl. D. Plu.
2 power of discernment, **judgement, discrimination** (in a person) E.
3 means of judging (W.GEN. people's feelings) E.
4 recognition, **understanding** (of the nature of sthg.) Isoc.
5 (esp. in legal ctxts.) **decision, judgement, verdict** Att.orats. Pl. NT.

δια-γογγύζω *vb.* **mutter, grumble** NT.

δι-αγορεύω *vb.* **1** ‖ PASS. (of persons) be declared —W.PREP.PHR. *of equal status* Pl.
2 give orders Plu. —W.DAT. + INF. *to someone to do sthg.* Plu.; (of a law) **prescribe** —W.DAT. + INF. *that someone shd. not do sthg.* Plu.

διάγραμμα ατος *n.* [διαγράφω] **1** (geom., or gener.) figure marked out by lines, **diagram** Pl. X. Arist.; **proposition** (as a provable geometrical truth) Arist.; (as a mathematical operation) Plu.
2 register, **inventory** (of equipment) D.
3 astrological chart Plu.
4 musical scale; (fig.) **tone, tenor** (W.GEN. of a political career) Plu.
5 (at Rome) **edict, ordinance** (of a magistrate, lawgiver, or sim.) Plb. Plu.

διαγραφή ῆς *f.* **1** marking out by lines, **delineation, design** (of an ideal city) Pl.
2 table, **schedule** (of virtues and vices) Arist.
3 diagram (illustrating military tactics) Plu.
4 crossing out (of the record of a debt, upon its discharge); **repayment** (W.GEN. of a sum of money) Plb.

δια-γράφω *vb.* **1** (of draughtsmen) mark out by lines, **delineate, design** —*a city, its layout* Pl. Plu.; (cf augurs) **mark out** —*the sectors of the sky* Plu.
2 put in diagrammatic form, **tabulate** —*types of person* Arist.; **draw up in a list, set out** —*propositions* Arist.; (gener.) **describe** —*dwellings* Pl. —W.INDIR.Q. *how one did sthg.* Arist.; (intr.) **demonstrate** (sthg.) **by tabulation** Arist.; **set out** (information) Plu.
3 put on a list, **register, enrol** —*soldiers* Plb.
4 ‖ PASS. (of a treaty) be drafted Plb.
5 draw a line through, **cross out, delete** —*verses* Pl.; (fig.) **write off** —*a woman* (*as immoral*), *the cavalry* (*as worthless*) E. Ar.
6 (leg., of a magistrate) **strike off, quash** —*a claim* D. ‖ MID. (of a defendant) **cause** (W.ACC. someone's lawsuit) **to be struck off** Lys.; (intr., of a plaintiff) **drop a lawsuit** D. ‖ PASS. (of a lawsuit, claim, or sim.) be struck off or cancelled Ar. Is. D.
7 cancel, rescind —*a decision, laws* Plu.
8 assign, allot —*property, land* (W.DAT. *to people*) Plu. ‖ PASS. (of property) be allotted Plu.

δια-γρηγορέω *contr.vb.* **be** or **become fully awake** NT.

δι-αγριαίνω *vb.* **enrage, provoke** —*the government, a snake* Plu. ‖ MID.PASS. (of a mob) be enraged Plu.

δι-αγρυπνέω *contr.vb.* **be sleepless, stay awake** (esp. fr. worry or frustration) Ar. Plb. Plu.

δι-άγω *vb.* **1** (of ferrymen, ships' captains, ships) **take** (W.ACC. people, animals, things) **across** (a sea or river) Od. Ar. X.
2 lead (W.ACC. troops, persons, horses) **through** (a gateway, country, place) Isoc. X. Plb. —w. διά + GEN. *a crowd* X.; **take** (W.ACC. animals) **across** (a mountain range) Plb.; **make** (W.ACC. captives) **pass** —w. διά + GEN. *through lines of troops* Th.; (intr.) **escort** or **allow passage through** (a land, to an army) Th. ‖ PASS. (of effigies) be carried along (in a procession) Plb.
3 pass, spend —*one's life, a period of time* (W.NOM.PTCPL., ADJ., ADV. or PREP.PHR. *doing sthg., in a particular way, condition or place*) hHom. B. Trag. Ar. Att.orats. Pl. +; **lead** —*a way of life* (W.ADJ. *of a certain kind*) Ar. ‖ PASS. (of a night) be spent (in a certain way) Pl.
4 (intr.) **spend one's life, live, exist** (in a particular way) Thgn. Hdt. Democr. Att.orats. Pl. +; (ref. to a specific period) **spend time** (in a particular way or state) Th. Isoc. X. ‖ MID. **lead one's life** (in a certain way) Pl.; (of a city) **exist** (in a certain condition) Pl.
5 let time pass, **play for time, delay** Th. X.
6 continue —W.NOM.PTCPL. *doing sthg., being such and such* X. Plb.
7 handle, manage —*affairs* (W.ADV. *in a certain way*) Pl. Plb.
8 make (someone or sthg.) live or exist (in a certain condition); **keep** —*one's land and city* (W.PREDIC.ADJ. *righteous*) A. —*cities* (W.PREP.PHR. *in a state of harmony*) Isoc.; (of war) —*people* (W.PREP.PHR. *in a state of plenty*) D.; (of time) —*a person* (w. ὡς + FUT.PTCPL. *in a state close to death*) S.

διαγωγή ῆς *f.* **1** action or manner of spending one's life; **way** or **course** (W.GEN. of life) Pl Plb.; **way** or **course of life** Pl. Arist. Plb. Plu.
2 action or manner of spending time; **spending of time, time spent** (sts. W.ADJ. or PREP.PHR. in a particular way) Pl. Arist. Plb.; **activity, occupation** Isoc. Arist.
3 (specif.) **entertainment, recreation, pastime, leisure time** Arist. Plb. Plu.

διαγώγιον ου *n.* toll levied on vessels passing through a strait, **toll, duty** Plb.

δι-αγωνιάω *contr.vb.* **be very anxious, fear greatly** —w. μή + SUBJ. *that sthg. may happen* Plb.

δι-αγωνίζομαι *mid.vb.* **1** (of a speaker, playwright, athlete, or sim.) engage in competition, **compete, contend** (sts. W.DAT. or πρός + ACC. w. someone) Ar. Att.orats. Pl. X. +
2 (of soldiers, states) **engage in battle, fight it out** (sts. W.DAT. or πρός + ACC. w. someone) Th. Att.orats. X. Plb. Plu.
3 (leg.) **compete at law, bring a lawsuit** (against someone) Is.

δι-αγωνοθετέω *contr.vb.* put into contention with each other, **set at variance** —*the interests of two regions* Plb.

δια-δάκνω *vb.* (fig.) **take a bite at** —*someone* (*by spreading malicious rumours*) Plb.

δια-δάπτω *vb.* | aor. (tm.) διὰ ... ἔδαψα | (of a warrior) **tear through** —*flesh* (*w. a spear*) Il.

δια-δατέομαι *mid.contr.vb.* | aor. διεδασάμην, ep. διεδασσάμην | 3sg.iteratv.aor. (tm.) διὰ ... δασάσκετο | **1** (of persons) **divide up, share out** (amongst themselves) —*property, land, meat, booty* Il.(tm.) Hes.(tm.) Pi.(sts.tm.) Hdt.
2 divide off (for others), **distribute** —*spoils, honours, portions of meat* Il.(tm.) Hes.

3 divide up, distribute —*people* (w. ἐς + ACC. *into tribes*) Hdt.
διαδέδρᾱκα (pf.): see διαδιδράσκω
δια-δείκνῡμι *vb.* | Ion.aor. διέδεξα | **1 show, prove** (that sthg. is the case) Hdt. —W.COMPL.CL. *that sthg. is the case* Hdt. —W.ACC. + PTCPL. Plu. —W.NOM. + PTCPL. *that one is doing sthg.* Hdt. || PASS. (of a person) **be shown, prove** —W.NOM.PTCPL. *to be such and such* Hdt.
2 || IMPERS.AOR. (w.pres.sens.) **it is clear** (that sthg. is the case) Hdt.
διαδέκομαι Ion.mid.*vb.*: see διαδέχομαι
διαδέκτωρ ορος *masc.adj.* [διαδέχομαι] **coming by way of succession**; (of wealth) **hereditary** E.
δια-δέξιος ον *adj.* [δεξιός] (of a sacrificial victim) **very auspicious** Hdt.
δια-δέρκομαι mid.*vb.* | aor.2 διέδρακον | **1 see** (someone) **through** (an obscuring medium); **discern, make out** —*persons* (*through a cloud*) Il.
2 (of a lion) **look around** Theoc.
δια-δέχομαι, Ion. **διαδέκομαι** mid.*vb.* **1 receive** (an office) **in succession** (to another); (of rulers, commanders) **take over, succeed to, inherit** —*kingship, leadership* Hdt. Arist. Plb. Plu.
2 be successor to, replace, succeed (a predecessor) Lys. Arist. Plu. —W.DAT. *someone* Arist. —W.ACC. Plb.
|| MASC.PL.AOR.PTCPL.SB. **successors** (of Alexander the Great, ref. to the leaders among whom his empire was divided), **Diadochi** Plb.
3 (gener.) **take over** —*a business, care of a child* Lys. Plu. —*a ship* (W.DAT. *fr. someone*) D.
4 (of citizens) **inherit** —*laws* (w. παρά + GEN. *fr. the gods and one's ancestors*) Antipho
5 take one's turn (in a sequence); (of a guard, courier) **take over** —W.DAT. *fr. another* Pl. X.; (of horsemen) **take turns** (in a chase) X.; (of a citizen) **take one's turn** (in discharging civic responsibilities) D. || PF.PTCPL.ADJ. (of a night, in a series) **succeeding, successive** S.
6 (tr., of troops) **take over from, relieve** —*other troops* Plb.
7 (of a speaker) **take over, take up** —*an argument or conversation* Pl.; (intr.) **take over, come next** Hdt. Pl. Plu.
8 (of a new war) **claim in turn the attention of** —*Rome* Plu.
9 (of a commander) **take back in** —*advance troops* (w. διά + GEN. *through gaps in the ranks*) Plb.
δια-δέω contr.*vb.* [δέω¹] **1 tie up securely** —*a person* (W.DAT. *w. ropes*) Hdt.; **hold securely** —*a boat* (w. *a tow-rope on each side*) Hdt.
2 || PASS. (of bonds) **be made fast** Pl.
3 || PASS. (fig., of the soul, rays of fire) **be imprisoned** (within the body) Pl.
4 || PASS. **have one's head bound** —W.DAT. *w. an elaborate turban* Plu.; **have** (W.ACC. one's forehead) **bandaged** Plu.
δια-δηλέομαι mid.contr.*vb.* (of persons or animals) **do great harm to, mangle, tear to pieces** —*persons, monsters* Od. AR. Theoc.
διά-δηλος, Aeol. **ζάδηλος**, ον *adj.* [δῆλος] **1** (of a torn sail) **letting light through** Alc.
2 (of persons) **standing out clearly, easily identifiable** or **recognisable** Th. Pl. Aeschin. Plb. Plu.
3 (of sensory information) **easily perceived** Pl.
4 (of persons differing in virtue or in wealth) **able to be told apart, distinguishable** Arist.
5 (of persons, animals, actions) distinguished by some exceptional quality, **conspicuous, outstanding** X. Plb.
δια-δηλόω contr.*vb.* (of statues, by their inscriptions) **commemorate, celebrate** —*a commander's successes* Plu.

διάδημα ατος *n.* [διαδέω] **headband, diadem** (as a symbol of royalty, esp. assoc.w. Persian, Macedonian and Hellenistic kings) X. Plb. Plu.
διαδημᾰτο-φόρος ον *adj.* [φέρω] (of a woollen hat) **with a royal headband around it** Plu.
δια-διδράσκω, Ion. **διαδιδρήσκω** *vb.* [reltd. δραμεῖν] | Ion.fut. διαδρήσομαι | athem.aor. διέδρᾱν, ptcpl. διαδράς | pf. διαδέδρᾱκα | **run off, run away, escape** Hdt. Th. Ar. Isoc. X. Plb. Plu.; (tr.) **escape from** —*someone* Hdt. —*a dangerous situation* Plb.
δια-δίδωμι *vb.* **1 hand on, hand over** —*prisoners, torches* (W.DAT. or PREP.PHR. *to persons*) Th. Pl. Plb.; (of the Muses) —*a task* (*to a poet*) Pi.*fr.*; (of bodily organs, natural elements) **pass on, transmit** —*sensations, processes* Pl. || PASS. (of discoveries) **be passed on** Pl.; (of sound) **be transmitted** Pl.
2 hand out, distribute —*pay, provisions, gifts* (usu. W.DAT. *to persons*) Th. Isoc. X. D. Arist. Plb. +; **distribute, disperse** —*children* (w. εἰς + ACC. *into a particular section of the community*) Pl. || PASS. (of money, provisions) **be distributed** X. Din.
3 pass on, spread —*a story, rumour or account* Plb. Plu. || PASS. (of a rumour, someone's words) **be spread abroad** or **passed on** Isoc. Plb. Plu.; (of an order for silence) —w. εἰς + ACC. *to everyone* Plu.
4 issue, publish —*a speech* Isoc. || PASS. (of speeches) **be published** Isoc.
5 (of a person lying on the ground) **turn this way and that** —*one's back and spine* E.; (of a person looking out for someone) —*one's eyes* E.(cj.)
δια-δικάζω *vb.* **1** (of officials) **resolve a dispute between two parties**; **make a ruling, adjudicate** And. Pl. X. —W.DAT. *betw. people* X. Arist.; (tr.) **adjudicate, judge** —*cases, disputes* Pl. X. Arist.; **adjudicate on disputes concerning** —*holding of magistracies* X. || PASS. (of disputes) **be adjudicated** X.
2 || MID. **seek an adjudication on one's dispute** (sts. W.DAT. w. someone, or W.ACC. on an issue) Pl. D. Din.
δια-δικαιόω contr.*vb.* **justify** —*a proposal, an action* Th. Plb.
διαδικασίᾱ ᾱς *f.* [διαδικάζω] **1 lawsuit to decide a contested claim** Att.orats. Pl. Arist.; (W.GEN. over an inheritance, a guardianship) D. Arist.
2 adjudication (of a contested claim) Pl. X. D.
διαδίκασμα ατος *n.* **property claimed** (in a contested lawsuit) Lys.
δια-διφρεύω *vb.* **cross in a chariot** —W.PREP.PHR. *over the sea* E.
δια-δοκιμάζω *vb.* **distinguish by testing** —*good and counterfeit coinage* X.
δια-δοξάζω *vb.* **form an opinion** Pl.
δια-δορᾰτίζομαι mid.*vb.* [δόρυ] **engage in a spear-fight, lunge at the enemy** —W.DAT. *w. a pike* Plb.
διάδοσις εως *f.* [διαδίδωμι] **1 distribution** (of money, land) D. Plb.
2 exchange (of smiles) Plu.
διαδοτέος ᾱ ον *vbl.adj.* (of the text of a speech) **to be given out** or **distributed** (W.DAT. to people) Isoc.
διαδοχή ῆς *f.* [διαδέχομαι] **1 taking over** (fr. parents or ancestors); **succession** (W.GEN. by future generations, by children) Th. Arist.; (concr., ref. to persons) **line of succession** Plu.
2 succession (to a ruler or person in authority) Plb. Plu.
3 inheritance (of an estate) Plu.; (concr., ref. to property inherited) Plu.
4 taking over (W.GEN. of a ship, i.e. of its command) D.

διάδοχος

5 taking over (in a continuous series); **succession, relay** (of torch-bearers) A.; (W.GEN. of hands, ref. to people passing things to each other) E.; **rotation** (of office) E.; (dat.pl.) διαδοχαῖς *in turn, one after another* E.
6 ‖ PL. app., successive attacks (W.GEN. of Erinyes) E.
7 (milit.) act of taking over from other troops, **relief** D.; (concr.) **relief detachment** X. Plu.; (prep.phr.) ἐκ διαδοχῆς ἔξοδος *relief expedition* Aeschin.
8 (prep.phrs.) κατὰ διαδοχήν *taking turns, in rotation* Th.; κατὰ διαδοχὴν χρόνου *at regular intervals of time* Th.; ἐκ διαδοχῆς *repeatedly, one after another* Plb.; *taking turns* (W.DAT. *w. one another*) D.

διάδοχος ον *adj.* 1 receiving (an office) in succession (to another); (of a person) **being successor** (sts. W.DAT. to someone, sts. W.GEN. in a military command or sim.) Hdt. Th. X. Plu. ‖ MASC.SB. person appointed to take over (a public duty), designated successor D.; (gener.) successor (sts. W.GEN. to someone) Plb. NT. Plu. ‖ MASC.PL.SB. (specif.) successors (of Alexander the Great, ref. to the leaders among whom his empire was divided), Diadochi Plu.
2 receiving (sthg.) by inheritance; **succeeding** (W.GEN. to an inheritance, estate, religious or other duties) Att.orats. Pl. +; **taking over** (W.GEN. a tyranny, household, W.DAT. fr. someone) Hdt. E.
3 taking over (sthg.) from another (so as to provide relief fr. it); (of a labourer) **taking over** Men.; (of a god, W.GEN. someone's woes) A.; (of pack-animals, W.GEN. + DAT. burdens, fr. mortals) A.
4 (in military ctxt., of troops) **relieving** (W.DAT. other troops) Hdt.; (W.GEN. a position in the ranks) Hdt.; (of ships) **coming as relief** or **in replacement** (for others) Th.
5 (of things) taking over (fr. other things, ref. to repeated succession); (of trouble) **succeeding** (W.DAT. trouble) E.; (of labours, W.GEN. labours) Hyp.; (of a further act of mourning, a further grief) **bringing in succession** (W.GEN. + DAT. lamentations after lamentations, woes after woes) E.
6 (of daylight) **succeeding** (W.GEN. sleep) S.
7 (quasi-advbl., of workers) taking over from one another, **in relays** Hdt.
—**διάδοχα** *neut.pl.adv.* **in turn** (W.DAT. after someone else) —ref. to kneeling, lamenting E.

δια-δραμεῖν *aor.2 inf.* | *aor.2* διέδραμον | The pres. and impf. are supplied by διατρέχω. | 1 (of a person) **run through** —a city Plu.; (of a god) **run over** —mountains hHom.; (of a god, winged person) —the air, intervening space hHom. Ar.; (of a god, ship) **run across** or **over, traverse** —the sea Od.; (of a commander) **pass quickly through** —a country Th. Plu.; **charge through** —enemy forces Th. Plu.
2 (of a murmur of approval) **run through** —W.GEN. an assembly Plu.; (of a proclamation, news, turmoil) **travel** or **spread quickly** B. Plu.; (of a sword-stroke to the head) **run all the way through** (the body) Plu.
3 (fig., of a person) **hurry through** —a speech Pl.; **run through, exhaust** —the pleasures of life X.; **complete the course of** —one's life Pl.; **serve out** —five consulships in a row Plu.
4 run away or aside; (of a person) **hurry away** (on an errand) Men.; (of clouds) **disperse** Theoc.

διαδράς (athem.aor.ptcpl.): see διαδιδράσκω

διαδρᾶσι-πολίτης ου *m.* [διαδιδράσκω] one who avoids his civic responsibilities (esp. military service), **duty-dodging citizen** Ar.

δια-δράσσομαι *mid.vb.* (of fighting-cocks) **get a hold** —W.GEN. *on each other* Plb.

διαδρομή ῆς *f.* [διαδραμεῖν] 1 running through (a captured city, by troops), **rampage** A.; **rushing to and fro** (by agitated citizens) Plb. Plu.
2 **running across** (the path of a javelin) Antipho
3 **space for running through, passageway** (for a boar) X.
4 **stretch of water, channel** (for breeding fish) Plu.

διάδρομος ον *adj.* 1 (of fleeing) **in a rush this way and that** A.
2 (of lintels) **falling apart** (in an earthquake) E.
3 (of a marriage, meton. for a wife) **straying, wayward** E.

δια-δύομαι *mid.vb.* [δύω¹] | fut. διαδύσομαι | athem.aor.act. διέδῡν | 1 (of persons, esp. w.connot. of stealth) **slip through** or **past** Hdt. Ar. X. Plb. Flu.; **slip through** —w. διά + GEN. a wall Th.; (fig., of friendship) —obstacles X.; (of a person) —W.ACC. ivy and fern Theoc.
2 (gener.) **make one's way through** (a region) X. Plu. —w. διά + GEN. a torrent, an aqueduct X. Plb.; (of maggots) —W.PREP.PHR. into a person's insides Plu.
3 (tr.) **give the slip to** —persons Ar.; (intr.) **slip away, escape** Ar.
4 (tr.) **evade** —punishment D.; **shirk** —public duties Lys.; **elude** —a disputant, an argument Pl.; (intr.) **be evasive** D.
—**διαδύνω** *act.vb.* (of cats) **slip through** —a line of people Hdt.

διάδυσις εως *f.* 1 (leg.) **evasion of punishment** (W.GEN. by criminals) D.; (for crimes) D.
2 **evasive strategy** (of a defendant) Plu.

δι-ᾴδω, ep. **διαείδω** *vb.* | ep.fut. διαείσομαι | **compete in singing** Arist. —W.DAT. *w. someone* Theoc.

δια-δωρέομαι *mid.contr.vb.* **distribute** (W.ACC. things) **as a gift** —W.DAT. *to persons* X.

δια-ειδής ές *adj.* [εἶδος¹] (of water) **pellucid, clear** Theoc.

διαείδομαι *ep.mid.vb.*: see διείδομαι

διαείδω *ep.vb.*: see διᾴδω

διαειμένος (ep.pf.mid.pass.ptcpl.): see διίημι

διαειπέμεν (ep.aor.2 inf.): see διεῖπον¹

διαείσομαι¹ (ep.fut.mid.): see διᾴδω

διαείσομαι² (ep.fut.mid.): see διείδομαι

διαζευγμός οῦ *m.* [διαζεύγνῡμι] **separation** (of armies, fr. each other) Plb.

δια-ζεύγνῡμι *vb.* —also (pres.) **διαζευγνύω** (Plb.) | 3pl. (tm.) διὰ ... ζευγνῦσι (E.), διαζευγνύουσι (Plb.) ‖ PASS.: aor. διεζεύχθην | aor.2 διεζύγην | 1 (of a curse) **separate** —persons (W.GEN. fr. their home) E.(tm.) ‖ PASS. (of persons, horses) **be separated** —W.GEN. or ἀπό + GEN. fr. persons, horses E. X. Aeschin.; (of bereaved persons) —W.GEN. fr. their intimacy w. the dead D.; (of childless couples) **be divorced** Pl.; (of associations betw. people) **be broken up** Arist.
2 (of mountains) **separate** —a region (w. ἀπό + GEN. fr. another) Plb. ‖ PASS. (of a country) **be separated** (fr. another) —W.DAT. by a ravine Plb.; **be broken up** —W.DAT. by mountains Plb.; (of a mountain range) —by valleys Plb.

διάζευξις εως *f.* 1 **disjunction, separation** (of the soul, W.GEN. fr. the body) Pl.
2 **enforced separation, divorce** (of a couple) Pl.; **segregation** (of women, fr. men) Arist.

διαζῆν (Att.inf.), **διαζήσω** (Att.fut.): see διαζώω

δια-ζητέω *contr.vb.* **seek after, seek to identify** —a type of person Pl.; **seek to discover** —W.INDIR.Q. what is the origin of sthg. Ar. ‖ PASS. (of arguments) **be sought out or devised** Ar.

δια-ζωγραφέω *contr.vb.* (of the creator god) **pattern** (W.ACC. the universe) **with animal figures** (ref. to the constellations) Pl.

διάζωμα (also **διάζωσμα** Plu.) ατος *n.* [διαζώννῡμι]
1 loincloth (worn by an athlete) Th.
2 isthmus (of an island, ref. to the narrowest point, envisaged as its waist) Plu.
3 (archit.) horizontal band linking a line of columns, **frieze** Plu.

δια-ζώννῡμι *vb.* | pf.pass. διέζωμαι, also διέζωσμαι | **1 gird** —*oneself* (w. *a linen cloth or towel, i.e. put it around one's waist*) NT. ‖ MID. gird oneself with, **put on** —*a robe* NT. ‖ PF.PASS. (of athletes) wear a loincloth Th.; (of a person) be girded —W.DAT. *w. a linen cloth* NT.
2 (fig.) **girdle** —*the neck of a peninsula* (W.DAT. *w. defensive fortifications, i.e. place them across it*) Plu.; **cordon** —*islands* (w. *a fleet*) Plu.; (of fire) **encircle** —*a city* Plu. ‖ PF.PASS. (of regions) be cut across (as by a belt) —W.DAT. *by a mountain range* X. Plb.

δια-ζώω *vb.* | Att.3sg. διαζῇ, 3pl. διαζῶσι, inf. διαζῆν, ptcpl. διαζῶν | Att.impf. διέζων, Ion. διέζωον | iteratv.impf. διαζώεσκον | Att.fut. διαζήσω | Att.aor. διέζησα | **1 live** (sts. W.COGN.ACC. one's life, *for a period of time*) —W.PTCPL., ADJ. or ADV. *doing sthg., in a certain way or condition* E. Pl. X.
2 stay alive, survive Plu.
3 keep oneself alive, survive or **subsist** —W.PTCPL. *by eating certain things* Hdt. AR. —W.DAT. or ἀπό + GEN. *off sthg.* S. Pl.
4 make a living —W.ADV. or ἀπό + GEN. *fr. an occupation* Ar.

δι-άημι *vb.* (of the force of the wind) **blow through, pierce** —*bushes, a thicket* Od. —W.ACC. or GEN. *goats, sheep, other animals* Hes.(sts.tm.) —w. διά + GEN. *a person* Hes.

δια-θεάομαι mid.contr.vb. | neut.impers.vbl.adj. διαθεατέον | **1 see, contemplate** —W.INDIR.Q. *how extensive and of what nature things are* X.
2 look into, examine, consider —*philosophical points and questions, the nature of the soul* Pl.

δια-θειόω *contr.vb.* [θειόω¹] **fumigate** —*a hall* (*after bloodshed*) Od.

δια-θερμαίνω *vb.* | aor. διεθέρμηνα | **1 create heat** (in sthg.) Pl.
2 (fig.) **warm, gladden, inflame** —*one's soul* (W.DAT. *by the sight of sthg.*) Pl. —*other persons* (*on being seen by them*) Plu.
3 ‖ PASS. (of drinkers at a banquet) become heated or hot-headed D.

διά-θερμος ον adj. [θερμός] (of drinkers, young men) **hot-headed** Arist.

διάθεσις εως *f.* [διατίθημι] **1** (gener.) placing in order (or the resulting condition), **arrangement, disposition** Arist.
2 arrangement (W.GEN. for an entertainment) Pl.; (of a city, ref. to a political system) Arist.; **system** (of government) Pl.; **layout, plan** (of a building) Plu.
3 arrangement of literary or artistic material; **disposition** or **composition** (opp. εὕρεσις *invention*) Pl.; **style of composition, manner of representation** (in a painting) Plu.; **rhetorical elaboration** (in a narrative) Plb.
4 mode of delivery, presentation (of a speech) Plu.
5 disposition of property by will, **making of a will** Pl.
6 means of disposing (of stolen goods) Arist.; (specif.) **sale** (W.GEN. of goods) Isoc. Plu.
7 condition, situation, state (of a city, a people) Pl. Plb.; (of persons, their bodies or souls) Pl. Arist.
8 disposition, frame of mind, attitude (of a person) Arist.; (of a city, w. πρός + ACC. *to philosophers*) Pl.

δια-θεσμοθετέω *contr.vb.* (of the creator god) **ordain, prescribe** —*rules or principles* Pl.

διαθετήρ ῆρος *m.* [διατίθημι] **organiser, director** (W.GEN. of choruses) Pl.

διαθέτης ου *m.* **arranger, compiler** (W.GEN. of oracles) Hdt.

δια-θέω *contr.vb.* [θέω¹] **1** (of a person) **run through** —w. διά + GEN. *streets* Plu.
2 (of people) **run this way and that** or **back and forth** Th. X. Plu.
3 compete in a race (sts. W.DAT. w. someone) Pl.; **run** —W.INTERN.ACC. *a torch-race* Plu.
4 (of hounds) **run along, follow** —*the tracks of game* X.
5 (of panic, uproar) **spread rapidly** X.; (of a story) **do the rounds, circulate** X.; (of a colour) **be pervasive** —W.PREP.PHR. *in particles* Pl.

διαθήκη ης *f.* [διατίθημι] **1 state, condition** (W.GEN. of the body) Democr.
2 (sg. and pl.) document disposing of a deceased person's estate, **will** Ar. Att.orats. Men. Plb. Plu.
3 ‖ PL. deposits (app.ref. to sacred oracles, entrusted to the council of the Areopagus) Din.(v.l. θήκην)
4 agreement, covenant (betw. individuals) Ar.
5 decree or **covenant** (of God) NT.

δια-θιγή ῆς *f.* (as a term used by Leucippus and Democritus) **mutual contact** (betw. elements) Arist.

δια-θλίβω *vb.* (of worries) **oppress** —*a person* Call.

δια-θορυβέω *contr.vb.* **1** (of a clause in a treaty) **cause uproar in, disquiet** —*a region* Th.
2 (of soldiers) **raise an uproar** Plu.

δια-θραύω *vb.* ‖ PASS. (of particles) be broken into pieces Pl.

δι-αθρέω *contr.vb.* **carefully observe** or **examine** —*places, winds* Ar.; (intr.) **contemplate** X.

δια-θροέω *contr.vb.* **proclaim loudly** or **widely** —*sentiments, remarks* Th. Plu. —W.COMPL.CL. *that sthg. is the case* Th. X.

δια-θρῡλέομαι pass.contr.vb. **1** (of persons) **be talked of endlessly** X.
2 (of persons) **be talked to endlessly** Pl.; **be talked to until one is deaf** —W.ACC. *in the ears* Pl.
3 (of speeches, verses) **be widely repeated** Isoc. Plu.
‖ IMPERS. it is a matter of common gossip —W.COMPL.CL. *that sthg. is the case* X.

δια-θρύπτω *vb.* | aor.pass.ptcpl. διατρυφείς | pf.pass.ptcpl. διατεθρυμμένος | **1 break down** or **through** —*fortifications* Plu. ‖ PASS. (of a sword, shield, crown) be broken in pieces, be shattered Il. X. Plu.
2 spoil by indulgence, pamper or **enervate** —*persons, their bodies* Pl. X. ‖ PASS. be pampered or spoilt —W.PREP.PHR. *by people* X.; be enervated or made effete —W.PREP.PHR. or DAT. *by wealth, changes of clothing* A. X. Plu.; become soft —W.DAT. *in mind and spirit* Plu.; become dissipated or dissolute —W.DAT. *in one's way of life* Plu. ‖ PF.PASS. have (W.ACC. one's ears) corrupted —W.DAT. *by flattery* Plu.
‖ PF.PASS.PTCPL.ADJ. (of persons, character, behaviour) dissipated, dissolute Plu.
3 ‖ MID. (of a woman) **give oneself airs, act coquettishly** Theoc.

—**διατεθρυμμένως** pf.pass.ptcpl.adv. **in an enfeebled manner** Pl.

δια-θρῴσκω *vb.* (of light) **leap through** (the panels of a lantern) Emp.

διαί *prep.*: see διά

δι-αιθριάζω *vb.* [αἴθριος] ‖ IMPERS. (ref. to the weather) it is becoming fine X.

δί-αιθρος ον adj. [αἴθρᾱ] (of the sky) **clear** Plu.

δι-αιθύσσω *vb.* (of winds) **rapidly change direction** Pi.; (tr., of thoughts of love) perh. **set** (W.ACC. the mind) **aflutter** B.

δί-αιμος ον *adj.* [αἷμα] (of fingernails, spittle) **bloody** E. Plb.
—**δίαιμον** *neut.adv.* **with a discharge of blood** —*ref. to spitting* Plu.

διαίνω *vb.* | aor. ἐδίηνα | **1 wet, moisten** —*a child's lips or palate* (w. *a drink*) Il. —*one's cheeks*, (*perh.*) *a corpse* (w. *tears*) S.*fr.* Mosch. —*one's eyes* A.(mid.); (of river-water) **wet, soak** —*a corpse* Il. || PASS. (of a chariot-axle) be made wet (by the sea) Il.
2 weep over —*a calamity* A. || MID. **weep** A.

διαιπετής *adj.*: see under διιπετής

διαίρεσις εως (Ion. ιος) *f.* [διαιρέω] **1 division, distribution** (of profits, spoil, land) Hdt. X. Plb.
2 division, partition (of an empire) Plb.; **dissolution** (of a confederacy) Plb.
3 division (into subclasses or smaller units) Pl. Plb. Plu.
4 division (of a narrative, into sections) Plb.; **separation** (of events or periods of time in a narrative) Plb.
5 division (of the heavens, into north, south, east and west) Plb.
6 separation (of words, by a space or punctuation) Arist.
7 distinction, differentiation (betw. two things) Pl. Arist.
8 possibility of division, divisibility Arist.
9 determining, determination (of the outcome of a vote) A.
10 (milit.) **thrusting** (w. a sword, opp. cutting) Plb.

διαιρετικός ή όν *adj.* (of words) **of the kind that imply the notion of separation** Pl.

διαιρετός ή όν, also perh. (in senses 2–4) **διαίρετος** η ον (ος ον S.) *adj.* **1** (of things) **able to be divided, divisible** Parm. X. Arist.
2 (of a speech) **divided** (into two parts) Aeschin.
3 (of land, political power) **divided, distributed** (among people) S. Arist.
4 (of voting-urns) **placed apart, separated** (fr. each other) Arist.
5 (of the accidents of chance, in neg.phr.) **determinable, predictable** (W.DAT. by *theory*) Th.

δι-αιρέω *contr.vb.* | aor.2 διεῖλον, ep.3sg. (tm.) διὰ … ἔλε || pf.pass. διῄρημαι, Ion. διαραίρημαι || neut.impers.vbl.adj. διαιρετέον | **1 make a division or breach** (in sthg.); **breach, break through, break open** —*a roof, gate, palisade* Th. Isoc. X. Plb.; **make a breach in** —W.PARTITV.GEN. *a wall* Th.; **cut open** —W.ACC. *a person's chest* Scol. —*a hare* Hdt.; (of a spear) **breach, rip open** —*two layers of a shield* Il.(tm.) || PASS. (of a gate) be broken open Th. || NEUT.PF.PASS. PTCPL.SB. breach (in a wall) Th.
2 divide into pieces, cut up —*a body* Hdt.
3 separate, sort —*entrails of a sacrificed animal* E.
4 divide up, distribute (sts. W.DAT. to persons) —*spoils, honours* Pi. Hdt. || MID. (of persons) **divide up** (amongst themselves) —*spoils, honours, tasks, criminal acts* Hes Hdt. Th. D.
5 (sts.mid.) **divide** (a whole) **into sections; divide** —*persons or things* (into groups, parts) Hdt. Ar. Isoc. Pl. +; (of persons) —W.DBL.ACC. *themselves, into six groups* Hdt. || MID. **divide up** (into separate groups) Th. || PASS. (of persons or things) be divided (into groups or parts) Hdt. Th. Pl. +
6 create (by division of a whole), **make a division into** —*two groups, two parts* Hdt. D. —*three continents* Hdt.
7 make a distinction (betw. things); **distinguish** —*two types* (*of sthg.*) Arist.; **distinguish between** —*young and old* (W.INDIR.Q. *as to whether certain behaviour is appropriate*) E.; (intr.) **make a distinction** Pl. || MID. **distinguish between** or **from each other** —*two kinds of person, two things* Pl.; **divide** or **distinguish** —*things* (W.PREP.PHR. *by classes*) Pl.;
(intr.) **make a distinction** Pl. || PASS. (of a period of time) be distinguished or differentiated (fr. another) Th.
8 make a distinction entailing judgement (betw. facts, alternatives); **give a decision upon, decide** —*lawsuits, disputes* A. Hdt. X. —*the winner and the runners up* (W.DAT. *by lot*) Pl. —W.INDIR.Q. *which of two things is the case* X.; (intr.) **reach a decision, decide** A. Ar. || MID. **form a judgement on** —*an issue* Pl. —W.INDIR.Q. *what is the nature of sthg.* Pl.
9 (gener., act. and mid.) **assess** —*a matter* (W.ADV. *correctly*) Hdt.; **judge, reckon** —*sthg.* (W.PREDIC.ADJ. *as such and such*) Hdt. —W.ACC. + INF. *that sthg. is the case* Hdt.

δι-αίρω *vb.* **1** || MID. **lift** —*one's staff, axe* Plu. || PASS. (of an arm) be raised (through flaps in a cuirass) X.
2 (prob.colloq., of a person) **open** —*one's mouth* (*to speak*) D.
3 transfer —*a war* (w. ἀπό + GEN. *fr. a region*) Plu.
4 (intr., of a hare) **jump** —W.ADV. *a long distance* X.
5 (intr.) **go across** (a sea or sim.); **cross over** (sts. W.PREP.PHR. *to a place*) Plb. Plu; (tr.) **cross** —*a strait, a bay* Plb.

δι-αισθάνομαι *mid.vb.* **1 clearly perceive, recognise** or **distinguish** —*persons or things* Pl. —W.INDIR.Q. or COMPL.CL. *what* (or *that sthg.*) *is the case* Pl.
2 distinguish between —*the possible and the impossible* Pl.

διαΐσσω *dial.vb.*: see διάσσω

δι-αϊστόω *contr.vb.* | aor. διηΐστωσα | **destroy, kill** —*a person* S.

δίαιτα ης (dial. ᾱς) *f.* [διαιτάομαι] **1 process or manner of spending one's life, way of life, daily life, life** Alc. Pi. Hdt. Trag. Th. +
2 means of supporting one's life, sustenance Pi. Th. Pl. +
3 prescribed manner of life, regimen (for athletes, the sick) Th. Pl. Plu.
4 type of food eaten, diet Hdt. Pl. X. +
5 residence in a place, residence, stay Hdt. Th. X. +
6 place to stay, lodging Ar. Arist.; **quarters** (of an emperor's concubines) Plu.
7 (leg.) **arbitration** (ref. to the process or its result) Ar. Att.orats. Arist. Thphr. +

διαιτάομαι *mid.pass.contr.vb.* [app. διά, 2nd el.app.reltd. αἴνυμαι, αἶσα] | impf. διῃτώμην Ion. διαιτώμην | fut. διαιτήσομαι | aor. διῃτήθην, Ion. διαιτήθην | pf. δεδιῄτημαι | **1 lead one's life, spend one's days, live** (usu. W.ADV. or PREP.PHR. *in a particular way or place*) Hdt. S. Th. Att.orats. +
2 (of the sick) **follow a regimen** Pl.
—**διαιτάω** *act.contr.vb.* | aor. διῄτησα, dial. διαίτᾱσα (Pi.) | pf. δεδιῄτηκα, ptcpl. δεδιαιτηκώς (Arist.) | **1** (leg.) **serve as an arbitrator** (sts. W.DAT. for someone) Att.orats. Arist. Plu. —W.COGN.ACC. *in an arbitration case* Arist. —W.ACC. *for a tribe* (as *its representative*) Lys. (of an arbitrator) **issue a ruling** —W.ACC. + INF. *that someone shd. do sthg.* Is. || NEUT.AOR.PASS.PTCPL.SB. rulings of an arbitrator D.
2 judge, be umpire of —*kisses* i.e. *a kissing competition* Theoc.
3 (fig.) **govern** —*a city and its people* Pi.; (of a day) **decide, settle** —*sthg.* Pi.
4 (gener.) **adjudicate** (an issue) Plu.; **decide, judge** —W.INDIR.Q. or COMPL.CL. *what* (or *that sthg.*) *is the case* Plu.; **settle** —W.ACC. *disputes, issues* Plu.; **adjudge, assess** —*a situation* Plu.
5 [reltd. δίαιτα 3] **treat** —*the sick* Plu.

διαιτήματα των *n.pl.* **1 customs, practices, way of life** Th. X.
2 items of diet, means of subsistence X.

διαιτητήρια ων *n.pl.* living quarters X.
διαιτητής οῦ *m.* (usu. in legal ctxt.) arbitrator Hdt. Att.orats. Pl. Arist. Plu.
διαιτητικός ή όν *adj.* (of a branch of medicine) concerned with diet Plb.
δι-αιώνιος ᾱ ον *adj.* (of nature) eternal Pl.
δι-αιωρέομαι *pass.contr.vb.* (of a fire within the body, assoc.w. breathing) waft back and forth, oscillate Pl.
δια-καθαίρω *vb.* clean out —*women's bowls* (w. sexual connot.) Ar. —*a threshing-floor* NT.; (fig.) clean up, purify —*an immoral city* Pl. ‖ MID. purge —*one's herd* (*of poor-quality stock*) Pl. ‖ PASS. (of the senses) be purified Pl.
δια-καθαρίζω *vb.* clean out —*a threshing-floor* NT.
διακάθαρσις εως *f.* [διακαθαίρω] thorough cleansing or purging Pl.
δια-κάθημαι *mid.vb.* (of birds) settle or perch at intervals Plu.
δια-καθίζω *vb.* seat in separate groups —*farmers and craftsmen* X.
δια-καίω *vb.* **1** (of the sun) burn, scorch —*its path through the air* Hdt. ‖ PASS. (of a basket) be burned through —W.DAT. *by a lamp* Ar.
2 (fig., of persons or events) fire with anger, inflame, incense —*persons* (sts. W.PREP.PHR. *against someone*) Plu. ‖ PASS. (of persons) be incensed Plu.; (of a city) be set ablaze (w. partisan feelings) —W.PREP.PHR. *by rival leaders* Plu.
3 (fig., of a hero's glory, an orator's power) fire with enthusiasm, inflame, inspire —*a person, people's ambition* Plu.
δια-καλέομαι *mid.contr.vb.* call people from all quarters —W.ACC. *w. whistling* S.*Ichn.*
δια-καλύπτω *vb.* (of the sea) expose —*rocks* Plu. ‖ PASS. (of a person's failings) be revealed D.
δια-κανάσσω *vb.* [reltd. καναχή] (of wine) gurgle down —*the throat* E.*Cyc.*
δια-καρᾱδοκέω *contr.vb.* be patient throughout, await the outcome of —*a war* Plu.
δια-καρτερέω *contr.vb.* **1** hold on, hold out (under adverse conditions) Hdt. Isoc. X. Lycurg. Plb. Plu. —w. μή + INF. *against telling the truth* (*under torture*) Arist.
2 remain steadfast (in an alliance) X.
3 persevere, persist —W.PTCPL. *in fighting a war* X.
δια-κατελέγχομαι *mid.vb.* completely refute —W.DAT. *someone* NT.
δια-κατέχω *vb.* **1** (of troops, a nation) continue to occupy —*a position, a region* Plb.; (of a ruler) hold on to —*his realm* Plb.
2 (of a commander) continue to hold in position —*his troops* Plb.; hold in check —*an enemy's stratagems, its attack* Plb.
δια-καυνιάζω *vb.* [καῦνος or καυνός *lot*] cast lots to decide —W.INDIR.Q. *who will do sthg.* Ar.
δια-κεάζω *vb.* **1** break apart, chop up —*logs* (*for firewood*) Od.(tm.)
2 app. destroy —*a ship* (w. *fire*) AR.(tm.) ‖ PASS. (of a ship) be shattered AR.(tm.)
δια-κεδάννῡμι *vb.* | only ep.aor. (tm.) διὰ ... ἐκέδασσα | (of a wave, a storm) break apart, shatter —*a ship, its timbers* AR.
διά-κειμαι *mid.pass.vb.* [κεῖμαι] | Ion.3pl. διακέαται | **1** (of persons) be treated —W.ADV. *ignominiously* Hdt.
2 (gener.) be placed, exist, be —W.ADV. *in a certain condition* Hdt. E. Th. Ar. Att.orats. Pl. +
3 (ref. to the mind or feelings) be disposed —W.ADV. *in a certain way* (sts. W.DAT. or πρός + ACC. *towards someone or sthg.*) Th. Att.orats. Pl. +

4 (of persons) be regarded —W.ADV. *w. hatred, suspicion* (W.DAT. *by someone*) Th.
5 (of customs, practices) be arranged, stand, be —W.ADV. *in a certain way or state* (sts. W.DAT. *for people*) Hdt. Ar. +
6 ‖ IMPERS. it is settled or arranged —W.ADV. *in a certain way* (W.DAT. *for someone*) -Ies.; things stand —W.ADV. *in a certain way or state* (sts. W.DAT. *for people*) Th. Att.orats. + ‖ NEUT.PL.PTCPL.SB. agreed conditions (for a duel) Hdt.
δια-κείρω *vb.* | ep.aor. διέκερσα ‖ pf.pass.ptcpl. διακεκαρμένος | cut through —*an ox's neck-tendons* AR.; (fig., of a god) thwart —*Zeus' command* Il. ‖ PASS. (fig., of a playwright) be shorn —W.ACC. *of his stage-props* Ar.
δια-κέκρᾱγα *pf.vb.* [κρᾱζω] | w.pres.sens. | (of birds) vie in screeching, outscreech one another Ar.; (of persons) have a shouting match —W.DAT. *w. others* Ar.
διακέλευμα ατος *n.* [διακελεύομαι] order, instruction, exhortation Pl.
δια-κελεύομαι *mid.vb.* **1** exhort, encourage, urge, order (usu. W.DAT. someone, or W.DAT. + INF. someone to do sthg.) Hdt. Th. Att.orats. Pl. + —W.ACC. + INF. *that someone shd. do sthg.* Th. —w. ὅπως + FUT. Pl. Is.
2 give one another the signal, pass the word around Hdt.
διακελευσμός οῦ *m.* shouting of cries of encouragement, cheering on (of attacking forces) Th.
διά-κενος η ον *adj.* [κενός] **1** empty all through; (fig., of a lawcode) full of gaps Pl. ‖ NEUT.SB. gap (in a battle-line) Th.; empty space, void, interstice (in a substance) Pl.; interval (in time) Th.
2 (of a pillar) narrow, thin Plu.; (of a physique) lean Plu.
3 (fig., of a military force) insubstantial, lightweight Plu.
δια-κερματίζομαι *mid.vb.* get (W.ACC. a drachma) changed into smaller coins Ar.
δια-κηρῡκεύομαι *mid.vb.* communicate by herald —w. πρός + ACC. *w. an enemy* Th.
δια-κηρύσσω, Att. **διακηρύττω** *vb.* **1** put up for auction —*property* Plu.
2 ‖ PASS. (of activities) be publicly proclaimed Plu.
δια-κινδῡνεύω *vb.* **1** (in military or general ctxts.) run a severe risk, risk all Th. Att.orats. Pl. X. Plb. Plu.; risk —W.INF. *doing sthg.* Th. —w. τό + INF. *saying sthg.* Pl. —W.ACC. + INF. *sthg. happening* Pl. ‖ IMPERS.PASS. there is a severe risk (of sthg. happening) Th.
2 ‖ PF.PASS.PTCPL.ADJ. (of medicines) risky, dangerous Isoc.
δια-κῑνέω *contr.vb.* **1** (of hounds) move this way and that —*their eyes, ears* X.; (of a breeze) stir up —*soil* Plu.; (of a horse) stir into motion —*the rattle of its bridle* Ar. ‖ MID.PASS. (of a foetus) move, stir Hdt.; (of a pathic) wiggle about —W.DAT. *w. his body* Ar.
2 (fig.) stir, rouse —*someone's mind* Ar.; meddle with, alter —*an arrangement* Th.; stir unrest in —*allies* Plu. ‖ PASS. (of a person's ambition) be stirred Plu.
δια-κίχρᾱμαι *pass.vb.* [κίχρημι, see χράω, under χράομαι] | pf.pass.ptcpl. διακεχρημένος | (of money) be given out in loans D.
δια-κλάω *contr.vb.* | ep.aor.ptcpl. διακλάσσᾱς | **1** break into pieces —*a bow* Od. —*loaves* X.
2 ‖ PASS. (fig., of persons) behave in an effete or effeminate manner, mince about Ar.(cj.)
δια-κλείω *vb.* [κλείω[1]] (of a commander, troops) shut or cut off —*persons* (sts. w. ἀπό + GEN. *fr. a place, their ships*) Plb. —*supplies* Plb.; (of a city) close off —*the neck of a peninsula* Plb. ‖ PASS. (of a commander, troops) be cut off Plb. —w. ἀπό + GEN. *fr. someone* Plb. —W.GEN. *fr. sthg.* Plb.
δια-κλέπτω *vb.* | aor.2 pass. διεκλάπην | **1** steal and put in a separate place, secrete —*valuable objects* Plu. ‖ PASS. (of

things) be secreted away or pilfered D. Plu.; (of prisoners of war) be stolen or secreted away (for sale) Th. Plu.
2 use subterfuge to save —*someone (fr. a threatened death)* Hdt. Plu.; **smuggle to safety** —*oneself and one's children* Plu. ‖ PASS. (of persons, property) be smuggled out (of a besieged city) Plb. Plu.; (of a person in danger) be secreted away Plu.
3 (of a defendant) **evade by subterfuge** —*an accusation, the truth* Lys. D.

δια-κληρόω *contr.vb.* **1 allot** —*sthg.* (w. ἐπί + DAT. *to someone*) A. Plu. ‖ PASS. (of territories) be allotted —W.DAT. *to persons* Pl.
2 choose by lot —*persons* X.
3 (intr.) **cast lots, draw lots** Arist.; (mid.) Th. X. —w. πρός + ACC. *w. one another* D.

δια-κλίνω *vb.* **1** (of persons) **move away, step aside, retire** (sts. W.GEN. or ἀπό + GEN. fr. a place) Plb.
2 (tr.) **evade** —*pursuit (by the enemy)* Plb.; **avoid** —*enlistment* Plb.; **decline** —*a meeting, request, offer, kiss* Plb. Plu.

διάκλισις εως *f.* **retirement, withdrawal** (as a military tactic) Plu.

δια-κλύζω *vb.* (of the sea) **wash into** —*a cave* E.

δια-κναίω *vb.* [κνάω] **1** scrape away completely or grate into pieces; **gouge out** —*the Cyclops' eye* E.*Cyc.* ‖ PASS. (fig., of a city) be grated up (in a mortar) Ar.; (gener., of a spear) be shattered A.
2 (of a person) **mangle** —*a dramatist's prologues* Ar.; (of a person, inherited ruin) **destroy** —*someone, a life* E.; (of people's opinions) **crush** —*someone* E.; (of longing) **wear down** —*someone* Ar. ‖ PASS. (of persons) be worn down or crushed E. —W.DAT. *by torments* A. ‖ PF.PASS. have (W.ACC. one's complexion) ruined (by living indoors) Ar.

δια-κολακεύομαι *mid.vb.* (of Greek states) **compete in fawning** —w. πρός + ACC. *on the Persian king's wealth* Isoc.

δια-κολυμβάω *contr.vb.* **swim across** (a river) Plb.

διακομιδή ῆς *f.* [διακομίζω] **transportation** (of persons or things, over a sea or river) Th. Plb.

δια-κομίζω *vb.* **1 take across, transport** (over water) —*persons, troops, goods* (sts. W.PREP.PHR. *to a place*) Th. Plb. Plu.; **bring over** —*the prosperity of Asia (to Europe)* Iscc. ‖ MID. **bring back** (fr. overseas) —*one's family, one's dead* Th. ‖ PASS. be taken across (usu. W.PREP.PHR. to a person or place) Th. X. Plb.; get back home And.; (fig.) be conveyed —w. διά + GEN. *through life's voyage* Pl.
2 transport (over land); **convey, transport** —*a person (on a wagon)* Hdt. —*goods, provisions* (sts. w. διά + GEN. *across a country*) Plb. —*ships (over the Isthmos)* Th.; **lead** —*troops* (w. διά + GEN. *through a gorge*) Plb.
3 ‖ MID. **make one's way across** (a fortification) Th.
4 (gener., of tradesmen) **take around** —*things for sale* Pl.; (of the soul) **direct** —*the body* Pl. ‖ PASS. (of a dead person) be transported —w. εἰς + ACC. *to some place worse than Hades* Pl.

δια-κομπάζω *vb.* (of persons) **compete in boasting** (w. one another) Ar.

δια-κομπέω *contr.vb.* **boast of** —*one's wealth* Pi.*fr.*

διακονέω, Ion. **διηκονέω** *contr.vb.* [διάκονος] | impf. ἐδιᾱκόνουν (E.*Cyc.*), also διηκόνουν (NT.) | aor. διᾱκόνησα (NT.) ‖ PASS.: aor. ἐδιᾱκονήθην | pf.ptcpl. δεδιᾱκονημένος |
1 give service (as a subordinate); **serve, assist** (freq. W.DAT. *someone*) E.*Cyc.* Ar. Att.orats. Pl. X. Thphr. + —W.NEUT.ACC. *in a specified task or manner* Hdt. S.*Ichn.* E. Pl. Arist.; **attend to, carry out** —W.DAT. *someone's suggestions* Antipho ‖ PASS. (of a person) be served or attended NT.

2 ‖ MID. **attend to one's own needs, provide for oneself** S.; **attend to, serve** —W.DAT. *oneself* Ar. Pl.
3 ‖ PASS. (of services) be rendered D. —W.DAT. *to the state* D.

διᾱκόνημα ατος *n.* **household task** (performed by a servant) Pl. Arist.

διᾱκόνησις εως *f.* **performance of services; attendance** (W.GEN. + DAT. of the Spartans on themselves) Pl.

διᾱκονίᾱ ᾱς *f.* **1 personal service** (performed for a superior) Th. Pl. Is. NT.; (in or for the state) Pl. Aeschin. D.; (in a religious festival or ritual) Plu.
2 household service X. Arist. Plu.; (concr.) **household staff** Plb.
3 service to God or members of a church, ministry NT.

διᾱκονικός ή όν *adj.* **1** (of a god, a person) **able to perform services** (in a household), **serviceable** Ar. X.; (of a person, in the state) Pl.
2 (of the moral quality of a slave) **relating to personal** or **menial service** Arist.; (of activities) **providing personal** or **menial service** Pl. Arist. ‖ FEM.SB. art of providing service Pl.

διάκονος, Ion. **διήκονος**, ου *m.f.* [perh.reltd. ἐγκονέω]
1 (*m.*) **one who performs a service or services (for others); servant, attendant** (sts. W.GEN of someone) Eleg.adesp. Scol. A. Hdt. Th. Ar. +; (W.DAT. + GEN. to someone, in sthg.) E.*Cyc.*; (appos.w. παῖς¹ *slave*, οἰκέτης *household slave*) D.; (W.GEN. of the state, ref. to a politician) Pl.; **provider of services** (ref. to a tradesman) Pl.; **messenger, agent** S.
2 (*f.*) **servant, agent** (of the gods, ref. to Iris) Ar.; **maidservant** Ar. X. D.; (appos.w. γραῦς *old woman*) Men.
3 ‖ ADJ. (of an expertise) of a subservient kind, **subordinate** Pl.

δι-ακοντίζομαι *mid.vb.* **compete in throwing the javelin** X. —W.DAT. *w. someone* Thphr.

διακοπή ῆς *f.* [διακόπτω] **1 cut, gash, slash** (on a body, a cloak) Plu.
2 passage cut through (a strip of land), **channel, canal** Plb.

δια-κόπτω *vb.* **1 cut through** so as to separate, **cut through, sever** —*a neck, hand, bars, bonds, bridges* Anacr.(tm.) Th. X. Plb. Plu.; (of ice) —*horses' tendons* Plu. ‖ PASS. (of a bar, a skull) be cut through, be split in two Th. Plu.
2 cut through so as to pierce; (of a soldier, weapon) pierce through —*clothing, armour* Plu.; (of soldiers) **hack** (w. a sword) —*an enemy's head and shoulders* Plu.; (of persons) **split open, gash** —*someone's lip, one's leg* D. Men.; **cut a hole in** —*a ship, its bottom (so as to scuttle it)* D. ‖ PASS. (of troops, armour, clothing) be slashed, gashed or pierced through Plb. Plu.; (of persons) be gashed —W.ACC. *on a part of the body* D. Men. Plu.
3 cut into pieces; (of scythes on chariot-wheels) **cut to pieces** —*enemy troops* X. ‖ PASS. (of troops, their weapons) be cut to pieces (by scythed chariots) X.; (of vines) be cut down Ar.
4 cut a way through; (of troops) **break through** X. —*enemy ranks* X. Plb. Plu. —*gates* Plu.; (of persons, animals) —*ice* Plb.; (of mountain torrents) **cut a channel through** —*terrain* Plb. Plu.; (of a corrosive liquid) **eat through** —*containers* Plu.; (intr., fig., of a person) **break through someone's defences** (i.e. overcome opposition to a request) Men. ‖ PASS. (of a line of troops) be broken through X. Plu.
5 cut off (by interposing oneself) —*two commanders (fr. each other), communication (betw. two persons)* Plu. ‖ PASS. (of a sequence of words) be broken up or interrupted (by unexpected punctuation) Arist
6 break off, cut short —*a war, an alliance, peace negotiations* Plb. Plu.; **thwart** —*someone's plans* Plb. Plu.;

δια-κορεύω vb. —or perh. **διακορέω** contr.vb. [κορεύομαι, κόρη¹] **deflower** —a girl Ar.

δια-κορής ές adj. [κορέννῡμι] **sated** (sts. w.GEN. or DAT. w. sthg.) Pl. Plu.

δια-κορκορυγέω contr.vb. [κορκορυγή] (of a commotion) **rumble through** —one's belly Ar.

διά-κορος ον adj. [κόρος¹] (of land) **saturated** (w. water) Hdt.; (of persons) **sated** (w.GEN. w. one another) X.

δι-ᾱκόσιοι, Ion. **διηκόσιοι**, αι α pl.num.adj. [reltd. δίς, ἑκατόν] **two hundred** Il. +; (sg., w.collectv. ἵππος cavalry) Th.

δια-κοσμέω contr.vb. **1** arrange into separate elements; **arrange, marshal** —troops Il. Hdt. Plb. Plu.; —a procession Th. Arist.; **arrange, organise** —w.INDIR.Q. how the individual parts of a procession shd. proceed Th. ‖ PASS. (of troops) be arranged or marshalled Plu. —w. ἐς + ACC. in tens Il. —w.ADV. in three divisions Il.(tm.)
2 put into good order; (of a god, a person) **put in order, arrange, organise** —a country, the universe, an argument, affairs Hdt. Th. Pl. X. Arist. Plu.; (of natural philosophers) **systematise** —the whole of nature (in a particular way) Arist.; (of the mind and soul) **organise, regulate** —everything Pl. ‖ MID. **set in order** —a hall (after a battle) Od. ‖ PASS. be regulated or guided —w.ACC. in one's character (W.DAT. by certain principles) Plu.; (of objects, a country, its institutions) be arranged or organised (in a certain way) Pl. Plu.; (of military contingents) be kept in good order X.
3 part —one's hair (W.DAT. w. a comb) AR.(tm.)
4 adorn, embellish —a city, palace, temple, or sim. Th. Plu.; elaborate —a story Plu. ‖ PASS. (of troops) be arrayed —w.ADV. brilliantly Plu.

διακόσμησις εως f. **1** setting in order, **regulation** (of cities and houses) Pl.; **regulation, rule** (for conduct) Plu.
2 mode of arrangement, **structure** (of a lawcode) Pl.; (of a country and its institutions) Pl.
3 layout (of a region) Pl.; **orderly arrangement** (of the universe) Pl. Arist. Plu.; **arrangement, disposition** (of troops) Plu.
4 embellishment, **elaboration** (of a triumphal procession) Plb.

διά-κοσμος ου m. [κόσμος] **disposition, battle-order** (of troops) Th.

δι-ακούω vb. **1** hear through to the end, **hear out, listen carefully to** —everything Isoc. X. Men. —an argument, speech Pl. Plb. Plu. —W.GEN. everything X. —a speech or sim. Pl. Plb.
2 hear all about —events, activities, decisions Pl. X. Arist. Men. Plb. Plu. —(W.GEN. or παρά + GEN. fr. someone) Pl. Plb.
3 hear (sthg. or about sthg.) Pl. Plb. —W.GEN. fr. someone Pl. —(W.COMPL.CL. that sthg. is the case) Plb. —(W.ACC. + PTCPL.) Plu.
4 listen (sts. W.GEN. to someone) Plb. Plu.
5 listen to lectures, **be a pupil** —W.GEN. of a philosopher Plu.

δια-κραδαίνω vb. (of a javelin, on impact) **violently shake** —a person's body Tim.

δια-κρᾱνάω dial.contr.vb. [κρήνη] (of nymphs) **cause** (W.ACC. nectar, ref. to wine) **to spring forth in a fountain** Theoc.

δι-ακρῑβολογέομαι mid.contr.vb. (of philosophers) **go into minute detail** —w. περί + GEN. about being and non-being Pl.

δι-ακρῑβόω contr.vb. **1** be precise, **go into detail** (about sthg.) Arist. —w.ACC. about sthg. Pl.; (of a soldier) **know precisely** —one's place in the line X. ‖ MID. **be precise, go into detail** Isoc. —w. περί + GEN. over sthg. Isoc. Is. —w.ACC. about sthg. Pl.; **say precisely** —w.INDIR.Q. what sthg. is Pl. ‖ PF.PASS. (of a topic) have been treated in detail Plu. ‖ IMPERS. there has been detailed treatment or examination (of a topic) Arist.
2 make (w.ACC. someone) **perfectly accomplished** or **expert** —w. ἐν + DAT. in a subject of study Isoc. ‖ PASS. be made perfectly accomplished or expert (in sthg.) Isoc. Pl.; (of a technique) be brought to a high degree of accuracy Plu.

διακρῐδόν adv. [διακρίνω] **1 distinctly, decidedly, by a clear margin** —ref. to being best or worst Il. Semon. Hdt.
2 especially, particularly, above all Call.
3 separately, individually AR.
4 in detail AR.

δια-κρῑ́νω vb. ‖ MID.: fut. (w.pass.sens.) διακρινοῦμαι, ep.inf. διακρινέεσθαι ‖ PASS.: fut. διακριθήσομαι ‖ aor. διεκρίθην ‖ ep.aor.: 3pl. διέκριθεν, 2pl.subj. διακρινθῆτε, 2pl.opt. διακρινθεῖτε, ptcpl. διακρινθείς, inf. διακρινθήμεναι ‖ neut.pl.impers.vbl.adj. διακριτέα (Th.) ‖
1 separate or sort into groups; (of herdsmen) **separate, sort out** —flocks (that have become mixed up w. each other) Il. Plb.; (of persons) —furniture (into classes) X.; (of weavers) —tangled threads of warp and woof Pl. ‖ PASS. (of troops) be formed into divisions, be marshalled Il. Plu.; (of sheep) be separated (into groups) Od. ‖ PF.PASS.PTCPL.ADJ. (of hair) separated out (i.e. well combed or parted, opp. tangled) Plu.
2 separate so as to put apart; (of a god, persons, night) **separate, part** —combatants Il.; (of a circumstance) —persons Od. —(W.GEN. fr. their love for each other) AR.; (of a person) **set apart** —a sacred precinct Pi. ‖ PASS. (of persons, esp. combatants, also ships) part or be separated (fr. each other or fr. others) Hom. Hdt. Th. AR. Plb. Plu.; (of people, ref. to their allegiance) be divided Th.
3 (philos., of a natural force) **separate, segregate** (matter, opp. συγκρίνω combine) Arist. ‖ PASS. (of particles of matter, primary elements in nature) be separated E.fr. Ar. Pl. Arist. AR.; (of a single entity) be decomposed Pl.
4 separate into component parts; **divide up** —an army Hdt. —a population Hdt. ‖ MID. (of persons) **divide up** (among themselves) —honours Call. ‖ PASS. (of an army) be divided up Hdt.
5 make a distinction; **distinguish, discriminate** (betw. people) X.; **make** (W.NEUT.ACC. no) **distinction** Arist.; **distinguish between** —persons, gods, things Pl.(sts.mid.) Call.; make a distinction for, **except** —no one Hdt.; **distinguish** —a marker (fr. others) Od.; (of the moon) app., distinguish (fr. itself, in brightness), **outshine** —the light of the stars B. ‖ PASS. (of persons or things) be distinguished (fr. each other) Hdt. And. P.. ‖ PLPF.PASS. (in neg.phr., w. οὐδέν) there was no distinction Th. ‖ PF.PASS.PTCPL.ADJ. (of temperaments) distinct B.fr.
6 distinguish between (opposing claims); **decide** —an issue, dispute, lawsuit Hes. Pi. B. Hdt. Ar. Isoc. + —W.INDIR.Q. what is the case Pi. Ar. Pl. Arist. —W.ACC. + PTCPL. that someone is being wronged Th.; **make** —W.ACC. a choice Hdt.; (intr.) **give a decision** Ar. Pl. +; (of things) **be decisive** Ar. Pl.; (of a true report) perh. **attribute** —good fortune (W.DAT. to people) Pi. ‖ PASS. (of a lawsuit, dispute) be decided or settled Pl. X.; (of a battle, i.e. its outcome) Hdt. Plu.
7 ‖ MID. **settle** —one's dispute Hes. AR. ‖ PASS. (and FUT.MID.) **reach a settlement** hHom. Th.(treaty) Pl. X. D. Plu.; (of combatants) settle a conflict (sts. W.DAT. by fighting, sts. w. πρός + ACC. against an enemy) Hdt. X. Theoc. Plb. Plu.
8 ‖ MID. **take issue, dispute** —w. πρός + ACC. w. someone NT.

διάκριοι

9 ‖ MID. and AOR.PASS. (w.mid.sens.) have doubts (esp. about the truth of the Christian message) NT.

δι-άκριοι ων *m.pl.* [ἄκρος] **inhabitants of the uplands** (ref. to an Athenian political faction in the 6th C. BC, also called ὑπεράκριοι) Ar. Arist. Plu.

διάκρισις εως *f.* [διακρίνω] **1** (philos.) **separation, dissolution** (of natural elements, opp. σύγκρισις *combination*) Pl. Arist.; (gener.) **separation** (of one thing fr. another) Pl. Plu.; (w.GEN. of hair, ref. to a parting) Plu. **2 dividing up, division** (of land, for distribution) Plu. **3 distinction** (sts. w.GEN. betw. things) Pl. Plu. **4 determination** (w.GEN. of differences) Plu. **5 intervening space, furrow** (betw. the eyes, in hounds) X. **6** giving of a decision, **decision, judgement** Pl. X. AR. **7** decision of a conflict by a military engagement, **decisive clash** Plb.; (w.GEN. and πρός + ACC. of enemies, w. each other) Plb.

διακριτέα (neut.pl.impers.vbl.adj.): see διακρίνω

διακριτικός ή όν *adj.* **1** (of an art or technique) **of the separative** or **discriminating kind** (opp. συγκριτικός *of the combining kind*) Pl.
2 (of a name) **capable of making distinctions** (betw. things) Pl.
3 (of a bright colour) **causing division** or **dilation** (of the stream of sight) Pl. Arist.

διάκριτος ον *adj.* (of the Dioscuri) **distinguished, pre-eminent** (w.PREP.PHR. among all heroes) Theoc.

δια-κροτέω *contr.vb.* **1** (w. sexual connot.) **knock, bang** —*a woman* E.*Cyc.*
2 knock apart, separate —*a word's etymological components* Pl.

διάκρουσις εως *f.* [διακρούω] **postponement, delay, evasion** D. Plu.

δια-κρούω *vb.* **1 knock** (an object, to test its soundness); (fig.) **tap** —*a theory* (envisaged as a pot, w.INDIR.Q. *to see if it rings true*) Pl.
2 ‖ MID. knock away from oneself, **repulse, repel** —*a crowd, spear-thrusts* Plu.; **fend off** —*persons* (w. excuses) Hdt. Plu. —*a creditor* D. —*appeals* Plu.; **evade, stave off** —*military office* Plu. —*punishment, unwelcome events, difficulties* D. Plu.; (intr.) **evade punishment** D.; **play for time, stall** D. ‖ PASS. (of the state) be cheated —w.GEN. *of retribution* D.

διάκτορος ου *m.* [pop.etym. διάγω] (epith. of Hermes) perh. **conductor, messenger** or **guide** Hom. Hes. hHom.

δια-κυβερνάω *contr.vb.* (of a person or god) **steer, direct** —*the human race, its affairs* Pl.; (of a commander) —*a battle* Plu.

δια-κυβεύω *vb.* **play dice** —w.PREP.PHR. *w. someone, or for a prize* Plu.

δια-κυκάω *contr.vb.* (of an orator) **jumble up** —*his arguments* Pl.

δια-κύπτω *vb.* **bend over** (and thrust one's head) **through** (a space); **lean out through** —w. διά + GEN. *a dungeon* (i.e. its window) Hdt.; **peer in** or **out** (through a doorway) Ar. Men.; (of a penis) **poke out** (betw. the legs of the man trying to conceal it) Ar.

δια-κωδωνίζω *vb.* **make** (a coin) **ring** (as a test of its genuineness); (fig.) **sound out** —*persons* (as potential allies, by offering bribes) D.

διακώλυμα ατος *n.* [διακωλύω] **obstacle, impediment** (w.GEN. to sthg.) Pl.

διακώλυσις εως *f.* **obstruction, prevention** (of sthg.) Pl.

διακωλυτής οῦ (Ion. έω) *m.* **obstructor, preventer** (w.GEN. of sthg.) Hdt. Pl.

διακωλυτικός ή όν *adj.* (of measures) **preventive** Pl.

δια-κωλύω *vb.* **hinder, thwart, prevent** —*someone* (freq. w.INF. or μή + INF. *fr. doing sthg.*) Hdt. E. Th. Ar. Att.orats. + —*sthg.* (sts. w.INF. *fr. happening*) S. E. Th. + ‖ PASS. (of persons or things) be prevented Th. +

δια-κωμῳδέω *contr.vb.* **make fun of** —*someone or sthg.* Pl. Arist.

δια-λαγχάνω *vb.* **1** (of persons, gods) **divide** or **share out by lot** (amongst themselves), **be each allotted** —*property, land, troops, or sim.* Hdt. Pl. X. Plb. Plu.
2 (of two opposing brothers) **divide up** (betw. themselves) —*property* (w.DAT. by the sword, i.e. in battle) A.(sts.tm.) E.
3 (of hounds) **divide up, tear apart** —*Aktaion* E.

δια-λακέω *contr.vb.* (of an unpricked haggis) **split open** or **explode** Ar.

δια-λακτίζω *vb.* (of a baby) **kick off** —*its blanket* Theoc.

δια-λαλέω *contr.vb.* (of persons) **hold a conversation** or **discussion** —w.DAT. or PREP.PHR. *w. someone, oneself, each other* Plb. —(w.ACC. *about sthg.*) E.*Cyc.* —(w.INDIR.Q. *about what to do*) NT. ‖ PASS. (of a person's sayings) be talked about NT.

δια-λαμβάνω *vb.* ‖ PF.PASS.: διείλημμαι, ptcpl. διειλημμένος, also διαλελημμένος, Ion. διαλελαμμένος ‖ **1** (of persons) **take hold of separately, each take hold** or **seize** —*a person or persons, their hands and feet* Hdt. Pl. ‖ PASS. (of a person) be seized Hdt. Pl.
2 take or **receive separately, each take one's share of** —*property, spoils, or sim.* Lys. X. Arist. Plu.
3 divide, split up —*people, a populace* (sts. w. εἰς + ACC. *into groups*) Arist. —*a river* (w. ἐς + ACC. *into channels*) Hdt. —*things* (w.ADV. or PREP.PHR. *into sections, groups, categories*) Pl. Arist. ‖ PF.PASS. (of a river) be divided —w.ADV. *into five channels* Hdt.; (of a cuirass) have (w.ACC. its weight) distributed —w. ὑπό + GEN. *so as to be borne by certain parts of the body* X.; (of things) be divided (sts. w.ADV. in two ways or sim.) Pl. (of the world) —w.DAT. *among nations* Arist.
4 cause to be apart, separate —*a person* (fr. another) Aeschin. —*persons* (fr. each other) Pl. X. Plu.; **separate off** (by conquest) —*part of a country* Isoc.
5 divide up, separate into sections —*an area, roads* (w.DAT. w. guard-posts) Plb. Plu.; (of a poet) —*a plot* (w.DAT. w. episodes) Arist. ‖ PASS. (of walls) be separated into sections —w.DAT. *by guard-posts and towers* Arist.; (of time) be divided up —w.DAT. *by months and years* Pl.; (of the earth, seen fr. above) be chequered —w.DAT. *w. colours* (as if it were a ball made of leather patches) Pl.; (of the soul) be interspersed —w.PREP.PHR. *w. the corporeal* Pl.
6 (of a speaker) **break into, interrupt** —*one's speech* Isoc.; (intr.) **interrupt one's speech** D.; (of a reciter) **introduce a break** or **punctuation** (betw. words) Pl.
7 distinguish between, differentiate —*persons or things* (sts. w.DAT. by some criterion, or in one's thoughts) E. Pl.; (of systems of government) **distinguish** —*populaces* (fr. each other) Isoc. ‖ PASS. (of the body) be separated —w.PREP.PHR. *fr. the soul* (w.DAT. *in feelings*) Pl.
8 define, interpret —*laws* (w.DAT. *in a certain way*) Lys. ‖ PASS. (of things) be defined or judged —w.PREDIC.ADJ. *as such and such* Lycurg.
9 form a decision or **judgement; decide** Plb. —*sthg.* Plb. —w. ὑπέρ + GEN. *about sthg.* Plb. —w.INDIR.Q. *what shd. be done* Plb. —w.INF. *to do sthg.* Plb.; **suppose, imagine** —w.ACC. + INF. *that sthg. is the case* Plb. —w.ACC. + PF.PTCPL. *that someone has done sthg.* Plb.; **think** —w. περί + GEN. *of someone* (w. ὡς + SB. *as an enemy*) Plb.

—**διειλημμένως** *pf.pass.ptcpl.adv.* by differentiation (fr. others), **specifically** X.
δια-λάμπω *vb.* **1** (of a fire) **blaze forth** Plu.
2 (of a day) **dawn** Ar. Plu. ‖ IMPERS. **dawn breaks** Plu.
3 (fig., of beauty, bravery, or sim.) **shine forth** X. Arist. Plu.; (of rhetorical devices) **stand out** (in a speech) Isoc.
4 (of a person) **be conspicuous, achieve fame** —W.PTCPL. *by doing sthg.* Plu.
δια-λανθάνω *vb.* **1** (of persons or things) **completely escape the notice of, be overlooked by, fail to be recognised by** —*persons* Isoc. Pl. X. Lycurg. Plu.
2 be completely overlooked or **undetected** Th. Isoc. X. Arist. Plb. Plu.; **fail to be recognised** —W.PTCPL. *as being such and such* Isoc. X. Arist. Plb. Plu.; **escape notice, go undetected** —W. ὡς + PTCPL. or SB. *by being mistakenly supposed to be such and such* Plu.
δι-αλγέω *contr.vb.* **be severely anguished** or **upset** Plu. —W. ἐπί + DAT. *over sthg.* Plb.; **be severely aggrieved** or **annoyed** —W. ἐπί + DAT. *over sthg.* Plb.
δι-αλγής ές *adj.* [ἄλγος] (of a person) **in severe pain** Plu.
δια-λέγομαι *mid.vb.* | *fut.* διαλέξομαι, also διαλεχθήσομαι | *aor.: ep.3sg.* διελέξατο, *Aeol.imperatv.* ζάλεξαι ‖ PASS.: *aor.* (w.mid.sens.) διελέχθην | *pf.* διείλεγμαι | *3sg.plpf.* διείλεκτο (Lys.) |
1 (of a person's heart or mind) **go through, debate** —W.NEUT.ACC. *certain things* Il.; (of a person) **discourse** —W. πρὸς + ACC. *w. one's heart* (W.GEN. *about sthg., i.e. give thought or heed to sthg.*) Alc.
2 hold a conversation or discussion, **converse, talk** (freq. W.DAT. or πρός + ACC. *w. someone*) Sapph. Archil. Hdt. Th. + —W.ACC. *about sthg.* Hdt. + —W. μή + INF. *about the case for not doing sthg.*
3 discourse, hold forth (on a topic) Isoc. Pl. D. +
4 speak —W.DAT. *to someone* Aeschin. D. +; **speak, utter** —*a particular word* D. ‖ PASS. (in plpf., of words) *be spoken* Lys.
5 engage in discussion Pl. X. Arist.
6 (specif.) **practise dialectic** (as a method of philosophical discussion, by question and answer) Pl.
7 use a dialect or **language** —W.ADVBL.PHR. *of a particular kind* Hdt. Plb.
8 (euphem.) **have relations** (i.e. sexual intercourse) —W.DAT. *w. someone* Ar. Plu.
—**διαλέγω** *act.vb.* | *fut.* διαλέξω | *aor.* διέλεξα | **1 pick out, select** —*persons or things* Hdt. X. D. Plb.
2 put apart, separate —*opposites* Pl.
3 app., **put apart** (the edges of), **open up** —*a hole* Ar.
διάλειμμα ατος *n.* [διαλείπω] **1 interval of space, gap** Pl. Plu.
2 interval of time, intermission, break (in an activity) Plb. Plu.
δια-λείπω *vb.* **1 leave an interval of space;** (of persons) **leave an interval** or **gap** (usu. W.ACC. *of a certain distance*) Isoc. X. Plb.
2 (of things) **be at an interval** (fr. each other) —W.ACC. *of a certain distance* Th. X.
3 ‖ PTCPL.ADJ. (of a place) **acting as a gap** (in the course of a river, when it goes underground), **intervening** Plb.
‖ NEUT.PTCPL.SB. **gap** (in a military formation, a cuirass) X.
‖ IMPERS.PLPF.PASS. **a gap had been left** Hdt. —W.ACC. *of a certain distance* Hdt.
4 ‖ QUASI-IMPERS. **there is** (W.NEUT.PRON. some) **gap** or **deficiency** (in a theory) Arist.
5 leave an interval of time (before an activity); **wait** (freq. W.ACC. *for a certain time*) Hdt. Th. Ar. Att.orats. Pl. + ‖ PASS. (of a period of time) **be allowed to pass, intervene** Isoc.

6 (usu. in neg. statements) **leave an interval of time** (betw. activities); **pause, leave off, take a break** (usu. W.ACC. *for a certain time*) Att.orats. Pl. X. Arist. + —W.PTCPL. *fr. doing sthg.* Isoc. X. Is. Plb. NT.; **have a respite** —W.ACC. *for a certain time* (W.PASS.PTCPL. *fr. being slandered*) Isoc.
7 (of a period of time) **intervene, pass** (before an event) Th.
δι-αλείφω *vb.* **paint over** or **erase** —*a figure* (in a painting) Plu.
δια-λείχω *vb.* (of a dog) **lick clean** —*pots* Ar.; (of a corrupt politician, envisaged as a dog) —*islands* (*by taking bribes fr. them*) Ar.
διαλεκτικός ή όν *adj.* [διάλεκτος] **1** (of persons, their nature) **skilled in dialectic, dialectical** Pl. X. ‖ MASC.PL.SB. **dialecticians** Pl. Arist. ‖ MASC.SG.SB. (ref. to Aristotle) **logician** Plu.
2 (of an art, science, method) **relating to dialectic, dialectical** Pl. Arist. Plu.
3 ‖ FEM.SB. **dialectic, art of dialectic** (ref. to a method of philosophical discussion, by question and answer) Pl.; (leading to the establishment of probabilities, opp. scientific proof) Arist. ‖ NEUT.SB. **dialectic** Pl.; (pl.) Arist.
—**διαλεκτικῶς** *adv.* | *compar.* διαλεκτικώτερον | **by the dialectical method, dialectically** —*ref. to conducting a discussion* Pl.
διάλεκτος ου *f.* [διαλέγομαι] **1 discourse, talk** (betw. men and gods) Pl.
2 discussion, debate (betw. persons) Pl. Arist.
3 speech, language (as a mode of communication betw. persons) Arist. Plu.
4 way of speaking (ref. to choice of language) Pl.; (ref. to tone of voice) D.
5 language (of a country or region) Plb. NT. Plu.; **foreign word** or **expression** Plu.
διάλεξις εως *f.* **conducting of a discussion, discussion, discourse** Ar. Plu.
δια-λεπτολογέομαι *mid.contr.vb.* **engage in subtle discourse;** (fig.) **chop logic** —W.DAT. *w. the beams of a sophist's house* (ref. to burning it down) Ar.
διά-λευκος ον *adj.* [λευκός] (of things) **pure white** Pi.fr. Plu.
διάληψις εως *f.* [διαλαμβάνω] **1 grasping** (of a weapon, perh. w. both hands); **thrusting stroke** (opp. slash) Plb.
2 judgement, conception, opinion (of sthg.) Plb.
3 resolution, decision or **intention** Plb.
διά-λιθος ου *adj.* [λίθος] (of a trinket) **set with precious stones** Men.
διαλλαγή ῆς *f.* [διαλλάσσω] **1 exchange** (W.GEN. + DAT. *of goods, w. one another*) E.
2 (sg. and pl.) **change from hostility to friendship, reconciliation, settlement, peace terms** Hdt. E. Ar. Att.orats. Pl. +
διάλλαγμα ατος *n.* **result of an exchange, substitute** (ref. to a phantom made of aither, masquerading as Helen) E.
διαλλακτής οῦ *m.* —also **διαλλακτήρ** ῆρος (A.) *m.* **one who brings about a reconciliation, reconciler, mediator, arbiter** A. E. Th. D. Arist. Plu.
διάλλαξις εως *f.* **interchange** (W.GEN. *of compound elements*) Emp.
δι-αλλάσσω, Att. **διαλλάττω** *vb.* | PASS.: *fut.* διαλλαχθήσομαι, *also fut.2* διαλλαγήσομαι | *aor.* διηλλάχθην, *also aor.2* διηλλάγην | **1** (of entities) **interchange, exchange** (w. one another) —*their paths* Emp.; (intr.) **alternate** (betw. unity and plurality) Emp. ‖ MID. (of two bodies of troops) **exchange** (w. one another) —*their positions* Hdt.; (intr., of persons) **make an exchange** (of gifts) X.

διάλλομαι

2 give (w.ACC. sthg.) **in exchange** (for sthg.) —w.DAT. *to someone* E. Pl.
3 get (w.ACC. sthg.) **in exchange** (for sthg.) Pl.; **put on** (w.ACC. clothing suited to the occasion) **instead** (of one's present clothing) Plu.
4 change, replace —*officials, weapons, clothes* (w. *others*) X. Plb. Plu. ‖ MID. (of foxes and lions, as an example of impossibility) **change** —*their natural characters* Pi.
5 change one's location from (a place, by exchanging it for another); **leave, pass through** —*a country* X.; (intr.) **change location, move** —w.PREP.PHRS. *fr. one city to another* Pl.
6 change (someone) from hostility to friendship; **reconcile** —*persons, cities, or sim.* (sts. w.DAT. or πρός + ACC. *to others, each other*) E. Th. Ar. Att.orats. Pl. +; (of words) **settle** —*disputes* Ar.; (intr.) **bring about a reconciliation** (betw. two sides) X. ‖ PASS. **be reconciled** (sts. w.DAT. or πρός + ACC. *to someone*) A. E. Th. Ar. Att.orats. Pl. +; be converted —w.GEN. *fr. one's former hostility* E. And.
7 (intr., of persons or things) **be different** (sts. w.DAT. or GEN. fr. someone or sthg. else) —w.ACC. or DAT. *in some respect* Hdt. Arist. Plb. Plu.; (of a person) **be superior** (to others) —w.DAT. *in some respect* Arist. ‖ NEUT.PTCPL.SB. **divergence, difference** (of opinion) Th.
‖ PF.PASS.PTCPL.ADJ. (of human nature) varying, differing Th.

δι-άλλομαι mid.vb. (of a horse, a person) **leap across** —*a ditch* X. Plu.

διαλογή ῆς *f.* [διαλέγω] **sorting out** (w.GEN. of votes, emotional states) Arist.

δια-λογίζομαι mid.vb. **1** (in financial ctxt.) **go through the accounts** D.; **go through** or **balance one's accounts** —w. πρός + ACC. *w. someone* D.; **calculate** —w.INDIR.Q. *how much each party must contribute* Aeschin.
2 (gener.) **consider thoroughly, carefully reflect upon, weigh up** —*facts, circumstances* Att.orats. Pl. Thphr.; (intr.) **think carefully, weigh the facts, reason things out** Pl. X. Aeschin. Lycurg. Men. +
3 distinguish between —*right and wrong* Aeschin.
4 think —w.NEUT.INTERN.ACC. *a simple thought, the same thoughts, idle thoughts* D. Men.
5 consider, reflect, reason out —w.INDIR.Q. *what is the case* X. D. Plb. NT. Plu. —w.COMPL.CL. *that sthg. is the case* D. Men. NT.; **consider, calculate** —w.INDIR.Q. *how often sthg. has happened* Pl.
6 (wkr.sens.) **say, observe** (w. πρός + ACC. *to one another*) —w.COMPL.CL. *that sthg. is the case* NT.

διαλογισμός οῦ *m.* **1 reckoning up** or **balancing of accounts** D.
2 (gener.) **thought, calculation, reasoning** Aeschin. Plb. NT. Plu.

διάλογος ου *m.* [διαλέγομαι] **1 conversation, discussion, debate** Isoc. Pl. Plu.
2 dialogue (as a literary genre) Plu.

δια-λοιδορέομαι mid.contr.vb. ‖ PASS.: aor.ptcpl. (w.mid.sens.) διαλοιδορηθείς ‖ **be very insulting** or **abusive** D. —w.DAT. *to someone* Hdt.

δια-λῡμαίνομαι mid.vb. **1** inflict serious physical damage (on persons or places); **badly mutilate** —*a person* Hdt.; **maltreat** —*one's body* (w. drugs) Plu.; **wreak havoc on** —*a country and its people, a city* E. Plu.; (intr., of a commander) **wreak havoc** Plu. ‖ PASS. (of a person) be badly mutilated or maimed Hdt. E.
2 maltreat —*one's country* Isoc.; (of a barmaid) —*a person* (by serving short measures) Ar.; (of longing) **torment** —*a person* Ar.

3 (fig., of a playwright) **corrupt, pervert** —*the proper methods of writing tragedy* Ar.; (of a tavern-keeper) **debase** —*the standard measure* (*of a liquid*) Ar.
4 (wkr.sens., of persons, circumstances) **thwart, ruin** —*plans, activities, a country's fortunes* Plb. Plu.

διάλυσις εως (Ion. ιος) *f.* [διαλύω] **1 separation** (of body and soul, in death) Pl.
2 dissolution, disintegration (of the body) Pl.
3 dismantling, demolition (of bridges) Th.
4 dissolution (of a meeting) Pl.; **disbanding** (of an army) Plu.
5 closing-time, closure (of the market, as a daily event) Hdt.
6 dissolution (of an alliance, treaty, friendship, association, marriage) Th. Pl. Arist. Plu.
7 breaking off, cessation (of fighting) Th.; **bringing to an end, termination** (of troubles, hostilities, war) E. Th. Plb.; (freq.pl.) **settlement, peace** or **peace terms** Plb. Plu.
8 (in legal or civic ctxt.) **settlement** (of a dispute) Att.orats. Arist.
9 settling, payment, discharge (of debts) Pl. Plu.

διαλύτης ου *m.* (of a politician) **subverter** (w.GEN. of his party) Th.

διαλυτικός ή όν adj. (of a caustic plant-juice) **able to dissolve** (w.GEN. flesh) Pl. ‖ FEM.SB. art of separation (w.GEN. of things combined and compressed together, ref. to wool-carding) Pl.

διαλυτός ή όν adj. **1** (of the body) subject to dissolution, **dissoluble, decomposable** Pl.
2 (of ladders) able to be taken apart, **collapsible** Plu.

δια-λύτρωσις εως *f.* **ransoming** (of prisoners of war) Plb.

δια-λύω vb. **1** loosen so as to separate; (of persons) **unplait** —*plaited strips of bark* Hdt. ‖ PASS. (of fetters) be unloosed —w.GEN. *fr. feet* E.
2 (gener.) make loose; (of a beetle, envisaged as a horse) **loosen up** —*its muscles* Ar.; (intr., of snakes) **loosen, relax** —*their spines* Theoc.
3 separate (persons) from one another; (of night) **part, separate** —*combatants* Hdt. ‖ MID. (of a person) **part** (fr. one's escort) Th. ‖ PASS. (of persons) disperse Hdt. Th.
4 break up (a group of persons); **dissolve, dismiss, break up** —*a meeting, gathering* Hdt. Th. Pl. X.; **disband** —*an army* X. Plb.; **disperse** —*a fleet* Th. ‖ PASS. (of the Assembly) break up Th.; (of an army, a fleet) disperse or be disbanded E. Th.; (of an army) be scattered or in disarray Hdt.; (of political clubs) be dissolved Th. ‖ PF.PASS.PTCPL.ADJ. (of a fleet) in loose order (opp. in formation) Plb.
5 break up into separate elements; (of the creator god) **resolve** —*one thing* (w. εἰς + ACC. *into many*) Pl.; (of a person) **dismantle** —*houses* Plb.; (of a storm) **demolish** —*a bridge* Hdt.; (of evils) **dissolve, disintegrate** —*entities* Pl.; (of the sun) **thaw out** —*frozen animal tracks* X. ‖ PASS. (of persons) suffer dissolution (into primary elements, on death) X.; (of a bridge) be demolished (by a storm) Hdt.; (fig., of persons) be ruined or annihilated Ar.; (of a state) be dissolved or disintegrated Pl.
6 break off, put an end to —*war, factional strife, a treaty, discussion, agreement, friendship* Th. Ar. Isoc. Pl. Arist.; (mid.) —*one's guest-friendship* Hdt. ‖ MID. (intr.) **dissolve one's friendship** or **marriage** Arist. ‖ PASS. (of a festival, campaign, sea-battle) be broken off or brought to an end Hdt. Th.; (of a truce, friendship) Th. Arist.
7 ‖ MID. **put an end to, settle, resolve** —*enmity, disputes, grievances* Th. Att.orats.; (of disputants) —*their discussion* Pl. ‖ PASS. (of enmity) be resolved Th.

8 bring to a settlement, reconcile —*a person* (w. πρός + ACC. *w. another*) D. —*persons* (w. ἐκ + GEN. *after a quarrel*) Plb. ‖ MID.PASS. be reconciled or reach a settlement Th. Att.orats. X. Thphr. —W.GEN. *after a quarrel* E.
9 (gener.) **put an end to, dispel, quash** —*a charge, defence, fear* Th. Att.orats. Pl.
10 sort out —*a complicated situation* Ar.; **solve** —*a difficulty* Pl. Arist. ‖ PASS. (of a difficulty) be solved Arist.
11 settle, pay —*debts, expenses, or sim.* Hdt. D. Arist. Plb.; **settle with, pay off** —*a creditor* D. ‖ PASS. (of financial obligations) be discharged D.

δι-αλφιτόω contr.vb. [ἄλφιτα] **fill with barley-meal** —*a kneading-trough* Ar.

δια-λωβάομαι mid.contr.vb. **1 mutilate** —*statues* Plb. ‖ PASS. (of a body) be mutilated or disfigured —W.DAT. *by stab-wounds* Plu.
2 ‖ PASS. (of a boy) be completely maimed or spoilt —W.ACC. *in character* (W.DAT. *by lack of education*) Plu.

δι-αμαθύνω vb. (of an army) **reduce to ashes** —*a city* A.

δια-μανθάνω vb. **fully learn about** —*a matter* E.fr.

δια-μαντεύομαι mid.vb. **1** (of a divine source, ref. to a legislator) **ordain in oracular fashion** —*certain honours* Pl.
2 (of a person) **practise divination, consult the omens** Plu.

δι-αμαρτάνω vb. | fut. διαμαρτήσομαι | aor.2 διήμαρτον |
1 completely fail to reach (one's goal); **fail to find, miss** —W.GEN. *a road, boat, city* Th. D. Plu.; (of opposing commanders) —*each other* Plu.; (of archers) —*their target* Plu.; (of a person) **miss** —W.GEN. *the right moment* Antipho; (intr.) **lose one's way** Pl.
2 fail to obtain or **achieve** —W.GEN. *sthg. desired or undertaken* Th. Att.orats. Pl. +; (intr.) **fail, be unsuccessful** Att.orats. Pl. + ‖ PASS. (of undertakings) be unsuccessful Pl. Plb.
3 be completely mistaken Att.orats. Pl. + —W.GEN. *about someone or sthg.* Att.orats. Pl. ‖ PASS. (of things) be done in error Pl. Plb.

διαμαρτίᾱ ᾱς f. **1 serious mistake** Plu.; (W.GEN. over dates, a location) Th. Plu.
2 complete failure (in an undertaking) Plu.

δια-μαρτυρέω contr.vb. **1** (leg.) **swear an affidavit** (as a challenge to a claim) Is. D.
2 state in an affidavit —*the truth, a falsehood, or sim.* Is. D. —W.INF. *that one is a certain person* Is. —W.COMPL.CL. or ACC. + INF. *that sthg. is the case* Is. D. ‖ PASS. (of things) be stated in an affidavit Isoc. D.; (of a person) —W.INF. *to be a certain person* Lys. Is.

διαμαρτυρίᾱ ᾱς f. [διαμαρτύρομαι] (leg.) **sworn affidavit** (ref. to formal testimony challenging the admissibility of a lawsuit, esp. in inheritance claims) Is. D.

δια-μαρτύρομαι mid.vb. **1 make a solemn statement** (as a witness, or before others called as witnesses, usu. in opposition or protest; also freq. in general ctxts., without ref. to specific witnesses); **make a solemn protest, expostulate** (about sthg.) Aeschin. D. Plb. Plu.; **solemnly state** —*sthg.* Pl.; **solemnly declare** —W.COMPL.CL. or ACC. + INF. *that sthg. is the case* Pl. X. D. Plb. NT.
2 call (persons) **to witness a plea** (freq. in protest or opposition); (gener.) **make a plea** —W.INF. or (freq.) μή + INF. (*not*) *to do sthg.* D. Plb. Plu. —W.DAT. + INF. *for someone to do* (*or not to do*) *sthg.* Aeschin. Plu. —W.ACC. + INF. Plb. —w. ὅπως μή + FUT. *that sthg. shd. not happen* D.; (intr.) X. NT. Plu.
3 (specif.) **enter a solemn protest** (in an inheritance case) Is. D. | cf. διαμαρτυρία

4 make a disavowal (i.e. a legal statement of denial) —W.ACC. *in relation to one's conduct* D.
5 bear witness, give evidence (of sthg.) NT. —W.DAT. *for someone* NT. —W.ACC. *of sthg.* NT.

δια-μασάομαι mid.contr.vb. **chew** —*garlic* Ar.

δια-μαστῑγόομαι pass.contr.vb. (fig., of the soul) **be severely whipped** Pl.

δια-μαστροπεύω vb. ‖ PASS. (fig., of political power) be **hired out for pay, be prostituted** —W.DAT. *through marriage-alliances* (i.e. be given by the husband to the bride's father) Plu.

δια-μάττω Att.vb. [μάσσω] (fig.) **thoroughly knead** —*a speech* (envisaged as dough, being made ready for the oven) Ar. ‖ PASS. (of cakes) be thoroughly kneaded Ar.

διαμαχετέος ᾱ ον vbl.adj. [διαμάχομαι] (of a point in a discussion) **to be argued for strenuously** Pl.

διαμάχη ης f. **1** (milit.) **fight, battle** Pl.; (fig., w. πρός + ACC. against certain sensations or emotions) Pl.
2 (gener.) **struggle, rivalry** (betw. two leaders) Plb.

δια-μάχομαι mid.vb. **1** (in military ctxts.) **decide an issue by warfare, fight it out** (freq. W.DAT. or πρός + ACC. against someone) Hdt. E. Th. Lys. Pl. X.
2 (in non-military ctxts., sts.fig.) **put up a fight, fight hard** Lys. Ar. Pl. —W.DAT. *against someone* Pl. —w. ὅπως + FUT. *to ensure that sthg. happens* Pl. —w. μή + INF. *to avoid doing sthg.* X. —w. τὸ μή + INF. E. X.; **oppose, resist, object to** —W.ACC. + μή W.INF. *someone doing sthg., sthg. being the case* Th.
3 contend in argument, argue strenuously (sts. W.DAT. or πρός + ACC. against someone or sthg.) Lys. Pl. Arist. —W.COMPL.CL. *that sthg. is the case* Pl.

δι-αμάω contr.vb. | aor. διήμησα, ep.aor. διάμησα | **1** (of a spear) **cut through** —*a tunic* Il.; (of a person) —*someone's cheek, throat* (w. a knife or sword) E. AR.(tm.)
2 scrape or **claw away** —*earth* (W.DAT. *w. one's fingertips*) E.; (mid.) —*shingle, snow* Th. Plb.

δια-μεθίημι vb. **1 let slip, drop** —*one's sword* E.
2 give up, abandon —*an activity* E.

δι-αμείβω vb. **1** (of things) **change** —*colour* Parm.(tm.); (of the mixing of things) **cause change** (in them) Emp.(tm.) ‖ MID. (of beings) **change** —w. εἰς + ACC. *into each other* (through reincarnation) Pl.
2 ‖ MID. **change one's mind** Hdt.
3 exchange —*sthg.* (w. πρός + ACC. *for sthg.*) Pl. Plu. ‖ MID. **exchange** —*clothes, places* (sts. W.DAT. or πρός + ACC. *w. someone*) Pl. Plu.
4 ‖ MID. **get** (W.ACC. *sthg.*) **in exchange** —W.GEN. or ἀντί + GEN. *for sthg.* (W.DAT. *fr. someone*) Sol. Pl.
5 exchange —*a continent* (W.GEN. *for another, i.e. pass over into the former fr. the latter*) E. ‖ MID. **pass through** —*many nations* A.
6 traverse —*a road* A. ‖ MID. **reach** —*the end of a journey* A.

δια-μειδιάω contr.vb. **smile broadly** Pl. Plu.

διάμειπτος ον adj. [διαμείβω] (of thoughts) **changeable** Sapph.

δια-μειρακιεύομαι mid.vb. **engage in childish rivalry** —W.DAT. *w. persons* Plu.

διάμειψις εως f. [διαμείβω] **exchange** (of prisoners or weapons) Plu.

δια-μελαίνω vb. (of smoke) **completely blacken** —*the air* Plu.

δια-μελετάω contr.vb. **study intently** —*philosophical arguments* Pl. ‖ PASS. (of writings) be studied intently Pl.; (of boxing techniques) be practised thoroughly Pl.

δια-μέλλησις εως *f*. [διαμέλλω] **postponement** (W.GEN. of an action) Th.

δια-μέλλω *vb*. put things off, **procrastinate, delay, lose time** Th. Plu.; **put off a decision** —W.INDIR.Q. *about what to do* Plu. ‖ IMPERS.PASS. **time is lost** Th.

δια-μέμνημαι *statv.pf.mid.vb*. [μιμνήσκομαι, under μιμνήσκω] (of the soul) **remember accurately** —*things learnt* X.

δια-μέμφομαι *mid.vb*. **severely criticise** —*someone or sthg*. Th. Isoc.

δια-μένω *vb*. **1** (of things) **last, endure, survive** Att.orats. X. Arist. Plb. Plu.
2 (of persons or things) **remain, endure, persist, continue** (freq. W.PREDIC.ADJ. or PREP.PHR. as such and such, in a particular place, state or activity) Att.orats. Pl. X. +
3 continue, keep on —W.PTCPL. *doing sthg. or being such and such* X. D. Arist. Men. Plu.

δια-μερίζω *vb*. **1 separate into parts, divide** —*things* Pl. ‖ PASS. (of an animal) be cut up (by butchers) Pl.; (of a science) be divided (into branches) Pl.
2 (of persons) **divide up, distribute, share out** —*goods* (W.DAT. *among people*) NT. —*a drink* (W. εἰς + ACC. *w. one another*) NT. —*clothes* (sts. W.DAT. *amongst one another*) NT.(mid.) ‖ PASS. (of things) be distributed —W.DAT. *to people* NT.
3 ‖ PASS. (of persons) be set at variance (w. each other) NT.; (of a person) —w. ἐπί + DAT. *w. someone* NT.; (of Satan, a kingdom) —w. ἐπί + ACC. *w. oneself* NT.

διαμερισμός οῦ *m*. **1 division, section** (of a populace) Pl.
2 dissension (opp. peace) NT.

δια-μετρέω *contr.vb*. **1 ascertain the length of, measure** —*a flea's jump* Ar.
2 mark off or delimit by measurement, measure out —*ground* Il. X. Plb. Plu. —*streets* (*in a camp*) Plb.; (intr.) **take measurements** X. ‖ MID. (of persons) **measure out** —*land* (*for distribution amongst themselves*) Hdt.(oracle); **mark out, map out** —*areas within a camp* Plb. —*cities* (*for building*) Call. —*an area* (*for a city*) Plu.
3 divide into parts by measurement, divide off —*half of a property* Men.; **divide up** —*gold* (*for storage*) Plu. —*roads* (*into stages*) Plu. ‖ PASS. (of a day for a lawsuit) be divided up (by the imposition of time-limits on speeches) Aeschin. D. Arist.
4 apportion by measure, measure or **deal out** —*rations, grain* (W.DAT. *to persons*) X. D. —*water* (*for the klepsydra, i.e. time for a lawcourt speech*) Plu. ‖ MID. **have measured** or **doled out to one** —*grain* D. ‖ PASS. (of rations) be doled out X.; (of water in the klepsydra) be apportioned Arist.
5 ‖ MID. (of persons) **divide up, apportion** —*parts of a task* (*amongst themselves*) X.; (of a goddess) give portions of, **share** —*cities and islands* (*w. other gods*) Call.

διαμετρητός ή όν *adj*. (of ground) **measured out** (for a duel) Il.

διάμετρον ου *n*. measured amount, **rations** (for soldiers) Plu.

διά-μετρος ου *f*. [μέτρον] **1** (geom.) **dividing line; diagonal** (of a quadrilateral) Pl. Arist.; (of a square, or ref. to the hypotenuse of a right-angled triangle) Pl.
2 (gener.) **diameter** (of a figure or object) Pl. Plb.
3 (prep.phr.) κατὰ διάμετρον **along the diagonal, diagonally** Pl. Arist.; **at diametrically opposite points** Plb.
4 prob. **set-square** (for measuring angles) Ar.

δια-μηρίζω *vb*. [μηρός] (of a lover) **part the thighs of** —*a woman* Ar. —*a boy* Ar.

δια-μηχανάομαι *mid.contr.vb*. **contrive, arrange** —*sthg*. Pl. Plu. —W.INF. *to do sthg*. Pl. —W.COMPL.CL. *that one or someone shd. do sthg*. Ar. Pl. Plu —*that sthg. shd. happen* Pl. —W.ACC. + INF. Plu.

δια-μικρολογέομαι *mid.contr.vb*. (of the populace) **be mean** or **petty** —w. πρός + ACC. *towards someone* Plu.

δι-αμιλλάομαι *mid.contr.vb*. **strenuously contend** or **compete** (freq. W.DAT. or πρός + ACC. w. someone) Pl. Plb. Plu.

δια-μινύρομαι *mid.vb*. (of a poet) **warble one's way through** —*a song* Ar.

δια-μισέω *contr.vb*. **loathe, be disgusted by** —*sthg*. Arist. ‖ PASS. (of a place) be loathed Plu.

δια-μιστύλλω *vb*. **chop up** —*a sacrificial victim* Hdt.

διαμμοιρηδά *ep.adv*. [διαμοιράω] (quasi-adjl., of midnight) **dividing in two** (the night) AR.

δια-μνημονεύω *vb*. **1 preserve in one's memory, clearly remember** —*sthg*. X. Aeschin. Plu. —W.GEN. Pl.; (intr.) Hdt. Antipho Lys. Pl.
2 relate what is remembered; record, recount —*things said, verses, an edict, or sim*. Th. Aeschin. Plu. —W.INDIR.Q. *how many years elapsed* Pl. —W.ACC + INF. *that sthg. happened* Plu.; (intr.) Plu. ‖ PASS. (of sayings, stories) be recorded Plu.; (of a person) —W.PTCPL. *as being such and such* X.; (of a place) be described Pl.

δια-μοιράω *contr.vb*. ‖ *ep.3sg.impf.mid*. διεμμοιρᾶτο ‖
1 cleave in two (a person, w. a sword) E.; **tear limb from limb, dismember** —*persons* E. ‖ MID. **rend** —*someone's flesh* E.
2 ‖ MID. **divide out, apportion** —*food* Od.; **share out, allocate** —*rowing-benches* (*by lot*) AR.

διαμονή ῆς *f*. [διαμένω] **continuance, permanence** (of blessings, a person's rule) Plu.

διά-μορφος ον *adj*. [μορφή] (of elemental bodies) **having diverse forms** Emp.

δια-μορφόω *contr.vb*. **shape** —*a tree-trunk* (*into a trophy*) Plu.

διαμόρφωσις εως *f*. **shaping** (of a mountain, into human form) Plu.

δι-αμπάξ *adv. and prep*. [ἀνά; app. πήγνυμι, cf. ἅπαξ] (ref. to piercing) **right through, all the way through** A. X. Plu. —W.GEN. *someone's chest or throat* A. E.; (ref. to rushing) **from end to end** —W.GEN. *of a land* A.

δι-αμπερές *adv. and prep*. [ἀναπείρω] ‖ sts.tm. διὰ δ' ἀμπερές (Hom.) ‖ **1** (ref. to piercing or moving) **right through, all the way through** Hom. Emp. AR. —W.GEN. *a chest, shield, rocks* Il. S. AR. —W.ACC. *a stomach, thigh, head, ear* Il. A. X. Plu.
2 without break, continuously, all the way —*ref. to extending, placing, moving* Hom; perh. **successively, in turn** —*ref. to drawing lots* Il.
3 completely, in full —*ref. to fu filling pledges, telling sthg*. Hes. hHom.
4 (ref. to time) **for ever, continuously, constantly** Hom. Hes. hHom. Sol. Emp. AR.; **once and for all** Il.

—**διαμπερέως** *adv*. **1 in full** —*ref. to telling sthg*. Hes.fr.
2 continuously Theoc.

δια-μῡδαλέος ον *adj*. (of garments) **drenched** (W.DAT. w. tears) A.

δια-μῡθολογέω *contr.vb*. **1 put into words, express** —*a sentiment* (W.DAT. w. one's tongue) A.
2 talk (sts. w. πρός + ACC. to someone) Pl. —W.ACC. *about sthg*. Pl.

δια-μυλλαίνω *vb*. [μύλλον *lip*] **distort the lip, grimace** Ar.

δι-αμφίδιος ον *adj.* [app. ἀμφί] (of a song) **very different** A.
δι-αμφισβητέω *contr.vb.* **1 dispute, disagree** —w. πρός + ACC. *w. someone* Arist. Plb. —w. περί + GEN. *about sthg.* Arist. ‖ PASS. (of topics) **be open to dispute** Arist.
2 press one's case, argue —w. πρός + ACC. *against sthg.* Arist.
3 press a claim (to sthg.) Plu. —w. περί + GEN. *to sthg.* Arist. ‖ NEUT.SG.PASS.PTCPL.SB. **disputed property** Plb.; (pl.) **disputed claims** D.
διαμφισβήτησις εως *f.* **quality of being open to dispute, disputability, equivocality** Arist. Plu.
δι-αναγιγνώσκω *vb.* **read through** —*a speech, book, letter* Isoc. Plb. ‖ PASS. (of a speech) **be read out** Isoc.
δι-αναγκάζω *vb.* ‖ PASS. **be compelled or obliged** —W.INF. *to do sthg.* Pl.; **be drilled or trained** —W.INF. *to do sthg.* Pl.
δι-αναπαύω *vb.* **allow** (W.ACC. a person, one's body, a horse, an army) **to rest** or **relax for an interval** Pl. X. Arist. Plb. Plu. ‖ MID. (of travellers, troops) **have a period of rest, take a break** Pl. Plu.
διανάστασις εως *f.* [διανίσταμαι] **1 process of getting to one's feet** (after a fall) X. Plb.
2 springing up, emergence (W.GEN. of troops, fr. ambush) Plb.
δια-ναυμαχέω *contr.vb.* **fight a decisive naval battle** Hdt. Th. Isoc. Plu. —W.DAT. or πρός + ACC. *against someone* Plb. Plu.
δια-νάω *contr.vb.* | 3sg. διανάει | (of ground) **exude water** Plu.
δι-άνδιχα *adv.* | sts.tm. διὰ δ' ἄνδιχα | **1 with division into two parts, in two, asunder** —*ref. to breaking sthg.* AR. Theoc.(tm.)
2 perh. **on a course cleaving through** (the waves or the Hellespont) —*ref. to a ship travelling* AR.
3 in opposite directions, apart —*ref. to double doors being pushed* E.
4 with separation (fr. others), **separately** —*ref. to two groups acting* AR.; **at a far remove** —*ref. to living* AR.
5 at two extremes, in two minds, with conflicting thoughts —*ref. to thinking* Il.; **in opposing ways** —*ref. to two deities being disposed in temperament* Hes.(tm.)
6 by halves, incompletely —*ref. to being rewarded* (w. one thing but not the other) Il.
διᾱνεκής *dial.adj.*: see διηνεκής
διανέμησις εως *f.* [διανέμω] **distribution, allocation** (of gifts and honours) Plu.
διανεμητικός ή όν *adj.* **1** (of a person) **acting as a distributor** or **apportioner** (of things, W.DAT. + PREP.PHR. betw. one person and another) Arist.; (W.DAT. + GEN. to people, of their just deserts) Plb.; (of justice) **relating to distribution** (W.GEN. of property) Arist.
2 (of a tetrahedron) **having the property of dividing up** (W.GEN. a sphere, into equal parts) Pl.
δια-νέμω *vb.* **1 distribute, apportion, share out** —*food, property, honours*, or sim. (freq. W.DAT. or PREP.PHR. *among persons or things*) Th. Att.orats. Pl. +; (of Wealth) —*himself* (W.PREDIC.ADJ. *in equal measure*) Ar.; **share out** — *oneself* (i.e. one's time and attention), *one's life* (W.DAT. *among people*) Lys. Arist.; (of a ruler) **divide up and share out** —*a city* (W.DAT. *w. two brothers*) Hdt. ‖ PASS. (of persons or things) **be distributed or shared out** Pl. X. +; (of buildings) **be allocated** —W.DAT. *to persons* Th.; (of news) **be disseminated** —w. εἰς + ACC. *among people* NT.
2 ‖ MID. (of persons) **divide** or **distribute communally, share out** —*spoils, property, money* Hdt. Att.orats. Pl. +; (fig., of passions) —*a person's resources* (i.e. consume them) Pl.; (of a person) **share** —*sthg.* (w. διά + GEN. *w. others*) Is.

3 (gener.) **assign** —*a name* (W.DAT. *to sthg.*) Pl.; **dispense** —*justice* (sts. W.DAT. *to people*) Pl.
4 divide up —*land* X. —*an entity* (sts. W.ADV. or εἰς + ACC. *into subcategories or subdivisions*) Pl. Arist.; **subdivide, categorise** —*philosophers* Arist. ‖ PASS. (of an entity) **be divided up** Pl.; (of land) —w. κατά + ACC. *into sections* Pl.
5 divide or **distribute** —W.DBL.ACC. *sthg. into parts* Pl.; **create by division, divide off** —*ten areas* (within a place) D.
6 (of persons) **control, administer** —*a city* Pi.; (of Apollo) **govern** —*a temple* Pi.
δια-νεύω *vb.* **1** (of a person unable to speak) **make nodding movements** NT. Plu.
2 (of sailors) **turn a ship away from, evade** —*grappling-devices* Plb.
δια-νέω *contr.vb.* [νέω¹] **1 swim across** —w. ἐς + ACC. *to an island* Hdt.
2 (fig.) **swim through** —*an ocean of words, a speech, arguments* Pl.
διά-νημα ατος *n.* [νῆμα] **cross-thread, woof, weft** Pl.
δια-νήχομαι *mid.vb.* **swim across** (a strait) Plu. —*a river* Plu.
δι-ανθίζομαι *pass.vb.* (of cloaks) **be decorated** or **embroidered** Plu.
δια-νίσομαι *mid.vb.* (of a melody) **pass through** —W.GEN. *bronze and reed* (i.e. an aulos) Pi.
δι-ανίσταμαι *mid.vb.* | athem.aor.act. διανέστην | **1 stand** or **get up** —W.PREP.PHR. *on a ship's deck* Plb.; **raise oneself up** —W.PREP.PHR. *onto one's elbow* Plu.
2 (of troops) **spring up, emerge** (fr. a position or ambush) Plb.
3 assert oneself in opposition, rebel Plu.
4 distance oneself from, disregard —W.GEN. *one's own best interests* Th.
δια-νοέομαι *mid.contr.vb.* | PASS.: aor. (w.mid.sens.) διενοήθην | **1 have in mind, intend, plan** —*sthg.* Hdt. Th. Att.orats. Pl. + —W.PRES., AOR. or FUT.INF. *to do sthg.* Hdt. Th. Ar. Att.orats. Pl. + —w. ὅπως + FUT.INDIC. Hdt. Lys. —w. ὡς + FUT.PTCPL. Th. Lys. D.
2 have in one's thoughts, think, suppose —*sthg.* Att.orats. Pl. + —W.ACC. + INF. or COMPL.CL. *that sthg. is the case* Pl. X. —W.GEN. + ὡς and FUT.PTCPL. *that someone will do sthg.* Pl.
3 use one's mind, think Isoc. Pl. X.
4 be minded or **disposed, think** —W.ADV. *in a certain way* Th. Att.orats. Pl. +
διανόημα ατος *n.* **product of thinking, thought, notion** Isoc. Pl. X. NT. Plu.
διανόησις εως *f.* **1 process of thinking, thought** Pl.
2 way of thinking, opinion Pl.
3 product of thinking, thought, notion Arist.
διανοητικός ή όν *adj.* **of a kind that is concerned with** or **capable of thinking**; (of persons, nations) **intelligent, intellectual** Arist.; (of motion, virtue, activities, or sim.) Pl. Arist.; (of sections of tragedy) **of the kind that reveal intellect** or **express ideas** Arist. ‖ NEUT.SB. **intellect, intelligence** Arist.
διανοητός ή όν *adj.* ‖ NEUT.SB. **that which is thinkable** Arist.
διάνοια ᾱς *f.* [νόος] **1 state of mind** or **way of thinking, thoughts, intention, purpose** A. Hdt. E. Th. Att.orats. Pl. +
2 thought, notion, idea Hdt. Ar. Pl. Arist.
3 process of thinking, thought Pl. Arist.
4 faculty of thought, intelligence, understanding Pl. Arist.
5 thought expressed, meaning (of a word or passage) Pl.
6 intellect (as revealed in speech or action by characters in tragedy) Arist.

δι-ανοίγω vb. 1 (of a doctor) **open** —*a patient's eyes* (*to apply medicine*) Pl.; (fig., of God or Jesus) —*someone's mind or heart* (*to enable understanding*) NT. || PASS. (of a person, ref. to his ears) **be opened** (i.e. be enabled to hear) NT.; (fig., of eyes, ears, i.e. be enabled to recognise the truth) NT.
2 (of a child) **open** —*the womb* (*ref. to being the first-born*) NT.
3 || PASS. (of the heavens) **be opened** (to reveal God) NT.; (of doors) **fly open** (of their own accord) Pl.
4 **explain, interpret** —*the scriptures* NT.

διανομεύς έως *m.* [διανομή] **distributor** (of spoils) Pl.

διανομή ῆς *f.* [διανέμω] **1 distribution, allocation** (sts. W.GEN. of things) A.(dub.) Pl. X. Arist. Plu.
2 **division** (of persons, into groups) Pl. Plu.
3 (math.) **division** (of a number) Pl.
4 **management, control** (W.GEN. exercised by the mind) Pl.

δια-νομοθετέω contr.vb. (of a legislator) **enact** —*laws* Pl. || MID. (of experts) **lay down rules** —W.INDIR.Q. *as to what is such and such* Pl.

δι-ανταῖος ᾱ ον (also ος ον E.) *adj.* [ἀνταῖος¹] 1 (of a weapon, weapon-stroke) **going through to the opposite side, piercing** A.; (of pain) E.
2 (of Fate) perh. **dealing a piercing stroke** A.

δι-αντλέω contr.vb. (fig.) **drain to the dregs, bear to the bitter end** —*sickness, sufferings* Pi. E. Plu.; (wkr.sens.) **endure patiently** —*the task of looking after a household* E. || PASS. (of a war) **be endured to the end** Pl.

δια-νυκτερεύω vb. **pass the night** NT. Plu. —W.COGN.ACC. X.

διάνυσμα ατος *n.* [διανύω] **distance achieved** (on a journey) Plb.

δι-ανύω, Att. **διανύτω** vb. | ep.aor.ptcpl. (tm.) διὰ ... ἀνύσσας | 1 (of persons, their feet) **accomplish, complete** —*a journey, voyage, lap, distance* hHom. E. X. Plb. NT. || PASS. (of a journey, distance) **be completed** X. Plb.
2 **complete one's journey through, pass through, traverse, cross** —*a region, country, precipice, or sim.* hHom.(sts.tm.) Plb. —*a sea, gulf, strait* Hes.(tm.) Thgn.(tm.) AR. Plb.
3 (intr.) **complete one's journey** Plb.; **arrive** —W.PREP.PHR. *at a place* Plb.
4 **finish** —W.PTCPL. *saying sthg.* Od.
5 **go on until the end, keep on** —W.PTCPL. *doing sthg.* (W.ADVBL.PHR. *right up to this point*) E.

δια-ξαίνω vb. (fig.) **card** or **comb out** —*persons* (*envisaged as imperfections in a fleece*) Ar.

δια-ξιφίζομαι mid.vb. [ξίφος] **engage in a swordfight, cross swords** —W.DAT. *w. an enemy* Ar.

δια-παιδαγωγέω contr.vb. 1 (fig.) behave (towards persons) like a child's attendant; (of a politician) **nurse along** —*a city* (W.DAT. *w. civilised entertainments*) Plu.(quot.com.); (of a woman) **keep a close eye on** —*her lover* Plu.; (of a person) **follow along with and give advice to** —*troops* Plu.; **take charge of** —*a government, a drinking-bout* Plu.; **look after** —*one's health* Plu.; (intr., gener.) **be guide and instructor** Pl. || PASS. **be guided and instructed** Pl.
2 **give instruction about** —*the right moment* (i.e. the importance of seizing it) Plu.

δια-παιδεύομαι pass.vb. (of a child) **complete one's education** X.

δια-παίζομαι pass.vb. (of a game) **be played without a break** X.

δια-παλαίω vb. (of soldiers, in hand-to-hand combat) **keep grappling** Ar. Plu.

διαπάλη ης *f.* **grappling** (ref. to hand-to-hand combat) Plu.

δια-πάλλω vb. | fut. διαπαλῶ | 1 (of a bird) **spread** —*its wings* S.fr.
2 (of personif. Iron, meton. for the sword) **allot** —*land* (i.e. *a grave, to the dead*) A.

δια-παλύνω vb. (of a boulder) **shatter** —*someone's head* E.

δια-παπταίνω vb. **keep glancing around** —w. πρός + ACC. *at people* Plu.

δια-παρθενεύομαι pass.vb. (of a young woman) **be deflowered** Hdt. Plu.

δια-πασσαλεύω, Att. **διαπατταλεύω** vb. **nail down** —*a person* (w. πρός + ACC. *to a plank*) Hdt.; **nail up** or **peg out** —*a flayed skin* Plu. || PASS. (of a person) **be stretched out and pegged down** —W.ADV. *on the ground* Ar.

δια-πάσσω vb. **sprinkle** —W.PARTITV.GEN. *some gold dust* (w. ἐς + ACC. *on one's hair*) Hdt.

δι-απατάω contr.vb. **completely deceive** —*someone* Pl.

δια-πατέω contr.vb. **tread through** —*an upper layer of snow* Plb.

διαπαύματα των *n.pl.* [διαπαύομαι] **intervals of rest, breaks** (W.GEN. fr. work) Pl.

δια-παύομαι mid.vb. (of persons or processes) **cease temporarily, have a rest** or **break** Pl.; (of military expeditions) **be suspended** X.

δι-απειλέω contr.vb. 1 **make threats** —W.COMPL.CL. *that one will do sthg.* Hdt. —W.DAT. + FUT.INF. *against someone, that one will do sthg.* Plu.; (mid.) —W.DAT. *against persons* Lys. Aeschin. Plu.
2 || MID. **order with threats** —W.ACC. + PRES.INF. *that no one shd. do sthg.* Plb.

δια-πεινάω contr.vb. | dial.1pl. διαπεινᾶμες | **spend all one's time being hungry** (w. play on διαπίνω *spend all one's time drinking*) Ar.

διά-πειρα ᾱς *f.* [πεῖρα] 1 **test** (made by oneself), **test, trial** (sts. W.GEN. of someone or sthg.) Pi. Hdt. Aeschin. D. Thphr. Plu.
2 **test** (offered to another), **proof, demonstration, evidence** (of sthg.) Plu.; (W.GEN. of oneself) Plu.

διαπεραίνω vb.: see περαίνω

δια-πειράομαι mid.contr.vb. | aor. διεπειρασάμην || aor.pass. (w.mid.sens.) διεπειράθην | 1 **make a test** or **trial** (by inquiry or experiment); **test** —W.GEN. *persons or things* Hdt. Pl. Din. Plu. —*jurors* (W.COMPL.CL. *to see what they will decide*) D.; (intr.) Pl.
2 **test in combat, take on** —W.GEN. *an enemy* Hdt. Plu.
3 **have experience** —W.GEN. *of sthg.* Th.
4 **persist in an attempt, keep trying** —W.INF. *to do sthg.* Antipho.

—**διαπειράω** act.contr.vb. **tempt** (people) —W.DAT. *w. bribes* Plu.

δια-πείρω vb. | ep.3sg.impf. (tm.) διὰ ... πεῖρε (AR.) | 1 **pierce** —*a liar's tongue* (W.DAT. *w. skewers*) Plu. || PF.PASS.PTCPL. (of soldiers) **pierced** —W.DAT. *by weapons* Plu.; (of a snake) —*by an eagle's talons* Plu.
2 **drive** (W.ACC. *iron spikes*) **through** —W.GEN. *a baby's ankles* E.(dub.)
3 (of a navigator) **penetrate, enter** —*a river-mouth* AR.

δια-πέμπω vb. 1 **send across** (water), **send across, send over** —*persons or things* (sts. W.DAT., ADV. or PREP.PHR. *to persons, islands, or sim.*) Hdt. Th.(sts.mid.) Ar.
2 **send in different directions or on various occasions, send here and there, send around** or **send from time to time** —*envoys, messengers, troops, despatches* (freq. W.DAT., ADV. or PREP.PHR. *to persons or places*) Hdt. Th. X. Hyp. Arist. —*the god Wealth* (w. πρός + ACC. *to one's friends*) Ar. || MID. (gener.) **send out, despatch** —*messengers or sim.* Plb. Plu. || PASS. (of persons, esp. messengers) **be sent here and there** Hdt.; **be sent at intervals** Arist.; **be despatched** Plb. Plu.

3 (intr.) **send around** (messengers or messages) Hdt. X. —W.PREP.PHR. *to persons or places* Hdt. X. ‖ MID. **send a message** or **messages** (usu. w. πρός + ACC. **to someone**) Plb. Plu.
4 send round, distribute —*food, money, or sim.* (sts. W.DAT. *to persons*) X. Plu.(also mid.)
5 ‖ PASS. (of donkeys) **be paraded through** —w. διά + GEN. *a theatre* Plb.

δια-πενθέω *contr.vb.* **mourn continuously** Plu.
διαπεπονημένως *pf.pass.ptcpl.adv.*: see διαπονέω
δια-περαίνω *vb.* | *neut.impers.vbl.adj.* διαπεραντέον |
1 **follow through to the end, complete, accomplish** —*a journey* Pl. ‖ MID. **decide, settle** —*a contest* E.
2 (of a speaker) **bring to an end, complete, conclude** —*an argument, an answer* Pl.(sts.mid.) ‖ MID. (intr.) **bring an argument to a conclusion** Pl. ‖ PASS. (of a speech, an argument) **be completed or concluded** Pl.
3 (of a speaker) **go through to the end or in detail, go through, recount, describe** —*sthg., everything* Pl.; **develop, proceed with** —*a discussion* E.(dub.); (intr.) **go on, proceed** E. Pl. ‖ MID. **develop** —*an argument* Pl.; **discuss** or **explain** —*sthg.* Pl. —W.INDIR.Q. *how sthg. happens* Pl. ‖ PASS. (of an argument) **be developed** Pl.; (of topics) **be discussed in detail** Pl.
4 | PASS. (of a song) **be performed** Plu.

δια-περαιόω *contr.vb.* **1 take** (W.ACC. troops) **across** (a sea or river) Plb. Plu. ‖ PASS. (of stones) **be taken across** —W.ACC. *a river* Hdt.; (of a person) **cross over** (a sea, strait, river) Hdt. Th. Plu. —W.ACC. *a sea* Plu.; **get across** (a ditch) Th.
2 | PASS. (of swords) **be made to pass through, be removed** —W.GEN. *fr. their scabbards* S.

δια-περάω *contr.vb.* **1** (of persons) **go across, cross over** —*a river, sea, strait* E. Isoc. AR.(tm.) Plb. Plu.; (intr.) E. NT. Plu.; (of a ship) E.; (of a sailor) **go through, pass between** (the Clashing Rocks) AR.(tm.)
2 pass through —*a country, city* E. Ar.; **cross** —*rough ground, marshes, or sim.* X. Plb.; **cover** —*a journey* X.; (intr.) **get across** (a ditch) Plb.
3 (of a spear) **go through, pierce** —*a shin* E.; (intr., of bile) **penetrate** —W.PREP.PHR. *to the marrow* Pl.
4 (of persons) **pass through** —*life* E. X.; (intr.) **pass through life** E.
5 (of Herakles) **complete** —*his labours* E.; (perh.intr.) **arrive at one's goal** A.

δια-πέρθω *vb.* | aor.1 διέπερσα | ep.aor.2 διέπραθον, inf. διαπραθέειν | ep.3sg.aor.2 mid. (w.pass.sens.) διεπράθετο | **sack, lay waste** —*a city* Hom. Pi.*fr.* Theoc. ‖ MID. (of a city) **be sacked** Od.

δι-απέρχομαι *mid.vb.* | aor.2 διαπῆλθον | (of troops) **disperse, disband** D.

δια-πετάννῡμι *vb.* **spread out** —*covers* (W.PREP.PHR. *on a bed*) Ar.

δια-πέτομαι *mid.vb.* | athem.aor. διεπτάμην, ptcpl. διαπτάμενος | aor.2 ptcpl. διαπτόμενος | also athem.aor.act. διέπτην | **1** (of goddesses) **fly through the air** Hom.; (of an owl) **fly through** (a fleet) Plu. —W.ACC. *an army* Ar.; (of a goddess) —w. διά + GEN. *the air and the city of the birds* Ar.; (fig., of time) **fly ahead, speed on** E.
2 (of an arrow) **fly through** (armour) Il.(tm.); (of Zeus' thunderbolt) —W.GEN. *a person* E.; (of a soul, compared to lightning) **fly out through** —W.GEN. *the body* (compared to a cloud) Plu.
3 (of a ship) **speed through** —W.ACC. *the Clashing Rocks* E.
4 (of pieces of knowledge) **fly this way and that** Pl.; (of living things, the soul) **fly off in different directions, be dispersed** Emp. Pl.; (of high expectations) **fly away, disappear** Pl.

δια-πεύθομαι *mid.vb.* [reltd. πυνθάνομαι] **inquire** (about sthg.) A.

δια-πήγνῡμι *vb.* **stick** (W.ACC. a javelin) **through** —w. διά + GEN. *one's side* Antipho

δια-πηδάω *contr.vb.* (of a person, horse, hare) **leap across** —*a ditch* Ar. X. Plu.; (intr., of a horse) **take a leap** X.; (fig., of a person) —W.PREP.PHRS. *fr. a court and its sentence, to the Assembly* D.

δια-πῑαίνομαι *pass.vb.* (of sheep) **grow fat** Theoc.
δια-πίμπλημι *vb.* **1** ‖ PASS. (of an island) **be filled** —W.GEN. w. *captives* Th.
2 ‖ PASS. (of a person) **have one's fill, have enough** —W.GEN. *of someone* And.

δια-πίμπρημι *vb.* **destroy by burning, burn** —*ships* Plb.
δια-πίνω *vb.* **carry on drinking** Hdt. Pl.
δια-πιπράσκω *vb.* **sell off, auction** —*property* Plu.
δια-πίπτω *vb.* **1** (of soldiers) **slip through** (usu. the enemy) X. Men. Plb. Plu. —w. διά + GEN. *through the enemy* X. Plb.
2 (of water) **make a way through** —w. εἰς + ACC. *onto someone's land* D.; (of news) **spread quickly** —w. εἰς + ACC. *to an army* Plu.
3 (of a period of time) **intervene, elapse** Arist.
4 (of a corpse) **decompose** Pl.; (hyperbol., of a person) **fall apart** Ar.
5 (of a person) **fail** Plb. —W.GEN. *in an undertaking* Plb.; **miss** —W.GEN. *the right moment* Plb.; (of a slander, an undertaking, an expectation) **fall through, come to nothing** (sts. W.DAT. *for someone*) Aeschin. Plb.

δια-πιστεύω *vb.* **1 entrust** —*persons, government, or sim.* (W.DAT. *to someone*) Aeschin. Plb. Plu. —*a danger* (*to one's own judgement, i.e. trust one's judgement over it*) Plu. ‖ PASS. **be entrusted** (w. a city) Plu.
2 completely trust —W.DAT. *someone* D. —(W.PREP.PHR. *over sthg.*) Aeschin. ‖ PASS. **be completely trusted** D.

δι-απιστέω *contr.vb.* **be thoroughly mistrustful** —W.DAT. *of someone or sthg.* D. Arist. Plb.; (intr., act. and mid.) Plb.

δια-πλάττω *Att.vb.* [πλάσσω] **mould, shape** —*loaves* Plu. ‖ PASS. (of a terracotta statue) **be modelled** Plu.

δια-πλατύνω *vb.* (of a type of food) **broaden out, fatten** —*the body* X.

δια-πλέκω *vb.* | aor.2 pass. διεπλάκην | **1 intertwine** (strands of pliable material); **plait, braid** —*strips of bark* Hdt. ‖ PASS. (of the soul) **be interwoven** (in the fabric of the cosmos) Pl.
2 create (sthg.) **by plaiting or twining; weave together, plait** —*sandals* (*of wickerwork*) hHom. —*the neck of a fishing-creel* (W.PREDIC.ADJ. *in bifurcated form*) Pl.
3 (fig., of Athena, ref. to her invention of music for the aulos) **weave into melody** —*the Gorgons' laments* Pi.
4 (fig.) **weave the fabric of life**; (of Spartan women, instead of working wool) **weave** (for themselves) —*a particular kind of life* Pl.; (of persons) **weave to the end** —*one's days, one's life* (W.NOM.ADJ. or ADV. *without tears, successfully*) Alcm. Hdt.; (of a patron deity) —*a happy life* (W.DAT. *for persons*) Pi.; (intr.) **live out one's life** Ar.
5 (pejor.) **weave, devise, contrive** —*ruin* (*for oneself*) Pi.
6 (of soldiers) **entangle, force in on one another** (opp. force apart) —*enemy troops* Plu.

δια-πλέω *contr.vb.* —also **διαπλώω** *Ion.vb.* [πλέω¹] **1** (of persons, ships) **sail across** (a stretch of water, freq. W.DAT. or PREP.PHR. *to a person or place*) Th. Ar. X. Att.orats. Call. + —W.ACC. *a sea, strait* Th. AR. NT. Plu.

2 sail through (a strait, a gap betw. ships) Th. Plb.
3 (fig.) **voyage through** —*life* Pl.

διά-πλεως ᾱ ων *Att.adj.* [πλέως] **1** (of a bird) **completely full** (W.GEN. of fat) Plu.
2 (of a person) **sated** (W.GEN. w. food and drink) Plu.
3 (fig., of a person, city) **brim-full** (W.GEN. of vanity, troubles) Plu.

δια-πληκτίζομαι *mid.vb.* **1** (of troops) **exchange blows** —W.DAT. *w. the enemy* Plu.; **engage the enemy** —W.DAT. *w. skirmishes* Plu.
2 (of a person) **brawl** —W.DAT. *w. prostitutes* Plu.; **spar** (w. one's drinking companions) —W.DAT. *w. jesis* Plu.

δια-πλήσσω *vb.* **break into pieces, split** —*ocks* Il.

δια-πλίσσομαι *mid.vb.* | *pf.ptcpl.* διαπεπλιγμένος | **stand or walk with the legs apart** || PF.PTCPL.ADJ. (of a person) perh., **swaggering** Archil.

διά-πλοος ον *adj.* [πλόος] (of crews) **sailing back and forth** A.
—**διάπλους** ου *Att.m.* **1 voyage across** (to an island), **crossing** Th.
2 overseas naval expedition Th.
3 place for sailing through, passage, channel (W.DAT. for two ships) Th.
4 connecting channel (betw. canals) Pl.

διαπλώω *Ion.vb.*: see διαπλέω

δια-πνέω *contr.vb.* **1** (of elephants) **breathe through** (their trunks) Plb.
2 (of persons) **breathe after an interval, recover one's breath** Plb. Plu.; (fig., of a people) **recover** —w. ἐκ + GEN. *fr. a crisis* Plb.
3 || PASS. (of drooping plants, in neg.phr.) **be blown through** —W.DAT. *by breezes* X.
4 || PASS. (of a dead body) **be dissipated or dissolved** Pl.

δι-αποθνήσκω *vb.* (of troops) **die to the last man** Plb.

δια-ποικίλλω *vb.* **1 decorate, embellish** —*shields* (w. *gold and silver*) Plu. —*a city* (W.DAT. *w. works of art*) Plu.; (of poets) —*their poetry* (w. *verbal artifices*) Isoc. || PASS. (of a Roman author's writings) **be embellished** —W.DAT. *w. Greek sentiments and stories* Plu.
2 || PASS. (of different forms of government) **be created by elaboration and combination** (fr. two basic forms) Pl.; (of distinctions betw. notions of justice) **be elaborately or confusingly formulated** Pl.
3 (pejor., of a commander) **ornament** —*his military conduct* (W.DAT. *w. deceptions*) Plu.; (intr.) **be shifty or crafty** Plu.

δια-ποίκιλος ον *adj.* [ποικίλος] (of a song) **elaborate, intricate** Scol.

δια-πολεμέω *contr.vb.* **1 fight a war** (freq. W.DAT. or πρός + ACC. against someone) Th. Pl. Plb. Plu. —W.COGN.ACC. *a war* Pl. || PASS. (of a war) **be fought** Plu.
2 (gener.) **fight it out** —W.DAT. *w. an adversary* X.
3 fight a war to its end, end a war (usu. by winning it) Hdt. Th. Plu. || PASS. (of a war) **be brought to a successful end** Plu. || IMPERS.FUT.PASS. **the war will be over and won** Th.

διαπολέμησις εως *f.* **ending of a war** (by victory) Th.

δια-πολιορκέω *contr.vb.* (of attacking troops) **see a siege through to the end** Th.

δια-πολιτεύομαι *mid.vb.* (of persons) **be political rivals** Aeschin.

διαπομπή ῆς *f.* [διαπέμπω] **sending round** (of envoys, w. πρός + ACC. to cities) Th.

δια-πονέω *contr.vb.* **1** (act. and mid.) **work hard** Isoc. Pl. X. Arist. —W.ACC. *at sthg.* Isoc. Pl. X. Arist. Plb. Plu. —W.PREP.PHR. Pl. Arist. —W.INF. *to do sthg.* X.
2 (act.) **cause to work hard, exercise, train** —*oneself, one's body, voice, persons, their bodies* X. Plu. || PASS. **be trained** —W.ACC. *in sthg.* Pl. Plu. —W.PREP.PHR. Isoc.; **be inured to hardships** —W.DAT. *in one's body* Plu.
3 (of a poet) **be elaborate** —W.DAT. *in expression* Arist.
|| PASS. (of a style of speech) **be finished or polished** Plu.
4 work, cultivate —*land* Plb. || PASS. (of a plain) **be worked on or landscaped** Pl.
5 || PASS. (of a household) **be diligently managed** A.
6 || PF.PASS.PTCPL.ADJ. (of buildings) **carefully constructed** X.; (of food) **elaborately prepared** Plu.
7 || PASS. (of persons) **be worried or troubled** NT.

—**διαπεπονημένως** *pf.pass.ptcpl.adv.* **in a polished** or **elaborate style** —*ref. to speaking* Isoc.

διαπονήματα των *n.pl.* **hard work** (by builders, soldiers) Pl.

διά-πονος ον *adj.* [πόνος] (of soldiers, their bodies) **used to hard work, hardened** Plu.

—**διαπόνως** *adv.* **laboriously, with difficulty** —*ref. to learning* Plu.

δια-πόντιος ον *adj.* **1** (of a land, war, campaign, danger) **across the sea, overseas** A. Th. X. Plb. Plu.
2 (quasi-advbl., of a person sailing) **across the sea** Theoc.; (of a person commanding troops) **overseas** Plu.

διαπορείᾱ ᾱς *f.* [διαπορεύομαι] **protracted course** (W.GEN. of an argument) Pl.

δια-πορεύομαι *mid.vb.* | *aor.pass.* (w.mid.sens.) διεπορεύθην | **1** (of persons, troops, animals) **go along, proceed, travel, march** (sts. W.ADV. or PREP.PHR. to a place) Th. Isoc. Pl. X. Plb. +
2 travel along —*a road* Pl. Plu. —*a straight line* Arist.
3 travel through —*a region, pass, or sim.* Th. X. Plb. Plu. —*cities* Plb. NT. —w. διά + GEN. *a place* Plb. NT.; (fig.) —W.ACC. *life* Pl.; (of a spear) **pass through** —w. διά + GEN. *two men at once* Plu.
4 travel across —*the Isthmos* Plb.; (of offerings) **go or be taken across** —W.PREP.PHR. *to an island* Hdt.
5 get through to the end (of a philosophical inquiry) Pl.
6 go through, recount —*one's good deeds* Plb.; (of aulos-players) **go through, perform** —*pieces of music* Plb.

—**διαπορεύω** *act.vb.* **take across, transport** —*persons* (over a river) X.

δι-απορέω *contr.vb.* [ἀπορέω¹] *aor.pass.* (w.mid.sens.) διηπορήθην | **1** (act. and mid.) **be thoroughly helpless, perplexed, uncertain** or **at a loss** Pl. X. Aeschin. Plb. NT. Plu. —W.INDIR.Q. *about what to do* Pl. Plb. —W.INF. *about making a decision* X.
2 (act. and mid., usu. in philosophical ctxt.) **raise questions** or **difficulties, undertake an inquiry** Arist. —w. περί + GEN. *about sthg.* Arist. Plb. —W.INDIR.Q. *about what, whether or how sthg. is the case* Arist.; **raise a question** Pl. Arist.
|| IMPERS.PASS. **a question is raised** Arist. || PRES., AOR. PF.PASS.PTCPL.SB. **question raised, subject of inquiry** Pl. Arist.

διαπόρημα ατος *n.* (philos.) **difficulty, problem, question** Arist.

διαπόρησις εως *f.* **state of uncertainty** (about what to do) Plb.

δια-πορθέω *contr.vb.* **sack, plunder** —*a city or camp* Il. Th. Plu.; **lay waste** —*a region, fortification* Th. Plu.; **plunder** —*property* Plu. || PASS. (of a person, a country's fortunes) **be utterly ruined** A. S.; (of a city or camp) **be sacked** E. Plu.

δια-πορθμεύω *vb.* **1 convey** (persons or things) **across** (a river or strait); (of ships) **ferry** (W.ACC. an army) **across** Hdt.; **provide passage across** —W.ACC. *a river* Hdt ; (of a

messenger) **take across** —*a proposal* (W.DAT. *to someone*) Hdt.
2 (of persons) **go by ferry across** —*a river* Hdt.
3 (fig., of the spiritual realm) **ferry back and forth** —*messages* (*betw. gods and men*) Pl.

δι-αποστέλλω *vb.* **send off, despatch** —*couriers, money* D. Plb. ‖ PASS. (of a person, letter) **be despatched** Plb.

διαποστολαί ῶν *f.pl.* **despatches** (of intermediaries), **diplomatic communications** Plb.

δια-πραγματεύομαι *mid.vb.* **1 occupy oneself with** —*an argument* Pl. —*the cause of sthg.* Pl.
2 earn (W.ACC. *sthg.*) **by trading** NT.

διάπραξις εως *f.* [διαπράσσω] **accomplishment, success** (in politics) Pl.

διάπρᾱσις εως *f.* [διαπιπράσκω] **sale, auction** (W.GEN. of confiscated property) Plu.

δια-πράσσω, Att. **διαπράττω**, Ion. **διαπρήσσω** *vb.* **1** (of persons, horses, a ship) **make, accomplish** —*a journey* Hom. hHom. Thgn.; (of soldiers, horses) **make one's way** —W.GEN. *over a plain* Il.
2 pass, spend —*days* (W.PTCPL. *fighting*) Il.
3 get through, finish —W.PTCPL. *recounting one's troubles* Od.
4 do, perform, carry out —*a task, activity, or sim.* (sts. W.DAT. *for someone*) Hdt. Ar. X. Plb.; (mid.) Hdt. Th. Ar. Att.orats. Pl. + ‖ PASS. (of things) **be done or accomplished** A. Att.orats. X. +
5 contrive, arrange —W.ACC. + INF. *for someone to do sthg., sthg. to happen* X. —W.COMPL.CL. *that sthg. shd. happen* X.; (mid.) —W.INF. or ACC. + INF. (freq. w. ὥστε) *to do sthg., that sthg. shd. be done* Att.orats. Pl. + —W. ὥστε + AOR.INDIC. *that sthg. was done* X.
6 (intr.) **carry through an act, take action** A. Hdt.; **get things done, be successful** Ar. ‖ MID. **complete one's business, accomplish one's aims** Hdt. Ar. Pl.
7 ‖ MID. **have dealings** (w. others); **transact business** —w. διά + GEN. *through interpreters* Hdt. —w. πρός + ACC. *w. a city* Pl.; **negotiate** Th. —w. πρός + ACC. *w. someone* (sts. w. περί + GEN. *about sthg.*) Isoc. X. —W.ACC. *friendly relations* (w. πρός + ACC. *w. someone*) X.; **arrange by negotiation** —w. μή + INF. *not to do sthg.* X.
8 ‖ MID. **achieve for oneself, exact, obtain** —*sthg.* (w. παρά + GEN. *fr. someone*) Lys. X.
9 ‖ MID. **put an end to, finish** —*a war* Plu. ‖ PASS. (of a war) **be ended** Plu.
10 ‖ PASS. (of persons or things) **be done for, destroyed, killed or ruined** Trag. Plu.

διαπρεπής ές *adj.* [διαπρέπω] **1** (of white horses) **clearly visible, standing out, conspicuous** (W.PREP.PHR. *at night*) E.; (of a comet) Plu.; (of a person, W.DAT. *by his armour*) Plu.
2 (of persons) **conspicuous, readily seen** (W.COMPL.CL. *as being inferior to others in courage*) E.
3 (of persons) **eminent, distinguished** X. Plu.; **outstanding** (W.PREP.PHR. *in war*) Plu.; **pre-eminent** (W.GEN. *among men*, W.DAT. *in courage*) E.; (of an island) **illustrious** Pi.; (of valour, honours) **exceptional** Th. Plu. ‖ NEUT.SB. **spectacular performance** (at the Olympic games) Th.

—**διαπρεπῶς** *adv.* **conspicuously, magnificently** —*ref. to being clothed, decorated, honoured* Plu.; **outstandingly, with distinction** —*ref. to fighting* Plu.

—**διαπρεπέστατα** *neut.pl.superl.adv.* **most impressively** (W.GEN. *compared w. other people, i.e. very much more impressively than them*) D. Plb.

δια-πρέπω *vb.* **1** (of tracks) **be clearly visible, stand out** hHom. ‖ PTCPL.ADJ. (of a helmet crest) **conspicuous** Plu.; (of evil) **for all to see, unmistakable** A.
2 (of a person) **be conspicuous** (in comparison w. others); **stand out** —W.GEN. *fr. everyone* (i.e. surpass them, W.DAT. *in cowardice*) E.; (of Aphrodite) **be pre-eminent** —w. ἐν + DAT. *among the Graces* Mosch.; (of gold) —W.PREP.PHR. *beyond other wealth* Pi.
3 (of an art) **be eminently suited** —W.PTCPL. *to being given a particular name* Pl.

διαπρεσβεῖαι ῶν *f.pl.* [διαπρεσβεύομαι] **sending around of ambassadors, diplomatic negotiations** Plb.

δια-πρεσβεύομαι *mid.vb.* **1 send around ambassadors** —w. εἰς + ACC. *to cities* X.
2 send ambassadors (freq. w. πρός + ACC. *to someone, sts.* w. περί or ὑπέρ + GEN. *to negotiate sthg.*) Plb. Plu.

διαπρήσσω *Ion.vb.*: see διαπράσσω

δια-πρίομαι *pass.vb.* **1** (of spears, persons) **be sawn in two** Ar. Pl.
2 (fig., of a person) **be cut to the quick, be infuriated** NT.

διά-προ (or **διαπρό**, also sts. written **διὰ πρό**) *adv. and prep.* **1** (ref. to weapons passing) **straight through** Hom. —W.GEN. *armour, a part of the body* Il. Theoc.
2 (ref. to travelling by ship) **straight through** (a river-mouth) AR.; (ref. to a person vanishing) **right out** —W.GEN. *of a house* E.
3 (ref. to a skin being stretched) **to the full extent, thoroughly** Il.
4 (ref. to bringing up someone) **right through** (childhood) hHom.

δια-προστατεύω *vb.* app. **preside** (over an assembly) Plb.

διαπρύσιος ᾱ (Ion. η) ον (also ος ον) *adj.* [prob. διάπρο]
1 going straight through; (of shouts, noises) **piercing** hHom. S. E. Call.
2 (of a region) **far-stretching, extensive** Pi.
3 (of a plunderer) perh., **able to penetrate anywhere, through and through, thorough-going** hHom.

—**διαπρύσιον** *neut.adv.* **1 with penetrating voice** or **piercing cry** —*ref. to shouting* Il. AR.
2 shrilly or **loudly** —*ref. to playing the lyre* hHom.
3 all the way across —*ref. to a hill extending over a plain* Il.

δια-πτοέω, ep. **διαπτοιέω** *contr.vb.* **1** (of persons) **startle and scatter, scare away** —*persons, animals* Od. AR.; (of a commander, fear) **spread panic through** —*an army* E. Plu. ‖ PASS. (of persons, horses) **be panic-stricken** Pl. Plb. Plu.
2 ‖ PASS. (of persons) **be excited** —W.DAT. *w. enthusiasm for sthg.* Plu.

διαπτόησις εως *f.* **excitement** (W.GEN. *caused by sexual feelings*) Pl.

δια-πτύσσω, Att. **διαπτύττω** *vb.* **unfold** (the leaves of a writing-tablet, to reveal the writing inside); (fig.) **open up, examine closely** —*a situation* E. ‖ PASS. (of writings) **be unfolded or laid open for examination** Pl.; (fig., of persons) **be laid open** (to scrutiny) S.

διαπτυχαί ῶν *f.pl.* **folding leaves** (W.GEN. *of a writing-tablet, a letter*) E.

διαπτυχής ές *adj.* (of a pig's head, served to diners) **split open** Philox.Leuc.

δια-πτύω *vb.* (fig.) **spit upon, show contempt for** —*persons* D.

διάπτωμα ατος *n.* [διαπίπτω] **slip, error** (of an author, a copyist) Plb.

δια-πυκτεύω *vb.* **use one's fists** (W.DAT. *against many people*) **to get through** (a crowd) X.

δια-πυνθάνομαι *mid.vb.* **1 seek information, make inquiries** (sts. W.GEN. or παρά + GEN. fr. someone) Pl. Plu. —W.ACC. *about someone or sthg.* Pl. X. Plu. —W. περί + GEN. Plu. —W.INDIR.Q. *about what* (*or whether sthg.*) *is the case* Pl. Plu.
2 learn, find out —W.COMPL.CL. *that sthg. is the case* Plu.
διά-πυρος, dial. **ζάπυρος** (A.), ον *adj.* [πῦρ] **1** (of things) having the properties of fire, **red-hot** or **very hot** E.*Cyc.* Pl. X. Plu.; (of lightning flashes) **fiery** A. ǁ NEUT.PL.SB. **embers** Pl.
2 (fig., of persons, their natures) **fiery, ardent** Pl. Men. Plu.; (of passion, hatred) Plu.
δια-πυρόω *contr.vb.* **burn down** —*a city* E.*Cyc.* ǁ PASS. (fig., of a person) **be fired up** (for war) Plu.
δια-πυρπαλαμάω *contr.vb.* [πυρπάλαμος] app. **complete an act of deception** hHom.
δια-πυρσεύω *vb.* **1** ǁ MID. **communicate by fire-signals** Plb.
2 (fig., of a city, envisaged as a beacon-tower) **broadcast** —*sthg.* (w. εἰς + ACC. *to the whole world*) Plu.
δια-πωλέω *contr.vb.* **sell off, auction** —*sthg.* X. Plu.
δια-πωτάομαι *mid.contr.vb.* [ποτάομαι] (of a person's voice) **fly abroad, be carried on the winds** S.
δι-αράσσω *vb.* | ep.aor. (tm.) διά ... ἄραξα | (of a spearman) **strike through** —W.GEN. *flesh* Hes.
διαρήσσω *vb.*: see διαρρήγνυμι
δι-αρθρόω *contr.vb.* **1 construct as a fully articulated whole**; (of a god) **put together** —*chests* (*in prototype humans*) Pl. ǁ PF.PASS.PTCPL.ADJ. (of a person, horse) **well-formed, clean-limbed** Pl.
2 complete in detail —*what exists only in outline* Arist. ǁ PASS. (of features of a constitution) **be fully developed** Arist.
3 give shape and clarity to —*indistinct and lisping speech* Plu. ǁ MID. (of early humans) **express distinctly, articulate** —*speech and words* Pl.
4 articulate, explain distinctly —*an argument* Arist.; (intr.) **give a precise explanation** or **description** Pl. Arist. ǁ PASS. (of things) **be precisely explained or described** Pl. Arist.
διάρθρωσις εως *f.* **articulation, suppleness** (of the body) Plu.
δι-αριθμέω *contr.vb.* **1 count apart** (by sorting into separate groups), **count out** —*votes* E. Pl.(mid.) Arist. —*money* Ar.
2 (of a god) **class separately, distinguish** —*nobody* E. ǁ MID. **enumerate separately, list in separate categories** —*good and bad things, day and night, people's characters* Pl.; (intr.) **enumerate and classify, make separate lists** Pl. Arist.; (of the science of cookery, in neg.phr.) **make distinctions** (betw. pleasures) Pl. ǁ PASS. (of persons) **be counted or classified** —W.PREDIC.SB. *as such and such* Aeschin.
3 count through, add up —*a total number of votes* Plu.; (intr.) **make a count** Arist. ǁ PASS. (of corpses) **be counted** Plu.
διαρήσω *vb.*: see διαρρήγνυμι
δι-αρκέω *contr.vb.* **1** (of things) **be sufficient** —W.DAT. or PREP.PHR. *for someone or sthg.* Pi. X. Plu.; (of a person) **have sufficient means** Isoc.; (of land) **offer enough** —W.DAT. *for farmers* Plu.
2 (of persons) **hold out** (under siege) X.; (of a horse) **keep going** X.; (of a person, story) **survive** —W.PREP.PHR. *until a specified time* Pl. Plu.; (of a decision) **have a lasting effect** A.
διαρκής ές *adj.* **1** (of land, food, money, help) **sufficient** (in amount or duration) Th. D. Plu.
2 (of a land) **sufficiently supplied** (W.DAT. w. sources of water) Plu.

3 (of a city or military position) **capable of holding out** Plu.; (of persons, their voice, health) **sufficiently strong** (to meet demands on them) Plu.; (of a plant) **hardy** Plu.
4 (of rain) **persistent** Plu.; (of security) **lasting** Plu.
—**διαρκέστατα** *neut.pl.superl.adv.* **with amplest provision** (W.PREP.PHR. *for old age*) X.
δίαρμα ατος *n.* [διαίρω] **crossing** (of the sea) Plb
δι-αρμόζω *vb.* **1 distribute** —*prisoners* (W.ADVBL.PHR. *in various places*) E. ǁ PASS. (of a person's service to the state) **be shared** —W.PREP.PHR. *betw. military and political activity* Plu.
2 ǁ MID. **arrange, organise** —*a strategy, city* Plb. Plu.; (intr.) **make arrangements** Plu. ǁ PASS. (of persons) **be equipped** —W.PREP.PHR. *in a certain way* Plb.; (of the human body) —W.DAT. w. *organs of speech* Plu.
δι-αρόω *contr.vb.* **plough thoroughly** —*a field* AR.(tm.)
διαρπαγή ῆς *f.* [διαρπάζω] **plundering, looting** Hdt. Plb. Plu.
δι-αρπάζω *vb.* | fut. διαρπάσομαι | **1** (of wolves) **tear apart, savage** —*lambs, flocks* Il. Pl.; (fig., of a disputant, compared to a wild animal) —*his interlocutors* Pl. ǁ PASS. (of persons) **be savaged** —W.PREP.PHR. *by wild animals* Pl.
2 (of wind) **carry off, scatter** —*scent-tracks* X.
3 (usu. of troops) **carry off as plunder, loot** —*property, cattle, or sim.* Hdt. Th. Isoc. X. + ǁ PASS. (of property) **be looted** Th. X. +
4 plunder, pillage, sack, loot —*a city, oracle, house, or sim.* Hdt. E. Th. X. + ǁ PASS. (of places) **be plundered or looted** Lys. X. +; (of a country) **be ravaged** —W.PREP.PHR. *by a war* D.
5 (of persons, in civic ctxts.) **pillage, steal, embezzle** —*money, property* Lys. D. ǁ PASS. (of property) **be stolen** Lys.
6 (of weeds, drones) **steal** —*the nourishment of crops and worker bees* X.
δια-ρραίνομαι *pass.vb.* [ῥαίνω] (of jets of water) **be sprinkled this way and that** —W.PREP.PHR. *fr. a river god's beard* S.
δια-ρραίω *vb.* [ῥαίω] | fut.pass.inf. διαρραίσεσθαι | **1 dash to pieces**; (of troops) **smash, shatter, destroy** —*the enemy, a city* Il.; (of the events of a night) —*an army* Il.; (of storm-winds, the sea) —*a ship, person* Od. AR.; (of hounds) **tear apart** —*a boar* Il.
2 (gener., of persons, calamities) **destroy** —*a person, house* Od. Tim.(mid.) ǁ PASS. (of persons) **be killed** Il. A. AR.
δια-ρρέω *contr.vb.* [ῥέω] | aor.2 pass. (w.act.sens.) διερρύην | pf. διερρύηκα | **1** (of a river) **flow through** —W.ACC. or διά + GEN. *a region* Hdt. Isoc. X. Plb.
2 (usu. aor.2 pass., of persons) **slip away, disperse** Plb. Plu.; (of money) **slip through one's fingers** D.
3 (fig., of a person, in a thick cloak) **melt away** (through overheating) Ar.; (of the moon) **fade away, wane** S.*fr.*; (of gratitude) **die away** S.; (aor.2 pass., of a rumour) Plu.
4 (fig., of persons) **be dissipated** or **enervated** —w. ὑπό + GEN. *through wealth and luxury* Plu.
5 ǁ PF.PTCPL.ADJ. (of lips) **sagging loosely apart** Ar.
δια-ρρήγνυμι *vb.* [ῥήγνυμι] | pf. διέρρωγα | fut.pass. διαρραγήσομαι | —also (pres. and impf.) **διαρ(ρ)ήσσω** (Lyr.adesp. NT.) **1 break through, crack open** —*a skull* Hdt.; (of Zeus, w. a thunderbolt; of a river) —*rocks* Lyr.adesp. Plb. ǁ MID. (of a warrior) **break through** —*battlements* Il.(tm.) ǁ PASS. (of a ship) **be smashed to pieces** Plu.
2 break in two, snap, break —*lyre-strings, bonds* P.. NT.; (of a horse) —*a bit* Thgn. ǁ STATV.PF. (of lyre-strings) **be broken** Pl. ǁ PASS. (of a rope) **break, snap** Men.; (fig., of laws, compared to spiders' webs) **be broken or brushed aside** Plu.
3 pierce —*one's side* (W.DAT. w. *a sword*) S.

4 tear, rend —*one's clothes* NT.
5 ‖ PASS. (of a net, full of fish) **break, burst** NT.; (hyperbol., of persons) **burst** (fr. overeating, constipation) Ar. X.; (fr. an excess of effort or emotion) Ar. D. Men.; (2sg.aor.opt., in imprecations) διαρραγείης *may you burst!, blast you!* Ar.

διαρρήδην *adv.* [διείρω²] **1 in detail** —*ref. to questioning* hHom.
2 expressly, explicitly —*ref. to making a statement* Att.orats. Pl. Men. Plb. Plu.

διάρρησις εως *f.* **definitive treatment** (of a topic) Pl.

διαρρίμματα των *n.pl.* [διαρρίπτω] **leaping about** (of hounds) E.

δια-ρρῑνάομαι *pass.contr.vb.* [ῥίνη] (of the lid of a jar) **be perforated** Arist.

δια-ρρίπτω *vb.* —also **διαρριπτέω** *contr.vb.* [ῥίπτω] **1 shoot** (w.ACC. an arrow) **through** (an aperture) Od.
2 throw here and there, scatter about —*writing-tablets, notices or letters* Ar. Plu. —*memorials of oneself* (*in a conquered country*) Plu. ‖ PASS. (of writings) be scattered about Plu.
3 scatter about (for distribution), **scatter** —*nuts, food, or sim.* (sts. W.DAT. *to people*) Ar. X. Plu.; (fig. and pejor., ref. to over-generosity or bribery) **throw** —*money* (W.DAT. *at people*) Plb. Plu.; **throw away, waste** —*valuable objects* (W.DAT. *on people*) Plu.
4 throw about (destructively); (of persons) **scatter** —*furniture, baggage, bones* X. Aeschin. Plu.; (of persons, a wind) —*offerings* (fr. an altar) X. Plu.
5 (of the Greeks, at Troy) **throw away, waste** —*ten years* (*in fighting*) Isoc.
6 move (sthg.) this way and that; (of dogs) **wag** —*their tails* X.; (intr., of a hare) **leap about** X.
7 take apart or cast down, demolish —*a wall* Plb.
8 make separate ‖ PASS. (of government) **be fragmented** —W.PREP.PHR. *among individual cities* Plu.; (of beauty and justice, as concepts) be torn apart or separated (fr. each other) Pl.

—**διερρῑμμένος** η ον *pf.pass.ptcpl.adj.* **1** (of an animal's limbs) **severed** or **scattered** Plb.
2 (of hair) **dishevelled** Plb.
3 (of a narrative, citations) **disconnected, fragmented, piecemeal** Plb.

—**διερρῑμμένως** *pf.pass.ptcpl.adv.* **by scattered allusions, piecemeal** —*ref. to treating a subject* Plb.

διαρρῐφά ᾶς *dial.f.* **flinging about** (W.GEN. of hands and feet, in a dance) Pratin.

διάρρῐψις εως *f.* **scattering, distribution** (of another's possessions) X.; **throwing aside** (of sacrificial offerings) Plu.

διαρροή ῆς *f.* [διαρρέω] **channel** (W.GEN. for breath, ref. to the windpipe) E.

δια-ρροθέω *contr.vb.* [ῥοθέω] (of women) **spread by one's clamour** —*cowardice* A.

διάρροια ᾱς *f.* [διαρρέω] **diarrhoea** Th. Pl. Plu.

δια-ρροιζέω *contr.vb.* [ῥοιζέω] (of an arrow) **go whizzing through** —W.GEN. *a person's chest* S.

διαρρυδᾱν *dial.adv.* [διαρρέω] ‖ NEG.PHR. **with no draining away or dissolving** —*ref. to blood congealing* A.

διαρρώξ ῶγος *masc.fem.adj.* [διαρρήγνυμι] (of a cleft in a rock-face) **broken open** (W.DAT. by the constant force of waves) E.

δίαρσις εως *f.* [διαίρω] **raising** (of swords, to deliver downward-slashing strokes) Plb.

δι-αρτᾰμέω *contr.vb.* (of an eagle) **tear apart, mangle** —*the tatters of a body* (i.e. tear it to shreds) A.

δι-αρτάω *contr.vb.* (of a commander) **separate, remove** —*an army* (w. ἀπό + GEN. *fr. a place*) Plu.

δια-σαίνω *vb.* (of dogs) **make signs of delight** —W.DAT. w. *their tails* X.

δια-σαλακωνίζω *vb.* **walk in a pretentious manner, swagger, strut** Ar.

δια-σαλεύω *vb.* (of defenders, w. catapults; of a storm) **shake, destabilise** —*siege-works* Plb.

δια-σαφέω *contr.vb.* [σαφής] **1** (of the moon) **reveal clearly** —*the forms* (*of friends and enemies*) Plu. [or perh. *clearly distinguish from each other*]
2 (of persons) **clarify, elucidate, explain** —*a parable, remark* NT. Plu. ‖ PASS. (of a subject) be treated clearly, be elucidated Arist.
3 make clear, show plainly —*a fact or circumstance* Pl. Arist. Plu. —W.COMPL.CL. OR INDIR.Q. *that* (or *whether*) *sthg. is the case* Pl. —W.ACC. + PTCPL. *that sthg. is such and such* E.
4 (gener.) **explain, indicate, tell** (sts. W.DAT. to someone) —*facts or circumstances* Plb. NT. —W.ACC. + INF. or COMPL.CL. *that sthg. is the case* Plb. —W.INDIR.Q. *what is the case* Plb.; **give information** —W.PREP.PHR. *about sthg.* Plb.; **give instructions** —W.DAT. + INF. *to someone to do sthg.* Plb. ‖ PASS. (of things) be communicated or told —W.DAT. *to someone* Plb.

δια-σαφηνίζω *vb.* **make clear, explain** —*sthg.* X. Arist. —W.INDIR.Q. *why sthg. is the case* X.

διάσειστος ον *adj.* [διασείω] (of knucklebones) **shaken** or **for shaking** (by gamblers) Aeschin.

δια-σείω *vb.* **1** (of a dog) **shake, wag** —*its tail* X.; (intr., of a person) perh. **make agitated movements** —W.DAT. w. *one's hands* Arist.(quot.)
2 shake hard —*a bird-cage* Plu.; (of wind, a rock) **batter** —*siege-engines* Plu.; (of physical conditions or sensations) **shake up, disturb** —*parts of the body* Pl.
3 (of persons, circumstances) **disturb, unsettle** —*people, their thinking, a state of affairs* Hdt. D. Plb. Plu.; **alarm, intimidate** —*someone* Plb.; (specif.) **extort money by intimidation** —W.ACC. *fr. someone* NT.

δια-σέσηρα *pf.vb.* (of a madman) **grin** or **grimace** Plu.

δια-σεύομαι *mid.vb.* | only ep.3sg.aor.2 διέσσυτο, also tm. διά ... ἔσσυτο | (of persons) **rush through** or **across** AR.(tm.) —W.GEN. *a hall, ditch* Hom.; (of a goddess) —W.ACC. *an army* Il.; (of a spear-point) **pass quickly through** (a thigh) Il. —W.GEN. *the chest* Il.

δια-σημαίνω *vb.* **1 signify, indicate, point out** (by visible signs or by speech) —*persons, facts, circumstances* Hdt. X. Plu. —W.INDIR.Q. or COMPL.CL. *what* (or *that sthg.*) *is the case* X. Plu.(also mid.) —W.ACC. + PTCPL. *that sthg. is the case* Plu.
2 give a signal (that sthg. has been done) Arist. —W.INF. (*to persons*) *to do sthg.* Plu. —W.NOM.PTCPL. *that one wishes to do sthg.* Plu.
3 (in military ctxt.) **signal** (by trumpet or other means) —*an order, the time for an attack* Plb. Plu.

διά-σημος ον *adj.* [σῆμα] **1** (of sounds of lamentation) **clear, distinct** S.
2 (of a person, helmet) **conspicuous, distinctive, clearly recognisable** Plu.
3 (of a person, an achievement) **distinguished, outstanding** Plu.

Διάσια ων *n.pl.* [app.reltd. Ζεύς] **Diasia** (festival of Zeus, at Athens) Th. Ar.

δια-σίζω *vb.* **make a strong whistling** or **hissing noise**

Arist.(quot.)

δια-σιωπάω *contr.vb.* | dial.fut. διασωπάσομαι | **remain entirely silent, not speak a word** E. X. Plu. —W.ACC. *about sthg.* Pi. E.

δια-σκαίρω *vb.* (of fish) **gambol along** —*paths in the sea* AR.

δια-σκανδῑκίζω *vb.* [σκάνδῑξ] **deal in chervil** (by quoting Euripides, whose mother was alleged to be a vegetable-seller) Ar.

δια-σκάπτω *vb.* **1 dig through, breach** —*walls* Lys. Plu.; **make a breach** —W.GEN. *in a wall* Plu.
2 dig a channel across —*the Isthmus* Plu.
3 dig open, excavate —*a grave* Plu.

δια-σκαρῑφάομαι *mid.contr.vb.* [reltd. σκαρῑφησμοί] app., **scratch in outline** or **depict perfunctorily**; (fig.) perh. **dissipate** —*one's successes (opp. consolidating them)* Isoc.

δια-σκεδάννῡμι *vb.* | see also διασκίδνημι | **1 cause to separate in different directions**; (of a commander) **dismiss, disband** —*an army* Hdt. ‖ PASS. (of an army) be disbanded Hdt.; (of troops, guests) **disperse** Hdt. Men. ‖ PF.PASS.PTCPL. (of people, troops, ships) **scattered, dispersed** or **separated** (fr. each other) Hdt. X. Men.(cj.)
2 (of persons, commanders, chariots, an animal, w.connot. of force) **scatter, disperse** —*people, opposing troops, deer* Hdt. X. Plu. ‖ PASS. (of persons, troops) **be scattered** or **dispersed** (by force) Th. Plu.
3 (of the wind) **scatter** —*a heap of chaff, a boat's timbers* Od. —*clouds, ships, offerings* Sol. Th. Plu. —*the soul (when it leaves the body at death)* Pl. ‖ PASS. (of the soul, at death) be scattered Pl.
4 (of persons) **shatter, smash** —*voting-urns* Ar.; **break up** —*a wasps' nest* Ar.; (of a storm) —*a boat* Od.
5 break up, put an end to, get rid of, destroy —*a person's arrogant airs* Od. —*a person, a country and its laws, a pact* S. —*a love-affair* Men. —*accusations* Plu.

δια-σκέπτομαι *mid.vb.* | fut. διασκέψομαι | aor. διεσκεψάμην | pf.mid.pass. διέσκεμμαι | For pres. and impf. see διασκοπέω. | **1 look at inquiringly, carefully inspect** or **examine** —*someone or sthg.* Ar. Plu.; (intr.) **look carefully** E.*Cyc.*; (of deer) —w. μή + SUBJ. *to ensure that they are not being observed* X. ‖ PASS. (of places) be thoroughly inspected Ar.
2 look into (w. the mind), **carefully investigate, examine** or **consider** —*an argument, problem* Pl. X. —W.INDIR.Q. *what is the case* Pl.; (intr.) **carefully consider** (a matter) Hdt. Pl. Arist.

—**διεσκεμμένως** *pf.pass.ptcpl.adv.* **in a way which has been carefully thought out, with discernment** X.

δια-σκευάζω *vb.* **1 make ready, prepare** —*instruments of torture* Plb. ‖ MID. **make** (W.NEUT.ACC. other) **preparations** —w. ὡς ἐς + ACC. *for a voyage* Th.; (of troops) **get ready, prepare** (for battle) D. Plb. Plu. —w. (ὡς) εἰς or πρός + ACC. *for battle* X. Plb.; (of a litigant, politician) —w. πρός + ACC. *to face a jury, the populace* X. Din. ‖ PF.PASS.PTCPL.ADJ. (of troops, a city) **ready, prepared** (for battle, to face an attack) Isoc. Aeschin. Plb. Plu.; (of persons) —W.INF. *to do sthg.* Lycurg.
2 ‖ MID. **make arrangements for, dispose of** —*one's property* D.
3 invent, fabricate —*plausible arguments* Plb.; **work up, elaborate** —*brief statements of fact* Plb.
4 dress up —*persons* (w. εἰς + ACC. *in slave costumes*) Plb. ‖ PF.PASS. (of persons) **be dressed** —W.ADV. *expensively* Plb. —w. εἰς + ACC. *as certain characters* Plu.; (of elephants) **be fitted out** or **equipped** (prob. w. howdahs) Plb.; (of a region) **be furnished** —W.DAT. *w. villages and forts* Plb.

δια-σκευή ῆς *f.* **1 dress, costume, attire** Plb.
2 trappings, provisions, spread (ref. to a banquet) Plb.
3 elaboration (as a literary technique) Plb.

δια-σκευωρέομαι *mid.contr.vb.* (of new rulers) **reorganise** —*a city* Pl.

διάσκεψις εως *f.* [διασκέπτομαι] **1 investigation, examination** (of a topic) Pl.
2 deliberation (by an administrative body) Plu.

δια-σκηνέω (also **διασκηνόω** *contr.vb.* | neut.impers. vbl.adj. διασκηνητέον | **1** (of troops) **be billeted in separate places** (opp. in a single camp) X.
2 go to one's quarters (after a meal) X.

δια-σκίδνημι *vb.* | only pres. | see also διασκεδάννῡμι |
1 (of a commander) **scatter** —*enemy troops* Plu. ‖ PASS. (of persons) **be dispersed** Plu.
2 (of winds) **scatter** —*clouds, ships* Il. Hes.; **disperse** —*moisture* Hdt.
3 (of lantern-panels) **deflect** —*gusts of wind* Emp.

δια-σκιρτάω *contr.vb.* (of horses) **prance about** Plu.

δια-σκοπέω *contr.vb.* | Only pres. and impf.; for other tenses see διασκέπτομαι. | **1 look at inquiringly, carefully inspect, examine** or **keep a watch on** —*a person, one's vines* Ar. Pl. —*a situation* (W.COMPL.CL. *to ensure that sthg. does not happen*) Th.; (intr.) **look carefully** Ar. ‖ MID. **turn one's eyes** or **thoughts** —W.PREP.PHR. *towards foreign places* Th.
2 look into (w. the mind), **carefully examine, investigate** or **consider** —*an argument, a subject* Pl. X. Plu. —W.INDIR.Q. *how to do sthg., what to do, what is the case* Th. Pl. Aeschin.; (intr.) **inquire** or **think carefully** (about a matter) Th. Pl. Arist. —W.GEN. *about sthg.* (W.INDIR.Q. *how one may effect it*) Th. ‖ MID. **carefully examine** or **consider** —*a subject, question* Pl. Plu.; (intr.) **think carefully** Pl. Plu.

δια-σκοπιάομαι *mid.contr.vb.* [σκοπιά] **1 spy out** —*everything* Il.
2 identify separately, pick out, distinguish —*each person* (*in a crowd*) Il.

δια-σκορπίζω *vb.* **1** (of God) **scatter** (in flight) —*the arrogant* NT.; (of a person) **squander** —*possessions* NT. ‖ PASS. (of persons, animals, things) **be scattered** or **dispersed** Plb. NT.
2 perh. **scatter** (seed) NT. [also interpr. as *winnow grain*]

δια-σκώπτω *vb.* ‖ PASS. (of things) be said in jest X.

δια-σμάω *contr.vb.* **wipe clean** —*cups* Hdt.

δια-σμήχω *vb.* ‖ PASS. (of a person, ref. to his belly, envisaged as a hide) **be smeared** or **rubbed down** —W.DAT. *w. salt (in preparation for tanning into a wineskin)* Ar.

δια-σοφίζομαι *mid.vb.* (pejor.) **be very smart** or **subtle** Ar.

δια-σπαθάω *contr.vb.* **squander** —*wealth* Plu.

διασπαρακτός όν *adj.* [διασπαράσσω] (of a body) **torn to pieces** E.

δια-σπαράσσω *vb.* **tear to pieces** —*a chariot's harness, person's entrails* A. Ar.

διάσπασμα ατος *n.* [διασπάω] **1 gap** (in a military formation) Plu.
2 break (in one's line of sight) Plu.

διασπασμός οῦ *m.* **1 gap, rift** (in the air) Plu.
2 (in military ctxt.) **breaking of formation** Plu.; (wkr.sens.) **separation, orderly, loose order** (of troops) Plu.
3 divided state (of a country, ref. to civic turmoil) Plu.

δια-σπάω *contr.vb.* **1** (act. and mid., of persons, animals, a storm-wind) **tear apart** —*persons, their insides, or sim.* Hdt. E.(sts.tm.) Ar. Plu.; (hyperbol., of political opponents) —*a person* D.; (act.) **tear off** —*a person's limbs* Plb. ‖ PASS. (of a person) **be torn apart** Isoc. Plu.; (of the soul, on death) Pl.;

(fig., of a person) —w.PREP.PHR. *by a political opponent* D.
2 tear down, break through or **break up** —*a stockade, bridge, floor,* or *sim.* X. Plb. Plu.; **break, snap** —*fetters (fig.ref. to legal restraints)* D.; (of a horse) —*a halter* X. ‖ PASS. (of a stockade, bridge) be torn down Plb.; (of chains) be broken NT.
3 (fig.) **tear apart, wreck, ruin** —*a household* E.fr. —*a kingdom* Plb.(mid.); **divide, fragment** (opp. unite) —*a city* Pl.; **break up, dissolve** —*a political league* Plb.; (gener.) **subvert** —*laws, a constitution* X. D. ‖ PASS. (of a populace) be divided (into factions) Hdt.
4 (in military ctxt., of troops) **pull apart** (so as to create a gap), **break up, breach** —*an enemy's formation* Plb.; (of a manoeuvre) **break up** —*one's own formation* Arist. ‖ PASS. (of a military formation) be pulled apart or broken up (so as to leave gaps) Th. X. Plb. Plu. ‖ PF.PASS. (usu. PTCPL.) (of troops, ships) be out of formation, be split up or separated Th. X. Plb. Plu.
5 (of a commander) **separate** —*his army and navy* Hdt.; **detach** —*a body of troops* (w. ἀπό + GEN. *fr. an army*) X.; (intr.) **divide one's forces** (as a tactic) X. ‖ PASS. (of troops) be divided (into two detachments) X.; become separated or detached (fr. each other or the main force) X.; (of a country's military forces) be scattered or dispersed X. Plb.
6 (in non-military ctxts.) **separate** —*a husband and wife* X. —*animals* (w. ἀπό + GEN. *fr. each other*) X.; **dissociate** —*rhythm* (w. χωρίς + GEN. *fr. melody*) Pl.; (intr., of elements in a person's nature) **pull in different directions** Arist. ‖ PASS. (of persons) be separated —w. ἀπό + GEN. *fr. their friends* Arist.
7 separate into parts, divide —*elements in a person's nature* Arist.; (of a historian) **split up, fragment** —*a narrative* Plb. ‖ PASS. (of things) be split up, separated or divided Pl. Arist.

δια-σπείρω vb. **1 scatter** (like seed) in different directions; **scatter** —*coins* (w.DAT. *to people*) Hdt. —*ashes* (w. εἰς + ACC. *into the sea*) Plu.; **shower** —*flaming arrows (at buildings)* Plu.; (pejor.) **make free with** —*one's wealth* S. ‖ PASS. (of gall, blood, a skull) be spattered about S.; (of things) be scattered about or showered down Plu.
2 place in different locations; **disperse** —*people (to live in separate quarters)* Hdt. ‖ PASS. (of persons, troops, ships, horses, things) disperse, scatter, or become dispersed or scattered Th. Isoc. Pl. X. Arist. +; (of the horses of a fallen charioteer) run out of control S.; (of a river) be spread out —w.PREP.PHR. *into marshes and lakes* Plu.; (of an apparition, heat) become dispersed (and so disappear) Plu.; (of heat, fr. the body) Plu.
3 spread, disseminate, publicise —*a report or sim.* Isoc. X. Plu. ‖ PASS. (of reports) be spread Lys. Isoc. Arist. Plu.
4 distribute —*things (among different recipients)* Pl. ‖ PASS. (of things) be distributed Pl.

δια-σπεύδω vb. **make an urgent appeal** (for sthg.) Plb. —w. πρός + ACC. *to someone* (w. INF. *for sthg. to be done*) Plb.

δια-σπλεκόομαι pass.contr.vb. (fig., of an old woman) **be shagged to pieces** (w.connot. of being worn out) —w.PREP.PHR. *by thirteen thousand years* Ar.

δια-σποδέω contr.vb. **fuck hard, bang** —*a woman* Ar.

διασπορά ᾶς f. [διασπείρω] **1 scattering** (w.GEN. of a person's ashes) Plu.
2 dispersion of a people; (collectv., ref. to Jews) **people dispersed** (w.GEN. *among the Gentiles*) NT.

δια-σπουδάζομαι mid.vb. **be very eager** —w.ACC. + μή and INF. *that someone shd. not do sthg.* D. ‖ PASS. (of rules) be carefully formulated D.; (of a contingency) be the object of careful attention D.

δι-άσσω, Att. **διάττω**, dial. **διαΐσσω** vb. | dial.impf. διᾴσσον (B.) | aor. διῇξα, dial. διήϊξα | **1** (of persons, flames, news, noises) **dart through** (places or people) B. E. X. Plu.; (of a goddess, a sound) —w.ACC. *a place* A. S.; (of a spasm of pain) —w.GEN. *a person's sides* S.; (of a clamour) —*the populace* Plu.
2 (of a hare, a weasel) **dart across** (one's field of vision), **dart past** Hdt. Ar.; (of a star) **shoot across** (the sky) Plu. ‖ PTCPL.ADJ. (of stars) shooting Plu.
3 (of hounds) **dart along** —w. διά + GEN. *on a trail* X.

διασταδόν adv. [διίστημι] **standing apart, separately** AR.; **standing at intervals** (w.DAT. *to one another*) AR.

δια-σταθμάομαι mid.contr.vb. (of a god) **set in regular order** —*human life* (w. ἐκ + GEN. *after its confused and bestial beginnings*) E.

δια-στασιάζω vb. **1 incite to civil conflict** —*people, cities* Arist. Plu.
2 (intr., of people) **engage in civil conflict** Arist. Plb.
3 (gener., of people) **be at variance, disagree** Plu. —w. πρός + ACC. *w. one another* Plb.

διάστασις εως f. [διίστημι] **1 forcing apart, separation** (w.GEN. of mountains, by an earthquake) Hdt.; **fracture** (in a statue) Plu.
2 setting at variance (w.DAT. + PREP.PHR. of the young, against the old) Th.; **cause of conflict** or **discord** (in a city) Arist. Plu.; **conflict, discord** (betw. people or classes) Pl. Arist.
3 divorce (of a husband and wife) Plu.
4 contrast, differentiation (betw. two types of person) Pl.
5 spacing apart, interval (in a harmonic progression) Pl.; **distance apart, gap, interval** (betw. people or places) Plb.
6 distance, disparity, difference (betw. two people, in terms of temperament, attainments) Arist.
7 spatial extension (of a material body) Arist.

διαστατικός ή όν adj. (of speeches) **creating discord, divisive** Plu.

δια-σταυρόομαι mid.contr.vb. **build a palisade across** —*an isthmus* Th.

δια-στείχω vb. **1 make one's way through** —*a sanctuary or city* E.
2 (intr.) **go on one's way** (through life), **go on, proceed** Pi.

δια-στέλλω vb. **1 cause** (sthg.) **to part** or **open**; **pull open, unfasten** —*one's breastplate* Plu.; (of an eagle) **tear open** —*the ground* (w.DAT. *w. its talons*) Plu.; (of the moon) **part** —*the clouds* Plu.
2 divide —*a category* (w.ADV. *into two*) Pl.
3 distinguish (betw. things, for the purpose of precision or definition); **distinguish between** —*verbal expressions* Pl. ‖ MID. **be precise about, define** —*types of character* Pl.; **make** (w.NEUT.PL.ACC.ADJ. some small) **distinctions** —w. περί + GEN. *in relation to sthg.* Arist.
4 state precisely —w.ACC. *what is true* Plb.(dub.); (intr.) perh. **express an explicit opinion** —w. πρός + ACC. *to a council* Plb. ‖ MID. **explain precisely** or **in detail** —*a law, people's views* Plb.; **state** (w.ACC. sthg.) **explicitly** or **in precise terms** Plb.; (intr.) **make a precise, explicit** or **detailed statement** Plb.
5 give instructions —w.DAT. *to someone (to do sthg.)* NT.

διάστημα ατος n. [διίστημι] **1 interval, distance** (betw. things) Democr. Arist. Plb. Plu.; **spacing, width** (of a net's meshes) X.; **gap, space** (betw. things) Plb. Plu.
2 distance, disparity, difference (w.GEN. in wealth or other attribute, betw. people) Arist.

3 **interval** or **ratio** (betw. two numbers in a series) Pl.
4 (mus.) **interval** (betw. two notes) Pl.
5 **interval, period** (of time) Plb. NT.

δια-στίζω vb. (of a reader) **punctuate** —a written text (by adding the appropriate pauses) Arist.

δια-στίλβω vb. (of pitchforks) **glitter** (in the sun) Ar.

δια-στοιβάζω vb. [στοιβή] (of bricklayers) **pack in** —reed matting (w. διά + GEN. betw. courses) Hdt.

δια-στοιχίζομαι mid.vb. (of Zeus) **organise** —his rule A. [also interpr. as *distribute* —power (among the gods)]

διαστολή ῆς f. [διαστέλλω] **1 cleft, dent** (in the end of a person's nose) Plu.; **gap** (betw. two structures) Plu.
2 distinction, differentiation (betw. peoples, types of person) NT.
3 precise statement, detailed explanation P.b.

δια-στρατηγέω contr.vb. **1** (of a distant ruler) **dictate the strategy for** —a war Plu.
2 (of a soldier) **behave** or **talk like a general** Plu.; **give strategic advice** (sts. W.NEUT.ACC.PL. of a certain kind) Plu.
3 (of a commander) **use stratagems** —W.NEUT.ACC.PL. of a certain kind Plb.; (tr., of one side, in negotiations) **use stratagems against, try to outmanoeuvre** —the other Plb.

δια-στρέφω vb. **1 turn** (sthg.) **askew** (i.e. out of its natural shape or position); (of acrobats) **twist about, contort** —their bodies X.; (of overfeeding) **distort, warp** —puppies' legs X.; (intr., of a person) **look obliquely, squint** Arist ‖ PASS. (of limbs) **be distorted** or **deformed** Pl. Arist.; (of wood) **be warped** Pl. Arist.; (of persons) **get a twist** (in the neck) or **a squint** (in the eyes) Ar.; (fig.) app., **be twisted on the rack** (i.e. be greatly upset) Ar. ‖ PF.PASS.PTCPL.ADJ. (of a comic mask, ref. to the face which it represents) **distorted** Arist.
2 turn (sthg.) **aside** (fr. its course); (of the motion of the sea) **skew** —the direction of missile-shots Plu ; (of a person) **divert** —the path of one's thoughts A.
3 (gener.) **distort, upset** —the equilibrium of scales Plu.; **distort, pervert, misrepresent** —laws, arguments, the truth Att.orats. Plb. Plu.; **disrupt** —the natural sequence of events (in a dramatic plot) Arist.; **make crooked** —the straight ways of the Lord NT.
4 (w. moral connot.) **lead astray** —persons NT. —dependent territories (by encouraging defection) Plb.; **turn away, deflect** —someone (w. ἀπό + GEN. fr. the faith) NT. ‖ PASS. (of a person) **be led astray** —w. ὑπό + GEN. by a flatterer Plb.
5 (gener.) **improperly** or **unduly influence** —a juror (by a display of emotion) Arist.; (of soldiers) **demoralise** —others (by their cowardice) Plb.; (of anger, pleasure, pain) **distort, pervert** —persons, their beliefs Arist.; (intr., of vice) **corrupt** (the mind) Arist. ‖ PF.PASS.PTCPL.ADJ. (of persons) **perverted, depraved** NT. ‖ NEUT.PL.PF.PASS.PTCPL.SB. **perverted ideas, falsehoods** NT.

διαστροφή ῆς f. **1 perversion** (of things, fr. their natural state) Arist.
2 corruption, degradation, debasement (of persons) Plb. Plu.

διάστροφος ον adj. **1** (of the shape and mind of Io) **distorted** (by transformation into a cow) A.; (of persons and animals) **deformed** Hdt.
2 (of the eyes of a mad or delirious person) **rolling** S. E.; (of a mind) **disordered** (by madness) S.

δια-στυλόω contr.vb. [στῦλος] **support with pillars** or **props, underpin** —a wall Plb.

δια-σύρω vb. **1 pull apart, undo, demolish** —achievements of one's ancestors D.
2 keep apart, frustrate, prevent —a meeting Plb.
3 ridicule, mock —persons or things Att.orats. Plu.

δια-σφαιρίζω vb. **throw about like a ball** —lumps of flesh E.

δι-ασφαλίζομαι mid.vb. (of a commander) **make secure** —a position (W.DAT. w. building-works) Plb.

δια-σφάλλομαι pass.vb. **1 fail** or **be frustrated** Arist. Plb. —W.GEN. in a plan Plb.; **fail to gain** —W.GEN. an alliance Aeschin.; **be unable to recall** —W.GEN. what one has written Aeschin.
2 make a mistake, slip up Men

δια-σφάξ άγος f. [σφάζω] **ravine, gorge** Hdt.

δια-σφενδονάω contr.vb. **fire in two directions as if from a sling, dismember** —a person (by tying him to two bent trees) Plu. ‖ PASS. (of persons, rocks) be sent flying in all directions X. Plu.

δια-σφηκόομαι pass.contr.vb. ‖ PF.PTCPL.ADJ. (of a person) **pinched in at the waist like a wasp** Ar.

δια-σχηματίζομαι mid.vb. (of a god) **give different forms to** —primary elements Pl. ‖ PASS. (of matter) **be given different forms** Pl.

δια-σχίζω vb. **1** (of a gale) **split** —sails Od.; (of an arrow) —flesh and bones Stesich.(tm.) ‖ PASS. (of persons or things) **be split apart** Pl. Theoc.; (of sinews) **be severed** Il.; (of a cloak) **be torn in pieces** Pl.
2 divide —a unit (in two) Pl.
3 ‖ PASS. (of troops) **be split off** (fr. an army) X.

δια-σώζω vb. **1 save from imminent danger or death, save, rescue** —persons, ships, a country, city E. Th. Att.orats. +; (mid.) —one's person and armour X. ‖ PASS. (of persons) **be saved** or **be safe, survive** Th. Att.orats. Pl. +; (of a family) **be preserved** D.
2 bring (W.ACC. someone) **safely** —W.ADV. or PREP.PHR. to a place Th. D.; **bring home safely** —one's military forces Th. ‖ PASS. (of persons, ships) **get safely** —W.PREP.PHR. to a place Th.
3 preserve from harm, keep safe, protect, look after —persons, ships, possessions, one's freedom Hdt. E. Th. Ar. Att.orats. +; **preserve, maintain** —a rite, tradition, constitution, friendship, or sim Hdt. Att.orats. Pl. + ‖ MID. **keep safe, preserve** —one's possessions X. —one's good fortune, a feeling of pleasure (in sthg.) Th. —a way of behaving X.; **preserve by obedience, observe** —a law D. ‖ PASS. (of things) **be kept safe** or **preserved** Pl. D. Arist.

διασωπάσομαι dial.fut.mid.): see διασιωπάω

διαταγή ῆς f. [διατάσσω] **directing** (W.GEN. of angels, by God) NT.

διάταγμα ατος n. (in Roman ctxts.) **edict** Plu.

δια-ταμιεύω vb. **1** (of women) **manage, look after** —household goods Pl.
2 ‖ MID. (of a land) **store up** —water (W.DAT. in its soil) Pl.

διατάμνω dial.vb.: see διατέμνω

δια-τανύω vb. (of a bird) **spread out** —its wings (in flight) AR.(tm.)

διάταξις εως f. [διατάσσω] **1** (milit.) **organising, disposition** (of troops, by a commander) Hdt.; (W.GEN. of guards) D.
2 disposition, arrangement (of primary elements, by a god) Pl.
3 arrangement, organisation, system (of government or an institution) Plu.; (W.GEN. of payments of tribute) Plu.
4 command, directive, instruction Plb. Plu.; (specif., in Roman ctxts.) **edict** Plu.
5 (gener.) **arrangement** (made by a person) Plu.; (specif.) **provision made in a will** Plb.

6 arrangement (betw. people, ref. to an agreement on terms or a plan of action) Plb.

δια-ταράσσω, Att. **διαταράττω** vb. **1** (of a commander, troops, elephants) **throw into total confusion** —*an enemy, their ranks* Plb. Plu. ‖ PASS. (of troops, elephants) be thrown into total confusion Plb. Plu.
2 (of persons, events, news) **throw into turmoil** —*a city, an assembly* Plu. ‖ PASS. (of crowds, regions) be thrown into turmoil Plu.
3 (of events, circumstances) **greatly trouble, perturb** or **confuse** —*persons* Pl. Plu.; (intr., of a person) **cause great confusion** or **perplexity** (in philosophical debate) X.; (of things) **cause great unease** Arist. ‖ PASS. (of persons) be greatly troubled or perturbed Isoc. Plb. NT. Plu.

διάτασις εως f. [διατείνω] **1 tension** (W.GEN. of the head, i.e. headache) Pl.
2 intensity (of emotion) Arist. Plu.
3 violent struggling (of a distressed baby) Arist.

δια-τάσσω, Att. **διατάττω** vb. **1** (of a commander) assign to various positions, **dispose, post, station** —*his troops* (W.PREP.PHR. *somewhere, against someone*) Hdt. Th. Plb. —(W.INF. *to occupy certain positions*) Hdt.; (intr.) **make one's dispositions** Th. X. ‖ MID. (of commanders, troops) **take up one's position** Th. Ar. X. ‖ PASS. (of troops) be posted (sts. W.PREP.PHR. somewhere, or for a particular objective) Hdt. Th. X. Plb. ‖ IMPERS.PLPF.PASS. positions had been assigned Hdt. Th.
2 (of a commander) **arrange in formation, marshal** —*an army, troops* Hdt. X. Plb. ‖ PASS. (of an army) be marshalled Hdt.
3 (of Zeus) **arrange, prescribe** —*laws* (W.DAT. *for gods*) Hes. —*a way of life* (*for humans*) Hes. ‖ PASS. (of duties) be assigned —W.DAT. *to persons* X.
4 (of persons) **appoint** —*officials* Hdt. X. Arist. —*persons* (W.INF. *to hold offices*) Hdt. ‖ PASS. (of officials) be appointed (sts. W.PREP.PHR. for a specific duty) X. Arist.
5 put (things) in order; **arrange, organise** —*affairs, a procession, speech, argument* Isoc. Pl. X. Hyp. Arist. Plu.; **arrange, prescribe** —W.INDIR.Q. or ACC. + INF. *what* (or *that sthg.*) *shd. be the case* Pl. Arist. Din. ‖ MID. **arrange, organise** —*classes of things* Pl.; (intr.) **arrange things** Isoc. Pl. X.; **make an arrangement** —w. πρός + ACC. w. *someone* (W.FUT.INF. *to do sthg.*) Plb. ‖ PASS. (of things) be arranged, organised or sorted out Isoc. Pl. X. Plb.
6 give instructions (usu. W.DAT. to someone) —W.INDIR.Q. *how to do sthg.* Plb.; (act. and mid.) **give orders** (usu. W.DAT. to someone, sts. W.INF. to do sthg.) Plb. NT. ‖ PASS. (of things) be ordered Plb. NT. Plu.

δια-ταφρεύω vb. **dig a trench through** or **across** —*a place* Plb. Plu.

διατεθρυμμένως pf.pass.ptcpl.adv.: see under διαθρύπτω

δια-τείνω vb. **1 stretch out, extend** —*a flayed skin* (W.PREP.PHR. *on a wooden frame*) Hdt. —*one's hands* X. ‖ MID. **stretch** or **lay out** —*reeds* (over a structure) Pl.; **hold out, poise, brandish** —*a javelin* Hdt. X. Plu. —*a whip* Plb. ‖ PASS. (of a cloak) be spread out (as a flag) Plu. ‖ PF.PASS. (of a quality) be spread, extend —w. διά + GEN. *through many things* Pl.; (of an object) extend (in a direction) Pl.
2 (intr.) extend in a direction; (of mountains) **stretch, extend** —W.PREP.PHRS. *fr. one region to another* Plb.
3 (intr.) extend in time; (of things) **continue, persist, last** —W.PREP.PHR. or ADV. *for a specified duration* Arist. Plu.; (of a person) **continue to live, survive** —w. εἰς + ACC. *up to* (*the time of*) *someone* Plu.
4 extend in influence; **extend** —*one's military ambitions* (W.PREP.PHR. *too far*) Plb.; (intr., of a virtue, vice, or sim.) **extend, reach** —W.PREP.PHR. *over a specified area* Arist.; (of passionate feelings) **develop** —W.PREP.PHR. *into action* Plu.; (of things) **additionally relate** —W.PREP.PHR. *to someone or sthg.* Plb.
5 (intr., of a person) **go on, proceed** —W.PREP.PHR. *to a place* Plb.
6 (act. and mid.) **make fully taut, draw** —*a bow* Hdt. X.
7 ‖ MID. **exert oneself fully, strain every nerve** X. Theoc.; **behave vehemently** or **passionately** D. Arist. Plu.; (of distressed babies) **struggle violently** Arist.; (gener.) **be eager** —W.PREP.PHR. *for sthg.* Arist.; **make every effort** —W.INF. *to do sthg.* X. D. Arist. —W.ACC. and μή + INF. *to ensure that someone does not do sthg.* Antipho —w. ὅπως μή + SUBJ. X.; **vigorously maintain, insist** —W.COMPL.CL. *that sthg. is the case* Pl. Tr.phr. Plu. ‖ PF.MID.PTCPL. (quasi-advbl., ref. to persons running, advancing) at full stretch, vigorously Pl.

—**διατεταμένως** pf.mid.ptcpl.adv. **strenuously, vigorously** Arist.; **vehemently, passionately** Plu.

δια-τειχίζω vb. **1 build a wall across** —*the Isthmos* Lys. Isoc. Plu.
2 cut off by a wall, wall off —*a place* (w. ἀπό + GEN. *fr. another*) Plb.
3 (fig., of a high-bridged nose) **put a wall between** —*the eyes* X.; (intr., of a politician) build barriers (betw. classes of citizens), **be divisive** Ar.

διατείχισμα ατος n. **1 cross-wall, dividing wall** (to defend a city or garrison) Th. Plu.; (in a city, separating off a sector) Plb. Plu.
2 area separated off by a cross-wall, **walled-off sector** (in a city) Th.

δια-τεκμαίρομαι mid.vb. **1** (of the gods) **mark out, designate** —*tasks* (W.DAT. *for humans*) Hes.
2 (of persons) **trace, plot** —*a river* (i.e. its course) AR.

δια-τελευτάω contr.vb. (of a god) **bring to fulfilment** —*everything* Il.(tm.)

δια-τελέω contr.vb. **1 bring to an end, complete** —*a journey* X. —*a narrative* X.; (of Hope) carry through to the end, **fulfil** —*a favour* E.
2 complete, pass —*a period of time* (in a particular way) Pl. X. —*one's life* (W.PTCPL. or ADV. *in a particular way*) B.fr. Isoc. Pl. X.
3 (of persons or things) **continue, remain** —W.PTCPL. *doing sthg. or being such and such* Hdt. Th. Att.orats. Pl. X. + —W.ADV., PREP.PHR., PREDIC.ADJ. or SB. *in a particular place or state* Hdt. Th. Isoc. Pl. X. +; (of a person) **continue** (doing sthg.) Pl.; (of things) **last, continue** Isoc. Pl. Arist.

διατελής ές adj. (of thunder) **continuous, incessant** S.; (of tyrannies) **uninterrupted** Pl.

δια-τέμνω, dial. **διατάμνω** vb. **1 cut through** —*sinews, lyre-strings, a knot, iron* Il.(tm.) Pl. X. Plu.
2 divide by cutting, cut, slice —*persons, a tongue* (W.ADJ. *through the middle, i.e. in half*) Il.(tm.) Hdt. —(W.ADV. *in two*) Pl.
3 cut into pieces, cut up —*persons, animal limbs* Od.(tm.) Hdt.; (fig.) **tear to shreds, butcher** —*a constitution* Aeschin. ‖ PASS. (of an ox) be cut up Hdt.
4 (gener.) **rend, butcher** —*someone's flesh* (w. *a sword*) E.
5 (of a swimmer or sailor) **cut through, cleave** —*a strait, a sea* A. AR.(tm., cj.); (of a subterranean river) —*a headland* AR.(tm.)

6 (fig., of a speaker, envisaged as a butcher) **divide up** —*an item* (W.PREP.PHR. *into subclasses*) Pl.; (of a disputant) **separate, distinguish** —*sthg.* (w. ἀπό + GEN. *fr. sthg. else*) Pl.

διατεταμένως *pf.mid.ptcpl.adv.*: see under διατείνω

δια-τετραίνω *vb.* | Ion.fut. διατετρανέω | dial.aor.mid. διατετρηνάμην | **pierce, make a hole in** —*a skull* (W.DAT. w. *a pebble*) Hdt. || MID. **bore through** —*animal bones* (*to create an aulos*) Call.(tm.); (of a god) —*the ears of living creatures* (*to enable hearing*) Ar.

δια-τήκω *vb.* **melt** —*wax* Ar. || PASS. (of snow) melt X.

δια-τηρέω *contr.vb.* **1** watch over (someone or sthg.) with protective care; (of the Areopagus) **guard** —*the laws* Arist.; **keep a careful watch on, oversee** —*magistrates, important affairs of state* Arist.; (of a person) **be watchful, take care** —W.COMPL.CL. *that sthg. does not happen* D.; (wkr.sens., of philosophers) **observe closely** —*natural phenomena* Arist. || PASS. (of laws) be safeguarded Aeschin.
2 (of troops, rulers, or sim.) keep under protective control, **protect, preserve** —*a city, country, its supremacy, one's rule, a military position* Plb. Plu.; (gener., of a person) —*oneself* (w. ἐκ + GEN. *fr. sinful things*) NT. || PASS. (of a principality) be protected —W.PREP.PHR. *by a people* Plb.
3 preserve (in existence, or in a safe or unchanged state); **preserve** —*a former ruler's statue* Plu.; (of an artist) —*certain features* (*of his subject*) Plu.; (of a person) —*someone's sayings* (*in one's memory*) NT.; **maintain, keep** —*someone or sthg.* (W.PREDIC.ADJ. or PREP.PHR. *safe, intact*) Plb. Plu. || PASS. (of poems) be preserved Plu.
4 preserve (abstr. things or conditions); **preserve, maintain** —*peace, war, loyalty, propriety, friendship, a mode of behaviour* Arist. Plb. Plu. —*a connection* (w. persons, a property) D. || PASS. (of the dignity of an office) be preserved Plu.

δια-τίθημι *vb.* **1** lay out (things) across the ground; **lay out** —*foundations* (*for a temple*) hHom. —*pieces of meat* Hdt. —*a severed corpse* (W.PREP.PHR. *to right and left of a road*) Hdt.
2 arrange according to an orderly system, **arrange** —*people or things* (W.ADV. *in a certain way*) Hdt. X. —*objects* (W.DAT. *in proper order*) Ar.; **organise** —*a festival, games* X. || MID. **arrange** —*laws* (*governing various activities*) Pl.; (of a speaker) **formulate** —*one's words* (w. ἐκ + GEN. *on the basis of personal experience*) Plb.
3 deal with (sthg., W.ADV. in a certain way, usu. well or badly); **manage, conduct** —*public business, military affairs, or sim.* Th. Ar. Att.orats. +; **administer** —*property* Is.; (of an actor) **handle** —*poetry* Pl.; (of a god) **settle** —*a lawsuit* (W.DAT. *for someone*) Hes.*fr.* || MID. deal with (sthg., W.ADV. in a certain way); **manage** —*one's affairs, a visit abroad* And. Pl. —*one's hopes* E. —*a quarrel* X.; (of a speaker) **handle** —*someone's achievements* Isoc. || PASS. (of affairs) be handled —W.ADV. *in a certain way* Pl.
4 deal with, handle, treat —*someone* (W.ADV. *in a certain way*) Hdt. Isoc. Is. || PASS. be treated or handled —W.ADV. *in a certain way* Th. X.
5 cause (persons) to be in a certain condition (usu. an unwelcome one); **reduce** —*someone* (W.ADV. *to a certain condition*) Att.orats. Pl. + || PASS. be put —W.ADV. *in a certain condition* Ar. Att.orats. +; be affected —W.ADV. *in a certain way* (W.PREP.PHR. *by someone*) X.
6 cause (persons) to be in a certain state of mind or feelings; **make** (W.ACC. someone) **disposed** or **feel** —W.ADV. *in a certain way* (sts. w. πρός + ACC. *towards someone or sthg.*) Isoc. Pl. X. D. Arist. || PASS. (of persons) be disposed, feel —W.ADV. *in a certain way* (freq. w. πρός + ACC. *towards someone*) Att.orats. Pl. +

7 || MID. **dispose of** (sthg. of one's own, usu. by making it available to others); **dispose of** —*property, produce* Isoc. X. D.; (w.pejor.connot.) —*one's body, one's beauty and wisdom* Isoc. X.
8 || MID. (gener.) **devote** —*one's resources* (w. εἰς + ACC. *to sthg.*) Plb.; **direct** —*one's anger against someone*) Plb.
9 || MID. (specif.) dispose of by sale, **sell** —*goods, merchandise* Hdt. Pl. X. D.
10 || MID. dispose of by will, **will, bequeath** (sts. W.DAT. to someone) —*one's property* Att.orats. Pl. +; (intr.) **make a will** Att.orats. Pl. + —W.COGN.ACC. Pl Is. D.; **make dispositions by will** Att.orats.
11 || MID. **arrange, settle** —W.COGN.ACC. *an agreement or compact* (W.DAT. or πρός + ACC *w. someone*) Ar. NT.

δια-τινάσσω *vb.* | fut.pass. διατινάξομαι | **1** (of waves) **shake to pieces, shatter** —*a boat* Od.(tm.); (of a god) —*a house* E. || PASS. (of a house) be shattered E.
2 (of a delirious person) **violently shake** —*his head* E.

δια-τινθαλέος ᾱ ον *adj.* (of Zeus' thunderbolt) **boiling-hot** Ar.

δια-τμήγω *ep.vb.* | aor. διέτμηξε, dial. διέτμᾱξα | aor.2 διέτμαγον || PASS.: aor.2 διετμάγην, 3pl. διέτμαγεν | **1** (of a spear-point, a reed) cut through, **pierce** —*a person* AR. Theoc.
2 cut into pieces, **cut up** —*a cake of wax* Od.; (of a storm) **split apart** —*a ship* AR.
3 cleave open —*the Trojan Horse* Od. || PASS. (of double doors) be smashed open (by a boulder) Il.
4 (of a bull) **cut** —*a furrow* Mosch. || MID. (of persons) **cut furrows in** —*fields* AR.
5 (of a swimmer, an amphora carried by ship) **cleave through** —*the sea* Od. Call.*epigr*
6 split into two —*a group of persons* Il.; (of a storm) —*a fleet of ships* Od.
7 || PASS. (of lambs and kids) be separated (fr. a flock) Il.; (of persons) go one's separate way, part Hom.; (also aor.2 act.) AR.
8 separate, distinguish —*Apollo and Persephone* (W.PREP.PHR. *fr. Helios and Artemis, w. whom they were sts. identified*) Call.

διατομή ῆς *f.* [διατέμνω] perh. **parting, separation** (of two persons) A.(pl.)

δια-τοξεύομαι *mid.vb.* **compete in archery** X. —W.DAT. *w. someone* Thphr.

διατοξεύσιμος ον *adj.* (of an area of ground) that can be shot across with an arrow, **within bowshot** Plu.

δια-τορεῖν aor.2 inf. | redupl.aor.ptcpl. (tm.) διὰ ... τετορήσᾱς | **pierce through** —*spines of oxen* (w. *a knife*) hHom.

διάτορος ον *adj.* **1** (of ankles) **pierced** S.; (of shackles, w. holes for spikes) A.; (fig., of sealed lips, ref. to breaking silence) Tim.
2 (of a trumpet) with a piercing sound, **piercing, shrill** A. Tim.
3 (fig., of fear) **piercing, sharp, acute** A.

—**διατόρως** *adv.* **by piercing** —*ref. to slats being driven into a tortoise-shell lyre* (*as supports for its arms*) S.*Ichn*.

διατραγεῖν (aor.2 inf.): see διατρώγω

δια-τρέπω *vb.* **deter, discourage** —*someone* (W.GEN. *fr. sthg.*) Plb.; **discourage, unnerve** —*someone* Plb. || MID. (of troops) perh. **turn away from** —W.ACC. *an enemy formation* Plu. || PASS. be discouraged or unnerved D. Plb.; be upset Plu.

δια-τρέφω *vb.* (of persons, grain) provide with nourishment, **feed, maintain, support** —*a person, family, city* X. Men. Plu. —*an army, soldiers* Isoc. X. Plu. || PASS. (of persons) be supplied with food, be fed Th. X. D. Arist. Plu.; feed —W.DAT. *on sthg.* X.; be maintained, make a living —W.PREP.PHR. *fr. a trade* X.

δια-τρέχω *vb.* | aor. διέθρεξα (Call.) | The aor. is usu. supplied by διαδραμεῖν. | **1 run across** (the path of a javelin) Antipho ‖ PTCPL.ADJ. (of stars) **running across the sky, shooting** Ar.
2 run through to the end, **run, complete** —*lengths of a racecourse* Call.
3 (of hounds) **run along** (on a trail) X. —W.ACC. *a trail* X.
4 (of persons, hounds) **run about** Ar. X.
5 (of persons) **hasten away** —W.PREP.PHR. *to a place* Plb.
6 (of the jointed components of a horse's bit) **run freely** X.

δια-τρέω *contr.vb.* **1** (of troops, animals) **scatter in terror** Il. Plu.
2 (of persons) **be thoroughly cowed** Plu.

διατριβή ῆς *f.* [διατρίβω] **1 wearing down, attrition** (W.GEN. of enemy forces, one's allies) Th. Ar.
2 (gener.) **spending of time** or **time spent** (freq. W.ADV. or PREP.PHR. in a place, w. a person, or on an activity) Ar. Att.orats. Pl. +
3 manner in which time is spent, **pursuit, activity, occupation** Ar. Att.orats. Pl. +; **way of life** Men.
4 place in which time is spent, **haunt** Pl. Aeschin. Plu.
5 time spent in amusing or diverting oneself, **amusement, entertainment, fun** Aeschin. Men. Plu.
6 time spent in talk or discussion, **discussion, discourse** Isoc. Pl. Aeschin.; **treatment** (of a topic, ref. to a written discussion) Arist.
7 time spent in learning or teaching, **schooling, teaching, study** Plu.
8 place of teaching, **school** (of philosophy, rhetoric) Aeschin. Plb.; (ref. to a tradition of teaching assoc.w. a particular philosopher or rhetorician) Plu.
9 lapse or **waste** (W.GEN. of time) Th.; **delay** E. Th. Att.orats. X. + ‖ PL. **opportunities for lingering** (over a subject, by a speaker) Arist.

διατριβικός ή όν *adj.* (pejor., of writers, speeches) **of the kind associated with rhetorical schools, pedantic, fusty** Plb.

δια-τρίβω *vb.* | neut.impers.vbl.adj. διατριπτέον ‖ **1 subject** (sthg.) **to hard pressure; crush** —*a medicinal root* Il.; **press out** —*tracks* (*in the sand, w. one's feet*) hHom.
2 use up, squander —*money* Thgn.; **wear out, exhaust** —*resources* Th.; (fig., of rationalists) **reduce** —*the divine* (w. εἰς + ACC. *to natural phenomena*) Plu. ‖ PASS. (of troops) **be worn down** or **worn out** Th.
3 use up time (in a particular place or activity); **spend** —*a period of time* Hdt. Ar. Att.orats. Pl. +; (intr.) **spend time, pass one's time, occupy oneself** Ar. Att.orats. Pl. + ‖ PASS. (of a period of time) be spent Th. Isoc. +
4 (pejor.) **waste time** (doing sthg.) Att.orats. +; waste time (instead of doing sthg.), **delay** Il. Hdt. Th. Ar. Pl. + —W.GEN. *in an undertaking* Od. AR.(mid.)
5 (tr.) **put off, delay** —*an event* Od. —W.DBL.ACC. *persons, w. regard to an event* (*i.e. make them wait for it*) Od.; **attempt to thwart** —*someone's anger* Il.

διατριπτικός ή όν *adj.* (of a perfumed unguent) **of the kind made by pounding** (w. further connot. *time-wasting*) Ar.

διά-τριχα *adv.* [τρίχα¹] **into three separate parts** —*ref. to making a division or distribution* hHom. Call. AR.

διατροπή ῆς *f.* [διατρέπω] state of being discouraged or unnerved, **loss of heart, trepidation, consternation** (esp. of troops) Plb.

διατροφή ῆς *f.* [διατρέφω] **provision of food and maintenance, sustenance, maintenance** (of persons or troops) X. Men. Plu.

δια-τροχάζω *vb.* (of a horse) run along, **trot** X.

δια-τρύγιος ον *adj.* [τρύγη] (of rows of vines) **bearing fruit in succession** Od.

δια-τρυφάω *contr.vb.* ‖ PTCPL.ADJ. (of an upbringing) **thoroughly pampered** Pl.

διατρυφείς (aor.pass.ptcpl.): see διαθρύπτω

δια-τρώγω *vb.* | fut. διατρώξομαι | aor.2 inf. διατραγεῖν ‖ PASS.: pf. διατέτρωγμαι | (of persons, mice) **gnaw through** —*an object* Ar. Arist. Thphr.; **gnaw** or **nibble on** —*a root* Ar. ‖ PASS. (of an object) be gnawed through Ar.

δια-ττάω Att.contr.vb. [reltd. σάω¹] **strain, sieve, filter** —*earth* Pl.; (intr.) Pl. ‖ NEUT.PASS.PTCPL.SB. **that which is strained** Pl.

διάττω Att.vb.: see διάσσω

δια-τύπωσις εως *f.* **shaping, moulding** (of a mountain, into human form) Plu.

δι-αυγάζω *vb.* ‖ IMPERS. **daylight begins to appear** Plb.

διαυγέω *contr.vb.* [διαυγής] (of day) **become light, dawn** Plu.

δι-αυγής ές *adj.* [αὐγή] **1** (of bronze, golden wings, waves) **brightly gleaming, radiant** Call. AR. Plu.
2 (of stars) **shining through** (clouds) AR.
3 (of liquids) **translucent, clear** Plu.

διαυλο-δρόμας ᾱ *dial.m.* [δίαυλος, δραμεῖν] (appos.w. παῖς¹) **runner in the two-leg race** Pi.

δί-αυλος ου *m.* [δίς, αὐλός] **1** track running down one side of a stadium and back up the other (or the race along it), **two-leg track** or **race** Pi. E. Ar. Pl. Call. Plu.; (in fig.ctxts., ref. to a return journey) A. E.
2 (fig.) movement back and forth, **ebb and flow** (of waves) E.

δι-αυχένιος ον *adj.* [διά, αὐχήν] (of marrow) **running through the neck** Pl.

δια-φαγεῖν aor.2 inf. | The pres. is supplied by διεσθίω. | (of a snake) **gnaw through** —*part of another snake's body* Hdt.; (of a wrestler) —*an opponent's arms* Plu.; (of mice) —*gold* Plu.

διαφάδην, dial. **διαφάδᾱν** *adv.* [διαφαίνω] **openly, explicitly** —*ref. to speaking* Alcm. Sol.

δια-φαίνω *vb.* **1 allow light to show through**; (intr., of mist) **begin to clear** Plb. ‖ MID.PASS.PTCPL.ADJ. (of river water) **translucent, limpid** Call. ‖ PASS. (of a breached wall) **be able to be seen through** X.
2 (intr., of dawn, day) spread light, **become visible, break** Hdt. Plb.; (tr., of Dawn) **show, disclose** —*her face* Theoc. ‖ PASS. (fig., of a woman, compared to Dawn) **shine forth, stand out** Theoc.
3 ‖ PASS. (of a red-hot stake) **glow all through** Od.
4 ‖ PASS. (of ground) **be visible in the midst, be clear** —W.GEN. *of corpses* Il.; (of a corpse) **be visible** (through a transparent casing) Hdt.; (of bronze shields, through undergrowth) X.
5 (of persons) **reveal** —*their nature or feelings* Plb. Plu.; (intr., of character traits) **be reflected in** or **seen through** —w. διά + GEN. *face and gestures* X. ‖ PASS. (of character) be revealed X. Plu.
6 ‖ PASS. (gener., of persons, places, things) **be revealed, be seen, be visible** AR. Plu.; (of a result) **be clear** Pi.
7 ‖ PASS. (of persons or things) **be revealed, prove** —W.PREDIC.ADJ. or W.PTCPL. + PREDIC.ADJ. *to be such and such* Th. Plu. ‖ ACT. (intr.) **be clearly** —W.ADVBL.DAT. *in such and such a state of mind* Plb.

διαφάνεια

8 (intr., of a burning pyre) shine with divided light, **glow with parted flames** —W.DAT. *for someone* (i.e. *offer a passage through*) Pi.
διαφάνεια ᾱς *f.* [διαφανής] **transparency** (of gemstones) Pl.
διαφανής ές *adj.* [διαφαίνω] **1** (of glass, stone, or sim.) **transparent** Ar. Pl.
2 (of women's clothes) **see-through** Ar. Men.; (of latticework doors) **able to be seen through** Plb.
3 (of river water) **clear, limpid** Pl.
4 (of stones, an oven) **glowing with heat, incandescent** Hdt.
5 (of facts) **clear, manifest, evident** S.; (of categories, examples) **clearly discernible, distinctive, conspicuous** Pl.
6 (of persons) **conspicuous, clearly seen** (doing sthg.) Aeschin.; **distinguished, illustrious** Pl. Plu.
—**διαφανῶς** *adv.* **1 clearly, unambiguously** —*ref. to stating sthg.* X.
2 (qualifying an adj.) **manifestly, patently** Th. Pl.
δια-φαυλίζω *vb.* **have a very low opinion of** —*the human race* Pl.
δια-φαύσκω, Ion. **διαφώσκω** *vb.* [reltd. φάος] (of day) **become light, dawn** Hdt. ‖ NEUT.SG.GEN.PTC Pl. *as it becomes light* Plb.
διαφερόντως *ptcpl.adv.*: see under διαφέρω
δια-φέρω *vb.* ∣ neut.impers.vbl.adj. διοιστέον ∣ **1 carry over or across; transport** (W.ACC. ships) **across** —*the Isthmos* Th.
2 carry in various directions; (of a herald) **carry hither and thither** —*proclamations* E.; (of a king, w.connot. of vanity) —*one's sceptre* E.; **ply** (W.ACC. a club) **this way and that** E.; **turn** (W.ACC. one's eyes) **this way and that** E.; (gener.) **distribute** —*items* (w. εἰς + ACC. *in appropriate places*) X. ‖ PASS. (of sailors in a storm; of a litter, compared to a ship) *be carried this way and that* NT. Plu.
3 pull in different directions, **pull apart, separate** —*the strands of a tangled ball of wool* (fig.ref. *to a war, to be unravelled by sending out embassies in different directions*) Ar.; (of Bacchants) **fling about** or **tear apart, ransack** —*property* E. ‖ PASS. (of an entity) *be drawn apart* (opp. *be brought together*) Heraclit.; (of a whole) *be pulled apart or dislocated* (by change or removal of parts) Arist.
4 take to various persons (i.e. a consortium of lenders), **pay off** —*loans* Lycurg. ∣ cf. εἰσφέρω 5
5 carry abroad (in song), **spread the fame of** —*a person* Pi.
6 give (in favour of this or that side), **cast** —*a vote* Hdt. E. Th. X.
7 go through (time); **pass, spend** —*one's life* Hdt.; **live through, survive** —*a night* E.; (intr.) **pass one's life, live** —W.PREDIC.ADJ. *alone, childless* S.(mid.) E.
8 (perh. intr.) let time pass, **play for time, delay** E. ∣ cf. διάγω
9 (intr., of time) **pass** or **intervene** (before sthg. happens) Antipho
10 bear through to the end; (of a woman) **carry to full term** —*the burden in her womb* E.; (intr.) X.; (of a person) **live out, endure** —*one's lot* S. E.
11 carry on, wage —*a war* Hdt. Th.
12 (intr.) behave or happen in different ways; (of persons or things) **be different, differ** (freq. W.GEN. fr. someone or sthg., sts. W.ACC. or DAT., or W.PREP.PHR. in some respect) Pi. Hdt. S.*fr.* E. Th. Ar. + ‖ NEUT.PTCPL.SB. (sg. and pl.) **difference** Hdt. Th. Pl. +
13 (of persons or things) **make a difference** (i.e. alter a situation) E.(dub.) X. —W.NEUT.ACC. *to a specified degree* X.; (of three votes) **make the difference** —w. τὸ μή + INF. *to avoid the imposition of a certain penalty* D.

14 (of things) **make a difference, be important, matter** X. —W.DAT. *to someone* Plu. ‖ NEUT.PL.PTCPL.SB. important matters, essential issues E.*fr.* Th. Att.orats.
15 ‖ IMPERS. it makes a difference, it is important, it matters (freq. W.DAT. to someone, sts. W.NEUT.ACC. little, greatly, not at all) Th. + —W.INF. *to do sthg.* (or *that sthg. shd. happen to one*) Hdt. Att.orats. + —W.ACC. + INF. *that someone shd. do sthg.* Pl. —W.INDIR.Q. *if sthg. is the case* E. Pl.
16 differ in point of excess or superiority, **excel, be outstanding** (usu. W.DAT. or PREP.PHR. in sthg.) Isoc. Pl. +; **be better** —W.GEN. *than someone* Isoc. Pl. + —(W.INF. *at doing sthg.*) Pl.; (of a city) **stand out** —w. παρά + ACC. *compared w. another* (i.e. *be superior to it*) Plb. ‖ PTCPL.ADJ. (of an achievement) **outstanding** Plb. ‖ IMPERS. it is better —W.INF. *to do sthg.* (w. ἤ + INF. *than to do sthg. else*) X.
17 (of a form of behaviour) **get the upper hand, prevail** Th.
18 ‖ MID.PASS. **be at variance** or **in dispute, quarrel** (freq. W.DAT. or πρός + ACC. w. someone) hHom. Hdt. Th. Ar. Att.orats. +; (wkr.sens.) **disagree** Hdt. Th. Att.orats. +; **argue, dispute** (over points of law) Lys.; **raise an objection** D.; **maintain on the contrary** —W.COMPL.CL. *that sthg. is the case* D.
—**διαφερόντως** *ptcpl.adv.* **1 differently** Th. X. Arist.; (W.GEN. fr. someone or sthg.) Pl. Arist.; (w. ἤ + ADV. or CL.) Lys. Isoc. Pl. X.
2 differently in point of excess or superiority, **beyond others, above all, exceptionally, especially** Th. Isoc. Pl. X. Aeschin. Arist. +; **beyond** (W.GEN. others) Th. Isoc. Pl. X. Aeschin.; (w. ἤ + CL.) Pl.
δια-φεύγω *vb.* **1 flee, escape** Hdt. Th. Ar. + —*someone* Hdt. E. Th. Lys. Ar. + —*bonds* E. —*poverty* Th. —*debts* Ar.
2 escape, survive —*troubles, dangers* E. Th. +; (intr.) Th.
3 escape (sthg. in prospect); **escape, avoid** —*death, enslavement, danger, an attack, or sim.* Hdt. E. Th. + —*a marriage* E. Men.
4 (of a sick person) escape death, **survive, recover** Th.
5 (leg.) **escape** —*one's prosecutors* (i.e. *be acquitted*) Hdt. —*a sentence* Antipho; (intr.) **be acquitted, get off scot-free** Th. Isoc. Pl.
6 escape one's notice or memory; (of facts, knowledge) **slip past, escape** —*someone* Isoc. Pl. ‖ IMPERS. it escapes one's notice —W.ACC. + INF. *that sthg. is the case* Is.
7 escape one's capacity; (of coherent argument) **escape, elude** —*someone* Isoc.; (of illnesses) **be beyond the competence of** —*doctors* Pl.
8 (of democracy) **slip away from** —*a people* Aeschin.; (intr., of an opportunity) **slip away** D.; (of resources) **disappear, be dissipated** E.
διάφευξις εως *f.* act of escaping, **escape** Th.; **means of escape** Plu.
δια-φημίζω *vb.* **spread widely, disseminate** —*a report* NT.; **spread news of** —*someone* NT. ‖ PASS. (of a report) *be disseminated* NT.
δια-φθείρω *vb.* ∣ fut. διαφθερῶ, ep. διαφθέρσω ∣ pf. διέφθαρκα, also dial. διέφθορα ∣ **1** utterly destroy (sthg.); **destroy** —*a city* Il. Th. And. —*an army* Hdt. —*crops, farmlands, possessions* A. Hdt. Th. Ar. + ‖ PASS. (cf an army, garrison, city) *be destroyed, be wiped out* Hdt. Th.
2 destroy or **disable** —*ships* Hdt. Th. ‖ PASS. (of ships) *be destroyed, disabled or lost* Hdt. Th. And.
3 cause the death of (someone); **kill** —*persons* Hdt. S. E. Th. Ar. +; (of wolves) —*sheep* Hdt.; (of a commander) **suffer the death of, lose** —*troops* Th. ‖ PASS. *be killed, perish* Hdt. E. Th. +

4 (intr., of a woman, a dog) lose one's offspring in pregnancy, **miscarry** X. Is.
5 cause severe damage (to the body); **mutilate** —*oneself* Hdt. ‖ PASS. (of a person) be mutilated Hdt.; (of horses) have (W.ACC. *their legs*) broken Hdt. ‖ PF.PASS. have (W.ACC. *one's body*) ravaged (by a poisoned robe) S.; have a handicap (ref. to being deaf) Hdt.; (of a corpse) be decomposed Pl. ‖ PF.PASS.PTCPL.ADJ. handicapped or impaired (W.ACC. in one's hearing or sight) Hdt. Pl.
6 damage the mind ‖ STATV.PF. (of a person) be ruined (ref. to having lost one's reason) Il. ‖ PASS. be driven out of one's mind S. —W.PREP.PHR. *by drugs* Is. ‖ PF.PASS. be distraught —W.ACC. *in one's mind* E.; be impaired —W.ACC. *in one's judgement* X. ‖ AOR.PASS.PTCPL.SB. impairment, derangement (W.GEN. of the mind) E.
7 (of persons, circumstances) have a strongly adverse or damaging effect (on persons or things); **destroy, ruin** —*persons, life, hopes, good fortune, marriage prospects* S. E. —*a country* Th. —*a situation* E. Ar.; **spoil, frustrate** —*a discussion* Pl.; **weaken** —*one's hand* (i.e. resolution to do sthg.) E.; (wkr.sens.) **change** —*one's facial expression and colour* Pl. ‖ PASS. (of persons, life, hopes, a country, cause) be destroyed or ruined Hdt. S. E. Th. +; (of meat) be spoiled Hdt.; (of water) be fouled Th.; (of a law) be annulled or overturned E.
8 have a corrupting effect; (of persons, power, anger) **corrupt** —*persons, their mind or judgement* E. Antipho Pl. X. Is. ‖ PASS. be corrupted E. Ar. Isoc. Pl. Men.
9 corrupt by bribes, **corrupt, bribe** —*someone* Hdt. Lys. ‖ PASS. be corrupted by bribes D.
10 seduce —*a woman* Lys. Men. ‖ PASS. (of a woman) be seduced Lys.
11 have a falsifying effect; **falsify, counterfeit** —*laws, a document* Isoc.; **falsify, pervert** —*one's opinion, thoughts, nature* A. E.; **betray** —*one's father's sense of justice* E. ‖ PASS. (of a document) be falsified Isoc.

διαφθορά ᾶς, Ion. **διαφθορή** ῆς *f.* **1 destruction** (of persons, places, things) Th. Pl. D. Arist. +; (of a person's eyes) S. E.; **loss** (of a ship) D.
2 (concr., ref. to a person) object for destruction, **prey** (W.DAT. for enemies, fishes) S. E.
3 killing (of persons) Hdt. S. E. Antipho Th. Pl.
4 marring, ruin (of a person's appearance, transformed into an animal) A.
5 dissolution, decay (of the body) NT.
6 corruption (of persons, judges, a state) X. Arist. Din. Plb. Plu.
7 seduction (of a woman) D.
8 (ref. to a person or practice) cause of corruption, **corrupting influence** (usu. W.GEN. on persons) Pl. X.

διαφθορεύς έως *m.* (also *f.* E.) **destroyer, corrupter** (of persons, laws) E. Pl.

δι-αφίημι *vb.* **1 disband** —*an army* X. D.; **dismiss** —*troops* (*to winter quarters, their home cities*) Plb. Plu. —*baggage-animals* (*to pasture*) Plb. ‖ PASS. (of an army) be disbanded D.; (of troops) be dismissed Plb.
2 dismiss —*an assembly* Plb. ‖ PASS. (of people) disperse (fr. an assembly) Aeschin.

δια-φιλονικέω *contr.vb.* (of persons) **be passionate rivals** Plu.

δια-φιλοτῑμέομαι *mid.pass.contr.vb.* **engage in keen rivalry** —W.DAT. or PREP.PHR. *w. someone* Plu.

δια-φλέγω *vb.* **1** ‖ PASS. (of clothes) be set on fire Plu.
2 (fig., of anger) **inflame** —*the mind* Plu.

δια-φοιβάζομαι *pass.vb.* [φοιβάς] **be driven mad** —W.DAT. *by sufferings* S.

δια-φοιτάω, Ion. **διαφοιτέω** *contr.vb.* | Aeol.fem.ptcpl. ζαφοίταισα | **1** (of persons, animals) **wander, roam** Sapph. Hdt. X. Plu. —w. διά + GEN. *through a country* Ar. —W.GEN. Plu.
2 (of news, an opinion) **spread** Plu.

διαφορά ᾶς, Ion. **διαφορή** ῆς *f.* [διαφέρω] **1 move** (of a counter in a board-game) E.*fr.*
2 difference Th. Isoc. Pl. Arist. +
3 exceptional quality, distinction Pl.; **superiority** Plb.
4 distinguishing feature (of a genus or species) Arist.; **subtype, variety** (of sthg.) Arist.
5 disagreement, dispute, quarrel Hdt. E. Th. Att.orats. +

δια-φορέω *contr.vb.* **1 carry far and wide, spread** —*a person's fame* Od.(tm.)
2 carry away (w.connot. of theft or plunder); **carry off** —*stakes* (fr. *a palisade*) Th. —*property* (fr. *a city or house*) Hdt. D.; **misappropriate** —*property, revenue* Is.; **plunder, pillage** —*a country* Plu. ‖ PASS. (of valuables) be carried off Plu.; (of money) be misappropriated D.; (of a person, house, city, country) be plundered Hdt. D. Plu.; (of a god) be robbed —W.ACC. *of his wits* Pl.
3 (of bile) **displace** or **disperse** —*other matter* Pl. ‖ PASS. (of populations) be dispersed Pl.
4 tear apart —*persons, animals, their limbs* E.; (hyperbol., as a threat) —*a person* Ar.; **tear open, pierce** —*persons* (W.DAT. *w. arrows*) E. ‖ PASS. (of persons, animals) be torn apart (by persons, animals, birds) Hdt. E. Ar.; (fig., of a tyrant) be destroyed (by wars and conflicts) Plu.; (of a defeated army, compared to a dream-vision) be reduced to nothing Plu.
5 ‖ PASS. (of tribute fr. allies) be brought across (fr. overseas) Th.

διαφόρησις εως *f.* **plundering, pillaging** (of property) Plu.(pl.)

διαφόρητος ον *adj.* (of flesh) **torn to pieces** E.*Cyc.*(cj.)

διάφορος ον *adj.* [διαφέρω] **1** (of persons or things) **different** (fr. others or fr. one another) Hdt. E. Th. +; (W.GEN. fr. someone or sthg. else) E. Pl. X. ‖ NEUT.SB. (sg. and pl.) difference Hdt. Att.orats. +
2 ‖ NEUT.SG.SB. **change** of fortune, **reverse** (for an army) Th.
3 ‖ NEUT.PL.SB. things which make a difference, **matters of importance or concern** (sts. W.DAT. to someone) Th. D.
4 (of persons) **in disagreement** (W.DAT. w. someone or sthg.) E. Antipho; **at variance** or **enmity** (freq. W.DAT. w. someone) Hdt. E. Th. Att.orats. +; (of an action) **provoking a quarrel** (sts. W.DAT. w. someone) Pl. X. ‖ MASC.SB. (in political or legal ctxt.) **adversary, opponent** (sts. W.GEN. of someone) X. Is. D. ‖ NEUT.SB. **disagreement, quarrel** Th. D.
5 different in point of superiority; (of a person) **outstanding, pre-eminent** Plu.; (of places, things) **better** (than others) Th. Pl. X.
6 ‖ NEUT.PL.SB. (in financial ctxts.) **money paid out, expenses** D.; **shortfall, loss** Hyp. ‖ SG. and PL. **money, cash** Plb.

—**διαφόρως** *adv.* **1** with a difference, **differently** Th. Pl. Plu.
2 in various ways —*ref. to persons reacting to events* Th.
3 (w. ἔχειν, of persons or things) **be in disagreement or at variance** Pl. D. Plu.
4 exceptionally, extremely, especially Men. Plb.; **beyond** (W.GEN. others) D.

διαφορότης ητος *f.* **difference** (betw. things) Pl.

διάφραγμα ατος *n.* [διαφράσσω] **1 partition** (in a hut) Th.
2 diaphragm (in the abdomen) Pl.

διαφράγνυμαι *mid.vb.*: see διαφράσσω

δια-φράζω *vb.* | only ep.3sg.redupl.aor.2 διεπέφραδε | go through in speech, **tell** (sthg.) —W.DAT. *to someone* Hom. —W.ACC. *everything, a story* Il. AR.; **tell of** —W ACC. *sthg.* AR.; **instruct** —W.DAT. + INF. *someone to do sthg.* AR.

δια-φράσσω *vb.* —also **διαφράγνυμαι** *mid.vb.* 1 ‖ MID. **barricade** —*one's camp* Plu. ‖ PASS. (of a site) be barricaded —W.DAT. *w. palisades* Plu.
2 ‖ PASS. (of a siege-engine) be partitioned —W.DAT. *into storeys and chambers* Plu.

δια-φρέω *contr.vb.* | fut. διαφρήσω | aor. διέφρησα | **allow through** (one's territory) —*the enemy, the aroma fr. sacrifices* Th. Ar.

δια-φροντίζω *vb.* **show full concern** —W.GEN. *for someone* Arist.

δια-φυγγάνω *vb.* 1 (of troops) **get away safely, escape** Th.
2 (of a defendant) **get off scot-free, be acquitted** Aeschin.
3 (of things concerning the gods) **escape, elude** —w. μή + PASS.INF. *being understood* Plu.(quot. Heraclit.)

διαφυγή ῆς *f.* [διαφεύγω] **means of escape** (fr. a place or situation) Th. Pl. Plu.

διαφυή ῆς *f.* [διαφύομαι] 1 **natural partition, joint** (betw. bones) Pl.; **gap** (betw. teeth) Plu.
2 **natural division** (in a field of knowledge) Pl.
3 **segment wall** (in a nut) X.; **seam** (in a chickpea) Plu.

δια-φυλάσσω, Att. **διαφυλάττω** *vb.* 1 (of a commander, troops) **keep safe, protect, defend** —*a city, bridge, pass, or sim.* Hdt. Lys. Isoc. X. + ‖ PASS. (of a city) be protected X.
2 (of a ruler or statesman) **keep safe, preserve, look after** —*a city* E.(mid.) Th. Isoc.; (of persons) —*a person, possessions, attributes, institutions* Ar. Att.orats. +; (of a state) **safeguard** —*justice, the laws* Isoc. Pl. D.. (of a disputant) **maintain, uphold** —*a thesis* Arist.
3 **maintain, preserve** —*a particular attitude or form of behaviour* Isoc. Pl. D. Men. +; **preserve in one's memory, remember** —*information* Hdt.; **hold on to** —*knowledge* Isoc.; **obey, follow** —*orders* X.
4 (of commanders) **have charge of, manage** —*cavalry* E.; (of a hunter) **look after, keep** —*hounds* X.
5 **look out for, guard against** —*a contingency* X.; **take care, ensure** —W.ACC. + INF. *that sthg. is the case* Pl.

δια-φύομαι *pass.vb.* | act.athem.aor. διέφυν | act.pf. διαπέφῡκα | 1 (pass. and athem.aor., of things) **grow apart, be separated** Emp.
2 ‖ ATHEM.AOR. (of time) **intervene, pass** (before sthg. happens) Hdt.
3 ‖ PF. and PLPF. (of a person) **be associated closely** —W.GEN. *w. a tyrannical regime* Plu.; (of veterans) be found throughout —W.GEN. *the whole of a country* Plu.

δια-φυσάω *contr.vb.* (of wind) **blow away** or **apart** —*the soul* (on death) Pl. ‖ PASS. (of the soul) be blown away Pl.

δι-αφύσσω *vb.* | aor. διήφυσα | 1 ‖ PASS. (of wine) be drawn off (fr. containers) constantly or in large quantities Od.
2 (of a weapon) **make** (W.ACC. *an enemy's bowels*) **gush out** Il.(tm.)
3 (of a boar, w. its tusk) **rip off, tear away** —*much flesh* Od.

δια-φωνέω *contr.vb.* 1 (of a lyre) **be out of tune** Pl.
2 (of persons or things) **be in a state of discord, disagree** Pl. Arist. Plb. —W.DAT. *w. someone or sthg.* Pl. Arist.; (of an argument) **be inconsistent** Pl.
3 (of a sum of money) **show a discrepancy** (fr. a prescribed sum) Plb. Plu.

διαφωνίᾱ ᾱς *f.* **state of discord, disharmony** (betw. persons or things) Pl.

διαφώσκω *Ion.vb.*: see διαφαύσκω

δια-φωτίζω *vb.* **expose to light**; (of a soldier) **clear** —*a place* (of enemies) Plu.

δια-χάζομαι *mid.vb.* (of troops) **separate so as to leave a gap** (to evade a cavalry charge) X.

δια-χαλάω *contr.vb.* 1 (of a horse) **relax** —*its body* X.
2 **loose the bars of, unbar, open up** —*a dwelling* E.

δια-χαράσσομαι *mid.vb.* (pejor.) app. **grate on the ears** —W.DAT. *w. a strange musical sound* S.Ichn.

δια-χάσκω *vb.* (of the joints of an old lyre, also envisaged as those of an old poet) **gape wide open, become slack** Ar.

δια-χειμάζω *vb.* (usu. of troops) **spend the winter** (freq. W.ADV. or PREP.PHR. *in a place*) Th. X. Plu.

δια-χειρίζω *vb.* 1 **handle, manage, administer** —*funds, estates, public business, or sim.* Att.orats. Pl. X. Arist. Plu.; (mid.) X. Plu. ‖ PASS. (of matters) be handled X.
2 ‖ MID. **lay violent hands on, kill** —*someone* Plb. NT.

διαχείρισις εως *f.* **management** (W.GEN. of public business) Th.

δια-χειροτονέω *contr.vb.* **decide by vote between options**; (of the people, the Council) **vote for** or **against** (a proposal) D.; **decide by vote** —W.INDIR.Q. *whether to do this or that* D. —W.ACC. + INDIR.Q. *about a person, whether or not he is fit for service* Arist. ‖ PASS. (of two proposals) be voted on X.; (of candidates) Pl.; (of one candidate, fr. two) be selected by vote Pl.

διαχειροτονίᾱ ᾱς *f.* **vote** (betw. two options) X. Aeschin. D.

δια-χέω *contr.vb.* 1 **transfer by pouring** ‖ PASS. (of a liquid) be poured or drained —W.PREP.PHRS. *fr. one vessel into another* Hdt.; (of a swell) be swept (by wind) —W.PREP.PHRS. *fr. land, out to sea* Plu.; (fig., of a ruler's tranquillity of spirit, envisaged as water fr. a fountain) be showered or diffused (among his subjects) Plu.
2 **cast or spread in different directions**; (of a river) **disperse** —*soil thrown into it* Hdt. ‖ PASS. (of a mound of earth) become spread out Th.; (of light soil) become dispersed Plu.
3 **cut up, dismember** —*a sacrificial victim* Hom.; (of a sword) **cut through** —*a person's bowels* Theoc.; (of gales) **tear apart** —*a ship* AR.
4 (of fire, air) **disperse, dissipate** —*water* Pl.; (of winds) —*scents* X.; (of a force within the body) —*motion* Pl.; (of a process) **separate** —*things that are combined* Pl.; **rarefy** (things) Pl. ‖ PASS. (of a form of matter) be dispersed Heraclit.; (of a mummified corpse, in neg.phr.) fall to pieces, disintegrate Hdt.; (of a mud-brick) crumble Th.; (of tracks in snow) melt away X.; (of blood) be liquefied (opp. congeal) Pl.
5 (fig.) **undo, reverse** —*a decision* Hdt.
6 ‖ PASS. (of persons) disperse X.
7 ‖ PASS. (of the body) be slackened or weakened —W.PREP.PHR. *by drink* Pl.; (of beauty) become expansive (opp. draw in on itself) Pl. ‖ PF.PASS.PTCPL.ADJ. (of persons, their facial expression) relaxed Plb. Plu.
8 ‖ PASS. (of a listener) be emotionally moved (by an orator) Plu.

δια-χλευάζω *vb.* **mock, jeer at** —*someone* D. Plb.; (intr.) Plb. NT.

δια-χόω *contr.vb.* **build** (W.COGN.ACC. *an earthwork*) **across** —w. ἐς + ACC. *to a place* Hdt.

δια-χράομαι *mid.contr.vb.* | Ion ptcpl. διαχρεώμενος, 3pl. διαχρέωνται | Ion.3pl.impf. διεχρέωντο | dial.fut. διαχρησοῦμαι (Theoc.) | 1 **make constant or habitual use of, use** —W.DAT. *heralds, messengers* Hdt. —*wine, a particular language, style of dress, or sim.* Hdt.
2 **live under, observe** —W.DAT. *certain laws* Ar.

3 adopt, show —W.DAT. *a particular nature or disposition* Hdt.; **practise** —W.DAT. *truthfulness, a particular activity or way of life* Hdt. X.; **engage in** —W.DAT. *lamentation* Hdt.
4 (of a god) **maintain** —W.DAT. *a state of drought* Hdt.
5 be subject to, meet with, suffer —W.DAT. *a disaster, a fate* Hdt.
6 do away with, kill —W.ACC. *a person* Hdt. Antipho Th. X. +; (of plague) **destroy** —*the body* (W.ADV. *gradually*) Plu.

δια-χρέμπτομαι *mid.vb.* **clear one's throat** Theoc.

διά-χρῡσος ον *adj.* [χρῡσός] (of clothes) **interwoven or embroidered with gold** Plb.; (of armour) **inlaid with gold** Plu.

διάχυσις εως *f.* [διαχέω] **1 diffusion** (of the soul, through the body) Pl.
2 widening (of a river, into a lake) Plu.
3 relaxation, cheerfulness (of a person, a facial expression) Plu.

διαχυτικός ή όν *adj.* (of a juice) **having a relaxing or dilating effect** (on contracted pores in the mouth) Pl.

δια-χωρέω *contr.vb.* **1** (of fire) **pass through** —w. διά + GEN. *other elements* Pl.
2 ‖ IMPERS. (w. κάτω *in the bowels*) *there is an attack of diarrhoea* Pl. X.
3 (of trickery) **get by, succeed** Plb.

δια-χωρίζω *vb.* **1 separate** —*things* (fr. *each other*) X. —*one thing* (w. ἀπό + GEN. *fr. another*) Pl. ‖ PASS. (of things) be separated or distinguished (fr. each other or sthg. else) Pl. X. Arist.
2 ‖ MID. (of aither) **become a separate entity** (at the creation of the universe) Ar
3 ‖ PASS. (of persons) separate (fr. each other or someone else) Plb. NT.

δια-ψαίρω *vb.* (of breezes) **waft** —*a spiral of incense-smoke* Ar.

δια-ψέγω *vb.* **blame, criticise** —*someone or sthg.* Archil. Pl.

δια-ψεύδω *vb.* **1 cheat** —*a country* (W.GEN. *of its hopes*) Plb. ‖ MID. **frustrate** —*someone's hopes* Plu. ‖ PASS. be frustrated or foiled D. Plu. —W.GEN. *in one's hopes* Plb.
2 ‖ MID. **lie, be deceitful** And. Plb.; **lie to, deceive** —*someone* Plu.
3 ‖ PASS. be mistaken or misled Arist. Plb. Plu. —W.GEN. or PREP.PHR. *about someone or sthg.* Isoc. X. D. Arist. Plb. Plu. —W.GEN. *in one's calculations* Plb.

δια-ψηφίζομαι *mid.vb.* vote by ballot, **vote** Th. Att.orats. Pl. X. Arist.; **decide** (W.ACC. sthg.) **by vote** Lys.

διαψήφισις εως *f.* holding of a ballot, **ballot, vote** Lys. Pl. X.; (specif., ref. to voting by demesmen on eligibility for citizenship) Aeschin. D.

διαψηφισμός οῦ *m.* holding of a ballot, **vote** (on eligibility for citizenship) Arist.

δια-ψιθυρίζω *vb.* **1 whisper** (in someone's ear) Thphr.
2 spread gossip by whispering Plu.

δια-ψύχω *vb.* [ψύχω¹] **1 expose to the air, air** —*belongings* X.; **dry out** —*ships* (on land) Th.
2 (fig.) **chill down, lessen** —*someone's influence* Plu.

δί-βᾱμος ον *dial.adj.* [δίς; βῆμα, βαίνω] **walking on two feet** (opp. going on all-fours) E.

διβολίᾱ ᾱς *f.* [δίβολος] perh. **pair of spears** Men. Plu. [or perh. *double-pointed spear*, i.e. w. a point at both ends or a double point at one end]

δί-βολος ον *adj.* [δίς; βολή, βάλλω] (of a spear) **double-pointed** E.

δί-γαμος ον *adj.* [γάμος] (pejor., of women) **twice-married** (i.e. bigamous or adulterous) Stesich.

δί-γληνος ον *adj.* [γλήνη] (of a person's face) having two eyeballs, **twin-orbed** Theoc.*epigr.*

δί-γλωσσος, Att. **δίγλωττος**, ον *adj.* [γλῶσσα] (of persons, races) able to speak two languages, **bilingual** Th. Plu.
‖ MASC.SB. man able to speak two languages (ref. to an interpreter) Plu.

δί-γονος ον *adj.* [γόνος] **1** (of Bacchus) **twice-born** (i.e. fr. Semele, and then fr. the thigh of Zeus in which he was sewn up) E.
2 (gener., of corpses) **two** E.

δίδαγμα ατος *n.* [διδάσκω] **1** that which is taught, **lesson** Ar. X. Mosch. Plu.
2 that which can be taught, **subject matter** Pl.

διδακτέον (neut.impers.vbl.adj.): see διδάσκω

διδακτός ή όν *adj.* **1** (of things) **taught** Pi. S. E.; (of persons, W.GEN. by God) NT.
2 (of things) that can be taught or explained, **teachable, explicable** S. E. Isoc. Pl. X. Arist.

δίδακτρα ων *n.pl.* **teacher's fees** Theoc.

δίδαξις εως *f.* **teaching** Arist.; (W.GEN. of goodness) E.(dub.)

διδασκαλεῖον ου *n.* [διδάσκαλος] **1** place for teaching, **school, classroom** Th. Att.orats. Pl. X. Arist. +
2 training-room (for a chorus) Antipho

διδασκαλίᾱ ᾱς, Ion. **διδασκαλίη** ης *f.* **1** act or process of teaching, **teaching, instruction** Th. Even. Isoc. Pl. X. Arist. +
2 training (of a chorus) Pl. X. Plu.
3 act of explaining, **explanation** Arist.
4 product of teaching, **teaching, lesson, precept** Pi. Th. X. NT.
5 product of the training of actors, **production, drama, play** Plu.

διδασκαλικός ή όν *adj.* **1** (of persons) **of the kind that teach** Pl. Arist.; (of persons, logical argument) **able to teach** (W.GEN. sthg.) Arist.
2 (of things) relating to teaching, **didactic, instructive** Isoc. Pl. X. Arist.
3 ‖ FEM. and NEUT.SB. teaching, instruction Pl. Arist.

—**διδασκαλικῶς** *adv.* **in the manner of a teacher, didactically** Pl. Plb.

διδασκάλιον ου *n.* **1** that which is taught or learnt; **teaching, art, science** (ref. to an individual item of knowledge) Hdt.
2 lesson (ref. to an instructive observation) X. Plu.
3 ‖ PL. teacher's fees Plu.

διδάσκαλος ου *m.f.* [διδάσκω] **1 teacher** (of knowledge or skills) hHom. +; (fig., ref. to adversity, experience, or sim.) A. E. Th. Isoc. +
2 schoolteacher Ar. Pl. X. +
3 trainer (of a chorus, sts.ref. to the poet himself) Antipho Ar. X. +
4 instructor (of ephebes, in the use of weapons) Arist.

διδάσκω *vb.* [reltd. δαῆναι] *aor.* ἐδίδαξα, *dial.inf.* διδασκῆσαι (Hes.) ǀ *pf.* δεδίδαχα ‖ PASS.: *fut.* διδάξομαι ‖ neut.impers.vbl.adj. διδακτέον ǀ
1 impart knowledge; **teach, instruct** —*a person* Hom. +
—W.ACC. + PREDIC.ADJ. or SB. *a person* (to be) *wise, a good horseman* E. Pl. ‖ MID. (intr.) **teach** Pi.
2 teach —*sthg.* Il. + —W.INF. *how to do sthg.* Il.
3 teach —W.DBL.ACC. *sthg., to someone* Od. +; (mid.) Hes.*fr.* E.*fr.* Ar.(dub.) Pl.; (act.) —W.ACC. + INF. *someone to do sthg.* Hom. +
4 ‖ MID. **have** (W.ACC. someone) **taught** —*sthg.* Pl. X. Arist. —W.INF. *to do sthg.* Pl. —W.PREDIC.SB. *to be such and such* Pl. X.

5 ‖ MID. teach oneself, **learn** —*sthg*. S.
6 ‖ PASS. (of persons) be taught, learn Thgn. A. + —W.ACC. *sthg*. Il. Sol. A. + —W.INF. *to do sthg*. Tyrt. A. + ‖ PTCPL.ADJ. (of a person) well versed, skilled (W.GEN. in war) Il.
7 (wkr.sens.) **explain** (sthg.) A. Th. X.
8 be the trainer (of actors or singers); **bring on** —*actors* Pl.; **put on, produce** —*a play, a dithyramb* Hdt. A⁻.

διδαχή ῆς *f.* **1** act or process of teaching, **teaching, instruction** Hdt. Th. Pl. +
2 that which is taught, **teaching** (of Jesus, religious leaders) NT.

διδέᾱσι (3pl.redupl.pres.), **διδέντων** (3pl.imperatv.), **δίδη** (3sg.impf.): see δέω¹

δί-δραχμον ου *n.* [δίς, δραχμή] **two-drachma coin** Arist. NT.

διδυμάονες ονα, gen. όνων *ep.pl.adj.* [δίδυμος] | nom.acc.du. **διδυμάονε** | (of brothers) **twin** l. Hes.

διδυμᾱ-τόκος ον *dial.adj.* —also perh. **διδυμητόκος** Ion.*adj.* [τίκτω] (of sheep, goats) **that bear or have borne twin offspring** Call. Theoc.

διδυμο-γενής ές *adj.* [γένος, γίγνομαι] (of a country's ornament, ref. to the Dioscuri) **twin-born, twin** E.

δίδυμος η (dial. ᾱ) ον (also ος ον) *adj.* [reltd. δύο] **1** (of persons) born as a twin, **twin** Pi. E. Ar. Pl. +; (of a birth) **of twins** Pl. ‖ MASC. and NEUT.PL.SB. twins Il. Hdt. Plu.
2 (pl., also sg. for pl., of persons or things) two together, **paired, twin, two** Od. Pi. B. Trag. + ‖ MASC.PL.SB. testicles Plu.
3 (sg.) consisting of two together, **twofold, double** Pi. Trag. Pl. + ‖ PL. (of altars) double (i.e. dedicated to two gods) Pl.

διδυμότης ητος *f.* **twin nature, duality** (of an art or science) Pl.

δίδωμι *vb.* | 2sg. δίδως, 3sg. δίδωσι, 1pl. δίδομεν, 2pl. δίδοτε, 3pl. διδόᾱσι | also Ion.pres. (as if fr. διδόω) 2sg. διδοῖς, διδοῖσθα, 3sg. διδοῖ, 3pl. διδοῦσι | imperatv. δίδου, dial. δίδοι (Pi.), ep. δίδωθι | inf. διδόναι, ep. διδοῦναι, dial. διδοῦν (Thgn.), Aeol. δίδων (Theoc.) | ptcpl. διδούς, Aeol. δίδοις | impf. ἐδίδουν, 2sg. ἐδίδους, 3sg. ἐδίδου, ep. δίδον, 3pl. ἐδίδοσαν, ep. ἔδιδον, also δίδον | fut. δώσω, ep. διδώσω, ep.inf. δωσέμεναι, δωσέμεν | aor.1 ἔδωκα, ep. δῶκα, 3pl. ἔδωκαν, ep. δῶκαν | iteratv.aor.2 δόσκον ‖ ATHEM.AOR.: 1pl. ἔδομεν, ep. δόμεν, 2pl. ἔδοτε, 3pl. ἔδοσαν, ep. δόσαν, also ἔδον (Hes.), imperatv. δός, ptcpl. δούς | subj. δῶ, ep.3sg. δώῃ, δώῃσι, δῷσι, 1pl. δώομεν, 3pl. δώωσι | opt. δοίην | inf. δοῦναι, ep. δόμεναι, δόμεν | pf. δέδωκα ‖ PASS.: fut. δοθήσομαι | aor. ἐδόθην | pf. δέδομαι ‖ neut.impers.vbl.adj. δοτέον |

1 give possession of, **give** —*sthg.* (freq. W.DAT. *to someone*) Hom. +; (pres. and impf.) be ready to give, **offer** —*sthg.* Hom. + ‖ PASS. (of things) be given (freq. W.DAT. to someone) Hdt. +; (of a choice) be offered Th. Arist.
2 give, make —*a sacrifice or other offering (to the gods)* Hom. +
3 (of a god or a superior) give (sthg. immaterial, to someone); **give, grant, confer** —*glory, honour, favour, the right of speech* Hom. + ‖ PASS. (of honours or sim.) be granted (freq. W.DAT. to someone) Hdt. +
4 (gener., of gods, fate, other powers) **give, grant, bestow, send** —*victory, glory, evils, grief, or sim.* Hom. +; **provide** —W.ADV. *well* S. E. ‖ PASS. (of things) be bestowed or sent (by gods) Il. +
5 (esp. in prayers and vows) **bring it about, grant** —W.ACC. + INF. *that someone may do sthg., that sthg. shd. happen* Hom. Sapph. A. + —W.DAT. + INF. S. Pl.
6 (intr., of laws) **grant permission** —W.DAT. *to someone* Is. —(W.INF. *to do sthg.*) Pl. ‖ IMPERS.PASS. permission is granted —W.PREP.PHR. *by the law* (W.INF. *to do sthg.*) Pl.
7 give in marriage —*a daughter* (or occas. another female relation) Hom. Hdt. E. Th. X.; (intr.) Hdt. E.
8 give (what is due or demanded); **give, pay** —*a price, ransom, or sim.* Hom. + —*a penalty* Hdt. Trag. + ‖ PASS. (of pay, rations) be given —W.DAT. *to someone* Hdt. Th. Ar.
9 (of a party in a lawsuit) **offer, tender** —*an oath* (sts. W.DAT. *to someone*) Is. D. Arist. | PASS. (in military ctxt., of oaths of reconciliation) be offered Th.
10 (of an official) offer (for voting on), **propose** —*a motion* D.; **hold** —*a vote* D.
11 grant (in argument), **concede** —*sthg.* Pl. —W.ACC. + INF. *that sthg. is the case* Arist.
12 deliver up, surrender —*oneself* (W.DAT. *to someone, i.e. put oneself in his hands*) Hdt. S. Th. —(W.INF. *to execute*) S.; **expose** —*oneself* (W.DAT. or PREP.PHR. *to danger*) D. Plb.
13 deliver up, consign —*a corpse* (W.DAT. *to wild beasts, the tomb*) E. —*a person (to darkness)* E.; **expose** —*a person (to pains, sorrows, or sim.)* Hom. +; **plunge** —*wild animals (into panic)* Pi.
14 devote, apply —*oneself* (W.DAT. or PREP.PHR. *to a person, an activity*) D. Plb.
15 (intr., of a chariot≥er) **give in** —W.DAT. *to his careering horses* Plu.
16 (periphr.phrs.) give —*gratification* (W.DAT. *to anger, i.e. indulge it*) S. —*one's hearing (to sthg., i.e. listen)* S. —*reflection (to oneself, i.e. reflect on sthg.)* Hdt. S. D.

δίε (ep.3sg.aor.2): see περιδείδω
διέβρον (3pl.aor.2): see διαβιβρώσκω
δι-εγγυάω contr.*vb.* [διά] **1** (leg.) **take a security deposit from** —W.ACC. *someone* Arist.
2 provide a security deposit (to cover someone's debt), **stand surety** —W.GEN. *for a certain sum* Plu.
3 ‖ MID. stand surety (that someone will appear for trial), **stand bail for** —W.ACC. *someone* (W.GEN. *for a certain sum*) Isoc. ‖ PASS. be released on bail (sts. W.GEN. for a certain sum) Th. D. Plb.

διεγγύησις εως *f.* **procedure of granting bail** (to a defendant) D.

δι-εγείρω *vb.* **1** (of persons, roosters, trumpets) **rouse, wake up** —*sleepers* Plb. NT. ‖ PASS. wake or be woken NT. Plu.
2 urge on —*a person (to action)* Plu.
3 ‖ PASS. (of the sea) be stirred up (by a gale) NT.

διέδεξα (Ion.aor.): see διαδείκνῡμι
διέδρακον (aor.2): see διαδέρκομαι
διέδρᾱν (athem.aor.): see διαδιδράσκω
δι-εδρείᾱ ᾱς *f.* [ἕδρᾱ] sitting apart, **separate perching** (of birds, seen as an unfavourable omen) Arist.
διέδῡν (athem.aor.2): see διαδύομαι
διεέργω ep.*vb.*: see διείργω
διέζησα (Att.aor.), **διέζωον** (Ion.impf.), **διέζων** (Att.impf.): see διαζάω

δι-είδομαι, ep. **διαείδομαι** (Il.) mid.*vb.* | ep.fut. διαείσομαι |
1 (of an island) **be discerned, be visible, stand out** Call.; (of a sea) AR.(tm.); (of a path) —W.GEN. *on a plain* AR.; (of the sun's component parts) **be distinguishable** Emp.
2 (of valour) **be recognised** Il.
3 (app.causatv.) **make clear** —*one's valour* (W.INDIR.Q. *as to whether one is able to do sthg.*) Il.(dub.)

διεῖδον (aor.2): see διοράω
διειλημμένως *pf.pass.ptcpl.adv.*: see under διαλαμβάνω
διειμένος (pf.mid.pass.ptcpl.): see δίημι

δί-ειμι *vb.* [εἶμι] | *inf.* διέναι | *impf.* διῄειν ‖ *neut.impers. vbl.adj.* διιτέον ‖ Only pres. and impf. (other tenses are supplied by διέρχομαι). The pres.indic. has fut. sense. ‖ **1** go or **pass through** —*a region* Th. Ar. Plb. —*w.* διά + GEN. Th. Plb.; (intr.) Ar. X. Arist. Plb.; (of a stream) —W.GEN. *a city* E.*fr.*
2 go across, **cross** —*a mountain, river* Th. Plb.
3 (of talk, on a certain topic) **spread** Plu.
4 go through (in speech or writing), **go through, recount, describe** —*sthg.* Att.orats. Pl. Men. Plu.; (intr.) Pl. D. Plu.
5 (pejor., of a play) **go on and on** Ar.

διειπετής *adj.*: see διϊπετής

δι-εῖπον[1] *aor.2 vb.* | ep.inf. διαειπέμεν | **1** go through in speech, **explain** (sthg.) Il.; **recount** (a story) S.; **describe** or **explain** —*sthg.* S. Pl. —W.INDIR.Q. or ACC. + INF. *what* (*or that sthg.*) *is the case* S. Pl.
2 ‖ MID. **make an agreement** or **contract** Arist.

διεῖπον[2] (*impf.*): see διέπω

δι-είργω, Ion. **διέργω**, ep. **διεέργω** *vb.* **1** keep (persons or things) apart (by interposing an obstruction); (of battlements, a ravine) **keep apart, separate** —*troops* Il. Th.; (of land) —*bodies of water* Pl. Plb. Plu.; (of a mountain) —*rivers* Plb.; (intr., of a river, ditch) **lie between** (people) Plb. Plu.; (of a distinction in powers) **form a barrier** (betw. gods and humans) Pi.
2 keep (persons or things) apart (fr. others); (of a mountain) **separate, cut off** —*a place, a route* Plb. —*a lake* (w. ἀπό + GEN. *fr. a place*) Plu.; (of a strait) —*a city* (*fr. the mainland*) Plu.; (of rivers) **be an obstacle** —W.GEN. *to the route home* X. ‖ PASS. (of persons) **be separated or cut off** (fr. someone, by a hill) Th.; (of an island) —W.GEN. *fr. a country* (W.DAT. *by a strait*) Th. —*w.* τὸ μή + INF. *fr. belonging to the mainland* (W.PREP.PHR. *by a stretch of sea*) Th.
3 (of a river) **cut through** —*the middle of a city* Hdt.
4 (of a person) **get between, separate** —*brawlers* Thphr.; (intr.) Pl.
5 (of winter) **put a check on, interrupt** —*a war* Plb. ‖ PASS. (of a pass) **be obstructed** —W.DAT. *by marshes and lakes* Plb.

διείρομαι *Ion.mid.vb.*: see διέρομαι

δι-ειρύω *Ion.vb.* [ἐρύω] **1 drag** (W.ACC. ships) **across** —*the Isthmos* Hdt.
2 (of oxen) **pull** (W.ACC. a plough) **through** —W.GEN. *fallow land* AR.

δι-είρω[1] *vb.* [εἴρω¹] | *pf.* διείρκα | **push** or **thrust** —*one's hands* (w. διά + GEN. *through one's garment, to hide them*) X.; (fig.) **plunge** —*persons* (w. ἐπί + ACC. *into tight spots, app. compared to pushing needles through sthg.*) Aeschin.

δι-είρω[2] *vb.* [εἴρω²] | *pres.* not found | *pf.* διείρηκα ‖ PASS.: *aor.* διερρήθην | *pf.* διείρημαι | (of a person, a law) **say fully** or expressly, **state, define** —*sthg.* Pl. D. —W.INDIR.Q. or ACC. + INF. *what* (*or that sthg.*) *is the case* Pl. D. ‖ PASS. (of things) **be stated explicitly** Pl. D.; (of a law, an argument) **be formulated explicitly** or **in detail** Pl.

δι-ειρωνό-ξενος *ov adj.* [εἴρων, ξένος²] (of Spartans) **thoroughly deceitful towards foreigners** Ar.

διείς (athem.aor.ptcpl.): see δίημι

δι-έκ (also **διέξ** before a vowel, also before a consonant in Archil.) *prep.* (w.vb. of motion) **right through and out of, out through** —W.GEN. *a doorway, hall* Hom. hHom. Hippon. AR. —*a pipe* Archil.; (wkr.sens.) **right across** or **through** —*a sea, plain, place* AR. [Apparent instances W.ACC. in AR. may be explained as tm., w. the ACC. governed by the cpd.vb.]

διεκ-βαίνω *vb.* **go right through** —*an orchard* AR.(tm.)

διεκ-βάλλω *vb.* go through and out of, **pass through** —*a region, strait* Plb. Plu.

διεκβολή ἧς *f.* **pass** (in a mountain range) Plb.

διέκδυσις εως *f.* [διεκδύω] **means** or **way of escape** Plu.

διεκ-δύω *vb.* [δύω¹] | athem.aor. διεξέδῦν | **slip away from** —*a crowd* Plu.; (intr.) **slip away, escape** Plu.

διεκ-θέω *contr.vb.* [θέω¹] (of fleeing troops) **run right through** (a body of troops) Plu.

διεκ-νέομαι *mid.contr.vb.* **cross over** —*the sea* AR.(tm.); (intr.) **make one's departure** (fr. a land) AR.(tm.)

διεκ-παίω *vb.* ‖ MID. (of a commander) **force one's way through** —*the enemy* Plu.

διεκ-περαίνω *vb.* **go through in detail, fully explain** —*topics* X.

διεκ-περάω *contr.vb.* **1** (of sailors) **pass right through** —*the Pillars of Hercules, the Clashing Rocks* Hdt. AR.(tm.); (intr., of troops) —W.PREP.PHR. *into a region* A.; (of food, i.e. be evacuated) Pl.
2 go right across, **cross** —*a river, desert* Hdt. AR. —*the sea* AR.(tm.) —*thyme roots* (*i.e. fields of them*) Ar.
3 go through to the end, **pass through** —*life, its troubles* E.

διεκ-πίπτω *vb.* **1** (of fugitives) **get through and away, escape** Plu. —W.GEN. *fr. a place* Plu. —W.PREP.PHR. *to a place* Plu. —*w.* διά + GEN. *through the enemy* Plu.
2 (of a river) **pour down from between** —W.GEN. *mountains* Plu.

διεκ-πλέω *contr.vb.* —also **διεκπλώω** *Ion.vb.* [πλέω¹] **1** (of sailors, ships) **sail out through** —*a strait, canal, the Clashing Rocks* Hdt.; **sail out to sea** (through a gulf, the Pillars of Hercules) Hdt. —*w.* διά + GEN. *through the Pillars of Hercules* Hdt.
2 sail across —*a lake* Hdt.
3 sail past —*one's ships* (*while reviewing them*) Hdt.
4 sail on —W.ACC. *for a certain distance* Hdt.
5 sail through (a disabled fleet) Th. —*w.* διά + GEN. *enemy ships* Plu.
6 (as a naval manoeuvre) sail right through (a fleet of enemy ships, to break it up), **break through the enemy's line** Hdt. Th. Plb. Plu.; **break through** —*w.* διά + GEN. *enemy ships* Plb.

διέκ-πλοος όον, Att. **διέκπλους** ου *m.* [πλόος] **1** place or means of sailing through or out, **way out, passage, channel** Th. Pl.; (W.GEN. through shallows, a pontoon bridge) Hdt.; **exit, mouth** (W.GEN. of a harbour) Plu.
2 sailing right through (enemy ships), **manoeuvre to break through the enemy's line** Hdt. Th. X. Plb.

διέκ-ροος ου *m.* [ῥόος] place of outflow, **outlet** (for a river, into the sea) Hdt.

διεκ-ρύομαι *mid.vb.* **bring** (W.ACC. a ship) **safely through** —*the Clashing Rocks* AR.(tm.)

διεκ-σεύω *vb.* (of a helmsman) **make** (W.ACC. a ship) **speed across** —*the sea* AR.(tm.)

διεκ-φέρω *vb.* **carry** (W.ACC. someone) **across** —*a river* AR.(tm.)

διεκ-φεύγω *vb.* **1 escape to safety through** —*the Clashing Rocks* AR.(tm.)
2 (of a suspected criminal) **escape the clutches of** —*a prosecutor* Plu.

διέλασις εως *f.* [διελαύνω] **riding across** (fr. one place to another, by cavalry) X.

δι-ελαύνω *vb.* **1** (of a herdsman) **drive** (cattle) **through** —*mountains, valleys and plains* hHom.; (of a hunter) **drive hither and thither** —*wild animals* hHom. ‖ PASS. (of a person, compared to a hunted animal) **be driven hither and thither** Plu.
2 (of charioteers) **drive** (W.ACC. horses, chariots) **through** (an area) Il. —W.GEN. *a ditch* Il. —*the enemy's ranks* E.

3 (of horsemen, cavalry) **ride through** (a place) X. Plu. —*a racecourse* X. —w. διά + GEN. *each other's ranks* X.; **cover** —W.ACC. *a distance* X. Plu.
4 drive, thrust (W.ACC. a spear, a stake) **through** —W.GEN. *part of the body, a horse, a corpse* Il. Hdt. —w. διά + GEN. Plu.; **pierce** (w. a spear) —W.GEN. *a shield* Il.
5 run through —*a person* (w. a spear or sword) Plu. ∥ PASS. have (W.ACC. a part of one's body) run through —W.DAT. *by a spear* Plu.; (of a hand) be pierced —W.DAT. *by an arrow* Plu.
δι-ελέγχω *vb.* **refute** —*someone* Pl. Plb.
δι-έλκω *vb.* **1** (hyperbol.) **pull** (W.ACC. a thin person) **through** —w. διά + GEN. *a finger-ring* Ar.
2 (of a man disguised as a woman) **haul** —*one's penis* (W.ADVS. *this way and that*, w. *allusion to the slipway used for transporting goods across the Isthmos*) Ar.
3 force wide open —*one's eyes* Pl.
4 ∥ PASS. (of parts of the body, in a sculpture) **be expanded** (opp. compressed) X.; (of time, discussions) **be protracted, drag on** Plb.
5 drink deeply or **often** Ar.
δίεμαι *mid.vb.*: see δίομαι[1]
διέμενος (athem.aor.mid.ptcpl.): see δίημι
δι-εμπίπτω *vb.* **1 stumble upon** (enemy troops) Plb.
2 fall into —w. εἰς + ACC. *someone's disfavour* Plb.
δι-εμπολάω *contr.vb.* **1 sell here and there, sell off** —*captives, merchandise* E. Ar. ∥ PASS. (of daughters) be sold off (in marriage, envisaged as slavery) S.*fr.*
2 (of a merchant) **make a deal** —W.DAT. *in words* (w. πρός + ACC. *w. someone, ref. to a clandestine arrangement*) S.
δι-ενθυμέομαι *mid.contr.vb.* **think carefully** —W.PREP.PHR. *about sthg.* NT.
δι-ενιαυτίζω *vb.* [ἐνιαυτός] **survive for a year** (after doing sthg.) Hdt.
δι-εντέρευμα ατος *n.* [ἔντερον] **entrail inspection** Ar.
διέξ *prep.*: see διέκ
διεξ-άγω *vb.* **1 bring through to an end, resolve, settle** —*a dispute* Plb.; (intr.) **reach a decision** —W.PREP.PHR. *over disputed points* Plb.
2 administer, manage —*an office, duties* Plb. ∣ PASS. (of justice) be administered Plb.
3 continue to treat —*persons* (W.PREP.PHR. *w. kindness*) Plb.
διεξαγωγή ῆς *f.* **resolution, settlement** (of a dispute) Plb.
διεξ-αΐσσω *dial.vb.* [ᾄσσω] ∣ aor. διεξάϊξα ∣ (of a ship) **dart right through** (the Clashing Rocks) Theoc.
διεξ-είργω *Ion.vb.* [εἴργω] (of a gulf) **separate off** —*the Peloponnese* (fr. *northern Greece*) hHom.(tm.)
διεξ-ειλίσσω *Ion.vb.* [ἑλίσσω] **unroll** —*bundles of rods* Hdt.
διέξ-ειμι *vb.* [εἶμι] ∣ Only pres. and impf. (other tenses are supplied by διεξέρχομαι). The pres.indic. has fut. sense. ∣
1 go out through (a gate) Il. —*a gate* X.
2 go right across or **through**; (of persons) **go** or **pass through** (a country or sim.) Hdt. Plb. —W.ACC. or διά + GEN. *a country, cornfield, passageways, or sim.* Hdt. Aeschin.; (of a disease) —*the whole body* Th.; (of a substance) —*the whole of sthg.* Pl.; (of the sun) **pass over** —W.ACC. *a country* Hdt
3 travel along —*a line* Arist.
4 go through in succession, proceed —w. ἐκ + GEN. *fr. one item* (w. διά + GEN. *through all*) Hdt.
5 go right through (in speech or writing), **go through, recount, describe, expound** —*sthg.* Att.orats. Pl. X. +; (intr.) **talk, hold forth, discourse** (sts. W.PREP.PHR. *about sthg.*) Hdt. Att.orats. Pl. +; **assert, explain** —W.INDIR.Q. or COMPL.CL. *what* (or *that sthg.*) *is the case* Att.orats.
6 go through (in one's mind), **examine, investigate** (sthg.) E.; **reflect** —W.PREP.PHR. *on sthg.* Isoc. —W.COMPL.CL. *how sthg. is the case* Pl.
7 go through, examine —*accounts* D.
8 deliver —*a funeral oration* Pl.
διεξέλασις εως *f.* [διεξελαύνω] **charge** (of chariots, across a battlefield or through enemy lines) Plu.
διεξ-ελαύνω *vb.* **1** (of persons, troops) **ride, drive** or **march through** (a place) Hdt. Plu. —*passes* Hdt. —W.GEN. *a city* Plu.; (of cavalry) **charge through** —W.ACC. *the enemy* Plu.; **ride** (W.ACC. horses) **through** (a mound of loose earth) Plu.
2 travel or **march across** —*a desert, a country* Hdt.; **ride across** —*hills* AR. —*a river* Plu.
3 row through (a harbour entrance) Plu. —*the Clashing Rocks* AR.(tm.)
διεξ-εργάζομαι *mid.vb.* (of changes) **produce, cause** —*evils* Pl.
διεξ-ερέομαι *mid.contr.vb.* [ἐρέω[1]] **closely question** —W.DBL.ACC. *someone, about sthg.* Il. AR.
διεξ-ερευνάομαι *mid.contr.vb.* **1 thoroughly explore** —*a country* Pl.
2 thoroughly investigate —*a faculty of the soul* Pl.
διεξ-έρχομαι *mid.vb.* ∣ Impf. and fut. are supplied by διέξειμι. ∣ **1 go all the way through, go** or **pass through** (a country or sim.) Hdt. E. Th. Pl. + —W.ACC. or διά + GEN. *a country, region, cities* Hdt. Pl.; (of news) —w. διά + GEN. *an army* Hdt.; (of encircled troops) **get through** or **past** —W.ACC. *a garrison* Th.
2 (of a person, a soul) **pass through** —*life* Pl.
3 (of heavenly bodies) **travel along** —*a single path* Pl.
4 make one's way through (a series of persons); (of a person) **go right through** —w. διά + GEN. *a group of persons* (W.PTCPL. *being handed fr. one to the other, having sexual intercourse w. them*) Hdt.; (of despatches) —w. κατά + ACC. *fr. one courier to another* (W.PTCPL. *being handed on*) Hdt.
5 go right through to the end (of a series of persons or things); **go** or **get through** —w. διά + GEN. *all punishments* (i.e. *exhaust the list of possible punishments*) Th.; (of killers) —*all their victims* Hdt.; (of a person seeking help) —W.ACC. *all one's friends* E.
6 work right through (an undertaking); **work through, perform** —*a song* Hdt. —*labours* S. —*shameful acts* Isoc. —*every crime* Pl.; **get through, finish** —W.PTCPL. *doing sthg.* Hdt.; (intr.) **go all the way, persevere** D.
7 go right through (in speech or writing); **go through, recount, describe, expound** —*sthg.* Hdt. Att.orats. Pl. +; **go over, examine** —*a poet's style, an argument, or sim.* Ar. Pl. +; **deliver** —*a speech* Aeschin. D.; (intr.) **talk, hold forth, discourse** (sts. W.PREP.PHR. *about sthg.*) Att.orats. Pl.; **explain** —W.INDIR.Q. *how sthg. is the case* Pl. Aeschin. D.
8 go through (in one's mind), **examine, analyse** —*one's fear* E.; **consider** —W.INDIR.Q. *what 's the case* Isoc.
9 (intr., of an argument) **come to an end, reach a conclusion** Pl.; (of legal possibilities) **run out, be exhausted** D.
10 (of years, days, time) **go by, pass** Hdt. Plu.
διεξ-ίημι *vb.* **allow** (W.ACC. persons) **to pass through** —w. διά + GEN. *a city* Hdt.
διεξ-ικνέομαι *mid.contr.vb.* **make one's way through** —w. εἰς + ACC. *to a place* Plb.
διεξοδικός ή όν *adj.* [διέξοδος] (of a historical work) **detailed** Plu.; (pejor., of speeches, narratives) **discursive, verbose** Plb.
διέξ-οδος ου *f.* [ὁδός] **1 way** or **route out** (fr. a place) Hdt. Th. Pl. NT. Plu.

2 way through, passageway Hdt. Pl. Plu.; (ref. to a hole in a wall) Men.; **channel** (under the ground, in the body) Pl. **3 outlet** (for water, air) Hdt. Pl. **4 opening, aperture** (in the body) Pl. **5 way out, means of escape** (fr. danger) Tim. Pl.; (fr. a dilemma) Plb. **6** journey right across (the sky); **route, path** (of the sun) Hdt.; **circuit** (W.GEN. of the sun, ref. to the time taken to complete its course, i.e. a day) E. **7** fact of going across (a space), **traversal** Arist. **8** ‖ PL. paths or movements (of the gods, travelling through heaven) Pl.; evolutions, manoeuvres (of troops) Pl. **9 progression, development** (of an argument, inquiry) Pl.; **evolution, outcome** (of a situation) Plb.; (W.GEN. of a plan) Hdt. **10 course** (W.GEN. of a narrative) Pl.; **narrative, exposition** Pl.

διεξ-οχλίζω vb. (of deities) **heave** (W.ACC. a ship) **all the way through** —the Clashing Rocks AR.(tm.)

δι-εορτάζω vb. [διά] **fully celebrate** —W.COGN.ACC. a festival Th. Plu.

διεπέφραδε (ep.3sg.redupl.aor.2): see διαφράζω

διέπραθον (ep.aor.2): see διαπέρθω

διεπτάμην (athem.aor.mid.), **διέπτην** (athem.aor.act.): see διαπέτομαι

δι-έπω vb. | dial.3pl. διέποντι (Pi.) | impf. δίεπον, ep. δίεπον | **1 bring to order, control** —persons, an army Il. **2 manage, see to, deal with** —tasks, fighting, wars, public affairs, one's own affairs Hom. A. Hdt. Plu.; **control, direct, administer** —a city, temple precinct, province, games Anacr. Thgn. Pi. B. Hdt. Plu.; (of gods) —human affairs A. **3 carry out, perform** —trickery, dances hHom. **4** (of a singer) **deal with, relate** —mythic battles Xenoph.

δι-εργάζομαι mid.vb. **1 carry out, perform** —exploits Plb.; **cause** —much harm Plb.; **commit** —murder E. ‖ PASS. (of exploits) be performed Plb. **2** (of an author) **deal extensively with** —a subject Isoc. **3 do away with, kill** —a person, oneself Hdt. E. Pl. Plu.; **destroy, ruin** —persons, a city, a cause S. Plu. ‖ PASS. (of persons, an empire) be destroyed Hdt. E.

διέργω Ion.vb.: see διείργω

δι-ερεθίζω vb. thoroughly provoke, **antagonise** —someone Plb. Plu.; (of a battle-cry) **stir up** —soldiers' spirits Plu. ‖ PASS. be provoked or angered Plu.

δι-ερείδομαι mid.vb. **1 support oneself, lean** —W.DAT. on a staff E.; (tr.) **support, lean** —one's body (W.DAT. on a staff) Ar. **2 take a firm stand** (so as to offer resistance); (of elephants) **struggle with one another** —W.PREP.PHR. for ground Plb.; (of a commander) **keep up the struggle** Plu.; (of a helmsman) —w. πρός + ACC. against a high sea Plu.; (of a politician) **contend** —w. πρός + ACC. w. someone Plu.; (of envoys) **stand opposed** —w. πρός + ACC. to a proposal Plb.

δι-ερέσσω vb. | aor. διήρεσα | **1** row along; (of a swimmer, sailor) **paddle** —W.DAT. w. one's hands Od. **2** (fig., of torch-bearers) **wave** —their hands E.

δι-ερευνάω contr.vb. **investigate, examine** —places, reports Plb. —a person (to discover what he is like) Pl. ‖ MID. **search through** —places, a group of people Pl. Plu.; **investigate** —W.ACC. or INDIR.Q. someone, sthg., what is the case Pl.; (intr., of scouts) **reconnoitre** X. Plb. ‖ PASS. (of an argument) be investigated Pl.; (of circumstances) Plb.

διερευνητής οῦ m. **scout** X.

διερμήνευσις εως f. [διερμηνεύω] **communication, negotiation** (betw. cities) Pl.

δι-ερμηνεύω vb. **1 interpret, explain** —sthg. NT. **2 translate** —a treaty Plb. ‖ PASS. (of a person's name) be translated NT.

δι-έρομαι, Ion. **διείρομαι** mid.vb. | aor.2 διηρόμην | **inquire about** —sthg. Il. AR.; **ask** —W.DBL.ACC. someone, about sthg. Hom. —W.ACC. + COGN.ACC. someone, a question Pl.

διερός ά (Ion. ή) όν adj. **1** (of mortal men) **living** Od. Ibyc.; (of feet) **vigorous, nimble** Od. **2** (of soil) **wet, moist** Hes. Theoc.; (of blood) A.; (of a cloak, a river; of a rock, ref. to the transformed Niobe) Call.; (of lips) AR.; (of a journey over the sea) **watery** AR.; (of the rising of Arcturus, as presaging rain) AR. ‖ FEM.SB. (in a dithyrambic parody) wetness Ar.(dub.) **3** (of bird songs) **liquid, pure, clear** Ar.

δι-έρπω vb. **walk through** —fire S.

διερριμμένος pf.pass.ptcpl.adj.: see under διαρρίπτω

διέρρωγα (pf.): see διαρρήγνυμι

δι-ερύκω vb. **settle, stop** —an altercation Plu.

δι-έρχομαι mid.vb. | impf. διηρχόμην (Pi.) | fut. διελεύσομαι | aor.2 διῆλθον ‖ Impf. and fut. are usu. supplied by δίειμι. | **1** (of persons, animals) **go or pass through** (somewhere) Il. Hdt. Th. Ar. + —W.ACC. or διά + GEN. a group of people or animals, a region, city, building Il. Pi. Hdt. E. Th. Ar. + —W.GEN. a hall Od. **2 go across, cross** —a mountain Th. **3 travel, cover** —a route, a certain distance Hdt. Ar. Isoc. X.; **travel to** —the end of life Pi. **4** (of weapons) **go through, pierce** (the body) Hom. —W.GEN. flesh Il.; (of pain) **pass through** (the body) S.; (of desire, emotion) **come over** —W.ACC. a person S. E. **5** (of poisonous blood) **pass** —W.GEN. fr. a wound S.; (of a poisoned drink) **pass through** —W.ACC. the throat E. **6** (of news, talk) **spread throughout** —a group of people S.; (intr.) **spread** Hdt. S. Th. X. **7** (of persons) **go through, pass, spend** —a day Semon. —a period of days, years E. —one's life Pl. **8 go through, complete** —a task or series of tasks Sol. E. —a period of education X. **9** go through (in speech or writing); **go through, recount, describe** —sthg. A. Pi. E. Th. Att.orats. +; (intr.) **talk, hold forth, discourse** (freq. W.PREP.PHR. about sthg.) Att.orats. Pl. +; **explain** —W.INDIR.Q. what (or how sthg.) is the case E. Arist. **10** go through (in the mind); **go through, reflect on** —sthg. (W.DAT. in one's mind) hHom.(dub.) —another consideration E.; **consider, examine** —sthg. E.(dub.) —W.INDIR.Q. what is the case Isoc. **11** (of years, time) **pass by** Hdt. Th. Isoc. +; (of summer, winter) **come to a close** Th.; (of a festival) **be come and gone** Th. Plb.; (of a truce) **expire** Pl.

δι-ερωτάω contr.vb. **1 question** —someone Pl. **2 ask** —W.INTERN.ACC. a particular question Pl. —W.INDIR.Q. what is the case Arist. **3 ask** —someone (W.INTERN.ACC. a particular question) Pl. —(W.INDIR.Q. what is the case) Pl. X. Plb. —(W.DIR.Q.) D. ‖ PASS. be asked —W.INDIR.Q. what (or whether sthg.) is the case Pl. Aeschin. **4 make inquiries about** —sthg. Pl. NT. **5** (of a magistrate) **put to the vote** —two proposals Plb.

δι-εσθίω vb. | aor. supplied by διαφαγεῖν | (of unborn snakes) **gnaw through** —their mother's bowels Hdt.

δίεσις εως f. [δίημι] **1 release** (of a prisoner, opp. arrest) Plu. **2** smallest interval in the musical scale, **microtone** Arist.

διεσκεμμένως pf.pass.ptcpl.adv.: see under διασκέπτομαι

διέσσυτο (ep.3sg.aor.2 mid.): see διασεύομαι

δι-ετής ές (also **διέτης** ες) *adj.* [δίς, ἔτος] **1** (of a period of time, a treaty) **lasting two years** Hdt. Plu. ‖ NEUT.SB. **period of two years** Is. Aeschin.
2 (of a child) **two years old** NT.

—διετία ᾱς *f.* **period of two years** NT.

δι-ετήσιος ον *adj.* [διά] (of games and sacrifices) **held throughout the year** Th.

διέτμαγεν (ep.3pl.aor.2 pass.), **διέτμαγον** (aor.2): see διατμήγω

δι-ευκρινέω *contr.vb.* **1** ‖ PASS. (of different kinds of soldiers or grain) **be carefully sorted into separate groups** X.
2 carefully scrutinise or **assess** —*sthg.* Pl.(mid.) Plb. ‖ PASS. (of a subject) **be investigated in detail** Plb.
3 correctly interpret, understand —*sthg.* Plb.
4 (intr.) **judge, decide** (sts. W.PREP.PHR. on an issue) Plb.
5 settle —*a dispute* D.(mid.) Plb.

δι-ευλαβέομαι *mid.pass.contr.vb.* | aor. διηυλαβήθην | **1 be very cautious** or **careful** Pl. —W.ACC., GEN. or PREP.PHR. **over** *sthg.* Pl. —w. μή + SUBJ. *that sthg. shd. not happen* Pl. Plb.
2 take care to avoid, guard against —*sthg.* Pl. D.
3 take care to secure —*someone's assent* Plb.

δι-ευνάω *contr.vb.* (fig.) **lay to rest** (i.e. end) —*one's life* E.(tm., dub.)

δι-ευσχημονέω *contr.vb.* **continue to behave with decorum** Plu.

δι-ευτονέω *contr.vb.* [εὔτονος] (of a sea current) **maintain a vigorous flow** Plb.

δι-ευτυχέω *contr.vb.* **continue to enjoy good fortune** D. Men. Plu.

δί-εφθος ον *adj.* [ἑφθός] (of meat) **well-boiled** Philox.Leuc.

διεφῦν (athem.aor.): see διαφύομαι

δί-εχω *vb.* | ep.aor.2 (tm.) διὰ ... ἔσχεθον (Stesich.) | **1** (intr.) **hold** (a course) **through**; (of an arrow, a spear-point) **continue through** (a cuirass, part of the body) Il. Stesich.(tm.); (of a spear) —W.GEN. *the shoulder* Il.(tm.)
2 (of a canal) **extend** —w. ἐς + ACC. *to a place* Hdt.; (of the Hellespont) **be** (W.ACC. a certain distance) **wide** X.
3 (tr.) **hold apart**; (of a river) **keep apart, keep separate** —*its two branches* Hdt.; (of a person) **keep apart** (fr. oneself), **shun** —*persons* Plu.; (intr.) **keep apart** (fr. another, i.e. shun him) Thgn.
4 (of a person) **hold apart, spread out** —*one's arms* (to block someone) Plu.; (fig., ref. to intervening as a mediator to separate combatants) Plb. Plu.; **hold open** —W.PARTITV.GEN. *one's clothing* (to show one's wounds) Plu. ‖ MID. (of an archer, taking aim) **stretch wide** —W.DAT. *w. both hands* (i.e. draw them apart) AR.
5 (of a commander) **push apart, force one's way through** —*enemy troops* Plu.
6 (of a period of time) **separate, come between** —*a baby's birth* (and its abandonment) S.
7 (of persons, troops, places, objects) **be** (W.ACC. a certain distance) **apart** (usu. W.GEN. or ἀπό + GEN. fr. others) Th. X. Plb.; (intr., of persons, a crowd, sections of an army) **draw apart, leave a gap** Ar. X. Plu. ‖ NEUT.PRES.PTCPL.SB. **gap, space** (betw. troops) X.
8 (of things) **be apart** (in nature or likeness), **differ** Arist. —w. ἀπό + GEN. *fr. each other* Emp.

δίζημαι *mid.vb.* | reltd. ζητέω] | ep.2sg. δίζηαι | 3sg.impf. ἐδίζητο, ep. δίζητο | fut. διζήσομαι | aor. ἐδιζησάμην (Heraclit.), dial.3sg.aor. διζάσατο (Pi., cj.) | —also **δίζομαι** (Hellenist.poet.) *mid.vb.* | 2sg. δίζεαι | 3sg.impf. ἐδίζετο, also δίζετο |
1 seek, search for, try to find —*persons, animals, places, objects* Hom. Hes. Anacr. Thgn. Heraclit. Hdt. + —*a blameless man* Simon.
2 explore —*places* Pi.fr.(cj.); **search** —*the whole world* Hdt.; (intr.) Hdt.
3 try to get to, make for —*a city* B.
4 seek after, try to gain, win or **secure** —*followers, a wife, a servant* Hom. Hes. —*a safe homecoming, profit, escape fr. poverty, or sim.* Od. Thgn. Hdt. AR. Theoc.
5 require, call for —*a more precise account* Hdt.; (of a narrative) —*digressions* Hdt.
6 try to find out —*sthg.* Parm. Hdt. —W.INDIR.Q. *how one might do sthg., if sthg. is the case* Hdt. Theoc.; **try to discover the meaning of** —*an oracle* Hdt.; **inquire** —w. ἐς + ACC. *into a matter* Hdt.
7 seek, try or **want** —W.INF. *to do sthg.* A. B. Hdt. Call.; **want** —W.ACC. + INF. *someone to be such and such* Hdt.

δίζησις ιος *Ion.f.* **investigation, inquiry** Parm.

δίζομαι *mid.vb.*: see δίζημαι

δί-ζυξ ζυγος *masc.fem.adj.* [δίς, ζεύγνῡμι] (of horses) **that form a yoked pair** Il.

δίζω *vb.* [δίς] **be in two minds, be in doubt** —W.INDIR.Q. *whether to do this or that* Il. Hdt.(oracle)

δι-ηγέομαι *mid.contr.vb.* [διά] **1 set out in detail, describe, relate, recount** —*events, situations, facts, stories* Heraclit. Th. Ar. Att.orats. Pl. + —W.COMPL.CL. or INDIR.Q. *that (or how) sthg. is the case* Pl. X. D. Thphr. +; (intr.) **make a statement, give an account, go into detail** (sts. w. περί + GEN. about sthg.) Ar. Att.orats. Pl. + ‖ IMPERS.PF.PASS. **an account has been given** Antipho
2 describe —*a person* Pl. X. —(w. ὅτι + CL. *as doing sthg.*) Pl.

διήγημα ατος *n.* (usu.pejor.) **story, tale** Plb. Plu.

διηγηματικός ή όν *adj.* **1** (of a literary technique) **descriptive, narrative** Arist.
2 (of digressions) **devoted to stories** (opp. hard facts) Plb.

διήγησις εως *f.* **exposition of facts** (by a speaker or writer), **narration, narrative** Pl. Aeschin. Arist. Plb. NT. Plu.

διηγητικός ή όν *adj.* (of persons) **fond of telling stories** Arist.

δι-ήριος η ον *Ion.adj.* [ἀέριος] (quasi-advbl., of Harpies flying) **through the air** AR.; (of a ship, lifted by deities) AR.

δι-ηθέω *contr.vb.* **1** (of a person) **sift, filter** —*ashes* (through a sieve) Plu.; (of the eyes, while looking) —*fire* (in the body) Pl.; (of women's breasts) —*milk* Plu.; (intr., gener.) **separate out** (sthg.) Pl. ‖ PASS. (of a liquid) **be filtered through** (bone) Pl.
2 (of water) **seep** or **trickle through** (the ground) Hdt.
3 rinse —*a mummy's belly* (W.DAT. *w. wine, spices, purgatives*) Hdt.

διήθησις εως *f.* **seepage, infiltration** (of river-water, into the land) Plu.

διῆκα (aor.): see διίημι

διῆκον (impf.): see διήκω

διηκονέω *Ion.contr.vb.*, **διήκονος** *Ion.m.f.*: see διακονέω, διάκονος

διηκόσιοι *Ion.pl.num.adj.*: see διακόσιοι

δι-ήκω *vb.* | impf. διῆκον | **1 go across**; (of a line of men or hieroglyphs, buildings, features of the landscape) **extend, stretch** —W.PREP.PHR. or PHRS. *to a point, fr. one point to another, through a region* Hdt. Th. X. Plb. Plu.
2 (of the power of the supernatural) **extend** —W.PREP.PHR. *as far as humans* Plu.; (of self-love) —*to others* (i.e. develop into love of them) Arist.; (of justice and friendship) —*to the same limit* (i.e. be co-extensive) Arist.; (of a city) —W.ADV. **far** (W.DAT. *in reputation*) Plu.

3 go through; (of lamentation) **travel through** —w. διά + GEN. *a place* (W.PREP.PHRS. *fr. one point to another*) X.; (of news, lamentation) **spread through** —W.ACC. *a city* A.; (of a person's name) **spread among** —*everyone* S.; (intr., of talk) **spread far and wide** E.*fr.*
4 (of the sun) **pass over** —*a channel* A.(dub.) [perh. διήμι]

δι-ήλυσις εως *f.* **passage** (W.GEN. into the sea, fr. a lake) AR.

διήμαρτον (aor.2): see διαμαρτάνω

δι-ημερεύω *vb.* **1 spend the day** —W.ADV., ADJ., PTCPL. or PREP.PHR. *in a particular place, company, state or activity* Pl. X. Plu.
2 spend one's days —W.PREP.PHR. *in a certain place, company or activity* Isoc. X. Aeschin.

δι-ήμισυς εια υ *adj.* (of a lawgiver) dealing in half measures, **half-hearted** Pl.

δι-ηνεκής, dial. **διᾱνεκής**, ές *adj.* [ἐνεγκεῖν, see φέρω]
1 extending right through; (of a path, furrow, strip) **continuous, unbroken** Hom.; (of tree-roots) extending right down, **deep** Il. Hes.
2 (of a poem) **continuous** (i.e. telling a story completely, fr. beginning to end) Call.
3 (philos., of embodiments of reality) **interconnected** Pl.; (of a doctrine) **of interconnectedness** Pl.
4 extending right through time; (of a law) **permanent** Pl.; (of a military command) **unbroken** Plu.; (quasi-advbl., of life-forms being produced) **without interruption** Emp.

—**διηνεκές** *neut.adv.* **1 continuously, without interruption, in unbroken line** —*ref. to extending spatially* hHom. Call. AR.
2 all the way through, from beginning to end, completely —*ref. to telling sthg.* AR.
3 continuously, without interruption —*ref. to living somewhere* AR.

—**διηνεκῶς**, ep. **διηνεκέως**, dial. **διᾱνεκέως** *adv.* **1 all the way through, from beginning to end, completely** —*ref. to telling or hearing sthg.* Od. Hes. A. AR.
2 continuously, without interruption —*ref. to eating* Philox.Leuc.

δι-ήνεμος ον *adj.* [ἄνεμος] (of a region) **windswept** S.

διῆξα (aor.): see διάσσω

διήρεσα (aor.): see διερέσσω

δι-ήρης ες *adj.* [δίς; app.reltd. ἀραρίσκω] ‖ NEUT.SB. perh., second floor, upper storey E.

διηρόμην (aor.2 mid.): see διέρομαι

διήφυσα (aor.): see διαφύσσω

δι-ηχέω *contr.vb.* [διά] (of a country) **resound** —W.ACC. *w. a commander's success* Plu.

δι-θάλασσος ον *adj.* [δίς, θάλασσα] (of a place) **where two seas meet** NT.

δί-θηκτος ον *adj.* [θηκτός] (of a sword) sharpened on both sides, **two-edged** A.

δί-θρονος ον *adj.* [θρόνος] (of the leadership of Agamemnon and Menelaos) with two thrones, **shared by two kings** A.

δῑθυραμβικά ῶν *n.pl.* [διθύραμβος] **dithyrambic poetry** Arist.

δῑθυραμβο-διδάσκαλος ου *m.* composer and director of dithyrambs, **dithyrambic poet** Ar.

δῑθυραμβοποιητική ῆς *f.* [διθυραμβοποιός] **composition of dithyrambs** Arist.

δῑθυραμβο-ποιός οῦ *m.* [ποιέω] **composer of dithyrambs** Arist.

δῑθύραμβος ου *m.* [perh.loanwd.] **dithyramb** (choral song, orig. in honour of Dionysus) Archil. Pratin. Pi. Hdt. Ar. Pl. +; (as exemplifying inspired discourse) Pl.; (fig., ref. to bombastic language) Pl.

—**Διθύραμβος** ου *m.* **Dithyrambos** (name of Dionysus) E.

δῑθυραμβώδης ες *adj.* (of an invented cpd. name) **redolent of the dithyramb** (i.e. outlandish) Pl.

δί-θυρος ον *adj.* [δίς, θύρα] **1** (of a temple) **with double doors** Plu.
2 ‖ NEUT.PL.SB. app., double-doored structure or building Plb.

Διί (dat.sg.): see Ζεύς

διιέναι[1] (inf.): see δίειμι

διιέναι[2] (inf.): see δίημι

δι-ίημι *vb.* [διά] | inf. διιέναι | iteratv.impf. δίιεσκον | aor.1 δίηκα | athem.aor.ptcpl. διείς ‖ MID.: athem.aor.ptcpl. διέμενος ‖ MID.PASS.: pf.ptcpl. διειμένος, ep. διαειμένος (AR.) |
1 cause (sthg.) to pass through (sthg.); **shoot** (an arrow) **through** —W.GEN. *an aperture* Od.; **drive** (W.ACC. a sword) **through** —W.GEN. or διά + GEN. *one's throat, a person, his chest* E. Plu.; **pass** (W.ACC. one's hand) **through** —w. διά + GEN. *an oarport* Ar.; **pour out** (W.ACC. subjects of reproach) **through** —W.GEN. *one's lips* S.; **give vent to** —W.ACC. *speech* S. ‖ MID.PASS. (of a river) **pass through** —W.GEN. *a region* AR.
2 allow (someone or sthg.) to pass through (somewhere); **allow** (W.ACC. persons) **to pass through** X. D. Arist. —w. διά + GEN. *one's territory* X. Plb.; (of a street) X.; (of membranes in the body) **let through** —W.ACC. *fire* Emp.; (of dry aither) —*the Sun's chariot-wheel* (i.e. fail to support it) E.*fr.*; (of rivers) **allow a crossing** X.
3 ‖ MID. **soak** (sthg.) —W.DAT. *w. vinegar* Ar.
4 dismiss, disband —*an army* X.
5 let (W.ACC. someone) **go free** Plu. —w. ἐκ + GEN. *fr. a place* Plu. ‖ PASS. (of a person) be allowed to go free Plu.

δι-ικνέομαι *mid.contr.vb.* **1** go through (to a goal); (of soldiers) **reach one's target** (w. missiles) Th.; (of sense-impressions) **reach** (a sleeper's mind) Arist.; (of a fire) —*a place* Plu.; (of a belief, reputation) —W.PREP.PHR. *as far as someone* Plu.; (of good and evil) **get through** —w. πρός + ACC. *to the dead* Arist.; (of an order) **pass through** (troops) Plu.; (of news) —W.GEN. *a country* Plu.
2 (of a speaker) **go through, cover** —*everything* Il. hHom.; **recount, describe** —*sthg.* AR.

διϊ-πετής (or **διειπετής**) ές *adj.* [app. Ζεύς; πίπτω or πέτομαι] **1** (of rivers) perh., fallen from Zeus (because produced by his rain), **rain-fed** Hom.
2 (of birds) **flying in the sky** hHom.
3 (of bronze) **gleaming** Emp.; (of aither, water) **clear, translucent** E. Plu.; (of mooring-places) **bright, lit up** (W.DAT. w. torches) E.

—**διαιπετής** ές *adj.* [1st el.perh. διά] (of a star) **falling** or **flying through** (W.GEN. heaven) Alcm.

δι-ισθμίζω *vb.* [διά, ἰσθμός] (of a commander) **convey** (W.ACC. ships) **across the Isthmos** Plb.

διιστέον (neut.impers.vbl.adj.): see δίοιδα

δι-ίστημι *vb.* | aor.1 διέστησα | also MID.: aor.1 διεστησάμην ‖ The act. and aor.1 mid. are tr. For the intr. mid., see διίσταμαι below. The act. athem.aor., pf. and plpf. are also intr. |
1 set apart (fr. others), **separate** —*persons or things* Th. Pl. X. +
2 take apart (opp. put together) —*a structure or arrangement* Isoc.
3 divide, create disunity in, split into factions —*people, a country* Hdt. Th. Ar. D.
4 (aor.1 mid.) **differentiate, distinguish** (fr. each other) —*two kinds of person or thing* Isoc. Pl.; **separate off,**

distinguish —*classes of things* Pl.; **divide up** (for analysis) —*a city* (W.ADV. *into three parts*) Pl.
5 (aor.1 mid., of spiders) **stretch from point to point, spin** —*webs* (w. εἰς + ACC. *over weapons*) Theoc.
—**διίσταμαι** *mid.vb.* | also ACT.: athem.aor. διέστην, ep.3du. διαστήτην | pf. διέστηκα, 1pl. διέσταμεν, 3pl. διεστᾶσι | 3pl.plpf. διέστασαν | **1** (of persons, troops) **position oneself at intervals** Il. Hdt. Pl. X. ‖ PF. and PLPF.ACT. be stationed at intervals Hdt. X.
2 (of persons, troops, animals) **move apart, separate** (fr. each other) Il. Hdt. Th. Ar. Isoc. +; (of persons in a crowd) **part** (to let a wagon pass) Il.; (of troops) **open a gap** (in their ranks) Il.; (of an entity) **separate, be divided** —W.PREP.PHR. *into its elements* Arist. ‖ PF.ACT. (of gods) stand apart (fr. a battle) Il.; (of persons or things) be separated or apart (fr. each other) X.
3 (of the sea, earth, a mountain) **part, split open** Il. S. Call.; (of fastenings) **come apart** Pl. ‖ PF.ACT. (of a warp, fig.ref. to the thread of an argument) have gaps Pl. ‖ NEUT.PL.PF. PTCPL.SB. fissures (caused by an earthquake) Hdt.
4 divide, take opposite sides, come into dispute Il. Th. Arist.; (of a state) **become divided** (against itself) Pl. ‖ PF. and PLPF.ACT. be divided or at variance Th. D.
5 ‖ PF.ACT. (of persons, their opinions) differ Isoc.; (of things) be different (sts. W.GEN. or ἀπό + GEN. fr. sthg. else, fr. each other) Pl. Aeschin. Arist. —w. πρός + ACC. Arist.

δι-ισχάνω *vb.* (of stars, moonbeams) **penetrate** —*the night* AR.

δι-ισχῡρίζομαι *mid.vb.* **1 strongly affirm, confidently assert, maintain** —*a proposition* Pl. Is. —W.INF., ACC. + INF. or COMPL.CL. *that sthg. is the case* Lys. Pl. Arist.; **make a confident statement, insist** (sts. W.PREP.PHR. on sthg.) Att.orats. Pl. NT.
2 persist —W.DAT. *in a statement or argument* Antipho Aeschin.; **persist in an argument** —w. πρός + ACC. *against someone* Is.

διιτέον (neut.impers.vbl.adj.): see δίειμι

διΐ-φιλος (sts. written **Διὶ φίλος**) ον *adj.* [Ζεύς, φίλος] (of persons) **dear to Zeus** Il.

δι-ιχνεύω *vb.* (of soldiers) **search around** —W.PREP.PHR. *on foraging expeditions* Plb.

δίκᾱ *dial.f.*: see δίκη

δικάζω *vb.* [δίκη] | fut. δικάσω, Ion. δικῶ | aor. ἐδίκασα, ep. δίκασα, δίκασσα ‖ PASS.: aor. ἐδικάσθην | pf. δεδίκασμαι |
1 (of gods, persons, jurors) **judge, act as judge, pronounce judgement** Il. Hes.*fr.* Hdt. E. Ar. Att.orats. +; **pronounce** —W.COGN.ACC. *judgement, a verdict* Hes. Hdt.; **pronounce** (W.NEUT.INTERN.ACC.ADJ. this, a righteous, or sim.) **judgement** Hdt. Th. + ‖ PASS. (of a judgement or verdict) be pronounced Antipho Pl.
2 judge —W.COGN.ACC. *a case, an issue* Thgn. A. Hdt. E. Ar. + ‖ PASS. (of a case) be judged Lys.
3 judge, pass sentence on —*crimes* A. Pi.; (fig., of time) **pass judgement on, condemn** —*a marriage* S.
4 pass —W.COGN.ACC. *a sentence* Hdt.; **pass a sentence of** —*exile* (W.DAT. *on someone*) A.; (of an oracular god) **decree, ordain, impose** —*murder* E.; (fig., of a murder) **decree, demand** —*another murder* E.
5 give a judgement or **ruling** —W.COMPL.CL. or ACC. + INF. *that sthg. is the case* Hdt. Th. ‖ PASS. judgement is given —W.ACC. + INF. *that sthg. is the case* Th.
6 ‖ MID. **plead one's case, go to law** (sts. W.DAT. or πρός + ACC. against someone) Od. Hippon. Hdt. Th. Ar Att.orats. + ‖ PASS. be made to defend —W.COGN.ACC. *a case* Lys.
7 ‖ MID. **deliver forensic speeches** Arist.

δικαιοδοσίᾱ ᾱς *f.* [δίκαιος, δίδωμι] **administration of justice, jurisdiction** or **legal proceedings** Plb. Plu.
δικαιολογέομαι *mid.contr.vb.* [λόγος] | aor.pass.inf. (w.mid.sens.) δικαιολογηθῆναι | (leg.) **plead one's case** Aeschin. Hyp. Plb.
δικαιολογίᾱ ᾱς *f.* **argument made in justification of one's actions or policy, plea, justification** Plb. Plu.
δικαιόπολις ι, gen. ιος *dial.adj.* [πόλις] (of an island) **whose cities uphold justice** Pi.
δικαιοπρᾱγέω *contr.vb.* [πράσσω] **act justly** Arist. Plu.
δικαιοπράγημα ατος *n.* **just action** Arist.
δικαιοπρᾱγίᾱ ᾱς *f.* **just behaviour** Arist.
δίκαιος ᾱ (Ion. η) ον (also ος ον E.) *adj.* [δίκη] **1** (of persons) observing the rules and customs of society, **civilised, well-mannered, decent** Hom. +; (fig., of the sea on a windless day) **well-behaved** Sol.
2 (of persons, their attributes) having due regard to what is right and honourable, **righteous, honourable, upright, fair** Hom. +
3 (of actions, speech, or sim.) conforming with right or law, **right, lawful, just** A. + ‖ NEUT.SB. (sg. and pl.) right, justice, fairness Hes. +; (pl.) legal rights or entitlements, just deserts, fair claims A. +
4 (of persons) **right, proper** or **deserving** (W.INF. to do or experience sthg.) Hdt. +; (of attire, to wear in civilised company) A.; (of pity, W.PASS.INF. to be shown) Th.
‖ NEUT.IMPERS. (w. ἐστί, sts.understd.) it is right or proper —W.INF. or ACC. + INF. *to do sthg., that sthg. shd. be the case* Od. +
5 (gener., of an account) **strictly true, precise** Hdt.; (of a measurement) **exactly equivalent** (to sthg.) Hdt.; (of a chariot) **functioning properly** X.
—**δικαίως** *adv.* | compar. δικαιότερον, also δικαιοτέρως (Isoc.) | **1 in the proper manner** Od. +
2 rightly, justly, honestly, fairly Sol. +
3 really, truly Hdt. S. +

δικαιοσύνη ης *f.* **righteousness, justice** Thgn. Hdt. Th. Att.orats. Pl. +

δικαιότης ητος *f.* **righteousness, fairness** (as a personal quality) Pl. X.

δικαιόω *contr.vb.* **1 think it right** (that sthg. shd. be the case) Hdt. S. Th. Plu. —W.INF. or ACC. + INF. *to do sthg., that someone shd. do sthg., that sthg. shd. be the case* Hdt. S. E. Th. Plu.
2 (of Law) **declare to be right, deem to be just, justify** —*utmost violence* (*in its application*) Pi.*fr.*
3 pronounce and treat as righteous, **justify, vindicate** —*oneself or another* NT.; **recognise the righteousness of** —*God* NT.
4 bring to justice, punish —*a person* Hdt. —*a city* Hdt.(oracle) ‖ MID. (fig.) **pass sentence on** —*oneself* (by following a certain course of action) Th. ‖ PASS. be brought to justice or get one's just deserts A.; be punished Hdt. Pl.
5 help to secure justice (for someone) Plb.
6 ‖ PASS. be treated justly Arist.

δικαίωμα ατος *n.* **1 assertion of rightness or entitlement** (in making a claim), **justification** Th. Isoc.
2 just demand, rightful claim Th.
3 requirement, commandment (of God) NT.
4 punishment, penalty Pl.
5 act of justice, righteous action Arist.; (specif.) correction of an act of injustice, **act of restorative justice** Arist.

δικαίωσις εως *f.* **1 asserting rightness or entitlement** (in making a claim or stating a case), **justification** Th. Lys.
2 asserting a claim, claim, demand Th.

3 judging what is right or justified, **estimation, assessment** Th.
4 bringing to justice, **condemnation, punishment** Th. Plu.

δικαιωτήριον ου *n.* [δικαιωτής] **place of punishment** (for souls, in the underworld) Pl.(pl.)

δικαιωτής οῦ *m.* [δικαιόω] **judge, arbiter** (of good and evil) Plu.

δικανικός ή όν *adj.* [δίκη] **1** (of persons) **skilled in pleading legal cases** or **in forensic oratory** Isoc. X.; (of a person's ready wit) **suited to** or **typical of forensic oratory** Plu. ‖ MASC.SB. skilled pleader, forensic orator Pl. Arist.
2 (of speeches, argument, skill) related to the pleading of cases, **forensic** Isoc. Pl. Arist. Plu. ‖ FEM.SB. and NEUT.PL.SB. forensic oratory Pl. Arist.
3 (pejor., of expressions, arguments) **typical of the lawcourts, legalistic** Ar. Pl.; (of a person) **pettifogging, cavilling** Pl.

δικάσιμος ον *adj.* [δικάζω] (of months) **when the lawcourts are in session** Pl.

δικασ-πόλος ον *adj.* [δίκη, πέλω] (of a person) **giving judgements, administering justice** Hom.; (of a sceptre) **denoting legal authority** AR. ‖ MASC.SB. (ref. to Zeus) giver of judgements Call.

δικαστηρίδιον ου *n.* [dimin. δικαστήριον] **miniature courtroom** Ar.

δικαστήριον ου *n.* [δικαστής] **assembly of persons giving legal judgements, lawcourt, court** (ref. to the place or its occupants) Hdt. +

δικαστής οῦ *m.* [δικάζω] **1** one who gives legal judgements, **judge** A. +; **juror** A. +
2 one who brings justice, **avenger** (W.GEN. of bloodshed) E.

δικαστικός ή όν *adj.* **1** (of a person) **possessing judicial skill** X. ‖ FEM.SB. judicial science, jurisprudence Pl.
2 (of justice, one aspect of a constitution) relating to the judicial system, **judicial** Arist.; (in Roman ctxt., of a law) **relating to the appointment of judges** Plu.
3 (of pay) **for jurors** Plu. ‖ NEUT.SB. jury pay Arist.

δικεῖν aor.2 inf. [reltd. δίσκος] | aor.2 ἔδικον | **throw, cast, fling** —an object, a corpse, one's body (sts. W.PREP.PHR. *to a place*) A. B. E.; **aim, direct** —one's hand (towards heaven, in supplication) E.; (intr.) **make a throw** —W.DAT. *w. a stone* (ref. to a discus) Pi.

δίκελλα ης *f.* [prob. δίς; cf. μάκελλα] **two-pronged implement** (for breaking up ground), **mattock** Trag. Ar. Aeschin. Men.

δί-κερως ωτος *masc.fem.adj.* [κέρας] (of Pan) **two-horned** hHom.

δίκη ης, dial. **δίκα** ᾱς *f.* [reltd. δείκνυμι] **1 customary manner, custom, way** (of persons of a particular class or in a particular situation) Od. +; (of a particular individual) Pi. ‖ ACC.ADV. **in the manner, after the fashion** (W.GEN. of someone or sthg.) Semon. Pi. Trag. Pl.
2 justice, right, fairness Hom. +; (advbl. and prep.phrs.) δίκη *with justice, justly* Hes. +; (also) σὺν δίκῃ Thgn. A. +; ἐν δίκῃ Pi. S. +; κατὰ δίκην Hdt. E. +; πρὸς δίκης S. E.; μετὰ δίκης Pl.; παρὰ δίκην *contrary to justice, unjustly* Pi. E. +
3 ‖ PL. **principles of justice** Od. Thgn.
4 (personif.) **Justice** (daughter of Zeus and Themis) Hes. +
5 (leg.) **judgement, decision, verdict** Hom. +
6 atonement, punishment, penalty Hes. +; **reparation, compensation** Hdt.
7 lawsuit, trial, case (usu.ref. to a private prosecution, opp. γραφή *public prosecution*) A. +

δικη-φόρος ον *adj.* [φέρω] (of Zeus, a day) **bringing justice** or **retribution** A. ‖ MASC.SB. avenger (opp. δικαστής *judge*) A.

δικίδιον ου *n.* [dimin. δίκη] **petty lawsuit** Ar.

δι-κλίς ίδος *fem.adj.* [δίς, κλίνω] (of doors, gates) **double, folding** Hom. AR. ‖ SB. double door Theoc.

δικογραφίᾱ ᾱς *f.* [δίκη, γράφω] (ref. to the composition of lawcourt speeches) **case-writing** Isoc.

δικολογέω contr.vb. [δικολόγος] **be a forensic orator** Arist.

δικολογίᾱ ᾱς *f.* **forensic oratory** Arist.

δικο-λόγος ου *m.* [λέγω] one who makes speeches in court, **forensic orator** Plu.

δικορραφέω contr.vb. [δίκη, ῥάπτω] (fig.) stitch together a lawsuit, **put a case together** Ar.

δι-κόρυφος ον *adj.* [δίς, κορυφή] (of a plateau) **twin-peaked** (ref. to the Phaidriades, two peaks of Parnassos above Delphi) E.; (of heights, ref. to the Phaidriades) **forming twin peaks** E.

δι-κότυλος ον *adj.* [κοτύλη] (of bowls) **holding two cupfuls** (approx. half a litre) Plu.

δί-κραιρος ον *adj.* [reltd. κέρας] (of a sea-monster's tail) **double-pointed, forked** AR.

δί-κρᾱνος ον *adj.* [κρᾱνίον¹] (fig., of mortals) **two-headed** (i.e. uncertain) Parm.

δι-κρατής ές *adj.* [κράτος] **1** (of the sons of Atreus) **in dual command** S.
2 (of spears) **giving dual victory** (i.e. to two spearmen) S.

δίκρος *adj.*: see under δίκρους

δί-κροτος ον *adj.* [κρότος] **1** (of the splash of oars) **double-pounding** (i.e. on both sides of a ship) E.
2 (of triremes) **manned by two banks of rowers** (opp. the normal three) X.; (of a ship) **with two banks of rowers, bireme** Plu. ‖ NEUT.SB. bireme Plb.
3 (of a path) with two ruts beaten out (by wagon-wheels), **double-grooved** E.

δί-κρους ᾱ ουν *Att.adj.* [2nd el. app.reltd. κάρᾱ] **1** (of a structure) **branching, forked** Pl.
2 (fig., of bawling, by farmers threatening someone w. pitchforks) **two-pronged, forked** Ar.
—**δίκρος** ᾱ (Ion. η) ον *adj.* (of a tree-branch) **two-pronged, forked** X.; (of a piece of wood, app.ref. to a pitchfork) Call.
—**δίκρον** ου *n.* **fork** (of a stick) X.

Δίκτυννα (also **Δίκτῠνα** Call.), Ion. **Δικτύνη**, ης *f.* [reltd. Δίκτη *Dikte* (mt. on Crete)] **Diktynna** (Cretan goddess, sts. identified w. Artemis) Hdt. E. Ar. Call.

δικτυό-κλωστος ον *adj.* [δίκτυον, κλωστός] (of the mesh) **of a woven net** S.

δίκτυον ου *n.* **1 net** (for fishing) Od. A. Hdt. Pl. Call. NT.; (for hunting or bird-catching) Sol. Hdt. E. Ar. X.; (fig., W.GEN. of Kypris) Ibyc.; (of death, destruction) A.; (gener., in fig.ctxts.) E. Pl. Plu.
2 netted bag (for fruit and vegetables) Ar.

δίκτυς υος *m.f.* a kind of animal found in Libya Hdt.

δικτυωτός ή όν *adj.* [reltd. δίκτυον] (of doors) **latticed** Plb.

δικῶ (Ion.fut.): see δικάζω

δικωπέω contr.vb. [δίκωπος] ply two oars; (fig.) **row at the same time** (w. sexual connot.) —*two women* Ar.

δί-κωπος ον *adj.* [δίς, κώπη] (of a boat) **two-oared** E.

διλογέω contr.vb. [λόγος] (of a person) speak twice, **repeat oneself** X.

διλογίᾱ ᾱς *f.* **repetition** (of what one has said) X.

δί-λογχος ον *adj.* [λόγχη] (fig., of ruin) **twin-speared** (ref. to a warrior's two spears) A. [or perh. *twin-pronged*, ref. to the points of a whip or goad]

δί-λοφος ον *adj.* [λόφος] (of Parnassos) **twin-peaked** (ref. to the Phaidriades) S.
διλοχίᾱ ᾱς *f.* [λόχος] **double file** (of troops) Plb.
δι-μερής ές *adj.* [μέρος] (of knowledge of historical events) **bipartite** (as derived fr. written and eyewitness accounts) Plb.
δί-μηνος ον *adj.* [μήν²] (of a truce, an office) **lasting two months** Plb. ‖ FEM.SB. period of two months Arist. Plb.
δί-μιτρος ον *adj.* [μίτρα] (of a cap) **decorated with a double headband** Plu.
δί-μνεως ων *Ion.adj.* [μνᾶ] (quasi-advbl., of a person being valued for ransom) **at two minae** Hdt.
διμοιρίᾱ ᾱς *f.* [δίμοιρον] **double portion** (of food) X. Thphr.; **double pay** X.
διμοιρίτης ου *m.* **soldier on double pay** Men.
δί-μοιρον ου *n.* [μοῖρα] **double share** (i.e. in the proportion of 2:1), **two thirds** (of a whole) A.; (as a number) Plu.
δί-μορος ον *adj.* [μόρος] (of sufferings) **caused by two deaths** A.
δίνᾱ *dial.f.*: see δίνη
δῑνεύω *vb.* [δίνη] | iteratv.impf. δινεύεσκον | The vb. describes both rotatory and to-and-fro movt. | **1 wheel round** —*a team of oxen* Il.; **spin round** —*firesticks* AR.; **keep in rapid motion** —*a shuttle* E.
2 rapidly cast —*one's eyes* (W.ADVS. *this way and that*) E.; (of a madman) **dart** —*terror* (W.DAT. *w. his rolling eyes*) E.
3 (intr., of acrobats, dancers) **whirl round** Hom. AR.
4 (of a bird) **wheel, circle** Il.; (of persons, compared to ants and flies) **bustle** —W.PREP.PHR. *around a place* AR.
5 (of winged horses) **speed along** E.(dub.); (of a passenger in the Sun's chariot) AR.
6 go to and fro, wander, roam Hom. AR.
δῑνέω, also dial. **δῑνάω** *contr.vb.* —also **δίννημι**, and app. **δίνημι** *Aeol.vb.* | Aeol.masc.nom.pl.ptcpl. δίννεντες | aor. ἐδίνησα, dial. ἐδίνᾱσα, δίνᾱσα ‖ PASS.: (app.) Aeol.3pl.impf. δίνηντο (B.) | aor. ἐδινήθην, dial. ἐδῑνάθην | The vb. describes both rotatory and to-and-fro movt |
1 whirl round (before throwing) —*a lump of metal* Il.; **revolve, spin round** —*a stake* Od.; **wheel about** —*one's chariot-horses* A. ‖ PASS. (of a bull-roarer) be whirled round Theoc.
2 (intr., of dancers) **whirl** or **spin round** Il.; (mid.pass., of acrobats) Pl. X.; (pass., of a wounded bird) AR
3 (of birds) **whir, flutter** —*their wings* Sapph. ‖ PASS. (of ribbons) perh., **flutter** —W.PREP.PHR. *around the hair* (of dancers) B.
4 whirl —*a flash of light* (W.PREP.PHR. *fr. one's eyes*) Pi.*fr.*; **roll** —*one's eyes* B. ‖ PASS. (of the eyes of a person on the lookout) dart about Il.; (of flashing glances) be whirled —W.PREP.PHR. *fr. the eyes* hHom.
5 flourish —*a shield* A.; **rock** —*a shield* (*used as a cradle*) Theoc.
6 ‖ PASS. (of a river god) **swirl, eddy** E.
7 ‖ PASS. (of persons) **circle** —W.PREP.PHR. *around a place* Il.
8 (intr.) **go to and fro, wander, roam** Call. AR.; (pass.) Od. Anacr.(dub.) Theoc.
9 ‖ PASS. (of a traveller, at a fork in the road) **become confused** Pi.
δίνη ης, dial. **δίνᾱ** ᾱς *f.* **1 eddying water, eddy** (of a river or sea) Hom. Hes. Lyr. Hdt. E. Hellenist.poet. +; **whirlpool** A.
2 eddying, eddy (W.GEN. of the aither) Emp.; (W.ADJ. ἀνεμώκης **wind-swift**, ref. to a whirlwind) Ar.; **gust** (W.GEN. of wind) E.*fr.*(cj.)
3 (in cosmological theory) **rotary movement, vortex** Emp. Pl. Plu.

4 rotation (of a celestial body, clouds) E.
5 (fig.) **vortex** or **whirlpool** (such as may engulf those who believe that all things are in motion or flux) Pl.
6 whirling, spinning (of a spindle) Pl.; **whirring** (of wings) Ar.
7 (fig.) **whirl** (ref. to emotional or mental turmoil) A.; (W.GEN. of compulsion, ref. to implacable violence) A.
δινήεις, dial. **δινᾱεις**, Aeol. **διννᾱεις**, εσσα εν, also dial.contr. **δῑνᾶς** ᾶσσα ᾶν (B.) *c.adj.* **1** (of a river or sea) **full of eddies, eddying** Hom. Hes. Lyr. E.Cyc. AR.
2 (of a basket) **rounded** Mosch.
δῖνος ου *m.* [reltd. δίνη] **1** (in cosmological theory) **rotary movement, vortex** Democr. Ar.; (personif.) **Vortex** Ar.
2 circular platform (for threshing), **threshing-floor** X.
3 large round cup, goblet Ar.
δῑνω *vb.* | ep.inf. δινέμεν | (of slaves) **thresh** —*corn* (*by driving oxen round a threshing-floor to trample the grain out of the husks*) Hes. ‖ PASS. (of a threshing-floor) be trodden in a circle —W.PREP.PHR. *by oxen* Call.
δῑνώδης ες *adj.* ‖ NEUT.PL.SB. eddying or turbulent stretches (W.GEN. of a river) Plu.
δῑνωτός ή όν *adj.* [assoc.w. δῖνος, but perh. only by pop.etym.] **1** perh., **inlaid** or **embossed with circular decorations**; (of a bed, chair) **whorled** Il. AR.; (W.DAT. in ivory and silver) Od.
2 (of a shield) perh., **decorated in concentric circles, ringed** (W.DAT. in leather and bronze) Il.; perh. **rounded** AR.
3 (of chariot-wheels) **rounded** or **spinning** Parm.
διξός *Ion.adj.*: see δισσός
διό *conj.* [διά, ὅς¹] **because of which, for this reason** Hdt. Att.orats. Pl. X. Arist. +
διό-βολος ον *adj.* [Ζεύς, βάλλω] (of a thunderclap, lightning-bolt) **hurled by Zeus** S. E.
διο-γενέτωρ ορος *masc.adj.* (of caves) **where Zeus was born** E.
διο-γενής ές *adj.* [γένος, γίγνομαι] | ep. διο- metri grat. | **1** (of Athena) **fathered by Zeus, Zeus-born** Trag.; (of Amphion, Herakles) A. E.; (of the Olympian gods collectively) A. Ar.
2 (of heroes and rulers) **descended from Zeus, Zeus-born** Hom.; (of the light of the Sun, perh. ref. to identification of Helios w. Apollo) E.; (of spilt blood, ref. to that of Achilles) E.
δι-ογκόομαι *pass.contr.vb.* [διά] (of a leg) **become swollen** Plu.; (of a lake, w. water) Plu.
διό-γνητος ον *adj.* [Ζεύς, γίγνομαι] (of a hero) **descended from Zeus, Zeus-born** Hes.
δι-οδεύω *vb.* [διά] **travel through** —*a region, cities* Plb. NT. Plu.; **travel about** NT.
δι-οδοιπορέω *contr.vb.* **make one's way through** —*shallow water* Hdt.
δί-οδος ου *f.* [ὁδός] **1 way across** or **through**; **pass** (over a mountain range) Hdt. Th. Ar. Plb
2 passageway (betw. buildings) Ar. Plb. Plu.
3 outlet, channel (W.GEN. for water) Th.
4 passageway (for air, ref. to the mouth and nostrils) Pl.; **duct** (in the body, fr. which the soul's wings grow) Pl.
5 means of going through or **across, way through** (a territory, building, city, wall) Th X. Plb.; **way across** (a bridge or ditch) Plb.
6 act of going across, crossing (of a territory, river) Plb.
7 permission to pass through (a territory) Th.(treaty) Ar. Aeschin. Plu.
8 path, course, orbit (W.GEN. of the stars) A.

διόδοτος adj.: see διόσδοτος
Διόθεν adv.: see under Ζεύς
δι-οίγω vb. [διά] **1 open** (a door) S. —*a barred door, a storeroom* S. E.*fr.* —*one's jaws* (*to eat*) Ar. ‖ PASS. (of a barred door) be opened S.
2 ‖ PASS. (of hollow statuettes) **be opened up** (to display their contents) Pl.; (fig., of speeches likened to such statuettes) Pl.
3 cut open —*sacrificial victims* E.
δί-οιδα pf.vb. | neut.impers.vbl.adj. διστέον | **1 fully know** or **understand** —*sthg.* Ar. Pl. AR.; (intr.) E.
2 know apart, distinguish —*a certain kind of person* (*fr. others*) E.; **distinguish between** —*two things* Pl.
3 adjudicate on, decide —*an issue* S.
δι-οικέω contr.vb. **1 control, manage** —*a city, its affairs, one's own affairs, an office, sums of money* Th. Ar. Att.orats. Pl. +; **arrange** —w. ὅπως + FUT. *that sthg. shd. be the case* D.; (intr.) **exercise control, govern** Arist.; **be manager** (of a bank) D. ‖ PASS. (of things) be managed Aeschin. D.; (of people's lives) be regulated —W.DAT. *by nature and the laws* D. ‖ NEUT.PL.PF.PASS.PTCPL.SB. administrative actions Arist.
2 provide for, look after —*a person* D. Men.
3 ‖ MID. **manage in one's own interest, arrange** —*sthg.* D.; **achieve, effect** —*one's wishes* D.; **procure** —*unjust advantages* D.; (intr.) **arrange things** D. —w. πρός + ACC. *w. someone* D.
4 ‖ PF. (of a class of people who travel fr. city to city, in neg.phr.) **have a separate residence in** —*homes of their own* Pl.
διοίκησις εως f. **1** (in civic or political ctxt.) **management, administration** (esp. of finances) Th. Att.orats. Pl. X. Arist. +; **branch of administration, administrative responsibility** Arist. Plu.
2 money spent on administration; administrative funds (of a state) Aeschin. Din.; **maintenance costs** (of persons employed or supported by the state) Arist.; **management expenses** (of a bank, a household) D.
3 (gener.) **management** (of a house) Pl.; **organisation** (of human affairs) Pl.
διοικητής οῦ m. **1 one who has management duties**; perh. **guardian** (of a child) Men.; **marshal** (of troops) Men.
2 manager (of a public project) Plu.
3 steward, agent (of an individual, sts.equiv. to Lat. *procurator*) Plu.
4 governor, deputy (ref. to an official in Ptolemaic Egypt) Plb. Plu.
δι-οικίζω vb. **1 disunite a settled community; disperse, split up** —*a city* Isoc. D. Plu. ‖ PASS. (of a city) be split up X.
2 cause to live apart, disperse, scatter, forcibly relocate —*occupants of a city* Isoc. Arist. —(W.PREP.PHR. *fr. one city into several*) Plb. ‖ MID. (of occupants of a city) become **dispersed, live apart** —W.PREP.PHR. *in villages* X. ‖ PASS. be dispersed or forcibly relocated D. Plb. —W.PREP.PHR. *in villages* D.
3 ‖ MID. (of a person) **relocate, move** —w. εἰς + ACC. *to another house* Lys.
4 ‖ PASS. (fig., of a formerly united being, compared to a populace) **be disunited, be split up** —W.PREP.PHR. *by a god* Pl.
διοίκισις εως f. **dispersal of a household** (into separate settlements) Lys.
διοικισμός οῦ m. **dispersal, splitting up** (of a city, its inhabitants) Plu.
δι-οικοδομέω contr.vb. **1 build** (a wall) so as to separate, **wall off** —*an area, a portico* Th.

2 (fig., of creator gods) **build a partition across** —*the chest cavity* (ref. to the diaphragm) Pl.; **build** (W.ACC. an isthmus and boundary) **between** —W.GEN. *the head and chest* (ref. to the neck) Pl.
δι-οινόομαι pass.contr.vb. | pf.ptcpl. διωνωμένος | ‖ PF.PTCPL.ADJ. **drunk** (on wine) Pl.
διοιστέον (neut.impers.vbl.adj.): see διαφέρω
δι-οϊστεύω vb. **1 shoot an arrow through** —W.GEN. *a series of apertures* Od.
2 shoot an arrow across (a specified space) Od.
δι-οιχνέω contr.vb. **1** (of Pan) **go along** —W.PREP.PHR. *among crags* hHom.
2 (of a person) **go through** —*life* A.
δι-οίχομαι mid.vb. | Ion.pf. διοίχημαι | **1** (of a person) **be gone, depart** E. ‖ PF. (of an allotted number of days) **have gone past** Hdt.
2 (of a person) **be gone, have died** S.
3 (hyperbol., of persons bemoaning their fate) **be ruined, be done for** E. Ar.
4 (of the body, decaying after death) **be reduced to nothing** Pl.
5 (of a speech) **be at an end** S.; (of justice) **have been done** E.
διοκωχή ῆς f. [reltd. διέχω] **remission, abatement** (of a plague) Th.
δι-ολισθάνω (also perh. **διολισθαίνω** Pl.) vb. | aor.2 διώλισθον | **1** (of a person) **slip away, escape** Plu.
2 give the slip to, elude —*creditors* Ar.; (of a concept) —*a person* Pl.
3 frustrate —*someone's designs* Plb.; **survive** —*crises, dangers* Plb.; (intr.) **come through unscathed** Plb.
δι-όλλυμι vb. **1 utterly destroy, destroy, kill** —*a person* Emp. S. E. Th. Plu. —*a monster* E.
2 cause irremediable damage to, destroy, ruin —*a city, country, people, shrines, a person's life* S. E. Th. Pl.
3 ruin (through wrongdoing or misfortune), **ruin, destroy** —*an estate* Is. —*arts, craftsmanship* Pl. —*a situation or cause* Th.; (of a person or evil) —*the body* Pl.; (of love of gain) —*persons* S.; (of a calamity) —*a person's finances* Is.
4 corrupt, seduce —*someone's wife* E.
5 lose —*a desire to do sthg.* (through old age) E. —*one's profits* (through shipwreck) S.*fr.*
6 lose from one's mind, blot out, forget —*sthg.* S.
7 ‖ PF. (of persons, military forces) **have perished** A. E. Plu.; (of a house, city) be ruined or destroyed Pl.; (hyperbol., of persons bemoaning their fate) be done for, be ruined S.
8 ‖ MID. (of persons or things) **perish, be destroyed** Trag. Ar. Pl. Plu.; (hyperbol., of persons bemoaning their fate) **be done for, be ruined** A.; **nearly die** —W.DAT. *through fear* Pl.; (of a womb) **waste away** E.; (of gratitude towards someone) **be lost, vanish** E.
δι-όλου adv. [ὅλος] **wholly, entirely** Arist. Plu.
δι-ολοφύρομαι mid.vb. **keep lamenting** —w. πρός + ACC. *to oneself* Plb.
δίομαι[1], also athem. **δίεμαι** mid.vb. [app.reltd. διώκω] | athem.3pl. δίενται | inf. δίεσθαι | subj. δίωμαι, 3sg.opt. δίοιτο | **1 drive off** or **away** —*a person, enemy troops, marauding animals, fighting* Hom. ‖ MID.PASS. (of a lion) **run away** or **be driven off** Il.
2 chase, pursue —*fleeing animals* Hom. —*persons* AR.; (intr.) AR.
3 drive —*horses* Il. ‖ MID.PASS. (of horses) **speed** or **be driven** Il.; (of a bird) **speed, fly** —W.PREP.PHR. *through the Clashing Rocks* AR.
4 pursue, perform —*an allotted role* A.(dub.)

—**δίω** *act.vb.* | only ep.1sg.impf. δίον | **flee** Il. [v.l. δίες *you chased*]

δίομαι[2] *mid.vb.* [app.reltd. δείδω] **be afraid** —W.INF. *to do sthg.* A.

δι-ομαλίζω *vb.* **be consistent** (in one's conduct) Plu.

Διομήδης εος (ους) *m.* **1 Diomedes** (son of Tydeus, Achaean leader in the Trojan War) Hom. Scol. Pi. Hdt. E. +
2 Diomedes (king of Thrace, owner of man-eating horses stolen by Herakles as one of his labours) Pi.*fr.* E.

—**Διομήδεια** ᾱς *fem.adj.* (provbl., of necessity) **Diomedean** Ar. Pl. [app.ref. to a situation in which one must obey orders or die, but of uncert. origin]

δι-όμνῡμι *vb.* —also perh. (pres.) **διομνύω** (Arist.) **1 swear an oath** —W.FUT.INF. *to do sthg.* S. Lycurg. Arist.
2 ‖ MID. **swear an oath** S. Att.orats. —W.COGN.ACC. *an oath* Antipho Lys. —W.INF. *that one knows sthg.* Antipho
—W.FUT.INF. *that one will do sthg.* Antipho Aeschin. Plu.
—W.ACC. + INF. or COMPL.CL. *that sthg. is the case* S. Att.orats. Plu.; **declare** (W.NEUT.ACC. sthg.) **on oath** Antipho Lys. Pl.
3 ‖ MID. **swear by** —*certain gods* Aeschin. Din. —*one's son and wife* D.

δι-ομολογέω *contr.vb.* **1 make an agreement** —W.DAT. *w. someone* (W.FUT.INF. *that one will do sthg.*) X.
2 ‖ MID. **reach a joint conclusion, agree** —W.INDIR.Q. *on what shd. be done* X.
3 ‖ MID. (in legal or political ctxts.) **make an agreement** Is. —w. πρός + ACC. *w. someone* Is. —W.FUT. or AOR.INF. *to do sthg.* Is.; **obtain an agreement** —W.PREP.PHR. *about sthg.* Is.
—W.ACC. + INF. *that sthg. is the case* Is.; (tr.) **agree to** or **upon** —*sthg.* Att.orats. Pl. ‖ PASS. (of matters) **be agreed upon** Plb. Plu. ‖ IMPERS.PASS. **an agreement is made** —W.ACC. + INF. *that sthg. shd. happen* Isoc. Aeschin.
4 ‖ MID. (of participants in philosophical discussion) **come to an agreement, agree** Pl. —W.DAT. *w. someone* Pl.
—W.ACC + INF. *that sthg. is the case* Pl. X. —W.INDIR.Q. *what (or whether sthg.) is the case* Pl. —W.NEUT.ACC. *on sthg.* Pl.
‖ PF.PASS. (of a proposition) **have been agreed** Pl.
‖ IMPERS.PF.PASS. **it has been agreed** —W.COMPL.CL. *that sthg. is the case* Pl.

διομολόγησις εως *f.* **agreement, pact** (betw. states) Plb.

διομολογία ᾱς *f.* (in legal or quasi-legal ctxts.) **agreement, contract** Is. Arist.

δίον (ep.1sg.impf.): see δίω, under δίομαι[1]

δι-ονομάζω *vb.* **1 assign names** (to things) Pl.
2 ‖ PASS. (of persons) **be well-known** Isoc.

Διονύσιος ου *m.* **Dionysius** (elegiac poet, 5th C. BC) Arist. Plu.

Διονῡσο-κόλακες ων *m.pl.* [Διόνῡσος, κόλαξ] **parasites of Dionysus** (abusive term for actors) Arist.

Διόνῡσος, ep. **Διώνῡσος**, Ion. **Δεόνυσος** (Anacr.), Aeol. **Ζόννυσσος**, ου *m.* **Dionysus** (son of Zeus and Semele, assoc.w. wine, ecstatic ritual cults and theatrical performances) Hom. +

—**Διονύσιος** ᾱ ον *adj.* (of a grape-pip; of gifts, ref. to wine) **of Dionysus** Simon. B.; (of a dance) Scol.

—**Διονῡσιάς** άδος *fem.adj.* **1** (of an altar) **of Dionysus** Pratin.
2 (of a libation) **Dionysian** (i.e. of wine) E.; (of fun, i.e. derived fr. wine) Pl.
3 ‖ SB. **island of Dionysus** (ref. to Naxos) Call.

—**Διονῡσιον** ου *n.* **temple of Dionysus** Th. Pl. Is.

—**Διονύσια** ων *n.pl.* **Dionysia** (name of several Athenian festivals, esp. *Great* or *City Dionysia* and *Rural Dionysia*) Th. Ar. Att.orats. +

—**Διονῡσιακός** ή όν *adj.* **1** (of a theatre) of or dedicated to Dionysus, **of Dionysus** Th. Plb.
2 of or relating to the Dionysia; (of a contest) **Dionysian** Arist.; (of aulos-players, ref. to a professional body so named) Plb.
3 (of a law) **dealing with the Dionysia** Aeschin.

δι-όπερ *conj.* [διά, ὅσπερ] **because of which, for this reason** Th. Att.orats. Pl. +

διο-πετής ές *adj.* [Ζεύς, πίπτω] (of a statue, shield) **fallen from the sky** E. Plu. ‖ NEUT.SB. **object which fell from the sky** (ref. to a statue) NT.

διο-πλήξ ῆγος *masc.fem.adj.* [πλήσσω] (of a person) **struck by Zeus, crack-brained, crazy** Hippon.

δίοποι ων *m.pl.* [διέπω] **1 commanders** (in an army) E.; (appos.w. βασιλῆς *kings*) A.
2 (perh. non-military) **officers** (in the service of a king) Plu.

διοπτεύω *vb.* [reltd. διοπτήρ] **1 act as a spy** Il.; **be on the lookout** —W.INDIR.Q. *for what one might report* X.
2 see —*a place* (W.PREDIC.ADJ. *in a particular condition*) S.

διοπτήρ ῆρος *m.* [διοράω] **1 scout, spy** Il.
2 (in the Roman army) **junior officer chosen to assist a superior, optio** Plu.

διόπτᾱς ου, dial. **διόπτᾱς** ᾱ *m.* **1 spy** E.
2 (epith. of Zeus, w. allusion to a holed garment held by the speaker) **one who sees through** (W.ADV. *everywhere*) Ar.

διόπτρᾱ ᾱς *f.* **device for looking through, binoculars** (consisting of a pair of tubes, for observing torch-signals) Plb.

δίοπτρον ου *n.* (fig., ref. to wine) **means of seeing through; peephole** (W.GEN. *into a person*) Alc.

δι-οράω *contr.vb.* | fut. διόψομαι | aor.2 διεῖδον | **1 see through** (sthg.); **catch glimpses of** —*activities (through undergrowth)* X.; (intr., in neg.phr.) **see clearly** (through a cloud of dust) Plu.
2 see clearly (w. the mind); **see clearly, understand** Pl. —*sthg.* Isoc. Pl. X.
3 see apart, distinguish between —*two sets of people, two things* Isoc. Pl.

δι-οργίζομαι *pass.vb.* **be thoroughly angered** Plb. Plu.

δι-όργυιος ον *adj.* [δίς, ὄργυια] (of a lake) **measuring two fathoms** (W.ACC. in depth) Hdt.

δι-ορθεύω *vb.* [διά] (of a populace) **rightly assess** —*speeches* E.

δι-ορθόω *contr.vb.* **1 make straight; set forth truly, tell aright** —*a story* Pi.
2 put right (a situation); **set right, restore to order** —*a kingdom, a state of affairs* Isoc. Plb.; **straighten out, resolve** —*a quarrel* E.; (intr.) **set things right** Arist. ‖ MID. **set right** —*a state of affairs, one's own affairs* Isoc. D. Plb.; **restore** —*trust in oneself* Plb.; (intr.) **set things right** D. Plb.
3 put right (persons, faults or mistakes); **put right, correct** —*persons, a constitution* Arist. —*mistakes, injustices* Plb. —*chronological calculations* Plu. ‖ MID. **correct** —*oneself, one's own or another's faults or mistakes* Plb. —*false statements* Aeschin. ‖ PASS. (of persons) **be put right** Plb.
4 put right (a written work); **correct** or **revise** —*a speech, oath, law* Isoc. Aeschin. Arist. Plu —*the Iliad* Plu. ‖ PASS. (of Homer, i.e. his text) **be corrected or revised** Plu.
5 ‖ PASS. (of arrears of wages) **be made good, be paid** Plb.

διόρθωμα ατος *n.* **1 correction, amendment** (to a constitution, a law) Arist. Plu.
2 ‖ PL. **improvements, reforms** (in a state) NT.

διόρθωσις εως *f.* **1 setting in right order, restoration, renovation** (of buildings, roads, cities) Arist. Plb.

2 amendment (of a constitution, an oath) Arist. Plb. Plu.
3 putting right, correction (of statements, faults, wrong practices) Arist. Plb. Plu.; **modification, qualification** (of a definition) Arist.
4 correction (as the purpose of corporal punishment) Plb.; **improvement, betterment** (of persons) Plb. Plu.
5 correct presentation or **treatment** (of a subject) Pl.
6 making good, payment (of arrears of wages) Plb.

διορθωτής οῦ *m.* **reformer** (W.GEN. of a constitution) Plu.

διορθωτικός ή όν *adj.* **1** (of a person) able to get things right, **successful** Arist.
2 (of one kind of justice) **rectifying, corrective** Arist.

δι-ορίζω, Ion. **διουρίζω** *vb.* | fut. διοριῶ | aor. διώρισα, Ion. διούρισα | **1** move (persons or things) across a boundary; **remove** —*a baby* (W.PREP.PHR. *out of a sanctuary*) E. —*one's feet* (*i.e. oneself, out of a country*) E. —*a corpse* (*outside one's borders*) Pl. —*an army* (*to a place overseas*) E. —*a war* (*to another country*) Isoc.; (of a river) **send out** —*a branch* (W.PREP.PHR. *into a bay*) Plb.
2 separate (areas) by a boundary; (of persons) **determine the borders of, demarcate** —*continents* Hdt.; (of natural features) **form the boundary between, separate** —*peoples, regions* Plb. Plu.; (of the nose) —*the eyes* Plu.; (intr.) **determine borders** (betw. continents) Hdt. ǁ PASS. (of places) be separated (by a river) Plu.
3 separate (things) into parts; (of two rulers) **divide up** —*sovereignty* E.; (of troops) —*spoil* X.; (of disputants) —*a concept* (W.ADV. *into two*) Pl.
4 (act. and mid.) **distinguish** —*two things* (*fr. each other*) Pl. X. +; (intr.) **make a distinction** E.*fr.* Isoc. X. D. ǁ PASS. (of virtue) be differentiated or divided into categories Arist. ǁ IMPERS.PF.PASS. a distinction has been made Isoc.
5 identify or **specify precisely** (by making distinctions); **define** —*the flight of birds* (*i.e. differentiate betw. different kinds of flight*) A. —*sthg.* (as being one thing or another) Pl. —W.INDIR.Q. *what sthg. is* Arist.; (of prophecies) **map out, identify, outline** —*future events* S.; (fig., of months) **mark out** —*a person* (W.PREDIC.ADJS. *as great and small, i.e. have witnessed him in both conditions*) S. ǁ MID. **define, specify** —*principles, rules* Att.orats. Pl. X. + —W.INDIR.Q. or COMPL.CL. *what* (or *that sthg.*) *is the case* D. Arist.; **draw a conclusion** —W.ACC. + INF. *that this and that are the case* And.; (intr.) **define an issue** Pl. ǁ IMPERS.PF.PASS. it has been determined —W.INDIR.Q. *what is the case* And. Lys.; a clear conclusion has been reached (in discussion) —W.PREP.PHR. *about sthg.* Arist.
6 fix precisely, determine, prescribe —*prerogatives* A.; (of the laws of necessity) —*everything* E.; (of Equality) —*numbering* E.; (of a law or lawgiver) **stipulate, specify** —W.INDIR.Q. or ACC. + INF. *what* (or *that sthg.*) *is the case* Is. D.; (intr.) Is. ǁ MID. **prescribe, lay down the rules for** —*one's trial* (W.ADV. *in a certain way*) Ar. ǁ PASS. (of things) be determined or decided X.; (of a law) be formulated D.

διόρισις εως *f.* **distinction, differentiation** Pl.

διορισμός οῦ *m.* **1** process or result of distinguishing, **distinction** (betw. things) Pl. Arist. Plu.
2 separation, interval (betw. actions) Plu.

δι-ορκισμός οῦ *m.* **sworn assurance** (that sthg. will happen) Plb.

δι-όρνυμαι *mid.vb.* (of Io) **rush over** or **across** (places) A.

διόρυγμα ατος *n.* [διορύσσω] **channel, canal** Th.

δι-ορύσσω, Att. **διορύττω** *vb.* **1 dig** —*a trench, canal* Od.(tm.) Hdt.
2 dig a canal through or **across** —*a peninsula* Att.orats. ǁ PASS. (of a peninsula) have a canal dug across Pl.

3 dig or **tunnel through** —*a wall, tower, rock* Hdt. Th. Ar. X. D.; (of bedbugs) —*someone's arsehole* Ar.; tunnel through the wall of, **break out of** —*a prison* D.; **break into, burgle** —*a house* X.; (intr.) **break into houses** NT.; (fig.) **undermine, ruin** —*situations* D. ǁ PASS. (of a wall) be tunnelled through X.; (of a house, tomb) be broken into NT. Plu.
4 ǁ PASS. (fig., of populaces) app., be separated as if by trenches, be separately entrenched —W.PREP.PHR. *in their cities* D.
5 ǁ PASS. (fig., of a place or situation) app., be cut across as if by trenches, be riddled —W.DAT. w. *corruption* Plu.

διορυχή ῆς *f.* **digging of a canal** (W.GEN. across a peninsula) D.

δι-ορχέομαι *mid.contr.vb.* **compete in dancing** Ar. —W.DAT. w. *someone* Ar.

δῖος α (Ion. η, dial. ᾱ Telest.) ον *adj.* [reltd. Ζεύς] **1 belonging to heaven**; (of goddesses, demi-goddesses, other supernatural females) **divine** Hom. Hes. S. E. Telest. AR.; (W.GEN. among goddesses) Hom. Hes. hHom.; (of a demigod, a person's lineage) Hes. Arist.*lyr.*
2 (of air, sea, earth, dawn) **divine, holy** Hom. Hes. A. Emp. E. Call. [or perh. **bright**]
3 (of a person) **godlike** (w. further connot. *Zeus-like*) Pl.; (of horses) Il.; (of a woman, W.GEN. among women) Hom. Hes.*fr.*; (of a man, among those of his race) A.
4 (of men or women) **noble, excellent** Hom. Hes.*fr.* Pi. S. Hellenist.poet.; (of peoples, cities, regions, rivers, mountains) **fine, splendid** Hom. Hes. hHom. Thgn. Pi. Ar. AR.

—**Δῖος** ᾱ ον (also ος ον E.) *adj.* of or belonging to Zeus; (of a child, land, eye, mind, plan, thunderbolt, or other attribute) **of Zeus** Il. hHom. Trag. Ar.(cj.); (of rain) **from Zeus** E.; (of marriage) **to Zeus** E.

Διός (gen.sg.): see Ζεύς

διόσ-δοτος (also perh. **διόδοτος** A.) ον *adj.* [δίδωμι] (of a sceptre, rain, sufferings) **given by Zeus** A.; (of brightness, the beginning of life) Pi.

διοσημίᾱ ᾱς *f.* [σῆμα] **sign from Zeus** (ref. to a meteorological portent) Ar. Plu.

διοσκέω *contr.vb.* perh. **gaze at constantly, ogle** —*a youth* Anacr.

Διόσ-κοροι, Ion. **Διόσκουροι**, ων *m.pl.* [κόρος²] | DU.: nom.voc.acc. Διοσκόρω, gen.dat. Διοσκούροιν | **Dioscuri** (Kastor and Polydeukes, twin sons of Zeus and Leda, also known as Tyndaridai, after Tyndareos, husband of Leda; assoc.w. athletic competitions and worshipped as rescuers fr. danger at sea and in battle) Hdt. E. Th. +

—**Διοσκόρειον**, Ion. **Διοσκούρειον**, ου *n.* **temple of the Dioscuri** Th. D. Plu.

δι-ότι *conj.* —also strengthened **διότιπερ** (Plb., in section 4) [διά, ὅτι¹] **1** (introducing causal cl.) **because of the fact that, because, since** (sthg. is the case) Hdt. +
2 (introducing indir.q.) for what reason, **why** (sthg. is the case) Th. +
3 (introducing substantival cl., after vb. of knowing, stating, being surprised at, or sim.) **the fact that, that** (sthg. is the case) Hdt. Att.orats. +
4 (inferential, introducing a statement) **because of this, therefore** Plb. NT.

διο-τρεφής ές *adj.* [Ζεύς, τρέφω] (of kings, leaders) **fostered** or **cherished by Zeus** Hom. Hes. hHom.; (of Hermes) hHom.; (of the personif. river Scamander) Il.

διο-τρόφος ον *adj.* (of Crete) **that nurtured Zeus** E.*fr.*

διουρίζω *Ion.vb.*: see διορίζω

δι-οχετεύω *vb.* [διά] (of creator gods) **make channels through** —*the human body* Pl.

δι-οχλέω *contr.vb.* **1** annoy, exasperate —*persons, cities* Lys. D.; (of troops) cause trouble Plu. —W.DAT. *to people* Plu.
2 (of a bodily flux or discharge) trouble —*someone* Plu.

δι-οχυρόομαι *mid.contr.vb.* (of a commander) thoroughly fortify —*a position* (W.DAT. *w. ditches and stockades*) Plb.

δί-οψις εως *f.* [ὄψις] insight (W.GEN. into a person's character, fr. his writings) Plu.

δί-παις παιδος *masc.fem.adj.* [δίς, παῖς¹] **1** (of a man) with two sons A.
2 (of lamentation) by one's two children A.

δι-πάλαστος (also **διπάλαιστος**) ον *adj.* [παλαστή] (of missiles) measuring two palm-breadths (in length) Plb.; (of hunting nets, W.ACC. in mesh size) X.

δί-παλτος ον *adj.* [παλτός] **1** doubly brandishing; (of troops) brandishing a spear in each hand S.
2 doubly brandished; (of a thunderbolt) brandished in each hand (by Zeus) E.; (of swords) brandished by both (of two persons) E.

δί-πηχυς υ *adj.* [πῆχυς] (of objects) measuring two cubits (in length or height, i.e. about three feet) Hct. X. Plb. Plu. ‖ NEUT.SB. two cubits (as a measurement) Pl.

διπλάζω *vb.* [διπλοῦς] (of suffering) be double or twofold S. ‖ PASS. (of an honour, a wrong) be doubled E. Men.

δί-πλαξ ακος *masc.fem.adj.* [πλάξ] **1** (of fat) in a double layer (around human bones, for burial) Il.
2 (of a cloak) double (i.e. large enough to be wrapped round twice) Theoc. ‖ FEM.SB. double cloak Hom. A. AR.

διπλασιάζω *vb.* [διπλάσιος] **1** make double (in size or amount), double —*tribute, a council, a period of time, military forces, depth of ranks* And. Pl. Plb. Plu. ‖ PASS. (of things) be doubled (in size or amount) X. D. Arist. Plu.
2 (intr., of an investment) double (in value) Lys.

διπλασιολογία ᾱς *f.* [λέγω] verbal repetition (as a technique of sophistic rhetoric) Pl.

διπλασιόομαι *pass.contr.vb.* (of an enemy's power) be doubled Th.

διπλάσιος ᾱ ον, Ion. **διπλήσιος** η ον *adj.* **1** (of persons or things) twice as great or as many (sts. W.GEN. as sthg. else, as others) Eleg. Hdt. Th. Ar. +; (w. ἤ + SB. or CL) Hdt. Th. Lys. +
2 ‖ FEM.SB. (w. ζημία or τιμή understd.) penalty or fine of twice the amount Pl. D. ‖ NEUT.SB. twice the number (of people) Hdt.
—**διπλάσιον** *neut.sg.adv.* to twice the extent or degree, twice as much Theoc.
—**διπλάσια** *neut.pl.adv.* twice as much or as many times X.
—**διπλασίῳ** *neut.dat.sg.adv.* by twice the amount —*ref. to things being less than others (i.e. half as great)* Pl.
—**διπλασίως** *adv.* to twice the extent or degree, twice as much (as previously) Th. Men. Plb.; (W.COMPAR.ADV. *more, better*, i.e. twice as much, twice as well) Ar. Aeschin.

δί-πλεθρος ον *adj.* [πλέθρον] (of a river) measuring two plethra (W.ACC. in width) X.

διπλῆ *adv.*: see under διπλοῦς

διπλήσιος *Ion.adj.*: see διπλάσιος

διπλόη ης *f.* [διπλοῦς] (fig.) seam, fissure or flaw (in a person or city, compared to one in metal) Pl. Plu.

διπλοΐζω *vb.* make twice as great, double —*a burden* A.

διπλόομαι *pass.contr.vb.* **1** (of a phalanx) be doubled (in depth) X.; (of a fine, in amount) Arist.
2 (of a sword) be bent double (on impact w. a shield) Plu.

διπλοῦς ῆ οῦν *Att.adj.* —also **διπλόος** ᾱ (Ion. η) ον (Archil. Pi.) *adj.* **1** (of things) double in quantity or degree, twofold, double, twice as great or as many Hdt. Trag. +; (of a blow) twice as hard S.; (of a quantity) twice the size (W.GEN. of another) Pl.

2 (of things) consisting of two parts, twofold, double Pi. Hdt. Trag. +; (of a house) two-storeyed Lys.; (of a hut) divided in two (W.DAT. by a partition) Th.; (of words) compound Arist.
3 (of a cloak) double, doubled up (i.e. large enough to be wrapped around twice) Hom.; (of a cuirass) perh. of double thickness Il.
4 (hyperbol., of an old man's spine) bent double E.
5 (of persons or things) consisting of two together, paired, twin, two Trag. Philox.Leuc. AR.
6 having two aspects; (of a story) two-sided, ambivalent E. Pl.; (of a plan) in doubt, equivocal, undecided Pi.; (of a person) double-faceted (i.e. possessing two skills) Pl.; with a dual personality Pl.; (pejor.) two-faced, duplicitous Archil. E.; (of a person's conduct) X.
—**διπλόον** *neut.adv.* ‖ compar. διπλότερον (NT.) ‖ to twice the extent, twice as much (W.GEN. as someone) Call.*epigr.*; (compar.) NT.
—**διπλῷ** *Att.neut.dat.sg.adv.* by twice the amount —*ref. to things being better than others (i.e. twice as good)* Pl.
—**διπλῇ** *Att.fem.dat.sg.adv.* **1** doubly, twice over —*ref. to dying* E.
2 in two ways S. Pl.
3 to twice the extent, twice as much (w. ἤ + SB. as someone else) Pl.

δίπλωμα ατος *n.* [διπλόομαι] document written out twice (one copy of which was sealed) ; (in Roman ctxt.) diploma (ref. to a mandate entitling the bearer to travel w. imperial messengers) Plu.

δίπλωσις εως *f.* doubling (of elements making up a word), compounding Arist.

δι-πόδης ου *masc.adj.* [δίς, πούς] (of a trench) measuring two feet (in depth and width) X.

διποδιάζω *vb.* [διποδία *two-step*] ‖ dial.aor.subj. διποδιάξω ‖ perform the dipodia (a Spartan dance) Ar.

Διπολίεια ων *n.pl.* [Ζεὺς Πολιεὺς *Zeus Guardian of the City*] Dipolieia (festival of Zeus Polieus at Athens, marked by archaic sacrificial ritual) Antipho Ar.

—**Διπολιώδης** ες *adj.* (of a method of education) redolent of the Dipolieia (i.e. old-fashioned) Ar.

δί-πορος ον *adj.* [δίς, πόρος] (of the hill on the Isthmos) between two seas E.

δι-πόταμος ον *adj.* [ποταμός] (of a city, ref. to Thebes) with two rivers E.

δί-πους πουν, gen. ποδος *adj.* [πούς] **1** (of living creatures, incl. humans) two-footed Pl. Arst.; (of a herd or flock, fig.ref. to humans) Pl.; (of a lioness, a snake, fig.ref. to a human enemy) A.; (of Libyan mice, ref. to the jerboa) Hdt.
2 (of a line) two feet long Pl.

δί-πτυχος ον *adj.* [πτύξ] ‖ irreg.ep.fem.acc.sg. δίπτυχα ‖ **1** (of a cloak) with two folds, double-folded (i.e. around the body twice) Od. AR.
2 (of a writing-tablet) with two panels, folding Hdt.
3 (predic., of fat, placed around the bones of an offering) in a double layer Hom. [sts. interpr. as NEUT.PL.SB. or ADV. *double layer* or *in a double layer*]
4 (of a gift) consisting of two parts, twofold, double E.
5 (pl., also sg. for pl., of persons or things) consisting of two together, two, both E. Lyr.adesp.
6 (of a tongue) duplicitous, deceitful E.

δί-πυλος ον *adj.* [πύλαι] **1** (of a cave) with two entrances S.
2 ‖ NEUT.SB. double gate, Dipylon (name of the principal city gate at Athens) Plb. Plu.

δί-πυρος ον *adj.* [πῦρ] (of torches) with two flames (i.e. two torches) Ar.

Δίρκη ης, dial. **Δίρκᾱ** ᾱς *f.* **1 Dirke** (spring or stream nr. Thebes) A. Pi. E. Call.
2 Dirke (wife of Lykos, king of Thebes) E.; (killed by Amphion and Zethos; her name given to the stream) E.*fr.*
—**Διρκαῖος** ᾱ ον *adj.* (of the water or stream) **of Dirke** Pi. Trag.
δί-ρρῡμος ον *adj.* [δίς, ῥυμός] (of squadrons) **of chariots with two poles** (app. pulled by four horses) A.
δίς *num.adv.* [δύο] **1** on two occasions, **two times, twice** Hes. +
2 (w.demonstr.adj., ref. to quantity) δὶς τόσος or τοσοῦτος *twice as much* or *as many* Hes. Thgn. Pi. S. E. Th. +; (w.adv.) δὶς τόσον (τόσσον) or τόσως *twice as much* Od. E.
3 (in multiplication) **twice** (a certain number) A. + • δὶς ἑπτά *twice seven, fourteen* B. Hdt. E. +
δισ-θανής ές *adj.* [θνῄσκω] (of a person who visits Hades) **dying twice** Od.
δισκέω *contr.vb.* [δίσκος] **1 throw the discus** Anacr. Pi.; **compete** (W.COGN.DAT. w. the discus) —W.DAT. *against someone* Od.
2 ‖ PASS. (of a person) **be hurled** (fr. a height) E.
δίσκημα ατος *n.* **object hurled** (W.GEN. fr. the ramparts, ref. to Astyanax) E.
δί-σκηπτρος ον *adj.* [δίς, σκῆπτρον] (of the leadership of Agamemnon and Menelaos) **twin-sceptred** A.
δίσκος ου *m.* [reltd. δικεῖν] **1 discus** Hom. Pi. B. E. Call. Plu.
2 gong Plu.
δίσκ-ουρα ων *n.pl.* [οὖρον²] **discus-range** (as a measure of distance) Il.
δισ-μύριοι αι α *pl.num.adj.* [δίς, μυρίος] **twice ten thousand, twenty thousand** Hdt. +
δισσ-άρχαι ῶν *m.pl.* [δισσός, ἄρχω] (appos.w. βασιλῆς *kings*, ref. to Agamemnon and Menelaos) **twin rulers** S.
δισσός, Att. **διττός**, ή όν *num.adj.* [δίχα] —also Ion. **διξός** ή όν *adj.* [διχθά] **1** (of a care) consisting of two parts, **twofold, double** E.; (of a story) **existing in two versions** Hdt.
2 (of persons, things, places) **two** (separate or different fr. each other), **two** Thgn. Pi. Hdt. S. E. Isoc. + ‖ MASC.PL.SB. **two persons** A.
3 (of persons, doors, hands) **two** (forming a pair), **two, twin** Anacr. Pi. Trag.
4 (of persons, animals, witnesses) **of two types** or **kinds** Hdt. Arist.; (of two persons) **different, divided** (W.DAT. in temper) A.
5 (of dreams, terms) **with two meanings, ambiguous** S. Arist. ‖ NEUT.SB. **ambiguity** Arist.
—**δισσῶς**, Att. **διττῶς** *adv.* **1 for a second time, again** E.
2 in two different senses Arist.
δι-στάζω *vb.* [perh. δίς, ἵστημι] **be in two minds, be in doubt** (sts. W.PREP.PHR. or INDIR.Q. about sthg., what or whether sthg. is the case) Pl. Arist. Plb. NT. Plu.
δι-στεφής ές *adj.* [δίς, στέφος] (of a charioteer) **twice-crowned** (as victor) Call.
δί-στοιχος ον *adj.* [στοῖχος] (prob. of a chorus) **in two rows** A.*satyr.fr.*
δί-στολος ον *adj.* [στόλος] (of sisters) travelling as a pair, **two together** S.
δί-στομος ον *adj.* [στόμα] **1** (of a cave) **with two mouths** S.
2 (of roads) with two exits (i.e. each w. a single exit, coming together at the point of meeting), **two separate** S.
3 (of a sword) **double-edged** E.
δι-σύναπτος ον *adj.* [συναπτός] (of a garland) **double-plaited** Philox.Leuc.

δισ-χίλιοι, Aeol. **δισχέλιοι**, αι α *pl.num.adj.*
‖ Ion.fem.nom.sg. δισχῑλίη ‖ **two thousand** Alc. Hdt. +; (sg., w.collectv. ἵππος *cavalry*) Hdt.
δι-τάλαντος ον *adj.* [τάλαντον] **1** (of objects) **of two talents** (in weight) Hdt. Pl.
2 (of an estate) **worth two talents** D.; (of a loan) **of two talents** D.
διττός *Att.adj.*: see δισσός
δι-ῡλίζω *vb.* [διά, ὕλη] **1** ‖ PASS. (of kinds of cause, compared to a joiner's material) **be thoroughly sorted out** Pl.
2 strain off (fr. a drink) —*a gnat* NT.
διφαλαγγίᾱ ᾱς *f.* [δίς, φάλαγξ] **double-column formation** (of troops) Plb.
δι-φάσιος η ον *adj.* [perh.reltd. φημί or φαίνω] **1** (of writing systems) **of two different kinds** Hdt.; (of explanations, opinions) **conflicting** Hdt.
2 (gener., of things, places) **two** Hdt.
δῑφάω *contr.vb.* **1** search (for sthg.) by probing or poking; (of a diver) **search for, grope after** —*sea-squirts* Il.; (of a thievish or hungry woman) **poke into, rummage through** —*a granary* Hes.; (of a penny-pincher) —*refuse* (*in looking for a lost coin*) Thphr.
2 (of a hunter) **search out** —*animals and their tracks* Call.*epigr.*; (of a lover) —*his beloved* Call.*epigr.*(cj.); **look for, expect** —*a particular style of poetry* (w. ἀπό + GEN. *fr. a poet*) Call.
διφθέρᾱ ᾱς, Ion. **διφθέρη** ης *f.* **1 tanned animal skin, hide** Hdt. Thphr.; (used to make coracles, caps) Hdt.; (used as protective screens, tarpaulins, cloaks) Th. X. Plu.; (as a writing surface) Hdt.
2 leather jerkin (worn by farmers or sim.) Ar. Pl. Men.
3 leather bag (carried by soldiers) X.; (used as a makeshift water-flask) Plu.
διφθέρινος η ον *adj.* (of rafts) **made of leather** X.
δί-φορος ον *adj.* [δίς, φέρω] (of a fig tree, fig.ref. to the penis) bearing two crops (i.e. testicles), **double-fruited** Ar.
δίφραξ ακος *f.* [δίφρος] **seat** or **chair** Theoc.
διφρείᾱ ᾱς *f.* [διφρεύω] **style of chariot construction** (as varying fr. country to country) X.
διφρευτής οῦ *m.* **charioteer** (appos.w. Ἥλιος) S.(dub.)
διφρεύω *vb.* [δίφρος] (of a person) **drive a chariot** E. Ar.; (of Poseidon, Night) —W.ACC. *over the sea, sky* E. Ar.(quot. E.); (of the sun) **drive, steer** —*its light* E.
διφρηλασίᾱ ᾱς *f.* [διφρηλάτης] **chariot-driving** Pi.
διφρηλατέω *contr.vb.* **1** (of Helios) **drive a chariot through** —*heaven* E.
2 (of a person) **drive** (W.ACC. *horses*) **as a chariot team** E.
διφρ-ηλάτης ου, dial. **διφρηλάτᾱς** ᾱ *m.* [δίφρος, ἐλαύνω] **charioteer** Pi. Trag.
διφρίσκος ου *m.* [dimin. δίφρος] **small chariot-frame** Ar.
δί-φροντις ιδος *masc.fem.adj.* [δίς, φροντίς] (of a person) **in two minds** A.
δίφρος, dial. **δρίφος** (Theoc.), ου *m.* [δίς, φέρω]
‖ neut.nom.acc.pl. δίφρα (Call.) ‖ **1 vehicle carrying two persons, chariot** Hom. hHom. Stesich. Pi. Trag. Critias +; (specif.) **chariot-frame** Il.; (gener.) **chariot team** Pi.
2 cabin or **body** (of a kind of wagon) X.
3 portable seat, stool, seat (ref. to a four-legged stool without back or arms) Hom. hHom. Semon. Ar. Call. Theoc. +
4 seat, chair (ref. to the throne of Zeus) Call.; (for a Spartan ephor) X. Plu.; (in Roman ctxt., for magistrates and dignitaries) Plb. Plu.
5 lavatory seat Plu.

διφροῦχος ον *adj.* [ἔχω] (of chariots) possessing seats, seated Melanipp.
διφροφορέω *contr.vb.* [διφροφόρος] **1** carry a stool —W.COGN.ACC. Ar.
2 ‖ PASS. (of Persian dignitaries) be carried in litters Hdt.
διφρο-φόρος ου *f.* [δίφρος, φέρω] stool-bearer (ref. to a female attendant of the κανηφόρος basket-bearer at sacrificial rites) Ar.
δι-φυής ές *adj.* [δίς, φυή] **1** (of beings combining human and animal features) having a double nature, two-form Hdt. S. Isoc. Pl.
2 (of the eyes) double by nature, paired, twin Ion
δίφυιος ον *adj.* (of descendants of Tantalos, ref. to Agamemnon and Menelaos) by nature a pair, paired, twinned A. [or perh. *different in nature*]
δίχα *adv.* [δίς] **1** (ref. to things being cut or pulled) into two parts, apart, in two Od. Hdt. S. E. Th. Ar. +
2 (ref. to persons or things placed or moved) separately, apart, away (fr. one another) A. Emp. E. Th. X. +; (as prep.) —W.GEN. *fr. one another* E.*fr.*
3 separately, apart, away (fr. others) Pi. S. E. Pl. +; (as prep.) —W.GEN. *fr. someone or sthg.* Hes. Emp. Trag. X. Theoc.
4 (ref. to thinking, speaking, voting) in two ways, in conflict, at variance Hom. Hes.*fr.* Hdt. E. Th. X. Arist.; (as prep.) differently from, at variance with —W.GEN. *other persons, their opinions* A. S.
5 (ref. to a person thinking) in two ways, in two minds, hesitantly, undecidedly Od. Sapph. Thgn. Pi.*fr.*; duplicitously Thgn.
6 (quasi-adjl., of things being) different (fr. each other) A. —W.GEN. *fr. sthg. else* A.
7 (as prep.) without the presence of, without —W.GEN. *human beings, helpers* S.
8 without the help of, without —W.GEN. *the gods, a guide, an escort* S. Call. Plb.; without the sanction of —W.GEN. *a city* S.
9 without the use of, without —W.GEN. *fire, weapons, songs* Trag. —*a ransom* Plu.
10 without the inclusion of, except for, other than —W.GEN. *someone* A.; aside from —W.GEN. *sthg.* Plu.
—**διχάδε** *adv.* in two —*ref. to hollow statuettes being opened* Pl.
διχάζω *vb.* **1** divide in two —*an area of expertise* Pl.
2 set at variance, turn —*a person* (w. κατά + GEN. *against someone*) NT.
δίχαιος ᾱ ον *adj.* divided equally in two (as a hypothetical etymology for δίκαιος) Arist.
διχάομαι *mid.pass.contr.vb.* | ep.3pl.impf. (w.diect.) διχόωντο | (of the spines on a sea-monster's forked tail) separate, divide AR.
διχαστής οῦ *m.* [διχάζω] maker of equal divisions (as a hypothetical etymology for δικαστής) Arist.
διχῇ *adv.* [reltd. δίχα] **1** (ref. to things being divided) into two parts, apart, in two A.(dub.) Lys. Pl. Arist. AR.
2 in a twofold manner, in two ways Pl. D. Arist.
δί-χηλος ον *adj.* [δίς, χηλή] (of an animal) cloven-hoofed Hdt.; (of an animal's leg or hoof) E.
διχήρης ες *adj.* [δίχα] (of the full moon) dividing (W.GEN. the month) in two E.
διχθά *adv.* [reltd. δίχα] **1** in two parts, in two groups —*ref. to a population being divided* Od. —*ref. to a role being assigned* hHom.
2 in two conflicting directions —*ref. to a person's heart being prompted* Il.

διχθάδιος η ον *Ion.adj.* **1** (of fates, means of killing) two different, alternative Il. Call.
2 (of a person's thoughts) conflicting, undecided AR.
—**διχθάδια** *neut.pl.adv.* with conflicting thoughts, undecidedly —*ref. to pondering a course of action* Il.
διχό-βουλος ον *adj.* [δίχα, βουλή] (of resentment) perh. that divides counsels Pi.
διχογνωμονέω *contr.vb.* [γνώμων] (of persons) hold different opinions, disagree (among themselves) X.
διχόθεν *adv.* **1** from two sides or directions Plu.
2 from two sources —*ref. to drawing pay, making a profit* Ar. D.
3 in a twofold manner, in two ways A. Th.
δι-χοίνικον ου *n.* [δίς, χοῖνιξ] two khoinix-measures (of flour, i.e. approx. two litres) Ar
διχομηνίᾱ ᾱς *f.* [διχόμηνος] point of division of the lunar month (into two halves), full moon Plu.
διχό-μηνος ον *adj.* [δίχα, μήν²] at the division of the month (when the moon is full); (of the moon) at mid-month, full hHom. Plu.
—**διχόμηνις** ιδος *fem.adj.* (of the moon) at mid-month, full Pi. AR.; (of evenings, nights) with a full moon Pi. B.; (of the light) of the full moon AR.
διχό-μυθος ον *adj.* [μῦθος] ‖ NEUT.PL.SB. double-talk, ambiguous or duplicitous words E.
διχόνοια ᾱς *f.* [νόος] discord, disagreement (opp. ὁμόνοια *agreement*) Pl.
διχο-ρραγής ές *adj.* [ῥήγνυμι] (of a pillar) broken in two E.
διχορρόπως *adv.* [ῥέπω] (in neg.phrs.) with inclination to different sides, ambiguously, undecidedly A.
διχοστασίᾱ ᾱς, Ion. **διχοστασίη** ης *f.* [ἵσταμαι] **1** dissension, disagreement (betw. two people) B. Hdt.
2 discord, strife, conflict (within a group or community) Sol. Thgn. Call. AR. Plu.(quot.eleg.)
3 division, fragmentation (W.GEN. of a person's attention) Plu.
διχοστατέω *contr.vb.* **1** (of oil and vinegar in the same vessel) keep apart (fr. each other) A.; (of the functions of Erinyes) be separate —W.GEN. *fr. the gods* A.
2 (of a person) be at variance —w. πρός + ACC. *w. someone* E.
3 (of a city) be divided in strife —w. πρός + ACC. *against people* Pl.
διχοτομέω *contr.vb.* [τέμνω] **1** ‖ PASS. (of dogs, a person's body) be cut in half Plb. Plu.
2 app. cut in pieces, dismember —*a condemned person* NT.
3 bisect —*a line* Plb.
4 divide in two —*categories* Pl.
διχοῦ *adv.* [reltd. δίχα] into two —*ref. to dividing an army* Hdt.
δί-χους ουν *Att.adj.* [δίς, χοῦς¹] (of a water-clock) holding two khoes (approx. six and a half litres) Arist.
διχοφροσύνη ης *f.* [διχόφρων] **1** difference of opinion Call.(cj.)
2 dissension, factional strife (in a city) Plu.
διχό-φρων ον, gen. ονος *adj.* [δίχα, φρήν] (in neg.phr., of a fate shared by two brothers) at variance, divided, separate A.
διχῶς *adv.* [reltd. δίχα] in two different ways or senses Arist.
δίψα (also **δίψη** A.) ης *f.* thirst Il. +; (W.GEN. for a drink) Pl.; (fig., for songs) Pi.
διψαλέος η ον *Ion.adj.* **1** (of a person) thirsty Call.
2 (of a river's receding waters) drying up Call.; (of air) parched AR.

διψάς άδος *fem.adj.* (of a mountain peak) **parched, arid** AR.
διψάω, Ion. **διψέω** (Archil. Anacr.) *contr.vb.* —also **δίψαιμι** Aeol.vb. | 3sg. διψῇ | Aeol.3pl. δίψαισι | inf. διψῆν | ep.ptcpl. διψάων | **1** (of persons) **be thirsty** Od. +; (fig., of a region) —W.GEN. *for water* Hdt.
2 (of all of nature) **be parched** —W.PREP.PHR. *through heat* Alc.
3 (fig.) **be thirsty, have a strong desire** —W.GEN. *for sthg.* Pi. Pl. Plu. —W.ACC. NT. —W.INF. *to do sthg.* X.
δίψη *f.*: see **δίψα**
δίψιος ᾱ ον (also ος ον A.) *adj.* **1** (of a region) **parched, waterless, arid** E.; (fig., of dust) **thirsty, dry** A. S.
2 (fig., of teardrops) **thirsty** (perh. because insufficient or, as transf.epith., because they fall fr. eyes longing for the sight of someone) A.
3 (of the sun's heat) **thirst-provoking, parching** E.
δίψος εος (ους) *n.* [reltd. δίψα] **thirst** Ar. Pl. X. Theoc. Plb. Plu.
διψώδης ες *adj.* || NEUT.SB. (fig.) **thirst** (for honours) Plu.
δίω *vb.*: see under **δίομαι**¹
διωβελίᾱ ᾱς *f.* [διώβολον] (at Athens) **grant of two obols** (ref. to a fund and its implementation) X. Arist.; (ref. to the sum) Arist.
δι-ώβολον ου *n.* [δίς, ὀβολός] **sum of two obols** (as payment for attending the Assembly) Arist.
δίωγμα ατος *n.* [διώκω] **1 pursuit** (of persons, troops, game) A. E. X. Plb.
2 (fig.) **pursuit** (W.GEN. of wealth and power) Pl.
3 driving (W.GEN. of chariot-horses) E.
διωγμός οῦ *m.* **1 pursuit** (of persons, troops) A. E. X. Plb. Plu.
2 persecution (for religious reasons) NT.
3 thrust (of a sword) E.
δι-ώδυνος ον *adj.* [διά, ὀδύνη] (of a convulsion) **very painful** S.
δι-ωθέω *contr.vb.* | aor. διέωσα, ep. διῶσα | **1** (of an uprooted tree) **force apart, tear open** —*a bank* Il. || PASS. (of ships) be pushed apart —W.DAT. *w. poles* Th.
2 thrust (W.ACC. one's hands, pikes, tubes) **through** (usu. w. διά + GEN. sthg.) X. Plb.; (of a violent impact) **force** (W.ACC. a spear-point) **through** —W.PREP.PHR. *to the other side of a body* Plu. || MID. (fig.) **push through, steer** —*an argument* (W.GEN. *betw. two opposed concepts*) Pl.
3 (of light) **force open** or **force a way through** —*passages* (*in the eyes*) Pl. || MID. (of persons, animals, river currents) **force one's way through** —*persons, a crowd, enemy ranks* Hdt. Isoc. X. Plb. Plu. —W.GEN. *persons* Plu.; (intr., of a person) Plu.; (fig.) **push ahead** (in an enterprise) Plu.
4 (of a person) **thrust off** or **aside** —*one's enemies* E. || MID. **thrust from oneself, repel, fend off** —*an army, an enemy* A.*fr.* Hdt. —*trouble, dangers, threats, lies, accusations* E. Democr. Pl. D. Plb.; (intr.) fend off (a danger), **pull through** Hdt.
5 || MID. (of a husband) **thrust aside, repudiate** —*his marriage* E.
6 | MID. **refuse, reject, decline** —*gifts, help, an office, a petition, invitation* Hdt. Th. D. Arist. Plb. Plu.; (intr.) Hdt. Th. Arist. Plu.
διωθισμός οῦ *m.* **pushing and shoving, scuffle** Plu.
διωκαθεῖν *aor.2 inf.* —also perh. (pres. and impf.) **διωκάθω** *vb.* [reltd. διώκω] | 3sg. διωκάθει (A., cj.) | inf. διωκάθειν or διωκαθεῖν | 2sg.impf. or aor.2 ἐδιώκαθες | SUBJ.: pres. or aor.2 διωκάθω || A pres. form is required only by the cj. διωκάθειν in A. (for διώκεσθαι; the cj. διώκεται may be preferable. Cf. ἀμυναθεῖν, εἰκαθεῖν, εἰργαθεῖν. |
1 chase, hunt —*animals, persons* Ar. Pl.; (of Erinyes) **chase** —*a person* (W.GEN. *fr. his city*) A.(cj.)

2 pursue, chase after —*shameful passions* E.*fr.*
3 follow up —*another's argument* Pl.
4 (leg.) **prosecute** —*a person* Ar. Pl.
διωκτέος ᾱ (Ion. η) ον *vbl.adj.* [διώκω] **1** (of persons) **to be pursued** Hdt. Ar.
2 (of things) **to be sought after** Pl.
διωκτός ή όν *adj.* (of things) **sought after, desired** Arist.
διωκτύς ύος *Ion.f.* **pursuit** (of a nymph) Call.
διώκω *vb.* | fut. διώξω, Att. διώξομαι | aor. ἐδίωξα | pf. δεδίωχα || PASS.: aor. ἐδιώχθην || neut.impers.vbl.adj. διωκτέον | **1 pursue** (what is ahead or in flight); (of gods, persons, animals, ships) **pursue, chase** —*persons or things* Hom. Thgn. A. Hdt. E. Th. +; (intr.) **go in pursuit** Il. + || MID. **pursue** —*a person* || PASS. be pursued Il. +
2 go looking for, seek out —*a person* S. E. Pl. —*a place* Pi.; (of a baby) —*its mother's breast* E.
3 seek to obtain or achieve, pursue, strive after —*a goal or ideal* Il. Archil. Thgn. Pi. E. Th. +
4 seek out and follow (a teacher or standard of excellence); **follow, be guided by** —*a person, his behaviour* Isoc. Pl. X.
5 (of a speaker or poet) **follow up, pursue, continue** —*a line of argument* Pl.; **go through** —*a topic* X.(dub.) —*someone's achievements* (W.DAT. *in song*) Pi.
6 follow in the wake of, be guided by —*events* D.
7 chase or **drive away** —*a person* Od. —(W.GEN. *fr. a house*) Od.(mid.); **drive out, banish** —*a person* Hdt. —(W.PREP.PHR. *fr. a country*) Hdt.; (of Dawn) **put to flight** —*the stars* E. || PASS. (of persons) be banished Hdt.
8 hound, harry, persecute —*someone* Hdt. E. NT.; (w. neutral connot., of different fortunes) **pursue** (people) E.
9 (leg., opp. φεύγω) **bring a charge against, prosecute** —*someone* (sts. W.GEN. *for sthg.*) Hdt. Ar. Att.orats. +; **bring** —*a charge* (sts. W.GEN. *of sthg.*) Att.orats. +; **bring a charge** —W.GEN. *of sthg.* Ar. Att.orats. +; **prosecute, seek vengeance for** —*a murder* E.(dub.) || MASC.PTCPL.SB. prosecutor A. Hdt. Att.orats. + || PASS. be prosecuted Ar. Att.orats. +
10 (causatv.) **put** (sthg.) **in motion**; (of rowers, the wind) **drive on** (a ship) Od.; (of a person) **drive** —*a chariot* Il. hHom. A. Hdt.(oracle); (of Night) —W.INTERN.ACC. *a chariot journey* Ar.(quot. E.); (intr., of a person) **drive a chariot** Il. || PASS. (of a ship) be driven onwards Od.
11 (gener.) **wield** —*a weapon* Pi.; **propel** —*one's feet, steps* A. E.; **cast** —*one's eyes* (W.ADV. *in all directions*) E.; **start up** —*one's escape* E.; (intr.) **go on one's way** X. Plu. || PASS. (of a person hastening to bring good news) be moved or impelled —W.PREP.PHR. *by delight* S.
12 (fig., of a poet or musician) **start up** —*a song* Pi.*fr.*; **set ringing, play upon** —*the lyre* (W.DAT. *w. a plectrum*) Pi.; **practise** —*a musical style* Pratin.
διωλύγιος ον (also Ion. η ον) *adj.* (of nonsense, the length of arguments) app. **huge, immense** Pl.; (of a wave, a continent) Call. AR.
διωμοσίᾱ ᾱς *f.* [διόμνυμι] **swearing of an oath** (in a homicide trial) Att.orats.
διώμοτος ον *adj.* **bound by oath** (W.INF. *to do sthg.*) S.
Διώνη (**Δῑώνη** hHom.) ης, dial. **Διώνᾱ** ᾱς *f.* [reltd. Ζεύς]
1 Dione (nymph, daughter of Okeanos and Tethys) Hes.; (at Dodona, name of the consort of Zeus) Hyp. D.; (mother of Aphrodite by Zeus) Il. E. Pl. Theoc.; (unspecified goddess) hHom.
2 Dione (app. as name for Aphrodite) Theoc. Bion
Διωναῖος ᾱ ον *adj.* (of Aphrodite) **daughter of Dione** Theoc.

δι-ώνυμος[1] ον *adj.* [δίς, ὄνομα] (of Demeter and Persephone) **addressed as a pair** (i.e. as 'the two goddesses') E.

δι-ώνυμος[2] ον *adj.* [διά] (of a person's good fortune) with name spread abroad, **well-known** Plu.

Διώνῡσος *ep.m.*: see Διόνῡσος

διώξ-ιππος ον *adj.* [διώκω, ἵππος] (of gods or humans) **horse-driving** (ref. to charioteering) Pi. B.

δίωξις εως *f.* **1 pursuit** (of an enemy) Th. X. Arist. Plu.
2 pursuit (of goals, ideals, abstr. concepts) Pl. Arist.
3 (leg.) **prosecution** Att.orats. Plu.

δι-ώρυγος ον *adj.* [δίς, ὄργυια] (of hunting nets) **measuring two fathoms** (in length) X.

διῶρυξ υχος *f.* [διορύσσω] **1 canal, channel** (for water) Hdt. Th. Pl. X. Plb. Plu.
2 underground passage, tunnel Hdt.
3 ditch, dyke (as a fortification) Plb. Plu.
4 trench, pit (as a trap for game) Plu.

διῶσα (ep.aor.): see διωθέω

δίωσις εως *f.* [διωθέω] **setting aside** (W.GEN. of a trial, a fine) Arist.

δί-ωτος ον *adj.* [δίς, οὖς] (of pots) **two-handled** Pl.

δμᾱθείς (dial.aor.pass.ptcpl.), **δμᾱθέν** (dial.3pl.aor.pass.), **δμηθείς** (aor.pass.ptcpl.), **δμηθῆναι** (aor.pass.inf.), **δμηθήτω** (3sg.aor.pass.imperatv.): see δάμνημι

δμῆσις εως *f.* [δάμνημι] **mastery, control** (W GEN. of horses) Il.

δμητήρ, dial. **δμᾱτήρ**, ῆρος *m.* **tamer** (W.GEN. of horses) hHom. Alcm.

—**δμήτειρα** ης *Ion.f.* (ref. to Night) **subduer** (W.GEN. of men and gods) Il.

δμώς ωός *m.* [reltd. δόμος, or perh. δάμνημι] | dat.pl. δμωσί, ep. δμώεσσι | (usu.pl.) **slave** (esp. in domestic ctxts.) Hom. Hes. Thgn. S. E. +

—**δμωός** οῦ *m.* **slave** Hes.

—**δμωαί** (or **δμωαί**) ῶν *f.pl.* **female slaves** Hom. Hes. Simon. Trag. X. Call. AR.

—**δμωίς** ίδος *f.* **female slave** A. E. AR. Plu.

δνοπαλίζω *vb.* **1** (of a soldier) perh. **strike down** —*another* Il.
2 perh. **throw on** —*one's ragged garments* Od.

δνόφεος ᾱ ον *adj.* [δνόφος] (of griefs, envisaged as a garment) **dark, sombre** Ibyc.; (of a veil, fig.ref. to that which conceals the future) **of darkness** B.

δνοφερός ᾱ (Ion. ή) όν *adj.* **1** (of night) **dark** Od. Hes. Thgn. Pi.*fr.* S.; (of pitch) Hes.*fr.*; (of the earth) Hes. Thgn. AR.; (of water) Il.; (of mist, air) A. Plu.; (of a monster's tongues) Hes.
2 (of beds) in the dark, **shrouded in darkness** E.
3 (of a veil, fig.ref. to adverse circumstances) **of darkness** A.
4 (of grief, mourning) **dark, grim, sombre** A Pi.

δνοφόεις εσσα εν *adj.* (of rain) **dark** Emp.

δνόφος ου *m.* **darkness** (of night) Simon.; (pl., fig.ref. to adverse circumstances) A.

δνοφώδης ες *adj.* (of storm-winds) **dark** E.

δοάζω *vb.*, **δοάσσαι** (ep.3sg.aor.opt.), **δοάσσατο**[1] (ep.3sg.aor.mid.): see διάζω

δοάσσατο[2] *ep.3sg.aor.mid.* [perh.reltd. δέατο] | subj. δοάσσεται | **1** || IMPERS. **it seemed** —W.DAT. + INF. *to someone to be better* (*to do sthg., that someone shd. do sthg.*) Hom.
2 in subj., of the hub of a chariot-wheel) **seem** —W.INF. *to touch the turning-post* Il.

δόγμα ατος *n.* [δοκέω] **1** that which seems (to be the case), **belief, opinion, notion** (about sthg.) Pl. Arist.; strong belief, **conviction** Pl.
2 (philos.) **belief, doctrine** (assoc.w. a particular philosopher or school) Arist. Plu.
3 that which is decided, **decision, resolution, ruling, decree** (of persons in authority, communities, official bodies) Att.orats. Pl. X. +

δογματοποιέω *contr.vb.* **pass a resolution** —W.INF. *to do sthg.* Plb.

δοθήσομαι (fut.pass.): see δίδωμι

δοθιήν ῆνος *m.* **boil, abscess** Ar.

δοιάζω (also **δοάζω** AR.) *vb.* [δοιός] | iteratv.impf. δοιάζεσκον | dial.3sg.aor. δοίαξε (B.), ep.3sg.aor.opt. δοάσσαι || MID.: ep.3pl.impf. δοιάζοντο | ep.3sg.aor. δοάσσατο |
1 decide between two courses of action; **decide, resolve** —W.INF. *to do sthg.* B.
2 hesitate between, be in doubt over —*one's decisions* AR. —*a sound* (*whether it is of feet or of the wind*) AR. || MID. **feel doubt or indecision** AR.
3 || MID. **think, imagine** —W.INF. *that one sees sthg.* AR.

δοιδῠκο-ποιός οῦ *m.* [δοίδῠξ, ποιέω] **pestle-maker** Plu.

δοίδῠξ (or **δοῖδῠξ**) ῠκος *m.* **pestle** Ar. Men.; (fig.ref. to a person who causes trouble) Ar.

δοιή ῆς *Ion.f.* [δοιός] state of being in two minds, **uncertainty, doubt** Il. Call.

δοίην (athem.aor.opt.): see δίδωμι

δοιός ά (Ion. ή) όν *num.adj.* [δύο] **1** (pl. and du., of persons or things) **two** Hom. Hes. hHom. Pi. Parm. Hellenist.poet.; (sg. for pl.) Call.*epigr.*
2 (sg., of a process) **twofold, double** Emp.

—**δοιά** *neut.pl.adv.* **in two ways, doubly** Od.

δοκεύω *vb.* [reltd. δοκέω] **1** (of persons, animals) **watch, keep an eye on** —*persons, adversaries, one's prey* Il. Hes.; (of the Great Bear, in heaven) —*Orion* Hom.; (intr., of a serpent) **keep watch** (over sthg.) AR.
2 (of a fisherman) **watch for, lie in wait for** —*fish* Theoc.; (of a hunter) —*wolves* Plu.(oracle); (intr., of a person or god) **watch out** (for sthg.) Hes. E. AR.; **lie in wait** (for an enemy) Pi.
3 (wkr.sens.) **catch sight of, see** —*a shell, sthg. happening* AR. Theoc.

δοκέω *contr.vb.* [reltd. δέχομαι] | fut. δόξω, also δοκήσω, dial. δοκησῶ (Theoc.) | aor. ἔδοξα, also ἐδόκησα, ep. δόκησα | pf. δεδόκηκα || PASS.: aor. ἐδόχθην (Plb.), also ἐδοκήθην | pf. δέδογμαι, also δεδόκημαι |
1 think, suppose, imagine —W.INF. *that one is such and such, that one did sthg.* Od. + —W.FUT.INF. *that one will do sthg.* Il. + —W.ACC. + INF. *that someone is doing sthg., that sthg. is the case* Archil. +
2 (intr.) **have an opinion** —W.PREP.PHR. *about sthg.* Hdt.; (parenth.) δοκῶ, ὡς δοκῶ (or sim.) (*as*) *I think* A. Hdt. S.; πῶς δοκεῖς (as parenth.intensv.phr.) E. Ar. • τοῦτον ... πῶς δοκεῖς καθύβρισε *she mistreated him, you can't imagine how* E. [cf. πῶς 11] || IMPERS.PASS. **it is thought, there is a belief** —W.GEN. *about sthg.* Pl. || NEUT.PL.PTCPL.SB. **current opinions** Pl.
3 (in 1st pers.) δοκῶ (δοκέω) μοι *I seem to myself, I think* —W.INF. *that I am doing sthg.* Hdt. +; *I am minded* —W.FUT.INF. *to do sthg.* Ar. Aeschin. —W. ἄν + AOR.INF. Ar.; (parenth.) *so I think* Pl.
4 (impers.) δοκεῖ μοι *it seems to me, I think* (freq. W.ACC. + INF. *that sthg. is the case*) Hom. +; (inf., parenth.) (ὡς) ἐμοί δοκεῖν (or sim.) *as it seems to me* A. Hdt. +
5 be minded, intend —W.INF. *to do sthg.* Sol.(dub.) A.
6 (of persons or things) **seem** (sts. W.DAT. to someone) —W.INF. *to do or be such and such* Hom. +

7 (of a person) **seem likely** —W.FUT.INF. *to do sthg.* Pl.; (of a thing) —*to happen* Il.; (of a person, ref. to the past) —w. ἄν + AOR.INF. *to have done sthg.* A. ‖ PASS. (of things) be thought likely E.
8 (of persons or things) **seem** (to be sthg., opp. really being so) Simon. A. +
9 (of persons, usu. in neg.phr.) **seem, appear, pretend** —W.INF. *to do sthg.* A. Hdt. + • οὐ δοκῶν κλύειν *pretending not to hear* E.
10 (of persons) **be reputed** (sts. W.DAT. by someone) —W.INF. *to be or to do such and such* Pi. Th. + ‖ MASC. or NEUT.PL.PTCPL.SB. persons or things of repute E. ‖ PF.PASS. (of a person) be considered or reputed —W.PREDIC.SB. *such and such* E. —W.INF. *to be victorious* Ar.
11 (in legal ctxt., of a person) **be believed** —W.INF. *to have done sthg.* Th.; **be judged** —W.INF. *to have done sthg.* D. ‖ PF.PASS. (of a person) have been judged —W.PREDIC.SB. *a homicide* D.
12 (of things, freq.ref. to public decisions or decrees) **seem good** —W.DAT. *to an assembly, a ruler* (i.e. be resolved upon) A. + ‖ NEUT.PL.AOR.PTCPL.SB. decisions, resolutions S. D.
13 ‖ IMPERS. it seems good (freq. W.DAT. to someone) —W.INF. or ACC. + INF. *to do sthg., that sthg. shd. be the case* (i.e. one is resolved or has decided on it) A. Pi. +; (freq.ref. to public decisions or decrees) • ἔδοξε τῷ δήμῳ (τῇ βουλῇ, or sim.) *the people* (*the Council*) *decided* (sts. W.INF. *to do sthg.*) Th. + ‖ NEUT.ACC.AOR.PTCPL. δόξαν *when* (or *since*) *a decision was taken* —W.DAT. *by someone* (sts. W.INF. or ὥστε + INF. *to do sthg.*) Hdt. + —(W.NEUT.ACC.) *on sthg.*) Pl. X.
14 ‖ PF.PASS. (of things) have been decided upon Hdt. +; (of a decree) have been passed A. ‖ NEUT.PL.PF.PASS.PTCPL.SB. things decided Hdt. E.
15 ‖ PF.PASS.IMPERS. it has been resolved (sts. W.DAT. by someone) —W.INF. or ACC. + INF. *to do sthg., that sthg. shd. be done* Pi. Hdt. + ‖ NEUT.ACC.PF.PASS.PTCPL. *when a decision has been taken* —W.DAT. *by someone* Th.

δόκημα ατος *n.* **1** product of thinking or imagining, **thought, belief** E.
2 expectation E.
3 appearance, illusion (ref. to a dream-vision) E.

δόκησις εως *f.* **1** process of thinking, **thinking, thought** E.
2 outcome of thinking or imagining (sts. mistaken, opp. knowledge); **opinion, impression, surmise, assumption, belief** Hdt. S. E. Th.
3 suspicion (W.GEN. of bribery, dishonest gain) Th.
4 grasp, conception (W.GEN. of the truth) Th.
5 impression, appearance (opp. reality) Plu.; (W.GEN. of strength) Th. Plu.; (W.FUT.INF. that one is about to do sthg.) Th.; (W.PRES.INF. or COMPL.CL. that sthg. is the case) Plu.
6 (w. positive connot.) **reputation** (W.GEN. for courage, military skill, strength and wisdom) E. Th.; **repute, esteem** (of a family) E.
7 (w. negative connot.) **credit** (for actions performed by others) E.

δοκησί-σοφος ον *adj.* [σοφός] (of a young man) **wise in one's own estimation** Ar.

δοκιμάζω *vb.* [δόκιμος] **1** (pres., impf., fut., rarely aor.) examine (persons or things, so as to assess their qualities); **examine, scrutinise, appraise, assess** —*persons, animals, objects, behaviour, circumstances* Hdt. Th. Att.orats. Pl. +; **make an appraisal** (of sthg.) Isoc. D. Plb.; **test** —W.INDIR.Q. *whether sthg. is the case* X. D. ‖ PASS. (of persons or things) be scrutinised or assessed Lyr.adesp. Hdt. Pl. D. —W.INDIR.Q. (*to see*) *whether they are such and such* D.
2 (aor.) approve after examination, **approve** —*persons, laws* X. Men. —*an art* Isoc. —*an alliance, a course of action* D.; (mid.) —*the appropriate place for everything* X. —*qualities in a future wife* Men. ‖ PASS. (of laws, actions) pass scrutiny, be approved Att.orats.; (of cavalrymen and horses, as fit for service) X.; (of customs) —W.INF. *as being good* Th.
3 ‖ PF.PASS. (of a person) have been tried and tested —W.PREP.PHR. *by someone* Arist.; (of cavalrymen) have been approved (for service) Lys.; (of laws) have been approved D.; (of a subject for a speech) have been deemed appropriate Isoc.; (of things) have been certified —W.INF. *as being such and such* X. ‖ PTCPL.ADJ. (of an argument) tried and tested Th.
4 (specif., of official bodies or persons in authority; pres., impf., fut.) examine (persons, to assess their eligibility for office or for admission to citizen status on reaching adulthood); **scrutinise, examine** —*persons* Att.orats. Pl. Arist. —*the Athenian Knights, their horses* X. Arist.; (intr.) **hold an official scrutiny** Pl. D. Arist. ‖ PASS. (of persons) undergo scrutiny Lys. Ar. D. Arist.
5 (aor.) approve after scrutiny, **approve** —*candidates for office, for admission to citizen status, or sim.* Att.orats. Pl. X. ‖ AOR. and PF.PASS. (of persons) pass scrutiny, be approved Att.orats. Pl. Arist. Plu. —w. εἰς + ACC. *for admission into* (*the class of*) *adults* Isoc.; be certified —W.INF. *as being of adult age* Lys. D.
6 (of a commander) **select** —*cavalry* Plb.
7 (gener., pres., impf., fut.) regard with approval, **approve of** —*a person* Men. —*a person's conduct, principles, plans* X. Men.; **recommend** —*sthg.* (W.DAT. *to someone*) Arist.
8 (pres., impf., aor.) **form an opinion, judge** —W.ACC. + INF. *that sthg. is the case* X. D.; (wkr.sens.) **think** —W.NEUT.ACC. *the same* (as someone else) Plu. ‖ PASS. (of an arrangement) be judged —W.INF. *to be useful* D.
9 think it right, decide —W.INF. *to do sthg.* Plb. Plu.

δοκιμασία ᾱς *f.* **1 test, appraisal, assessment** (of persons or things) Att.orats. Arist. Plb. Plu.
2 (specif.) official examination (of persons, to assess their eligibility for office or for admission to citizen status on reaching adulthood), **examination, scrutiny** Att.orats. Pl. X. Arist.
3 inspection, muster (W.GEN. of cavalry) X.
4 selection (of troops) Plb.
5 approval, vetting (W.GEN. of laws) Plb.; (of work being done in a camp) Plb.

δοκιμαστέος ᾱ ον *vbl.adj.* (of a candidate for public office) **to be approved after scrutiny** Lys.

δοκιμαστήρ ῆρος *m.* **inspector, auditor** (of the state treasury) Plb.

δοκιμαστής οῦ *m.* **1 examiner, assessor, scrutineer** (of a person's qualifications for office) Lys.; (gener., W.GEN. of musical and poetical works, a person's conduct, an issue) Pl. Aeschin. D.
2 approver, endorser (W.GEN. of a person's conduct) D.
3 tester, assayer (of coinage) Men.

δοκίμιον ου *n.* **means of providing a test** ‖ PL. (ref. to veins, as organs of taste) **testing-instruments** (W.GEN. of the tongue) Pl.

δόκιμος ον *adj.* [δοκέω] **1** passing the test; (of a soldier) **dependable, reliable** Alc.; **able to be counted on, competent** (W.INF. to withstand the enemy) A.; (of a new recruit) **able-bodied** X.
2 (of horses and armour) **in good condition** X.

3 (of a worshipper) **finding approval** (fr. a god) Lyr.adesp.; (of a citizen) **acceptable, proper, true** Arist.(dub.); (of a hymn) **appropriate** Pi.
4 (of coinage) **certified as genuine** D.
5 having a good reputation; (of persons) **esteemed, celebrated, renowned, notable** Hdt. E. Pl. Theoc. Plu.; (W.DAT. for daring and cleverness) Ar.
6 (of rivers, cities) **well-known, famous** Hdt.
7 (of the lyre) **esteemed** (W.DAT. for its manly sound) Ar.
8 (of a function or service) **significant, important** Plb.
—**δοκίμως** adv. **truly, genuinely, for certain** A. Parm. X.
δοκίμωμι Aeol.vb. | 3sg. δοκίμοι (Theoc., cj.) | **expect** —W.INF. *to do sthg.* Sapph. Theoc.(cj.); **think** —W.FUT.INF. or ACC. + FUT.INF. *that one (or someone) will do sthg.* Sapph. Theoc.(cj.)
δοκίς ίδος f. [reltd. δοκός] **stick, twig** X.
δοκός οῦ f. [δέχομαι] 1 beam supporting a roof, **roof-beam** (of a house, palace or temple) Od. E.fr. Ar. Plb.; (ref. to a piece of felled timber intended for such use) Il.
2 (gener.) **beam, spar, plank** Th. Ar. Plb. NT.
3 (provbl., of a stiff and inflexible speaker) δοκὸν φέρειν *carry a plank* Arist.
δόκος ου m. [δοκέω] 1 **seeming, illusion, appearance** (opp. truth or knowledge) Xenoph.
2 **opinion** Call.
δοκώ οῦς f. **delusion, illusion** E.
δολερός ά (Ion. ή) όν adj. [δόλος] (of Eros; of persons, their minds or intentions) **deceitful, guileful, cunning, crafty** Hdt. S. Ar. Pl. X. Plu.; (of dyed clothes) **deceptive** Hdt.
δολιό-μητις ιδος fem.adj. [δόλιος, μῆτις] (of persons) **intent on deceit** A.(cj.)
δολιόμυθος adj.: see δολόμυθος
δολιό-πους πουν, gen. ποδος adj. [πούς] (quasi-advbl., of a person entering a house) **with stealthy step** S.
δόλιος ᾱ (Ion. η) ον (also ος ον) adj. [δόλος] **exercising or characterised by guile**; (of gods, abstr. powers, persons, their minds or other attributes) **guileful, deceitful, cunning, crafty** Thgn. Lyr. Trag. Ar. +; (of schemes, words, objects, actions, circumstances) Od. Hes. hHom. Trag. AR.
δολιό-φρων ον, gen. ονος adj. [φρήν] (of Kypris, Vengeance) **crafty-minded** A. E.
δολιχ-αίων ον, gen. ωνος adj. [δολιχός, αἰών¹] (of gods) **long-lived** Emp.
δολίχ-αυλος ον adj. [αὐλός] (of a hunting spear) **with long socket** (i.e. app. w. long shaft) Od.
δολιχ-αύχην εν, gen. ενος adj. [αὐχήν] (of swans, cranes) **long-necked** B. E.
δολιχ-εγχής ές adj. [ἔγχος] (of troops) **with long spears** Il.
δολιχ-ήρετμος ον adj. [ἐρετμόν] (of ships, sailors) **with long oars** Od.; (of an island) **with long-oared ships** Pi.
δολιχοδρομέω contr.vb. [δολιχοδρόμος] **run long-distance races** Aeschin.
δολιχο-δρόμος ου m. **long-distance runner** Pl. X. Plu.
δολιχός ή (dial. ά) όν adj. 1 (of spears) **long** Hom. Hes.; (of oars) AR.; (of a beach, headland) Call. AR.; (of an inscription) Call.epigr.; (of a serpent's spine, a bull's horns) AR. Mosch.
2 (of a journey or voyage) of long distance, **long** Od. hHom. A. Pi.fr. B. AR.; (of a sea) entailing a long voyage, **vast** AR.
3 (of night, time, an illness) of long duration, **long** Od. B.
—**δολιχόν** neut.adv. **for a long time** Il.
δόλιχος ου m. 1 **long-distance race** (of 12 stades, about 2,200 metres) Pl. X.
2 (fig.) **long course** (W.GEN. of a speech, a war) Pl. Plu.

δολιχό-σκιος ον adj. [δολιχός, σκιᾴ] (of a spear) **casting a long shadow** Hom.
δολιχό-φρων ον, gen. ονος adj. [φρήν] (of thoughts) **far-reaching** Emp.
δολόεις εσσα εν adj. [δόλος] (of Calypso, Circe, Medea) **full of guile, crafty, cunning** Od. AR.; (of Aphrodite's help) AR.; (of magic fetters) Od.; (of Troy) **treacherous** E.(dub.)
δολοκτασίαι ῶν f.pl. [κτείνω] **treacherous murders** AR.
δολο-μάχανος ον dial.adj. [μηχανή] (of Eros) **contriving trickery** Theoc.
δολο-μήδης ες adj. [μήδομαι] (of Aphrodite) **intent on trickery** Simon.
δολο-μήτης εω Ion.m. [μῆτις] | only voc. δολομῆτα | (ref. to Zeus, Hermes) **deviser of trickery, schemer** Il. hHom.
—**δολόμητις** ιδος masc.fem.adj. | acc. δολόμητιν | (of Clytemnestra, Aigisthos) **scheming, cunning, treacherous** Od.; (of deception of mortals by a god) A.
δολό-μυθος (or perh. **δολιόμυθος**) ον adj. [μῦθος] (of torments) **caused by deceitful words** S.
δολοπλοκίαι ῶν f.pl. [δολοπλόκος] **weaving of wiles** Thgn.
δολο-πλόκος, Aeol. **δολόπλοκος**, ον adj. [πλέκω] (of Aphrodite) **weaving wiles, scheming** Sapph. Thgn. Simon. Lyr.adesp.
δολο-ποιός όν adj. [ποιέω] (of compulsion, ref. to a poison) **acting through trickery, cunning, deceptive** S.
δόλος ου m. 1 **bait** (for fish) Od.
2 **trap, trick** (concr., ref. to the Trojan Horse, Penelope's web, a net designed by Hephaistos, flowers created to entice Persephone) Hom. hHom.; (ref. to Pandora, created by Hephaistos) Hes.
3 (gener.) **trick, plot, scheme** Hom. +
4 (abstr.) **deception, trickery, cunning, treachery** Hom. +
δολοφονέω contr.vb. [δολοφόνος] **kill using deception, treacherously murder, assassinate** —*a person* Plb. Plu. || PASS. **be murdered** D. Arist. Plb. Plu.
δολοφονίᾱ ᾱς f. **treacherous murder, assassination** Arist. Plb.
δολο-φόνος ον adj. (of a bath) **in which treacherous murder is committed** A.
δολο-φραδής ές adj. [φράζω] (of the baby Hermes) **intent on trickery** hHom.; (of deceptive speech) Pi.
δολοφρονέω contr.vb. | only nom.masc.fem.ptcpl. δολοφρονέων ουσα | **have trickery in one's mind, be intent on deceit** Hom. Hes. Archil.
δολοφροσύνη ης f. **cunning thought, deceptive intention** Il. hHom. AR.
δολόω contr.vb. [δόλος] 1 **trick, deceive** —*someone* Hes.fr. Hdt. Ar. Plu.; (intr.) A. E. || PASS. **be tricked or deceived** Hes. Pi. S. AR.
2 **ensnare, entrap** —*wild animals* X.
3 **disguise** —*someone's appearance* S.
δόλωμα ατος n. **snare, trap** A.
δόλων ωνος m. [perh. δόλος] 1 **jury-mast** (small mast w. sail, remaining on board in battle when the main mast and sail have been left ashore, used for a quick getaway) Plb.
2 **small sword, dagger** Plu.
δολ-ῶπις ιδος fem.adj. [δόλος, ὤψ] (of a woman) **with deceptive looks** S.
δόλωσις εως f. [δολόω] **use of trickery** (in hunting animals) X.
δόμα ατος n. [δίδωμι] **gift** NT.
δομαῖοι ων m.pl. [reltd. δέμω, δομή] **building stones, foundation stones** (of a city) AR.

δόμεν, δόμεναι (ep.athem.aor.infs.): see δίδωμι
δομή ῆς *f.* [δέμω; cf. δέμας] **frame, form** (of a being) AR.
δόμος ου *m.* | only poet. (except in section 8); freq.pl. for sg. |
 1 **house, home** (as a dwelling-place of gods or humans) Hom. +
 2 part of a house, **room, chamber** Od. S. E.
 3 **dwelling, home** (of sheep, ref. to a fold) Hom.; (of wasps or bees, ref. to a nest or hive) Il.
 4 (collectv.sg.) **house** (ref. to a house and its occupants, sts. as a centre of power, which may be threatened w. destruction) Trag.; **house, family, lineage, dynasty** (ref. to successive generations) Pi. Trag.
 5 house built for a god (by men), **temple** Hom. hHom. A. Pi. Hdt.(oracle) E. Ar.
 6 **house, home, abode** (W.GEN. of Hades, i.e. the underworld) Hom. Hes. Thgn. Lyr. S. +
 7 (fig.) **abode** (of Hope, ref. to the storage-jar in which she is confined) Hes.; **housing** (for clothes, ref. to a chest) E.; (periphr.) **building** (W.ADJ. *of wood*, ref. to a pyre) B.; (W.ADJ. *of stitched linen*, app.ref. to a ship's awning) A.
 8 **course** (of bricks or stones, in a building) Hdt. Plb.
—**δόμονδε** *adv.* **to one's house, homewards** Od.; (phr.) ὅνδε δόμονδε **to his own house** Od. Hes.
δομο-σφαλής ές *adj.* [σφάλλω] (of a storm of blood, fig.ref. to acts of murder) **bringing a house down in ruins** A.
δονακεύς ῆος *ep.m.* [δόναξ] **thicket of reeds** Il.
δονακόεις εσσα εν *adj.* (of a river) **full of reeds, reedy** E.
δονακο-τρόφος ον *adj.* [τρέφω] (of a river) **that nourishes reeds** Thgn. E. Corinn.
δονακό-χλοος ον *adj.* [χλόη] (of a river) **verdant with reeds** E.
δονακώδης ες *adj.* (of rivers) **reedy** B. AR.
δόναξ, dial. **δῶναξ** (Theocr.), ακος *m.* | ep.dat.pl. δονάκεσσι |
 1 (sts.collectv.sg.) **reed** Hom. A. B. E. Call. AR.; (used to support the arms of a lyre) hHom. Ar.
 2 **reed shaft** (of an arrow) Il. Lyr.adesp.
 3 **reed** (of a panpipe) E.; (pl., ref. to the pipe as a whole) hHom. Pi. Mosch.; (collectv.sg.) **reed pipe** A.; (sg., app.ref. to a pipe consisting of a single reed) Theoc.
δονέω *contr.vb.* | fut.pass. δονήσομαι | 1 (of winds) **shake, buffet** —*trees, leaves* Il. B. AR. ‖ PASS. (of trees, streaming hair) **be shaken** (by the wind) AR. Theocr.; (of waves) **be whipped up** —W.DAT. *by storm-winds* AR.; (of air) **be agitated** —W.DAT. *by wing-beats* Ar.
 2 **put in motion**; (of wind) **stir** —*clouds* Il.; (of a gadfly) **drive about, stampede** —*cattle* Od.; (of a desire for a new country) **drive** —*a person* (W.DAT. *w. the whip of Persuasion*) Pi.; (intr., of prophetic maidens) **flit about in confusion** hHom. ‖ PASS. (of chariots) be driven about hHom.; (of a juggler's hoops) spin round X.
 3 **agitate** (w. the hand); **brandish** —*a javelin* Pi.; **stir, churn** —*milk* Hdt.
 4 (of a hostile people) **hound, harass** —*a poet* Tim.
 5 (of love or desire, ambitions, danger) **shake, stir, excite** —*persons, their spirits* Sapph. Pi. B. Ar.; (of a person) **agitate** —*one's heart* (w. *lamentation*) B. ‖ PASS. (of a mind or heart) be shaken (by fear, love) Pi. Bion; (of Fear, as represented in art) shake, quake Hes.; (of a person, country) be thrown into turmoil Hdt. Theoc.
 6 **strike up** —*the sound of hymns* Pi. ‖ PASS. (of dancing and music) be set in motion Pi.
δόξα ης (dial. ᾱς) *f.* [δοκέω] 1 **preconception of what may take place, expectation** Hom. Eleg. Pi. Hdt. S. E. +
 2 **opinion, judgement, notion, thought** Pi. Parm. Trag. Th. +;
 (opp. ἐπιστήμη *knowledge*) Pl.; (pl., W.ADJ. κοιναί *common*, ref. to axioms, as underlying logical reasoning) Arist.
 3 **mere opinion, conjecture, supposition, impression** Hdt. E. Th. +
 4 **product of the imagination or of dreaming, fancy, imagining** A. Pi. E.
 5 **good opinion of oneself, self-confidence, conceit** A. Hdt.
 6 opinion which others hold of one, **reputation, repute** (w. neutral or positive connot., sts. W.GEN. or PREP.PHR. in or for sthg.) Alc. +; (W.INF. or COMPL.CL. for being such and such) Pl. D.; (w. negative connot., W.ADJ. κακή *bad* or sim., or W.PREP.PHR. for sthg.) E. D. Plb.
 7 (ref. to external appearance) **glory, splendour, radiance, magnificence** (of persons and things) NT.
δοξάζω *vb.* 1 **think, imagine, suppose, expect**
—W.NEUT.ACC. *sthg.* E. Isoc. Pl. + —W.INF. or ACC. + INF. *that one* (or *someone*) *is* (or *will be*) *doing sthg., that sthg. is* (or *will be*) *the case* A. E. Pl. + —W.ACC. + PREDIC.ADJ. *someone or sthg.* (*to be*) **such and such** A. Pl.; (intr.) **think, suppose** (sthg.) A. E. Pl.; **expect** (to do sthg.) S. ‖ PASS. (of persons or things) **be thought or supposed** —W.PREDIC.ADJ. or INF. or PREDIC.ADJ. (*to be*) **such and such** Xenoph. Th. Pl. +
 ‖ IMPERS.PASS. it is supposed (that sthg. is the case) E.
 2 **think, form** or **hold an opinion** (sts. W.PREP.PHR. or ADV. about sthg., rightly, or sim.) Pl. Arist.; **hold** —W.COGN.ACC. *an opinion* Pl. ‖ NEUT.PL.PASS.PTCPL.SB. opinions Pl.
 3 **make an inference, conjecture, guess** E. Th. Ar. Isoc. +
 4 **estimate, reckon** —*oneself* (W.PREP.PHR. *more highly*) Th.
 ‖ PASS. have a reputation —W.PREP.PHR. *for sthg.* Plb.
 5 **honour, praise, glorify** —*God, His word or name, Jesus* NT.
δόξασμα ατος *n.* **supposition, notion, opinion** E. Th. Pl.
δοξαστής οῦ *m.* **holder of an opinion** (opp. one who makes an official judgement) Antipho; (opp. one who has true knowledge) Pl.
δοξαστικός ή όν *adj.* 1 (of a person) **relying on opinion** (opp. having technical knowledge) Pl.; (of sophistic knowledge) **based only on opinion, conjectural** Pl.
 ‖ FEM.SB. technique of opinion-forming Pl.
 2 (of a part of the soul) **that forms opinions** Arist.
 ‖ NEUT.SB. faculty of forming opinions Arist.
 3 (of a mind) good at formulating ideas, **imaginative** Isoc.
δοξαστός ή όν *adj.* 1 (of things) subject to or attainable by opinion, **speculative, conjectural** (opp. knowable or understandable) Pl.
 2 (of nourishment for the soul) **consisting of mere opinion or conjecture** (opp. truth) Pl.
δόξις ιος *Ion.f.* [δοκέω] **opinion, conjecture** (opp. knowledge) Democr.
δοξοκαλίᾱ ᾱς *f.* [δόξα, καλός] **belief in one's own beauty** Pl.
δοξοκοπέω *contr.vb.* [κόπτω] **seek to promote one's reputation** Plb. Plu.
δοξοκοπίᾱ ᾱς *f.* **promotion of one's reputation** Plu.
δοξομανίᾱ ᾱς *f.* [μανίᾱ] **obsession with one's reputation** Plu.
δοξο-μῑμητής οῦ *m.* **imitator of opinion** (opp. true knowledge, ref. to a sophist) Pl.
δοξομῑμητική ῆς *f.* **imitation of opinion** (esp.ref. to sophistry) Pl.
δοξόομαι *pass.contr.vb.* (of persons) **be reputed** —W.INF. + PREDIC.ADJ. *to be such and such* Hdt.
δοξο-παιδευτικός ή όν *adj.* (of an art, ref. to sophistry) **seemingly educational** Pl.
δοξοποιέομαι *pass.contr.vb.* **be endowed with the faculty of thought** Plb.

δοξοσοφία ᾱς f. [δοξόσοφος] belief in one's own wisdom Pl.
δοξό-σοφος ον adj. [σοφός] (of persons) **seemingly wise** or **believing oneself to be wise** Pl. Arist.
δοξοφαγίᾱ ᾱς f. [φαγεῖν] (fig.) **hunger for fame** Plb.
δορᾱ́ ᾶς, Ion. **δορή** ῆς f. [δέρω] **skin, hide** (stripped fr. an animal) B. S.*Ichn.*; (used to make shields) Hdt.; (worn as clothing) Thgn. S.*Ichn.* E.; (of a satyr) Pl.; (ref. to a tortoise's shell) S.*Ichn.*; (flayed fr. a human) Pl. Plu.
δοράτιον ου n. [dimin. δόρυ] **light spear** Hdt. Th. Ar. X. Plu.
δορατισμός οῦ m. **use of spears** (in an attack) Plu.
δορατο-παχής ές adj. [πάχος] (of the shaft of a hunting-spear) **as thick as a military spear** X.
δορατο-φόρος ον adj. [φέρω] (epith. of Ares) **spear-bearing** Lyr.adesp.
δορή Ion.f.: see δορᾱ́
δορι-άλωτος, Ion. **δουριάλωτος** (S.), ον adj. [ἁλωτός] (of persons, places) captured by means of the spear, **captured in war** Hdt. S. E. Isoc. +
δορί-γαμβρος ον adj. [γαμβρός] (of Helen) **having war as bridegroom** A.
δορι-θήρᾱτος ον adj. [θηρᾱτός] (of persons, spoils) hunted down with the spear, **captured in war** E.
δορι-κανής ές adj. [καίνω] (of death) **inflicted by the spear** A.
δορί-κρᾱνος (or **δορύκρᾱνος**) ον adj. [κρᾱνίον¹] (of a blade) **forming a spear-head** A.
δορί-κτητος ον, Ion. **δουρίκτητος** η ον adj. [κτητός] (of women, places) acquired by the spear, **won in war** Il. E. AR. Plb. Plu.
δορί-κτυπος ον adj. [κτύπος] (of warriors) **spear-clashing** Pi.; (of a battle-cry) **amid the clash of spears** Pi.
δορί-ληπτος, Ion. **δουρίληπτος**, ον adj. [ληπτός] (of a woman, spoil) taken by the spear, **won in war** S.
δορι-μανής ές adj. [μαίνομαι] (of a country) mad for the spear, **war-mad** E.
δορί-μαργος ον adj. [μάργος] (of delusion) **bringing a mad lust for war** A.
δορί-μαχος ον adj. [μάχη] (of valour) **in spear-fighting** Tim.
δορι-μήστωρ ορος m. (epith. of Enyalios) **master of the spear** E.
δορι-παγής (or **δορυπαγής**) ές adj. [πήγνῡμι] (of ships) having fastened timbers, **timber-built** A.
δορί-παλτος (or **δορύπαλτος**) ον adj. [παλτός] (of the hand, ref. to the right side or direction) **spear-brandishing** A.
δορι-πετής ές adj. [πίπτω] entailing a fall caused by the spear; (of fighting) **where men are struck down by the spear** E.; (of bloodshed, falls) **of men struck down by the spear** E.
δορί-πονος ον adj. [πόνος] (of warriors, a city) **enduring the toils of war** E.; (of evils) **of toil in war** A.
δορίπυρος adj.: see δορύπυρος
δορίς ίδος f. [δέρω] **sacrificial knife** (used to kill cattle) Call.
δορι-σθενής ές adj. [δόρυ, σθένος] (of a person) **mighty with the spear** A.
δορι-τίνακτος (or **δορυτίνακτος**) ον adj. [τινάσσω] (of the air) **where spears are brandished** A.
δορί-τμητος ον adj. [τμητός] (of a soldier) **cut down by the spear** A.
δορκάδειος ᾱ ον adj. [δορκάς] (of knucklebones) **made of gazelle bone** Thphr. Plb.
δορκαλίς ίδος f. **gazelle** Call.*epigr.*
δορκάς (also **ζορκάς**) άδος f. **a kind of deer, roe** or **gazelle** Hdt. E. X.

δόρξ (also **ζόρξ** Call.) κός f. **roe** or **gazelle** E. Call.
δορός¹ οῦ m. [δέρω, reltd. δορή] **leather bag** (to hold grain) Od.
δορός² (gen.sg.): see δόρυ
δορπέω contr.vb. [δόρπον] **have supper** Hom.
δορπ-ηστός οῦ m. [ἐσθίω] **time at which supper is eaten, supper-time** Ar. X.
δορπίη ης Ion.f. **supper-time** (on the day before an event); **eve** (W.GEN. of a festival) Hdt.
δόρπον ου n. 1 **last meal of the day, evening meal, supper** Hom. Pi. Ar. AR.
2 (gener.) **meal** hHom. AR. Theoc.
δόρυ δόρατος (Ion. δούρατος, also δουρός, poet. δορός) n. [reltd. δένδρεον, δρῦς] | dat. δόρατι, Ion. δούρατι, also δουρί, poet. δορί (also Th.), also δόρει ‖ DU.: Ion.nom.acc. δοῦρε ‖ PL.: nom.acc. δόρατα, Ion. δούρατα, also δοῦρα, poet. δόρη | gen. δοράτων, Ion. δούρων | dat. δόρασι, Ion. δούρασι, also δούρεσσι |
1 **felled timber, tree trunk, log** Hom.
2 **living timber, tree** Od.
3 piece of sawn timber (as used in the construction of buildings, carts, ships), **beam, plank** Hom. +
4 construction made of beams or planks, **timber** (ref. to the Trojan Horse) Od.; (ref. to a pillory) Anacr.; (W.ADJ. νήιον, ref. to a ship) AR.
5 **boat, ship** Lyr. Trag.
6 **shaft** (of a spear) Il. Plb. Plu. **spear** Hom. +
7 (prep.phrs.) ἐπὶ (also εἰς) δόρυ, παρὰ δόρυ, ἐκ δόρατος *to, on* or *from the spear-side* (i.e. *the right, the spear being held in the right hand*) X. Thphr. Plt. Plu.; εἰς δόρυ *within spear-range* X.
8 (meton.) **military might, armed force, warfare** Trag. Th. Ar.; (in provbl.phr.) **war** (opp. κηρύκειον *herald's staff, i.e. peace*) Plb.
δορυ-δρέπανον ου n. spear with scythe-like blade, **scythe-spear** Pl. Plb.
δορύκνιον ου n. a kind of poisonous plant Plu.
δορύκρᾱνος adj.: see δορίκρᾱνος
δορύ-ξενος ου m. [δόρυ, ξένος²] 1 one who enjoys hospitable relations as a result of cooperation in war, **friend and ally** Trag.
2 ‖ ADJ. (of a house, hearth) of a friend and ally A. S.
δορυ-ξόος ου, Att. **δορυξός** οῦ m. [ξέω] one who shapes or planes spears, **spear-maker** Ar. Plu.
δορυπαγής, δορύπαλτος adjs.: see δοριπαγής, δορίπαλτος
δορύ-πυρος (or **δορίπυρος**) ον adj. [πῦρ] (fig., of an army of stars) **with spears of fire** Lyr.adesp.
δορυ-σσόος ον, Att. **δορυσσοῦς** οῦν adj. [σεύω or σείω] (of warriors, an army) **spear-hurling** or **spear-brandishing** Hes. Thgn. Trag. Theoc.; (of the equipment) **of a spearman** A. ‖ MASC.PL.SB. spearmen A.
—δορυσσόητος ον adj. (of labours) relating to the hurling or brandishing of spears, **of a spearman in battle** S.
δορυτίνακτος adj.: see δοριτίνακτος
δορυφορέω contr.vb. [δορυφόρος] 1 (of persons) **act as a bodyguard** Hdt. Plu. —W.ACC. *for a ruler or commander* Hdt. Th. Pl. Plu.; (fig.) serve as if a bodyguard, **keep guard over, protect** —*someone or sthg.* X. D. Plu. —W.DAT. X. Plb.; (of mistaken beliefs) —W.ACC. *an overwhelming passion* (envisaged as a tyrant over the soul) Pl. ‖ PASS. (of persons) be provided with a bodyguard Plu.; (fig., of a ruler) be guarded or protected —W.DAT. *by the goodwill of his people* Isoc.; (of persons or things) —W.DAT. or PREP.PHR. *by someone or sthg.* D. Plu.; (of an overwhelming passion) —W.PREP.PHR. *by madness* Pl.

2 (fig., of a king's brothers) **be mere attendants** or **satellites** —W.DAT. *to the king* Plb.

δορυφόρημα ατος *n.* (fig., ref. to a ruler's retarded son) **mere attendant** or **satellite** (to his father) Plu.

δορυφορίᾱ ᾱς *f.* **military escort** (W.GEN. for a letter) X.

δορυφορικός ή όν *adj.* (of a barracks) **for bodyguards** Pl.; (fig., ref. to the heart, envisaged as a guardroom fr. which control is exercised over the body) Pl.

δορυ-φόρος ου *m.* [φέρω] **1 spear-bearer**, **spearman** X. **2** (usu.pl.) **bodyguard** (esp. of a king or tyrant) Hdt. E. Th. Ar. Pl. X. +; (appos.w. ὀπάων *attendant*) A. **3** ‖ PL. (at Rome) **Praetorian Guards** Plu. **4** (fig., ref. to a desire) **attendant, satellite** (of an overwhelming passion) Pl.; (pl., ref. to a tyrant's pleasures) Pl.

δός (athem.aor.imperatv.): see δίδωμι

δόσις εως (Ion. ιος) *f.* [δίδωμι] **1 action** or **process of giving, giving, offering** (sts. W.GEN. of sthg.) A. Hdt. Antipho Th. + **2** (concr.) **gift** Hom. A. Pi. Hdt. +; (fr. the gods or Muses, ref. to blessings, evils, song) Hes. Thgn. Pi. Trag. + **3** making of a gift by will, **bequeathing** Is.; (concr.) **legacy, bequest** Plu.; (phr., ref. to inheriting an estate) κατὰ (τὴν) δόσιν *on the basis of a bequest* (sts.opp. κατὰ γένος *on the basis of kinship* Att.orats. Arist. **4** ‖ PL. **instalments** (of a gift of money) Plu.

δόσκον (iteratv.aor.2): see δίδωμι

δοτέος ᾱ (Ion. η) ον *vbl.adj.* [δίδωμι] (of things) **having to be given** Hdt. Arist.

δοτήρ ῆρος *m.* one who gives or distributes; **giver** (of a gift) A. AR.; **distributor** (of food, payments) Il. X.; **dispenser** (of oracles, ref. to a god) Pi.*fr.*; **bringer** (of death, ref. to arrows) Hes.

—**δότειρα** ης *Ion.f.* —also perh. **δότερρα** ᾱς *Aeol.f.* **giver, bringer** (of war, ref. to Athena) Alc.; (of death, ref. to Acquisitiveness) Hes.; (of poverty, ref. to discord) Pi.*fr.*

δοτικός ή όν *adj.* (of persons) inclined to give, **generous** Arist.

δουλαπατίᾱ ᾱς *f.* [δοῦλος, ἀπάτη] **enticement of slaves** (away fr. their masters) Arist.

δουλάριον ου *n.* [dimin. δούλη] **slave-girl** Ar.

δουλείᾱ (also **δουλίᾱ** Pi.) ᾱς, Ion. **δουληίη** (also **δουλίη** Sol.) ης *f.* [δουλεύω] **1 condition of being enslaved, slavery, enslavement** (of persons, communities, countries) Sol. Anacr. Pi. Hdt. Trag. Th. + **2 slave class** or **population** Th. Arist. **3** ‖ PL. (derog., ref. to a ruler's subjects) **slaves** E.

δούλειος ᾱ (Ion. η) ον (also ος ον E.), Ion. **δουλήιος** η ον *adj.* [δοῦλος] **1** (of the head) **of a slave** Thgn. **2** (of a person's appearance, dress, character) typical of a slave, **slave-like, servile** Od. Hdt. Pl. **3** (of a day) that brings slavery, **of enslavement** E. **4** (of a yoke) that is the mark of slavery, **of slavery** Pl. **5** (of a house) in which one serves as a slave, **of slavery** E.

δούλευμα ατος *n.* [δουλεύω] **1 act of service, menial task** E. **2** (ref. to a person) **slave** S.; (collectv.sg., ref. to a group of persons) **slaves** E.

δουλεύω *vb.* [δοῦλος] **1** (of individuals, communities, countries) be in a state of slavery, **be a slave, be enslaved** (sts. W.DAT. to someone) Sol. Hdt. Trag. Th. +; (fig., of persons) —W.DAT. *to one's belly, pleasures or vices, a goal or concern* Th. Isoc. Pl. X. **2** (wkr.sens., of a temple attendant) **serve** —W.DAT. *a god* E.; (of persons) **be subject** —W.DAT. *to the laws* Pl.; (of animals) —*to yoke-straps* A.; (of the sun and night) —*to limits* E.(cj.)

δούλη *f.*, **δουληίη** *Ion.f.*, **δουλήιος** *Ion.adj.*: see δοῦλος, δουλείᾱ, δούλειος

δουλίᾱ *f.*, **δουλίη** *Ion.f.*: see δουλείᾱ

δουλικός ή όν *adj.* **1** (of a class in society, a crowd) consisting of slaves, **of slaves** Pl. Plu.; (periphr.w. σώματα) *slavish bodies* (i.e. *slaves*) Plb. **2** (of persons) having the characteristics of a slave, **slave-like, slavish** Arist. **3** (of a weapon, clothes, activities, behaviour) typical of or appropriate for a slave, **slavish** Ar. Pl. X. D. Arist. Plb. + **4** (of a war) fought by or against slaves, **servile** Plu.

—**δουλικῶς** *adv.* **like a slave** —*ref. to sitting idly* X.

δούλιος ᾱ (Ion. η) ον (also ος ον A.) *adj.* **1** (of the mind; of the blood, ref. to parentage) **of a slave** A. E. **2** (of food, tasks, personal qualities) typical of or appropriate for a slave, **of a slave, slavish** Iamb. Thgn. A. S. AR. **3** (of prey captured in war, ref. to persons) **enslaved** A. **4** (of a day) that brings slavery, **of enslavement** Hom. **5** (of a time, a fate) endured in slavery, **of slavery** Thgn. A. **6** (of a yoke) that is the mark of slavery, **of slavery** A. Hdt. E.

δουλιχό-δειρος ον *ep.Ion.adj.* [δολιχός, δέρη] (of swans) **long-necked** Il.

δουλοπρέπεια ᾱς *f.* [δουλοπρεπής] **slave-like behaviour** Pl.

δουλο-πρεπής ές *adj.* [δοῦλος, πρέπω] **1** resembling a slave (in one's behaviour), **slave-like** X. **2** (of activities, behaviour) appropriate for a slave, **slavish** Hdt. Pl. X. Plu.

δοῦλος, dial. **δῶλος** (Theoc.), ου *m.* **1 slave** A. +; (pl., ref. to a populace subject to a despot) A. Hdt. +; (fig., W.GEN. to fortune, money, novelty, vices) E. Th. X. NT. **2 servant** (of a goddess, of God) Call. NT.

—**δούλη** ης, dial. **δούλᾱ** (also **δώλᾱ** Call. Theoc.) ᾱς *f.* **1 female slave** Hom. + **2 female servant** (of God) NT.

—**δοῦλος** η (dial. ᾱ) ον *adj.* | compar. δουλότερος (Hdt.) | **1** (of the life, opinions, speech, bed, slaughter) **of a slave** S. E.; (of the breed) **of slaves** E. **2** (of a city, country) **enslaved** Hdt. S. Pl. +; (of a person's body, hand, foot) E.; (of a soul) Pl. **3** (of a mode of life or death, pleasures) typical of or appropriate for a slave, **slavish** E. Pl. **4** (of a yoke) that is the mark of slavery, **of slavery** E. **5** ‖ NEUT.SB. condition of being a slave, **slavery** E.; (collectv.) **slaves** A.

δουλοσύνη ης, dial. **δουλοσύνᾱ** ᾱς *f.* condition of being enslaved, **slavery, enslavement** Od. Eleg. Lyr. A. Hdt. E.

δουλόσυνος ον *adj.* (of a person) **enslaved** (W.DAT. to someone) E.

δουλόω *contr.vb.* **1 enslave** —*persons, peoples, places* Hdt. Trag. Th. Lys. NT. —(W.DAT. *to others*) Th.; (mid.) E. Th. Pl. X. Plu.; (fig.) —*the laws* Pl. ‖ PASS. (of people, places) be enslaved Hdt. +; (fig.) be in thrall, be subject —W.DAT. *to constraints and obligations* Men. **2** reduce to a state of submission or powerlessness; (of a ruler) **intimidate** or **control** —*people's minds* Plu.; (of unforeseen events) **unnerve** —*the spirit* Th. ‖ MID. (of a person) **subjugate** —*one's own or another's desires* Pl.; (of desires) —*a person* Pl.; (of a malady, ref. to an excess of freedom) **hold in thrall** —*a constitution* Pl.; (of military engagements) **break** —*an enemy's spirits* Plu.; (of superstitious fears, an ordinance) **intimidate, unnerve** —*persons, their souls* Pl. Plu. ‖ PASS. (of persons) be cowed or unnerved Th. Pl. —W.ACC. or DAT. *in one's mind* Th.; (of minds) Pl.

δούλωσις εως *f.* **1 enslavement** (of persons, a country) Th. Plu.
2 subjection, domination (of children, ref. to a way of bringing them up) Pl.
δοῦναι (athem.aor.inf.): see δίδωμι
δοῦντος (masc.gen.sg.pres.ptcpl.): see δέω[1]
δουπέω *contr.vb.* [δοῦπος] | pf.ptcpl. δεδουπώς | **1** make a loud or heavy sound; (of warriors, falling to the ground) **thud** Hom.; (of mourners' hands) E.
2 (of soldiers) **strike heavily, make a crashing sound** —w.DAT. w. *their shields* (w. πρός + ACC. *against their spears*) X.
3 (of a person) **make a din** (w. a bronze rattle) AR.
4 (app. without connot. of sound, of a warrior) **fall in battle** or **be slain** Il. || PF. (of a person) **have died, be dead** Il. AR.
δοῦπος ου *m.* **1** loud or heavy noise (caused by collision); **crash, thud** (of warriors, weapons) Il. Hes. Archil. Callin. AR.; (of a fallen giant, a fallen tile) Th. AR.; (of hands beating on breasts, on kettledrums) S. E.; (of footsteps) Od. Hes. AR. Theoc.; (of surf, cascading waters) Hom.; (on an anvil, hammer blows, rocks clashing together) Call. AR.; (of a lash) A.
2 (gener.) **noise** (of persons approaching or bustling about) Hom. S. AR.; (of panicking troops) X.; (of temple doors being opened) E.; (of bones being broken) Pi.*fr.*; (of the wind) AR.
δουράτεος η ον *Ion.adj.* [δόρυ] (of the Trojan Horse, meat-skewers, towers) made of wood, **wooden** Od. hHom. AR.
δούρατος (Ion.gen.sg.): see δόρυ
δούρειος ᾱ ον *Ion.adj.* (of the Trojan Horse) **wooden** E.(dub.) Pl. Plu.
δουρ-ηνεκές *Ion.neut.adv.* [reltd. ἐνεγκεῖν, see φέρω] as far as a spear carries (in flight), **by a spear-throw** —*ref. to being distant fr. someone* Il.
δουριάλωτος *Ion.adj.*: see δοριάλωτος
δουρι-κλειτός όν *Ion.adj.* (of warriors) **renowned with the spear** Hom. Hes.*fr.*
δουρι-κλυτός όν *Ion.adj.* (of warriors) **renowned with the spear** Hom. Archil. A.
δουρι-κμής ῆτος *Ion.masc.fem.adj.* [κάμνω] (of troops) **slain by the spear** A.
δουρίκτητος, δουρίληπτος *Ion.adjs.*: see δορίκτητος, δορίληπτος
δούριος ᾱ ον *Ion.adj.* (of the Trojan Horse) **wooden** Ar. Plb.
δουρί-πληκτος ον *Ion.adj.* [πλήσσω] (of spoils) struck by the spear, **gained by the spear-stroke** A.
δουρο-δόκη ης *Ion.f.* [δέχομαι] domestic stand or receptacle for holding spears, **spear-holder** Od.
δούς (athem.aor.ptcpl.): see δίδωμι
δοχή ῆς *f.* [δέχομαι] **1** (pl.) **receptacle, vessel** or **duct** (assoc.w. the liver) Pl.
2 (pl. for sg.) **receptacle** (w.GEN. for gall, ref. to the gall-bladder) E.
3 meal of welcome (for guests), **reception, banquet** NT.
δοχμή ῆς *f.* [δοχμός] **hand-breadth** (as a measure of distance) Ar.
δόχμιος ᾱ ον *adj.* **1** (of hillsides, a path) **slanting, sloping** E.; (quasi-advbl., of a shield being held up) **on the slant** (opp. vertically) E.
2 (quasi-advbl., of a person falling) **sideways** AR.
—**δόχμια** *neut.pl.adv.* app. **crossways, laterally** —*ref. to persons moving on a mountain* Il.; **sideways** —*ref. to turning one's glance* E.
δοχμό-λοφος ον *adj.* [λόφος] (of warriors) **with helmet-crest aslant** (i.e. either placed transversely, opp. facing fr. back to front, or swinging at an angle) A.

δοχμόομαι *pass.contr.vb.* (of Hermes) **turn sideways** (to slip through a keyhole) hHom.; (of a boar) **turn at an oblique angle** (to hunters, for a blow w. its tusk) Hes.
δοχμός όν *adj.* (quasi-advbl., of a person leaning) **sideways** Theoc.; (of boars charging) **at an angle** (to hunters, for an oblique blow w. a tusk) Il.
δράγματα των *n.pl.* [δράσσομαι] **1 handfuls** (of corn-stalks, grasped by a reaper while being cut by the sickle) Il. Call.; (of corn that has been reaped and is ready for binding) Theoc.
2 bound handfuls of corn, sheaves X. Call. Theoc. Plu.
δραγμεύω *vb.* (of boys) **gather up handfuls of reaped corn** (to hand to the binders) Il.
δραγμός οῦ *m.* **grasping, groping** (w.GEN. of a woman's breasts) E.*Cyc.*
δραίνω *vb.* [desiderate. δράω] **intend to do** —*sthg.* Il.
δράκαινα *f.*: see under δράκων
δρακεῖν (aor.2 inf.), **δρακείς** (aor.2 pass.ptcpl.), **δράκον** (ep.aor.2): see δέρκομαι
δρακονθ-όμιλος ον *adj.* [δράκων] (of a co-residency) **with a crowd of serpents** A.
δρακόντειος ᾱ ον *adj.* (of cliffs) of a dragon, **where a dragon lives** E.
δρακοντό-μαλλος ον *adj.* [μαλλός] (of the Gorgons) **snake-haired** A.
δρακοντώδης ες *adj.* (of Erinyes) **snaky** E.
δρακών (aor.2 ptcpl.): see δέρκομαι
δράκων οντος *m.* [app.reltd. δέρκομαι, fr. the creature's piercing and supposedly paralysing gaze] **1 serpent, snake** Hom. Hes. Lyr. Trag. Ar. +
2 serpent (ref. to an ornament) Alcm. E.; (ref. to a decoration on a shield) Il. Pi.; (ref. to a ship's stern emblem) E.
3 (in mythical or supernatural ctxts.) **serpent** (as the hair of the Gorgons or Erinyes, a garland for Hekate) Pi. Trag. AR.; (as the hind part of the Chimaira) Il. Hes.; (as part of Athena's aigis) Pi.*fr.*; (as attendants of Asklepios) Ar.
4 snake (fig.ref. to a dangerous or detestable person) A. E.
5 (ref. to a monstrous creature, sts. w. non-snakelike features) **dragon** (whose teeth produced the Sown Men) S. E. AR.; (guardian of the golden apples or fleece, or of a sacred place) Pi. S. E. AR.; (ref. to a creature w. three heads) Il.; (ref. to Erekhtheus) D.
—**δράκαινα** ης *f.* **serpent** (ref. to an Erinys) A. E.; (ref. to a metamorphosed woman) E.; **she-dragon** (ref. to Pytho) hHom.
δρᾶμα ατος *n.* [δράω] **1 deed, action** (opp. πάθος *suffering*) A.
2 drama, dramatic performance, play (ref. to tragedy or comedy) Hdt. Ar. Pl. D. Arist. +
3 (fig.) **tragic** or **dramatic event** or **series of events, drama** (in real life) Plb. Plu.
4 (fig.) **role, function** (of a person, in real life) Pl.; **performance** (by people, of their roles in life) Pl.; (pejor.) **stagey behaviour, theatrics** Pl.; **charade** (ref. to an extravagant fiction, narrated or enacted by a person) Plu.
δραματικός ή όν *adj.* **1** (of plots or representations of characters and events, in epic or narrative verse) such as are found in drama, **dramatic** Arist.
2 || NEUT.SB. (pejor.) **fictional** or **over-dramatic element** (in a historical narrative) Plu.
δραμάτιον ου *n.* [dimin. δρᾶμα] (pejor.) **short** or **trivial play, playlet, farce** Plu.
δρᾱματοποιέω *contr.vb.* (of Homer) **dramatise** —*humorous material* Arist.

δραμεῖν aor.2 inf. | fut. δραμοῦμαι | aor.2 ἔδραμον, ep.3du. δραμέτην | pf. (in cpds.) -δεδράμηκα ‖ The pres. and impf. are supplied by τρέχω. |
1 (of persons) **run** Od. hHom. Alcm. Pi. Hdt. E. +; (of horses) Il. X. Arist.; (of charioteers, meton.ref. to their horses) E.
2 (specif., of athletes or persons envisaged as athletes) run in a race, **run** A. E. —W.INTERN.ACC. *a race, a course* E. Ar.; (of a charioteer) **come** —W.NEUT.PL.ACC. *first, second, third (in a chariot race)* E.*lyr.fr.*; (of a wrestler) —w. παρά + ACC. *within a single fall* (W.INF. *of winning the prize*) Hdt.; (fig., of a person) **proceed** —W.PREP.PHR. *towards the finishing-line (in life)* Pi.
3 (fig.) **run** —W.INTERN.ACC. *a race* (W.PREP.PHR. *for one's life, i.e. fight for it*) Hdt. —*a life-or-death race* E. Ar.; run a (life-or-death) race, **stand trial** —W.PREP.PHR. *for murder* E.; (wkr.sens.) **engage in** —W.ACC. *a struggle* E.
4 (gener.) **rush, hurry** (oft. to do someone's bidding) Ar. Pl. Men. Theoc.
5 (of sailors) **run** —W.ACC. or PREP.PHR. *over the sea* E.; (fig., of a city, compared to a ship) —W.PREP.PHR. *close to the shore, w. a favouring wind* Thgn. S.
6 (of blood) **rush** —W.PREP.PHR. *to the heart* A.; (of a sound) —*to a place* Call.; (of sleep) **come quickly** —W.PREP.PHR. *over someone's eyes* Theoc.; (of a story) **move quickly on** —W.PREP.PHR. *to a new topic* Call.

δράμημα (sts. written **δρόμημα**) ατος n. **1 running** (of a person or god) Trag.; (of hounds) E.
2 racing (W.GEN. w. horses, ref. to a Persian postal system) Hdt.
3 rapid course (of the Pleiades) E.; **onrush** (of waves) E.

δραπετεύω vb. [δραπέτης] **1** (of slaves, persons envisaged as slaves) **run away, go on the run** Pl. X. Plu.; (tr.) **run away from** —*one's master* Pl.
2 (of a commander) **run away from the enemy, avoid fighting** X.; (of troops) **skulk, hang back** (under shields, to avoid missiles) X.
3 (fig.) **run away from one's obligations** (of public service) D.
4 (fig., of impressions) **slip away** —W.PREP.PHR. *fr. the mind* Pl.

δραπέτης ου, Ion. **δρηπέτης** εω, dial. **δρᾱπέτᾱς** ᾱ m. [reltd. δραμεῖν] **1 runaway slave** Hdt. Ar. D. Plb. Plu.; (as a term of abuse) **skulking slave** Men.
2 (ref. to a free person, sts. appos.w. ἀνήρ or ἄνθρωπος) **fugitive** Hdt. E. Pl. Aeschin. Din.
3 ‖ ADJ. (of the feet of a slave or coward) **runaway, fugitive** E. Aeschin.; (fig., of happiness) Pi.*fr.*; (of a lot that has been dishonestly designed to avoid being drawn) S.

δρᾱπετίδᾱς ᾱ dial.m. (ref. to Eros, envisaged as a slave) **little runaway** Mosch.

δρᾱπετικός ή όν adj. (of a triumph) **for a victory over runaway slaves** Plu.

δραπών (aor.2 ptcpl.): see δρέπω

δράσειω vb. [desideratv. δράω] **intend to do** —*sthg.* S. E. Ar.

δράσιμος η ον adj. [δράω] ‖ NEUT.SB. **what can be done** A.

δρασκάζω vb. [reltd. δραμεῖν] **run away, flee** (to avoid prosecution) Lys.(law)

δρασμός, Ion. **δρησμός** οῦ m. **running away, flight** A. Hdt. E. Aeschin. Plb. Plu.

δράσσομαι, Att. **δράττομαι** mid.vb. | fut. δράξομαι | aor. ἐδραξάμην | pf. δέδραγμαι, ptcpl. δεδραγμένος | **grasp with the hand, grasp, clutch** (sthg.) Hdt. Call. Plb. —W.GEN. *a person, part of the body (esp. hair), an object, the ground* Archil. E. Ar. Pl. Men. Hellenist.poet. +; (fig.) **grasp at** —W.GEN. *a hope* Plb.; **lay hold of** —W.GEN. *an estate* (by marrying an heiress) Call.*epigr.*; (of love) —*someone's heart* Theoc. ‖ PF.PTCPL. **holding in one's grasp, clutching** (someone) E.; (of a fallen warrior) —W.GEN. *the dust* Il.; (fig., of a person) —*a hope* S.

δραστέος ᾱ ον vbl.adj. [δράω] (of things) **to be done** S.

δραστήριος ον adj. (of persons or things) **capable of action or achievement, effective, energetic** A. E. Th. Plu. ‖ NEUT.SG.SB. **effectiveness or energy** (of persons) Th. Plu. ‖ NEUT.PL.SB. **drastic or violent actions** E.

δράστης ου, Ion. **δρήστης** εω, dial. **δράστᾱς** ᾱ m. **1 doer, performer** (of actions) Plb.; (w. sexual connot.) Archil.
2 (derog.) **servant, drudge** (opp. θεράπων *attendant*) Pi.

δραστικός ή όν adj. **1** (of persons) **active, energetic** Plu.
2 (of postures in a war-dance) **active, offensive** (opp. *defensive*) Pl.

δρατός ή όν adj. [δέρω] (of animal carcasses) **flayed** Il.

δράττομαι Att.mid.vb.: see δράσσομαι

δραχμή ῆς f. [perh. δράσσομαι] app., **handful** (of obols); **drachma** (silver coin worth six obols) Hdt. +

δραχμιαῖος ᾱ ον adj. (of things) **worth** or **costing a drachma** Pl. Arist.

δράω contr.vb. | Aeol.3pl. δραῖσι | subj. δρῶ, 2 and 3sg. δρᾷς, δρᾷ | opt. δρῴην, ep. δρώοιμι | impf. ἔδρων | fut. δράσω | aor. ἔδρᾱσα, Ion. ἔδρησα (Thgn.) | pf. δέδρᾱκα ‖ PASS.: aor. ἐδράσθην | pf. δέδραμαι | neut.impers.vbl.adj. δραστέον |
1 do, perform, accomplish —*sthg.* Od. Alc. B. Trag. Antipho + ‖ PASS. (of things) **be done** S. E. Th. +; (of ceremonies) **be performed** Plu.
2 do —W.DBL.ACC. *sthg. to someone* Trag. Th. +; **behave** or **act towards, treat** —*someone* (W.ADV. *well, badly*) Thgn. S. E. +
3 (intr.) **act** (sts. opp. πάσχω *suffer*) Thgn. Trag. Th. + —W.ADV. *well, badly* Trag. Th. + ‖ PRES., AOR. or PF. MASC.PTCPL.SB. **doer, perpetrator** (esp. of an evil deed) Trag. Antipho +

δρεπάνη ης f. [δρέπω] **reaping-hook, sickle** (for harvesting grapes or corn) Il. Hes. Plu.

δρεπανη-φόρος ον adj. [φέρω] (of chariots) **bearing scythe-like blades, scythed** X. Plu. ‖ NEUT.PL.SB. **scythed chariots** Plb. Plu.

δρεπανο-ειδής ές adj. [δρέπανον, εἶδος¹] (of a coastline) **like a sickle** (in shape) Th.

δρέπανον ου n. [δρέπω] **1 agricultural implement with curved blade; scythe** (for mowing grass) Od.; **sickle** (for reaping or pruning) Hdt. S.*fr.* E.*Cyc.* Th. Ar. Pl. +; (used by Kronos to castrate Ouranos) Hes. Call. AR.; (used to slit a throat) Ar.
2 curved blade (attached to a chariot-wheel) X.; (attached to a spear or pole, for grappling enemy ships or fortifications) Pl. Plb.
3 sword with a curved blade (used by Carians and Lycians), **scimitar** Hdt.

δρεπανουργός οῦ m. [ἔργον] **maker of scythes** or **sickles** Ar.

δρέπτω vb. [reltd. δρέπω] | ep.impf. δρέπτον | **pluck, pick** —*flowers* Mosch.

δρέπω vb. | impf. ἔδρεπον, ep. δρέπον | aor. ἔδρεψα | aor.2: ptcpl. δραπών (Pi.), Aeol.3pl.subj. δρόπωσι ‖ MID.: dial.fut.ptcpl. δρεψεύμενος (Theoc.) | **1 pluck, pick, cull** —*flowers, leaves, plants* hHom. Hdt. E. —*a laurel branch* Hes. —*grapes, fruits* Alc. Pl. —*garlands* E.; (of a poet) —*flowers of song* Pi.*fr.* —*the meadow of the Muses* Ar.(mock-trag.); (fig., of persons) —*honour* (envisaged as a crown for wealth) Pi. —*the unripe fruit of wisdom* Pi.*fr.* —*the bloom of good living* Pi. —*youth, wisdom* Pi.

δρηπέτης

2 ‖ MID. **pluck, cull** —*leaves* Od. E. Theoc. —*garlands* Theoc. —W.PARTITV.GEN. *ears of corn* Plu.; (fig., of poets, envisaged as bees gathering honey) —W.ACC. *songs (fr. the gardens of the Muses)* Pl.; (of persons) —*the choicest prize (at the games)* Pi. —W.PARTITV.GEN. *love* Pi.*fr.*; (of persons, envisaged as grazing cattle) **crop** —W.ACC. *harmful grasses* Pl.
3 (intr.) **pick flowers** E.; (mid.) hHom. E.
4 ‖ MID. (fig., of a killer) **draw** —*blood* A.; (of thorns) Bion

δρηπέτης, δρησμός Ion.m.: see δρᾱπέτης, δρᾱσμός

δρησμοσύνη ης Ion.f. [δράω] **performance** (W.GEN. of sacred rites) hHom.

δρηστήρ ῆρος Ion.m. **serving-man, servant** Od.

—**δρήστειρα** ης Ion.f. **serving-woman, servant** Od. ‖ see also συνδρήστειρα

δρήστης Ion.m.: see δράστης

δρῆστις ιος Ion.f. [reltd. δραμεῖν] (fig., ref. to a soul) **runaway, fugitive** Call.*epigr.*

δρηστοσύνη ης Ion.f. [reltd. δρηστήρ] **menial service, household work** Od.

δριμύλος ον adj. [dimin. δριμύς] (of Eros' eyes) **sharp, piercing** Mosch.

δριμύς εῖα ύ adj. 1 (of a stab of pain in childbirth) **keen, piercing** Il.; (of a blow w. the knuckles) **stinging** Ar.
2 (of smoke, a vapour supposedly given off by snow) **acrid, pungent** Ar. Plu.
3 (of foodstuffs or sim.) bitter to the taste, **bitter, piquant** Pl. X. Arist.; (of rennet) Theoc.
4 (of fighting) **bitter, fierce** Il. Hes. Theoc.; (of anger, passionate feelings) Hom. Mimn. A. Call. Theoc.; (of grief, lamentation) Hes. Ar.; (of the compulsion of love, desire for peace) **keen, intense** Pl. Plu.
5 (of an avenging spirit) **bitter, grim** A.; (of persons) **sharp, fierce** Ar. Pl.
6 (of persons) **keen-minded, sharp-witted** E.*Cyc.* Ar. Pl.

—**δριμύ** neut.adv. **fiercely** —*ref. to giving a look* Ar.; **keenly** —*ref. to seeing* Pl.

—**δριμύτερον** compar.adv. **more pungently** (W.GEN. than a polecat) —*ref. to farting* Ar.

δριμύτης ητος f. 1 **acridity** (of smoke, air) Plb. Plu.
2 **pungency** (of a corrosive liquid) Plu.
3 **mental sharpness** or **keenness** (of persons) Pl.

δρίος εος n. ‖ nom.acc.pl. δρία ‖ **copse, thicket** Od. Hes. S. E. AR.

δρίφος dial.m.: see δίφρος

δροίτη ης, dial. **δροίτα** ᾱς f. 1 **bath-tub** A.
2 (prob. w. play on sense 1) **coffin** A.

δρομαῖος ᾱ ον (also ος ον E.) adj. [δρόμος] 1 (of persons, animals) **running, racing** S. E. X.; (of a foot) Ar.(mock-trag.) ‖ FEM.INTERN.ACC.ADV. **at a run** E.*fr.*
2 (of a labour) **performed at a run** E.; (of a hare's tracks) **made while running** X.
3 (of clouds, wings) **racing, speeding** E. Ar.; (of an impulse of the soul, cited disapprovingly as a frigid periphr. for *running*) Arist.

δρομάς άδος fem.adj. (also neut. E.) 1 (of women, animals, their legs) **running, racing** E.; (of male Phrygian slaves, perh. envisaged as female) E.; (of Cassandra, a Bacchant, votaries of Cybele) **running wild** E. Lyr.adesp.
2 (of winged goddesses) **racing, swift** E.
3 (of eyes) **darting** E.; (of a wheel) **whirling** S.
4 (phr.) κάμηλος δρομάς *dromedary* Plu.

δρομεύς έως m. **runner** (in a race) E. Ar. Isoc. Pl. +

δρόμημα n.: see δράμημα

δρομικός ή όν adj. 1 (of persons) **skilled at running** Pl. Arist. ‖ MASC.SB. **runner** Plu.
2 ‖ NEUT.PL.SB. **running events** (W.GEN. of the pentathlon) X.
3 (of a style of fighting) **mobile, agile** Plu.

—**δρομικῶς** adv. **at a run** Pl.

δρομο-κῆρυξ (or **-κήρῡξ**) ῡκος m. **one who runs with a message, courier** Aeschin.

δρόμος ου m. [δραμεῖν] 1 **action of running, running** (by persons) E. Men. Call. Theoc.; (of horses) Il. Call.; (of other animals) A. E. X.; (specif.) **charge** (by soldiers) Hdt. X.; (phrs.) δρόμῳ *at a run (sts. ref. to soldiers charging)* Hdt. E. Th. Ar. X. +; μετὰ δρόμου Plb.
2 (gener.) **rapid movement, speed, swift course** (of persons, troops, birds, objects) Hdt. Trag. Ar. Pl.; (of clouds) E.
3 (specif.) **running** (as a sport) S.*satyr.fr.* Pl. Arist.
4 **race** (run by persons or horses) Il. Pi. Trag. Pl. +; (W.PREP.PHR. for one's life) Hes.*fr.*(cj.); (fig., for one's life, one's all, ref. to a life-or-death struggle) Hdt. Ar. Pl.
5 **leg** or **lap** (of a race) Il. S. E. Ar.; **lap, stage** (for a courier) Hdt.
6 **pursuit** A.; **chase** (ref. to hunting) Call.; **contest** (W.GEN. of blows, ref. to the pankration) Pi. ‖ PL. **quests** (ref. to the travels and labours of Herakles) E.
7 **ground to race on** (for horses, ref. to open land) Od.; **racecourse** (for runners or horses) Il. Lyr. Hdt. Trag. Pl. X.
8 **correct course, lane** (for a rider) Ar.; (in fig.ctxts.) **course** or **track** (in one's conduct or thinking, as that which one keeps to, misses or diverges from) A. Aeschin. Theoc.
9 (gener.) **path taken in running** or in other rapid movement, **course** (of persons, deities, horses) Trag. Call.; (of a ship) Pi.*fr.* E. Plb.; (of a star) Ar.(dub.); (fig., ref. to a course taken through life or out of trouble) E.
10 **distance covered in a specified time**; (phr.) ἡμέρας δρόμος (or sim.) *a day's run (for a ship or horse)* Hdt. D. Plb.
11 **walkway** or **cloister** (around a gymnasium) Pl.; **circuit** (ref. to a walk in it) Pl.
12 **gymnasium** Call.

δρόπωσι (Aeol.3pl.aor.2 subj.) see δρέπω

δροσερός ά όν adj. [δρόσος] (of hillsides, caves, clouds, the air) **wet with dew, dewy** E. Ar. AR.; (of herbs) Philox.Cyth.; (of a spring or stream) **dew-like, as fresh** or **clear as dew** E.

δροσίζομαι mid.vb. (of a halcyon) **bedew oneself** (w. seawater) Ar.(quot. E.)

δροσο-βόλος ον adj. [βάλλω] (of winds) **precipitating dew** Plu.

δροσόεις εσσα εν adj. (of banks, plains, flowers) **abounding in dew, dewy** Sapph. AR. Theoc.*epigr.*; (of bathing pools) **as fresh** or **clear as dew** E.

δρόσος ου f. 1 **dew** Hdt. Trag. Ar. Pl. X. Call. +; (fig.ref. to drizzle) A.
2 **dew** (fig.ref. to praise or glory, sprinkled upon persons or their achievements) Pi.; (ref. to blood) A.; (ref. to a vaginal secretion; perh. ref. to sweat) Ar.; (W.GEN. of the vine, ref. to wine) Pi.
3 (gener.) **water** (of or fr. rivers or springs) E. Ar.(mock-trag.) Lyr.adesp.; (of the sea) A. E.
4 (app. by analogy w. ἕρση 4) **young animal, cub** (of a lion) A.

δροσώδης ες adj. (of a jet of water) **dew-like, as fresh** or **clear as dew** E.

δρυάς άδος f. [δρῦς] (ref. to a nymph) **inhabitant of trees, dryad** Plu.

δρύϊνος η ον *adj.* **1** (of the leaves, branches, trunk) of an oak tree, **oak** E. AR. Plb.; (of a fire) **of oak logs** Theoc.
2 (of a threshold) made of oak wood, **oaken** Od.
δρυ-κολάπτης (also **δρυοκολάπτης** Plu.) ου *m.* [κολάπτω *peck*] **woodpecker** Ar. Plu.
δρυμός οῦ *m.* [reltd. δρῦς] | ep.neut.nom.acc.pl. δρυμά | **copse, thicket** Hom. S. E. Telest. X. Hellenist.poet. +
δρυο-γόνος ον *adj.* [δρῦς, γίγνομαι] (of mountains) **oak-producing** Ar.
δρυοτομία ᾱς *f.* [τέμνω] **tree-felling** Pl.
δρυοτομική ῆς *f.* **art of tree-felling** Pl.
δρύ-οχα ων *n.pl.* [ἔχω] places containing trees, **wooded regions** or **thickets** E.
δρύ-οχοι ων *m.pl.* wood-holders (ref. to supports for a ship during construction), **props, shores, stocks** Od.; (fig., ref. to the initial stages of composing a play) Ar.; (prep.phr.) ἐκ δρυόχων *from the stocks* (*i.e. fr. scratch, ref. to building a fleet*) Plb.; (fig.) *fresh from the stocks* (*ref. to things being newly made*) Pl.
δρύοψ οπος *m.* **woodpecker** Ar.
δρυ-πεπής ές *adj.* [πέπων] (of figs) ripened on the tree, **ripe** Ar.
δρύπτω *vb.* | aor. ἔδρυψα, ep. δρύψα | **1** (of a spear-point) **tear away** —*the upper arm* (W.PREP.PHR. *fr. the shoulder muscles*) Il.; (of a boxer) —*his opponent's eyelid* AR.
2 (act. and mid.) tear (a part of the body, in mourning or distress); (of a woman) **lacerate, tear** —*her head or cheek* E. AR.; (of eagles) —*their cheeks and necks* (W.DAT. *w. their talons*) Od. ‖ MID. (intr., of a woman) **tear one's cheek** X.
‖ PASS. (of the faces of defeated soldiers) be torn —W.DAT. *by their nails* Tim.
δρῦς δρυός *f.* [reltd. δόρυ] | acc. δρῦν ‖ PL.: acc. δρύας, δρῦς |
1 oak tree, oak Hom. +; (sacred to Zeus at Dodona, where its rustling leaves issued his prophecies) Od. A. S. Pl.
2 oak (ref. to the timber or foliage) Hom. Hes. E. +
3 (provbl.) οὐκ ἀπὸ δρυὸς οὐδ' ἀπὸ πέτρης *not from oak or rock* (*app.ref. to a belief that mankind originated fr. these*) Od.; (*ref. to talking, app. not about irrelevant or fanciful things*) Il.; (w. similar sense) περὶ δρῦν ἢ περὶ πέτρην Hes.
4 (gener., perh. in original sense) **tree** Call. Theoc.; (ref. to the olive) E.*Cyc.*; (prob. ref. to pine) S.
δρυ-τόμος ου *m.* [τέμνω] **woodcutter** Il. Theoc.
δρύ-φακτος ου *m.* [φράσσω] **1** (usu.pl.) wooden barrier, **railing** (excluding the public fr. a lawcourt or the Council chamber) Ar. X.; (segregating people in public places) Plu.
2 handrail (on a ship's gangway) Plb.
3 wooden exterior balcony (of a house), **balcony** Arist.
δρυφακτόω *contr.vb.* **fence in** —*the sides of a platform* (W.DAT. *w. protective walls*) Plb.
δυάς άδος *f.* [δύο] **1** the number two, **two** Pl. Arist.
2 quality of being two, **duality** Pl.
3 set of two things, **dyad** Arist.
δυάω *contr.vb.* [δύη] | ep.3pl. (w.diect.) δυόωσι | (of the gods) **bring misery to** —*people* Od.
δυερός ά (Ion. ή) όν *adj.* [δύη] (of a lack of firewood) **grievous, painful** Call.
δύη ης, dial. **δύᾱ** ᾱς *f.* **misery, anguish, suffering, pain** Od. Semon. A. B. S. Call. +
δυη-παθής ές *adj.* [πάσχω] (of persons) **enduring misery** AR.
δυηπαθίη ης *Ion.f.* **painful suffering** AR.
δυήπαθος ον *adj.* (of effort) **painful** hHom.
δῦθι (athem.aor.imperatv.): see δύω¹
δυθμαί *dial.f.pl.*: see δυσμαί

δύμεναι (ep.athem.aor.inf.), **δῦναι** (athem.aor.inf.): see δύω¹
δύναμαι, Aeol. **δύνᾱμαι** *mid.vb.* | 2sg. δύνασαι, also δύνᾳ, δύνη (Plb., dub. in Att.), Ion.3pl. δυνέαται | subj. δύνωμαι, 2sg. δύνη, ep. δύνηαι | opt. δυναίμην, dial. δυναίμᾱν | impf. ἐδυνάμην, also ἠδυνάμην (Isoc. +), ep. δυνάμην, dial. δυνάμᾱν, 2sg. ἐδύνω, Ion.3pl. ἐδυνέατο | fut. δυνήσομαι, dial. δυνάσομαι | aor. ἐδυνησάμην, ep. δυνησάμην | pf. δεδύνημαι ‖ AOR.PASS. (w.mid.sens.): ἐδυνήθην, also ἠδυνήθην (A. +), dial. ἐδυνάθην, subj. δυνηθῶ | also ἐδυνάσθην (Pi. Hdt. X.), ep. δυνάσθην |
1 have power, strength and ability, **be able** (to do sthg.) Hom. + —W.INF. *to do sthg.* Hom. + ‖ IMPERS. it is possible —W.DAT. + INF. *for someone to do sthg.* Hdt.(dub.)
2 (in neg.phr.) **bring oneself, bear, be able** —W.INF. *to do sthg.* Od. Th.
3 have power or **influence** (sts. W.PREP.PHR. or DAT. w. someone, or by reason of sthg.) Hdt. + —W.NEUT.ACC.ADJ. *to a great extent, in all respects, or sim.* Od. +
‖ MASC.PL.PTCPL.SB. men of power or influence E. Th.
4 (ellipt., w. ὡς + superl.adv. or adj.) Hdt. • ὡς ἐδύναντο ἀδηλότατα *as secretly as they were able* Th. • ὅσους ἐδύνατο πλείστους αὐτῶν ἀθροίσας *collecting as many of them as he could* X.
5 (of things) have a power, significance or effect (equivalent to sthg. else); (of a foreign coin) **be worth** —*a certain amount* (*in local currency*) X. D.; (of a generation, a foreign measure of distance) **amount to** —*a certain number of years, a certain distance* Hdt.; (of words) **signify, mean** —*sthg.* Hdt. Th. Ar. +; (gener., of things) **be tantamount to, have the effect of** —*sthg.* E. Th. Ar. Arist.
6 (math., of a number, envisaged as a line) have potential to form (a square), **be a root** Pl.; (of the process of multiplication) **involve roots** Pl. | cf. δυναστεύω 3
δυναμικός ή όν *adj.* [δύναμις] (of persons) **powerful** Plb.; (of persons or things) **effective** Plb.
δύναμις εως (Ion. ιος) *f.* [δύναμαι] | Ion.dat. δυνάμῑ |
1 physical strength, power, strength (of persons or gods) Hom. +
2 power or ability (to do sthg.), **ability, capacity** Od. +; (W.INF. *to do sthg.*) Hdt.; (W.GEN. *for sthg.*) Arist.
3 outward power (of persons or things), **influence, authority** Thgn. +
4 (specif.) **power** (of rulers, nations, politicians) Hdt. Th. +
5 military power, **forces** Hdt. Pl. X. Plb.
6 resources (of a country) Hdt.; **quantity, abundance** (of wealth possessed by a people) Hdt.
7 natural property or **capacity** (of a river, plants, the earth, mines) Hdt. X.; **effect** (of an embalming fluid) Hdt.; (gener.) **practical effect** (of action, opp. theoretical importance) D.
8 capacity (inherent in or exercised by a person); **faculty** (of sight, or belonging to some part of the body) Pl.; (of dialectic or sim.) Pl. Arist.
9 meaning (of a word) Lys. Pl.; **phonetic value, sound** (of a letter of the alphabet) Plb.
10 financial value, **worth, value** (of things) Th. Plu.
11 (philos.) **potentiality** (opp. actuality or activity) Arist.
12 (math.) number multiplied by itself (twice or three times), **power** Arist.; (specif.) **square number** or **square** Pl.
13 square root (esp. as an irrational number) Pl.
δύνασις εως *f.* **power** (of Zeus, persons, things) Lyr. S. E.
δυναστεία ᾱς *f.* [δυναστεύω] **1** position or exercise of power, **power, supremacy, dominion, rule** S. Att.orats. Pl.
2 (specif.) **narrow oligarchy** or **family clique** Th. Att.orats. Pl. X. Arist.

δυναστευτικός ή όν *adj.* (of oligarchy, election to office, a procedure) **narrow, autocratic** or **associated with a family clique** Arist.

δυναστεύω *vb.* [δυνάστης] **1** (of persons, cities) **hold power, be powerful** or **influential** Hdt. Th. Isoc. Pl. Aeschin. Arist. +; **rule** —W.GEN. *over a country, a people* Plb. Plu.
2 (of a condition or feeling) **prevail** Pl.
3 ‖ MID. (math., of multiplication) **involve square numbers** Pl. | see δύναμαι 6

δυνάστης ου, dial. **δυνάστας** ᾱ *m.* [δύναμαι] **1** (ref. to Zeus) **ruler** S.
2 person with power or **authority** Att.orats. Pl. +; **ruler** (of a specific region) Th. Isoc. +; (appos.w. ἀνήρ) **chief** (in a country) Hdt.
3 ‖ PL. (fig., ref. to the stars, as marking the seasons) **potentates** A.

δυναστικός ή όν *adj.* | superl. δυναστικώτατος | ‖ SUPERL. (of a form of oligarchy) **most narrow** or **autocratic** Arist.

δυνάστορες ων *m.pl.* **chiefs** (of a region) E.

δυνάτᾱς ᾱ *dial.m.* | voc. δυνάτᾰ | (ref. to a dead king) **master, lord** A.(dub.)

δυνατός ή όν (also ός όν Pi.) *adj.* [δύναμαι] **1** (of individuals, cities, countries, enemies) **having strength, power or influence, powerful** Hdt. S. E. Th. +; (of an army, a navy) Hdt. Th.; (of a fortification) Plb.; (of a vice) Pl.
2 (wkr.sens., of persons) **capable, able** (usu. W.DAT. or PREP.PHR. in some respect) Pl. X.; (specif.) **able-bodied** Lys.; (of ships) **seaworthy** Th.
3 (of persons, places) **able** (W.INF. to do sthg.) Thgn. Pi. Hdt. E. Antipho Th. +
4 ‖ NEUT.IMPERS. (w. ἐστί, sts.understd.) **it is possible** Pi. S. E. Th. —W.INF. or DAT. + INF. (*for someone*) *to do sthg.* P . Hdt. E. Th. Ar. Isoc. + —W.ACC. + INF. *for sthg. to happen* Isoc.
5 (of things) **able to be done or achieved, possible, practicable** Thgn. A. Pi. Hdt. E. Th. +; (of an event) **able** (W.INF. to happen) Sapph. Simon. Th.
6 affording a possibility (for sthg. to be done); (of an argument) **possible** (W.INF. to understand) Pl.; (of a road, W.DAT. + INF. for animals to travel on) X.; (of a life, for people to share) Arist.
7 (philos., of things) **potential** (opp. actual) Arist.
8 (prep.phrs.) εἰς (ἐς) τὸ δυνατόν *as far as possible, to the best of one's ability* Simon. Hdt. Pl. X. Arist.; (also) κατὰ τὸ δυνατόν Th. Pl. D. Plb.; ἐκ τῶν δυνατῶν Th. Pl. X.; (quasi-adjl., of a goal) ἐν δυνατῷ *within one's power* (*to achieve*) Pi.; (w.superl.adv. or adj.) ὡς δυνατόν *as possible* Isoc. Pl. X. D. Plu. • ὡς δυνατὸν κάκιστα *in the worst possible way* Isoc.

—**δυνατῶς** *adv.* | superl. δυνατώτατα | **1 strongly** —*ref. to troops resisting* Plb.; **forcefully** —*ref. to speaking* Aeschin. Plu.; **ably, capably** —*ref. to making a prediction* Pl.
2 (w. ἔχει) **it is possible** —W.DAT. + INF. *for someone to do sthg.* Hdt.

δύνω *vb.*: see δύω¹

δύο, ep. **δύω**, δυοῖν *du.num.adj. and sb.* | acc. δύο, ep. δύω | gen.dat. δυοῖν, Boeot. δουῖν (Corinn.) ‖ Ion.gen.pl. δυῶν, dat.pl. δυοῖσι | also gen. δυεῖν and dat. δυσί (Arist. +) ‖ δύο and δύω are indecl. in ep.; δύο is sts. indecl. in other authors | **two** Hom. +

δυο-καί-δεκα *indecl.num.adj.* [δέκα] **two and ten, twelve** Hom. +

δυοκαιδεκά-μηνος ον *adj.* [μήν²] (of a period of time) **of twelve months** S.

δυο-ποιός όν *adj.* [ποιέω] (math., of a kind of dyad) **generating a duality** Arist.

δυόωσι (ep.3pl.): see δυάω

δύπτω *vb.* [δύω¹] | aor.ptcpl. δύψας | **1** (of corpses on a shore) **sink** —*their heads and chests* (W.PREP.PHR. *into the sea*) AR.
2 (intr., of a sea god) **dive** —W.ADV. *below the surface* AR.

δύρομαι *mid.vb.*: see ὀδύρομαι

δύς (athem.aor.ptcpl.): see δύω¹

δυσ- *prfx.* (opp. εὖ, conveying notions of badness, difficulty, negativity) **ill-, hard-, un-, mis-** Hom. +

δυσαγκόμιστος *dial.adj.*: see δυσανακόμιστος

δυσ-άγκριτος ον *dial.adj.* [ἀνακρίνω] (of troubles) **hard to gauge, inscrutable** A.

δύσ-αγνος ον *adj.* [ἁγνός] (of minds) **impure, impious** A.

δυσ-αγρέω *contr.vb.* (of a person fishing) **fail to make a catch** Plu.

δυσ-άγων ωνος *masc.fem.adj.* [ἀγών] (of a person's military career) **full of hard struggles** Plu.

δυσ-άδελφος ον *adj.* [ἀδελφός] (of sisters) **unhappy in one's brothers** A.(dub.)

δυσ-αής ές, gen. έος *adj.* [ἄημι] | ep.gen.pl. δυσαήων | **1** (of winds) **blowing unpleasantly, blustery** Hom.
2 (of icy cold) **brought by an ill wind** Call.

δυσ-άθλιος ᾱ ον *adj.* (of a way of life) **most wretched** S.

δυσ-αιανής ές *adj.* (of a cry) **of deep mourning** A.

δυσ-αίθριος ον *adj.* (of darkness) **unclear, murky** E.

δυσ-αίων ωνος *masc.fem.adj.* [αἰών¹] (of a person) **fated to live an unhappy life** S.; (of a life) **ill-fated, unhappy** E.

δυσ-αλγής ές *adj.* [ἄλγος] (of a person's fate) **deeply painful** A.

δυσ-άλγητος ον *adj.* [ἀλγέω] (of a person) **unfeeling** S.

δυσάλιος *dial.adj.*: see δυσήλιος

δυσ-άλωτος ον *adj.* [ἁλωτός] **1** (of a prey; fig., of boys envisaged as sexual prey) **hard to catch** Pl.
2 (of the rule of Zeus over the gods) **hard to capture** or **unconquerable** A.; (of a body) **resistant** (to sickness) Plu.; (of a person) **beyond the reach** (W.GEN. of misfortunes) S.
3 (of an entity) **hard to comprehend** Pl.

δυσ-άμβατος ον *dial.adj.* [ἀμβατός] (of crags) **hard to climb** Simon.

δυσᾱμερία *dial.f.*: see δυσημερία

δυσ-άμμορος ον *adj.* (of persons) **ill-fated, deeply wretched** Il. AR. Mosch.

δυσ-ανάκλητος ον *adj.* [ἀνακαλέω] (of a dispersed populace) **not easily called together** (W.PREP.PHR. for a common cause) Plu.

δυσ-ανακόμιστος, dial. **δυσαγκόμιστος**, ον *adj.* [ἀνακομίζω] **1** (of an impure soul at death, compared to a dense vapour) **not easily conveyed upwards** Plu.
2 (of spilt blood) **impossible to retrieve** A.

δυσ-ανάπειστος ον *adj.* [ἀναπείθω] (of a person) **hard to convince** Pl.

δυσανασχετέω *contr.vb.* [ἀνασχετός] **1** (of spectators) **endure with difficulty, be unable to bear** —*a happening* Th. Plu.; (of a sacred bull) **be impatient with** —*its pampered treatment* Plu.; (of a person) **resent** —*a political regime* Plu.
2 (intr., of persons) **be driven beyond endurance, be enraged** or **exasperated** (sts. W.DAT. or PREP.PHR. by events) Plu.; **be impatient** (at a delay) Plu.; (of horses) **shrink back, shy** Plu.
3 (of a historian) **have no patience** —w. πρός + ACC. w. *certain statements* Plb.

δυσ-ανάτρεπτος ον *adj.* [ἀνατρέπω] (of a politician's power) **hard to subvert** or **unassailable** Plu.

δυσάνεμος *dial.adj.*: see δυσήνεμος

δυσ-άνοχετος ον *ep.adj.* [ἀνασχετός] (of a stench) **hard to bear, intolerable** AR.

δυσ-αντίβλεπτος ον *adj.* [ἀντιβλέπω] (of a person) hard to look straight at, **formidable to behold** Plu.

δυσ-αντιρρήτως *adv.* [ἀντείρω] in a way that is difficult to speak against, **irrefutably** —*ref. to arguing* Plb.

δυσ-αντοφθάλμητος ον *adj.* [ἀντοφθαλμέω] hard to look at straight in the eye; (fig., of the temptation of a large payoff) **hard to resist** Plb.

δυσ-άνωρ ορος *dial.masc.fem.adj.* [ἀνήρ] (of a marriage) **to a hateful husband** A.

δυσαπαλλακτίᾱ ᾱς *f.* [δυσαπάλλακτος] quality of being difficult to get rid of, **inescapability** (of a feeling) Pl.

δυσ-απάλλακτος ον *adj.* [ἀπαλλάσσω] 1 (of pain, sickness, an obligation) **hard to get rid of** S. Isoc. Pl. Plu.
2 (of a person) **hard to dislodge** (w. ἀπό + GEN. fr. an argument) Pl.

δυσ-απόδεικτος ον *adj.* [ἀποδεικτός] (of an argument) **hard to prove** Pl.

δυσ-απολόγητος ον *adj.* [ἀπολογέομαι] (of an injustice) **hard to defend** Plb.

δυσ-απότρεπτος ον *adj.* [ἀποτρέπω] (of persons) **hard to deter** (fr. evil-doing) X.

δυσαρεστέω *contr.vb.* [δυσάρεστος] 1 (act. and mid., of persons) **be displeased, dissatisfied** or **annoyed** (usu. W.DAT. by someone or sthg.) Plb.
2 (act., of a person) **be displeasing** or **annoying** —W.DAT. *to someone* Plb.

δυσαρέστησις εως *f.* **displeasure** (sts. W.DAT. or ἐπί + DAT. at sthg.) Plb.

δυσ-άρεστος ον *adj.* [ἀρεστός] (of deities, persons, their opinions) **hard to please** A. E. Ar. Isoc. X. Plu.; (of old age, i.e. aged persons) Isoc.

δυσ-αριστοτόκεια ης *ep.fem.adj.* (of Thetis, mother of Achilles) **bearing the best of men to one's sorrow** Il.

δύσ-αρκτος ον *adj.* [ἄρχω] (of a person or mind) **hard to control, ungovernable** A. Plu.

δυσαρμοστίᾱ ᾱς *f.* [δυσάρμοστος] **disharmony, incompatibility** (W.GEN. of persons' characters) Plu.

δυσ-άρμοστος ον *adj.* [ἁρμοστός] (of persons) **incompatible, irreconcilable** (w. πρός + ACC. w. one another) Plu.

δυσαυλίᾱ ᾱς *f.* [δύσαυλος] **uncomfortable quarters** (on a ship) A.

δύσ-αυλος ον *adj.* [αὐλή] (fig., of frost) making for unpleasant lodging, **uncomfortable, inhospitable** S.

δυσ-αυχής ές *adj.* [αὐχέω] **insolently boastful** AR.

δυσ-αφαίρετος ον *adj.* [ἀφαιρετός] (of the good life) **hard to take away** (fr. its possessor) Arist.

δυσ-αχής ές *adj.* [ἄχος] (of suffering) **deeply painful** A.

δυσᾱχής *dial.adj.*: see δυσηχής

δυσ-βάστακτος ον *adj.* [βαστάζω] (of burdens) **hard to bear** NT.

δύσ-βατος ον *adj.* [βατός] 1 (of terrain, mountains, ditches, rivers, or sim.) **hard to cross** or **impassable** Pl. X. Plb. Plu.; (of a route) **difficult** Plb. ‖ NEUT.PL.SB. difficult terrain X.
2 (of a defeated land) **painful to tread** (for its inhabitants) A.
3 (fig., of difficulties) **intractable** Pi.

δυσ-βαύκτος ον *adj.* [βαΰζω] (of a mourner's voice) **howling terribly** A.

δυσβουλίᾱ ᾱς *f.* [βουλή] 1 ill-advised planning, **folly, rashness** A. S. Ar.
2 evil planning, **malice** A.

δύσ-γαμος ον *adj.* [γάμος] 1 (of the shame) **of a disastrous marriage** E.
2 (of an incestuous marriage) **that is no marriage** E.

δυσ-γάργαλις ι, gen. ιδος *adj.* [γαργαλίζω] very ticklish; (of a horse) **irritable** or **skittish** X.

δυσγένεια ᾱς *f.* [δυσγενής] **poor parentage, low birth** S. E. Isoc. Pl. Plu.

δυσ-γενής ές *adj.* [γένος, γίγνομαι] 1 (of persons) of undistinguished parents, **low-born** E. Arist. Men.; (of an animal) **from poor stock** E.
2 (of a person's character or behaviour) **ill-bred, ignoble** E.

δύσγνοια ᾱς *f.* [γιγνώσκω] failure of understanding or recognition, **state of ignorance** E.

δυσγνωσίᾱ ᾱς *f.* [δύσγνωστος] **slowness in recognition** (W.GEN. of someone's face) E.

δύσ-γνωστος ον *adj.* [γνωτός] (of a person in disguise) **hard to recognise** Plb.

δυσ-γοήτευτος ον *adj.* [γοητεύω] (of a person) **hard to bamboozle** Pl.

δυσδαιμονίᾱ ᾱς *f.* [δυσδαίμων] **misfortune** E. And.

δυσ-δαίμων ον, gen. ονος *adj.* | *compar.* δυσδαιμονέστερος |
1 (of persons, their destiny or fortune) **ill-fated, wretched** Emp. Trag. And. Ar. Pl.
2 (of things associated with misfortune; (of a place) **unlucky, fateful** A.; (of a journey, strife) E.

δυσ-δάκρῡτος ον *adj.* [δακρῡτός] (of ashes) **bitterly wept over** A.

δύσ-δαμαρ αρτος *masc.adj.* [δάμαρ] (of a man) **with an evil wife** A.

δυσ-διάβατος ον *adj.* [διαβατός] (of terrain) **hard to cross** Plb.

δυσ-διάθετος ον *adj.* [διατίθημι] (of creditors' demands) **hard to settle** Plu.

δυσ-διαίτητος ον *adj.* [διαιτάω] (of a question) **hard to decide** Plu.; (of a decision) **hard to reach** Plu.

δυσ-διάλυτος ον *adj.* [διαλυτός] 1 (of a formation of warships) **hard to break up** Plb.
2 (of bitter-tempered persons) hard to pacify, **implacable** Arist.

δυσ-διάσπαστος ον *adj.* [διασπάω] (of a formation of troops) **hard to break up** Plb.

δυσ-διερεύνητος ον *adj.* [διερευνάω] (of a place) **hard to search through** Pl.

δύσ-δίοδος ον *adj.* (of a route) **offering a difficult way through** (a country) Plb.

δύσ-εδρος ον *adj.* [ἕδρᾱ] (of an Erinys) **settling harmfully** (in a place) A.

δυσ-ειδής ές *adj.* [εἶδος¹] (of a person or body) **unsightly, unattractive** Hdt. S.*fr.*; (of disproportion) Pl.

δυσ-είματος ον *adj.* [εἷμα] (of a person) **poorly clothed** E.

δυσ-είσοδος ον *adj.* (of a city, ref. to its layout) **hard to enter** Arist.

δυσ-εκβίαστος ον *adj.* [ἐκβιάζομαι] (of a soldier's bodily strength) hard to shift by force, **unshakeable** (in hand-to-hand combat) Plu.

δυσ-έκθυτος ον *adj.* [ἐκθύω] (of omens) difficult to counter by sacrifices, **inexpiable** Plu.

δυσ-εκλύτως *adv.* [ἔκλυτος] **beyond undoing** —*ref. to fastening sthg.* A.

δυσ-έκνιπτος ον *adj.* [ἐκνίζω] (fig., of beliefs) difficult to wash out, **indelible** Pl.

δυσ-εκπέρᾱτος ον *adj.* [ἐκπεράω] 1 (of an evil deed, when spoken of) **painful as it issues forth** (fr. the lips) E.
2 (advbl.acc., ref. to misfortune, leading to death) πέραν

δυσεκπέρατον *in a difficult crossing to the other side* (W.GEN. *of life*) E.

δυσ-έκφευκτος ον *adj.* [ἐκφεύγω] **1** (of a dangerous situation) **hard to escape from** Plb. **2** (of a life, meton. for a person) **escaping with difficulty** Tim. **3** (of a refuge fr. death) **hard to find by fleeing** Tim.

Δυσ-ελένᾱ ᾱς *dial.f.* [Ἑλένη] **accursed Helen** E. | cf. Δύσπαρις

δύσ-ελπις ι, gen. ιδος *adj.* [ἐλπίς] (of persons) **lacking hope, despondent** A. X. Arist. Plu.

δυσελπιστέω *contr.vb.* [δυσέλπιστος] **lack** or **give up hope, despair** Plb. —W.DAT., ἐπί + DAT. or περί + GEN. *of someone or sthg.* Plb.

δυσελπιστίᾱ ᾱς *f.* **lack of hope, despair, despondency** Plb. Plu.

δυσ-έλπιστος ον *adj.* [ἐλπιστός] **1** (of a situation) **unexpected** or **despaired of** X. **2** (of human life) **where hopes are cheated** Lyr.adesp. **3** (of a person) **lacking confidence, despondent** Plu.

—**δυσελπίστως** *adv.* (w. ἔχειν, διακεῖσθαι) *be in despair* Plb.

δυσ-έμβατος ον *adj.* [ἐμβαίνω] || NEUT.SB. **difficulty of establishing a foothold** (in a place) Th.

δυσ-έμβολος ον *adj.* [ἐμβολή] (of a country) **hard to invade** X. Arist. Plb. Plu.; (of terrain, mountains) **hard to penetrate** Plb.

δυσεντερίᾱ ᾱς, Ion. **δυσεντερίη** ης *f.* —also **δυσεντέριον** ου (NT.) *n.* [ἔντερον] **dysentery** Hdt. Pl. Plb. NT.

δυσ-έντευκτος ον *adj.* [ἐντυγχάνω] (of a person) **difficult to obtain a meeting with, inaccessible, unapproachable** Plb. Plu.

δυσ-εξάλειπτος ον *adj.* [ἐξαλείφω] (fig., of goodwill) **difficult to wipe out, indelible, long-lasting** Plb.

δυσ-εξαπάτητος ον *adj.* [ἐξαπατάω] (of persons, their inexperience) **hard to deceive** or **trick** Pl. X. Plu.

δυσ-εξαρίθμητος ον *adj.* [ἐξαριθμέω] (of dangers) **hard to count, innumerable** Plb.

δυσ-εξέλεγκτος ον *adj.* [ἐξελέγχω] (of a doctrine) **hard to disprove** Pl.

δυσ-εξέλικτος ον *adj.* [ἐξελίσσω] **1** (of a fastening) **hard to disentangle** E. **2** (fig., of a plan) **hard to unravel, complicated** Plu.

δυσ-εξερεύνητος ον *adj.* [ἐξερευνάω] (of a city) **hard to reconnoitre** Arist.

δυσ-εξημέρωτος ον *adj.* [ἐξημερόω] (of wild animals) **hard to tame** Plu.

δυσ-επιβούλευτος ον *adj.* [ἐπιβουλεύω] **hard to plan against**; (of troops) **hard to surprise** X. || SUPERL.NEUT.SB. **greatest security against surprise attack** X.

δυσεργίᾱ ᾱς *f.* [δύσεργος] **trouble** (caused for troops by the lie of the land) Plu.

δύσ-εργος ον *adj.* [ἔργον] **1** (in military ctxt., of a person) **unfit for activity, ineffective** Plu. **2** (of activities, esp. military operations) **laborious** Plu.; (of a city, W.INF. to fortify) Plu.; (of an invasion) **impracticable** Plb. **3** (of iron, when brittle) **impossible to work** Plu. **4** (of armour, waterlogged clothing) **cumbersome, unwieldy** Plu.

—**δυσέργως** *adv.* **with effort and difficulty** Plu.

δύσ-ερις (also **δύσηρις** Pi.) ι, gen. ιδος *adj.* [ἔρις] (of persons, a part of their nature) **contentious, quarrelsome** Pi. Isoc. Pl. Arist. Plb. Plu.; (of a discussion) Pl.; (of envy) Plu.

δυσ-έριστος ον *adj.* [ἐριστός] (of bloodshed caused by a god) **hard to strive against, irresistible** S.

δύσ-ερως ωτος *masc.fem.adj.* [ἔρως] **1** (of persons, their souls) **desperately in love** Lys. Call.*epigr.* Plu.; **unhappily in love, love-lorn** Dionys.Eleg. Theoc. **2** (of persons) **with an obsessive desire** (W.GEN. for life) E.; (for things beyond reach) Th.; (for sex) X.; (of a desire to possess a country) **obsessive** Plu.

δυσ-έσβολος ον *adj.* [εἰσβολή] (of a region) **hard to invade** Th.

δυσ-εννήτωρ (or perh.dial. **δυσεννάτωρ**) ορος *m.* (ref. to a snake, in a dove's nest) **dangerous bedfellow** A.

δυσ-εύρετος ον *adj.* [εὑρετός] **1** (of food) **hard to procure** X.; (of the answer to a problem) **hard to find** X. **2** (of the gait of a man disguised as a wolf) **hard to track down** E. **3** (of a wood) **where finding is hard, hard to search** E. **4** (of statements) **hard to understand** A.

δυσ-έφικτος ον *adj.* [ἐφικτός] (of a prize) **hard to attain** Plb. || NEUT.IMPERS. (w. ἐστί) **it is difficult** —W.INF. *to describe sthg.* Plb.

δύσ-ζηλος ον *adj.* [ζῆλος] **1** (of persons) perh., **apt to put a bad construction on things, suspicious** Od. **2** (of parents) **anxiously jealous, touchy** (w. ἐπί + DAT. over their daughters) AR. **3** (of persons) **jealous, resentful** Plu.

—**δυσζήλως** *adv.* (w. ἔχειν) *be jealous or resentful* (w. πρός + ACC. *towards someone*) Plu.

δυσ-ζήτητος ον *adj.* [ζητητός] (of a hare) **hard to search out** X.

δυσ-ηλεγής ές *adj.* [reltd. ἄλγος or ἀλέγω] **bringing painful sorrow**; (of war, death) **painful, cruel** Hom. hHom.; (of frosts, captivity) Hes.; (of persons) Mimn. [or perh. *pitiless, uncaring*]

δυσ-ήλιος, dial. **δυσάλιος**, ον *adj.* (of darkness, the sky, a wooded region) **sunless** A. E. Plu.

δυσημερίᾱ, dial. **δυσαμερίᾱ**, ᾱς *f.* [ἡμέρᾱ] **day of misfortune**; (gener.) **misfortune** S.*fr.* Ar.(quot. A.) Plu.

δυσ-ήνεμος, dial. **δυσάνεμος**, ον *adj.* [ἄνεμος] (of a headland, a shore) **affected by adverse winds, windswept, stormy** S. AR.

δύσηρις *adj.*: see δύσερις

δυσ-ήροτος ον *adj.* [ἀρόω] (of an island) **hard to plough, lacking ploughland** Call.

δυσ-ηχής, dial. **δυσᾱχής**, ές *adj.* [ἄχος or perh. ἠχή] **1 causing grievous pain** (or noise); (of war) **grievous, painful** Il.; (of arrows) AR. [or perh. *grim-sounding*] **2** (of death) **grim** Il.; (of bloodshed) Emp. [or perh. *amid the noise of battle*] **3** (of the aperture of a vessel fr. which water gurgles) **cacophonous** Emp. **4** (of an island) **infamous** hHom.

δυσ-θαλπής ές *adj.* [θάλπος] (of a storm) **cold, chilling** Il.

δυσθανατέω *contr.vb.* [δυσθάνατος] **die a painful** or **lingering death** Hdt. Pl. Plu.

δυσ-θάνατος ον *adj.* (of a poisoned cup) **bringing a painful** or **lingering death** E.

δυσ-θέᾱτος ον *adj.* [θεατός] (of a face, a sight, sufferings) **painful to look upon** A. S.

δύσ-θεος ον *adj.* [θεός] (of persons, actions, thoughts) **ungodly** A. S.

δυσ-θεράπευτος ον *adj.* [θεραπευτός] (of a deranged person) **hard to look after** or **cure** S.

δυσ-θετέομαι *mid.contr.vb.* [τίθημι] **be in a state of annoyance** or **dissatisfaction** X. —W.DAT. *at a turn of events* Plb.; (of a commander) **be hard pressed** or **in a difficult position** Plb.

δυσ-θεώρητος ον *adj.* [θεωρέω] **1** (of a person's nature or intentions, a difference) **hard to discern** Plb. Plu.
2 (of a topic) **hard to investigate** Plb.

δυσ-θήρᾱτος ον *adj.* [θηρᾱτός] (of an enemy, the truth) **hard to hunt down** Plu.

δυσ-θήρευτος ον *adj.* [θηρευτός] (fig., of sophists as a species, envisaged as game) **difficult to hunt down** or **trap** Pl.

δυσ-θησαύριστος ον *adj.* [θησαυρίζω] (of fruits) **hard to store** Pl.

δυσ-θνήσκω *vb.* **1 die a lingering** or **painful death** E.
2 (fig., of a city's smouldering ashes) **be reluctant to die down** A.(cj.)

δυσ-θρήνητος ον *adj.* [θρηνέω] (of cries) **of bitter lamentation** S. E.

δύσ-θροος ον *adj.* [θρόος] **1** (of cries, lamentation) **sad-sounding, doleful** A.
2 (of a voice) sounding with difficulty, **stammering** Pi.

δυσθῡμέω *contr.vb.* —also **δυσθῡμαίνω** (hHom.) *vb.* [δύσθῡμος] **be in low spirits, be downhearted, downcast** or **despondent** hHom. Hdt. Plu.; (mid.) E.

δυσθῡμίᾱ ᾱς *f.* **low spirits, despondency, dejection** E. Pl. Plb. Plu.

δύσ-θῡμος ον *adj.* [θῡμός] (of a person) **downhearted** S.; (of a soul) **despondent** S.; (of faces) **downcast** X. || NEUT.SB. **despondency** Plu.
—**δυσθύμως** *adv.* | compar. δυσθυμότερον | **with a heavy heart** —*ref. to giving up life* Pl.; (w. ἔχειν, διακεῖσθαι) *be downhearted* Plb. Plu.

δυσ-ίᾱτος ον *adj.* [ἰᾱτός] **1** (of a sickness) **hard to cure** Pl.; (fig., of persons, ref. to their inappropriate behaviour) Arist.
2 (fig., of anger, an evil, an injustice) **hard to heal, incurable, irremediable** A. E. Pl.; (of passionate feelings) **implacable** Pl.

δυσιερέω *contr.vb.* [ἱερός] **receive unfavourable omens in a sacrifice** Plu.

δυσ-ίμερος ον *adj.* (of the madness or pain) **of lovesick desire** AR.

δύσ-ιππος ον *adj.* [ἵππος] (of regions) **unsuitable for cavalry** X. Plu.

δύσις εως *f.* [δύω¹] **1 sinking, setting** (of the sun, stars) A. Pl. D. AR. Theoc.; (pl.) **horizon** Plu.; (phr.) ἡλίου δύσις *sunset (as a time of day)* Th.
2 (sg. and pl.) **place where the sun sets, West** (as a direction or cardinal point) Plb. Plu.; (also) ἡλίου δύσις Th.

δυσ-κάθαρτος ον *adj.* [καθαίρω] **hard to cleanse** (by rites of purification and propitiation); (of Hades, an evil spirit) **unappeasable, implacable** S. Ar.(mock-trag.)

δυσ-κάθεκτος ον *adj.* [καθεκτός] (of persons, horses, the masses, the state) **hard to keep in check, uncontrollable** X. Plu.

δύσ-καπνος ον *adj.* [καπνός] (of houses of the poor) unpleasantly smoky, **foul with smoke** A.

δυσ-καρτέρητος ον *adj.* [καρτερέω] (of cold, a state of affairs) **unbearable** Plu.

δυσ-καταγώνιστος ον *adj.* [καταγωνίζομαι] (of troops) **hard to defeat** Plb.

δυσ-καταμάθητος ον *adj.* [καταμανθάνω] (of a problem, political or rhetorical skill) **hard to understand** or **learn** Isoc. Pl.
—**δυσκαταμαθήτως** *adv.* (w. ἔχειν, of opportunities) *be hard to discern* Isoc.

δυσ-κατάπαυστος (or **δυσκατάπαυτος**) ον *adj.* [καταπαύω] (of persons fighting, a person's spirit, pain, depravity) **hard to stop** or **check, unstoppable, uncontrollable** A. E. D. Plu.

δυσ-κατάπληκτος ον *adj.* [καταπλήσσω] (of troops) not easily overawed, **insubordinate** Plb.

δυσ-κατάπρᾱκτος ον *adj.* [καταπρᾱ́σσω] (of enterprises) **hard to achieve** X.

δυσ-κατάστατος ον *adj.* [καθίστημι] (of a state of confusion) **hard to resolve** X.

δυσ-καταφρόνητος ον *adj.* [καταφρονέω] (of persons) hard to treat with disrespect, **worthy of respect** X.

δυσ-κατέργαστος ον *adj.* [κατεργάζομαι] (of artistic skills) **hard to attain** X.

δυσ-κέλαδος ον *adj.* having an unpleasant sound; (of the singing of Erinyes) **unmelodious, cacophonous** A.; (of panic, pillaging raids) **clamorous, rowdy** Il. AR.; (of envy, reports of women's behaviour) **evil-sounding, malicious** Hes. E.

δυσ-κέραστος ον *adj.* [κεράννῡμι] (of a person's nature) refusing to be blended, **untempered** (W.PREP.PHR. by a particular quality) Plu.

δυσ-κηδής ές *adj.* [κῆδος] (of a night spent outdoors) **painful, uncomfortable** Od.

δύσκηλος ον *adj.* [reltd. ἔκηλος, εὔκηλος] (of a land) app. **troubled, blighted** A.

δυσ-κίνητος ον *adj.* [κῑνητός] **1** (of persons or things) resistant to being moved, **hard to move, immovable** Pl. Plb. Plu.
2 moving with difficulty or **unable to move** Pl. Plb. Plu.
3 (of persons, their temperaments) **not easily moved** or **excited** (sts. w. πρός + ACC. to some emotion) Pl. Plu.
|| NEUT.SB. **immovability, unshakeable nature** (of a person's temperament, a god's power) Plu.
—**δυσκῑνήτως** *adv.* (w. ἔχειν, of temperaments) *be hard to excite* Pl.

δυσ-κλεής ές *adj.* [κλέος] | ep.masc.acc.sg. δυσκλεᾶ | (of persons or things) **inglorious, ignominious, infamous** Il. Trag. X.
—**δυσκλεῶς** *adv.* **ingloriously** S.

δύσκλεια ᾱς *f.* **infamy, ill-repute, ignominy** S. E. Th. Pl. X. +

δυσκληρέω *contr.vb.* [κλῆρος] **be unsuccessful in a lottery**

δυσκλήρημα ατος *n.* **unfortunate consequence** (of an event) Plb.

δυσ-κοινώνητος ον *adj.* [κοινωνέω] (of a person's character) **unsociable** Pl.; (of the nature of power) Plu.

δυσκολαίνω *vb.* [δύσκολος] | fut. δυσκολανῶ | aor. ἐδυσκόλᾱνα | (of persons, animals) **be in a bad temper, be annoyed, dissatisfied** or **impatient** Lys. Ar. Pl. X. Plu.
—W.DAT. or πρός + ACC. w. *someone* or *about sthg.* Ar. Isoc. D. Plu.

δυσκολίᾱ ᾱς *f.* **1 ill-temper, tetchiness, discontent, vexation** Ar. Pl. X. Arist. Plu.
2 annoying condition (caused by circumstances), **problem, awkwardness, difficulty** D. Arist. Plu.

δυσκολό-καμπτος ον *adj.* [καμπτός] (of modulations in music) **with annoying twists** Ar.

δυσκολό-κοιτος ον *adj.* [κοίτη] (of anxiety) **that makes one's bed uneasy** Ar.

δύσκολος ον *adj.* [reltd. εὔκολος] **1** (of persons, their natures) **ill-tempered, discontented, tetchy, churlish** Ar. Att.orats. Pl. X. Arist. Men. +; (of old age) E.; (of an animal, fig.ref. to poverty) Men.; (of a horse) **restive** X.
2 (of activities, circumstances) **annoying, disagreeable** Ar. Isoc. Pl. X. D. Plb.; (of tasks, choices) **troublesome, difficult**

Ar. Isoc. Pl. D. Arist. NT. Plu.; (of farming, W.INF. to learn) X.
|| NEUT.IMPERS. (w. ἐστί) it is difficult —W.INF. to do sthg. Isoc. NT. Plu.
—**δυσκόλως** adv. | compar. δυσκολώτερον | **1 in an ill-tempered manner, with annoyance, impatiently** Isoc. Pl. D. Plb. Plu.
2 awkwardly, unpleasantly (W.DAT. for someone) —*ref. to things turning out* Isoc.
3 with difficulty NT.
δυσ-κόμιστος ον adj. [κομίζω] (of causes of grief, ref. to dead children) **painful to convey** (into a house) E.; (of a fate) **hard to bear** S.
δύσκον (iteratv.impf.): see δύω[1]
δυσκρᾱσίᾱ ᾱς f. [κεράννῡμι] **unhealthy condition** (of a person's body, the atmosphere) Plu.
δύσ-κριτος ον adj. [κριτός] **1** (of omens, dreams, visions) **hard to interpret** A. Plu.
2 (of an issue, a choice) **hard to decide upon** Plu.
|| NEUT.IMPERS. (w. ἐστί, sts.understd.) it is hard to decide —W.INDIR.Q. what is the case Pl.; (neut.pl.) S.
3 (of the rising and setting of stars) **hard to discern** or **determine** A.
—**δυσκρίτως** adv. **1 in a manner hard to interpret** —*ref. to oracles being worded* A.
2 (w. ἔχειν) **be unable to decide** Ar.
δύσ-κτητος ον adj. [κτητός] (of a literary work) **hard to obtain** Plb.
δυσ-κύμαντος ον adj. [κῡμαίνω] (of troubles, in a storm) **from dangerously swelling waves** A.
δύσ-λεκτος ον adj. [λεκτός] (of bad news) **hard to tell** A.
δύσ-ληπτος ον adj. [ληπτός] (of the cause of a misfortune) **hard to detect** or **comprehend** Plb.
δυσ-λόγιστος ον adj. [λογιστός] (of an act of violence) **irrational** or **incomprehensible** S.
δύσ-λοφος ον adj. [λόφος] **1** (of the yoke of oppression) **hard on the neck, heavy** Thgn.; (of Herakles' hand, on the neck of the Nemean lion) B.
2 (gener., of sufferings) **hard to bear, heavy** A.; (of anguish) S.Ichn.(cj.)
—**δυσλόφως** adv. **painfully, with difficulty** —*ref. to bearing misfortunes* E.
δύσ-λυτος ον adj. [λυτός] **1** (of shackles) **hard to undo** A.; (of troubles) **hard to be free of** E.
2 (of reconciliation betw. persons) entailing difficult resolution (of enmity), **hard won** E.(dub.)
—**δυσλύτως** adv. (w. ἔχειν, in neg.phr., of things neatly packed away) *be difficult to untie* X.
δυσμάθεια f.: see δυσμαθίᾱ
δυσμαθέω contr.vb. [δυσμαθής] **be slow to recognise** —*a person* A.
δυσ-μαθής ές adj. [μανθάνω] **1** (of a disfigured person) **hard to recognise** E.; (of oracles) **hard to understand** A.
|| NEUT.SB. state of incomprehension E.
2 (of persons, their minds) **slow to learn** or **understand, dull-witted** Ar. Pl. X.
—**δυσμαθῶς** adv. (w. ἔχειν) *be slow to learn* Pl.
δυσμαθίᾱ (also **δυσμάθεια**) ᾱς f. **difficulty** or **slowness in learning** or **understanding** Pl.
δυσμαί, dial. **δυθμαί** (Pi. Call.), ῶν (Ion. έων, dial. ᾶν) f.pl. —also sg. **δυθμή** ῆς (Call.) f. [δύω[1]] **1** (as an event or time of day) **sinking, setting** (of the sun, the moon) Hdt. Pl. X.; (W.GEN. of the sun, its beams) Pi. Lys. Pl. X. Is. Plb. Plu.; (fig., ref. to old age) **sunset, twilight years** (W.GEN. of life) Pl. Arist.(quot. Emp.) || SG. setting (W.GEN. of the sun) Call.

2 (as a direction or cardinal point, ref. to the West) **setting** (W.GEN. of the sun) A. Hdt. S. Call. Plu.; **West** Hdt. Call. Plb. NT. Plu.
δυσ-μάτωρ ορ, gen. ορος dial.adj. [μήτηρ] (of anger) **unmotherly** A.
δυσμαχέω contr.vb. [δύσμαχος] **fight vainly** —W.DAT. *against gods, necessity* S.
δυσμάχητος ον adj. (of the gifts of the Muses) **keenly fought for** Lyr.adesp.
δύσ-μαχος ον adj. [μάχη] **1** (of enemies, troops, monsters) **hard to fight against, formidable** or **invincible** A. E. X. Plb. Plu.; (of an enemy's strategic advantage) D.; (of an enemy's rage, one's passionate feelings) E. Pl.
2 (of a mountain, a river, as natural defences) **hard to attack, impregnable** Isoc. Plu.
3 || NEUT.PL.IMPERS. (w. ἐστί understd.) it is a hard struggle —W.INF. *to judge an issue* A.
δύσ-μεικτος (also **δύσμικτος**) ον adj. [μεικτός] (of substances, qualities) **hard to mix** or **blend** (w. others) Pl. Plu.
δυσ-μείλικτος ον adj. [μειλίσσω] (of persons, their natures) **hard to soothe, implacable** Plu.
δυσμεναίνω vb. [δυσμενής] **bear ill will, have hostile feelings** —W.DAT. *against someone or sthg.* E. D.
δυσμένεια ᾱς f. **ill will, hostility, enmity** S. E. Att.orats. Pl. Arist. +
δυσμενέω contr.vb. | only ptcpl. δυσμενέων | **bear ill will, be hostile** Od.
δυσ-μενής ές adj. [μένος] **1** (of persons) **bearing ill will, hostile** (sts. W.DAT. to someone) Hom. +; (of animals, serpents) A. E.; (of a murderer's hand) E.; (of an oracle, a vote) E. || MASC.SB. (usu.pl.) **enemy** Hom. Eleg. Pi. B. Trag. || NEUT.SB. hostility E.
2 (of things) associated with one who is hostile; (of libations) **ill-willed, unfriendly, hostile** S.; (of a type of shoe worn by enemies) Ar.(mock-trag.); (of words, jealousy) E.; (of the pain) **of hostility** E.; (of covetousness) **causing ill feeling** X.
—**δυσμενῶς** adv. **in a hostile state or manner, with hostility** Pl. Plb. Plu.; (w. ἔχειν, διακεῖσθαι) *be hostile* (sts. W.DAT. to someone) Isoc. X. Plu.
δυσμενικός ή όν adj. (of speech, mockery, anger, the start of a war) **hostile, ill-willed, rancorous** Plb.
—**δυσμενικῶς** adv. **with ill will** or **hostility** Plb.
δυσ-μετάθετος ον adj. [μετατίθημι] (of writers) **hard to shift** (fr. an opinion), **obstinate, dogmatic** Plb.
δυσ-μεταχείριστος ον adj. [μεταχειρίζω] **1** (of a heavy person, objects) hard to handle **unwieldy, cumbersome** X. Plu.
2 (of a heavily armed soldier, fleet, war) **hard to deal with** Hdt. Plu.
3 (of a person, a child envisaged as a wild animal) **hard to control, unmanageable** Pl. Plu.
δυσμή f.: see δυσμαί
δυσ-μήτηρ ερος f. (oxymor., ref. to a mother) **no true mother** Od.
δυσμηχανέω contr.vb. [μηχανή] **lack the means** —W.INF. *to do sthg.* A.
δύσμικτος adj.: see δύσμεικτος
δυσ-μίμητος ον adj. [μιμητός] (of behaviour) **hard to imitate** Plu.; (of features) **hard to reproduce** (in art) Plu.
δυσ-μνημόνευτος ον adj. [μνημονευτός] **1** (of the mind) **forgetful** Pl.
2 (of things) **hard to remember** Arist.

δύσ-μορος ον *adj.* [μόρος] (of persons) **ill-fated, unlucky, wretched** Hom. B. S. E. Antipho Ar. +; (of a way of life) S.

—**δυσμόρως** *adv.* **wretchedly, miserably** —*ref. to dying* A.

δυσμορφίη ης *Ion.f.* [δύσμορφος] **ugliness** (of a person) Hdt.

δύσ-μορφος ον *adj.* [μορφή] (of persons, their clothes) **unsightly** S.(cj.) E.

δυσ-νίκητος ον *adj.* [νῑκητός] (of a commander, the power of the people) **hard to defeat** or **overcome** Plu.; (of a person's nature) **uncontrollable** Plu.

δύσ-νιπτος ον *adj.* [νίζω] hard to wash off; (of an inscription on bronze) **hard to erase, indelible** S.

δυσνοέω *contr.vb.* [δύσνους] **bear ill will** —W.DAT. *towards someone* Plu.

δύσνοια ᾱς *f.* **ill will, malevolence, disaffection** S. E. Pl. Plu.

Δυσ-νομίη ης *Ion.f.* [νόμος] (personif.) **Lawlessness** Hes. Sol.

δύσ-νοστος ον *adj.* [νόστος] (of a journey homeward) unhappy for those returning, **unhappy, grim** E.

δυσ-νουθέτητος ον *adj.* [νουθετέω] (of an animal, fig.ref. to poverty) hard to admonish, **obstinate** Men.

δύσ-νους ουν *Att.adj.* [νόος] **bearing ill will, unfriendly, hostile** (sts. W.DAT. towards someone) E. Pl.; (towards one's city) S. Th.; (w. πρός + ACC. towards an enterprise) X.

δύσ-νυμφος ον *adj.* [νύμφη] (of women, a bride) **ill-wedded** E.

δυσξύμβολος, δυσξύνετος *adjs.*: see δυσσύμβολος, δυσσύνετος

δύσ-ογκος ον *adj.* [ὄγκος²] (of spoils) **burdensome, cumbersome** Plu.

δυσοδέω *contr.vb.* [δύσοδος] (of cavalry) **make one's way with difficulty** (amid obstacles) Plu.

δύσ-οδμος, Att. **δύσοσμος**, ον *adj.* [ὀδμή] 1 (of a goat's beard) **foul-smelling, malodorous** Hdt.

2 (of ground) **bad for holding scents** (of animals) X.

δῡσοδο-παίπαλος ον *adj.* [δύσοδος, reltd. παιπαλόεις] (of the role of Erinyes) **making a difficult and rocky road** (for humans) A.

δύσ-οδος ον *adj.* [ὁδός] (of a mountain) presenting a difficult route, **hard to cross** Th.

δυσ-οΐζω *vb.* [perh. οἴ] perh. **utter a cry of distress** A. E. ‖ MID. perh. **be distressed** E.

δυσ-οίκητος ον *adj.* [οἰκητός] (of regions) difficult to live in, **uninhabitable** X.

δύσ-οιμος ον *adj.* [app. οἶμος] (of a fate) providing a difficult path, **painful** A. [or perh. *providing a sad theme for song, lamentable*]

δύσ-οιστος ον *adj.* [οἰστός²] (of sufferings or sim.) **hard to bear** A. S.

δύσομαι (fut.mid.): see δύω¹

δύσ-ομβρος ον *adj.* [ὄμβρος] (of shafts, fig.ref. to pelting downpours) **of heavy rain** S.

δυσ-όμῑλος ον *adj.* 1 (of an Erinys) **making an evil companion** A.

2 ‖ NEUT.SB. unsociability (of a person) Plu.

δυσ-όμματος ον *adj.* [ὄμμα] (of persons) **sightless** (w. further connot. of being dead) A.

δύσ-οπτος ον *adj.* [ὁράω] ‖ NEUT.SB. **poor visibility** Plb.

δυσ-όρατος ον *adj.* [ὁρατός] (of things, places) **hard to see, hidden** X.

δύσ-οργος ον *adj.* [ὀργή] 1 prone to anger, **angry, irascible** S.

2 full of anger, **angered** S.

δύσ-ορμος ον *adj.* [ὅρμος] 1 (of an island, a shore) **lacking safe anchorage** A. Plu.; (of winds) **making anchorage difficult** A.

2 ‖ NEUT.PL.SB. places that offer poor anchorage (for hunting nets) X.

δύσ-ορνις (also **δυσόρνῑς**) ῑθος *masc.fem.adj.* [ὄρνις] (of a ship, an event) **attended by ill omens** A. E. Plu.

δυσ-όρφναιος ον *adj.* [ὀρφναῖος] (of ragged clothes, worn in grief) as gloomy as the darkness, **dusky, sombre** E.

δυσοσμίᾱ ᾱς *Att.f.* [δύσοσμος] **foul smell, stench** S.

δύσοσμος *Att.adj.*: see δύσοδμος

δυσ-ούριστος ον *adj.* [οὐρίζω²] (of a cloud of darkness, fig.ref. to blindness) **sped by an ill wind** S.

δυσ-όφθαλμος ον *adj.* [ὀφθαλμός] (of ugliness) **offensive to the eyes** Telest.

δυσπάθεια ᾱς *f.* [δυσπαθέω] **power of endurance or resistance, toughness** (of an iron cuirass) Plu.

δυσπαθέω *contr.vb.* [πάθος] 1 (of a person) **suffer misfortune** Mosch.; (of a commander) **be hard pressed** Plb.

2 (of persons) **be aggrieved** or **upset** (at sthg.) Plu.

δυσ-παίπαλος ον *adj.* [reltd. παιπαλόεις] (of glens) rough and steep, **rugged** Archil.(dub.); (fig., of waves) B.

δυσ-πάλαιστος ον *adj.* [παλαίω] (fig., of an enemy's power) **hard to wrestle with, hard to defeat, unconquerable** X.; (of a curse, old age, circumstances) A. E.

δυσ-πάλαμος ον *adj.* [παλάμη] (of the gods' tricks) **hard to handle** A. [or perh. *contriving evil*]

—**δυσπαλάμως** *adv.* **helplessly** —*ref. to perishing* A.

δυσ-παλής ές *adj.* [πάλη] 1 (of a whirlpool, fig.ref. to a critical situation) **hard to wrestle with, ineluctable, overpowering** A.

2 ‖ NEUT.IMPERS. (w. γίνεται, or vb.understd.) it is a hard struggle —W.INF. to do sthg. Pi.

3 (of plant roots) causing irresistible harm, **noxious, deadly** AR. [or perh. *hard to uproot, tough*]

δυσ-παράβλητος ον *adj.* [παραβλητός] (of a person's beauty) **incomparable** Plu.

δυσ-παραβοήθητος ον *adj.* [παραβοηθέω] (of troops under attack) **hard to assist** Plb.

δυσ-παράβουλος ον *adj.* [παρά, βουλή] (of minds) app., unhappily astray in counsel, **perversely purposed** A.

δυσ-παράγγελτος ον *adj.* [παραγγέλλω] (of a piece of advice) **hard to convey** or **formulate** Plb.

δυσ-παράγραφος ον *adj.* [παραγραφή] (of a topic) hard to write a marginal or explanatory comment on, **hard to define** or **explain** Plb.

δυσπαραδέκτως *adv.* [παραδέχομαι] with reluctance to accept, **in a sceptical manner** Plb.

δυσ-παράθελκτος ον *adj.* [παραθέλγω] (of Zeus' anger) **hard to assuage, implacable** A.

δυσ-παραίτητος ον *adj.* [παραιτητός] (of Zeus' mind) hard to plead with, **inexorable** A.; (of anger) **unrelenting** Plb. Plu.; (of an angry person) Plu.

δυσ-παρακόμιστος ον *adj.* [παρακομίζω] 1 (of a heavy person) **hard to transport** Plu.; (of heavy coinage) **hard to carry about** Plu.

2 (of a voyage) **entailing a difficult route along** (a coast) Plb.

δυσ-παραμΰθητος ον *adj.* [παραμυθέομαι] (of anger, desire) hard to pacify, **implacable, unassuageable** Pl. Plu.

δυσ-πάρευνος ον *adj.* (of a marriage) with an unlucky choice of bedfellow, **ill-matched** S.

δυσ-παρήγορος ον *adj.* (of Erinyes) **hard to appease, implacable** A.

Δύσ-παρις ιδος *m.* [Πάρις] **accursed Paris** Il. Alcm.

δυσ-πάριτος ον *adj.* [παριτός] (of a point on a route) **hard to get past** X.

δυσ-πειθής ές *adj.* [πείθω] **1** (of persons) **hard to persuade or convince** Pl.
2 (of people, soldiers, animals) **disobedient** Pl. X. Plu.

—**δυσπειθῶς** *adv.* **sceptically, reluctantly** Plu.

δύσ-πειστος ον *adj.* (of persons) **hard to persuade or convince** X. Arist. Plu.

—**δυσπείστως** *adv.* **sceptically, reluctantly** Isoc.

δύσ-πεμπτος ον *adj.* [πεμπτός] (of a throng of Erinyes in a house) **hard to send** (W.ADV. outside) A.

δυσ-πέμφελος ον *adj.* [app.reltd. πέμφιξ, πομφόλυξ]
1 perh., nastily bubbling; (of the sea) **rough, stormy** Il. Hes.; (of seafaring) Hes.
2 (of a person) showing ill grace, **surly** Hes.

δυσ-πενθής ές *adj.* [πένθος] (of toil) **grimly mournful** Pi.; (of treachery) **grievous** Pi.

δύσ-πεπτος ον *adj.* [πέσσω] (of dead tissue) **resistant to being broken down** Pl.

δυσ-πέρᾱτος ον *adj.* [περατός] (of a life in exile) **hard to live through** E. [or perh. *hard to escape from*]

δυσ-περίληπτος ον *adj.* [περιληπτός] **1** (of a city) **hard to encircle or blockade** Arist.
2 (of a bald severed head) **hard to keep in one's grasp** Plu.

δυσ-πετής ές *adj.* [πίπτω] coming about with difficulty; (of a person) **hard** (W.INF. to recognise) S.

—**δυσπετῶς**, Ion. **δυσπετέως** *adv.* **with difficulty** —*ref. to enduring or acquiring sthg.* A. Hdt.

δυσ-πινής ές *adj.* [πίνος] (of clothes) **unpleasantly dirty, filthy, squalid** S. Ar.

δυσπίστως *adv.* [πιστός] **mistrustfully** Plu.

δύσ-πλανος ον *adj.* [πλάνος¹] (of Io, her wanderings) **wretchedly roaming** A.

δύσπνοια ᾱς *f.* [δύσπνοος] **shortness of breath** X.

δύσ-πνοος ον, also contr. **δύσπνους** ουν *adj.* [πνοή] **1** (of a person) **out of breath, breathless** S.
2 (of winds) **blowing fiercely** S.

δυσ-πολέμητος ον *adj.* [πολεμέω] (of a king, a spirit of vengeance) **hard to fight** A. Isoc. D.

δυσ-πόλεμος ον *adj.* (of a people) **luckless in war** A.

δυσ-πολιόρκητος ον *adj.* [πολιορκέω] (of a city) **hard to take by siege** X. Plb.

δυσ-πολίτευτος ον *adj.* [πολιτεύω] (of unsociability) **unsuitable in a statesman** Plu.

δυσ-πονής ές *adj.* [πόνος] (of weariness) **from hard toil** Od.

δυσ-πόνητος ον *adj.* [πονέω] causing pain or toil; (of a god) **painful, vexatious** (towards a people) A.; (of care for a blind man) **laborious, burdensome** (to someone) S.

δύσ-πονος ον *adj.* [πόνος] (of troubles) **grievous, burdensome** S.

δυσ-πόρευτος ον *adj.* [πορευτός] (of a muddy area) **hard to cross** X.

δυσπορίᾱ ᾱς *f.* [δύσπορος] **difficulty of crossing** (a river) X.

δυσ-πόριστος ον *adj.* [πορίζω] (of reasons for a conspiracy, envisaged as mathematical premises) hard to produce, **complex, abstruse** Plu. || NEUT.SB. difficulty of procuring, scarcity (of a commodity) Plu.

δύσ-πορος ον *adj.* [πόρος] (of ravines) **hard to traverse** Pl. X.; (of rivers) **hard to cross** X.; (of roads) **hard to travel on** X.

δυσποτμέω *contr.vb.* [δύσποτμος] **have the misfortune to be afflicted** —W.DAT. *by illness* Plb.

δυσποτμίᾱ ᾱς *f.* **ill fortune, bad luck** Men.

δύσ-ποτμος ον *adj.* [πότμος] | compar. δυσποτμώτερος | superl. δυσποτμότατος (Plu.) | **1** possessing or marked by ill fortune; (of persons, activities, circumstances) **ill-fated, unfortunate, wretched, accursed** Trag. Ar. Men. Bion Plu.
2 (of a curse) bringing ill fortune, **baneful** S.

—**δυσπότμως** *adv.* | superl. δυσποτμότατα (Plu.) | **with a cruel fate, wretchedly, miserably** A. Plu.

δύσ-ποτος ον *adj.* [ποτός] (of a draught of human blood) **grim to drink** A.

δυσπρᾱγέω *contr.vb.* [πράσσω] **suffer misfortune or be unsuccessful** A. Plu.

δυσπρᾱγίᾱ ᾱς *f.* **ill fortune, misfortune** Antipho

δυσπρᾱξίᾱ ᾱς *f.* **ill fortune, misfortune** Trag. And. Isoc. Arist.

δυσ-πρεπής ές *adj.* [πρέπω] (of suicide by hanging) **unseemly** E.(dub.)

δυσ-πρόσβατος ον *adj.* [προσβατός] (of a hill) **hard to climb** Th.

δυσ-πρόσιτος ον *adj.* [προσιτός] (of a person) **hard to approach, inaccessible, unsociable** E.

δυσ-πρόσμαχος ον *adj.* [προσμάχομαι] (of places) **hard to attack** Plu.

δυσ-πρόσοδος ον *adj.* **1** (of places) **hard to approach, with difficult access** Plb. Plu.; (in military ctxt., of places, positions, formations) **hard to advance upon, unassailable** Th. Arist. Plb. Plu.
2 (of persons, their manner) **unapproachable, inaccessible, unsociable** Th. X. Plu.

δυσ-πρόσοιστος ον *adj.* [προσφέρω] (of the mouth of a person refusing to speak) **hard to have dealings with, intractable, unaccommodating** S.

δυσ-πρόσοπτος ον *adj.* [προσοράω] (of dreams, a person's appearance) **hard to look upon, unsightly, repulsive** S. Plu.

δυσ-προσόρμιστος ον *adj.* [προσορμίζομαι] (of a coast) **lacking safe anchorage** Plb.

δυσ-προσπέλαστος ον *adj.* [προσπελάζω] (of cities) **hard to approach, inaccessible** Plu.

δύσ-ρῑγος ον *adj.* [ῥῖγος] (of bees) **intolerant of the cold** Hdt.

δυσσέβεια (also **δυσσεβίᾱ** A.) ᾱς *f.* [δυσσεβής] **impiety** Trag.

δυσσεβέω *contr.vb.* **behave impiously** Trag.

δυσ-σεβής ές *adj.* [σέβω] (of persons, houses, behaviour, acts) **impious, sacrilegious** Trag. D. Theoc.; (of a meal of human flesh) S. E.*Cyc.*

δύσ-σοος ον *dial.adj.* [σῶς] (of persons, animals) beyond saving, **reprobate, rascally, wretched** Theoc.

δυσστομέω (or **δυστομέω**) *contr.vb.* [στόμα] **speak ill of, abuse** —*persons* (W.ACC. *in certain words*) S.

δυσ-στόχαστος (or **δυστόχαστος**) ον *adj.* [στοχάζομαι] (of the right time) **hard to hit upon** Plu.

δυσ-σύμβολος (also **δυσξύμβολος**) ον *adj.* [συμβολή] **1** (of persons) **hard to reach a settlement with, driving a hard bargain** Pl. X.
2 (of a person, a person's manner) **hard to deal with, unapproachable, forbidding** Plu.

δυσ-σύνετος (also **δυσξύνετος**) ον *adj.* [συνετός] (of the Sphinx's song) **hard to understand, incomprehensible** E.(dub.); (of geometrical figures) X.

δυσ-σύνοπτος ον *adj.* [συνοπτός] **1** (of a river) **not easily visible** Plb.
2 (of atmospheric conditions) **affording poor visibility** Plb.

δύσ-τακτος ον *adj.* [τακτός] (of the female sex) **ill-regulated, disorganised** Pl.

δυσ-τάλᾱς αινα αν *adj.* **1** (of persons, their fate) **unhappy, miserable, wretched** S. E.

2 (of a feast celebrating a murder) **heartless** S.

δύστᾱνος *dial.adj.*: see δύστηνος

δυσ-τέκμαρτος ον *adj.* [τεκμαίρομαι] **1** hard to make out from signs; (of the evidence for an old crime) **hard to trace** S.; (of a person's intentions, the nature of the gods) **hard to discern, inscrutable** E. Plu.
2 (of the skill of a diviner) **in making difficult inferences** A.
3 (of wanderings) **uncharted** Plu.

δύσ-τεκνος ον *adj.* [τέκνον] (of the procreation) **of accursed children** S.(dub.)

δυσ-τερπής ές *adj.* [τέρπω] (of sufferings) **unpleasant** A.

δύστηνος, dial. **δύστᾱνος**, ον *adj.* [2nd el.perh.reltd. στῆναι, see ἵστημι] **1** (of persons, their life, death, attributes) **unhappy, unfortunate, wretched, miserable** Hom. Archil. Semon. Thgn. B. Trag. +; (of sickness, toil, events and circumstances) Semon. Pi. B. Trag. Ar.
2 (pejor., of persons) **wretched, contemptible** S. Theoc.; (of stories, speeches) E. D.
—**δυστᾱνοτάτως** *dial.superl.adv.* **most wretchedly** —*ref. to growing old* E.

δυσ-τήρητος ον *adj.* [τηρέω] (of a person, compared to a wild animal) **hard to keep under surveillance** Plu.

δυσ-τλήμων ον, gen. ονος *adj.* (of persons) **long-suffering** hHom.; (of a hand) perh. **patient** S.*fr.*

δύσ-τλητος, dial. **δύστλᾱτος**, ον *adj.* [τλητός] (of sufferings) **hard to bear** A. B.*fr.*

δυστοκέω *contr.vb.* [δυστοκής] (of women) **have a difficult labour** Pl. —w.ACC. *w. a child* Mosch.; (fig., of a city trying to solve a problem) Ar.

δυσ-τοκής ές *adj.* [τίκτω] | fem.nom.pl. δυστοκέες | (of women) **having a difficult labour** Call.

δυστομέω *contr.vb.*: see δυσστομέω

δύ-στονος ον *adj.* [δυσ-, στόνος] (of sufferings) **lamentable, grievous** A.

δυσ-τόπαστος ον *adj.* [τοπάζω] (of Zeus, oracular riddles) **hard to interpret** E.; (of a cause, the answer to a question) **hard to guess** Plu.

δυστόχαστος *adj.*: see δυσστόχαστος

δυσ-τράπεζος ον *adj.* [τράπεζα] (of man-eating horses) **dining gruesomely** E.

δυσ-τράπελος ον *adj.* [τρέπω] turning with difficulty; (of a person) **inflexible, intractable** S.; **stiff, awkward** (in manner or temperament) Arist.
—**δυστραπέλως** *adv.* **awkwardly, inconveniently** —*ref. to things being stored* X.

δύσ-τροπος ον *adj.* [τρόπος] **1** having an awkward manner; (of a person) **ill-mannered, disagreeable** D. Plu.
2 (of the female temperament) **awkward, troublesome** E.

δυστυχέω *contr.vb.* [δυστυχής] | aor. ἐδυστύχησα | **1** (of persons, cities, armies, or sim.) **be unfortunate, suffer misfortune** or **calamity** Hdt. Trag. Th. Ar. Att.orats. +
2 ‖ PASS. (of a family) be brought into misfortune Pl.; (of a situation) **turn out unhappily** Plu. ‖ NEUT.PL.AOR.PTCPL.SB. **unfortunate occurrences** Lys. Plu.

δυστύχημα ατος *n.* instance of ill fortune, **misfortune, calamity** Att.orats. Pl. X. +

δυσ-τυχής ές *adj.* [τύχη] **1** (of persons, their life or attributes) **unfortunate, unhappy, ill-fated** S. E. Ar. Att.orats. +
2 (of events or circumstances) **unfortunate, sad, calamitous** Trag. Att.orats. Plu. ‖ NEUT.SB. **misfortune** A. E.
3 (of Erinyes) bringing ill fortune, **baneful** A.
—**δυστυχῶς** *adv.* **with ill fortune, unhappily, calamitously** A. E. Pl.

δυστυχίᾱ ᾱς, Ion. **δυστυχίη** ης *f.* state of ill fortune, **ill fortune, misfortune** Thgn. E. Th. Att.orats. +

δυσ-υπόστατος ον *adj.* [ὑποστατός] (of a soldier) **hard to withstand** or **resist** Plu.

δύσφᾱμος *dial.adj.*: see δύσφημος

δυσ-φανής ές *adj.* [φαίνομαι] (of a night) **with poor visibility** Plu.

δύσ-φατος ον *adj.* [φατός] (of shouting) **ill-omened** A. [or perh. *hardly articulate, unintelligible*]

δύσ-φευκτος ον *adj.* [φευκτός] (of trouble) **hard to escape** Men.

δυσφημέω *contr.vb.* [δύσφημος] **1** **utter words of ill omen** A. S. Plu.
2 (tr.) **apply ill-omened words to** —*a person, a goddess* S. E.

δυσφημίᾱ ᾱς *f.* **1** **ill-omened utterance** S. Plu.
2 **imprecation, curse** Plu.

δύσ-φημος, dial. **δύσφᾱμος**, ον *adj.* [φήμη] **1** marked by or being a cause of ill omens; (of a burial) **ill-omened** Hes.; (of a shout, in a temple) E.; (of words or lamentation during a sacrifice) Call.(cj.) AR.
2 (of reports) **ominous, foreboding** E.
3 (of a reputation) **unfavourable, infamous** Pi.; (of words, statements) **disrespectful, improper** Thgn. Pl. Plu.
‖ NEUT.SB. **unsuitable phrasing** (of a proverb) Plu.

δυσ-φιλής ές *adj.* [φιλέω] (of things, circumstances) hard to like, **hateful, loathsome, repulsive** A. S.

δυσφορέω *contr.vb.* [δύσφορος] bear (a situation) badly; (of persons, their minds) **be distressed, upset** or **annoyed** (through grief, fear, anger, or other emotion) Hdt. Trag. Ar. X. Plu.

δυσ-φόρμιγξ ιγγος *masc.fem.adj.* (of a person's fate) unsuited to the music of the lyre, **grim, joyless** E.(dub.)

δύσ-φορος ον *adj.* [φέρω] **1** hard to carry or wear; (of a spear) **unwieldy** X.; (of a cuirass) **uncomfortable** X.
2 hard to endure; (of life, sufferings, ruin) **unbearable, unendurable** Trag. X.; (of amazement, mental fantasies) **overpowering** Pi. S.
3 (wkr.sens., of overeating) **bothersome** X.; (of a problem requiring a decision) **oppressive, tiresome** Plu.
4 having difficulty in movement; (of horses, bodies) **ungainly, clumsy** Pl. X.
—**δυσφόρως** *adv.* **1** **with annoyance, resentfully** —*ref. to receiving an insult* S.
2 (w. ἔχειν, of troubles) **be hard to bear** S.

δύσ-φραστος ον *adj.* [φράζω] (of a process) **hard to describe** Pl.

δυσφρόναι ᾶν *dial.f.pl.* [δύσφρων] **unhappy thoughts, anxieties** Pi.(dub.cj.)

δυσφροσύναι ῶν (Ion. έων, ep. άων) *f.pl.* | dat. δυσφροσύναισι (E.) | **1** **unhappy thoughts, anxieties, sorrows, cares** Hes. Thgn. Simon.
2 **ill will, malice** (w.GEN. of the gods) E.

δύσ-φρων ον, gen. ονος *adj.* [φρήν] **1** having a hostile intention; (of persons, gods, serpents) **ill-willed, malevolent, malign** A.; (of strife; of poison, fig.ref. to jealousy) A. E.; (of words) **malicious** E.
2 (gener., of a marriage) **grievous, hateful** A.; (of ruin, sorrows) **distressing, cruel** S. E.; (of sullenness) **dispiriting** A.
3 thinking perversely; (of persons, their minds) **misguided, senseless, unwise** A. S.
—**δυσφρόνως** *adv.* **senselessly, unwisely** A.

δυσ-φύλακτος ον *adj.* [φυλάσσω] **1** (of a city) **hard to protect** or **defend** Plb.; (of dignity) **hard to maintain** Plu.

2 (of persons) **hard to keep under control** E.
3 (of troubles, happenings) **hard to guard against** E. Plb.
δυσ-χείμερος ον *adj.* [χεῖμα] **1** (of regions) enduring a harsh winter or weather like that of winter, **wintry** Il. Hdt. E. AR. Plu.; (fig., of catastrophes) **bringing dire chill** (to the heart) A.; (of a route to death, by hemlock poisoning) A.
2 (of rocky regions) enduring stormy weather, **storm-beaten** A. E.*fr.*; (of a blast of wind) **stormy** A.*fr.*; (of a sea of torment) A.
δυσ-χείμων ον, gen. ονος *adj.* [χειμών] (of lakes) **stormy** AR.
δυσ-χείρωμα ατος *n.* that which is hard to conquer, **difficult challenge** S. [or perh. *hard-won victory*]
δυσ-χείρωτος ον *adj.* [χειρόομαι] **1** (of military forces) **hard to defeat** Hdt.
2 (of a man) **unyielding, obdurate** (towards lovers) Plu.
δυσχεραίνω *vb.* [δυσχερής] | fut. δυσχερανῶ | aor. ἐδυσχέρᾱνα || neut.impers.vbl.adj. δυσχεραντέον | **1** (of persons) **be displeased, dissatisfied, annoyed** or **upset** (sts. W.DAT. or PREP.PHR. w. or by someone or sthg.) Att.orats. Pl. Arist. Plb. Plu. —W.DAT. w. oneself (i.e. be uneasy in one's own mind) Arist.
2 (tr.) **be displeased** or **dissatisfied with, be annoyed** or **upset by** —*someone or sthg.* Att.orats. Pl. X. Arist. Men. Plu. || PASS. (of persons or things) **be disliked or resented** Plu.
3 (wkr.sens.) **be fussy** or **fastidious** —W.PREP.PHR. *about sthg.* Pl.; **make difficulties, be quarrelsome** —W.PREP.PHR. *in argument* Pl.
4 scorn, disdain —W.INF. *to do sthg.* Pl.
5 (of words) **express annoyance** S.
δυσχέρασμα ατος *n.* instance of disliking, **dislike** Pl.
δυσχέρεια ᾱς *f.* **1** feeling of dislike, **distaste, annoyance, displeasure** S. Pl.; **fastidiousness** (W.GEN. of a person's nature) Pl.
2 difficulty, trouble, awkwardness (in a situation) Isoc. Pl. Arist. Plb. Plu.; (in logic or argument) Arist.; (W.GEN. of a terrain, a journey) Plb.
3 oppressive situation (caused by a political regime) D.
4 objectionable behaviour (within family relationships) Arist.
δυσ-χερής ές *adj.* [χείρ, or perh. χαίρω] **1 hard to handle** (or perh. **find pleasure in**); (of an event, a situation) **disagreeable, unpleasant, annoying** Trag. Att.orats. Pl. X. +
2 (of circumstances, concepts, or sim.) **troublesome, difficult** Isoc. Pl. X. D. Arist. +; (of arguments) **fault-finding** Pl. D.; (phr.) δυσχερὲς ποιεῖσθαι *find it problematic* —W.COMPL.CL. *that sthg. shd. be the case* Th. || NEUT.SB. **difficulty, problem** E. D. Arist. Plu.
3 (of persons) **disagreeable, unpleasant, offensive** S. D.; (in personal habits) Thphr.
4 (of persons) **intolerant, fussy, fastidious** Pl. Arist.
—**δυσχερῶς** *adv.* **1 reluctantly, intolerantly, resentfully** Pl. D. Plb.
2 (w. ἔχειν) *be uneasy or dissatisfied* —W. πρός + ACC. w. sthg. Pl. D.; *be ill-disposed* —W. πρός + ACC. *towards someone or sthg.* Plb.
3 (w. φέρειν) *be dissatisfied or annoyed with* —W.ACC. *sthg.* Plb.; *be fastidious* —W.PTCPL. *about doing sthg.* Pl.
4 with difficulty Plb.
δύσ-χιμος ον *adj.* [prob. χεῖμα] **1** (of regions, paths) **wintry** A. E. [or perh. *bleak, grim*]
2 (of winds) **stormy** E.; (fig., of a flood of tears) A.
3 (of a serpent) **grim, fearsome** A.
δυσχλαινίᾱ ᾱς *f.* [χλαῖνα] **shabby clothes** E.

δύσ-χορτος ον *adj.* [χόρτος] (of a homeland) with poor pasturage, **barren** E.
δυσχρηστέω *contr.vb.* [δύσχρηστος] **1** (of persons, ships) **be in trouble, difficulty** or **distress** Plb. || PASS. be or be put in trouble, difficulty or distress Plb.
2 (of persons) **cause difficulties, be troublesome** Plb.
δυσχρηστίᾱ ᾱς *f.* difficult or troubling situation, **difficulty, hardship** Plb.
δύσ-χρηστος ον *adj.* [χρηστός] **1** (of troops, shields, hounds) hard to make use of, **unserviceable** X. Plb. Plu.; (of a freedom to do sthg.) **hard to use responsibly** Isoc.
2 (of a horse) **hard to manage, intractable** Plu.
3 (of military operations, situations) **difficult, problematic** Plb.; (of a solution to a problem) **hard to find** Plb.
—**δυσχρήστως** *adv.* **1 helplessly** or **in difficulties** Plb. Plu.
2 intractably Men.(cj.)
δυσ-χώρητος ον *adj.* [χωρέω] (of a confused situation) unable to make progress with, **insoluble** Plb.
δυσ-χωρίᾱ ᾱς *f.* [χῶρος] (sg. and pl.) **difficult terrain** (esp. for troops) Isoc. Pl. X. Aeschin. Plb. Plu.
δυσ-ώδης ες *adj.* [ὄζω] (of persons or things) **foul-smelling, stinking** Hdt. S. Th. Arist. Plu.
δυσωδίᾱ ᾱς *f.* **foul smell** Arist.
δυσ-ώνυμος ον *adj.* [ὄνομα] **1** (of persons or things) bearing an evil name, **infamous, hateful, accursed** Hom. Hes. Hippon. S. E. AR.
2 (of Ajax) **bearing an ill-omened name** (w. allusion to the cry of mourning αἰαῖ) S.
δυσωπέομαι *mid.pass.contr.vb.* [ὤψ] **1** be put out of countenance, **be disconcerted, be made uneasy** Pl. Plb.; **be outfaced** (by a petitioner) Plu.
2 (of animals) **be shy** or **timid** X.; **shy away** X.
3 (tr.) **be abashed by** —*a person's valour* Plu.
4 view with aversion, shy away from —*absolute power* Plu. —*the exposure of oneself naked* (in front of one's relatives) Plu.; (intr.) **be ashamed** (to do sthg.) Plu.
—**δυσωπέω** *act.contr.vb.* **discountenance, discourage** —*revolt* Plu.; (of discoloured water) **disgust, offend** —*the sight* Plu.
δυσωρέομαι *mid.contr.vb.* [ὥρᾱ] (of sheepdogs) **keep an anxious watch** Il.
δύτης εω Ion.m. [δύω¹] **diver** Hdt.
δύω¹ (also **δύνω**) *vb.* | impf. ἔδῡνον, ep. δῦνον, δῦον (Bion) | iteratv.impf. δύσκον || ATHEM.AOR.: ἔδῡν, 3sg. ἔδῡ, ep. δῦ, 3pl. ἔδυν, also ἔδῡσαν (AR.), 3du. ἐδύτην | ep.subj. δύω, 3sg. δύῃ, also δύῃ (Hes. Men.), ep.3sg.opt. δύη | imperatv. δῦθι, 3sg. δύτω, 2pl. δῦτε | ptcpl. δύς, also aor.1 ptcpl. δῡνᾱς (Plb.) | inf. δῦναι, ep. δύμεναι | pf. δέδυκα, dial.inf. δεδύκειν (Theoc.) || MID.: 3sg. δύεται (E.) | ptcpl. δυόμενος (Call. AR.) | impf.: 3sg. ἐδύετο (Pl.), ep. δύετο (AR.), ep.3pl. δύοντο, 3du. δυέσθην | fut. δύσομαι || EP.AOR.: 3sg. ἐδύσετο, δύσετο, also ἐδύσατο (AR.), 3pl. δύσαντο, 3pl.opt. δῡσαίατο | imperatv. δύσεο | ptcpl. δῡσόμενος |
1 (tr., act. and mid.) go into (a place); (of persons) **enter, make one's way into** —*a city, house, cave, or sim.* Hom. S. AR. —*the sky or Hades* (i.e. *die*) S.; (of a star) **go behind** —*clouds* Il.; (intr., of a person, envisaged as smoke) **slip in** (through an aperture) Ar.; (of a soul) **enter** —W.PREP.PHR. *into heaven* Pl.
2 (tr., act. and mid.) go into (a gathering of people); **plunge into** —*battle, enemy troops, a crowd* Il. AR.; **slip in among** —*persons* (inside a house) Od.
3 (intr., act.) **make one's way, go right up** —W.PREP.PHR. *to a person* Il.; (of a child) —*to a mother's lap* Call.

4 (intr., act. and mid.) go inside (sthg.); (of vultures) **penetrate** —W.PREP.PHR. *into a person's intestines* Od.; (of an arrow) —*into the brain* Il. —*beneath an animal's hide* Theoc.; (of arrow-heads) —*through veins and sinews* Plu.; (of a sword, air) —W.ADV. *inside (a body)* Il. Pl.; (of fat) **sink in** (to oxhide) Il.; (of a stream of desire) **enter** —W.PREP.PHR. *into a person* Pl.; (of food) —*into the belly* Call.; (of oaths) —*into the ears* Call.*epigr*.
5 (act. and mid.) go downwards (into a place); (of divers) **plunge down** (below the surface) Th.; (of persons or deities) **plunge into** —W.ACC. *the sea* Il. AR.; **plunge** —W.PREP.PHR. *into the sea* Od. Hdt. AR.; (of Madness, coming fr. on high) —*into a house* E.; (of Erinyes) **descend into** —W.ACC. *a cleft in the earth* E.; (of an island) **sink** (beneath the sea) Pl.; (of persons, rivers) —W.PREP.PHR. *beneath the earth* Pl. Plb.; (gener., of a winged soul) **sink** (opp. rise) Pl.; (fig., of a house, envisaged as a ship) **sink, founder, go under** A.
6 (act. and mid., of persons) **go beneath** —W.ACC. *the earth* (i.e. die) Hom.; **go down** —W.PREP.PHR. *beneath the earth* AR. —*into the house of Hades* Il. Thgn.
7 (act. and mid., of the sun) **sink beneath** —W.ACC. *the earth* AR.; **sink** —W.PREP.PHR. *into Hades* Od.; (of the sun or stars) **set** Hom. Hes. Sapph. Hdt. E. Pl. +; (of the moon) Bion; (phrs.) ἥλιος δύνων *setting sun (i.e. the West)* Hippon. A. Hdt. Theoc.; πρὸ (μέχρι) ἡλίου δύντος (also δύνοντος, δεδυκότος, δυομένου) *before (until) sunset* Hdt. Aeschin. D. Plu.; (fig., of life) **sink to a close** A. | see also δείλομαι
8 (act. and mid.) retire from sight; (of landmarks) **slip away** (either in mist or beneath the horizon) AR.
|| PF.ACT.PTCPL.ADJ. (of women) in a state of withdrawal or seclusion Pl.
9 (act. and mid.) **get into, put on** —W.ACC. *armour, a helmet, tunic, robes* (sts. W.DAT. or PREP.PHR. *on a part of one's body*) Hom. Hes. E. AR.; **get** —W.PREP.PHR. *into armour* Hom. AR.; (fig.) **put on** —W.ACC. *the yoke-strap of compulsion* A.; **gird oneself with** —*valour* Il.
10 (act., of weariness, grief, anger, other emotions) **enter, come over** —*a person, heart, mind or limbs* Hom. E. AR.

δύω² *ep.du.num.adj. and sb.*: see δύο
δυώδεκα *dial.indecl.num.adj.*: see δώδεκα
δυωδεκά-βοιος ον *dial.adj.* [βοῦς] (of a tripod) **worth twelve oxen** Il.
δυωδεκά-δρομος ον *dial.adj.* [δρόμος] (of a four-horse chariot) **competing in the twelve-lap race** Pi.
δυωδεκάμηνος *dial.adj.*: see δωδεκάμηνος
δυωδεκά-πηχυς υ, gen. εος *dial.adj.* [πῆχυς] (of statues) **twelve cubits in height** (approx. eighteen feet) Hdt.
δυωδεκά-πολις ι, gen. ιος *dial.adj.* [πόλις] (of Ionians) **belonging to a confederation of twelve cities** Hdt.
δυωδεκαταῖος *dial.adj.*: see δωδεκαταῖος
δυωδεκα-τειχής ές *dial.adj.* [τεῖχος] (of a people, ref. to the Ionians) **with twelve walled cities** Tim.
δυωδέκατος *dial.adj.*: see δωδέκατος
δυωκαιεικοσί-μετρος ον *dial.adj.* [δύο, καί, εἴκοσι, μέτρον] (of a tripod-cauldron) **holding twenty-two measures** Il.
δυωκαιεικοσί-πηχυς υ *dial.adj.* [πῆχυς] (hyperbol., of a pikestaff) **twenty-two cubits in length** (approx. thirty-three feet) Il.
δῶ¹ *indecl.n.* [reltd. δέμω] | as nom.acc.sg. Hom. Parm., as acc.pl. Hes. | **house, palace, abode** (of persons, gods, Hades) Hom. Hes. Parm.
δῶ² (athem.aor.subj.): see δίδωμι
δώ-δεκα, dial. **δυώδεκα** *indecl.num.adj.* [δύο, δέκα] **twelve** Hom. +

δωδεκά-γναμπτος ον *adj.* [γναμπτός] (of a turning-post on a racecourse) **rounded twelve times** (by chariots) Pi.
δωδεκάδ-αρχος ου *m.* [δωδεκάς, ἄρχω] (milit.) **commander of a unit of twelve** X.
δωδεκά-δραχμος ον *adj.* [δραχμή] (of wine) **costing twelve drachmas** D.
δωδεκα-ετής ές (or **δωδεκαέτης** ες), also **δωδεκετής** ές (or **δωδεκέτης** ες) *adj.* [ἔτος] (of children) **twelve years old** Lys. Call.*epigr*. Plu.
δωδεκάκις *adv.* **twelve times, twelvefold** Ar. Call.
δωδεκά-λινος ον *adj.* [λίνον] (of the twine of a net) **made of twelve threads** X.
δωδεκά-μηνος, dial. **δυωδεκάμηνος**, ον *adj.* [μήν²] **1** (of a boy) **twelve months old** Hes.
2 (of a magistracy) **lasting twelve months** Pi.
δωδεκα-μήχανος ον *adj.* [μηχανή] || NEUT.SB. **twelve-trick repertoire** (of a prostitute) Ar.
δωδεκά-παλαι *adv.* [πάλαι] (hyperbol.) **for twelve aeons** —*ref. to being ready* Ar.
δωδεκά-πους πουν, gen. ποδος *adj.* [πούς] || GEN. (as adv., ref. to the shadow on a sundial, w. στοιχείου or σκιᾶς *shadow* understd., as indicating a particular time) **at a length of twelve feet** Men.
δωδέκ-αρχος ου *m.* [ἄρχω] (milit.) **commander of a unit of twelve** X.
δωδεκάς άδος *f.* **group of twelve, dozen** Pl.
δωδεκά-σκαλμος ον *adj.* [σκαλμός] (of a boat) **with twelve thole-pins, twelve-oared** Plu.
δωδεκά-σκυτος ον *adj.* [σκῦτος] (of a ball) **made with twelve pieces of leather** Pl.
δωδεκά-στολος ον *adj.* [στόλος] (of ships) **forming a squadron of twelve** E.
δωδεκαταῖος ᾱ ον, dial. **δυωδεκαταῖος** η ον *adj.* [δωδεκάτη, under δωδέκατος] **1** (of a boy) **twelve days old** Hes.
2 (quasi-advbl., of a person arriving or being buried) **on the twelfth day, after twelve days** Pl. Plb.; (of a person last seen) **twelve days ago** Theoc.
δωδεκατη-μόριον ου *n.* **twelfth part, twelfth** Pl.
δωδέκατος, dial. **δυωδέκατος**, η ον *adj.* **1** (of persons or things) **twelfth** (in a list or sequence) Il. +; (provbl., of the hour, as being too late to begin an enterprise) Plu.
2 (of a person) as the twelfth, **one of twelve** Plu.
3 (of a part of a whole) **twelfth** Plu.
4 (advbl.phr.) τὸ δωδέκατον *for the twelfth time* Plu.
—**δωδεκάτη** ης *f.* **1 twelfth day** (in a sequence) Hom.; (of a month) Hes. Th. D.
2 twelfth part (of a person's fortune) D.
δωδεκά-φῡλον ου *n.* [φῦλον] **twelve tribes** (of Israel) NT.
δωδεκετής (or **δωδεκέτης**) *adj.*: see δωδεκαετής
Δωδώνη ης *f.* | also dat. Δωδῶνι (S. Call.) | **Dodona** (mountainous region in Epeiros, site of an ancient oracle of Zeus) Hom. Hes.*fr*. Hdt. Trag. Ar. Pl. +
—**Δωδώνηθε**, dial. **Δωδώνᾱθεν** *adv.* **from Dodona** Pi.; **at Dodona** Call.
—**Δωδωναῖος** ᾱ ον *adj.* of or relating to Dodona; (of the mountains) **of** or **at Dodona, Dodonean** A.; (of Zeus) Il. Pi.*fr*. Att.orats. Pl. Plu.; (of the oracle) E.; (of a resonant bronze vessel assoc.w. it) Men. || MASC.PL.SB. **people of Dodona** Hdt.
—**Δωδωνίς** ίδος *fem.adj.* (of priestesses) **at Dodona, Dodonean** Hdt.; (of an oak tree used to build the Argo) **from Dodona** AR. || SB. **woman of Dodona** Arist. || PL.SB. **priestesses of Dodona** Plu.

δῶκα (ep.aor.): see δίδωμι
δώλᾱ dial.f., **δῶλος** dial.m.: see δοῦλος
δῶμα ατος n. [δέμω] | only poet. (and once in Hdt.); freq.pl. for sg. | **1 house, home** (as a dwelling-place of gods or humans) Hom. +
2 part of a house, **room, chamber** Hom.
3 housetop, roof NT.
4 (collectv.) **house, household** (ref. to the building and its occupants, sts. as a centre of power, or meton. for a family or lineage) Trag.
5 house built for a god (in the natural world), **temple** Pi. Trag.
6 seat, abode (of a god or dead hero, ref. to a city) S. E.
7 house, home, abode (W.GEN. of Hades, sts. of Persephone, ref. to the underworld) Hom. Thgn. Lyr. S. E.
δωμάτιον ου n. [dimin.] **chamber, room** (in a house) Plu.; (specif.) **bedroom** Lys. Ar. Pl. Thphr. Plu.; (of Zeus, ref. to aither) Ar.(mock-trag.)
δωματῖτις ιδος fem.adj. (of the hearth) **of one's home** A.
δωματόομαι pass.contr.vb. (of a king) **be housed** —W.DAT. *on no mean scale* A.
δωματοφθορέω contr.vb. [φθείρω] **ruin a house** (by inappropriate behaviour) A.
δωμάω contr.vb. **build** —an altar AR. || PASS. (of a shrine) be built Call.
δῶν (ptcpl.): see δέω¹
δῶναξ dial.m.: see δόναξ
δωρεᾱ́, Att. **δωρεᾱ́**, ᾶς, Ion. **δωρεή** ῆς f. [reltd. δῶρον]
1 gift (ref. to a material object, or to a favour or benefit) A. Hdt. S. Th. Att.orats. +
2 reward (for services rendered) Hdt. Att.orats. +
3 gift, offering (to the gods) Pl.
4 bequest, legacy Is. D.
—**δωρεᾱ́ν** acc.adv. **1 as a gift, without payment** or **reward** —*ref. to performing a service* Plb.; **freely, unconditionally** —*ref. to giving and receiving* NT.
2 gratuitously, without reason —*ref. to hating* NT.
δωρέω contr.vb. [δῶρον] **1** (of the gods) **give** (Pandora, to humanity) —W.COGN.PREDIC.ACC. *as a gift* Hes.
2 present —*a god* (W.DAT. w. *sacrifices*) Pi.
3 || MID. **present as a gift, give** —*sthg.* (usu. W.DAT. *to a person, god, the dead*) Il. Pi. Hdt. S. E. Pl. + || PASS. (of things) be given or presented (sts. W.DAT. to someone) Hdt. Isoc. Pl.
4 || MID. **present** or **reward** —*someone* (usu. W.DAT. w. *sthg.*) A. Hdt. E. Ar. Plu. —*the dead* (W.DAT. w. *offerings*) S. E. || PASS. (of persons) be presented or rewarded —W.DAT. w. *sthg.* Hdt. S.(dub.)
δώρημα ατος n. **1 gift, present** (ref. to a material object, favour or benefit) Hdt. Trag. X. Arist.
2 offering (to a god, the dead) A. E. Ar.
δωρητικός ή όν adj. (of a form of exchange) **by means of a gift** (opp. by a sale) Pl.
δωρητός όν adj. **1** (of angry persons) **able to be placated by gifts, open to gifts** Il.
2 (of things) **presented as a gift, freely given** S. Plu.
Δωριεῖς, Ion. **Δωριέες**, έων, Att. **Δωριῆς** ῶν m.pl. | acc. Δωριέας, Att. Δωριᾶς | dat. Δωριεῦσι, dial. Δωριέεσσι (Theoc.) | **Dorians** (a major subgroup of the Greeks) Od. Pi. Hdt. Th. +
—**Δωριεύς** έως (also ῶς, Ion. έος) m. **1** Dorian man, **Dorian** Hdt. Th.
2 || ADJ. (of the people, an army, sea, victory song) **Dorian** Pi.

—**Δώριος** ον (also ᾱ ον Pi.) adj. **of or relating to the Dorians;** (of objects, places, dialect, a musical mode, or sim.) **Dorian** Pi. Pratin. Arist. Theoc.epigr. Mosch. Plu.
—**Δωρίς** ίδος fem.adj. **1** (of women) **Dorian, Doric** S. E.; (of a city, region, island, colony) Pi. Hdt. Trag. Th.; (of the dialect) Th.; (of music, song) Telest. Mosch.; (of clothing) Hdt. E.fr.; (of a spear, an oil-flask) A. Theoc.
2 || SB. Dorian knife (used in sacrifices) E.
3 || SB. Doris (region in northern Greece) Hdt. Plu. || ADJ. (of the region) of Doris Hdt.
—**Δωρικός** ή όν adj. **1** (of the race) **Dorian, Doric** Hdt. Th.; (of lands, cities) Hdt. S. Th. Isoc.; (of an army, aristocracy) Th. Pl. Plu.; (of clothing, customs, bread, a sacrificial knife) A. E. Th. Theoc.; (of a war) Th.
2 (of a word) in the Doric dialect, **Doric** Pl.
3 (archit., of triglyphs) of the Doric order, **Doric** E.
—**Δωριακός** ή όν adj. (of a war) **with Dorians** (i.e. Peloponnesians), **Dorian** Th.(oracle)
—**Δωρίζω**, dial. **Δωρίσδω** vb. **speak in the Doric dialect** Theoc. Plu.
—**Δωριστί** adv. **1** (mus.) **in the Dorian mode** Pl.; (quasi-adjl.) ἡ Δωριστὶ ἁρμονία *Dorian mode* Arist.; (quasi-sb., w. ἁρμονία understd.) Ar. Pl. Arist.
2 in the Doric dialect Call. Theoc.
δωροδοκέω contr.vb. [δωροδόκος] **1** (intr., ref. to a single occasion or habitual practice) **receive a bribe** or **take bribes** Ar. Att.orats. Pl. X. Plu.; (tr.) **take as a bribe** —*money or sim.* Hdt. Ar. Pl.; **be bribed** —W.INF. *to do sthg.* Hdt.; **engage in** —W.COGN.ACC. *bribe-taking* Aeschin.
2 || PASS. (of gold) be received as a bribe Din.; (of events) be accomplished by bribery D.(dub.); (of persons) be bribed or take bribes Plb. || NEUT.PL.AOR.PTCPL.SB. activities involving bribery Aeschin.
δωροδόκημα ατος n. instance of bribe-taking, **acceptance of a bribe** Aeschin. D.; (concr.) **money received as a bribe** Aeschin.
δωροδοκίᾱ ᾱς f. **bribe-taking** Ar.(cj.) Att.orats. Plb. Plu.
Δωροδοκιστί adv. [δωροδόκος, w. play on the musical sense of Δωριστί] **in the Bribery mode** Ar.
δωρο-δόκος ον adj. [δῶρον, δέχομαι] (of persons) **bribe-taking, venal, corrupt** Att.orats. Pl. Arist. Plb.; (fig., of flowers, alighted upon by a politician envisaged as a bee) **of bribery** Ar.
δῶρον ου n. [δίδωμι] **1 gift, present, reward** Hom. +
2 offering (to a god) Hom. hHom. A. Pi.fr. E. Ar. +
3 (abstr.) **gift, blessing, favour, benefit** (esp. bestowed by a god) Hom. +
4 bribe Th. Ar. Att.orats. +
δωρο-ξενίᾱ ᾱς f. **bribery in a claim to citizenship** (by a foreigner) Arist.
δωρο-φάγος ον adj. [φαγεῖν] (of persons) **gift-guzzling, with an appetite for gifts** Hes. Plb.
δωροφορέω contr.vb. [δωροφόρος] **1 bring gifts** —W.DAT. *to someone* Pl.; (tr.) **bring as gifts, present** —*luxury items* (W.DAT. *to persons*) Ar.
2 (intr.) **offer bribes** Plb.
δωροφορικός ή όν adj. (of a procedure) **consisting of present-giving** (opp. making a payment) Pl.
δωρο-φόρος ον adj. [φέρω] (of persons) **bringing gifts** Pi.
δωρύττομαι dial.mid.vb. **give, present** —*sthg.* (W.DAT. *to someone*) Theoc.
Δώς f. [δίδωμι] | only nom. | (ref. to personif. generosity) **Giver, Bounty** Hes.; (as a name of Demeter) hHom.(dub.)
δωσέμεν, δωσέμεναι (ep.fut.infs.): see δίδωμι

δωσί-δικος ον *adj.* [δίκη] **1** (of states) **submitting disputes to arbitration** Hdt.
2 (of offenders) **subject to jurisdiction, answerable to the law** Plb.

δώσω (fut.): see δίδωμι

δωτῆρες ων *m.pl.* (ref. to the gods) **givers, bestowers** (w.GEN. of blessings) Od. Hes.

δώτης ου *m.* one who habitually gives, **giver** Hes.

δωτινάζω *vb.* [δωτίνη] **collect donations** (for public works) Hdt.

δωτίνη ης, dial. **δωτίνᾱ** ᾱς *f.* [δίδωμι] **1 gift, present** Hom. Hes.*fr.*(cj.) Hdt. Call. AR.; (ref. to a prize or reward) Theoc.
2 ‖ PL. contributions or subscriptions (to a war fund) Hdt.

δώτωρ ορος *m.* (ref. to a god) **giver, bestower** (w.GEN. of blessings or sim.) Od. hHom. Thgn. Call.

E ε

ἕ (enclit. **ἑ**), ep. **ἑέ** *3sg.acc.pers.pron.* | gen. οὗ, ep. ἕο, εἷο (enclit. ἑό, Ion. εὖ), also ἕθεν (enclit. ἑθέν), ἑοῦ (Hes. AR.), ἑοῖο (AR., v.l. ἐεῖο), Boeot. ἑοῦς | dat. οἷ (enclit. οἱ), ep. ἑοῖ, also ἵν (enclit. ἱν) |
1 him, her, it Hom. Hes. Iamb. Eleg. Lyr. A. Hdt. +; (doubled) οὗ ἕθεν *of him himself* AR.; (as pl.) **them** Od. hHom.
2 (reflexv., in non-enclit. forms, sts. combined w. forms of αὐτός) **himself, herself, itself** Hom. Hes. Trag. Pl. X. Corinn. +; (as 1st pers.) **myself** AR.; (as pl.) **themselves** AR.
3 (reflexv., in enclit. forms, in subordinate cl., esp. in indir.sp., referring to subject of principal vb.) Antipho Th. And. Pl. + • προηγόρευε ... ὅτι Ἀρχίδαμος μέν οἱ ξένος εἴη *he announced that Archidamos was his guest-friend* Th.

ἕ (oft. repeated, as **ἓ ἕ**, **ἑέ**, or **ἑή**) *interj.* (expressing grief or pain) **ah!** Trag. Ar.

ἕᾱ[1] *interj.* [2sg.imperatv. ἐάω] (expressing surprise, alarm, or displeasure) **oh!, ah!** Trag. Ar. Pl. NT.

ἕᾱ[2] (Ion.3sg.impf.): see ἐάω

ἕᾱ[3] (Ion.1sg.impf.): see εἰμί

ἔαγα (pf.), **ἐάγην** (aor.2 pass.): see ἄγνυμι

ἔαδα (pf.), **ἔαδον** (Ion.aor.2), **ἑαδώς** (pf.ptcpl.): see ἁνδάνω

ἐάλη (3sg.aor.2 pass.): see εἰλέω[1]

ἑάλωκα (pf.), **ἑάλων** (aor.): see ἁλίσκομαι

ἐάν (also contr. **ἄν, ἤν**[1]) *conj. and pcl.* [εἰ, ἄν[1]] **1** (as conditional conj., w. subj.) **if** Archil. + | see also εἰ, ἐάνπερ
2 (w. no conditional force, as pcl. equiv. to ἄν after conj. or relatv.pron., limiting the force of the vb.) NT.

ἐάνασσε (Aeol.3sg.impf.): see ἀνάσσω

ἐάνδανον (Ion.impf.): see ἁνδάνω

ἑανός (also **εἰανός** *metri grat.*) οῦ *m.* [ἕννυμι] **1** item of woman's clothing, **dress, robe** Il. hHom. AR.
2 linen (of a sail) Scol.

ἑανός ή όν *adj.* (of a robe, a cloth) perh. **soft, fine** Il.; (of tin) perh. **malleable** Il.

ἐάν-περ (also contr. **ἄνπερ, ἤνπερ**) *conj.* [περ[1]] (strengthened form of ἐάν, introducing a hypothesis) **if indeed, if only** Trag. Ar. Isoc. +

ἔαξα (aor.): see ἄγνυμι

ἔαρ[1] ἔαρος (contr. ἦρος) *n.* | also contr. nom. ἦρ (Alcm.), monosyllab. ἔαρ (Hes.) | gen. ἔαρος, dat. ἔαρι (sts.disyllab.), ἦρος, ἦρι, also εἴαρος, εἴαρι |
1 the season of spring, **spring** Hom. +
2 (fig., as the best part of the year, and so an exemplar of what is most excellent) **springtime** Hdt. Arist.; (fig., of a girl) ἔαρ ὁρόωσα *whose look is springtime* Theoc.

ἔαρ[2], also **εἶαρ** *n.* | only nom.acc. | **1 blood, gore** Call.
2 oil (in a lamp) Call.

ἐαρί-δροπος ον *adj.* [ἔαρ[1], δρέπω] (fig., of songs, as if flowers) **plucked in spring** Pi.*fr.*

ἐαρινός, also (more freq.) **εἰαρινός, ἠρινός** (Aeol. **ἤρινος**), ή όν *adj.* **1** (of the season) **of spring** Hom. Hes. X. Plb. Plu.; (of flowers) **in** or **of spring, spring** Il. Hes. Thgn. Simon.; (of leaves, a meadow, berries) Pi. E. Ar.; (of one of the times for sailing) Hes.; (of showers, a wind, warmth and coolness, a day) Il. Sol. X. AR.; (of nightingales, their songs) Simon. Ar.
2 (quasi-advbl., of a bee going through a meadow) **in the spring** E.; (of a sheep's fleece being sheared) Ar.; (of blackbirds singing) Theoc.
—**ἤρινον** *neut.sg.adv.* **in the spring** Alc.
—**ἠρινά** *neut.pl.adv.* **in the spring** —*ref. to the swallow singing* Ar.

ἐαρο-τρεφής ές *adj.* [τρέφω] (of meadows) **nourished by the spring** Mosch.

ἔας (Ion.2sg.impf.), **ἔᾱσι** (ep.3pl.pres.): see εἰμί

ἔασκον (iteratv.impf.): see ἐάω

ἔαται, ἔατο (ep.3pl.pres. and impf.mid.): see ἧμαι

ἔᾱτε (Ion.2pl.impf.): see εἰμί

ἐᾱτέος ᾱ ον *vbl.adj.* [ἐάω] (of a person) **to be allowed** (W.INF. to do sthg.) Hdt. Pl.; (of a law, to become valid) D.; (of a point made in an argument) Pl.

ἑαυτόν, Att. **αὑτόν**, Ion. **ἑωυτόν**, ήν (dial. ἄν) ὁ *3sg.acc. reflexv.pron.* [ἕ, αὐτός] | gen. ἑαυτοῦ, Att. αὑτοῦ, Ion. ἑωυτοῦ ἧς (dial. ἆς) οῦ | dat. ἑαυτῷ, Att. αὑτῷ, Ion. ἑωυτῷ ῇ (dial. ᾷ) ῷ ‖ PL.: acc. ἑαυτούς (αὑτούς, ἑωυτούς) άς ά | gen. ἑαυτῶν (αὑτῶν, ἑωυτῶν) | dat. ἑαυτοῖς (αὑτοῖς, ἑωυτοῖς) αἷς οἷς |
1 (sg. and pl.) **himself, herself, itself** or **themselves** Alc. +; (in GEN. w. noun, equiv. to possessv.pron., *his own, her own, their own*) Hdt. Th. +
2 (sts. 1st or 2nd pers.) **myself** or **ourselves, yourself** or **yourselves** Trag. + • μόρον τὸν αὑτῆς οἶσθα *you know your own fate* A. • ἐλλοχίζομεν ... κρύψαντες αὑτούς *we lie in ambush having concealed ourselves* E.
3 ‖ PL. (sts. as reciprocal pron., in 1st, 2nd, 3rd pers.) **one another, each other** Hdt. +

ἐάφθη *3sg.aor.pass.* (of the shield and helmet of a slain warrior, w. sense uncert.) Il.

ἐάω *contr.vb.* | also ep.contr.pres. εἰῶ | ep.2 and 3sg. ἐάᾳς, ἐάᾳ | ep.2sg.subj. ἐάᾳς | inf. ἐᾶν, ep. ἐάαν | opt. ἐῴην, ep. ἐῷμι | impf.: 1sg. εἴων, Ion. ἔων, 3sg. εἴα, Ion. ἔα | iteratv.impf. ἔασκον, εἴασκον | fut. ἐάσω, ep.3pl. perh. ἐάσουσι | aor. εἴασα, ep. ἔασα, also 3sg. εἴασε | pf. εἴακα ‖ PASS.: fut. ἐάσομαι | aor. εἰάθην | pf. εἴαμαι ‖ neut.impers.vbl.adj. ἐατέον, also pl. ἐατέα (E.) ‖ sts. monosyllab. by synizesis: ἐα-, ἐω- (Hom. Ar.), and imperatv. ἔα (S. Ar.) |
1 let go or leave aside (persons); **let be, let alone, leave** —*someone* Hom. + —(W.PREDIC.ADJ. *unharmed, unburied, untroubled, at rest*) Od. S.; **take no further notice of, forget about** —*someone* Hom. +; **leave** —*someone* (W.INF. *to lie somewhere, to be such and such, to do or suffer sthg.*) Hom. ‖ PASS. (of a person) **be left in peace** S.
2 let go or leave aside (concr. things); **set aside** —*one's*

ἐάων

spear, horses Hom. ‖ PASS. (of a throne) be left or given up —W.DAT. *to someone* S.
3 let go or leave aside (abstr. things); **give up, put an end to** —*one's anger, weeping* Hom.; **give up the thought of, put out of mind, ignore** —*things, circumstances* Hom. +; **not dwell on, pass over** (in speech) —*sufferings, deeds* S. Th.; **say goodbye to, abandon** —*philosophy* Pl.; **abandon the idea of** —W.INF. *doing sthg.* Il. Hdt.; **leave** —*a situation* (W.PREDIC. ADJ. *unpurged of guilt*) S.; **forgo to ask** —W.INDIR.Q. *if sthg. is the case* D.; (intr.) **let things be** Il. A.; **think no more** —W.PREP.PHR. *about sthg.* Pl. ‖ PASS. (of things) be ignored D. | For ἐῶ χαίρειν, *put out of mind, forget about*, see χαίρω 8.
4 allow —*someone* (usu. W.INF. *to do sthg.*) Hom. + —*sthg.* (usu. W.INF. *to happen*) Hom. +; (intr.) **allow** (someone or sthg.) Hom. ‖ PASS. **be allowed** —W.INF. *to do sthg.* Pl. X.
5 (w.neg.) **not allow, forbid** —W.ACC. + INF. *someone to do sthg.* Hom. +; (intr.) **forbid, say no** S. ‖ PASS. (w.neg.) *not be allowed* or *be forbidden* —W.INF. *to do sthg.* E. Isoc.; *be prevented* —W.INF. *fr. doing sthg.* Th. D.
6 allow, concede (in argument) —W.ACC. + INF. *that sthg. is the case* Pl.

ἐάων (neut.gen.pl.): see ἐύς
ἔβαλον (aor.2): see βάλλω
ἔβᾱν (dial.athem.aor.), **ἔβᾰν** (ep.3pl.athem.aor.), **ἔβᾱσα** (dial.aor.1): see βαίνω
ἐβάφην (aor.2 pass.): see βάπτω
ἑβδομ-ᾱγέτᾱς ᾱ *dial.m.* [ἕβδομος, ἡγέομαι] (epith. of Apollo) ruler of what comes seventh, **Master of Sevens** (perh. ref. to the seven gates of Thebes, and to the day of the month when he was born and worshipped) A.
ἑβδομαῖος ᾱ ον *adj.* [ἑβδόμη, under ἕβδομος] (quasi-advbl., of persons dying or arriving) **on the seventh day, after seven days** Th. X. Plb. Plu.
ἑβδομάκις *adv.* **seven times** Call.
ἑβδομάς άδος *f.* **1** period of **seven years** Sol. Arist.
2 the number **seven, seven** Plu.
ἑβδόματος η ον *num.adj.* [ἑπτά] **seventh** Il. AR.
—**ἑβδομάτη** ης *f.* **seventh day** (in a sequence) Od. Hes.
ἑβδομήκοντα *indecl.num.adj.* **seventy** Hdt. +
ἑβδομηκοντάκις *adv.* **seventy times** NT.
ἑβδομηκοστός ή όν *num.adj.* **seventieth** Plb. Plu.
ἕβδομος η (dial. ᾱ) ον *num.adj.* **1 seventh** Hom. +
2 seven A.(dub.)
3 (phrs.) τὸ ἕβδομον *for the seventh time* X.; ἕβδομον ἡμιτάλαντον *half-talent coming seventh* (*i.e. six and a half talents*) Hdt.
—**ἑβδόμη** ης *f.* **seventh day** (of a month) Hdt. Aeschin. D. Thphr. Plu.
ἐβεβήκει (ep.3sg.plpf.): see βαίνω
ἐβεβλήκειν (plpf.): see βάλλω
ἔβενος ου *f.* [Egyptian loanwd.] **ebony** Hdt. Theoc. Plu.
ἔβην (athem.aor.), **ἐβήσαο** (ep.2sg.aor.mid.), **ἐβήσατο** and **ἐβήσετο** (ep.3sg.aor.mid.): see βαίνω
ἐβλήθην (aor.pass.), **ἔβλητο** (ep.3sg.aor.pass.): see βάλλω
Ἑβραῖος ου *m.* Semitic-speaking Jew, **Hebrew** NT.
—**Ἑβραΐς** ίδος *fem.adj.* (of the language) **Hebrew** NT.
—**Ἑβραϊστί** *adv.* **in the Hebrew** or **Aramaic language** NT.
ἔβραμον (aor.2): see βρέμω
ἔβραχε (3sg.aor.2): see βραχεῖν
ἐβρώθην (aor.pass.), **ἔβρων** (ep.aor.2): see βιβρώσκω
ἔγᾱμα (dial.aor.1): see γαμέω
ἔγγαιος *adj.*: see ἔγγειος
ἐγγεγάᾱσι (ep.3pl.pf.), **ἐγγείνωνται** (ep.3pl.aor.1 subj.): see ἐγγίγνομαι

ἔγ-γειος ον, also **ἔγγαιος** ᾱ ο ν (A.) *adj.* [ἐν; γῆ, γαῖα] **1** (of a person; of youth, i.e. young men) **belonging to a land, native** A.
2 (of estates) **within a land** (ref. to Attica, opp. beyond its borders) X.
3 (of property) **consisting in land** D. Plb.; (of interest payable) **on land** (that is mortgaged) Lys. D.; (of a contract) **relating to land** D.
4 (of plants) **growing in the earth** Pl. ‖ NEUT.PL.SB. **things belonging to the soil** (i.e. plants or sim.) D.
ἐγγελαστής οῦ *m.* [ἐγγελάω] **mocker** (W.GEN. of someone) E.
ἐγ-γελάω *contr.vb.* **laugh contemptuously, mock** S. E. AR. —W.DAT. or κατά + GEN. *at persons, their behaviour* S. E.
ἐγ-γενέτης ου, dial. **ἐγγενέτᾱς** ᾱ *m.* **1** one who belongs to a race; (appos.w. δεσπότης) **native man** (W.GEN. of Sparta) E.
2 (appos.w. δαίμων) **local deity** AR.
ἐγ-γενής ές *adj.* [γένος] **1** (of persons) **belonging to a race, native** Hdt. S. E. Ar. Aeschin. Plu.; (of the gods) **of a race** A. S.
2 (of a person) **belonging to the same race or family, related by birth** (sts. W.DAT. or GEN. to someone) S. E.; (of a marriage tie) **with one's kin** A (dub.) E.; (of the woes or resentment) **of kinsfolk** S. Plu. ‖ MASC. or NEUT.PL.SB. (ref. to persons) **kin** A. S.
3 (of qualities or capabilities) **innate, inborn** (W.DAT. in a person) Pi. S.; (of trouble) **bred in a family** A.
‖ NEUT.IMPERS. (w. ἐστί understd.) **there is an inborn ability** —W.DAT. + INF. *in people, to be sthg.* Pi.
ἐγγεννάομαι *pass.contr.vb.* (of ambition) **be engendered** —W.DAT. *in someone* Plb.
ἐγγέννησις εως *f.* **place of generation** (W.GEN. of chicks, fig.ref. to a married couple's house), **nest** Pl.
ἐγγεταυθί *adv.*: see ἐνταυθί, under ἐνταῦθα
ἐγ-γεύομαι *mid.vb.* (of a tyrant, as if a wolf) **get a taste** —W.GEN. *of human blood* Plb.
ἐγγήρᾱμα ατος *n.* [ἐγγηράσκω] (ref. to public service) **occupation for one's old age** Plu.
ἐγ-γηράσκω *vb.* | fut. ἐγγηράσομαι (Th.) | aor.inf. ἐγγηρᾶσαι | **1** (of a person) **grow old in** —W.DAT. *the position of a king or tyrant* (*i.e. keep it into old age*) Plb. Plu.
2 (of expertise, hope) **grow old, decay, atrophy** Th. Plu.
ἐγ-γίγνομαι, Ion. **ἐγγίνομαι** *mid.vb.* | ep.3pl.aor.1 subj. ἐγγείνωνται | ep.3pl.pf. ἐγγεγάᾱσι | **1** ‖ PF. (of persons) **exist** or **live in** (a place) Hom. hHom. —W.DAT. *a city* Il.
2 (of edible seeds) **grow inside** —W.DAT. *a fruit* Hdt.; (of lice or sim.) **breed upon** —W.DAT. *a person* Hdt.; (of a kind of gum) **be found** —w. ἐν + DAT. *in a goat's beard* Hdt.
3 (of qualities, circumstances, happenings) **come about, arise** (oft. W.DAT. or ἐν + DAT. *in* or *among things or people*) Hdt. E. Th. Isoc. Pl. X. +; (of persons of a certain quality) **be found, emerge** Pl. X.; (of pirouettes) **be included** (in a dance) Ar.
4 (of a delay) **ensue** Th.; (of time) **elapse** Hdt. Th. Aeschin. D.; **be spent** (sts. W.DAT. on sthg.) Pl. D.
5 ‖ IMPERS. **it is allowed** or **possible** —W.DAT. + INF. *for someone to do sthg.* Hdt. Att.orars. Pl. +; **it becomes natural** —W.DAT. + INF. *for someone to do sthg.* X.
6 ‖ AOR.1 (causatv., of flies) **cause** (W.ACC. maggots) to breed (in wounds) Il.
ἐγγίζω *vb.* [ἐγγύς] | aor. ἤγγισα | pf. ἤγγικα | **1 come near** or **close** Plb. NT. Plu. —W.DAT. (sts. W.GEN. or PREP.PHR.) *to someone or somewhere* Plb. NT.; *of danger*) Plb.; (of the time for sthg.) NT.; (of an amount) —v.GEN. *to another amount* Arist.

2 (tr.) **bring** (W.ACC. ships) **close** —W.DAT. *to land* Plb.
3 be close (to performing an action); **be on the point of** —W.DAT. *action, a critical step* Plb. Plu. —W.INF. *pitching camp* Plb. —W.GEN. *using sthg.* Plb.

ἔγγιον, ἔγγιστα *compar. and superl.advs.*: see ἐγγύς

ἔγγιστος *superl.adj.*: see under ἐγγύς

ἐγ-γλύσσω *vb.* [ἐν, γλυκύς] (of a root) **have a sweet taste** Hdt.

ἐγ-γλύφω *vb.* **1 carve** (in relief) —*figures* (W. ἐν + DAT. *on stones*) Hdt. ‖ PASS. (of figures) **be carved** (on stone) Hdt. —w. ἐν + DAT. *on a pyramid* Hdt.
2 ‖ PASS. (of a wall) **be carved** —W.DAT. w. *figures* Hdt.

Ἐγ-γλωττο-γάστορες ων *Att.m.f.pl.* [γλῶσσα, γαστήρ] (com. name of a people, ref. to litigants) with bellies in their tongues (i.e. who make their living by the use of their tongues), **Tongue-Bellies** Ar.

ἐγ-γλωττοτυπέω *Att.contr.vb.* [τύπτω] (of politicians) **mould** or **mint phrases with the tongue** Ar.

ἐγ-γνάμπτω *vb.* (of a wrestler) app. **bend** or **hook** (W.ACC. one's knee) **around** (an opponent's leg) Il.(tm.)

ἔγγονος ου *m.f.* [ἐκ, γόνος] **1** (as alternative form of ἔκγονος) **offspring, descendant** A. +
2 [1st el. perh. ἐν] **grandchild** Plu.

ἔγγραπτος ον *adj.* [ἐγγράφω] **1** (of agreements, guarantees, orders, or sim.) **written, in writing** Plb. ‖ NEUT.PL.SB. **written documents** or **orders** Plb.
2 (of honours) in the form of inscriptions, **inscriptional** Plb.

ἐγγραφή ῆς *f.* **inscribing** (of a name on a list); **registration** (in a deme or phratry) D. Arist. Men.; **listing** (of a person as a debtor) D.; (of persons subject to legal penalties) D. Arist.

ἔγγραφος ον *adj.* (of evidence, petitions, laws, or sim.) **written, in writing** Plb. Plu.

ἐγ-γράφω *vb.* **1 inscribe** or **engrave** —*a notice* (*on a pillar, on rocks*) Hdt. —*an oath* (w. ἐν + DAT. *on a tripod*) E.; (intr.) **engrave an inscription** —w. ἐν + DAT. *on a pillar* Hdt. ‖ MID. (fig.) **inscribe** —*a narrative* (W.DAT. *on the writing-tablets of one's mind*) A.; **record in one's mind** —*advice* A.(cj.) ‖ PASS. (of persons) **have one's name written** (on a tripod) Hdt.; (of a message) **be inscribed** (on a tablet) A. E.; (of a tablet) **be inscribed** —W.ACC. w. *symbols* S.; (fig., of notions) **be imprinted** (on people) X.
2 paint —*figures* (W.PREP.PHR. *on clothes*) Hdt.; **paint in** (opp. expunge) —*a detail* (*in a picture*) Pl. ‖ PASS. (of an emblem) **be painted** —w. ἐν + DAT. *on ships* Ar.
3 write (sthg.) in a document; **write, include** —*certain things* (*in a letter, will, contract, testimony*) Th. Att.orats. X.; (of a person transcribing a lawcode) **insert, add** (opp. expunge) —*laws* Lys. ‖ PASS. (of certain things) **be written** or **included** (in a letter or document) E. Th. Att.orats.; (of a person) **be specified** (in a letter) Th.
4 (of an official) **write up** —*his accounts* Ar. Att.orats.
5 enter a name (or cause it to be entered) on a list; **enter the name of, list** —*someone* (sts. w. εἰς + ACC. *on a register*) Ar. Att.orats. Arist. —(w. εἰς or πρός + ACC.PERS. *on a list of witnesses, debtors, disfranchised persons*) D. Plu.; **register, enrol** —*someone* (freq. w. εἰς + ACC.PERS. *on the list of demesmen, phratry-members, adult citizens*) Is. D. Arist. —(W.PREDIC.SB. *under a certain name*) Is.; (fig.) **record** —*a hope* (W.PREDIC.PTCPL. *as having proved false*) A. ‖ PASS. (of persons) **be registered, enrolled** or **listed** (in an official document) At. Att.orats. Arist.

ἐγ-γυαλίζω *ep.vb.* [γύαλον] | aor. ἐγγυάλιξα | app., put (sthg.) into the hollow of the hand; **hand over, give** or **grant** —*someone* or *sthg.* (usu. W.DAT. *to someone*) Hom. Hes. hHom. Pi. AR.

ἐγγυάω *contr.vb.* [ἐγγύη] | aor. ἠγγύησα, also ἐνεγύησα (Plu.) ‖ MID.: dial.fut. ἐγγυάσομαι | ep.aor.inf. ἐγγυάασθαι |
1 promise in marriage, betroth —*one's daughter* or *ward* (usu. W.DAT. *to someone*) Hdt. E. Att.orats. Men. Plu. ‖ MID. (of a man) **become engaged** Hdt. Is. D. —W.ACC. *to someone* Is. D. Plu. ‖ PASS. (of a woman) **be betrothed** (sts. W.DAT. *to someone*) Is. Hyp. Plu.; (of a man) **be engaged** Pl.
2 ‖ MID. **have a pledge made to one, receive a guarantee** Od.
3 ‖ MID. (leg.) **provide a security deposit, stand surety** Lys. Pl. X. D. Plu. —W.ACC. *for someone* Pl. D. Plb. —*for sthg.* D.; (w.COGN.ACC. ἐγγύην) **give a security deposit** Pl. —w. πρός + ACC. *to someone, to the treasury* And. Pl.
4 ‖ MID. **stand surety** (that someone will appear for trial), **stand bail** Att.orats. X. —W.ACC. *for someone* And.
5 ‖ MID. (gener.) **pledge, promise, guarantee** (freq. W.DAT. *to someone*) —W.FUT.INF. or ACC. + FUT.INF. *to do sthg., that someone will do sthg., that sthg. will be the case* Pi. Lys. Ar. Pl. X. + —W.COMPL.CL. *that sthg. will be the case* Pl. —W.ACC. *sthg.* D.

ἐγγύη ης *f.* **1 pledge, security, guarantee** Od. A. Pl.; (specif., ref. to money deposited to guarantee a financial transaction or the appearance in court of an accused person) Att.orats. Pl. Arist. Thphr. Plb. Plu.
2 betrothal Pl. Is. Hyp. Men. Plu.

ἐγγύησις εως *f.* **betrothal** (of a woman) Is.

ἐγγυητής οῦ *m.* **one who offers a guarantee** or **security, surety** (sts. W.GEN. *for someone* or *sthg.*) Hdt. Ar. Att.orats. Pl. X. +; (fig., ref. to law) **guarantor, guarantee** (W.GEN. of *just behaviour betw. people*) Arist.(quot.); (ref. to money, W.GEN. *of a future exchange*) Arist.

ἐγγυητός ή όν *adj.* (of a woman) **duly betrothed** (as a necessary condition of a legitimate marriage) Att.orats.

ἐγγύθεν, ἐγγύθι *advs.*: see under ἐγγύς

ἐγ-γυμνάζομαι *mid.vb.* **1** (of persons, esp. commanders or troops) **get one's training** or **flex one's muscles in** —W.DAT. *wars, campaigns, practice exercises, or sim.* Plu.; **practise among** —W.DAT. *experienced soldiers* Plu.
2 (fig., of a speaker) **practise** —w. ἐν + DAT. *on someone* Pl.

ἔγγυος ου *m.* [ἐγγύη] (ref. to a person) **guarantor, surety** Thgn. X. Plu.

ἐγγύς *adv. and prep.* | compar. ἐγγυτέρω (Hes. +), also ἐγγύτερον (Pl. +), ἔγγιον (Arist. Plb.) | superl. ἐγγυτάτω (S. +), ἐγγύτατα (A. +), also ἔγγιστα (Antipho +) |
1 at a place nearby, nearby, close at hand Hom. +; (as prep.) **near, close** —W.GEN. *to someone, somewhere* Hom. + —W.DAT. Il. X.
2 (w.vb. of motion) **to a place nearby, near, close** Hom. Hdt. S. E. Th. +; (as prep.) —W.GEN. *to someone* Il. —*to somewhere* Pi. E. Th. —W.DAT. *to someone, somewhere* Il. Plb.
3 close to happening, near, imminent Il. E. Th. X.; (as prep., ref. to persons or things) **close** —W.GEN. *to an event, danger, or sim.* E. Lys. Pl.
4 (qualifying numerals or expressions of time) **nearly, about** Th. Lys. Ar. X. Plb.; (w.vb. of perception) **almost** S.*Ichn.*
5 (as prep.) **close in nature** or **quality, close, similar** —W.GEN. *to someone* or *sthg.* S. E. Th. Pl. + —W.DAT. *to sthg.* X. Plu.; οὐδ᾽ ἐγγύς τούτων *not even nearly like this* Pl.; (as adv.) οὐδ᾽ ἐγγύς *not even nearly, far from it* D.
6 (as prep.) **close** (in kinship) —W.DAT. *to someone* E. Plb. —W.GEN. Is. Plu. ‖ COMPAR. ἐγγυτέρω (or ἐγγυτέρω γένει) **closer in kinship** (sts. W.DAT. *to someone*) Hes.*fr.* Pl. Is. D.;

(superl., in phr.) ἐγγυτάτω (or ἐγγύτατα) γένους (or γένει) *closest in kinship* A. Ar. Att.orats. Pl.

—**ἐγγύτερος** ᾱ ον *compar.adj.* **closer** (in kinship) Tyrt.

—**ἐγγύτατος** (Th.), **ἔγγιστος** (Plb.), η ον *superl.adj.* **closest** or **very close in time**; (of an event) **closest** (W.DAT. to sthg.) Plb.; δι' ἐγγυτάτου *most immediately, most urgently* Th.

—**ἐγγύθεν** *adv.* **1 from nearby, from close at hand** Hom. B. S. E. Th. Pl. +

2 at a place nearby, **nearby, close at hand** Hom. Tyrt. E. Men. AR.; (as prep.) **near, close** —W.DAT. *to someone* Hom. Tyrt. Theoc. —W.GEN. *to someone, somewhere* Il. Eleg. A. E. Theoc.

3 (w.vb. of motion) to a place nearby, **near, close** Hom. hHom. S. AR. Theoc.; (as prep.) —W.DAT. *to someone* Hom.

4 (as prep., ref. to persons living) **in close contact** —W.DAT. *w. gods* Od.

—**ἐγγύθι** *adv.* **1 nearby, close at hand** Hom. Hes. AR.; (as prep.) **near** —W.GEN. *to someone, somewhere* Hom. Hes. hHom. Hellenist.poet. —W.DAT. *to someone* Il.

2 (w.vb. of motion) to a place nearby, **near, close** Od. AR.; (as prep.) —W.GEN. *to somewhere* AR.

3 close in time, **close at hand** Il.

ἐγγύτερος, ἐγγύτατος *compar. and superl.adjs.*: see under ἐγγύς

ἐγ-γώνιος ον *adj.* [γωνίᾱ] (of stones) **with equal corners, squared** Th.

ἐγδούπησα (ep.aor., tm.): see ἐπιδουπέω

ἐγεγόνει (3sg.plpf.), **ἐγεινάμην** (aor.1 mid.): see γίγνομαι

ἐγείρω *vb.* —also **ἔγρω** *dial.vb.* | poet.3sg. ἔγρει (Call.) | Aeol.inf. ἐγέρρην | impf. ἤγειρον, ep. ἔγειρον | fut. ἐγερῶ (NT.) | aor. ἤγειρα, ep. ἔγειρα | pf. ἐγρήγορα, ep.3pl. ἐγρηγόρθᾱσι | ep.pf.ptcpl. (w.diect.) ἐγρηγορόων | plpf. ἐγρηγόρη ‖ MID.: poet.3pl. ἔγρονται (E.) | AOR.2: ἠγρόμην (in cpd. ἐξηγρόμην) | ep.3sg. ἔγρετο | ep.inf. ἐγρέσθαι (sts. written as pres. ἔγρεσθαι) | ep.2sg.imperatv. ἔγρεο | 2pl.imperatv. ἔγρεσθε | 2sg.subj. ἔγρῃ (Ar.) | ep.3sg.opt. ἔγροιτο | ep.ptcpl. ἐγρόμενος | PF.: ep.inf. ἐγρήγορθαι, ep.2pl.imperatv. ἐγρήγορθε ‖ PASS.: aor. ἠγέρθην ‖ neut.impers.vbl.adj. ἐγερτέον |

1 (of persons, dawn, a noise, or sim.) stir from sleep, **rouse, waken** —*persons, birds* Hom. Hes. Ibyc. A. E. Ar. Pl. + ‖ PRES.IMPERATV. (intr.) wake up! E.(dub.) NT. ‖ MID. rouse oneself from sleep, **wake** Hom. Thgn. E. Ar. Pl. +; (fig., of a city) **wake up, become alert** (to a danger) D. ‖ PASS. wake or be woken Sapph. Hdt. Plu.

2 ‖ PF.ACT. and MID. **be awake** or **alert** Hom. A. Antipho Ar. Pl. +; (fig., of fire) **be awakened** Ar.; (of suffering) A.

3 rouse, stir up —*persons, their spirits* Hom. Hes. Hdt. —*great might* (W.DAT. *in someone*) Il. —*intelligent thought* (*in oneself*) Ar.; (of poetic inspiration) —*a soul* Pl. ‖ MID. (of persons or animals) rouse oneself, **stir** E. AR. ‖ PASS. (of animals) be roused or provoked Hes. X.; (of a person's spirit) Pl. Call.; (of sea-swell) be stirred up —W.DAT. *by winds* AR.

4 stir up, provoke —*war, fighting, strife, toil, or sim.* Il. Hes. Thgn. Hdt. Th. + —*desires, pain, or sim.* Pl. X.; (fig., of a disputant) —*a tribe of words* (*as if adversaries*) Pl. ‖ PASS. (of a storm) arise Hdt.; (of a war, troubles, or sim.) arise, break out Hdt. X. AR. Plb.

5 (fig., of a poet) **awaken, rouse** —*a lyre, singing* Pi.; (of persons) **raise** —*a lament* S. E. —*a shout* E. —*shouting and stamping of feet* E. ‖ PASS. (of lyre music) be started up Call.

6 rouse (sthg.) into new or renewed existence; **stir into flame** —*torches* Ar. (of a beacon) —*a further relay of fire* A.; (fig., of poverty) **stimulate** —*crafts* Theoc.; (of a poet or speaker) **revive** —*ancient glory* Pi. —*a legend* Pl.

7 raise up —*the foundations of a building* Call. —*a building* (*that has collapsed*) NT. ‖ PASS. (of a city wall) be raised up Call.(cj.)

8 raise up (from death), **restore to life** —*a dead person* NT. ‖ PASS. be raised or rise (fr. the dead) NT.

ἐγενήθην (aor.pass.), **ἐγενόμην** (aor.2 mid.): see γίγνομαι

ἐγερσι-βόᾱς ᾱ *dial.masc.adj.* [ἐγείρω, βοή] (of a hymn) **that raises a cry** S.*lyr.fr.*

ἐγέρσιμος ον *adj.* (of a sleep) **from which one wakes** (opp. the sleep of death) Theoc.

ἔγερσις εως *f.* **1 arousing** (W.GEN. of passion) Pl. Arist.

2 raising up from death, **resurrection** (of Christ) NT.

ἐγερτέον (neut.impers.vbl.adj.): see ἐγείρω

ἐγερτί *adv.* **wakefully, vigilantly** Heraclit. S. E.

ἐγερτικός ή όν *adj.* **likely to arouse** (sthg.); (of a perception) **provocative** (W.GEN. of thought) Pl.; (of a stimulus, W.GEN. of passionate feeling) Plu.

ἔγημα (aor.): see γαμέω

ἐγήνατο (dial.3sg.aor.1 mid.): see γίγνομαι

ἐγ-καθαρμόζω *vb.* **fit** —*someone's neck* (W.PREP.PHR. *into stocks*) Ar.

ἐγ-καθέζομαι *mid.vb.* | fut. ἐγκαθεδοῦμαι | **1 sit down** (in the Assembly) Ar. —w. ἐν + DAT. *among people* Ar. —w. εἰς + ACC. *on a seat* Ar.

2 (of military forces) **become established** (in a country) Th.

ἐγκάθετος ον *adj.* [ἐγκαθίημι] (of a person) **sent in as an agent** or **spy** Plb. ‖ MASC.SB. agent or spy NT.

ἐγ-καθεύδω *vb.* **be asleep in bed** Ar.

ἐγ-καθηβάω *contr.vb.* [κατά, ἡβάω] **live in** (a place) **as a youth** E.

ἐγ-κάθημαι *mid.vb.* **1** sit on (a horse's back), **be mounted** X.

2 (of idle or concealed persons) **sit around, lurk** (sts. W.DAT. among people) Ar.

3 lie in wait (for an opponent) Aeschin. Plb.; (fig., of stones) **lurk** (for use as missiles) —w. ἐν + DAT. *in someone's clothes* Ar.

4 (of a garrison) **be established** (in a place) Plb.; (fig., of fear) **reside** —W.DAT. *in people's minds* Plb.

5 (fig., of the senses) **occupy a place** —W.DAT. *in a person* (*likened to the Trojan Horse*) Pl.; (of the instant, as a concept) **hold a position** —W.PREP.PHR. *betw. motion and rest* Pl.

ἐγ-καθιδρύω *vb.* **set up** —*a statue* (W.DAT. *in a land*) E. ‖ PASS. (of a dessert) be placed —w. ἐν + DAT. *on a table* Philox.Leuc.

ἐγ-καθίζω, Ion. **ἐγκατίζω** *vb.* | aor. ἐνεκάθισα (Plb.) | aor.mid. ἐγκαθεισάμην (E.) | **1 cause to sit, seat** —*a particular appetite* (w. εἰς + ACC. *on a throne, fig.ref. to giving it pride of place*) Pl.; (intr.) **sit on** —W.DAT. *a throne* Pi. ‖ PASS. be made to sit —w. εἰς + ACC. *on a seat* Hdt.

2 station —*an army* (w. ἐν + DAT. *in a place*) Plb.

3 ‖ MID. **establish, found** —*a temple* (*in a place*) E.

ἐγ-καθίημι *vb.* **1 let down, lower** —*a torch* (w. εἰς + ACC. *into a pot*) Ar.

2 introduce, infiltrate —*one's agents* (*into a city*) Plb. Plu.

ἐγ-καθίστημι *vb.* **1 establish, settle** —*someone* (W.DAT. *in a city*) E. —(W.PREDIC.SB. *as a ruler*) Th. D. ‖ PF. (of despots) be established (in cities) Lys.; (of a despotic city, in a country) Th.

2 set up, establish —*a garrison* (sts. w. ἐν + DAT. *in a city*) Isoc. Plu. —*troops* (*as a garrison*), garrison commanders Plu. —*an army* (W.PREP.PHR. *in a region*) Isoc.

3 implant (in persons) —*fear of someone* Plu.
4 ‖ PF. (of pipers) **stand in the ranks** Th.(dub.)
ἐγ-καθοράω *contr.vb.* **1 look closely into** —W.DAT. *someone's face* Plu.
2 detect —*scheming* (in someone) Plu. —*someone's attitude* (W.DAT. *in his manner*) Plu.
ἐγ-καθορμίζομαι *mid.vb.* (of ships) **come to anchor** —W.ADV. *at a place* Th.
ἐγ-καθυβρίζω *vb.* (of a person) **run riot in** —W.DAT. *luxuries* E.
ἐγ-καίνια ων *n.pl.* [καινός] **Festival of Rededication** (of the temple at Jerusalem, commemorating its reconsecration by Judas Maccabaeus in 165 BC) NT.
ἐγκαιρίᾱ ᾱς *f.* [ἔγκαιρος] **appropriateness of time, right time** (for an action) Pl.
ἔγ-καιρος (also **ἐγκαίριος**) ον *adj.* [καιρός] | superl. ἐγκαιρότατος, ἐγκαιριώτατος | (of conduct or action) **appropriate, opportune** Pl.
ἐγ-καίω *vb.* | pf.pass.ptcpl. ἐγκεκαυμένος | ‖ PF.PASS.PTCPL. (of the ends of roasting-spits) **burnt in** —W.DAT. *fire* E.*Cyc.*
ἐγ-κακέω *contr.vb.* [κακός] **culpably fail** —w. τό + INF. *to do sthg.* Plb.; **give up** (doing sthg.) NT.
ἐγ-καλέω *contr.vb.* | neut.impers.vbl.adj. ἐγκλητέον | **1 call in, claim, demand** —*money, repayment of a debt, or sim.* Att.orats. X.
2 make an accusation or **complaint** (usu. W.DAT. against someone) E. Att.orats. Pl. + —W.ACC. *of sthg.* S. E. Th. Att.orats. + —W.GEN. *over sthg.* D. Plu. —W.DAT. + INF. *that someone is doing sthg.* Th. —W.DAT. + ὡς and PTCPL. Isoc. —w. ὅτι or ὡς + INDIC. *that someone is doing sthg., that sthg. is the case* Ar. Att.orats. Pl. + —w. ὡς + NOM.PASS.PTCPL. *that one is being wronged* And. —W.PASS.INF. *that one has been defrauded* X. —w. κατά + GEN. *against someone* (W.ACC. *in such great anger, i.e. make such an angry accusation*) S. ‖ IMPERS.PASS. **blame is laid** —W.DAT. *on fortune* (w. ὅτι + INDIC. *that sthg. is the case*) Arist.
3 take legal proceedings, be a plaintiff Ar. Isoc. D. —W.ACC. δίκην *in a case* (+ DAT. *against someone*) Aeschin.(mid.) D. ‖ PASS. **be prosecuted** D.
ἐγ-καλινδέομαι *mid.contr.vb.* **wallow in** —W.DAT. *intemperance* X.
ἐγ-καλλωπίζομαι *mid.vb.* **1 take pride in, glory in** —W.DAT. *sthg.* Plu.
2 show off before —W.DAT. *someone* Plu.
ἐγκαλλώπισμα ατος *n.* (ref. to houses and land) **mere embellishment, gilding** or **gloss** (W.GEN. *on one's wealth*) Th.
ἐγ-καλύπτω *vb.* **1** (of a dramatist) **veil, shroud** —*characters* (i.e. *bring them on stage shrouded*) Ar.
2 ‖ MID. **cover oneself, cover one's head** (for concealment) Ar.; (for shame) Pl. Aeschin. Arist. Plu.; (to hide tears) Isoc. Pl. Plu.; (when about to die) Pl. X.; **cover up** —*one's head* Plu. ‖ PF.MID.PTCPL.ADJ. **with one's head covered up** (esp. while sleeping) Thgn. And. Ar. Pl. X. Plu.
ἐγ-κάμπτω *vb.* (of a horse) **bend back, arch** (opp. extend) —*its neck and head* X.
ἐγ-κανάσσω *vb.* [reltd. καναχή] | aor.imperatv. ἐγκάναξον | **splash** (W.ACC. wine) **in** (to a cup) E.*Cyc.*(cj.) Ar.
ἐγ-καναχάομαι *mid.contr.vb.* **blow a loud blast** —W.DAT. *on a conch* Theoc.
ἐγ-κάπτω *vb.* **take into one's mouth, take a mouthful of** —*air, food* E.*Cyc.* Ar. —*coins* (as a way of carrying them) Ar.
ἔγ-καρπος ον *adj.* [καρπός¹] **1 containing fruit;** (of husks) **enclosing fruit** S.; (of tributes paid to a god) **of fruits** or **produce** S.

2 (of seeds) **fruitful** Pl.; (fig., of an activity) **profitable** Plb.
ἐγ-κάρσιος ᾱ ον *adj.* [reltd. κείρω] (of a wall) **at right angles** (to another wall) Th.; (of a beam, to a battering ram) Th.
ἐγ-καρτερέω *contr.vb.* **1 be resolute** (with regard to sthg.); **face with resolution, defy** —*death* E.; **endure, persevere with** —*life* E.; **persist with** —*one's decision* Th. X.
2 be resolute (in a situation); **hold out** —W.DAT. *under torture, heavy labour* Arist. Plu.; **patiently endure** —W.DAT. *dagger strokes* Plu.; **persist with** —W.DAT. *a military campaign, style of behaviour, refusal to speak* Plu.; **resist being tempted** —w. μή + INF. *to accept a kiss* Plu.; (intr.) **hold out** Plu.
ἔγκατα των *n.pl.* | dat. ἔγκασι | **intestines, entrails** (of persons or animals) Hom. Hes. Theoc.
ἐγ-καταβαίνω *vb.* (of a baby) **come down into, be placed in** —*swaddling-clothes* Pi.
ἐγ-καταβιόω *contr.vb.* **live amid** —W.DAT. *misfortunes* Plu.
ἐγ-καταγηράσκω *vb.* **1 grow old in** —W.DAT. *office* Arist. —*poverty* Plu.
2 (of wickedness) **become inveterate** Din.
ἐγ-καταδέω *contr.vb.* (of a soul) **fetter** (W.ACC. itself) **in** (a body) Pl.
ἐγ-καταζεύγνῡμι *vb.* (fig.) **yoke** or **harness** —*a new plan* (W.DAT. *to a new mood*) S.
ἐγ-κατάκειμαι *mid.pass.vb.* **1 lie down upon** —W.DAT. *a couch* Thgn.
2 (of persons seeking a dream oracle) **lie down inside** (a temple precinct) Ar.
ἐγ-κατακλίνω *vb.* | aor.pass.inf. ἐγκατακλινῆναι | **cause** (W.ACC. someone seeking a dream oracle) **to lie down inside** (a temple precinct) Ar. ‖ PASS. **lie down inside** (a temple) Hyp.; (a woolly cloak) Ar.
ἐγ-κατακοιμάομαι *mid.contr.vb.* **lie down to sleep in** (a temple, in order to receive a dream oracle) Hdt.
ἐγ-κατακρούω *vb.* **stamp down on the ground** (in a dance) Ar.
ἐγ-καταλαμβάνω *vb.* **1 capture** (W.ACC. persons) **inside** (a place) Th. Plu. ‖ PASS. (of persons or equipment) **be captured inside** (a place) Th. Aeschin. Plu.; **be captured on** (an island) Th.; (of foodstuffs) **be found on** (an island) Th.; (of a person) **be caught in** (a stream of lava) Lycurg.; (of ships) **be hemmed in or cornered** Th.
2 (fig.) **box in** (an enemy) —W.DAT. w. *oaths* Th.; (of consideration of the truth) **trap** —*someone* Aeschin. ‖ PASS. (of persons) **be boxed in** or **trapped** —W.PREP.PHR. *by dangers* Aeschin.
3 ‖ PASS. (of persons) **be caught in the process** (of doing sthg.) Th. X.
ἐγ-καταλέγω *vb.* **incorporate** —*a tombstone* (W.DAT. *in a tower*) Call. ‖ PASS. (of sculptured stonework) **be incorporated** (into foundations) Th.
ἐγ-καταλείπω *vb.* **1 leave** (someone or sthg.) **behind in a place** (when one departs); **leave behind** —*a garrison* Th. X. —*persons* (as hostages) X. —*corpses* (on a battlefield) Th. —*a son* (w. ἐν + DAT. *in someone's household*) Is. D. —*a knife* (w. ἐν + DAT. *in a wound*) Antipho; (of a bee) —*its sting* Pl.; (of a person) —*an expectation* (that others will be like oneself) Th. —*a memorial of one's virtues* (w. ἐν + DAT. *in the Areopagos*) Isoc. ‖ PASS. (of persons, a garrison) **be left behind** (in a city) Th.
2 leave (someone or sthg.) **behind in a place** (when one dies); **leave behind** —*a son* (in one's house) Hes.; (of all that perishes) —*a replica of itself* Pl.; (of a father) **bequeath** —*a son's name* (to a country) Th.

ἐγκαταλέχομαι

3 leave (sthg.) for the future; (of rulers) **store up** (for themselves) —*feuds and factions* (w. ἐν + DAT. *in their palaces*) Isoc.
4 leave (W.ACC. persons) **on a list** (of demesmen, opp. expelling them) D.
5 (pejor., of a commander) **abandon** —*an acropolis* X.; (of soldiers) **desert** —*a commander* Plb.
6 (gener., pejor.) **leave in the lurch, forsake, abandon** —*a person, a city* Hdt. Att.orats. Pl. Arist. Men. +; **betray, renounce** —*the achievements of one's ancestors* D.; **neglect** —*a course of action* Din. ‖ PASS. (of persons) **be left in the lurch** D. —W.PREP.PHR. *by fortune* Aeschin.; (of places) **be abandoned** D.
7 ‖ PASS. (of runners) **be left behind** (by a competitor who is quicker off the mark) Hdt.

ἐγ-καταλέχομαι mid.vb. | 3sg.athem.aor. ἐγκατέλεκτο | **lie down on** (a sacred peplos) AR.

ἐγκατάληψις εως f. [ἐγκαταλαμβάνω] **capture on the spot** (i.e. of prisoners on the battlefield) Th.

ἐγ-καταλιμπάνω vb. **leave in the lurch, abandon** —*persons in danger* Arist.

ἐγ-καταλογίζομαι mid.vb. **include in the reckoning** —*someone's assets* Is.

ἐγ-καταμείγνῡμι vb. **mix in** —*people* (*into a community*) Ar. ‖ PASS. (of earlier writings) **be incorporated** —W.DAT. *in a speech* Isoc.

ἐγ-καταναίω vb. | aor. ἐγκατένασσα | (of Zeus) **cause to dwell, settle** —*someone* (W.DAT. *in heaven*) AR.

ἐγ-καταπήγνῡμι vb. **fix in** —*stakes* (*in a ditch*) Il.(tm.); **thrust** (W.ACC. a sword) **down firmly into** —W.DAT. *a scabbard* Od.

ἐγ-καταπίπτω vb. | ep.aor.2 ἐνικάππεσον | **fall down on** —W.DAT. *a bed* AR.

ἐγ-καταπλέκω vb. ‖ PASS. (of nails) app., **be interwoven** (in the plaited fabric of an animal trap) X.(dub.)

ἐγ-καταρράπτω vb. ‖ PASS. (of spikes) **be stitched on** (a hound's harness) X.

ἐγ-κατασκήπτω vb. **1** (of Zeus) **hurl down on** (someone) —*a thunderbolt* S.; (of a god) **bring** (W.ACC. troubles) **crashing down** —W.DAT. *on people* A.
2 (intr., of a thunderbolt) **strike** X.; (fig., of plague) —W.ADV. *elsewhere* Th.

ἐγ-κατασπείρω vb. **disperse** or **scatter** (W.DBL.ACC. one's sons, as rulers) **among** —W.DAT. *cities* Plu. ‖ PF.PASS. (of people) **be scattered among** —W.DAT. *cities* Plu.

ἐγ-καταστοιχειόομαι pass.contr.vb. [reltd. στοιχεῖον] (of guidelines for conduct) **be implanted as basic principles** —W.DAT. *in people's character and training* Plu.

ἐγ-κατασφάττω Att.vb. [κατασφάζω] **murder** (W.ACC. a child) **in** —W.DAT. *his father's arms* Plu.

ἐγ-κατατέμνω vb. ‖ PASS. (of human entrails) **be minced up** —w. ἐν + DAT. *among animal entrails* Pl.

ἐγ-κατατίθημι vb. | EP.ATHEM.AOR.MID.: 3sg. ἐγκάτθετο, also ἐνικάτθετο (AR.), imperatv. ἐγκάτθεο, also ἐνικάτθεο (Hes.) |
1 ‖ MID. (of a goddess) **place** —*an ornamental band* (W.DAT. *on one's bosom*) Il. —*a child* (*at one's breast*) hHom.; (of an archer) —*an arrow's notch* (*on a bow-string*) AR.; (of a sailor) —*a steering-oar* (*in a shrine*) Call.; (of Zeus) **put** —*a demi-goddess* (W.ACC. *into his belly*) Hes.fr.
2 lay down —*wealth* (*for one's children*) Thgn.; **establish** —*prosperity* (*in a land*) Pi.fr. ‖ MID. **store up** —*a ship's gear* (W.DAT. *in one's house*) Hes.

3 ‖ MID. (fig.) **store up** —*a piece of advice* (W.DAT. *in one's heart, i.e. take it to heart*) Hes. Simon. —*a plan* (*in one's heart, i.e. conceive it*) Theoc.; (app.) —*a penalty* (*in one's heart, i.e. be forewarned of it*) Od.; app. **submit** —*a belt* (W.DAT. *to one's craft, i.e. design or make it*) Od.

ἐγκατίζω Ion.vb.: see ἐγκαθίζω

ἐγ-κατιλλώπτω vb. [ἰλλώπτω squint] **leer contemptuously at** —W.DAT. *someone* A.

ἐγ-κατοικέω contr.vb. **1 settle in** (a village) Hdt.
2 live in —W.DAT. *a house* E.fr.

ἐγ-κατοικοδομέω contr.vb. **1** ‖ PASS. (of forts) **be built in** (a wall) Th.
2 wall up, immure —*someone* (w. εἰς + ACC. *inside an empty house*) Aeschin. ‖ PASS. (of grain) **be walled up** —W.DAT. *in strongholds* Plu.; (of a person's wealth, opp. being seen out of doors) Plu.; (fig., of soldiers, in their armour) Plu.

ἔγκαυμα ατος n. [ἐγκαίω] painting whose pigments are burnt in (w. molten wax), **encaustic picture** Pl.; (W.GEN. in the mind, fig.ref. to knowledge acquired by effort) Plu.

ἔγ-κειμαι mid.pass.vb. [κεῖμαι] **1 lie within** (sthg.); (of a dead phoenix) **lie in** (an egg) Hdt.; (of a corpse) **lie clothed in** —W.DAT. *garments* Il.
2 be situated on or in (sthg.); (of a Cyclops' eye) **be set in** —W.DAT. *his forehead* Hes.; (of drinking straws) **be placed in** (bowls) X.; (of a whorl) **be situated inside** (another whorl) Pl.; (of a letter, in a word) Pl.
3 (of places or things) **lie close by** Plb.
4 be involved in (emotions, happenings, esp. unwelcome ones); (of persons) **be affected, be beset** —W.DAT. *by longing* Archil. —*by injuries, calamities, disgrace* S. E.; **be engaged** —W.DAT. *in toil, lamentation* E.; (of conduct) **be based** —W.DAT. *on good counsel and respect* Pi.fr.
5 be devoted —W.DAT. *to someone* Pi.fr. Theoc.
6 apply oneself forcefully; (of troops) **press hard** (on the enemy) Th. X. Plb. Plu. —W.DAT. *on persons, places* Th. Plb. Plu.; (of speakers, politicians, or sim.) **press one's case, weigh in** Hdt. Th. Plu.; **inveigh against, lay into, attack** —W.DAT. *someone* Th. Ar.; **lay stress on** —W.DAT. *sthg.* D.; (of desire) **assail** —W.DAT. *someone* Ar.

ἐγκέλευσμα ατος n. [ἐγκελεύω] **shout of command** (by a hunter, to his hounds) X.

ἐγκέλευστος ον adj. **urged on** (to speak, W.PREP.PHR. by someone) X.

ἐγ-κελεύω vb. **1 give orders** A.; (of a commander) **shout orders** or **encouragement** (to his men) X.; (of a hunter, sts. W.DAT. to his hounds) X.
2 ‖ MID. **order, urge, encourage** —W.DAT. or ACC. + INF. *someone to do sthg.* Plu.
3 ‖ MID. (of a trumpeter or trumpet) **give the signal** Plu. —W.ACC. *for battle* Plu. —W.PREP.PHR. *for combat* Plu.

ἐγ-κεντρίς ίδος f. [κέντρον] **1 sting** (of a wasp) Ar.
2 spike (on a hound's harness) X.

ἐγ-κεράννῡμι vb. —also ἐγκίρνημι, Aeol. ἐγκέρνᾱμι | 3pl. ἐγκιρνᾶσι (Ar.), 3sg.imperatv. ἐγκιρνάτω (Pi.), Aeolptcpl. and 2pl.imperatv. (tm.) ἐν … κέρναις, ἐν … κέρνατε | aor. ἐνεκέρασα, ptcpl. ἐγκεράσᾱς |
1 mix in —*wine* (w. wheat, for horses) Il. —*hellebore* (W.DAT. *into a medicine*) Pl.; **mix** —*wine* Alc.(tm.) —*a bowl* (*of wine*) Alc.(tm.) Scol. Pi. Ar.
2 insert —*a letter* (W.PREP.PHR. *into a word*) Pl. ‖ PASS. (of virtues or characteristics) **be blended in** (to a person's character) Plu.
3 ‖ MID. (fig.) **contribute** (sthg.) **to a situation; introduce** —*serious trouble* Hdt.; **add a dash of** —*playfulness* Pl.

ἐγ-κερτομέω contr.vb. **fool, delude** (someone) E.
ἐγ-κέφαλος ου m. [κεφαλή] **1 brain** (usu. of humans) Hom. +; (spattered, as a mark of gruesome death) Hom. E.*Cyc*.; (as an organ receptive to pain or other sensations) E. Ar. Pl. +
2 heart, pith (of a date-palm) X.
ἐγκέχοδα (pf.): see ἐγχέζω
ἐγ-κιθαρίζω vb. **play the lyre in the midst** (of dancers) hHom.; (gener.) **play the lyre** hHom.
ἐγκίρνημι vb.: see ἐγκεράννυμι
ἐγ-κλάω (also ἐνικλάω) ep.contr.vb. | 3sg. ἐνικλᾷ | inf. ἐνικλᾶν | aor. ἐνέκλασα, ἐνέκλασσα | app., **break off** (sthg.); (fig.) **thwart, frustrate** —*someone's intentions or wishes* Il. Call.; (of an oath) —*a marriage* Call.; (of disaster) —W.DAT. *someone* AR.
ἐγ-κλείω, Ion. ἐγκληίω, Att. ἐγκλῄω, ep. ἐνικλείω (AR.) vb. [κλείω¹] **1 close, shut** —*gates* Hdt. ‖ PASS. (of a door) be closed Pl.
2 (fig., of a person, fear) **shut, lock** —*one's* (or *another person's*) *mouth or tongue* S. E.
3 (of a naval commander, app. hyperbol.) **close off** —*the sea* (W.DAT. *w. his sailors*) Tim.
4 shut inside, lock up —*someone* Ar. AR. Plu. —*one's wife* Plu.(mid.); (of a wild pear) —*food* (in one's stomach, through constipation) Ar. ‖ MID. **shut oneself up** (in a building) X. Plu. ‖ PASS. be shut up (in a cave, house or prison) S.*Ichn.* Men. Plb.; (of troops) be cooped up —W.PREP.PHR. *inside their defences* S.; (of a commander, compared to a wild animal) be hemmed in Plu.; (of an ointment) be locked up —W.DAT. *in a house* S.
ἔγκλημα ατος n. [ἐγκαλέω] **1** (gener., or in legal ctxt.) **accusation, charge, complaint** S. E. Th. Ar. Att.orats. Pl. +
2 that which provides a cause for complaint; (ref. to a person) **standing reproach** (W.GEN. against fortune and the gods) Plu.
ἐγκληματικός ή όν adj. (of circumstances) **liable to give rise to complaints** Arist.
ἔγ-κληρος ον adj. [κλῆρος] **1** (of a woman) **inheriting the estate** (of her father), **being an heiress** E.; (of a marriage) **with an heiress** E.
2 (of land) that forms the estate (inherited from one's father), **inherited** E.
3 (gener., of a woman) possessed of, **enjoying** (W.GEN. marriage) S. ‖ NEUT.PL.SB. fortunes shared (W.DAT. w. someone) S.(dub.) | see σύγκληρος 2
ἐγκλητέον (neut.impers.vbl.adj.): see ἐγκαλέω
ἐγκλῄω Att.vb.: see ἐγκλείω
ἐγκλιδόν adv. [ἐγκλίνω] **1 reclining against** (someone) hHom.
2 app., sloping downwards, **down** —*ref. to a woman casting her eyes* AR.
ἔγκλιμα ατος n. **1 slope** (of a hill) Plb.
2 bend (in a path) Plb.
3 falling back, **retreat** (of an army) Plb.
ἐγκλίνω vb. **1 cause to lean or deviate** (fr. the straight); **make** (W.ACC. a straight line) **incline** —W.PREP.PHR. *in a particular direction* Pl.; **make** (W.ACC. one's horse) **swerve** Plu. ‖ PASS. (of a hare's hind legs) be inclined —W.ADV. *outwards* X.
2 incline, bend —*one's knee and body* Plu.; **turn** —*one's back* (W.DAT. *to someone's face*) E.; (intr.) **lean forward** —W.DAT. *w. one's head* Plu.
3 lean on or **against** (sthg.) hHom. ‖ PASS. lean against or nestle close to —W.DAT. *someone* (who is reclining beside one) X.; lean on —W.DAT. *a staff* Plu.

4 ‖ PASS. (of the task of fighting) be laid or imposed on —W.DAT. *someone* Il.
5 (intr.) incline (in a certain direction); (fig., of a constitution) **incline, tend** —W.PREP.PHR. *towards oligarchy* Arist.; (of a person) **lean, be favourably disposed** —W.PREP.PHR. *towards a school of thought* Plu.
6 (of troops) **fall back, retreat** (before an enemy) X. Plb. Plu.; (of a ship) Plb.
7 (fig., of people, a state) **decline, degenerate** Plu.
ἔγκλισις εως f. **slope, inclination** (of terrain, poles projecting fr. a ship) Arist. Plb.; **declination, latitude** Plu.
ἔγ-κοιλος ον adj. [κοῖλος] ‖ NEUT.PL.SB. hollows (in the earth's surface) Pl.
ἐγ-κοισυρόομαι mid.pass.contr.vb. [Κοισύρα, pers. name] (of a woman) **become a Koisyra** (member of an aristocratic Athenian family, and a byword for wealth and arrogance) Ar.
ἐγ-κολάπτω vb. **carve, engrave, inscribe** —*letters or sim.* (w. εἰς + ACC. *on a tomb, a statue*) Hdt. Plu. ‖ PASS. (of letters, figures) be carved Hdt. —W.DAT. or ἐν + DAT. *on stones* Hdt.; be inscribed —w. ἐπί + DAT. *on tripods* Hdt.
ἐγκοληβάζω vb. (of a wrestler) app. **plant one's foot on** —W.ACC. *one's opponent* Ar.
ἐγκονέω contr.vb. be quick and active; (freq. in commands) **make haste, hurry** Hom. Trag. Ar. AR.
ἐγκονητί adv. **quickly** or **by perseverance** —*ref. to capturing someone* Pi.
ἐγ-κονίομαι mid.vb. (of a wrestler) **sprinkle oneself with sand** X.
ἐγ-κόπτω vb. **hinder, delay** —*someone* NT.
ἐγ-κορδῡλέομαι pass.contr.vb. [κορδύλη *tumour, swelling*] (fig., of a person) **be plumped up** —w. ἐν + DAT. *in woolly blankets* Ar.
ἐγ-κοσμέω contr.vb. **stow away** —*equipment* (W.DAT. *in a ship*) Od.
ἐγκοτέω contr.vb. [ἔγκοτος] **feel rancorous, be resentful** —W.DAT. *towards someone* A.
ἔγ-κοτος ον adj. [κότος] **1** (of Erinyes) **wrathful, rancorous** A.; (of hatred) A.
2 ‖ MASC.SB. long-standing feeling of enmity, grudge Hdt.
ἐγ-κράζω vb. | aor.2 ptcpl. ἐγκραγών | **shout out** Men. Plu.
ἐγκράτεια ᾱς f. [ἐγκρατής] **mastery, control** (W.GEN. over oneself, i.e. self-control) Pl.; (over pleasures, desires, or sim.) Isoc. Pl. X.; (W.PREP.PHR. w. regard to desire for sthg.) X.; **self-control** Isoc. X. Aeschin. Arist. +
ἐγκρατεύομαι mid.vb. **exercise self-control** Arist.
ἐγ-κρατής ές adj. [κράτος] **1** (of persons) **possessing power, in power** S. Pl.
2 (of persons) having power (over), **in control** (W.GEN. of persons, places, possessions, circumstances) Hdt. S. Th. Att.orats. Pl. +; (in nautical ctxt., of a sheet) **in control** (W.GEN. of a ship) S.; (of a horseman's hand) able to exercise control, **effective** X.
3 (of persons) **in control** (W.GEN. of themselves, i.e. self-controlled) Pl.; (of pleasures, desires, appetites, or sim.) Isoc. X.; **self-controlled** X. Arist.
4 (of strength, an empire, a deity) **powerful** A. Th. Isoc. Pl.; (of iron) **tough, strong** S.; (of persons, their bodies) X.
–ἐγκρατῶς, Ion. ἐγκρατέως adv. **1 powerfully** —*ref. to love* (likened to a wind) *affecting someone* Ibyc.; **with all one's strength** —*ref. to going on the attack, throttling a lion* Th. Theoc.
2 with a strong hand —*ref. to ruling* Th.; **firmly** —*ref. to achieving control* Arist.; (w. ἔχειν) be self-controlled Pl.

ἐγκρίνω

3 **rigidly** —*ref. to following instructions* Isoc.; **stoutly** —*ref. to enduring hardships* Hyp. Men.

ἐγ-κρίνω, ep. **ἐνικρίνω** (AR.) *vb.* | ep.aor.pass.inf. ἐνικρινθῆναι ‖ neut.impers.vbl.adj. ἐγκριτέον | **1 select, choose** —*rowers* (*to go on board a ship*) Il.(tm.)

2 judge (someone or sthg.) **as included** (in a class); **judge, rank, include** —*a particular kind of soul* (w. ἐν + DAT. *among souls of a certain kind*) Pl.; **class** —*someone* (W.PREDIC.ADJ. *as best*) E. —*sthg.* (W.ACC. + INF. *as being superior to other things*) E.*fr.*

3 include (someone, in an approved class) ‖ PASS. (of persons) **be approved or accepted** —w. εἰς + ACC. *for a council or sim.* D. Plu. —*for a final selection* Pl. —W.ACC. *for a foot-race* X.(dub.); **be included** —W.DAT. *in a group* AR.

4 include (sthg., in an approved class); **approve, accept** —*stories, subjects for study, or sim.* Pl. ‖ PASS. (of stories, behaviour) **be classed as acceptable, be approved** Pl. Plu.; (of a particular type of historical writing) **be favoured** (by a historian) Plb.

ἐγκρίς ίδος *f.* **a kind of cake** (fried in oil and soaked in honey) Stesich.

ἔγκριτος ον *adj.* [ἐγκρίνω] (of a candidate for office) **approved, included** (W.PREP.PHR. *on account of his excellence*) Pl.

ἐγ-κροτέω *contr.vb.* (of dancers) **beat on the ground** —W.DAT. *w. their feet* Theoc. ‖ PASS. (of assailants' fists) **land with a crash** E.

ἐγ-κρούω *vb.* **1 knock** or **hammer in** —*pegs* (w. εἰς + ACC. *into a wall*) Ar. —*nails* (*into shoes*) Thphr.

2 (intr.) **stamp on the ground** (when marching) Ar.

ἐγ-κρύπτω, ep. **ἐνικρύπτω** (Call.) *vb.* | ep.3pl.aor.2 pass. ἐνέκρυφεν (Call.) | **1 hide, cover** —*a log* (W.DAT. *in ashes, to keep it smouldering*) Od.; **keep** (W.ACC. *a fire*) **covered** (w. *ashes*) Ar.

2 (specif.) **bake** (W.ACC. *bread*) **in ashes** Call.; **put** —*yeast* (w. εἰς + ACC. *into flour*) NT.

3 (of a god) **hide, cover** —*a place* (w. *branches*) hHom.(dub.) ‖ PASS. (of mortals) **be hidden** —w. ὑπό + DAT. *under the clouds* Ar.; (of reptiles) —W.DAT. *in their lairs* Call.

ἐγ-κρυφιάζω *vb.* [κρύφιος] **act secretly towards, hoodwink** —*someone* Ar.

ἐγ-κτάομαι *mid.contr.vb.* ‖ PF. **hold land or property in a district or country** (which is not one's own), **hold property as an outsider** X. D.

ἐγ-κτερεΐζω *vb.* **bury** (someone) **in** —W.DAT. *a tomb* AR.

ἐγκτήματα των *n.pl.* [ἐγκτάομαι] **land or property in a district or country** (which is not one's own), **foreign possessions** X. D.

ἔγκτησις εως *f.* **1 holding of property abroad** X.

2 acquisition of foreign territory (by a ruler) Plb.

ἐγ-κτίζομαι *mid.vb.* (of a foreigner) **found, establish** —*a city* (W.DAT. *in a country*) Hdt.

ἐγ-κυκάομαι *mid.contr.vb.* (fig.) **stir up** (W.ACC. *troubles*) **in** (a drinking-bowl) Ar.

ἐγ-κυκλέομαι *pass.contr.vb.* **be encircled or hemmed in**; (fig.) **be hampered** (in achieving one's ambitions) —W.PREP.PHR. *by people* Ar.

ἐγ-κύκλιος ον *adj.* **1** (of a group of dancers) **in a circular formation, circling** E.; (of a temple) **circular** Plu.

2 (of public duties) **rotating, recurrent** D.

3 (of rights, services, administration) **regular, routine, everyday** D. Arist.; (of state offices) **ordinary** (opp. major) Arist. ‖ NEUT.PL.SB. **routine or everyday matters** Isoc. Arist.

4 ‖ NEUT.PL.SB. **app., ordinary** (opp. specialised) **discussions** (of a topic) Arist.

5 ‖ NEUT.PL.SB. **general** (opp. specialised) **education** Plu.

ἔγ-κυκλον ου *n.* [κύκλος] a kind of outer garment (worn by women), **wrap, mantle, cloak** Ar.

ἐγ-κυκλόω *contr.vb.* **1 cast** (W.ACC. *one's eye*) **around** (a place) E.

2 ‖ MID. (intr., of dancers) **circle round** —W.DAT. *in a house* E.*fr.*

3 ‖ MID. (tr., of enemy troops) **encircle** —*someone, an army* Plu.; (of the aither) —*the earth* E.; (of the sound of voices) —*a person* Ar.

ἐγ-κυλίνδησις εως *f.* [κυλινδέω] (pejor.) **wallowing** (w. ἐν + DAT. *among prostitutes*) Plu.

ἐγ-κυλίνδομαι *pass.vb.* | aor.p.cpl. ἐγκυλισθείς | **become involved** —w. εἰς + ACC. *in love affairs* X.

ἐγ-κύμων ον, gen. ονος *adj.* [κῦμα 7, κύω] **1** (of a woman, an animal) **pregnant** A. X. Plu.; (fig., of the Trojan Horse, W.GEN. *w. weaponry*) E.

2 (of a man) **procreative, progenitive** Pl.; (fig.) **pregnant** (w. *ideas*) Pl.; (W.ACC. *in one's mind*) Pl.

ἔγ-κυος ον *adj.* (of a woman) **pregnant** Hdt.

ἐγ-κύπτω *vb.* **1** (of a person) **stoop forward, bend over** Th. Ar. Pl. Plu.; (of a horse) **lower one's head** Pl.

2 stoop to peer (through an aperture) Pl.; (fig.) —w. ἐς + ACC. *into someone's troubles* (envisaged as merchandise) Hdt.

ἐγ-κυρέω *contr.vb.* —also (in act.) **ἐγκύρω** | aor. ἐνεκύρησα, also inf. ἐγκῦρσαι, ptcpl. ἐγκύρσας | **1 come upon, encounter, meet with** —W.DAT. *people, troops* Il. Hdt. —*winds* Theoc.; (of a charioteer, in a racing accident) **become entangled** —W.DAT. *in reins* S.

2 meet with, experience —W.DAT. *events, disasters, success, or sim.* Hes. Archil. Pi. B.*fr.* Hdt. Plb. —W.GEN. *indifference* Hdt.; **attain** —W.DAT. *a long life* Pi.

ἐγ-κύρτια ων *n.pl.* [κύρτος] **necks of a fishing-creel** (fig.ref. to the passageways of the human throat) Pl.

ἐγ-κυτί (also **ἐγκυτί** Call.) *adv.* [κύτος] **close to the skin, close-cropped** —*ref. to cutting hair* Archil. Call.

ἐγκωμιάζω *vb.* [ἐγκώμιον] | impf. ἐνεκωμίαζον | fut. ἐγκωμιάσω, also ἐγκωμιάσομαι | aor. ἐνεκωμίασα | **praise, extol** —*persons or things* Att.orats. Pl. + ‖ PASS. **be praised** Hdt. Isoc. +

ἐγκωμιαστικός ή όν *adj.* **1** (of a historian's estimation of someone) **laudatory** Plb.

2 (of a written description) **eulogistic, panegyrical** Plb.

ἐγ-κώμιος ον *adj.* [κῶμος] **1 belonging to a celebration** (of an athletic victor); (of songs or sim.) **celebrating victory** Pi. ‖ NEUT.SB. **celebratory song of victory** Ar. Pl.

2 ‖ NEUT.SB. (ref. to a speech) **eulogy, panegyric** Att.orats. Pl. X. Arist. +

ἔγνωκα (pf.), **ἔγνων** (athem.ao.), **ἐγνώσθην** (aor.pass.), **ἔγνωσμαι** (pf.pass.): see γιγνώσκω

ἔγρει (poet.3sg.): see ἐγείρω

ἐγρε-κύδοιμος ον *adj.* [ἐγείρω, κυδοιμός] (epith. of Athena) **who rouses the tumult of battle** Hes.

ἐγρε-μάχη ης *ep.fem.adj.* —also **ἐγρεμάχᾱς** ᾱ *dial.masc.adj.* (epith. of Athena) **battle-rousing** hHom.; (of a commander) S.

ἔγρεο (ep.aor.2 mid.: 2sg.imperatv.), **ἔγρεσθαι** (inf.), **ἔγρεσθε** (2pl.imperatv.), **ἔγρετο** (3sg.), **ἔγρῃ** (2sg.subj.): see ἐγείρω

ἐγρήγορα (pf.), **ἐγρηγόρθᾱσι** (ep.3pl.pf.), **ἐγρηγορόων** (ep.pf.ptcpl.), **ἐγρήγορθαι** (ep.pf.mid.inf.), **ἐγρήγορθε** (ep.2pl.pf.mid.imperatv.): see ἐγείρω

ἐγρήγορσις εως *f.* **state of being awake, waking state** Arist.

ἐγρηγορτί adv. wakefully, on the alert Il.
ἐγρήσσω vb. [reltd. ἐγείρω] be awake or alert Hom. hHom. Hippon. AR.
ἔγροιτο (ep.aor.2 3sg.mid.opt.), **ἐγρόμενος** (ep.aor.2 mid.ptcpl.), **ἔγρονται** (poet.3pl.pres.mid.): see ἐγείρω
ἐγ-χαλινόω contr.vb. 1 put the bit in (a horse's mouth); (gener.) bridle —horses Plu. ‖ PASS. (of horses) have the bit put in —W.ACC. their mouths Hdt.; be bridled X.
2 ‖ PASS. (fig., of the populace) be curbed —W.DAT. by an oligarchy Plu.
ἐγ-χαράττω Att.vb. [χαράσσω] inscribe, carve —letters, a name, or sim. (W.PREP.PHR. on a statue, a spear-shaft, stones) Plu.; engrave —images (W.DAT. on coins) Plu. ‖ PASS. (of letters) be engraved —W.DAT. on bronze fastenings Plu.
ἐγ-χάσκω vb. | fut. ἐγχανοῦμαι | aor.2 ptcpl. ἐγχανών | laugh (at someone or sthg.) in mockery or triumph; laugh, scoff Ar. Call. —W.DAT. at someone, misfortunes Ar. —at someone's folly S.Ichn.(cj.)
ἐγ-χέζω vb. | pf. ἐγκέχοδα | 1 shit oneself Ar.
2 (tr.) shit oneself before (i.e. fr. fear of) —someone Ar.
ἐγχει-βρόμος ον adj. [ἔγχος, βρέμω] (epith. of Athena) raging with the spear Pi.
ἐγχείη ης ep.f. 1 spear Hom. AR.
2 use of the spear, spearmanship Il.
ἐγχείη (ep.3sg.subj.): see ἐγχέω
ἐγχει-κέραυνος ον adj. [ἔγχος, κεραυνός] (epith. of Zeus) whose spear is the thunderbolt Pi.
ἐγ-χειρέω contr.vb. [χείρ] 1 take in hand, undertake, attempt —W.DAT. a course of action E. Ar. X. D. Plb. Plu. —W.INF. to do sthg. Th. Ar. Att.orats. Pl. +; (intr.) make an attempt (at doing sthg.) S. Th. Pl. X. Arist. Men.
2 (of a commander) take in hand, deal with —W.DAT. cities Th.; (intr.) of a speaker) deal with (a topic) Plu.
3 get to grips (w. someone); (of troops) attack X. —W.DAT. an enemy X. Plb.; (of persons) —monarchs Arist.
ἐγχείρημα ατος n. that which is undertaken, undertaking, attempt S. Pl. D. Plb. Plu.
ἐγχειρής ές adj. (of a poetic tribute) at hand, nearby B.(cj.)
ἐγχείρησις εως f. process of undertaking (an action), undertaking, attempt Th. D. Plu.
ἐγχειρητής οῦ m. one who undertakes (an action); attempter (W.GEN. of exploits) Ar.
ἐγχειρητικός ή όν adj. (of a commander) enterprising, adventurous X.
ἐγ-χειρίδιον ου n. [dimin. χείρ] 1 hand-weapon, dagger or sword Hdt. Th. Lys. Pl. X. +
2 hand-held emblem (W.GEN. of a suppliant, ref. to an olive branch) A.
ἐγ-χειρίζω vb. | fut. ἐγχειριῶ | aor. ἐνεχείρισα | 1 put (someone or sthg.) into someone's hands; hand over —a baby (W.DAT. to someone, to be killed) Hdt.; deliver —letters (W.DAT. to someone) Hdt.
2 put (someone or sthg.) into someone's possession or control; hand over, entrust —persons, property, offices, or sim. (W.DAT. to someone) Hdt. Th. Att.orats. Pl. + —oneself, one's protection (to someone or sthg.) Att.orats. Arist. Plb. Plu. ‖ PASS. (of people) be handed over —W.DAT. to their enemies X.; (of things) be entrusted —W.DAT. to someone Arist. Plb.
3 ‖ MID. take in hand, handle —dangers Th.
ἐγχειρί-θετος ον adj. [θετός] placed in the hand; (of a person) handed over (W.DAT. to someone, for punishment) Hdt.
ἐγχέλεια ων n.pl. [ἔγχελυς] pieces of eel (for cooking) Ar.
ἔγχελυς εως, Ion. υος f. | acc. ἔγχελυν ‖ PL.: nom. ἐγχέλεις, Ion. ἐγχέλυες | acc. ἐγχέλεις, Ion. ἐγχέλῡς, dial. ἐγχέλιας

| gen. ἐγχέλεων, Ion. ἐγχελύων | dat. ἐγχέλεσι, Ion. ἐγχέλυσι | a kind of snakelike fish, eel Il. Semon. Hdt. Plu.; (as food) Ar. Men.; (fig., ref. to a penis) Archil.
ἐγχεσί-μωρος ον adj. [ἔγχος; 2nd el. uncert., cf. ἰόμωρος, σινάμωρος, ὑλακόμωρος] (of warriors) perh. famed with the spear Hom.
ἐγχεσ-πάλος ον adj. [πάλλω] (of Ares, warriors) spear-brandishing Il. B.
ἐγχεσ-φόρος ον adj. [φέρω] (of warriors) spear-bearing Pi.
ἐγ-χέω contr.vb. | fut.3sg. ἐγχεῖ (D.), poet.3pl. ἐγχέουσι (Call.) | ep.3sg.subj. ἐγχείη | aor. ἐνέχεα, ep.3pl. (tm.) ἐν ... ἔχεαν | aor.ptcpl. ἐγχέᾱς, imperatv. ἔγχεον | also ep.aor.3sg. (tm.) ἐν ... ἔχευε, poet. ἔγχευε (Tim.), ep.imperatv. (tm.) ἐν ... χεῦον | MID.: ep.3sg.aor. ἐνεχεύατο |
1 pour (a liquid) into (a container or other liquid); pour in —wine or water (into a jar, mixing-bowl) Alc. Anacr. Xenoph. Simon.(tm.) Ar. Tim. —wine (w. ἐς + ACC. into a bowl) Hdt. —(w. ἐν + DAT. into a wineskin) Od. —water (into a bowl or bath) Od.(also mid.) Theoc. Plb. —(w. ἐς + ACC. into a tank) Hdt. —oil and vinegar (W.DAT. into a vessel) A. —poison, vinegar (into wine) Antipho X. Plu. —molten lead (w. εἰς + ACC. into a hole) Ar. —vinegar (into someone's nostrils, as a torture) Ar. —drugs (through a corpse's nostrils) Hdt.; stick, thrust —feathers (w. εἰς + ACC. into a bird's nostrils) Ar. ‖ PASS. (of wine) be poured into (a mixing-bowl) Pl.; (fig., of pleasure) be mixed in or instilled Pl.
2 pour (solids) into a container; pour in —grain (W.DAT. into sacks) Od.
3 ‖ MID. pour (W.ACC. drink) into oneself X.
4 pour (liquid) into (a cup); pour out —wine, a drink Ar. Call. Theoc. —(W.DAT. into a cup) Od. —a libation Antipho Ar. —a cup (meton. for wine) Ar. X.; (intr.) pour out wine Thgn. Scol. E.Cyc. Ar. Pl. + ‖ PASS. (of wine) be poured out Plu.
5 ‖ MID. pour (liquid) for oneself; pour oneself —soup Ar.; (intr.) pour oneself wine Ar. X.
6 (in legal ctxt.) pour (water) into (a klepsydra, for timing a speech); pour in —water, a specified amount of it (W.DAT. for someone, a speech) D. —(w. εἰς + ACC. into a klepsydra) Arist. ‖ PASS. (of water) be poured into (a klepsydra) Aeschin.
ἐγ-χλίω vb. show contempt for —W.DAT. someone (by one's behaviour) A.
ἔγχος εος (ους) n. 1 large thrusting-spear (opp. throwing-spear), spear Hom. Hes. Eleg. Lyr. Trag. Hellenist.poet.
2 weapon (ref. to a sword) S. E.; (W.GEN. of Hekate, ref. to fire) S.fr.; (of Zeus, ref. to the thunderbolt) Ar. ‖ PL. (gener.) weapons Pi.; (W.ADJ. feathered, ref. to arrows) E.
3 (fig.) weapon (W.GEN. of thought, ref. to a plan of self-defence) S.
4 (collectv.sg.) spearmen Call.
ἔγχουσα ης f. red dye obtained from the root of the alkanet plant (used as a cosmetic), alkanet, rouge Ar. X.
ἐγ-χραύω vb. app. thrust —a staff (W.PREP.PHR. into someone's face) Hdt.
ἐγ-χρίμπτω, ep. **ἐνιχρίμπτω** vb. | aor. ἐνέχριμψα ‖ PASS.: fut.inf. ἐνιχρίμψεσθαι (AR.) | aor. ἐνεχρίμφθην | 1 bring close —one's chariot (W.DAT. to the turning-post) Il. —a river-boat (to the bank) Hdt. —a horse (to a mare) Hdt.
2 come close (to someone) AR. —W.DAT. to a person or place S. AR.; (of a sailor) keep close —W.DAT. to the coast Hdt.; (of a serpent) graze (an animal) —W.DAT. w. its fangs AR.
3 ‖ PASS. (of persons) come close —W.DAT. to a person or place Il. Hdt. AR.; (of hounds) —to deer E.; (of a spear-point) —to a bone Il.; (of a horse) —w. ἐν + DAT. to the turning-post Il.; (of fish) keep close (to a river bank) Hdt.

4 ‖ PASS. (of a warrior or warriors) be pressed up (against the enemy) Il.; (of a warrior) —W.DAT. *against his shield* (*by the force of a blow on it*) Il.

ἔγχριστος ον *adj.* [ἐγχρίω] (of a remedy) **applied as ointment** Theoc.

ἐγ-χρίω *vb.* (of the root of a feather) **prick** —W.DAT. *sthg.* Pl.

ἐγ-χρονίζω *vb.* **spend a long time** (in a place) Plb.; (of ships, on a journey) Th.; (of a woman) **wait a long time** —w. πρός + ACC. *for marriage* Arist.; (of a person) **linger over** —W.DAT. *a topic* Plb. ‖ PASS. (of an illness) become long-lasting or inveterate Pl.

ἐγ-χρῴζομαι *pass.vb.* (of the capacity for feeling pleasure) **be ingrained** —W.DAT. *in human life* Arist.

ἔγχυμα ατος *n.* [ἐγχέω] that which is poured in, **contents** (of a container) Plb.

ἔγ-χυμος ον *adj.* [χυμός] (of human flesh) **full of sap or fluid** Pl.

ἔγχυτος ου *m.* [ἐγχέω] a kind of cake made by pouring; perh. **pancake** Men.

ἐγ-χυτρίζω *vb.* [χύτρᾱ] | fut. ἐγχυτριῶ | put into a cooking pot; (fig., in legal ctxt.) **pot, cook** —*someone* (*app. envisaged as a plump bird*) Ar.

ἔγχωμα ατος *n.* [ἐγχωννύω] **silted stretch** (of water) Plb.

ἐγ-χωννύω *vb.* ‖ PASS. (of a sea or lake) become silted up Plb.

ἐγ-χωρέω *contr.vb.* **1** give room or opportunity (for sthg.); (of money, water in a klepsydra) **make possible, allow** (sthg.) Hdt. D.; (of time) —W.INF. (*someone*) *to do sthg.* Lys. X. D.

2 (of a course of action) **be possible** Pl.; (of a line of argument) **be feasible** —W.DAT. *for someone* Antipho

3 ‖ IMPERS. it is possible (usu. W.DAT. or ACC. + INF. for someone to do sthg., for sthg. to be the case) Att.orats. Pl. X. Plu.; there is time (to do sthg.) Pl. D.

ἐγ-χώριος ᾱ (Ion. η) ον (also ος ον Plb. Plu.) *adj.* [χώρᾱ] **1** belonging to a region or country; (of persons, kings, guides, troops) **native, local** A. Pi. Hdt. Plb. Plu.; (of gods, heroes) A. S. Th. Ar. Din.; (of dress, geographical features) Pi. Hdt.

2 ‖ MASC.PL.SB. inhabitants (W.GEN. of a land) S.; local people A. E. Plb. Plu. ‖ FEM.PL.SB. local women (or perh. nymphs) Pi.*fr.*

3 (of disturbances, a war) **on home ground** Plb. Plu.

4 (of a mishap) **on one's property** Hes.

5 (of dwellings) **in the country, rural** (opp. urban or coastal) Plu.

6 (advbl.acc.) τὸ ἐγχώριον *by local custom* Th.

ἔγ-χωρος ον *adj.* **1** (of a person, a populace) **native, local** A.(cj.) S. ‖ MASC.PL.SB. local people S.

2 (quasi-advbl., of musical sounds, compared to flowers blossoming) **over the neighbouring ground** S.*Ichn.*

ἔγχωσις εως *f.* [ἐγχωννύω] **silting up** (of a stretch of water) Plb.

ἐγώ, ep. and dial. **ἐγών**, Boeot. **ἰώ** *1sg.pers.pron.* | acc. ἐμέ (enclit. με) | gen. ἐμοῦ (enclit. μου), Ion. ἐμεῖο, ἐμέο, ἐμεῦ (enclit. μεο, μευ), ep. ἐμέθεν, Aeol. ἔμεθεν | dat. ἐμοί (enclit. μοι), dial. ἐμίν ‖ see also du. νώ, pl. ἡμεῖς ‖ Nom. is used for emph., esp. in contrast w. another pron. Non-enclitic forms of other cases are used to draw attention, or w. preps. | **I, me, we, us** Hom. +

—**ἔγωγε**, ep. **ἐγώ γε**, dial. **ἐγώνγα**, Boeot. **ἰώγα** (Ar.), **ἰώνγα**, also **ἰώνει** (Corinn.) *1sg.pers.pron.* [ἐγώ, γε] | also dat. ἔμοιγε, ep. ἐμοί γε | (w. restrictive or intensv. force) **I** (**or me**) **at least, I** (**me**) **for my part, even I** (**me**) Hom. +

ἐγᾦδα, ἐγᾦμαι: crasis for ἐγὼ οἶδα, ἐγὼ οἶμαι

ἐγών ep. and dial. *1sg.pers.pron.*: see ἐγώ

ἐγώνγα dial.*1sg.pers.pron.*: see ἔγωγε, under ἐγώ

ἔδαε (3sg.aor.2), **ἐδάην** (aor.2 pass.): see δαῆναι

ἔδακον (aor.2): see δάκνω

ἐδάμασα (aor.), **ἐδάμασσα** (ep.aor.), **ἐδαμάσθην** (aor.pass.), **ἐδάμην** (aor.2 pass.): see δάμνημι

ἐδανός ή όν *adj.* (of olive-oil) perh. **sweet** or **fragrant** Il. hHom.(cj.)

ἐδανός ή όν *adj.* [ἔδω] (of a drug) **to be eaten, edible** (opp. drinkable) A.

ἐδασάμην (aor.mid.), **ἐδασσάμην** (ep.): see δατέομαι

ἐδαφίζω *vb.* [ἔδαφος] **1 level** —*the ground* (*around a tent*) Plb.

2 (hyperbol.) **dash to the ground** —*a city and its occupants* NT.

ἔδαφος εος (ους) *n.* **1** substructure or base; **bottom** (of a boat or ship) Od. Hdt. D. Plu.; **bed** (of a river, sea) X. Arist.(quot.) ‖ PL. foundations (of buildings) Th.

2 floor (of a building) Hdt. Pl. Plb. Plu.; **ground** (to which one falls, which one strikes, or sim.) Call. Plb. NT. Plu.; (to which a city or building is razed) Th. Plb. Plu.

3 (in patriotic ctxts.) **very soil** (of a city or country) Att.orats. Plb.

4 ‖ PL. real estate (ref. to land and houses) Is.; houses or properties Plb.

ἔδδεισα (ep.aor.): see δείδω

ἐδέγμην (ep.athem.impf.mid.): see δέχομαι

ἐδεδέατο (Ion.3pl.plpf.pass.): see δέω[1]

ἐδεδίειν (1sg.plpf.), **ἐδεδίεσαν** and **ἐδέδισαν** (3pl.plpf.): see δείδω

ἐδέδμητο (3sg.plpf.pass.): see δέμω

ἐδεδοίκειν (plpf.): see δείδω

ἐδεήθην (aor.pass.): see δέομαι, under δέω[2]

ἐδέησα (aor.): see δέω[2]

ἐδέθην (aor.pass.): see δέω[1]

ἔδεθλον, also **ἐδέθλιον**, ου *n.* [ἕζομαι] **1 seat, throne** Call.

2 foundation, settlement Call.

3 shrine Call.(dub.) AR.

4 ‖ PL. halls, dwellings A.(cj.) AR.

5 ‖ PL. perh., foundations, base (of an altar) Call.

ἐδείδιμεν and **ἐδείδισαν** (ep.1 and 3pl.plpf.): see δείδω

ἔδειμα (aor.): see δέμω

ἔδειρα (aor.): see δέρω

ἔδεισα (aor.): see δείδω

ἔδεκτο (ep.3sg.athem.aor.mid.): see δέχομαι

ἔδεξα (Ion.aor.): see δείκνυμι

ἔδεσμα ατος *n.* [ἔδω] that which may be eaten, **food** Isoc. Pl. X. Arist. Call. +

ἐδεστής οῦ *m.* **eater** (W.GEN. of raw meat) Hdt.

ἐδεστός ή όν *adj.* **1** (of an animal) which may be eaten, **edible** Arist. ‖ NEUT.SG.SB. edible item, food Call.; (pl.) E.*fr.* Pl.

2 (of a corpse) **eaten** or **to be eaten** (W.PREP.PHR. by birds and dogs) S.; (of a poisoned tuft of wool) **consumed** (W.PREP.PHR. by itself) S.

ἐδηδοκώς (pf.ptcpl.), **ἐδηδώς** (ep.), **ἐδήδοται** (ep.3sg.pf.pass.): see ἔδω

ἔδησα (aor.): see δέω[1]

ἐδητύς ύος *f.* **food** Hom. hHom. AR.

ἐδήχθην (aor.pass.): see δάκνω

ἔδικον (aor.2): see δικεῖν

ἔδμεναι (ep.inf.): see ἔδω

ἔδνα, ep. **ἔεδνα**, ων *n.pl.* **1** marriage settlement (consisting of gifts or property fr. a suitor to a bride or her kin), **wedding gifts, bride-price** Hom. Hes.*fr.* A. AR.

2 marriage settlement (consisting of gifts or property to a suitor or bride fr. her kin), **wedding gifts, dowry** Hom. E.
3 wedding presents (given by guests) Pi.

—**ἕδνον** ου n.sg. **1 wedding gift** (fr. a suitor to a bride) Theoc.
2 dowry (ref. to land given to a suitor by the bride's father) Pi.
3 (gener.) **gift** Call. Theoc.

ἐδνῆστις ιος dial.fem.adj. (of a wife) **sought with a bride-price** (offered by mothers, on behalf of their sons) Call.

ἐδνόω contr.vb. —also **ἐδνόομαι**, ep. **ἐεδνόομαι** mid.contr.vb. **1** (act. and mid., of a suitor) **seek** or **win with a bride-price** —a wife Hes.fr.
2 (mid., of a father) provide with a dowry, **promise in marriage, betroth** —one's daughter Od.; (of a mother) E.; (act., of a father) —w.DAT. **to a husband** Theoc.

ἐδόθην (aor.pass.): see δίδωμι

ἔδομαι (fut.mid.): see ἔδω

ἔδομεν, ἔδοτε, ἔδοσαν (1,2,3pl.athem.aor.): see δίδωμι

ἔδον[1] (ep.3pl.athem.aor.): see δίδωμι

ἔδον[2] (ep.impf.): see ἔδω

ἕδος εος (ους) n. [ἕζομαι] **1** place where (or object on which) one sits, **seat** Il. AR.
2 place where one resides, **dwelling-place, abode** (W.GEN. of a person or populace) Il. hHom. A. Pi. E. Call.; **settlement, city, region** (periphr. W.GEN., as Τροίας ἕδος city of Troy) Hom. hHom. A. Pi. B. Call.
3 place where gods reside, **seat, abode** (W.GEN. of the gods, ref. to Olympos) Hom. hHom.; (periphr., W.GEN. of Olympos) Il. hHom. Pi. AR.; (ref. to heaven) Hes. Sol. Pi. E.; (ref. to earth) Hes.; (ref. to an acropolis) A.; (of individual gods, ref. to a city or place w. which they are particularly associated) hHom. A. Pi. AR. Theoc.; (of Hestia, ref. to a hearth) E.fr.
4 place of worship, **shrine** Trag. AR.
5 (specif.) image of a god (set up in a place of worship), **image, statue** (usu. W.GEN. of a god) S. Att.orats. X. Call. Plb. Plu.
6 (in neg.phr.) **time** or **leisure for sitting** Il.

ἕδρα ᾱς, Ion. **ἕδρη** ης f. **1** place where (or object on which) one sits, **seat** Hom. hHom. Pi. Hdt. Trag. Ar. +; **seat of honour** Il. hHom.; **seating** (reflecting grades of honour) X.; **seat of authority, throne** A.; **place for people to sit** (or perh. seated group of people) Od.; (collectv.sg.) **seats** Pi.
2 (freq.pl. for sg.) place where one resides or which one frequents, **seat, abode, dwelling-place** Pi. Hdt. Trag. Theoc.epigr.; (gener.) place which one currently occupies (for rest, sanctuary, hiding, guard-duty, or sim.), **place, station, post** Trag.; **resting-place** or **perch** (of a bird) A. E.
3 (freq.pl. for sg.) place where the gods reside or which they frequent; **seat, abode** (usu. W.GEN. of the gods or Zeus, ref. to Olympos or heaven) hHom. Pi. S. E.Cyc. Ar.; (ref. to earth) E.; (ref. to a shrine) A. E. Ar.; (ref. to a place w. which individual gods are particularly associated) Hes. Lyr.adesp. Pi. Trag. Ar.
4 station, encampment (of beached warships) S.; **support** or **cradle** (holding a ship before launching) AR.
5 (gener.) **place, region** E.; (periphr. W.GEN.) • Περγάμων ἕδραι place where Pergamon stands E. • βλεφάρων ἕδρα the eyes E.
6 natural or proper place (of sthg.); **place** (of a lock of hair, an organ in the human body) E. Pl. Theoc.; **position** (of a statue) E.; **station** (of the sun or moon, i.e. their normal position in the sky) Hdt. E. Ar.; (ref. to the apparent position of the sun in a reflection) Pl.; **channel** (of a river) Plu.
7 perh. **surface** (W.GEN. of a shield, as a base for decorative figures) E.

8 place occupied by a rider, **back** (W.GEN. of a horse) X.; manner of sitting on horseback, **seat** (of a rider) X.
9 sitting posture (of a suppliant), **suppliant posture** Trag.
10 sitting still, **idleness, inactivity, delay** B.fr. Hdt. S. E. Th.
11 sitting, session (of the Council) And. Ar. Arist.; (of the Assembly) Arist.
12 part of the body on which one sits, **bottom, buttocks** Hdt. Ar.; (twisted by a wrestler performing a hip-throw) Thphr.
13 base (of a siege-engine) Plu.

ἑδράζομαι pass.vb. (of plants) **be firmly bedded** (in the earth) Plu.

ἔδραθε (3sg.aor.2): see δαρθάνω

ἑδραῖος ᾱ ον (also ος ον Pl.) adj. [ἕδρα] **1** (of a person) in a sitting position, **seated** Ar.; (specif.) **in suppliant posture** E.
2 (of an occupation) of the kind performed while sitting, **sedentary** Pl. Arist.; (of persons engaged in such an occupation) X.
3 (of a horse's back) **providing a seat** (for a rider) E.
4 (of a soldier) **maintaining one's position** Plu.
5 (of a substance, its constituents) **firmly grounded, stable** (opp. fluid or mobile) Pl.

ἔδρακον (aor.2): see δέρκομαι

ἔδραμον (aor.2): see δραμεῖν

ἔδρανον ου n. [reltd. ἕδρα] | freq.pl. for sg. | **1** place where (or object on which) one sits, **seat** A. S.; **throne** (of Zeus) A. E.
2 place where one resides or which one frequents, **seat, abode, dwelling** (W.GEN. of a populace, of gods) Hes.fr. Call.; **palace** A.; **shrine** E.; (gener.) **resting-place** S.
3 ‖ PL. (periphr.) ἑστίας ἕδρανα place where the hearth lies E.

ἕδρη Ion.f.: see ἕδρα

ἑδριάω ep.contr.vb. | 3sg. ἑδριάει | ptcpl. (w.diect.) ἑδριόων ‖ MID. (w.diect.): 3pl. ἑδριόωνται, 3pl.impf. ἑδριόωντο | inf. ἑδριάασθαι | sit Call. AR.; (mid.) Hom. Hes. hHom. AR.

ἑδρο-στρόφος ον adj. [ἕδρᾱ, στρέφω] (of wrestlers) **buttock-twisting** Theoc. | see ἕδρα 12

ἔδω vb. | ep.inf. ἔδμεναι | ep.impf. ἔδον, iteratv. ἔδεσκον | fut. ἔδομαι | pf.ptcpl. ἐδηδοκώς, ep. ἐδηδώς ‖ PASS.: ep.3sg.pf. ἐδήδοται ‖ neut.impers.vbl.adj. ἐδεστέον ‖ The aor. is supplied by φαγεῖν. For pres. and impf. see also ἐσθίω. |
1 (of persons, gods, animals) **eat** —food, flesh, or sim. Hom. Hes. Alcm. Hippon. Ar. Pl. +; (intr.) Hom. Call.
2 consume, devour (by feasting) —someone's property, livelihood Od.
3 (fig.) **gnaw at, eat out** —one's heart (sts. W.DAT. in sorrow) Hom. AR.

ἐδωδή ῆς f. **1 food** Hom. Hes. hHom. Pl. AR. Mosch.; **morsel** (as bait for fish) Theoc.
2 eating (sts. W.GEN. of sthg.) Ar. Pl. X. Arist. Plu.

ἐδώδιμος η ον adj. (of a root, an animal, grain, or sim.) suitable for eating, **edible, eatable** Hdt. Th. X. Plu.
‖ NEUT.PL.SB. **eatables** Arist. Plu.

ἔδωκα (aor.1): see δίδωμι

ἐδώλια ων n.pl. [reltd. ἕδος] **1 stations, proper places** (of trees, W.GEN. in mother earth) E.fr.
2 dwelling-places, chambers, halls A. S.
3 stern-deck (of a ship, as a place to sit), **quarter-deck** Hdt. S. E.

ἐδώλιος ου m. a kind of bird Ar.

ἑέ (ep.3sg.acc.pers.pron.): see ἕ

ἐέ (also written ἒ ἔ) interj.: see ἔ

ἔεδνα ep.n.pl., **ἐεδνόομαι** ep.mid.contr.vb.: see ἔδνα, ἐδνόω

ἐεδνωταί ῶν ep.m.pl. [ἐδνόω] (ref. to a bride's kin) givers or receivers of marriage gifts, **matchmakers** Il.

ἐείδομαι *mid.vb.*: see εἴδομαι

ἐεικοσά-βοιος ον *ep.adj.* [εἴκοσι, βοῦς] (of compensation) to the value of twenty oxen Od. ‖ NEUT.PL.SB. goods worth twenty oxen Od.

ἐείκοσι(ν) *ep.num.adj.*, **ἐεικοστός** *ep.num.adj.*, **ἐεικόσορος** *ep.adj.*: see εἴκοσι, εἰκοστός, εἰκόσορος

ἐείλεον (impf.): see εἰλέω[1]

ἔειξα (aor.): see εἴκω

ἔειπα (ep.aor.1), **ἔειπον** (ep.aor.2): see εἶπον

ἔεις *ep.num.adj.*: see εἷς

ἔεις (dial.2sg.): see εἰμί

ἐεισάμην (aor.mid.): see εἴδομαι

ἐεισάσθην, **ἐείσατο** (ep.3du. and 3sg. aor.mid.): see εἴσομαι[2]

ἐέλδομαι *ep.mid.vb.*: see ἔλδομαι

ἐέλδωρ *ep.n.* | only nom.acc. | **wish, desire** Hom. Hes. hHom. AR.

ἐέλμεθα (1pl.pf.pass.), **ἐελμένος** (pf.pass.ptcpl.), **ἐέλσαι** (aor.inf.): see εἰλέω[1]

ἐέλπομαι *ep.mid.vb.*: see ἔλπομαι

ἔεργαθον (ep.aor.2), **ἐεργμένος** (ep.pf.pass.ptcpl.): see εἴργω

ἐέργνῡ (ep.3sg.impf.): see κατείργω

ἐέργω *ep.vb.*: see εἴργω

ἔερδον (impf.): see ἔρδω

ἐερμένος (ep.pf.pass.ptcpl.): see εἴρω[1]

ἐέρση *ep.f.*, **ἐερσήεις** *ep.adj.*: see ἔρση, ἐρσήεις

ἔερτο (ep.3sg.plpf.pass.): see εἴρω[1]

ἐέρχατο (ep.3pl.plpf.pass.): see εἴργω

ἐέσσατο (ep.3sg.aor.mid.), **ἔεστο** (ep.3sg.plpf.mid.): see ἕννῡμι

ἐέσσατο (ep.3sg.aor.mid.): see ἵζω

ἔζευξα (aor.), **ἐζευγμένος** (pf.mid.pass.ptcpl.): see ζεύγνῡμι

ἐζήτηκα (pf.): see ζητέω

ἕζομαι, dial. **ἕσδομαι** (Theoc.) *mid.vb.* | impf. and aor.2 ἑζόμην ‖ see also ἵζω, καθέζομαι | **1 seat oneself, sit** (oft. W.PREP.PHR. on sthg. or somewhere) Hom. Hes. Thgn. Pi. Hdt. S. +; (tr.) **sit on** —*a rowing-bench* S.
2 crouch down (to avoid a weapon, to conceal oneself) Il. E.; (of a wounded warrior) sink to the ground, **collapse** Il.; (of the fates of combatants) **sink** (like the scales of a balance) Il.(dub.)
3 establish oneself, settle —w. ἐς + ACC. *in a city* Mimn.; (tr., of a goddess) **establish oneself in, occupy** —*an oracle* A.

ἐή (ep.fem.possessv.pron.adj.): see ἑός

ἐή *interj.*: see ἔ

ἔῃ (ep.3sg.pres.subj.): see εἰμί

ἔην (ep.1sg.impf.): see εἰμί

ἐήνδανον (ep.impf.): see ἁνδάνω

ἑῆος (ep.masc.gen.possessv.pron.adj.): see ἑός

ἑῆος (masc.gen.adj.): see ἐΰς

ἕης (ep.fem.gen.relatv.pron.): see ὅς[1]

ἔησθα (ep.2sg.impf.), **ἔῃσι** (ep.3sg.pres.subj.): see εἰμί

ἔθανον (aor.2): see θνῄσκω

ἐθάς άδος *masc.fem.adj.* [ἔθος] (of a person) **accustomed** (w.GEN. to sthg.) Th. Plu.; (w. τό + INF. to doing sthg.) Plu.

ἔθειρα ᾱς *f.* **1** (collectv.sg. and pl.) **hair** (of a person) hHom. A. Pi. B. E. Hellenist.poet.+; (ref. to pubic hair) Call.
2 ‖ COLLECTV.PL. **mane** (of a horse) Il.; (of a lion) Theoc.
3 ‖ COLLECTV.PL. **horsehair crest** (of a helmet) Il. Theoc.
4 plumage (of an eagle) B.
5 (fig., collectv.sg.) **tresses, locks** (of a crocus, ref. to its blossom) Mosch.; (pl., ref. to the beams of Hesperos) Call.

ἐθειράζω *vb.* (of a man) **have long hair** Theoc.

ἐθείρω *vb.* app. **tend** or **till** —*a field* Il.

ἐθελ-έχθρως *adv.* [ἐθέλω, ἐχθρός] **with ready hostility, malevolently** D.

ἐθελημός (also **θελημός** B. Emp.) όν *adj.* (quasi-advbl., of a person living) **as one pleases** Hes.; (of things combining) **at will** Emp.; (of the sea receiving someone who leaps into it) **with a ready welcome** B.; (of a child making a request) **with eagerness** Call.

ἐθελήμων (also **θελήμων** AR.) ονος *masc.fem.adj.* **1** (of Leto, as a proposed etymology of her name) **willing** (to listen to requests) Pl.
2 (of rowing) **with a will** AR.; (quasi-advbl., of sailors rowing) AR.

ἐθελοδουλείᾱ ᾱς *f.* [ἐθελόδουλος] **voluntary subservience** (to another person) Pl.

ἐθελό-δουλος ον *adj.* [δοῦλος] **willing to be a slave, servile** Pl.

—**ἐθελοδούλως** *adv.* (w. ἔχειν be a willing slave Plu.

ἐθελοκακέω *contr.vb.* [κακός] **1** (of soldiers) **show deliberate cowardice, deliberately fight below one's best** Hdt. Plb.
2 (of persons) **show deliberate malice** Plb.

ἐθελοκάκησις εως *f.* **1 deliberate cowardice** Plb.
2 deliberate malice Plb.

ἐθελοντηδόν *adv.* **voluntarily** Th.

ἐθελοντήν *adv.* **voluntarily** Hdt. Lys. X. Is. Plb.

ἐθελοντήρ ῆρος *m.* **volunteer** (for a voyage) Od.

ἐθελοντής οῦ *m.* **1** (freq.pl.) **volunteer** (for a task, military service, or sim.) Hdt. S. Th. Pl. X. +
2 ‖ ADJ. (quasi-advbl., of a person doing sthg.) **of one's own free will** Hdt. Att.orats. +

ἐθελοντί *adv.* **voluntarily** Th. Plb.

ἐθελό-πονος ον *adj.* [πόνος] **willing to work hard** X.

ἐθελό-πορνος ου *m.* [πόρνος] **willing rent-boy** Anacr.

ἐθελο-πρόξενος ου *m.* **volunteer proxenos** Th.

ἐθελουργός όν *adj.* [ἔργον] (of a horse) **willing to work hard** X.

ἐθελούσιος ᾱ ον *adj.* **1** (quasi-advbl., of a person doing sthg.) **of one's own free will** X
2 (of an activity) **freely willed, as a matter of choice** X.; (oxymor., of the compulsion of friendship) **voluntary** X.

—**ἐθελουσίως** *adv.* **voluntarily, spontaneously** X.

ἐθέλω, also **θέλω**, Lacon. **σέλω** *vb.* | ep.1sg.subj. ἐθέλωμι | IMPF.: ἤθελον, ep. ἔθελον, iteratv. ἐθέλεσκον ‖ FUT.: ἐθελήσω, also θελήσω ‖ AOR.: ἠθέλησα, ep. ἐθέλησα | imperatv. ἐθέλησον, also θέλησον | subj. ἐθελήσω, also θελήσω | opt. ἐθελήσαιμι, also θελήσαιμι | ptcpl. ἐθελήσας, also θελήσας | inf. ἐθελῆσαι, also θελῆσαι ‖ PF.: ἠθέληκα ‖ ἐθελ- is the commoner form, regular in Hom., Att. prose and comedy; θελ- is regular in Aeol. and Trag., common in Hdt., used in verse *metri grat.*, and always in the set phrase ἢν θεὸς θέλῃ (or sim.) *god willing*. |

1 desire, wish Hom. + —W.INF. *to do sthg.* Hom. —W.ACC. + INF. *someone to do sthg., sthg. to happen* Hom. + —w. ὥστε and ACC. + INF. *sthg. to happen* E. —W.SUBJ. *that someone shd. do sthg.* S. E. NT. —w. ἵνα + SUBJ. NT.

2 (wkr.sens.) **be willing, be inclined, be content** Hom. + —W.INF. *to do sthg.* Hom. +

3 (of personif. things, in neg.phrs.) **be able, have the power** —W.INF. *to do sthg.* Il. Sol. Pl.; (of deeds, situations, or sim.) **tend, be likely** —W.INF. *to result in sthg.* Hdt. Th. Arist.; (in hypothetical conditions, after εἰ *if*) **be likely** —W.INF. *to do* *sthg.* Hdt.; (of a word, a portent, or sim.) —*to signify sthg.* Hdt.

ἔθεμεν (1pl.athem.aor.), **ἐθέμην** (athem.aor.mid.): see τίθημι

ἔθεν (ep.3sg.gen.pers.pron.): see ἕ

ἔθεσαν, ἔθετε, ἐθέτην (3pl., 2pl., 3du. athem.aor.): see τίθημι

ἐθηεῖτο, ἐθηεῦντο (Ion.3sg. and 3pl.impf.mid.), **ἐθηήσαντο** (ep.3pl.aor.mid.): see θεάομαι

ἔθηκα (aor.1), **ἐθήκαο** (dial.2sg.aor.1 mid.): see τίθημι

ἐθήσαο (ep.2sg.aor.mid.): see θῆμαι

ἐθίζω *vb.* [ἔθος] | fut. ἐθιῶ | aor. εἴθισα | pf. εἴθικα || PASS.: aor. εἰθίσθην | pf. εἴθισμαι || neut.impers.vbl.adj. ἐθιστέον |
1 (usu. of persons, sts. of activities) **accustom, habituate** (esp. by teaching or training) —*someone, oneself* (W.INF. *to doing sthg.*) Att.orats. Pl. X. Arist. Plu. —(W.COGN.ACC. *to certain habits*) Pl. —(W.NEUT.ACC. *to sthg.*) X.
2 || PASS. **become accustomed** or **used** —W.INF. *to doing sthg.* E. Th. Ar. Att.orats. Pl. + —W.COGN.ACC. *to certain habits* Pl. —W.NEUT.ACC. *to sthg.* X. Arist. —w. πρός + ACC. Arist. || PF.PTCPL.ADJ. (of things) **customary** Att.orats. Pl. +

ἔθισμα ατος *n.* **custom, habit, practice** Pl. X.

ἐθισμός οῦ *m.* **1** process of accustoming or becoming accustomed, **habituation** Arist.; (W.GEN. *to sthg.*) D. Arist. || PL. acquired habits Arist.
2 customary practice Plb. Plu.

ἐθιστός ή όν *adj.* **1** (of virtue) **to be acquired by habit** Arist.
2 || NEUT.SB. that to which one has become accustomed Arist.

ἐθνικός ή όν *adj.* [ἔθνος] **1** related to a nation; (of a confederacy, groups, differences) **national** Plb.
2 || MASC.SB. person belonging to a foreign nation, **Gentile** (opp. Jew) NT.

ἔθνος εος (ους) *n.* **1 group, band, body** (W.GEN. of people, comrades, soldiers, the dead, or sim.) Hom. Pi. AR.
2 swarm (of bees, flies) Il.; **flock** (of birds) Il. AR.; **herd** (of swine) Od.
3 group of people connected by a common attribute; **race** (W.ADJ. *mortal* or W.GEN. *of men*, opp. immortal or of gods) Pi. E.; **sex** (male or female) X. Men.
4 group of people descended from a common ancestor or regarded as of common stock; **nation, people, race** A. Pi. Hdt. Th. Ar. Att.orats. +; **clan** (ref. to a family) Pi. || PL. foreign nations (opp. Greeks) Arist.; Gentiles (opp. Jews) NT.
5 group of non-humans; **tribe** (W.GEN. of wild animals, wolves, birds) S. Tim. Theoc.; (ref. to Erinyes) A.
6 class (of persons, defined by GEN. or ADJ. of charcoal-burners, serfs, heralds, rhapsodes, or sim.) A.*satyr.fr.* Pl. X.; (of citizens, in respect of their place in society) Pl. D.

ἔθος εος (ους) *n.* [reltd. ἦθος] **custom, habit** Parm. Hdt. S. E. Th. Att.orats. +; (as a cause of human action, oft. opp. φύσις *nature*) Pl. Arist.

ἔθραξα (aor.): see θράσσω

ἔθρεξα (aor.): see τρέχω

ἐθρέφθην (aor.pass.), **ἔθρεψα** (aor.): see τρέφω

ἔθω *ep.vb.* | only masc.nom.sg.ptcpl. ἔθων, pl. ἔθοντες (Il.), and inf. ἔθειν (Call.) | **1** (of a boar) app. **wreak havoc** (in a vineyard) Il.; (of boys) app. **do harm** (to wasps) Il. [sts. interpr. as *act according to custom*, as if reltd. εἴωθα]
2 (of a lion) **wreak havoc** in, **ravage** —*a city* Call.

εἰ, dial. **αἰ** (**αἴ** in usage 2), also dial. **εἰκ** (B.), **αἰκ** (Ar.) *pcl. and conj.* | see also ἐάν, εἴπερ | **1** (as interj., w.imperatv., introducing a command) **come!** Hom.; (freq.) εἰ δ' ἄγε Hom.
2 (introducing a wish, w.opt. or past tenses of indic.) **if only,** **would that** Hom. Trag.; (more freq.) εἰ γάρ, αἲ γάρ Hom. +; (also) αἲ γάρ + INF. Od.; (also) εἰ γὰρ ὤφελον (sts. W.INF.) *if only I had (done sthg.)* E. Ar. Pl. Men. | see also εἴθε, αἴθε, ὀφείλω 7
3 (most freq. as conj., introducing a hypothesis, esp. in protasis of a conditional sentence) **if** Hom. + (the basic structures are illustrated by the following examples) • εἰ τοῦτο ποιεῖς (ἐποίησας), καλῶς ἔχει (εἶχε) *if you are doing (did) this, it is (was) fine* • εἰ τοῦτο ἐποίεις (ἐποίησας), καλῶς ἂν εἶχε (ἔσχε) *if you were doing (had done) this, it would be (have been) fine* • ἐὰν τοῦτο ποιήσῃς, καλῶς ἕξει *if you do this, it will be fine* • εἰ τοῦτο ποιοίης, καλῶς ἂν ἔχοι *if you were to do this, it would be fine*
4 (following a finite vb., indicating intention or purpose) **to see if, in case** Hom. + • Ἀτρείδης δ' ἂν' ὅμιλον ἐφοίτα ... εἴ που ἐσαθρήσειεν Ἀλέξανδρον *the son of Atreus went through the throng, in the hope that somewhere he might catch sight of Alexandros* Il.
5 (introducing an indir.q.) **whether** Hom. + • οὐκ οἶδ' εἰ θεός ἐστι *I do not know whether he is a god* Il.
6 (after vbs. denoting emotions, such as wonder, delight, indignation, disappointment, sim. to ὅτι) **that** E. Th. Att.orats. Pl. + • θαυμάζω εἰ μὴ βοηθήσετε ὑμῖν αὐτοῖς *I am surprised that you will not help yourselves* X.

εἶ¹ (2sg.pres.): see εἰμί

εἶ² (2sg.pres.): see εἶμι

εἶ³ *indecl.* [Semit.loanwd.] **epsilon** (letter of the Greek alphabet) Pl.

εἴα (3sg.impf.): see ἐάω

εἶα (sts. written **εἷα**) *interj.* (used in exhortations, usu. followed by imperatv. or jussive subj.) **come on!** Pi. Trag. Ar. Philox.Cyth. Pl. Theoc.; (w.fut.indic., in neg.q., in same sense) οὐχ εἶα ...; E.

εἰάθην (aor.pass.), **εἴακα** (pf.act.), **εἴαμαι** (pf.pass.): see ἐάω

εἰαμενή ῆς *ep.f.* perh. **low ground** (W.GEN. of a marsh) Il.; **water-meadow** Hellenist.poet.

εἰανός *m.*: see ἑανός

εἶαρ *n.*, **εἰαρινός** *adj.*: see ἔαρ², ἐαρινός

εἴαρι (dat.), **εἴαρος** (gen.): see ἔαρ¹

εἴασα (aor.), **εἴασκον** (iterativ.impf.): see ἐάω

εἴαται, εἴατο¹ (ep.3pl.pres. and impf.mid.): see ἧμαι

εἴατο² (ep.3pl.plpf.mid.): see ἕννυμι

εἴβω *vb.* **shed** —*tears* Od. S.(mid.) || PASS. (of sweat, blood) **drip** AR. Bion; (fig., of passion, fr. the eyes) Hes.

εἰδάλιμος¹ η ον *adj.* [εἶδος¹] (of women) **good-looking** Od.

εἰδάλιμος² *adj.*: see ἰδάλιμος

εἶδαρ ατος *ep.n.* [ἔδω] (sg. and pl.) **food** Hom. hHom. Hellenist.poet.

εἰδείην (pf.opt.), **εἰδέναι** (pf.inf.), **εἴδετε**¹ (ep.2pl.pf.subj.): see οἶδα

εἴδετε² (2pl.aor.2): see ἰδεῖν

εἰδ-εχθής ές *adj.* [εἶδος¹, ἔχθος] **hateful to look at**; (of a man) **repulsive, ugly** Thphr. Plb.

εἰδέω (ep.pf.subj.), **εἰδῆσαι** (aor.inf.), **εἰδησέμεν** (ep.fut.inf.), **εἰδήσω** (fut.), **εἰδῆτε** (2pl.aor.subj.): see οἶδα

εἰδητικός ή όν *adj.* [εἶδος¹ 7] (of a number, in Platonic theory) **ideal** Arist.

εἴδομαι (also **ἐείδομαι**) *mid.vb.* [reltd. ἰδεῖν] | aor. εἰσάμην, also ἐεισάμην | **1** (of persons or things) **appear, be seen, come into view** Hom. AR.
2 appear, seem (usu. W.INF. to be or do sthg.) Hom. Hes. Hellenist.poet.
3 make oneself like or **be like, resemble** —W.DAT. *someone or sthg.* Hom. Tyrt. A. Pi. Hdt. Call. AR.

εἴδομεν

4 look like or make a show of (doing); **pretend** —W.INF. *to do sthg.* Od.
5 **imagine, think** —W.ACC. + INF. *that someone is doing sthg.* AR.
εἴδομεν[1] (1pl.aor.2): see ἰδεῖν
εἴδομεν[2] (ep.1pl.pf.subj.): see οἶδα
εἰδόμην (aor.2 mid.): see ἰδεῖν
εἶδον (aor.2): see ἰδεῖν
εἰδοποιέω *contr.vb.* [εἰδοποιός] render in visible form; (fig., of a writer) **portray** —*someone's life* Plu.
εἰδο-ποιός όν *adj.* [εἶδος[1], ποιέω] (of a start and finish) **determining the form** (of a process) Arist.
εἶδος[1] εος (ους) *n.* **1 appearance, form, figure, looks** (of a person) Hom. Hes. Archil. Eleg. Lyr. Hdt. Trag. +; **attractive appearance, good looks** (of a man or woman) Hdt.
2 appearance, form (of an animal) Od. Hdt. S.*Ichn.* X.; (of the stars) Sapph.; (of salt, ref. to its colour) Hdt.; (fig., of circumstances, as seen fr. a certain viewpoint) E.
3 scene, picture (on a tapestry) E. ‖ PL. shapes or patterns (on tapestries) Plu.
4 kind, type, sort, nature (of games, speeches) Hdt. Isoc. Pl.; (of a disease) Th.; (of alphabetic letters) Pl.; (of harmony, medicine, kingship, or sim.) Pl. Arist.
5 kind of conduct or **way of life** Th. Ar. Pl.; app. **situation, circumstances** (ref. to a political framework or background to events) Th.
6 (log.) **class, category** Isoc. Pl. D.; (specif., as a term in a definition) category of things of the same kind, **species** (as subordinate to γένος *genus*) Pl. Arist.
7 specific kind of proposition (opp. τόπος *topic*) Arist.
8 (in Platonic philosophy) ideal paradigm (opp. particular things or properties), **Form** or **Idea** Pl. Arist. | see also ἰδέα 7
9 (in Aristotelian philosophy) **form** (opp. matter) Arist.; formal structure or explanation (answering the q. *What is X?*), **formal cause, essence** Arist. | see also αἰτία 2
εἶδος[2] *n.*: see ἴδος
εἰδότως *pf.ptcpl.adv.*: see under οἶδα
εἰδυλίς *fem.nom.adj.* (of the ear) **receptive to knowledge** Call.
εἰδῶ (pf.subj.): see οἶδα
εἰδωλό-θυτον ου *n.* [εἴδωλον, θύω[1]] (sg. and pl.) **food offered to an idol** NT.
εἴδωλον ου *n.* [εἴδομαι, reltd. εἶδος[1]] **1 illusory image of a living person** (created by a god); **phantom** (appearing on earth) Il. Hes.*fr.* E.; (appearing in a dream) Od.
2 apparition of a dead person, ghost (in the underworld or revisiting the earth) Hom. A.(dub.) B. Hdt. Pl. Aeschin. AR.; **image, likeness** (W.GEN. of life, ref. to the soul of a dead person) Pi.*fr.*; (pejor., ref. to a living person) **mere image, phantom, ghost** S. E.(dub.); insubstantial form, **spectre** (of a bird) Ar.(mock-dithyrambic)
3 image, reflection (in a mirror or in water) S.*fr.* PL.; (W.GEN. of a shadow, as a symbol of what is unreal or impermanent) A.
4 image, impression (of part of the body, left in sand) Ar.
5 manufactured image, representation, likeness (of a person, ref. to a sculpture or painting) Hdt. X.; (of a satyr, perh.ref. to a mask) A.*satyr.fr.*; (ref. to a dummy corpse) Men.; (fig., of a person, in someone's mind) X.; (fig.) **reflection** (of the soul, ref. to truthful and honest discourse) Isoc.
6 (gener., oft.pejor.) **image, likeness** (opp. the original object) Pl.; **fantasy, illusion** Pl.
7 image of a god, cult image, idol NT.
8 group of stars forming a recognisable image, **constellation** AR.
εἰδωλοποιέω *contr.vb.* [εἰδωλοποιός] (of a poet) **fashion images** (in people's minds) —W.COGN.ACC. *images* Pl.
εἰδωλοποιΐα ᾶς *f.* **creation of images** (by painters or in mirrors) Pl.
εἰδωλοποιϊκός ή όν *adj.* (pejor., of the art) **of image-making** (as a description of sophism) Pl.
εἰδωλο-ποιός οῦ *m.* [ποιέω] **maker of mere images** (opp. actual objects, ref. to a sophist) Pl.
εἰδωλουργικός ή όν *adj.* [ἔργον] (of the art) **of image-making** (opp. actual objects, ref. to sophism) Pl.
εἰδώς (pf.ptcpl.): see οἶδα
εἰειειλίσσω *vb.*: see ἑλίσσω
εἶεν (3pl.opt.): see εἰμί
εἶεν *interj.* [reltd. εἶα] **1** (indicating that the speaker is ready to pass on to a new point, with a backward glance at what has been established) **so far so good** (but now …), **so much for that, well then, to proceed** Trag. Antipho Ar. Pl. X. D. +
2 (prompted by a preceding statement or by the current situation, and implying that the speaker is waiting for someone else to continue) **well, very well, all right** A. E. Ar. Pl.
εἴην (pres.opt.): see εἰμί
εἶθαρ *adv.* **1 immediately, at once** Il. Hes. Hellenist.poet.
2 perh. **right on** (sts. w. διά + GEN. through sthg.) Il. AR.
εἴθε, dial. **αἴθε** *pcl.* [εἰ] **1** (introducing a wish, usu. w.opt., sts. w. past tenses of indic.) Hom. Sapph. Thgn. Trag. Pl. X. +
2 εἴθ' (αἴθ') ὤφελλον (ὤφελον, ὄφελον) W.INF. *if only I had (done sthg.)* Hom. Trag. Ar. Call. AR. | see ὀφείλω 7
εἴθισα (aor.): see ἐθίζω
εἰκ *dial.conj.*: see εἰ
εἶκα (pf.): see ἵημι
εἰκάζω, Aeol. **ἐικάσδω** *vb.* [reltd. ἔοικα] | impf. ἤκαζον, Ion. εἴκαζον | fut. εἰκάσω | aor. ἤκασα, Ion. and later Gk. εἴκασα | ep.2sg.aor.opt. εἰκάσσαις (Thgn.) ‖ PASS.: fut. εἰκασθήσομαι | aor. εἰκάσθην | pf. ἤκασμαι, Ion. and later Gk. εἴκασμαι
1 represent (someone) by an image or likeness; (of a mask-maker, a painter) **portray** —*a person* Ar. X. ‖ PASS. (of a bird, a person's body, a likeness of someone) be portrayed or represented (in a painting, statue, or sim.) Hdt. E.
2 give (someone or sthg.) the likeness (of sthg. else); **make** (W.ACC. oneself) **resemble** —W.DAT. *someone* Ar.; **make** (W.ACC. the size of a group) **comparable** (to another) Hdt. ‖ PASS. (of persons or things) **be made** (or come) **to look like** —W.DAT. or πρός + ACC. *someone or sthg.* E. Ar. Isoc. X.; take after —W.DAT. *someone's manner of behaviour* E.
3 see (someone or sthg.) as being like (sthg. else); **liken, compare** —*someone or sthg.* (W.DAT. *to someone or sthg.*) Sapph. A. Hdt. E. Th. Ar. +; (intr.) **make a comparison, use an illustration** Hdt. Ar. Pl. Arist. ‖ PASS. be compared —W.NEUT.ACC. *in certain ways* (i.e. be the object of certain comparisons) Ar. —W.DAT. *to sthg.* X.
4 make an inference (about sthg., on the basis of comparison or analogy); **figure out, imagine, infer, guess** —*sthg.* Thgn. Hdt. Trag. Antipho Th. + —W.COMPL.CL. or ACC. + INF. *that sthg. is the case* Hdt. E. Th. + —W.INDIR.Q. *what is the case* Antipho Th. —W.DBL.ACC. (without INF.) *that someone is someone else* (i.e. identify them) A.; (intr.) **infer, guess** Hdt. S. E. Th. Att.orats. + ‖ PASS. (of things) be imagined or pictured —W.PREDIC.SB. or ADJ. *as being such and such* Th. ‖ IMPERS.PASS. conjectures are made Th.
εἴκαθον (aor.2): see εἴκω

εἰκαῖος ᾱ (Ion. η) ον *adj.* [εἰκῇ] **1** (of leisure time) **aimless** S.*fr.*; (prob. of flour) **ordinary, taken at random** (i.e. coarse, not sieved) Call.
2 (of people) **reckless, capricious, unprincipled** Plb.
εἰκαιότης ητος *f.* **capriciousness** or **unprincipled character** (of rulers) Plb.
εἰκάς άδος *f.* [εἴκοσι] | Aeol.dat.pl. εἰκάδεσσι (B.) |
1 twentieth day of the month Hes. B. D. Call.*epigr.* Plu.; τρίτῃ εἰκάδι *on the twenty-third* Pl.; (also) τρίτῃ καὶ εἰκάδι Plu. ‖ PL. **twenties** (i.e. last ten days of the month) And. Ar.
2 (specif., pl. for sg.) **twentieth day** (ref. to the twentieth of the month of Boedromion, during celebration of the Mysteries, when a torchlight procession travelled fr. Athens to Eleusis) E.
εἰκάσδω *Aeol.vb.*: see εἰκάζω
εἰκασίᾱ ᾱς *f.* [εἰκάζω] **1 likeness, representation** (W.GEN. of things seen, ref. to painting) X.
2 comparison, image (in words, ref. to a simile) Plu.
3 (ref. to a state of mind) **perception of images, imagination** (opp. thought) Pl.
εἴκασμα ατος *n.* **likeness, image** (ref. to a monster depicted on a shield) A.
εἰκασμός οῦ *m.* **guesswork, conjecture** Plu.
εἰκαστής οῦ *m.* **one who conjectures, guesser, forecaster** (W.GEN. of future events) Th.
εἰκαστικός ή όν *adj.* (of an art) **of making likenesses** Pl.
εἰκαστός ή όν *adj.* (of an object) **comparable** (to sthg., W.DAT. in appearance) S.
εἴκατι(ν) *dial.num.adj.*: see εἴκοσι
εἶκε (ep.3sg.impf.): see εἴκω
εἰκελ-όνειρος ον *adj.* [εἴκελος, ὄνειρος] (of mortals) **dreamlike, like figures in dreams** Ar.
εἴκελος η ον *adj.* [ἔοικα] (of persons or things) **resembling, like** (W.DAT. someone or sthg.) Hom. Hes. hHom. Hellenist.poet. | cf. ἴκελος
εἰκέναι (Att.pf.inf.): see ἔοικα
εἰκῇ *adv.* **1 at random, without plan, anyhow** Trag. Ar. Pl. X. Theoc. +
2 without thought for the consequences, heedlessly, recklessly Xenoph. Ar. Att.orats. Pl. X. +
3 without good cause —*ref. to believing sthg.* Isoc. D. —*ref. to making light of sthg.* Plu.
εἰκονικός ή όν *adj.* [εἰκών] (of a statue) **in the likeness** (W.GEN. of someone) Plu.
εἰκόνιον ου *n.* [dimin. εἰκών] **small image, bust** (W.GEN. of someone) Plu.
εἰκονο-γράφος ου *m.* [γράφω] **portrait-painter** Arist.
εἰκονολογίᾱ ᾱς *f.* [λέγω] **figurative speaking** (as a technique of sophistic rhetoric) Pl.
εἰκονο-ποιός οῦ *m.* [ποιέω] **maker of likenesses** (ref. to an artist) Arist.
εἰκός (Att.neut.pf.ptcpl.): see ἔοικα
εἰκοσαετής *Ion.adj.*: see εἰκοσιέτης
εἰκοσάκις *adv.* [εἴκοσι] **twenty times, twenty-fold** Il. Pl.
εἰκοσα-μηνός όν *dial.adj.* [μήν²] (of a child) **twenty months old** Theoc.*epigr.*
εἴκοσι(ν), ep. **ἐείκοσι(ν)**, dial. **εἴκατι** (Call. Theoc.), also **ἴκατιν** or **εἴκατιν** (Call.) *indecl.num.adj.* **twenty** Hom. +
εἰκοσι-έτης ες, Ion. **εἰκοσαετής** ές *adj.* [εἴκοσι, ἔτος] (of a man) **twenty years old** Hdt.
εἰκοσιέτις ιδος *fem.adj.* (of a woman) **twenty years old** Pl.
εἰκοσινήριτος ον *adj.* [reltd. ἀριθμός] (of a ransom) **twenty-fold** Il. [or perh.reltd. νήριτος *twenty-times countless*]
εἰκοσί-πηχυς υ *adj.* [πῆχυς] (of a channel) **measuring twenty cubits** (in depth) Hdt.
εἰκοσί-στάδιος ον *adj.* [στάδιον] (of a distance) **of twenty stades** Plu.
εἰκοσι-τέσσαρες α *pl.num.adj.* **twenty-four** Plu.
εἰκοσι-τρεῖς τρία *pl.num.adj.* **twenty-three** Plu.
εἰκόσ-ορος, ep. **ἐεικόσορος**, ον *adj.* [ἐρέσσω] (of a ship) **with twenty rowers** Od. ‖ FEM.SB. **twenty-oared ship** D.
εἰκοσταῖος ᾱ ον *adj.* [εἰκοστή *twentieth day*] (quasi-advbl., of a person dying) **on the twentieth day** (after falling ill), **twenty days later** Antipho
εἰκοστο-λόγος ου *m.* [εἰκοστός 2, λέγω] **collector of duties of five percent** Ar.
εἰκοστός, ep. **ἐεικοστός**, ή όν *num.adj.* **1** (of a day, month, year, Olympiad) **twentieth** Hom. Tyrt. Hdt. Th. Lys. D. +; (of an item in a series) Hdt. Pl. Plb. Plu.
2 ‖ FEM.SB. (w. μοῖρα understd.) **twentieth part**; (at Athens) **duty of five percent** (imposed on seaborne imports and exports fr. allied cities in 413 BC) Th.
εἰκοσ-ώρυγος ον *adj.* [ὄργυια] (of hunting nets) **measuring twenty fathoms** (in length) X.
εἰκότερον (neut.compar.pf.ptcpl.): see ἔοικα
εἰκότως, Ion. **οἰκότως** *pf.ptcpl.adv.* [ἔοικα] **1 in a manner appropriate** (W.DAT. to sthg.) —*ref. to speaking* A.
2 reasonably, fairly, naturally Hdt. Trag. Th. Att.orats. Pl. +
3 (w.impers. ἔχει) **it is natural or likely** —W.ACC. + INF. *that someone shd. do sthg.* Th.
εἴκτην (ep.3du.plpf.), **εἴκτο** (ep.3sg.plpf.mid.), **εἴκτον** (ep.3du.pf.): see ἔοικα
εἴκω *vb.* | fut. εἴξω, aor.1 εἶξα, poet. ἔειξα (Alcm.), iteratv. εἴξασκον | aor.2 εἴκαθον (AR.), inf. εἰκαθεῖν (S.), ptcpl. εἰκαθών (S.), subj. εἰκάθω (S.), 3sg.opt. εἰκάθοι (AR.) |
1 withdraw (fr. a place or out of the way); **step aside, withdraw** Hom. AR. —W.GEN. *fr. a porch* Od. —W. ἐκ + GEN. *fr. one's place* Tyrt. —*fr. a town* Th.; **make way** —W.DAT. *for a wagon* Il. —*for mules* (W.INF. *to pass*) Il.
2 give way (before an enemy); **fall back, retire** Il.; **yield ground** —W.DAT. *to someone* Il.; **withdraw** —W.GEN. *fr. fighting* Il.
3 withdraw (fr. sthg., so as to leave it for someone else); **give up, surrender** (usu. W.DAT. to someone) —W.GEN. *one's seat, one's place* hHom. Alcm. Thgn. —*a door* (i.e. *one's station at it*) Od. —*a pathway* (i.e. *make way for someone*) Hdt. E. —*the fight* Il. —*one's rank* AR.
4 give up (a hostile attitude to someone); **relent** —W.GEN. *fr. one's anger* S. —W.ACC. *in one's anger* (W.DAT. *against someone*) S.; (intr.) Pi.
5 give way (to someone, by acknowledging his superior power or authority); **give in, yield, submit** (freq. W.DAT. to someone) Hdt. Trag. Th. +; (of mountains, i.e. their trees) —*to iron* (i.e. *axes*) Call.
6 yield first place, be inferior —W.DAT. *to no one* (W.ACC. *in enthusiasm*) Hom. —*to someone* (W.DAT. *in speed of foot*) Od.
7 give way (to external circumstances); **surrender, submit, succumb** —W.DAT. *to compulsion* A. —*to misfortunes or sim.* Trag. Th. Lys. —*to poverty* Od. Tyrt. —*to old age* Hdt. —*to a reproach* Th. —*to the threat of punishments* X.
8 give way (to personal feelings or defects of character); **be governed** —W.DAT. *by stupidity, respect, anger, greed, lust, or sim.* Hom. Thgn. E. Pl. AR.
9 (tr.) **yield** —*the reins* (W.DAT. *to a horse*, i.e. *slacken them*) Il.; (of a wind) **leave** —*a ship* (*to another wind*, W.INF. *to drive it*) Od.; (of a god) **grant** —*sailing weather* (*to someone*) S.
10 ‖ IMPERS. (in neg.phr.) **it is possible** —W.INF. *to speak* Sapph.

εἰκών όνος *f.* [ἔοικα] | also (as if fr. εἰκώς) gen. εἰκοῦς, acc. εἰκώ, acc.pl. εἰκούς | **1** manufactured image, **representation, image, likeness** (of a person or thing, esp.ref. to a statue, also to a painting, woven design, or model in another material) A.*satyr.fr.* Hdt. E. Att.orats. Pl. +; (fig., of one's character, opp. one's body) Isoc.; (of one's life and thought, ref. to a written account) Isoc.
2 image, reflection (in a mirror or in water) E. Pl.
3 unreal image, **phantom** (of a goddess) E.
4 (gener.) **image, likeness** (opp. the original object) E. Pl.
5 verbal comparison (of one thing w. another), **comparison, analogy** Ar. Pl. X. Men.; **simile** (opp. metaphor) Arist.
εἰκώς (Att.pf.ptcpl.): see ἔοικα
εἴλᾱ *dial.f.*: see εἴλη
εἰλαπινάζω *vb.* [εἰλαπίνη] partake in a feast, **feast** Hom. Pi.
εἰλαπιναστής οῦ, dial. **εἰλαπιναστάς** ᾶ *m.* **banqueter** Il. Call.
εἰλαπίνη ης *f.* **communal feast, banquet** Hom. Hes.*fr.* Thgn. B. E. Call. AR.
εἶλαρ *n.* | only nom.acc. | (ref. to a wall) app. **protection, defence, bulwark** (W.GEN. for people, beached ships) Il.; (ref. to part of a ship's structure, W.GEN. against the waves) Od.
εἰλάτινος *ep.adj.*: see ἐλάτινος
Εἰλείθυια (also **Ἐλείθυια, Εἰλήθυια**), Att. **Ἱλείθυᾱ**, ᾶς (Ion. ης) *f.* **Eileithuia, Eleithuia, Hileithua** (goddess of childbirth) Hom. Hes. Pi. Hdt. E.*fr.* Ar. +; (also pl.) Il.
εἰλέω[1] *contr.vb.* —also **εἴλω** *vb.* | masc.acc.sg.pres.ptcpl. εἰλεῦντα | impf. εἴλεον, ep. ἐείλεον | AOR.: 3pl. ἔλσαν | inf. ἔλσαι, ἐέλσαι | ptcpl. ἔλσας, dial. ἔλσαις (Pi.) | PASS.: ptcpl. εἰλόμενος | 3pl.impf. εἰλεῦντο | AOR.2: 3sg. ἐάλη, 3pl. ἄλεν | inf. ἀλῆναι, ἀλήμεναι | ptcpl. ἀλείς | PF.: 1pl. ἐέλμεθα | ptcpl. ἐελμένος |
1 press or push (someone, usu. into a restricted space); (of warriors) **hem in** or **coop up** —*opponents* Il.; (of individuals) —*people* (W.PREP.PHR. *in a cave, a narrow place*) Od.; (of a wind, a stormy sea) —*a sailor* (*in harbour*) Hom.; (of shepherds) **pen** —*sheep* (W.PREP.PHR. *in their stalls*) AR.; (of a hunter) **herd** —*wild beasts* (W.ADV. *together*) Od.; (of a person) **gather together** —*an army and booty* (*in a place*) Pi.
2 (of a warrior) **cover, protect** —*his brave heart* (W.PREP.PHR. *beneath a shield*) Callin.
3 ‖ PASS. (of people) be hemmed in or cooped up Il. AR.; (of a god) be confined (to a place) or be held in check —W.DAT. *by the will of Zeus* Il.; (of rainwater) be confined (in a gully) Il.
4 ‖ PASS. (of people) be gathered or crowded together (sts. W.PREP.PHR. into a place) Il.; be herded —W.PREP.PHR. *into a river* Il.; (of birds) perh., keep company —W.DAT. *w. humans* Hdt.; (of wreckage and drowned bodies) perh., cluster —w. περί + ACC. *around ships' prows* Hdt.
5 ‖ PASS. be contracted into a small compass; (of a person) huddle up or crouch Il.; (of a person, compared to an eagle) gather oneself together (ready to swoop) Hom.; (of a lion, ready to spring) Il.
6 ‖ PASS. (of a baby) be wrapped —W.ACC. *in swaddling-clothes* hHom. | cf. εἰλύομαι 1
—also **ἴλλομαι** (AR.), perh. **εἴλλομαι** (Pl.) *pass.vb.* **1** (of a lion) **be hemmed in** —W.DAT. *by a crowd of hunters* AR.; (of humours in the body) **be pent up** Pl.
2 (of Prometheus, a captured animal) **be closely bound** —W.DAT. w. *fetters, bonds* AR.
εἰλέω[2] (or **εἴλέω**) *contr.vb.* **1** app., cause to wind or turn; (of a current) **whirl** —*a ship* (W.ADV. *around*) AR.
2 (intr., of the sun, in a proposed etymology of ἥλιος) **revolve** —w. περί + ACC. *around the earth* Pl.

3 roll up —*a fleece* AR.
4 ‖ PASS. (of a tendril of ivy) **wind** Theoc.; (of a flame, around someone) Mosch.
5 ‖ PASS. (of seawater) swirl AR.; (fig., of a person's heart) be in a whirl AR.
—also **εἴλλω** (or **εἴλλω**), also **ἴλλω** *vb.* **1** perh. **wind** or **wrap** —*one's thoughts* (w. περί + ACC. *around oneself*) Ar. | cf. περιειλέω
2 ‖ MID. (of a part of the soul envisaged as fire) **coil about** (inside the head) Pl.
3 ‖ PASS. (of ploughs) turn round repeatedly (year after year) S.
4 ‖ PASS. (of the earth) revolve (around the pole) Pl.
5 ‖ PASS. (of sails) be rolled up or furled AR.
εἴλη ης, dial. **εἴλᾱ** ᾱς *f.* **warmth of the sun** Pi.(cj.) Ar.
εἴληγμαι (pf.pass.): see λαγχάνω
εἰληδόν *adv.*: see ἰλαδόν
Εἰλήθυια *f.*: see Εἰλείθυια
εἰλήλουθα (ep.pf.): see ἔρχομαι
εἴλημμαι (pf.pass.): see λαμβάνω
εἴλησις εως *f.* [εἴλη] (pl.) **exposure** (of persons, plants, places) **to the heat of the sun** Pl.
εἴληφα (pf.): see λαμβάνω
εἴληχα (pf.), **εἰλήχειν** (plpf.): see λαγχάνω
εἰλιγγιάω, also **ἰλιγγιάω** *contr.vb.* [εἴλιγγος] **be dizzy** (fr. a blow, drunkenness) Ar. Pl. Plu.; (fig., fr. perplexity, strong emotions) Ar. Pl. Plu.
εἴλιγγος, also **ἴλιγγος**, ου *m.* [app.reltd. εἰλέω[2]] **1** (sg. and pl.) spinning round, **dizziness** (fr. emotion, confusion) Pl. Plu.
2 (pl.) **coil, eddy** (of smoke) AF.
εἴλιγμαι (pf.pass.): see ἑλίσσω
εἰλιγμός Ion.*m.*: see ἑλιγμός
εἰλικρινής ές *adj.* **1** without admixture of foreign elements; (of a soul) **pure, uncontaminated** Pl.; (of intellect) **pure and simple** Pl.; (of abstr. qualities or conditions) **unalloyed, absolute, pure** Isoc. Pl. X. Arist. Plb. Plu.
2 (of military contingents) **distinct, distinguished** (fr. one another, by insignia) X.
3 (of daylight) **full, bright** Plb.
4 (of a person) **perfect, flawless** (W.PREP.PHR. in respect of virtue) Pl.
5 (of an Attic farmer) **true, genuine, typical** Men.(cj.)
6 (with moral connot., of an action) **pure, straightforward** (opp. questionable) Plu.; (of friendship, an attitude) **sincere, genuine** Plb. Plu.
—**εἰλικρινῶς** *adv.* **without qualification, purely, simply, absolutely** Pl.
εἰλικτός *adj.*: see ἑλικτός
εἴλιξα (aor.): see ἑλίσσω
εἰλίποδες ων *masc.fem.pl.adj.* [perh. εἰλέω[2]; πούς] (of oxen) perh., going repeatedly back and forth, **plodding** Hom. Hes. hHom. Theoc. [or perh. *rolling-footed*, ref. to a distinctive way of walking] ‖ SB. plodding oxen (or *rolling-footed oxen*) Theoc. Mosch.
εἰλίσσω *dial.vb.*: see ἑλίσσω
εἰλι-τενής ές *adj.* [perh. εἰλέω[2], -τείνω] (of dog's-tooth grass) perh. **spreading, creeping** Theoc.
εἰλίχατο (Ion.3pl.plpf.pass.), **εἰλίχθην** (aor.pass.): see ἑλίσσω
εἶλκον (impf.), **εἵλκυσα** (aor.), **εἵλκυσομαι** (pf.pass.): see ἕλκω
εἱλκωμένος (pf.pass.ptcpl.): see ἑλκόω
εἴλλομαι *pass.vb.*: see under εἰλέω[1]

εἴλλω, εἴλλω *vb.*: see under εἰλέω²

εἰλο-θερής ές *adj.* [εἵλη, θέρομαι] (of a woman's cheeks) **warmed by the heat of the sun** A.(cj., for Νειλοθερής)

εἷλον (aor.2): see αἱρέω

εἰλό-πεδον ου *n.* [εἵλη, πέδον] sunny area suited to drying grapes (in a vineyard), **warm spot, sun-trap** Od.(cj., for θειλόπεδον)

εἴλῡμα ατος *n.* [εἰλύομαι] **1** (derog.ref. to clothes) **wrapping** (W.GEN. of pieces of cloth) Od.; **something to wrap** (W.PREP.PHR. around the skin) AR.
2 (ref. to unwashed oxhide) **covering** (W.GEN. of a cheap shield) Anacr.

εἰλύομαι *mid.vb.* [reltd. ἑλύομαι] | ptcpl. εἰλυόμενος | impf. εἰλυόμην ‖ PASS.: aor.ptcpl. εἰλυθείς (Theocr.) | pf. εἴλῡμαι, ep.3pl. εἰλύαται, ptcpl. εἰλῡμένος | 3sg.plpf. εἴλῡτο |
1 ‖ PF. and PLPF.PASS. (of persons) be wrapped up —W.ADV. *tightly* (*in their cloaks*) AR.; be wrapped —W.DAT. *in night* (i.e. *darkness*) Od.; (of a dead man's bones) —*in sand* Od.; (of places) —*in snow, sea-foam, smoke* Hom. AR.; (of a baby) —W.ACC. *in swaddling-clothes* hHom.; (of persons or gods) have (W.ACC. their shoulders) wrapped or covered —W.DAT. *in oxhides, in a cloud, by a shield, by one's hair* Hom. hHom.; (of a warrior) be covered —W.DAT. *in bronze* Il. —*in wounds, blood and dust* Il.; (fig., of a baby) be wrapped —W.DAT. *in cunning trickery* hHom.
2 (of a lame man) **wind one's way** or **crawl** S.
3 ‖ AOR.PASS.PTCPL. (of a lion) crouching or gathering oneself together (ready to spring) Theoc. [cf. εἰλέω¹ 5]
‖ PF.PASS.PTCPL. (of love) crouching —W.PREP.PHR. *beneath someone's heart* AR. [cf. ἐλύομαι 1]

εἰλυός, also ἰλυός, οῦ *m.* **lair** (of reptiles, wild animals) Call. AR.

εἰλῡφάζω *vb.* [reltd. εἰλύομαι] **1** (of wind) **cause to whirl, stir up** —*flames* Il.
2 (intr., of the light of torches in a procession) **whirl about** Hes.

εἰλυφάω *contr.vb.* | only pres.ptcpl. (w.diect.) εἰλυφόων | (tr., of wind, thunderbolts) **whirl** —*fire, flames* Il. Hes.

εἴλω *vb.*: see εἰλέω¹

εἰλωτείᾱ ᾱς *f.* [εἵλωτες] **helot-system, helotry** Pl. Arist.

εἵλωτες ων *m.pl.* | gen. also εἱλωτέων (as if fr. εἱλωτής) Hdt. | **helots** (inhabitants of Laconia and Messenia reduced by the Spartans to a serf-class) Hdt. Th. Isoc. X. Arist. Plu.; (sg.) Hdt.

—εἱλωτίδες ων *f.pl.* **female helots** Plu.

εἱλωτεύω *vb.* (of the Spartans' neighbours) **be helots** Isoc.; (of barbarians) **be serfs** —W.DAT. *to the Greeks* Isoc.

εἱλωτικός ή όν *adj.* of the helot kind; (of slaves) **helot** Pl.; (of a multitude) **of helots** Plu.

εἷμα, Aeol. ἕμμα, ατος *n.* [ἕννῡμι] **garment** (freq.pl.; in sg., generally ref. to an outer garment or cloak) Hom. +

εἷμαι¹ (pf.mid.): see ἕννῡμι

εἷμαι² (pf.pass.): see ἵημι

εἱμάρθαι (pf.pass.inf.), εἱμαρμένος (pf.pass.ptcpl.), εἵμαρται (3sg.pf.pass.), εἵμαρτο (3sg.plpf.pass.): see μείρομαι

εἱμαρτός ή όν *adj.* [μείρομαι] (of a time) **fated** (to arrive) Plu.

εἷμεν (1pl.opt., also dial.inf.), εἰμέν (Ion.1pl.), εἴμεναι (dial.inf.), εἰμές (dial.1pl.): see εἰμί

εἱμένος (pf.mid.pass.ptcpl.): see ἕννῡμι

εἵμην (athem.aor.mid.): see ἵημι

εἰμί, Aeol. ἔμμι *vb.* | PRES.: 2sg. εἶ, ep. ἐσσί, Ion. εἶς (enclit. εἰς), dial. ἔεις (Theocr.) | 3sg. ἐστί, dial. ἐντί | 1pl. ἐσμέν, Ion. εἰμέν, dial. εἰμές | 2pl. ἐστέ | 3pl. εἰσί, ep. ἔᾱσι, dial. ἐντί | 2 and 3du. ἐστόν ‖ IMPF.: ἦν, Att. ἦ, Ion. ἔα, ep. ἦα, also ἔην, ἔον | 2sg. ἦσθα (also ἦσθας Men.), ep. ἔησθα, Ion. ἔας, dial. ἦς | 3sg. ἦν, ep. ἦεν, ἔην, ἤην, dial. ἦς | 1pl. ἦμεν, dial. ἦμες | 2pl. ἦτε, ἦστε, Ion. ἔᾱτε | 3pl. ἦσαν, ep. ἔσαν | 3du. ἤτον, ἤστην | iteratv. ἔσκον | impf.mid. ἤμην (Hyp.(dub.) NT. Plu.) ‖ IMPERATV.: 2sg. ἴσθι, 3sg. ἔστω, 2pl. ἔστε, 3pl. ἔστων, also ὄντων (Pl.), ἔστωσαν (Hdt. +) | imperatv.mid.: 2sg. ἔσσο (Od. Sapph.) ‖ SUBJ.: ὦ, Ion. ἔω, 3sg. ᾖ, ep. ἔῃ, also ἔῃσι, ᾖσι | 1pl. ὦμεν, dial. ὦμες, 2pl. ἦτε, 3pl. ὦσι, Ion. ἔωσι ‖ OPT.: εἴην, 2sg. εἴης, also εἴησθα (Thgn.), ep. ἔοις, 3sg. εἴη, ep. ἔοι | 1pl. εἴημεν, εἶμεν, 2pl. εἴητε, εἶτε, 3pl. εἴησαν, εἶεν | 2du. εἶτον, 3du. εἴτην ‖ INF.: εἶναι, Aeol. ἔμμεναι, ep. ἔμεναι, ἔμμεν, ἔμεν, dial. εἶμεν, ἤμεν, ἴμεν (Alcm.), εἶν (Stesich.), εἴμεναι (Ar., dub.) ‖ PTCPL.: ἐών (Att. ὤν, Aeol. ἔων) ἐοῦσα (Att. οὖσα, Aeol. ἔοισα, dial. ἐοῖσα, εὖσα Theocr.) ἐόν (Att. ὄν) | dial.masc.acc.sg. εὖντα (B. Theocr.) | dial.fem.acc.sg. ἔσσαν ‖ FUT.(mid.): ἔσομαι, ep. ἔσσομαι | 2sg. ἔσῃ (also ἔσει), Ion. ἔσεαι, ep. ἔσσεαι, ἔσσῃ, dial. ἐσσῇ | 3sg. ἔσται, ep. ἔσσεται, also ἔσεται, ἐσσεῖται | Boeot.3pl. ἔσσονθη | 2 and 3du. ἔσεσθον | ep.ptcpl. ἐσσόμενος | inf. ἔσεσθαι, ep. ἔσσεσθαι | opt. ἐσοίμην ‖ All forms of pres. indic. (except for 2sg. εἶ and ep.3pl. ἔᾱσι) are enclitic, unless they stand in initial (or sts. 2nd) position. ‖ The usages are grouped in three sections. In **A**, the vb. is used in the sense *exist*, w. no complement; in **B** (the most common use), it is used as a copula, linking subject and complement; in **C**, it is used in periphrastic or pleonastic expressions. |

—**A 1** (of persons) **exist, be alive** Hom. +; (of things, places) **be, be in existence, exist** Hom. +
2 (philos., of things) **be, be real, really exist** Pl.
‖ NEUT.SG.PTCPL.SB. that which is, being Parm. Pl.
‖ NEUT.PL.PTCPL.SB. things that are, reality Heraclit. Emp. Pl. +
3 (of persons or things) exist in a particular place or circumstance, **be, be found, occur** Hom. + ‖ 3SG. ἔστι, ἦν (introducing sg. subject) there is (was) Hom. + • ἔστι δέ τις νῆσος μέσση ἁλὶ πετρήεσσα *there is a rocky island in the midst of the sea* Od.; (introducing pl. subject) there are (were) Hes. Hdt. S. E. Ar. Pl. + • ἦν τρεῖς κεφαλαί *there were three heads* Hes.
4 (of circumstances) **exist, be current** Hom. +; (neut.pl.ptcpl.sbs.) τά τ' ἐόντα τά τ' ἐσσόμενα πρό τ' ἐόντα *what is, what will be, and what was before* Il. Hes.
5 (of things, esp. w.ptcpl.) **be the actual situation, be the case, be true** Hdt. + • ὁ ἐὼν λόγος *the true story* Hdt.; (neut.ptcpl.sb.) τὸ ἐόν, τὰ ὄντα *the truth* Hdt. Th. +; τῷ ἐόντι, τῷ ὄντι *in reality, in fact* Hdt. Th. + ‖ IMPERS.3SG.IMPERATV. (making a concession) let that be the case, so be it E. Pl. D.
6 (forming elliptical expressions, w.relatv.pron.) οὐκ ἔστιν ὅς (or sim.) *there is no one who* ... Hom. +; (quasi-sb.) εἰσὶν οἵ (or sim.) *some people* Th. +; (also, in oblique cases, w.sg.vb.) ἔστιν ὧν πόλεων *some cities* Th.; (w.relatv.advs.) ἔστιν ὅπου, ὅπως, ὅτε (or sim.) *somewhere, somehow, sometime* A. +
7 ‖ IMPERS. it is possible or allowable —W.INF. or DAT. + INF. (for someone) *to do sthg.* Hom. +; (W.ACC. + INF.) A. Pi.
8 ‖ 3SG.PL. (of things, sts. persons) exist as a possession, belong —W.DAT. *to someone* Hom. + • ἔστι μοι κάλα πάις *I have a beautiful child* Sapph. ‖ NEUT.PL.SB. τὰ ὄντα belongings, property Hdt. Att.orats. Pl. +

—**B 1** (of persons or things) be placed, constituted or included, **be** —W.ADV., PREP.PHR. or GEN. *in a place, condition or situation, of a certain origin, material, class, or sim.* Hom. + • σίγα πᾶς ἔστω λεώς *let all the people be silent*

εἰμί

E.; ἐν ἀθυμίᾳ ἦσαν *they were in despair* Th.; ἐτύγχανε ... βουλῆς ὤν *he happened to be a member of the Council* Th.
2 be categorised as, **be** —W.PREDIC.ADJ. *of a specified kind* Hom. + • ἔχθιστος δέ μοί ἐσσι *you are most hateful to me* Il.
3 be identified as, **be** —W.PREDIC.SB. *a specified person or thing* Hom. + • νοῦς ἐστι βασιλεὺς ... οὐρανοῦ τε καὶ γῆς *the mind is king of heaven and earth* Pl.
4 (of things) be equivalent to (in meaning or amount), **be the same as** —W.PREDIC.SB. *sthg.* Pl. +
—**C 1** (in periphr. use, as auxiliary w.pf.ptcpl. of another vb.) • τετληότες εἰμέν *we have suffered* Il.; δεδογμένον ἦν *it had been decided* Isoc.; (w.pres.ptcpl.) βαδίζων εἰμί *I am walking* Ar.
2 ‖ INF. (pleon., in phrs. expressing the will or power to do sthg.) ἑκὼν εἶναι *so as to be willing, willingly* (usu. in neg.phr.) Hdt. +; τὸ ἐπ' ἐκείνοις εἶναι (or sim.) *as far as it lay in their power* Th. +
—**ὄντως**, Ion. **ἐόντως** *ptcpl.adv.* **actually, really, truly** Hdt. E. Ar. Att.orats. Pl. +

εἶμι *vb.* | 2sg. εἶ, ep. εἶσθα, also εἶς (Hes.) | 3sg. εἶσι | 1pl. ἴμεν | 2pl. ἴτε | 3pl. ἴᾱσι | 3du. ἴτον | imperatv. 2sg. ἴθι, 3sg. ἴτω, 2pl. ἴτε, 3pl. ἴτωσαν, ἰόντων, also ἴτων (A.) | subj. ἴω, 2sg. ἴῃς, ep. ἴῃσθα, 3sg. ἴῃ, ep. ἴῃσι, 1pl. ἴωμεν, ep. ἴομεν (sts. ἴομεν) | opt. ἴοιμι, also ἰοίην (Sapph. X.), 3sg. ἴοι, ep. ἰείη | inf. ἰέναι, ep. ἴμεναι (once ἔμεναι), ἴμεν | ptcpl. ἰών ἰοῦσα ἰόν ‖ IMPF.: ἤειν, Ion. ἤια | 2sg. ἤεις | 3sg. ἤει, also ἤειν (Pl.), Ion. ἤιε, ἤε, also ep. ἴε | 3du. ἤτην, ep. ἴτην | 1pl. ᾖμεν, ep. ᾔομεν | 2pl. ᾖτε | 3pl. ᾖσαν, also ἤεσαν, Ion. ἤισαν, ep. ἴσαν, and (cpd., in tm.) ἤιον (Od.) ‖ neut.impers.vbl.adj. ἰτέον, also ἰτητέον (Ar.) ‖ Only pres. and impf. (other tenses are supplied by ἔρχομαι). The pres.indic. usu. has pres. sense in Hom., sts. in other poets, but fut. sense in Ion. prose and Att.
1 (gener., of persons, other living things) **make one's way, proceed, come** or **go** (freq. W.ADV. or PREP.PHR. *to* or *fr. somewhere*) Hom. +
2 (of things) come or go; (of a ship) **go, go on, proceed** Hom. E.; (of wind, smoke, a cloud, the sun, other natural phenomena) Hom. +; (of an axe) **cut** (through a beam) Il.; (of food) **pass** (down the gullet) Il.; (of a noise, report, lamentation, vengeance, or sim.) **go forth** Od. Pi. Trag. Ar.; (of a person's fate) **go** —W.ADV. *in a certain direction* S.
3 (of death, a day) **approach** Il.; (of a year) **pass** Od.; (of time) **go** —W.ADV. *forward* Pi.
4 (fig., of persons, w.prep.phrs.) **come** —W. ἐς + ACC. *into discussion, an alliance, a war, to blows* (sts. W.DAT. *w. someone*) Th.; **respond** —w. ἐς + ACC. *to orders* Th.; **engage, be involved** —w. διά + GEN. *in a fight, a legal dispute, friendly relations, speech, or sim.* (sts. W.DAT. *w. someone*) S. E. Th. X.
5 ‖ 2SG.IMPERATV. (as exhortation) **come on!** (w. 2SG. IMPERATV.VB. *do sthg.*) Hom. + • ἴθι ἐξηγέο *come on, explain!* Hdt.; (w. 2du.) ἴθι δή, παρίστασθον *come on, you two, stand by!* Ar.; (w. 1PL.SUBJ. *let us do sthg.*) Pl. X. ‖ PL. **come on!** (w. 2PL.IMPERATV.VB. *do sthg.*) Trag. Theoc. • ἴτ', ἐγκονεῖτε *come on, get moving!* E. Ar.; (w. 1PL.SUBJ.VB. *let us do sthg.*) Pl.
6 ‖ IMPERS.3SG.IMPERATV. (dismissive) **let it go, enough of that** E.; (defiant) **let come what may, so be it** S. E.

εἰμίθιος *Boeot.adj.*: see ἡμίθεος
εἶν (dial.inf.): see εἰμί
εἶν *ep.prep.*: see ἐν
εἰναετίζομαι *ep.mid.vb.* [ἐννάετης] (of oxen) **be nine years old** Call.
εἶναι (athem.aor.inf.): see ἵημι
εἶναι (pres.inf.): see εἰμί

εἰνάκις *ep.adv.* [ἐννέα] **nine times** Od.
εἰνακισχίλιοι, εἰνακόσιοι *Ion.pl.num.adjs.*: see ἐνακισχίλιοι, ἐνακόσιοι
εἰνάλιος *adj.*: see ἐνάλιος
εἰνά-νυχες *ep.adv.* [ἐννέα, νύξ] **for nine nights** Il.
εἰνάς *Ion.f.*: see ἐννεάς
εἰνάτερες ων *ep.f.pl.* **wives of a husband's brothers, sisters-in-law** Il. Call.
εἴνατος *Ion.num.adj.*: see ἔνατος
εἵνεκα, εἵνεκεν *prep.*: see ἕνεκα
εἰνέτης *ep.adj.*: see under ἐννάετης
εἰνί *ep.prep.*: see ἐν
εἰνόδιος *ep.adj.*: see ἐνόδιος
εἰνοσί-φυλλος (also **ἐννοσίφυλλος** Simon.) ον *ep.adj.* [ἔνοσις, φύλλον] **1** (of a mountain) **with quivering foliage** Hom.
2 (of a gust of wind) **leaf-shaking** Simon.
εἴξᾱσι (3pl.): see ἔοικα
εἴξασκον (iteratv.aor.): see εἴκω
εἴξεις (Att.2sg.fut.): see ἔοικα
εἷο (ep.3sg.gen.pers.pron.): see ἕ
εἷος *ep.conj.*: see ἕως[1]
εἴ-περ (or **εἴ περ**), also dial. **αἴπερ** (Ar. Theoc.) *conj.* [περ[1]]
1 (strengthened form of εἰ, introducing a hypothesis) **if indeed, if in fact** Hom. +
2 (w. ellipsis of vb.) **if that is the case, if so** Ar. Pl. Arist.
εἱπόμην (impf.mid.): see ἕπομαι
εἶπον, ep. **ἔειπον** *aor.2 vb.* [reltd. ἔπος] | subj. εἴπω, ep. εἴπωμι, ep.2sg. εἴπῃσθα, ep.3sg. εἴπῃσι | opt. εἴποιμι | inf. εἰπεῖν, ep. εἰπέμεναι, εἰπέμεν, Aeol. εἴπην | ptcpl. εἰπών | imperatv. εἰπέ, 3sg. εἰπέτω, 2du. εἴπετον | iteratv. εἴπεσκον | —also **εἶπα**, ep. **ἔειπα** *aor.1 vb.* | ptcpl. εἴπᾱς, dial. εἴπαις | imperatv. εἶπον, 3sg. εἰπάτω, 2pl. εἴπατε, 2du. εἴπατον | inf. εἶπαι | opt. εἴπαιμι ‖ Aor.1 is freq. (as well as aor.2) in Hdt. In Att. it is preferred to aor.2 in 2sg. εἶπας and the imperatv. forms. |
1 speak (freq. W.ADV. *thus, well, or sim.*) Hom. +; **deliver** —W.COGN.ACC. *a speech or sim.* Hom. +
2 (specif.) **pronounce** —*judgement* Il. Thgn.; **plead** —*a case* Ar.; **recite** —*epic verses* Pl.; **chant** —*a song* Call.
3 utter or speak (sthg.); **say** —W.ACC. or DIR.SP. *sthg.* Hom. + —W.COMPL.CL. or ACC. + INF. *that sthg. is the case* Hom. + —W.INDIR.Q. *what is the case* Hom. + —W.ACC. + PF.PTCPL. *that someone is dead* A.
4 speak to, address —*someone* Il.
5 speak, address —W.DBL.ACC. *an abusive remark* (or sim.) *to someone* Od. E. Ar.; **speak** —W.ADV. + ACC. *abusively* (or *kindly*) *of someone* S. E.
6 speak about, mention, tell of —*someone or sthg.* Hom. + —W.GEN. *someone* Il.
7 describe (one person or thing) as (another); **call** —*someone or sthg.* (W.PREDIC.ADJ. or SB. *such and such*) Od. Pi. Trag. —(W.PREDIC.PTCPL. *both living and dead*) E.
8 give an order —W.INF. or DAT. + INF. (*to someone*) *to do sthg.* Hom. + —W.ACC. + INF. *that someone shd. do sthg.* S. E. —w. ὅπως + FUT. Men. —w. ἵνα + SUBJ. NT.
9 (of a speaker in the Assembly) **propose** —*a decree, a course of action, or sim.* D.; (intr., as a formal prefix to decrees and laws) **be the proposer** Th.; (gener., of a person in authority) **propose, proclaim** —*a reward* E.
10 (in expressions limiting a general statement, esp. one w. οὐδείς *no* or πᾶς *every*) ὡς ἔπος εἰπεῖν *to all intents and purposes, practically, almost* A. E. Isoc. Pl. D. Arist. +; (also) ὡς

εἰπεῖν Hdt. Th. +; σχεδὸν ὡς εἰπεῖν D. Arist. Plb.; σχεδὸν εἰπεῖν Pl.
11 (in other parenth.phrs.) οὐ πολλῷ λόγῳ εἰπεῖν *to cut a long story short* Hdt.; ἐς τὸ ἀκριβὲς εἰπεῖν *to be precise* Th.; τὸ σύμπαν εἶπαι, τὸ ξύμπαν εἰπεῖν *in short* Hdt. Th.; ὡς ἐπὶ (τὸ) πᾶν εἰπεῖν *as a general rule* Pl.
εἶρα (aor.): see εἴρω¹
εἶραι ἄων *ep.f.pl.* [perh.reltd. εἴρω²] perh. **meeting-places** (of warriors, gods) Il. Hes.(dub.)
Εἰραφιῶτα, Aeol. **Ἐρραφέωτα** *voc.m.* (name of Dionysus) app. **Bull-god** hHom. Alc.
εἰργαθεῖν (Att.aor.2 inf.): see εἴργω
εἶργμα (less correctly **ἔργμα**) ατος *Att.n.* [εἴργω] **prison** S.
εἰργμός οὗ *Att.m.* **1 imprisonment** D. Plu.
2 place of imprisonment, **prison** Pl.
εἰργμο-φύλαξ ακος *Att.m.* **prison guard, jailer** X.
εἰργνύω *Att.vb.*: see εἴργω
εἴργω, Att. **εἵργω**, Ion. **ἔργω**, ep. **ἐέργω**, also Att. **εἰργνύω** (And.) *vb.* | *impf.* εἶργον, ep. ἔεργον | *fut.* εἴρξω | *aor.1* εἶρξα, Att. εἷρξα, ep. ἔρξα | *ep.aor.2* ἔργαθον, ἐέργαθον | *Att.aor.2 inf.* εἰργαθεῖν ‖ MID.PASS.: *fut.* εἴρξομαι ‖ PASS.: *aor.* ἔρχθην, Att. εἴρχθην, ep. ἔρχθην | *ep.3pl.pf.* ἔρχαται | *Att.pf.ptcpl.* εἰργμένος, ep. ἐργμένος, ἐεργμένος | *ep.3pl.plpf.* ἔρχατο, ἐέρχατο ‖ *neut.impers.vbl.adj.* εἰρκτέον ‖ The sections are grouped as: (1–7) shut out, and (8–11) shut in. For the second group, Att. uses the form εἵργω. |
1 prevent (someone or sthg.) from entering (a place); (of dead souls) **shut out, keep out** —*someone* (*fr. Hades*) Il.; (of troops) —*an enemy* (W.GEN. *fr. a city*) Th.; (of a person) —*success* (*fr. a house*) A.; (of a barred door) —*undesirable people* E.*fr.* ‖ PASS. be shut out (fr. a country) E. —W. ἐκ + GEN. *fr. cities* X.
2 keep (someone or sthg.) away (fr. a place or person); (of a helmsman) **keep** —*a ship* (W. ἐκτός + GEN. *out of a dangerous place*) Od.; (of a bed of flowers) **hold** —*someone* (W. ἀπό + GEN. *off the ground*) Il.; (of a person, a law) **exclude, ban** —*someone* (W.GEN. *fr. a place*) Antipho D.; **rebuff** —*someone* Pl. ‖ MID. **stay away** S. —W.GEN. *fr. a place* Hdt. ‖ PASS. (of a bird) be cut off —W. ἀπό + GEN. *fr. its familiar haunts* A.; (of a populace) —W.GEN. *fr. the sea* Th.; (of a person) be separated —W.GEN. *fr. someone* A.; be excluded or banned —W.GEN. *fr. a place* E. Th. Att.orats. +
3 keep (someone) away (fr. things or situations); **keep away, cut off** —*children* (W.GEN. *fr. food*) Hdt. —*persons* (W. ἑκάς + GEN. *fr. one's songs*) Tim. —*one's thoughts* (W.GEN. or ἀπό + GEN. *fr. certain activities*) Hes. Parm.; **exclude, debar** —*someone* (W. ἀπό + GEN. *fr. a position of honour*) Od. —(*fr. an alliance and help, i.e. fr. the possibility of gaining them*) Th. —(W.GEN. *fr. rights, activities*) A. D.; **restrain** —*the soul* (*fr. its desires*) Pl. ‖ PASS. be debarred or excluded —W.GEN. *fr. sthg.* Il. hHom. Hdt. Att.orats. +
4 keep away (a danger or harm); (of a god) **keep off, ward off** —*a weapon* (W. ἀπό + GEN. *fr. someone's flesh*) Il. —*suffering, civil strife* (*fr. someone, somewhere*) E.; (of a mother) —*a fly* (W.GEN. *fr. her child*) Il.; (of a bird) —*a serpent* (*fr. her nestlings*) A.; (of combatants) —*opponents, their weapons* E. Th. —*an ocean swell* (*fig.ref. to an enemy fleet*) A. —*an enemy* (W.DAT. *fr. a land*) A.; (of a sailor) —*seawater* (W.GEN. *fr. a ship, i.e. fr. accumulating in the bilges*) E. ‖ PASS. (of a fly) be kept off —W.GEN. *fr. a person's flesh* Il.
5 make or keep (sthg.) separate; (of a warrior, a spear) **separate, cut off** —*a shoulder* (W. ἀπό + GEN. *fr. the neck and back*) Il. —*flesh* (*fr. the ribs*) Il.; (of a yoke) **keep apart,**

separate —*a team of oxen* Il.; (of a trench) —*an area* (W. ἀπό + GEN. *fr. a place, i.e. form the boundary betw. them*) Il.
6 keep (someone) away (fr. doing sthg.); **restrain, hinder, prevent** —W.ACC. + INF. or μή + INF. *someone fr. doing sthg., sthg. fr. being done* Thgn. Parm. Hdt. Trag. Th. + —W. τὸ μή + INF. E. Th. —W. ὥστε or ὥστε μή + INF. E. X. ‖ MID. **abstain** or **refrain** —W.GEN. *fr. an activity* Hdt. S. Pl.
7 (of persons or things) hold (someone or sthg.) back or in check; (of a person, fear) **restrain, stop** —*someone, certain behaviour* S. E.; (of a charioteer) **hold back, check** —*a horse* S.; (of poverty, lack of intelligence, circumstances) **hamper, constrain** —*someone* Thgn. Pi. ‖ PASS. (of persons) be hampered or constrained —W.DAT. *by obstacles* Th.; (of actions) be excluded or debarred S.
8 confine (someone or sthg.) within a limited space; (of a warrior) **hem in** —*opponents* Il.; (of persons, gates) **shut in, confine** —*someone* (*in a building, in Hades*) Thgn. S. Th. Ar.; (specif.) **imprison** —*someone* Hdt. E. Att.orats. +; **pen in** —*animals* Od.; **cage** —*birds* Ar.; **include** —*items* (W. ἐντός + GEN. *inside a common class*) Pl.
9 ‖ PASS. (of persons) be hemmed in Il.; be imprisoned Att.orats.; (of animals, birds) be penned in or caged Od. Ar.; (of blood) be enclosed or contained —W. ἐν + DAT. *in guts* hHom.; (of warriors) be fenced in (or perh. *be formed into a barrier*) —W.DAT. *w. their shields* Il.; (of the lungs) be enclosed (or perh. *form a barrier*) —W.PREP.PHR. *around the heart* Il.; (of dykes) perh., be formed as a barrier Il.; (of a woman's cloak) app., be kept closed or be held together —W.DAT. *w. brooches* Call.
10 (phr., of places, a sea) ἐντὸς ἐέργει *keep inside, bound* —*people, an area* Il.; (of doors) **shut up** —*a house* Od.; (of a city, house, temple threshold) *have within* —*people, possessions, justice* Il. Hes.
11 (gener., of a person) **keep** —*a lyre* (W.PREP.PHR. *at one's left hand*) hHom.; (of an eagle) —*an army* (*on its left*) Il.
εἶρε (3sg.impf. or aor.), **εἰρέαται** (Ion.3pl.pf.pass.), **εἰρέθην** (Ion.aor.pass.): see εἴρω²
εἴρερον *masc. or neut.acc.* state of being a slave, **slavery** Od.
εἰρεσίᾱ ᾱς, Ion. **εἰρεσίη** ης *f.* [ἐρέτης] **1 rowing** (as a mode of propulsion, sts. opp. use of sails) Od. Pi. Hdt. S. E. AR. +; (ref. to the technique of the oarsmen) Th.
2 oarage (meton., ref. to an oared ship) E.
3 timing for the rowers (provided by an aulos-player) Plu.
4 ‖ PL. rowers' benches Plb.
5 (fig.) perh., rhythmic movement, **heaving** (W.GEN. of a woman's breast, fr. emotion) E.
εἰρεσιώνη ης *f.* [perh.reltd. εἶρος] **harvest-branch** (olive or laurel branch decorated w. red and white bands and laden w. varied fruits, dedicated to Apollo at the festival of Pyanopsia, then hung on a house door) Ar. Plu.
εἴρηκα (pf.), **εἴρημαι** (pf.pass.): see εἴρω²
εἴρην ενος (sts. written **ἰρήν** ένος) *dial.m.* **eiren** (Spartan man prob. aged betw. twenty and thirty) Hdt.(dub.) X. Plu.
εἰρηναῖος ᾱ ον *adj.* [εἰρήνη] **1** relating to peace; (quasi-advbl., of a person, ref. to living) **in peace** Ar.; (of a species of bird) **on peaceful terms** (W.DAT. *w. crocodiles*) Hdt.
2 (of a report) **indicating peaceful intentions** Th.
‖ NEUT.PL.SB. peacetime privileges (given to Spartan kings) Hdt.; peacetime activities Hdt.; peace negotiations Plu.
—**εἰρηναίως** *adv.* **peaceably** —*ref. to persons sitting together* Hdt.
εἰρηνεύω *vb.* **1** ‖ MID. (of states) **be at peace** (opp. war) Arist. Plb.
2 (of persons) **live in peace** (opp. hostility, w. one's fellow men) NT.; (of philosophers abstaining fr. argument) Pl.

εἰρήνη ης, dial. **εἰρήνᾱ, εἰράνᾱ**, also **ἰρήνᾱ** (Alcm.), ᾱς *f.*
1 peace (as the absence or cessation of hostilities betw. nations or communities) Hom. +; (phr.) εἰρήνην ποιεῖσθαι (rarely ποιεῖν) *make peace* Th. Ar. Att.orats. Pl. +
2 peace, peacefulness (as a state of friendly relations or freedom fr. dissension betw. individuals or within a community) E. Pl.; (as a state of tranquillity or freedom fr. anxiety or conflict experienced by an individual) Pl.
3 (personif., as a goddess, daughter of Zeus and Themis) **Eirene, Peace** Hes. Lyr. E. Ar. Plu.
4 (esp. in salutations, as that which one invokes for a person) **peace, well-being** NT.

εἰρηνικός ή όν *adj.* **1** (of persons, their state of mind) **peaceable, inclined to peace** (opp. war or conflict) Ar. Isoc. Plu.; (of an argument, activity, policy) **conducive to peace** Isoc. Pl. Plu.
2 (of a life) **spent in peace, peaceful** Pl.; (of a skill, activity, need) **peacetime** Pl. X. Arist. Plu.; (of a person's death) **in peacetime** Plu.

—**εἰρηνικῶς** *adv.* **in a spirit of peace, with peaceful intentions** Isoc. X. Plu.

εἰρηνο-ποιός οῦ *m.* [ποιέω] **1 peacemaker** (ref. to one who negotiates for peace) X.; (ref. to one who favours peace, opp. war) Plu.
2 peacemaker (ref. to one who promotes peaceful behaviour) NT.

εἰρηνο-φύλαξ ακος *m.* **guardian of the peace** (ref. to a magistrate envisaged as ensuring a state of peace, opp. war) X.; (as a title allegedly sought by Demosthenes) Aeschin.; (ref. to a responsibility of the Roman *fetiales*) Plu.

εἰρήσθω (3sg.pf.pass.imperatv.), **εἰρήσομαι**[1] (fut.pf.pass.): see εἴρω²

εἰρήσομαι² (Ion.fut.mid.): see ἔρομαι

εἰρίνεος η ον *Ion.adj.* [ἔριον] (of garments, cloths) **woollen** Hdt.

εἴριον *Ion.n.*: see ἔριον

εἴρῑσα (Boeot.aor.): see ἐρείδω

εἰρκτέον (neut.impers.vbl.adj.): see εἴργω

εἰρκτή, Ion. **ἐρκτή**, ῆς *f.* [εἴργω] **1 place of confinement, prison** Hdt. E. Th. Pl. X. Plu.
2 (fig.) **trap** (ref. to a woman's quarters, as a place where women are confined, but w. further connot. of a place which a seducer enters at his peril) X.

εἶρξα and **εἴρξα** (aor.), **εἴρξω** (fut.): see εἴργω

εἰρο-κόμος ου *f.* [εἶρος, κομέω] **wool-worker, spinner** Il.

εἴρομαι *Ion.mid.vb.*, **εἰρόμην** (aor.2): see ἔρομαι

εἰρο-πόκος ον *adj.* (of sheep) **woolly-fleeced** Hom. Hes. hHom. Theoc.

εἶρος εος *n.* **wool** Od.

εἶρπον (impf.), **εἵρπυσα** (aor.): see ἕρπω

εἰρύαται[1], **εἴρυαται**[1] (ep.3pl.pf.mid.), **εἴρυατο, εἴρυντο**[1] (3pl.plpf.mid.), **εἴρῡτο**[1] (3sg.plpf.mid.): see ἔρυμαι

εἰρύαται², **εἴρυαται**² (ep.3pl.pf.pass.), **εἴρυατο, εἴρυντο**² (3pl.plpf.pass.), **εἰρύμεναι** (athem.inf.), **εἰρυμένος** (pf.pass.ptcpl.), **εἴρῡτο**² (3sg.athem.impf.mid.): see ἐρύω

εἰρύομαι *ep.mid.vb.*: see ἔρυμαι

εἴρυσα, εἴρυσσα (Ion. and ep.aor.), **εἰρύσᾱς** (Ion.aor.ptcpl.), **εἴρυσον** (aor.imperatv.): see ἐρύω

εἰρύσαο, εἰρύσατο (ep.2 and 3sg.aor.mid.): see εἰρύομαι

εἴρυσθαι (pf.mid.inf.): see ἔρυμαι

εἰρύσαιτο (ep.3sg.aor.mid.opt.), **εἰρύσσασθαι** (ep.aor.inf.), **εἴρυσσο** (ep.aor.imperatv.), **εἰρύσσονται** (ep.3pl.fut.mid.): see εἰρύομαι

εἰρύω *Ion.vb.*: see ἐρύω

εἴρχθην and **εἴρχθην** (aor.pass.): see εἴργω

εἴρω[1] *vb.* | aor. εἶρα | ep.pf.pass.ptcpl. ἐερμένος | ep.3sg.plpf.pass. ἔερτο | **1 connect (things) together** (in a row) || PASS. (of a necklace) **be strung** —W.DAT. w. amber beads Od. —w. golden threads hHom.; (of a band) **be wound** —W.PREP.PHR. around a woman's breasts AR.
2 || PASS.PTCPL.ADJ. (of λέξις *style of writing*) εἰρομένη **strung together** (i.e. co-ordinated, paratactic, w. the elements in a continuous and potentially unending series, opp. κατεστραμμένη *brought to a conclusion*, i.e. periodic, in which the sentence has a recognisable end, prescribed by its structure) Arist.
3 weave —*garlands* Pi.

εἴρω² *vb.* | 3sg.impf. (or aor.) εἶρε (B.) | fut. ἐρῶ, Ion. ἐρέω | pf. εἴρηκα || PASS.: fut. ῥηθήσομαι | aor. ἐρρήθην, Ion. εἰρέθην | aor.ptcpl. ῥηθείς | pf. εἴρημαι, Ion.3pl. εἰρέαται | pf.ptcpl. εἰρημένος | 3sg.pf.imperatv. εἰρήσθω | fut.pf. (as fut.) εἰρήσομαι || neut.impers.vbl.adj ῥητέον || Pres. only in Od. (1sg. εἴρω) and Hes. (fem.nom.p.ptcpl. εἴρουσαι). Pres. is usu. supplied by φημί, λέγω, ἀγορεύω; aor. is supplied by εἶπον. |
1 speak Hom. +; **deliver** —W.COGN.ACC. *a speech or sim.* Hom. +; **tell** —*a fable* Hes. Archil. || PASS. (of a speech, words, or sim.) **be spoken or said** Hom + || IMPERS.PASS. an account has been given Hdt. +
2 say —W.ACC. or DIR.SP. *sthg.* Hom. + —W.COMPL.CL. *that sthg. is the case* Hom. + —W.ACC. + INF. A. + —W.ACC. + PTCPL. Od. A. E. —W.INDIR.Q. *what is the case* Hom. +
3 speak about, tell of, mention —*someone or sthg.* Hom. +; (specif., of dawn, the morning star) **proclaim, herald** —*the light of day* Il. || PASS. (of people things) **be mentioned or described** A. + || PF.PASS.PTCPL.ADJ. (of a payment) **specified or agreed** Hes. Hdt. || IMPERS.PASS. **it is specified** (in a treaty or law) Th. +
4 say —W.DBL.ACC. *sthg. of someone* E. Pl.; **speak** —W.ADV. + ACC. abusively (or sim.) *of someone* Thgn. E.
5 describe (one person or thing) as (another); call —*someone or sthg.* (W.PREDIC.SB. *such and such*) A.
6 give an order —W.INF. or DAT. + INF. (*to someone*) *to do sthg.* X. —W.ACC. + INF. *that someone shd. do sthg.* X. || IMPERS.PF. or PLPF.PASS. an order has (had) been given A. Hdt. +

εἰρώᾱς *Boeot.f.*: see ἡρωΐς

εἴρων ωνος *m.* **dissembler** (ref. to one who pretends ignorance or innocence, makes excuses, or is hypocritical, disingenuous or mock-modest) Ar. Arist. Thphr.

εἰρωνείᾱ ᾱς *f.* **dissembling** (ref. to the behaviour of Socrates, who was alleged to hoodwink others by pretending ignorance) Pl.; (in cxt. of inventing excuses to avoid one's civic and military duties) D.; **mock-modesty** (ref. to self-depreciation, opp. ἀλαζονεία *boastfulness*) Arist.; (gener.) **dissimulation, deceptive behaviour, pretence** Plu.

εἰρωνεύομαι *mid.vb.* **1 dissemble** (usu. by pretending ignorance) Ar. Pl. D. Din. Plu.; (by mock-modesty) Arist.
2 speak ironically (i.e. say in jest the opposite of what one means) Plu.

εἰρωνικός ή όν *adj.* (of persons, the art of sophistry) **of the dissembling kind** Pl.

—**εἰρωνικῶς** *adv.* **hypocritically, disingenuously** —*ref. to making an excuse* Ar.; **with an air of feigned ignorance** or **perplexity** —*ref. to speaking or pausing in speech* Pl.

εἰρωτάω *Ion.contr.vb.*: see ἐρωτάω

εἰρώων (Boeot.gen.pl.): see ἡρώς

εἰς, also **ἐς**, dial. **ἐν** (Pi.) *prep.* [rel.d. ἐν] | W.ACC. |

–A | movt. or direction |
1 into the limits or bounds of, **into** —*an area, territory, water, building, container, vehicle, or sim.* Hom. +; (w. ellipse of ACC. house, temple, or sim.) —W.GEN. *of someone* Hom. + • ἀνδρὸς ἐς ἀφνειοῦ *to a rich man's house* Il.
2 into the grasp of, **into** —*a hand, the hands* Hes. +
3 (ref. to enclosing a group) within, **in** —*a place* Hdt. +
4 to —*a place or activity (as a goal or destination)* Hom. + —*a person* Hom. +
5 (ref. to finishing or gathering) **at** —*a place* Hdt. + —*a people (i.e. their land)* X.
6 up into, **into** —*a tree, the sky* Il.
7 (ref. to looking) **into** —*someone's face* Hom.
8 into the presence of, **to, before** —*persons, their eyes* Hom. + —*a god (to consult his oracle)* Pi. Ar.
9 (ref. to speaking) **to** —*a group* Hdt. S. +
10 (ref. to falling captive) **into the hands of** —*the enemy* Pl. X.
11 (ref. to sitting down) **on** —*a seat* Od.
12 (in fig.ctxts., ref. to things falling) **on** —*someone's head* Od. +; (ref. to being brought) **to** —*one's knees* Hdt. | see κεφαλή 2, γόνυ 4
13 moving towards, **in** —*a certain direction* • εἰς (τὴν) δεξιάν *to the right* Hdt. + | see also δεξιός 7, δόρυ 7, εὐθύς 2, κατανικρύ 5, ὀπίσω 1, 2, 5, πλάγιος 4
14 facing in the direction of, **facing** —*a peninsula* Th.
15 (ref. to carding someone) **into** —*a scarlet rag* Ar.
16 (ref. to drawing up troops) **into** —*numbered units* Il. +
17 as far as, **to** —*a certain distance* Il. —*a certain degree (of fortune, audacity, or sim.)* Th. +
18 (ref. to coming, being brought, changing, or sim.) **into, to** —*a certain condition* Hes. +
19 (phrs.) εἰς (τὸ) μέσον *into the open*; ἐς (τὸ) κοινόν *into the public sphere*; ἐς τὸ φανερόν *openly*; ἐς φάος *into sight or life* | see μέσ(σ)ον 3, κοινός 8, φανερός 6, φάος 3
–B | space or location |
1 within the limits or bounds of, **in** —*a bed, house, field, town, or sim.* NT.
2 at —*a place* NT.
–C | time |
1 up to, **until** —*a certain period or point in time* Hom. + —*a person (i.e. his lifetime)* Hdt. + | see also αὔριον 1, τέλος 6, τότε 6
2 for the duration of, **for** —*a length of time* Hom. + | see also αἰών[1] 11, ἅπας 1, ἄπειρος[2] 4, αὐτίκα 2, λοιπός 2, μακρός 10, παραχρῆμα 3, χρόνος 6, ὥρα 10
3 within the duration of, **within** —*a period of time* Od. +
4 at —*a particular time* Hom. + | see also ἑσπέρα 1, καιρός 4, καλός 8, μακρά 7, ὀπίσω 8, τέλος 6, ὕστερος 13
5 (ref. to setting a limit) **at** —*a certain number of years* Hdt.
–D | result or purpose |
1 resulting in, **to** —*a particular end or conclusion* Hdt. +
2 for the purpose of, **with a view to, to, for** —*a particular end, task, or sim.* Il. +
3 (phrs.) ἐς τοὐναντίον *to the opposite effect* Th. | see also ἀναβολή 4, ἐπιτήδειος 3, λῴων 1, μέσ(σ)ον 7, χάρις 11
–E | personal relations |
1 (ref. to giving) for the benefit of, **for** —*a group* X.
2 (ref. to erring, quarrelling or fighting) **against** —*a person or god* Tyrt. A. Hdt. +
3 (ref. to promising sthg.) **to** —*someone* Th.
4 (ref. to harbouring hostility, friendship, or sim.) **towards** —*someone* Hdt. S. +
5 (ref. to speaking, finding fault) **in regard to** —*someone or sthg.* Hdt. Th. +

–F | extent or degree |
1 (phrs.) εἰς (ἐς) τὸ δυνατόν *as far as possible* Simon. + | see δυνατός 8, also ἄκρον 15, ἅπα 1, ἄπειρος[2] 4, ἔσχατος 12, μακρός 10, πᾶς 9, πλεῖστος 4, πλείων 4, πολύς 5, πρῶτος 8, τέλος 6, τοσόσδε 4, τοσοῦτος 4, ὑπερβολή 10
–G | specification |
1 in respect of, **in** —*some quality or attribute* Il. +
2 so far as concerns, **as for, as to** —*someone or sthg.* A. +
3 (ref. to being such and such) in the eyes or experience of, **for, to** —*a group* Th. Pl.
4 (ref. to fining someone) in the form of, **in** —*money* Pl. D.
5 (ref. to reckoning) **according to** —*a principle* Pl.
6 (ref. to paying or buying) **at** —*a rate or price* Th. Thphr.
7 (ref. to amounting) **to** —*a certain number* A. Th. | for εἰς (ἐς) τρίς *thrice* see τρίς 1
–H | manner |
1 in —*the modern manner* Th. —*unison* Theoc.
2 (phrs.) εἰς βίαν *by force*; εἰς τάχος *with speed* | see βία 14, τάχος 5

εἷς (Aeol. **εἴς**, ep. **ἕεις**) μία ἕν (Aeol. ἔν) num.adj. and sb. | acc. ἕνα (Aeol. ἔνα), fem. μίαν, neut. ἕν (Aeol. ἔν) | gen. ἑνός, fem. μιᾶς (Ion. μιῆς), neut. ἑνός | dat. ἑνί, fem. μιᾷ (Ion. μιῇ), neut. ἑνί ‖ see also ἴα |
1 (of persons or things) one in number, **one, a single** Hom. +; (strengthened w. οἷος, μόνος) *one only, a single one* Hom. +
2 (emphasised by contrast w. πολύς, πᾶς) Hdt. Trag. + • μία τὰς πολλάς, τὰς πάνυ πολλὰς ψυχὰς ὀλέσασα *singly destroying those many, those very many lives* A. • πάντων εἷς ἀνὴρ μεγίστων αἴτιος κακῶν *a man solely responsible for all the greatest troubles* D.
3 (w.neg.) εἷς οὐδείς *not a single* Hdt. Pl.; (also) εἷς οὐδὲ εἷς Th.; εἷς οὔ (emph. for οὐδείς) *not one* Hdt. Ar.; οὐδὲ εἷς *not even one* Hdt. Ar. Pl. +; οὐχ εἷς *not one (but many)* A. +
4 one above all others • εἷς οἰωνὸς ἄριστος *one omen is best* Il. • (lending emph. to a superl.) ἕνα κριθέντ' ἄριστον *judged the very best of all* S.
5 εἷς ἕκαστος *each one singly (on his own, by himself)* Hdt. +; (also) καθ' ἕν' ἕκαστος Hdt. +; (freq., in neut.advbl.phr.) καθ' ἓν ἕκαστον *individually* Th. +; (also) καθ' ἕν Pl. +
6 one common to several, **one and the same** Hom. + • εἰν ἑνὶ δίφρῳ *in one chariot (ref. to two people)* Il. • τὼ μοι μία γείνατο μήτηρ *two whom the same mother bore as well as me* Il.
7 (indef.) **one or other** Hom. + • εἷς θεῶν *one of the gods, a god* Il. • εἷς τις ἀνήρ *some man, a man* Il. • εἷς κάπηλος *an innkeeper* Ar.
8 (in antitheses) ὁ μέν ... εἷς δέ *one ... another* Od.; εἷς μέν ... ἕτερος δέ X.; (w.art.) ὁ εἷς *the one (opp. another or others)* Hom. +
9 (prep.phrs.) ἓν ἀνθ' ἑνός *setting one thing against another (i.e. above all)* Pl.; ἓν πρὸς ἕν (sts. w. συμβάλλειν) *in a one-to-one comparison* Hdt. Th. Pl.; εἰς ἕν *into a unity, together* A. E. Ar. +
10 (of a city, an art-form, or sim.) possessing unity (opp. diversity), **unified** Pl. Arist.
11 (as the ordinal in cpd. numerals) **first** Hdt. + • τῷ ἑνὶ καὶ τριηκοστῷ (ἔτει) *in the thirty-first year* Hdt.
12 ‖ NEUT.SB. (philos.) unity (of things) Heraclit. Emp. Pl. Arist.; (w.art.) that which is one, the One Pl. Arist.
13 ‖ NEUT.SB. (sg. and pl.) mathematical unit Arist.

εἷς[1] (Ion.2sg.), **εἷς** (enclit.): see εἰμί
εἷς[2] (ep.2sg.): see εἶμι
εἶσα (aor.): see ἵζω

εἰσαγγελεύς έως, Ion. **ἐσαγγελεύς** έος *m.* [εἰσαγγέλλω] (in oriental ctxt.) **court usher** Hdt. Plu.

εἰσαγγελίᾱ ᾱς *f.* **1** (at Athens) prosecution of a public official or politician for treason or other serious crime (initiated by denunciation to the Council or Assembly), **indictment, impeachment** Att.orats. Pl. Arist. Plu. **2 indictment** (ref. to an action for maltreatment of an heiress or orphan, brought before the chief archon) Is.

εἰσ-αγγέλλω (**ἐσ-**) *vb.* **1** (of a doorkeeper, royal usher) take in news of (someone seeking admission); **announce** —*someone* (sts. W.DAT. or πρός + ACC. *to someone*) Hdt. Pl. X. —W.INDIR.Q. *who someone is and why he seeks admission* X. **2** (gener., of a servant) **take a message inside** (a house) Lys. —W.DAT. *to those inside* Men.(cj.) —W.COMPL.CL. *that someone is asking for someone* E.
3 bring news (sts. W.ACC. of sthg.) Hdt. Plu. ‖ PASS. (of events) be reported Th. Ar. D.; (of a person) —W.NOM.PTCPL. *to be doing sthg.* Th. X. ‖ IMPERS.PASS. news is (was) brought Th. ‖ NEUT.PL.PASS.PTCPL.SB. information received Hdt. Th. And. Pl. ‖ NEUT.GEN.PL.AOR.PASS.PTCPL. when news was brought Th. D.
4 (leg.) **lay information** (sts. W.DAT. or πρός + ACC. before persons in authority or the Council) And. Pl. X. —W.NEUT.ACC. *of a certain kind* Th. And. Lys. Plb. ‖ PASS. (of a person) have information laid against one (before the archons) Pl.; (before the Roman Senate) Plu.
5 (at Athens) initiate an impeachment (before the Council or Assembly, for treason or other serious offence); **bring an impeachment** (sts. W.COGN.ACC., sts. W. εἰς or πρός + ACC. before the Council or Assembly) Att.orats. Arist.; **impeach** —*someone* (sts. W.INF. *on a charge of doing sthg.*) Att.orats. Arist. Plu. ‖ PASS. (of a person) be impeached Att.orats. Plu.; (of an impeachment) be brought Hyp. ‖ NEUT.PL.PTCPL.SB. terms of an impeachment Lycurg.
6 bring an action (before the archon, for maltreatment of an orphan or heiress); **bring a charge** —W.ACC. + PASS.INF. *that someone is being maltreated* Is.; **indict** —*someone* (*of this crime*) Is. ‖ PASS. (of a person) be indicted Pl. Is.
7 bring a charge (against a public arbitrator) —W. εἰς + ACC. *before the board of arbitrators* Arist.

εἰσαγγελτικός ή όν *adj.* (of a law) **relating to impeachment** Hyp.

εἰσ-αγείρω (**ἐσ-**) *vb.* **1 gather together** (W.ACC. rowers) **on board** (a ship) Od.(tm.) ‖ MID. (of people) **assemble** (at a place) Od. ǀ see also ἐναγείρω
2 ‖ MID. **recover** —*one's senses* Il. AR.

εἰσ-άγω (**ἐσ-**) *vb.* ǀ iterativ.impf. ἐσάγεσκον ǀ **1** bring (someone or sthg.) to or into (esp. one's home or city); **lead, bring** or **take** (W.ACC. someone or sthg.) **inside** Hom. S. E. Th. Lys. Ar. + —W.ACC. *a city, its walls, a house* Hom. E.; **lead, bring** or **take** —*someone or sthg.* (W.ACC. *to a place*) Od. —(W.PREP.PHR. *to or into a place*) Hdt. Th. + —*someone* (fr. somewhere, W.ACC. *into slavery*) A.; (of a favourable moment) **invite in** (a person) S.; (gener., of Love) **bring** —*delight* (W.DAT. *to a soul*) E.
2 ‖ MID. **bring in, admit** —*one's womenfolk* (*to a dining room*) Hdt. —*troops* (sts. W.PREP.PHR. *into a city*) Th. —*pollution* (*into one's house*) Antipho
3 lead, conduct —*a canal, a river* (W. ἐς + ACC. *to a place*) Hdt.; (of gods) **bring to bear** —*the strength of rivers* (*in destroying a wall*) Il. ‖ PASS. (of lake water) be brought in (by channel, fr. a river) Hdt.
4 (gener.) **bring in** —*people* (W. εἰς + ACC. *to political life*) Arist. —(*to a treaty*) Th.; (mid.) —*someone* (*to a conspiracy*) Hdt.; (of a god) —*certain people as one's servants* hHom.
5 (act. and mid.) take into one's house, **marry** —*a wife* Hdt.
6 call in —*a doctor* (*for someone*) Ar. X. D.; (mid., w. ἐπί + ACC. *for oneself*) Arist.
7 bring in (goods); (of a trader) **import** —*merchandise* Ar. Att.orats. Pl.; **supply** —*commodities* (*to troops*) And. ‖ MID. (of a city) **import** —*merchandise* soc. X. Arist. ‖ PASS. (of merchandise) be imported Hdt. Ar. D.; (of provisions for an army) be imported (fr. abroad) Th.; be supplied And. ‖ NEUT.PL.PASS.PTCPL.SB. imports Arist.
8 bring in (as a novelty), **introduce** —*habits, practices, rites, or sim.* Hdt. E. Pl. D. Plb. —*a philosophical theory* Arist.; (gener., of a combatant, disputant) **bring to bear** —*a stratagem* E. Pl.; (of a night) **bring on** —*trouble* S. ‖ PASS. (of practices, habits) be introduced Hdt. D.
9 introduce, present —*a child* (usu. W. εἰς + ACC. *to the members of one's phratry, for registration on the phratry-list*) Ar. Is. D.; (to members of one's clan) And. D. ‖ PASS. (of a child) be presented (*to the phratry*) Att.orats.
10 (of a dramatist) **bring on** —*a chorus* (i.e. present a play) Ar. —*a character* (in a play) Pl.; (of a poet or orator) **bring in, introduce** —*someone* (in a poem or speech) Arist.; (fig., of a defendant) **put on** —*a performance* (in court) Pl.
11 (leg.) **bring** —*an accused person* (W. εἰς + ACC. *before the Council*) Antipho Lys. X.
12 (of a presiding official) **bring before a court** —*a case* A. Att.orats.
13 (of a prosecutor, an accuser, or sim.) **bring to court** or **bring** (W.PREP.PHR. to court, before a jury or sim.) —*a person* Ar. Att.orats. Pl. + —*a case* Ar. D. —*a law* D. ‖ PASS. (of persons or cases) be brought —W.PREP.PHR. *to court* Att.orats. +

εἰσαγωγεύς έως *m.* **1** one who brings on (a performer); app. **director** (of solo singers) Pl.
2 (leg.) official who brings a case to court, **introducing magistrate** D. Arist.

εἰσαγωγή ῆς *f.* **1 leading in, introduction** (of troops into a region) Plb.
2 bringing in, importation (of goods) Arist. Plb.
3 introduction (of a philosophical theory) Arist.
4 introduction, presentation (of a child to a phratry) Is.
5 (leg.) **bringing to court** (of a case) Pl. Is. D. Arist.

εἰσαγώγιμος ον *adj.* **1** (of commodities) **able** or **needing to be imported** Pl. D. Arist. ‖ NEUT.PL.SB. imports Arist.
2 (derog., of a populace) **imported** (opp. autochthonous) E.fr.
3 (of a lawsuit) **able to be brought, admissible** Att.orats.; (of bribery) **liable to prosecution** Din.

εἰσ-αεί (also **εἰσαιέν**, **ἐσαιεί**) *adv.* **for ever, always** A. S. Men.(cj.) AR. Plu.

εἰσ-αθρέω (**ἐσ-**) *contr.vb.* **catch sight of** —*someone* Il. Theoc.

εἰσ-αίρω *vb.* ‖ PASS. (of a table) be carried in Ar.

εἰσ-αΐω *vb.* [ἀΐω¹] **hear** —*a sound, someone's name* Call. AR.; (intr.) Sapph. AR.; **hear** or **listen to** —W.GEN. *an animal, a voice* AR. Theoc.

εἰσ-ακοντίζω (**ἐσ-**) *vb.* **1** (of a soldier) **throw a javelin** (at someone) Hdt. Th. X. Plb. —W. εἰς + ACC. Plb.; (of a hunter, at an animal) Hdt.
2 (of spurts of blood fr. a sacrificed animal) **shoot** —W. ἐς + ACC. *into the sea* E.

εἰσ-ακούω (**ἐσ-**) *vb.* **1** listen sympathetically, **give heed** Il. Hdt. Th. Pl. X. —W.DAT. *to someone* Hdt. —W.GEN. Th. —W.ACC. *to a request, to prayers* Hdt. E. ‖ PASS. (of persons praying, their prayers) be heard NT.

2 hear or **listen to** —W.GEN. *a person or animal* (sts. W.PTCPL. *speaking or sim.*) S. E. Call. Theoc. —*a voice, words* S.*Ichn*. E.
3 hear (persons or sounds) S. E. Theoc. —*a voice, speech, oracle, or sim.* hHom. S. E. Th. AR. —*words or cries* (W.GEN. *fr. someone*) S. E. —W.ACC. + PTCPL. *that someone is alive, dead, about to do sthg.* S. E. AR. —W.ACC. + PREDIC.PREP.PHR. *that someone is in the underworld* E. —W.ACC. + AOR.INF. *that someone has done sthg.* A. || PASS. (of a voice) be heard E.

εἰσ-άλλομαι (ἐσ-) *mid.vb.* | 3sg.aor. ἐσήλατο, ep.3sg. athem.aor. ἔσαλτο | **1** (of a warrior) **leap** or **spring inside** —*a gate, a defensive wall* Il.; (of snakes) **leap up to** —*a rampart* Pi.
2 (of cats) **leap** —w. ἐς + ACC. *into fire* Hdt.; (of a sea goddess) —W.ACC. *into the sea* AR.; (fig., of an unwelcome fate) —w. ἐπί + DAT. *upon someone's head* S.

εἰσ-αμείβω *vb.* **pass into** (a city) A.
εἰσάμην (aor.mid.): see ἵζω
εἰσάμην (aor.mid.): see εἴδομαι
εἶσαν (3pl.athem.aor.): see ἵημι
εἰσ-αναβαίνω *vb.* **1** (of persons, gods) **go** or **climb up to** —*a city, a citadel* Il. Call. —*a mountain peak* hHom. AR. —*an upper bedchamber* Hom.; (of the sun, a god) **go up into** —*heaven* Mimn. AR.; **climb into** —*someone's bed* Il. Hes.
2 (of sea-nymphs) **go up onto** —*the shore* (fr. the sea) Il.
3 go on board a ship bound for (a certain destination); **embark for** —*Troy* Od.; **ride to** —*the shore* (W.DAT. *in carriages*) AR.

εἰσ-αναγκάζω (ἐσ-) *vb.* **compel** —*someone* (usu. W.INF. *to do sthg.*) A. Pl. Men.
εἰσ-ανάγω *vb.* **lead** (someone) **off into** —*slavery* Od. || PASS. (of captured soldiers) **be brought** —w. πρός + ACC. *to a commander* Plb.
εἰσ-ανεῖδον aor.2 *vb.* [ἀνιδεῖν] | only ptcpl. εἰσανιδών | (of a person praying) **look up to** —*heaven* Il.
εἰσ-άνειμι *vb.* | ptcpl. εἰσανιών | (of the sun, stars) **rise into** —*the heavens* Il. Hes. Theoc.; (of a person) **climb up to** —*a mountain peak* AR.
εἰσ-ανέχω *vb.* (of a sea) **extend to** —*a place* AR.; (intr., of a gulf, coastline) **extend** or **jut out** AR.
εἰσ-άντα (or ἐσάντα, sts. written ἐς ἄντα) *ep.adv.* **face to face** —*ref. to looking at someone* Hom. Hes. E. AR.
—εἰσάντᾱν *dial.adv.* [ἄντην] **face to face** —*ref. to encountering someone* B.
εἰσ-άπαξ (ἐσ-) *adv.* **at one and the same time, on a single occasion, once, once and for all** Hdt. Trag. Th. D. Arist. Plb.
εἰσ-αποβαίνω *vb.* (of sailors) **disembark onto** —*a shore, an island* AR.
εἰσ-απόλλυμι *vb.* **send** (W.ACC. someone) **to death** (in a well) Men.(dub.)
εἰσ-αράσσω (ἐσ-) *vb.* (of cavalry) **drive in disorder, beat back** —*enemy cavalry* (to their own lines) Hdt.; (of a commander) —*enemy troops* (w. ἐς + ACC. *to their ships*) Hdt.
εἰσ-αρπάζω *vb.* **seize and take in** (to a house), **drag** (W.ACC. someone) **inside** Lys. || PASS. **be dragged in** —W.PREP.PHR. *off the street* Lys.
εἰσ-ᾴσσω *vb.* | aor. εἰσῇξα | (of a comedy, meton. for a comic actor) **rush in** (i.e. onto the stage) Ar.
εἴσατο (ep.3sg.aor.mid.): see εἴσομαι²
εἰσ-αῦτις (ἐσ-), Att. **εἰσαῦθις** (ἐσ-), also **εἰς** (ἐς) **αὖθις** *adv.*
1 until later —*ref. to postponing sthg.* E. Th. Ar. Pl. X.
2 in the future, later E. Pl. X. Aeschin. +
εἰσ-αφικάνω *vb.* **come to, arrive at, reach** —*a person or place* Hom. Hes. hHom. AR. Theoc.

εἰσ-αφικνέομαι, Ion. **ἐσαπικνέομαι** *mid.contr.vb.* | aor.2 εἰσαφῑκόμην, inf. εἰσαφικέσθαι | **1 come to, arrive at, reach** —*a person or place* Hom. Hes.*fr.* E. AR. Plu.(oracle); **arrive** —W.DAT. or εἰς + ACC. *at a place* Hdt. D.
2 come in, pay a visit (to a city) Ar. Isoc. Pl. X. —w. εἰς + ACC. *to a city* Isoc. —w. ὡς + ACC. *to its people* Isoc.
3 (of a report) **arrive** Hdt.; **reach** —W.DAT. *someone* Hdt.
εἰσ-αφύσσομαι *mid.vb.* | ep.3pl.aor. εἰσαφύσαντο | **draw** —*water* (fr. a stream or sim.) AR.
εἰσ-βαίνω (ἐσ-) *vb.* | fut. εἰσβήσομαι, also (causatv.) ἐσβήσω | athem.aor. εἰσέβην, also (causatv.) aor.1 εἰσέβησα, aor.1 ptcpl. εἰς ... βήσᾱς |
1 go or **come in, enter** Il. —*a place* S. E. AR. —w. εἰς + ACC. Hdt. E. Th. Ar.; **mount** —W.ACC. *a chariot* E.; **enter upon, begin** —*a dance* Men.
2 go on board (a ship), **embark** Od. Hdt. Antipho Th. Ar. + —w. εἰς + ACC. *on a ship* Hdt. E. Antipho Th. X.; (tr.) **board** —*a ship* E. AR.
3 enter upon, encounter —*troubles, a sea of troubles* A. S.
4 (of a hardship) **befall** —*someone* E.*fr.*; (of pity) **come over** —W.DAT. *someone* S.
5 (causatv., fut. and aor.1) **put** (W.ACC. a person, things) **on board** (sts. W.ACC. a ship) Il.(tm.) E. AR.(sts.tm.); **lodge** (W.ACC. someone) **in** —*a chamber* E.; **introduce, initiate** —*someone* (into rites) E.

εἰσ-βάλλω (ἐσ-) *vb.* **1 throw** —*someone* (W.ACC. *into the sea*) Anacr. —(w. εἰς + ACC. *into a fire, a ravine*) Hdt. Th. —*sthg.* (into a place) Alc. Hdt. Th. Ar.; **cast** —*a document* (onto a ship) Antipho || PASS. (of persons, meton. for votes for them) **be cast** (into an urn) Isoc.
2 (of persons or gods) **cast, plunge, drive** —*someone* (w. εἰς + ACC. *into a net, trap, calamity*) Ibyc. A. S. Isoc.
3 drive —*animals* (W.ACC. *to the sea*) E. —(w. εἰς + ACC. *into a field*) Hdt. E.
4 || MID. **put** —*people, horses* (w. εἰς + ACC. *on board a ship*) Hdt.; **put on board** —*goods* Th.
5 (of a commander) **lead** or **send in** —*an army* (sts. w. ἐς + ACC. *to or against a place*) Hdt.
6 (intr., of a commander or troops) **make an incursion** (into a place), **invade** Hdt. Th. Ar. + —w. εἰς + ACC. *a region* Hdt. Th. Isoc. +; **make an assault** —w. εἰς + ACC. *on a place, troops, or sim.* Hdt. Th. —w. πρός + ACC. *on a city* Th.; (fig., of a whip) —w. εἰς + ACC. *on someone's sides* Ar.
7 (gener., of persons) **proceed into, enter** —*a region* E.
8 (of sailors) **plunge into** —*Charybdis* AR.; (wkr.sens.) **enter** (the Black Sea) D.(contract) —*a strait, sea* AR.(sts.tm.)
9 (of rivers) **enter, issue** —w. εἰς + ACC. *into a place, river, or sim.* Hdt. Th. Plb.
10 (of the breath of chariot-horses) **strike, fall** (on the backs of charioteers and the wheels of chariots) S.

εἴσβασις (ἔσ-) εως *f.* [εἰσβαίνω] **1** action or means of entering (a building), **entrance** E.
2 process of embarking, **embarkation** Th.
εἰσβατός (ἐσ-) όν *adj.* (of land and sea) **accessible** (W.DAT. to a nation's daring) Th.
εἰσ-βιάζομαι (ἐσ-) *mid.vb.* **1** use physical force to enter (a place); (of persons, esp. soldiers) **force one's way in** Plu.; **force one's way ashore** Th.
2 use one's power to achieve admission; (of a non-citizen) **force one's way in** (to a city or citizenship) Ar.; (of a person, to a family by having oneself adopted) D.; (w. εἰς + ACC. to membership of leading families, by falsifying historical records) Plu.; (to public office) Plu.
εἰσ-βιβάζω (ἐσ-) *vb.* **1** cause (someone) to enter (a place); **put, bring** —*people* (w. ἐς + ACC. *into an enclosed area*) Hdt.

2 put on board, embark —*people* Th. Isoc. X. —(w. ἐς + ACC. *on ships*) Hdt. Th.
3 mount —*someone* (*on a chariot*) Hdt.

εἰσ-βλέπω (**ἐσ-**) *vb.* direct one's gaze towards; **look** —w. εἰς + ACC. *at someone* Hdt. X. —*into an animal's eyes* X. —*into the sea* Theoc.; (tr.) **look at** —*someone* E.

εἰσβολή (**ἐσ-**) ῆς, dial. **ἐσβολά** ᾶς *f.* [εἰσβάλλω] **1 inroad, incursion, invasion** (by troops or outsiders) Hdt. E. Th. Ar. +; **attack** (w. ἐς + ACC. on a place) Hdt.
2 issuing, inflow (of rivers into a sea) Plb.
3 mouth (of a river, where it flows into the sea) Plb.
4 place of entry, entrance (into a country or sim.) Hdt. Ar. X. Plu.; (w.GEN. through the Clashing Rocks) E.
5 (specif.) **pass** (in high ground) Hdt. Th. Ar. X. Plb.
6 onset, start (w.GEN. of lamentation) E.; **starting-point, subject** (for talk) E.
7 bringing into play, application (of a subtle rule, a clever idea) Ar.

εἰσ-γράφω (**ἐσ-**) *vb.* || MID. (of a populace) **enrol** —*itself* (w. ἐς + ACC. *in an alliance*) Th.

εἰσ-δανείζω *vb.* **lend money against** (sthg., i.e. use it as security) Pl.

εἰσ-δέρκομαι (**ἐσ-**) *mid.vb.* | act.aor.2 ἐσέδρακον | act.pf. ἐσδέδορκα || **1 look at** —*someone* Od. E. AR.
2 have sight of, see —*someone or sthg.* Hom. AR. —*the light of day* (*i.e. be alive*) E.
3 regard, consider —*someone* (W.PREDIC.SB. *as a murderer*) E.

εἰσ-δέχομαι (**ἐσ-**), Ion. **ἐσδέκομαι** *mid.vb.* **1** admit (a person) into a place; **receive, admit, welcome** —*someone* (*into a house*) S. E. —(*into a country or city*) E. Th. Isoc. X. Arist. —(w. εἰς + ACC. *into a country, city, house, shrine*) Hdt. X. D. —(W.DAT. *into a house, a cave*) E.*Cyc.* Men. —(W.GEN. *inside one's walls*) E.(dub.)
2 admit, allow —*a garrison* (*into a city*) Plb. —*gold* (W.ACC. *into one's house*) E. —*water* (fr. a road, w. εἰς + ACC. *onto one's land*) D.
3 admit (someone) **to membership** (of a group); **admit** —*a child* (*to a phratry or clan*) And. Is. —*a city* (*into a confederacy*) Hdt.
4 be receptive to, listen to —*pleas* (envisaged as ambassadors) Pl.; **admit, allow** —*sthg.* (*in a contract*) D.
5 (of children) **take in, learn** —*orderly habits* Pl.

εἰσ-δίδωμι (**ἐσ-**) *vb.* (of a river) **flow in** (to a place) Hdt.

εἰσδοχή (**ἐσ-**) ῆς *f.* [εἰσδέχομαι] (pl. for sg.) **reception, welcome** (W.GEN. provided by someone's house) E.

εἰσ-δραμεῖν (**ἐσ-**) *aor.2 inf.* | aor.2 εἰσέδραμον | pf. εἰσδεδράμηκα || The pres. is supplied by εἰστρέχω. | **1 run inside** (a city, house, or sim.) Th. X. Men. Plu. —w. εἰς + ACC. *a building* Ar.
2 (of a sailor) **enter** —w. εἰς + ACC. *a harbour* Plb.; (of a ship) —W.ACC. *a river* Theoc.

εἰσδρομή (**ἐσ-**) ῆς *f.* **rushing inside** (a town, by troops), **incursion, charge** E. Th.

εἰσ-δύνω (**ἐσ-**) *vb.* [δύω¹] —also **εἰσδύομαι** (**ἐσ-**) *mid.vb.* | athem.aor. εἰσέδῡν, ptcpl. εἰσδύς | pf. εἰσδέδῡκα || **1** (act. and mid.) **go into** (somewhere or sthg.); (of a thief) **enter, get in, slip in** (to a building) Hdt.; (of a person) —w. ὑπό + ACC. *under a net* Hdt.; (of a burglar) —w. εἰς + ACC. *into a house* Ar.; (of a species of bird) —*into a crocodile's mouth* Hdt.; (of bees) —*into a skull* Hdt.; (of the human soul, on death) —*into another creature as it is born* Hdt.; (of Truth) —*into people's minds* Plb.; (of the gall-fly) **penetrate**
—W.ACC. *a date* Hdt.; (of shoe-straps) **sink, bite** —w. εἰς + ACC. *into feet* X.
2 (act.) **worm one's way** —w. εἰς + ACC. *into a league* D.
3 (mid.) **enter, take part in** —*a javelin-throwing contest* Il.
4 (act., of a painful memory) **come upon, come over** —*someone* S.; (of an anxiety) —W.DAT. *someone* Hdt.

εἰσεῖδον (aor.2): see εἰσοράω

εἴσ-ειμι (**ἐσ-**) *vb.* [εἶμι] | Only pres. and impf. (other tenses are supplied by εἰσέρχομαι). The pres.indic. has fut. sense. |
1 go or **come in** (usu. into a house) Thgn. Hdt. S. E. Th. Ar. + —w. μετά, παρά, πρός, ὡς + ACC. *to someone* (*i.e. to visit or meet them*) Od. Hdt. Th. Lys. Ar. Pl. + —w. εἰς + ACC. *into a house, building, city, or sim.* Hdt. E. Ar. Att.orats. + —w. πρός + ACC. *to a cave* S.; **enter** —W.ACC. *a house, camp, someone's bed* E. —*a country* Call.
2 go or **come into, come within** —*someone's sight* Il.
3 enter —w. ἐς + ACC. *into a treaty* Th.
4 || NEUT.PL.PTCPL.SB. that which enters (the body), one's intake (ref. to food) X.
5 (of jurors) **come into court** D.; (of prosecutors or defendants, of a case) Is. D. —w. εἰς + ACC. *into court, before a jury* Att.orats. Pl.; (of litigants) **enter upon** —W.ACC. *a legal action* Is. D. Thphr.
6 come before an audience; (of a choir, a tragic actor) **enter** Pl. D.; (of tragedies) **be performed** Aeschin.
7 enter —w. εἰς + ACC. *into public office* Isoc. D.; **enter office** Hdt. Arist.
8 (of fear, pity, recognition of a person, or sim.) **come to, come over** —*someone* Hdt. E. Th. Pl. —W.DAT. Pl.; (of considerations) **enter** —w. εἰς + ACC. *someone's mind* Lys.
9 || PTCPL.ADJ. (of a month or year) approaching, coming or ensuing And. Arist.
10 || IMPERS.IMPF. it occurred —W.DAT. *to someone* (W.INF. to do sthg.) D.; the question presented itself to —W.ACC. *someone* (W.INDIR.Q. *how he might do sthg.*) X.

εἰσέλασις εως *f.* [εἰσελαύνω] **charge** (by chariots) Plu.

εἰσ-ελαύνω *vb.* | aor. εἰσήλασα, ep. εἰσέλασα | ep.2sg.aor.opt. (tm.) ἐς ... ἐλάσσαις (Call.) || also (as if fr. εἰσελάω) ep.pres. ptcpl. (w.diect.) εἰσελάων |
1 drive (W.ACC. chariots) **in** (to a fortification) Il.; (of a shepherd) **drive home** (his flock) Od.; (of a goddess) —*her horses* Call.
2 (fig., of jurors, envisaged as boxers) **drive, corner** —*someone* (w. εἰς + ACC. *into a discussion of sthg.*) Aeschin.; (causatv., of jurors, envisaged as judges at a horse-race) **make** (W.ACC. someone) **drive** —w. εἰς + ACC. *on the same lane* (*of a case, i.e. not diverge fr. the point at issue*) Aeschin.
3 (intr.) **ride in** (sts. w. εἰς + ACC. to a city) X. Arist. Plu.; (of a general celebrating a triumph) Plu. —W.COGN.ACC. *on his triumph* Plu.
4 (usu. of cavalry, sts. of infantry) **charge** (sts. w. εἰς + ACC. at the enemy) Plb. Plu.
5 row in (to a harbour) Od. Plu. —W.ACC. *to a harbour, river, lake, marsh* AR.

εἰσ-έλκω (**ἐσ-**) *vb.* | aor.ptcpl. εἰσελκύσας | **drag in** —*a person, a block of stone* (w. εἰς + ACC. *into a building*) Hdt. Ar.

εἰσένθωμες (dial.1pl.aor.subj.): see εἰσέρχομαι

εἰσ-έπειτα *adv.* **in the future** S.

εἰσ-επιδημέω *contr.vb.* (of a foreigner) **come as a temporary resident** (to a country), **be a visitor** Pl.

εἰσ-έρπω *vb.* | aor.ptcpl. εἰσερπύσᾱς | **creep in** (secretly) —w. εἰς + ACC. *to a building* Plu.

εἰσ-έρρω *vb.* | aor. εἰσέρρησα | pf. εἰσέρρηκα || (pejor.) **come in, burst in** —w. εἰς + ACC. *to a house* Ar.; **intrude, interrupt** (during a song) Ar.

εἰσ-ερύω vb. **drag** (W.ACC. a ship) **into** —a cave Od.
εἰσ-έρχομαι (ἐσ-) mid.vb. | fut. εἰσελεύσομαι (NT. Plu.) | aor.2 εἰσῆλθον, ep. εἰσήλυθον | dial.1pl.aor.subj. εἰσένθωμες | pf. εἰσελήλυθα || Impf. (and usu. fut.) are supplied by εἴσειμι. | **1 come** or **go in** (usu. into a house or city) Hom. hHom. Pi. Hdt. Trag. Th. + —w. παρά, πρός, ὥς + ACC. *to someone* (i.e. *to visit* or *meet them*) Hdt. Lys. Ar. X. D. Men. —w. εἰς + ACC. *into a house, building, city, or sim.* Od. Hdt. E. Th. Ar. Att.orats. +; **enter** —W.ACC. *a country, a city, its walls, a house, or sim.* Hom. Hes. Pi. S. E. Hellenist.poet.; (of a lion) —*its lair* Od.; (fig., of famine) **visit** —*a community* Od.
2 (gener.) **come to a place, arrive** Thgn. S. E. Ar. Men.
3 enter, engage in —*battles* Il.
4 enter —w. εἰς + ACC. *into a treaty or alliance* Th. Isoc. X. —*into a war* Isoc.
5 (of an alarming portent) **intrude on** —*sacrifices* Il.
6 (of youths) **enter** —w. εἰς + ACC. *into the ephebes* (i.e. become a member of that class) X.
7 (of jurors) **come into court** Att.orats. Arist.; (of prosecutors or defendants, of a case) Ar. Isoc. Pl. —w. εἰς + ACC. *into court, before a jury* Att.orats. Pl.; (of litigants) **enter upon** —W.ACC. *a legal action* Isoc. D.; (of a defendant) **face** —*an indictment* D.
8 (of a musical performer, a chorus) **come before an audience, enter** Ar. D.; (fig., of persons in competition w. each other, likened to choruses) Pl.
9 come forward as a competitor; (of a charioteer) **enter a race** S.; (of a boxer) **enter the ring** —w. πρός + ACC. *against someone* D.
10 enter —w. εἰς + ACC. *into public office* Arist.; **enter office** Antipho Arist.
11 (of boldness) **enter** —*warriors* Il.; (of despondency) —w. ἐς + ACC. *into someone* E.; (of emotions or states of mind) **come over** —W.ACC. or DAT. *someone* Hdt. Trag. And. Pl.; (of sexual passion) —W.DAT. *fishes* S.fr.; (of panic) —W.ACC. *a city* E.
12 (of considerations or questions) **occur to** —W.ACC. or DAT. *someone* E. Isoc. Pl.
13 || IMPERS. **it occurs** —W.DAT. or ACC. *to someone* (W.ACC. + INF. or COMPL.CL. *that sthg. is or may be the case*) A. Hdt. E.
14 (of revenues) **come in, accrue** X.
εἰσ-έτι temporal adv. (ref. to the continuance of a previous action or condition, sts. strengthened w. νῦν *now* or καὶ νῦν *even now*) **still** Hellenist.poet. Plb.
εἰσ-έχω, Ion. ἐσέχω vb. **1** (of a gulf, canal) **extend** —W.PREP.PHR. *to* or *fr. a place* Hdt. Plu.
2 (of a chamber) **lead** —w. ἐς + ACC. *into a hall* Hdt.; (of sunlight) **get in** —w. ἐς + ACC. *to a house* Hdt.
εἴση ep.fem.adj.: see ἴσος
εἰσ-ηγέομαι (ἐσ-) mid.contr.vb. **1 lead** (W.ACC. someone) **in** (to a house) Ar.
2 bring in (fr. abroad), **introduce** —*religious rites* Hdt.
3 (of a speaker) **bring in, introduce** (to one's hearers) —*a story derived fr. ancient lore* Pl. —*the power of Eros* (W.DAT. *to someone, i.e. explain what it is*) Pl.; (of a writer) **adduce, represent** —*sthg.* (W.PREDIC.ADJ. *as being such and such*) Plb.
4 give guidance or **instruction** (sts. W.DAT. *to someone*) Th. Isoc.; **guide, prompt, encourage** —W.DAT. + INF. *someone to do sthg.* Ar.
5 bring forward for consideration, propose, suggest (sts. W.DAT. *to someone*) —*a course of action* Th. Att.orats. Pl. X. Arist. + —W.ACC. + INF. or COMPL.CL. *that someone shd. do sthg., that sthg. shd. be done* Th. Pl. Plu.; (intr.) **make a proposal** or **suggestion** Th. Isoc. Pl. Arist. Plu.
εἰσήγημα ατος n. **practical suggestion** (by a well-wisher) Isoc.; **proposal, motion** (by a politician) Aeschin.
εἰσήγησις (ἐσ-) εως f. **instigation** (W.GEN. of a situation) Th.
εἰσηγητής (ἐσ-) οῦ m. **1 bringer** (W.GEN. + PREP.PHR. of good news to a house) Hdt.(cj., for ἐξ-)
2 proposer, prompter, instigator (W.GEN. + DAT. of policies or advice, to a city or an individual) Hyp. Arist. Plu.; (of crimes, to the populace) Th.; (of conduct, to an individual) Aeschin.
εἰσ-ηθέω (ἐσ-) contr.vb. **inject** (oil, into a corpse, w. a syringe) Hdt.
εἴσθα (ep.2sg.): see εἶμι
εἰσ-θέω contr.vb. [θέω¹] (of a messenger) **come running** —w. πρός + ACC. *to someone* Ar.
εἰσ-θρῴσκω (ἐσ-) vb. | ep.aor.2 ἔσθορον | aor.2 inf. ἐσθορεῖν | (of a warrior) **leap** or **spring in** (to a fortification, a river) Il.; **burst into** —*someone's house* A.
εἰσί (3pl.): see εἰμί
εἶσι (3sg.): see εἶμι
εἰσιδέειν (ep.aor.2 inf.), **εἴσιδον** (ep.aor.2): see εἰσοράω
εἰσ-ίζομαι (ἐσ-) mid.vb. (of a warrior) **take one's place in** —*an ambush* Il.
εἰσ-ίημι (ἐσ-) vb. | aor.1 εἰσῆκα | athem.aor.mid.inf. εἰσέσθαι | **1** (of a river) **send in, discharge** —*water* (w. ἐς + ACC. *into a lake*) Hdt.
2 inject —*oil* (*into a corpse*) Hdt.
3 let in, admit —*someone* (w. ἐς + ACC. *inside a city wall*) Hdt. || MID. **let in** (to a city) —*the enemy* X.
4 || MID. (of birds) **hasten to** —*their roosting-place* Od.
εἰσίθμη ης f. [εἴσειμι] **entrance** (of a harbour) Od.
εἰσ-ικνέομαι (ἐσ-) mid.contr.vb. (of an unborn lion cub) **claw at** (its mother's womb) Hdt.; (of a gadfly) **pierce** (someone) —W.DAT. w. *its sting* A.(dub.)
εἰσιτήρια ων n.pl. [εἴσειμι] **inaugural sacrifices** (performed by the Council on entering office) D.
εἰσ-καθοράω contr.vb. | only Ion.2sg. ἐσκατορᾷς | (of a deity) **look down upon** —*a city* Anacr.
εἰσ-καλαμάομαι mid.contr.vb. [καλάμη] (fig.) **haul in** (like a fish on a line) —*a person* (who is dangling fr. a rope) Ar.
εἰσ-καλέω (ἐσ-) contr.vb. **1 invite** or **summon** —*someone* (usu. W.PREP.PHR. *to oneself, one's house, a place*) X. Aeschin. Theoc. —*one's soul* (so that one may address it) Theoc. || MID. **call** (W.ACC. someone) **inside** Il.(tm.); **invite** —*someone* (*to one's house*) NT. —(W.PREP.PHR. *into a city*) Plb.
2 call to court, call in, summon —*a witness* Ar. Is. D.; (of officials) —*cases* Arist.
3 || MID. (of persons in authority) **call in** —*ambassadors or sim.* (for an audience) Plb. || PASS. (of ambassadors or sim.) be called in Aeschin.
εἰσ-καταβαίνω (ἐσ-) vb. **go down into** —*an orchard* Od. —*a dwelling* Hdt.(oracle); (of the Sun) —*a golden bowl* (for transport over the Ocean at night) Stesich.
εἰσ-κατατίθεμαι (ἐσ-) mid.vb. (of Kronos, Zeus) **put** (W.ACC. a person, a stone) **down into** —*one's belly* (i.e. swallow them) Hes.
εἴσ-κειμαι (ἔσ-) pass.vb. [κεῖμαι] (of supplies) **be put on board** (ships) Th.
εἰσ-κέλλω vb. (of sailors) **land at** —*a country* Ar.
εἰσ-κηρύσσω, Att. **εἰσκηρύττω** vb. **make a proclamation** ushering in (someone or sthg.); (of officials) **announce, proclaim an invitation to** —*athletic contests* S. || PASS. (of an ambassador) **be announced** (by a herald) Ar.

εἰσ-κομιδή (ἐσ-) ῆς *f.* **importation** (of supplies) Th.
εἰσ-κομίζω (ἐσ-) *vb.* **1 bring** (W.ACC. someone) **in** (to a house, city, or sim., sts. w. εἰς + ACC.) Trag. Th.; **bring** or **carry** (W.ACC. sthg.) **in** (to a house or sim.) Hes. X. Plu.
2 ‖ MID. **bring in** —*one's family, one's belongings* (*to a city, fr. the countryside*) Th.; **take home** —*a wine-flask* Ar. ‖ PASS. (of people) **gather inside** —w. ἐς + ACC. *fortresses* Th.; (of belongings) **be brought in** (fr. the countryside) Th.; (of objects, into a house or sim.) Plu.; (of logs) —W.DAT. *to a city* E.
3 ‖ MID. **bring in** (to a country or sim.), **import** —*supplies* Th. ‖ PASS. (of goods) **be imported** D.
εἰσ-κρούω *vb.* ‖ PF.PASS.PTCPL.ADJ. (of a measuring-jar) **knocked in** or **dented** (W.ACC. at its bottom) Thphr.
εἰσ-κυκλέω *contr.vb.* **wheel in** (to a house) —*a person in a comedy* (*on the ekkuklema, a trolley used in tragedy to bring interior scenes on stage*) Ar. —(*on that, or on a wheeled couch*) Men.; (fig., of a god) **trundle** —*trouble* (w. εἰς + ACC. *into a house*) Ar.
εἰσ-κυλίνδω *vb.* | aor. εἰσεκύλῑσα | (of Poseidon) **roll** —*islands* (W.DAT. *into the sea*) Call.; (fig.) **trundle** —*someone, oneself* (w. εἰς + ACC. *into trouble*) Ar.
ἔἰσκω *vb.* [reltd. ἔοικα, ἴσκω] | Aeol.inf. ἐίσκην | impf. ἤϊσκον, also ἔἰσκον | **1 make** (W.ACC. oneself or another) **like** —W.DAT. *someone* (*in appearance*) Od. Hes.
2 consider to be like, **liken** or **compare** —*someone or sthg.* (W.DAT. *to someone or sthg.*) Hom. hHom. Sapph. Ibyc. Theoc.
3 imagine, **suppose** (sthg.) Od. —W.ACC. + INF. *that someone is sthg. or is doing sthg., that sthg. is the case* Hom. Theoc.
εἰσ-λεύσσω (ἐσ-) *vb.* **look upon** —*one's own sufferings* S.
εἰσ-μαίομαι *mid.vb.* | only 3sg.aor. ἐσεμάσσατο | (of a person, by dying; of his killer) **search into, affect greatly, touch to the quick** —*someone's heart* Il.
εἰσ-μάσσομαι *mid.vb.* | only 3sg.aor. ἐσεμάξατο | (of Aphrodite) **press** —*her hands* (w. ἐς + ACC. *on someone's bosom*) Theoc.
εἰσ-νέω (ἐσ-) *contr.vb.* [νέω¹] **swim in** (to land, fr. the sea) Th.
εἰσ-νοέω *contr.vb.* **1 notice, see** —*a person, bird, tracks* Hom. hHom. AR.(sts.tm.)
2 realise, recognise —*a fatal mistake* AR.
εἴσ-οδος (ἔσ-) ου *f.* **1 place of entry, entrance** (of a harbour, building, room, or sim.) Od. Hdt. E. Th. Pl. X. +; (ref. to one of two side-passages leading into the orchestra in the theatre) Ar.; (w. ἐς + ACC. *into a country, ref. to a pass*) Hdt.
2 means of entering, way in, access (to a place) Hdt. Pl. X. Plb. Plu.
3 action or **occasion of entering, entrance, entry** (of a person into a place or building) A. E. Th. Pl. Plb. Plu.
4 coming, arrival (of Christ, into the world) NT.
5 right of entrance, admission, access (w. παρά + ACC. *to a king*) Hdt. X.
6 entry into a house, admission, visit (sts. W.GEN. of someone) E. Lys.
7 (leg.) **coming to court** (of a case or the parties to it) D.; **coming** or **bringing** (W.GEN. + PREP.PHR. *of a case to court*) Pl.
8 entry into a contest; (gener.) **contest** Pi.
9 (fig.) **pathway, avenue** (W.GEN. *to noble achievements*) Pi.
10 income, revenue Plb.
εἰσ-οικειόω *contr.vb.* **1** (of a father) **cause** (W.ACC. his son) **to form a family alliance** (by marriage) Plu.
2 ‖ PASS. (of a person) **be on friendly terms, be intimate** —W.DAT. *w. someone* X.

εἰσ-οίκησις εως *f.* **dwelling** S.(dub., see ἐξοίκησις)
εἰσ-οικίζω (ἐσ-) *vb.* **1 bring in** (someone) **as a dweller** or **settler; settle** —*foreigners* (*in a city*) Plb.; **settle** (W.ACC. someone's child) **in** —*one's house* E.; (fig., of Fortune) **introduce** —*a people* (w. εἰς + ACC. *to another people's wealth*) Plb.
2 ‖ MID. (of outsiders) **come and settle** (in a city) Ar. X. —w. ἐς + ACC. *in a country* Hdt.; (of an artisan) **move in** —w. εἰς + ACC. *to a workshop* Aeschin.; (of people) —W.ACC. *to a house* or *estate* Plu.; (fig., of prosperity) —w. εἰς + ACC. *to a community* Plb.
3 ‖ MID. (fig., of lawlessness) **make a home** (in characters and pursuits) Pl.; (of an islander's life) —W.DAT. *among the waves* Call.; (of a deadly chill) **settle on** —W.ACC. *someone* Call.
4 ‖ PASS. (of a people) **be accepted as settlers** —w. ἐς + ACC. *among a people* Hdt.
εἰσ-οικοδομέω (ἐσ-) *contr.vb.* **1 build** (W.ACC. a defensive wall) **projecting back into** —w. ἐς + ACC. *one's city* Th.
2 build (W.ACC. bricks) **into** —w. ἐς + ACC. *a wooden wall* Th.
εἰσοιστέος ᾱ ον *vbl.adj.* [εἰσφέρω] (of a law) **to be brought in** D.
εἰσ-οιχνέω *contr.vb.* | Ion.3pl. εἰσοιχνεῦσι | Ion.fem.ptcpl. εἰσοιχνεῦσα | **1 go to, visit** —*a place* Od. A.
2 enter upon, join —*a dance* Od.
εἰσ-όκε(ν) *conj.* [ὅ¹, κε(ν)] **1 until** —W.SUBJ. *sthg. happens* Emp. AR. Mosch. [in Emp. better written (as in early ep.) εἰς ὅ κε(ν)]
2 until —W.INDIC. *sthg. happened* Call. AR.
3 after —W.INDIC. *sthg. happened* AR.
εἴσομαι (fut.mid.): see ἴζω
εἴσομαι¹ (fut.mid.): see οἶδα
εἴσομαι² *ep.fut.mid.vb.* [reltd. ἵημι] | also 3sg.aor. εἴσατο, ἐείσατο, 3du. ἐεισάσθην | (of a person or weapon) **move quickly, hasten, speed** Hom.; (of a person) —W.GEN. *towards someone* Od.; **hasten, be eager** —W.FUT.INF. *to do sthg.* Il.
εἰσ-όπιν *adv.* [reltd. ὄπισθεν] **in the future, hereafter** (W.PARTITV.GEN. *in time*) A.
εἰσ-οπίσω *adv.* **in the future, hereafter** hHom. Sol. S.
εἴσοπτος (ἔσ-) ον *adj.* [εἰσοράω] (of a deity, a shrine) **within sight** Simon. Hdt.
εἴσοπτρον (ἔσ-) ου *n.* **looking-glass, mirror** Pi.
εἰσ-οράω (ἐσ-) *contr.vb.* | ep.ptcpl. (w.diect.) εἰσορόων | fut. εἰσόψομαι | aor.2 εἰσεῖδον, ep. εἰσίδον, ep.inf. εἰσιδέειν | ep.mid.inf. (w.diect.) εἰσοράασθαι |
1 look at or **upon, behold, view, see** —*someone or sthg.* Hom. +; (mid.) Hom. hHom. Trag. AR. ‖ PASS. (of things) **be seen** AR.
2 look to for guidance or help, look towards —*someone* Hom.; (of seers) **look** —w. ἐς + ACC. *to sacrificial victims, divination* Hdt.
3 look admiringly at, look up to, respect —*someone* Hom.
4 see with one's mind, perceive, realise (sthg.) S. —W.COMPL.CL. *that sthg. is the case* S.
5 see, be sure —w. μή + INDIC. *that one is not doing sthg.* S.
εἰσ-ορμάομαι *mid.contr.vb.* **rush into** —*a room* S.
εἰσ-ορμίζομαι *mid.vb.* (of sailors) **put in** —w. εἰς + ACC. *to a river* Plu. ‖ PASS. **come to anchor** (at a place) X.
εἰσ-ότε *conj.* [ὅτε¹] **until the time when, until** —W.INDIC. *sthg. happened* hHom. AR.
εἴσ-οψις εως *f.* [ὄψις] **act of looking at; attention** (given to sthg.) E.
εἰσ-παίω *vb.* **1 burst in** (to a room) S.
2 blunder into —*a trap, an ambush* E.

εἰσ-πέμπω (ἐσ-) *vb.* **1 send** (W.ACC. someone or sthg.) **in** (to a place, esp. a house or city) Hdt. Th. X. D. +; **send** —*someone or sthg.* (w. εἰς + ACC. *to or into a place*) Hdt. Lys. Ar. D. + —(W.ACC. *into a house*) E.; **convey** —*someone* (W.ACC. *to a city*) E. ‖ PASS. be sent inside (a house) E.; (of food) be introduced (into an animal's mouth) X.
2 send in —*a person, letter, message* (w. παρά or πρός + ACC. *to someone*) Hdt. Th. Men.
3 send in —*a garrison* (sts. w. εἰς + ACC. *to a city*) Th. Isoc. Plb.
4 (pejor.) send in (as an agent, proxy or informer), **send along** —*someone* S. And. Isoc.
5 (of a legal speech-writer) send to a contest (in court), **equip for the courtroom** —*a speaker* Pl.; (fig., of laws) **bring in, bring to bear** —*modesty* (*to counter audacity*) Pl.
εἰσ-περάω *contr.vb.* ǀ Ion.aor. εἰσεπέρησα ǀ **1** (of a sailor) **cross over to** —*a place* Hes.(dub.)
2 (of sailors) **cross into** —*a river* AR.
εἰσ-πέτομαι (ἐσ-) *mid.vb.* (of a bird) **come flying in** (to a place) Ar. Plu.; **fly into** —W.ACC. *a cave* Il.; (of a deity) **fly** —w. εἰς + ACC. *into the air* Ar.; (of wasps) —*at someone's arse* Ar.; (fig., of a rumour) —*into a camp* Hdt. —W.DAT. *to people* Hdt.
εἰσ-πηδάω (ἐσ-) *contr.vb.* **1 leap into** —w. εἰς + ACC. *a lake, mud, ships* Hdt. Ar. X.; (wkr.sens.) **spring in, rush inside** (a building) Men. NT.
2 leap forth, rush in (to do sthg.) Ar.; **burst in** —w. εἰς + ACC. *to someone's house* Aeschin. D. —w. ὡς + ACC. *on someone* (*inside a tent*) D. —w. εἰς + ACC. *to a deme* (*i.e. force one's way into membership of it*) D.
εἰσ-πίπτω (ἐσ-) *vb.* **1 fall downwards into** (sthg.); (of persons or things) **fall into** (a well) Men.(cj.) —w. ἐς + ACC. *sthg.* Hdt.
2 get into (a place) by accident or under compulsion; **blunder into** —w. ἐς + ACC. *an ambush, a place* Th.; **be driven into** —w. ἐς + ACC. *a river* Hdt.; **be thrown into** —w. ἐς + ACC. *prison* Th.; **fall into the hands of** —w. ἐς + ACC. *the enemy* Hdt.; (fig.) **stumble into** —w. εἰς + ACC. *a discussion* Pl.
3 go deliberately or eagerly into (a place); **plunge in** (a river) Th. —w. ἐς + ACC. *into a heap of gold-dust* Hdt.; **rush in** —w. ἐς + ACC. *to a room* E. —W.ADV. *to a place* Ar.; **rush up** —w. ἐς + ACC. *to one's ships* Hdt.; (of cavalry in flight) **scurry back** —w. ἐς + ACC. *to their infantry* Hdt.; (of birds) **swoop into** —W.ACC. *a tent* E.
4 (esp. of soldiers) enter (a place) forcefully or aggressively; **burst in** (to a city, a house) Th. X. Plb. Plu. —w. εἰς (ἐς) + ACC. *to a city, house, or sim.* Hdt. X. Plb. Plu.
5 go aggressively against (someone); **make an attack** Hdt. S. Th. Pl. X. Plb. —w. ἐς + ACC. *on enemy troops, a region* Hdt. Th.; (tr.) **attack** —*an army* E.
6 (of a plague; of a foreign threat, compared to a torrent) **attack, fall upon** —w. εἰς + ACC. *a city* D.
7 (wkr.sens., of a child) **go and nestle in** —W.ACC. *someone's robes* E.; (of a person) **come up against** —*a crowd* E.; **enter upon** —*a path* E.; **enter** —*a room* E. —w. εἰς + ACC. Men.; **go inside** (a city) Plb.
8 (of water) **pour** —w. εἰς (ἐς) + ACC. *into a place* Th. D. Plb.
9 (pejor., of outsiders) **be introduced, intrude** (into a city) E. —w. εἰς + ACC. *into a city* Isoc.; **intrude upon, appropriate** —W.ACC. *the fruits of others' labour* E.; (of the idea of freedom) **be introduced** —w. εἰς + ACC. *to a people* Isoc.
10 fall into (a certain state); (of persons) **fall into** —W.ACC. *slavery, need, a calamity, old age* E. —w. εἰς + ACC. *thought, garrulousness* Isoc.

εἰσ-πίτνω (ἐσ-) *vb.* (of a child, likened to a young bird) **go and nestle under** —*its mother's wings* E.
εἰσ-πλέω (ἐσ-) *contr.vb.* [πλέω¹] **1** (of persons, sts. of ships) **sail in** (to a stretch of water, a harbour) Hdt. Th. Att.orats. Pl. + —w. εἰς + ACC. Th. Att.orats. X. + —W.ACC. E.
2 sail to —w. εἰς + ACC. *a place* Isoc. —w. ὡς + ACC. *a person* Isoc. Aeschin. —w. παρά + ACC. Plu.
3 (of goods) **come in by sea** Th. X. D. Plu.; (of persons) **import goods by sea** Lys.
4 (fig., of a person) **enter harbour** (ref. to a house) Ar.; **enter upon** —W.ACC. *a marriage* S.(dub.)
εἴσ-πλους (ἐσ-) ου Att.m. —also **ἔσπλοος** όου Ion.m. [πλόος] **1** place where one sails in, **entrance** (of a harbour or stretch of water) Th. Pl. X. Plb. Plu.
2 act of sailing in, **entry** (into a harbour) Th. D. Plb.
3 arrival by sea (of an enemy) Hdt.
4 means of sailing in, **way in, access** (W.GEN. for the importing of provisions) Th.
εἰσ-πνέω *contr.vb.* (of the aroma of torches) **breathe upon, waft over** —*someone* Ar.
εἰσπνήλης εω Ion.m. —also **εἴσπνηλος** ου (Theoc.) *m.* [reltd. εἰσπνέω] one who inspires (or is inspired by) love, **lover** Call. Theoc.
εἰσ-ποιέω *contr.vb.* **1** introduce (someone) into a family; **give** (W.ACC. someone) **for adoption** (usu. W.DAT. or εἰς + ACC. to someone, into someone's family) Att.orats. Pl. Plu. ‖ MID. **adopt** —*someone* Att.orats. ‖ PASS. be adopted Att.orats.
2 make (W.ACC. oneself) **heir** —w. εἰς + ACC. *to someone's power* Plu.
3 (gener.) **bring in, introduce** —*someone* (*to perform a service*) D. —*oneself* (*as a participant in sthg.*) Din.
εἰσποίησις εως *f.* **adoption** (of a child, into a family) Is. Plu.
εἰσποιητός όν *adj.* (of a person) **adopted** Is. D. ‖ MASC.SB. adopted person Is. D.
εἰσ-πορεύομαι *mid.vb.* ǀ aor.pass. (w.mid.sens.) εἰσεπορεύθην ǀ **1 proceed inside, enter** (a city or building) X. Plb. NT. —w. εἰς + ACC. *a place* Plb. NT.
2 come up to —w. πρός + ACC. *someone* NT.
3 (of food) **enter** —w. εἰς + ACC. *into a person's mouth* NT.; (of desires, vices, or sim.) —*into a person* NT.
4 (of revenue) **come in, accrue** Plb.
εἴσπραξις (ἐσ-) εως *f.* [εἰσπράσσω] **exaction, collection** (of money, tax, or sim.) Isoc. D. Plu.; **enforcement** (of an overdue sacrifice) Th.
εἰσ-πράσσω, Att. **εἰσπράττω** *vb.* (act. and mid.) **exact, levy, demand** —*money, tax, or sim.* Att.orats. Pl. Arist. Thphr. Men. Plb.; **make a demand** —W.ACC. *on someone* D. Arist. —W.DBL.ACC. *on someone for sthg.* Att.orats. ‖ PASS. (of a person) have exacted or demanded of one —W.ACC. *a sum of money or sim.* D.; (of money) be exacted Is. D.
εἰσ-ρέω *contr.vb.* ǀ PASS. (w.act.sens.): fut. εἰσρυήσομαι, aor.2 εἰσερρύην ǀ **1** (of streams) **flow in** (to the earth, to rivers) Pl.; (of ἔρως *love*, in a proposed etymology) Pl.; (of seawater) **pour into** —w. εἰς + ACC. *a ship* Plb.; (fig., of a desire for sthg.) —W.ACC. *someone* Plu.
2 ‖ FUT. and AOR.2 PASS. (fig., of a rabble) pour in (to a building) Plu.; (of items of knowledge, compared to people pushing past a doorkeeper) Pl.; (fig., of money) —w. εἰς + ACC. *into a city* Isoc. Plu.; (of an error) slip in Pl.
εἰσ-τελέομαι *mid.pass.contr.vb.* **enrol oneself** or **be enrolled** —w. εἰς + ACC. *in a certain class of persons* Pl.
εἰστήκει (3sg.plpf.): see ἵσταμαι, under ἵστημι
εἰστίασα (aor.): see ἑστιάω

εἰσ-τίθημι (ἐσ-) *vb.* **1** place (sthg.) into or onto (sthg.); **insert** —*a letter* (*inside sthg.*) Hdt. —*a tube* (w. ἐς + ACC. *into sthg.*) Hdt. —*bellows* (*into the end of a tube*) Th.; **place, put** —*sacrificial offerings, a person* (w. ἐς + ACC. *into someone's hands*) Hdt. —*a corpse* (*onto a wagon*) Hdt.; **put in** (the pan of a scale) —*sthg. to be weighed* Ar.
2 (usu.mid.) place (sthg.) on (a ship); **put on board** (sts. w. ἐς + ACC. onto a ship) —*one's wives and children, belongings, provisions* Hdt. X.; **put** (W.ACC. a bull) **on** —W.ACC. *the deck* E.
3 (mid.) **admit** —*a narrative* (W.DAT. *to one's ears, i.e. hear it*) Call.
εἰστιῶν (impf.): see ἑστιάω
εἰσ-τοξεύω (ἐσ-) *vb.* **shoot arrows at** (the enemy) Hdt.
εἰσ-τρέχω *vb.* | aor. and pf. supplied by εἰσδραμεῖν | **run inside** (a house) Men.
εἰσ-φέρω (ἐσ-) *vb.* **1** carry (sthg.) to or into (a place); **carry** or **take** (W.ACC. sthg.) **inside** (a house or sim.) Od. Hdt. E. Th. Ar. + ‖ MID. **bring in** —*property, provisions* (sts. w. ἐς + ACC. *into a city*) Hdt. Th.; **bring** (W.ACC. sthg.) **with one** (to a place) Ar.
2 ‖ MID. (of a river in flood) **carry** or **sweep along** —*trees* Il. ‖ PASS. (of persons being chased by an enemy) be swept along —w. ἐς + ACC. *into a wood* Th.
3 bring in, contribute —*payment, services, advice, jokes, or sim.* Archil. Thgn.(tm.) Hdt. Th. Ar. Att.orats. + ‖ PASS. (of a tithe) be contributed Th.
4 (specif.) **contribute, pay** —W.COGN.ACC. εἰσφοράν *a property-tax* Th. Att.orats. Pl. —W.ACC. *a sum of money* (*as property-tax*) Att.orats. Pl.; (intr.) **pay a property-tax** Att.orats. ‖ PASS. (of sums of this tax) be paid Lys.
5 pay, provide —W.ACC. *a contribution* (*ref. to advice, a speech, services*) Isoc. Pl. Lycurg. —(*ref. to an interest-free loan, made by a consortium of lenders*) D. Thphr.; **contribute** —*a sum of money* (*as part of such a loan*) D. Thphr.; (intr.) **contribute a loan** Pl. ‖ PASS. (of a loan) be contributed Thphr.
6 ‖ MID. (of a wife) **bring with one** —*a dowry* Thphr. —*a sum of money* (w. εἰς + ACC. *into a family*) D.
7 bring in (as a novelty), **introduce** —*a new malady, a new deity, new arguments, new forms of comedy* E. Ar. X. —*customs* E.; (mid.) —*wine* (W.DAT. *to people*) E. ‖ PASS. (of a new story) be introduced E.
8 (of a writer or dramatist) **bring in, introduce** —*falsehood* Plb. —*unsuitable subjects* (w. εἰς + ACC. *into one's art*) Ar.; (mid.) —*an invented name* (*into one's poetry*) Hdt.
9 bring (sthg. unwelcome) to or upon (persons, places); **bring** —*sorrow, war, cowardice* (W.DAT. *to someone or somewhere*) E.
10 bring forward, **offer** —*hope* E.; (act. and mid.) **utter** —*speech* E. ‖ MID. **bring to bear, apply** —*one's best efforts* Plb.
11 bring (sthg.) forward (for discussion or decision); **offer** —*an opinion or proposal* Hdt. Th. Ar. X.; **introduce, propose** —*a law, a decree* Aeschin. D. Arist.; **make a proposal** —W.INDIR.Q. *about how to do sthg.* X.; **refer an issue** —w. εἰς + ACC. *to an authority* Th. Pl. X. Aeschin.
‖ NEUT.PL.PASS.PTCPL.SB. proposals Arist.
12 propose, nominate —*a person* (*to an office*) Pl. ‖ PASS. (of persons) be nominated Plb.
εἰσ-φθείρομαι *mid.pass.vb.* (in commands) **go inside and good riddance** Men.
εἰσ-φοιτάω (ἐσ-) *contr.vb.* go in regularly (to a person or place); **pay visits** —w. πρός + ACC. *to someone* E. —w. ἐς + ACC. *to a kitchen* Ar.

εἰσφορά (ἐσ-) ᾶς *f.* [εἰσφέρω] **1 bringing in** (of external resources) X.
2 contribution (of money, taxes, or sim.) Pl. X. Arist. Plb. Plu.
3 (specif., at Athens) **special tax, property-tax** (levied by the state, as need arose, on wealthier citizens and metics) Th. Ar. Att.orats. Pl. X. Arist.
4 introduction (by an administrative body, of business for discussion by the populace) Arist.
εἰσ-φορέω (ἐσ-) *contr.vb.* **carry** or **take** (W.ACC. sthg.) **inside** (a place) Od. Th.; **carry** or **take** —*sthg.* (*to a person or place*) Hdt. AR. —(W.ACC. *to a place*) Od. —(w. εἰς + ACC.) X.; **pour** —*wine and water* (w. ἐς + ACC. *into a bowl*) Hdt. ‖ PASS. (of building materials) be brought (to a place) Hdt.
εἰσ-φρέω *contr.vb.* | impf. εἰσέφρουν | fut. εἰσφρήσω | aor. εἰσέφρησα, also εἰσέφρηκα | aor.subj. εἰσφρῶ ‖ MID.: impf. εἰσεφρούμην | fut.inf. εἰσφρήσεσθαι | **allow in, admit** —*someone* (*into a place*) Ar. X. D.(also mid.) Thphr.(cj.) Plb. —*female gossip* (*into one's house*) E.(mid.).
εἰσ-χειρίζω *vb.* (of a city) place in the hand, **entrust** —*authority* (W.DAT. *to someone*) S.
εἰσ-χέω (ἐσ-) *contr.vb.* | ep.3pl.athem.aor.mid. ἐσέχυντο |
1 pour in —*a liquid* E.Cyc. —(w. ἐς + ACC. *into sthg.*) Hdt.
2 ‖ MID. (of people) **pour in** (to an enemy city or camp) Il. Hdt. —w. ἐς + ACC. *into their own city* Il.
εἴσω (ἔσω) *adv.* and *prep.* [εἰς] | For compar. see ἐσωτέρω. |
1 (ref. to direction) into the interior (of a house, part of the body, or sim.); **inwards, inside** Hom. +; (as prep.) **inside, into** —W.GEN. *a place* Hom. + —W.ACC. Hom. hHom. Thgn.
2 to —W.ACC. *Troy* Hom.
3 (ref. to location) in the interior (of a city, house, object); **inside, within** Od. +; (as prep.) —W.GEN. *a place* A. +; **within reach of** —W.GEN. *a sword* E.; **on this side of** —W.GEN. *a place* Th. X.
εἰσ-ωθέομαι *mid.contr.vb.* **push one's way in** (to a city, through a crowd) X.
εἰσ-ωπός όν *adj.* [ὤψ] (of warriors) app. **in among** (W.GEN. beached ships) Il.; (of sailors beaching their ship) **inside** (a harbour) AR.
εἶτα *adv.* **1** (denoting sequence in time) **then, next** A. +
2 (after ptcpl., w. finite vb., sts. conveying a note of surprise) **then** Trag. Ar. + • μή μοι προτείνων κέρδος εἶτ' ἀποστέρει *do not offer me a benefit and then rob me of it* A.; (also) κᾆτα Ar.
3 (denoting consequence, in surprised or indignant questions) **then, and so, therefore** S. + • εἶτ' οὐκ αἰσχύνεσθε; *then are you not ashamed?* D.; (also) κᾆτα S. +
εἶται (3sg.pf.mid.): see ἕννυμι
εἴτε, dial. **αἴτε** *disjunctive conj.* [εἰ, τε¹] **1** (most commonly repeated, connecting alternative wds., phrs., or cls.) εἴτε ... εἴτε **whether ... or** Hom. + • (w. wds.) εἴτε ἑκών εἴτε ἀέκων *whether willing or unwilling* Hdt. • (w. cls.) εἴτ' ἐπὶ δεξί' ἴωσι ... εἴτ' ἐπ' ἀριστερά *whether they go to right ... or to left* Il. • (w. indir.qs.) ἀλλ' εἴπατ' εἴτε χρῄζετ' εἴτ' οὐ χρῄζετε *but say whether you wish or do not wish* E.Cyc.
2 (less freq., connecting alternative protases, each w. its own apodosis) **if on the one hand ... if on the other hand** Th. + • εἴτε γὰρ μὴ 'θέλοιεν δεδιότες ἀλλήλοις προσιέναι, ἀπώλλυντο ἐρῆμοι ... εἴτε προσίοιεν, διεφθείροντο *if they were unwilling to visit each other through fear, they died in isolation ... and if they did visit, they died* Th.
3 (sts., w. first εἴτε omitted) A. + • σὺ δ' αἰνεῖν εἴτε με ψέγειν θέλεις *whether you wish to praise or blame me* A.
4 (in other combinations, esp. εἰ ... εἴτε, εἴτε ... ἤ) • εἰ δικαίως εἴτε μή *whether justly or not* A. • εἴτε Λυσίας ἤ τις ἄλλος *whether Lysias or someone else* Pl.

5 (w. other pcls.) εἴτ' οὖν or εἴτε καί (in either or both phrs. or cls.) A. +
εἶτε (2pl.opt.): see εἰμί
εἶτεν temporal adv. [εἶτα] **then, next** NT.
εἴτην (3du.opt.), **εἶτον** (2du.): see εἰμί
εἶτο (3sg.plpf.mid.): see ἕννῡμι
εἰχόμην (impf.mid.), **εἶχον** (impf.): see ἔχω
εἰῶ (ep.contr.pres.): see ἐάω
εἴωθα, Ion. **ἔωθα** pf.vb. [reltd. ἔθος] | plpf. εἰώθειν, Ion. ἐώθεα | **1 be accustomed** —W.INF. to do sthg. Hom. +
|| IMPERS. it is customary Plu. —W.DAT. + INF. for someone to do sthg. Ar.
2 || PF.PTCPL.ADJ. (of persons or things) **accustomed, customary** or **usual** Il. Hdt. S. Th. + || PF.NEUT.PTCPL.SB. (sg. and pl.) **what is customary** or **usual** Hdt. E. Th. Ar. +
—**εἰωθότως** pf.ptcpl.adv. **in customary manner, as usual** S. Pl.
εἴων (1sg.impf.): see ἐάω
εἴως ep.conj.: see ἕως¹
ἐκ, Boeot. **ἐς**, also (before a vowel) **ἐξ**, Boeot. **ἐσς** prep. | W.GEN. | rarely following its noun (and then accented), e.g. μάχης ἔκ from battle Il. |
—A | movt. or separation |
1 out (fr. inside); **out of** —a structure, vehicle, the ground, or sim. Hom. + —the mouth Hes. +
2 away from (a starting-point); **from** —a location Hom. +
3 (ref. to being released or saved) **from** —the enemy, a situation, or sim. Hom. +
—B | space or location |
1 at a distance from, away from —someone or sthg. Hom. + | see also μέσ(σ)ον 4, πούς 12
2 extending spatially from (a point); **from** —a helmet (ref. to a flame burning) Il.
3 (ref. to attaching or hanging) **from** —sthg. Hom. +; (as adv.) **from there, therefrom** Il.
4 (ref. to looking, speaking) **from** —a location Hom. +
5 (ref. to sitting) **on** —a peak (so as to look out or do sthg. fr. there) S. E.
6 (phrs.) ἐξ ἀριστερᾶς, ἐκ δεξιᾶς from or on the left or right Hdt. S. E. Th. + | see also ἀντίος 3, δόρυ 7, ἐναντίος 8, ἡνίαι 1, καταντικρύ 5, πλάγιος 4, πούς 13, χείρ 6
—C | time |
1 at a point in time following, after —an event, period or point in time Il. +
2 starting from, from —a period or point in time Hom. +; (phrs.) ἐκ γενετῆς from birth Hom. +; ἐξ οὗ since (the time when) Hom. +; ἐκ πολλοῦ (χρόνου) from a long time before, for a long time Hdt. Th. Att.orats. + | see also αἰών¹ 12, ἐκεῖνος 8, λοιπός 6, μακρός 10, παλαιός 5, παραχρῆμα 3, πλείων 4, ὕστερος 13
3 following (in repeated succession), **after** —sthg. Il. +
• κακὸν ἐκ κακοῦ trouble after trouble Il.
4 following the beginning of (a period of time); **during** —the day, night Od. Thgn. Hdt. S. +
5 following or **changing from** (the opposite); **after, instead of** —sthg. Il. + • τυφλὸς ἐκ δεδορκότος blind after being able to see S.
—D | source or origin |
1 originating or **derived from, from** —a place Hom. +; **of** —certain parents Hom. +
2 (ref. to loving, shouting, weeping) **from** —the heart (as seat of the emotions) Il. +
3 (ref. to taking or receiving sthg.) **from** —sthg., someone, someone's hands Hom. +

4 (ref. to washing, drinking) **from** —a river, bowl Hom. +
5 (ref. to deriving information) **from** —books Pl. —history Plb.
6 (ref. to having hope) **dependent upon** —the enemy making a mistake Th.
7 (ref. to making sthg.) **out of, from** —a certain material Hes. +
8 (ref. to forming an army) **from** —certain people X.
9 as part of, **out of, among** or **belonging to** —a group Il. Hdt. +; (phr.) ἐκ πάντων out of all (i.e. above all) Hom. +
—E | cause, agency or means |
1 in consequence of, **because of** —some cause Hom. +; (phr.) ἐκ τίνος λόγου; for what reason? A. E.; ἐκ τίνος (or τοῦ); why? E. X. D.
2 instigated by, by, from —a person, deity Hom. + • τὰ ἐξ Ἑλλήνων τείχεα walls built by the Greeks Hdt.
3 by the agency of, by —a person, deity Hom. +
4 by means of, by, with —hand, weapons, resources, force, cunning, or sim. Hdt. S. +
—F | underlying condition (freq. as the basis for action) |
1 on the basis of —deeds, attributes, circumstances Lys. Isoc. X.
2 in conformity or **accordance with** —a command, oracle, law, treaty A. Hdt. Th. +
3 (phrs.) ἐξ ἴσης, ἐξ (ἐκ τοῦ) ἴσου on an equal basis, in equal measure, equally Hdt. Trag. +; ἐξ ἀκοῆς by hearsay Pl. Plb.; ἐξ ἑκουσίας voluntarily S. | see also δυνατός 8, ἐπιδρομή 3, εὐθύς 3, παρασκευή 4, πάρεργον 4, περιουσία 3, πρόνοια 3
—G | accompanying circumstances |
(phrs.) ἐξ ἀπροσδοκήτου unexpectedly Hdt.; ἐκ νέης anew Hdt.; ἐκ προδήλου clearly S. | see also ἀπάντησις 6, διαδοχή 7, 8, ἐναντίος 8, ἐπιπολῆς 4, μέσ(σ)ον 3, οὔριος 1, περισσός 11, ὑπόγυιος 5, φανερός 6
—H | W.ADV. (or GEN.) in -θεν |
(phr.) ἐκ Διόθεν from Zeus Hes. AR. | see also ἀλόθεν, ὁμόθεν 2, οὐρανόθεν, παιδιόθεν, πρῴραθεν 1, σιπύηθεν, τόθεν 1, 4
Ἑκάβη ης, dial. **Ἑκάβᾱ** ᾱς f. **Hekabe, Hecuba** (wife of Priam) Il. E. Pl. Arist. Theoc. Plu.
ἑκᾱβολίᾱ dial.f., **ἑκᾱβόλος** dial.adj.: see ἑκη-
ἑκά-εργος ου m.f. [reltd. ἑκών, but derived by pop.etym. fr. ἑκάς; 2nd el. ἔργον] (epith. of Apollo) **one who acts at will, worker at will** (or one who works from afar, far-worker) Hom. hHom. Sol. Pi. Call.; (perh. epith. of Artemis) Ar. | see also ἑκηβόλος
ἐκάην (aor.2 pass.): see καίω
ἐκάθᾱρα (Att.aor.), **ἐκαθάρθην** (aor.pass.): see καθαίρω
ἕκαθεν adv. [ἑκάς] **1 from far away, from afar** Il. A. Pi. AR.
2 far away, far off Od.
ἐκάθηρα (aor.): see καθαίρω
ἕκᾱλος dial.adj.: see ἕκηλος
ἔκαμον (aor.2): see κάμνω
ἔκανον (aor.2): see καίνω
ἐκάρην (aor.2 pass.): see κείρω
ἑκάς adv. and prep. **1 at** or **to a great distance, far away, far off, afar** Hom. Thgn. Trag. Th. Call. AR.; (as prep.) —W.GEN. fr. somewhere or someone Hom. Hes. Pi. Hdt. E. + —w. ἀπό + GEN. Il. Hdt.
2 (ref. to distance in time) **far later** (than someone who lived earlier) Pi. —W.PARTITV.GEN. in time (ref. to the future) Hdt.
—**ἑκαστέρω** compar.adv. **at** or **to a greater distance away, further away, further on** hHom. Alc. Hdt. E. AR. Theoc.
—W.COMPAR.GEN. than somewhere Od. Hdt.; (as prep.) —W.GEN. fr. somewhere or someone Hdt.

—**ἑκαστάτω** *superl.adv.* **furthest away** Il. Hdt. —w. ἀπό + GEN. *fr. someone* Hdt.
ἑκασταχόθεν *adv.* [ἕκαστος] **from each** or **every side** Th. X. Plu.
ἑκασταχόθι *adv.* **on every side** Plu.
ἑκασταχοῖ *adv.* **in every direction** Plu.
ἑκασταχόσε *adv.* **to each** or **every place** Th. Pl. X. Plu.
ἑκασταχοῦ *adv.* **in each place** or **everywhere** Th. Pl. X. D. Plu.
ἑκαστέρω *compar.adv.*: see under ἑκάς
ἑκάστοθι *adv.* **at each place** Od.
ἕκαστος η (dial. ᾱ) ον *adj. and pron.* [perh. ἑκάς] **1** (sg., of persons or things within a specified group, considered separately) **each, every** Hom. +; (occas. w.art., before or after noun) • περὶ ἑκάστης τῆς τέχνης *about each single art* Pl. • κατὰ τὸν ὁπλίτην ἕκαστον *for each individual hoplite* Th.; (as pron.) **each one** (sts. W.GEN.PL. of members of a group) Hom. +; ὡς ἕκαστος *each by himself, individually* Hdt. Arist. | for εἷς ἕκαστος see εἷς 5
2 (sg., w. pl. subject or object) **each** Hom. + • (w.pl.vb.) ἔβαν οἴκονδε ἕκαστος *they each went home* Od. • (w.sg.vb.) αἱ ἄλλαι πᾶσαι (τέχναι) ... τὸ αὑτῆς ἑκάστη ἔργον ἐργάζεται *all the other arts each perform their own task* Pl. • (appos.w. object) ὅττί κεν ὔμμι κακὸν πέμπησιν ἑκάστῳ *whatever trouble he sends to each of you* Il.
3 ‖ PL. (of a specified group, considered as a whole) **all** Hom. + • ταῦτα ἕκαστα *all these things* Hom. • λαοὶ ... ἕκαστοι *all the men* Il.; (as pron.) each or all of them, **everyone** or **everything** Hom. +; ὡς ἕκαστοι *individually* Pi. Hdt. Th.; (w.art.) τὰ ἕκαστα *everything* Hom. hHom. Ibyc. AR. Theoc.
4 (prep.phrs.) καθ' ἕκαστον, καθ' ἑκάστους (ref. to persons) *individually* Th.; (neut.) καθ' ἕκαστον, καθ' ἕκαστα *in each individual respect, detail by detail* Th. Ar. Att.orats. Pl. Arist.; παρ' ἕκαστον *on every occasion* Men. Plb.
ἑκάστοτε *adv.* **on each occasion** or **every time** Hdt. Th. Ar. Att.orats. Pl. +
ἑκάτᾱ *dial.f.*: see under ἕκατος
ἑκαταβόλος *dial.m.f.*: see ἑκατηβόλος
Ἑκαταῖα *n.pl.*, **Ἑκαταῖον** *n.*: see under Ἑκάτη
ἑκατεράκις *adv.* [ἑκάτερος] **on either occasion, each time** X.
ἑκάτερθε(ν) *adv.* **on either side** Hom. hHom. AR.; (as prep.) —W.GEN. *of sthg.* Hom. AR.
ἑκάτερος ᾱ (Ion. η) ον *adj. and pron.* [reltd. ἕκαστος] **1** (adj.) each of two, **each** Hdt. +; (the noun usu. takes the art.) • ἐφ' ἑκατέρῳ τῷ κέρᾳ or ἐπὶ τῷ κέρᾳ ἑκατέρῳ *on either wing* Th.
2 (pron.) **each one** (of two) Pi. Hdt. +; (sts. W.GEN.) • ἑκατέρη τῶν δαιμόνων *each of the deities* Hdt. • ἑκάτερος ἡμῶν *each of us* Th.; (sts. w.pl.vb.) • ταῦτ' εἰπόντες ἀπῆλθον ἑκάτερος *after saying this they each departed* X.
3 ‖ PL.PRON. **both parties** Hdt. +; (sts. W.GEN.) • ἑκάτεροι ἡμῶν *both of our sides* Th. • τούτων ἑκάτερα *each of these things* Hdt.; ὡς ἑκάτεροι *each individually* Th.
ἑκατέρωθεν *adv.* **from** or **on either side** Hdt. Th. Pl. X. Plu.; (as prep.) —W.GEN. *of sthg.* Th. Plu.
ἑκατέρωθι *adv.* **on either side** Pi. Hdt.; **in both places** Hdt. Arist.
ἑκατέρως *adv.* **in either instance, in either way** Pl.
ἑκατέρωσε *adv.* **1 in either direction** Pl. X. Plu.
2 to either side (sts. W.GEN. of sthg.) Plu.
Ἑκάτη ης, dial. **Ἑκάτᾱ** ᾱς *f.* [perh.reltd. ἕκατος] **Hekate** (goddess, w. mostly sinister associations, incl. magic, witchcraft, ghosts, dog-sacrifices, doorways, crossroads) Hes. hHom. +
—**Ἑκαταῖα** ων *n.pl.* **offerings to Hekate** (ref. to food left for her at crossroads, esp. at the new moon) Ar. D.

—**Ἑκατεῖον** (or **Ἑκάτειον**) ου *n.* **shrine** or **image of Hekate** (placed in a doorway) Ar. | see also ἀκάτειον
ἑκατηβελέτης ᾱο *ep.m.* [reltd. ἑκατηβόλος] (epith. of Apollo) **one who shoots from afar, far-shooter** Il. Hes. hHom.
ἑκατη-βόλος, dial. **ἑκατᾱβόλος**, ου *m.f.* [reltd. ἑκών, but derived by pop.etym. fr. ἑκάς; 2nd el. βάλλω; cf. ἕκατος, ἑκηβόλος] **1** (epith. of Apollo) **one who shoots at will, ready shooter** (or *one who shoots from afar, far-shooter*) Hom. Hes. hHom. Lyr.; (epith. of Artemis) hHom. [or perh. pop.etym. ἑκατόν, *one who shoots a hundred arrows*]
2 ‖ ADJ. (of a bow) **far-shooting** Pi.
ἕκᾱτι *dial.adv.*: see ἕκητι
ἑκατόγ-γυιος ον *adj.* [ἑκατόν, γυῖα] **with a hundred limbs**; (of a fig. herd of girls, envisaged as fifty) **hundred-footed** Pi.*fr.* | cf. ἑκατόμπους
ἑκατογ-κάρᾱνος ον *dial.adj.* [κάρηνον] (of Typhon) **hundred-headed** A.
ἑκατογ-κεφάλᾱς ᾱ *dial.masc.adj.* —also **ἑκατογκέφαλος** ον *adj.* [κεφαλή] **1** (of Typhon) **hundred-headed** Pi. Ar.; (of the Hydra, Echidna) E. Ar.
2 (of the hisses of snakes) **from a hundred heads** E.
ἑκατόγ-κρᾱνος ον *adj.* [κρᾱνίον¹] (of Typhon) **hundred-headed** Pi.
ἑκατόγ-χειρος ον *adj.* [χείρ] (of Briareos) **hundred-handed** Il.
—**ἑκατόγχειρ** χειρος *m.f.* **hundred-hander** (ref. to a monster which Hecuba dreams she gave birth to) Pi.*fr.* ‖ PL. **hundred-handers** (ref. to mythical monsters) Plu.
ἑκατό-ζυγος ον *adj.* [ζυγόν] (of a ship) **with a hundred rowing-benches** Il.
Ἑκατομβαιών ῶνος *m.* [ἑκατόμβη] **Hekatombaion** (first month of the Athenian year) Antipho D. Arist. Plu.
ἑκατόμ-βη ης *f.* [ἑκατόν, βοῦς] app., sacrificial offering of a hundred oxen; (gener.) **sacrifice** (sts. of animals other than oxen, and sts. of lesser numbers) Hom. hHom. Pi. AR. Plu.; (collectv., ref. to the victims) Hom. Hes. hHom. Thgn. Hdt.
ἑκατόμβοιος ον *adj.* **1** (of golden armour, a gold tassel on Athena's aigis) **worth a hundred oxen** Il. Call.(cj.)
2 ‖ NEUT.SB. value of a hundred oxen (earned by a sale) Il.; hundred-oxen-worth (as a term of valuation at Athens, reputedly derived fr. the introduction by Theseus of coins stamped w. an ox) Plu.
ἑκατόμ-πεδος ον *adj.* [πούς] (of a pyre, shrine, space) **measuring a hundred feet** (in length and breadth) Il. Th. Plb.; (of roads, in width) Pi.; (of the Parthenon, app. in width) Plu. ‖ MASC.SB. **Hundred-footer** (as name of the Parthenon) Plu. ‖ FEM.SB. (as name of a building at Syracuse) Plu.
ἑκατόμ-πολις ιος *masc.fem.adj.* [πόλις] (of Crete) **with a hundred cities** Il.
ἑκατόμ-πους ποδος *masc.fem.adj.* [πούς] (of the Nereids, envisaged as fifty) hundred-footed, **on their hundred feet** S.
ἑκατόμ-πτολίεθρος ον *ep.adj.* [πτολίεθρον] (of Crete) **with a hundred cities** E.*fr.*
ἑκατόμ-πυλος ον *adj.* [πύλαι] (of Egyptian Thebes) **with a hundred gates** Il.
ἑκατομ-φόνια ων *n.pl.* [φόνος] **sacrifice for a hundred enemies slain** Plu.
ἑκατόν *indecl.num.adj.* **one hundred** Il. +
ἑκατοντάδες ων *f.pl.* **hundreds** (w.GEN. of troops, cities) Hdt. Theoc.
ἑκατοντα-ετηρίς ίδος *f.* [ἑκατόν-αετής] **period of a hundred years, century** Pl.
ἑκατοντα-ετής ές *adj.* [ἑκατόν, ἔ̄ος] (of a life) **lasting a hundred years** Pi.

ἑκατοντα-κάρᾱνος ον *dial.adj.* [κάρηνον] (of Typhon) **hundred-headed** Pi.

ἑκατον-τάλαντος ον *adj.* [τάλαντον] (of a prosecution) **bringing a hundred-talent fine** Ar.

ἑκατονταπλασίων ον, gen. ονος *adj.* (of a sum) **a hundred times greater** (W.GEN. than another sum) X.; (of fruit) **increased a hundredfold** NT.

ἑκατοντ-άρχης ου (Ion. εω) *m.* –also **ἑκατόνταρχος** ου *m.* [ἄρχω] **commander of a hundred men** Hdt. X.; (in Roman ctxt.) **centurion** NT. Plu.

ἑκατοντ-ορόγυιος ον *dial.adj.* [ὄργυια] (of the height of a wall) **measuring a hundred fathoms** Ar.

ἕκατος ου *m.* [app. shortened form of ἑκατηβόλος] (epith. of Apollo) **far-shooter** Il. hHom. Alcm. Lyr.adesp. AR.

–ἑκάτᾱ ᾱς *dial.f.* (epith. of Artemis) **far-shooter** A. [also interpr. as a pers. name identifying Artemis w. Hekate]

ἑκατό-στομος ον *adj.* [ἑκατόν, στόμα] (of the streams of the Nile) **with a hundred mouths** E.

ἑκατοστός ή όν *num.adj.* **1** (of a day, year, Olympiad) **hundredth** Hdt. Th. Plb.; (of a part of sthg.) X.; (prep.phr.) ἐπ' ἑκατοστᾷ **by a hundredfold** Hdt.
2 ‖ FEM.SB. (w. μοῖρα understd.) **hundredth part**; (specif.) **tax of one percent** Ar. X. D.; **interest of one percent** Plu.

ἑκατοστύς ύος *f.* **1 hundred-strong unit** (W.GEN. of chariots) X.
2 (milit.) **company of a hundred men** Plu.

ἐκαύθην (aor.pass.), **ἔκαυσα** (aor.): see καίω

ἐκ-βάζω *vb.* | fut. ἐκβάξω | (of a herald) **call out, declare** –sthg. A.

ἐκ-βαίνω *vb.* | aor.1 (causatv.) ἐξέβησα | athem.aor. ἐξέβην ‖ see also ἐκβάω | **1 step out of** (a place); **come out** (sts. W.GEN. of a house or sim.) E. Ar. Men.; (of a stag) **emerge** (fr. a river) Od.; (of a goat) –W.GEN. *fr. a rock* Il.; (of a crocodile) –w. ἐκ + GEN. *fr. water* Hdt.; (of troops on the march) **make one's way out** (of a place) X.
2 (specif.) **dismount** Il.(tm.) –W.GEN. *fr. a chariot* A. E.
3 disembark (sts. W.PREP.PHR. *onto land*) Hom.(sts.tm.) Hdt. S. Th. Ar. AR.(tm.) –W.GEN. or ἐκ + GEN. *fr. a ship* Hom.(tm.) Hdt. +; (of a swimmer) **come ashore** Od.
4 (causatv., in aor.1) **disembark** –someone or sthg. Hom.(sts.tm.) –(W.PREP.PHR. *onto land*) E.
5 (gener.) **depart** –W.GEN. *fr. a land* E.; (of the soul) –w. ἐκ + GEN. *fr. the body* Pl.; (of a shout) **issue forth** –W.GEN. *fr. a wood* S.
6 get out of (a condition or situation); (of a person) **withdraw** –w. ἐκ + GEN. *fr. lawmaking* Pl.; **depart from** –W.GEN. *one's normal lifestyle* Pl. –*the rhythms of everyday speech* Arist.; **leave off from** –W.GEN. *lamentation* E.; **release oneself from** –W.GEN. *an oath* Pl.; (of a god) **change** –W.GEN. *his form* Pl.; (of a nation) **emerge** –w. ἐκ + GEN. *fr. a war* Plb.
7 go outside (defined limits); **go beyond** –W.ACC. *a country's borders, a river* E.; (ref. to time) **pass** –*a certain age* Pl.; (of classes of citizens) **depart from** –*a middle position* Arist.
8 go off course, digress (in speech or writing) S. Pl. X. D.; **wander elsewhere** (in thought) E.; **go beyond the norm, go on** –w. ἐς τοῦτο + GEN. *to this extreme of grief* E.
9 come forth into existence; (of a child, vengeance) **emerge, originate** –W.ADV. *fr. somewhere* E.; (of a new topic) **arise** E.
10 (of things) **turn out, happen** (sts. W.ADV. or PREP.PHR. in a certain way) Hdt. S. E. Th. Ar. +; (of persons or things) **turn out, prove** –W.PREDIC.ADJ. *such and such* E.

ἐκ-βακχεύω *vb.* **1** (of Apollo, the Muses) **inspire with Bacchic frenzy** –*a person, the mind* E. Pl. ‖ PASS. **be inspired with Bacchic frenzy** E. Pl.
2 (intr., act. and mid.) **be in a Bacchic frenzy** E.

ἐκ-βάλλω *vb.* | aor.2 ἐξέβαλον, ep. ἔκβαλον | fut.pf.pass. (as fut.) ἐκβεβλήσομαι (E.) | **1 strike** (someone or sthg.) **from** (a place); **thrust, knock** –*a warrior* (W.GEN. *fr. a chariot, fr. battlements, w. a weapon*) Il. A. –*a cup, bow, stone* (W.GEN. *fr. someone's hands*) Hom. Theoc.
2 throw (someone) **out** (of a place); (of Hera) **throw** –*the infant Dionysus* (w. ἀπό + GEN. *fr. heaven*) E.; (of persons) **throw** –*a corpse* (w. ἐκτός + GEN. *out of a temple*) E. –(w. ἔξω + GEN. *outside a city or land, its borders*) E. Pl.; **expose** (as prey to animals and the elements) –*a corpse* S. E. –*a baby* E. X.; **cast out, abandon** –*someone* (*on a desert island*) S. E. ‖ PASS. (of a corpse, baby) **be exposed** S. E.
3 throw, fling –*sthg.* (W.GEN. *fr. one's hands*) Telest.; **throw away, get rid of** –*sthg. unwanted* Hdt. Isoc.
4 cast out, empty –*ballots* (W.GEN. *fr. urns*) A.
5 throw out (of a ship), **throw overboard** –*a person, anchor-stones, mooring-cables* Hom. Hdt. Pl. AR.(tm.); (mid.) –W.COGN.ACC. *jetsam* D.(contract) ‖ MID. (wkr.sens.) **put ashore** –*horses* Hdt. ‖ PASS. (of a corpse) **be thrown overboard** Antipho
6 compel (someone) **to leave** (a place); **drive out, expel, banish** –*a nation, an enemy, persons, Poverty* (oft. w. ἐκ + GEN. *fr. a country or city*) Hdt. S. E. Th. Ar. Att.orats. +–(W.GEN.) S. E. –*someone or sthg.* (W.GEN. *fr. a house*) A. E. –*someone* (w. ἐκ + GEN. *fr. a house, property, inheritance, wealth*) S. Is. D. –*evil spirits* (*fr. people*) NT. ‖ PASS. **be cast out or banished** (usu. W.GEN. or ἐκ + GEN. fr. a country, city, house) Hdt. S. E. Isoc.
7 (wkr.sens., periphr.) **take out** (of a country) –*one's foot* (i.e. make one's exit) E.
8 cast out, eject –*a wife* (sts. w. ἐκ + GEN. *fr. one's house*) E. And. D. Men.
9 eject, dislodge, depose –*a god or person* (W.GEN. *fr. their throne or office*) A. X. ‖ PASS. **be ejected** –w. ἐκ + GEN. *fr. office* Isoc.; (fig.) –*fr. someone's friendship* X. –*fr. favour* S.
10 drive from the stage (by booing or heckling) –*an actor* D.; **see off, shout down** –*a public speaker* Aeschin. D. ‖ PASS. (of a playwright, i.e. his play) **be booed off the stage** Ar.
11 banish, expel –*savagery* (W.GEN. *fr. one's heart*) E.; **cast off the effects of** –*the steepness of a journey* E.
12 (of a wind or storm) **drive off course** –*sailors, ships* (sts. W.PREP.PHR. *to land*) Hdt. E.Cyc.; (of waves, a river in flood) **cast ashore** –*someone or sthg.* Hom. E. AR.
13 cast aside, reject, repudiate –*the gods, traditions, someone's goodwill, one's earlier hostility, previous arguments, or sim.* Trag. Ar. Pl. Plb.; **undermine** –*someone's arguments* Plb. ‖ PASS. (of arguments) **be rejected** Antipho
14 throw away, lose –*one's good sense* S. –*an advantage* S. –*hard-earned gains* Ar.; (fig.) **disgorge** –*illegal gains* Ar.
15 (fig., of a god envisaged as a wrestler) **throw decisively, throw** –*someone* S.fr.
16 knock (sthg.) **out of its place**; **fell** –*trees* Od.; **break down** –*doors* E. Lys. D.
17 let fall, drop –*a spear* (W.GEN. or ἔκτοσε + GEN. *fr. one's hand*) Hom. –*an oar* (fr. one's hands) Tim. –*a sword, hammer, utensils, arrows, a coin* B. E. Ar. X. Thphr.
18 shed –*tears* Od. E.
19 lose –*teeth* Sol. Hdt. E.Cyc.; (of old cloaks) –*threads* E.satyr.fr.
20 (of women) **bring forth, give birth to, produce** –*defective children* Plu.; (of fields) –*a crop* E.; (fig., of a person) **sprout** –*bloodshot veins* (in one's eyes) E.

ἐκβαρβαρόω

21 pour forth —*a stream of blood* S.; (intr., of streams of water, a river) **issue forth** E. Pl.
22 (of a woman) **show forth, expose** —*her breast* (*in supplication*) E.
23 (oft.pejor.) **blurt out, utter** —*an empty promise, arrogant words, a remark, or sim.* Hom. A. Pi. Hdt. E. Ar. Pl.
24 put out, publish —*a speech* Plb.; (of the Senate) **issue** —*a resolution, a reply* Plb.
25 create by ejecting earth; create, dig, sink —*wells* Plu.

ἐκ-βαρβαρόω contr.vb. **reduce to a state of barbarism, barbarise** —*a city* Isoc. ‖ PASS. (of a city or region) be barbarised Isoc. Plb. Plu.

ἐκβαρβάρωσις εως f. **barbarisation** (of a country) Plu.

Ἐκβάσιος ου m. [ἔκβασις] (epith. of Apollo) **Protector of those who disembark** AR.

ἔκβασις εως f. [ἐκβαίνω] **1 means** or **place of coming out** (of somewhere); **way out** (of difficult terrain) X.; **escape** (W.GEN. fr. the sea) Od.
2 act or **place of emergence** (fr. a river, by troops crossing it) Plb.
3 landing, disembarkation (by sailors) AR.; (W.GEN. of an army) A.; (fig.) **place of safe landing, haven** (W.GEN. fr. disaster) E.; **exit, egress** (fr. an island, compared to a storm-tossed ship) Plu.
4 extrication, deliverance (w. ἐκ + GEN. fr. a war) Plb.
5 outcome (of an event) Plb.

ἐκβάω dial.contr.vb. | masc.acc.pl.ptcpl. ἐκβῶντας | (of an occupying force) **depart** —w. ἐκ + GEN. *fr. a city* Th.(treaty)

ἐκ-βεβαιόομαι mid.contr.vb. **1 make secure** —*a victory* Plu.
2 strengthen —*someone's purpose* Plu.; **reinforce** —*one's military rights, the greatness of one's empire* Plu. ‖ PASS. (of virtues, in the young) be reinforced —W.DAT. *by people's praise* Plu.

ἐκ-βιάζομαι mid.vb. **1 use force** or **compulsion** Men.; (tr.) **force, compel** —*someone* Plu. ‖ PASS. (of a person) be forced —W.INF. *to do sthg.* Plu.
2 ‖ PASS. (of a bow) be forced out —W.GEN. *of its owner's hands* S.
3 (of troops) **force one's way out** (of a position) Plb.; (tr.) force away (fr. a position), **force back** —*enemy troops* Plb. Plu. ‖ PASS. (of troops) be forced back Plb. Plu.
4 ‖ PF.PASS.PTCPL.ADJ. (of works of art) forced or contrived (opp. effortless) Plu.

ἐκ-βιβάζω vb. **1 cause to come out, bring out** —*someone* (fr. *a place*) Ar.
2 divert —*a river* (w. ἐκ + GEN. *fr. its channel*) Hdt.; (fig.) —*someone* (W.GEN. *fr. a course of action*) Th.; (of a horseman) **turn off** (one's horse) —W.GEN. *fr. a road* X.
3 disembark, land —*sailors, troops, or sim.* Th. Pl. X. Plb. Plu.

ἐκ-βιβρώσκω vb. (of a poisoned robe) **eat up, devour** —*flesh* S.(tm.)

ἐκ-βλαστάνω vb. (of a family) **spring, be descended** —W.GEN. *fr. a particular ancestor* E.*fr.*; (fig., of a tyrant) **sprout** —w. ἐκ + GEN. *fr. a particular root* Pl.

ἔκβλητος ον adj. [ἐκβάλλω] (of a body) **cast up** (on the shore) E.

ἐκ-βλύζω vb. (of fluids) **bubble** or **gush forth** (fr. a corpse) Plu.

ἐκβλύω vb. [reltd. ἐκβλύζω] (of a spring) **bubble up** —W.GEN. *fr. the earth* AR.

ἐκ-βλώσκω vb. | aor.2 ἐξέμολον, ep. ἔκμολον | **come out** —W.ADV. *fr. a tent* Il. —W.GEN. *of gates* AR.

ἐκ-βοάω contr.vb. **cry out** Pl. AR.(tm.) Plu.

ἐκβοήθεια ᾱς f. [ἐκβοηθέω] **sortie, sally** (by troops) Th. Arist.

ἐκ-βοηθέω contr.vb. (of military forces) **march out, sally forth, go into action** (sts. w.connot. of providing support for others) Hdt. Th. X. Thphr. Men. +

ἐκ-βολβίζω vb. [βολβός] | fut. ἐκβολβιῶ | **take the skin off an onion**; (fig.) **peel, strip** —*someone* (W.GEN. *of sheepskins, which he is wearing*) Ar.

ἐκβολή ῆς f. [ἐκβάλλω] **1 throwing out** or **casting forth**; (periphr.) ἐκβολαὶ ψήφων *ballots that are emptied* (fr. *urns*) A.
2 throwing overboard, jettisoning (of cargo) A. Arist. NT.; (concr.) **jetsam** D.(contract)
3 casting ashore; (periphr.) ἐκβολαὶ νεώς *ship that has been driven ashore, wrecked ship* E.
4 shedding (of tears) E.
5 casting out, exposure (of babies) Isoc.; (of murdered children, as prey to animals) E.
6 expulsion, banishment (of persons) A. Isoc. Pl. Arist. Plb. Plu.
7 rejection, repudiation (of a belief) Pl.; **rejection, repulse** (of a person) Plu.
8 bringing forth (of a natural product); (phr.) ἐκβολὴ σίτου *time when the corn is coming into ear* Th.
9 showing forth, exposure (W.GEN. of their breasts, by supplicating women) Plb.
10 flowing out, outlet (of a river, into a sea or sim.) Plb. Plu.; (sts.pl. for sg.) **place of outlet, mouth** (of a river) Hdt. Th. Pl. Plu.
11 way out (fr. mountains), **pass** Hdt.
12 excursus, digression (W.GEN. in a narrative) Th.
13 earth thrown up (W.GEN. by a mattock) S.

ἔκβολος ον adj. **1** (of a baby) **expelled** (W.GEN. fr. the womb, perh. w.connot. of prematurity) E.; **cast out** (W.GEN. fr. a house, and so exposed to die) E. ‖ NEUT.SB. **abandoned offspring** (W.GEN. of a girl) E.
2 (of refuse fr. a feast) **thrown out** Call.
3 ‖ NEUT.PL.SB. **jetsam** (W.GEN. fr. a ship) E.; (also, periphr. W.GEN.) **wreck of a ship** (i.e. *wrecked ship*) E.
4 πόντου ἔκβολον (perh.) *place where the sea casts things* (or comes) *ashore* (i.e. *beach*) E.

ἐκ-βουτυπόομαι pass.contr.vb. [βοῦς, τύπος] (of Io) **be changed into a cow** S.*satyr.fr.*

ἐκ-βράσσομαι pass.vb. (of persons, ships, objects) **be cast ashore** Hdt. Plu.

ἐκ-βροντάομαι pass.contr.vb. **have** (W.ACC. one's strength) **blasted out of one by a thunderbolt** A.

ἐκ-βρῡχάομαι mid.contr.vb. (of a bull) **bellow forth** E.; (fig., of rowers) —W.ACC. *a cheerful grunt* (*of exertion*) E.

ἔκβρωμα ατος n. [ἐκβιβρώσκω] **thing removed by eating**; πρίονος ἐκβρώματα *nibblings of* (*the teeth of*) *a saw* (i.e. *sawdust*) S.

ἐκ-γαληνίζω vb. [γαληνός] (of toys) **calm, soothe** —*a baby's mind* (W.GEN. *fr. crying*) E.*fr.*

ἐκ-γαυρόομαι mid.contr.vb. **express one's pride in, make much of** —*someone's high status* E.

ἐκγεγάμεν (ep.pf.inf.), **ἐκγεγάονται** (ep.3pl.fut.pf.): see ἐκγίγνομαι

ἐκ-γελάω contr.vb. **1 burst out laughing** Hom.(sts.tm.) hHom. X. Hellenist.poet. Plu.; (fig., of an argument, compared to a wave) **produce a surge of laughter** Pl
2 (fig., of blood) **smile out** (fr. *a shattered skull*) E.

ἐκ-γενέτᾱς ᾱ dial.m. [γενέτης] **descendant** (W.GEN. of someone) E.

ἐκ-γεννάω contr.vb. | Boeot.3pl.fut.mid. ἐσγεννάσονται | (of women) **give birth to** —*a race of heroes* Corinn.

ἐκ-γίγνομαι *mid.vb.* | ep.pf.3pl. ἐκγεγάᾱσι, 3du. ἐκγεγάτην, inf. ἐκγεγάμεν, ptcpl. ἐκγεγαώς | Aeol.pf.ptcpl. ἐκγεγόνων | ep.3pl.fut.pf. ἐκγεγάοντaι (dub.) |
1 be born, be the child —W.GEN. *of someone* (usu. *the father*) Hom. Hes. Alc. E. Lyr.adesp. AR. —w. ἐκ + GEN. *of a mother* Hes. Hdt. —W.DAT. *to a father* Il. hHom. Hdt.
2 (of things) **come into being** Parm. Emp.
3 (of a statue) **be made** (i.e. paid for) —w. ἀπό + GEN. *fr. a share of the spoils of war* Hdt.
4 || IMPERS. **it is in the power (of), it is possible** —W.DAT. + INF. *for someone to do sthg.* Hdt. Th. Ar. Att.orats. Pl. Plb. —W.ACC. + INF. Ar.

ἐκ-γλύφω *vb.* **1 carve out** || PF.PASS.PTCPL.ADJ. (of a spindle-whorl) **scooped out** (i.e. hemispherical in shape) Pl.
2 || MID. (of snakes) **hatch out** —*eggs* Plu.

ἔκγονος ου *m.f.* [ἐκγίγνομαι] **1** (sg. and pl.) **offspring, child** (usu. W.GEN. of someone) Hom. hHom. Lyr. S. E. Isoc. +; **descendant** (of someone) Od. Ar. || PL. **descendants** A. Pi. Hdt. E. Th. Att.orats. +; (fig., ref. to people) **children** (W.GEN. of a land) Pl.
2 (fig., ref. to injustice, inactivity) **child** (W.GEN. of arrogance, cowardice) Pl.; (ref. to monetary interest, w. play on double sense of τόκος) **offspring, product** (of the parent sum) Pl.

—**ἔκγονα** ων *n.pl.* **1 offspring** (usu. W.GEN. of someone) A. E. Pl. X.; (of poets, fig.ref. to their poetry) Pl.; (of painting, fig.ref. to painted human figures) Pl.
2 young (of animals) X.; **products, fruits** (W.GEN. of the earth) S.; (appos.w. pl. χρίματα *olive oil*) **product** (of cultivation by Athena) Call. || SG. **child, issue** D.; (gener.) **product** (of sthg.) H.

ἐκ-γράφω *vb.* **1** || MID. **write out for oneself, write down, copy out** —*an oracle, a speech, a contract* S. Ar. D.
2 || PASS. (of a person) **be deleted** (fr. a list) And.(decree)

ἐκ-δαῆναι ep.aor.2 pass.inf. | only 2sg. ἐξεδάης | **learn of** —*sthg.* AR.

ἐκ-δακρύω *vb.* **burst into tears** S. E.(dub.)

ἐκ-δαπανάω *contr.vb.* **exhaust** —*resources, supplies, revenues* Plb. || PASS. (of resources or sim.) **be exhausted** Plb.

ἔκ-δεια ᾱς *f.* [δέω²] **shortfall** (in payment) D. || PL. **arrears** (W.GEN. of tribute and promised ships) Th.

ἐκ-δείκνῡμι *vb.* **show publicly, reveal** —*someone* (W.DAT. *to someone*) S. —*one's hatred* S. —W.ACC. + PREDIC.ADJ. *that someone's heart is guiltless* E. || MID. **demonstrate** —*a habit* (*of one's own*) E.

ἐκ-δειματόω *contr.vb.* **terrify** —*children* (w. *stories*) Pl.

ἐκ-δέκομαι Ion.mid.vb.: see ἐκδέχομαι

ἔκδεξις ιος Ion.*f.* [ἐκδέχομαι] **succession** (W.GEN. *to kingship*) Hdt.

ἐκ-δέρκομαι *mid.vb.* (of eyes) **look out from** —W.GEN. *one's head* Il.

ἐκ-δέρω *vb.* | aor. ἐξέδειρα | **1 skin** —*an animal, a human corpse* Hdt.; **skin off** —*an animal's hide* Od. E.; (intr.) **skin** (animals, as part of one's work) Pl. || PF.PASS.PTCPL.ADJ. (of horses' scalps) **skinned** Hdt.
2 flay or **skin alive** —*a person* Pl. X. Plu.; (hyperbol., ref. to whipping) Ar. || PASS. **be flayed alive** Hdt.

ἐκ-δεσμεύω *vb.* **bind fast, secure** —*someone's allegiance* Plb.

ἐκ-δέχομαι, Ion. **ἐκδέκομαι** *mid.vb.* **1 receive and take over** (sthg., fr. someone); (of a person) **take over** —*a shield* (W.DAT. *fr. someone*) Il. —*a child* (*to nurse it*) A.(dub.) —*things being transported* (sts. w. παρά + GEN. *fr. someone*) Hdt. —*blame* (*for the faults of others*) D. —(of a mountain) —*a beacon-fire* A.
2 (specif.) **take over by succession or inheritance, take over, succeed to, inherit** —*kingship, skills, or sim.* (sts. W.GEN. or παρά + GEN. *fr. someone*) Hdt.; (intr.) **be a successor** (to a king) Hdt.; (of troops) **take over** (the fighting) Hdt.
3 (of detachments of troops) **come next** (in a formation) Hdt.; (of a country or geographical feature, sts. w. ἀπό or ἐκ + GEN. *after another place*) Hdt.
4 (fig., of a speaker) **catch, field** —*an argument* (*as if it were a ball*) Pl.; (intr.) **take up the argument, take over** Pl. D.; **be the seconder** (of a motion) D.
5 receive, welcome —*someone* S. Plb.
6 wait for —*persons, their arrival* Plb. NT.; (of trouble, war, a fate) **await** —*someone* Hdt. Plu.
7 take, understand, interpret —*a word, an argument, or sim.* (W.ADV. or PREP.PHR. *in a certain way*) Arist. Thphr. Plb.

ἐκ-δέω *contr.vb.* [δέω¹] **1 tie** (one thing) **to** (another); **fasten, tie** —*logs* (W.GEN. *to mules*) Il. —*mooring-cables* (*to a rock*) Od.(tm.) —*planks* (W.ADV. *behind someone's back*) Od.(dub.) || MID. **fasten to oneself** —*cult images* Hdt.; **fasten** —*mooring-cables* (W.DAT. *to a shore*) E.
2 tie up —*someone's hands* (W.DAT. w. *bonds*) E.

ἔκ-δηλος ον *adj.* [δῆλος] **1** (of a person) **very conspicuous, pre-eminent** Il. Plu.; (of a service) **outstanding** Plb.
2 (of facts, circumstances, conduct) **plain to see, clear** D. Plb. Plu.

—**ἐκδήλως** *adv.* | superl. ἐκδηλότατα | **plainly, clearly** Plu.

ἐκ-δημέω *contr.vb.* [ἔκδημος] **1** (pres.) **be away from home, be abroad** Hdt. S. Pl.; **be away** —W.GEN. *fr. a land* E.
2 (aor.) **go away from home, go abroad** Hdt. Pl. —W.PREP.PHR. *to a place* Hdt. Plb.

ἐκδημία ᾱς *f.* **absence** or **travel abroad** E.*fr.* Pl. Plb.

ἔκ-δημος ον *adj.* [δῆμος] **1 outside one's own community**; (of a person) **away from home, abroad** X.; **away** (W.GEN. fr. a land, fr. home) E.; **belonging to another land, foreign** E.
2 (of exile, military campaigns, wars) **in a foreign land, abroad** Th. Plu.; (of love) **for one who lives away** E.

ἐκ-διαβαίνω *vb.* (of warriors) **pass right through** —*a trench* Il.

ἐκ-διαιτάω *contr.vb.* **1** (of an arbiter) **complete the arbitration of** —*cases assigned to one* Arist.
2 || MID. **deviate in one's behaviour** —W.GEN. *fr. accepted norms* Th.

ἐκδιαίτησις εως *f.* **adoption of a different way of life** Plu.; (W.GEN. fr. the traditions of one's ancestors) Plu.

ἐκδίδαγμα ατος *n.* [ἐκδιδάσκω] (ref. to a piece of weaving) **practice-work, sampler** (W.GEN. fr. the κερκίς *pin-beater*) E.

ἐκ-διδάσκω *vb.* | aor. ἐξεδίδαξα, poet. ἐκδιδάσκησα (Pi.) |
1 provide thorough teaching or instruction (to someone or in sthg.); **teach** —*someone* Sapph.(or Alc.) —*sthg.* A. Plu. —W.DBL.ACC. *someone sthg.* S. Antipho Theoc. Bion Plu. —W.ACC. + INF. *someone to do sthg.* S. Ar. X. —W.ACC. + PREDIC.ADJ. *someone to be such and such* Pi. Ar. || MID. **have** (W.ACC. someone) **taught** —W.PREDIC.ADJ. *to be such and such* E.
2 || PASS. (of persons) **be taught, learn** —*sthg.* Hdt. S. Plu. —W.INF. *to do sthg.* S.; (of things) **be taught** S.
3 (pejor.) **lecture** —*someone* (W.PREP.PHR. *about sthg.*) Th. —(W.COMPL.CL. *that sthg. is the case*) S.
4 (gener.) **instruct, inform** —*someone* E.*fr.*; **explain** —*sthg.* Ar. Pl. —W.DBL.ACC. *sthg. to someone* S. E. —W.COMPL.CL. *that sthg. is the case* Hdt.; (intr.) A. || PASS. **learn** —W.GEN. + COMPL.CL. *fr. someone that sthg. is the case* S.

ἐκ-διδράσκω, Ion. **ἐκδιδρήσκω** vb. [reltd. δραμεῖν] | athem.aor. ἐξέδραν | **run away, escape** (sts. W.PREP.PHR. to or fr. a place) Hdt. E. Th. Ar.; (by ship) Hdt.

ἐκ-δίδωμι vb. | neut.impers.vbl.adj. ἐκδοτέον | **1 give up, hand over, surrender** (oft. W.DAT. to an authority or enemy) —*persons* (*esp. fugitives*) Il. Hdt. Trag. Th. Att.orats. Pl. + —(*specif.*) *a slave* (*for examination by torture*) Att.orats. —*a city, a country* D. ‖ PASS. (of a person, slave, city) be given up Hdt. E. Isoc. +
2 give out, hand over —*torches, garlands* Ar. Men.
3 ‖ MID. **give over** —*one's heart* (W.PREP.PHR. *to youthful enjoyment*) Pi.
4 (of a father) **give in marriage** —*a daughter* (oft. W.DAT. *to someone*) Hdt. E. Att.orats. X. Thphr. Men.; (also mid.) Hdt. E. Thphr.; (act., of Kypris) —*Iole* (*to Herakles*) E.; (of a woman) —*herself* Hdt.; (fig., of a theory about the physical universe) **marry off** —*natural elements* (*i.e. represent them as uniting w. each other*) Pl.; (fig., of a teacher) —*one's pupils* (W.DAT. *to another teacher*) Pl.; (intr.) **give a daughter in marriage** Th. Pl. ‖ PASS. (of a daughter) be given in marriage Att.orats. +
5 give out on contract, apprentice —*one's son* (W.PREP.PHR. *to a trade*) X. ‖ PASS. (of a son) be given up (for adoption) —W.PREP.PHR. *into another family* Plb.
6 hire out, let —*a courtyard* Hdt.; (mid.) —*a vineyard* NT. ‖ PASS. (of slaves) be hired out X.
7 give out on loan, lend —*money* D.(law) ‖ PASS. (of money) be lent Lys.
8 give (sthg.) **out** (to an expert); **send out** —*a colt* (*for breaking*) X. —*a cloak* (W.INF. *for washing*) Thphr.; **give** —*a cloak* (W.DAT. *to a mender*) Thphr. —*a bridle* (W.DAT. + INF. *to a smith to repair*) Pl. —*a bag* (*to a tanner to sew up*) Thphr.; **commission** —*a statue* (W.PREP.PHR. *by contract*) D. ‖ PASS. (of a colt) be sent —W.DAT. *to a horse-breaker* X.
9 leave (it) —W.DAT. + INF. *to a god to accomplish sthg.* Pi.; **allow** —W.DAT. + INF. *someone to do sthg.* Isoc.
10 put out, issue, publish —*a historical work* Plu. ‖ PASS. (of a speech, treatise, or sim.) be published Isoc. Arist. Plb.
11 (intr., of rivers or sim.) **flow out, issue** —W.PREP.PHR. *at a place, into a river, sea, or sim.* Hdt.

ἐκ-διηγέομαι mid.contr.vb. **describe in detail** —*sthg.* NT. —(W.DAT. *to someone*) NT.

ἐκ-δικάζω vb. **1** (of a juror) **finish trying** —*a case* Lys. Ar. X. Arist. ‖ PASS. (of a case) be decided Pl.
2 exact vengeance for, avenge —*someone's death* E.

ἐκδικαστάς ᾶ dial.m. **avenger** (W.GEN. of a dead person) E.

ἐκδικέω contr.vb. [ἔκδικος] **1 exact vengeance for, avenge** —*a dead person, his death* Plu.
2 procure justice for, take up the case of —*someone* NT.

ἐκδίκησις εως f. **1 exaction of justice or punishment, vengeance** or **justice** (W.GEN. or DAT. for someone) NT.
2 revenge (on someone) Plb.

ἔκ-δικος ον adj. [δίκη] **1** (of persons, their mind, speech, actions) **unjust, unrighteous, lawless** Trag.
2 ‖ MASC.SB. **bringer of punishment or vengeance** NT.
—**ἐκδίκως** adv. **unjustly** Sol. Trag.

ἐκ-διψάω contr.vb. **be very thirsty** Plu.

ἐκ-διώκω vb. **1** (of a politician, a populace) chase out, **drive out, expel** —*someone* Timocr. Th.
2 (of a person) **repulse, reject** —*everything shameful* X.

ἔκδοσις εως f. [ἐκδίδωμι] **1 giving up, surrender** (W.GEN. of someone, to an enemy) Hdt.; **handing over** (of securities) Pl.
2 giving in marriage (sts. W.GEN. of a woman) Pl. Is. D. Arist. Plu.
3 lending of money; (concr.) **loan** Hyp. D.
4 agreement for the farming out of business or **taxes, contract** Plb. Plu.

ἐκδοτέον (neut.impers.vbl.adj.): see ἐκδίδωμι

ἔκδοτος ον adj. (of a person or place) **given up, surrendered** (to an enemy or authority) Hdt. E. Att.orats. Plb. NT.

ἐκδοχή ῆς f. [ἐκδέχομαι] **1 process of receiving and taking over; succession** (of one evil after another) E.; **relay** (W.GEN. of beacon-fires) A.; **continuation** (W.GEN. of a war) Aeschin.
2 taking (of sthg. in a certain way), **understanding, interpretation** Plb.

ἐκ-δρακοντόομαι pass.contr.vb. [δράκων] **be turned into a serpent** A.

ἐκ-δραμεῖν aor.2 inf. | aor.2 ἐξέδραμον | The pres. is supplied by ἐκτρέχω. | **1 run out, rush forth** (fr. somewhere) Il.(tm.) Ar. Plu. —W.GEN. *fr. a room* Plu.
2 (of troops) **charge out, sally forth** Ar. X. Plu. —W. ἐκ + GEN. *fr. a city* Th.
3 (fig., of a person's anger) **burst out** S.; (of a report) **speed abroad** Plu.
4 (of circumstances) **finally reach** —W. εἰς + ACC. *an outcome* Plb.

ἐκδρομή ῆς f. **1 charge, sally** (by troops) X. Plu.; (by skirmishers) Th.
2 impetuous spirit (of a populace) Plu.

ἔκδρομος ου m. **one who runs out** (of the ranks), **skirmisher** Th. X.

ἔκδυσις εως f. [ἐκδύω] **activity or means of getting out, way out, exit, escape** (fr. a place) Hdt.; (fr. a situation) Hdt. Pl.

ἐκ-δύω (also **ἐκδύνω**) vb. [δύω¹] | ep.impf. ἔκδυον | aor.1 ἐξέδῡσα | athem.aor. ἐξέδῡν, inf. ἐκδῦναι, ep.1pl.opt. ἐκδῦμεν | pf. ἐκδέδυκα ‖ MID.PASS.: pres. ἐκδύομαι (ἐκδύνομαι Ar.) | fut.mid. ἐκδύσομαι | aor.1 mid. ἐξεδυσάμην | aor.pass. ἐξεδύθην |
1 (act., aor.1) **take off** (sthg., fr. someone); **strip** —*a garment* (fr. someone) hHom. —*someone* (*of a garment*) X. D. NT. —W.DBL.ACC. *someone of a garment* Od.(tm.) A. NT.; (fig.) **strip bare** —*someone* (*of his possessions*) Plu. ‖ PASS. be stripped Antipho D. Plb. —W.ACC. *of a garment* Lys. D.
2 (act., athem.aor., and mid.) **take off** (sthg., fr. oneself); **take off** —*a garment, armour* hHom. Anacr. Hdt. Ar. X. Thphr. +; (intr.) **strip oneself** Hippon. A. X.; (fig.) **divest oneself of, put aside** —*old age* Ar. —*extravagance* Plu.; (of wild animals) —*their savagery* Plu. ‖ PASS. (of a garment) be taken off Hdt.
3 (athem.aor. and mid.) **go out, slip out** Ar. —W.GEN. *of a hall* Od.; **emerge** —W.GEN. *fr. the sea* Pl.; **escape** —W.GEN. *fr. justice, troubles* E.; **take leave of** —W.GEN. *good sense* S.fr.; (intr.) **escape** (fr. misfortune) Thgn.
4 (athem.aor. and pf.) **escape, avoid** —W.ACC. *death* Il. —*public services* D. —*others' envy* Plu.

ἐκ-δωριεύομαι mid.pass.vb. [Δώριος] (of a people) **become thoroughly Doricised** (in their customs) Hdt.

ἐκέατο (Ion.3pl.impf.mid.pass.): see κεῖμαι

ἐκεῖ, Aeol. **κῆ**, dial. **τηνεί** (Theoc.) demonstr.adv. **1 in that place, there** Sapph. A. Hdt. +
2 (euphem.) **in that place** (ref. to the underworld) Trag. Ar. Pl.; οἱ ἐκεῖ *those below* (i.e. *the dead*) Isoc. Pl.
3 to that place, thither, there Hdt. S. Th. +

ἐκεῖθεν (poet. **κεῖθεν**), Aeol. **κήνοθεν**, dial. **τηνῶ, τηνῶθε** (Theoc.), **τηνῶθεν** (Ar.) demonstr.adv. **1 from that place, from there, thence** Hom. +
2 τοὐκεῖθεν (also τὸ κεῖθεν) *on that side* E.; (W.GEN. of a grove) S.
3 to that place, thither (for ἐκεῖσε, by attraction to following ὅθεν *whence*) S.(dub.)

4 from a specified point (in a sequence of events), **from that point, from there** Il.
5 from that source or **origin, from there** E.
6 from that fact, thence, so Isoc. D.
ἐκεῖθι (also **κεῖθι**), Aeol. **κῆθι**, dial. **τηνόθι** (Theoc.) *demonstr.adv*. **1 in that place, there** Hom. Archil. Sol. A. Pi. B. +
2 to that place, thither, there Hes.*fr.* Sapph.
ἐκείμην (impf.mid.pass.): see κεῖμαι
ἐκείνινος η ον *adj*. [ἐκεῖνος] (of things) **made of that** (material, opp. the material itself) Arist.
ἐκεῖνος (also **κεῖνος**), dial. **κῆνος**, also **τῆνος** (Philox.Leuc. Hellenist.poet.), η (dial. ᾱ) ο *demonstr.pron. and adj*. [ἐκεῖ]
1 (of persons or things) **the one there** (in a place indicated by the speaker) Hom. + • Ἶρος κεῖνος ἐπ' αὐλείῃσι θύρῃσιν ἧσται *there sits Iros by the courtyard door* Od. • εἶπον ὅτι νῆες ἐκεῖναι ἐπιπλέουσι *they said that ships over there were sailing to attack them* Th.
2 the one just mentioned or **implied, he, she, that** Hom. + • κεῖνος τὼς ἀγόρευε *so he spoke* Il. • καθορᾷ βασιλέα καὶ τὸ ἀμφ' ἐκεῖνον στῖφος *he sees the king and the band around him* X.
3 the particular one (defined by what follows, esp. by a relatv.cl.) Hom. + • κείνου βούλεται οἶκον ὀφέλλειν ὅς κεν ὀπυίῃ *she wishes to enrich the house of the man who marries her* Od. • ἐκεῖνο κερδαίνειν ἡγεῖται, τὴν ἡδονήν *he considers that this is profitable, (namely) pleasure* Pl.
4 the one which is known to the hearer or to people in general • ὕπνοι ... ἐκεῖνοι *those slumbers of yours* E. • ἐκεῖνος ἡνίκ' ἦν Θουκυδίδης *when he was the Thucydides we knew* Ar. • τὸν Ἀριστείδην ἐκεῖνον *the famous Aristeides* D.
5 the one which is the more remote in time, place or thought • ἐγὼ μὲν ἄπειμι σύας καὶ κεῖνα φυλάξων ... σοὶ δ' ἐνθάδε πάντα μελόντων *I shall go and look after the swine and those things there ... you must see to everything here* Od. • οὗτος μέν ... ἐκεῖνος δέ *the latter ... the former* Pl.
6 (combined w. οὗτος or ὅδε, indicating that what is present has been mentioned before or is well known) • οὗτος ἐκεῖνος τὸν σὺ ζητέεις *this is the man whom you seek* Hdt.; (colloq.) τοῦτ' ἐκεῖνο (or sim.) *that's it (i.e. just as I said it would be, or just as might be expected)* E. Ar. Pl.
7 (when used as attributive adj., it may precede or follow the noun, which takes the art. in prose, except sts. when the adj. follows) • ἐκείνῃ τῇ ἡμέρᾳ *on that day* Th. • τὴν στρατείαν ἐκείνην Th. • ἡμέρας ἐκείνης Th.
8 (prep.phrs.) ἐξ ἐκείνου *from that time* X.; μετ' ἐκεῖνα *afterwards* Th.
—**ἐκεινοσί** ηί οἱ *demonstr.pron. and adj*. (w. stronger force) **he, she, that** Ar. D.
—**ἐκείνῃ** (also **κείνῃ**, dial. **κείνᾳ**) *fem.dat.adv*. **1 by that route** Od. Ar.
2 in that way, by that means E. Pl. X.
3 in that place, there Hdt. Th. Theoc.
—**ἐκείνως** (also **κείνως** Hdt.) *adv*. **1 in that case, under those circumstances** Hdt. Th.
2 in that way Isoc. Pl. D. Arist.
ἐκεῖσε (also **κεῖσε**) *demonstr.adv*. **1 to that place, thither, there** Hom. +
2 (euphem.) **to that place** (ref. to the underworld) E. Pl.
3 to that point (in an argument or sim.) E. Pl. D.; (w.GEN. in a narrative) Hdt.
4 at that place, there AR.(dub.) Plb.
ἐκέκαστο (3sg.plpf.mid.): see καίνυμαι
ἐκεκλήμην (plpf.pass.): see καλέω

ἐκεκλόμην (redupl.aor.2 mid.): see κέλομαι
ἐκεκτήμην (plpf.mid.): see κτάομαι
ἔκελσα (aor.): see κέλλω
ἐκέρασα (aor.), **ἐκεράσθην** (aor.pass.): see κεράννῡμι
ἐκέρθην (aor.pass.), **ἔκερσα** (aor.): see κείρω
ἐκεχειρίᾱ ᾱς *f*. [ἔχω, χείρ] **restraint of hand, cessation of hostilities, armistice, truce** Th. X. Plb. Plu.; (w. play on sense *grasping hand*) Ar.
ἐκεχήνη (plpf.): see χάσκω
ἐκεχρήμην (plpf.mid.): see χράομαι
ἐκέχυντο (ep.3pl.plpf.): see χέω
ἐκ-ζέω *contr.vb*. **1** (of a person) **seethe, teem** —w.GEN. w. *maggots* Hdt.
2 (fig., of a curse) **boil up** —w.ACC. *a storm of passion* A.
ἐκ-ζητέομαι *pass.contr.vb*. (of a thing) **be required** NT.
ἐκ-ζωπυρέω *contr.vb*. **fire up, kindle** or **rekindle** —*charcoal* Plu.; (fig.) —*war* Ar. Plu. —*an old relationship* Plu.
ἔκηα (ep.aor.): see καίω
ἐκηβολίη ης Ion.*f*. —also **ἐκᾱβολίᾱ** ᾱς dial.*f*. [ἑκηβόλος] **skill in shooting far, archery** Il. Call.
ἑκηβόλος, dial. **ἑκᾱβόλος**, Aeol. **ἑκᾱβόλος**, ον *adj*. [reltd. ἑκών, but derived by pop.etym. fr. ἑκάς; 2nd el. βάλλω; cf. ἑκατηβόλος] **1** (epith. of Apollo) **who shoots at will, ready to shoot** Il. Hes. hHom. Sapph. Pi. Hdt.(quot.epigr.) + [or perh. *who shoots from afar, far-shooting*]
2 (of a bow) **far-shooting** A. E. AR.; (of Zeus' hands, of slings) **far-hurling** E.
3 (of an arrow) **far-shot** Tim.
ἕκηλος, dial. **ἕκᾱλος**, ον *adj*. [perh.reltd. ἑκών; cf. εὔκηλος]
1 (quasi-advbl., of persons doing sthg.) **without suffering disturbance, at will, at one's leisure** Hom. Pi. AR. Theoc.; (of persons sitting, feasting, sleeping, or sim.) **at one's ease, in peace, untroubled** Hom. S. AR.; (of a person approaching old age) **calm** Pi.
2 (of persons doing sthg.) **without causing disturbance, calm, quiet** Hom.
3 (of persons standing) **inactive, idle** Theoc.; (of a field) **idle, uncultivated** hHom.; (of trees) **undisturbed** (by wind) AR.
—**ἕκηλα** *neut.pl.adv*. **quietly, calmly, undisturbedly** S. Theoc.
ἕκητι Ion.*adv*. —**ἕκᾱτι** *dial.adv*. [reltd. ἑκών] | The adv. functions as a prep., usu. following its noun. Trag. uses the dial. form. | **1 by the will of, with the help of, thanks to** —w.GEN. *a god* Od. Hes. hHom. Archil. Lyr. A. + —*a person* Simon. AR.
2 thanks to, on account of, because of —w.GEN. *events, circumstances, considerations* Pi. Trag. AR.
3 in recognition of, in honour of —w.GEN. *someone's abilities, virtues* Pi. S.
4 for the sake of, with an eye to —w.GEN. *some purpose, prize, gain* Trag. Ar.(quot. E.) AR.
5 so far as concerns, as for —w.GEN. *numbers, effort, encouragement* A. E.
ἐκ-θαμβέομαι *pass.contr.vb*. **be amazed** NT.
ἔκ-θαμβος ον *adj*. [θάμβος] (of persons) **amazed, astounded** Plb. NT.
ἐκ-θαμνίζω *vb*. [θάμνος] (fig., of gods) **root out, extirpate** —*a city* A.
ἐκ-θαρρέω *contr.vb*. [θαρσέω] **be greatly emboldened, gain confidence** Plu.
ἐκ-θαυμάζω *vb*. **be amazed** NT.
ἐκ-θεάομαι *mid.contr.vb*. **observe to the end** —*someone's calamity* S.
ἐκ-θεᾱτρίζω *vb*. [θέατρον] **display as if in a theatre, make a spectacle of** —*oneself, one's faults* Plb.; **expose** —w.ACC. + PTCPL. *the enemy as cowards* Plb.

ἐκ-θειάζω vb. ascribe divinity to, deify —*oneself, mortal things* Plu.; ascribe religious importance to —*an animal* Plu.

ἔκθεμα ατος n. [ἐκτίθημι] public notice, proclamation Plb.

ἐκ-θεραπεύω vb. **1** completely cure —*a sickness* Plb.
2 (pejor.) pay excessive service to, court the favour of —*someone* Aeschin. Plu.

ἐκ-θερίζω vb. reap —W.COGN.ACC. *a harvest* D.

ἔκθεσις εως (Ion. ιος) f. [ἐκτίθημι] **1** exposure (of a baby, to die) Hdt. E. Plu.
2 putting ashore, disembarkation (of a person) Arist.
3 setting out, exhibition (of elements in an argument) Arist.

ἔκ-θεσμος ον adj. [θεσμός] (of a dream) abnormal, unnatural (as being about incest) Plu.

ἔκθετος ον adj. [ἐκτίθημι] **1** (of a child) taken out, removed (fr. a house) E.
2 (of babies) exposed (to die) NT.

ἐκ-θέω contr.vb. [θέω¹] **1** run out (of a place) Ar. X. Arist. Plu.
2 (of a commander, troops) sally forth (fr. a place) Ar. X. Plu.
3 (of wasps) issue forth (fr. a nest) X.
4 (of missiles) fly forth (fr. city walls) Plu.

ἐκ-θηλύνομαι pass.vb. (of people, their minds) be made effeminate or enervated (by circumstances) Plb.

ἐκ-θηράομαι mid.contr.vb. hunt down —*hares* X. —*fugitives, pirate ships* Plu.

ἐκ-θηρεύω vb. hunt down —*people* Hdt. Plu.

ἐκ-θηριόομαι pass.contr.vb. be transformed into a beast E.

ἐκ-θλίβω vb. **1** squeeze out, choke —*someone's breathing* Plu.; constrict, dam —*a river* Plu.
2 ‖ PASS. (of troops) be squeezed out of position (by steep terrain or enemy action) X. Plu.

ἐκ-θνήσκω vb. **1** be on the point of death, expire S.; (hyperbol.) nearly die —W.DAT. *fr. laughter* Od.
2 ‖ PF. be in a death-like state or coma (opp. be dead) Pl.

ἐκ-θοινάομαι mid.contr.vb. | fut. ἐκθοινήσομαι (cj. ἐκθοινάσομαι) | (of an eagle) feast on —*sthg.* A.

ἐκ-θρῴσκω (or **ἐκθρώσκω**) vb. | aor.2 ἐξέθορον, ep. ἔκθορον | **1** (of a god) leap forth (fr. a city gate, a hiding-place) Il. hHom.; (of a warrior) —W.GEN. *fr. the front ranks* Il.(tm.)
2 leap out (of a ship) hHom. —W.GEN. *of a chariot, the Trojan Horse, ships* Il. Stesich. A.; (of a lot) —*fr. a helmet* Hom.(tm.); (hyperbol., of a heart, pounding in agitation) —W. ἔξω + GEN. *fr. the chest* Il.
3 (of the baby Apollo) spring forth (fr. the womb) hHom.(tm.) Call.; (of supernatural beings, fr. Medusa's severed head) Hes.
4 (wkr.sens.) hasten away (fr. a land) S.

ἔκθυμα ατος n. [ἐκθύω] expiatory sacrifice Arist.

ἐκθυμία ᾱς f. [ἔκθυμος] ardour (of soldiers, for battle) Plb.

ἐκ-θυμιάω vb. burn as incense —*myrrh resin* E.

ἔκ-θυμος ον adj. [θυμός] (in military ctxt., of persons, assistance) eager Plu.

—**ἐκθύμως** adv. eagerly, ardently Plb. Plu.

ἔκθυσις εως f. [ἐκθύω] expiatory sacrifice Plu.

ἐκθύψω (fut.): see ἐκτύφω

ἐκ-θύω vb. [θύω¹] sacrifice (a person, perh. w.connot. of propitiation or expiation); (of Agamemnon) sacrifice —*his daughter* (to propitiate Artemis) S.; (hyperbol., of Apollo) make sacrificial victims of —*Orestes and Electra* (perh. to propitiate Erinyes) E.; (of the Cyclops) —*his guests* E.Cyc.(dub.) ‖ MID. expiate with sacrifices —*a curse* Hdt.; make propitiatory or expiatory sacrifices Thphr. Plu. —W.DAT. *to a deity* E.fr.

ἔκιχον (aor.2): see κιχάνω

ἐκ-καγχάζω vb. [καχάζω] break into a guffaw, hoot with laughter X. Arist.

ἐκ-καθαίρω vb. **1** clean out, cleanse, clear —*slipways* (*for launching ships*) Il. —*a dead person's stomach or skull* Hdt. —*a land* (W.GEN. *of deadly animals*) A.; (fig., of one who is creating a character-portrait in words) scour clean (of imperfections) —*a person* (*as if a statue*) Pl. ‖ PASS. (of a person) be purified —W.ACC. *in the soul* X.; (of the mind) —W.PREP.PHR. *in the course of certain studies* Pl.; (fig., w.medic.connot., of a person) be cleansed (of imperfections) Plu. ‖ PF.PASS.PTCPL.ADJ. (of shields) polished Plu.
2 clear away, clear out —*mud* Plu. —(fig.) bribery (w. ἐκ + GEN. *fr. a city*) Din. —*persons who are corrupting the young* Pl.; clear up —*disputes* Plu. ‖ PASS. (of the mythical element in history) be purged away Plu.

ἐκ-καθεύδω vb. (of troops) sleep away from one's usual quarters X.

ἐκ-καί-δεκα indecl.num.adj. [ἕξ, δέκα] sixteen Pi. +

ἑκκαιδεκά-δωρος ον adj. [δῶρον *breadth of the hand, palm, as unit of length, i.e. about 3 inches*] (of a goat's horns) sixteen palms in length, four feet long Il.

ἑκκαιδεκά-λινος ον adj. [λίνον] (of the twine of a net) made of sixteen threads Il.

ἑκκαιδεκά-πηχυς υ, gen. ους adj. [πῆχυς] (of timber) measuring sixteen cubits (in length) Plb.

ἑκκαιδέκατος η ον num.adj. sixteenth B. Hdt. Plb. Plu.

ἑκκαιδεκ-έτης ες adj. [ἔτος] (of a person) sixteen years old Plu.

ἑκκαιδεκ-ήρης ου f. [ἐρέσσω] (sts. appos.w. ναῦς) sixteen-rowed ship (app. w. three banks of oars, and rowers seated in groups of sixteen, so that one level of oars had six men per oar and two levels had five) Plb. Plu.

ἐκ-καίω, Att. **ἐκκάω** vb. | aor. ἐξέκαυσα | aor.ptcpl. ἐκκαύσας, Att. ἐκκέας (E. Ar.) | **1** burn out —*someone's eyes* Hdt. —*the Cyclops' sight, his eyebrow* E.Cyc. ‖ PASS. have (w.ACC. one's eyes) burned out Pl.
2 light up, kindle —*watch-fires, logs* Hdt. E. Ar.
3 (fig.) kindle, ignite, inflame —*persons, their anger, hope, or sim.* Plb. Plu. —*war* Plb. Plu. | PASS. (of persons, war, evil, anger, or sim.) be kindled or inflamed Pl. Men. Plb. Plu.

ἐκ-καλαμάομαι mid.contr.vb. [καλάμη] extract with a reed (used as if a fishing rod), fish out —*a coin* (fr. someone's mouth, W.DAT. *w. one's tongue*) Ar.

ἐκ-καλέω contr.vb. **1** (act. and mid.) call or summon forth —*someone* Hom. Pi. Hdt. S. Lys. Ar. + —(W.GEN. *fr. a house*) E. —(W. ἐκ + GEN.) Plb. ‖ PASS. (of persons) be summoned Plb.
2 ‖ MID. call upon, invoke —*someone* S.fr.
3 ‖ MID. call on —*someone* (W.INF. *to do sthg.*) S. ‖ PASS. be called on —W.INF. *to do sthg.* Plb. —w. πρός + ACC. *for a task* Plb.
4 ‖ MID. draw out, entice, provoke —*enemy cavalry, an attack* Plb.; provoke, rouse, prompt —*someone* (to action) Pl. D. —(W.INF. *to do sthg.*) Plb. Plu. —(W.PREP.PHR. *to an activity or emotion*) Plb. Plu.; call forth, elicit, provoke —*anger, outcries, pity* Aeschin. Plb.; (of joy) —*a tear* A. ‖ PASS. (of troops) be enticed out (of a place) Plb.

ἐκ-καλύπτω vb. | fut.pf.mid. ἐκκεκαλύψομαι (Ar.) |
1 uncover —*someone* (who has covered the head out of shame) E. Aeschin. —*a dead person, a baby* (*i.e. their face*) Hdt. S. Pl. —*someone's head* (covered out of shame or grief) E. ‖ MID. uncover one's head Ar. Pl. Plu.; (of persons waking) throw off one's coverings Od.(tm.) ‖ PF.PASS.PTCPL.ADJ. (of the shields of men on parade) uncovered (as if for battle) X.

2 disclose, reveal —*facts, words, circumstances* A. E. Plu.; (of anger) —*someone's mind* Even. ‖ PASS. (of poverty) be revealed Plu.

ἐκ-κάμνω *vb.* **1 grow weary, tire** (of sthg.) Plu. —W.ACC. *of lamentation* Th. —W.PTCPL. *of doing sthg.* Plu. —W. πρός + ACC. *of public life* Plu.
2 (of a sword) **be worn out** —W.DAT. *by blows* Plu.

ἐκ-καρπίζομαι *mid.vb.* (fig., of the ploughland of ruinous folly) **yield a harvest of** —*death* A.(dub.)

ἐκ-καρπόομαι *mid.contr.vb.* **1** (fig., of someone's husband) **reap a harvest of, father** —*children* (W.GEN. *by another woman*) E.
2 reap the benefit (of doing sthg.) Th.; (tr.) **glut oneself at the expense of** —*someone* D.

ἐκ-κατεῖδον *aor.2 vb.* [καθοράω] **look down from** —W.GEN. *a place* Il.

ἐκ-κατεφάλλομαι *mid.vb.* | ep.3sg.athem.aor. ἐκκατέπαλτο | (of Athena, compared to a bird of prey) **plunge down from** —W.GEN. *heaven* Il.

ἐκ-καυλίζω *vb.* [καυλός] **pluck off** —W.COGN.ACC. *the stalks, i.e. the most succulent parts* (W.GEN. *of magistrates' accounts, i.e. take bribes for not challenging them*) Ar.

ἐκ-καυχάομαι *mid.contr.vb.* **boldly proclaim** —W.ACC. + INF. *that someone did sthg.* E.

ἐκκάω *Att.vb.*: see ἐκκαίω

ἐκ-κεδάννῡμι *vb.* (of a boxer) **draw** (W.ACC. blood) **from** —W.GEN. *an opponent's chest* AR.(tm.)

ἔκ-κειμαι *mid.pass.vb.* [κεῖμαι] **1** (of a baby) **be exposed** (to die) Hdt. Men.
2 (of parts of a sacrificial animal) **lie bare** —W.GEN. *of the fat that had covered them* S.
3 (of an accused person, i.e. his name; of a charge) **be displayed in public, be posted up** D.
4 (of a person's life) **be laid out** (by a biographer) Plu.; (of topics) **be set forth** Arist.; (of a goal) **be proposed** Arist.
5 (of people) **be exposed** —W.DAT. *to hardships, taxation* Plb.

ἐκ-κείρω *vb.* **reap** —*a harvest* A.

ἐκ-κενόω, also poet. **ἐκκεινόω** *contr.vb.* **1 empty, clear out** —*a room* Pl.; (of a calamity) —*a city* (*of men*) A.; (of talkativeness) —*wrestling schools* Ar.; (of plague) **leave** (W.ACC. mothers) **bereft** (of their children) Call. ‖ PASS. (of a land) be emptied (of men) A.; (of a city) —W.GEN. *of plunder* (*ref. to women captives*) A.
2 (fig.) **empty out** —*one's spirit* (W.PREP.PHR. *into Charon's boat, i.e. die*) Theoc.

ἐκ-κεντέω *contr.vb.* **stab** —*someone* Plb. NT.

ἐκ-κεραΐζω *vb.* **lay waste** —*a sacred grove* Call.

ἐκκεχυμένως *pf.pass.ptcpl.adv.*: see under ἐκχέω

ἐκ-κηραίνω *vb.* | aor. ἐξεκήρᾱνα | (of sleep and toil) **damage, sap** —*someone's strength* A.

ἐκ-κηρύσσω, Att. **ἐκκηρύττω** *vb.* **1 exclude** (persons) by proclamation; **banish** or **ban** —*someone* (fr. somewhere) Hdt. D. Plb. Plu. —(W. ἐκ + GEN. *fr. a city or country*) Lys. Aeschin.; (gener.) **order** (W.ACC. ambassadors) **to leave** Plb.; **order** (W.ACC. troops) **out** —W.GEN. *of an island* Plu. ‖ PASS. be proclaimed —W.PREDIC.SB. *an exile* S.; be banished or banned Lys. Plu.; be renounced —W. ἐκ + GEN. *by a family* Pl.
2 drum out, cashier —*someone* (fr. the army) Arist. ‖ PASS. be cashiered Lys.
3 ‖ IMPERS.PF.PASS. it has been forbidden by proclamation —W.DAT. + μή or τὸ μή W.INF. *for someone to do sthg.* S.

ἐκ-κῑνέω *contr.vb.* **1 start up, disturb** —*a stag* S. —*a person* (enjoying a respite fr. pain) S. —*a quiescent disease* S. ‖ PASS. (of undesirable residents) be flushed out Ar.(cj.)
2 fling out —*an accusation* S.

ἐκ-κίω *vb.* **go out** (of a house) Od.(tm.) AR.(tm.)

ἐκ-κλάζω *vb.* (of a bird) **screech out** —W.INTERN.ACC. *a cry* E.(tm.)

ἐκ-κλάομαι *pass.contr.vb.* (of parts of a creature's body) **be broken off** Pl.

ἐκ-κλείω, Att. **ἐκκλήω**, Ion. **ἐκκληίω** *vb.* [κλείω¹] **1 shut out** —*someone* (fr. a place) E. Men. —*war* (fr. a country, by fortifications) Plu.; **bar, expel** —*someone* (W.GEN. *fr. a city*) Plb. ‖ PASS. be shut out (sts. W.GEN. fr. houses) E.
2 close off, deny access to —*a place* Plu.
3 exclude (fr. participating in sthg.); **bar** —*a person, a city* (W.GEN. *fr. sthg.*) Hdt. Aeschin. ‖ PASS. be barred —W.GEN. *fr. sthg.* D. Plb.
4 prevent —W.ACC. + INF. *someone fr. getting a hearing* D. ‖ PASS. be prevented (fr. acting otherwise), be constrained —W.DAT. *by want of time* Hdt.
5 shut out, preclude —*peace proposals, accusations* Aeschin. Plb.

ἐκ-κλέπτω *vb.* **1** (of gods or humans) **smuggle out, spirit away** (sts. w.connot. of rescuing) —*someone or sthg.* Il. A. Hdt.(dub.) E. Lys. Ar. + —(W.GEN. or ἐκ + GEN. *fr. a place*) E. Th. Plb. Plu. —(W.GEN. *fr. murder*) E.; (periphr.) —*one's foot* (i.e. steal away) E. ‖ PASS. (of persons) be smuggled out Hdt. X. Plb. Plu.
2 cheat (someone) **out of** —*an opportunity* D. —*a story, part of an argument* S. Pl.
3 remove from sight, conceal —*someone* E.; **keep secret** —*sthg.* E.
4 mislead, deceive —*someone, the mind* S.

ἐκκληίω *Ion.vb.*: see ἐκκλείω

ἐκκλησίᾱ ᾱς *f.* [ἔκκλητος] **1 public meeting** officially summoned; (at Athens) **Assembly** (summoned by the Council) Th. Ar. Att.orats. +; **assembly** (in other cities) Hdt. Th. +; (gener., of soldiers) E. X. Arist.
2 congregation or **church** (ref. to a community of Christians) NT.; (collectv.) **Church** (ref. to all Christian congregations) NT.

ἐκκλησιάζω *vb.* | impf. ἐξεκλησίαζον, also ἠκκλησίαζον (D.) | fut. ἐκκλησιάσω | aor. ἐξεκλησίασα | **1** (of Athenian citizens) **hold** or **deliberate in an Assembly** Th. Ar. Att.orats. + —W.COGN.ACC. Aeschin. —W.NEUT.ACC. *on an issue* Th.; (of other states, of soldiers) X. Plb. Plu. —W.COGN.ACC. Arist.
2 (of an individual, at Athens or elsewhere) **attend an assembly** Lys. Ar. D. Arist. Plu.; **address an assembly** Arist. Plu.

ἐκκλησιασμός οῦ *m.* **assembly, meeting** (of soldiers) Plb.

ἐκκλησιαστής οῦ *m.* **member of the Assembly** Pl. Arist.

ἐκκλησιαστικός ή όν *adj.* (of a register) **of members of the Assembly** D.; (of a vote) **in an assembly** Plu.

ἐκ-κλητεύω *vb.* (leg.) **summon** —*someone* (as a witness) Aeschin. ‖ PASS. be summonsed Aeschin.

ἔκκλητος ον *adj.* [ἐκκαλέω] **1** (of a crowd of citizens) **summoned, assembled** (for a public meeting) E. ‖ MASC.PL.SB. (collectv.) assembled citizens, assembly (at Argos) E.; (at Sparta) X.
2 (leg., of a city) called upon (by another city, to judge a case), **appellate** Aeschin.

ἐκκλήω *Att.vb.*: see ἐκκλείω

ἐκλίθην (aor.pass.): see κλίνω

ἐκ-κλίνω *vb.* **1** (of a hunting net) **pull out of place** —*a stake* X.

2 distort, alter —*a name (i.e. its spelling)* Pl.
3 (intr., of troops) **turn aside, wheel away** —w. ἀπό + GEN. *fr. someone* Th.; **give way** (to an enemy) X. Plb. Plu.
4 (tr.) **keep out of the way of, avoid** —*someone, an attack* Plb. Plu.
5 decline to undertake, avoid, shun —*an activity, heavy labour, a military campaign, or sim.* Pl. Plb. Plu.
6 (of features in a constitution) **incline, tend** —w. εἰς + ACC. *in the direction of democracy or oligarchy* Arist.
7 (intr., of a river) **bend** Plb.

ἐκ-κλύζω *vb.* **1** (of detergents) **wash out** —*dye* Pl.
2 (of a person) **wash thoroughly, soak** —*one's body* Plu.

ἐκ-κνάω *contr.vb.* —also **ἐκκναίω** *vb.* | dial.3pl.fut. ἐκκναισεῦντι | aor. ἐξέκνησα | **1 scrape off** —*wax* (W.GEN. *fr. a tablet*) Hdt.
2 (fig., of talkative women) **wear out, bore to death** —*listeners* Theoc.

ἐκ-κοβᾱλικεύομαι *mid.vb.* [κόβαλος] **bamboozle** —*someone* (w. *flattery*) Ar.

ἐκ-κοιλαίνω *vb.* (of a bird) **hollow out** —*an egg* Hdt.; (of a cataract) —*slabs of rock* Plb.

ἐκ-κοιμάομαι *mid.contr.vb.* **sleep off** (the effects of a drug) Pl.

ἐκ-κοκκίζω *vb.* [κόκκος] **1** remove pomegranate seeds; (fig.) **empty, gut** —*cities* (*of inhabitants*) Ar.
2 put out of joint, dislocate —*one's ankle* Ar.; **beat the life out of** —*an old woman's skin* Ar. [or perh. *beat her out of it*]

ἐκ-κολάπτω *vb.* [κολάπτω, perh. *carve*] **erase** —*an inscription, a decree* Th. D.

ἐκ-κολυμβάω *contr.vb.* **dive overboard** NT. —W.GEN. *fr. a ship* E.

ἐκκομιδή ῆς *f.* [ἐκκομίζω] **1 removal, evacuation** (W.GEN. of one's family) Hdt.
2 carrying out (of a corpse for burial), **funeral** Plu.

ἐκ-κομίζω *vb.* **1 bring** or **carry out** —*someone* (sts. W.GEN. *fr. a house*) E. —*chariots, weapons, objects* (sts. W. ἐκ + GEN. *fr. a place*) Hdt. E. Ar. Plb. || PASS. (of goods) be carried out or removed Plu.
2 (act.) convey (fr. one place to another, oft. w.connot. of bringing to safety), **take away, remove, transport, evacuate** —*persons, property, or sim.* (sts. W.PREP.PHR. *to a place*) Hdt. E. Th. Isoc. X. +; (mid.) —*one's own kin, property, or sim.* Hdt. E. Th. Isoc. Lycurg. Arist. —(W.GEN. *fr. a country*) E. || PASS. (of a person) be brought —W.ADV. *hither* E.; be removed —W.GEN. *fr. a land* E.; (of an impure soul, envisaged as a sea creature) —w. ἐκ + GEN. *fr. the sea* Pl.
3 || MID. (intr., of an individual) **remove oneself, depart** (fr. a country) E.; (of persons) **take oneself** (for safety) —W.PREP.PHR. *to a place* Hdt. Th.
4 extricate, rescue —*wagons* (fr. mud) X. —*someone* (w. ἐκ + GEN. *fr. impending catastrophe*) Hdt.
5 bring out —*corpses* (w. πρός + ACC. *to a funeral pyre*) E.; **carry out for burial** —*corpses* Plu. || PASS. (of corpses) be carried out for burial Plb. NT. Plu.
6 carry through (i.e. bear with and carry out) —*what is fated* E.
7 (of a horse) perh. **finish** —*its food* X.

ἐκ-κομπάζω *vb.* **boastfully utter** —*a remark* S.

ἐκκοπή ῆς *f.* [ἐκκόπτω] **1 cutting out** (of an arrow-head, fr. a bone) Plu.
2 cutting down (of trees) Plb.

ἐκ-κόπτω *vb.* **1 knock out** —*a sword* (W.GEN. *fr. a hand*) E. —*teeth* (w. ἐκ + GEN. *fr. a jaw*) Ar.; (fig., of Zeus) —*speech* (W.GEN. *fr. animals*) Call. || PASS. (of an oil-flask) be knocked from —W.GEN. *someone* (i.e. *out of his hand*) A·.; (fig., of confidence) be knocked out —W.GEN. *of someone* Pl. Plu.; (of tears) be beaten out (of someone, i.e. be stopped by a beating) Men.
2 knock out, put out —*someone's eye* D. Plb.; (cf a bird) **peck out** —*an eye* Ar. || PASS. (of a person) have (W.ACC. an eye) put out Ar. Aeschin. D. Plu.; (of an eye) be put out Plu.
3 cut down, fell —*trees* Hdt. Th. Lys. Ar. +; **lay waste** —*a park* X.; **cut** or **knock down** —*tents or huts* X. || PASS. (of trees) be cut down Hdt. +
4 cut off —*one's hand or foot* NT.
5 || PASS. (of an inscription) be erased Arist.
6 cut down, massacre —*people* Hdt.; **exterminate** —*a nation* Plu.; **lay waste, raze** —*islands, cities, shrines, or sim.* Plu.
7 break open —*doors* Lys. Plu.; **break into** —*houses* Plb. Plu.
8 drive out —*people* (W.GEN. *fr. a country*) Plu.; (fig.) —*bribery* (fr. *a city*) Plu.; **dislodge** (fr. a location) —*soldiers, pirates* X. D.; **beat off** —*attacks by missile-throwers* X.
9 (fig.) **eradicate, eliminate, put an end to** —*malicious accusations, sacrilegious behaviour, excuses and chicanery* Att.orats. —*the administration of justice* Plb. —*someone's hopes* Plu.; (of hunger) —*passion* Call.*epigr.* || PASS. (of activities) be eradicated Plb.

ἐκ-κορέω *contr.vb.* [κορέω¹] **1** sweep out (a place) with a broom; (fig., of Zeus) **sweep away** (i.e. utterly destroy) —*Greece* Ar. || PASS. (of a person, in an imprecation) be swept away like dirt Men.
2 (fig.) **sweep clean, deprive** —*a woman* (*of her daughter*, w. play on κόρη¹) Ar.

ἐκ-κορίζω *vb.* [κόρις] rid of bedbugs, **delouse** —*couches* Thphr.

ἐκ-κορυφόω *contr.vb.* state the main points of, **summarise** —*a story* Hes.

ἐκ-κουφίζω *vb.* (fig., of a populace) **buoy up** (w. support or encouragement) —*a person* Plu.

ἐκ-κράζω *vb.* | aor.2 ἐξέκραγον | **cry out** Plu.

ἐκ-κρεμάννῡμι *vb.* | mid.pass. ἐκκρεμάννυμαι, also ἐκκρέμαμαι (Pl.) | **1 suspend, hang** —*someone* (w. ἐκ + GEN. *fr. sthg.*) Ar.
2 || MID.PASS. **hang** or **be suspended from** —W.GEN. *sthg.* Pl.; **hang onto, cling to** —W.GEN. *someone* Th. —*a litter* Plu. —*desire for life* Plu.
3 || MID.PASS. (fig.) **hang upon the words of, listen intently to** —W.GEN. *someone* NT.; **be devoted to** —W.GEN. *Ares* (i.e. *warfare*) E.; **be dependent upon** —W.GEN. *decrees* Plu. —w. ἐκ + GEN. *sensations* Pl.

ἐκ-κρίμναμαι *mid.vb.* [κρίμνημι] **hang on to, cling to** —W.GEN. *someone's robes* E. —*door-knockers* (W.ACC. *by one's hands*) E.

ἐκ-κρίνω *vb.* **1 single out, select** —*persons* Th. Pl.; **set apart** —*one system of government* (w. ἐκ + GEN. *fr. others*) Pl. || PASS. be selected Th. Arist.; be singled out —W.PREDIC.ADJ. *as pre-eminent* S.
2 vote out, eject —*someone* (fr. *an office or function*) X.; **reject** —*someone* (as a potential member of sthg.) Plu. || PASS. (of a person) be ejected X.; be rejected or declared ineligible (as a competitor) Plu.
3 || PASS. (of the mind) be separated (fr. the body) X.

ἔκκριτος ον *adj.* (of persons, detachments of troops or ships, a gift, or sim.) **picked, select, choice** Trag. Pl. Theoc. Plu.; (of a ram) **specially chosen** (W.GEN. fr. others) AR.
—**ἔκκριτον** *neut.adv.* **over and above** (W.GEN. *others*) E.

ἔκκρουσις εως *f.* [ἐκκρούω] **knocking** (of a spear fr. a hunter's hand) X.

ἐκκρουστικός ή όν adj. (of that which causes terror) conducive to expulsion (W.GEN. of pity) Arist.

ἔκκρουστος ον adj. (of an emblem on a shield) **beaten out, embossed** A.

ἐκ-κρούω vb. **1** (of a boar) **knock out** —a spear (w. ἐκ + GEN. fr. a hunter's hands) X.; (of troops) **dislodge** —enemy spears (w. their swords) Plu. ‖ PASS. (of a sword) be knocked out (of someone's hand) Plu.
2 dislodge —enemy troops (fr. a place) Th. X. Plu.; **drive out, expel** —someone (fr. a city) Plu. —(W.GEN. fr. an office) Plu. ‖ PASS. (of troops, settlers) be dislodged Th. Plu.
3 (of an activity or emotion) **drive out** —another Arist. ‖ PASS. (of opposite emotions) be driven out (by each other) Arist.
4 beat off —arguments (by long-winded speech) Pl.
5 knock off course, interrupt —a speaker D. Plu.
6 deflect, distract —oneself (W.GEN. fr. an immediate concern) D. —someone (fr. a policy) Plu.; **rob** —someone (W.GEN. of a hope) Pl. Plu. ‖ PASS. be distracted —W.ACC. in one's thinking Plu.; be frustrated (by someone) Plu.
7 stave off, evade, delay —a lawsuit, inquiry, decision, or sim. Hyp. D. Plu.; (intr.) **cause delays, be evasive** D. Plu. ‖ PASS. (of an indictment) be staved off D.

ἐκ-κυβεύω vb. **1** play at dice; (fig.) **take a risk** Plb.
2 ‖ PASS. be diced out of, dice away —W.ACC. a sum of money Plu.

ἐκ-κυβιστάω contr.vb. **1 tumble out** (of a chariot) Call.(tm.) —W.GEN. of a chariot E.
2 (of a dancing-girl) **somersault out** (of a hoop) X.; (of a man performing a war-dance) **turn somersaults** X.

ἐκ-κυκάω contr.vb. (of Athena) **stir up** —squalls Alc.(tm.)

ἐκ-κυκλέομαι mid.pass.contr.vb. (of a tragic poet) **get oneself wheeled out** (on the ekkuklema, a trolley used to display interior scenes in tragedy) Ar.

ἐκ-κυλίνδω vb. ‖ aor.pass. ἐξεκυλίσθην ‖ **1** (of a beetle) **roll out** —eggs (fr. an eagle's nest) Ar.
2 ‖ PASS. (of a person) tumble out (of a litter) Plu. —W.GEN. or ἐκ + GEN. of a chariot Il. S.
3 ‖ PASS. (of Prometheus) wriggle out, extricate oneself —W.GEN. fr. fetters A.; (of a hare) —w. ἐκ + GEN. fr. a net X.
4 ‖ PASS. (of a wave) roll —W.PREP.PHR. under a keel AR.

ἐκ-κυμαίνω vb. (of part of a phalanx) **bulge out of line** X.

ἐκκυνέω contr.vb. [ἔκκυνος] (of a hound) leave the pack while following the scent, **behave as a skirter, skirt** X.

ἐκ-κυνηγέσσω vb. ‖ fut. ἐκκυνηγέσω (cj.) ‖ aor.inf. ἐκκυνηγέσαι ‖ (of Erinyes) **hunt down** —someone A.(cj.); (of a satyr) —stolen cattle S.Ichn.

ἐκ-κυνηγετέω contr.vb. (fig., of fate) **hunt down, hound** —someone E.

ἔκκυνος ον adj. [κύων] (of a hound) **behaving as a skirter** X. ‖ see ἐκκυνέω

ἐκ-κύπτω vb. (of a woman) **poke one's head out, peep out** (of a window or door) Ar.; **appear, pop out** (fr. somewhere) Ar.; (of a person's arse, fr. his clothes) Ar.

ἐκ-κωμάζω vb. (of Helen) **go off revelling** (to Troy, w. Paris) E.

ἐκ-κωφάομαι (or **ἐκκωφέομαι**) pass.contr.vb. [κωφός] ‖ pf.: 3sg. ἐκκεκώφηται, Ion.3pl. ἐκκεκώφεαται ‖ **be deafened**; (fig., of a mind) **be numbed** Anacr.; (of swords) **be blunted** —W.PREP.PHR. in the face of a woman's beauty E.

ἐκ-κωφόω contr.vb. **deafen** —someone's ears (by repeatedly praising another person) Pl. —a city (by shouting) Ar.

ἔκλαγον (aor.2): see κλάζω

ἐκ-λαγχάνω vb. **have allotted to one, obtain, gain** —a tomb S. —a fate, a share of misery Ar.(quot. E.)

ἐκλαθόμην (ep.aor.2 mid.): see ἐκλανθάνω

ἐκ-λακτίζω vb. (of a dancer) **kick out** —one's leg Ar. —W.INTERN.ACC. w. a particular dance-kick Ar.

ἐκ-λαλέω contr.vb. **speak out** (indiscreetly), **blab** D.; (tr.) **blab out, divulge** —sthg. D. —W.COMPL.CL. that sthg. is the case NT.

ἐκ-λαμβάνω vb. **1 receive** (sthg., fr. someone); **receive, accept** —a prize of valour (W.GEN. fr. an army) S. —a region, words of explanation, judicial satisfaction (w. παρά + GEN. fr. someone) E. Isoc. Pl. Plb. —a nation's customs and laws Plb.; (gener.) **acquire, gain, get** —sthg. Isoc. Pl. Plb.
2 draw —the right conclusion (w. ἐκ + GEN. fr. arguments) Isoc.
3 seize, take away —someone Isoc.
4 take out, extract —sthg. (fr. a bag) Men.
5 contract for, undertake —work Hdt.; **receive a contract** —W.PREP.PHR. + INF. fr. a city, to do sthg. Plu.
6 take, understand, interpret —sthg. (W.ADV. or PREP.PHR. in a certain way) Lys. Arist. Plu.

ἐκ-λάμπω vb. (of fire, lightning, the sun, the day) **shine forth** A. Hdt. Ar. X. Plu.; (of armour) X.; (fig., of fortune, justice, a person's wisdom, valour, reputation) E.fr. Pl. Plb. Plu.; (of behaviour, feelings) **blaze forth** Ar. Plb. Plu.
2 (of an animal) **flash forth** —W.INTERN.ACC. radiance (fr. its hair and eyes) E.fr.; (of a person's eyes) **flash** (fr. emotion) AR.(tm.)
3 (of a shout) **ring out** Plb.
4 (fig., of a person) **stand out, be conspicuous** Plu.

ἐκ-λανθάνω, ep. (tm.) ἐκ … ληθάνω, Aeol. (tm.) ἐκ … λάθω vb. ‖ poet.pres.ptcpl. ἐκλελάθων (Theoc.) ‖ Aeol.aor. (tm.) ἐκ … ἔλασα ‖ ep.redupl.aor.2 ἐκλέλαθον ‖ MID.: aor.2 ἐξελαθόμην, ep. ἐκλαθόμην, ep.redupl. ἐκλελαθόμην ‖ pf. ἐκλέλησμαι ‖
1 make (W.ACC. someone) **forget** —W.GEN. someone hHom. —sthg. Od.(tm.) Alc.(tm.) —W.ACC. sthg. Il.; (intr., of Hades) **cause forgetfulness** Theoc.
2 ‖ MID. **forget** (sthg.) Sapph. —W.GEN. someone AR. —sthg. Hom. Alc.(tm.) S. E. Plb. + —W.INF. to do sthg. Od. Plu.

ἐκ-λαπάζω vb. ‖ aor.inf. ἐκλαπάξαι ‖ (of soldiers) **plunder, snatch** —women (W.GEN. fr. their chambers) A.

ἐκλάπην (aor.2 pass.): see κλέπτω

ἐκ-λάπτω vb. ‖ fut. ἐκλάψομαι ‖ **lap up, gulp down** —wine, soup Ar.

ἔκλαυσα (aor.): see κλαίω

ἐκ-λαχαίνω vb. **hollow out, dig** —a channel, a grave AR.

ἐκ-λεαίνω vb. **smooth away** —wrinkles Pl.

ἐκ-λέγω vb. ‖ aor. ἐξέλεξα ‖ **1 pick or single out** —someone or sthg. Th. Isoc. Pl. X. D. + ‖ MID. (more freq.) pick out for oneself, **choose, select** —someone or sthg. Hdt. Th. Ar. Att.orats. + ‖ PASS. (of persons or things) be singled out or chosen Pl. X. +
2 pull out —someone's grey hairs (to make him look young) Ar.
3 levy, collect —taxes, payments, or sim. Th. Att.orats. X. Thphr.

ἐκλειπτικός ή όν adj. [ἐκλείπω] (of phenomena) **associated with an eclipse** Plu.

ἐκ-λείπω vb. **1 leave, quit, abandon** —a house, altar, city, country, or sim. A. Hdt. E. Th. Ar. + —one's post Hdt. Th. —a person, an army S. E. —one's fellow soldiers (through death or sickness) Hdt.; (of fillies) **leave behind, be freed from** —the yoke E.; (intr.) **leave, depart** A. Hdt. Th. X. ‖ PASS. (of marriage beds) be left —W.PREDIC.ADJ. desolate E.
2 (ellipt.) **leave** (W.ACC. a place) **and go** —W.PREP.PHR. to somewhere or someone Hdt. E.

3 (derog.) **desert, abandon** —*an alliance* Hdt.; **forsake, neglect** —*an undertaking* S. D.; **break** —*an oath* E. Th.; **default on** —*an agreement, a contribution of troops* Th. X.
4 let go, give up, lose —*one's tyranny* Hdt. —*one's resources* Th.; (of a garland) —*its greenery* E.
5 leave out, omit, pass over —*sthg.* A. Hdt. E. Isoc. Pl.; (intr.) **fail** (to do sthg.) Isoc. ‖ PASS. (of a reproach) be left unspoken A.
6 abandon, give up, cease from —*thoughts of sthg.* A. —*hunting, lamentation, sleep, wanderings* E. —*care of one's person* Plu. —W.NOM.PTCPL. *doing sthg.* Pl.
7 (periphr.) **leave** —*the light of day* (i.e. die) E.; **lose** —*one's life* S. Antipho Lys.; (intr., euphem.) **pass away** Pl. Is.; (of a person's lineage) **give out, fail** Pi.
8 (of the sun or moon) **leave** —*its place in the sky, its path* (i.e. be eclipsed) Hdt. Ar.; (intr.) **be eclipsed** Th. Pl. X.
9 (of pretended reasons) **give out on, fail** —*someone* Lys.; (of agility) Pl.; (intr., of one's strength) **fail** E.
10 (intr., of night) **depart** S.; (of a sickness) **go away** Th.; (of glory) **fade** S.
11 (intr., of a narrative) **leave off, stop** Hdt.; (of activities, incomes) **come to an end** S. Isoc. X.; (of a thyrsos) **give out** (i.e. be in need of repair) E.; (of instructions, a law) **be deficient** Pl. Arist.

ἔκλειψις εως *f.* **1 abandonment** (W.GEN. of ships, cities) Hdt.
2 eclipse (usu. W.GEN. of the sun or moon) Th. X. Arist. Plb. Plu.; (fig., of a king, as portended by a lunar eclipse) Plb. Plu.
3 omission (in a document) Plu.

ἐκλεκτέος ᾱ ον *vbl.adj.* [ἐκλέγω] (of persons or things) **to be picked out** or **selected** Pl.

ἐκλεκτός ή όν *adj.* **1** (of soldiers, jurors) **select, choice** Th. Pl.; (of stones) Ibyc.(dub.); (of weapons) Plb.
2 ‖ MASC.SB. he who has been chosen by God (ref. to Jesus Christ) NT. ‖ PL. those chosen by God, the elect NT.

ἐκλέλαθον (ep.redupl.aor.2), **ἐκλελάθων** (poet.pres.ptcpl.): see ἐκλανθάνω

ἐκλελυμένως *pf.pass.ptcpl.adv.*: see under ἐκλύω

ἔκλεξις εως *f.* [ἐκλέγω] **selection, choice** Pl.

ἐκ-λέπω *vb.* free (sthg.) from a shell; (of crocodiles, snakes, birds) **hatch out** —*eggs, young* Hdt. Plu.(quot.poet.); (fig., of owls on coinage) —*small change* Ar.

ἐκ-λευκαίνω *vb.* (of oarsmen) **make white** —*the billows* E.

ἐκ-λήγω *vb.* **cease** —W.NOM.PTCPL. *weeping* S.

ἐκληθάνω *ep.vb.*: see ἐκλανθάνω

ἐκλήθην (aor.pass.): see καλέω

ἐκ-ληρέω *contr.vb.* **play the fool** Plb.

ἔκλησα (Att.aor.): see κλείω[1]

ἔκλησις ιος Ion.*f.* [ἐκλανθάνω] **forgetfulness** or **forgetting; amnesty** (W.GEN. for killing) Od.

ἐκ-λῃτουργέω *contr.vb.* **fully discharge a public service** —W.COGN.ACC. Is.

ἐκλίθην (aor.pass.): see κλίνω

ἐκ-λιμπάνω *vb.* [reltd. λείπω] **1 leave, abandon** —*one's home* E.
2 leave off from, cease —W.NOM.PTCPL. *repeating* (sthg.) E.

ἐκ-λιπαίνομαι *pass.vb.* (of soil) **be enriched** (by putrefied corpses) Plu.

ἐκ-λῑπαρέω *contr.vb.* **earnestly entreat, beg** —W.ACC. + INF. *someone to do sthg.* Plu. ‖ PASS. **be entreated** Plu.

ἐκλιπής ές *adj.* [ἐκλείπω] **1** (of a period of time) **omitted, neglected** (by historians) Th.
2 ‖ NEUT.SB. **eclipse** (W.GEN. of the sun) Th.

ἐκλογή ῆς *f.* [ἐκλέγω] **1 choice, selection** (of persons or things) Pl. Arist. Plb. NT.
2 elite nature (of troops) Plb.

ἐκ-λογίζομαι *mid.vb.* **1 reflect upon, consider** —*facts, circumstances* Hdt. E. Th. Aeschin.; **reflect, think** D. Plb. —W.PREP.PHR. *about sthg.* Th. And. D. —W.INDIR.Q. or COMPL.CL. *what* (or *that sthg.*) *is the case* Th. Aeschin. D.
2 think about, analyse —*a war* (W.ADV. *soberly*) Th.; **gauge** —*someone's feelings* (W.ADVBL.PHR. *as inclining to hostility*) E.
3 give thought to —*one's own death* E. —*a future contingency* Plb.
4 reckon up, calculate —*sums owing, revenues, distances* Plb. Plu. ‖ PASS. (of a person's wealth) be reckoned —W.PREDIC.ADJ. *greatest* Plu.
5 relate fully, expound —*sthg.* Plb.

ἐκλογισμός οῦ *m.* **1 calculation, reckoning, thinking** Plu.
2 (in financial ctxt.) **calculation, valuation** Plu.

ἐκ-λούω *vb.* **wash down, bathe** —*horses* Plb.

ἐκ-λοχεύω *vb.* ‖ MID. (of Leda) **give birth to** —*an egg* E. ‖ PASS. (of a child) be brought to birth E.

ἔκλυσις εως *f.* [ἐκλύω] **1 release** (W.GEN. fr. bondage) Theoc.; (fr. troubles, sickness, or sim.) Eleg. Trag.
2 slackness, laxity (in a city's attitude) D.

ἐκλυτήριος ον *adj.* (of advice) **bringing relief** (fr. sickness) S. ‖ NEUT.SB. **rescue** (W.GEN. of a city, fr. danger) E.

ἔκλυτος ον *adj.* **1** (of spits) **pulled out** (W.GEN. fr. slaughtered animals) E.
2 (of a dead person's hands) **slack, loose, limp** E.

—**ἐκλύτως** *adv.* **relaxedly, freely** —*ref. to a body growing* Plu.

ἐκ-λύω *vb.* **1** (act. and mid.) **release, free** —*someone* (fr. *fetters, imprisonment, sentence of death, or sim.*) Trag. —(W.GEN. fr. *sufferings, fear, guilt, or sim.*) Od. Trag. Pl. D. —(W. ἐκ + GEN. fr. *danger*) Plb. ‖ PASS. (of persons) be released —(W. fr. *fetters* P.. —fr. *longing* Thgn. —W. ἐκ + GEN. fr. *civil unrest* Plb.
2 ‖ MID. **rescue, save** —*someone* (W.GEN. fr. *death*) E. —(W. τὸ μή + INF. fr. *suffering sthg.*) A.
3 ‖ MID. **release, relieve** —*persons under siege* X.; **win release of** —*corpses* (fr. *an enemy*) E.; **remove** —*someone* (fr. *a place of potential danger*) S.
4 unloose —*fastenings* E. Plu.; **unstring** —*a bow* Hdt.; (fig.) **unseal** —*foolish lips* (i.e. give vent to foolish talk) S.
5 get rid of, remove, put an end to —*rivalry, ambition, resentment, disturbances* D. Plb. Plu.; **break off, suspend** —*one's preparations* D.; **render unnecessary** —*the trouble of someone making a journey* E.
6 relax, soften, weaken —*someone's earnestness* (by one's wit) Plb.
7 ‖ PASS. (of a speaker, runner) **break down** or **collapse** (through infirmity, fatigue) Isoc. Arist.; (of persons, their courage or strength) be weakened or give out Plb. NT. Plu.; (of river currents) lose strength Plb.
8 ‖ PF.PASS. (of the bodies of hounds) be in a state of relaxation X.; (of a community) be slack or lax (in its attitude to events) D. ‖ PF.PASS.PTCPL.ADJ. (of persons) relaxed or weakened Plu.; (of a nation) lacking stamina (W.PREP.PHR. for war) Isoc.; (of ships) worn out Arist.
9 perh. **pay off in full** —*tribute* (due to the Sphinx) S. ‖ PASS. (of a loan) be paid off Plu.

—**ἐκλελυμένως** *pf.pass.ptcpl.adv.* **carelessly, lackadaisically** —*ref. to speaking* Isoc.; **mildly** —*ref. to punishing* Plu.; **feebly** —*ref. to fighting* Plu.

ἐκ-λωβάομαι *pass.contr.vb.* **suffer grievous indignities** S.

ἐκ-λωπίζω *vb.* [λῶπος] **uncover, lay bare** —*one's side and arm* S.(tm.)

ἐκμαγεῖον ου n. [ἐκμάσσω] 1 that which wipes clean, **cleaning-cloth, napkin** Pl.
2 material for receiving an impression (of perceptions, ideas, or sim.), **impressible matter, matrix** (in the cosmos or in the mind, sts. compared to wax) Pl. Arist.
3 copy made in the mind or heart (by means of the material described in 2), **impression, stamp** Pl.
4 **exemplar, model** (for legislative practice, for singing) Pl.

ἐκ-μαίνομαι pass.vb. | aor. ἐξεμάνην | 1 **be driven mad** (by passion) Alc.; (by anger, vanity) Plu.
2 **commit** (W.NEUT.ACC. these, many) **mad acts** —w. ἐς + ACC. *against people* Hdt.
—ἐκμαίνω act.vb. | aor. ἐξέμηνα | 1 (of Aphrodite, a beloved person) **madden** —*someone* (w. *passion*) Ar. Theoc.; (of a bull) —*horses* (W.DAT. w. *fear*) E.; (of Dionysus) **drive** (W.ACC. women) **in madness** —W.GEN. *fr. their homes* E.
2 **madly inflame** —*someone's passion* S.

ἐκ-μαίομαι mid.vb. | ep.3sg.aor. ἐκμάσσατο | **seek out, devise** —*a skill* hHom.

ἔκμακτρον ου n. [ἐκμάσσω] **imprint** (of feet, on the ground) E.

ἐκ-μανθάνω vb. 1 **learn, get to know, discover, find out** —*facts, information, the nature of sthg., skills, languages, or sim.* Pi. Hdt. Trag. Ar. Pl. + —W.INDIR.Q. or COMPL.CL. *what* (or *if sthg., that sthg.*) *is the case* Hdt. S. E. —W.NOM.PTCPL. *that one has done sthg.* Hdt. —W.ACC. + PTCPL. *that someone is doing sthg.* E.; **learn** —W.COGN.ACC. *a lesson* S. —W.INF. *to do sthg.* E.
2 **learn by heart** —*poets, poems, maxims, songs* Pl. Aeschin. Thphr.

ἐκ-μαραίνομαι pass.vb. (of a leaf) **wither** or **shrivel away** Theoc.

ἐκ-μαργόομαι pass.contr.vb. (of Helen) **be turned raving mad** (by the sight of Paris) E.

ἐκ-μαρτυρέω contr.vb. 1 (gener.) **bear witness to** —*sthg.* A. —w. ὡς and ACC. + PTCPL. *sthg. being the case* Arist.; (leg.) **testify in court to** —*sthg.* Aeschin.
2 (leg.) **give evidence out of court, make a written deposition** (sts. w. πρός + ACC. before someone) Att.orats.; (mid.) —W.COGN.ACC. *in evidence* Is.

ἐκμαρτυρίᾱ ᾱς f. (leg.) evidence given out of court, **written deposition** Att.orats.

ἐκμάσσατο (ep.3sg.aor.mid.): see ἐκμαίομαι

ἐκ-μάσσω, Att. ἐκμάττω vb. 1 (of a murderer) **wipe off** (fr. oneself) —*blood* (onto a victim's clothes) E. —*bloodstains* (W.DAT. onto the victim's head) S.; (of a person) —*poison* (fr. a knife, W.DAT. onto sthg.) Plu.
2 **wipe dry** —*someone's feet* NT.
3 **create** (sthg.) **by moulding** or **modelling** (in wax or plaster); (fig.) **mould** —*oneself* (w. εἰς + ACC. *to the pattern of certain persons*) Pl. || PASS. (fig., of cowards' bodies) be moulded —W.GEN. *fr. wax* S.Ichn.
4 || PASS. (of an image) be **impressed** or **imprinted** (on wax) Pl.; (of dust) be impressed with, **receive the imprint of** —W.ACC. *footsteps* Theoc.; (of a person) **have impressed on oneself** (i.e. on one's mind) —*someone's image* Plu.

ἐκ-ματεύω (or ἐκμαστεύω) vb. (of Erinyes) **search out** —*someone* A.

ἐκ-μελετάω contr.vb. 1 **thoroughly practise** —*activities, speeches* Antipho Pl. Plu.
2 **give practice to, exercise, train** —*someone* (in a skill) Pl.

ἐκ-μελής ές adj. [μέλος] **out of tune**; (fig., of ambition) **inappropriate** Plu. || NEUT.SB. **discord** (opp. harmony) Plu.

ἐκ-μετρέω contr.vb. 1 **measure out** —*time* (i.e. count the days, waiting for sthg. to happen) E.
2 || MID. **take the measurements of, measure** —*someone's armour* X. —*walls, terrain* Plb.

ἐκμέτρησις εως f. **taking of measurements, measuring** Plb.

ἔκ-μηνος ον adj. [ἔξ, μήν²] (of a period of time, an office) **lasting six months** S. Plb. || NEUT.SB. **period of six months** Pl.

ἐκ-μηνύω vb. || PASS. (of an enterprise) **be revealed** or **exposed** Plu.

ἐκ-μηρύομαι mid.vb. 1 **unwind oneself** (fr. a confined space, perh. w.connot. of going in single file); (of troops, baggage-animals) **extricate oneself** (fr. a gully) X. —W.GEN. *fr. a gully* Plb.; **wind one's way over** —W.ACC. *difficult terrain* Plb.
2 (tr., of a person) **extricate** —*oneself and one's family* (W.PREP.PHR. *through a window*) Plu.

ἐκ-μιαίνομαι mid.pass.vb. **stain** or **pollute oneself** (by ejaculating semen); (hyperbol., ref. to being pleased) **feel positively orgasmic** Ar.

ἐκ-μιμέομαι mid.contr.vb. 1 (of persons) **imitate** —*the activities of birds* Ar.; (of a horse) —*a form of behaviour* X.; (of a person) **be like** —*someone* (ref. to suffering the same fate) E.
2 (of painters) **represent, portray** —*objects* X.

ἐκ-μῑσέομαι pass.contr.vb. **be thoroughly detested** Plu.

ἐκ-μισθόω contr.vb. **hire out** —*persons, property, or sim.* Lys. X. Aeschin. Arist. Plu. || PASS. **be hired out** Aeschin.

ἔκμολον (ep.aor.2): see ἐκβλώσκω

ἐκ-μουσόω contr.vb. **thoroughly educate** —W.DBL.ACC. *someone in sthg.* E.

ἐκ-μοχθέω contr.vb. 1 **produce** or **gain** (sthg.) by great effort; **work hard to make** —*clothes* E.; **work hard to win** —*glory, wealth* (W.DAT. *for someone*) E.; (of soldiers) —*Helen* E.
2 **endure** or **perform** (sthg.) with great effort; **work hard to endure** —*troubles* A. E.; perh. **work hard to resist** —*heaven-sent fortunes* E.; **work hard to perform** —*wifely duties* E.; (of Herakles) —*his labours* E.

ἐκ-μοχλεύω vb. **lever open** (barred doors) Ar.

ἐκ-μυζάω contr.vb. [μύζω²] (of a doctor) **suck out** —*blood* (fr. a wound) Il.

ἐκ-μῡθέομαι mid.contr.vb. **speak out, tell** —*sthg.* Theoc.(tm.)

ἐκ-μυκτηρίζω vb. [μυκτήρ] **turn up one's nose at, sneer at** —*someone* NT.

ἐκ-ναρκάω contr.vb. **become numb** or **torpid** Plu.

ἐκ-νέμομαι mid.vb. | fut. ἐκνεμοῦμαι | (fig., app.tr. and periphr., of a person) **take to other pastures** —*one's foot* (i.e. take oneself off) S.

ἐκ-νευρίζομαι pass.vb. [νεῦρον] (fig., of a populace) **be robbed of nerves** or **sinews** D.

ἔκνευσις εως f. [ἐκνεύω] perh. **ducking** (of the head, to avoid a blow or missile) Pl.

ἐκ-νεύω vb. | aor. ἐξένευσα | 1 **turn one's head** (away fr. its normal position); (of a person) **signal with a movement of one's head** —W.ACC. + INF. *for someone to do sthg.* E.
2 (of a boar) **make a sudden movement** —W.DAT. w. *its head* X.; (of a horse) **toss one's head** X.; (tr.) **shake off** (W.ACC. things irritating its face) **by a toss of the head** X.
3 (of persons) **tumble out** (of a chariot) E.(cj.); **dodge aside** (fr. trouble) Men.; **withdraw** (to avoid a crowd) NT.
4 (fig.) **shy, shrink** —W.ADV. *back* (i.e. show reluctance) E.; **veer aside** —W.PREP.PHR. *towards death* (i.e. be bent on death) E.; **incline** —W.PREP.PHR. *towards a particular side* (in one's sympathies) E.

ἐκ-νέω contr.vb. [νέω¹] | aor. ἐξένευσα | **1 escape** (W.GEN. fr. a ship) **by swimming** Th.; **swim ashore** Plu.
2 (fig.) **swim ashore, escape** (fr. a sea of troubles) E.; (of a drinker) **escape drowning, come up for air** E.Cyc.; (of a poet) app. **swim away** (i.e. come to the end of a topic) Pi.
ἐκ-νήφω vb. | aor.ptcpl. ἐκνήψας | **sober up** Plu.
ἐκ-νήχομαι mid.vb. **swim ashore** Plb.
ἐκ-νίζω vb. **1 wash away, purge** —the pollution of bloodshed E.
2 ‖ MID. **wash off from oneself, cleanse oneself of** —rust (fr. a crown, fig.ref. to the taint of kingship) Plb.; (fig.) **wipe out the stain of** —one's actions D.
ἐκ-νῑκάω contr.vb. **1 be victorious** (in war) Plb.
2 succeed in one's proposal —W.ACC. + INF. that sthg. shd. be done Plu.
3 (of wealth) **overcome, outweigh** —other considerations E.
4 (of a name) **win out, prevail** (over others) Th.; (of events) **win a way** —W.PREP.PHR. into legend Th.
ἐκ-νόμιος ον adj. [νόμος] (of a person's courage and strength) **extraordinary** Pi.
—**ἐκνομίως** adv. | superl. ἐκνομιώτατα | **extraordinarily** Ar.
ἔκ-νομοι ων m.pl. **persons outside the laws, outcasts** A. [or perh., fr. νομός, persons dwelling away fr. home, strangers or wayfarers]
—**ἐκνόμως** adv. **tunelessly** A.
ἔκ-νους ουν adj. [νόος] **out of one's mind** Plu.
ἑκοντί adv. [ἑκών] **willingly** Plu.(dub.)
ἐκουρεύω Boeot.vb.: see under ἐκυρά
ἑκούσιος ᾱ ον (also ος ον) adj. **1** (of actions) **undertaken or suffered willingly, voluntary, deliberate** S. E. Th. Att.orats. Pl. Arist. + ‖ NEUT.SG.SB. **voluntary nature** (of actions) Arist. ‖ NEUT.PL.SB. **voluntary actions** X. Arist.
2 (of persons) **acting of one's own free will, willing, ready** S.; (quasi-advbl., of persons doing sthg.) **voluntarily, deliberately** S. Th. Call.epigr.
3 (prep.phrs.) ἐξ ἑκουσίας **voluntarily, from deliberate choice** S.; (also) καθ' ἑκουσίαν Th.
—**ἑκουσίως** adv. **of one's own free will, voluntarily, deliberately** E. Th. Att.orats. Pl. +
ἐκπαγλέομαι mid.contr.vb. [ἔκπαγλος] | only pres.ptcpl. | **be full of admiration** (for someone) Hdt. —W.ACC. for someone, a woman's beauty A. E.
ἔκπαγλος ον adj. [reltd. ἐκπλαγῆναι, see ἐκπλήσσω] | superl. ἐκπαγλότατος | **1** (of persons) **formidable, awesome, astounding** Il. Hes. Pi. AR.; (of armour) X.
2 (of words, a storm) **vehement, violent** Hom.; (of sorrow, a portent) **terrible** A. S. | see also ἐκπάτιος
—**ἔκπαγλον** neut.sg.adv. **vehemently, outrageously** —ref. to boasting, harming, or sim. Hom.; **exceedingly** —ref. to revering, resembling, exulting Hellenist.poet.
—**ἔκπαγλα** neut.pl.adv. **vehemently, passionately** —ref. to loving or hating Il.; **with astonishing speed** —ref. to oars flying S.
—**ἐκπάγλως** adv. **vehemently, passionately, violently** —ref. to hating, desiring, grieving, destroying, or sim. Hom. hHom.; **exceedingly** —ref. to fearing, marvelling, grieving Hellenist.poet.
ἐκ-παθής ές adj. [πάθος] **passionately affected** (w. an emotion or w. enthusiasm) Plb. Plu.
ἐκπαίδευμα ατος n. [ἐκπαιδεύω] **nursling** (of Night, ref. to Sleep) E.Cyc.
ἐκ-παιδεύω vb. (of a city) **bring up from childhood, rear, train** —someone E. Pl.

ἐκ-παίομαι mid.vb. app. **break out** —W.PREP.PHR. through the enemy Plu.
ἐκ-παιφάσσω vb. app. **rush** or **dart out** (into battle) Il.
ἔκ-παλαι adv. [πάλαι] **for a long time** Plu.
ἐκ-παλής ές adj. [παλέω] (medic.) **dislocated**; (fig., of heavenly bodies) **out of orbit, off course** Plu.
ἐκ-πάλλομαι mid.vb. [app. πάλλω] | ep.3sg.athem.aor. ἔκπαλτο | **leap out** —W.GEN. fr. ambush AR.; (of marrow) **spurt out** —W.GEN. fr. vertebrae Il.
ἐκ-πατάσσομαι pass.vb. **be struck senseless** —W.ACC. in one's mind Od.
ἐκ-πάτιος ον adj. [πάτος] **away from the familiar path**; (of the grief of birds robbed of their young) perh. **erratic** (ref. to their unusual patterns of flight) or (transf.epith., of their young) **missing** A.(dub., cj. ἔκπαγλος)
ἐκ-παύω vb. **stop, cease** —one's labours E. ‖ MID. (intr.) **stop** (doing sthg.) Th.
ἐκ-πείθω vb. **persuade** —someone (sts. W.INF. to do sthg.) S. E. Plu.
ἐκ-πειράζω vb. **put to the test, tempt** —God, Jesus Christ NT.
ἐκ-πειράομαι mid.contr.vb. **1 make trial of, test** (someone) S.(dub.) —W.GEN. someone Hdt. Ar.
2 experience —W.INDIR.Q. what sthg. is like E.(dub.)
ἐκ-πέλω vb. ‖ IMPERS. **it is possible** —W.INF. to do sthg. S.
ἐκ-πέμπω vb. **1 cause** (someone) **to go away** (fr. a place); **send** (W.ACC. someone) **away** Hdt. S. E. Th. + —W.GEN. fr. home, a country, or sim. S. E. —W. ἐκ + GEN. fr. a land, a city Hdt. Isoc.; **turn** (W.ACC. someone) **out** —W.GEN. of a house Od.(also mid.); **escort** or **take** (W.ACC. someone) **away** —W.GEN. fr. a place, fr. battle Il. E.; (wkr.sens.) **let** (W.ACC. someone) **out** (of a place) Ar. Is. ‖ PASS. (of a person) **be taken away** S.
2 cause (someone) **to go away** (to somewhere, esp. to perform a task); **send out, send forth, despatch** —someone (sts. W.PREP.PHR. to a place) Od. Hdt. S. E. +; (specif.) —ambassadors, heralds Hdt. Th. Arist. —colonies, settlers Th. Isoc. Pl. Arist. —troops, ships, expeditions Hdt. E. Th. + —military commanders Th. Isoc. +; (of mothers) —their children (to war) Ar.; (of an island) —a warrior S.(mid.) ‖ PASS. (of ambassadors, colonists, commanders, or sim.) **be despatched** Th. Isoc. +
3 cause (someone) **to come out**; **fetch** (W.ACC. someone) **out** (of a house) S. ‖ MID. **have** (W.ACC. someone) **fetched** —W.GEN. fr. a house S. ‖ PASS. (of a person) **be brought out** E.
4 send away (fr. one's house, back to her father's), **divorce** —a wife Hdt. Att.orats.
5 cause (sthg.) **to be conveyed away** (fr. one's house, city, or sim.); **send off, despatch** —gold E. —goods (W.PREP.PHR. to foreigners) Il. —gifts, food (W.DAT. to someone) Hdt. Th.; (of Hephaistos, as god of fire) —a beacon-light (W.GEN. fr. a place) A.; (of a person) **take out, get rid of** —refuse fr. a purificatory sacrifice A.; (of a king) **send out** (fr. his palace) —verdicts on lawsuits Hdt.; (of a populace) **export** —goods Arist.(also mid.)
6 (of a javelin, ref. to victory w. it in the pentathlon) app. **release** —an athlete's neck (W.GEN. fr. wrestling, i.e. free him fr. the need to compete as a wrestler in a later event) Pi.
ἔκπεμψις εως f. **1 sending out, despatch** (of a commander and his army) Th.; (of someone, on a misson) Plu.
2 sending off, transportation (of someone, to his own country) Plu.
ἐκπεπληγμένως pf.pass.ptcpl.adv.: see under ἐκπλήσσω

ἐκπέποται (3sg.pf.pass.): see ἐκπίνω
ἐκπέπρᾱται (3sg.pf.pass.): see ἐκπιπρᾱ́σκομαι
ἐκπεπταμένως *pf.pass.ptcpl.adv.*: see under ἐκπετάννῡμι
ἐκ-περαίνω *vb.* **1 come to the end of, complete** —*one's life* E.
2 ‖ PASS. (of a prophecy) **be fulfilled** E.; (of arrangements) **be carried through** X.
ἐκπέρᾱμα ατος *n.* [ἐκπεράω] **act of coming out, exit** (W.GEN. fr. *a house*) A.
ἐκ-περάω *contr.vb.* **1** (of persons, ships) **pass right through, cross, traverse** —*a sea, channel* Od. A. —*a land, region, hill, track* hHom. A. E. X.; **pass out into** —*a sea* (W.PREP. *fr. the Clashing Rocks*) E.; (fig.) **ride out** —*a wave of misfortune* E.
2 pass through —*life* E.
3 climb to the top of —*a ladder* E.
4 (intr., of an arrow, a spear) **go right through, penetrate** (sts. W.PREP.PHR. *to the bladder, beneath the brain*) Hom.
5 (of a person) **come out** —W.GEN. *fr. a house* E.; (of a rope-end) —W.PREP.PHR. *through a ring* X.
6 (of a hunter) app. **move on, continue the chase** X.
ἐκ-περδῑκίζω *vb.* [πέρδιξ] (of a person) **behave** or **escape like a partridge** (ref. to its ability to evade capture by cunning) Ar.
ἐκ-πέρθω *vb.* | *aor.* ἐξέπερσα, also aor.2 ἐξέπραθον | **1 sack, lay waste** —*a city, country, shrine* Il. A. E.
2 destroy, overthrow —*Zeus' rule* A.
3 carry off as booty, plunder —*goods* (W.GEN. *fr. cities*) Il.
4 (fig.) **leave in ruins** —*a poet (by criticising him)* Pl.
ἐκ-περιάγω *vb.* **lead** (W.ACC. troops) **out** (of a place) **by a detour** Plb.
ἐκ-περίειμι *vb.* [περίειμι²] (of a hunter) **make a complete circuit** (of his nets) X.
ἐκ-περιέρχομαι *mid.vb.* (of troops, a commander) **move out of position and circle round** Plb. Plu. —*a place* Plu.
ἐκ-περιπλέω *contr.vb.* **1** (of sailors) **move out of formation and sail round** (enemy ships) Plb.
2 (of a commander) **embark and sail round** Plu. —W.ACC. *an island* Plu.
ἐκ-περισπασμός οῦ *m.* **three-quarter turn** (as a cavalry manoeuvre) Plb.
ἐκ-περισσῶς *adv.* **emphatically** —*ref. to speaking* NT.
ἔκπεσον (ep.aor.2): see ἐκπίπτω
ἐκ-πετάννῡμι *vb.* **1 spread out** —*sails* E.(dub.) —*curtains (to dry)* Plu.; (intr.) **hoist sail** Plb. ‖ PASS. (of a net) **be spread out** Hdt.(oracle); (of sails) Plu.; (fig., of ears, compared to a parasol) **be opened wide** (in order to hear flattering words) Ar.
2 (fig., of Erinyes, envisaged as wrestlers or boxers) **lay** (W.ACC. someone) **out flat** —W.DAT. *w. sufferings* E. ‖ PASS. (of a reveller) app., **be laid out** —W.DAT. *by wine* E.*Cyc.*
—ἐκπεπταμένως *pf.pass.ptcpl.adv.* **to an extensive degree, extremely, thoroughly** —*ref. to being happy* X.
ἐκπετήσιμος ον *adj.* [ἐκπέτομαι] (of young birds) **ready to fly away** (fr. the nest) Ar.
ἐκ-πέτομαι *mid.vb.* | *fut.* ἐκπτήσομαι | athem.aor. ἐξεπτάμην | Att.aor.2 ptcpl. ἐκπτόμενος | also athem.aor.act. ἐξέπτην (Hes.) | (of persons envisaged as birds) **fly away** Ar.; (of Hope) **fly out** (of a jar) Hes.; (fig., of a soul, fr. a body) Pl.; (of wealth) —W.GEN. *fr. a house* E.
ἐκπεύθομαι *mid.vb.*: see ἐκπυνθάνομαι
ἐκ-πέφαται 3sg.pf.pass. [θείνω] (of life) **have been struck out** (of a warrior) Il.(tm.)
ἐκπεφυυῖα (ep.fem.pf.ptcpl.): see ἐκφύω
ἐκ-πηδάω *contr.vb.* **1** (of persons, horses, deer) **leap out** (fr. somewhere) Hdt. Ar. X.
2 (of assailants) **spring forth** E. Lys. X. Men. Plu.; (of a person) **spring up** (fr. bed) S.
3 (fig., of persons) **make a leap away** —W.PREP.PHRS. *fr. mechanical arts to philosophy* Pl.
4 (of the fire of visual rays) **shoot out** (fr. the eyes) Pl.; (of a stream of water, fr. rocks) E. Plu.; (of grains of barley, fr. the earth) Plu.
5 (wkr.sens.) **rush out** or **away** (fr. a place) D. Men. NT. Plu. —W. ἐκ + GEN. *fr. a tent, a city* Plb.
ἐκπήδημα ατος *n.* **leap out, escape** (fr. a hunting net) A.
ἐκπήδησις εως *f.* **springing aside** (in a war-dance) Pl.
ἐκ-πηνίζομαι *mid.vb.* **wind out** (thread fr. a bobbin); (fig.) **extract** —*food* (W.GEN. *fr. someone, i.e. his stomach*) Ar.
ἐκ-πιδύομαι *mid.vb.* (of a spring) **gush forth** A.(cj.)
ἐκ-πιέζω *vb.* —also ἐκπιεζέω *contr.vb.* (of troops) **push out of position, force back** —*opponents* Plb.; (of rock in a cave) **deflect** —*moisture* (W.PREP.PHR. *into a spring*) Plu. ‖ PASS. (of troops) **be forced back** Plb.; (of water) **be forcibly displaced** Plb.
ἐκ-πίμπλημι *vb.* **1 fill up** (a receptacle) **to the brim; fill up** —*a bowl* E.*Cyc.* —(W.GEN. *w. water and wine*) E.(tm.)
2 fill up the whole extent of a space; fill, occupy —*shrines, gullies, plains* E. ‖ PASS. (of waves churned up by rowers) **be filled** —W.GEN. *w. their shouting* E.
3 fill up the whole of a period of time; complete, pass, spend —*days, years, one's life* S. E.
4 complete what is deficient; fill up —*the centre (of a military formation)* X.; **bring up to quota** —*one's cavalry* X.
5 satisfy —*one's hunger for victory* Th. —*someone's wishes* X. ‖ PASS. (of a recurrent disease) **be sated** or **satisfied** —W.GEN. *w. wandering (i.e. remission)* S.
6 fulfil —*a destiny, prophecy, legal obligation* B. Hdt. E.; (of a god) —*someone's curse* E.; (of a person) **pay for** —*an ancestor's crime* Hdt.
7 do or **suffer** (sthg.) **fully; fully describe** —*the extent of one's sufferings* A.; **endure to the full** —*hardships, miseries* E.; **complete, accomplish** —*a circuit, a dangerous enterprise* E.; (of Herakles) —*his labours* AR.; **lavish** —*affection or kisses (on someone)* E.
ἐκ-πίνω *vb.* | *fut.* ἐκπίομαι, also ἐκπιοῦμαι | ep.aor.2 ἔκπιον ‖ PASS.: aor.ptcpl. ἐκποθείς | 3sg.pf. ἐκπέποται | **1 exhaust by drinking, drink up** —*wine, water, or sim.* Od. E.*Cyc.* Ar. +; **drain dry** —*a cup, bowl, or sim.* Anacr. A. E.*Cyc.* Ar. Pl. —(fig.) *a person* Ar.; (intr.) **drink up** E.*Cyc.* Ar. Pl. ‖ PASS. (of shed blood) **be drunk** or **soaked up** —W.PREP.PHR. *by the earth* A.; (of resources, a crop) **be consumed by drinking, be drunk up** Od. Hdt.
2 (fig., of bugs) **suck out, drain** —*someone's life* Ar.; (of a person) —*someone's life-blood* S.; (of a person, compared to a viper) **suck the life-blood from** —*someone* S.
ἐκ-πιπρᾱ́σκομαι *pass.vb.* | 3sg.pf. ἐκπέπρᾱται | (pejor., of good qualities, envisaged as merchandise) **be sold off** D.
ἐκ-πίπτω *vb.* | aor.2 ἐξέπεσον, ep. ἔκπεσον | **1** (of a charioteer) **fall out** Il. Ar. Pl. X. —W.GEN. *of a chariot* Il. S. —w. ἀπό or ἐκ + GEN. E. Ar. Pl.
2 (of a bow, torch, cup, or sim.) **fall out** —W.GEN. *of someone's hand* Hom.; (of arrows, fr. a quiver) Il.; (of baggage) **fall off** (a cart) Th.
3 (gener., of a tooth, a peg) **fall out** Hdt. Ar.; (of tears) **fall, be shed** Il. Call.; (of a pin) **slip out** —W. ἐκ + GEN. *fr. a hole* Ar.; (of good sense) **desert** (a person) AR.(tm.)
4 (of a swimmer, shipwrecked sailor, corpse) **be cast ashore** Od.(tm.) E. Th.; (of sailors, ships) **be wrecked** (sts. W.PREP.PHR. *at a place, on rocks*) Hdt. E. Pl. X.

ἐκπίτνω

5 (of waves) **come ashore** —W.PREP.PHR. *at a place* E.; (of a river) **issue** —W.PREP.PHR. *into a place* Pl.
6 (of a ruler) **be deposed, be ousted** S. —W.GEN. *fr. power* A. —W. ἐκ + GEN. Isoc.
7 (of persons) **be driven out, be banished** Hdt. E. Th. Att.orats. Pl. + —W. ἐκ + GEN. *fr. a place* A. Hdt. Th. + —W.GEN. S. E. X.; **be thrown out** (of a house) Ar.; **be hauled out** —W.GEN. *of bed* E.; (of a corpse) **be cast out** —W.GEN. *of a land* S.
8 be deprived —W. ἐκ + GEN. *of one's possessions, patrimony, good fortune* Hdt. Lys. Isoc.; **be disappointed** —W.GEN. *in one's hopes, expectations, desires* E. Th. —W. ἐκ + GEN. Isoc.
9 (usu. of troops) **rush out** X. —W. ἐκ + GEN. *fr. a place* Hdt. X.; **get hastily away** Th. —W. ἐκ + GEN. *fr. a road* X. —W.GEN. *fr. a camp* Plu.; (gener., of persons) **burst out** —W.GEN. *of a house* E.*fr.*; **tear oneself** —W.GEN. *fr. one's bed* E.; (wkr.sens.) **slip away, desist** —W.GEN. or ἐκ + GEN. *fr. a subject of study* Pl.
10 (of an actor) **be driven off the stage** (by booing or heckling) D.; (of a playwright, i.e. his play) Arist.; (of a play or a scene within it) **fall flat** Arist.; (of an orator) **leave off, abandon** —W.GEN. *one's speech* (*fr. fear or nervousness*) Aeschin.
11 move from (one state into another); (of a city) **fall from** —W. ἐκ + GEN. *its former condition or reputation* Isoc.; (of a constitution) **degenerate** —W.PREP.PHR. *into an alien type* Pl.; (of a musician) **relapse** —W.PREP.PHR. *into a certain mode* Arist.
12 (of ballots) **be emptied out** (of an urn) X.
13 (of an unsuitable word) **slip out** Plu.; (of news) **get out, become public** Plu.; (of a voice) **issue forth** —W. ἐκ + GEN. *fr. a place* Plu.; (of a response) **be issued** Plb.

ἐκ-πίτνω *vb.* (of a ruler) **be ousted** —W.GEN. *fr. his throne* A.

ἐκπλαγής ές *adj.* [ἐκπλήσσω] **astonished** Plb.

ἔκ-πλεθρος ον *adj.* [ἔξ, πλέθρον] (of a race, the leg of a racecourse) **measuring six plethra** (i.e. one stade) E.

ἐκ-πλέω *contr.vb.* —also **ἐκπλώω** Ion.vb. [πλέω¹] **1** (of persons or ships) **sail out** or **away** (sts. w. ἐκ + GEN. fr. a place) Hdt. S. E. Th. Ar. Att.orats. +; (W.GEN.) S.
2 sail out through —W.ACC. *the Hellespont, the Clashing Rocks* Hdt. AR.
3 escape (W.ACC. enemy ships) **by sailing out** (to the open sea) Th.(dub.)
4 (of fish) **swim out** (of a lake) —W.PREP.PHR. *into the sea* Hdt.
5 (fig., of a person) **take leave** —W.GEN. or ἐκ + GEN. *of one's senses* Hdt.

ἔκ-πλεως ων Att.*adj.* [πλέως] | nom.pl.: masc.fem. ἔκπλεῳ, neut. ἔκπλεᾱ, also ἔκπλεω | **1** (of things) **fully** or **extensively occupied**; (of hollows in the earth) **full** (W.GEN. of water and air) Pl.; (of tables) **fully laden** X.; (of the centre of a military formation) **full up** (w. troops) X.
2 (of a person) **full, sated** (W.GEN. w. food) E.*Cyc.*
3 complete in number or amount; (of troops) **full, complete** (w. εἰς + ACC. to a certain total) X.; (of provisions, necessities, services rendered) X.; (of payment, revenue, a quota of people) X.; (of vengeance) Plu.

ἐκπλήγδην *adv.* [ἐκπλήσσω] **in terror** or **amazement** Theoc.

ἐκπλήγνυμαι *pass.vb.* | only inf. ἐκπλήγνυσθαι | (of an army) **be panic-stricken** Th.

ἐκπληκτικός ή όν *adj.* **1** (of clamour and confusion) such as to cause alarm, **terrifying** Th.; (of a sight) Plu.; (of cavalry, W.DAT. to the enemy) X.
2 (of part of a poem or play) **striking, startling, astounding** Arist.; (of events, statements, or sim.) Plb. Plu.

ἐκπληκτικῶς *adv.* **1 alarmingly, terrifyingly** Plu.
2 ecstatically —ref. *to welcoming someone* Plb.

ἔκπληκτος ον *adj.* (of hares) **terrified** (by hounds) X.

ἔκπληξις εως *f.* **consternation, shock, alarm** A. E. Antipho Th. Pl. +; (caused by a sudden revelation in tragedy) Arist.

ἐκ-πληρόω *contr.vb.* **1** completely fill a space; **fill up** —*a shield* (i.e. its surface, W.DAT. w. decorative figures) E. —*an area of land* (w. tombs) Pl.; (of rivers) —*a sea* Plb.; (of a person) **occupy** —*a harbour* (W.DAT. w. one's ship) E.
2 (of a state) **equip with a full complement of crew, man** —*triremes* Arist.
3 fill out, make good, supply —*what is lacking or needed* X.
4 make (sthg.) up to a total number; (of a ruler or nation) **fill** or **make up** —*cavalry* (w. εἰς + ACC. *to a certain number*) X. || PASS. (of cavalry, a fleet) be made up —w. εἰς (ἐς) + ACC. *to a certain number* Hdt. X.
5 create a total number; (of troops) **make up** —*tens of thousands* Hdt.; (of a charioteer) —*the tenth chariot* (as the final competitor entering a race) S. || PASS. (of a number) be reached Pl.
6 || PASS. (of a period of time) **be completed** E.
7 do (sthg.) fully; **discharge in full** —*a debt* Pl.; **fulfil** —*a promise, someone's hopes* Plb. NT. || PASS. (of goodwill) be demonstrated in full (by one's deeds) Hdt.

ἐκπλήρωσις εως *f.* **completion** (of a period of time) NT.

ἐκ-πλήσσω, Att. **ἐκπλήττω** *vb.* | aor. ἐξέπληξα, dial.3sg. (tm.) ἐκ ... πλᾶξε (Pi.) || PASS. aor.1 ptcpl. ἐκπληχθείς (E.) | aor.2 ἐξεπλάγην | ep.aor.2: 3sg. (tm.) ἐκ ... πλῆγη, 3pl. ἔκπληγεν |
1 drive (sthg.) **out of** or **away** (fr. someone); (of delight) **drive out** —*sadness* Th.; (of fear) —*memory* (*of what has been learned*) Th.; (of an unfamiliar sound) —*shyness* (W.GEN. *fr. persons, i.e. make them bold enough to investigate it*) A.(tm.)
2 drive (someone) **out of** or **away** (fr. sthg.); **dislodge, knock** —*someone* (W.GEN. *fr. a path*) E.; (of a thunderbolt) —*someone* (*fr. his boasting*) A.; (wkr.sens., of a person or circumstance) **deter** or **distract** —*someone* (W.GEN. *fr. speech*) E. || PASS. be thrown off course (in a search) S.
3 drive (someone) **out of a normal way of behaving or thinking**; (of persons, their clamour) **fluster, unsettle, disconcert, confound** —*someone* Od.(tm.) E. Th. Ar.; (of a delusive joy; of an object, i.e. a desire for it) **drive** (W.ACC. someone) **to distraction** E. A. || PASS. be driven to distraction Hdt. S. —W.DAT. *w. worry* S.*Ichn.* —w. joy (W.ACC. *in one's mind*) A.
4 affect (someone) with a shock or feeling of astonishment; (of persons, their words) **astonish, stupefy, astound** —*someone* E. Ar. Aeschin.; (intr., of words) **be astonishing** or **alarming** E. || PASS. (of persons) be struck —W.DAT. *w. amazement* E.; be stunned —W.DAT. *by a calamity, someone's words, or sim.* Trag. Th.; be stupefied, astonished or bewildered (sts. W.DAT. or PREP.PHR. at or by sthg.) Hdt. S. E.(sts.tm.) Th. Ar. + —W.ACC. *at sthg.* Hdt.
5 affect (someone) with fear; **strike panic in** —*someone* Th.; (of fear) **strike, alarm** —*someone* Pi.(tm.) Antipho || PASS. be struck —W.DAT. *w. fear* S. E.; be panic-stricken Il. hHom. Antipho —W.ACC. *in one's mind* Il.(tm.); (tr.) be scared of —W.ACC. *someone, his power or daring* S. Th.
6 affect (someone) suddenly or violently with love or pleasure; (of Aphrodite) **strike** —*someone's heart* (*w. love*) E. || PASS. (of a person or heart) be struck —W.DAT. *w. love, its goads* E. —*w. delight* S.

ἐκπεπληγμένως *pf.pass.ptcpl.adv.* (w. διακεῖσθαι) **be in a state of shock** D.

ἔκ-πλους ου Att.m. [πλόος] **1** act of sailing out (of a harbour or sim.); **sailing out, passage out** (sts. W.GEN. of ships) A. Th. X. D.
2 departure by sea (of a fleet), **naval expedition** Th. Att.orats. Plu.
3 departure by sea (of a person), **voyage** Lycurg. Plb. Plu.
4 place of sailing out (of a harbour), **exit, outlet** A. Th. X. Plu.

ἐκ-πλύνω vb. | fut.pass. ἐκπλυνοῦμαι | **1 wash out** —*sheep-dung* (W. ἐκ + GEN. *fr. a community, envisaged as a fleece*) Ar.; (of detergents) —*dye* Pl. || PASS. (of painted figures) be washed out Hdt.; (of a cosmetic) be washed off (someone's face) Ar.
2 || MID. **wash thoroughly** —*one's head* (*i.e. hair*) Hdt.
3 (fig.) give (W.ACC. someone) **a good soaking** Ar. | see πλύνω 3

ἔκπλυτος ον adj. **1** (of fabrics inadequately prepared for dyeing) **liable to be washed clean** (of dyes) Pl.
2 (of pollution fr. bloodshed) **washed off** (by purification) A. Pl.

ἐκπλώω Ion.vb.: see ἐκπλέω

ἐκ-πνέω contr.vb. | fut. ἐκπνεύσομαι | **1 gasp forth** —*curses* E.(tm.); **pant out, vent** —*one's rage* E.; (fig., of a thunderbolt) **breathe out, exhale** —*flame* A.; (intr., of breath) **be breathed out** Pl.
2 breathe out —*one's life or soul* (*i.e. breathe one's last, expire*) A. E.; (intr.) **expire, die** S. E. NT. Plu.
3 (of a runner) **lose one's breath** Arist.
4 (of a wind) **blow down** (fr. land, to the sea) Th. —W. ἐκ + GEN. *fr. a bay* Th. —W.ADV. *fr. inside* (*the Black Sea*) Hdt.; (fig., of a bay) **blow forth** —W.ACC. *a strong wind* (*i.e. a strong wind blows fr. the bay*) Plu.
5 (of a great storm) **blow up from** —W.GEN. *a small cloud* S.
6 (fig., of an angry populace, envisaged as a wind) **blow oneself out, blow over** E.

ἐκπνοή ῆς f. **1 breathing out, exhalation** Pl. || PL. (as the name of Egyptian marshland) **exhalations** (W.GEN. of Typhon) Plu.
2 last breath (of a dying person) E.

ἐκ-ποδών adv. and prep. [πούς] **1** away from one's feet; (usu. w.vb. of motion or location, ref. to persons or things) **out of the way, away, aside** Hdt. Trag. Ar. Att.orats. Pl. +; (quasi-imperatv., w. ellipse of vb.) **out of the way!** Ar.
2 (as prep.) **out of the way** —W.DAT. *of someone or sthg.* E. Th. And. Ar. Isoc. X. +; **away from** —W.GEN. *a land, a pollution* E. —*troubles, war, or sim.* X. Plu.; **omitted from** —W.GEN. *an account* E.

ἐκποθείς (aor.pass.ptcpl.): see ἐκπίνω

ἔκ-ποθεν prep. [ποθέν] **from some** —W.GEN. *place* AR.; **due to some** —W.GEN. *cause* AR.

ἐκ-ποιέω contr.vb. **1 finish the construction of, construct, complete** —*a pyramid, gateway, temple* Hdt. || PASS. (of a pyramid, a city wall) be constructed or completed Hdt.
2 || MID. (of a person) **beget, produce** —*weasels, grapes* (fig.ref. to children) Ar.
3 || PASS. be given up for adoption, be adopted Is.
4 || IMPERS. it is possible —W.INF. or DAT. + INF. (*for someone*) *to do sthg.* Plb.

ἐκποίησις εως (Ion. ιος) f. **act of procreation** (by serpents) Hdt.

ἐκποίητος ον adj. **1** (of a person) given up for adoption, **adopted** Is. Aeschin.
2 deprived by adoption (W.GEN. of one's mother) Is.

ἐκ-ποκίζω vb. [πόκος] | fut. ἐκποκιῶ | **shear off** (wool); **pluck out** —*tufts* (*of pubic hair*), *hairs* (*on the head*) Ar.

ἐκ-πολεμέω contr.vb. (of a people) **go to war** (sts. W.PREP.PHR. w. another) Th. Plb.

ἐκ-πολεμόω contr.vb. [πόλεμος] **involve** (W.ACC. a nation or sim.) **in war** Hdt. D. Plb. Plu. —W.DAT. *w. someone* D. —W. πρός + ACC. Th. X. Plb. || PASS. (of a person or nation) be involved in war Th. Plu. —W.DAT. *w. someone* Hdt. —W. πρός + ACC. Plu.

ἐκπολέμωσις εως f. **reason for going to war, incitement to war** Plu.

ἐκ-πολιορκέω contr.vb. **force to surrender after a siege, reduce by siege** —*a city, its occupants, or sim.* Th. Isoc. X. D. Plb. Plu. || PASS. (of persons, places) be reduced by siege Th. Isoc. X. +

ἐκπομπή ῆς f. [ἐκπέμπω] **sending out, despatch** (W.GEN. of pirates) Th.; (of colonies) Pl.; (of a person, on a mission) Plb.

ἐκ-πονέω contr.vb. —also ἐκπονάω dial.contr.vb. | dial.aor. ἐξεπόνᾱσα (Theoc.), Aeol. ἐξεπόναισα | **1** work hard to create (sthg. new); **toil to make** —*sandals* Sapph. —*walls* Ar.; **work out** —*a remedy* (*for sthg.*) A.; **work up, fabricate** —*a specious argument* Th.; **fashion** —*a song* Theoc.
2 work hard to perfect or improve (sthg. existing); **take pains to perfect** —*one's life* E.; **take pains to adorn** —*one's wife* (W.DAT. *w. clothes*) E.; (of Chiron) **train to perfection** —*Achilles* E. || PASS. (of a fleet, ref. to its equipment and crew) be brought to a state of perfection Th.; (of armour, cuisine, diagrams) Pl. X. || PF.PASS. (of soldiers, their bodies, of horses) be trained to perfection X.; (of military skills) be thoroughly perfected X.
3 work hard to perform or complete, **accomplish, carry out** —*tasks, orders, or sim.* Pi. E.(also mid.) X. Theoc.epigr.
4 (gener.) work hard at an activity; **practise** —*a favourite pursuit, military skills, dancing* X. Plb.; **work on** —*wooing* (*a wife*) E.; **take trouble over** —*someone's interests* E.; **work hard to find** —*one's lost mother* E. || MID.PASS. **undergo training** (physically and mentally) Pl. || PASS. (of gymnastic exercises) be worked at X.
5 work hard to ensure —W.ACC. + INF. *that someone does sthg.* E.
6 work hard to avert —*someone's death* E.
7 work off by exercise —*the effects of food* X. || PASS. (of food) be worked off by exercise X.
8 (of crafts) **work with, use** —*raw materials* Plu. || PASS. (of fields) be worked or tilled Theoc.
9 (intr.) **work hard, exert oneself** E. X.; (of warriors) **toil in combat** E.; **endure** (an experience) —W.ACC. *for a period of time* Theoc.
10 (tr., of a commander) **wear out, wear down** —*an enemy* Plu. || PASS. (of persons) be worn out (by physical exertion or lack of sleep) Plu. —W.DAT. *by anxieties* Plu.

ἐκ-πορεύω vb. | fut.mid. ἐκπορεύσομαι (X.) | aor.pass. (w.mid.sens.) ἐξεπορεύθην | **1 convey, take** —*someone* (W.GEN. + ADV. *fr. a place, to one's home*) E.
2 bring or **fetch out** —*someone* (sts. W.GEN. *fr. a house*) E.
3 || MID. (of persons or troops) **go forth** (on a journey or mission) X. Plb.; (of a commander or troops) **march forth** X. Plb.
4 || MID. (gener., of persons) **issue forth, depart, come** or **go** (sts. W.PREP.PHR. fr. a place) Plb. NT.; **leave** —*a building* Plb.; (of words, thoughts, or sim.) **go forth, proceed** —w. ἐκ + GEN. *fr. someone's mouth or heart* NT.; (of what is said in a room) **be transmitted, go** —W.ADV. *outside* Plu.

ἐκ-πορθέω contr.vb. **1 sack, plunder, lay waste** —*cities, land* Archil.(cj.) E. Th. Aeschin.; **ransack, despoil** —*houses* Lys. Plb.; **plunder** —*a populace* Plb.; carry off as booty, **plunder, loot** —*the contents of a city* Th. || PASS. (of a city) be sacked Plb.

ἐκπορθήτωρ

2 ‖ PASS. (fig., of a person) be devastated or destroyed —W.PREP.PHR. *by unforeseen ruin* S.; (of a woman, ref. to her head) be ravaged (*by violence which she has done to it in mourning*) E.

ἐκπορθήτωρ ορος *m.* **sacker** (W.GEN. *of a city*) E.

ἐκ-πορθμεύω *vb.* ‖ MID. **transport** (W.ACC. someone) **away** —W.GEN. *fr. a land* E. ‖ PASS. **be transported away** —W.GEN. *fr. a land* E.

ἐκ-πορίζω *vb.* **1 provide, furnish, supply** (sts. W.DAT. to someone) —*arms, ships, money, pay, or sim.* Th. And. Isoc. Pl. X. —*pleasure, sustenance, a benefit, what is needed, or sim.* S. Ar. Isoc. Pl. Plu.
2 ‖ MID. **furnish oneself with, acquire, gain** —*power, money, what is appropriate, or sim.* Th. Pl. X. —*a letter* (W. παρά + GEN. *fr. someone*) Plb. —*gratification* (W.DAT. *for one's passions*) Pl.; **build up, develop** —*one's resources* Th.; **secure, ensure** —*one's safety* Th. ‖ PASS. (of things) be acquired Pl.
3 contrive, perpetrate —*wicked acts* E.; **devise** —*a scheme* Ar.; **arrange, bring about** —*someone's murder* E.; (of the tongue) —*great quarrelling* E.
4 find a way, arrange —W. ὅπως + FUT. *for sthg. to be available* Ar. ‖ IMPERS.PASS. **the means is provided** —W.DAT. + ὥστε W.INF. *for someone to do sthg.* Pl.

ἐκ-ποτάομαι, Ion. **ἐκποτέομαι** *mid.contr.vb.* —also **ἐκπότᾱμαι** Aeol.*vb.* | dial.pf. ἐκπεπότᾱμαι | **1** (of snowflakes) **fly forth** —W.GEN. *fr. Zeus* Il.
2 ‖ PF. (of a dead person) **have flown away** (fr. the living) Sapph.; (fig., of a person) **have taken wing** —W.ACC. *in one's heart* (i.e. be agitated) E. —*in one's mind* (i.e. have taken leave of one's senses) Theoc.

ἐκ-πράσσω, Att. **ἐκπράττω**, Ion. **ἐκπρήσσω** *vb.* **1** (of persons or gods) **bring about, effect, accomplish, carry out** —*one's will, a plan, murder, glorious deeds, a sexual union, or sim.* Trag.; **bring about, cause** —*harm, grief* S. E. —*a war* Plu.; **achieve, win** —*a hymn of victory* E.; **ensure** —W. ὡς or ὥστε + INF. *that sthg. happens* S. E.; (intr., of a curse) **take full effect** A. ‖ PASS. (of an action) **be carried out** Pl.
2 (of persons, natural phenomena, a supernatural agency) **make away with, make an end of** (i.e. end the life of) —*someone* S. E.; (of Apollo) perh. **undo, ruin** —*his own priestess* A. [or perh. *collect one's due from*, as section 3]
3 (in financial ctxts.) **exact, demand payment of** —*money, a fine, a debt, or sim.* (sts. W.ACC. *fr. someone*) Th. Pl. D. Plu.; (of a king) app. **exact** (fr. his people) —*a debt* (W.DAT. *for persons, fig.ref. to protection owed to them as suppliants*) A.
4 (in non-financial ctxts.) **exact** —*a penalty* (W.GEN. *for murder*) E. —*an evil justice* E.(mid.); **exact vengeance for** —*murder* E. —(W. πρός + GEN. *fr. someone*) Hdt.(mid.); (intr.) **exact a penalty** X.

ἐκ-πρεμνίζω *vb.* [πρέμνον] **uproot** —*olive trees* D. ‖ PASS. (of logs) app., be uprooted (i.e. produced fr. uprooted trees) Ar.

ἐκπρεπής ές *adj.* [ἐκπρέπω] **1** (of persons) **pre-eminent, outstanding** (in appearance or beauty) Il. Alcm. A. E. Plu.; (W.ACC. in noble birth) A.; (of a person's appearance) hHom.
2 (of a victory) **outstanding** Pi.; (of an achievement, service or leadership in war) **distinguished** Plb. Plu.; (of armour, decorations) **eye-catching** Plu.; (of training) **excellent** Plu.
3 (pejor., of an action) **standing out** (beyond what is normal), **exceptional, unreasonable** Th.
4 (of a form of excess) **most prominent** Pl.

—**ἐκπρεπῶς** *adv.* **1 signally, spectacularly** —*ref. to taking vengeance* X.; **conspicuously** —*ref. to being honoured* Plu.; **splendidly** —*ref. to being decorated* Plb. Plu.
2 unreasonably —*ref. to acting* Th.

ἐκ-πρέπω *vb.* **be outstanding** —W.DAT. *in courage* E.

ἔκ-πρησις εως *f.* [πίμπρημι] **setting on fire, ignition** (of air) Plu.

ἐκπρήσσω Ion.*vb.*: see ἐκπράσσω

ἐκ-πρίασθαι *aor.mid.inf.* | aor. ἐξεπριάμην | **1 buy off** —*one's accusers* Lys. —*a danger* (*of prosecution or conviction*) Antipho Lys.
2 app. **buy over** —*people* (W. παρά + GEN. *fr. their previous associates*) Isoc.

ἐκ-πρίω *vb.* **saw off** —*piles* (*under water*) Th. —*an arrow* (*piercing a breastplate*) Plu.; **saw up** —*tree-trunks* Men.

ἐκ-προθῡμέομαι *mid.contr.vb.* **be very eager** —W.INF. *to do sthg.* E.

ἐκ-προϊάλλω *vb.* (of a sorceress) **send out** (fr. her eyes) —*spectres* AR.(tm.)

ἐκ-προΐημι *vb.* (of springs) **send forth** —*a stream* E.

ἐκ-προκαλέομαι *mid.contr.vb.* **call** (W.ACC. someone) **out** —W.GEN. or ἀπό + GEN. *fr. a hall* Od. hHom.; **call** (W.ACC. someone) **aside** (fr. his companions) AR.

ἐκ-προκρίνομαι *pass.vb.* (of women slaves) **be chosen as the pick** —W.GEN. *of a city* E.

ἐκ-προλείπω *vb.* **1** (of warriors) **leave by going out of, emerge from** —*the Trojan Horse* Od.
2 (of gods) **leave by going away from, abandon** —*mortals* Thgn.

ἐκ-προμολεῖν *ep.aor.2 inf.* [προβλώσκω] (of sailors) **proceed out, emerge** —W.GEN. *fr. a lake* AR. —W.ACC. *into a sea* AR.

ἐκ-προτῑμάω *contr.vb.* **pay especial honour to** —*someone* S.

ἐκ-προχέω *contr.vb.* **pour forth** —*tears* (W.GEN. *fr. one's eyes*) AR.(tm.)

ἐκπτήσομαι (fut.mid.): see ἐκπέτομαι

ἐκ-πτήσσω *vb.* | dial.aor. ἐξέπταξα | **scare** or **flush out** (w. a cry of alarm) —*a person, compared to a bird* (W.GEN. *fr. a house*) E.

ἐκ-πτοέομαι *pass.contr.vb.* **1 be set aflutter** (w. sexual desire) E.Cyc.
2 be greatly alarmed Plb.

ἐκπτόμενος (Att.aor.2 mid.ptcpl.): see ἐκπέτομαι

ἐκ-πτύω *vb.* | impf. ἐξέπτυον (Theoc.) | aor. ἐξέπτυσα, also (tm.) ἐξ ... ἔπτυσα | **1 spit out** —*seawater* (W.GEN. *fr. one's mouth*) Od. —*pollution* (fr. one's teeth) AR.(tm.) —*fish scales* Ar.
2 (of snakes) **spit forth** —*poison* Theoc.

ἔκπτωσις εως *f.* [ἐκπίπτω] **1 expulsion, banishment** Plb.
2 quick exit (W.GEN. fr. a camp) Plb.

ἐκ-πυνθάνομαι (also **ἐκπεύθομαι** A.) *mid.vb.* **1 hear** or **learn of** —*sthg.* A. S. —(W.GEN. *fr. someone*) E. Plu.; **hear, learn** —W.ACC. + PTCPL. *that someone has arrived* E.
2 listen secretly to, overhear —W.GEN. *someone* E.
3 seek information from, question —W.GEN. *someone* E. Ar.; **inquire** Il.(tm.) —W.ACC. *about sthg.* Plu. —W.INDIR.Q. *what (or whether sthg.) is the case* Il.(tm.) E.Cyc. Plu.

ἐκ-πυρόω *contr.vb.* **1 set fire to** —*one's own or another's body* E.; **destroy by fire, burn to ashes** —*a land, the Hydra* E. ‖ PASS. (of a person) **be burnt to ashes** —W.DAT. *by lightning* E.
2 ‖ PASS. (of bronze) **become red-hot** Plb.; (fig., of distress) **be inflamed** (by anger) Plu.

ἔκπυστος ον *adj.* [ἐκπυνθάνομαι] (of persons) **discovered, detected** (by an enemy) Th.; (of a circumstance or sim.) **heard** or **learned of** Plu.

ἔκ-πωμα ατος *n.* [πῶμα²] **drinking-vessel** Hdt. S. E. Th. Ar. Pl. +

ἐκρᾱ́ανθεν (ep.3pl.aor.pass.): see κραίνω

ἐκ-ραβδίζω vb. beat out with a stick —worthless people (fr. a community, envisaged as a newly shorn fleece) Ar.

ἐκράθην (aor.pass.): see κεράννῡμι

ἐκ-ραίνω vb. **1 cause** (w.ACC. someone's brain) **to spatter out** E.Cyc. —W.GEN. through his hair S.
2 cause (W.ACC. a chain and grappling iron) **to drop down** —w. ἐκ + GEN. fr. a machine Plb.

ἔκρᾱνα (aor.), **ἐκράνθην** (aor.pass.): see κραίνω

ἐκρέμω or **ἐκρέμαο** (ep.2sg.impf.pass.): see κρεμάννῡμι

ἐκ-ρέω contr.vb. | aor.2 pass. (w.act.sens.) ἐξερρύην | **1** (of blood) **flow forth** (fr. a wound) Il.(tm.) AR.(tm.) —W.GEN. fr. a slaughtered animal Od.(tm.)
2 (of a river) **flow out** (sts. W.PREP.PHR. fr. somewhere, or into the sea) Hdt. Pl.; (of the Black Sea) —W.PREP.PHR. through the Clashing Rocks E.; (of bile) —fr. a sick body Pl.
3 (of feathers) **fall off, be shed** Ar.
4 || AOR.2 PASS. (of information) **leak out** Plb.
5 || AOR.2 PASS. (fig., of an absurdity) **fade away, disappear** Pl.; (of fear, ambition) **ebb away** Plu.(also pf.act.); (of a passion for philosophy) —W.GEN. fr. someone's soul Plu.; (of words) ebb from the memory (sts. W.GEN. of someone) Plu.

ἔκρηγμα ατος n. [ἐκρήγνῡμι] **1 cleft** (in the ground) Plb.
2 breach (in a river bank) Plb. Plu.

ἐκ-ρήγνῡμι vb. **1 break off, snap** —a bow-string Il.; (of water) **break away** —W.PARTITV.GEN. part of a road Il.; (of a Bacchant) **tear off** —W.ACC. someone's shoulder Theoc. || PASS. (of a bow) break Hdt.; (of ice) Plu.
2 (of a cloud) **burst out** —W.ACC. in a rainstorm Plu. || PASS. (of streams of fire) burst out (fr. a volcano) A.; (of a wind) burst forth Plu.; (of a tumour) burst Hdt.
3 || PASS. (fig., of discontent) **break out** Plu. —W.PREP.PHR. into the open Hdt.; (of persons) burst out (in anger) —w. ἐς + ACC. against someone Hdt.

ἐκρήηνα, ἔκρηνα (ep.aor.): see κραίνω

ἐκ-ριζόω contr.vb. **uproot** —wheat (while gathering weeds) NT.

ἐκρίθην (aor.pass.): see κρίνω

ἐκ-ρῐπίζω vb. **fan** (into flames) —torchwood Plu. —(fig.) someone's spirits, courage, appetite for war Plu. || PASS. (of persons) be inflamed —W.DAT. in their spirits Plu. —by passionate enmity Plu.

ἐκ-ρίπτω vb. **1 throw** (someone or sthg.) out of a place; **cast** —someone (W.PREDIC.ADJ. into the sea) S.; **cast out** —corpses, someone's remains Plu.; **throw overboard** —heavy items (w. ἐκ + GEN. fr. ships) Plb.; **shake out** —letters (fr. the folds of a cloak) Plu. || PASS. (of a person) be flung out —W.GEN. of a chariot S.; (of a rock) be dislodged Plu.
2 throw out, utter —angry words A.
3 || PASS. (of a public speaker) be seen off or shouted down Aeschin.
4 || PASS. (of sailors) be cast ashore or wrecked Plu.

ἐκροή ῆς f. [ἐκρέω] **1 outflow** (of liquid) Pl.
2 place of outflow, outlet Pl.

ἔκροος, Att. **ἔκρους**, ου m. **place of outflow, outlet** (of a river, w. ἐς + ACC. into the sea) Hdt.; (of a drain-pipe, into a road) Arist.; (of a water-clock) Arist.(cj.)

ἐκ-ροφέω contr.vb. (fig.) **guzzle down** —someone's pay, soup (ref. to profits of corruption), a person (ref. to destroying his influence) Ar.

ἐκρύβην (aor.2 pass.): see κρύπτω

ἐκ-ρύομαι mid.vb. **protect, save** —someone E. AR.(tm.)

ἔκρυσις εως f. [ἐκρέω] place of outflow, **outlet** Plb.

ἐκρύφην (aor.2 pass.), **ἐκρύφθην** (aor.pass.): see κρύπτω

ἐκ-σαλάσσω vb. [reltd. σάλος] | aor. ἐξεσάλαξα | (of a fever) **violently shake** —someone Theoc.

ἐκ-σαόω ep.contr.vb. | aor. ἐξεσάωσα | **save, rescue** —someone, oneself, one's life Il. Hes.fr. Archil. AR. —someone (W.GEN. fr. the sea, a storm) Od. AR. —a sandal (w. ὑπό + GEN. fr. mud) AR. || PASS. escape safely AR.

ἐκ-σείω vb. **1 shake out** —a skull (fr. a scalp) Hdt. || PASS. (of masonry) be dislodged (by wind) Plu.
2 shake out —someone's clothing (to reveal anything hidden) Plu. || PASS. (of a cloak) be shaken out (to dislodge its contents) Ar.
3 (fig.) **shake, dislodge** —someone (W.GEN. fr. a way of thinking) Plu.
4 (of sailors) **let out** —brailing-ropes Plb.

ἐκ-σεύομαι mid.vb. | only ep.3sg.aor.2 ἐξέσσυτο | **1** (of persons) **rush out, hasten forth** Il.(tm.) —W.GEN. fr. gates, a house Il. AR.; (of sheep) —W.ADV. to pasture Od.
2 (of wine and human flesh) **pour out** —W.GEN. fr. the Cyclops' gullet Od.; (of sleep) **speed away** —W.GEN. fr. someone's eyes Od.

ἐκ-σημαίνω vb. **indicate, mention** —a misfortune S.

ἐκ-σιωπάομαι pass.contr.vb. **keep silent, say nothing** Plb.

ἐκ-σκαλεύω vb. **poke** or **scoop out** —an insect (fr. someone's eye) Ar.

ἐκ-σκεδάννῡμι vb. (fig.) **scatter to the winds, tear to bits** —peace terms Ar.

ἐκ-σκευάζομαι pass.vb. (of a farm) **be stripped of equipment** (treated as security for a debt) D.

ἐκ-σμάω contr.vb. **thoroughly cleanse** —cups Hdt.

ἐκ-σπάω contr.vb. **pull out** —a spear (fr. an opponent's body or armour) Il.(also mid.) —a stake (fr. the ground) Plb. —a dummy teat (w. ἐκ + GEN. fr. a baby's mouth) Ar.

ἐκ-σπένδω vb. **pour away a libation** (i.e. discard it) E.

ἐκ-σπεύδω vb. **hurry away** Ar.(dub.)

ἔκ-σπονδος ον adj. [σπονδή] **1** (usu. of a nation, sts. of a person) **excluded from a treaty** Att.orats. X. Plb. Plu.; **released from a treaty** Th.; **acting in violation of a treaty** Plu.
2 (leg., of a person) app. **outside the law** (and so punishable without trial) D.

ἔκστασις εως f. [ἐξίσταμαι] **1 standing aside, giving way** (as a mark of respect) Arist.
2 taking leave, loss (W.GEN. of one's wits, one's reasoning faculties) Men. Plu.; **derangement** Men.
3 amazement (at seeing sthg.) NT.
4 divinely induced suspension of consciousness, **trance** NT.

ἐκστατικός ή όν adj. **1** (of a person) **liable to abandon** (W.GEN. a logical conclusion) Arist.; (of unrestraint) **liable to make one abandon** (an opinion) Arist.
2 (of a person) deviating from normal or rational behaviour, **deranged, carried away** (by one's emotions) Arist.; (of passion) **liable to make one deranged** Arist.

—**ἐκστατικῶς** adv. **frantically** —ref. to fighting Plb.; (w. ἔχειν) be beside oneself (w. fear) Plu.

ἐκ-στέλλομαι pass.vb. (of a person) **be equipped** or **adorned** —W.DAT. w. brooches S.

ἐκ-στέφω vb. **garland** (w. foliage) —an altar E.
|| STATV.PF.PASS. (of persons) be garlanded S. E.

ἐκ-στρατεύω vb. **1** (act. and mid., of commanders, troops) **go on campaign, march out, take the field** (sts. W.PREP.PHR. to or against a place, or against a person or people) Hdt. Th. X. +
2 || PF.MID. be in the field Hdt. Th. And. X. +

ἐκ-στρατοπεδεύομαι mid.vb. **encamp outside** (a place) Th. X.

ἐκ-στρέφω vb. **1** (of a wind) **uproot** —a sapling (W.GEN. fr. a trench) Il.
2 **turn** (clothing) **inside out** (to conceal the dirty side); (fig., of a dramatist) **rehash** —a comedy (of a rival dramatist) Ar.; **reverse, reform** —one's way of life Ar.(v.l. ἐκτρέπω)

ἐκ-σῡρίττω Att.vb. [σῡρίζω] **hiss off** —an actor (W. ἐκ + GEN. out of a theatre) D.

ἐκ-σφρᾱγίζομαι pass.vb. (of persons) **be excluded by sealed doors, be locked out** —W.GEN. of a house E.(tm.)

ἐκ-σῴζω vb. | Ion.3pl.mid.opt.: pres. ἐκσῳζοίατο (A.), fut. ἐκσωσοίατο (A.) | **1 save** (someone or sthg.) from imminent danger or death; **save, rescue** —a person, a life Hdt. S. E. Plb. —(W.GEN. fr. someone's hand) E. —(W. ἐκ + GEN. fr. danger) Pl. —a city, one's ancestral home S. E. —a ship Plb. NT. —a letter (in a shipwreck) E.; (of votes) —a person (W. μή + INF. fr. death) E. || MID. **save** —one's life A. || PASS. **be saved, survive** E.
2 bring (W.ACC. someone) **safely** or **for safety** —W.PREP.PHR. to a place S. E. —W.ACC. to home S. || PASS. **get safely away** Hdt. S. E. Plb. —W.PREP.PHR. to a place Plu. —W.ACC. A.
3 preserve from harm, keep safe, protect, look after —someone S. E. D. || MID. (of trees) **preserve** —their branches S.

ἐκ-σωρεύομαι pass.vb. (of axles, corpses) **be piled up** E.

ἔκτα (ep.3sg.athem.aor.): see κτείνω

ἐκτάδην adv. [ἐκτείνω] **outstretched** —ref. to falling, lying E.

ἐκτάδιος η ον Ion.adj. (of a cloak) app., **wide-spreading, ample, voluminous** Il.

ἔκταθεν (ep.3pl.aor.pass.): see κτείνω

ἐκταῖος ᾱ ον adj. [ἕκτη, see under ἕκτος] **1** (quasi-advbl., of persons arriving or sim.) **on the sixth day** (after departure) X. Plb.
2 (reckoning backwards in time; quasi-advbl., of a person having arrived) **six days ago** D.

ἔκταμεν (ep.1pl.athem.aor.): see κτείνω

ἐκτάμνω dial.vb.: see ἐκτέμνω

ἔκταν (ep.3pl.athem.aor.), **ἔκτανον** (aor.2): see κτείνω

ἐκ-τανύω ep.vb. **1 stretch** or **lay out** (on the ground) —a dead or wounded warrior, a strangled lion Theoc.; (of a wind) **lay low** —a sapling Theoc. || PASS. (of a warrior, a boxer) be laid at full stretch (by a blow) Il. Theoc.; (of the slain Argus, as a decorative figure on a basket) be laid outstretched Mosch.
2 spread out —hides hHom.; (of a knife) —a fleece (i.e. be used to kill and flay a ram, whose fleece is then spread out) Pi. || PASS. (of a vine) spread out, extend hHom.

ἔκταξις εως f. [ἐκτάσσω] **deployment** (of troops) Plb.

ἐκ-ταπεινόω contr.vb. **humble, abase** —oneself Plu.

ἐκ-ταράσσω, Att. **ἐκταράττω** vb. **create confusion among** —people Plu.; **create unrest in** —a city, a populace NT. Plu. || PASS. (of persons, their bearing) be ruffled (by events) Isoc. Plu.; (of a person's senses) be confused Plu.; (of a person's bowels) be upset Plu.

ἔκτασις εως f. [ἐκτείνω] **1 stretching out, extension** (of a dancer's limbs) Pl.
2 (milit.) stretching out in line, **deployment** (W.GEN. of troops) Pl.

ἐκ-τάσσω, Att. **ἐκτάττω** vb. (milit., of a commander) **set out in line, deploy** —troops Plb. Plu. || MID. (of troops) arrange oneself in line, **deploy** X.; (of a commander) **deploy one's troops** X. || PASS. (of troops) be deployed Plb. Plu.

ἐκτατός ή όν adj. [ἐκτείνω] (of the limbs of proto-humans) **extensible** Pl.

ἐκτέαται (Ion.3pl.pf.mid.): see κτάομαι

ἐκ-τείνω vb. | fut. ἐκτενῶ | **1 stretch out** (part of one's body); **stretch out, extend** —a hand or hands A. E. Ar. Pl. + —pleas (meton. for a suppliant's hand, W.GEN. to someone's chin) E. —legs (in standing up) X. —knees (in reclining) Ar.; (of a horse) —its neck, tail Pl. X.; (fig. and provbl., of a person) —a limb (W.PREP.PHR. against the goad, i.e. kick against the pricks) A. || PASS. (of the body, a piece of armour protecting the arm) stretch (opp. bend) Pl. X.
2 stretch out (an object); **hold out** —one's shield E.; **thrust** —one's sword (W.PREP.PHR. into someone's liver) E.; **extend** —long locks of hair (W.PREP.PHR. over someone's head, perh.ref. to fitting a wig) E.; **spread out** —a net A. —sails Plu.; (of a beetle, envisaged as Pegasos) —its wings Ar.; (of sailors) **run out** —an anchor NT.
3 stretch out (a person); **lay out** —a corpse E.; **make** (W.ACC. someone) **lie stretched out** Hdt.; (fig., of a single word, envisaged as delivering a blow) **lay out, flatten** —someone E. || PASS. (of a corpse) be stretched out E.
|| AOR.PASS.PTCPL.ADJ. (of a person) stretched out (fr. fatigue) E. X. || PF.PASS. lie outstretched (in sleep) S. X.; (fig.) be prostrate (w. fear) S.
4 (milit.) **extend in a line, deploy** —troops, a phalanx, or sim. E. X. Plb. Plu. —a fleet Plb.; (intr., of troops) extend (themselves), **deploy** —W.PREP.PHR. towards a place E. || PASS. (of a phalanx) be deployed X. || PF.PASS.PTCPL.ADJ. (of troops, wagons) in an extended line X. Plb.
5 stretch out (end to end) —one's daily walks (so as make them into a single extended walk) X. || PASS. (of a mineral-bearing area) extend —W.PREP.PHR. further X.
6 (fig.) **let out, extend** —every brailing-rope (i.e. do everything possible) Pl.; **put out, exert** —every effort Hdt. D.; (of a rider) **urge on** (W.ACC. a horse) **at full stretch** X.
7 relax —one's look (by unknitting one's brow) E.
8 extend (in time), **draw out, prolong** —speech, lamentation, or sim. Hdt. Trag. Plb. —one's life (w. medicinal treatments) E. —a drinking bout Plu.; (intr., of a speaker) **run on** (sts. W.ADV. at length) A. E. Pl. || PASS. (of a discourse) be extended Pl.; (of time) be drawn out S.
9 lengthen (short vowels, in pronunciation) Arist.

ἔκτεισις f.: see ἔκτισις

ἔκτεισμα (or **ἔκτισμα**) ατος n. [ἐκτίνω] **payment, penalty** (for a crime) Pl.

ἐκ-τειχίζω vb. **complete the building of** —a wall X.; **complete the fortification of** —a place, an outpost Th. || PASS. (of a wall) be completely built Ar.

ἐκ-τεκνόομαι mid.contr.vb. **beget, father** —children E.

ἐκ-τελειόω contr.vb. (of an honourable man) **bring** (W.ACC. one's life) **to a perfect end** Plu.

ἐκ-τελευτάω contr.vb. **1 bring to an end, complete** —one's labours E.
2 reach the end of, complete —a great length of time A.
3 bring about (sthg.) in the end; (of a god) **finally settle** —sthg. (W.ADV. in a certain way) Semon.; **fulfil** —a prophecy A.; **bring about** —happiness Pi.(tm.) —events E.(cj.); (of an omen) **result** —W.ACC. + INF. in sthg. happening Pi. || PASS. (of a fated event) be the final outcome —W.GEN. of Herakles' labours S.
4 (intr., of events) **end, turn out** —W.ADV. well A.

ἐκ-τελέω contr.vb. —also **ἐκτελείω** ep.vb. **1 bring** (an activity) **to an end** or **goal; complete, accomplish, perform** —an action or undertaking Hom. Hes. Pl. X. Mosch.; **complete**

—*a piece of weaving* Od. —*a journey, a voyage* Od. Thgn. Pi.*fr.*; (intr.) **complete an undertaking** Hdt.(quot.epigr.); **complete a building** NT. ‖ PASS. (of actions) be completed or performed Od.
2 bring (sthg.) to fruition; **fulfil** —*a promise, purpose, threat, desire* Hom. Hes. Hdt. S.*Ichn.* Pl.; (of gods) **bring about** —*marriage, offspring* (W.DAT. *for someone*) Hom.; (intr., of a person) **achieve one's purpose** Od. ‖ PASS. (of a wish, the will of Zeus) be fulfilled Od. Hes. hHom. Theoc.; (of things) be fulfilled or turn out —W.ADV. *in a certain way* Il. Call. AR.; (of good) be the outcome A.; (of a marriage) be brought to fruition Sapph. Theoc.
3 (of Zeus) **bring to an end** —*a period of time* Hes.; (of persons) **reach the end of, complete** —*a period of time* Thgn. Pi. Hdt. ‖ PASS. (of a period of time) be completed Od. hHom.

ἐκτελής ές *adj.* **1** (of a person) **full-grown, in one's prime** A. E.
2 (of corn) **ripe** Hes.
3 (of good) **fulfilled, achieved** (W.DAT. for someone) A.

ἐκ-τέμνω, dial. **ἐκτάμνω** *vb.* **1 cut out** —*thighs* (*of sacrificial animals*) Hom. —*an arrow* (sts. W.GEN. *fr. someone's thigh*) Il. —*someone's tongue, gullet* Hdt. Ar. —*strings* (*fr. a lyre*) Plu.; **cut off** —*a lock of hair* E. ‖ PASS. have (W.ACC. one's tongue) cut out Aeschin.(v.l. ἀπο-) Plu.; (fig., of unhealthy elements in the state) be cut out Pl.
2 cut from the stump, **cut down** —*trees* Il. S. —*a grove* Plb.; **cut out** (fr. the roots) —*a stump* Lys. AR.
3 cut from a tree or from timber, **cut out** —*a club, a plank* Hom.
4 (fig.) **cut out** —*the sinews* (w. ἐκ + GEN. *fr. one's soul, i.e. weaken it*) Pl.; (of a warrior, military leader) —*a city's sinews* (*i.e. its manpower*) Pi. Plu.; **excise, eradicate** —*someone's vigour and pride* Plu.
5 (specif.) **castrate** —*someone* Hdt. Pl. X.; **cut off** —*someone's testicles* Men.(cj.) ‖ PASS. (of persons, animals) be castrated Pl. X. Arist. Plu.; (of horses) be gelded X. ‖ MID. (fig.) **make impotent, incapacitate, enervate** —*someone* Plb.

ἐκτένεια ᾱς *f.* [ἐκτενής] **earnestness** NT.

ἐκτενής ές *adj.* [ἐκτείνω] | superl. ἐκτενέστατος | **earnest, eager** Plb.

—**ἐκτενῶς** *adv.* | compar. ἐκτενέστερον | **earnestly, eagerly** Plb. NT.

ἐκτέος ᾱ ον *vbl.adj.* [ἔχω] (of an object) **to be held** Ar.

ἐκτεύς έως *m.* [ἕκτος] **sixth part** (of a medimnos, W.GEN. of wheat) Ar.

ἐκ-τεχνάομαι *mid.contr.vb.* **devise** —*a ruse* Th.

ἔκτη *f.*: see under ἕκτος

ἐκ-τήκω *vb.* **1** (causatv.) **melt away** —*writing in wax* (w. *a burning-glass*) Ar.; **melt out** —*the Cyclops' eye* (W.DAT. *w. fire*) E. ‖ PASS. (of moisture) evaporate Plu.; (fig., of a precept) melt away (i.e. be forgotten) A.
2 cause (someone or sthg.) to be weakened; **weaken** or **waste away** —*one's spirit* Pl.; **unnerve** —*someone* Plu.; **loosen** —(*fig.*) *bonds* Plu.; (of a doctor) **purge away** —*an unhealthy condition* Plu. ‖ STATV.PF. be enervated —W.PREP.PHR. *by self-indulgence* Plu.
3 (fig.) cause (someone) to melt or be weakened (by emotion); **make** (W.ACC. one's or another's eyes, one's cheeks) **run** —W.DAT. *w. tears* E.; **melt** —*someone* (W.DAT. *w. one's laments*) E.; (of a picture) **move** —*someone* (w. εἰς + ACC. *to tears*) Plu. ‖ STATV.PF. be melted —W.DAT. *by someone's laments* E. ‖ PASS. be melted or dissolved —W.DAT. *in lamentation* E.

ἔκτημαι (pf.mid.), **ἐκτήμην** (plpf.mid.): see κτάομαι

ἐκτή-μοροι (also **ἐκτημόριοι** Plu.) ων *m.pl.* [ἕκτος; μόρος, μέρος] those who pay one sixth of their produce as rent, **sixth-part tenants** Arist. Plu.

ἐκτήσομαι (fut.pf.mid.): see κτάομαι

ἐκ-τίθημι *vb.* **1 place** (W.ACC. *a bed*) **outside** (a room) Od.
2 (of a parent) **put** (W.ACC. a baby) **out** —W.GEN. *of one's house* (*i.e. expose it as prey to animals and the elements*) E.; **expose** —*a baby* Hdt. E. Ar. Men. —*Andromeda* (*to a sea monster*) Ar.; (of a person) **cast out, abandon** —*someone* (*on a desert island*) S. ‖ PASS. (of a baby) be exposed E. Isoc. Arist. NT. Plu.
3 (of sailors) **put ashore** —*a person, freight* Plb.(mid.) Plu.; (of sea swell) **deliver to land** —*a bull* E.
4 place (W.ACC. someone) **out of range** —W.GEN. *of someone's wrath* E.(cj.); **put out of the way, dispose of** —*an accusation* Ar.
5 exhibit publicly, post up (on an official notice-board) —*a law, decree, legal challenge* Att.orats. ‖ PASS. (of notice-boards) be displayed Isoc.; (of a person's name) be posted Is.
6 make public, **issue** —*forged letters* D. —*a notice, decision, edict, or sim.* Plb.(also mid.) Plu. —*a signal for battle* Plu.; (of Fortune) —*a prize* Plu.
7 issue, allocate —*pay, hospitality* (W.DAT. *to someone*) Plb.
8 (freq.mid.) **set out, expound, explain** —*sthg.* Arist. Plb. NT. Plu. —W.COMPL.CL. *that sthg. is the case* Plb.
9 (philos.) **posit separate existence for** —*certain substances* (*compared to others*) Arist.

ἐκ-τίκτω *vb.* (fig., of debaters) **bring finally to birth** —*all the subjects of their discourse* Pl.

ἐκ-τίλλω *vb.* **1 pluck out** —*feathers* (fr. a bird) Ar. —*hairs* (*fr. a horse's tail*) Plu. ‖ PF.PASS. (of a person) have had (W.ACC. one's hair and beard) plucked out Anacr.
2 pluck bare —*a bed of roses* D.

ἐκ-τῑμάω *contr.vb.* **highly honour** —*someone* Plb. ‖ PASS. (of persons, money) be highly honoured S. Plb.

ἔκ-τῑμος ον *adj.* [τῑμή] (of lamentation, because it is forbidden) **failing to pay honour** (W.GEN. to a dead parent) S.

ἐκ-τινάσσω *vb.* **1** (act. and mid., of persons departing) **shake off** —*dust* (fr. their feet, as a symbol of breaking off all association w. someone or somewhere) NT. ‖ MID. **shake out** —*one's clothes* NT.
2 ‖ PASS. (of teeth) be knocked out Il.(tm.) Plu.

ἐκ-τίνω *vb.* **1** make recompense in full for what is owed; **pay** (sts. W.DAT. to someone) —*a debt, fine, ransom, or sim.* A.(cj.) Hdt. S. Th. Ar. Att.orats. + —*a penalty* (sts. W.GEN. *for sthg.*) Hdt. E. Att.orats. + —*a requital* E.; **pay compensation for** —*damage* Pl. D.; **pay back, repay** —*favours* Hdt. —*a debt of gratitude* E. Pl. —*a debt owed for one's upbringing* A. Pl. ‖ PASS. (of a debt) be paid in full D.; (of a recantation) be offered in payment Pl.
2 (intr.) **pay** (a fine or debt) Lys. Pl. D. —W.GEN. *for sthg.* Ar.; (of a murderer) **pay the penalty** A.
3 (specif.) **pay the penalty for, atone for** —*a father's crime* Trag.
4 ‖ MID. **exact vengeance for, avenge** —*someone's death* E.; **wreak vengeance** (W.ACC. w. violence) —W. κατά + GEN. *on someone* S.
5 ‖ MID. **take vengeance on, punish** —*someone* E.

ἔκτισις (also perh. **ἔκτεισις**) εως *f.* **payment** (of financial dues) Att.orats. Pl. Arist. Plu.

ἔκτισμα *n.*: see ἔκτεισμα

ἐκ-τιτρώσκω *vb.* (of a woman) **miscarry** Hdt.

ἔκτοθεν, also **ἔκτοσθε(ν)** adv. and prep. [ἐκτός] **1** (as prep., w.vb. of motion) **out of** —W.GEN. *the sea* Od. —*a wrestling-school* Theoc. —*gates* AR.; **out through** —W.GEN. *the Clashing Rocks* AR.
2 (ref. to location) **outside** (a place) Hom. A. S.; **on the outside** (of a helmet, one's apparel, i.e. as an outer layer) Il.; (as prep.) **outside** —W.GEN. *a wall, house, city, or sim.* Hom. Hes. Ibyc. A.; **away from** —W.GEN. *persons* Od. Hes. —*a sea, path* A. AR.
3 outside (one's family) A. E.; τὰ ἔκτοθεν *things outside one's sphere of work* Theoc.
4 out of the reach of —W.GEN. *troubles, disaster* Hes. Thgn. AR.

ἔκτοθι prep. and adv. **1** (as prep., ref. to location) **outside** —W.GEN. *gates* Il. —*a city, its walls, a ship* AR.; **away from** —W.GEN. *ships* Il.
2 (w.vb. of motion) **out of** —W.GEN. *a land, a city's walls, a cleft in a rock* AR.; **from** —W.GEN. *a flock* AR.
3 (ref. to source) **from** —W.GEN. *someone* (as the originator of a plan) AR.
4 (as adv., w.vb. of motion) **outside, out** AR.

ἐκ-τοιχωρυχέω contr.vb. **plunder** —*a royal household, people's resources* Plb.

ἐκ-τολυπεύω vb. **wind up** (carded wool); (fig.) **bring to a close** —*an undertaking* Hes.; **achieve, accomplish** —*sthg. timely* A.

ἐκτομή ῆς f. [ἐκτέμνω] **1** cutting away, **removal** (W.GEN. of a ship's deck) Plu.
2 castration Hdt. Isoc. Pl.
3 cut-out piece, **sod, clod** (W.GEN. of earth) Plu.
4 cut-out part, **indentation** (in the outline of a Roman ancile, figure-of-eight shield) Plu.
5 separated strip (of ground) Plu.

ἐκτομίης εω Ion.m. **one who is castrated, eunuch** Hdt.

ἐκ-τοξεύω vb. **1** (of archers) **shoot out** (through a gap in a wall) X.
2 shoot away (all one's arrows) || PASS. (of arrows) be spent Hdt. || PF.PASS. (fig., of a person's life) be shot Ar.
3 (fig., of anger or sim.) **shoot, expel** —*good sense* (W.GEN. fr. someone's mind) E.(dub.)

ἐκτοπίζω vb. [ἔκτοπος] **move** (someone) **from a place; remove** —*oneself* Plb.; (intr.) **move away** —W.PREP.PHR. *to or fr. somewhere* Arist. Plb. Plu.; (fig., of a speaker) **wander from the point** Arist.

ἐκτόπιος ᾱ ον adj. (of persons or things, quasi-advbl., after vb. of motion) **out of a place, away** S.; **outside, out of** (W.GEN. *a house*) E.fr.

ἔκ-τοπος ον adj. [τόπος] **1 out of a place**; (of persons, quasi-advbl., after vb. of motion) **out of, away from** (W.GEN. *a resting place*) S.; **out of the way** (of persons approaching) E.
2 not belonging to a place; (of a field) **distant** S.; (fig., of a person) **alien** (i.e. *other*, opp. *oneself*) S.
3 (of things) **strange, unusual** Pl.; (of a tree) **outlandish, exotic** Ar.; (of a house, a sight) **extraordinary** Men.; (of savagery, unpleasantness) **inordinate** Men.; (of elements of Pythagorean thought) **abstruse** Arist.

—ἐκτόπως adv. **inordinately** —*ref. to liking someone* Men.; (intensv. w.adj.) **extraordinarily** Plb. Plu.

Ἑκτόρειος, Ἑκτόρεος adjs.: see under Ἕκτωρ

ἐκ-τορέω contr.vb. [τορεῖν] **gouge out** —*a tortoise's marrow* hHom.

ἐκτός adv. and prep. **1** (ref. to location) **outside** Hom. +; (as prep.) —W.GEN. *somewhere, sthg.* Hom. +; **away from, off** —W.GEN. *a road or path* Hom. Hes. B.

2 (ref. to direction, usu. w.vb. of motion) **outside, out** S. E. Pl.; (as prep.) **outside, out of** —W.GEN. *a house, land, or sim.* Il. E. Ar. Pl.
3 (w.art.) οἱ ἐκτός **outsiders, foreigners** Pl. Plb.; τὰ ἐκτός **extraneous parts** (W.PARTITV.GEN. of one's troubles) E. —*external or foreign affairs* Plb.
4 out of the reach of —W.GEN. *smoke and surf* (on a dangerous shore) Od. —*missiles* Tyrt.; **outside** —W.GEN. *someone's sphere of influence* Th.
5 away from (immaterial things); **away from** —W.GEN. *one's customary way of thinking* Hdt.; **free from, clear of** —W.GEN. *wrongdoing* Thgn. —*blame* A. Hdt. —*trouble, disaster, or sim.* Alc. Pi. S. E. Fl. —*political activities and military service* Pl.; (as adv.) **clear** (of trouble) Pi.; **outside** (the terms of an oath) S.; (one's normal state of mind) S.
6 beyond —W.GEN. *hope, expectation* Thgn. S. E.
7 (ref. to time) **beyond** —W.GEN. *five days* Hdt.
8 apart from, except for —W.GEN. *someone or sthg.* E. Pl. X.

ἕκτος η (dial. ᾱ) ον adj. [ἕξ] (cf persons or things) **sixth** (in a list or sequence) Hom. +

—ἕκτη ης f. **sixth day** Hes. Pi. Th. +

ἔκτοσε prep. [ἐκτός] (w.vb. of motion) **out of, from** —W.GEN. *someone's hand* Od.

ἔκτοσθε(ν) adv. and prep.: see ἔκτοθεν

ἔκτοτε temporal adv.: see τότε 6

ἐκ-τραγῳδέω contr.vb. (of the Roman Senate) **proclaim with pomp** —*successes of generals* Plb. || PASS. (of religious feeling in Rome) **be clothed in pomp and solemnity** Plb.

ἐκτράπελος ον adj. [ἐκτρέπω] (of speech, modes of behaviour) **deviant, perverse, untoward** Thgn. Pi.

ἐκ-τραχηλίζω vb. **1** (of a horse) **throw over one's neck, throw** —*a rider* X.
2 (of a person) **break the neck of** —*someone* (by throwing him fr. a height) Ar.; **throw** (W.ACC. oneself) **head-first so as to break one's neck** Plu. || PASS. **break one's neck** Ar. Plb.; (fig.) **come a cropper** D.

ἐκ-τραχύνω vb. (of persons, accusations) **make harsh, harden, embitter, enrage** —*someone* Plu.; **stiffen** —*a populace* (i.e. its resolve, W.PREP.PHR. *for war*) Plu. || PASS. **be exasperated** Plu.

ἐκ-τρέπω vb. **1 turn aside, divert** —*the course of a river* Hdt. Th. Plu.; (of a river) —*its course* Hdt. || MID. (of a river) **turn aside, be diverted** Hdt.
2 push (W.ACC. someone) **out of the way** S.; (of Bacchants) **turn aside** —*shields* (W.DAT. w. thyrsoi) E.; **turn outwards** —*someone's eyelids* (to enable sthg. to be smeared on the eyes) Ar.
3 divert, deflect —*an assailant* (w. πρός + ACC. *against a different target*) S.; **deflect, deter** —*someone* (fr. doing sthg.) S.
4 divert —*one's sufferings, misfortune, pollution, blame* (w. εἰς + ACC. *to someone else*) A. E. Antipho Plu.; **turn** —*one's anger* (w. εἰς + ACC. *against someone*) A. || PASS. (of troubles) **be diverted** (to others) Antipho
5 || MID. (of a traveller) **turn off** or **aside** Hdt. Pl. X. Plu.; (fig., of a speaker) **digress** Pl.; **diverge** —W.GEN. fr. *one's former story* S.; (of a story) **wander off, stray** —W.GEN. fr. *truth* (w. πρός + ACC. *towards fiction*) Plu.
6 || MID. (tr.) **turn away from, avoid** —*someone* Ar. D. —*scrutiny* Plb.
7 || PASS. (wkr.sens., of persons) **turn** —w. εἰς + ACC. *to certain kinds of behaviour* Plb.; (of aristocracy) **turn, change** —w. εἰς + ACC. *into oligarchy* P b.

ἐκ-τρέφω vb. 1 (of a parent or sim.) bring up, rear, raise —*a child* Hdt. Trag. Ar. Pl. +; (mid.) hHom. S. E. Pl. D.; (act., of a country) Ar. Lycurg. ‖ PASS. (of persons) be reared or grow up E. Lys. Ar. Pl. +; (of a lion cub) Ar. ‖ PF.PASS.PTCPL.ADJ. (of persons) fully grown E. Ar.; (fig., of a constitution) fully developed Plu.
2 (of animals) nurture —*their young* Pl. X. Plb. ‖ PASS. (of young) be nurtured X.
3 ‖ MID. (of a mother) nurture —*an embryo* Pl.
4 ‖ MID. (of a person) nurture, tend —*a tree* Ar.
5 (of the earth) nourish —*persons, seed, produce* E. Pl. X.; (of rain) —*roots* Hdt.
6 (of a sick person) aggravate —*a disease* (*by an unhealthy lifestyle*) Plu.

ἐκ-τρέχω vb. | The aor. is supplied by ἐκδραμεῖν. | 1 run off —W.ADV. *elsewhere* Ar.
2 (of persons) rush out —W. ἐκ + GEN. *fr. a camp* Plb.; (of troops) sally forth Plu.
3 (of a ship) issue forth (fr. harbour) Plb.

ἐκ-τρίβω vb. 1 ease by rubbing, massage —*one's leg* (W.DAT. *w. one's hand*) Pl.
2 rub —*stone* (W. ἐν + DAT. *on stone, to create a spark*) S.; (fig., as an example of a difficult task) strike —*fire* (W. ἐκ + GEN. *out of someone*) X.
3 rub down, towel —*someone* Men.
4 polish —*a bronze object* Thphr. —*armour* Plb.
5 rub out, root out —*grass* (W. ἐκ + GEN. *fr. the ground*) Hdt.; (fig.) wipe out —*a populace, a person* Hdt. E. Men.; (of bad counsel) —*prosperity* S.*fr.* ‖ PASS. (fig., of a person) be wiped out Hdt. S. Men.
6 wear out, drag out —*one's life* (W.ADV. *in misery*) S.
7 grind down, wear down —*households, troops* Plu. ‖ PASS. (of a country) be worn down —W.PREP.PHR. *by an enemy* Plu.

ἔκτριμμα ατος n. that which is used to rub down, towel Philox.Leuc.

ἐκτροπή ῆς f. [ἐκτρέπω] 1 turning aside (of sthg.); diversion (W.GEN. of a stream) Th. Plb.
2 turning oneself aside (fr. sthg.); avoidance (W.GEN. of hardships) A.
3 point where a road turns or branches off; turning, fork, branch Ar. X. Plu.; (W.GEN. of a highway) E. ‖ PL. (fig.) side-roads, by-ways (by which one proceeds in life) Pl.; (W.GEN. of speeches, ref. to evasive arguments) Aeschin.
4 digression (in discourse) Pl. Plb. Plu.; (W.GEN. fr. a topic) Plb.; point of digression Plb.; straying (W. ἐπί + ACC. *towards fiction*) Plu.; resorting (W. ἐπί + ACC. *to an explanation*) Arist.

ἐκ-τρυπάω contr.vb. (fig.) bore a way out, slip secretly out (of a house) Ar.

ἐκ-τρυχόω contr.vb. (of an enemy) wear down, wear out (by harassment or deprivation) —*a populace* Th.

ἐκ-τρώγω vb. (fig., of a person) nibble out (of a door-bolt) —*a securing-pin* (w. play on βάλανος *acorn, date or pin*) Ar.

ἔκτυπον (ep.aor.2): see κτυπέω

ἐκ-τυπόω contr.vb. 1 model, sculpt —*someone's deeds* X. ‖ PASS. (of figures) be sculpted Pl.; (fig., of pupils) be moulded (by their teacher) Isoc.
2 ‖ MID. imprint an image of —*one's thinking* (W. εἰς + ACC. *onto one's speech, compared to casting an image onto a mirror or water*) Pl. —*one's misdeeds* (*on the souls of one's children*) Pl.
3 ‖ PASS. (of a copy) be stamped or imprinted Pl.

ἐκτύπωμα ατος n. that which is formed from a pattern or model, imprinted copy Pl.

ἐκ-τυφλόω contr.vb. blind —*persons, animals* Hdt. E. Ar. X. Men. Plu. ‖ PASS. (fig., of lamps) be blinded —W.DAT. *by darkness* (*i.e. be extinguished at night-time*) A.

ἐκτύφλωσις ιος Ion.f. blinding (of a person) Hdt.

ἐκ-τυφόομαι pass.contr.vb. be filled with conceit Plb.

ἐκ-τύφω vb. | fut. ἐκθύψω ‖ aor.pass. ἐξετύφην | smoke out —*the Cyclops' eye* (*envisaged as a wasps' nest*) E.*Cyc.* ‖ PASS. (fig., of a woman) be burned out (app., be worn out) —W.NOM.PTCPL. *w. weeping* Men.

Ἕκτωρ ορος m. Hector (foremost Trojan warrior, son of Priam) Hom. +

—Ἑκτόρεος ᾱ (Ion. η) ον (also ος ον E.) adj. —also
Ἑκτόρειος ᾰ ον (E.) adj. (of the head, hand, tunic, bed) of Hector Il. B. E.; (of sacrifices) offered by Hector Il.

ἑκυρά ᾶς, Ion. ἑκυρή ῆς f. mother-in-law Il. AR. Plu.

—ἑκυρός οῦ m. father-in-law Il.

—ἑκουρεύω Boeot.vb. be a father-in-law Corinn.

ἔκυσα (aor.), ἔκυσσα (ep.aor.): see κυνέω

ἔκῡσα (aor.): see κύω

ἐκ-φαγεῖν aor.2 inf. | subj. ἐκφάγω | Other tenses are supplied by ἐξέδω or ἐξέσθω. | (fig. or hyperbol.) get rid of by eating, eat away —*a person* (w. ἐκ + GEN. *fr. a country*) Ar. —*a place* (*which poses a threat*) Plu.

ἐκ-φαιδρύνω vb. (of snakes) clean away —*drops of blood* (w. ἐκ + GEN. *fr. the cheeks of Bacchants*) E.

ἐκ-φαίνω vb. | PASS.: ep.aor. (w.diect.) ἐξεφαάνθην, also (tm.) ἐκ … ἐφαάνθην | dial.3pl.aor.2 ἐξέφανεν (Pi.) | 1 bring (someone or sthg.) into view; (of the goddess of childbirth) show forth, reveal, display —*a baby* (W.ADV. *to the light of day*) Il.; (of gods) —*gifts* Pi.; (of a god) —*his face* E.; (of a woman) —*her vagina* Ar.; (of persons) —*someone in hiding, a criminal* Hdt. S. ‖ PASS. (of persons or things) appear, come into view (sts. W.GEN. or PREP.PHR. fr. somewhere) Hom. Hes. S. E.*fr.* Th. X. +; (of a baby, ref. to its birth) S.*Ichn.*; (of the delights of Dionysus, i.e. wine) Pi.
2 cause (someone or sthg.) to be seen in their true colours; (of a person) show up, expose, reveal (by one's actions) —W.ACC. + PTCPL. *that one is such and such* Hdt.; (of a person, an event) —W.ACC. *someone* (*i.e. his identity*) Hdt.; (of time) —*a person's character, wrongdoers* Thgn. E.; (of good qualities) —*bad qualities* Pl. ‖ PASS. (of a coward and a brave man) be revealed (for what they are) Il.; (of a person) —W.PREDIC.ADJ. *as being such and such* S. E.; (of persons, ref. to their aims) Pl.; (of beauty, ref. to its identity) Pl.
3 make known, reveal, disclose —*secret rites* Hdt. —*someone's future power* Pi. —*one's opinion, a message, the truth, troubles, or sim.* Hdt. S. E. Plb.; (gener.) come out with —*a remark* Hdt. E. ‖ PASS. (of facts) be revealed Sol. E.
4 reveal, display —*a harsh intent* Sol. —*brutality* Hdt. —*goodwill, stupidity* Plu.
5 declare —*war* (sts. W.PREP.PHR. *on someone*) X. Plu.
6 ‖ PASS. (of an angry person's eyes) shine forth, gleam, glare Il.

ἐκφανής ές adj. (of persons or things) visible, evident, clear A. Pl. Plb. Plu.

—ἐκφανῶς adv. clearly, openly Plb. Plu.

ἐκ-φάσθαι ep.aor.2 mid.inf. [φημί] | only inf. (Od.) and 3sg. ἔκφατο (AR.) | 1 declare, announce —*disaster, a god's intention* AR. —W.COMPL.CL. *that sthg. is the case* Od.; (in neg.phr.) utter —*a single word* Od.
2 (intr.) hold forth (usu. W.COGN.ACC. in speech) AR.

ἔκφασις ιος Ion.f. public statement, declaration Hdt.

ἐκφάτως adv. perh. outspokenly A.

ἐκ-φέρω vb. **1** carry (someone or sthg.) out (of somewhere); carry (W.ACC. a wounded warrior) out —W.GEN. of battle Il.; (sts.mid.) carry or bring out (fr. a place) —a person, armour, objects, or sim. Hdt. E. Th. Ar. Pl. X. + —(W.GEN. fr. ships, a room) Hom. —(w. ἐκ + GEN. fr. a temple) Hdt.; (gener., of horses, feet) carry away —someone (fr. danger or sim.) Il. AR.; (of persons) carry off —objects Hom. || PASS. (of a wounded soldier) be carried from the battlefield Hdt.; (of earth) be removed —w. ἐκ + GEN. fr. a ditch Hdt.
2 || MID. carry off, win —a prize, glory, victories, a reputation Hdt. S. X. D. Plu.; achieve —an aim Aeschin.
3 carry out for burial —a corpse Il. Hippon. Hdt. E. Ar. Att.orats. +
4 (of a dolphin) carry out of the sea, carry ashore —a person Hdt.; (of winds or waves) cast ashore —a corpse, ships Hdt. E. || PASS. (of corpses, wrecks, or sim.) be cast ashore Hdt. Th. Plu.
5 (intr., of a runner, horses) draw away (fr. competitors), race ahead Il.; (of a horse) run away, bolt X.
6 || PASS. (of a javelin) be carried off course (in flight) —w. ἔξω + GEN. out of bounds Antipho
7 || PASS. (fig., of persons) be carried away or transported (in their thoughts or emotions) Pl. X. —W.NOM.PTCPL. while speaking —W.DAT. by passion Th.(dub.) —w. πρός + ACC. w. anger S. Plu.; (of a noble nature) —into (an excess of) respect E.
8 bring (sthg.) into existence; (of a woman) bring forth, bear —a child Pl. Call.; (of ground) —crops Hdt. X.; (of a woman, envisaged as a field) bring to fruition —the seed of Zeus A.fr. || MID. (of the Acropolis) bring forth, produce —the olive E.
9 bring (sthg.) to fulfilment; fulfil —one's destiny Pi. —prophecies S.; (of the seasons) bring about, bring round —the time of payment Il.; (intr., of a predicted time) come to fulfilment, come round S.
10 (of a person's course; of a person, compared to a path) bring (W.ACC. someone) to a goal S. Pl.
11 bring (sthg.) into view; produce, exhibit —items of furniture Lys. —a sample (of sthg.) Pl. D.; display —moral qualities, emotions, signs of them Isoc. D.(also mid.) Plb. Plu.; (of a child) —faults inherited fr. its mother E.; (of a drop of Gorgon's blood) —a certain effect E.
12 produce in payment —a sum of money Plb.
13 bring out into the open, begin, make —war (freq. W.PREP.PHR. or DAT. against someone) Hdt. Att.orats. X. Plb. Plu.
14 bring (sthg.) into the public domain; disclose, divulge, make known (sts. W.PREP.PHR. to someone) —an oracle, someone's words, mistakes, plans, or sim. Hdt. Isoc. Pl. Plu.; put out —a statement X.; blurt out —a message S.; produce —a definition (of sthg.) Arist. || MID. declare, deliver —one's opinion Hdt. || IMPERS.FUT.PASS. it will be put abroad —W.COMPL.CL. that sthg. is the case E.
15 (specif.) bring forward, refer (W.PREP.PHR. to a public body) —an oracle, a proposal, or sim. Hdt. Aeschin.(mid.) D. Plu.
16 put out, issue, publish —names, a list Pl. Arist. —a treatise Arist. || PASS. (of speeches) be published Isoc.

ἐκ-φεύγω vb. | fut. ἐκφεύξομαι | **1** flee away, escape (fr. a person, place or present danger) Od. Hes.fr. Hdt. Trag. Th. Ar. + —W.GEN. fr. the sea Od. Ar.; (tr.) escape from —someone Hdt. E. Ar. —the Clashing Rocks, the sea, a storm Pi. E. —fetters Hdt. —trouble, danger, or sim. Od. Thgn. A. Ar. —sickness (i.e. recover) Hdt.
2 leave behind —one's years of childhood Pl.
3 (of a missile) fly forth (usu. W.GEN. fr. someone's hand) Il. Hes. Theoc.
4 escape (some future event); avoid, evade, escape —an attack Il. —marriage Od. A. E. —death, fate, divine wrath, a curse, or sim. Hom.(sts.tm.) Hes.fr. Pi. Hdt. Trag. Pl. + —servile birth E.; (intr., of a person, a land) escape, survive (the threat of death, of destruction) E.
5 (leg.) be acquitted Ar. D. —W.ACC. of a charge A.; (gener., of a criminal) escape Thgn. —punishment Lycurg.
6 (of places) remain free of, escape —snow Plb.
7 (of things) escape (someone); (of a marriage) slip out of the grasp of —someone E.; (of a situation) slip out of the control of —someone D.; (of a remark) escape the lips of —someone Pl.; (of virtue or sim.) elude —someone Pl.; (intr., of what is overlooked) escape (capture) S.; (of a difficulty) disappear Arist.
8 (of persons or things) escape, avoid —w. τό + INF. being or doing sthg. And. Pl. —w. μή (or τὸ μή) + INF. E.fr. Pl. X.; (of a playwright) —W.ACC. low humour (i.e. engaging in it) Ar.

ἐκ-φθείρομαι pass.vb. **1** (of a person) be utterly ruined (by the loss of one's family and city) E.; (of a tribe) be wiped out Plb.
2 (colloq., of a person) get the hell away —W.ADVBL.PHR. somewhere or other Ar.

ἐκ-φθίνομαι pass.vb. | 3pl.pf. ἐξέφθινται | 3sg.plpf. ἐξέφθιτο | **1** (of wine, provisions) be used up —W.GEN. fr. ships Od.
2 (of ships, warriors) be lost A.

ἐκ-φλαυρίζω vb. belittle —someone's achievements Plu.; make light of —a story Plu.; set little store by —human greatness Plu.

ἐκ-φλέγω vb. (fig., of a person) inflame, fire up (w. fighting spirit) —a city Ar.

ἐκ-φλύζω vb. [reltd. φλύω] sob out —one's grief AR.

ἐκ-φοβέω contr.vb. **1** (of persons, deities, events, circumstances) terrify, alarm, frighten —people, their minds A. E. Th. Isoc. Pl. Aeschin. + —W.DBL.ACC. people, w. some contingency Th.; startle —someone (w. ἐκ + GEN. fr. his bed) E.
2 (of love) set aflutter —someone's mind Theoc.
3 || PASS. be afraid S. —W.ACC. of someone S. —W.COMPL.CL. that sthg. will happen S. —W.DAT. because of sthg. E.
4 || PASS. (of a goddess) be worried or concerned —W.ACC. about ugliness Telest.

ἔκφοβος ον adj. (of persons, cattle) terrified NT. Plu.

ἐκ-φοινίσσω vb. (of horses' hooves) make red (w. blood) —someone's ankles E. || PASS. (of an altar) be made red —W.DAT. w. streams of blood E.

ἐκ-φοιτάω contr.vb. **1** (of persons) go forth (regularly or customarily) E. —W.PREP.PHR. fr. a place Hdt. —on a hunt Hdt.
2 (of a story) be spread abroad —W.PREP.PHR. among people Plu. —by someone Plu.

ἐκφορά ᾶς f. [ἐκφέρω] **1** carrying out (of a corpse for burial), funeral A. E. Th. Ar. Att.orats. Pl. +
2 bolting (of a horse) X.

ἐκ-φορέω contr.vb. **1** carry (someone or sthg.) out (of a house); carry out —an invalid Hdt. —corpses (W.GEN. fr. houses) Od.(tm.); (intr.) do the carrying out (of refuse) Od.
2 carry off —valuables (fr. a vault, a city) Hdt. Plu. —sheep E.Cyc.(mid.)
3 (specif., act. and mid.) carry away by distraint (i.e. so as to enforce payment of a debt or sim.), carry off —furniture,

commodities (fr. *someone's house or farm*) Is. D. ‖ PASS. (of furniture) be carried off —w. ἐκ + GEN. fr. *a house* Is. D. **4 carry away** —*soil* (fr. *an excavation*) Hdt.; **extract** —*valuable products* (fr. *a mine*) X. ‖ PASS. (of soil) be carried away Hdt. —w. ἐκ + GEN. *out of a tunnel* Hdt.; (of silver-ore) be extracted X. **5** ‖ PASS. (of armour) be borne away (by its wearers) —W.GEN. fr. *an encampment* Il. **6** ‖ PASS. (of corpses, wrecks) be cast ashore Hdt.

ἐκφόρια ων n.pl. (collectv.) **yield** (W.GEN. of a crop) Hdt.

ἔκφορος ον adj. **1** (of a woman's malady) **able to be divulged** (W.PREP.PHR. to men) E. **2** (of a person) **divulging news** (W.GEN. of a discussion) Ar. Pl. **3** (fig., of deities) prob., **helping to bring to birth, productive** (W.GEN. of pious persons) A.

ἐκ-φορτίζομαι pass.vb. (fig., of a person) be treated as merchandise for export, **be shipped off** S.

ἐκ-φράζω vb. | ep.3sg.redupl.aor.2 (tm.) ἐκ ... πέφραδε | **report** —*a message* AR.

ἐκ-φρέω contr.vb. | 1pl.impf. ἐξεφρίεμεν | fut. ἐκφρήσω | aor.subj. ἐκφρῶ, imperatv. ἔκφρες | **let out** —*someone* (fr. *a place of confinement*) E. Ar.

ἐκ-φροντίζω vb. **1** (of a person) **think out, devise** —*a way of hunting someone down* E.; (fig., of a desire for sthg.) —*a plan of action* Th. **2 think out, think through** —*a problem* Ar.

ἔκ-φρων ον, gen. ονος adj. [φρήν] **1** (of a person) **not in control of one's mind** (through strong emotion, poetic inspiration, drink) Pl. Plu.; **demented, insane** Plu.; (pejor.) **mad, crazy** Aeschin. D.; (wkr.sens.) **beside oneself, distraught** Plb. Plu. **2** (of animals) **frantic, disoriented** X.

ἐκ-φυγγάνω vb. **escape from** —*fetters and pain* A. —*someone's hands* Plb.

ἐκ-φυλάσσω vb. **keep careful guard over** —*a person, a path* S. E.; **watch carefully** —W.INDIR.Q. *where one puts one's foot* E.

ἐκ-φυλλάζω vb. [φυλλάς] (fig., of a god) **strip of leaves** (i.e. of children), **strip bare** —*a family* A.fr.

ἐκ-φυλλοφορέω contr.vb. [φυλλοφόρος] (of the Council) **take a preliminary vote with olive leaves to expel a councillor; expel** (W.ACC. someone) **by leaf-vote** Aeschin.

ἔκ-φῡλος ον adj. [φῦλον] **outside the (human) race;** (of a person's appearance, a country's practices) **alien, unnatural** Plu.

ἐκ-φῡσάω contr.vb. **1** (of elephants) **blow out, spout forth** —*water* (fr. *their trunks*) Plb.; (fig., of persons) **blow forth** —*deep sleep* (i.e. *snore*) Theoc.; (of a mountain river) **vent forth** —*its might* A. **2** ‖ PASS. (of smoke) be blown away (fr. someone, by wind) Plb. **3** (fig.) **fan up** —*a war* (envisaged as the embers of a fire) Ar. **4** ‖ PASS. (fig., of a person) **be puffed up or conceited** Plb.

ἐκ-φῡσιάω contr.vb. (of a dying person) **breathe forth, cough up** —*blood* A.

ἔκφυσις εως f. [ἐκφύω] **1 outgrowth** (of feathers) Pl.; (concr.) **offshoot** (on timber) Plb. **2** (fig.) **generation** or **growth** (W.GEN. of virtue) Pl.

ἐκ-φύω vb. | aor. ἐξέφῡσα | athem.aor. ἐξέφῡν | pf. ἐκπέφῡκα | ep.fem.pf.ptcpl. ἐκπεφυυῖα | **1** (of a man) **beget, father** —*a child* S. E. **2** (of a woman) **give birth to** —*a child* S. E. **3** (of a branch) **produce, put forth** —*leaves* NT.; (of ground) —*vegetation* Plu. **4** (intr., of a seed) **germinate** D. **5** ‖ ATHEM.AOR. and PF. (of a person) **be born** (usu w.GEN. fr. *a particular father or mother*) S. E. ‖ PF.PTCPL.ADJ. (of a chatterbox) **born, natural** S. **6** ‖ PF. and PLPF. (of trees) **grow** (in a place) AR.; (of the Gorgon's three heads) —W.GEN. fr. *one neck* Il.; (of a flower's hundred heads) —w. ἀπό + GEN. fr. *a root* hHom. **7** ‖ PF. (of rocks) **form an outcrop** Plu.; (of high ground) **be an outgrowth** —W.GEN. fr. *the earth* Plu.

ἐκ-φωνέω contr.vb. **cry out** —W.DIR.SP. sthg. Plu.

ἐκ-χαλῑνόω contr.vb. **unbridle** —*a horse* Plu.

ἐκ-χαραδρόω contr.vb. (of a torrent) **break into clefts, make full of ravines** —*a region* Plb.

ἐκ-χαυνόω contr.vb. **1** (of a limpet) **beguile** —*children's minds* Alc.(tm.) **2** (of a demagogue) **delude with empty promises, bamboozle** —*a city* E.

ἐκ-χέω contr.vb. —also **ἐκχύννομαι** (NT.) pass.vb. | aor. ἐξέχεα | MID.: ep.3sg.aor. ἐκχεύατο | ep.athem.aor. (w.pass.sens.): 3sg. ἐξέχυτο, also ἔκχυτο, ptcpl. ἐκχύμενος ‖ PASS.: aor. ἐξεχύθην | pf. ἐκκέχυμαι | plpf. ἐξεκεχύμην | **1 pour out** (of a vessel) —*wine, water, a libation* Il. A. Hdt.; (of Christ) —W.ACC. or ἀπό + GEN. *the Holy Spirit* (on people) NT.; (fig., of the Athenians) —*their state* (w. εἰς + ACC. *into Sicily, i.e. drain its resources in fighting there*) Arist.(quot.) ‖ PASS. and ATHEM.AOR.MID. (of water) **pour** or **stream forth** Il. Plu.; (of sweat) —W.GEN. fr. *statues* Plu.; (of perfume) be poured out Ar.; (of the gift of the Holy Spirit) NT. ‖ IMPERS.PF.PASS. *a libation has been poured* Carm.Pop. **2** ‖ PASS. and ATHEM.AOR.MID. (fig., of persons) **pour forth** (fr. *a place*) Hom. Hdt. Plb. P.u. —W.GEN. fr. *a city's walls* Ar.; (of bees) —fr. *a hive* AR.; (of a strong wind) **blow forth** Plu. **3** (tr.) **pour out** (to get rid of), **pour away** —*water, slops* E. Ar. —*a basin* (i.e. *its contents*) Call.(tm.) **4 pour out accidentally, spill** —*soup* Pl. ‖ PASS. and ATHEM.AOR.MID. (of water, wine, poison) be spilled Od. Hdt. NT. Plu. **5** (of Zeus) **pour down** —*rain* E.Cyc. ‖ PASS. (of rain) pour down Plu.; (of chains) be dropped down (fr. *a roof beam*) Od. **6 pour forth, shed** —*tears* Plu. ‖ PASS. (of tears) be shed Pl. **7 spill** —*someone's blood* (W.ADV. *on the ground*) A. ‖ PASS. (of blood) be spilled NT. **8** (fig.) **make** (W.ACC. *a character in a play*) **spill out** (of a dramatist's head, by hitting it) Ar. ‖ PASS. and ATHEM. AOR.MID. (of a person's guts) be spilled out Il.(tm.) NT.; (of a person's life-spirit) AR. **9 spill forth, scatter** (on the ground) —*arrows* (fr. *a quiver*) Od.(mid.) Pl. —*the coins of money-changers* NT. **10 pour forth, utter** —*laments, cries, or sim.* A. E. Ar. Plu.; **vent** —*one's anger* (w. εἰς + ACC. *against someone*) Plu. **11** (fig.) **pour down the drain, squander, waste** —*wealth, possessions* A. S. Plu. —*a plan* S.; (in ctxt. of shipwreck) **lose overboard** —*all one has* A.fr. —*one's possessions and oneself* Pl. ‖ MID. **exhaust** —*one's missiles* Plu. ‖ PASS. (of provisions) be wasted X.; (of goodwill for past actions) be forfeited Thgn.; (of past agreements) be overturned Pl.; (of a city) be drained (of resources) Plu. **12** ‖ PASS. (of cities) be spread or situated (throughout a region) A.(cj.) **13** ‖ PASS. (fig.) be carried away (w. enthusiasm) Ar. Plu. —w. εἰς + ACC. *for someone* Plb.; (pejor.) **abandon oneself** —w.

ἐκχόομαι

εἰς + ACC. to prostitutes Plb. —to a life of dissipation Plu. 14 (of sailors) spread out —sails AR.(tm.)

—**ἐκκεχυμένως** pf.pass.ptcpl.adv. dissolutely —ref. to living Isoc.; effusively —ref. to speaking Pl.; extravagantly —ref. to flattering someone Plu.

ἐκ-χόομαι pass.contr.vb. (of a city) be raised up on embankments Hdt.

ἐκ-χορεύομαι mid.vb. (of Artemis) banish (w.ACC. a woman) from one's dances E.

ἐκ-χράω contr.vb. | 3sg.impf. ἐξέχρη | 1 (of Apollo) declare in an oracle, predict —evils S.
2 (intr., of daylight) be sufficient —W.DAT. + INF. for someone to do sthg. Hdt. ‖ IMPERS. it is to the liking —W.DAT. + PASS.INF. of someone to be treated in such and such a way Hdt.

ἐκ-χρηματίζομαι mid.vb. exact money from —someone Th.

ἐκχύμενος (ep.athem.aor.mid.ptcpl.): see ἐκχέω

ἐκχύννομαι pass.vb.: see ἐκχέω

ἔκχυτο (ep.3sg.athem.aor.mid.): see ἐκχέω

ἐκ-χωρέω contr.vb. 1 go out (of a place); leave, depart Hdt. Plb. NT. Plu. —w. ἐκ + GEN. fr. a place Hdt. Plb. —W.GEN. Plb.; (of a people) emigrate (sts. W.PREP.PHR. to or fr. a place) Hdt.
2 (of troops) retreat, retire, withdraw Archil.(dub.) Plb. —W.GEN. fr. open country Plb.
3 (of an ankle-bone) slip out, be dislocated —w. ἐκ + GEN. fr. its joint Hdt.
4 (euphem.) depart —w. ἐκ + GEN. fr. life Plb.; (intr.) pass away D. Plb.
5 come out (of a situation), come off —W.ADV. badly E.
6 give up, renounce —W.GEN. an office, an inheritance, or sim. Plb.
7 give way, defer Plb. —W.DAT. to someone (W.PREP.PHR. over sthg.) Plb.; (of winter) make way —W.DAT. for summer S.

ἐκ-ψύχω vb. [ψύχω²] breathe one's last, die NT.

ἑκών οῦσα όν ptcpl.adj. 1 (of persons) acting of one's own free will, willing, ready Pi. Hdt. Trag. +; (fig., of a person's mind or back) Pi. B.; (most freq., quasi-advbl., of persons doing sthg.) of one's own free will, willingly, voluntarily, readily Hom. +; (lending emphasis to contrasted ἄκων unwilling) Il. Pi. • οὐ γάρ τίς με βίῃ γε ἑκὼν ἀέκοντα δίηται no one will force me to retire by imposing his will against mine Il.
2 acting intentionally or deliberately; (quasi-advbl., of persons doing sthg.) wilfully, deliberately, intentionally, purposely Il. +
3 (w.periphr.inf., usu. in neg.cls.) ἑκὼν εἶναι willingly, intentionally Hdt. Th. And. Pl. X. Plu.
4 (of evil actions) intentional S.

ἔλα (2sg.imperatv.), **ἐλάαν** (ep.pres. and fut.inf.), **ἔλαε** (ep.3sg.impf.): see ἐλαύνω

ἔλαβον (aor.2): see λαμβάνω

ἐλαθόμην (aor.2 mid.), **ἔλαθον** (aor.2): see λανθάνω

ἐλαίᾱ, Att. and Aeol. **ἐλάᾱ**, ᾱς, Ion. **ἐλαίη** ης f. 1 olive tree Hom. +
2 fruit of the olive tree, olive Ar. Pl. X. D. +

ἐλαιηρός ά όν adj. [ἔλαιον] (of a kind of liquid) consisting of oil Pl.; (of drops) of oil AR.

ἐλαΐνεος, also **ἐλάϊνος**, η ον Ion.adj. [ἐλαίᾱ] (of a club, stake, axe-handle) of olive-wood Hom.

ἔλαιον ου n. 1 olive-oil (used esp. in cooking, for lamps, for anointing the body or hair) Hom. + ‖ PL. drops of oil Call.
2 mineral oil Hdt. Plu.

ἐλαιο-πώλης ου m. [πωλέω] oil-merchant D.

ἔλαιος ου m. [ἐλαίᾱ] olive tree (w.epith. ἄγριος wild) Pi.fr. S. | see κότινος

ἐλαιούργιον ου n. [ἔλαιον, ἔργον] oil-press Arist.

ἐλαιο-φόρος ον adj. [ἐλαίᾱ, φέρω] (of the Acropolis) olive-bearing (ref. to the tree introduced there by Athena and maintained as sacred to her in historical times) E.

ἐλαιο-φυής ές adj. [φύω] | Att.acc. ἐλαιοφυᾶ | (of the Acropolis) olive-producing E.

ἐλαιό-φυτος ον adj. (of an island) planted with olives A.

ἐλάκησα (aor.1), **ἔλακον** (aor.2): see λάσκω

ἐλάμφθην (Ion.aor.pass.): see λαμβάνω

ἐλᾶν (pres. and fut.inf.): see ἐλαύνω

ἑλ-ανδρος ον adj. [ἑλεῖν, see αἱρέω; ἀνήρ] (of Helen, as the cause of the Trojan War) man-destroying A.

ἐλαο-λόγος ου Att.m. [ἐλαίᾱ λέγω] olive-picker Ar.

ἐλᾶς ᾶδος Att.f. olive tree Ar.

ἔλασα (ep.aor.), **ἐλάσασκον** (iteratv.aor.): see ἐλαύνω

ἐλασᾶς m. | only dat. ἐλασᾷ | a kind of bird Ar.

ἐλασί-βροντος ον adj. [ἐλαύνω, βροντή] (of an orator's words) hurled like thunder, thunderous Ar.

ἐλάσ-ιππος ον adj. [ἵππος] (of Day) horse-driving Lyr.adesp.; (of a family) of horse-drivers Pi.

ἔλασις εως f. 1 driving out, expulsion (W.GEN. of polluted persons) Th.
2 driving away, rustling (W.GEN. of cattle) Plu.
3 expedition, march (by an army) Hdt.
4 procession (of a monarch, w. horses and chariots) X.
5 riding (of a horse) X.
6 charge (by cavalry) Plu.

ἔλασσα (ep.aor.): see ἐλαύνω

ἐλασσόνως compar.adv.: see under ἐλάσσων

ἐλασσόω, Att. **ἐλαττόω** contr.vb. [ἐλάσσων] 1 make less, diminish, weaken, disadvantage —a people, city, or sim. Lys. Isoc. Plb.(also mid.) Plu.; lessen, reduce —the part of the chorus (in tragedy) Arist.; (in military ctxt.) worst, defeat —an enemy Pl. ‖ PASS. (of possessions, power) be reduced or diminished Th.
2 detract —W.GEN. fr. someone's honour Th.; (tr.) —nothing (fr. the truth) X.
3 ‖ PASS. (of persons) come off worst or be at a disadvantage Hdt. Th. Att.orats. Pl. + —W.GEN. in relation to someone Pl. X. D. Plu. —W.DAT. in respect of sthg. Antipho Th. Pl. X.; be impaired —W.DAT. in one's eyesight Plb.; (in military ctxt.) be worsted or defeated Hdt. Th. Plb.
4 ‖ PASS. (pejor.) fall short (of what is expected of one) Isoc.

ἐλάσσων, Att. **ἐλάττων**, ον, gen. ονος compar.adj. [ἐλαχύς] | for superl. see ἐλάχιστος | 1 (of a person, a city) lesser in status, inferior (sts. W.GEN. to another) Hdt. E. Th. Ar. Isoc.; (of a person) overcome (W.GEN. by one's feelings) Plu.
2 ‖ PL. (of persons or things) fewer (in number) A. Hdt. E. + ‖ MASC.SB. (w.art.) the smaller number, the minority Hdt.
3 (of concr. things, e.g. a military force, city, harbour, house, boat) smaller in size (than others), smaller Hdt. Th. Isoc. Thphr.
4 (of abstr. things, e.g. danger, slaughter, sufferings, power, wind) smaller in amount, degree or intensity (than others), smaller, less Hdt. S. E. Th. Ar. Att.orats. +; (of a crime) less serious Th.
5 (of time) shorter Hdt. Th. Pl.
6 ‖ NEUT.SB. (w. or without art.) smaller part, less (of sthg.) E. Antipho Th. +
7 (phr.) ἔλασσον (or τὸ ἔλασσον) ἔχειν be worse off, be at a disadvantage Thgn. Hdt. Th. Att.orats. +; (prep.phrs.) περὶ ἐλάσσονος ποιεῖσθαι, παρ' ἔλαττον ἡγεῖσθαι, ἐν ἐλάττονι

θέσθαι *treat or regard* (*sthg.*) *as of less account* Hdt. And. Pl. Plb.; δι' ἐλάσσονος *at or from a lesser distance* Th.; ἐπ' ἔλαττον *to a lesser extent or degree* Pl.; ἐς ἔλασσον *to a shorter length* Th.; (pl.) ἀπ' ἐλασσόνων *at less expense* Th.
—**ἔλασσον**, Att. **ἔλαττον** *neut.sg.compar.adv.* **1 to a lesser extent, less** (oft. w. ἤ *than* or COMPAR.GEN.) Il. Hdt. Trag. + **2** (in counting) **fewer** (w. ἤ *than* + a numeral or sim.) Th. +; (without ἤ) Pl.
—**ἐλάσσω**, Att. **ἐλάττω** *neut.pl.compar.adv.* **fewer times** Th. Pl.
—**ἐλασσόνως**, Att. **ἐλαττόνως** *compar.adv.* **to a lesser degree, less** Antipho Pl.
ἐλαστρέω *contr.vb.* [reltd. ἐλαύνω] **1** (of a ploughman) **drive** —*a team* (*of draught animals*) Il.; (of Erinyes) **hound, pursue** —*someone* E.; (intr., of a person) **travel** —W.PREP.PHR. *along a road* Thgn.
2 ∥ PASS. (of ships) be rowed Hdt.
ἐλάσω (fut.): see ἐλαύνω
ἐλάτειρα ᾱς *f.* [ἐλατήρ] (ref. to Artemis) **driver** (W.GEN. of horses) Pi.*fr.*
ἐλατέον (neut.impers.vbl.adj.): see ἐλαύνω
ἐλάτη ης, dial. **ἐλάτᾱ** ᾱς *f.* **1 fir tree** Hom. Hes. E. Pl. AR. + **2** oar made of fir, **oar** Hom. AR.; (meton.) **ship** or **boat** E.
ἐλατήρ ῆρος *m.* [ἐλαύνω] **1 driver** (of chariot-horses) Il. hHom. Alc.; **rider** (W.GEN. of horses) A. AR.
2 (ref. to Zeus) **driver** (W.GEN. of thunder) Pi.
3 (ref. to Zeus) **router** (W.GEN. of a race of giants) Call.
4 rustler (W.GEN. of cattle) hHom.
5 a kind of cake (beaten into a broad flat shape), **flat cake** Ar.
ἐλατήριος ᾱ ον *adj.* (of purificatory rites) **causing the expulsion** (W.GEN. of ruin) A.
ἐλάτης ου *m.* (ref. to a herdsman) **driver** (W.GEN. of flocks) E.*fr.*
ἐλάτινος, ep. **εἰλάτινος**, η (dial. ᾱ) ον *adj.* [ἐλάτη] **1** (of branches, wood, foliage) of the fir tree, **of fir** Il. E.
2 (of a bar, beam, mast) of fir-wood, **of fir** Hom.; (of oars) E. Tim.
ἐλαττονάκις *Att.compar.adv.* [ἐλάσσων] **by a smaller number** —*ref. to multiplying a larger number* Pl.
ἐλαττόνως *Att.compar.adv.*, **ἐλαττόω** *Att.contr.vb.*: see ἐλάσσων, ἐλάσσόω
ἐλάττωμα ατος *Att.n.* [ἐλασσόω] **1** inferior position, **disadvantage** D.
2 deficiency, defect (physical or moral, in a person) Plb. Plu.
3 reduction, curtailment (of wealth or expenditure) Plb.
4 (esp. in military ctxt.) **reverse, loss, defeat** Plb.
ἐλάττων *Att.compar.adj.*: see ἐλάσσων
ἐλάττωσις εως *Att.f.* **1 lessening, reduction** (of a country's power) Plu.
2 (in military ctxt.) **reverse, loss, defeat** Plb.
ἐλαττωτικός ή όν *Att.adj.* (of a person) **apt to take less** (than one's due) Arist.
ἐλαύνω *vb.* | fut. ἐλῶ, ep. (w.diect.) ἐλάω (AR.), 3pl. ἐλόωσι (Hom.), also ἐλάσω (Call.) | fut.inf. ἐλᾶν, ep. (w.diect.) ἐλάαν | aor. ἤλασα, ep. ἔλασα (also ἔλασσα), iteratv. ἐλάσασκον | pf. ἐλήλακα ∥ MID.: aor. ἠλασάμην, opt. ἐλασαίμην, ep.ptcpl. ἐλασσάμενος ∥ PASS.: aor. ἠλάθην | pf. ἐλήλαμαι | ep.3sg.plpf. ἠλήλατο, also ἐλήλατο, 3pl. ἠλήλαντο, also perh. ἐληλέατο (v.l. ἐληλάδατο, ἐληλέδατο)
∥ neut.impers.vbl.adj. ἐλατέον | —also pres. (mainly poet.)
ἐλάω *contr.vb.* | ep.ptcpl. (w.diect.) ἐλάων | imperatv. ἔλα | inf. ἐλᾶν, ep. ἐλάαν | ep.impf.: 3sg. ἤλαε and ἔλαε (AR.), 3pl. ἔλων (Hom.) ∥ The sections are grouped as: (1–5) drive away by force, (6–7) drive onwards by force, (8–13) cause to move onwards, (14) cause to be extended, (15–19) thrust forward, strike or beat. |
1 (of persons, deities, other non-human agents) force (someone) to move on before one or to flee away from one; **drive** —*someone* (usu. W.PREP.PHR. *to or fr. somewhere*) Il. Thgn. Trag. +; (of wind, fig.ref. to fortune) Pi.; (specif.) **banish, expel** —*someone* (usu. W.PREP.PHR. *fr. a place*) Il. Pi. Trag. + —(W.GEN.) E. ∥ PASS. (of persons) be driven (in flight) or banished A. E. —W.GEN. *fr. a land* E. —W.ADVBL.PHR. *fr. land to land* A.; (of sailors) be driven (out to sea) —W.DAT. *by winds* E.
2 (specif.) **drive out** —*a curse, persons under a curse* Th. —*pollution* (W.GEN. *fr. a land*) S. ∥ PASS. (of pollution) be driven out A.
3 drive (sthg.) **away** (fr. somewhere); **drive** or **clear away** —*cobwebs* (W.PREP.PHR. *fr. jars*) Hes. —*sleep* (*fr. someone's eyes*) Call.; **drive, stir** —*someone* (*fr. sleep*) E.(cj.)
4 (act. and mid.) **drive off** (as spoil) —*cattle, horses, or sim.* Hom. Hes.*fr.* hHom. Pl. X.
5 (wkr.sens.) **shed** —*tears* (W.PREP.PHR. *fr. one's eyes*) E.
6 force (animals) to move on before one; **drive** —*flocks, cattle, horses* (*to or fr. somewhere*) Hom. Hes. Hdt. S. X. +; (mid.) Od.
7 (of persons or gods) **drive** —*someone* (w. ἄδην + GEN. *to a satiety of war, of misery, i.e. give them their fill of it*) Hom.; (without GEN.) E.
8 (of a charioteer or sim.) cause to move onwards, **drive** —*horses, a chariot, a team of mules* Hom. Hes. Hdt. E. Ar. +; (intr.) **drive** (a chariot or sim.) Hom. Pi. Hdt. S. E. Pl. + —W.ACC. *on a course* Ar.; (of a chariot) —*a lap* Ar. ∥ PASS. (fig., of a lamp, envisaged as the sun's chariot) be driven or turned —W.DAT. *on the potter's wheel* Ar.
9 ride —*a horse* Od. Hdt. —*a camel* Hdt.; (intr.) **ride** (a horse) Hdt. Ar. X.; (of a horse) **get going** Ar. ∥ PASS. (of a horse) be ridden X.
10 (fig., of Life, envisaged as a charioteer) **drive on** —*four virtues* Pi.; (gener., of gods) **set in motion, bring on** —*brawling, madness* Il. E.; (of the sun, in an eclipse) —*some disaster* Pi.*fr.*; (of Wrath) —*a marriage* A.; (of a supernatural agency) —*events* D.
11 (intr., of a person, envisaged as a charioteer driving on a racecourse) **drive, run, go** —W.PREP.PHR. *off course* (*in speech*) B. —*close to madness* E. —*outside the limits of sanity* E.; (gener.) —W.PREP.PHR. *to an excess* (*of sthg.*) Tyrt. Sol. —*to poverty* Thgn. —*so far* (*in a matter*), *to utter wickedness* Hdt. —*to anger* E. —w. πόρρω or πρόσω + GEN. *far in wisdom, in a skill* Pl. X.; **be intent** —W.PREP.PHR. *on delay* S.
12 propel (w. oars), **row** —*a ship* Od. Ar. Isoc. Pl. AR.; (fig., ref. to sexual intercourse) —*a woman* Ar.; (intr.) Od. Th. Ar. Isoc. AR. —W.ACC. *over a calm sea* Od. ∥ PASS. (of a ship) be rowed Od.
13 (of a commander) **drive** —*his flock* (*fig.ref. to an army*) A.; **lead** (to or fr. somewhere) —*an army, troops* Pi. Hdt. E.; (intr., of a commander, troops) **march** Hdt. Th.
14 extend (sthg.) in a line; **extend, run** (in a specified direction) —*a wall, ditch, stakes* Hom. Hdt.; (of a ploughman) **drive** —*a furrow* Hes. Pi.; (of reapers) **cut** —*a swathe* Il.; (of a farmer) **plant** —*a row of vines* Ar. ∥ PASS. (of a wall or sim.) run or be extended Od. Hes. Hdt.
15 thrust forward, drive, thrust —*a spear* (W.PREP.PHR. *into or through sthg.*) Hom. Pi. —*a stake* (*under ashes*) Od.; (of Atlas) —*his hands* (*beneath the sky*) E. ∥ PASS. (of a spear or arrow) be driven or go —W.PREP.PHR. *into or through sthg.* Il.; (of a spindle-shaft) —*through the middle of a whorl* Pl.; (of spears) be fixed (in the ground) Il.

16 strike (w. a thrusting movement), **strike** —*someone, part of his body, his armour* (sts. W.DAT. *w. a sword, spear, staff, rod, hand, foot*) Hom. Hes. Pi. Ar.(quot. E.) Hellenist.poet. —W.DBL.ACC. *someone, on a part of his body* Il.; (of a boar) —*someone* (sts. W.DAT. *w. its tusk, also sts.* W.COGN.ACC. *a wound, i.e. give him a wound by striking him*) Od. Call.; (of Zeus) —*a ship* (*w. a thunderbolt*) Od.; (of Poseidon) —*a rock* (*w. a trident*) Il.; (of a person) —*the ground* (W.DAT. *w. one's forehead, hand*) Od. hHom.; (of a wave) —*a sailor* Od.; (of a person) **strike, knock** —*someone's head* (W.PREP.PHR. *against the ground*) Od. —*someone's teeth* (W.ADV. *to the ground*) AR. ‖ PASS. be struck —W.ACC. *in the back* (W.DAT. *by a spear*) Tyrt.

17 strike, beat —*the sea* (W.DAT. *w. oars*) Il.; **strike** —*a lyre* (W.DAT. *w. a plectrum*) E.

18 (of a smith) **beat out, forge** —*a shield, layers of metal* Il. —*a plough* (*of steel*) AR. ‖ PASS. (of a door) be forged AR.; (of a bed of gold) —W.DAT. *by the hands of Hephaistos* Mimn.; (of a person's heart) —W.GEN. *fr. steel* AR.

19 (of a person, a god, divine wrath) **hound, harass** —*a person, country, city* A. S. D. Men. AR. —*someone* (W.DAT. *w. ill-treatment, abuse, blame*) E. Tim. ‖ PASS. (of an arm) be racked —W.DAT. *w. pain* Il.; (of a person) —*w. grief* S.; be hounded or plagued —W.DAT. *by misfortunes, ill-treatment* S. E.; (of a lover) —W.PREP.PHR. *by a compelling frenzy* Pl.; (gener., of persons) be hounded or bullied D.

ἐλάφειος ᾱ ον *adj.* [ἔλαφος] (of meat) **of deer** (i.e. venison) X.

ἐλαφηβολίη ης *Ion.f.* —also **ἐλαφᾱβολίᾱ** ᾱς *dial.f.* [ἐλαφηβόλος] **deer-hunting** S. Call.

Ἐλαφηβολιών ῶνος *m.* **Elaphebolion** (ninth month of the Athenian year, in which a festival of Artemis was held) Th.(treaty) Aeschin. D.

ἐλαφη-βόλος, dial. **ἐλαφᾱβόλος**, ον *adj.* [βάλλω] (epith. of Artemis) shooting deer, **deer-hunting** hHom. Anacr. Scol. S.; (of a man) Il.

ἐλαφο-κτόνος ον *adj.* [κτείνω] (epith. of Artemis) **deer-killing** E.

ἔλαφος ου *m.f.* **deer** (both male, *hart* or *stag*, and female, *hind*) Hom. +; (as exemplifying a timid creature) Il. ‖ COLLECTV.FEM.PL. deer (of either sex, as generic term for the animal) Hom. E. X.

ἐλαφρίζω *vb.* **1** (of a billowing robe) **make** (W.ACC. *its wearer*) **light in weight** (for the bull which is carrying her) Mosch.
2 (intr., of feet) **be light and nimble** Call.
3 (fig.) **make light of, scorn** —*someone's challenge* Archil.

ἐλαφρός ά όν *adj.* | compar. ἐλαφρότερος, superl. ἐλαφρότατος | **1** (of objects, physical substances) light in weight, **light** Il. Parm. Hdt. Pl.; (of clothing) X.; (of a burden) NT.
2 (of persons, their limbs) light in movement, **nimble, agile, swift** Hom. Eleg. A. B. Ar. Pl. +; (of a spring in the knees of a poet, envisaged as an athlete) Pi.; (of birds, horses) Hom.; (of hares, hounds, fawns) X. Theoc.; (of the wind) Il.
3 (of actions) performed with light movement; (of dancing) **light, nimble** Pi.*fr.*; (of the beat of wings) A.
4 (of troops) **light-armed** Plb. Plu.; (of a commander) **with small forces** Plb.; (of equipment) **light** Plu.
5 (fig., of a person) **unburdened, relieved** (fr. cares, by wine) Thgn.; (of a city, by good prospects) Plu.; (of a person's flesh) **refreshed** (by the cessation of burning weather) Hes.; (of a course of action) **providing relief** B.*fr.* Theoc.(dub.)

6 (of a task) easy to perform. **light** Hdt. Pl. ‖ NEUT.IMPERS. (w. ἐστί understd.) it is a light matter, it is easy —W.INF. *to do sthg.* Simon. A. Pi.
7 (of fighting) easy to bear, **tolerable, light** Il.; (of labour pains) Call.; (of hunger) Bion; (of misfortune) Antipho Arist. Plu.
8 (of persons) lacking severity, **mild** Isoc. Call. Plu.; (of a penalty) **light** Pl.
9 (fig., of persons) **light-minded, unsteady, fickle** Plb.; (of madness) **light-headed, giddy** E.
10 (of rulers, cities) lacking strength or importance, **weak, insignificant** Plb.; (of a river) **small** Plb.
11 (phrs.) οὐκ ἐλαφρόν, οὐκ ἐν ἐλαφρῷ (w. ἐστί understd.) *it is no trivial matter* —W.INF. *to do sthg.* Call. Theoc.; ἐν ἐλαφρῷ ποιεῖσθαι *make light of* (*sthg.*) Hdt.

—ἐλαφρά *neut.pl.adv.* **lightly, nimbly** —*ref. to moving* Lyr.adesp.

—ἐλαφρῶς *adv.* **1 lightly, buoyantly** —*ref. to timbers floating* Od.
2 lightly, nimbly —*ref. to moving* Anacr. Ar. X. Plu.
3 lightly, easily —*ref. to bearing a yoke, reproving someone* Pi. Plu.; **with a light heart** —*ref. to growing old* Call.
4 lightly, sparsely —*ref. to sprinkling a liquid* Plu.

ἐλαφρότης ητος *f.* **1 lightness, agility** (in dancing) Pl.
2 lightness (of a person's physique) Plu.

ἐλάχιστος η ον *superl.adj.* [ἐλαχύς] | for compar. see ἐλάσσων | **1** ‖ PL. (of persons or things) **fewest in number, fewest or very few** Hdt. E. Th. +
2 (of concr. or abstr. things, such as money, land, power, hope, a part of sthg.) least in amount or extent, **least, smallest or very small** (freq. w.neg., in litotes, *not least* or *not smallest*, equiv. to *rather great*) hHom. Hdt. Th. +
3 (of a city) **least powerful** or **important** Hdt. Th.; (of a person) least in rank or estimation, **humblest** NT.
4 ‖ NEUT.SB. (in phrs.) least amount; ἐλαχίστου δεῖν + INF. *come within an inch of doing sthg.* Th.; (also) παρ' ἐλάχιστον ἐλθεῖν + INF. Th. Plu.; περὶ ἐλαχίστου ποιεῖσθαι *regard as least important* Pl. Is.; (of persons or things) ἐλαχίστου ἄξιος *of least value* X.
5 (prep.phrs.) δι' ἐλαχίστων *most briefly* Lys.; ἐν ἐλαχίστῳ *in a very small space* Th.; *in the smallest compass* Isoc.; *in a very small matter* NT.; *most briefly* Hdt.; ἐπ' ἐλάχιστον *to the smallest extent* Th.; παρ' ἐλάχιστον *very nearly, almost* D.
6 (of a route, a voyage) least in distance, **shortest** Hdt. Th. X.
7 (of time) least in duration, **shortest** Th. D.; (prep.phr.) δι' ἐλαχίστου *in the shortest time, suddenly* Th.
8 (w. numerals) **at least** Arist. • ἐν ἐλαχίστοις δυσί *in at least two* (*things*) Arist.

—ἐλάχιστον *neut.sg.adv.* **1 to the least extent, least** And. Pl. X. Thphr.; (also) τὸ ἐλάχιστον Th.; οὐκ ἐλάχιστον *most of all* Th. X. Arist.
2 (ref. to distance) **least far** Call.
3 (w. numerals) **at least** Th.; (also) τὸ ἐλάχιστον Hdt. X. D.

—ἐλάχιστα *neut.pl.adv.* **1 to the least extent, least** Att.orats.; οὐκ ἐλάχιστα *most of all* Pl. X.
2 least often, very rarely Th. Arist. Pl. X.

ἔλαχον (aor.2): see λαγχάνω

ἐλαχυ-πτέρυξ υγος *masc.fem.adj.* [ἐλαχύς] (of dolphins) **short-finned** Pi.

ἐλαχύς ἐλάχεια ἐλαχύ *adj.* | for compar. and superl. see ἐλάσσων, ἐλάχιστος | small in size or stature; (of the cicada) **little** Call.; (in neg.phr., of Artemis) **short** hHom.

ἐλάω (ep.fut., also contr.vb.): see ἐλαύνω

ἔλδομαι, ep. **ἐέλδομαι** *mid.vb.* | only pres. and impf. |
1 wish, desire (sthg.) Hom. AR. —W.INF. *to do sthg.* Hom. Pi. AR. —W.ACC. + INF. *sthg. to be the case* Od.
2 wish for, desire —*property* Od. —*an event* Od.; **desire to accomplish** —*some business* Od. ‖ PASS. (of war) be wished for Il.
3 be eager for, long for —W.GEN. *someone* (as wife) Il. —*food, wealth, lovemaking, sleep, a contest* Od. Hes. AR.; (of horses) —*the plain* Il. —*war* AR.; (of a husband) **long for, miss** —W.GEN. *one's wife* Od.

ἐλεαίρω *vb.* [reltd. ἐλεέω] | iteratv.impf. ἐλεαίρεσκον | aor. ἐλέηρα (AR.) | **feel pity** Hom.; **take pity on, pity** —*someone* Hom. hHom. Ar. AR. Mosch.

ἐλεᾶς *m.* | only nom. | a kind of bird Ar.

ἐλεγεῖα ᾶς *f.* [ἔλεγος] **1 elegy** (ref. to a poem in elegiac couplets) Arist. Plu.
2 ‖ PL. poem (or part of a poem) in elegiac couplets, **elegiacs** Plu.
3 (prep.phr.) δι' ἐλεγείας (gen.sg.) *in elegiacs* Plu.

ἐλεγεῖον ου *n.* **1 couplet consisting of hexameter and pentameter, elegiac couplet** Th. Critias Arist. Plu.
2 ‖ PL. **elegiac couplets, elegiacs** (whether forming a complete poem or not) Pl. Lycurg. D. Arist. Plu.; (ref. to a poet's whole output in this metre) Arist.; (ref. to an inscription) Lycurg.; (ref. to an inscription of a single couplet) D.
3 poem in elegiacs (ref. to an inscription in two or three couplets) Plu.
4 (gener.) **elegiac rhythm** (as illustrated by the second line of a couplet) Pl.

ἐλεγειο-ποιός οῦ *m.* [ποιέω] **writer of elegiac verse** Arist.

ἐλεγκτέον (neut.impers.vbl.adj.): see ἐλέγχω

ἐλεγκτήρ ῆρος *m.* [ἐλέγχω] **one who proves guilt, convictor, prosecutor** (W.GEN. of murderers) Antipho

ἐλεγκτικός ή όν *adj.* **1** (of a god, fig.ref. to a person) **given to cross-questioning** Pl.; (of persons) **apt to be critical** Arist.; (W.GEN. of errors) Arist. ‖ MASC.SB. **expert in refutation** Pl.
2 (of a syllogism or other method of proof) **refutative** Arist.; (of an orator's technique) Plu.

—**ἐλεγκτικῶς** *adv.* **1 critically, argumentatively** —*ref. to questioning someone* X.
2 by refutation —*ref. to proving sthg.* Arist.

ἐλέγμην (ep.athem.aor.mid.): see λέγω

ἔλεγος ου *m.* **1** (sg. and pl.) **song of mourning** (w. no connot. of metre), **lament** E. Ar. AR.; (ref. to the song of certain birds) E. AR.
2 ‖ PL. **poetry in elegiac couplets, elegiacs** Call.

ἐλεγχείη ης *Ion.f.* [ἐλέγχω] **1** (abstr.) **reproach, blame** (directed against someone) Hom. ‖ PL. (concr.) **reproaches** AR.
2 cause or occasion of shame or reproach (for someone), **shame, disgrace, dishonour** Hom.

ἐλεγχής ές *adj.* | superl. ἐλέγχιστος | (of persons) **deserving blame or contempt, disgraceful, shameful, contemptible** Hom.

ἔλεγχος[1] εος (ους) *n.* **1** (sg. and pl.) **cause or occasion of shame or blame** (for someone), **shame, disgrace, dishonour** Hom. Pi.
2 (ref. to a person) **shameful creature, disgrace** Il. Hes.
3 ‖ PL. **reproaches** AR.

ἔλεγχος[2] ου *m.* **1 technique of argument for the purpose of disproof or refutation; refutation** Parm. Pl. Arist.
2 process or possibility of refuting or disproving; (sg. and pl.) **refutation** (of statements, charges, or sim.) Th. Att.orats. Pl. Arist.
3 examination, investigation (of persons or things) Th. Att.orats.; **questioning** (of a person) Hdt. E.
4 (gener.) **test, examination, scrutiny, trial** (as a means of determining the true nature of persons or things) Pi. Hdt. S. E. And. +; (W.GEN. of the truth) Antipho; (of persons, i.e. of their character or abilities) Pi. E.; (of strength, skill, remedies) S. Ar.
5 result of examination; evidence, proof (of sthg.) E. Att.orats.; (W.GEN. of virtue) And.; **account** (of one's life or character) Isoc. Pl.

ἐλέγχω *vb.* | fut. ἐλέγξω | aor. ἤλεγξα ‖ PASS.: fut. ἐλεγχθήσομαι | aor. ἠλέγχθην | pf. ἐλήλεγμαι
‖ neut.impers.vbl.adj. **ἐλεγκτέον** | **1 expose** (someone or sthg.) **to shame or reproach; treat with contempt, scorn** —*someone's message and journey* Il.; **bring shame on, disgrace** —*someone* Od.; (of athletes) **put to shame, show up** —*their rivals* (W.DAT. w. their speed) Pi.
2 cross-examine, question —*someone* S. E. Ar. Att.orats. Pl. —(W.INDIR.Q. *as to whether sthg. is the case*) A. E. Ar.; **ask about** —*sthg.* S.; **ask** —W.NEUT.ACC. *these questions* S.; (intr.) **hold an inquiry** Hdt. E. ‖ PASS. **be questioned** Hdt. Ar. X. —(W.INDIR.Q. *as to whether sthg. is the case*) D.; (of a house) **be searched** Plu.
3 examine, test —*someone, an argument, a report, or sim.* E. Pl. —*someone's words* (W.INDIR.Q. *to see whether they are true*) E.fr.; (intr.) **conduct a judicial inquiry** Th. ‖ PASS. (of a person) **be examined** (under torture) Plb.; (of things) **be tested** Pl.
4 refute, confute —*persons, their words* Hdt. E. Th. Ar. Att.orats. + ‖ PASS. (of a person) **be refuted** Pl.
5 blame, find fault with —*persons, their art, their actions* A. Th. Ar. Plb. Plu.; **accuse** —*someone* (W.COMPL.CL. *of doing sthg.*) Hdt. Plu. —(W.INF.) E.; **charge** (someone) **with** —*certain actions* S. ‖ PASS. (of a person) **be faulted or rebuked** Ar. NT. Plu.; (of an initiative) **be rejected** Plu.
6 expose, give proof of —*a deed, a state of affairs* A. Plu.; (of poetic skill and the truth) —*the worth of men* B.fr.; (of victory) —*some weakness* Plu.; (of a person) **prove** (the truth of) —*assertions* (W.DAT. w. facts) Antipho; **prove, show, demonstrate** —W.COMPL.CL. *that sthg. is the case* Pl. —W.ACC. + COMPL.CL. or ACC.PTCPL. *that someone is doing or did sthg., or that sthg. is the case* Ar. Att.orats. Pl. Plu.; (of Necessity) **give proof** (that sthg. is the case) Hdt.
7 ‖ PASS. (of a person, a crime, an affair) **be exposed** Antipho Is. Plb. Plu.; (of a person's nature) **be revealed** Plb.; (of a person) **be proved** —W.INF. *to have done sthg., to be or have sthg.* Antipho Plu. —W.NOM.PTCPL. *to be doing or to have done sthg.* Att.orats. —W.PTCPL. + PREDIC.ADJ. or SB. *to be such and such* Att.orats. X.; (of unfamiliar persons) **be subject to approval** —W.DAT. *by time* (i.e. face the test of time) A.(dub.)
8 (intr., of a prosecutor) **prove one's case** D.; (tr.) **convict** —*someone* (of a crime) NT. ‖ PASS. **be convicted** Plu.
9 (of a sophistic argument) **prove, draw** —*paradoxical conclusions* Arist.

ἐλεεινός *ep.adj.*: see ἐλεινός

ἐλεέω *contr.vb.* [ἔλεος] | aor. ἠλέησα, ep. ἐλέησα | **take pity on, pity** —*someone or sthg.* Hom. hHom. B. S. Ar. Att.orats. +; (intr.) **feel** or **show pity** Hom. Ar. + ‖ PASS. (of persons) **be pitied** Att.orats. +

ἐλεημοσύνη ης *f.* [ἐλεήμων] **1 pity, compassion** Call.
2 act of kindness or **compassion** NT.; **alms, charity** NT.

ἐλεήμων ον, gen. ονος *adj.* [ἔλεος] (of a person, a heart) **full of pity, compassionate, sympathetic** Od. Att.orats. Arist. NT.;

ἐλέηνα

(iron.) **having a soft spot, full of sympathy** (W.GEN. for gold plate) Ar.

ἐλέηνα (aor.): see λεαίνω

ἐλεητικός ή όν adj. **1** (of persons) **compassionate** Arist. **2** (of a circumstance) evoking pity, **pitiable** Arist.

ἐλεητύς ύος f. **compunction, scruple** Od.; (W.INF. in making free w. someone else's property) Od.

Ἐλείθυια f.: see Εἰλείθυια

ἐλεῖν (aor.2 inf.): see αἱρέω

ἐλεινολογίᾱ ᾱς f. [ἐλεινός, λέγω] **technique of making speeches that evoke pity** Pl.

ἐλεινός, ep. **ἐλεεινός**, ή όν adj. [ἔλεος] **1** (of a person) finding pity, **pitied** Hom.
2 (of a person, a corpse) evoking pity, **piteous, pitiable** Hom. A. E. Att.orats. Pl. Arist. +; (of sorrow, tears) Od. Men. AR.; (of speech, a sight, cry, or sim.) hHom. S. Pl. D. Arist. Plb.; (of clothing) Ar. ‖ NEUT.SG.SB. that which evokes pity Arist. ‖ NEUT.PL.SB. pitiable events, actions, circumstances or sufferings Pl. Arist. AR. Theoc.*epigr.*
3 (of tears) showing pity, **full of pity, compassionate** Od.; (of a feeling) **of pity** Pl. ‖ NEUT.SB. emotion of pity Pl.

—**ἐλεινόν** neut.sg.adv. **with pity, compassionately** S.

—**ἐλεεινά** ep.neut.pl.adv. **piteously, pitiably** Il. AR.

—**ἐλεινῶς** adv. **1 piteously, pitiably** Ar. D. Plb.
2 with pity, compassionately S.

ἐλειο-βάτης ου m. [ἕλειος, βαίνω] **one who walks in the marshes** (of the Nile Delta), **marsh-dweller** A.

ἐλειο-νόμος ον adj. [νέμω] (of nymphs) **marsh-dwelling** AR.

ἕλειος ᾱ ον (also ος ον E.) adj. [ἕλος] **1** (of valleys, an expanse of ground) **marshy** Ar.
2 living or growing in marshes; (of the reed) **of the marshes** A.; (of a snake) E.; (of hares) X. ‖ MASC.PL.SB. marsh people (in Egypt) Th.

ἐλείφθην (aor.pass.): see λείπω

ἔλεκτο (ep.3sg.athem.aor.mid.): see λέχομαι

ἐλελάθει (dial.3sg.plpf.): see λανθάνω

ἐλελεῦ interj. [reltd. ἐλελίζω²] **eleleu!** (doubled, as a cry of pain) A.; (as a ritual cry at the Oskhophoria festival) Plu.

—**ἐλελελεῦ** interj. (as a war-whoop) **eleleleu!** Ar.

ἐλελήθειν and **ἐλελήθη** (plpf.): see λανθάνω

ἐλελίζω¹ vb. | impf. ἠλέλιζον (E.) | ep.aor. ἐλέλιξα, dial.ptcpl. ἐλελίξαις (Pi.) ‖ PASS.: ep.3sg.impf. ἐλελίζετο | ep.aor. ἐλελίχθην | ep.3sg.plpf. (or athem.aor.?) ἐλέλικτο ‖ Several of the forms of this vb. are shared w. ἐλελίζω² and ἑλίσσω. |
1 cause (sthg.) to shake, tremble or vibrate; (of Zeus, Hera) **shake** —*Olympos* Il.; (of a musician) **make** (W.ACC. the lyre, i.e. its strings) **quiver** or **vibrate** Pi.; (of Zeus) **brandish** —*lightning* Pi.; (of painful feelings) **shake, rack** —*someone's heart* AR. ‖ MID. make a shaking or vibrating movement; (of a dancer) **trip nimbly** Pi.*fr.*; (of a nightingale) **trill** E.
—W.DAT. w. *its singing* Ar. ‖ PASS. (of Olympos, a person's limbs, a brandished spear, robe, girl's heart) shake, quiver, tremble Il. hHom. AR.; (of a lyre) vibrate Pi.
2 (intr., of a dying person) **quiver, writhe, be convulsed** E.(cj.)

ἐλελίζω² vb. [ἐλελεῦ] | aor. ἠλέλιξα, ep. ἐλέλιξα | **1** (of troops about to charge) **utter a war-whoop** —W.DAT. *to Enyalios* X.
2 (of a shield, struck by its bearer) **boom** —W.ADVBL.ACC. w. *a warlike noise* Call.

—**ἐλελύσδω** Aeol.vb. [perh.reltd. rather to ὀλολύζω] (of women) **raise a cry** (of joy) Sapph.

ἐλέλικτο (ep.3sg.plpf. or athem.aor.mid.): see ἑλίσσω

ἐλέλιξα¹ (ep.aor.): see ἐλελίζω¹

ἐλέλιξα² (ep.aor.): see ἐλελίζω²

ἐλέλιξα³ (ep.aor.), **ἐλελίχθην** (ep.aor.pass.): see ἑλίσσω

ἐλελί-χθων ον, gen. ονος adj. [ἐλελίζω¹, χθών] (of Bacchus, as leader of dances) **who shakes the land** (W.GEN. of Thebes) S.; (of a four-horse chariot) **which shakes the earth** Pi. ‖ MASC.SB. **Earth-shaker** (as name of Poseidon) Pi.

ἐλε-νᾱς (or **ἐλέναυς**) nom.fem.adj. [ἑλεῖν, see αἱρέω; ναῦς] (of Helen) **ship-destroying** A.

Ἑλένη ης, dial. **Ἑλένᾱ** ᾱς f. **Helen** (daughter of Zeus and Leda, wife of Menelaos, famed for her beauty, whose abduction by Paris was the cause of the Trojan War) Hom. +

ἔλεξα¹ (aor.): see λέγω

ἔλεξα² (ep.aor.): see λέχω, under λέχομαι

ἐλέξατο (ep.3sg.aor.mid.): see λέχομαι

ἐλεό-θρεπτος ον adj. [ἕλος, τρέφω] (of parsley) **which grows in marshland** Il.

ἐλεόν¹ adv. [reltd. ἐλεινός] **piteously, pitiably** Hes.

ἐλεόν² οῦ n. **tray, platter** (for food, esp. meat) Hom.; **table** (of a sausage-maker) Ar.

ἔλεος ου m. —also **ἔλεος** ους (Flb. NT.) n. **1 pity, compassion** Il. E. Th. Att.orats. Pl. +; (W.GEN. for someone) E. Lys. Plb. ‖ PL. feelings or demonstrations of pity Pl. D.; (pejor.) pitiful pleas (W.GEN. of an orator) Dir.
2 pitiful happening E.

ἐλέ-πολις, ep. **ἐλέπτολις**, ι, gen. εως adj. [ἑλεῖν, see αἱρέω; πόλις] **1** (of Helen) **city-destroying** A. ‖ FEM.SB. (ref. to Iphigeneia) city-destroyer (W.GEN. of Ilion and the Phrygians) E.
2 ‖ FEM.SB. **city-taker** (ref. to a powerful siege-engine) Plu.

ἑλέσθαι (aor.2 mid.inf.), **ἕλεσκον** (iterat.v.aor.): see αἱρέω

ἐλεσπίδες ων f.pl. [ἕλος] **marshlands** AR.

ἑλετός ή όν adj. [ἑλεῖν, see αἱρέω] (of a dead man's soul, in neg.phr.) **able to be seized** or **grasped** (so as to bring him back to life) Il.

ἐλευθερίᾱ ᾱς, Ion. **ἐλευθερίη** ης f. [ἐλεύθερος] **1 status of a free person, freedom** (opp. slavery) Hdt. Att.orats. +
2 freedom from despotism or foreign control, freedom, liberty, independence (enjoyed by a city, country, or sim., or by individuals within them) A. Pi. Hdt. S. Th. Att.orats. +
3 (gener.) freedom to act as one pleases, **freedom, liberty** Pl. X. Thphr.; (pejor.) excessive freedom in behaviour, **licence** Pl.
4 freedom, release (w. ἀπό + GEN. fr. all controls) Pl.; (W.GEN. fr. undesirable passions) Pl.

ἐλευθεριάζω vb. [ἐλευθέριος] **act like a free person, be free, be independent** Pl. Arist.

ἐλευθερικός ή όν adj. [ἐλεύθερος] (of a constitution) **free** (opp. under autocratic control) Pl. ‖ NEUT.SB. behaviour characteristic of a free person Pl.

ἐλευθέριος ον (also ᾱ ον X.) adj. **1 worthy** or **typical of a free person**; (of the child of a slave) **with the qualities of a free man** Thgn.; (of food) **suitable for a free man** Thgn.
‖ COMPAR. (of a slave's speech) **more typical of a free man** Hdt.
2 (w. further connots. of the qualities characteristic of or expected in a free person, such as good manners or honesty); (of men) **liberal, gentlemanly, decent, honourable** Isoc. Pl. X.; (of a female slave) **with the manners of a lady** Men.; (of steadiness of character, in a Thracian) **characteristic of a gentleman** Pl.
3 (of activities, studies, education, or sim.) suited to a free person, **liberal, civilised** Pl. X. Aeschin. Arist.
4 (of persons, the beauty of their soul) worthy of a free man (in appearance), **fine, noble** X.; (cf a horse) X.

5 (of persons) ready in giving, **open-handed, munificent, generous** X.; (of a type of person, occupying the mean betw. the ἄσωτος *prodigal man* and the ἀνελεύθερος *stingy man*) **liberal** Arist.
6 (of speech) unrestrained, **frank, honest** Aeschin.
7 (as a cult title of Zeus) **of liberation** Pi. Hdt. E. Th. +
—**ἐλευθερίως** *adv.* **1** in a manner appropriate to a free man, **in a civilised** or **gentlemanly manner** Pl. X. Aeschin. Arist. Men.; **in a ladylike manner** Men. Plb.
2 liberally —*ref. to being educated* X. Aeschin.
3 liberally, generously —*ref. to using one's money* X.; **in the manner characteristic of a liberal man** Arist.

ἐλευθεριότης ητος *f.* **1** quality distinguishing a liberal man, **liberality, decency** Pl.
2 (specif.) **liberality, generosity** Plu.; (W.GEN. w. regard to money) Pl.; (as the mean betw. prodigality and stinginess) Arist.; **considerateness, courtesy** (W.GEN. of a service performed for someone) Plu.

ἐλευθερο-πρεπής ές *adj.* [ἐλεύθερος, πρέπω] (of virtue) **befitting a free man** Pl.
—**ἐλευθεροπρεπῶς** *adv.* **in a manner befitting a free man** Pl.

ἐλεύθερος ᾱ (Ion. η) ον (also ος ον A. E.) *adj.* **1** (of persons) **free** (opp. enslaved or subject to another) Alc. Sol. Hdt. Trag. +; (of eyes, a neck, periphr. for the person) A. E.; (of a city, country, or sim.) A. Hdt. E. Th. + || NEUT.SB. **freedom** Hdt. E. Th.
2 (gener., of things) of or related to a free person; (of a day, i.e. a time or state; of a life) **of freedom** Il. E.; (of a mixing-bowl, ref. to its being set up) **to celebrate deliverance** (fr. one's enemies) Il.; (of an enterprise) **in the cause of freedom** Pi.; (of the name, the sword) **of a free man** E.*fr.*; (of tests) **to which free persons may be subjected** Pl.
3 (equiv. to ἐλευθέριος 1 and 2) worthy or typical of a free person; (of a person's mind, thoughts, speech, character) **liberal, generous** Pi. S. E. Lys. Ar.; (of persons) **civilised** Thgn. E. Pl.; (opp. artisans or sim.) Pl. || NEUT.SB. liberal character (of Athens) Pl.
4 (as the name of a square in the Persian capital, reserved for public buildings and prohibited to traders and the like) **free** X.
5 released from or clear of (someone or sthg.); (of persons) **free** (W.GEN. fr. a persecutor) E.; (of a city, fr. tyrants) Hdt.; (of a hand, fr. a thyrsos) E.; (of houses, w. ἄτερ + GEN. fr. women) E.; (of persons, W.GEN. fr. sufferings, troubles, fears, oracles, a fine) Trag. Pl.; (of an eye, fr. modesty) E.
6 free or **cleared** (of guilt) A.; (W.GEN. of blood-guilt, a charge) E. Men.; (w. ἔξω + GEN. of a charge) S.
7 possessing freedom of action, **independent** X.; (w. ἀπό + GEN. of one another) Pl. X.
8 (of speech) free from constraint, **uncurbed, free** Trag.; (of thoughts) Pl.
9 (of property, an estate) free from debt or other obligations, **unencumbered** Is. D.
—**ἐλευθέρως** *adv.* **1 freely, without constraint** —*ref. to acting, speaking, or sim.* Hdt. S. E. Th. Ar. Pl. +
2 in a manner appropriate to a free man —*ref. to speaking, being brought up* Isoc. Pl.

ἐλευθεροστομέω *contr.vb.* [ἐλευθερόστομος] **speak freely** or **frankly** A. E.
ἐλευθερό-στομος ον *adj.* [στόμα] (of a tongue) **that is free to speak** A.
ἐλευθερόω *contr.vb.* **1 set free, liberate** (fr. slavery or subjection) —*persons, cities, or sim.* A. Hdt. E. Th. Ar. Att.orats. + || PASS. be set free or liberated Hdt. Th. + —W.GEN. *fr. tyrants* Hdt. —w. ἀπό + GEN. *fr. certain people* Pl.
2 || PASS. (of a person) be released (fr. custody) E.; (of dead persons) —W.GEN. *fr. the underworld (compared to a prison)* Pl.; (of passions) be liberated, be given licence Pl.
3 release —*someone* (fr. a debt) Hdt. —(W.GEN. *fr. a debt*) Pl. —(*fr. a plight*) E. || MID. (of death) **bring release** —W.GEN. *fr. miseries* A.(dub.)
4 (in legal ctxt.) **release, absolve** —*someone* (W.GEN. *fr. blood-guilt*) E.; **allow** (W.ACC. someone) **to go free** A. X. || PASS. be absolved (of guilt) A.; be allowed to go free X.
5 free, clear —*a channel (fr. enemy blockade)* Th.; **keep** (W.ACC. one's lips) **free** (of incriminating remarks) S.
6 (periphr.) **release** —*one's foot* (w. ἐκ + GEN. *fr. running away, i.e. stop running away*) E.

ἐλευθέρωσις εως *f.* **1 liberation** (fr. servitude or domination, sts. W.GEN. of slaves, peoples) Hdt. S.*Ichn.* Th. Arist. Plb. Plu.; (w. ἀπό + GEN. fr. someone) Th. Plu. || PL. grants of freedom Plu.
2 release, letting loose (W.GEN. of passions) Pl.

ἐλεύθω *dial.vb.* [reltd. ἐλεύσομαι, see ἔρχομαι] | only aor. ἔλευσα | (of ships) **bring** —*trouble* (W.DAT. *to Troy*) Ibyc.; (of Perseus) —(*prob.) the Gorgon's head* Pi.*fr.*

Ἐλευσίς ῖνος *f.* **Eleusis** (Athenian deme, sacred to Demeter and Kore, site of the annual festival of the Mysteries) hHom. Pi. Hdt. E. +
—**Ἐλευσῖνάδε** *adv.* **to Eleusis** Lys. X. D. Arist. Plu.
—**Ἐλευσῖνόθε(ν)** *adv.* **from Eleusis** Pi.*fr.* And. Lys. Arist. Plu.
—**Ἐλευσίνιος** (**Ἐλευσείνιος** hHom. S.) ᾱ (Ion. η) ον *adj.* (of Demeter) **of Eleusis** Lyr.adesp. Hdt. S. Plu.; (of a person) belonging to the deme of Eleusis, **Eleusinian** Is. D. Men. || MASC.PL.SB. people of Eleusis, Eleusinians hHom. Th. +
—**Ἐλευσίνιον** ου *n.* **Eleusinion** (temple of Demeter and Kore, below the Acropolis) Th. And. Lys. X.
—**Ἐλευσίνια** ων *n.pl.* **Eleusinia, Festival at Eleusis** Arist. Din.

ἔλευσις εως *f.* [ἐλεύσομαι, see ἔρχομαι] **coming, advent** (of Jesus Christ) NT.

ἐλεύσομαι (fut.mid.): see ἔρχομαι

ἐλεφαίρομαι *mid.vb.* [perh.reltd. ὀλοφώιος] | aor.ptcpl. ἐλεφηράμενος | (of the Nemean Lion) **harm, destroy** —*people* Hes.; (of a god) perh. **thwart, foul** —*a charioteer* Il.; (intr., of dreams) perh. **be harmful** Od.

ἔλεφαις Aeol.m.: see ἐλέφας

ἐλεφαντ-άρχης ου *m.* [ἐλέφας, ἄρχω] (as a military title) **commander of elephants** Plu.

ἐλεφάντινος (also **ἐλεφαντίνεος** Simon.) η (dial. ᾱ) ον *adj.* **1** (of objects) made of ivory, **ivory** Lyr. Ar. Pl. Theoc. +
2 (of a gleam) having the colour of ivory, **ivory-white, ivory** Simon.

ἐλεφαντό-δετος ον *adj.* [δέω¹] (of a throne, a lyre) **inlaid with ivory** E. Ar.

ἐλεφαντομαχίᾱ ᾱς *f.* [μάχομαι] **elephant-fight** (as a spectacle in the Roman arena) Plu.

ἐλέφᾱς, Aeol. **ἔλεφαις**, αντος *m.* [loanwd.] **1** substance composing an elephant's tusk, **ivory** Hom. Hes. Lyr. Pl. +
2 elephant Hdt. Pl. +

ἐλέχθην (aor.pass.): see λέγω
ἔληθον (impf.): see λανθάνω
ἐλήλακα (pf.), **ἐλήλαμαι** (pf.pass.), **ἐλήλατο** and **ἐληλέατο** (ep.3pl.plpf.pass.): see ἐλαύνω
ἐλήλεγμαι (pf.pass.): see ἐλέγχω
ἐληλουθώς (ep.pf.ptcpl.), **ἐλήλυθα** (pf.), **ἐληλύθει** (3sg.plpf.): see ἔρχομαι

ἐλήφθην (aor.pass.): see λαμβάνω

ἐλθέ (aor.2 imperatv.), **ἐλθεῖν** (inf.), **ἐλθέμεν**, **ἐλθέμεναι** (ep.infs.), **ἔλθην** (Aeol.inf.), **ἐλθών** (ptcpl.): see ἔρχομαι

ἐλίγδην adv. [ἑλίσσω] with a circling movement, **dizzily** —ref. to a person's eyes rolling A.

ἔλιγμα ατος Aeol.n. **circlet** or **bracelet** Sapph.

ἑλιγμός, Ion. **εἰλιγμός**, οῦ m. **1** (pl.) **twist, turning, convolution** (of a labyrinth, path, stream, dance) Hdt. X. Plu.; (of rope, in a knot) Plu.
2 (sg.) **rotatory motion** (of air, compared to a whirlpool or waterspout) Plu.

ἑλικ-άμπυξ υκος masc.fem.adj. [ἕλιξ] (of Semele) **with twisting headband** Pi.fr.; (prob. of the Moon) Pi.fr.

Ἑλίκη[1] ης f. **Helike** (name of the Great Bear, derived fr. its continual circling movement around the pole) AR.

Ἑλίκη[2] ης f. **Helike** (town on the N. coast of Achaea, w. a temple of Poseidon) Il. Hes. Hdt. Call. Theoc. Plb.

—**Ἑλικώνιος**[2] ᾱ ον adj. (epith. of Poseidon) **Helikonian** Il. Hdt.

ἑλικο-βλέφαρος, dial. **ἑλικογλέφαρος**, ον adj. [βλέφαρον] (of Aphrodite, Maia, mortal women) perh. **with curling eyelashes** Hes. hHom. Simon. Pi. [or perh. *quick-glancing*]

ἑλικο-δρόμος ον adj. (of a rotatory movement) **running a circular course** E.(cj.)

ἑλικο-ειδής ές adj. [εἶδος[1]] (of a line) **with sinuous shape** (ref. to the outline of a Roman *ancile*, figure-of-eight shield) Plu.

ἑλικός ή όν adj. | superl. ἑλικώτατος | (of river water) perh. **black** Call. [or perh. *eddying* or *meandering*] | cf. ἑλίκωψ, ἕλιξ 6, 7

ἑλικο-στέφανος ον adj. (of a woman) **with twined garland** B.

ἑλικότροχος adj.: see ἑλίτροχος

ἑλικτήρ ῆρος m. **jewellery in spiral or twisted form, earring** Lys.

ἑλικτός (also **εἰλικτός** E.) ή (dial. ᾱ́) όν adj. [ἑλίσσω] **1** (of oxen) **twisted** (W.DAT. w. their horns, i.e. w. twisted horns) hHom.
2 (of a serpent) **coiling** or **coiled** S.; (of ivy) **curling, twining** E.
3 (of a dancer's feet) **circling** E.
4 (of the lid of a basket) perh. **plaited** E.
5 (of a panpipe) **wound, circled** (w. a binding) Theoc.; (of foliage) **twined** (W.DAT. w. bands of wool) Theoc.
6 (fig., of thoughts) **twisted, tortuous, devious** E.

Ἑλικών ῶνος m. **Helikon** (mountain in Boeotia, home of the Muses) Hes. hHom. E. X. Corinn. +

—**Ἑλικωνιάδες** ων fem.pl.adj. (of the Muses) **of Helikon, Helikonian** Hes. || SB. **Muses of Helikon** Pi. Theoc.epigr.

—**Ἑλικωνίς** ίδος fem.adj. (of a spring, ref. to Hippokrene) **on Helikon** Call.; (pl., of the Muses) **of Helikon, Helikonian** Ibyc. E.

—**Ἑλικώνιος**[1] ᾱ ον adj. (of the maidens, i.e. Muses) **of Helikon, Helikonian** Pi.

Ἑλικώνιος[2] adj.: see under Ἑλίκη[2]

ἑλίκ-ωψ, Aeol. **ἑλίκωψ**, ωπος masc.adj. [app. ἕλιξ, ὤψ] (of the Achaeans) perh. **black-eyed, dark-eyed** Il.; (of warriors) Alc. [or perh. *with darting eyes, quick-glancing*] | cf. ἑλικός, ἕλιξ 6, 7

—**ἑλικῶπις**, Aeol. **ἑλικῶπις**, ιδος fem.adj. (of girls, nymphs) Il. Hes. Sapph. S.; (of the Muses) hHom.; (of Aphrodite) Pi.

ἑλινύες ων f.pl. [ἑλινύω] **days of rest, holidays** Plb.

ἑλινύω vb. | ep.impf. ἑλίνυον (AR.), iteratv.impf. ἑλινύεσκον (AR.) | fut. ἑλινύσω | aor. ἑλίνυσα | **1** (of persons) **be idle, rest, pause, stop** A. Hdt. Ar. Hellenist.poet.; **cease, rest** —W.NOM.PTCPL. fr. doing sthg. A. Hdt.; **have a holiday** (fr. work) D.(oracle) Plu.
2 (of a wineskin, a jar) **be idle** (i.e. unused) Lyr.adesp.; (of statues) **be motionless** Pi.; (in neg.phr., of hymns, opp. statues) Pi.

ἕλιξ ικος f. [perh. εἰλέω[2]] **1** spiral object or pattern, **spiral** (of smoke) AR.; (ref. to a strip of parchment, an ornamental material) AR. Plu.; (ref. to the course of the sun, the planets or their orbits) Pl. Arist. Plu.
2 || PL. (concr.) **spirals** (ref. to jewellery, prob. bracelets) Il. hHom.; (fig., W.GEN. of lightning, ref. to sinuous flashes) A.
3 (collectv.sg.) **coils** (of a serpent) E.
4 the part of a plant that grows in spiral form, **tendril** (usu. of ivy or vine) Hes. E. Ar. Theoc.
5 || FEM.ADJ. (of greenery) **twining** E.
6 || MASC.FEM.ADJ. (of oxen) perh., **with twisted horns** Hom. Hes. hHom. S. [unless *black*, as 7]
7 || MASC.ADJ. (of bulls) **black** Theoc. | cf. ἑλικός, ἑλίκωψ

ἔλιπον (aor.2): see λείπω

ἑλισάμην (aor.mid.): see λίσσομαι

ἑλίσσω, Att. **ἑλίττω** (Pl.), dial. **ϝελίσσω**, also (in parody of E.) **εἰειελίσσω**, also **εἰειειειειλίσσω** (Ar.) vb. [ἕλιξ] | fut. ἑλίξω | aor. εἵλιξα | ep.aor. ἔλέλ ξα (fr. ἐϝέλιξα) || MID.: ep.aor. ἑλιξάμην, ep.ptcpl. ἑλιξάμενος, also ἐλελιξάμενος (fr. ἐϝελιξάμενος) || PASS.: aor. εἱλίχθην | ep.aor. ἐλελίχθην (fr. ἐϝελίχθην) | pf. εἵλιγμαι | 3sg.plpf. εἵλικτο, Ion.3pl. εἱλίχατο | ep.3sg.plpf. (or athem.aor.) ἐλέλικτο (fr. ϝεϝέλικτο) || The vb. describes various types of movement: (1–3) spiral, (4–13) circular, (14–15) twisting or sinuous, (16–17) to-and-fro, (18) onwards. |
1 form (oneself) into a spiral; (fig., of a person) **coil, curl up** —one's body (W.PREP.PHR. *beneath a shield*) E.; (intr., of the serpent-man Kadmos) **curl up** —W.DAT. *in coils* E. || MID. (of a serpent) **coil oneself up** Il. || PASS. **be coiled** —W.PREP.PHR. *on a shield-strap* (as a decoration) Il.; **wind oneself** —W.PREP.PHR. *around someone* (W.DAT. w. *one's coils*) Theoc.
2 || MID. (of ivy) **coil, wind** —W.PREP.PHR. *around sthg.* hHom.
3 cause (sthg.) to move in a spiral course; (of whirlwinds) **cause** (W.ACC. *dust*) **to spiral** A. || MID. (of the steam of sacrifice, whirling clouds of smoke) **spiral, curl** Il. AR.
4 cause (sthg.) to rotate (on its axis); (of a wave) **spin round** —a boat Od.; (of a person) **twirl** —a spindle Ar. AR. || MID. (of persons in eddying water, a thrown object) **spin** Il.; (fig., of a person's heart, compared to a spindle) **whirl** AR. || PASS. (of a ship) **be spun round** —W.DAT. *by a thunderbolt* Od.; (of a person struck by a thunderbolt) **be sent spinning** —W.PREP.PHR. fr. *a ladder* E.
5 cause (sthg.) to move in a circle; (of heaven, Helios) **move on a circular path** —the sun's light A. E.; (of a lake) **move around** —its water (W.PREDIC.ADJ. *in a circle*) E. || MID. (of the Seasons) **circle round** Pi.; (of constellations) **revolve** AR.; (of the vibration of the bull-roarer) **whirl round** E.
6 (of dancers) **move** (W.ACC. one's foot) **in a circular dance** E.; **circle around** —an altar Call.; **circle in honour of** —a god E.; (intr.) **move in a circle, circle** E. || MID. **move in a circle** E. AR. —W.PREP.PHR. *around someone, somewhere* AR. || PASS. (of a basket) **be carried in a circle** (around an altar) E.
7 (tr., of Okeanos) **encircle** —the sea E.; (of the Aegean) —an island E.fr.; (intr., of a sea) **circle** —W.PREP.PHR. *around an island* Call.; (mid., of Okeanos) —*around the earth* A.

8 ‖ PASS. (of persons) be encircled —W.DAT. *by weapons* E.; (fig., of a house) —*by troubles* E.
9 cause (sthg.) to encircle (sthg. else); **wind** —*papyrus, a shorn lock of hair* (W.PREP.PHR. *around sthg.*) Hdt. —*thongs* (*around one's arms*) Theoc.; (of a lion) —*its tail* (*around its hind quarters*) Theoc.; **wind, fold** —*one's hands* (*around someone's knees, a throne*) E. ‖ PASS. have (W.ACC. one's head) encircled —W.DAT. *w. a turban* Hdt.; (of a person, prior to being killed as a human sacrifice) be encircled (W.PREP.PHR. about one's hair) —W.ACC. *w. bloody dew* (*ref. to lustral water*) E.
10 turn (sthg.) round (on itself); **wind, twist** —*yarn, threads* (W.DAT. *w. one's fingers*) E. Ar.
11 cause (sthg.) to bend round (in a reverse direction); turn round (to face the enemy), **wheel round, rally** —*troops* Il. ‖ MID. **turn about** (to address one's troops) Il.; **pivot round** (i.e. swivel one's body in a half turn, in preparation for throwing an object) Il.; (of a boar) **wheel round, turn** (to face its attackers) Il. ‖ PASS. (of troops) wheel round, rally Il.; (of a person) swivel round AR.
12 (of Zeus) **swirl round** —*a breeze* E.; (of the Euripos channel) —*its eddies* E.
13 (intr., of a charioteer) **go round** (a turning-post) Il.(also mid.); (of a runner) E.
14 cause (sthg.) to move in a bending or sinuous course ‖ MID. (of a river) wind along, **meander** Call.(also pass.) AR.; (of a serpent) AR. ‖ PF.MID. or PASS.PTCPL. (of a river) winding Hes.; (of a river, compared to a serpent) Hes.*fr.*; (of a serpent) AR.
15 (fig.) **deviously utter** —*fine* (*but*) *evil words* E. ‖ MID. (of opinion, described as being sts. false, sts. true) **twist about** Pl.
16 move (sthg.) to and fro; (of a rower) **ply** —*an oar* S.; (of a person on the lookout) **dart** —*one's eyes* (*this way and that*) E.; (of a mad person) **roll** —*one's eyes* E.; (wkr.sens.) **swivel** —*one's eyes* (*towards someone*) AR.; (of a recumbent person) **twist** —*one's body* (*back and forth*) E. ‖ MID. (of persons, ants) **go to and fro, bustle about** Il. AR.; (of a recumbent person) **toss about** Od.; (of dolphins) **gambol** E. AR.; (of a wounded serpent) **writhe** hHom. AR.(pass.) ‖ PASS. (of persons) be tossed (hither and thither) —W.DAT. *by good and bad fortune* E.
17 (fig.) **turn over** (in one's mind) —*certain thoughts* S. —*a plan* AR.; (of a poet) —*his words* Call.
18 move (sthg.) along or onwards; (fig., of time) **roll on** —*the course of life* (*envisaged as a stream*) Pi. ‖ MID. (of a wave) **roll** Pi.; (fig., of a lifetime) **roll on** E. ‖ PASS. (of a pebble) be rolled along (by waves) Pi.

ἑλί-τροχος ον *adj.* [τροχός] (of chariot-hubs) **which revolve with the wheels** A.(dub., cj. ἑλικότροχος *with rotating wheels*)

ἑλί-χρῡσος ου (ep. οιο, dial. ω) *m.* [app. ἕλιξ; χρῡσός] plant with yellow flowers, **helichrysum** Alcm. Ibyc. Call. Theoc.

ἑλκαίνω *vb.* [ἕλκος] (fig., of a house) **have open wounds, fester** —W.DAT. *fr. a murder* A.

ἑλκεσί-πεπλος ον *adj.* [ἕλκω, πέπλος] (of women) trailing one's robe, **with trailing robe** Il. Hes.*fr.* Alc.

ἑλκε-χίτων ωνος *masc.adj.* [χιτών] (of Ionians) trailing one's tunic, **with trailing tunic** Il. hHom.

ἑλκέω *contr.vb.* **1** (of two opposing groups of warriors) **pull at** —*a corpse* Il.; (of dogs and birds) **pull about, maul** —*a corpse* Il.
2 (w.connot. of sexual violence) **drag off, rape** —*a goddess* Od.; ‖ PASS. (of women) be dragged off or raped Il.

ἑλκηδόν *adv.* **by pulling** or **wrenching** (opp. w. the fist) —*ref. to fighting* (i.e. wrestling, opp. boxing) Hes.

ἑλκηθμός οῦ *m.* (w. sexual connot.) dragging off, **rape** (of a woman) Il.

ἕλκημα ατος *n.* (ref. to a severed head) **mauled prey** (W.GEN. of dogs) E.

ἑλκοποιέω *contr.vb.* [ἑλκοποιός] (fig.) **tear open old wounds** Aeschin.

ἑλκο-ποιός όν *adj.* [ἕλκος, ποιέω] (of shield-devices, in neg.phr.) **able to cause wounds** A.

ἕλκος εος (ους) *n.* **1 wound** (fr. a weapon or sim.) Il. Pi. Hdt. S. E. Lys. +; (fr. a snake-bite) Il. Pi. S.; (fig., fr. love) Call.*epigr.* Theoc.
2 sore, ulcer Pi. Hdt. X. D. Plb.; (fr. plague) Th.
3 (fig.) **affliction, blow, loss** Eleg. A. S.

ἑλκόω *contr.vb.* | pf.pass.ptcpl. εἱλκωμένος (NT.), ἡλκωμένος (Plu.) | **1 wound, lacerate** —*one's flesh* (*by suffering violence*) E. ‖ PASS. (of a person's body) be wounded Plu.
2 ‖ PASS. (of parts of a horse's body) become sore X. ‖ PF.PASS.PTCPL. (of a person or body) suffering from sores NT. Plu.
3 (fig.) **damage, ruin** —*a house* E.; (of a circumstance) **distress** —*someone's heart* E.

ἑλκτικός ή όν *adj.* [ἕλκω] (of a subject of study) **of the kind that draws one** (W.PREP.PHR. towards reality) Pl.

ἑλκύδριον ου *n.* [dimin. ἕλκος] **little sore** Ar.

ἑλκυστάζω *vb.* [ἕλκω] **repeatedly drag** —*a corpse* (*behind a chariot*) Il.

ἕλκω *vb.* | impf. εἷλκον, ep. perh. also ἕλκον | fut. ἕλξω | aor. εἵλκυσα ‖ PASS.: aor.inf. ἑλκυσθῆναι | pf. εἵλκυσμαι ‖ neut.impers.vbl.adj. ἑλκτέον | **1** (of persons) move by pulling, **draw, drag, haul** —*persons, animals, stones, or sim.* Hom. hHom. A. Pi. Hdt. E. + —*a corpse* (*fr. battle, or behind a chariot*) Il. Hes. E. —*a ship* (W.PREP.PHR. *to the sea*) Hom. Hes. E. —*one's boots* (*stuffed w. gold-dust*) Hdt.; (wkr.sens.) —*one's dress* (W.PREP.PHR. *over one's ankles*) Sapph.; (mid.) —*one's chair* (*closer to the fire*) Od. Semon. ‖ PASS. (of persons, animals, objects) be pulled or dragged along Hom. Hdt. E. Ar. +
2 (of horses) **draw** —*a chariot, a charioteer* Il. hHom. Hdt.; (of oxen, mules) —*a plough, wagon, yoke* Hom. Hes. hHom. Thgn. Hdt. E.; (of persons) —*a wagon* Hdt.; (of mules) **haul, drag** —*timber* Il.; (fig., of a person) —*one's misfortunes* (W.PREP.PHR. *up a rocky slope*) E. —*the yoke of love* Theoc.
3 draw behind one, **drag, trail** —*fetters* Hdt.; (hyperbol.) —*a beard* Ar.; (of the setting sun) **bring on** —*night* Il.
4 tow or **tow away** —*ships* Th. X.; (of a raft) —*a barge* Hdt. ‖ PASS. (of ships) be towed away Th.
5 drag off, haul off —*someone* S. E. Ar.; (gener.) **manhandle** —*someone* E. Ar. D. ‖ PASS. be dragged off or manhandled E. Ar.
6 (w.connot. of sexual violence) **drag off, rape** —*a woman* E. Lys. ‖ PASS. (of women) be dragged off or raped Il.; (of personif. Justice) Hes.
7 (of a stag, paradoxically) **maul** —*hounds* Theoc.; (of a person) **tear** —*one's cheeks* (W.DAT. *w. one's nails*) E.; (of a Bacchant) **pull** or **tear** —*a calf* (W.ADV. *in two*) E.; (fig., of a poet) **maltreat** —*someone* Pi. ‖ PASS. (of a corpse) be mauled —W.PREP.PHR. *by a dog or bird* Hdt.
8 pull towards one, **pull, pull on** —*an oxhide* (*to stretch it*) Il. —*a parapet* (*to dislodge it*) Il. —*reins* E. Pl. —*an oar* E. —*a paddle* Hdt. —*a saw* Ar. —*someone's testicles* Ar.; (mid.) —W.GEN. *a measuring line* Pi.; (intr.) **pull** (on a rope) Ar.; (on the straps that rotate a drill) E.*Cyc.*

ἑλκώδης

9 pull back, pull —*a bow-string, arrows* Hom. X.; **draw** —*a bow* Il.(mid.) Hdt.
10 (intr., of a wrestler) **pull, wrench** (his opponent) Pi. ‖ PASS. (of a wrestler's back) be wrenched —W.PREP.PHR. *by his opponent's arms* Il.
11 ‖ PASS. (of a person) be stretched —W.PREP.PHR. *on the wheel* Ar.
12 pull out, pull —*an arrow or spear (fr. where it has lodged)* Il.; (mid.) —*one's hair* (W.PREP.PHR. *fr. one's head*) Il.
13 take out, draw —*one's sword (fr. its scabbard)* Il.(mid.) S. —*voting-tablets* (W.PREP.PHR. *fr. a box*) Arist. ‖ PASS. (of a sword) be drawn E.
14 pull up, hoist —*sails* Od. —*mast and sails* hHom.(mid.); (of Zeus) **lift up, poise** —*scales* Il.; (of a god) —*the scales of Justice* B.
15 (of the sun) **draw up** (to itself) —*water* Hdt. Ar.
16 draw into one's body, **drink up** —*a cup of wine* E.Cyc. Ar.; (of birds) **suck up** —*spilt drink* (W.PREP.PHR. *into their throats*) E.; (of a baby) **suck** —*a breast* E.
17 draw, derive —*sthg. useful* (W.ADV. *fr. a certain source*) Pl. ‖ MID. draw to oneself, **appropriate, acquire** —*esteem and wealth* Thgn.
18 (of objects) pull (the pan of the scales) down (to), **weigh** —*a certain amount* Hdt.
19 ‖ MID. (of a lion) **draw** —*its brow* (W.ADV. *down*) Il.
20 app., put effort into, **perform vigorously** —*a dance* Ar.; **hurry along** —*one's feet* Theoc.
21 mould, shape —*bricks* Hdt. | cf. ἐρύω 15
22 direct or attract (persons or things, towards sthg.); **draw, lead** —*a constitution* (W.PREP.PHR. *towards tyranny or democracy*) Pl.; (of desire) —*someone (to pleasures)* Pl.; (of a love charm) —*someone (to a place)* Theoc.; (of a person's beauty) **attract** —*people's looks (to oneself)* X.; (of a person) —*enemies (to oneself)* D.; (of a circumstance) **attract, win** —*goodwill* Men. ‖ PASS. be attracted —W.PREP.PHR. *towards philosophy* Pl.; be drawn (by a love charm) —W.PREP.PHR. *to someone* X. —W.INF. *to do sthg.* Pi.
23 drag out —*one's life (in misery)* E.; (intr., of a conflict) **be dragged out, last** Hdt.
24 drag in —*excuses* Hdt. Ar. [or perh. *prolong, keep making*]

ἑλκώδης ες *adj.* [ἕλκος] **1** (of flesh) **wounded** E.
2 (fig., of persons) **irritable, over-sensitive** Plb.

ἕλκωσις εως *f.* [ἑλκόω] **ulceration** (in the body) Th.

ἔλλαβον (ep.aor.2): see λαμβάνω

Ἑλλαδικός ή όν *adj.* [Ἑλλάς] (of a kind of song) **Helladic, Hellenic** Xenoph.

ἕλλαθι (Aeol.imperatv.): see ἵλημι

ἐλ-λαμπρύνομαι *mid.vb.* [ἐν] (of a commander) **distinguish oneself, shine** —W.DAT. *at the city's risk* Th.

ἐλ-λάμπω *vb.* **1** (of Sirius) **shine on** (people) Archil.
2 ‖ MID. **distinguish oneself** —W.DAT. *w. one's cavalry, ships* Hdt.

Ἑλλάνιος *dial.adj.*: see Ἑλλήνιος

Ἑλλᾱνο-δίκᾱς ᾱ *dial.m.* [Ἕλλην, δίκη] **Hellenic judge** (title of officials at the Olympic games) Pi.; (pl., in the Spartan army, prob. dealing w. disputes involving non-Spartans) X.

Ἑλλάς άδος *f.* **1 Hellas** (region of central Greece, close to Phthia) Il.
2 (gener., ref. to N. Greece, opp. the Peloponnese) **Greece** Od. D.
3 Hellas (ref. to Greece as a whole) Hes. +; (collectv., ref. to its inhabitants) E. Th.
4 Hellas (ref. to all lands inhabited by Hellenes, opp. foreigners) Hdt. S. X.
5 (W.ADJ. μεγάλη) *Magna Græcia (ref. to the cities of S. Italy)* Plb.; (W.ADJ. ἀρχαία) *Old Greece (opp. Magna Graecia)* Plu.
6 ‖ ADJ. (of the land, speech, dress, a city, ship, or sim.) **Greek** Xenoph. Hdt. Trag. ‖ SB. **Greek woman** E.

ἕλλατε (Aeol.2pl.imperatv.): see ἵλημι

ἔλλαχον (ep.aor.2): see λαγχάνω

ἑλλεβορίζω (or ἐλλ-) *vb.* [ἑλλέβορος] **treat** (W.ACC. a person) **with hellebore** (for madness) D.; (for sickness) Plu.

ἑλλέβορος (or ἐλλ-) ου *m.* a kind of plant (used medicinally as an emetic and laxative), **hellebore** Pl. Arist. Thphr. Call. Plu.; (as a reputed cure for madness) Ar.

ἑλλεδανοί ῶν *m.pl.* [reltd. εἰλέω²] **bindings for corn-sheaves** Il. Hes. hHom.

ἔλλειμα ατος *n.* [ἐλλείπω] **1 deficiency, shortcoming** (in conduct) D.
2 deficit (in money) D.
3 omission (in a law) Arist.
4 remaining part (of an uncompleted task) Plu.(cj.)

ἐλ-λείπω *vb.* [ἐν] | ep.impf. (tm.) ἐν ... λεῖπον | aor.2 ἐνέλιπον, ep. ἐνέλλιπον (AR.), inf. ἐλλιπεῖν | **1** leave in (a place) or among (persons); **leave behind** —*flocks* (W.DAT. *in meadows*) AR.(tm.) —*poison* (W.DAT. *in blood*) AR.(tm.) —*a drop of wine (in a cup)* E.Cyc. —*hope (among one's friends)* E. —*the enchantment of one's singing* (W.DAT. *in one's listeners*) AR.; (of personif. Hope) —*the means for people to do sthg.* Th. ‖ PASS. (of a charioteer) be left in (a race) S.
2 leave out, leave undone, omit —*sthg., nothing, little, or sim.* S. E. Ar. Att.orats. Pl. + ‖ PASS. (of things) be left out or undone Lys. Pl. D.
3 leave unpaid, be in arrears with, default on —*a tax, payment, wages* D. Arist. Plb.; (intr.) **default** (on a payment) D. ‖ NEUT.SG.PL.PTCPL.SB. **arrears** (sts. W.GEN. of money) D.
4 fall short of, be in want of —W.GEN. *money* Th. —*youthful prime, eagerness, stupidity, shamelessness, or sim.* A. Lys. Pl. D. —*much or all (i.e. fall very or completely short of sthg.)* A.; **fail to live up to** —W.GEN. *one's reputation* Th.
5 (of persons) **fall short** or **be deficient** —W.ACC., DAT. or ἐν + DAT. *in sthg.* Th. Isoc. Pl. Plb.; **fall short** (of the mean, in behaviour) Arist.; **do too little** (opp. too much) Isoc.; **be too few** (opp. too many) Pl.; (of persons or things) **fall short** —w. μή (or μὴ οὐ) + INF. *of doing sthg.* A. S.
6 (of things) **be wanting** or **lacking** S. Isoc. D. —W.DAT. *for someone, sthg.* Pl. X. D. —W.ACC. *for someone* Plb.; **fall short of, be less than** —W.GEN. *enough* X.; (of a valuation) —*a certain sum* Plb.; (of lawsuits) **fail** Ar.; (of a law) **not go far enough** And.; (of a funeral) **be frugal** (opp. extravagant) Pl.; (of a hare's eyelids) **be too small** (to protect the eyes) X. ‖ NEUT.PTCPL.SB. **deficiency, lack** X.; (W.GEN. of skill, strength) Th. ‖ IMPERS. there is a shortage —W.GEN. *of sthg.* (sts. W.DAT. *for someone*) Pl. D.
7 (of persons) **be inferior** —W.GEN. *to someone* (sts. W.DAT. *in sthg.*) hHom.(dub.) Pl.; (of things) —*to other things* Pl.
8 ‖ PASS. (of persons) be surpassed —W.NOM.PTCPL. *in doing sthg.* X.; (of persons, horses) be deficient or inferior Pl. X.; (of things) be lacking Isoc. Pl. X. D.

ἔλλειψις εως *f.* **deficiency** (opp. excess) Pl. Arist.

ἐλ-λέσχος ον *adj.* [ἐν, λέσχη] (of misfortunes) **talked about** Hdt.

ἔλλετε *dial.2pl.imperatv.* [reltd. ἔρρω] **be off!** Call.

Ἕλλη ης *f.* **Helle** (daughter of Athamas, who gave her name to the Hellespont, into which she fell while being transported to Colchis by the Golden Ram) A. Hdt. AR.

Ἕλλην ηνος, dial. Ἕλλᾱν ᾱνος m. **1 Hellen** (ancestor of the Hellenes, son of Deukalion and Pyrrha) Hes.fr. Th.; (son of Zeus) E.fr.
2 ‖ PL. **Hellenes** (natives of Hellas, a region in central Greece) Il. Th. | see Ἑλλάς 1
3 (gener.) **Hellene, Greek** (native of Greece) Hdt. E. Th. +; (pl.) Thgn. A. +
4 ‖ PL. **Hellenes** (ref. to Gentiles, opp. Jews) NT.
5 ‖ ADJ. (of a man, house, gathering, or sim.) **Greek** A. Pi. Hdt. E. +; (w.fem.sb., of a land, city, speech, dress) A. E.

Ἑλληνίζω vb. | aor.pass. Ἡλληνίσθην | **1 speak Greek** Pl. X. Aeschin. Arist.; **speak correct Greek** Arist.
2 ‖ PASS. learn to speak Greek —w. ἀπό + GEN. fr. someone Th.

Ἑλληνικός ή όν adj. **1** (of persons or things) **Greek** A. +
2 ‖ NEUT.SG.SB. (w.art., collectv.) **the Greek world, the Greeks** Hdt. Th.; **the Greek contingent** (of a military or naval force) Hdt. X.
3 ‖ NEUT.PL.SB. **events in the Greek world, Greek history** Th. +

—Ἑλληνικόν neut.adv. **in the Greek manner** Ar.
—Ἑλληνικῶς adv. **1 in the Greek manner** Hdt. E. Plu.
2 in the Greek language X.

Ἑλλήνιος, dial. Ἑλλάνιος, Lacon. Συλλάνιος, ᾱ ον adj.
1 (as a cult title of Zeus) **Hellenic, of the Greeks** Pi. Hdt. Ar. Plu.; (of Athena, at Sparta) Plu.; (of gods in general) Hdt.
2 (of the land) **of Greece** E. ‖ FEM.SB. **land of Greece** E.
3 ‖ NEUT.SB. **Hellenion** (Greek sanctuary at Naukratis in Egypt) Hdt.

Ἑλληνίς, dial. Ἑλλᾱνίς, ίδος fem.adj. **1** (of women, places, things) **Greek** A. Pi. Hdt. + ‖ PL.SB. **Greek women** E. Hyp.
2 ‖ SB. **Gentile woman** (opp. Jew) NT.

Ἑλληνισταί ῶν m.pl. [Ἑλληνίζω] **Hellenists, Greek-speakers** (among the Jews, opp. those speaking a Semitic language) NT.

Ἑλληνιστί adv. **in the Greek language** Pl. X. NT. Plu.

Ἑλληνοκοπέω contr.vb. [κόπτω] **flaunt one's Greekness** Plb.; **court the Greeks** Plb.

Ἑλληνο-ταμίαι ῶν m.pl. **Treasurers of the Greeks** (Athenian officials who oversaw the finances of the Delian Confederacy) Antipho Th.

—Ἑλληνοταμιείᾱ ᾱς f. **Treasurership of the Greeks** X.

ἔλληξα (ep.aor.): see λήγω

Ἑλλήσ-ποντος ου m. [Ἕλλη, πόντος] **1 sea of Helle, Hellespont** (mod. Dardanelles, the narrow strait dividing Europe fr. Asia, joining the Aegean and the Propontis) Hom. A. Hdt. +
2 region adjacent to the Hellespont, **Hellespont region** Hdt. Th. Isoc. +

—Ἑλλησποντιακός ή όν adj. (of cities) **of the Hellespont region** X.

—Ἑλλησποντίης εω Ion.m. **Hellespontine** (name of a wind blowing fr. the Hellespont, i.e. fr. NE.) Hdt.

—Ἑλλησπόντιος ᾱ ον adj. (of a man) belonging to the Hellespont region, **Hellespontine** Hdt.; (of cities) X.
‖ MASC.PL.SB. **Hellespontines** Hdt. Th. X.

ἐλ-λιμένιον ου n. [ἐν, λιμήν] (sg. and pl.) **harbour dues** X. Plb. [or perh. customs duties]

—ἐλιμενικά ῶν n.pl. **harbour dues** (or customs duties) Pl.

—ἐλιμενιστής οῦ m. **collector of harbour dues** (or customs duties) D.

ἐλλιπεῖν (aor.2 inf.): see ἐλλείπω

ἐλλιπής ές adj. [ἐλλείπω] | compar. ἐλλιπέστερος | **1** (of persons) **falling short** (of what they have promised) Plu.; **deficient** (in memory) Th.; (W.DAT. in enthusiasm, ability, equipment, or sim.) Th. Pl. Plb.; **defective** (W.GEN. in the choice of guardians, i.e. omitting to choose them) Pl.
2 (of things) **deficient** (W.GEN. in a quality) Pl.; (of a circumstance) **resulting from a deficiency** (W.GEN. in sthg.) Th.; (of failure to attempt sthg.) **letting down** (W.GEN. the expectation of achieving sthg.) Th.; (gener., of things) **defective, imperfect** Arist. Plu.; **lacking, missing** Plb.
‖ NEUT.SB. **failure** (W.GEN. of judgement) Th.; **deficiency** (W.GEN. of a law-code) Plb.; **lack** (W.GEN. of enthusiasm) Plb.
3 ‖ COMPAR. (of a description) **somewhat imperfect** Plb.; (of a person's means) **insufficient** (W.GEN. for his status) Plb.

—ἐλλιπέστερον compar.adv. **in a manner falling short** (W.GEN. of the truth) Plb.

ἔλλιπον (ep.aor.2): see λείπω

ἐλλισάμην (ep.aor.mid.), ἐλλίσσετο (3sg.impf.): see λίσσομαι

ἐλλιτάνευον (ep.impf.), ἐλλιτάνευσα (ep.aor.): see λιτανεύω

ἐλ-λόβιον ου n. [ἐν, λοβός] **earring** Plu.

ἐλ-λόγιμος ον adj. (of persons) **famous, celebrated** Pl. Plu.; (of things) **notable, important** Hdt. Isoc. Plb. Plu.

ἔλ-λογος ον adj. [λόγος] (of beings) **possessing reason, rational** Arist.

Ἑλλοί (or Ἑλλοί) m.pl.: see Σελλοί

ἐλλοπιεύω vb. [ἔλλοψ] **fish** Theoc.

ἔλλοπος adj.: see ἔλλοψ

ἑλλός[1] οῦ m. [reltd. ἔλαφος] **young deer, fawn** Od.

ἑλλός[2] adj.: see ἔλλοψ

ἑλλο-φόνος ον adj. [ἑλλός[1], θείνω] (of a goddess) **fawn-slaying** Call.

ἐλ-λοχάω contr.vb. [ἐν] (fig.) **lie in wait** or **in ambush** (so as to surprise someone) Pl. —W.ACC. for someone Pl.

ἐλ-λοχίζω vb. **1 lie in ambush** —W.DAT. in undergrowth E.
2 (tr.) **set** (W.ACC. persons) **in ambush** —W.DAT. in places Plu.

ἔλλοψ οπος masc.fem.adj. —also ἑλλός ή όν (S.), also perh. ἔλλοπος ον (Emp.) adj. [perh. ἐν, λοπός; by pop.etym. ἐλλείπω, ὄψ] (of fish) app. **scaly** or (by pop.etym.) **voiceless, dumb, mute** Hes. Emp.(dub.) S.

ἐλ-λύχνιον ου n. [ἐν, λύχνος] **lamp-wick** Hdt. Thphr. Plu.

ἕλξις εως f. [ἕλκω] **1 dragging** (W.GEN. of Hector, behind a chariot) Pl.
2 trailing (W.GEN. of robes, as a mark of grandeur) Pl.
3 attraction (exerted by magnetic stones) Pl.; **pulling, pull** (of a puppet's strings, fig.ref. to that exerted by feelings) Pl.

ἑλόμην (ep.aor.2 mid.), ἕλον (ep.aor.2): see αἱρέω

ἕλος εος (ους) n. **marsh** or **marshland** Hom. Hdt. Th. Pl. +

ἐλόωσι (ep.3pl.fut.): see ἐλαύνω

ἐλπίζω vb. [ἐλπίς] | fut. ἐλπιῶ (NT.) | aor. ἤλπισα | pf. ἤλπικα (NT.) | **1 expect** or **hope for** —sthg. Trag. + ‖ PASS. (of things) **be hoped for** or **expected** Th. —W.FUT.INF. to be the case S.
2 expect or **hope** (sthg.) A E. +; **entertain** —W.COGN.ACC. a hope E. —reasonable hopes Hdt.
3 (ref. to present or past) **expect, hope, imagine, suppose** —W.PRES.INF. or ACC. + PRES.INF. that one is doing sthg., that sthg. is the case Hdt. Trag. + —W.ACC. + AOR.INF. that someone did sthg. E. —W.ACC. + PF.PASS.INF. that sthg. has been done Th.
4 (ref. to the future) **expect** or **hope** —W.FUT.INF. to do sthg. Hdt. Trag. + —W.AOR.INF. E. —W.ACC. + FUT.INF. that someone will do sthg., that sthg. will be the case Hdt. E. Th. + —w. ἄν + INF. (usu. AOR.) that one (or someone) would do (or would have done) sthg. Hdt. S. E. Th. + —w. ὡς or ὅπως + FUT.INDIC.

ἐλπίς *that someone will do sthg.* Hdt. S. E. + —w. ὡς ἄν + OPT. *that sthg. would happen* Th. —*(after neg.vb.)* w. μή + SUBJ. or OPT. *that sthg. will be the case* Hdt.
5 **put one's hope** —W.DAT. *in sthg.* Th. NT. —w. εἰς or ἐπί + ACC. *in someone* NT.
ἐλπίς ίδος *f.* [ἔλπομαι] **1** **expectation** (of good or bad things), **expectation, hope** Od. +; (W.GEN. of sthg.) A. +; (personif.) **Hope** Hes. +
2 (ref. to a person) **basis of one's hopes or expectations, hope** A. Th. Call.*epigr.*
ἐλπιστός ή όν *adj.* [ἐλπίζω] (of a circumstance) **expected** or **hoped for** Pl.
ἔλπομαι, ep. **ἐέλπομαι** *mid.vb.* | 3sg.impf. ἤλπετο, ἔλπετο, ἐέλπετο ‖ ep.act.pf. (w.mid.sens.) ἔολπα, 3sg.plpf. ἐώλπει |
1 **expect** or **hope** (sthg.) Hom. hHom. Archil. Pi. Hdt. AR.; (tr.) **hope for** —*sthg.* Hom.
2 (ref. to present or past) **expect, hope, imagine, suppose** —W.ACC. + INF. *that sthg. is or was the case* Hom. hHom. Thgn. Pi. Hdt. Hellenist.poet.; **suppose** (sthg.) Il. AR.
3 (ref. to future) **expect** or **hope** —W.FUT.INF. or ACC. + FUT.INF. *to do sthg., that sthg. will be the case* Hom. Hes. Lyr. Hdt. AR. —W.AOR.INF. Pi. AR. —w. ἄν + AOR.INF. *that sthg. would be the case* Hdt. AR.
—**ἔλπω** *act.vb.* | only pres. | (causatv.) **raise hopes in** —W.ACC. *someone* Od.
ἐλπωρή ῆς, Aeol. **ἐλπώρα** ᾶς *f.* **expectation** or **hope** Od. Alc. AR.
ἔλσαι (aor.inf.), **ἔλσαν** (3pl.aor.), **ἔλσᾱς, ἔλσαις** (aor. and dial.aor.ptcpl.): see εἰλέω¹
ἔλσοιμι, ἔλσω, ἐλσών (Lacon. forms of aor.2 ἐλθ-): see ἔρχομαι
ἔλυμα (also *metri grat.* **ἔλῡμα**) ατος *n.* [ἐλύομαι] **beam** which carries the share (i.e. blade) of a plough, **share-beam** Hes.
ἔλυμος ου *m.* **a kind of grain, millet** Plb.
ἐλύομαι *pass.vb.* [reltd. εἰλύομαι] | only aor. ἐλύσθην, ptcpl. ἐλυσθείς | **1** (of a person) **curl up** or **crouch** —W.PREP.PHR. *before someone's feet* Il.; (of Eros, about to shoot an arrow) **crouch** —W.PREP.PHR. *beneath someone* AR.; (of lust) —*beneath a person's heart* Archil.; (of Odysseus) **curl up** —W.PREP.PHR. *beneath a ram's belly* Od.; (of a dying warrior) **roll** —W.PREP.PHR. *in the sand* AR.; (of a chariot-pole) **roll** or **slip** —W.PREP.PHR. *to the ground* Il.
2 (of a person) **be wrapped** —W.PREP.PHR. *in a burial shroud* AR. —*in flames* AR.
ἔλυτρον ου *n.* **1** **wrapping, covering, outer surface** (of a composite being) Pl.; **cover** or **case** (W.GEN. for a spear) Ar.
2 **basin** (of a lake) Hdt.; **reservoir** (W.GEN. of water) Hdt.
ἑλῶ (fut.): see ἐλαύνω
ἑλώδης ες *adj.* [ἕλος] (of places) **marshy** Th. Plb. Plu.
ἑλών (aor.2 ptcpl.): see αἱρέω
ἔλων (ep.3pl.impf.): see ἐλαύνω
ἔλωρ *n.* [ἑλεῖν, see αἱρέω] | only nom.acc.sg.pl. | pl. ἔλωρα |
1 (ref. to a corpse) **spoil, prey** (for enemies, birds and beasts) Hom. A.(pl.) S. AR.; (ref. to valuables, for thieves) Od.
2 ‖ PL. **despoiling** (W.GEN. of a dead warrior) Il.
ἑλώριον ου *n.* (ref. to a corpse) **prey** (for dogs and birds) Il.(pl.); (ref. to food for the Harpies) AR.
ἔμαθον (aor.2): see μανθάνω
ἐμάνην (aor.2 pass.): see μαίνομαι
ἐμαυτόν, Ion. **ἐμεωυτόν,** ήν *1sg.acc.masc.fem.reflexv.pron.* [ἐγώ, αὐτός] | gen. ἐμαυτοῦ, Ion. ἐμεωυτοῦ, Megar. ἐμωυτῶ (Ar.) ἧς | dat. ἐμαυτῷ, Ion. ἐμεωυτῷ ᾗ | **myself** (ref. to the subject of the main vb.) A. +

ἔμβα (athem.aor.imperatv.): see ἐμβαίνω
ἐμβάδιον ου *n.* [dimin. ἐμβάς] **shoe** Ar.
ἐμβαδόν¹ *adv.* [ἐμβαίνω] **by walking, on foot** Il.
ἐμβαδόν² οῦ *n.* **surface area** (of a place) Plb.
ἐμ-βαίνω *vb.* [ἐν] | aor.1 (causatv.) ἐνέβησα ‖ ATHEM.AOR.: ἐνέβην, ep.3sg. ἔμβη | ptcpl. ἐμβάς | imperatv. ἔμβα, dial. ἔμβη | ep.2du.imperatv. ἔμβητον | **1** **take a step onward;** (of a dancer, a horse) **take a step** Pl. X.; (of persons or horses, in imperatv. address) **press on** Il. E. Ar.; (of a god) **step in, enter the fray** Il.
2 **step onward** (to a place); **step** (W.INTERN.ACC. πόδα w. one's foot) —W.ADV. *in some direction* E. —w. εἰς (ἐς) + ACC. *onto one's native soil* E. —*(fig.) into the mire* E.; (without πόδα) —*into a thicket* Ar. —*onto someone's land* Men. —*into danger* X.
3 **step on** (sthg.); **step on** —W.DAT. *a slain deer* Od.; (of horses) —*corpses* Il.; (of a person) —*fabrics* A.; **tread on** (someone, i.e. his toes) Thphr.; **set foot on** —W.ACC. *a path, ladders* E.; **set foot in** —W.ACC. *a place, the battle-line* E. —W.GEN. *the borders of a land* S.
4 (fig., of a god) **trample** —W.DAT. *on a people* A.; (of a person) —w. ἐπί + DAT. *on oaths* Alc.
5 **go on board, embark** Il. Ar. Att.orats. Pl. + —W.DAT. or ἐν + DAT. *on a ship* Hom. —w. εἰς + ACC. Lys. Pl. X. D. Plb. NT. —W.ACC. Plb.; **step into** —w. εἰς + ACC. *a litter* Plu.
6 **step into** (a river) X. —W.DAT. *a river* Heraclit. —w. εἰς + ACC. *a river* Pl. Plb. —*mud* Heraclit. X.
7 **undertake, embark on** —W.DAT. *ambitious projects* Pi. —*an activity* Pl. —w. εἰς + ACC. *an activity* Pl. —*a war* Plb.; (of the Muses) —W.ACC. *a story* Ibyc.(dub.); **hit, happen** —w. εἰς + ACC. *upon an oracular saying* A. —*upon a type of justice* Pl.
8 ‖ STATV.PF. **ride** or **be mounted** —W.DAT. *on a chariot* Il. hHom. AR. —w. ἐπί + GEN. *on a carriage* S.; (of a lead weight for a fishing line) —w. κατά + ACC. *on ox-horn* Il.
9 ‖ STATV.PF. **tread, walk** —W.DAT. *in sandals* Hes.; (fig., of inherited ability) —*in a father's footsteps* Pi.; (of a person) **stand, be placed** —w. ἐν + DAT. *in a terrifying situation* D.; (of a house) —W.DAT. *in good fortune* E.
10 (causatv., aor.1) **put** (W.ACC. persons, flocks) **on board** (sts. W.ACC. a ship) Od.(tm.) E.; **take** (W.ACC. someone) **on board** —W.ACC. *a chariot* E.; (fig., of events) **plunge** —*someone* (w. ἐς + ACC. *into anxiety*) Hdt.
ἐμ-βάλλω, ep. **ἐνιβάλλω** (AR.) *vb.* | aor.2 ἐνέβαλον, ep. ἔμβαλον, ep.inf. ἐμβαλέειν | **1** **throw in** or **on** (sthg.); **throw, cast** —*someone, sthg.* (W.DAT. *in the sea, a river, a furrow, on a pyre*) Hom. hHom. A. Pi. AR.(mid.) —(w. εἰς + ACC. *in a ship, pit, prison*) Hdt. S. E. Ar. D. —*money (in someone's lap)* Hdt.; **throw in** (to a container) —*foodstuffs* or *sim.* Ar.; **throw on** (a pyre, wood) —*a corpse, fire* S. Th.; (wkr.sens.) **cast, put** (on a bed) —*coverings* Hom.
2 **cast** —*a vote* X. —(w. εἰς + ACC. *into an urn*) D. ‖ MID. **put** —*a document* (w. εἰς + ACC. *into an evidence jar*) D.
3 **put** (sthg.) in the hand (of a person); **place, put** —*a lot, tunic, band, sceptre* (W.DAT. *in someone's hand*) Hom.; **give** —*one's hand* (to someone, i.e. put it in his hand) S. Ar.; (of a god) **place** —*someone* (W.DAT. *in someone's hands, i.e. under his control*) Il.
4 (gener.) **put** (sthg.) in (sthg. else); **insert** (in a noose) —*a stick* Hdt.; **put** —*a pomegranate seed, a peg* (W.DAT. *in someone, i.e. in his mouth*) hHom. Ar. —*one's arm (in a shield-strap)* E. —*clay* (w. εἰς + ACC. *into hods*) Ar. —*a pin or bolt (into a bar)* S. ‖ MID. **put** or **have put** —*clay (into hods)* Ar. —*porridge* (w. εἰς + ACC. *into one's helmet*) Ar.; app., **get into oneself, gorge on** —W.PARTITV.GEN. *pieces of hare* Ar.

5 (of gods) **put** —*a goddess* (W.DAT. *in a mortal's bed, i.e. give her to him in marriage*) Il.; (of fortune) **cast** —*someone* (W.DAT. *among pirates*) hHom.; (of a beacon-signaller) **bring** —*sailors* (W.DAT. *onto rocks*) E.
6 throw (sthg. harmful) onto or against (someone or sthg.); **throw, cast** —*a thunderbolt, firebrand, fire* (W.DAT. *onto or against ships*) Hom. E. —*a spear* (*against a shield*) Hes. —*a stone, a thunderbolt* (*against someone's chest*) Pi. E.; **thrust** —*a sword* (W.DAT. or εἰς + ACC. *at someone*) E.; **bring down** —*a stone* (*on someone*) Il. —(W.DAT. or εἰς + ACC. *on someone's head*) E. Antipho —*a house* (W.DAT. *on someone*) Ar.; (of a mourner) **dash** —*one's arm* (W.DAT. *against one's breast*) E. —*one's nails* (*against one's cheek*) E.; **apply** (to one's hair) —*a knife* E.
7 throw (someone or sthg.) into a certain condition; **plunge** —*someone* (w. εἰς + ACC. *into calamity, disgrace, enmity, or sim.*) Ar. Att.orats. + —(*into an inquiry, a dilemma, speechlessness*) Pl. —(*into lawsuits*) Ar. —*a subject* (*into ridicule*) D.
8 impose (sthg. which controls or restricts); **put, fasten** —*bridles or bits* (w. ἐς + ACC. *on horses*) Hdt. —(W.DAT. *on horses, their jaws*) Il.(tm.) Anacr. Thgn. E. —*reins* (*on horses*) E.; **apply** —*a goad* (*to oxen*) Pi.; **put on** (a gate) —*a bar* X. ‖ PASS. (of a bridle) be placed (on a horse) X.
9 impose (sthg. damaging or punitive); **inflict** —*wounds* Pi.*fr.* —*a flogging* X. —*a blow* (W.DAT. *on someone*) Plu. —*destruction, panic, a painful journey* (*on someone*) A. Hdt. E. —(hyperbol.) **murder** (w. ἐς + ACC. *on one's eyes, by stabbing them*) E.; **bring down** —*divine wrath* (W.DAT. *against someone*) Hdt.
10 impose or inspire (a mental, emotional or physical state); **inspire, induce** —*fear, desire, joy, strength, pity, hatred, or sim.* (W.DAT. *in persons, their heart or mind*) Hom. hHom. Hdt. S. E. —*a thought* (W.DAT. or ἐν + DAT. or εἰς + ACC. *in someone's mind*) Od. B. Plu. ‖ MID. inspire in oneself, **conceive of** —*escape, every possible device* (W.DAT. *in one's mind*) Il.; **fix** —*an idea* (w. εἰς + ACC. *in one's mind*) D.; **put in one's heart** —*determination* X.; **cause oneself** —*distress* AR.
11 throw in (verbally), **introduce** —*an argument, a remark, a topic of conversation* Pl. X. Is. Men.; **present, offer** —*an opportunity for discussion* (w. εἰς + ACC. *to someone*) X.; **mention** —*a trouble* S. ‖ PASS. (of topics) be introduced X.
12 throw into the manger, **throw down** —*food, fodder* (W.DAT. *for horses, beasts*) X. Thphr. Plu.
13 insert —*a letter* (*into a word*), *a word or saying* (*into a statement*) Pl. ‖ PASS. (of a word or letter) be inserted Pl.
14 create in (the ground), **dig** —*a trench* Plu.
15 graft (sthg.) on (sthg.) ‖ PASS. (of fruits) be the product of grafting D.
16 bring in (to someone's territory) —*an army* A.; (intr.) **invade** Ar. —W.DAT. *a people* Hdt. —w. εἰς + ACC. *a country* Isoc. X. Aeschin.; (wkr.sens., of a disgraced or polluted person) **intrude** —w. εἰς + ACC. *into the Agora* Att.orats.
17 (of ships, their crews) **charge, ram** Hdt. Th. —W.DAT. *ships, crews* Hdt. Th.; (of a warrior) **attack** —W.DAT. *beached ships* Pi. ‖ PASS. (of ships, crews) be attacked or rammed Th.
18 (of rowers) throw oneself upon, **fall to** —W.DAT. *oars* Od. Pi.; **fall to it** Ar.
19 (of water) **dash against** —W.DAT. *mountains* Hdt.; **overflow** (into a place) D.; (of a river) **issue** (sts. w. εἰς + ACC. into a place) Pl.
20 (wkr.sens.) **move on** —w. εἰς + ACC. *to another topic* E.(dub.)

ἔμβαμμα ατος *n.* [ἐμβάπτω] sauce for dipping food in, **dip** X.

ἐμ-βαπτίζομαι *pass.vb.* (of weapons) **be sunk** —W.DAT. *in ponds* Plu.

ἐμ-βάπτω *vb.* **dip** —*a brand* (*in lustral water*) Ar. —*waffles* (W.DAT. *into honeycombs*) Hippon. —*a flea's feet* (w. εἰς + ACC. *into wax*) Ar. —*one's hand* (w. ἐν + DAT. *in a dish*) NT. ‖ MID. **dip one's food in** (a sauce or sim.) X.; **dip one's hand** —w. εἰς + ACC. *into a dish* NT.

ἐμβάς άδος *f.* [ἐμβαίνω] **boot** or **shoe** (opp. sandal, ref. to a common type of male footwear, sts. assoc.w. the poor) Hdt. Ar. Is. Men.; (ref. to a horseman's boot) X.; (ref. to an expensive boot) Plu.

ἐμβάς (athem.aor.ptcpl.): see ἐμβαίνω

ἐμ-βασιλεύω *vb.* **1 be king, reign** (in a place) Il. —W.DAT. *in heaven, a city, a country* Od. Hes. Pi. —*among or over people* AR. —W.GEN. *over cities* Theoc.
2 be queen, reign (in a place) Theoc.

Ἐμβάσιος ου *m.* [ἔμβασις] (epith. of Apollo) **Protector of those who embark** Call. AR.

ἔμβασις εως *f.* [ἐμβαίνω] **1 embarkation** Plb.
2 point of entry (W.GEN. into a river) Plb.
3 (concr., in periphr. expressions) **means of stepping** (w. ποδός *of the foot, i.e. a shoe*) A.; (w. δίχηλος) *cloven hoof* (*of a cow*) E.

ἐμβατεύω *vb.* [reltd. ἐμβαίνω] **1** (of a god) tread on or in, frequent, haunt —*a place* A. E.; (intr.) **tread, set foot** (in a place) S.
2 (of a person) **set foot in** —*a city* E. —*ancestral estates* (perh. w. further connot. of taking possession, as 3) E. —W.GEN. *one's country* S.
3 (leg.) **enter** —w. εἰς + ACC. *into possession of an estate, a ship, property* Is. D.

ἐμβατήριος ον *adj.* (of rhythms, a paean) **for marching** Plu. ‖ NEUT.PL.SB. music for marching Plb. [or perh. *marching to music*]

ἐμβάφιον ου *n.* [ἐμβάπτω] **saucer** (for oil, serving as a lamp) Hdt.

ἐμ-βελής ές *adj.* [βέλος] (of a distance) **within missile range** Plb.

ἔμβη (ep.3sg.athem.aor., also dial.2sg.athem.aor.imperatv.), **ἔμβητον** (ep.2du.athem.aor.imperatv.): see ἐμβαίνω

ἐμ-βιβάζω *vb.* | fut. ἐμβιβῶ | **1** cause to go into or onto (sthg.); **put** —*someone or sthg.* (w. εἰς + ACC. *into a place*) Pl. Plb. —(*onto a chariot*) Pl. ‖ PASS. be plunged —w. εἰς + ACC. *into mud or ice* Plu.
2 put on board, embark —*people, troops* (freq. w. εἰς + ACC. *on ships*) X.(also mid.) Aeschin. D. Arist. Plb. +; (intr.) **embark one's troops** Th. X.
3 guide, lead, steer —*someone* (w. εἰς + ACC. *onto a better track of behaviour*) E. —(*into right behaviour, speaking about sthg., war, or sim.*) X. D. Plb.

ἐμ-βιόω *contr.vb.* **live during** or **through** —W.DAT. *the reigns of five emperors* Plu.

ἔμβλεμμα ατος *n.* [ἐμβλέπω] **direct look** (w. εἰς + ACC. *towards sthg.*) X.

ἐμ-βλέπω *vb.* **1** look in the face of (someone) or directly at (sthg.); **look** —w. εἰς + ACC. *into someone's eyes* E. Pl. —*into someone's face* D. —*at someone or sthg.* Pl. Men. Plb. NT. Plu. —*into a mirror* Plb. —W.DAT. *at someone* Pl. X. D. Men. Plb. + —W.ACC. Men.; **cast a look** (at sthg.) Arist.
2 give a look or **glance** —W.ADV. *of a certain kind* X. —W.ADVBL.ACC. *of a beautiful, terrified, terrifying, or bitter kind* Praxill. Pl. Plu.
3 have sight (opp. be blind); **see** NT. —W.ACC. *everything* (W.ADV. *clearly*) NT.

ἔμβλημα ατος *n.* [ἐμβάλλω] **part** (W.GEN. of a spear-shaft) **inserted** (W. εἰς + ACC. into the iron head) Plu.

ἐμ-βοάω *contr.vb.* (of soldiers or sailors going into battle) **give a shout** (for mutual encouragement, and to alarm the enemy) Th. Plu.; (of a commander, starting an attack) Plu.; (of a hunter, to encourage his hounds, sts. W.DAT. against the quarry) X.

ἐμβολάδην *adv.* [ἐμβάλλω] **like grafts, as if grafted** —*ref. to osiers twining together* hHom.

ἐμβολή ῆς *f.* **1 insertion** (of a letter into a word) Pl.
2 incursion, invasion (into another's territory) X. Arist. Plu.
3 place of entry (into a country, for an invading army) X. Plb. Plu.; (W.GEN. of a river, into a city) Hdt.; **mouth, entrance** (of a river) Plu.
4 charge (by a bull) E.; (by chariots, cavalry, troops) X. Plb. Plu.; (gener.) **clash, engagement** (of opposing soldiers) X.
5 ramming (of ships) A. Th. X. Plb. Plu.; (concr.) **battering-ram** Th.
6 onslaught (of missiles) E. Plu.; **bombardment** (W.GEN. by stones and beams, thrown fr. above) Plb.; **impact** (of a javelin) Plb.

ἐμβόλιμος ον *adj.* **1** (of a month) **inserted additionally, intercalary** Hdt. Plu. ‖ MASC.SB. **intercalary month** Hdt.
2 ‖ NEUT.PL.SB. **interludes** (ref. to non-integral choral songs in drama) Arist.

ἔμβολον ου *n.* —also **ἔμβολος** ου *m.* (gender oft. indeterminate) **1 beak** (of a warship) Hippon. Pi.; (as used for ramming) Hdt. Th. Plb. Plu.
2 ‖ PL. **rostrum** (in the Roman forum, ref. to a platform decorated w. ships' beaks) Plb. Plu.
3 ram-shaped or **wedge formation** (of troops or ships) X. Plb. Plu.
4 jutting part, tongue (W.GEN. of Asia; of a region, ref. to a promontory) Pi. Hdt.
5 ‖ PL. (neut.) **bars** (for gates) or **bolts** (for bars) E.
6 ‖ PL. (neut.) **lintels** (on the pillars of a palace) E.

ἔμ-βραχυ *adv.* [βραχύς] (always assoc.w. a relatv.pron. or relatv.adv.) **in short, in a word, simply** Lys. Ar. Pl. Is.

ἐμ-βρέμομαι *mid.vb.* (of a wind) **roar into** —W.DAT. *a sail* Il.

ἐμ-βρῐθής ές *adj.* [βρῖθος] **1** (of things) **weighty, heavy** Parm. Hdt. Pl. Plu.
2 (of a phalanx) **ponderous** Plu.; (of a military force, a faction's influence) **powerful** Plb. Plu.
3 (fig., of persons, their nature, manner, or sim.) **grave, serious** Pl. Plu.
4 (of a task) **weighty, serious, difficult** Isoc. Pl.; (of a calamity) **heavy, grievous** A.

ἐμ-βρῑμάομαι *mid.contr.vb.* **1** (of horses) **snort** —w. ἐν + DAT. *in their nose-bands* A.
2 (of a person) **be deeply moved** or **distressed** —W.DAT. *in one's feelings* NT. —w. ἐν + DAT. *in oneself* NT.
3 (mid. and pass.) **give a stern warning** or **rebuke** —W.DAT. *to someone* NT.

ἐμ-βροντάομαι *pass.contr.vb.* **1 be struck by a thunderbolt** X.
2 (fig.) **be struck crazy** D. Men.

ἐμβροντησίᾱ ᾱς *f.* **craziness, lunacy** Men.

ἐμβρόντητος ον *adj.* (of persons) **crack-brained, crazy, lunatic** Ar. D. Men.

ἔμ-βρυον ου *n.* [βρύω] **1 newborn creature, young** (ref. to a lamb) Od. A.
2 embryo, foetus Arist.

ἐμ-βύω *vb.* | aor. ἐνέβυσα | **stuff up** —*gaps* (W.DAT. *w. rags*) Ar.

ἐμέ (acc.1sg.pers.pron.): see ἐγώ

ἐμέθεν, ἐμεῖο (ep. and Ion.gen.1sg.pers.pron.): see ἐγώ

ἔμεινα (aor.): see μένω

ἐμέμηκον (ep.plpf.): see μηκάομαι

ἐμέμικτο (3sg.plpf.pass.): see μείγνῡμι

ἔμεν and **ἔμεναι** (ep.infs.): see εἰμί

ἐμέο (Ion.gen.1sg.pers.pron.): see ἐγώ

ἐμετίετο (Ion.3sg.impf.pass.): see μεθίημι

ἐμετικός ή όν *adj.* [ἐμέω] (of a person) **given to vomiting** (as a mark of a glutton) Plu.

ἔμετος ου *m.* **vomiting** (as a medicinal purge) Hdt.

ἐμεῦ (Ion.gen.1sg.pers.pron.): see ἐγώ

ἐμέω *contr.vb.* | impf. ἤμουν, Ion. ἤμεον | fut. ἐμοῦμαι | aor. ἤμεσα | **vomit, throw up** Hdt. Ar. Pl. X. Thphr. Plu. —*blood, poison, bile* Il. A. Hdt. Plu.

ἐμεωυτόν Ion.1sg.acc.reflexv.pron.: see ἐμαυτόν

ἔμηνα (aor.1): see μαίνομαι

ἐμίγην (aor.2 pass.), **ἔμικτο** (ep.3sg.aor.pass.): see μείγνῡμι

ἐμίν (dial.dat.1sg.pers.pron.): see ἐγώ

ἔμμα Aeol.*n.*: see εἷμα

ἐμ-μαίνομαι *mid.vb.* [ἐν] **be enraged** —W.DAT. *at someone* NT.

ἐμμανής ές *adj.* **1** (of a person) **maddened** Hdt. E. Pl. Men. Plu.; (W.PREP.PHR. or DAT. by a god, his breath) E.
2 frantic, frenzied S. Men.; (W.DAT. w. rage) A.; (of leaping, pursuit) A. S.*Ichn.*; (of sexual passion) Pl. Plu.; (of a person's disposition) **excitable** Pl.

—**ἐμμανέστερον** *compar.adv.* **more madly** or **passionately** —*ref. to desiring sthg.* Plu.

—**ἐμμανέστατα** *superl.adv.* **most madly** or **passionately** —*ref. to loving* Men.

ἐμ-μαπέως *ep.adv.* [μαπέειν] **quickly, promptly, instantly** Hom. Hes. hHom.

ἐμ-μάσσομαι *mid.vb.* | fut. ἐμμάξομαι | (of a goddess) **impose, inflict** —*her anger* (W.DAT. *on someone*) Call.

ἐμ-μάχομαι *mid.vb.* **fight a battle in** (a place) Hdt.

ἐμ-μείγνῡμι *vb.* | 3pl.aor.2 pass. (tm.) ἐν ... μίγεν (Pi.) | **encounter** —W.DAT. *sthg.* S.(dub.) ‖ PASS. (of voyagers) **encounter, come to** —W.DAT. *places, a people* Pi.(tm.)

ἐμ-μειδιάω *contr.vb.* (of hounds) **look with pleasure** —w. πρός + ACC. *on animal tracks* X.

ἐμμέλεια ᾱς, Ion. **ἐμμελείη** ης *f.* [ἐμμελής] **1** a kind of **dance** (sts. described as characteristic of tragedy); **dance** Ar.(dub.) Pl.; (W.GEN. of a fist, ref. to a performance in dancing that will knock flat or outdo a rival dancer) Ar.
2 dance music (on the aulos) Hdt.
3 (gener.) **harmony, decorousness** (in conduct or deportment) Plu.; **sense of decorum** Plu. ‖ PL. **orderly arrangements** (W.PREP.PHR. w. regard to certain activities) Plu.

ἐμ-μελετάω *contr.vb.* **1** (of a speaker) **practise on** (sts. w. ἐν + DAT. someone) Pl.; (pejor., of a historian) —W.DAT. *his readers* Plb.
2 (of a commander) **train** or **exercise** (W.ACC. persons) **in** —W.DAT. *struggles* Plu.

ἐμ-μελής ές *adj.* [μέλος] **1** (of sounds) **in tune, tuneful, musical** Plu.; (of a poet) **filled with music** Theoc.*epigr.*
2 (fig., of a person) **striking the right note, in good order** (opp. πλημμελής *discordant*) Pl.; (of a community) **harmonious** Plu.
3 (gener., of persons) **adroit, discriminating, with good taste** Pl. Plb. Plu.; (of things, activities) **suitable, fit, proper** A.*satyr.fr.* Ar. Pl. Arist. Plu.
4 (of property) **reasonable, adequate** (in amount) Pl.; (of a temple, a city) **modest** (in size) Pl. Arist.

—**ἐμμελῶς**, dial. **ἐμμελέως** *adv.* | compar. ἐμμελέστερον, also ἐμμελεστέρως (Pl.) | **1 harmoniously** —*ref. to singing*

AR.; **in time, rhythmically** —*ref. to dancing* Sapph.(or Alc.) AR.; **gracefully** —*ref. to throwing the discus* Anacr.
2 suitably, rightly, truly —*ref. to a maxim being expressed* Simon.
3 faultlessly, correctly (opp. πλημμελῶς *faultily*) —*ref. to moving* Pl.
4 (gener.) **suitably, correctly, tastefully** Pl. Arist. Plu.

ἐμ-μέμονα *pf.vb.* | ptcpl. ἐμμεμαώς | **1** (of a person's heart) prob. **be full of eagerness** (to tell of sthg.) S.
2 || PTCPL.ADJ. (of persons, animals, usu. quasi-advbl., ref. to doing sthg.) **full of eagerness, in a rush** Il. AR.; (fig., of a boulder) Hes.

ἔμμεν (ep.inf.), **ἔμμεναι** (Aeol.inf.): see εἰμί

ἐμμενετικός ή όν *adj.* [ἐμμένω] (of a person) **of the kind who remains firm** (usu. W.DAT. to sthg.) Arist.

—**ἐμμενές** *neut.adv.* (usu. strengthening αἰεί) **incessantly, continuously** Hom. Hes.

—**ἐμμενέως** *ep.adv.* **incessantly** Hes.

ἐμ-μένω *vb.* **1 remain** (in a place) Th. Isoc. X. —w. ἐν + DAT. *in a place* Th. X. —W.DAT. S.(cj.); (of possessions) —W.DAT. *in a house* E.*fr.*; (of wine) —w. ἐν + DAT. *in the head* Ar.
2 stand by, abide by, remain true to —W.DAT. *an oath, agreement, treaty, law, tradition, or sim.* S. E. Th. Ar. Att.orats. Pl. +; (of an oath) —*its pledges* A.; (of persons) **remain firm** Hdt. E. Pl. —w. ἐν + DAT. *in a treaty* Th.(treaty) X. —*in an arrangement* Pl.
3 (of a pact of friendship, a truce, law, proposal, precept, promise) **hold good** (sts. W.DAT. for someone) A. Hdt. S. Th. Pl. +; (of a custom) **be kept up** Th.

ἐμ-μεστόομαι *pass.contr.vb.* (of the sky) **be filled** (w. a storm of dust) S.(tm.); (of a racecourse) —W.GEN. w. *the clatter of chariots* S.(tm.)

ἔμ-μεστος ον *adj.* [μεστός] (app. of a place) **full** (W.GEN. of sound) S.*Ichn.*

ἐμμετρία ᾱς *f.* [ἔμμετρος] **due measure, proportion, moderation** Pl.

ἔμ-μετρος ον *adj.* [μέτρον] | superl. ἐμμετρότατος | **1** (of a cup) perh. **containing a measure** (up to a specified amount) Stesich.
2 (of things) **having due measure, properly proportioned, moderate** Pl.; (of a mind) **having a sense of proportion** Pl. || NEUT.SB. **proportion, moderation** Pl.
3 (of things) **fitting, suitable, appropriate** Pl.
4 (of persons) **preserving due measure, behaving appropriately, reasonable** (W.PREP.PHR. in relation to sthg.) Pl.
5 (of speech or writing) **in metre, metrical** Pl. Arist.; (of an oracle, an oath) Plu.

—**ἐμμέτρως** *adv.* **1 proportionately** (w. πρός + ACC. to sthg.) Pl.
2 fittingly, suitably, appropriately Pl.

ἔμ-μηνος ον *adj.* [μήν²] **1** (of work) **lasting a month, monthlong** Pl.
2 (of sacrifices) **occurring each month, monthly** S. Pl.; (of rations, a distribution of corn) Theoc. Plu.
3 (of lawsuits of the kind which may be instituted once a month, **monthly** D. Arist. [sts. interpr. as *which must be settled within the month*]

ἔμ-μητρος ον *adj.* [μήτρᾱ] (of a stick) **with pith intact** (i.e. freshly cut fr. a tree) Theoc.

ἔμμι Aeol.*vb.*: see εἰμί

ἐμ-μίμνω *vb.* (of Strife) **remain behind** —W.ACC. *in sthg.* Emp.

ἔμ-μισθος ον *adj.* [μισθός] **1** (of persons) **in receipt of pay, wage-earning, under hire** Th. Pl. D. Plu.; (ref. to persons who have been bribed) Plu.; (of a city, ref. to the employment afforded to its citizens) Plu.
2 (of manufacture) **for pay** Pl.
3 (of orphans) **in receipt of one's father's pay, pensioned** Plu.

ἐμμονή ῆς *f.* [ἐμμένω] **continued presence, persistence** (W.GEN. of an evil) Pl.

ἔμμονος ον *adj.* **1** (of knowledge, thoughts, things heard, or sim.) **lasting, enduring, secure** (sts. W.DAT. for someone, in the mind) Pl. X.
2 (of persons) **steady, steadfast** X.

ἔμμορε (ep.3sg.pf.), **ἐμμόρμενος** (Aeol.pf.pass.ptcpl.): see μείρομαι

ἔμμορος ον *adj.* [μείρομαι] (of bards) **having a share** (W.GEN. of honour and respect) Od.

ἔμ-μορφος ον *adj.* [μορφή] (of statues of gods) **having bodily form** Plu.

ἔμ-μοτος ον *adj.* [μοτός *lint*] (of a cure) **with a dressing of lint** (which allowed a wound to remain open and heal naturally) A.

ἔμ-μοχθος ον *adj.* [μόχθος] (of a person's life) **toilsome** E.

ἐμ-μυέομαι *pass.contr.vb.* **be initiated in** —w. ἐν + DAT. *a particular cloak* (i.e. while wearing it) Ar.

ἔμνησα (aor.), **ἐμνήσθην** (aor.pass.): see μιμνήσκω, μιμνήσκομαι

ἐμοί¹ (dat.1sg.pers.pron.): see ἐγώ

ἐμοί² (masc.nom.pl.possessv.adj.): see ἐμός

ἔμολον (aor.2): see βλώσκω

ἐμός ή (dial. ᾱ́) όν *possessv.adj.* [ἐγώ] **1 of or belonging to me, my** (oft. w.art. ὁ ἐμός, εὑμός) Hom. +; (ref. to particular classes of persons, interests or concerns) οἱ ἐμοί *my followers* X.; (neut.) τὸ ἐμόν, τοὐμόν *my interest, conduct, advice, or sim.* Pi. Hdt. S. E. Lys. +; ἐμόν (without art.) *my decision* Il.; (pl.) τὰ ἐμά, τἀμά *my interests, affairs, possessions* Hdt. S. E. Th. +; *my children* S. Pl.; (advbl.acc.) τό γε ἐμόν *for my part, as far as concerns me* Hdt. Pl.
2 (fem.sb.) ἡ ἐμή (w. ellipse of γῆ) *my land* Th.; (w. ellipse of γνώμῃ) *my opinion* Ar. Pl.
3 (w. force of an objective gen.) **relating to me**; ἐμὴν ... ἀγγελίην *news of me* Il.; τὠμῷ πόθῳ *through longing for me* S.; τὰς ἐμὰς διαβολάς *the slanders against me* Th.

ἐμοῦ (gen.1sg.pers.pron.): see ἐγώ

ἔμπα *dial.adv.*: see ἔμπης

ἐμπαγήσομαι (fut.pass.): see ἐμπήγνῡμι

ἐμπάζομαι *mid.vb.* | only pres. and ep.3sg.impf. ἐμπάζετο | (usu. w.neg.) **care about, pay attention to** —W.GEN. *guests, suppliants, messengers, someone's words, a prophecy* Hom. Call. Bion —W.ACC. *suppliants* Od.; (of a god) —W.GEN. *a sacrifice* Od.

ἐμ-παθής ές *adj.* [ἐν, πάθος] (of persons) **affected with strong emotion, deeply moved** Plu.

—**ἐμπαθῶς** *adv.* | compar. ἐμπαθέστερον | **with deep emotion, passionately** Men. Plb. Plu.

ἐμ-παιδοτροφέομαι *mid.contr.vb.* **bring up one's children on** (i.e. at the expense of) —W.DAT. *another's estate* D.

ἐμ-παίζω *vb.* | aor. ἐνέπαιξα (NT.) | **1** (of a fawn) **play in** —W.DAT. *a meadow* E.; (of a goddess) **join in** —W.DAT. *dances* (*of her devotees*) Ar.; (of Aphrodite, envisaged as in a contest w. mortals) **have fun, play** S.
2 make fun of, mock —W.DAT. *someone* Hdt. NT. || PASS. **be tricked** NT.

ἔμπαιος¹ ον *adj.* app. **possessed of** (W.GEN. action and strength, i.e. the capacity for strong effort) Od.; **experienced in** (evil deeds) Od.

ἔμπαιος² ον *adj.* [ἐμπαίω] (of fortunes, miseries) **that strike** (against one) A. Emp.
ἐμ-παίω *vb.* (of a familiar image) **strike** —w.DAT. *someone* S.
ἐμ-πακτόω *contr.vb.* **make tight, pull together** —*a boat's seams* (w.DAT. *w. papyrus rope*) Hdt.(tm.)
ἐμπαλάγματα τῶν *n.pl.* [ἐμπαλάσσομαι] **embraces** A.(cj.)
ἐμ-παλάσσομαι *pass.vb.* [παλάσσω] (of soldiers) **be entangled** (in their equipment) Th. —w. ἐν + DAT. *in nets* Hdt.
ἔμ-παλιν *adv.* [πάλιν] **1** in a backwards direction, **backwards, back** —*ref. to leaning, looking, turning one's face* Hes. E. Call. AR.
2 back to a starting-point, **back, back again** —*ref. to sending sthg.* S. —*ref. to rushing* AR.
3 (w.art.) τοὔμπαλιν *in the reverse direction* Ar. X. Plb.; (also) εἰς τοὔμπαλιν S.*Ichn.* X. Plb.; ἐκ τοὔμπαλιν *from the opposite side* (w. ἤ + CL. *to where sthg. is happening*) Th.
4 in the reverse way —*ref. to putting on one's shoes* (*i.e. on the wrong feet*) Pl.
5 upside down —*ref. to turning sthg.* E.; (fig.ref. to a state of affairs) **the other way round** X.
6 in the opposite way, conversely, **by contrast** Emp. Call. AR. Plu.(quot.com.); (w. ἤ + ADV. *to previously*) Emp.; (w. ἤ + NOM. *to someone, i.e. to how someone does sthg.*) Hdt.; (w.DAT. *to someone*) Hdt.; (w.GEN. *to sthg.*) Hdt. Plb.
7 to the opposite effect, **contradictorily** —*ref. to speaking* S.; (w.art.) τοὔμπαλιν *with a reversal* (w.GEN. *in one's thinking*) E.
8 (quasi-prep.) **as the reverse** (w.GEN. *of expectation, delight*) —*ref. to things turning out* Pi.
9 (w.art.) τοὔμπαλιν **on the other hand, on the contrary** A. E. Ar. Plb.; (also pl.) τὰ ἔμπαλιν Hdt. Plu.; (without art.) Plb. Plu.
10 ‖ NEUT.SG.SB. (w.art.) **the contrary or reverse** (ref. to an outcome) A.; (w.GEN. *of sthg.*) X. ‖ NEUT.PL.SB. **the contrary or reverse** (w.GEN. *of sthg.*) A. Hdt. E.; (of someone, *i.e. of what someone does*) Hdt.
11 κατὰ ... ἔμπαλιν (app.tm.) *facing in the opposite direction* (*w. respect to others*) hHom.
ἔμπᾱν *dial.adv.*: see ἔμπης
ἐμ-πανηγυρίζω *vb.* **hold festivals in** (a city) Plu.
ἐμ-παρέχω *vb.* **1** make available, **offer** —*one's city* (w.INF. *to bear the brunt of danger*) Th.; **give the opportunity** —w.DAT. + INF. *to someone to do sthg.* Th.
2 lend —*one's name* (w.DAT. *to another's enterprise*) Plu.
ἐμ-παρρησιάζομαι *mid.vb.* **speak freely against** —w.DAT. *someone* Plb.
ἔμπᾱς *dial.adv.*: see ἔμπης
ἐμ-πάσσω, Att. **ἐμπάττω** *vb.* **1 sprinkle on** (the eyes) —w.PARTITV.GEN. *some ashes* Pl.
2 weave in (to cloth on the loom) —*decorative scenes or patterns* Il.(sts.tm.)
ἐμ-πατέω *contr.vb.* (fig., of expectation) **tread in, stalk** —*a house* A.
ἐμπεδέως *dial.adv.*: see under ἔμπεδος
Ἐμπεδοκλῆς έους *m.* **Empedocles** (philosopher, c.492–432 BC) Isoc. Pl. Arist.
ἐμπεδό-μοχθος ον *adj.* [ἔμπεδος, μόχθος] (of a life) **of constant toil** Pi.
ἐμπεδορκέω *contr.vb.* [ὅρκος] **keep one's oath** Hdt. X.
ἔμ-πεδος ον *adj.* [πέδον] **1** standing on the ground; (of a wall) **firm, secure, intact** Il.; (of a bed) Od.
2 maintained in place; (of a shield, a spear) **steady** Il.; (of a person's heart, opp. leaping out of his breast fr. fear) Il.
3 remaining intact; (of flesh) **intact** Il. Hes.*fr.*; (of a person's strength, legs, mind) **sound, unimpaired** Hom.; (of a person) **sound in mind** Il.; (of gifts, property) **secure, safe** Hom. Sol.
4 steady or constant; (of persons) **steadfast** AR.; (w.DAT. in inherited temper) S.; (of a person's judgement, thoughts, feelings) **unchanging** Thgn. S.; (of wealth, virtue, an achievement) **secure, lasting** Sol. Pi.; (of a location in heaven) **fixed** AR.; (of life, being) **stable, constant** Parm. Emp.
5 having sureness or certainty; (of signs) **reliable** Od.; (of promised transport) **assured** Od.; (of an oath, a pledge) **valid, binding** E. AR.; (of an oracle) **unfailing** E.; (of a prophecy) **coming to fulfilment** S.
6 existing without interruption; (of care, watchfulness, toil, fear, damage) **constant, unceasing** Hom. Hes.*fr.* A. Pi.*fr.* S.; (of the young of sheep) produced without fail, **unfailing** Od.; (of time, slavery) **unrelenting** Pi.
—**ἔμπεδον** *neut.adv.* **1 securely, firmly, steadily** Hom. AR.
2 securely, certainly —*ref. to knowing sthg.* S.
3 without interruption (in time or movt.), **unceasingly, constantly** Hom. A. Pi. B. AR.
—**ἐμπέδως**, also dial. **ἐμπεδέως** (Sol.) *adv.* **1 securely, unalterably** —*ref. to an assurance being given* S.
2 unceasingly, **constantly** Semon. Sol.
ἐμπεδο-σθενής ές *adj.* [σθένος] (of a life) **of unfailing strength** Pi.
ἐμπεδόω *contr.vb.* | *impf.* ἠμπέδουν | **make good, fulfil, keep** —*an oath, a promise, a truce, or sim.* S.*Ichn.* E. Ar. Pl. X. +; **ratify** —*proposed laws, royal power* Plu.
ἐμπειρέω *contr.vb.* [ἔμπειρος] **be familiar with** —w.GEN. *a region* Plb.
ἐμπειρίᾱ ᾶς *f.* **1 experience, familiarity, acquaintance** (freq. w.GEN. of, in or w. sthg.) E. Th. Ar. Att.orats. Pl. +
2 practical experience (opp. theory or natural ability) Isoc. Pl. Arist.
3 activity in which experience is acquired or displayed, **practical activity** Isoc. Arist.
ἐμπειρικός ή όν *adj.* (of a historian's capacity) **for acquainting oneself with the facts** Plb.
ἐμπειρο-πόλεμος ον *adj.* (of troops) **experienced in war** Plu.
ἔμ-πειρος ον *adj.* [πεῖρα] (of persons) **familiar, acquainted** (freq. w.GEN. in or w. sthg.) A. Pi.*fr.* Hdt. S. Th. Ar. +; (w. someone) Hdt. Isoc.; (of warships, ref. to their crews) **experienced** Th.
—**ἐμπείρως** *adv.* | *compar.* ἐμπειροτέρως (Aeschin. D.) | **in an experienced manner** or **through experience** Pl. D. Plb. Plu.; (w. ἔχειν) *be experienced, familiar or acquainted* (*usu.* w.GEN. *w. someone, in or w. sthg.*) Pl. X. Aeschin. D. Arist. Plu.
ἐμπελαδόν *adv.* [ἐμπελάζω] (as prep.) **near, close** —w.DAT. *to a hearth* Hes.
ἐμ-πελάζω *vb.* **bring close** (to each other) —*chariots* Hes.; (intr.) **come close** —w.DAT. *to a house* hHom.; **meet, encounter** —w.DAT. *someone* S. ‖ PASS. **approach** —w.GEN. *a lover's bed* S.
ἐμπέραμος ον *adj.* [reltd. ἔμπειρος] (of persons) **with experience** (w.GEN. of ships) Call.
—**ἐμπεράμως** *adv.* in an experienced manner, **skilfully** Call.
ἐμ-περιέχομαι *pass.vb.* (of circumstances) **be involved** (with), **be dependent** —w. ἐν + DAT. *on other circumstances* Plb.
ἐμ-περιλαμβάνω *vb.* **1 enclose, surround** —*a place* (w.DAT. *w. soldiers*) Plu. —*water* (*w. barriers*) Plu.; (of a hollow in a rock) **encompass, contain** —*objects placed in it* Plu.
2 ‖ PASS. (of persons) **be involved** (in sthg.) Arist.
ἐμ-περόνᾱμα ατος *dial.n.* woman's garment pinned at the shoulder, **dress** Theoc.

ἔμπεσον (ep.aor.2): see ἐμπίπτω
ἐμ-πετάννῡμι vb. spread out —hunting nets (w. ἐν + DAT. in places) X.
ἔμπετες (dial.2sg.aor.2), ἐμπέτων (Aeol.aor.2 ptcpl.): see ἐμπίπτω
ἐμ-πήγνῡμι vb. | dial.aor. ἐνέπαξα ǁ fut.pass. ἐμπαγήσομαι | **1 fix, plant, stick** —*a spear* (W.DAT. *in someone's back*) Il.(tm.) —*thorns* (*in someone's eyes*) Call. —*a wound* (*in one's heart*) Pi. ǁ STATV.PF. (of a spear) **stand fixed** —W.DAT. *in someone* Ar.; (of rods) —w. ἐν + DAT. *in corks* Plb. ǁ PASS. (of a sting) **be stuck** —W.DAT. *in someone* Ar.(tm.); (of grapnels) —*in planks* Plb.; (of an arrow) —*in a bone* Plu.
2 insert —*tickets* (*of potential jurors, into a column of slots in an allocation-machine*) Arist.
ἐμ-πηδάω contr.vb. **1 jump upon** —W.DAT. *someone* Hdt.
2 (wkr.sens.) **intrude** —w. εἰς + ACC. *into a place* Plb.
ἐμπήκτης ου m. [ἐμπήγνῡμι] **inserter** (of jurors' tickets into the slots of an allocation-machine) Arist.
ἔμ-πηρος ον adj. [πηρός] (of persons, animals) **crippled, maimed** Hdt.
ἔμπης, dial. ἔμπᾱς (also ἔμπᾶν Pi., ἔμπᾰ Pi. +) adv.
1 (affirmative) **in fact, for sure, really** Hom. Callin. Thgn. AR.
2 (adversative) **nevertheless, all the same, still** Hom. Hes. Thgn. Pi. Trag. Hellenist.poet.; (following a concessive cl.) Od.; (preceding a concessive cl.) Il. Pi. S.
3 (in a concessive cl.) **though, even though** (w. περ¹ + PTCPL. sthg. is the case) Hom. Thgn. AR. Theoc.; (w.ptcpl.) Thgn. Pi. S. AR.; (w. περ¹) Pi. AR.
ἐμ-πικραίνομαι mid.pass.vb. (of a tyrant) **be embittered against** —W.DAT. *his people* Hdt.
ἐμ-πῐλέομαι pass.contr.vb. (of layers of flesh, in the body) **be packed closely** —w. ἐν + DAT. *on one another* Pl.
ἐμ-πίμπλημι (also ἐμπίπλημι), ep. ἐνιπίμπλημι vb.
| imperatv. ἐμπίμπλη, ep. ἐμπίμπληθι | Ion.3sg. ἐμπιπλέει ǁ ATHEM.AOR.MID.: ἐνεπλήμην, ep.3sg. and 3pl. (w.pass.sens.) ἔμπλητο (also tm. ἐν ... πλῆτο), ἔμπληντο | opt. ἐμπλήμην | ptcpl. ἐμπλήμενος | imperatv. ἔμπλησο |
1 fill up (a receptacle, usu. W.GEN. w. sthg.); **fill** —*a vessel* (w. wine, water) Od. E.Cyc. —*bags, baskets, shields* (w. objects) Hdt. Th. Ar. —*a stomach, a skull* (w. oil, honey, or sim.) Od. Hdt. —*the Trojan Horse* (w. men) Od. —*tombs* (w. people) Isoc. —*pens* (w. cattle) Od. —*someone's hand* (w. entrails) Ar.; (mid.) —*a vessel* (w. Hdt. Ar. Pl. —(w. water) Call.(tm.) ǁ PASS. (of a cup, clouds) **be filled** —w.GEN. w. water Ar.; (of eyes) —w. blood, tears Il. X.; (of a house) —w. good things hHom.
2 fill up (a space, usu. W.GEN. w. someone or sthg.); **fill** —*places* (w. people) E. Ar. X. —(w. water, blood) Il. E. —*a pyre* (w. offerings) Od. —*the Acropolis* (w. silver and gold) Isoc. —*porticoes* (w. written documents) Isoc. —*a courtroom* (w. shouting) Isoc.; (of blood) —*someone's lap* Il. ǁ PASS. (of places) **be filled** —W.GEN. w. people, animals Hom. Hdt. —w. noise AR.(tm.) —(w. of a market) —w. goods Ar.
3 fill (someone) **with food or drink; give** (someone) **a fill** Od.; (fig.) —W.GEN. *of fighting wars* Isoc. ǁ MID. **fill** —*one's belly* Od. ǁ MID. and PASS. **gorge oneself** or **be filled up** Od. Hdt. E. Lys. Ar. + —W.GEN. w. soup, sprats, or sim. Ar. —w. flesh and bones E. —W.DAT. w. wine Hdt.; (fig.) —W.GEN. w. money E.fr. —w. troubles Isoc. —(of an actor) —w. phrases Ar.
4 fill (someone) **with an emotion** (or sim.); **fill** —*persons, their heart or soul* (W.GEN. w. pain, pleasure, love) Od. Hdt. E. Pl. —(w. vices) Isoc. —(w. empty hopes) Aeschin. —*someone's ears* (w. a person's name) Pl. ǁ MID. **fill** —*one's heart* (w. rage, good cheer, or sim.) Il. AR. ǁ MID. and PASS. **be filled** —W.GEN. w. pity, anger, greed E. Ar. Pl.

5 satisfy (an appetite or sim.); **satisfy** —*someone* (W.DAT. w. stories) E. —*someone's expectations, one's inclinations, one's desire* X. D. AR.; **fulfil** —*one's destiny* Pl. ǁ MID. and PASS. (usu. in neg.phrs.) **have one's fill** —W.GEN. *of one's son* (W.DAT. w. one's eyes, i.e. of looking at him) Od. —W.NOM.PTCPL. *of speaking, hating or pelting someone, making promises* E. Ar. X.
ἐμ-πίμπρημι (sts. written ἐμπίπρημι) vb. —also ἐμπρήθω, ep. ἐνιπρήθω vb. —also (later) ἐμπι(μ)πράω contr.vb. | inf. ἐμπιμπράναι | ptcpl. ἐμπιμπράς, also ἐμπιπρῶν (Plb.) | 2pl.imperatv. ἐμπίμπρατε | 3pl.impf. ἐνεπίμπρασαν, also perh. ἐνεπίμπρων (X.), ep. ἐνέπρηθον | fut. ἐμπρήσω, ep. ἐνιπρήσω | aor. ἐνέπρησα, also ep. (tm.) ἐν ... πρῆσα, ep.inf. ἐνιπρῆσαι ǁ PASS.: pres.ptcpl. ἐμπιμπράμενος | fut.pf. (as fut.) ἐμπεπρήσομαι (Hdt. Plu.) | aor. ἐνεπρήσθην | pf.ptcpl. ἐμπεπρημένος |
1 (of wind) **blow into, swell out** —*a sail* Il.(tm.)
2 (of persons) **set fire to, burn down** —*a city* Il. —*ships* (sts. W.DAT. or GEN. w. fire) Il. —*cities, houses, temples, ships, cornfields, or sim.* Hdt. E. Th. Ar. Att.orats. Pl. +; **set fire to** —*a person, flesh, hair* S. E. Ar. Men. ǁ PASS. (of cities, houses, or sim.) **be set on fire or burned down** Hdt. Th. Ar. +; (of a person) Ar.; (fig., of a sow) **be fired up** (w. anger) Ar.
ἐμ-πίνω vb. | fut. ἐμπίομαι (Thgn.) | **1 drink one's fill** (of wine) Thgn. E.Cyc. Ar. —W.ACC. *of unmixed wine* Plu.
2 have a drink —W.PARTITV.GEN. *of blood* Hdt.
ἐμ-πίπτω vb. | aor.2 ἐνέπεσον, ep. ἔμπεσον, also tm. ἐν ... πέσον, dial.2sg. ἔμπετες (Pi.), Aeol.ptcpl. ἐμπέτων | ep.pf.ptcpl. ἐνιπεπτηώς (AR.) | **1** (of persons or things) **fall downwards onto** (sthg.); (of a person) **fall onto** —W.DAT. *a seat* E.; (of a goat) —*a rock* Il.; (of barley seed) —*the ground* hHom.; (of heaven) —*a person* Thgn.(tm.); (of a winged god) **swoop down to** —W.DAT. *the sea* Od.
2 fall downwards into (sthg.); (of persons) **fall into** —w. εἰς + ACC. *a ditch* X.; (of a rock, a sail) —W.DAT. *the sea* Od.; (of the sun) **sink into** —W.DAT. *the Ocean* Il.(tm.); (of an arrow) **land** (somewhere) Il. —W.DAT. *in someone's neck* Il.
3 (of things) **come down violently or harmfully upon** (someone or sthg.); (of a beam) **fall down, crash** (onto a siege-engine) Th.; (of a thunderbolt, roof, tower, or sim.) —W.DAT. *onto someone* Hdt. Ar.; (of fire) **come crashing down** —W.DAT. *onto ships* Il.; (of wind) **fall** (upon a forest, the sea, a ship) Hes. Hdt. AR.(tm.) —w. ἐν + DAT. *upon a forest* Il. —W.DAT. *on oaks* Sapph.
4 come forcefully up against (someone or sthg.); (of a charioteer) **crash into** (another) S.; (of clouds) —w. εἰς + ACC. *into each other* Ar.; (of persons, soldiers, animals) **fall foul of** —W.DAT. *one another* X.
5 throw oneself forcefully upon (sthg.); **burst in** (to a house) A. —W.DAT. *to a room* S. —w. εἰς + ACC. *to a place* Ar.; **charge** —w. εἰς + ACC. *at a door* Ar.; (fig., of a populace, a person) **charge blindly in** (to a situation) Hdt. Ar.
6 throw oneself aggressively (upon someone or sthg.); (of a wrestler) **fall on** —W.DAT. *an opponent's body* Pi.; (usu. of soldiers) **make an attack** Il. Hdt. Ar. —W.DAT. *on enemy troops or sim., on a city's gates* Od.(tm.) Pi. E. X. —w. εἰς + ACC. X.; (of Eros, envisaged as a warrior) perh. **fall upon, plunder** —W.DAT. *possessions* S.(tm.); (fig., of a person) **attack with mockery, assail** —W.DAT. *someone* Pi.
7 (wkr.sens.) **throw oneself** —w. εἰς + ACC. *into the sea* X. —W.DAT. *into a fire* AR.(tm.); (of a goddess) —W.DAT. *into a mortal's bed* hHom.
8 (of persons) **be forcibly moved** (to a place of punishment); **be thrown** —w. εἰς + ACC. *into a mill* Lys.

—*into prison* D. Din. —*into Tartaros* Pl. —w. ἐν + DAT. *into a quarry* Th.; **be hauled off** —w. εἰς + ACC. *to court* Pl.
9 come into contact (w. sthg.); (of persons) **come up** —w. εἰς + ACC. *against enemy swords* E.; **stumble** —W.PREP.PHR. *upon an ambush* X. —*upon a road* (*where an ambush has been laid*) Hdt.; (of the mind of the dead) **merge** —W.PREP.PHR. *into the aither* E.; (of things) **impinge** —W.PREP.PHR. *on the senses, on the field of vision* Pl.; (of a sickness, fig.ref. to political disorder) **steal** —W.PREP.PHR. *into a country* D.; (of a person's body) **be exposed** —W.DAT. *to the sun* Pi.
10 (of circumstances, usu. unwelcome) come upon (someone); (of civil dissension, a change of fortune, punishment, pestilences, or sim.) **strike, befall** Hdt. Th. Pl.; (of misfortune, sorrows, quarrelling) **fall on** —W.DAT. *persons, a house* Od. E. Ar. AR.(tm.); (of a convulsion, retching) **come over** —W.DAT. *someone* S. Th.; (wkr.sens., of sleep) **come on** Pl.
11 (of emotions or sim.) come upon (someone); (of anger, fear, desire, pity, astonishment, or sim.) **come over** —W.DAT. *someone, the heart* Il. Hdt. Trag. Th. + —W.ACC. *a country* E.(dub.); (of fear) **enter** —w. εἰς + ACC. *into an army* Hdt.
12 (of persons) fall into (a certain state); **fall** —w. εἰς + ACC. *into disaster* Hdt. S. —*into a quarrel* E. —*into illness* (*i.e. fall ill*) Antipho —*under suspicion* Antipho —*under a yoke of necessity* E. —*into an abyss of nonsense* Pl. —*into doubt and perplexity* Isoc.; (of a city) —*into trouble* D.; (of a person) —w. ἐν + DAT. *into a dilemma* Pl. —W.DAT. *under heaven-sent delusion* AR.
13 (of disputants) **embark** —w. εἰς + ACC. *upon a discussion, an inquiry* Pl.; (of a speaker) —*upon a topic* Isoc. D.
14 (of unsuitable persons) **intrude** —w. εἰς + ACC. *upon a public office* E.fr. Arist.
15 (of a seer's words) **occur** —W.DAT. *to someone's mind* Od.; (of a report) **reach** —W.DAT. *someone* S. E.; (of a subject for discussion or consideration) **arise, crop up** Ar. Pl. Thphr. Plu.
16 fall within (the province of sthg.); (of things) **fall** —w. εἰς + ACC. *into a given class* Pl.; **relate** —w. εἰς + ACC. *to certain causes, a feature of style* Arist.; (of certain lawsuits) **belong** —w. εἰς + ACC. *to a large jury* Arist.
ἐμπίς ίδος *f.* [ἐμπίνω] drinker (of blood), **mosquito** or **gnat** Ar.
ἐμ-πιστεύω *vb.* **entrust** —*one's personal safety* (W.DAT. *to someone*) Plu.
ἐμ-πίτνω *vb.* **1** (of a god) **fall on, attack** —W.DAT. *persons, a house* A.; (of a woman) —*a veil* (*so as to tear it*) A.; (of a god, a warrior) **attack** A. S.
2 (of a runner) **fall, stumble** —(*prob.*) w. ἐς + ACC. *into a crowd* B.
ἐμ-πλάζομαι *mid.pass.vb.* (of baggage-animals) **wander about among** —W.DAT. *fighting men* Plu.
ἐμ-πλάσσω *vb.* (of a bird) **plaster over, seal up** —*a dead bird* (w. ἐν + DAT. *in an egg made of myrrh*) Hdt. —*a hole* (*in the egg*) Hdt.
ἔμπλειος *ep.adj.*, **ἔμπλεος** *Ion.adj.*: see ἔμπλεως
ἐμ-πλέκω, ep. **ἐνιπλέκω** (Call.) *vb.* | fut.pass. ἐμπλεχθήσομαι | aor.2 pass.ptcpl. ἐμπλακείς | **1** entwine (sthg., w. sthg. else); **intertwine** —*branches* (w. εἰς + ACC. *w. one another*) Plb.; **entwine** —*one's arm* (*around someone*) E.; (fig.) **interweave, combine** —*incompatible things* Pl. —*Greek speech* (W.DAT. *w. Asian*) Tim. || MID. entwine one's arms around, **embrace** (someone) Plb.; **cling to** —W.DAT. *enemy weapons* Plu. || PASS. (of brambles) be caught up —W.DAT. *in clothing* Plb.

2 (fig.) **weave in** (to one's speech or behaviour) —*riddles* A. —W.COGN.ACC. *wiles* E. || PASS. (of observations) be woven or included in —W.DAT. *laws* Pl.; (perh. of a word, into a poem) Call.
3 entangle, enmesh —*someone* (w. ἐς + ACC. *in a net*) E. || PASS. be entangled —W.DAT. *in a noose* S. —*in reins* E. —w. εἰς + ACC. *in a net of disaster* A.; (of dying soldiers) —W.DAT. *w. men and horses* Plu.; (of horses) —*in their tethers* Plb.; (of a person) be enmeshed —w. ἐν + DAT. *in bonds* Ar.; (fig.) —*in toils, troubles* Isoc. Pl.; be fettered —W.DAT. *by civic authorities* Plu.
4 (gener.) **connect, associate** —*pleasure* (w. εἰς + ACC. *w. happiness*) Arist. —*a word* (W.DAT. *w. an activity*) Pl. —*an island* (w. *a song about it*) Ca l.; **involve** —*someone* (w. εἰς + ACC. *in an agreement, an alliance*) Plb. || PASS. (of persons) form a connection —W.DAT. *w. a confederacy* Plb.; be involved —W.DAT. or εἰς + ACC. *in affairs* Plb.
ἔμπλεξις εως *f.* **interweaving, entwining** (of threads) Pl.
ἐμ-πλέω *contr.vb.* [πλέω¹] **sail in** —W.DAT. *ships* Hdt.; **sail aboard** (ships) Th. X. D.
ἔμ-πλεως ων *Att.adj.* —**ἔμπλεος** (also **ἐνίπλειος**) η ον *ep.adj.* —**ἔμπλεος** η ον (ep. **ἐνίπλεος** ος ον AR.) *Ion.adj.* [πλέως] **1** (of a cup, quiver, room, other container) **filled (with), full** (W.GEN. of sthg.) Od. hHom. Parm. Hdt. Pl. Hellenist.poet.
2 (of a dog) abounding (in), **full** (W.GEN. of fleas) Od.
3 (of persons) abounding (in) **full** (W.GEN. of confusion, discontent) Pl.; (of wickedness) Plb.
ἐμπλήγδην *adv.* [ἐμπλήσσω] **impulsively** or **capriciously** Od.
ἔμπληκτος ον *adj.* **1** (of persons) **impulsive, unstable, inconsistent, capricious** S. E. Pl. Arist. Plu.; (in neg.phr., of philosophy, envisaged as a beloved person) Pl.
2 mentally unstable, **deranged, crazy** Plu.
—**ἐμπλήκτως** *adv.* **impulsively** or **capriciously** Th. Isoc.
ἐμπλήμενος (athem.aor.mid.ptcpl.), **ἐμπλήμην** (opt.): see ἐμπίμπλημι
ἔμ-πλην¹ *adv.* [reltd. πλησίον] **nearby** Hes.; (as prep.) **near** —W.GEN. *someone* Il.
ἔμ-πλην² *prep.* [πλήν] **except for** —W.GEN. *someone, somewhere* Archil. Call.
ἔμπληντο (ep.3pl.athem.aor.mid.): see ἐμπίμπλημι
ἐμπληξίᾱ ᾱς *f.* [ἐμπλήσσω] **1 instability, inconsistency, capriciousness** (of a person, conduct) Aeschin.
2 (gener.) **lunatic behaviour** Plu.
ἔμπλησο (athem.aor.mid.imperatv.): see ἐμπίμπλημι
ἐμ-πλήσσω, ep. **ἐνιπλήσσω** *vb.* **1** strike against or blunder into (an obstacle); (of warriors) **fall into** or **get caught in** —W.DAT. *a ditch* Il.; (of birds) —*a trap* Od.
2 (of a squall) **strike** (a mast) AR.; (of the Clashing Rocks) **crash** (together) AR.; (of bulls) **crash into** —W.ACC. *a shield* AR.
ἐμπληστέος ᾱ ον *vbl.adj.* [ἐμπίμπλημι] (of a city) **to be filled up** (W.GEN. w. *unnecessary things*) Pl.
ἔμπλητο (ep.3sg.athem.aor.mid.): see ἐμπίμπλημι
ἐμπλοκή ῆς *f.* [ἐμπλέκω] **intertwining** (of branches in a palisade) Plb.
ἐμπλόκιον ου *n.* **hair-clasp** Plu.
ἐμ-πνέω *contr.vb.* —also **ἐμπνείω** *ep.vb.* | fut. ἐμπνεύσομαι | **1** (of a wind) **blow** (upon a ship) Pi. Call. —W.DAT. *upon a ship* E.Cyc. —*upon the sea* Hes.; **blow into** —W.ACC. *a sail* hHom.; (fig., of a person, envisaged as a wind) **blow with a favouring breath upon** —W.DAT. *someone* (*envisaged as a ship in distress*) E.

2 (of horses) **breathe upon** —W.DAT. *someone's back* Il.
3 (tr., of a god) **breathe** —*strength, courage, valour* (*into persons*) Hom. X. —(W.DAT. *into persons, horses*) Il. AR.; (of the Muses) —*a divine voice* (*into someone*) Hes.; (of a victorious wrestler) —*the strength to wrestle against old age* (*into his grandfather*) Pi.; (of a god) **put** (W.DAT. *into someone's mind*) **the inspiration** —W.INF. *to do sthg.* Od.; (of handsome persons) **offer inspiration** —W.DAT. *to lovers* X. ‖ PASS. **be inspired** (as a Spartan term for *be the object of a lover's affection*) Plu.
4 **have the breath of life in one, live and breathe, be alive** Trag. Ar. Pl. Plu. ‖ NEUT.PL.PTCPL.SB. *living creatures* Call.
5 (fig.) **breathe** —W.GEN. *murderous threats* NT.
ἔμ-πνοος ον, also contr. **ἔμπνους** ουν *adj.* [πνοή] (of persons, animals, an image made of aither) **having the breath of life, breathing, living, alive** Hdt. E. Antipho Th. Pl. AR.
ἐμπνύ(ν)θη (ep.3sg.aor.pass.), **ἔμπνῦτο** (ep.3sg.athem. aor.mid.): see ἀναπνέω
ἐμποδίζω *vb.* [ἐμποδών] | impf. ἐνεπόδιζον | fut. ἐμποδιῶ | pf.pass.ptcpl. ἐμπεποδισμένος | **1 fetter the feet of, shackle** —*someone* Hdt. ‖ PASS. (of a sacrificial animal) **have** (W.ACC. *its forefeet*) **shackled together** Hdt.
2 (gener., of persons or circumstances) **impede, hinder, hamper, thwart** —*someone* Ar. Isoc. Pl. X. D. Arist. —*a plan or an activity* Pl. X. Aeschin. Arist. Plb. —*someone* (w. πρός + ACC. *in an activity*) Isoc. —W.DAT. *someone* (w. πρός + ACC. *in his plans*) Plb.; **be a hindrance** Pl. X. Arist. Plb. —w. τοῦ + INF. *to doing sthg.* Pl. —W.DAT. or πρός + ACC. *to an activity, a plan* Arist. Plb. ‖ PASS. (of the human race) **be hampered** —W.DAT. *by its feebleness* A.; (of persons) **be prevented** —w. μή + INF. *fr. doing sthg.* Pl.; (gener., of persons, plans, activities) **be hampered or thwarted** S. Arist. Plb. Plu.
3 app., put one's foot on (fruit, so as to mash it); **mash by chewing, chew** —*dried figs* Ar.
—**ἐμποδιζομένως** *pass.ptcpl.adv.* **haltingly, with difficulty** —*ref. to advancing* Pl.
ἐμπόδιος ον *adj.* **1** (quasi-advbl., of sthg. appearing) **at one's feet, in one's path** Pl.
2 (of persons, places, circumstances) **in the way, presenting an obstacle** Hdt. Pl. X. Arist. Plu.; (W.DAT. *to someone or sthg.*) Hdt. E. Ar. Pl. +; (W.GEN. *to sthg.*) Th.; (w. πρός + ACC.) Arist. Plb.; (W.INF. *to doing sthg.*) Th.; (w. τοῦ or τοῦ μή + INF.) Pl. Plu.; (w. εἰς τό + INF.) Plu. ‖ NEUT.SB. **obstacle** Plb.; (W.DAT. or πρός + ACC. *to sthg.*) Plb.; (W.GEN.) Plu.; (w. τοῦ μή + INF. *to doing sthg.*) Plb.
ἐμπόδισμα ατος *n.* **that which hinders, hindrance, obstacle** (W.DAT. *to someone*) Pl. D.
ἐμποδισμός οῦ *m.* **1 activity of hindering, hindrance** (W.DAT. *of someone's plans*) Arist.
2 **instance of hindering, hindrance, obstacle** Plb.
ἐμποδιστικός ή όν *adj.* (of pain) **acting as a hindrance** Arist.
ἐμ-ποδών *adv. and prep.* [πούς; cf. ἐκποδών] | usu. w.vbs. *be, become, stand, come* | **1** (ref. to location) **at one's feet, in one's path, in one's way** Hdt. Ar.
2 (gener., ref. to proximity in place or time) **immediately, at hand** E. Th. And. Arist. Plb.
3 **in the way, presenting a hindrance** Trag. Ar. Att.orats. Pl. + ‖ NEUT.SB. (w.art.) **obstacle, hindrance** Hdt. Ar.
4 (as prep.) **presenting a hindrance** —W.DAT. *to someone or sthg.* A. Hdt. E. Th. Att.orats. + —W.GEN. *to sthg.* E. Is. —W.DAT. *to someone* (W.GEN. *in regard to sthg.*) E. X. Plu. —W.INF. *to doing sthg.* And. —w. τοῦ + INF. *to sthg. happening* X. —W.DAT. *to someone* (W.INF. or μή, μὴ οὐ, τὸ μή, τοῦ μή + INF. *doing sthg.*) Th. Ar. Isoc. X. D.

ἐμ-ποιέω *contr.vb.* **1 construct** (in a place); **install** —*gates* (w. ἐν + DAT. *in walls*) Il. —*storage pits for water* (*in taverns*) Ar.
2 (of hares) **make** (W.ACC. *tracks*) **in** —W.DAT. (*existing*) *tracks* X.
3 ‖ MID. (of the Muses) **perform** (W.ACC. *dances*) **on** —W.DAT. *a mountain* Hes.
4 (of a person) **introduce, interpolate** —*an oracle* (w. ἐς + ACC. *into someone's verses*) Hdt. ‖ PASS. (of a bird) **be introduced** (as the subject of poetry) Ar.
5 (of persons or circumstances) **create** (a condition or state of affairs); **cause, produce, bring about** (sts. W.DAT. in a place, in persons, in a situation) —*a class of persons* Pl. —*factions, wars, disturbances, loss of life, power* Th. Isoc. —*delay* Th. D. Men.
6 (of persons or circumstances) **create** (an emotion or state of mind); **cause, produce, engender** (freq. W.DAT. in someone, the mind) —*enthusiasm, hope, hatred, forgetfulness, courage, or sim.* Th. Isoc. Pl. X. D. Arist. +
7 **impress** (W.DAT. *on someone*) —W.INF. or w. ὡς + COMPL.CL. *that it is necessary to do sthg.* X.
ἐμποιητικός ή όν *adj.* (of a false person) **productive** (W.GEN. + DAT. *of false statements in others*) Arist.
ἐμ-ποικίλλομαι *pass.vb.* (of figures) **be embroidered on** (a ribbon) Plu.
ἐμπολαῖος ον *adj.* [ἐμπολή] (epith. of Hermes) **protecting traders** Ar.
ἐμπολά *dial.f.*: see ἐμπολή
ἐμπολάω *contr.vb.* | impf. ἠμπόλων | fut. ἐμπολήσω | aor. ἐνεπόλησα (Is., cj.) | pf. ἠμπόληκα ‖ MID.: ep.3pl.impf. (w.diect.) ἐμπολόωντο ‖ The vb. connotes *engage in commerce*, and its subject may be either the buyer or the seller. |
1 buy and sell, trade in —*a commodity* S.; (fig.) —*someone's thinking* (i.e. turn it to one's profit) S. ‖ PASS. (of a person) **be traded off** (i.e. be bought or sold) S.
2 **acquire** (sthg.) **by trade or sale**; (of a person) **earn from a sale** —*a sum of money* X. Is.; (fig., of knowledge of success) **bring in** —*gain* S.
3 **buy** —*someone or sthg.* S. Ar. ‖ MID. (of merchants) **acquire by trade** —*a store of goods* Od.
4 (intr., of a salesperson) **trade, do business, sell** Ar. ‖ MID. (of a woman) **trade, sell** —*sexual favours* E.*fr.*
5 (fig.) **conduct one's business, fare** —W.ADV. or ADVBL.PHR. *in a certain way* A. S.
ἐμπολεμέω *contr.vb.* **make war in** (a territory) And.
ἐμπολέμιος ον *adj.* **1** (of the privileges of Spartan kings) **in time of war** Hdt.
2 (of persons) **engaged in military service** Pl.
ἐμπολή ῆς, dial. **ἐμπολά** ᾶς *f.* **1 commerce, trade** E. X. ‖ PL. **trading enterprises** S.*fr.*
2 **purchase** (W.GEN. *of food*) E.*Cyc.*
3 (concr.) **merchandise** Pi. Ar. X.; (fig.ref. to a person) E.*fr.*
ἐμπόλημα ατος *n.* [ἐμπολάω] **1 merchandise** (fig.ref. to a person admitted into a house, likened to cargo taken on board a ship) S. ‖ PL. **goods for sale** E.*Cyc.*
2 **profit from trade, takings** Thphr.
ἐμπολητός ή όν *adj.* (of the son of Sisyphos, i.e. Odysseus) **traded** (W.DAT. *to Laertes*) S.
ἔμ-πολις ι *adj.* [πόλις] | only acc. ἔμπολιν | (of a person) **having citizenship** (W.DAT. *in a country*) S.; (alongside someone) S.
ἐμ-πολῑτεύω *vb.* **have citizenship** (in a place) Th.; (also mid., and aor.pass. w.mid.sens.) Isoc. Plb.
ἐμπορεύματα των *n.pl.* [ἐμπορεύομαι] **items of merchandise** X.

ἐμπορεύομαι mid.vb. [ἔμπορος] | fut. ἐμπορεύσομαι || aor.pass.ptcpl. (w.mid.sens.) ἐμπορευθείς || neut.pl. impers.vbl.adj. ἐμπορευτέα |
1 travel, make one's way —W.ADV. or PREP.PHR. *to or fr. a place* S. Ar. —W.ACC. *to a place* E.(cj.)
2 (of persons, a city) **engage in commerce** Th. Pl. X. D. Plb.
—ἐμπορεύω act.vb. (fig., of a speaker) **deal in, peddle** —advice Plb.
ἐμπορευτικός ή όν adj. || NEUT.PL.SB. **commercial or mercantile activities** Pl.
ἐμπορίᾱ ᾱς, Ion. ἐμπορίη ης f. **1 activity of trading** (usu. by sea), **commerce, trading, trade** Hes. Thgn. Hdt. Th. Ar. Att.orats. +
2 (esp.pl.) specific instance of trading, **trading venture or voyage** Att.orats. X. Arist. Plb. Plu.
3 (as cogn.acc. w.vb. *export*) **exporting** X.; (w.vb. *import*) **importing** Lycurg.
4 (gener.) **trade, business** (of an individual) NT.
5 travel (W.GEN. *on some business*) E.fr.
ἐμπορικός ή όν adj. **1** related to trading; (of goods, freight) **commercial, mercantile** Ar. Plu.; (of laws, actions at law, contracts) D. Arist.; (of money) **for a mercantile venture** D. || FEM.SB. **art of commerce** Pl. || NEUT.PL.SB. **commercial or mercantile matters** Pl.
2 (of a city) **engaged in commerce** Arist.; (of a person's life) Plu. || NEUT.PL.SB. **commercial or mercantile class** Arist.
3 (pejor., of reports of phenomena seen abroad) **derived from merchants** (opp. scientific explanations) Plb.
ἐμπόριον ου n. place where items of trade are sold, **trading-station, commercial centre, market** (sts. ref. to a port) Hdt. Th. Ar. Att.orats. +
ἔμ-πορος ου m. (also f. E.) [πόρος] **1** one who travels on a ship belonging to another, **passenger** Od.
2 traveller (by land or sea) B. Trag.
3 merchant, trader Semon. Hdt. Th. Ar. Att.orats. +; (fig.) **trader** (W.GEN. of one's life, ref. to a woman who ends it in order to satisfy her hatred of another person) E.
ἐμ-πορπάομαι pass.contr.vb. **have** (W.ACC. one's garment) **fastened with a clasp or brooch** Hdt. Lycurg. Plu.
Ἔμπουσα ης f. **Empousa** (supernatural creature, capable of changing shape, assoc.w. Hekate) Ar. D.
ἔμ-πρᾱκτος ον adj. [πρᾱ́σσω] (of a scheme) **within one's capacity to achieve, practicable** Pi.
—ἐμπρᾱ́κτως adv. **in a manner that gets things done** Plu.
ἐμπρεπής ές adj. [ἐμπρέπω] (of sufferings, or perh. a mourner) **made conspicuous** (W.DAT. by dirges) A.
ἐμ-πρέπω vb. **1 be conspicuous** (in relation to sthg. else); (of persons) **be conspicuous among** —W.DAT. *other persons* A. B. Ar.; (mid.) Sapph.; (of stars) **be conspicuous in** —W.DAT. *the sky* A.; (of one and the same verdict) —*all oracles* E.
2 be conspicuous (due to a specific feature); (of persons) **be conspicuous** —W.NOM.PTCPL.CL. *as being dressed in a certain way* Hdt.; (of Pan) —W.DAT. *by his beard* Lyr.adesp.; (of a person) **be marked** —W.DAT. *by much sorrow* S.; (of an island) **be distinguished** —W.DAT. *for its men* Pi.
3 (gener., of a drop of blood) **be conspicuous** —W.PREP.PHR. *on someone's eyes* A.(dub.)
ἐμπρήθω vb.: see ἐμπίμπρημι
ἔμπρησις εως (Ion. ιος) f. [ἐμπίμπρημι] **setting on fire or burning down** (usu. W.GEN. of sthg.) Hdt. Pl. Aeschin. Plu.
ἐμπρησμός οῦ m. **conflagration, fire** Plu.
ἐμ-πρίω vb. **gnash** —W.DAT. (or perh. ACC.) *one's teeth* Tim.
ἔμ-προσθε(ν) adv. and prep. **1** (ref. to position) **in front, ahead** Hdt. X.; (as prep.) **in front** —W.GEN. *of someone or sthg.* Hdt. Ar. Att.orats. Pl. +; **ahead** —W.GEN. *of events* (opp. *lagging behind them*) D.
2 (prep.phrs.) εἰς τὸ ἔμπροσθε(ν) **forward, ahead** Hdt. Pl. X.; (fig.) *for the purpose of advancement, to make progress* Isoc.; ἐκ τοῦ ἔμπροσθεν **in front** (of people) X.
3 (as prep.) **in preference** —W.GEN. *to sthg.* Pl. Aeschin. D.
4 (ref. to time) **in the past, before, formerly, previously** Hdt. Pl. X.; (quasi-adjl., of persons, events, statements, time, or sim.) **earlier, former** Att.orats. Pl. +; (as prep.) **earlier than, before** —W.GEN. *sthg.* Hdt. Pl.
ἔμ-πρόσθιος ον adj. (of a quadruped's feet or legs) **front** Hdt. Pl. X. Plu.
ἔμ-πρωρρος ον adj. [πρῴρα] (of warships) **with dipped prow** (weighted down for attack) Plb.(dub.)
ἐμ-πτύω vb. **spit** —W. εἰς + ACC. *into a river* Hdt. —*into someone's face* NT. —*at someone* NT. —W.DAT. *on someone* NT. || PASS. (of a person) **be spat upon** NT.
ἔμ-πυος ον adj. [πύον *discharge from a sore, pus*] **1** (of a person) **suffering from a suppurating wound** Isoc. D. Plu.
2 (of a snake-bitten foot) **suppurating, festering** S.
ἐμ-πυρεύω vb. **1 set fire to** —*oneself* Ar.
2 roast —*acorns* Ar.
ἐμ-πυριβήτης ου masc.adj. [πῦρ, βαίνω] (of a tripod) **that stands on the fire** Il.
ἐμπυρισμός οῦ m. [ἐμπυρίζω *set on fire*] **setting on fire or burning down** (sts. W.GEN. of sthg.) Hyp. Plb.; (gener.) **conflagration, fire** Plb.
ἔμ-πυρος ον adj. [πῦρ] **1** associated with fire; (of the craft of Hephaistos, i.e. of the smith) **fiery** Pl.; (of utensils) **for use on the fire** (i.e. for cooking) Pl.; (of compound substances) **containing fire** (as a constituent) Pl.
2 (of a corpse) **on fire, aflame** E.
3 || NEUT.PL.SB. **burnt offerings** (esp. as inspected for the purpose of divination) Pi. Trag. Call. Plb.
4 (of an art) **of inspecting burnt offerings** E.
5 (of part of a tomb) **on which burnt offerings are made** E.
6 (of flames) **from burnt offerings** E.; (of signs) AR.
ἐμ-φαγεῖν aor.2 inf. **eat** —W.NEUT.ACC. *sthg.* X. Plu.
—W.PARTITV.GEN. *a piece of cake* Plu.; (intr.) **have something to eat** X. Plu.
ἐμ-φαίνω vb. **1 make** (sthg.) **visible in** (sthg.); (of the creator god) **make** (W.ACC. colours) **appear in** (the liver) Pl. || PASS. (of the moon) **be visible** —w. ἐν + DAT. *in a cloudy night sky* Plb.; (of things) **be seen or reflected** —w. ἐν + DAT. *in water, a mirror* Pl. X.; (of qualities or circumstances) **be shown or exemplified** —w. ἐν + DAT. *in sthg.* Pl. X. Arist.
2 (of primeval creatures, in neg.phr.) **display** —*a body w. limbs* Emp.
3 (of persons) **exhibit, display, show** —*self-restraint, enthusiasm, or sim.* Plb.; (of statues) —*someone's outward appearance* Plu.; (of actions, circumstances) **reveal** —*a person's qualities* Plb. Plu. || PASS. (of a person's character or admirable qualities) **be revealed** —W.DAT. *by his speech, facial expression, outward appearance* Plu.
4 make known, indicate —*someone's goodwill* Plb.; **make clear** —W.NOM.PTCPL. *that one is doing sthg.* Plb.
ἐμφανής ές adj. **1** (of a surface) **showing** (sthg.) **in** (itself), **reflecting** Pl.
2 (of persons or things) **clearly visible** (to all) S. E. Pl. X.; (of a person) **seen face to face** (by someone) S.; (of a dream-vision) **clearly seen, vivid** A.; (of a day) **visible** (i.e. presently ongoing) S.; (prep.phrs.) ἐκ τοῦ ἐμφανοῦς *openly, in full view, for all to see* Hdt. X.; (also) ἐν τῷ ἐμφανεῖ Th. X.

3 (of a god) **in visible form, manifest** (sts. W.DAT. to someone) E. Ar. Pl.; **open, transparent** (opp. mysterious) A.; **manifest** (W.DAT. in honours, i.e. publicly honoured) S.; (ref. to gods coming) εἰς τὸ ἐμφανές *into the open, face to face* X.
4 (of a person) **offering visible proof, making clear** (W.DAT. + COMPL.CL. to someone, that sthg. is the case) S. Ar.
5 (of things) done openly; (of lamentation, sexual intercourse) **open, public** Hdt.; (of an order) **publicly proclaimed** S.; (of a statement) **public, overt** Th.
6 (of a sound) **clear** (to the hearing) E.
7 (of things) clear and certain; (of grief, joy, proof, the future) **clear, unmistakable, assured** A. Pi.*fr.* S. Th.; (of property) clearly belonging to someone, **undisputed** X.; (of a sound) clear in origin, **evidently originating** (W.GEN. fr. someone) S.
8 (of things) clear in meaning or clearly understood; (of a narrative, one's thinking) **clear, plain** A. Pl.; (of facts) **clearly established, clear, known** Lys. Pl. X. + ‖ NEUT.PL.SB. known facts Hdt.
9 (pejor., of tyranny, force, a nuisance) **undisguised, open, bare-faced, blatant** Th. Ar.
10 (in legal ctxt., of persons) **produced** (for torture, or as proof of their existence) Antipho Aeschin.; (of things) **produced** or **required to be produced** (esp. to settle a question of ownership) D.; (ref. to a specific procedure) ἐμφανῶν κατάστασις *rendering of items visible, production of items on demand* Is. D. Arist.
—**ἐμφανῶς**, Ion. **ἐμφανέως** *adv.* **1 visibly, openly, publicly** Thgn. Hdt. Trag. +
2 clearly —*ref. to seeing or being seen* S. E. —*ref. to hearing* A. —*ref. to describing* Pl.
3 evidently, manifestly, certainly Hdt. S. E.

ἐμφανίζω *vb.* | fut. ἐμφανῶ, later ἐμφανίσω (NT.) | aor. ἐνεφάνισα ‖ neut.impers.vbl.adj. ἐμφανιστέον | **1 reveal, show** —oneself (sts. W.DAT. *to someone*) NT. Plu. ‖ PASS. (of persons) become visible —W.DAT. *to someone* NT.
2 reveal, show up —*someone or sthg.* (W.PREDIC.SB. or ADJ. as being such and such) X. D. Arist.; (of gods) —*someone* (*i.e. his nature*) Aeschin.; (of a statue) —*someone's character* Plu.; (of persons) **declare** —*oneself* (*i.e. reveal one's opinion*) Plb.
3 reveal, make clear or **known** (sts. W.DAT. to someone) —*facts, the truth, or sim.* Att.orats. Pl. X. Arist. Men. + —W.INDIR.Q. or COMPL.CL. *what* (or *that sthg.*) *is the case* Pl. X. Plb.
4 (of stars) **reveal, indicate** —*times of night* X.
5 give instructions or **information** (usu. W.DAT. to someone) Plb. NT.; **lay an accusation** —W. κατά + GEN. *against someone* NT.

ἐμφαντικός ή όν *adj.* [ἐμφαίνω] (of an exhortation to troops) **expressive, vivid** Plb.
—**ἐμφαντικῶς** *adv.* **expressively, vividly** —*ref. to writing or painting* Plb. Plu.; (as prep.) **in a way that clearly brings out** (W.GEN. the present danger) —*ref. to speaking* Plb.

ἔμφασις εως *f.* **1 outward appearance, impression** (conveyed by someone or sthg.) Plb.; (W.GEN. of a person grieving) Men.; **expression** (on a face) Plb.; **revelation, indication** (of someone's character) Plu.
2 vividness, expressiveness (of a writer) Plb.
3 emphasis, emphatic assertion Plb.
4 exposition, narration Plb.

ἐμφέρεια ᾱς *f.* [ἐμφερής] **likeness, resemblance** (betw. persons or things) Plu.

ἐμ-φερής ές *adj.* [φέρω] (of persons or things) **similar** (usu. W.DAT. to other persons or things) Sapph. A. Hdt. S. Ar. X. +

ἐμ-φέρομαι *pass.vb.* (of things) **be carried on** —W.DAT. *eddying waters* AR.

ἐμ-φιλοκαλέω *contr.vb.* **study enthusiastically** —W.DAT. *the military arts* Plu.

ἔμ-φοβος ον *adj.* [φόβος] **1** (of Erinyes) **terrifying** S.
2 (of persons) **terrified** NT.

ἐμ-φορβιόομαι *pass.contr.vb.* [φορβειά] **have the aulos-player's mouth-strap on** Ar.

ἐμ-φορέω *contr.vb.* **1** ‖ PASS. (of persons or things) be carried on —W.DAT. *waves, waters* Od. AR.
2 inflict —*blows, sword-strokes* (W.DAT. *on sthg.*) Plu.; (fig.) **bring up** —*a marriage* (W.DAT. *against someone, i.e. cast it in his teeth*) S.
3 ‖ MID. or PASS. be filled up (w. sthg.); **be full** —W.GEN. *of insolence and bitterness* Plu.; **make full use** —W.GEN. *of an oracle* Hdt. —*of one's power* Plu.

ἐμφράγματα τῶν *n.pl.* [ἐμφράσσω] (fig., ref. to laws) **barriers, obstacles** (W.GEN. against crimes) Isoc.

ἐμ-φράσσω, Att. **ἐμφράττω** *vb.* | aor. ἐνέφραξα, also ἐνέφαρξα (Th.) | **1 block up** —*gaps* (in nets) X. —*wells* Plb. —*a passageway, channel, exit* Pl. Plb. Plu.; (of ships) **bar** —*a harbour entrance* Th.; (fig., of persons) —*pathways to crime* Lycurg.; (of consciousness of having been corrupt) **gag** —*one's mouth* D. ‖ PASS. (of the outflow of a river) be blocked X.
2 (of an isthmus) **form a barrier between** —*seas* Plu.
3 block, stop —*punishment* (W.DAT. *w. accusations*) Aeschin.

ἐμφρουρέω *contr.vb.* [ἔμφρουρος] **keep guard, act as a garrison** (in a place) Th.

ἔμ-φρουρος ον *adj.* [φρουρά] **1** (of soldiers) **on garrison duty** (in a place) X.
2 (of cities, a country) **under garrison, garrisoned** Plb. Plu.
3 (in Laconia, of persons) **liable to military service** X.

ἔμ-φρων ον, gen. ονος *adj.* [φρήν] **1** (of persons, living creatures) possessing a mind, **rational, intelligent** S.*fr.* X.; (of a voice, envisaged as belonging to a lock of hair) A.; (of life, a time of life, an activity) Pl.; (of an art) Arist.
2 possessing a sound mind, **in one's senses, sane** Trag. Pl. Plu.
3 possessing consciousness, **conscious** (opp. dead) S. Antipho
4 possessing good sense, **sensible, prudent, wise** Pi. S. Isoc. Pl. Arist. +; (of a mind) Pl.; (of self-restraint, persuasion) Th. Pl.; (of reasoning) Plu.
—**ἐμφρόνως** *adv.* **sensibly, wisely** Pl. Lycurg. Plb. Plu.

ἐμφυής ές *adj.* [ἐμφύω] (of an animal's nature) **inborn, inherited** Pi.

ἐμ-φύλιος ον *adj.* [φῦλον] **1** within a tribe or race; (of blood) **of kin, kindred** S.; (of bloodshed) Hes.*fr.* Pi. Pl. AR.; (of a fight) **between kinsmen** Theoc. ‖ MASC.PL.SB. kinsfolk, kin S. Pl.
2 (of conflict) **between families** A.
3 (of a land) **native** (to a person) S.; (of speech) AR.
4 within a nation or populace; (of war, conflict, bloodshed, or sim.) **internal, intestine, civil** Plu.

ἔμ-φυλος ον *adj.* **1** within a tribe or race; (of a man) **of one's own clan** Od.; (of bloodshed) **of kin, kindred** S. AR.
2 within a nation or populace; (of war, conflict, bloodshed) **internal, intestine, civil** Alc. Sol. Thgn. Hdt.

ἐμ-φῡσάω *contr.vb.* **1** blow into (an aulos), **begin to play** Ar.
2 (of Jesus) **breathe on** —W.DAT. *someone* (*for the purpose of transmitting the Holy Spirit*) NT.

ἐμ-φυτεύω *vb.* (of a god) **implant, engraft** —*the structure of the lungs* Pl.; (fig., of persons) —*monarchs, tyrants* (sts. W.DAT. *among people*) Plb. ‖ PASS. (of souls) be implanted —W.DAT. *in bodies* Pl.

ἔμ-φυτος ον *adj.* [ἐμφύω] **1** (of tainted blood) **inherited** (fr. one's father) S.
2 (of feelings, behaviour, accomplishments, virtues and vices) **innate, inborn, ingrained, natural** (sts. W.DAT. in someone or sthg.) Hdt. E.*fr.* Att.orats. Pl. X. Arist. +

ἐμ-φύω *vb.* | aor.1 ἐνέφυσα | athem.aor. ἐνέφυν, ep.3sg. (tm.) ἐν ... φῦ | pf. ἐμπέφυκα, ep.3pl. ἐμπεφύασι, fem.pf.ptcpl. ἐμπεφυυῖα, 3sg.subj. ἐμπεφύη (Thgn.) |
1 (of a god or person) **implant** —*a skill, desire, belief, or sim.* (W.DAT. or ἐν + DAT. *in persons, the mind*) Od. X.; (of Providence) **engraft** —*eyelashes* X. || PASS. (of a soul) be implanted (in a body) Pl.
2 || ATHEM.AOR. and PF. (of hair) grow on —W.DAT. *a horse's head* Il.; (of a crest) —*a lark* Simon.; (of trees) grow (in a place) AR. —W. ἐν + DAT. *on an island* Hdt.
3 || PASS. and ATHEM.AOR. (of persons; of speeches, likened to children) be born, spring up (sts. W. ἐν + DAT. in a place) Pl. X.; (of hope, virtues and vices) grow or be implanted (usu. W.DAT. or ἐν + DAT. in persons, their breasts or minds, in cities) Simon. Hdt. S. Pl. X. Plu.
4 || PF. (of qualities, passions) be implanted or be innate —W.DAT. *in someone or sthg.* Thgn. S. E. Ar.
5 || PASS., ATHEM.AOR., PF. (of a suppliant, a serpent; of Eros, compared to a leech) attach oneself, be attached, cling tight (to someone or sthg.) Il. Hdt. Theoc. Plu.; (of a person) —W.DAT. *to someone, the hands, wrist, arm* Hom.(tm.) S. E. Plu.; (of hands) —*to handles* Hdt.
6 || ATHEM.AOR. bite —W.DAT. *one's lips* Od.(tm.)
7 || PASS., ATHEM.AOR., PF. (fig.) stick close —W.DAT. *to the enemy* Plu.; stick to, rely on —W.DAT. *ships (as a means of safety)* Plu.; persist in —W.DAT. *an activity* Plu.; apply or devote oneself —W.DAT. or πρός + ACC. *to sthg. or someone* Plu.

ἔμ-ψυχος ον *adj.* [ψυχή] **1** (of beings, their bodies, organs, power, or sim.) having life, **animate, living** Hdt. E. Pl. Arist. Theoc. +; (of foods) **of animal flesh** E.*fr.* || NEUT.PL.SB. living creatures Hdt. Th. Pl. +
2 (of a person) **alive** (opp. dead) S. E.

ἐν, ep. **ἐνί** (also **εἰν, εἰνί**) *prep.* [reltd. εἰς] | W.DAT. (for dial. ἐν W.ACC. see εἰς) | in ep., sts. following its noun (w. anastrophe of the accent), e.g. πολέμῳ ἔνι *in battle* Il. |
—**A** | space or location |
1 within the bounds of, **within** or **in** —*the sea, a region, city or location* Hom. + —*a container* Il. + —*a tomb, coffin* S. E. —*a fire* Il. —*the light of a fire (ref. to sitting)* Od.; (as adv.) **therein** Od.
2 in or **on** —*a ship, chariot* Hom. +; **on** or **at** —*the stern (of a ship)* Il. Pi. E. +; (as adv.) **on board** Il.
3 in (w. ellipse of DAT. the house or school) —W.GEN. *of someone* Hom. +
4 in the midst of, **amid** or **among** —*air and clouds, leaves, mountain peaks, buildings, or sim.* Hom. +
5 (ref. to citing sthg.) **in** —*a literary work* Th. Pl. —*a legend* A.
6 in the company of, **among** —*a group of people (as a member of it)* Il. +; (ref. to revolting) **among** or **against** —*one another* Th.; (as adv.) **thereamong** (a group of people or things) Il. Hdt. S.
7 in the presence of, **before** —*a group of people (as a non-member)* Hom. +
8 (ref. to ruling) **over** —*someone* Il.
9 in —*the breast, heart, soul, mind* Hom. + | see also γόνυ 3, πούς 12, στόμα 3, χρώς 2
10 on the edge of, **on** —*a gulf or sea* Hdt. X.
11 on the surface of, **on** —*a sword, shield* Il. A. —*a person's chest* Hdt. —*a touchstone* Pi. —*a body of water* S. E. AR.
12 on the upper side of, **upon, on** —*a mountain, island* Od. + —*a seat* Il. A. D.; (as adv.) **thereon** Od.
13 at (a specified place); **at** —*a city, island* Il. Th. Isoc. + —*crossroads, city gates, street corners* Il. +
14 on —*the right, left* Hdt. E.*Cyc.* Th. + | for ἐν μέσ(σ)ῳ, ἐν τῷ μέσῳ *in the middle* (also *in the open, in the way, in common*) see μέσ(σ)ον 2, 3, 4, 7
—**B** | movt. |
1 so as to be in, **into** —*someone's arms, hands, lap* Od. Pi. + —*a ship, chariot, tomb* Hom. + —*the dust* Hom. + —*a port or gulf* E. Th. Pl. —(w. ellipse of DAT. *the house*) W.GEN. *of Hades* Pl.
2 so as to be on, **on, upon** —*a seat, bed, tomb* Od. A. AR. —*a shield, belt* Il. —*a person's chest* Il. —*one's knees (in supplication)* Il.
3 (ref. to leaping or falling) **among** or **upon** —*opponents or sim.* Hom. A. S.
4 close to, **near** —*a turning-post* Il.
—**C** | time |
1 in or over the course of, **during** —*a period of time* Hom. + —*an event or activity* A. Pi. +
2 in —*the past, present, future* Pi. Th. +
3 before the end of, **within** —*a day, month, year, or sim.* Hdt. +
4 on —*a particular day, night* Il. Pi. Hdt. +; **at** —*a particular moment* Pi. NT.
5 at the end of, **after** —*a long time* S. E. Th.
6 on the occasion of —*a feast or festival* Il. Th.
7 (phrs.) ἐν τῷ ἄρτι *a moment ago* Pl.; ἐν τῷ μεταξύ *in the meantime* D. NT.; ἐν ὥρᾳ (ὥρῃ) *at the right time* or *in good time* Od. Pi. | see also αὐτίκα 2, ἑξῆς 5, καιρός 4, μέσ(σ)ον 5, οὗτος 11, παραχρῆμα 3, τοσοῦτος 4, ὕπνος 4, ὕστερος 13. For ἐν ὅσῳ *while* or *until* see ὅσον 7.
—**D** | state, condition, relationship |
1 in (what is worn or carried on the body); **in** —*clothing, armour, garlands, chains* Hom +; (ref. to fighting) **under** —*arms* Hdt. E. Th. +
2 in (a certain state of mind or feeling); **in** —*love, friendship, doubt, anger, or sim.* Il. +
3 in (a certain sphere of activity); **in** —*battle, war, public or private affairs, an office or occupation* Hom. + | see also πρᾶγμα 8, τέλος 7
4 in (a certain category) or at (a certain level of esteem); (phrs.) ἐν καρὸς αἴσῃ *in the measure of* (i.e. *at the value of*) *a louse* Il.; ἐν εὐχερεῖ τίθεσθαι *make light of* S. | see also ἐλάσσων 7, ἐλαφρός 11, λόγος 5, μικρός 11, πάρεργον 4, τάξις 10
5 in relation to —*a person, the dead* S. NT. —*deeds, old age* Il. S.
6 under the control or **in the power of** —*a person or god* Hom. + —W.GEN. *oneself* (w. ellipse of DAT. possession or control, by analogy w. ellipse of DAT. house, as A 3, B 1 above) S. Ar. Pl. Men. • οὐκέτ' ἐν ἑαυτοῦ ἦν *I was no longer in control of myself* Pl.
7 dependent upon —*sthg.* Hdt. Th. Pl.
8 under —*an accusation* Hdt. Th. X. +
—**E** | basis or cause |
on the basis of —*letters, laws, a pretext, gifts, the roll of a die* A. Th. Lys. —*sight, hearing* Pl.
—**F** | agency |
1 at the hands of, by —*someone* S. E. Th.; (ref. to being killed) **at, by** —*the hands of men* Il.

2 (ref. to seeing) **in, with** —*the eyes* Hom.
3 by means of, **by** —*an action* S. Democr. + —*a question* Pl.
4 (ref. to summoning, provoking) **with** —*prayers, certain language* S.
—G | manner or attendant circumstances |
(phrs.) ἐν ἀπορρήτῳ **in secret** Att.orats. Pl. X.; ἐν βραχεῖ **briefly** Pi. S. E. +; ἐν μέλει **in tune** (*i.e. correctly*) Pl.; ἐν τάχει **with speed** A. Pi. + | see also ἀπόκρυφος, δίκη 2, δυνατός 8, ἐλάχιστος 5, ἴσος 9, καιρός 3, κεφάλαιον 7, κοινός 8, κόσμος 7, μέρος 7, μοῖρα 8, νόμος 4, ξυνός 4, ὀρθός 16, πρῶτος 5, ῥυθμός 7, τύπος 7, φανερός 6

ἕν (neut.num.adj. and sb.), **ἕνα** (masc.acc.): see εἷς

ἐν-αγείρω vb. | 1pl.subj. (tm.) ἐν (v.l. ἐς) ... ἀγείρομεν (cf. εἰσαγείρω) | **gather on board** —*rowers* Il.(tm.) || MID. **gather** (W.ACC. people) **together in** —W.DAT. *a ship* AR.

ἐν-αγής ἐς adj. [ἄγος] **1** (of persons guilty of bloodshed) **under a curse, accursed** Hdt. Th. Aeschin. Arist. Plu.
2 (of a person) **under a curse** (invoked upon oneself, shd. one prove false to an oath) S.; **consecrated by a curse** (W.GEN. to a particular god, who will exact the penalty) Aeschin.
3 (of rites) **polluted, irreligious** A.(dub.)

ἐν-αγίζω vb. | fut. ἐναγιῶ | **offer sacrifices to a dead person or hero; make offerings** (usu. W.DAT. to someone) Hdt. Is. Plb. Plu.; (tr.) **offer** —*a ram, an ox* Plu.

ἐναγίσματα τῶν n.pl. **memorial sacrifices** (for Harmodios and Aristogeiton) Arist.

ἐναγισμός οῦ m. (fig., ref. to the killing of enemies) **memorial offering** (for a dead person) Plu. || PL. (in Roman ctxt.) commemorative sacrifices Plu.

ἐν-αγκαλίζομαι mid.vb. take into one's arms, **embrace** —*someone* NT. Plu.

ἐν-αγκυλάω contr.vb. [ἀγκύλη] **fit javelin thongs** (to arrows, for the purpose of throwing them) X.

ἐν-αγκυλίζομαι pass.vb. (of a missile) **be fitted into a loop** (in a sling) Plb.

ἔν-αγχος temporal adv. [reltd. ἄγχι] **recently** Ar. Att.orats. Pl. X. Arist. Men. +; (also) τὸ ἔναγχος Ar.

ἐν-άγω vb. **1** (of persons, a god, an oracle, circumstances) **induce, urge, incite, encourage** —*someone* (*to do sthg.*) Hdt. Th. —(w.INF. *to do sthg.*) Hdt. Th. Is. —(w. ὥστε + INF.) Hdt. —(w. εἰς or ἐπί + ACC. *to an action*) X. Plu.; (intr., of persons) **press, be insistent, lend encouragement** Hdt. Th. Plu.
2 (of persons) **urge, encourage, instigate** —*war, an attack, an expedition* Th. Plu.

ἐν-αγωνίζομαι mid.vb. | Ion.fut. ἐναγωνιεῦμαι | **1 take part in a contest** (ref. to athletics, an election) —W.DAT. w. *someone* Hdt.
2 (of a commander) **fight among** —W.DAT. *a section of his troops* Plb.
3 (of troops) **fight in** (a place) Th. Plu. —W.DAT. *a place* Plu.; **fight** —w. ἐν + DAT. **on home ground** Plu.; **fight wearing** (particular armour) Plu.
4 (fig., of Fortune) **play a part** —W.DAT. *in human lives* Plb.

ἐν-αγώνιος ον adj. [ἀγών] **1** relating to a competition (athletic, dramatic or musical); (of a boy) **competing in the games** Pi.; (epith. of Hermes) **of the games** Simon. Pi. Ar.; (of the costume of a tragic actor or aulos-player) **worn in competition** Plu.; (of a tragic contest) **competitive** Plu.
2 relating to military conflict; (of shouting, close-order formation) **during combat** Plb. Plu.; (of dress) **worn in combat** Plu.; (of a force) **ready for combat** Plu.

ἔν-αιμος ον adj. [αἷμα] **containing blood**; (of a god) **with blood in one's veins** Hdt.; (of worms; of ears of corn on being cut, seen as a portent) **bloody** Plu.; (of the field of battle) A.(cj.); (of the colour) **of blood** Pl. || NEUT.PL.SB. **blood particles** Pl.

ἐναίρω vb. [ἔναρα] | aor.2 ἤναρον, ep. ἔναρον | ep.3sg. aor.mid. ἐνήρατο | **1** (act. and mid.) **slay** —*someone* (*usu. in battle*) Hom. Pi. Trag. AR. —*beasts, birds* Il. Hes. hHom. Pi. S. E.
2 (of warriors) **destroy** —*a city* Ibyc. || PASS. (of a city) **be destroyed** S.
3 || MID. (wkr.sens., of a woman) **mar, disfigure** —*her flesh* (w. weeping) Od.

ἐναισιμίᾱ f.: see αἰσιμίᾱ

ἐν-αίσιμος ον adj. **1 in due measure or apportionment**; (of gifts) **fitting, proper, appropriate** Il. hHom.; (of help) AR.
2 (of persons, their minds, actions, thoughts) **fair, just, righteous** Hom. A.
3 signalling or fulfilling a certain fate (esp. favourable); (of birds) **of omen** Od.; (of signs, a bird's cry) **of good omen** Il. AR.; (of a god, a person's words) **propitious, favourable** AR.; (of a route) **fated** AR.; (of things) **duly accomplished** AR. || NEUT.PL.SB. **omens** Od.

—ἐναίσιμον neut.adv. **1 at the right time** Il.
2 with a favourable omen AR.

—ἐναισίμως adv. **fittingly, fairly** —*ref. to praising* A.; **in proper measure, with moderation** —*ref. to bearing sorrow* E.

ἐν-αίσιος ον adj. (of a deity) **favourable** (to someone) S.; (of regions, due to their climates) Pl.

ἐν-αιωρέομαι pass.contr.vb. (of Odysseus) **drift about on** —W.DAT. *the sea* E.Cyc.

ἐνακισ-χίλιοι, Ion. **εἰνακισχίλιοι**, αι α pl.num.adj. [ἐνάκις *nine times*] **nine thousand** Hdt. Lys. Pl. Plu.

ἐνακόσιοι, Ion. **εἰνακόσιοι**, αι α pl.num.adj. [ἐννέα] **nine hundred** Hdt. Th. +

ἐν-αλείφω vb. (of a painter) **smear, paint over** (a surface) —W.DAT. w. *pigments* Arist. || PASS. (of a statue's eyes) **be painted over** —W.DAT. w. *a particular pigment* Pl.

ἐν-αλίγκιος ον (also η ον AR.) adj. (of persons or things) **like, resembling** (W.DAT. someone or sthg.) Hom. Hes. hHom. Lyr. Parm. Hellenist.poet.+; (W.GEN.) Philox.Leuc.

ἐναλι-ναιέτᾱς ᾱ dial.masc.adj. [ναιετάω] (of dolphins) **sea-dwelling** B.(dub., cj. ἁλιναιέτᾱς)

ἐν-άλιος, also **εἰνάλιος**, Aeol. **ἐννάλιος**, ᾱ (Ion. η) ον (also ος ον E. Plu.) adj. **1 associated with the sea**; (of a god or goddess, usu. ref. to Poseidon or Thetis) **of the sea** Alc. Pi. Trag. Ar.; (of creatures, birds) Od. S. Call.
2 belonging to the sea; (of the waters, paths) **of the sea** A. E.
3 in the sea; (of a dwelling place, reefs) **in the sea** Archil. Thgn.; (of an island) **set in the sea, sea-girt** hHom. Pi. S.fr. E. Call. AR.; (predic., of an object washed overboard) **into the sea** Pi.
4 travelling on the sea; (of a people) **seafaring** S.; (of oars, meton. for a ship) **sea-going** E.; (of a ship) **at sea** Pi.; (predic., of persons dying, of offerings for a burial) E.
5 beside the sea; (of a city, headland, or sim.) **by the sea** Pi. Hdt.(oracle) E. Mosch.; (of houses) Plu.
6 (of an activity) performed at sea; (of toil, ref. to fishing) **at sea** Pi. Theoc.; (of an exploit, ref. to a naval battle) Plu.

ἐναλλάξ adv. [ἐναλλάσσω] **1 crosswise, crossed** —*ref. to arranging one's feet* (as an unseemly posture) Ar.
2 in alternate order or position, alternately —*ref. to objects being placed, things happening* Pi. Emp. Isoc. Pl. X. +; (math., ref. to comparing four terms in proportion) **in turn, alternately** Arist.
3 (gener.) **changeably, variably** Hdt.

ἐν-αλλάσσω vb. **1** exchange (one thing w. another); **exchange, swap round** —*two documents* Plu.
2 give (sthg.) in exchange; (of a killer) **exchange** —*a murder (for one's own death, i.e. pay for murder by death)* E.
3 ‖ MID. receive (sthg.) in exchange; (of night) **take on** (W.ACC. a weight of sorrow) **in exchange** (W.GEN. for daytime troubles) S.(dub.)
4 ‖ PASS. have reciprocal relations, have dealings —W.DAT. *w. someone* Th.
5 divert —*someone's violence (against a different target)* S.(dub.)
6 (of constitutions) **undergo** —W.COGN.ACC. *changes* Plb.

ἐν-άλλομαι mid.vb. | aor.1 ἐνηλάμην, aor.2 ἐνηλόμην | **1** (of assailants) **leap on** (someone) X. D.; (fig., of a deity, as a destructive force) —W.DAT. *a people* A.; (of a fate) **leap** —w. ἐς + ACC. *at someone's head* S.; (fig., of a commander) **deliver a kick** —w. εἰς + ACC. *in the belly (i.e. attack an enemy's food supplies)* Plu.
2 (of a person) **charge at** (a door) Ar. —W.DAT. *a door* S.; (of soldiers) —*the enemy, a city's gates* Plu.
3 (wkr.sens.) **leap** —W.DAT. *into the sea* Plu. —w. εἰς + ACC. *into boiling water* Plu.; (of horses, being exercised) **leap about** —W.DAT. *on their hind legs* Plu.

ἔν-αλος ον adj. [ἅλς] **1** (of creatures) inhabiting the sea, **of the sea** Lyr.adesp.
2 (of ships) **on the sea, at sea** E.; (of an oar, meton. for a ship) **sea-going** E.
3 (of a city, house, headlands, regions) **by the sea** hHom. E. Critias Tim. Plu.

ἐν-αμβλύνω vb. (of a commander) **blunt the enthusiasm of** —*one's colleagues (by one's own lack of it)* Plu.

ἐν-αμείβω vb. (intr., of fields and trees) **alternate, vary** (in the regularity or quality of their produce) Pi.

ἐν-αμέλγω vb. **do the milking** —W.DAT. *into pails* Od.

ἐν-άμιλλος ον adj. [ἅμιλλα] capable of engaging in a contest; (of persons or things) **rivalling, a match for, on a par with** (W.DAT. or πρός + ACC. someone or sthg.) Isoc. Pl. D. Arist. Plu. ‖ NEUT.SB. rivalry Plu.
—**ἐναμίλλως** adv. **on a par** (W.DAT. w. someone) —*ref. to being fortunate* Isoc.

ἔναμμα ατος n. [ἐνάπτω] **fastening** (W.GEN. of a javelin's thong) Plu.

ἐναμοιβαδίς adv.: see ἐπαμοιβαδίς 3

ἔν-αντα adv. and prep. [ἄντα] **1** (w. hostile connot., ref. to standing or coming) **face to face** (with), **opposite, against** (someone) Pi. E.; (as prep.) —W.GEN. *someone* Il.
2 (as prep., ref. to speaking) **against** —W.GEN. *someone* Ar.
3 (wkr.sens.) **opposite, in front** —*ref. to seeing someone* S.

ἔν-αντι prep. [ἀντί] **before, in the sight of** —W.GEN. *God* NT.

ἐναντία adv. and prep.: see under ἐναντίος

ἐν-αντίβιον adv. [ἀντίβιος] (w. hostile connot., ref. to fighting, standing, coming) **face to face** (with), **opposite, against** (someone) Hom. AR.; (as prep.) —W.GEN. *someone* Il.

ἐναντιολογέω contr.vb. [ἐναντίος, λόγος] **contradict** —W.DAT. *oneself* Pl.

ἐναντιολογία ᾱς f. statement of the opposite (to a previous statement), **contradiction** Pl.

ἐναντίον adv. and prep.: see under ἐναντίος

ἐναντιόομαι mid.pass.contr.vb. | impf. ἠναντιούμην | fut. ἐναντιώσομαι / aor. ἠναντιώθην | pf. ἠναντίωμαι, also ἐνηντίωμαι (Ar.) |
1 (of persons, sts. of things) **stand in the way, be an obstacle, be opposed** or **resistant** (to someone or sthg.) Hdt. E. Th. Att.orats. Pl. +; **oppose** —W.DAT. *persons, plans,*

actions, statements, or sim. Hdt. Th. Ar. Att.orats. Pl. + —w. πρός + ACC. *someone, his words* Th. Pl. —W.DAT. *someone* (W.GEN. *over sthg.*) X. —W.DAT. + INF. or μή + INF. *someone's doing sthg.* Pl. —W.ACC. + PASS.INF. *sthg. being done* D.
2 (of a speaker) **contradict** —W.DAT. *oneself* Pl.
3 (of wind) **be adverse** or **unfavourable** Th. —W.DAT. *to someone* S.; (of circumstances) Hdt. Th. —W.DAT. *to someone* Th.
4 (in neg.phr., or in q. implying neg.) **refuse** —w. τὸ μὴ οὐ + INF. *to do sthg.* A.; **refuse to accept, deny** —W.ACC. and μὴ οὐ + INF. *that sthg. is the case* Pl.

ἐναντιο-ποιολογικός ή όν adj. [ποιέω, λόγος] ‖ FEM.SB. art of making contradictions (as a sophistic technique) Pl.

ἐν-αντίος ᾱ (Ion. η) ον adj. **1** (of persons or things) on the opposite side, **opposite, facing** Hom. Hes. E.; (W.GEN. someone) Od.; (W.DAT. someone or sthg.) Hom. Sapph. X.; **face to face** (W.DAT. w. someone) Od. E.
2 (quasi-advbl., of persons or animals coming) **face to face** (with), **to meet** (someone) Hom. AR.; (W.GEN. or DAT. someone) Il.; (of the Clashing Rocks) **meeting** (W.DAT. w. each other) AR.; (of ships or wagons travelling) **in the opposite direction** (sts. W.DAT. to each other) Th.; (of a wind blowing) **against, in the face** (W.DAT. of someone) X.
3 (w. hostile connot., of persons at war or in combat) **opposing, facing, against** (W.GEN. or DAT. someone) Il. Hes. B. S. E. X. +; (of an army) **opposing, enemy** Pi. ‖ MASC.SB. adversary, opponent, enemy Th.; (pl.) A. Hdt. E. Th. +
4 (gener., of persons, others their behaviour, a god, signs fr. heaven, weather) **opposed, hostile, unfavourable** (W.DAT. to someone or sthg.) Trag. Antipho Th. X. ‖ MASC.PL.SB. (in a family ctxt.) adversaries, opponents, enemies Trag.; (in politics or at law) Sol. X. ‖ NEUT.SB. opposition party (in politics) X.
5 (of things) **opposite, contrary, reverse** (usu. W.GEN. or DAT. of specified things) Hdt. Trag. Th. Ar. Pl. +; (of words, actions, votes) **opposite** (W.DAT. to persons, i.e. to their words) A. Th. Ar. Pl. +; (w. ἤ + SB. to someone or sthg.) Antipho Pl.; (w. ἤ + CL. or ὡς + CL. to what was the case) Hdt. Ar. Pl. ‖ NEUT.SB. (sg. and pl.) opposite, reverse (of sthg.) Pi. Hdt. Trag. +
6 ‖ NEUT.PL.SB. (philos.) opposites (ref. to qualities, concepts or things) Pl. Arist.
7 (advbl.neut.acc.) τὸ ἐναντίον (or τοὐναντίον) on the contrary Th.; conversely (i.e. in the opposite way) Th.; (W.GEN. to sthg.) Th.; (w. ἤ + CL. to what someone is doing) Th.; (also pl.) τἀναντία on the contrary Th.; conversely Th.; (W.GEN. to sthg.) Hdt. Antipho
8 (prep.phrs.) ἐκ τοῦ ἐναντίου from a position facing opposite (i.e. in front) X.; (also) ἐξ ἐναντίας (ἐναντίης) Hdt. Th.; ἐκ τῶν ἐναντίων on the contrary Plb.; ἐς τοὐναντίον to the opposite effect Th.
—**ἐναντίον** neut.sg.adv. and prep. **1 face to face** —*ref. to looking at someone* Od. E. D.; (as prep., ref. to location) **opposite, facing** —W.GEN. *someone or sthg.* Il. Hdt. —W.DAT. Od.; **in front, in the presence** —W.GEN. *of someone* Hdt. S. Antipho Th. Ar. —*of gods (in ctxt of swearing an oath)* Plb.
2 (w.vb. of motion) **to meet** (someone) Od.; (as prep.) —W.GEN. *someone* Od. Pi.fr.
3 (w. hostile connot., ref. to fighting or sim.) **face to face** Il.; (as prep.) **against** —W.GEN. *someone* Il. Hdt. Theoc. —W.DAT. *someone* Il. Hes. Simon.; (ref. to doing sthg.) **in opposition** —W.DAT. *to the gods* E.; (ref. to speaking) **against** —W.DAT. *someone's words* Pl.
—**ἐναντία** neut.pl.adv. and prep. **1** (ref. to location) **face to face** AR.; (as prep.) **opposite** —W.DAT. *someone* Hdt.

2 (as prep., w. hostile connot.) **against** —W.DAT. *someone or sthg.* Th. AR.
—**ἐναντίως** *adv.* **1** (as prep.) **in contradiction** (W.DAT. to sthg.) —*ref. to saying sthg.* A.
2 in the opposite way (w. ἤ + SB. to someone) —*ref. to being brought up* Pl.; (w. ἔχειν, διακεῖσθαι) **be in the opposite condition** (sts. W.DAT. *to someone*) Pl.
3 in a hostile manner D.
ἐναντιότης ητος *f.* **1 fact or state of being the opposite** (of sthg.), **oppositeness, opposition** Pl.
2 state of opposition (betw. two extremes), **contrariety** Arist.
ἐναντίωμα ατος *n.* [ἐναντιόομαι] **1 obstacle, hindrance** Th. D. Plu.
2 contradiction, inconsistency (in a statement or argument) Pl.
ἐναντίωσις εως *f.* **1 fact or state of opposing, opposition** (betw. persons) Th. Arist.
2 antagonism, disagreement (betw. philosophy and poetry) Pl.
3 contradiction, inconsistency (in a statement or argument) Isoc. Pl. Arist. Plb.
4 fact or state of being the opposite, oppositeness, opposition Pl. Arist.
5 state of opposition (betw. two extremes), **contrariety** Arist.
ἔναξα (aor.): see νάσσω
ἐν-απεργάζομαι *mid.vb.* (of persons or things) **create, insert** —*qualities, appetites* (W.DAT. *in creatures or things*) Pl.
ἐν-απερείδομαι *mid.vb.* **direct, vent** —*one's anger* (w. εἰς + ACC. *upon someone*) Plb.
ἐναπῆκε (Ion.3sg.aor.): see ἐναφίημι
ἐν-αποδείκνυμαι *mid.vb.* | Ion.3pl.impf. ἐναπεδεικνύατο |
1 make a display of oneself, show off —w. ἐν + DAT. *among people* Hdt.
2 (tr.) **display** —*one's power, loyalty, goodwill, enmity, or sim.* (sts. W.DAT. OR PREP.PHR. *to someone*) Plb.
ἐν-αποθνήσκω *vb.* **1 die in** (usu. w. ἐν + DAT. *a place*) Hdt. Th. Plb.
2 die in (a tribe, i.e. as a member of it) Lys.(cj.)
3 die in the course of —W.DAT. or ἐν + DAT. *great achievements or sim.* Plb. —W.DAT. *a beating* Plu.
ἐν-αποθραύω *vb.* **break off** —*arrows* (W.DAT. *in one's wounds*) Plu.
ἐν-απόκειμαι *mid.pass.vb.* (of sources of hidden water) **be stored away** —W.DAT. *in the ground* Plu.
ἐν-αποκλάομαι *pass.contr.vb.* (of spears) **be broken off in** (the bodies of persons struck by them) Th.
ἐν-απολαμβάνομαι *pass.vb.* (of breath) **be intercepted** (by a blockage in the body) Pl.; (of soldiers) **be cut off and enclosed** (by enemy soldiers) Plu.
ἐν-απολείπω *vb.* (of parted lovers) **leave behind** —*a spark of longing* (W.DAT. *in each other*) Plu. ‖ PASS. (of soldiers) **be left behind** (on the battlefield, by their comrades) Plu.
ἐν-απόλλυμαι *mid.vb.* (of soldiers) **die in** (a country) X.
ἐν-απολογέομαι *mid.contr.vb.* (of a city) **base a speech in one's defence** (on sthg.) Aeschin.
ἐν-απονίζομαι *mid.vb.* **wash** (W.ACC. *one's hands or feet*) **in** (a bowl, a river) Hdt.
ἐν-αποπατέω *contr.vb.* **have a shit in** (a corslet) Ar.
ἐν-αποπνέω *contr.vb.* **expire during** —W.DAT. *supplication* Plu.
ἐν-απορέω *contr.vb.* [ἀπορέω¹] **be uncertain** —W.INDIR.Q. *how sthg. is the case* Plb.; **hesitate** (before acting) Plb.

ἐν-αποσημαίνω *vb.* (of a historian) **point out** (W.ACC. *someone's faults*) **in** —W.DAT. *one's narrative* Plu.
ἐν-αποτιμάω *contr.vb.* **hand over** (W.ACC. + DAT. *a slave, to someone*) **in settlement of a debt** D.
ἐν-αποτίνω *vb.* **pay** (W.ACC. *money*) **as a fine in** (a city) Ar.
ἐν-αποχράομαι *mid.contr.vb.* **take full advantage of** —W.DAT. *someone's passivity* D.
ἐν-αποψύχω *vb.* **shit in** (a river) Hes.
ἐν-άπτω *vb.* | pf.mid.pass.ptcpl. ἐνημμένος, Ion. ἐναμμένος |
1 attach —*someone* (W.DAT. *to ropes*) Plu. —*tow-lines* (to rafts) Plb. —*a locket* (to someone) Plu.(cj.) —*a stone* (w. εἰς + ACC. *to a cord*) X. ‖ MID. **attach to oneself with a tow-line, take in tow** —*a ship* Plb. ‖ PF.PASS.PTCPL. (of a noose) **attached** (to one's neck) Plu.
2 ‖ MID. **fit onto oneself, dress oneself in** —*a wolf-skin* (w. ἀμφί + ACC. *around one's body*) E. ‖ PF. (usu.ptcpl.) **be clad in** —W.ACC. *funeral garments* E. —*animal skins* Hdt. Ar.; **be equipped with** —W.ACC. *a quiver* Plu.
3 ‖ PF.PASS.PTCPL.ADJ. (of a corslet) perh., **fitted together** Ar.
4 set on fire —*houses, logs, trees* X. Plb. ‖ MID. **get a light** (for a lamp) Lys. ‖ PF.PASS.PTCPL. (of firewood) **alight** Ar.
ἔναρα ων *n.pl.* **spoils** (taken fr. a slain warrior) Il. Hes. S.; (gener., ref. to booty fr. a sacked city) Il.
ἐν-αραρίσκω *vb.* | aor. (tm.) ἐν ... ἄρσα | pf.ptcpl. ἐναρηρώς | **fix in** —*doorposts* (for a room) Od. ‖ PF.PTCPL. (intr., of an axe handle) **fixed in place** Od.
ἐνάργεια ᾱς *f.* [ἐναργής] **1 clarity, distinctness, vividness** (of colours) Pl.
2 vividness (of an orator's or historian's style) Plu.
3 clear view (of a country; of events, opp. hearsay) Plb.; **clear evidence** (of facts, achievements, sense-perceptions) Plb. Plu.; **clear truth** (of a proposition) Plb.; **actuality** or **fact** (of someone's presence) Plb.
ἐν-αργής ές *adj.* [reltd. ἀργός] **1** (of gods, appearing to mortals) **in visible form** Hom. Hes.*fr.*; (of a sea god, appearing as a bull) S.
2 (of persons, an altar) **in clear view** Pi. S.; (of hoofprints) **clear, unmistakable** S.*Ichn.*; (of desire, emanating fr. a bride's eye; of happenings, behaviour) **plain to see** S. D.; (of a culprit) **clear for all to see, manifest** S.
3 (of a dream, a dream-vision) **clear, vivid** Od. A. Hdt.; (of speech, a statement of a proof) **graphic** Isoc. Pl.
4 (of a statement, a name, comprehension, sense-perception) **clear, plain, unambiguous** A. Pl. Aeschin.
5 (of signs, proofs, facts, conclusions, or sim.) **clear, patent, evident** Hes.*fr.* Pi.*fr.* Ar. Isoc. Pl. +
—**ἐναργῶς**, Ion. **ἐναργέως** *adv.* **1 manifestly** —*ref. to gods protecting or punishing mortals* A. Lys. Ar.
2 visibly, manifestly, unmistakably —*ref. to seeing or being seen* S. Pl. D. +
3 clearly, plainly, unambiguously —*ref. to prophesying, explaining, understanding, or sim.* Hdt. Isoc. Pl. +
ἐναρηρώς (pf.ptcpl.): see ἐναραρίσκω
ἔν-αρθρος ον *adj.* [ἄρθρον] (of speech) **articulate** Plu.
ἐναρίζω *vb.* [ἔναρα] | impf. ἠνάριζον, ep. ἐνάριζον | ep.aor. ἐνάριξα | **1 strip** (a dead warrior) **of arms; strip, despoil** —*someone* Il.; **strip** —W.DBL.ACC. *someone, of his arms* Il. ‖ PASS. (fig., of Night) **be despoiled** (i.e. robbed of her light, by the dawning day) S.
2 (gener.) **slay** —*someone* (usu. *in battle*) Il. Hes. A. Pi. AR. ‖ PASS. (of warriors) **be slain** B.
ἐν-αριθμέω *contr.vb.* **1 count, reckon** —*generations of mortals* (W.PREDIC.PTCPL. *as living a life that is no life*) S.

ἐνaρίθμιος

2 ‖ MID. reckon of account, **set store by** —*someone's hatred and family connection* E.

ἐν-αρίθμιος ον *adj.* [ἀριθμός] | also app.tm. ἐν ... ἀρίθμιος (Call.) | **1** (of a person) **numbered among** (W.DAT. *the living, the dead, deities, notable people*) AR. Theoc.; (*of a lock of hair*, W.DAT. *the stars*) Call.
2 (of a bird) **making up the number** (*to replace a lost one*) Od.
3 (of a person) **taken into account, reckoned of value** (W.PREP.PHR. *in war and counsel*) Il.

ἐν-άριθμος ον *adj.* **1** (of a class of things) **counted in, included** Pl.; (*of a vote*) Plu.
2 (of a person, in neg.phr.) **in the reckoning, of account** (w. *play on* 1) Pl.

ἐναρί-μβροτος ον *adj.* [ἐναρίζω, βροτός] (of a warrior, battle) **man-slaying** Pi.

ἐν-αρμόζω, Att. **ἐναρμόττω** *vb.* | aor. ἐνήρμοσα, dial.inf. ἐναρμόξαι (Pi.) | **1 fix** —*a sword* (W.DAT. *in someone's spine*) E. —*arrows* (*in someone's flanks*) E. —*one's hands* (w. ἐν + DAT. *in the entrance to a cave*) E.*Cyc.*; **fit** —*a pin* (W.DAT. *for a woman, i.e. into her necklace, w. sexual connot.*) Ar. ‖ PASS. (of things) **be fitted** —W.DAT. or εἰς + ACC. *into other things* Plb.
2 (intr., of words) **fit** —w. ἐν + DAT. *in iambic verse* Ar.
3 (fig., of a poet) **fit, include** —*someone* (*in a hymn*) Pi.; **fit, adapt** —*one's voice* (W.DAT. *to a Dorian sandal, meton.ref. to rhythm*) Pi.
4 (of Archimedes) **adapt, accommodate** —*the size of the sun* (w. πρός + ACC. *to the human eye, i.e. make it viewable through the medium of scientific instruments*) Plu.; (intr.) **adapt oneself** —w. εἰς + ACC. *to a situation* Plb.
5 (intr., of a person, as one of a pair) **match, correspond to** —W.DAT. *another person* Plu.
6 make suitable, adapt —*sthg.* (w. εἰς + ACC. *for a use*) Pl.; (intr., of motion) **be suited** —W.DAT. *to sthg.* Pl.; (of a way of life) —*to people's needs* Plu.; (of a preliminary summary) **fit, be suitable** —w. ἐν + DAT. *in a book* Plb.
7 make acceptable, **ingratiate, endear** —*oneself* Plu.; (intr.) **endear oneself** —W.DAT. *to someone* Plu.

ἐν-αρμόνιος ον *adj.* [ἁρμονία] (of motion) in accordance with the rules of harmony, **harmonious** Pl.; (of the perception) **of harmony** Pl.

ἐναρμόττω *Att.vb.*: see ἐναρμόζω

ἔναρον (ep.aor.2): see ἐναίρω

ἐναρσ-φόρος ον *adj.* [ἔναρα, φέρω] (epith. of Ares) **spoil-bearing** Hes.

ἐν-άρχομαι *mid.vb.* **1 begin a sacrificial ritual** (by placing barley grains, a knife and garlands in a basket); **make ready, prepare, equip** —*the sacrificial basket* E. Men.; (gener.) **prepare** —*barley grains and sacrificial water* E.(dub.) ‖ PF.PASS. (of a sacrificial basket) **have been prepared** E. Aeschin.; (gener., of sacrificial rites) **have begun** Plu. ‖ IMPERS.PF.PASS. **a basket has been prepared** Men.(dub.)
2 (gener., of persons) **begin** (to do sthg.) Plu. —W.INF. *to do sthg.* Plb. Plu. —W.GEN. *an activity* Plb. Plu.; (intr., of summer) Plb.

ἐνάς άδος *f.* [εἷς] **one** (as the indivisible number), **unity** Pl.

ἔνας (dial.gen.): see ἔνη

ἐν-ασελγαίνομαι *pass.vb.* (of Euripides, as represented in a comedy) **be subjected to abuse** Ar.(cj., for ἀν-)

ἐν-ασκέω *contr.vb.* **train** (W.ACC. *oneself*) **in** —W.DAT. *other enterprises* (*before attempting one's main goal*) Plu.; (intr., of a nation, seeking world dominion) **gain practice** or **training** —w. ἐν + DAT. *in other enterprises* Plb.

ἐν-ασπιδόομαι *mid.contr.vb.* [ἀσπίς¹] **shelter behind one's shield** Ar.

ἔνασσα (aor.): see ναίω

ἐν-άσσω *vb.* | aor.ptcpl. ἐνάξας | **rush in** —w. ἐς + ACC. *to a house* S.(dub.)

ἐν-ασχημονέω *contr.vb.* (of a commander) **cut a sorry figure** (*among his troops*) Plu.

ἐναταῖος ᾱ ον *adj.* [ἐνάτη, see under ἔνατος] (quasi-advbl., of persons dying or arriving) **on the ninth day, after nine days** Th. Plb.

ἔνατος, Ion. **εἴνατος**, η ον *num.adj.* [ἐννέα] **1 ninth** Il. +; εἴνατον ἡμιτάλαντον *half-talent coming ninth* (after eight full talents), *eight and a half talents* Hdt.
2 ‖ NEUT.PL.SB. **offerings made on the ninth day** (after a burial) Is. Aeschin.

—ἐνάτη, Ion. **εἰνάτη**, ης *f.* **ninth day** (of a month) Hdt. Aeschin. D. Arist. Plu.

ἐν-αυλίζομαι *mid.vb.* | ep.3pl.impf. (tm.) ἐνὶ ... ηὐλίζοντο | aor. ἐνηυλισάμην, also aor.pass. (w.mid.sens.) ἐνηυλίσθην (X.) | (of a person) **reside, lodge** (in a temple, during the night) Hdt.; (of a god) —W.DAT. *in a cave* AR.(tm.); (of a commander, troops, sailors) **take up night-quarters** (in a place) Hdt. Th. X. —W.DAT. *in a place* AR.(tm.) Plu.

—ἐναυλίζω *act.vb.* **lodge, bed down** (in a place) S. E.*fr.*(cj.)

ἔν-αυλοι ων *m.pl.* [αὐλή] **haunts, abodes** (ref. esp. to caves) Hes. hHom. E. AR.

ἔν-αυλος¹ ον *adj.* (of a cave-dweller) **at home** (opp. out of doors) S.; (of lions) **in a den** E.

ἔν-αυλος² ου *m.* [αὐλός 1] **channel** or **bed** (of a river), **gulley** Il.; **torrent** Il.

ἔν-αυλος³ ον *adj.* [αὐλός 2] **1** (of fits of madness, during which the mad person is envisaged as dancing) **aulos-accompanied** (w. further connot. of *shrillness*, as sense 2) E.
2 (of a person's speech and voice, the sound of an axle) as if produced by an aulos, **ringing in the ears, shrill** Pl. Call.; (of an assertion) **ringing loud and clear** Aeschin.; (of a fear of doing sthg.) Pl.

ἐν-αυξάνω *vb.* **increase, intensify** (in people) —*a desire for sthg.* X.

ἔναυσις εως *f.* [ἐναύω] **kindling** (W.GEN. *of fire, as a technique*) Plu.

ἔναυσμα ατος *n.* (fig.) **spark, ember, remnant** (W.GEN. *of a defeated country, as preserved in one city*) Plb.; (of an older race, as seen in its present descendants) Plu.

ἐν-αύω *vb.* [αὔω¹] **1 provide a light** (to kindle a fire); **lend** —*fire* (freq. W.DAT. *to someone*) Hdt. X. Din. Call. Plb. Plu.; (gener.) **kindle** —*a fire* Plu. ‖ MID. **get** —*fire* (W.PREP.PHR. *fr. a place*) Plu.; (intr.) **get fire** (fr. another fire) Plu.
2 ‖ MID. (fig., of poets) **draw inspiration** —W.ADV. *fr. a city* (as the home of a poetical predecessor) Call.

ἐν-αφίημι *vb.* | Ion.3sg.aor. ἐναπῆκε | **thrust in** —*someone's head* (w. ἐς + ACC. *into a wineskin*) Hdt.

ἐν-δαίω *vb.* **enkindle, inflame** —*longing* (W.DAT. *in someone*) Pi. ‖ MID. (fig., of a lion's eyes) **blaze** Od.(tm.); (of Eros' arrow) **burn in** —W.DAT. *someone's heart* AR.

ἐν-δάκνω *vb.* (of a horse) **bite on** —*a bit* E. Pl.

ἐν-δακρύω *vb.* **have tears in** —W.DAT. *one's eyes* A.

ἐνδάπιος η ον *Ion.adj.* [ἔνδον] (of a woman) **indigenous, native** (to a place) Mosch.

ἐν-δατέομαι *mid.contr.vb.* **1 distribute, apportion** —*words of reproach* E. ‖ PASS. (of arrows) **be showered forth** S.
2 speak of (in detail), **dwell on** —*someone's happy offspring, one's unhappy marriage* A.*fr.* S. —*someone's name* A.(dub.)

ἐνδεής ές *adj.* [ἐνδέω²] | masc.fem.acc.sg. ἐνδεᾶ, later ἐνδεῆ | neut.nom.acc.pl. ἐνδεᾶ | compar. ἐνδεέστερος ‖ The compar. is freq. used as positive (i.e. without compar. force). |
1 (of persons or things) **wanting, lacking, in need of** (W.GEN. someone or sthg.) Hdt. E. Th. Att.orats. +
2 (of persons) **in need** Lys. X. D.; **needy, poor** (W.DAT. in substance, property) E. Isoc.
3 (of persons) falling short (in some capacity), **inadequate, ineffective, disappointing** E.; **deficient** (W.DAT. in courage) Lys.; **inferior** (W.GEN. to someone) S. Isoc. Pl. X.; **failing to live up** (W.GEN. to one's reputation, oneself) Th. Plu.
4 (of things) deficient (in some respect), **wanting, incomplete, inadequate, disappointing** Hdt. S. E. Th. Pl. +; **inferior** (in size or number) Th.; (W.GEN. to sthg.) X.; (of a naval battle) **deficient, lacking** (W.DAT. in preparation) Th.; (of actions) **falling short** (W.GEN. of one's capability) Th.; (of resources) **unequal** (to a task) Th. ‖ NEUT.SB. deficiency Th.
—ἐνδεῶς *adv.* | compar. ἐνδεεστέρως, occas. ἐνδεέστερον |
1 (sts. compar., in same senses as positive) **defectively, insufficiently, inadequately** Th. Att.orats. Pl. +
2 ‖ COMPAR. to a lesser extent, less well (W.GEN. or ἤ than someone or sthg.) Isoc. X.
3 (w. ἔχειν) be deficient (sts. W.GEN. in sthg.) E.fr. Pl. X. D. Plu.
ἔνδεια ᾱς *f.* **1 want, need, lack, shortage** (usu. W.GEN. of sthg.) Th. Att.orats. Pl. X. Arist. +
2 deficiency (opp. excess) Isoc. Pl. Arist.
3 (specif.) **lack of means, poverty** Isoc. Pl. X. D. Arist.; **shortage of food** or **provisions** X. Plb. Plu.
ἔνδειγμα ατος *n.* [ἐνδείκνυμι] **indication, demonstration, evidence** (W.COMPL.CL. that sthg. is the case) Pl.; (W.GEN. of sthg.) D.
ἐν-δείκνῡμι *vb.* | Ion.aor.mid. ἐνεδεξάμην (Mimn.) | **1** (of Zeus) **display, exhibit** —*his power and arrogance* (W.DAT. *to former gods*) A.
2 point out, indicate —*a lot* (*i.e. someone's right to draw one*) Pi. —*crimes* (W.DAT. *to a court*) Antipho —W.INDIR.Q. *what someone is doing* S. —W.ACC. + PTCPL. *that sthg. is the case* Pl. ‖ MID. (of a commander) **make known, give** —*an order* Mimn.
3 direct —W.DAT. + INF. *someone to do sthg.* Pl.
4 (leg.) **lay information against, denounce** —*someone* And. Ar. Pl. D. Plu.(mid.) —(W.ACC.PTCPL. *for doing sthg.*) And. —(w. πρός + ACC. *to the authorities*) Pl.; (intr.) **lay information** (against someone) Isoc. —W.DAT. *before the authorities* Pl. ‖ PASS. be denounced Lys. D. —W.PREDIC.SB. *as a criminal* Antipho —W.INF. *for doing sthg.* Isoc. D.
5 ‖ MID. **reveal oneself as, give proof of** —W.NOM.PTCPL. *doing or being such and such* E. And. Isoc. X.
6 ‖ MID. **reveal one's mind, declare oneself, state one's views** —W.DAT. *to someone* Il. —W.PREP.PHR. *about sthg.* Plb.; (tr.) **reveal, make clear** —*one's thinking* (*to someone*) Hdt.
7 ‖ MID. **exhibit, display, give evidence of** —*one's courage, goodwill, patriotism, enmity, or sim.* Th. Ar. Att.orats. +; **demonstrate** —W.ACC. + PTCPL. *that sthg. is the case* D. —W.COMPL.CL. Th. Att.orats. Pl. + —W.ACC. + INF. *that someone is doing sthg.* Pl. —W.INDIR.Q. *what is the case* Pl.; **depict** —*the truth* (W.ADV. *in broad outline*) Arist.; **denote** —*a quality in someone* (W.DAT. *by his name*) Pl.; (gener.) **point out, indicate** —*circumstances, facts* Pl. X. +
8 ‖ MID. **show off** —W.DAT. *to someone* Pl.; put on a show in order to please, **ingratiate oneself** D. —W.DAT. *w. someone* Aeschin. D.

ἔνδειξις εως *f.* **1 display** (W.GEN. of one's prosperity) Arist.
2 pointing out, indication (of sthg.) Plb.; **demonstration, proof** (sts. W.GEN. of sthg.) Pl. Plb. Plu.
3 (leg.) laying of information (against a person, by a prosecutor to the authorities, as the formal initiation of proceedings), **denunciation** Hyp. D. Arist.; (gener.) **evidence against** (someone) Plu.
4 show of behaviour designed to ingratiate oneself, **putting on a show** (w. πρός + ACC. for someone) Aeschin.
ἕν-δεκα *indecl.num.adj.* [εἷς, δέκα] **1 eleven** Hom. +
2 ‖ MASC.PL.SB. (at Athens) **The Eleven** (officials in charge of police and prisons, also presiding at certain types of criminal trial) Ar. Att.orats. Pl. X. Arist.
ἑνδεκά-κλῑνος ον *adj.* [κλίνη] (of a person's head, envisaged as a room) **having eleven couches** (i.e. capacious) Plu.(quot.com.) | see also δεκάκλινος
ἑνδεκα-κρούματος ον *adj.* [κροῦμα] (of rhythms, played on the lyre) **with eleven notes, eleven-stringed** Tim.
ἑνδεκά-πηχυς υ *adj.* [πῆχυς] (of Hector's spear) **eleven cubits long** Il.
ἑνδεκάς άδος *f.* the number eleven, **eleven** Pl. Arist.
ἑνδεκαταῖος ᾱ ον *adj.* [ἑνδεκάτῃ, see under ἑνδέκατος]
1 (quasi-advbl., of a person completing a journey) **on the eleventh day, after eleven days** Th.
2 (quasi-advbl., w.pres.vb., of a person doing sthg.) **for eleven days** Theoc.
ἑνδέκατος η (dial. ᾱ) ον *num.adj.* [ἕνδεκα] **eleventh** Hom. +
—ἑνδεκάτη ης *f.* **eleventh day** (fr. a certain time) Hom.; (of a month) D.
ἑνδεκά-χορδος ον *adj.* [χορδή] (of a lyre) **eleven-stringed** Ion
ἐνδέκομαι *Ion.mid.vb.*: see ἐνδέχομαι
ἐν-δελεχής ές *adj.* [reltd. δολιχός] **1** (of a memory, activities) **continuous, unbroken** Isoc. Pl. Plu.
2 (of persons) **persistent, persevering** Plu. ‖ NEUT.SB. persistence Plu.
—ἐνδελεχῶς *adv.* **continuously, without a break** Pl. X. Men. Plu. | see also ἐντελεχῶς
ἐν-δέμω *vb.* **1 wall in** or **dam up** —*mountain gorges* Hdt.
2 ‖ PASS. (of cities) be built in (a country) Theoc.
ἐνδεξιόομαι *mid.contr.vb.* [ἐνδέξιος] **move round** (W.ACC. an altar) **from left to right** (i.e. anticlockwise) E.
ἐν-δέξιος ον *adj.* [δεξιός] **1** (of lightning, as a sign fr. Zeus) **on the right** (i.e. the propitious side) Il.; (gener., of a god, signs fr. Zeus) **propitious, favourable** Call.
2 (of a comrade in arms) **on the right** (W.DAT. of someone's foot, i.e. standing on his right) E.Cyc.
3 (of activities at feasts, such as passing on a lyre, myrtle-branch, cup, or the turn to sing or speak) **moving left to right** hHom.
—ἐνδέξια *neut.pl.adv.* **from left to right** (as the propitious direction) —*ref. to moving, pouring wine* Hom.
ἔνδεσις εως *f.* [ἐνδέω¹] **fastening, attachment** (of a javelin-head, to the haft) Plb.
ἐν-δέχομαι, Ion. **ἐνδέκομαι** *mid.vb.* **1 accept, submit to** —*hardships* Hdt.
2 accept, approve —*a proposal, an order, advice, or sim.* Hdt. E. Th. Ar. Pl.; **agree to** —*rebellion, someone's return* Hdt. Th.; (of a god) **accept, welcome** —*songs* E.; (intr.) **be receptive, agree** (to a proposal) E. Th. Ar.
3 (intr.) **take in** (a report), **listen carefully** E.
4 (usu. w.neg.) **accept, believe** —*a statement, story, or sim.* Hdt. —W.ACC. + INF. *that sthg. is the case* Hdt.

5 (of things, circumstances) **admit of, allow** —*calculation, change* Th. Pl.; **allow** —W.ACC. + INF. *someone to do sthg., sthg. to happen* Pl. D. Arist.; (intr.) Pl. D.; (of seamanship, in neg.phr.) **admit of** —W.PASS.INF. *being practised casually* Th.
6 (of things) **be possible** (i.e. they may possibly happen) Th. ‖ PTCPL.ADJ. (of things) **possible** X. Lycurg. Arist.; (phr.) εἰς τὸ ἐνδεχόμενον *as far as possible* Hyp.
7 ‖ IMPERS. **it is possible** (to do sthg., for sthg. to happen) Th. Pl. X. + —W.INF. or DAT. + INF. (*for someone*) *to do sthg.* Att.orats. —W.ACC. + INF. *that someone shd. do sthg., for sthg. to happen* Th. Pl. X. +
—**ἐνδεχομένως** ptcpl.adv. **as well as possible, ably, capably** Plb.

ἐν-δέω[1] contr.vb. **1 fasten in place** —*a string* (on a bow) Il. —*braces, halyards and sheets* (w. ἐν + DAT. *on a boat*) Od. —*a yoke* (W.DAT. *on bulls' necks*) AR.; (of a god) —*sense-organs* (*on the human face*) Pl.; (of a king) **incorporate** —*a provision* (w. εἰς + ACC. *into a law*) Pl. ‖ MID. **fasten** —*strings* (W.DAT. *to a lyre*) Call. ‖ PASS. (of a rope) **be fastened** —w. εἰς + ACC. *to a ring* Plb.
2 tie up, pack Ar. —*merchandise* Ar.(also mid.) ‖ PASS. (of objects) **be packed up** —w. ἐν + DAT. *in straw* Hdt.
3 (of a god) **confine, imprison** —*a soul* (w. εἰς + ACC. or ἐν + DAT. *within a body*) Pl.; (fig., of persons) —*a sophist* (w. εἰς + ACC. *in falsehood*) Pl. ‖ MID. **fetter** —*snakes* (W.DAT. *in a heavy bond, ref. to gripping them w. one's hands*) Theoc. ‖ PASS. (of souls) **be confined** (*within a body*) Pl.
4 (fig., of a god or person) **fetter, entangle** —*someone* (W.DAT. *in delusion*) Il. —(*in a ruinous marriage*) S.; **bind** —*someone* (W.DAT. + INF. *under a necessity to do sthg.*) Hdt. ‖ MID. **bind** —*someone* (W.DAT. *w. oaths*) E.; **attach to oneself, secure** —*friends* Plb. —*a people* (w. εἰς + ACC. *in friendship and loyalty*) Plb. ‖ PASS. (of persons) **be bound** (usu. W.DAT. *by oaths, necessity, obligations, or sim.*) Hdt. Isoc. Plb.; (of a historian) **be constrained** (*by an unreliable story*) Plb.; (of one's rule) **be secured** Plb.

ἐν-δέω[2] contr.vb. ‖ aor.pass.ptcpl. (w.mid.sens.) ἐνδεηθείς (X.) ‖ **1** ‖ MID. (of persons) **lack, need, be short of** —W.GEN. *someone or sthg.* Pl. X. Plu.; **be short** (of sthg.) X.; **suffer want, be poor** or **needy** Plu.
2 (act., of things) **lack** —W.GEN. *sthg.* Pl.; **fall short** —W.GEN. *of sthg.* Pl.; **fall short, be inadequate** Pl. Plu.
3 (of persons) **need, want, lack** —W.GEN. *nothing* (w. μὴ οὐ + INF. *so as not to do sthg., i.e. they cannot fail to do sthg.*) E.; (also as a q. W.GEN. τίνος, *what do they lack so as not to do sthg., i.e. how can they fail to do sthg.?*) E.; (of things) **need** —W.GEN. *a certain amount* (W.INF. *to be such and such, i.e. fall short of being so by that amount*) Pl.; (of circumstances) —*someone's presence* (w. μή + INF. *to be arranged for the best*) Plu.
4 (of things) **be absent** or **lacking** Hdt. Plu. ‖ IMPERS. **there is a need, want** or **lack** (sts. W.DAT. *for someone*) —W.GEN. *of sthg.* E. Pl. X. D. Plu.; **there is a shortage** (of salary) Lys.; **there is a deficit** (in the accounts) X.

ἔν-δηλος ον adj. [δῆλος] **1** (of a person) **conspicuous** (in society), **well-known** Ar.
2 (of a person) **clearly visible** Ar.(v.l. εὔδηλος); (of things) **plain to see** Pl. Plu.; (of facts or circumstances) **clearly revealed, evident** Pl. X.
3 (of persons) ἔνδηλος εἶναι (or sim.) + NOM.PTCPL. **be clearly seen to be doing sthg.** Th. Pl. X. D. Plu. —W.COMPL.CL. X.

4 obvious, transparent, clearly seen through (in one's behaviour or motivation) Th.
5 (of a report, evidence of sthg.) **clear, plain** S. Th.
—**ἐνδηλότατα** superl.adv. **very clearly** or **plainly** —*ref. to stating sthg.* Th.

ἐνδημέω contr.vb. [ἔνδημος] **be resident** (in a place) Lys.
ἔν-δημος ον adj. [δῆμος] **1** in one's own community; (of a person) **in town, at home** A.; (of violence) **among the people, civil** A.
2 ‖ MASC.PL.SB. **persons belonging to a community, citizens** (opp. foreigners) Hes. Thgn.
3 (of a people, as a character trait) **stay-at-home** (opp. engaging in foreign travel) Th.
4 (of officials) **at home** (opp. abroad) Th. Arist. ‖ NEUT.PL.SB. **home country** (opp. abroad) X.; **home** or **internal affairs** Arist.

ἐνδιάζω vb. [ἔνδιος] (of soldiers, animals) **pass midday** (resting in a place) Plu.
ἐν-διαθρύπτομαι mid.vb. (of a woman) **act coquettishly towards, play the tease with** —W.DAT. *someone* Theoc.
ἐν-διαιτάομαι mid.contr.vb. (of a person) **live in** (a house) X.; (of a snake) —w. ἐν + DAT. *a temple* Hdt.; (fig., of the memory of sthg.) **reside** —w. παρά + DAT. *w. someone* Th.
ἐν-διατάσσω vb. **marshal** (W.ACC. *an army*) **in** (a place) Hdt.
ἐν-διατρίβω vb. **1 spend time in** (a place); **spend** (W.ACC. *time*) **in** (a place) Th. Ar.; (intr.) **spend time** —W.ADV. or DAT. *in a place* D. Plb. Plu.; (w. connot. of delay) **linger in** (a place) Th. Plu.
2 (intr.) **spend time on** (sthg.); **spend time on** (an activity) Pl.; (of a writer) **dwell on** (a subject) Arist.; **dwell** —w. περί + GEN. *on a subject* Arist.; (of persons) **take one's time** (over sthg.) Aeschin. D.; **continue** or **persist in** —W.DAT. *traditional behaviour* Ar.; **persevere in** —W.DAT. *biographical writing* Plu.; (of a person's sight) **linger** —W.DAT. or ἐν + DAT. *on sthg.* X. Plu.; (gener., of persons) **pass one's time in** —W.DAT. *happy circumstances* Plb.

ἐνδιάω contr.vb. [ἔνδιος] ‖ only iteratv.impf. (w.diect.) ἐνδιάασκον ‖ (of a person) **be in the open air** Theoc.; (tr., of shepherds) **pasture** (W.ACC. *sheep*) **in the open** Theoc.

ἐνδιδύσκω vb. [reltd. ἐνδύω] **dress, clothe** —W.DBL.ACC. *someone in sthg.* NT. ‖ MID. **clothe oneself in** —*sthg.* NT.

ἐν-δίδωμι vb. **1 put** (sthg.) **into** (someone's hands); **give up, hand over** (usu. W.DAT. *to someone*) —*a cup, wineskin* E. X. —*persons, oneself* Ar. Isoc. Pl. D. —*a city* (usu. *by treachery*) Th. Isoc. X. —*political control* Th. —*management of a matter* D. ‖ PASS. (of a city, control of a country) **be handed over** Th. X.
2 apply —*the goad* (W.DAT. *to a team of horses*) E.
3 (usu. of persons, sts. of circumstances) **lend, afford** (sts. W.DAT. *to someone*) —*a supporting hand* E. —*an opportunity, hope, excuse, ground for suspicion* E. Th. Ar. Att.orats. +; **grant, allow** —*the right to speak* E.
4 (of retching) **bring on** —*a convulsion* Th.
5 show, exhibit (sts. W.DAT. *to someone*) —*fairness, weakness, compassion, bitterness, or sim.* Hdt. E. Ar. X.
6 (intr., of troops) **give way, give ground** (sts. W.DAT. *to the enemy*) Th.; (of persons, cities) **give in, capitulate** (to superior force or persuasion) Th.; **make** (W.NEUT.ACC. *some, no*) **concession** Th.; (of a disputant) **yield** —W.DAT. *to someone, an argument* Pl. Arist.; (of the Fates) **concede, allow** (sthg.) Hdt.; (of props) **give way, collapse** Plb.
7 (intr., of persons) **give way** (to circumstances or emotions); **give way, yield** —W.DAT. *to pity* Th. —*to pleasure* E. —w. πρός + ACC. *to sleep* Plu.; **resign oneself** —W.DAT. *to what has happened* Th. —*to chance* E.

8 (fig., of a speaker) **give the keynote** or **leading idea** (at the beginning of a speech) Arist. | cf. ἐνδόσιμον

ἐν-δίημι vb. [reltd. δίομαι¹] | 3pl.impf. ἐνδίεσαν | (of herdsmen) **set on** —*dogs* (*to attack lions*) Il.

ἔν-δικος ον adj. [δίκη] **1** (of persons, their minds, a city) respecting justice, **righteous, just** Trag.; (of a murderer's hand) **exacting justice** S.
2 (of a person) possessing a right or claim, **justified** (in doing sthg.) A.; having a right to be called in (over a dispute), **competent, qualified** Pl.; (of actions) **with a just claim** (on a god) A.
3 (of words, actions, commands, claims) **just, legitimate** S. E.; (of divine visitations, concern for someone) **righteous** A. S.; (of reproaches) **justified, merited** A.; (of glory) perh. **justly earned** Pi.; (of a lament) perh. **claiming justice** A.
4 ‖ NEUT.SG.SB. **justice, honesty** S.; τὸ μὴ ἔνδικον *injustice, unfairness* S. ‖ NEUT.PL.SB. **just behaviour, justice** E.; τὰ μὴ ἔνδικα *unjust deeds* Alc. Call.*epigr.*; τὰ ἐνδικώτατα *the greatest right* (*to sthg.*) S.

—**ἐνδίκως** adv. | compar. ἐνδικώτερον, also ἐνδικωτέρως | superl. ἐνδικώτατα | **1** in accordance with what is just or right, **justly, rightly, righteously** Trag. Pl.
2 with a just claim, **rightly, justifiably** Trag. Pl.

ἔνδινα ων n.pl. [ἔνδον] **intestines** (of a person) Il.

ἐν-δινέω contr.vb. | dial.3pl. ἐνδῑνεῦντι | (of lifelike woven figures, perh. dancers) **move** or **whirl in** (tapestries) Theoc.

ἔν-διος (also **ἔνδῖος** Call. AR.) ον adj. [reltd. δῖος, Ζεύς] **1** (quasi-advbl., of persons arriving) **at midday, at noon** Hom.
2 (of shepherds) **in the midday heat** Theoc.; (of heat) **midday** Call.
3 ‖ MASC. and NEUT.SB. **midday, noon** Call. AR.

ἐν-δίφριος ον adj. [δίφρος] (of persons, in the court of a Thracian king) **on a seat, seated** (as a mark of honour) X.; (of an individual, W.DAT. **before** or **beside the king**) X.

ἔνδοθεν adv. and prep. [ἔνδον] **1** (ref. to movt.) **from inside, from within** Od. S. E. Lys. Ar. +; (as prep.) —W.GEN. *a building* S. E.*fr.*
2 (ref. to location) **inside, within** (somewhere or sthg.) Od. Hdt. Trag. Th. Ar. +; (as prep.) —W.GEN. *a courtyard* Il. —*one's heart* Sol.; **on this side of** —W.GEN. *a headland* AR.
3 from within oneself (i.e. fr. one's inner resources) Simon. S.
4 within one, in one's breast Od. B. AR.; **inwardly** —*ref. to feeling pleasure or anger* Pi. E. Ar. ‖ ADVBL.ACC. (w. neut.pl.art.) **inwardly** —*ref. to grieving* Ar.; **in one's inner soul** —*ref. to being beautiful* Pl.

ἔνδοθι, dial. **ἔνδοι** adv. and prep. **1 inside, within** (a house, city, the human body, or sim.) Hom. Hes. hHom. Hellenist.poet.+; (specif.) inside one's house, **indoors, at home** Hom.; **on the inside** (of one's hands, i.e. on one's palms) Theoc.; (as prep.) **inside** —W.GEN. *walls, a house, ship, or sim.* Il. Hes. hHom. AR. —*a gulf* or *sea* Call. AR.; **on** —W.GEN. *an island* Hes.*fr.* Call.; **in** —W.GEN. *a lake* Theoc.
2 within one, in one's breast Hom. AR.; **inwardly** —*ref. to feeling emotions* AR.
3 (w.vb. of motion) **to the other side of, past** —W.GEN. *one's teeth* Call.; **to the inside of, inside** —W.ACC. *a place* AR.

ἐν-δοιάζω vb. **be in two minds, be undecided** Th. —W.INF. *whether to do sthg.* Th.; **be uncertain** —W.DAT. *in one's mind* Plu. —W.INDIR.Q. *whether sthg. has happened* Plu. ‖ PASS. (of a proposition) be hesitated over Th.

ἐνδοιαστῶς adv. **ambivalently** Th.; (w.neg.) **unequivocally, wholeheartedly** Hdt.; **undoubtedly** Th.

ἐνδο-μάχας ᾱ dial.masc.adj. [ἔνδον, μάχομαι] (of a cock) **fighting on home ground** Pi.

ἐνδο-μενίᾱ ᾱς f. [app. μένω] **contents** (of a house) Plb.

ἐνδό-μυχος ον adj. [μυχός] (of a person's head) **in the inmost recesses** (of a cave) S.; (of a person) **in the recesses** or **privacy of a house** Call.

ἔνδον adv. and prep. [ἐν] **1** (ref. to location) **inside, within** (sthg. or somewhere) Hom. +; (as prep.) —W.GEN. *sthg.* or *somewhere* Pi. Trag. Ar. Pl. AR. —W.GEN. *Zeus* (i.e. *his house*) Il. —W.DAT. *a dwelling, precinct* Pi.
2 (specif.) inside one's house, **indoors, at home** Hom. Hes. Pi. Trag. Lys. Ar. +
3 at home, on home ground (opp. abroad) Od. A.
4 within one, in one's breast Od. Thgn. AR.; **inwardly** —*ref. to feeling pleasure* Od. hHom. Pi. AR. ‖ ADVBL.ACC. (w. neut.pl.art.) **inwardly, in one's heart** —*ref. to thinking sthg.* E.
5 in control (of oneself) A. —W.GEN. *of oneself* Hdt. Antipho —*of one's senses* E.

—**ἐνδοτέρω** compar.adv. **within narrower limits** —*ref. to restricting one's expenditure* Plu.; (as prep.) **further inside** —W.GEN. *a tent* Plu.; **closer** —W.GEN. *in intimacy* Plu.

ἔν-δοξος ον adj. [δόξα] **1** (of persons, their lives, cities) **highly esteemed, renowned, famous** Att.orats. Pl. X. Arist. +
2 (of achievements, events, or sim.) **notable, honourable, glorious** Att.orats. X. Arist. +; (of clothing) **splendid** NT.
3 resting on opinion (opp. ascertainable truth); (of a cause) **probable, plausible** Plb. ‖ NEUT.SB. (sg. and pl.) **probability** Arist. ‖ NEUT.PL.SB. **current opinions** Arist.

—**ἐνδόξως** adv. **honourably, gloriously** Plb. Plu.

ἐνδόσιμον ον n. [ἐνδίδωμι] **1** (mus.) that which gives the key, **keynote** Arist.; (fig.) **keynote, leading idea** (of a speech) Arist.; (gener.) **exordium, introduction** (to a speech) Arist.
2 (fig., ref. to another's action) **cue, motive, excuse** (to take action oneself) Plu.

ἐνδοτέρω compar.adv.: see under ἔνδον

ἐν-δουπέω contr.vb. **fall with a splash** or **thud into** —W.DAT. *water, a ship's bilges* Od.

ἐνδουχίᾱ ᾱς f. [ἔνδον, ἔχω] **contents** (of a house) Plb.

ἐν-δρομίς ίδος f. [δρόμος, δραμεῖν] **boot for the chase, hunting-boot** (assoc.w. Artemis) Call.

ἔν-δροσος ον adj. [δρόσος] (of a bed in the open air) **wet with dew** A.

ἔν-δρυον ου n. [δρῦς] **peg** (by which a plough-pole was attached to a yoke borne by oxen) Hes.

ἐνδυκέως (also **ἐνδυκές** AR.) adv. **1** app., with friendly care, **kindly, attentively** —*esp.ref. to looking after* or *performing a service for someone* Hom. hHom. Pi. AR. Theoc.; **considerately** —*ref. to sparing a suppliant* Il.
2 perh. **eagerly** —*ref. to eating* Od.; **ravenously** —*ref. to a lion tearing its prey* Hes.; **keenly** or **steadfastly** —*ref. to fighting* B.

ἔνδῡμα ατος n. [ἐνδύω] (usu.pl.) **garment** Men. Plb. NT. Plu.; (collectv.sg.) **clothing** NT.

ἐν-δυναμόομαι pass.contr.vb. [δύναμις] **grow strong** (in faith) NT.

ἐν-δυναστεύω vb. **1 have power** or **exercise authority among** —W.DAT. *people* A. —w. παρά + DAT. Pl.
2 impose one's authority —w. ὥστε + ACC. and INF. *to ensure that someone does sthg.* A.

ἐν-δύνω vb. —also **ἐνδύομαι** mid.vb. [δύω¹] | impf. ἐνέδυνον, ep. ἔνδυνον | athem.aor. ἐνέδῡν, inf. ἐνδῦναι, ptcpl. ἐνδῡς | pf. ἐνδέδυκα ‖ MID.: fut. ἐνδύσομαι | aor. ἐνεδῡσάμην (NT. Plu.), ep.3sg. (tm.) ἐν ... ἐδύσετο |

ἔνδυσις

1 (act. and mid., of persons) get into, **put on** —*clothes, armour* Il. Alc. Hdt. S. E. Th. + ‖ PF. and PLPF.ACT. **wear** —*clothes, armour* Hdt. Pl. X. Arist. Plu.(also mid.)
2 (act. and mid., of grief) **enter** —*someone's heart* Il.(tm.); (of a soul) —*an ape* Pl.; (of goodwill) —*a person* Pl.; (intr., of persons or things) —w. εἰς + ACC. *into sthg. or somewhere* Pl. Plu.; (fig., of a ventriloquist) —*into other people's bellies* Ar.; (of a person) —*into someone's character* (W.DAT. *through understanding*) Pl.; (of desire) **come over** (someone) Pl.; (of misanthropy) **come about** Pl.; (of a stamp or impression) **be formed** Pl.(dub.)
3 ‖ MID. (fig.) **enter upon, take on** —*a bold enterprise* Ar.; **enter** —w. εἰς + ACC. *upon a responsibility* X.
4 ‖ MID. (of words) **sink deep into** —W.DAT. *the minds of hearers* X.; (of retreating soldiers) **merge, plunge** —W.DAT. *into those behind them* Plu.; (of a person) **insinuate oneself** —W.DAT. *into power* Plu.; **immerse oneself** —W.DAT. *in thought* Plu. ‖ PF.ACT.PTCPL.ADJ. (of a path, a nose) sunken Plu.

–ἐνδύω *causatv.vb.* | impf. ἐνέδυον | fut. ἐνδύσω | aor. ἐνέδῡσα | **dress** —*someone* (W.ACC. *in clothes or armour*) Ar. X. NT. —*a statue* (W.PREP.PHR. *in a certain way*) Hdt.

ἔνδυσις εως *f.* **putting on** (W.GEN. of pain, in a proposed etymology of ὀδύνη) Pl.

ἐν-δυστυχέω *contr.vb.* **1** (of troops) **meet with misfortune in** (the dark) E.; (of Pentheus) **meet with misfortune under** (his name, which suits him, fr. its association w. πένθος *sorrow*) E.
2 (of a commander) **bring misfortune upon** —W.DAT. *his city* Plu.

ἐνδυτήρ ῆρος *masc.adj.* [ἐνδύνω] (of a robe) for putting on (ceremonially or on special occasions), **festal** S.

ἐνδυτός όν *adj.* **1** (of a priestess' woollen bands) **put on, worn** E.
2 (of persons) **clad** (W.DAT. in purple robes) A.(cj.); (of a sacred object, in woollen bands) E.
3 ‖ NEUT.SB. (sg. and pl.) garment E. Call. ‖ PL. (fig.) covering (W.GEN. provided by armour, flesh) E.

ἐνδύω *vb.*: see under ἐνδύνω

ἐνέγκαι (aor.inf., also 3sg.aor.opt.), **ἐνέγκᾱς** (aor.ptcpl.), **ἔνεγκε** (aor.2 imperatv.), **ἐνεγκεῖν** (aor.2 inf.), **ἐνέγκοι** (3sg.aor.2 opt.), **ἐνεγκών** (aor.2 ptcpl.): see φέρω

ἐνεγύησα (aor.): see ἐγγυάω

ἐν-έδρᾱ ᾱς *f.* [ἕδρᾱ] **1** lying in wait in a place, **ambush** Th. Pl. X. Plb. NT. Plu.; (concr., ref. to troops) X.
2 (fig.) **trickery, trap** Pl. D.

ἐνεδρεύω *vb.* | impf. ἐνήδρευον | aor. ἐνήδρευσα ‖ PASS.: fut. ἐνεδρεύσομαι | aor. ἐνηδρεύθην | **1 lay an ambush** or **wait in ambush** Th. X.(also mid.) Plb. Plu. —W.ACC. *for someone* NT. Plu.; (of a hunter) **lie in wait, wait in hiding** X. ‖ PASS. (of persons) be ambushed X.; (of animals) be ensnared X.
2 (fig.) **lay traps, engage in trickery** Plb.; (tr.) **lay a trap for, entrap, trick** —*someone* Att.orats. Men. NT. ‖ PASS. (of persons) be entrapped —W.PREP.PHR. *by laws* Lys.; be caught out —W.DAT. *by lack of time* D.

ἔν-εδρος ον *adj.* [ἕδρᾱ] (of a person) **resident** (in a place) S.

ἐνεείσατο (ep.3sg.aor.mid.): see ἐνίζω

ἐν-έζομαι *mid.vb.* **seat oneself in, sit in** —*a building* A.

ἐνέηκα (ep.aor.1): see ἐνίημι

ἐνεῖδον (aor.2): see ἐνοράω

ἔνεικα (ep.aor.), **ἐνείκαι** (dial.3sg.aor.opt.), **ἐνεῖκαι** (dial.aor.inf.), **ἐνείκᾱς** (dial.aor.ptcpl.), **ἔνεικε** (dial.aor.2 imperatv.), **ἐνείκειε** (dial.3sg.aor.opt.), **ἐνεικέμεν** (ep.aor.2 inf.), **ἐνείκην** (Aeol.aor.2 inf.), **ἔνεικον** (dial.aor.2 imperatv.): see φέρω

ἐν-ειλέω *contr.vb.* [εἰλέω¹] **1 wrap up** —*a corpse* (W.DAT. *in a cloth*) NT.
2 ‖ PASS. (of persons) be hemmed in —W.DAT. *by the enemy, the hands of attackers* Plu.; (of captives) be cooped up among —W.DAT. *soldiers* Plu

ἐνειλίσσω Ion.*vb.*: see ἐνελίσσω

ἐν-είλλω (or **ἐνίλλω**) *vb.* [εἴλλω, under εἰλέω²] **wrap up** or **pack** —*mud* (W. ἐν + DAT. *in reed matting*) Th.

ἔνειμα (aor.): see νέμω

ἐνεῖμαι (pf.pass.): see ἐνίημι

ἔν-ειμι *vb.* [εἰμί] | dial.2sg. ἔνεσσι (Pi.) | ep.3sg.impf. ἐνέην, ἐνῆεν, 3pl. ἔνεσαν ‖ See also ἔνι (freq. used for 3sg. ἔνεστι, sts. 3pl. ἔνεισι). |
1 (of persons or things) be present or located in, **be in, be within** (a specified place or object) Hom. +; **be in** —W.DAT. or ἐν + DAT. *somewhere or sthg.* Hom. +; **be present** —W.ADV. *somewhere* Il. Th. Ar.
2 (of qualities or abstr. entities, e.g. strength, sense, harm, benefits) **be present** (in someone or sthg.) Il. Trag. Th. +; **be** or **exist in** —W.DAT. or ἐν + DAT. *someone or sthg.* Il. +
3 (of persons, gods) **be present** —w. ἐν + DAT. *among persons* Thgn. Hdt.
4 (gener., of negligence, delay, expenditure of time) **be involved** or **entailed** (in a situation) Th.; (of a person's safety) **be dependent** —w. ἐν + DAT. *on someone's oath* Antipho
5 (of a recourse, e.g. denial, plea, excuse) **be available, be possible** (sts. W.DAT. for someone) S. E. Isoc. X. D.; (of an agreement) **be able** —W.INF. *to be made* Is.
‖ NEUT.PL.PTCPL.SB. things available or possible (in a given situation) D. Arist.; (freq.) τὰ ἐνόντα εἰπεῖν *the things available to say* (i.e. *the arguments or material available to a speaker*) Isoc.
6 ‖ IMPERS. it is in the power (of someone), it is possible —W.INF. or W.DAT. + INF. (*for someone*) *to do sthg.* S. E. Att.orats.; it is in the nature (of someone), it is natural —W.DAT. + INF. *for someone to do sthg.* S.

ἐν-είρομαι *pass.vb.* [εἴρω¹] (of asphodel stalks) **be entwined** —W.PREP.PHR. *around reeds* (as a building technique) Hdt.

ἐνείς (athem.aor.ptcpl.): see ἐνίημι

ἕνεκα (and **ἕνεκεν**) *prep.* —also **εἵνεκα** (and **εἵνεκεν**), Aeol. **ἔννεκα** | usu. placed after its noun | **1 on account, because** —W.GEN. *of someone or sthg.* Hom. +
2 for the sake —W.GEN. *of someone or sthg.* Hom. +; (pleon.) χάριν ἕνεκα Pl.
3 as regards, as far as concerns —W.GEN. *someone or sthg.* Pi. Hdt. +; (pleon.) ὅσον ἀπὸ βοῆς ἕνεκα *as far as shouting goes* Th. X.
4 (as conj., equiv. to οὕνεκα¹) **because** Hes.*fr.* hHom. Call. AR.; (introducing a compl.cl., after vb. of saying) **that** Pi. Call.

ἐν-ελαύνω *vb.* **drive, thrust** —*a spear* (W.DAT. *into a shield*) Il.(tm.); (fig.) **fix, plant** —*resentment* (W.DAT. *in one's heart*) Pi.

ἐν-ελίσσω, Ion. **ἐνειλίσσω** *vb.* ‖ MID. **wrap oneself up** —w. ἐν + DAT. *in a garment* Hdt. ‖ PF.PASS. have (W.ACC. one's feet) wrapped —w. εἰς + ACC. *in felt and fleeces* Pl.
2 ‖ MID. (of a constellation) **revolve among** —W.DAT. *other constellations* AR.

ἐν-εμέω *contr.vb.* **vomit** —w. ἐς + ACC. *into a bowl* Hdt.

ἐνενήκοντα *indecl.num.adj.* [ἐννέα] **ninety** Il. +

ἐνένῑπον (redupl.aor.2): see ἐνίπτω¹

ἐνένωτο (Ion.3sg.mid.): see νοέω

ἐν-εορτάζω vb. **hold holidays in** (a city) Plu.(cj.)

ἐνεός ά όν adj. **1** (of persons) **speechless, dumb** Pl. X. Plu. **2 rendered speechless, dumbfounded** NT.

ἐνεο-στασίη ης f. [ἵστημι] **state of standing speechless, speechlessness** AR.

ἐνέπᾱξα (dial.aor.): see ἐμπήγνυμι

ἐν-επιδείκνυμαι mid.vb. (of sophists and others) **perform in** (an arena) Thphr.

ἐν-επιορκέω contr.vb. **perjure oneself by** (a goddess, i.e. in her name) Aeschin.

ἐν-επισκήπτομαι mid.vb. **claim as owed to oneself** (some part of property confiscated fr. another by the state); **claim** —money owed to one D.; (intr.) **make a claim** (of this kind) D.

ἐνεπλήμην (athem.aor.mid.): see ἐμπίμπλημι

ἐν-έπω (also **ἐννέπω**) vb. [reltd. εἶπον] —also (pres.) **ἐνίπτω** (Pi.) | impf. ἔννεπον, ἔνεπον, ἤνεπον | fut. ἐνισπήσω, also ἐνίψω | aor.2 ἔνισπον, inf. ἐνισπεῖν, imperatv. ἐνίσπες, also ἔνισπε, pl. ἔσπετε, subj. ἐνίσπω |

1 (of persons, a Muse) **speak of, tell of** —someone or sthg. Hom. Hes. Hippon. Pi. Trag. Call. AR.

2 speak (freq. w.adv. thus, truly, or sim.) Hom. Pi. Trag. Call. AR.; **utter, deliver** —w.cogn.acc. a speech, words, or sim. Hom. Pi. S. E. AR. Theoc. —a lament E. —a hymn Lyr.adesp. —oracles Corinn.

3 say —w.acc. or dir.sp. sthg. Sapph. Pi. Trag. Hellenist.poet. —w.compl.cl. or acc. + inf. that sthg. is the case Pi. S. E. AR.; **say, tell** —w.indir.q. what is the case Hom. hHom. Trag. AR. Theoc.

4 (intr.) **speak, talk, converse** Hom. Hes.

5 give an order —w.inf. to do sthg. Pi. —w.acc. + inf. for someone to do sthg. Pi. S. —w.dat. + inf. to someone to do sthg. E.

6 call, name —someone or sthg. (w.predic.adj. or sb. such and such) Pi. E. Call. AR.

7 speak to, address —someone S. —(w.cogn.acc. in certain terms) E.

ἐν-εργάζομαι mid.vb. **1** (of persons or things) **produce, instil, inculcate** —fear, amazement, superstition, virtues (usu. w.dat. in people) Isoc. Pl. X. D. Plb. Plu.; (of a sculptor) —realism (w.dat. in statues) X. ‖ pass. (of the tongue) be created (in human beings, as an indicator of taste) X.

2 (of prostitutes) **ply one's trade** (in a place) Hdt.; (of fishermen) —w.dat. in a region Plb.; (of a person) **make a living** —w.dat. fr. the property of a deceased man D.

ἐνέργεια ᾱς f. [ἐνεργέω] **1 activity, operation** (of a person, animal, weapon, sight and hearing, or sim.) Plb. Plu.; (opp. ἕξις disposition) Arist.

2 (rhet.) **actuality, realism, vividness** (in a writer's style) Arist.

3 (philos.) **actuality** (opp. potentiality) Arist.

ἐνεργέω contr.vb. [ἐνεργός] **1** (of persons, faculties, or sim.) **be active, be at work, operate** Arist.

2 (of things, as represented by a writer) **have actuality, be vivid** Arist.

3 (of persons) **work hard** or **effectively** Plb.; (of causes) **be effective** or **valid** Plb.

4 (of miraculous powers) **be at work** —w. ἐν + dat. in someone NT.

5 (tr.) **work on, effect, accomplish** —sthg. Plb. ‖ pass. (of things) be worked on or effected Plb.; (of a war) be carried on Plb.

6 (euphem., ref. to sexual intercourse) **be on the job, be hard at it** Theoc.

ἐνέργημα ατος n. **process of active work, activity, operation** Plb.

ἐνεργητικός ή όν adj. **1** (of a faculty) **capable of acting** (w.gen. on sthg.) Arist. ‖ neut.sb. active or operative element Arist.

2 (of personal experience) **active, practical** Plb.

ἐν-εργολαβέω contr.vb. **make a profit** (out of sthg.) Aeschin.

ἐν-εργός όν adj. [ἔργον] **1** (of persons) **in work, employed** Hdt. X.; **engaged in business** D.; (of judges and helmsmen) **on duty** Pl.; (of ships) **on active service, in commission** Th.(dub.); (of mules) **put to work** Plu.

2 (gener., of living beings) **with the capacity for action, active** X.; (of persons) **vigorous, energetic** Plu.; **actively engaged, busy** (w. περί + acc. w. sthg.) Plb.

3 (of an attack, siege, march, or sim.) **vigorous** Plb. Plu.; (of a fire) **intense** Plb.

4 (of troops, horsemen, a military formation, weapons, blows, or sim.) **effective** X. Plb. Plu.

5 (of land) **productive, under cultivation** X. Plu.; **able to be cultivated** (w.dat. by people) Plu.; (of mines) **working** X.; (of the opening of new mines) **under way** Hyp.

6 (of money or property) put to work, **out on interest** or **profitably invested** X. D.

—**ἐνεργῶς** adv. **energetically, vigorously** X. Plb.

ἐν-ερείδω vb. **1 thrust** (w.acc. a stake) **into** —w.dat. someone's eye Od.; (intr., of an arrow) thrust a way into, **plunge into** —w.dat. someone's forehead Stesich.

2 press —one's shoulder (against a tree) AR.(tm.); (mid.) —one's knee (w.dat. against a rock) Theoc.

3 ‖ mid. (of a slaughtered ox) **lie stretched** —w.dat. on the ground AR.

ἐν-ερεύγομαι mid.vb. | only act.aor.2 ἐνήρυγον | **give a belch** (w.neut.intern.acc. + gen. a most horrible one, of cheese) **over** —w.dat. someone Ar.

ἐν-ερευθής ές adj. [ἐρεύθω] (of a person) **blushing** Plb.

ἔνερθε(ν), also **νέρθε(ν)** adv. and prep. **1 from beneath, from below** (the sea) Il. Call.; (the earth, i.e. fr. the nether world) A. E.; (as prep.) —w.gen. the earth A.

2 beneath, below (freq. ref. to the nether world) Hom. Hes. Pi. Hdt. S. E. +; (as prep.) —w.gen. sthg. or somewhere (esp. the earth) Hom. Archil. Thgn. A. Hdt. E. +; (quasi-adjl., of gods, the dead, regions) **below** (sts. w.gen. the earth) Il. Trag. Call.epigr.

3 (w.vb. of motion) **downwards** Theoc.; (prep.) **down beneath** —w.gen. the earth E.

4 (as prep.) **on the far side of, beyond** —w.gen. a place Hdt. E.; **at the foot of** —w.gen. a bed AR.

5 (fig.) **inferior** (in rank) Hdt.; (as prep.) —w.gen. to someone Hdt.; **at the feet of, subject to** —w.gen. one's enemies S.

ἔνεροι ων m.pl. [perh.reltd. ἔνερθε] **those below** (ref. to the dead, also to chthonic gods) Il. Hes. hHom. Trag. Pl. AR.

ἔνερσις εως f. [ἐνείρομαι] **fastening, clasp** (for the hair) Th.

ἐνέρτερος ᾱ ον compar.adj. [reltd. ἔνερθε, νέρτερος] **1** (of gods, ref. to the Titans in Tartaros) **further below, lower** Il.

2 (of a god) **lower** (w.compar.gen. than the sons of Ouranos, i.e. the Titans, so beneath Tartaros, or perh. than the gods in heaven, so in Tartaros) Il. ‖ masc.pl.sb. those of the underworld (ref. to deities or the dead) A.

3 (of a mast) at the lower part, **lower** Lyr.adesp.

—**ἐνέρτατος** η ον superl.adj. (of depths) **lowest** Emp.

ἔνεσαν (ep.3pl.impf.), **ἔνεσσι** (dial.2sg.pres.): see ἔνειμι

ἐνεσκλήκειν (plpf.): see ἐνσκέλλω

ἐνετάκην (aor.2 pass.): see ἐντήκω

ἐνετή ῆς *f.* [ἐνίημι] object which is inserted (into a dress, to fasten it), **pin** or **clasp** Il. Call.

Ἐνετοί ῶν *m.pl.* [ϝενετοί] Enetoi (Lat. *Veneti*, a people living at the north end of the Adriatic) Il. Hdt.

—Ἐνετός ή (dial. ᾱ̆) όν *adj.* (of horses) of the Enetoi, **Enetic** E.

—Ἐνητικός ή (dial. ᾱ̆) όν *adj.* (of a horse) **Enetic** Alcm.

ἐνετός ή όν *adj.* [ἐνίημι] (of persons) **induced** (to do sthg.) X.

ἐν-ευδαιμονέω *contr.vb.* **be happy in** (one's life) Th.

ἐν-ευδιάω *contr.vb.* | ptcpl. (w.diect.) ἐνευδιόων | (of a hawk) **glide tranquilly on** —W.DAT. *motionless wings* AR.

ἐν-ευδοκιμέω *contr.vb.* **make one's reputation during** (a country's misfortunes) D.

ἐν-εύδω *vb.* **sleep on** or **in** (a cloak, fleece, blankets) Od. Theoc. —W.DAT. *a cloak and fleeces* Od.

ἐν-ευλογέομαι *pass.contr.vb.* (of nations) **be renowned** or **blessed** —w. ἐν + DAT. *through someone's offspring* NT.

ἐν-εύναιος ον *adj.* [εὐνή] (of an animal-skin) **for sleeping on** Od. ‖ MASC.PL.SB. occupants of a bed Od.

ἐνεχθῆναι (aor.pass.inf.): see φέρω

ἐνεχυράζω *vb.* [ἐνέχυρον] | fut. ἐνεχυράσω | aor.inf. ἐνεχυράσαι | **1** (leg.) seize (property) in satisfaction of an unpaid debt; **seize by distraint** Ar.(mid.) D.(law) —W.GEN. *for unpaid interest* Ar.(mid.); (tr.) **distrain, seize** —*someone's slave* D. ‖ PASS. (of a debtor) **be distrained on** —W.ACC. *for one's property* (i.e. have one's property distrained) Ar.
2 (in military ctxt., of Roman tribunes and prefects) **distrain** (the belongings of soldiers) Plb.
3 (of a magistrate) **hold as security** —*property of officials subject to audit* Aeschin.

ἐνεχυρασίᾱ ᾱς *f.* seizure of property (for unpaid debt or undischarged obligations), **distraint** Pl. D.

ἐνεχυρασμός οῦ *m.* seizure of property (for unpaid debt), **distraint** Plu.

ἐν-εχυρόν οῦ *n.* [ἐχυρός] **1** (leg., freq.pl.) item of property offered as security for a loan, **pledge, security** Hdt. Ar. Pl. D. Men. Plb.; (ref. to such an item, when seized in distraint) Antipho D.; (gener., ref. to items taken as security for the discharge of obligations or as a guarantee of good conduct) And. X. Plu.
2 (fig., ref. to one's children and property) **tie, obligation** (ensuring one's residence in a city) Antipho; (ref. to one's conduct) **guarantee** (of future conduct or achievement) Plu.; (W.GEN. of one's safety) D.

ἐν-έχω *vb.* | MID.: fut. (w.pass.sens.) ἐνέξομαι | aor.2 (w.pass.sens.) ἐνεσχόμην ‖ PASS.: aor. ἐνεσχέθην (Plu.) |
1 hold within one, **harbour, bear** —*a grudge* (W.DAT. *against someone*) Hdt.
2 ‖ PASS. (of a person) be caught —W.DAT. *in a trap* Hdt.; (of shields) —*in stakes* X.; (of a branch) —*in someone's robes* Call.; (of a spear-head) —w. ἐν + DAT. *in a ship's rigging* Pl.; (of a soldier, transfixed by a javelin) be held fast —W.DAT. *as if by a fetter* Plu.; (of ships that have rammed each other) —*by their bronze beaks* Plu.; (of a bird) be entangled —W.DAT. *in ropes* Plu.
3 ‖ PASS. (fig., of persons) be caught —W.DAT. *in a dilemma* Hdt.; be possessed —W.DAT. *by ambition* E.; be involved —W.DAT. *in murder* E. —*in the needs of the poor, in shows of grief* Plu.; stand rapt —w. ἐν + DAT. *in amazement* Hdt.
4 ‖ PASS. be liable or subject —W.DAT. or ἐν + DAT. *to criticism, charges, penalties, laws, or sim.* A. Att.orats. Pl. Plu.; be under —W.DAT. or ἐν + DAT. *a curse* Hdt. Pl. Plu.
5 ‖ PASS. meet with —W.DAT. *news* Pi.
6 ‖ PASS. come to a stop —w. ἐν + DAT. *at an item in a series* Pl.
7 (intr., of light) **get in** —w. εἰς + ACC. *to a cavity* X.
8 (intr., of persons) **take against, be hostile to** —W.DAT. *someone* NT.; **be annoyed** N⁻. ‖ MID. (of a wild pear, that is causing constipation) perh. **put pressure on** —W.DAT. *someone* Ar.

ἐνέωσα (aor.): see ἐνωθέω

ἐν-ζεύγνῡμι, ep. **ἐνιζεύγνῡμι** *vb.* yoke together; **fasten together** —*a baby's feet* S.; (fig.) **fetter** —*someone* (w. ἐν + DAT. *in sufferings*) A.; **bind** —*someone* (W.DAT. w. *oaths*) AR. ‖ PASS. (of oxen) be yoked together AR.; (of a person) be yoked or fettered —W.DAT. *in constraining bonds* A.

ἐν-ζωγραφέομαι *pass.contr.vb.* (of a person) **be painted in** (a picture) Pl.

ἐν-ζώννῡμι *vb.* **tie** —*oneself* (*to a rope, to be lifted up*) Plu.

ἔνη *fem.adj.* and *sb.*: see ἔνος

ἔνη ης *f.* | dial.gen. ἔνᾱς, ep.gen.dat. ἔνηφι | day after tomorrow; ἔνης (ἔνᾱς) *on the day after tomorrow* Ar. Theoc.; (also) ἔνη (or τῇ ἔνῃ) Antipho; εἰς ἔνην Ar.; ἐς ἔνηφι *until the day after tomorrow* Hes.

ἐν-ηβητήριον ου *n.* [ἡβάω] **place in which to enjoy oneself** Hdt.

ἐνηείη ης *Ion.f.* [ἐνηής] **gentleness, kindness** Il.

ἐνῆεν (ep.3sg.impf.): see ἔνειμι

ἐνηής ές *adj.* | acc. ἐνηέα, gen. ἐνηέος | (of persons) app. **gentle, amiable, kindly** Hom. AR.; (of a bull) Mosch.; (of a display of goodwill) Hes.

ἔνηκα (aor.1): see ἐνίημι

ἐνήλατα των *n.pl.* [ἐνελαύνω] **things driven in**; **rungs** (W.GEN. *of ladders*) E.; **linchpins** (of axles) E.; **slats** (made of reed, fixed into a tortoise-shell lyre as supports for the arms) S.Ichn.

ἐν-ήλικος ον *adj.* [ἡλικία] (of persons) **grown-up, adult** Plu.

ἔν-ημαι *mid.vb.* [ἧμαι] **sit** or **be seated in** (a place) Od. Theoc.

ἐνημμένος (pf.mid.pass.ptcpl.): see ἐνάπτω

ἐνήνεγμαι (pf.pass.): see φέρω

ἐνήνοθε ep.3sg.pf. [perh.reltd. ἤνθον, see ἔρχομαι] (of an aroma) **have spread out** Od.(v.l. ἀνήνοθε)

ἐνήνοχα (pf.): see φέρω

ἐνήρατο (ep.3sg.aor.mid.): see ἐναίρω

ἐν-ήρης ες *adj.* [ἐρέσσω] (of warships) perh. **with oarsmen ready** (for battle) Plu.

ἐνήρυγον (aor.2): see ἐνερεύγομαι

Ἐνητικός *adj.*: see under Ἐνετοί

ἔνηφι (ep.gen.dat.): see ἔνη

ἔνθα *demonstr.* and *relatv.adv.* **1 at this** or **that place, here, there** Hom. +; **at that point** (W.GEN. *in trouble*) AR.; (as relatv.) **where** Hom. +; (in indir.q.) **at what point** (W.GEN. *in misery*) E.
2 to here or **there, hither, thither** Hom. +; (as relatv.) **to where, whither** Hom. +
3 (in contrasting phrs.) ἔνθα μέν *in* or *to one place* (opp. ἔνθα δέ *in* or *to another*, or sim.) Od. Th. Pl. X. Arist.; ἔνθα καὶ ἔνθα *here and there* or *hither and thither* Hom. Hes. Pl. AR. +
4 at that time, then Hom. Hdt.; **after that, then** Hom. +; (as relatv., ref. to times or circumstances) **when, where** S. E.; (phr.) ἔστιν ἔνθα *there are times when* S. X.

ἐνθάδε *demonstr.adv.* **1 to here, hither** Hom. +
2 at this place, here Hom. +
3 here, in this world (opp. in the underworld) Pi. Trag. Ar. Pl.
4 to this point or **in this state** ⊆ X.; (W.GEN. *of suffering*) S.
5 at the present time, here and now S.

—ἐνθαδί *demonstr.adv.* (w. stronger force) **right here** or **hither** Ar. Men.
ἐν-θᾱκέω *contr.vb.* **sit on** —W.DAT. *a throne* S.
ἐνθάκησις εως *f.* **opportunity for sitting in**, **seat in** (W.GEN. *the sunshine*) S.
ἔνθαπερ (or **ἔνθα περ**) *relatv.adv.* [περ¹] **where** Hom. +; **to where** Il. S.
ἐν-θάπτω *vb.* ‖ PASS. **be buried in** (a place) Aeschin. Plu. —W.DAT. *the burning ruins of a city* Plu.
ἐνθαῦτα *Ion.demonstr.adv.*: see ἐνταῦθα
ἐνθεάζω *vb.* [ἔνθεος] (of a seer) **be inspired by a god** Hdt.
ἐνθεαστικός ή όν *adj.* (of poets) **divinely inspired** Pl.
—**ἐνθεαστικῶς** *adv.* **under divine inspiration** —*ref. to falling in love* Men.
ἐνθέμεν, **ἐνθέμεναι** (ep.athem.aor.infs.): see ἐντίθημι
ἔνθεν *demonstr. and relatv.adv.* [ἔνθα] **1 from here** or **there**, **hence**, **thence** Hom. +; (as relatv.) **from where**, **whence** Hom. +
2 (in contrasting phrs.) ἔνθεν μέν **on this side** (opp. ἔνθεν δέ **on that side**, or sim.) Od. Stesich. Hdt. Pl. X. Plu.; ἔνθεν καὶ ἔνθεν **on this side and that** Hdt. S. Th. Pl. X.
3 from that point onwards, **thereafter** Hom. Trag. Ar.
4 from that source or **origin** Il.; (as relatv.) **from which source**, **whence** S. E. Ar.; **because of which**, **hence** A. E.
ἐνθένδε *demonstr.adv.* **1 from this place or source**, **from here**, **hence** Hom. Trag. Th. +
2 on this side (opp. another) Ar.; (also w.art.) τοὐνθένδε, τἀνθένδε E.; τἀνθένδε *the situation here* S. E. D.
3 from this point (in time), **from now on** E. Th.; (also w.art.) τοὐνθένδε S. E.; τἀνθένδε *what comes next* S. E.
4 from this point —*ref. to beginning a quotation fr. a longer work* Isoc.; **as follows** —*ref. to someone beginning to speak* Hdt. Pl.; **from what follows** —*ref. to making a deduction or sim.* Isoc. Pl. Is. Arist.
—**ἐνθενδί** *demonstr.adv.* (w. stronger force) **on this very side** (opp. another) Ar.
ἔνθενπερ (or **ἔνθεν περ**) *demonstr. and relatv.adv.* [περ¹] **from there**, **thence** Od.; **from where**, **whence** Od. X.
ἔν-θεος ον *adj.* [θεός] **1** having a god within; (of persons) **possessed**, **inspired** (sts. W.DAT. or PREP.PHR. by a god) Trag. Pl. X.; (of Apollo, W.GEN. w. the art of prophecy) A.
2 (of prophecy, poetry, song) **divinely inspired** A. Lyr.adesp. Pl. Arist.
ἐν-θερμαίνομαι *pass.vb.* (of a person) **be made warm**, **be enkindled** —W.DAT. *w. passion* S.
ἔνθεσις εως *f.* [ἐντίθημι] **1** putting in, **insertion** (W.GEN. of a letter, into a word) Pl.
2 (concr.) what has been put in (to the mouth), **mouthful** Ar.
ἔν-θεσμος ον *adj.* [θεσμός] (of an action) **authorised**, **lawful** Plu.
ἔνθετος ον *adj.* [ἐντίθημι] (of good sense) **able to be put in** (W.DAT. to a person) Thgn.
ἐνθεῦτεν *Ion.demonstr.adv.*: see ἐντεῦθεν
ἔν-θηρος ον *adj.* [θήρ] **1** (of a hill, a thicket) with wild animals inside, **frequented by wild beasts** S.*Ichn.* E.
2 (of clothes) infested with vermin, **infested**, **verminous** A.
3 (medic., of a foot) suffering from a malignant wound, **ulcerated**, **envenomed** S.
ἐν-θνήσκω *vb.* **1 die in** (a place) S. —W.DAT. *a land* E. —*someone's arms* E.
2 (fig., of the hand of a suppliant) **grow numb in** —W.DAT. *someone's robes* E.
ἔνθοιμι (dial.aor.2 opt.): see ἔρχομαι

ἔνθορον (ep.aor.2): see ἐνθρώσκω
ἐνθουσιάζω *vb.* —also **ἐνθουσιάω** *contr.vb.* [ἔνθεος] | fut. ἐνθουσιάσω | aor.inf. ἐνθουσιάσαι | **1 be possessed** or **inspired by a god** Pl. X. Arist. Plu.
2 (gener.) **be out of one's mind** —W.DAT. *through sufferings* E.
3 be enraptured Pl. Arist.; **be passionately enthusiastic** —W.PREP.PHR. *for sthg.* Plu.
ἐνθουσίασις εως *f.* **1 divine possession** or **inspiration** Pl.
2 passionate enthusiasm (W.PREP.PHR. for sthg.) Plb.
ἐνθουσιασμός οῦ *m.* **1 divine possession** or **inspiration** Pl. Arist. Plu.
2 state of rapture (produced by music) Arist.
3 sudden transport of emotion Plb. Plu.; **passionate enthusiasm** (sts. W.PREP.PHR. for sthg.) Plb. Plu.
ἐνθουσιαστικός ή όν *adj.* **1** (of a person's nature) **divinely inspired** Pl.; (of wisdom) **heaven-sent** Plu. ‖ NEUT.SB. **state of inspiration** Pl.
2 (of a soul) **enraptured** (by music) Arist.; (of melodies, harmonies) **producing rapture** Arist.
ἐνθουσιάω *contr.vb.*: see ἐνθουσιάζω
ἐνθουσιώδης ες *adj.* (of impulses) **divinely inspired** Plu.; **passionately enthusiastic** Plu.
ἐν-θριόω *contr.vb.* [θρίον] | pf. ἐντεθρίωκα | pf.pass.inf. ἐντεθριῶσθαι | **1** wrap (food for cooking) in a fig-leaf ‖ PASS. (fig., of a person) **be stuffed up like a fig-leaf** (i.e. **be muffled in one's clothes**) Ar.
2 (fig.) **dupe**, **bamboozle** —*someone* Men.
ἔν-θρυπτον ου *n.* [θρύπτω] a kind of tart (made of bread soaked in wine and filled w. lentils or sim.) D.
ἐν-θρώσκω, ep. **ἐνιθρώσκω** *vb.* | ep.aor.2 ἔνθορον, ep.aor.2 ptcpl. (tm.) ἐνὶ ... θορών | **1** (of a person, god, lion) **leap** or **plunge into** —W.DAT. *a crowd of warriors, the sea, a river, farmstead* Il. AR.(sts.tm.) —w. εἰς + ACC. *a fishing-net* Call.
2 leap onto —W.DAT. *a tomb* E.; (of fire) **spring** (W.PREP.PHR. fr. a single spark) **upon** —W.DAT. *a mountain* Pi.
3 lunge at —W.DAT. *someone's hip* (W.ADV. *w. a kick*) Od.
ἐν-θῡμέομαι *mid.contr.vb.* [θῡμός] | fut. ἐνθῡμήσομαι ‖ aor.pass. (w.mid.sens.) ἐνεθῡμήθην | mid.pass.pf. ἐντεθύμημαι | **1 have** or **bear in mind**, **consider** —*sthg.* Th. Ar. Att.orats. + —*someone* And.; **think** —W.GEN. *about someone or sthg.* Semon. Th. Att.orats. + —w. περί + GEN. Isoc. Pl. ‖ PASS. (of things) **be considered**, **be taken into account** Ar.
2 bear in mind, **be aware**, **reflect** —W.COMPL.CL. *that sthg. is the case* Th. Ar. Att.orats. + —W.INDIR.Q. *what* (or *whether sthg.*) *is the case* Th. Att.orats. + —W.NOM.PTCPL. or ACC. + PTCPL. *that one* (or *someone*) *is doing sthg., that sthg. is happening* Th. And. X.
3 consider —W.INDIR.Q. *how to do sthg.* Isoc.; **think how to ensure** —w. μή + SUBJ. *that sthg. does not happen* Pl.
4 take to heart, **be seriously concerned about** —*crimes, disasters, public policy* A. Th.; (intr.) **be concerned** (about sthg.) D.
5 (intr.) **exercise thought**, **have ideas** Th.; **plan** Antipho
6 infer, **conclude** —*sthg.* D.
ἐνθύμημα ατος *n.* **1** product of reflection, **thought**, **idea** Isoc. Aeschin. Plu.
2 that which weighs on the mind, **anxiety**, **concern** S.
3 scheme, **plan**, **expedient** X. Men. Plu.
4 (log.) argument from probabilities, **rhetorical syllogism**, **enthymeme** Arist.
ἐνθῡμηματικός ή όν *adj.* **1** (of a person) of the kind who uses enthymemes, **skilled in rhetorical argument** Arist.

ἐνθύμησις

2 (of speeches) **characterised by the use of enthymemes** Arist.

—ἐνθῡμηματικῶς *adv.* **in the form of an enthymeme** —*ref. to presenting an argument* Arist.

ἐνθύμησις εως *f.* **instance of thought, thought, reflection** Th. ‖ PL. **thoughts, feelings** (of people) NT.

ἐνθῡμίᾱ ᾱς *f.* [ἐνθύμιος] **anxiety, disquiet, misgiving** Th.

ἐν-θύμιος ον *adj.* [θῡμός] **1** (of a thought) **in the mind** E. Men.

2 (of a person) **weighing on the mind, causing anxiety** Od.; (of a circumstance; of a bed, fr. which one's husband is missing) S.

3 (specif.) **weighing on the mind** (by way of conscience for the past or scruple for the future); (of an unavenged victim) **weighing on the conscience** Antipho; (of an act of potential religious danger) **causing scruples** E. ‖ NEUT.SB. **weight on the conscience** (caused by an unavenged death) Antipho; **misgiving or scruple** (following an irreligious act) Hdt.; **misgiving, disquiet** (prompted by an ominous event) Th.

ἐνθῡμιστός όν *adj.* (of an event, interpreted as an omen) **taken to heart, causing disquiet or misgiving** Hdt.

ἔν-θῡμος ον *adj.* (of a race of people) **spirited** Arist.

ἔνθω, ἐνθών (dial.aor.2 subj. and ptcpl.): see ἔρχομαι

ἐν-θωρᾱκίζομαι *pass.vb.* **be equipped with a cuirass** X.

ἑνί (masc.neut.dat.sg.num.adj. and sb.): see εἷς

ἔνι (also w. anastrophe **ἔνι**) *ep.prep.*: see ἐν

ἔνι *prep.* [ἐν] | The wd. is used as equiv. to 3sg. ἔνεστι, sts. 3pl. ἔνεισι (Hom.). | **1** (of persons or things) **be present or located in, be in, be within** (a specified place) Hom. A. Hdt. S.*Ichn.* Ar.; **be in** —W.DAT. or ἐν + DAT. *somewhere or sthg.* Hom. Hdt. S. X.; **be present** —W.DAT. *somewhere* Il. Ar.

2 (of qualities or abstr. entities, such as sense, help, hardship, danger, or sim.) **be present** (in someone or sthg.) A. Parm. Hdt. Trag. Th. +; **be or exist in** —W.DAT. or ἐν + DAT. *someone or sthg.* Hom. Thgn. Hdt. S. E. +

3 ‖ IMPERS. **it is in the power** (of someone), **it is possible** —W.INF. or W.DAT. + INF. (*for someone*) *to do sthg.* A. Hdt. Ar. Pl. + —W.ACC. + INF. *for someone to do sthg., for sthg. to happen* Att.orats.

4 (phr.) ὡς ἔνι + SUPERL.ADV. (usu. μάλιστα) **as** (*e.g.* **greatly**) **as possible** X. Hyp. Men. Plb. Plu.; (+ SUPERL.ADJ.) X.

ἐνιαυθμοί ῶν *m.pl.* [ἐνιαύω, w. ῑ *metri grat.*] **sleeping-places** (for a person, ref. to sheepfolds and pastures) Call.

ἐνιαύσιος ᾱ (Ion. η) ον (also ος ον) *adj.* [ἐνιαυτός] **1** (of a person or animal) **a year old** Od. D.

2 (of religious events, rotation of office, expenditure) **yearly, annual** Alc. Hdt. E. Call. Plu.; (quasi-advbl., of Nile water arriving) **every year** Call.

3 (of a journey, truce, office, period of exile, or sim.) **lasting a year, year-long** E. Th. Pl. X. Arist. +; (quasi-advbl., of a person being absent) **for a year** S.

—ἐνιαύσια *neut.pl.adv.* **every year** Hes.

ἐνιαυτός οῦ *m.* **1 day on which a year-cycle is completed, year's end** Hom. Hes.

2 (as a period of time) **year** Hom. +

ἐν-ιαύω *vb.* **1 pass the night** or **sleep in** (a cave) Od.; **sleep in** or **on** —W.DAT. *soft bedding* Bion

2 sleep among —W.DAT. *swine* Od.

ἐνιαχῆ *adv.* [ἔνιοι] **in some parts** (W.GEN. of a country, an island) Hdt.

ἐνιαχοῦ *adv.* **1 in some places** Arist.; **in some parts** (W.GEN. of one's speeches) Plu.

2 in some cases, sometimes Pl. Arist. Plu.

ἐνιβάλλω *ep.vb.*: see ἐμβάλλω

ἐνί-γυιος ον *adj.* [εἷς, γυῖα] (of conjoined twins) **single-bodied** Ibyc.

ἐν-ιδρόω *contr.vb.* **work up a sweat in** (a room, by exercising) X.

ἐν-ιδρύομαι *mid.vb.* **1 establish, set up** (in a specified place) —*cities, altars, temples, or sim.* Hdt. Theoc.(tm.) ‖ PASS. (of altars, statues) **be set up** (in a place) Hdt.; (of a temple) —w. ἐν + DAT. *in a region* Hdt.

2 ‖ PASS. (of persons) **be settled in** —W.DAT. *a city* Theoc.*epigr.*; (of a ruler) **be established in** —W.DAT. *a region* Theoc.; (of alopecia) **settle on** —W.DAT. *a person's temples* Call.

ἐν-ιζάνω *vb.* **sit down in** —W.DAT. *the porticoes* (of Zeus) Il.

ἐνιζεύγνῡμι *ep.vb.*: see ἐνζεύγνῡμι

ἐνίζω *vb.* [εἷς] (of Xenophanes) **derive all things from one primary entity, teach a doctrine of monism** Arist.

ἐν-ίζω *vb.* | ep.3sg.aor.mid. ἐνεείσατο | **1** (of a person) **sit in, occupy** —*mountain caves* E.; (of deities) —*part of a house* A.(cj.); (of a nightingale) —*her musical haunts* E. ‖ MID. **cause to sit, settle, place** —*someone* (W.DAT. *at a ship's stern*) AR.

2 (of Love) **settle in** —W.DAT. *a body and soul* Pl.

ἐν-ίημι *vb.* | aor.1 ἐνῆκα, also tm. ἐν ... ἧκα, ep. ἐνέηκα, also tm. ἐν ... ἕηκα | athem.aor.ptcpl. ἐνείς ‖ pf.pass. ἐνεῖμαι | **1 put** (sthg.) **into** (sthg.); **put** —*a drug* (*into wine*) Od. —*rennet* (*into cheese*) Theoc. —*light* (*into a pine-torch*) Call.; (of spiders) **inject** —*a substance* (*into a person*) X.; (of a serpent) —*poison* (W.DAT. *into creatures*) AR.; (fig., of money-lenders, envisaged as bees) —*money* Pl. ‖ PASS. (fig., of a goddess, i.e. mention of her) **be introduced** —W.DAT. *into a speech* E.

2 cast (sthg.) **on or at** (sthg.); **cast, launch** —*fire* E. Plb. —(W.DAT. *at ships, tents*) Il. Plu. —(w. ἐς + ACC. *at cities, barricades*) Hdt. Th.; **drop** —*stones or sim.* (W.DAT. *on battering-rams*) Plb.

3 launch (a ship) —W.DAT. *in the sea* Od.

4 put (a quality or emotion) **into** (a person); **implant, inspire** —*strength, courage, timidity, anger, misery* (W.DAT. *in someone*) Hom. AR.(tm.) —*madness* E. ‖ MID. **implant in oneself, conceive** —*a longing* AR.(dub.)

5 put (persons) **into** (a condition); **plunge** —*someone* (W.DAT. *into troubles*) Il.; **impel, incline, encourage** —*someone* (W.DAT. *to arrogant behaviour, unanimity, forgetfulness*) Hom. AR.

6 send on —*troops* (*into battle*) Il. —*animals* (*into a river*) Plb.; (of Zeus) —*a bird* (*to join others*) Od.

7 send in (to a meeting), **put forward** —*speakers* Th.

8 sow —*slanders* Plb. —(W.DAT. *among people*) Plu.

9 (intr., of charioteers or cavalry) **urge on** (horses), **charge** X.; (fig., of a person envisaged as a cavalryman) Ar.(cj.)

ἐνιθρώσκω *ep.vb.*: see ἐνθρώσκω

ἐνικάππεσον (ep.aor.2): see ἐγκαταπίπτω

ἐνικάτθεο and **ἐνικάτθετο** (imperatv. and 3sg. ep.athem.aor.mid.): see ἐγκατατίθημι

ἐνικλάω, ἐνικλείω, ἐνικρίνω, ἐνικρύπτω *ep.vbs.*: see ἐγκ-

ἐνίλλω *vb.*: see ἐνείλλω

ἔνιοι αι α *pl.pron.* and *adj.* **1** (as pron.) **some** (freq. W.GEN.PL. of the full number) Hdt. Ar. Att.orats. Pl. X. Arist. +

2 (as adj., in agreement w.sb.) **some** Arist. Plb. ‖ SG. (of a soul) **of a certain type** Arist.(dub.)

ἐνίοτε *adv.* **sometimes, at times** E. Ar. Att.orats. Pl. +

ἐνιπεπτηώς (ep.pf.ptcpl.): see ἐμπίπτω

ἐνιπή ῆς, dial. **ἐνιπᾱ́** ᾶς *f.* [ἐνίπτω¹] **rebuke, reproach** Hom. hHom. Semon. AR.; **charge** (W.GEN. of lying) Pi.; (gener.) **abuse** Od.; **threat** Od.

ἐνιπίμπλημι *ep.vb.*: see ἐμπίμπλημι
ἐνίπλειος, ἐνίπλεος *ep.adjs.*: see ἔμπλεως
ἐνιπλέκω, ἐνιπλήσσω *ep.vbs.*: see ἐμπλέκω, ἐμπλήσσω
ἐν-ιππάζομαι *mid.vb.* **ride horses on** (a plain) Plu.
ἐν-ιππεύω *vb.* **ride horses in** (a region) Hdt.
ἐνιπρήθω *ep.vb.*: see ἐμπίμπρημι
ἐνιπτάζω *vb.* [ἐνίπτω¹] **utter reproaches** AR.
ἐνίπτω¹ *vb.* [ἐνιπή; reltd. ἐνίσσω] | aor.2 ἠνίπαπον, redupl.aor.2 ἐνένῑπον | **reproach, reprove, rebuke** —*someone* Hom. hHom. Ibyc. A.; **abuse, revile, insult** —*someone* Hom.; (intr.) **speak abusively** or **mockingly** Od. AR.
ἐνίπτω² *vb.*: see ἐνέπω
ἐνισκίμπτω *ep.vb.*: see ἐνσκίμπτω
ἔνισπε, ἐνίσπες (aor.2 imperatv.), **ἐνισπεῖν** (aor.2 inf.), **ἐνισπήσω** (fut.), **ἔνισπον** (aor.2), **ἐνίσπω** (aor.2 subj.): see ἐνέπω
ἐνι-σπείρω *ep.vb.* (of Kadmos) **sow** (a serpent's teeth) **in** —W.DAT. *plains* AR.
ἐνίσσω *ep.vb.* [ἐνιπή; reltd. ἐνίπτω¹] | inf. ἐνισσέμεν | **abuse, revile, insult** —*someone* Hom.; **threaten** —*someone* (W.DAT. *w. violent words*) Il. || PASS. **be abused or insulted** Od.
ἐν-ίστημι *vb.* | aor.1 ἐνέστησα | aor.1 mid. ἐνεστησάμην || The act. and aor.1 mid. (sts. also pres. and fut.mid.) are tr. For the intr.mid. see ἐνίσταμαι below. The act. athem.aor., pf. and plpf. are also intr. |
1 (causatv.) **make** (W.ACC. a horse) **stand** —w. ἐν + DAT. *on stones* X.; **make** (W.ACC. grooms) **go and stand** —w. εἰς + ACC. *w. cavalrymen* X.
2 **set up, install, establish** —*pillars* (in a country) Hdt. —*statues* (in a shrine) Pl. —*a ruler* (in a city) Pl. || **set up** —*a mast* (W.DAT. *in its holder*) AR.; **install** —W.DBL.ACC. *a woman as one's wife* (W.DAT. *in one's house*) Ar.; **establish** —*a constitution* Arist.
3 || MID. **set on foot, undertake, begin** —*an enterprise* Ar. Att.orats. Plb. Plu.; **begin to show** —*anger and hatred* Plb.
4 || MID. **institute** —*legal proceedings* Lycurg. D.
—**ἐνίσταμαι** *mid.vb.*| also ACT.: athem.aor. ἐνέστην | pf. ἐνέστηκα | 3sg.plpf. ἐνειστήκει || AOR.PASS. (w.mid.sens.): ἐνεστάθην, ep.3pl. ἐνέσταθεν (AR.) |
1 (of persons) **take up a position** (in a place) AR.; (of a substance) **stand** or **be set in** —W.DAT. *sthg.* Pl. || PF.ACT. (of a person) **stand in** —W.DAT. *a company of soldiers, a chorus of dancers* E.; (of a statue) —w. ἐν + DAT. *a shrine* Hdt.; (of gates) **be set in** (a wall) Hdt.; (of a door) **stand in place** D.
2 (of a war) **break out** Isoc. D. Arist. Plb.; (of friendly relations) **come about** Arist.; (of a calamity) **occur** Men. || PF. and PLPF.ACT. (of war) **have broken out** Aeschin. D.; (of enmity) **have come about** Arist.; (of a situation, war, state of madness) **loom over, threaten** —W.DAT. *someone* Hdt. Isoc.
3 || PF.ACT. (of legal proceedings) **have been instituted, be pending** Ar. Att.orats.
4 (of a person) **be appointed** —W.PREDIC.SB. *as king* Hdt. —w. ἐς + ACC. *to an office* Hdt. || PF.ACT. **have been appointed** (as king) Hdt.
5 (of a season, a day) **begin** Plb. Plu. || PF.ACT. (of winter) **have set in** Arist. || PF.ACT.PTCPL.ADJ. (of circumstances, time, war, danger, a speech, a case, or sim.) **current, present** Att.orats. X. Arist. Plb. || PF.ACT.PTCPL.SB. (sg. and pl.) **present circumstances** Isoc. Plb.
6 (of persons) **block the way** Th.; **interpose, intervene** Aeschin.; (of obstacles, winds) **get in the way** D. AR.; (of persons) **block** —W.DAT. *someone's flight* Plu.; **resist, oppose** —W.DAT. or πρός + ACC. *someone's actions, aggression,*

policies, or sim. Th. Plb. Plu.; **object** —W.DAT. *to a proposal* Isoc. || PF.ACT. (fig., of an argument) **stand in the way** Pl.
7 (log.) **object** (to an argument) Arist. —W.COMPL.CL. *that sthg. is not the case* Arist.
8 (of Roman tribunes) **exercise the right of veto** Plb. Plu.
ἐν-ίσχομαι *pass.vb.* 1 (of a ship) **be held in check, be stopped** (by unfavourable conditions) Hdt.; (of floating debris) —W.DAT. *by other matter* Plu.; (of a sandal) **be caught up** —W.DAT. *in a river-current* AR.; (of a ship) **be held up** —W.DAT. *by tiring adventures* AR.
2 (of persons) **be constrained** —W.DAT. *by oaths, by need* AR.
ἐν-ισχυρίζομαι *mid.vb.* (of a plaintiff) **derive support from, rely upon** —W.DAT. *laws, a family relationship* D.
ἐν-ισχύω *vb.* 1 (of laws and customs) **have authority** —w. ἐν + DAT. *in cities and households* Arist.
2 (of a person) **recover one's strength** NT.
ἐνιτρέφω *ep.vb.*: see ἐντρέφω
ἐνι-φέρβομαι *ep.pass.vb.* (of a bull) **be fed in** —W.DAT. *a stall* Mosch.
ἐνιχρίμπτω *ep.vb.*: see ἐγχρίμπτω
ἐνι-ψάομαι *ep.mid.contr.vb.* (of the Graces) **wipe** —*their anointed hands* (W.DAT. *on a poet's verses, to beautify them*) Call.
ἐνίψω (fut.): see ἐνέπω
ἐννα-έτηρος ον *adj.* [ἐννέα, ἔτος] (of oxen) **nine years old** Hes.
ἐννα-ετής ές, also **ἐνναέτης¹**, ep. **εἰναέτης** (also **εἰνέτης** Call.), ες *adj.* | ep.fem.acc.pl. εἰνέτεας | (of a child) **nine years old** Theoc. Plb.; (of nymphs) Call.
—**εἰνάετες** *ep.neut.adv.* **for nine years** Hom. Hes.
ἐνναέτης² ου *m.* [ἐνναίω] (ref. to a person or god) **inhabitant** (of a place) D.(quot.epigr.) Call. AR.; (W.GEN. of a land) AR.; (ref. to a bird, W.GEN. of an island) AR.
—**ἐνναέτις** ιδος *f.* | acc. ἐνναέτιν | (ref. to Cybele) **inhabitant** (W.GEN. of Phrygia) AR.
ἐν-ναίω *vb.* | MID.: ep.3pl.fut. ἐννάσσονται | ep.3pl.aor. ἐννάσσαντο || PASS.: ep.aor. ἐννάσθην | 1 (of persons) **dwell in, live in** —W.DAT. *a house* E. —W. ἐν + DAT. *mountains* AR. —W.ACC. *a city* AR. Mosch.; (of a bird) **dwell among** —W.ACC. *leaves* Ar.; (of a spirit of vengeance) **dwell** —W.ADV. *somewhere* S.
2 (of a person) **live amid** —W.DAT. *miseries* S.
3 || MID. **settle in** —W.ACC. *an island* Call. AR. || PASS. **settle** (in a place) AR.
ἐννάλιος Aeol.adj.: see ἐνάλιος
ἐννέα *indecl.num.adj.* **nine** Hom. +
ἐννεά-βοιος ον *adj.* [βοῦς] (of armour) **worth nine oxen** Il. Call.
ἐννεα-καί-δεκα *indecl.num.adj.* **nine and ten, nineteen** Il. Theoc.
—**ἐννεακαιδέκατος** ον *adj.* **nineteenth** Plb.
ἐννεα-και-εἰκοσι-και-ἑπτακοσιο-πλασιάκις *adv.* **seven hundred and twenty-nine times** Pl.
Ἐννεά-κρουνος ου *f.* [κρουνός] **Enneakrounos, Nine Springs** (name of a fountain at Athens) Hdt. Th. Isoc.
ἐννεά-λινος ον *adj.* [λίνον] (of the twine of a net) **made of nine threads** X.
ἐννεά-μηνος ον *adj.* [μήν²] (quasi-advbl., of babies born) **after nine months** Hdt.
ἐννεά-πηχυς υ *adj.* [πῆχυς] (of a giant) **measuring nine cubits** (in breadth) Od.; (of a rope, a necklace, in length) Il. hHom.
ἐννεάς, Ion. **εἰνάς**, άδος *f.* 1 **ninth day** (of the month) Hes.
2 **set of nine** (things), **nine** Theoc.

ἐννεά-φωνος ον adj. [φωνή] (of a panpipe) with nine voices, **with nine notes or reeds** Theoc.

ἐννεά-χειλοι αι α *Ion.pl.num.adj.* [χίλιοι] **nine thousand** Il.

ἔννεκα *Aeol.prep.*: see ἕνεκα

ἐννένωκα (Ion.pf.): see ἐννοέω

ἔννεον (ep.impf.): see νέω¹

ἐννε-όργυιος ον adj. [ἐννέα, ὄργυια] (of giants) **nine fathoms tall** Od.

ἐν-νεοττεύω *Att.vb.* [νεοσσεύω] | pf.pass.ptcpl. ἐννενεοττευμένος | **1** (of owls, ref. to coins stamped w. them) **make one's nest** —w. ἐν + DAT. *in purses* Ar.; (fig., of resident aliens) —*in a city* Pl.
2 (fig., of love) **hatch** —*love* (w. παρά + DAT. *in someone*) Pl. || PASS. (of desires) **be hatched** (in the soul) Pl.

ἐννέπω *vb.*: see ἐνέπω

ἐννεσίαι ἄων *ep.f.pl.* [ἐνίημι] | dat.pl. ἐννεσίῃσι | **promptings, suggestions, counsels, plans** (W.GEN. of someone, usu. a deity) Il. hHom. Emp. Call. AR.

ἐν-νεύω *vb.* **inquire by gestures** —W.INDIR.Q. *what someone wishes* NT.

ἐννέ-ωρος ον adj. [ἐννέα, ὥρᾱ] **1** (of persons, animals) in the ninth season, **nine years old** Od.; (of ointment) Il.
2 (app. quasi-advbl., of a king ruling) **for nine years** Od.

ἐννήκοντα *indecl.num.adj.* **ninety** Od.

ἐνν-ῆμαρ adv. **for nine days** Hom. hHom.

ἐνν-ήρης ου f. [ἐρέσσω] **nine-rowed ship** (w. three banks of oars, and rowers seated in groups of nine, so that every oar was operated by three oarsmen) Plb.

ἐν-νοέω *contr.vb.* | impf. ἐνενόουν | aor. ἐνενόησα | aor.ptcpl. ἐννοήσᾱς, Ion. ἐννώσᾱς | pf. ἐννενόηκα, Ion. ἐννένωκα | aor.pass.ptcpl. (w.mid.sens.) ἐννοηθείς || neut.impers. vbl.adj. ἐννοητέον || The act. and mid. are used in the same senses, in all sections. |
1 have in one's thoughts, think about, reflect upon, consider —*sthg.* Hdt. S. E. Pl. X. Plu.
2 reflect, consider —W.COMPL.CL. *that sthg. is the case* Hdt. S. Pl. X. Plu. —W.INDIR.Q. *what* (or *whether sthg.*) *is the case* Lys. Pl. X.; **suppose, imagine** —W.COMPL.CL. *that sthg. is the case* X.
3 think, reflect —w. περί + GEN. *about someone* E. —W.GEN. *about sthg.* E.; **think** —W.COGN.ACC. *the same thought* Arist.
4 notice, observe —*sthg.* Hdt. —W.ACC. + PTCPL. *that sthg. is the case* Pl. —W.GEN. + COMPL.CL. *about someone that he is doing sthg.* Pl. X.; **realise** —W.NOM.PTCPL. *that one was foolish* E.
5 form a notion of —*sthg.* Pl.
6 make an inference —w. ἐκ + GEN. *fr. sthg.* Pl.
7 understand —*sthg.* A. Pl. Plb. Plu.; (intr.) **know** (sthg.) S.
8 have in mind, intend —*sthg.* S. —W.INF. *to do sthg.* S.
9 be apprehensive —w. μή + SUBJ. or OPT. *in case sthg. shd. happen* X.
10 be mindful, remember —W.INF. *to do sthg.* S.
11 think of, devise —*a route* X.; (intr.) **have an idea** Plu.

ἐννόημα ατος n. **notion, concept** Arist.

ἐννόησις εως f. **thinking, consideration, reflection** Pl.

ἔννοια ᾱς f. **1 activity of thinking, thinking, reflection, thought** Pl.
2 notion, conception (freq. W.GEN. or PREP.PHR. of sthg., or W.COMPL.CL. *that sthg. is the case*) Pl. Arist. Plb. Plu.
3 thought, idea, intention E. Isoc. Pl. Is. Plb.
4 single instance of thought, thought, reflection X.
5 thinking (about a specific matter), **consideration, reflection** Plb. Plu.

ἔν-νομος¹ ον adj. [νόμος] **1** (of things) **in accordance with law, lawful, legitimate** Pi. Trag. Th. Pl. X. Aeschin. +
2 (of persons) keeping within the law, **law-abiding** A. Pl.
3 (of feasts, games) prescribed by custom, **customary, regular** A. Pi.
—**ἐννόμως** adv. **lawfully** Att.orats.

ἔν-νομος² ον adj. [νομός, νέμω] (of persons) **dwelling in** (W.GEN. a land) A.

Ἐννοσί-γαιος ου m. [ἔνοσις, γαῖα] (epith. of Poseidon) **Earth-shaker** Hom. Hes. hHom. Mosch.

Ἐννοσίδᾱς ᾱ *dial.m.* (ref. to Poseidon) **Earth-shaker** Stesich. Pi.

ἔννοσις f.: see ἔνοσις

ἐννοσίφυλλος *ep.adj.*: see εἰνοσίφυλλος

ἔν-νους ουν adj. [νόος] **1** (of persons, the universe envisaged as a living creature) possessing a mind, **thinking, intelligent** A. Pl.
2 (of persons) in possession of one's normal mind, **in one's senses, rational, sane** S. E. Pl. D. Men. +
3 aware, conscious (W.COMPL CL. *that sthg. is the case*) Lys.

ἐννόχλης (Aeol.2sg.): see ἐνοχλέω

ἐν-νυκτερεύω *vb.* (of troops) **spend the night** —w. ἐν + DAT. *in a place* Plb.

ἔννῡμι *ep.vb.* | fut. ἕσσω | aor. ἕσσα, also 3pl. (tm., in cpd.) ἕσαν, imperatv. (tm., in cpd.) ἕσσον || MID.: inf. ἕννυσθαι | 3sg.impf. ἕννυτο | aor.: 3sg. ἕσσατο, also (tm., in cpd.) ἕσατο (also ἑέσσατο), 3pl. ἕσσαντο, ἕσαντο, ptcpl. ἑσσάμενος, inf. ἕσσασθαι, ἕσασθαι | pf. εἷμαι, 2sg. ἕσσαι, 3sg. εἷται | plpf.: 2sg. ἕσσο, 3sg. ἕστο, ἕεστο, also εἷτο or ἧστο (AR., dub.), 3pl. εἵατο, 3du. ἕσθην | pf.ptcpl. (also pass.) εἱμένος |
1 clothe —W.DBL.ACC. *persons in garments* (i.e. give them garments to wear) Hom.
2 || MID. (pres., impf., aor.) **clothe oneself in, put on** —*garments* Hom. hHom. Theoc. —*armour* Il.; (of a god) **envelop oneself in** —*mist* Il. Hes.
3 || MID. (pf. and plpf.) **be clothed** or **clad in** —*garments, rags* Hom. Hes. hHom. E. AR. —W.DAT. AR.; (of a warrior) —*armour* Il.; (fig.) —*courage* (W.DAT. *in one's heart*) Il.; (of a god) —*a cloud* (W.DAT. *on his shoulders*) Il.; (of a tortoise) —*a shell* hHom.; (fig., of a person) —*a garment of stone* (i.e. have been stoned) Il.; (of a dead person) —*darkness* S.
4 || PASS. (of pikes) **be clad** —W.DAT. *w. brass* (w. κατά + ACC. *at the tip*) Od. [perh. better interpr. as tm. κατὰ ... εἱμένος]

ἐν-νυχεύω *vb.* (of love, perh. envisaged as a watchman) **pass the night** or **keep vigil** —w. ἐν + DAT. *on a girl's cheeks* S.

ἐν-νύχιος ᾱ (Ion. η) ον (also ος ον) adj. **1** (quasi-advbl., of persons, deities or ships travelling, of persons singing or working) **in the night, at night** Hom. Hes. Pi. E. AR.; (of an oracle, being pronounced) perh **in the darkness** (of a shrine) Call.
2 (of activities or experiences) **at night, night-time** S. E. Ar. AR.; (of Orion) **in the night sky** E.; (of a torch) **burning at night** E.
3 (of northern mountains) **shrouded in night** S.
|| MASC.PL.SB. **dwellers in darkness** (ref. to the dead) S.

ἔν-νυχος ον adj. [νύξ] **1** (quasi-advbl., of a person or deity acting or suffering) **in the night, at night** Il. hHom. E.
2 (of activities or experiences) **at night, night-time** A. Pi. E.
3 (of Hades) **shrouded in darkness** S.
—**ἔννυχα** *neut.pl.adv.* **during the night** NT.

ἐννώσᾱς (Ion.aor.ptcpl.): see ἐννοέω

ἐν-όδιος ᾱ ον (also ος ον Plu.), ep. **εἰνόδιος** η (dial. ᾱ) ον adj. [ὁδός] **1** (of wasps) **by the roadside** Il.; (of cities) **lying on highroads** Plu.

2 (of significant encounters) **on journeys** A.; (of pitching of tents) Plu.
3 ‖ NEUT.PL.SB. **road-nets** (for blocking paths) X.
4 (epith. of Hekate) **of the pathways** S. Pl.; (epith. of Hermes) Theoc.; (epith. of Artemis) Hes.*fr.*
—**Ἐνοδίᾱ** (also **Εἰνοδίᾱ**) ᾱς *f.* **Enodia, Einodia** (Thessalian goddess, identified w. Hekate, also w. Persephone) E.

ἐν-οικέω *contr.vb.* **1 dwell** or **live in** —*a house, city, region, or sim.* S. Th. Theoc. —W.DAT. E. Plu. —w. ἐν + DAT. Pl. X. Plb.; **be resident** (in a specified place) Hdt. E. Th. Ar. + ‖ MASC.PL.PTCPL.SB. **inhabitants, residents** Hdt. Th. Att.orats. +
2 (of life) **dwell in** (a person's body) E.; (of a soul) —w. ἐν + DAT. *in all things that move* Pl.; (of abstr. qualities) —W.DAT. *in persons* Pl.

ἐνοίκησις εως *f.* period of living, **residence** (in a place) Th.

ἐν-οικίζομαι *mid.vb.* (of a people) **settle** (in an island) Th. ‖ PASS. (of a person) **take up residence** (in premises) Hdt.

ἐν-οίκιος ον *adj.* [οἶκος] **1** (of a cock) **on home territory** A.
2 ‖ NEUT.SB. **rent for a house** Is. D. Plu.

ἐν-οικοδομέω *contr.vb.* (act. and mid.) **build in** (a specified place) —*a tower, courts, or sim.* Th. Plu.; (act.) **build** —*a lawcourt* (w. ἐν + DAT. *in a porch*) Ar. —*a fort* (*in a region*) Plb. ‖ PASS. (of a gate) **be built** (in a wall) Th. Plb.; (of properties, in a region) Aeschin.; (of a fort) —w. ἐν + DAT. *in a city* Th.

ἐνοικοδόμημα ατος *n.* that which is built, **building** (in a place) Pl.(cj.)

ἔν-οικος ον *adj.* [οἶκος] (of a person) **dwelling on** (W.DAT. a mountain) Pl.; (of a lion) **dwelling in** (W.GEN. a region) S.; (of heroes) **resident, local** Plu.(oracle) ‖ MASC.PL.SB. **inhabitants** (usu. W.GEN. of a place) Trag. Th. X.

ἐν-ολισθαίνω *vb.* | aor.2 ἐνώλισθον | (of a bird in flight) **collapse and fall** Plu.; (of the ground, in an earthquake) **fall in, give way** Plu.

ἐν-ομῑλέω *contr.vb.* **be familiar** —W.DAT. *w. someone's habits* Plu.

ἐν-ομόργνυμαι *mid.vb.* (fig., of public opinion) **imprint by wiping, impress** —*the feelings of the many* (W.DAT. *upon politicians*) Pl.

ἐνοπή ῆς, dial. **ἐνοπά** ᾶς *f.* [ἐνέπω] **1** loud or excited utterance; **shouting** (compared to the noise of cranes) Il.; **clamour, screaming** (of warriors fighting) Il. Hes.; **crying, shrieking** (of mourners, a person calling for vengeance) Il. E.; **cry** (of a singer or worshipper) Simon. E. Corinn.; (of an oracular god or sim.) E. AR.
2 (gener.) **speech, voice** Od. Emp. AR.; **sound** (W.GEN. of singing) AR.
3 **strident hiss** (of a dying serpent) hHom.
4 **shrill voice** (W.GEN. of pipes, a lyre) Il. hHom. E.

ἐν-όπλιος ον *adj.* [ὅπλα] **1** (of a dance) **in armour** Pl. Call. AR. Plu.
2 (of a clattering) **of arms** (in celebration of victory) Plu.
3 (of a rhythm, assoc.w. singing and dancing in armour) **martial** X. ‖ MASC.SB. (as a metrical term of uncertain significance) enoplian rhythm Ar. Pl.
—**ἐνόπλιον** *neut.sg.adv.* **with a warlike noise** —*ref. to the booming of a shield struck by its bearer* Call.
—**ἐνόπλια** *neut.pl.adv.* **in armour** —*ref. to a horseman exercising* Pi.

ἔν-οπλος ον *adj.* **1** (of persons) **in armour, armed** Carm.Pop. E. Plu.
2 (of Apollo) **armed** (W.DAT. *w. lightning*) S.
3 (of the Trojan Horse) having weapons within, **full of armed men** E.

ἐνοποιέομαι *pass.contr.vb.* [ἑνοποιός] (of the shape of two things) be made single, **be combined** Plb.

ἑνο-ποιός όν *adj.* [εἷς, ποιέω] (of a form of words) creating unity (betw. potentiality and actuality), **unifying** Arist.

ἔνοπτρον ου *n.* [reltd. ἐνοράω] that into which one looks, **mirror** E. Pl.(dub.)

ἐν-οράω *contr.vb.* | aor.2 ἐνεῖδον | **1 see** —*someone* (w. ἐν + DAT. *in a bronze shield, i.e. reflected in it*) Ar.
2 **see with one's mind, see, perceive** —*a quality, capacity, or sim.* (W.DAT. or ἐν + DAT. *in someone or sthg.*) Hdt. Th. Ar. Pl. + —W.DAT. + FUT.PTCPL. *in someone, the likelihood that he will be able to do sthg.* Hdt. ‖ PASS. (of qualities) **be seen or revealed** —w. ἐν + DAT. *in someone or sthg.* Plu.
3 **perceive** (sthg.) **as being inherent in or entailed by** (a situation); **see** —*a cause for alarm, troubles, a way of proceeding, reasons for action, or sim.* Hdt. S. X. —W.ACC. + FUT.INF. *that advantages will accrue* Th.; **envisage, see the possibility of** —W.ACC. + FUT.PTCPL. (or + AOR.PTCPL. w. ἄν) *sthg. happening* Hdt. X. —W.NOM.FUT.PTCPL. *one's doing sthg.* Th.; (intr.) **see, find** (that sthg. is the case) Hdt.
4 **keep one's eyes on, stare at** —W.DAT. *someone* X. Plu.

ἐν-όρκιος ον *adj.* (of a statement) **made on oath** Pi.

ἔν-ορκος ον *adj.* **1** (of persons, peoples, cities) **bound by an oath** S. Th. Aeschin. Arist. Plu.; (W.DAT. to someone) S. D.; (W.FUT.INF. to do sthg.) Aeschin. Plb.; (impers.phr.) ἔνορκον (w. ἐστί + DAT. or ποιοῦμαι) *there exists for someone* (*or I regard it as*) *a sworn obligation* —W.PRES. or FUT.INF. *to do sthg.* A.satyr.fr. Pl. X. Aeschin.
2 (of an alliance, agreement, friendship) ratified by oath, **sworn** Plb. Plu.
3 (of justice, a juror's responsibility, a policy) **which one is sworn to uphold** S. Aeschin. D.
4 (of a boundary stone) **consecrated by oath** Pl.

ἐν-ορμέω *contr.vb.* **be at anchor inside** (a harbour) Plb.

ἐν-ορμίζομαι *pass.vb.* (fig., of a person) **put into harbour** —W.PREP.PHR. *after a storm* (*i.e. trouble*) Thgn.

ἐν-όρνῡμι *vb.* | aor. ἐνῶρσα | 3sg.aor.2 mid. ἐνῶρτο | **stir up, set on, arouse** —*panic, fighting, lamentation, boldness* (usu. W.DAT. *in or among people*) Il. Alc. E. ‖ MID. (of laughter) **arise among** —W.DAT. *the gods* Hom.

ἐν-ορούω *vb.* | aor. ἐνώρουσα, ep. ἐνόρουσα | **1** (of a warrior) **spring in, charge in** (to the fighting) Il.(sts.tm.); **spring upon, charge at** —W.DAT. *the enemy* Il.; (of a lion) —*goats and sheep* Il.
2 (of a snake) **leap upon** (a rampart) Pi.; (of a person) **jump on** —w. ἐν + DAT. *someone's belly* Hippon.

ἐν-όρχης ου (Ion. εω), dial. **ἐνόρχᾱς** ᾱ *masc.adj.* [ὄρχις]
1 (of a boy) **complete with testicles, uncastrated** Hdt.; (of a gnat, as a suitable sacrificial victim, ref. to its unblemished state) Ar.; (of a ram, w. further allusion to sense 2) Theoc. ‖ SB. **uncastrated man** (opp. eunuch) Hdt.
2 (of a boy, an old man) with testicles (as a sign of potency), **virile, ballsy** Ar.

—**ἔνορχος** ον *adj.* (of rams, as sacrificial victims) **uncastrated, complete and unblemished** Il.

ἑνός (masc.neut.gen.sg.num.adj. and sb.): see εἷς

ἔνος η ον *adj.* **1** belonging to the former of two periods; (of officials, offices) **last year's** D. Arist.; (of the light of the old moon on the last day of the month, opp. that of the new moon) **last month's** Pl.
2 ἔνη (τε) καὶ νέα (w. σελήνη understd.) *old-and-new* (*moon*), *last day of the month* Lys. Ar. Plu.
3 ‖ FEM.SB. **first day of the month** Hes.

ἔνοσις (also **ἔννοσις**) εως *f.* **1 shaking, quaking** (of the ground) Hes. E.; **shuddering, vibration** (in the air, caused by a Bacchic bull-roarer) E.
2 (personif., as a female deity) **Spirit of the Earthquake** E.

ἐνοσί-χθων ονος *masc.adj.* [χθών] (epith. of Poseidon, as sender of earthquakes, **earth-shaker** Hom. Hes.

ἑνότης ητος *f.* [εἷς] **oneness, unity** Arist.

ἐν-ουρέω *contr.vb.* **urinate in** —w. ἐς + ACC. *a bowl, a river* Hdt.; **urinate into one's clothes, piss oneself** Ar.

ἐν-οφείλω *vb.* **owe money on** (the security of property); **owe on security** —*a sum of money* (W.DAT. *to someone*) D. || PASS. (of money loaned) **be secured** (on sthg.) D. —W. ἐν + DAT. *on someone's property* D.

ἐν-οχλέω *contr.vb.* | Aeol.2sg. ἐννόχλης (Theoc.) | impf. ἠνώχλουν | aor. ἠνώχλησα || PASS.: fut. ἐνοχλήσομαι (Men.) | (of persons or things) **trouble, annoy** —W.ACC. or DAT. *someone* Att.orats. X. Arist. Men. Plb. Plu.; (intr.) **be annoying, be a nuisance** Ar. Att.orats. X. Men. Plu. || PASS. **be troubled or annoyed** X. Aeschin. D. Men. +

ἔνοχος ον *adj.* [ἐνέχω] **1** (leg., of persons) **liable** or **subject to** (W.DAT. laws) Att.orats. Pl.; (judgement, a court) NT.; (curses, as being a traitor or sim.) Att.orats.; (penalties) Att.orats. Pl.; (w. ἐν + DAT.) And.(law); (W.GEN.) NT.
2 answerable to (W.DAT. a charge) Att.orats. X. Arist. +; **answerable for** (W.DAT. a crime) Att.orats. Pl. X. Arist.; (W.GEN.) Antipho Lys. Pl. Plb.; **answerable, held responsible** Antipho Aeschin. Arist.
3 (gener., of persons) **bound** (W.DAT. by certain beliefs) Arist.; **subject** (W.DAT. to a proverb, i.e. it is applicable to them) Arist.; (of behaviour) **liable** (W.DAT. to harmful consequences) Arist.

ἑνόω *contr.vb.* [εἷς] **make one, unite, unify** —*a city* Arist.

ἐν-ράπτω *vb.* **sew in, sew up** —*daggers* (w. εἰς + ACC. *in saddle-bags*) Plu.; (mid., of Zeus) —*Dionysus* (*in his thigh*) Hdt. || PASS. (of Dionysus) **be sown up** —W.DAT. *in Zeus' thigh* E.

ἐν-ρῑγόω *contr.vb.* **shiver** or **freeze in** (a cloak) Ar.

ἔν-ρυθμος ον *adj.* [ῥυθμός] (of the perception) **of rhythm** Pl.

ἐν-σείω *vb.* **1** (of Zeus) **dash down on** (someone) —*a thunderbolt* S.; (of a soldier) **drive home** —*a spear-stroke* Plu.; (of a charioteer) **fling** (W.ACC. a shout of command) *at* —W.DAT. *his horses* S.; (wkr.sens.) **drop** (W.ACC. a stone) **in** (to a well) Men.; **let** (W.ACC. a mattock) **drop** —w. εἰς + ACC. *into a well* Men.
2 (of troops) **drive, force** —*enemies* (w. εἰς + ACC. *into a river*) Plu.; (fig., of a leader) **plunge** —*a city* (w. εἰς + ACC. *into a war*) Plu.; (of a god) —*someone* (W.DAT. *into paths of wildness*) S.(tm.) || PASS. (of a person) **be hurried or forced** —w. εἰς + ACC. *into a sale* Hyp.
3 (intr., of a commander or troops) **plunge in** (to battle) Plu.; **charge in** (to a place) Plu.; **make an assault** Plu.; **make a breach in** —W.DAT. *an enemy company* Plu.

ἐν-σημαίνω *vb.* **1** (of a name, ref. to its etymology) **denote** —W.COMPL.CL. *that its holder is such and such* Pl.
2 || MID. (of persons) **show signs of, intimate, reveal, display** —*their anger* Arist. —(W.DAT. *to someone*) Isoc.; **make clear, indicate** —W.COMPL.CL. *that sthg. is the case* X.
3 || MID. (of hounds) **pass information to one another** X.
4 || MID. (of persons) **stamp** —*an impression* (W.DAT. on sthg.) Pl.; **impress, imprint** —*the image of a sealing ring* Pl.; (fig.) —*a memorial of sthg.* (*in someone's mind*) Pl. —*one's character* (*on a speech, in delivering it*) Isoc. || PASS. (of images) **be imprinted** —w. εἰς + ACC. *on sthg.* Pl.

ἐν-σκέλλω *vb.* | plpf. ἐνεσκλήκειν | || STATV.PLPF. (of a spear) **remain rigid in, refuse to bend in** —W.DAT. *someone's hands* AR.

ἐν-σκευάζω *vb.* **1 pack up** (in a basket) —*a meal* Ar. || MID. **arrange, put in order** —*the contents of a library* Plu.
2 dress —*someone* (W.DAT. *in a garment*) Plu.; **dress up** —W.DBL.ACC. *someone as another person* Ar. || MID. **dress oneself up** or **equip oneself** —W.ADV. *in a certain way* Hdt. Ar. Plu. —W.ACC. *in certain clothes* Pl. —W.DAT. Plu.; (of a cavalryman) **put on one's gear** X.

ἐν-σκήπτω *vb.* **1** (of Zeus) **hurl** —*a thunderbolt* (w. ἐς + ACC. *at a house*) Hdt.; (of a god) **inflict** —*a sickness* (W.DAT. *on people*) Hdt.
2 (intr., of rocks) **come crashing down** —w. ἐς + ACC. *into a place* Hdt.; (of a thunderbolt) —*onto an altar* Plu.; (of barrenness and pestilence) **strike** (a country) Plu.

ἐν-σκίμπτω, ep. **ἐνισκίμπτω** *vb.* | aor. ἐνέσκιμψα, ep. ἐνίσκιμψα || ep.aor.pass. ἐνισκίμφθην | **1** (of Eros) **fix, plant** —*an arrow, pain* (W.DAT. *in someone, the heart*) AR. || PASS. (of a spear) **become planted, stick** —W.DAT. *in the ground* Il.
2 (of a horse) **drop, hang** —*its head* (W.DAT. *to the ground*) Il.
3 (of a thunderbolt) **bring crashing down** —*death* Pi.
4 (of dawn) **strike** (the ground) —W.DAT. *w. its rays* AR.

ἐν-σκιρόομαι *pass.contr.vb.* [σκίρος medic. *hardened swelling*] (of a sickness) **become chronic** X.

ἔν-σπονδος ον *adj.* [σπονδή] (of states) **under treaty, confederate** (sts. W.DAT. or GEN. w. someone) Th. Plu.; (of a god) **in alliance** (W.DAT. w. someone) E.; (of a commander) **under protection of a truce** E.

ἐν-στάζω *vb.* (fig., of a Muse) **drip, instil** —*a song or sim.* (W.DAT. *into a poet's mind*) B.; (of politicians) —*jury-pay* (*compared to oil, into someone*) Ar. || PASS. (of strength, desire) **be instilled** (usu. W.DAT. into someone) Od. Hdt. Plu.

ἐν-σταλάσσω *vb.* | aor.imperatv. ἐνστάλαξον | **drip** —*a drop of peace* (*envisaged as a liquid*, w. εἰς + ACC. *into a phial*) Ar.

ἔνστασις εως *f.* [ἐνίστημι] **1 setting on foot, beginning** (W.GEN. of a business, a war) Aeschin. Plb.; **institution** (W.GEN. of legal proceedings) Aeschin.
2 (in political or medical ctxt.) **opposition, obstruction, resistance** Plb. Plu.
3 (log.) **objection** (to an argument) Arist.

ἐνστάτης ου *m.* **opponent, adversary** S.

ἐν-στέλλομαι *mid.pass.vb.* **be equipped** —W.ACC. *in cavalry gear* Hdt.

ἐν-στηρίζομαι *mid.vb.* **1 support oneself on, step on** —W.DAT. *a serpent* AR.
2 || MID.PASS. (of a spear) **become fixed in, stick in** —W.DAT. *the ground* Il. || STATV.PF. (of an island) **be set firm in** —W.DAT. *the sea* Call.

ἐν-στρατοπεδεύω *vb.* (milit.) **encamp in** (a place) Hdt.(mid.) Th. Plu. —W. ἐν + DAT. *a city* Plu.

ἐν-στρέφομαι *mid.pass.vb.* (of the thigh-bone) **turn within** —W.DAT. *the hip* Il.

ἐν-σχερώ *adv.* [σχερός] **in a row** —*ref. to rowers sitting* AR.

ἐν-σχολάζω *vb.* **1 spend one's leisure in** (a place) Arist.
2 (of a commander) **be inactive in** (a place) Plb.

ἐντάλματα των *n.pl.* [ἐντέλλω] **commandments** (of men, opp. God) NT.

ἐντάμνω *dial.vb.*: see ἐντέμνω

ἐν-τανύω *vb.* **1 put under strain, stretch tight** —*a bow-string* Od.
2 bend (in order to string), **string** —*a bow* Od.(also mid.) Hdt. Theoc.
3 tighten up, string —*a seat* (w. *straps*) Hdt.
4 extend, stretch —*straight furrows* Pi.

ἔντασις εως *f.* [ἐντείνω] (geom.) placing inside, **inscribing** (of a figure, w. εἰς + ACC. in a circle) Pl.

ἐντατέον (neut.impers.vbl.adj.): see ἐντείνω

ἐνταῦθα, Ion. **ἐνθαῦτα** *demonstr.adv.* [reltd. ἔνθα] **1** in this or that place, **here, there** Semon. Hdt. Trag. +; **in this part** (W.GEN. of a region) Th. X.; **in this area** (of political life) D. **2 here, in this world** (opp. in the ideal world) Arist. **3 to here** or **there, hither, thither** Hdt. Trag. + **4** (ref. to a state of affairs, or to a subject of speech or thought) **here, in these circumstances, in this case** (or **there, in those circumstances, in that case**) Trag. Th. +; **at this point** (W.GEN. in an argument) Pl.; **in this direction, to this topic** Il. E.; **to this point** (W.GEN. of evil, hope) A. E. **5 at this time, now** (or **at that time, then**) Hdt. Trag. Th. +; **at** or **to this time** (W.GEN. of life) Pl. **6 after this, from here** (or **after that, thereupon**) Hdt. S. E. +

—**ἐνταυθί** *demonstr.adv.* (w. stronger force) **right here** Pl. D.; (also, w. γε interposed, ἐγγεταυθί) **here at any rate** Ar.

ἐνταυθοῖ *demonstr.adv.* **1 here** or **there** Hom. hHom. Ar. Att.orats. Pl. + **2 in this** or **that direction** Ar. **3 here, in this case, in these circumstances** Antipho Lys.

ἐνταφιάζω *vb.* [ἐντάφιον] **prepare for burial** —*a corpse* NT. —*a living person* (*by anointing him*) NT.; (fig., of a tyrant) **bury, entomb** —*his collapsing power* (W.DAT. *in a city, by burning it down*) Plu.

ἐνταφιασμός οῦ *m.* **burial** NT.

ἐν-τάφιον ου *n.* [ταφή] **1 funeral shroud** Simon. Isoc. Plb. **2** ‖ PL. **grave offerings** S. E.; (gener.) **obsequies, funeral** Is. Plu. **3** ‖ PL. **money for funeral expenses** Plu.

ἔντεα, Att. **ἔντη**, έων *n.pl.* **1 equipment of a warrior, armour** Hom. Pi. Call. AR. **2 tackle** (W.GEN. of a ship) hHom. Pi. **3 trappings, gear** (of horses) Pi.; (W.GEN. of a chariot, perh.ref. to yoke-straps) A.; **harness** (for necks of oxen, ref. to a yoke or straps) Pi.; (gener.) **chariot** Pi. **4 instruments** (ref. to auloi) Pi.; (ref. to drums) Lyr.adesp.; (W.PERIPHR.GEN. of auloi) Pi. **5** (gener.) **equipment** (W.GEN. of Apollo, ref. to his lyre and bow) Call.; (W.GEN. for a meal, ref. to dishes and tables) Od. **6** ‖ SG. **piece of equipment, armament** (ref. to a shield) Archil.; (ref. to Athena's aigis) Hes.*fr.*(dub.)

ἐν-τείνω *vb.* | neut.impers.vbl.adj. ἐντατέον (Ar., cj.) ‖ **1 make taut, tighten up, string** —*a seat* (W.DAT. *w. straps*) Hdt.; **fasten tight** —*an animal* (W.DAT. *w. ropes*) E.; **pull tight on** —*a horse* (W.DAT. *w. the rein*) X. ‖ PASS. (of a helmet, the bodywork of a chariot) **be made taut** or **be strung** —W.DAT. *w. straps* Il.; (of a ship, ref. to its sail) **be strung tight** —W.DAT. *by the sheet* E.(dub.); (of parts of the body) **be made taut** or **tense** X. ‖ PF.PASS.PTCPL.ADJ. (of boats forming a pontoon bridge) **made fast** Hdt.; (of the body, elements in the soul) **held in tension** Pl. **2 bend, draw** —*a bow* E. X.(mid.) Arist.; (of wasps) **brace for action** —*their stings* Ar.(cj.) ‖ MID. **aim** —*arrows* E. ‖ PF.PASS.PTCPL.ADJ. (of a bow) **strung tight** Hdt. **3 intensify** —*someone's anger, wilfulness* And. Plu.; **raise** —*one's voice* Plu. **4** (of a populace, a person) **strongly exert, strain** —*oneself* E. Plu.; (of a commander) **intensify** —*a siege* Plu.; (intr.) **intensify one's efforts** Thphr. ‖ MID. (of a disputant) **become vehement** Pl.; (of a hound) **go at full stretch** X. ‖ PF.PASS.PTCPL.ADJ. (of persons) **braced, keyed-up** —w. πρός + ACC. *for sthg.* X.; **concentrated** —w. περί + ACC. *on sthg.* Plb. **5 put into verse** or **music; set** —*poems* (w. εἰς + ACC. *to lyre music*) Pl.; **turn** —*laws, maxims, or sim.* (*into poetry*) Pl. Plu.; **turn into verse** —*prose stories* Pl.; **adapt** —*someone's words* (w. εἰς + ACC. *to one's voice, i.e. repeat them as one's own*) Pl. **6** ‖ MID. **pitch** —*a tune, voice* Ar. Aeschin.; (of a politician) **strike a note of** —*aristocratic and regal leadership* Plu. **7 aim, direct** —*blows* (W.DAT. *at someone*) X. D.; **devote** —*one's abilities* (w. εἰς + ACC. *to rhetoric*) Plu. **8** ‖ PASS. (geom., of a figure) **be inscribed** —w. εἰς + ACC. *in a circle* Pl.

—**ἐντεταμένως** *pf.pass.ptcpl.adv.* **strenuously, vigorously** Hdt.

ἐν-τειχίζω *vb.* **1 fortify** —*citadels* (sts. w. ἐν + DAT. *in cities*) Isoc. X.; **build** —*forts* (*in a country*) X. ‖ MID. **fortify** —*cities and islands* Plu. ‖ PASS. (of fortifications) **be built** (*in a place*) X. **2** ‖ MID. (of attackers) **wall in, circumvallate** —*cities* Th.

ἐν-τεκνόομαι *mid.contr.vb.* (of a man) **produce children in** (a particular soil, fig.ref. to a woman) Plu.

ἐν-τεκταίνω *vb.* **build** (W.ACC. houses) **on** —W.DAT. *wooden structures* AR.(tm., dub.)

ἐν-τελευτάω *contr.vb.* **reach the end in** (one's life) Th.

ἐντελέχεια ας *f.* [ἐντελής, ἔχω] **state of being complete, actuality** (opp. potentiality) Arist.

ἐντελεχῶς *adv.* **completely** Pl.(dub., v.l. ἐνδελεχῶς)

ἐν-τελής ές *adj.* [τέλος] **1 complete in quantity**; (of wages, payments) **complete, full** Th. Ar. Isoc. X. D. Plu.; (of a drachma, opp. half) Th.; (of an army, legion, squadron of ships, Senate, triumph) Plb. Plu. **2** (of the moon's orb) **full** E. **3 complete in quality**; (of sacrificial oxen) **perfect, unblemished** S.; (of ships, a military force) **fully equipped** Aeschin. D.; (of equipment) **complete, ready** Th. **4 complete in accomplishment,** (of preparations) **complete, finished** Plb.; (of a divine command) **accomplished, fulfilled** Call. **5** (of birds) **complete in growth, mature enough** (W.INF. *to do sthg.*) A.

—**ἐντελῶς** *adv.* **completely** Plb.

ἐν-τέλλομαι *mid.vb.* | aor. ἐνετειλάμην ‖ pf.pass.ptcpl. ἐντεταλμένος ‖ **1 give an order** (freq. W.DAT. *to someone*) Hdt. Plb. NT. —W.INF. *to do sthg.* Hdt. Pl. X. Plb. NT. —w. ἵνα + SUBJ. NT. —W.ACC. + INF. *that someone shd. do sthg., that sthg. shd. be done* Hdt. Pl. ‖ IMPERS.PF.PASS. **an order has been given** —W.DAT. + INF. *to someone to do sthg.* Hdt. **2 give** (W.NEUT.ACC. this or sim.) **order** (sts. W.DAT. *to someone*) Hdt. X. Plb. NT. ‖ NEUT.PF.PASS.PTCPL.SB. (sg. and pl.) **order** or **orders** Hdt. S. E. X.

—**ἐντέλλω** *act.vb.* | dial.aor. ἔντειλα | **order** —W.DAT. + INF. *someone to do sthg.* Pi.

ἐντελό-μισθος ον *adj.* [ἐντελής, μισθός] (of sailors) **receiving full pay** D.

ἐν-τέμνω, dial. **ἐντάμνω** *vb.* **1 cut, engrave** —*words* (w. ἐν + DAT. or ἐς + ACC. *on rocks, pillars*) Hdt. ‖ PASS. (of a map) **be engraved** —w. ἐν + DAT. *on a bronze tablet* Hdt. **2 slaughter** (an animal) **into a sacrificial pit** (as an offering for heroes or other dead); **sacrifice** —*a horse* Plu.; **offer** —*a sacrificial victim* Plu. —(W.DAT. *to a hero*) Plu.; (intr.) **sacrifice** —W.DAT. *to someone as a hero* Th. ‖ MID. **slaughter** —*a horse* W.PREDIC.SB. *as an oath-sacrifice*) Ar. **3** perh., **cut into** the root of a plant, to extract medicinal sap); (fig.) **produce by incision, devise** —*a remedy* (W.GEN. *for drowsiness*) A.

ἐντενές *neut.adv.* [ἐντείνω] at full stretch (i.e. w. sail filled), **powerfully, rapidly** —*ref. to a ship being carried out to sea* AR.

ἔντερον ου *n.* **1 gut** (of a sheep, made into a lyre-string) Od.; (of a gnat) Ar.
2 ‖ PL. **guts, intestines, bowels** (usu. of humans) Il. A. Ar. Pl. X. Plu.

ἐντερό-νεια ᾶς *f.* [reltd. νήϊος] **bowel-timber** (app.ref. to part of a ship's hull, w. further connot. of offal for sailors to eat) Ar.

ἐντεσι-εργός όν *adj.* [ἔντεα, ἔργον] (of mules) **working in harness, draught** Il.

ἐντετακυῖα (fem.pf.ptcpl.): see ἐντήκω

ἐντεταμένως *pf.pass.ptcpl.adv.*: see under ἐντείνω

ἐντεῦθεν, Ion. **ἐνθεῦτεν** *demonstr.adv.* [ἐνταῦθα] **1** from this or that place, **from here** or **there, hence, thence** Od. hHom. Hdt. Trag. +; (w.art.) τἀντεῦθεν *the situation there* S.
2 from a specified topic or point in time, **from that point, from there** —*ref. to beginning a speech or sim.* Antipho Th. +
3 from this or that time, **after this** or **that, hereupon, thereupon** Hdt. S. E. +; (w.art.) τοὐντεῦθεν and τἀντεῦθεν *from here on, after that* Hdt. S. E. Ar. +; τἀντεῦθεν *what comes next* A.
4 from that source or origin, **from there, thence** E. Th. +
5 from that cause, **therefore, in consequence** E. Pl.

—**ἐντευθενί** *demonstr.adv.* (w. stronger force) **from here** Lys. Ar. D.; **after this** Ar.

ἐντευκτικός όν *adj.* [ἐντυγχάνω] (of a person) **sociable, affable** Plu.

ἔντευξις εως *f.* **1** accidental encounter, **encounter** (W.DAT. w. pirates) Pl.; deliberate encounter, **meeting** (sts. W.DAT. w. someone) Plb. Plu.
2 (gener.) social contact, **interaction, conversation** Isoc. Plb. Plu.; **social behaviour** (W.GEN. of a person) Aeschin.
3 approach (w. πρός + ACC. to one's readers or opponents, in argument) Arist.
4 approach by a petitioner, **petition** Plu.
5 becoming acquainted; **perusal, study** (W.GEN. of a written work) Plb.

ἐν-τευτλιάομαι *pass.contr.vb.* [τευτλίον] (of a cooked eel) **be wrapped in beet** Ar.

ἔν-τεχνος ον *adj.* [τέχνη] **1** (of things) **falling within the province of art** Pl. Arist.
2 invented by art, **artificial** Pl. Arist.; displaying or produced by art, **artistic** Pl.
3 (of skill) in arts and crafts, **technical** Pl.
4 (of persons) possessing an art or craft, **skilled, scientific** Pl.

ἔντη *Att.n.pl.*: see ἔντεα

ἐν-τήκω *vb.* | pf. ἐντέτηκα, fem.ptcpl. ἐντετᾰκυῖα (Ar., dub.) | aor.2 pass. ἐνετάκην | **1 dissolve** (W.ACC. lead, brass) **into** (a skull, ears, i.e. pour in molten lead or brass) Plu.
2 ‖ PASS. and PF.ACT. (of molten wax or metal) **be poured into** (a receptacle); (fig., of Kypris, i.e. love) **be infused or instilled, sink deep** (in living creatures) S.*fr.*; (of hatred, passion for power) —W.DAT. *in a person, a city* S. Pl. Plu.; (of a sickness) —w. ἐν + DAT. *in a city* Ar.(dub.)
3 ‖ PASS. (fig., of a person) **be absorbed** —W.DAT. *in love* S.

ἐντί (dial.3sg. and 3pl.): see εἰμί

ἐν-τίθημι *vb.* | ep.athem.aor.inf. ἐνθέμεν, ἐνθέμεναι | **1** place in or into (sthg.); **place, put** —*sthg.* (*in sthg., freq.* W.DAT., sts. w. εἰς + ACC.) Hes. hHom. A. Hdt. E. Ar. + —(W.DAT. or εἰς + ACC. *in the hands of someone*) Hes. E. D. Plu. —(W.DAT.PERS. *in someone's hands*) Ar. ‖ MID. **place** —*sthg.* (w. εἰς + ACC. *in the folds of one's dress*) D. Plu. —*a person* (*in a carriage*) X. Plu.
2 place on (sthg.); **place, put** —*cloaks* (*on a bed*) Hom. —*funeral trappings* (W.DAT. *on a pyre*) E. —*jewellery* (w. ἐς + ACC. *on an animal's ears*) Hdt.; (mid.) —*a corpse* (W.DAT. *on a bed*) Il. —*a shield* (*on one's back*) AR. —*a casket* (w. ἐπί + ACC. *on one's knees*) AR.; (fig., of an island) —*its feet* (w. ἐν + DAT. *on or amid the waves*) Call.
3 (usu.mid.) place on (a ship); **put on board** (sts. w. εἰς + ACC. onto a ship) —*someone or sthg.* Od.(sts.tm.) Antipho Ar. X. D. +
4 place in (the mouth); **put** —*food* (W.DAT. *in someone, i.e. the mouth*) Ar. Plu. ‖ MID. **put** (food) **in one's mouth** Ar.
5 put into (sthg. written); **insert** —*a letter* (sts. w. εἰς + ACC. *in a word*) Pl. ‖ MID. **include** —*someone* (W.DAT. *in one's narrative*) Call. ‖ PASS. (of a person) **be entered** —w. ἐν + DAT. *on a list* Ar.; (of words) **be put** —w. εἰς + ACC. *into verse* Arist.
6 introduce (an abstr. quality); **instil, inspire, create** —*good sense, fear, confusion, strength, or sim.* (freq. W.DAT. *in someone or sthg.*) Thgn. E. Ar. Pl. X. D. + ‖ MID. **put, store up** —*anger* (W.DAT. *in one's heart*) Hom. —*someone's words* (*in one's heart, i.e. take them to heart*) Od.; **take on, assume, adopt** —*a kind heart* Il. —*a certain attitude* Thgn.
7 ‖ MID. **place, reckon** —*someone* (W.DAT. *in equal honour w. another*) Il.

ἐν-τίκτω *vb.* | aor.1 subj. ἐντέξω (Ar., dub.) | aor.2 ἐνέτεκον |
1 (of a woman) **give birth** —w. ἐν + DAT. *on an island* Th.; (tr.) **give birth to** —*a child* (W.DAT. *in a house*) E.; (of a bird) **hatch** (in another bird's nest) —*its chicks* Lycurg.(quot.trag.)
2 (of fish) **deposit, lay** —*eggs* (w. ἐς + ACC. *in mud*) Hdt.; (of snakes, in a helmet) Plu.
3 (of Kypris) **engender, produce** —*mischief* (w. ἐν + DAT. *in clever women*) E.; (of persons or things) —*virtue, vices, sicknesses, beliefs, or sim.* (freq. W.DAT. *in persons, their bodies or souls*) Ar.(dub.) Pl. Plb. Plu.

ἐν-τιλάω *contr.vb.* (fig., of a basket, compared to a cuttlefish) **shit** —*charcoal dust* (W.DAT. *over someone*) Ar.

ἐν-τιμάομαι *pass.contr.vb.* be valued among; (of items) **be included for purpose of valuation** —w. ἐν + DAT. *in a sum of money* D.

ἔν-τιμος ον *adj.* [τιμή] **1** (of persons or things) held in honour, **honoured, respected** Att.orats. Pl. X. Arist. +; (W.DAT. by someone) S. E. Pl. NT.; (w. παρά + DAT.) Isoc. Pl. Arist.
‖ MASC.PL.SB. **men of high rank, nobles** (in Persia) X.
‖ NEUT.PL.SB. **things held in honour** (W.GEN. by the gods) S.
2 (of money) having value, **of legal tender** (W.DAT. among people) Pl.
3 (of grain) **highly priced, expensive** D.
4 (of mention of someone) bringing honour, **honourable** Pl.; (of burial) Plu.

—**ἐντίμως** *adv.* **with honour, respectfully** Pl. Plu.; (w. ἔχειν) *be held in honour* X.

ἐντιμότης ητος *f.* (ref. to nobility of birth) **inherited honour** (W.GEN. fr. one's ancestors) Arist.

ἔντμημα ατος *n.* [ἐντέμνω] **incision, groove** (in a post) X.

ἔντο (ep.3pl.athem.aor.mid.): see ἵημι

ἐν-τοίχια ων *n.pl.* [τοῖχος] **wall-paintings, murals** X.

ἐντολή ῆς *f.* [ἐντέλλω] **order, command** Pi.*fr.* Hdt. Trag. Pl. Arist. +

ἔντομα ων *n.pl.* [ἐντέμνω] **sacrificial offerings** (for heroes or the dead) Hdt. Call. AR.

ἐντομή ῆς *f.* **1 cutting into, hewing** (of masonry) Th.
2 fissure (in a cliff) Plu.

ἔντονος ον *adj.* [ἐντείνω] **1** highly strung; (of persons, their nature, a Muse) **intense, vehement** E. Ar. Pl. Plu.; (of a point of view) **vigorously championed** Hdt. | see also εὔτονος 3
2 ‖ MASC.PL.SB. **stays** or **rigging-ropes** (on a ship, fig.ref. to sinews or tendons in the body) Pl.(dub.)
—**ἐντόνως** *adv.* **strenuously, vigorously, determinedly** E.*Cyc.* Th. Ar. Pl. X. Plu.
ἐν-τόπιος ον *adj.* [τόπος] (of deities) **inhabiting a region, local** Pl. ‖ MASC.PL.SB. **local residents** NT.
ἔν-τοπος ον *adj.* (of a person) in a place, **at hand, nearby** S.; (of deities) **local** Pl. ‖ MASC.PL.SB. **local residents** S.
ἐν-τορεύω *vb.* **emboss** —*a figure* (*on a silver ornament*) Plu.
ἔν-τορνος ον *adj.* [τόρνος] (of wheels, a sphere) **turned on the lathe** Pl.
ἐντός *adv.* and *prep.* [ἐν] **1** (ref. to location) **inside, within** (an enclosure or area) Hom. +; (as prep.) —w.GEN. *sthg. or somewhere* Hom. +
2 (ref. to direction) to the inside of, **inside** —w.GEN. *a place* Il. +
3 (ref. to cutting a mine) app., to the other side of, **beyond** —w.GEN. *a prescribed limit* Hyp. D.
4 within the distance of, **within range of** —w.GEN. *a bow-shot, javelin-throw* X.; **too close for** —w.GEN. *a bow-shot* E.; (ref. to approaching) οὐδ' ἐντὸς πολλοῦ *not even within a great distance* Pl.
5 on the inner side of, **on this side of** —w.GEN. *a river* Hdt. Th. Isoc. Plu. —*the Black Sea* (i.e. *of its eastern limit*) Hdt. —*the Pillars of Hercules* Pl.; (quasi-adjl., ref. to part of Spain) on the nearer side (to Rome), **nearer** Plu.
6 within the control of, **in possession of** —w.GEN. *oneself* (i.e. *one's senses*) Hdt. D. —*one's rational faculties* Plu.
7 (ref. to time) **within, in less than** —w.GEN. *a period of time* Hdt. Antipho Th. Isoc. +; within the time marked by, **before** —w.GEN. *a certain age* Lys. Pl. —*evening* X.
8 (ref. to counting) **less than, under** —w.GEN. *a certain number* Ar. Pl.
9 (ref. to a relationship) **within the degree of, nearer than** —w.GEN. *cousin, cousinship* Pl. D.(law)
10 (w.art.) τὸ ἐντός *interior* (*of a place*) Th.; (*of an animal*) S.*Ichn.*; τὰ ἐντός *inner parts* (*of the human body*) Th. Pl.
ἔντος *n.sg.*: see ἔντεα
ἔντοσθε(ν) *adv.* and *prep.* (ref. to location) **inside, within** Hom. Hes. AR. Theoc.; (as prep.) —w.GEN. *somewhere or sthg.* Hom. Hes. hHom. A.(cj.) AR. Theoc.
ἔντραγε (aor.2 imperatv.): see ἐντρώγω
ἐντράπελος ον *adj.* [ἐντρέπω] (perh. of conduct) **careful** Thgn.
ἐν-τρέπω *vb.* | PASS.: fut. ἐντραπήσομαι (NT.) | aor.2 ἐνετράπην | **1** (of troops) **turn** —*their backs* (*to the enemy*) Hdt.
2 ‖ MID.PASS. turn oneself towards (someone or sthg.); (freq. in neg.phrs., of a person, a heart) **have regard, give heed, show concern, care** Od. S. —w.GEN. *for a person, a family, friends, prophecies, laws, honour* Il. S. Pl. X.
3 ‖ MID.PASS. **pay heed to, defer to** —w.GEN. *someone* Plb.; **have regard** or **respect for** —w.ACC. *a person, a country, its loyalty, or sim.* Plb. NT.; (of a horse, in neg.phr.) **take notice** —w.GEN. *of goads or a whip* Pl.; (intr.) **show respect** or **concern, feel scruples** or **misgivings** Plb.
4 ‖ MID.PASS. (wkr.sens.) feel scruples (about doing sthg.), **be hesitant** S.
ἐν-τρέφω, ep. **ἐνιτρέφω** *vb.* **1 bring up** (w.ACC. children) **in** (i.e. wearing) —w.DAT. *snake-ornaments* E.
2 ‖ MID. **get** (w.ACC. plants) **bedded in** Hes.

3 ‖ MID. **foster** —*love* (W.DAT. *in wrestling-schools*) Plu.
4 ‖ PASS. (of persons) be brought up —w.DAT. *in a region, a house* AR. Plu. —*in gymnastic schools* E.; be habituated by upbringing —w.DAT. *to laws, customs, disciplines, doctrines, wealth and luxury* Pl. Plu.
ἐντρεχής ές *adj.* [ἐντρέχω] | superl. ἐντρεχέστατος | (of a person) running smoothly (in a situation), **adroit, adept** Plb.; (w. ἐν + DAT. in certain activities) Pl.
—**ἐντρεχῶς** *adv.* **adroitly** Plb.
ἐν-τρέχω *vb.* **1** (of a warrior's limbs) run in, **move freely in** (armour) Il.
2 (of a report) **become current** Plb.
ἐντριβής ές *adj.* [ἐντρίβω] **proved, practised, experienced** (w.DAT. in administration and laws) S.; (in an art) Pl.; (w. περί + ACC. in the application of a skill) Isoc.
ἐν-τρίβω *vb.* | aor. ἐνέτρῑψα | pf.mid.pass. ἐντέτριμμαι |
1 rub in or on (cosmetics); **apply make-up to** —*a person* X. ‖ MID.PASS. (of a person) **put on make-up** X. ‖ PF.MID.PASS. be made up Ar. X. —w.DAT. *w. cosmetics* X.
2 ‖ MID. rub on oneself, **rub on** —*unguents* Call.(cj.)
3 (fig.) rub away, **wear down** —*young men's buttocks* (*by causing them to sit chattering*) Ar.
4 rub —*one's knuckles* (w.DAT. *into someone, i.e. punch him*) Plu.
ἐντρίμματα των *n.pl.* **cosmetics** Plu.
ἐν-τρῐτωνίζω *vb.* [reltd. Τρῑτογενής, w. play on τρία or τρίτος] | aor. ἐνετρίτώνισα | (of Tritogenes, a name of Athena) mix with three parts (of water), **tritonify, tripartify** —*wine* Ar.
ἔντρῐψις εως *f.* [ἐντρίβω] rubbing in, **application** (w.GEN. of cosmetics) X.
ἔν-τρομος ον *adj.* [τρόμος] (of a person, a horse) **trembling** (w. fear) NT. Plu.
ἐν-τροπαλίζομαι *mid.pass.vb.* [reltd. τροπέω] **1 keep turning round** (to look behind) Il.
2 app. **turn one's head away** (to avoid blows) Il.
ἐντροπή ῆς *f.* [ἐντρέπω] **1 respect, regard** (w.GEN. for someone) S.
2 compliance (w.GEN. of someone, w. another's wishes) Plb.
ἐντροπίαι ῶν Ion.*f.pl.* turnings this way and that, **trickeries** hHom. [or perh. concr., *windings, i.e. swaddling-clothes*]
ἔντροφος ον *adj.* [ἐντρέφω] **1** (of a person) **living in** (w.DAT. *misery*) S. ‖ MASC.SB. (ref. to a person) **nursling** (w.GEN. of a place) E. Arist.*lyr.*
2 (of a vine-stump) **grown in** (w.DAT. *a wood*) AR.
ἐν-τρῡλίζω *vb.* [τρῡλίζω app. *make the sound of a quail*] (of a slave-girl) **coo** or **whisper in the ear of** —w.DAT. *her master* Ar.
ἐν-τρυφάω *contr.vb.* **1** be treated with luxury, **be coddled** or **pampered** Plu.
2 make a luxurious gift to, **pamper** —w.DAT. *someone* Plu. ‖ PASS. (of a person) be pampered Plu.
3 revel or **luxuriate in** —w.DAT. *a royal palace* Plu. —*power* E.*fr.*; (of an adulterer) —*a marriage bed* Men.
4 be high and mighty, behave in a cavalier manner Plu. —w.DAT. *towards someone, one's office* E.*Cyc.* Plu. ‖ PASS. be treated high-handedly Plu.
ἐν-τρώγω *vb.* | aor.2 imperatv. ἔντραγε | **nibble** (food) Ar.
ἐν-τυγχάνω *vb.* | aor.pass.ptcpl. ἐντυχθείς (Plu.) | **1** happen to meet (persons); **meet, fall in with, encounter** —w.DAT. *someone* Hdt. E. Th. Ar. Att.orats. +; (of lightning) **strike** —w.DAT. *someone* X. ‖ MASC.PTCPL.SB. (sg. and pl.) person who comes one's way, casual passer-by Att.orats. Thphr.; (gener.) chance or random person (opp. selected) Th. Isoc.

ἐντυλίσσω

2 happen to meet (sthg.); **get in the path of** —w.DAT. *stones and arrows* Th.; **find on one's way, come upon** —w.DAT. *a herd of horses, a fortification, hill, canal, or sim.* Hdt. X.; **happen upon, find** —w.DAT. *a treasure* X.; (of a crocodile) —*a bait* Hdt.; (gener., of persons) —*friendships, arguments, or sim.* Isoc.
3 happen upon (a state of affairs); **meet with** —w.DAT. *shortage of food* Hdt. —*trouble* B. S.(dub.) —*an impossibility* Arist.; **find** —w.DAT. + PF.PTCPL. *someone in revolt* Hdt. —w.GEN. + PF.PASS.PTCPL. *a bridge dismantled* Hdt.; happen upon (an event), **happen to be there** E.
4 meet by design (usu. for conversation), **meet with** —w.DAT. *someone* Pl. D. Arist. Thphr. Men. Plu.; **meet** or **converse** —w.DAT. + τι *w. someone, on some business or about sthg.* Men. Plu.
5 **meet** or **find** —w.GEN. *someone* S.(dub.)
6 **have sexual intercourse with** —w.DAT. *someone* Plu.
7 **petition, appeal to** —w.DAT. *someone* Plb. NT. —(w.INF. or ὅπως + SUBJ. *to do sthg.*) Plu. ‖ PASS. be appealed to Plu.
8 **come across** —w.DAT. *a book, writings, remarks* Pl. Plu. ‖ MASC.PL.PTCPL.SB. **readers** (of a book) Plb.
9 (intr., of an occasion or opportunity) **arise** Th.; (of the first of the month) **happen to fall** (on a certain day) Pi.(tm.)
ἐν-τυλίσσω *vb.* [τύλη] ‖ aor. ἐνετύλιξα ‖ mid.pass.pf. ἐντετύλιγμαι ‖ **wrap up** —*oneself* Ar. —*a corpse* (W.DAT. or ἐν + DAT. *in a sheet*) NT. ‖ MID. **wrap oneself up** —w. ἐν + DAT. *in a cloak* Ar. ‖ PASS. (of a cloth) be folded up NT.
ἐντύνω (also **ἐντύω**) *ep.vb.* [reltd. ἔντεα] ‖ impf. ἔντυνον, also ἔντυον ‖ aor. ἔντυνα ‖ **1 make ready** —*horses* Il. hHom. E. —*a feast* B. —*a cup* Il. —*a bed* Od. AR. Mosch.; (of a wife) **prepare** or **provide** —*her husband's bed* (*i.e. share it*) AR.; **devise** —*a challenge* (w.DAT. *for someone*) AR. ‖ MID. make ready for oneself, **prepare** —*a meal* Hom. AR. —*cargo* Hes.; **make for oneself** —*an oar* AR. —*light* (*fr. a fire*) AR.
2 (gener.) **fulfil, make good** —*a promise* AR. ‖ MID. (of two rowers) make up the complement of, **occupy** —*one bench* AR.
3 (of a goddess) **make ready, array** —*herself* (W.ADV. *well*) Il. ‖ MID. (of a woman) **get oneself ready** Od.; **array oneself** —w.ACC. *in finery* AR.; (of a man) **prepare oneself** (for a contest) AR. ‖ PASS. (of ships) be equipped —w.ACC. *w. gear* AR.
4 (of singers) **start up** —*a song* Od.; (of a goddess) **inspire** —*someone's song* hHom. ‖ MID. (of performers) **embark** —w. ἐς + ACC. *upon a song, a dance* Call. Mosch.
5 (of a god, necessity) **urge on** —*someone* Thgn. Pi. —(w.INF. *to do sthg.*) Pi.
ἐν-τυπάς *adv.* [perh.reltd. τύπος] perh., in such a way as to show the impression of one's body, **closely, tightly** —*ref. to being wrapped up* Il. AR.
ἐν-τυπόω *contr.vb.* (of a sculptor) **model in** (to a scene on a shield) —*a figure of a person* Plu.
ἐν-τύφω *vb.* **engulf in smoke** —*wasps* Ar.
ἐντυχίᾱ ᾱς *f.* [ἐντυγχάνω] **encounter, meeting** Plb.
ἐντύω *ep.vb.*: see ἐντύνω
Ἐνυάλιος ου *m.* ‖ also ῠ Lyr.adesp. ‖ **1 Enyalios** (god of war, usu. identified w. Ares, but having a separate cult) Il. +; (epith. of Ares) Il.; (distinguished fr. Ares) Alcm. Ar.
2 (meton.) **battle** E.
3 ‖ app. ADJ. (of the mêlée) of war Theoc.; (of Bromios) warlike Lyr.adesp.
ἐν-υβρίζω *vb.* **behave outrageously** or **insultingly** (towards someone) E. Ar. Plu. —w.ACC. *towards someone* S. —w.DAT. *towards someone or sthg.* Plb. Plu.

ἐνυγρο-θηρευτής οῦ *m.* [ἔνυγρος *in water*] **one who hunts water-animals** (ref. to a fisherman) Pl.
ἐνυγροθηρικός ή όν *adj.* (of a hunter) **concerned with hunting water-animals** (opp. land-animals) Pl.
ἔν-υδρις ιος Ion.*f.* [ὕδωρ] a kind of aquatic animal; prob. **otter** Hdt. Ar.(cj.)
ἔν-υδρος ον *adj.* **1 containing water**; (of a vessel, ref. to a bath) **full of water** A.; (of a country or region) **well supplied with water** Hes.*fr.* Hdt. X.; (of clouds) **rain-filled** E.
2 **consisting of water**; (of a lake, a stream) **watery** E.; (of a substance) Pl.
3 (of nymphs, animals or a class of animals, reeds) **existing** or **living in water, water** S. Ar. Pl.; (of the singing of frogs) **in the water** Ar.
ἐν-υπάρχω *vb.* **1** (of characteristics, emotions, qualities, beliefs) occur as a permanent element, **be intrinsic** or **inherent** (oft. w.DAT. or PREP.PHR. in persons, humans, animals, other things) Pl. Arist.
2 (log., of the predicate in a definition) **be inherent** or **contained** —w. ἐν + DAT. *in the subject* Arist.
ἐνυπνιάζομαι *mid.pass.vb.* [ἐνύπνιον] **dream** NT. Plu.
ἐν-ύπνιον ου *n.* [ὕπνος] **1** that which comes in sleep, **dream** A. Pi. Hdt. Ar. Pl. +
2 ‖ ACC.ADV. **in sleep** —*ref. to a dream coming* Hom.; **in a dream** —*ref. to seeing sthg.* Men.; **only in a dream, as if in a dream** (opp. in reality) Ar.
ἐν-ύπνιος ον *adj.* (of visions) **seen in sleep** or **dreams** A. E.
ἐν-υφαίνομαι *pass.vb.* **1** (of figures) **be inwoven** (in a fabric) Hdt. —w. ἐν + DAT. *in a robe* Plu.
2 ‖ PF.PASS.PTCPL. (of a tapestry) **having** (w.ACC. figures) **inwoven** Thphr.
ἐνυφαντός όν *adj.* (of figures in a tapestry) **inwoven** Theoc.
Ἐνυώ οῦς *f.* **Enyo** (goddess of war) Il. Hes. A. Call.; (equiv. to Lat. *Bellona*) Plu.
ἐν-ωθέω *contr.vb.* ‖ aor. ἐνέωσα ‖ (of a tide) **thrust** —*sailors* (W.DAT. *onto a shore*) AR.; (of horsemen) —*themselves and their horses* (w. εἰς + ACC. *against the infantry's weapons*) Plu.
ἐνωμότ-αρχος (also perh. **ἐνωμοτάρχης**) ου *m.* [ἐνωμοτία, ἄρχω] **section-commander** (in the Spartan army) Th. X.
ἐν-ωμοτία ᾱς, Ion. **ἐνωμοτίη** ης *f.* [ὄμνυμι] **band of soldiers sworn by a common oath, section** (smallest unit in the Spartan army, consisting of betw. thirty-two and thirty-six men) Hdt. Th. X.
ἐν-ώμοτος ον *adj.* (quasi-advbl., of a person promising to do sthg.) **with an oath** Plu. ‖ MASC.SB. **sworn accomplice** Plu.
ἐν-ῶπα *adv.* [ὤψ] (phr.) κατ' ἐνῶπα (v.l. κατένωπα) **into the faces** (W.GEN. *of people*) —*ref. to looking* Il.
ἐν-ωπαδίς *adv.* **to one's face** —*ref. to addressing someone* AR.; **facing** or **face to face** —*ref. to sitting, appearing, attacking* AR.
ἐν-ωπαδίως *adv.* **full in the face** —*ref. to looking at someone* Od.
ἐνωπῇ *fem.dat.sg.adv.* **in full view, openly** —*ref. to doing wrong* Il.
ἐν-ώπια ων *n.pl.* **1** prob., faces (of brick walls covered w. plaster, in a courtyard, house, hut), **façades, walls** Hom.
2 perh. (pl. for sg.) **face, countenance** (of a goddess) A.
ἐν-ώπιον *adv. and prep.* **to one's face** —*ref. to speaking* Theoc.; (as prep.) **face to face with, before** —W.GEN. *someone* NT.; **in the eyes of, in the opinion** or **judgement of** —W.GEN. *someone* NT.
ἔνωρσα (aor.), **ἔνωρτο** (3sg.aor.2 mid.): see ἐνόρνῡμι
ἐν-ωτίζομαι *mid.vb.* [οὖς] **give ear to, pay attention to** —*someone's words* NT.

ἕξ *indecl.num.adj.* **six** Hom. +

ἐξ *prep.*: see **ἐκ**

ἐξαγγελίαι ῶν *f.pl.* [ἐξαγγέλλω] **taking away of reports** (by spies), **reporting** (to the enemy) X.

ἐξ-αγγέλλω *vb.* **1 bring** or **take a report** (fr. a place or source, usu. implied rather than stated, freq. W.DAT. to someone); **bring news, make a report, give information** Il. E. Th. Lys. +; (tr.) **report, announce** —*sthg.* Hdt. Att.orats. Pl. + —W.COMPL.CL. *that sthg. is the case* Hdt. S. X. —W.ACC. + INF. Hdt. X. —W.ACC. + PTCPL. *that someone is doing sthg.* X. —W.INDIR.Q. *what is the case* Pl. ‖ PASS. (of things) be reported Hdt. E. Isoc. +; (of a person) —W.NOM.PTCPL. *to be doing sthg.* X. ‖ IMPERS.PASS. it is (was) reported Hdt. X. Aeschin. —W.ACC. + INF. *that sthg. is the case* Hdt. X. + —W.COMPL.CL. Aeschin. —W.INDIR.Q. *what is the case* Hdt.
2 ‖ MID. **make an announcement on one's own account** or **about oneself; have one's message taken** —w. ἐς + ACC. *to someone* Hdt.; **give news of** —W.ACC. *one's own misfortune* Hdt.
3 ‖ MID. (of a ruler) **announce, promise** —*sthg.* S.; (of a god) **predict** —*good fortune* (W.DAT. *for someone*) E.; (of a person) **offer, propose** —W.INF. *to die* (*for others*) E.
4 ‖ PASS. (of the subject matter of poetry) **be expressed** —W.DAT. *in a certain style* Arist.

ἐξ-άγγελος ου *m.* **one who delivers a report, reporter, informant** (W.COMPL.CL. *that sthg. is happening*) Th.; (W.GEN. *about sthg.*) Pl.

ἐξαγγελτικός ή όν *adj.* (of persons) **apt to give out information, inclined to gossip** Arist.

ἐξάγγελτος ον *adj.* (of persons) **announced, reported** (as arriving) Th.

ἐξ-αγίζομαι *pass.vb.* (fig., of soldiers who will die in battle) app. **be taken as sacrificial victims** —W.GEN. *fr. their homes* A.

ἐξ-αγῑνέω *Ion.contr.vb.* (of a host) **take out** —*young men* (w. ἐς + ACC. *to gymnasia*) Hdt.

ἐξ-άγιστος ον *adj.* [ἁγίζω] **1 made untouchably sacred;** (of a harbour which is under a curse) **taboo** Aeschin.; (of religious matters that cannot be spoken of) S.
2 (of persons) **accursed, abominable** D.

ἐξ-αγκωνίζω *vb.* [ἀγκών] | fut. ἐξαγκωνιῶ | (of a wrestler) **put out one's elbows** (in squaring up); (gener., of a person) **use the elbows** (to dig opponents in the ribs) Ar.

ἐξ-άγνῡμι *vb.* | aor. (tm.) ἐξ ... ἔαξα | aor.pass.ptcpl. ἐξᾱγείς (dub., v.l. ἐξεαγείς) | **1** (of a lion) **break** —*an animal's neck* Il.(tm.)
2 ‖ PASS. (of a pine tree) **be broken off** (at the base) AR.

ἐξ-αγοράζω *vb.* **buy** —*sthg.* (w. παρά + GEN. *fr. someone*) Plb.; **buy up** —*property* (*in large amounts*) Plu.

ἐξ-αγορεύω *vb.* | aor. ἐξηγόρευσα | **tell of, declare, disclose** —*sthg.* Od. Hdt. Plu.; (intr.) **speak out, speak freely** Plu.

ἐξ-αγριαίνω *vb.* **1 create wildness** or **anger** (in persons or animals, w. speech and song) Pl.
2 (tr.) **enrage, exasperate** —*someone* Plu.; **embitter** —*someone* (w. πρός + ACC. *against another*) Plu. ‖ PASS. **be enraged** Plu.; **be exasperated** (by an argument) Pl.

ἐξ-αγριόω *contr.vb.* **1** ‖ PASS. (of sea) **be made rough** (by wind) Plu.; (of land) **be allowed to run wild** Aeschin.
2 reduce to savagery, brutalise —*part of one's soul* Pl. ‖ PASS. (of persons, a soul) **be made savage, be brutalised** Isoc. Pl.; (of a country) **be reduced to savagery** Isoc. Plu.; (of a woman) **be in a wild state of disarray** —W.ACC. *w. regard to her hair and face* Plu.
3 enrage —*someone* Hdt. E. ‖ PASS. (of persons, their spirits) **be enraged** Plu.

ἐξ-άγω *vb.* **1 lead** (persons) **out** or **forth** (fr. a place); **lead, bring** or **take** —*someone* (freq. W.GEN. or ἐκ + GEN. *fr. a house, city, country,* or *sim.*) Hom. Hes. Hdt. S. E. Th. + —(w. ἐκ + GEN. *fr. a boat*) Antipho —(W.GEN. *fr. battle*) Il. —(w. ἀπό + GEN. *fr. the darkness of the underworld*) hHom.; (of a plan) **secure the release of** —*someone* (w. ἐκ + GEN. *fr. a cave*) Od. ‖ PASS. (of persons) **be brought** or **taken out** (sts. W.GEN. or ἐκ + GEN. fr. a place) Hdt. E. Th. +
2 (specif., of a commander) **lead out** —*troops* Hdt. Th. Isoc. + —(w. ἐς + ACC. *to battle*) Hdt.; (intr.) **march forth** X.
3 lead forth, take out —*someone* (to execution) Hdt. Th. X. —(w. ἐπί + ACC. *on a hunt*) Hdt. X.
4 (of the goddess of childbirth) **bring forth** —*someone* (W.PREP.PHR. *into the light of day*) Il.
5 cause (someone) **to go out** or **away; induce** (W.ACC. someone) **to depart** —w. ἐς + ACC. *for another country* Hdt.; **secure the despatch of** —*an army* Th.
6 oust, remove —*a dancer* (fr. a chorus) And.; (leg.) **eject** —*a possessor* or *claimant* (sts. w. ἐκ + GEN. *fr. a property* or *sim.*) Is. D. ‖ PASS. (leg.) **suffer ejectment** D.
7 (of a healer, a god) **release, deliver** —*someone* (W.GEN. *fr. ailments, madness*) Pi. B. —*oneself* (w. ἐκ + GEN. *fr. life, i.e. kill oneself*) Plb.; **despatch, kill** —*oneself* Plu.
8 take (sthg.) **out** (of a place); **bring out** —*sthg.* (fr. a building) Ar. —*a rite* (w. ἐκ + GEN. *fr. a country, and introduce it into another*) Hdt.; **extract, draw out** (fr. a corpse) —*the brain, internal organs* Hdt. ‖ PASS. (of money) **be removed** —w. ἐκ + GEN. *fr. a city* Th.
9 (specif.) **export** —*goods* Hdt. Ar. X.; (mid.) And. X. ‖ PASS. (of goods) **be exported** D. ‖ NEUT.PL.PASS.PTCPL.SB. **exports** Arist.
10 lead off, divert —*a river, water* (w. εἰς + ACC. *to a place*) Hdt. D. ‖ PASS. (of water) **be drawn off** (fr. the land) —W.DAT. *by ditches* X.
11 extend —*a funeral mound, a wall* Il. D. ‖ PASS. (of a wall) **be extended** Th.
12 call forth, induce, elicit —*a tear* (W.DAT. *in someone*) E.; (mid.) —*laughter* (w. ἐκ + GEN. *fr. someone*) X.; (of small prizes) —*great expense and effort* (fr. competitors) X.
13 lead (someone) **on** or **astray;** (of persons, circumstances) **lead astray, tempt** —*someone* (w. ἐπί or ἐς + ACC. *into risks, evil ways, unnecessary grief*) E. Th.; (of wine, love, the pleasure of lamentation) **lead on, carry away** —*someone* Thgn. E. ‖ MID. (of money and success) **tempt** —*people* (W.GEN. *fr. good sense*) E. ‖ PASS. (of a person) **be carried away** (by emotion) Din. —W.DAT. *by passion* E. —W.INF. *into doing sthg.* Lys. Pl. X. D.

ἐξαγωγή ῆς *f.* **1 marching forth, advance** (of troops) X. Plb.
2 extrication (of a ship fr. shallows) Hdt.
3 exportation, export (of persons, goods) Hdt. Pl. D. Arist. Plb. Plu.; **right of export, export rights** (sts. W.GEN. for a particular commodity) Isoc. D. Thphr.
4 (leg.) **ejectment** (of one in possession of property, or of one asserting a claim to it) Is. D.
5 release, deliverance (W.GEN. fr. troubles) Plb.
6 resolution (of a dispute) Plb.; **ending** (W.GEN. of a war) Plb.

ἐξαγώγιμος ον *adj.* (of a commodity) **for export** Lycurg.

ἐξ-αγωνίζομαι *mid.vb.* **contend, put up a fight** —W.DAT. *by means of certain arguments* E.

ἐξ-αγώνιος ον *adj.* [ἀγών] (of arguments) **outside the contest, extraneous, irrelevant** Aeschin.

ἐξάδ-αρχος ου *m.* [ἑξάς, ἄρχω] **commander of a unit of six** (in the Persian army) X.

ἐξ-αδυνατέω *contr.vb.* **1 be completely unable** —W.INF. *to do sthg.* Arist. Plb. Plu.

ἐξᾴδω

2 be physically incapable (of doing sthg.) Plu.; (of an army) **be completely exhausted** Plb.

ἐξ-ᾴδω vb. (of a dying swan) **sing one's last** Pl.; (fig., of an old woman) **sing for one last time** —W.ACC. of one's blessings E.; (of a prisoner) **sing** —a swan-song (i.e. make a final appeal for his release) Plb.

ἐξαείρω ep.vb.: see ἐξαίρω

ἐξα-ετής ές adj. [ἕξ, ἔτος] **1** (of a period of time) **lasting six years** Plu.

2 (of a girl) **six years old** Theoc.

—**ἐξάετες** neut.adv. **for six years** Od.

ἐξ-αθροίζομαι mid.vb. (of a commander) **collect together, rally** —scattered troops E.

ἐξ-αθῡμέω contr.vb. **completely lose heart** Plb. Plu.

ἐξ-αιάζω vb. **bewail to the full** —an outrage E.

ἐξ-αιμάττω Att.vb. [αἱμάσσω] (of a charioteer) **draw blood from** —his horses (W.DAT. w. the goad) X.

ἐξ-αίνυμαι mid.vb. **1 take out, unload** (fr. a chariot) —gifts Od.

2 take away —someone's life Il.(sts.tm.); **deprive** —W.DBL.ACC. someone of life Il.

ἐξαίρεσις εως f. [ἐξαιρέω] **taking out, removal** (W.GEN. of a stone, fr. a wall; of entrails, fr. a sacrificed animal) Hdt. | see also ἔξαρσις

ἐξαιρετέος ᾱ ον vbl.adj. (of persons) **to be taken out** or **removed** (sts. w. ἐκ + GEN. fr. an army) X.

ἐξαίρετος ον, also (in section 1) **ἐξαιρετός** όν adj. **1** (of a stone) **removable** (w. ἐκ + GEN. fr. a wall) Hdt.

2 (of persons or things) **picked out, chosen, choice** Hom. A. Pi. Hdt. E. X. +

3 (of things, esp. gifts and privileges) **set aside, specially selected** (sts. W.DAT. for someone) Hdt. Att.orats. Pl. X. Plu.

4 (gener., of things) **special, choice, singular, exceptional** Pi. E. Isoc. Plu.; (of a person) Pi.

5 (of an action) **out of the ordinary** D.; (of a praetorship) **extraordinary** Plu.

6 (of persons or things) **excepted** (fr. a reckoning) E. Th. D.; (of money, ships) **set apart** (as a reserve) Th. And.

—**ἐξαιρέτως** adv. **particularly, especially** Plu.

ἐξ-αιρέω contr.vb. | ep.impf. (tm.) ἐκ ... ᾕρεον | aor.2 ἐξεῖλον, ep. ἔξελον ‖ pf.pass. ἐξῄρημαι, Ion. ἐξαραίρημαι | **1** take out (of a receptacle or sim., sts. W.GEN.); **take out, remove** —clothes, shields (fr. a chest, a room) Hom. —a person (fr. a cauldron) Pi. —a bow, steering-oars (fr. a ship) E. —cheeses (fr. a press) E. —figs, cakes (fr. a basket) Ar. —internal organs, thigh-bones (fr. persons or animals) Hdt. Ar. —a thorn (fr. a foot), an insect (fr. an eye) Ar. —a stone (fr. a lifting device) Hdt. —a letter (fr. a word) Pl.; (of a tongue) **draw** —speech (fr. the depths of the mind) Pi. ‖ MID. **take out, remove** —an arrow (W.GEN. fr. one's quiver) Il. —an arrow-head (w. ἐκ + GEN. fr. one's elbow) Ar. —a sword (fr. someone's hand) E.

2 ‖ MID. (of sailors, merchants) take out of one's ship, **unload** —cargo, gear, grain Hdt. Th. X.; (intr.) **unload** D.(contract) ‖ PASS. (of cargo) be unloaded Hdt. D.

3 select (fr. the spoils of war), **set aside, reserve** —a woman, animals (W.DAT. for a warrior, sts. W.PREDIC. γέρας as a special gift) Hom. —chosen spoils, allotments of captured land (for gods) Hdt. E. Th.; (gener.) —precincts and priesthoods (for someone) Hdt. —a rowing-bench (for someone) AR.(tm.); (of traders) —a tenth of one's profits (to pay for a dedication) Hdt. ‖ PASS. (of captured women, chosen spoils, privileges, land) be set aside or reserved —W.DAT. for a person, a god Hdt. E. Th. Pl.

4 ‖ MID. select for oneself (fr. the spoils), **pick out, choose** —women, objects Il. Hdt. S. —(W.GEN. fr. the spoils) Od.; **take as one's chosen spoil** —treasures (W.GEN. fr. cities) Il. —a woman (w. ἐκ + GEN. fr. a city) Il.; **take as one's special reward** —a gift (ref. to a wife) S.

5 ‖ MID. (gener.) **choose** —one method (w. ἐκ + GEN. out of many) X.

6 leave out of account, **except** —someone Hdt. X. —(W.GEN. fr. one's argument) Pl.; **set at naught, disregard** —oracles S.

7 remove (fr. a place, by eviction or killing), **get rid of, remove** —a populace Hdt. —birds (fr. a shrine) Hdt. —a boar (w. ἐκ + GEN. fr. a country) Hdt. —wild beasts, troublesome persons, corpses (W.GEN. fr. a land) E. —an Erinys (fr. a house) E.; (wkr.sens.) —a line of poetry Sol. —one stage in a procedure D.; (fig.) —spring (as the exemplar of what is most excellent, w. ἐκ + GEN. fr. the year) Arist. ‖ PASS. (of rulers) be removed Hdt.; (fig., of spring) —w. ἐκ + GEN. fr. the year Hdt. Arist.

8 take by force, capture —a city, a populace, or sim. Hdt. E. Th. X. D. —a house Men.; (fig., of speech) **master, conquer** —everything E. ‖ PASS. (of a populace) be taken by force Hdt.

9 do away with, eradicate, destroy —persons, a family, a wild animal, the Cyclops' eye E. —wasps' nests Ar.

10 put an end to —lamentation, disputes, fear, ignorance, love, distrust E. Isoc. Pl. X.; (mid.) —one's quarrel w. someone E.

11 perh. **deprive, rob** —W.DBL.ACC. milk of its cream Sol.

12 ‖ MID. take (someone) away (fr. someone's possession or control); **take away, steal** —someone Hdt. Trag. Ar. —W.DBL.ACC. someone fr. someone E.; (of hunters) —unfledged young (W.DAT. fr. parent birds) Od.

13 ‖ MID. take (sthg.) away (fr. someone); **take away** —someone's life Hom.(tm.) —life (W.ACC. or GEN. fr. someone, his limbs) Hom. —pleasure in life (W.GEN. fr. someone) E.; (of a god) —someone's voice Hes. —wits (W.GEN. or DAT. fr. someone) Il. Hes. —fear (W.GEN. fr. limbs) Od.(tm.) —light (W.GEN. fr. eyes) AR.(tm.); (of a person) **steal** —an object (W.GEN. fr. someone) Il.; (gener.) **remove** —a slander about oneself (W.GEN. fr. someone, i.e. fr. his mind) Pl. ‖ PASS. be robbed —W.ACC. of someone Hdt. —of enthusiasm for sthg. Th.; be weaned —W.ACC. fr. wrongdoing (by a teacher) Pl.

14 ‖ MID. **extricate, release** —someone (W.GEN. fr. war) Plb. —(w. ἐκ + GEN. fr. a siege, troubles) Plb. NT.

15 ‖ MID. (leg.) **secure the release of** —a person (εἰς ἐλευθερίαν for free status) Att.orats. [This formula describes a procedure for enforcing the temporary release of an alleged slave fr. a person claiming to be his master, by a third party who asserts that he is of free status, pending a trial of the issue.]

ἐξ-αίρω, ep. **ἐξαείρω** vb. | aor. ἐξῆρα, ep. ἐξήειρα (AR.), also (tm.) ἐκ ... ἄειρα | aor.mid. ἐξηράμην, dial. ἐξαράμην | **1 lift** or **carry out** —a cart (fr. a building) Il.(tm.) —treasures (fr. a ship) Od.(tm.) —a cuirass (fr. a house) Ar. ‖ MID. **carry out** —one's armour (fr. one's house) Arist.; (of policemen) —a person (fr. the Assembly) Pl.; **carry away** —a body S. Plu.

2 lift up (in the air), **lift, raise** —a person, an object Hdt. E. Men. Plb. Plu. —one's feet, hands S. Plb. —a tree (W.GEN. out of the ground) AR.; (of an eagle) **carry aloft** —a hare X.; (causatv.) **make** (W.ACC. someone) **rise** —w. ἐκ + GEN. fr. a seat S. ‖ PASS. (of things) be raised or lifted up Plb. Plu.; (of flames, dust, a cloud of lamentation) rise up E. Plb.

3 ‖ MID. **carry off for oneself, win, gain** —articles of spoil (W.GEN. fr. Troy) Od. —wages Od. —glory Archil. —a dowry Pi. —prizes (W.GEN. fr. contests) Theoc.

4 ‖ MID. app. **take upon oneself** —a trouble (envisaged as a burden) S.

ἐξαλείφω

5 raise —*the height of a hunting net* X. ‖ PASS. (of a wall) be raised in height Hdt.
6 raise up (in status or importance), **raise, exalt, elevate** —*a person, a family* Sol. Hdt. Pl.; (pejor.) **exaggerate, inflate** —*a matter* Aeschin. ‖ PASS. (of persons) be puffed up Plu. —W.PREP.PHR. *by pride* Pl.
7 rouse, excite, stir up —*one's wrath* S. —*one's spirits* (W.INF. *to singing*) E.; (of youth) **incite** —*someone's mind* (W. ἐς + ACC. *to crime*) Thgn.; (of fear) —*someone* (W.INF. *to take her life*) E.; (of lyre music) **arouse, elate** —*someone* S.Ichn. ‖ PASS. be excited, elated or buoyed up Trag. Plu.
8 (fig., of a young plant) **uplift** —*its life* (i.e. exult in its growth) S.
9 start up —*a dance* Ar.; (of a mission) **start off, send** —*someone* (W.ADV. *fr. home*) S.; (intr., of a commander, troops, sailors) **move off, set out** Plb.

ἐξ-αίσιος ον (also ᾱ ον X.) *adj.* **1** outside the proper measure; (of a prayer, fear) **immoderate, unreasonable** Il. A.; (of speech or action) **unfair, unjust** Od.; (of follies) **illicit** B.
2 (of natural phenomena) unusually strong; (of wind, rain, thunder, snowfalls, floods) **prodigious, inordinate** Hdt. X. Plb. Plu.; (of cold) **excessive** Pl.
3 (of laughter and tears) **excessive** Pl.; (of flight) **headlong** X.; (of applause) **tremendous** Plb.; (of an amount of provisions) **enormous** Plb.

—**ἐξαίσιον** *neut.adv.* **unreasonably, excessively** Od.

ἐξαίσσω *ep.vb.*: see ἐξάσσω

ἐξ-αϊστόω *contr.vb.* **annihilate** —*a person, a family* A. S.(cj.)

ἐξ-αιτέω *contr.vb.* **1** (act. and mid.) **ask for, request, demand** —*sthg.* S. E. Plb. —W.DBL.ACC. *sthg. fr. someone* S. E. —W.ACC. + GEN. E. —W.ACC.PERS. + GEN. *someone (as a wife) fr. her father* S.; **ask, beg** —W.ACC. + INF. *someone to do sthg.* S. E. ‖ MID. **ask permission** —W.ACC. + INF. *fr. someone to do sthg.* E.; (intr.) **make a request, ask, beg** S. E.
2 (act. and mid., of persons or states) ask for the surrender or extradition of, **demand** —*a suppliant, criminal, person to be held as hostage* Hdt. E. Att.orats. Pl. X. Plb. + ‖ PASS. (of a person) be demanded (as a hostage) D.; (for extradition) Plb.
3 (act.) ask for the surrender of, **demand** —*a slave* (*for torture*) Att.orats. —(W. 2ND ACC. *fr. someone*) D. —(W.INF. *to torture him*) D.
4 ‖ MID. (in legal ctxt.) **plead for the release of, intercede for** —*a defendant or sim.* Att.orats. X. Plu.; **intercede in** —*a prosecution* (*on someone's behalf*) Aeschin.; (intr.) **plead, intercede** Att.orats.; (of a god) **plead for the safety of** —*sailors* (*in a storm*) A. ‖ PASS. be interceded for (i.e. saved fr. punishment) Lys.
5 ‖ MID. **appeal to, plead with** —*someone* Lys.
6 ‖ MID. beg to escape punishment for, **beg forgiveness for** —*crimes* E.

ἐξαίτησις εως *f.* **1 demand** (for the surrender of a slave for torture) D.
2 intercession, plea (on a defendant's behalf) D.

ἔξαιτος ον *adj.* [ἐξαίνυμαι] **1** (of rowers, hecatombs, wine) **specially chosen, choice, select** Hom.
2 (of a person) **separate** (fr. others) AR.

—**ἔξαιτον** *neut.adv.* **especially** Call.

ἐξαίφνης, dial. **ἐξαίφνᾱς** *adv.* [reltd. ἐξαπίνης] **1 suddenly** Il. Stesich. Hdt.(dub.) Trag. Th. Ar. +; (phr.) τό γ' ἐξαίφνης *for the moment at least* D. ‖ NEUT.SB. (w.art.) the instant (as a point betw. motion and rest) Pl.
2 at the moment or **instant of** —W.PTCPL. *when sthg. is being done* Pl.

ἐξαιφνίδιος ᾱ ον *adj.* (of the growth of young people) **sudden** Pl.

ἐξ-ακέομαι *mid.contr.vb.* **1** (intr., of deities) **bring healing** Il.
2 (of persons) **make amends** (for wrongdoing) Pl.
3 (tr.) **assuage** —*one's anger* Il.; **appease** —*someone's anger* Od. Plu.
4 repair, mend —*clothes* Pl.; **remedy** —*someone's wants* X.

ἐξάκεσις εως *f.* **cure** (W.GEN. for sickness) Ar.

ἑξάκις (also ἑξάκι Call.) *adv.* [ἕξ] **1** on six occasions, **six times** Pi. Hyp. Plu.
2 (w. a number, in multiplication) ἑξάκις δύο (ἑξάκι δοιά) *six times two* Pl. Call.

ἑξακισ-μύριοι αι α *pl.adj.* [μῡρίος] **sixty thousand** Hdt. X. Plb. Plu.

ἑξακισ-χίλιοι αι α *pl.adj.* **six thousand** Hdt. Th. +

ἐξ-ακολουθέω *contr.vb.* **loyally follow** or **accompany** —W.DAT. *someone* Plb. Plu.; (of reputation, envy, goodwill, or sim.) **follow, attend upon** —W.DAT. *persons, circumstances* Plb.

ἐξ-ακοντίζω *vb.* **1 hurl, launch** —*a spear* X. Plu.; (intr.) **throw a spear** Plu.; **let fly** —W.DAT. *w. a spear* X.
2 thrust —*a sword* (W.PREP.PHR. *at one's liver*) E.; (of a suppliant) **shoot out** —*her hand* (W.GEN. *at someone's chin*) E.; (of Bacchants) **launch, dart** —*their limbs* (W.GEN. *fr. a place, i.e. rush away*) E.
3 (fig.) **launch** —*arguments* (W.PREP.PHR. *against another's arguments*) E.; **spell out, enunciate** —*someone's troubles* E.

ἑξακόσιοι αι α *pl.num.adj.* [ἕξ] **six hundred** Hdt. Th. +

ἐξάκουστος ον *adj.* [ἐξακούω] (of a voice, lamentation) **clearly heard, audible** Plu.

ἐξ-ακούω *vb.* hear clearly, **hear** —*a sound, someone's words* A. S. Plu. —W.GEN. *someone, his speech* Ar. Plu. —W.ACC. + PTCPL. *that someone is doing sthg.* S. —W.COMPL.CL. *that or how sthg. happened* S.; (intr.) **hear** (someone or sthg.) E. Plu. ‖ PASS. (of a person, a sound) be heard Ar. Plu.

ἐξ-ακριβόω *contr.vb.* **1** make exact, **render precisely, give in detail** —*an account of sthg.* S. Plb.; **be precise about** —*chronology* Plu.; **speak precisely** or **go into detail** Arist. —W.NEUT.ACC. or PREP.PHR. *about sthg.* Arist. Plb. Plu. ‖ PASS. (of a matter) be treated in detail or with precision Arist.
2 (of pleasure) **make accurate, sharpen** —*one's engagement in an activity* Arist.
3 perform with accuracy —*an activity* Arist.

ἐξ-ακρίζω *vb.* [ἄκρος] (of Erinyes) reach the heights of, **soar to** —*the upper air* E.

ἐξ-αλαόω *contr.vb.* | ep.aor. ἐξαλάωσα | **blind** —*Polyphemos, his eye* Od.

ἐξ-αλαπάζω *vb.* | ep.aor. ἐξαλάπαξα | **destroy, lay waste** —*a city* Hom. Hes. X. —*ships, a wall* Il.; **depopulate, empty, clear** —*a city* (*to plant new settlers in it*) Od.

ἐξάλειπτρον ου *n.* [ἐξαλείφω] **perfume-jar** Ar.

ἐξ-αλείφω *vb.* | pf.pass. ἐξαλήλιμμαι ‖ neut.impers.vbl.adj. ἐξαλειπτέον | **1** ‖ MID. (of warriors) **smear, daub, paint** —*one's body* (W.DAT. *w. chalk and ochre*) Hdt.; (perh.intr.) **anoint oneself** —W.DAT. *w. perfume* Sapph. ‖ PASS. (of a wall) be plastered Th.
2 wipe out, obliterate, erase —*decrees, laws (i.e. fr. the places where they were written up)* Att.orats. —*things written or painted* Isoc. Pl.(also mid.) X. —*stipulations in a treaty or oath* X. D. Plu. —*a person (i.e. his name, sts. w.* ἐκ + GEN. *fr. a list, fr. people on a list*) Att.orats. Pl. X. Arist. ‖ PASS. (of a person) be obliterated (fr. a painting) Plu.; be erased (fr. a list) Lys. D.; (of things written or painted) be wiped out or erased Lys. Pl. D.; (fig., of a person, compared to a statue, or perh. a painting) be wiped clean E.
3 wipe out, blot out, erase (fr. one's own or another's

mind) —*previous remarks* Pl. —*the capacity to understand* D. —*suspicion* Men.; (mid.) —*someone's suffering* (W.GEN. *fr. one's mind*) E.
4 blot out, annul —*legal provisions, accusations* D. Arist. —*an oracle* (*by satisfying its demands*) E. ‖ PASS. (of offences) be written off Lys. NT.; (of a reward) be annulled Aeschin.
5 (fig.) **wipe out, obliterate** —*a family, a person* A. E. —*a city and its population* (*w. additional connot. of their name and memory,* W. ἐκ + GEN. *fr. the whole Greek world*) Th. —*one's own ill-repute or inferiority, diversity betw. people* Plb. Plu.; (of time) —*friendships* Isoc. ‖ PASS. (of a nation's prosperity) be wiped out or obliterated Hdt.; (of a family, a name, honours due to gods) A. E. Plu.

ἐξ-αλέομαι *mid.contr.vb.* | *aor.inf.* ἐξαλέασθαι | **evade** —*the mind of Zeus* Hes.; **avoid** —*a day of ill omen, a hidden rock, a certain harbour* Hes. Archil. Ar.; **escape** —*the Clashing Rocks, someone's hands, destruction* AR.; **beware of** —*plots* AR.; (intr., of dogs) **keep clear** (of lions) Il.(tm.); (of persons) **avoid** (doing sthg.) Hes.; **escape safely** AR.

ἐξ-αλίνδω *vb.* [ἀλινδέομαι] | *aor.ptcpl.* ἐξαλίσας | pf. ἐξήλικα | **let** (W.ACC. a horse) **have a roll around** (in the dust) X.; (fig., of a son who spends too much on horses) **roll** —*a father* (W. ἐκ + GEN. *out of his money*) Ar.

ἐξαλλαγή ῆς *f.* [ἐξαλλάσσω] **change, alteration** (W.GEN. of customary behaviour) Pl.; (W.GEN. of a word, fr. its normal form) Arist.

ἐξ-αλλάσσω, Att. **ἐξαλλάττω** *vb.* **1** completely change, **change, alter** —*one's clothing* E. —*someone's appearance, a political system* Plu.; (of passing time) —*one thing or another* (*in a person's life*) Pi. ‖ MID. (of a person) **experience variation** —W.DAT. *in one's misfortunes* S.
2 (of a form of expression, a type of poetry) **change, vary** —*what is normal or everyday* (*in style or language*) Arist.; (intr.) **diverge** (fr. the norm) Arist. —W.GEN. *fr. what is suitable* Arist. ‖ PASS. (of a word) be altered (fr. its normal form) Arist.
3 (intr., of tragedy) **diverge** (in length, fr. its normal time-limit, i.e. a day, by exceeding it) Arist.
4 ‖ STATV.PF. (of a procedure) be different —W.GEN. *fr. another* Plb. ‖ PF.PASS.PTCPL.ADJ. (of things) different (W.GEN. fr. other things) Isoc. Plb.; (of circumstances, events) out of the ordinary Plb. Plu.
‖ NEUT.PF.PASS.PTCPL.SB. difference (W.GEN. of language) Plb.
5 change —*one's course* X.; **change to** —*a course* E.; change (the course of), **move back and forth** —*a* κερκίς *pin-beater* E.
6 change (one place for another); **leave behind** —*a country* E.
7 leave behind or **lose** —*one's swaddling-clothes* E.; **shed, get rid of** —*a burden of grief* E.
8 (of soldiers) **turn away** —*their undefended side* (W.GEN. *fr. the enemy*) Th. ‖ PASS. (of a soldier) back away or disengage oneself —W.GEN. *fr. a struggle* E.
9 ‖ FEM.PTCPL.ADJ. (of grace) surpassing E.(dub.)

ἐξ-άλλομαι *mid.vb.* | aor.1 ἐξηλάμην | aor.2 ἐξηλόμην, ep.athem.aor.ptcpl. ἐξάλμενος | **1** (of a person, hostile deity, lion, Harpy) **leap out, spring forth** (sts. W.GEN. fr. sthg. or somewhere) Il. S. Ar. X. Theoc. +
2 (of horses) **leap out of the way** (of camels) X.
3 (of a charioteer) **spurt ahead** —W.GEN. *of his competitors* Il.
4 (of horses) **rear up** X. Plu.; (of a person) **leap to one's feet** NT.; (fig., of a ravenous person's belly, perh. envisaged as a dog eager for scraps) **leap up** Call.(dub.)
5 (of chariot wheels) **fly off** (fr. axles) X.; (of teeth, when struck) **fly out** —W.GEN. *fr. a person's mouth* Tim.; (of a stone) **be discharged** (fr. a siege-engine) Plu.
6 (wkr.sens., of persons) **rush forth** or **out** (sts. W.GEN. fr. a place) Plu.; (of cattle) **rush away** Plu.

ἐξ-αλλος ον *adj.* [ἄλλος] (of dress, cuisine) **special, distinctive** Plb.
—**ἐξάλλως** *adv.* **in a distinctive** or **exotic manner** Plb.

ἐξ-αλος ον *adj.* [ἅλς] **1** (of a fish) app. **leaping out of the sea** Emp.
2 (of a blow fr. an enemy ship) **striking above water** Plb.

ἐξ-αλύσκω *vb.* | aor. ἐξήλυξα | (intr.) **escape** (fr. pursuers, a fate) A. E.; (tr.) **avoid, escape** —*a person, a calamity* E.; (mid.) —*the anger of a goddess* S.(dub.)

ἐξαλύω *vb.* **avoid, escape** —*an ill fate* hHom.

ἐξ-αμαρτάνω *vb.* **1 miss the mark, miss one's aim** —W.NOM.PTCPL. *in delivering a sword-stroke* X.; **be unsuccessful, fail** S. —W.NEUT.ACC. *in many things* Isoc.
2 err, make a mistake Trag. Th. Att.orats. Pl. +
3 do wrong, offend (freq. W.NEUT.INTERN.ACC. in some way, many times, or sim.) Hct. S. E. Th. Att.orats. + —w. εἰς + ACC. *against someone* A. Hdt. E. Att.orats. + —W. περί + ACC. Isoc.
4 ‖ PASS. (of an action) be performed wrongfully Antipho; be performed by mistake Pl.; (of a sickness) be treated wrongly X. ‖ PF.PASS.PTCPL.ADJ. (of certain forms of government) mistaken in principle Arist.
—**ἐξημαρτημένως** *pf.pass.ptcpl.adv.* **mistakenly** —*ref. to arguing* Pl.

ἐξαμαρτία ᾱς *f.* **offence, fault** S.

ἐξ-αμαυρόω *contr.vb.* (of a politician) **make thoroughly weak or faint, efface, nullify** —*the envy of others* (W.DAT. *by the greatness of his powers*) Plu. ‖ PASS. (of a person) obliterate oneself, disappear, vanish —W.PREP.PHR. *into the dark depths of the earth* E.*fr.*

ἐξ-αμάω *contr.vb.* | fut. ἐξαμήσω | fut.mid. ἐξαμήσομαι |
1 reap —*a harvest* E. Plu.(mid.); (fig.) —*a harvest of sorrow* A.; (intr.) **reap** (opp. sow) S.
2 tear out —*someone's guts* E.Cyc.(mid.) Ar.
3 ‖ PF.PASS. (fig., of a person) have (W.ACC. the root of one's whole family) mown down S.

ἐξ-αμβλόω *contr.vb.* [ἀμβλύς] **1 make barren** —*someone's womb* (*by drugs*) E.
2 (fig.) render abortive, **abort, miscarry** —*an idea* Ar.; (of pupils who have prematurely deserted their teacher) —*their future thinking* Pl. ‖ PASS. (of a matter) be aborted Ar.

ἐξ-αμβλύνομαι *pass.vb.* (fig., of military strength) **be blunted** —W.DAT. *by unremitting struggles* Plu.

ἐξ-αμβρύω *vb.* [ἀνά, βρύω] | aor.inf. ἐξαμβρῦσαι | (of the sun) **cause** (W.ACC. blessings) **to teem** —W.GEN. *fr. the earth* A.

ἐξ-αμείβω *vb.* **1** make an exchange; (intr., of toil upon toil) **come in alternation** E. ‖ MID. (of one task) **take over from, follow upon** —W.GEN. *another task* E.
2 ‖ MID. **recompense** —*someone* (W.DAT. *w. evil rewards*) A.
3 make a change (involving movement or removal); **remove, shed** —*trembling* (W.GEN. *fr. one's flesh*) E. ‖ MID. remove oneself, **depart** E.; (of smoke) **come out, issue** —W.PREP.PHR. *through chinks in a door* E.*fr.*
4 cross over —*a bridged headland* (i.e. a bridge betw. headlands) A. —*a stream* E. —*a threshold* AR.(tm.); **pass through** —*a region* X.

ἐξ-αμέλγω vb. extract milk; (of a baby) **suck out** —w.COGN.ACC. *milk (fr. a mother's breast)* A. ‖ PASS. (of cheese) be poured out (into baskets) E.*Cyc.*

ἐξ-αμελέω contr.vb. **be utterly neglectful** (of someone) Plu. —w.GEN. *of one's own affairs* Hdt. —w. ἐπί + GEN. *in someone's case* Arist. ‖ PASS. (of things) be utterly neglected Arist. Plu. ‖ IMPERS.PF.PASS. utter neglect has been shown —w. περί + GEN. *in the case of sthg.* Arist.

ἑξά-μετρος ον adj. [ἕξ, μέτρον] consisting of six metrical units; (of metre, verses) **hexameter** Hdt. Pl. ‖ NEUT.PL.SB. hexameter verses Arist.

ἑξά-μηνος ον adj. [μήν²] (of a magistracy, a truce) **lasting six months** Arist. Plb. ‖ FEM.SB. period of six months Hdt.

ἐξ-αμηχανέω contr.vb. get out of a difficulty; **devise a way out** —w.GEN. *of a situation* E.

ἐξ-αμιλλάομαι mid.contr.vb. | aor. ἐξημιλλησάμην ‖ PASS.: aor.ptcpl. ἐξαμιλληθείς, subj. ἐξαμιλληθῶ | **1** ‖ PASS. compete —w.COGN.ACC. *in a contest* E.; (of the Cyclops' eye) be put to the contest —w.DAT. *w. fire* E.*Cyc.*
2 perform (an activity) with competitive keenness; **hurl** —*a discus* E.(dub.); **cast** —*one's eyes* (W.PREP.PHR. *to the sky*) E.*fr.*; (of Erinyes) **relentlessly exert** —*terror* E.
3 drive, hound —*someone* (W.GEN. *fr. a land*) E.

ἐξ-αμπρεύω vb. **haul all the way** (to a place) —*a load* Ar.

ἐξ-αμύνομαι mid.vb. **protect oneself against, fend off** —*Erinyes, sickness, the sun's heat* A. E.

ἐξ-αμφοτερίζω vb. [ἀμφότερος] **make** (W.ACC. an argument) **ambiguous** or **contradictory** (by answering 'neither and both' to a question) Pl.

ἐξ-αναγιγνώσκω vb. **1 finish reading** —*a book* Plu.
2 read out aloud —*letters* Plu.

ἐξ-αναγκάζω vb. **1 compel, oblige** —W.ACC. + INF. *someone to do sthg.* S. E. Th. Isoc. X. —(W. ὥστε + INF.) S.*Ichn.*; (intr.) S. Ar. ‖ PASS. be obliged (to do sthg.) Hdt.
2 force out —*idleness* (fr. people, W.DAT. *by beatings*) X.

ἐξ-ανάγω vb. **1 bring up** —*someone* (W.GEN. *fr. Hades*) E.
2 (of a ship's passage) **take** (sailors) **out to sea** (fr. a lake) AR. ‖ PASS. (of sailors, ships) put out to sea Hdt. S. Th.

ἐξ-αναδύομαι mid.vb. | act.athem.aor. ἐξανέδῦν | **1** (of seals, a swimmer) **rise up out of, emerge from** —W.GEN. *sea, surf* Od.; (of Odysseus) —W.ACC. *Hades* Thgn.(dub.)
2 (fig., of a philosopher) **emerge** or **escape from** —W.GEN. *Becoming (i.e. the transient world, opp. Being, the world of ultimate reality)* Pl.; (of a commander) **evade** —W.GEN. *open warfare (by guerilla tactics)* Plu.

ἐξ-αναζέω contr.vb. (fig., of Typhon) **boil over** —W.ACC. *w. rage* A.

ἐξ-αναιρέω contr.vb. **pick up, remove** —*someone* (W.GEN. *out of a fire*) hHom.; **take out** (fr. a casket) —*a drug* AR. ‖ MID. (of Athena) **take up** —*Erikhthonios* (as a baby, W.ADV. *fr. the earth, out of which he sprang*) E.

ἐξ-ανακρούομαι mid.vb. (of sailors) row (a ship) back out (fr. a place), **push off from shore** Hdt.

ἐξ-ανᾱλίσκω vb. | aor. ἐξανάλωσα | **1 entirely spend, exhaust** —*financial resources* Ar.(cj.) Plu. ‖ PASS. (of financial resources) be exhausted D.; (of a populace) be financially ruined Aeschin.
2 exhaust, waste —*the power of a magistracy* (W.PREP.PHR. *on inessential matters*) Plu.
3 (of a god) **utterly destroy, extinguish** —*a family line* A.

ἐξ-ανᾱλόω vb. (of a god) **release** —*someone* (W.GEN. *fr. a predestined death*) Il.

ἐξανάλωσις εως f. [ἐξαναλίσκω] **exhaustion** (W.GEN. of one's physical strength) Plu.

ἐξ-αναπάλλομαι mid.vb. | 3sg.athem.aor. ἐξανέπαλτο | (of Athena) **spring forth** —W.GEN. *fr. Zeus' head* Ibyc.

ἐξ-αναπληρόω contr.vb. (of a trierarch) **supply in full** —*a ship's crew and gear* D.

ἐξ-αναπνέω contr.vb. **recover breath** Pl.

ἐξ-ανάπτω vb. | pf.pass.ptcpl. ἐξανημμένος | **1 fasten, attach** —*a rope* (to a ship) E. —*an anchor* (W.GEN. *to cat-heads*) E.
2 ‖ MID. (fig.) **attach to oneself** —*infamy* E.
3 | PF.PASS.PTCPL.ADJ. (of a woman) draped (prob. W.ACC. in a garment) E.*fr.*

ἐξ-αναρπάζω vb. seize and carry off, **snatch away** —*a person, an animal* E.

ἐξ-ανασπάω contr.vb. **pull up** —*statues* (W. ἐκ + GEN. *fr. their bases*) Hdt. —*a fir tree* (W.GEN. *fr. the earth*) E.; (of a giant) —*a city* (fr. *its foundations*) E.

ἐξανάστασις εως f. [ἐξανίστημι] **1 expulsion** (of a populace, fr. a region) Plb.
2 emigration Plb.
3 rising to one's feet (after a fall) Plb.

ἐξ-αναστέφω vb. **garland, crown** —*a thyrsos* (W.DAT. *w. ivy*) E.

ἐξ-αναστρέφομαι pass.vb. (of shrines) **be overturned** —W.GEN. *fr. their foundations* A.

ἐξ-ανατέλλω vb. **1** (of deities) **make** (W.ACC. grass) **shoot up** —W.GEN. *fr. the earth* AR.; (fig., of Perikles) **cause** (W.ACC. uproar) **to arise** —w. ἐκ + GEN. *fr. his head* Plu.(quot.com.); (of a musician) **bring to new life** —W.ACC. *the lyre* Tim.
2 (intr., of primeval creatures) **spring forth** (sts. W.GEN. fr. the earth) Emp.; (of the peacock) —w. ἀπό + GEN. *fr. the blood of the slain Argus* Mosch.; (of seeds) **put forth plants** NT.

ἐξ-αναφανδόν adv. **clearly, plainly, openly** —*ref. to speaking* Od.

ἐξ-αναφέρω vb. (intr.) **bear up** —w. πρός + ACC. *against uncertainty* Plu.; (of a sailor in a storm) **hold out, pull through** Plu.

ἐξ-αναχωρέω contr.vb. **1** (usu. of troops) **retire, retreat** (sts. W.PREP.PHR. to or fr. a place) Hdt. Plu.
2 (of a person) **back out of** —W.ACC. *what one has said* Th.

ἐξ-ανδραποδίζω vb. | aor. ἐξηνδραπόδισα ‖ MID.: fut. ἐξανδραποδιοῦμαι, Ion. ἐξανδραποδιεῦμαι (Hdt., sts. as pass.) | **1** (act., more freq. mid.) **reduce to slavery, enslave** —*populaces, groups of persons, places* Hdt. Att.orats. Pl. X. Plb.; (fig.) **make** (W.ACC. an army) **the slave** —W.DAT. *to money* (by bribery) Plu. ‖ PASS. (of persons, places) be enslaved Hdt. Att.orats. Plb. Plu.; (fig., of a person) be reduced to a puppet —W.DAT. *by a bribe* Plu.
2 ‖ MID. **confiscate** —*dead persons' properties* Plb.

ἐξανδραπόδισις ιος Ion.f. **imposition of slavery, enslavement** Hdt.

ἐξανδραποδισμός οῦ m. **enslavement** (W.GEN. of a place or populace) Plb.

ἐξ-ανδρόομαι mid.pass.contr.vb. | pf.ptcpl. ἐξηνδρωμένος, Ion. ἐξανδρωμένος | **1 grow to manhood** Hdt. E. Ar.
2 (of a company of Theban soldiers, as descendants of the Sown Men) **be sprung** —W.GEN. *fr. the dragon's teeth* E.

ἐξ-άνειμι vb. | only pres.ptcpl. ἐξανιών | **1** go up from (a place); (of a deity, beasts) **come up out of** —W.GEN. *the sea* AR.; (of a sunbeam) **be reflected up from** —W.GEN. *water* AR.; (of coils of smoke) **rise up** —W.ADV. *fr. below* AR.
2 (of sailors) go out to sea from, **set out from** —W.GEN. *a country* AR.
3 go back from, **return from** —W.GEN. *hunting* hHom. AR.

ἐξ-ανεμόω contr.vb. [ἄνεμος] **1** (fig.) make (sthg.) into wind (exemplifying that which is fleeting and insubstantial); (of Hera) **turn into thin air** —*Helen's marriage w. Paris (by substituting a phantom of aither for her)* E. **2** inflate with wind ‖ PASS. (fig., of a person) **be puffed up** —W.DAT. *w. folly* E.

ἐξανέπαλτο (3sg.athem.aor.mid.): see ἐξαναπάλλομαι

ἐξ-ανέρχομαι mid.vb. | aor.2 ptcpl. ἐξανελθών | (of a dead person) **come up from** —W.GEN. *the earth* E.

ἐξ-ανευρίσκω vb. **1 find, discover** —*a person, path, grave, the answer to a question* Plu. **2 find, devise** —*things to say* S.

ἐξ-ανέχω vb. | MID.: impf. ἐξηνειχόμην, aor.2 ἐξηνεσχόμην | **1** (intr., of a gravestone) **rise up from** —W.GEN. *a tomb* Theoc.; (of a headland) **jut out from** —W.GEN. *land* AR. **2** ‖ MID. **bear, endure** —W.NOM.PTCPL. *hearing or seeing sthg.* S. E. Ar.; **put up with** —W.ACC. + PTCPL. *someone doing or suffering sthg., sthg. being decided* S. E. —W.ACC. *sthg.* Ar.(cj.); (intr.) **endure** (someone's behaviour) Ar.

ἐξ-ανθέω contr.vb. **1** (of the earth) **put forth flowers** X.; **put forth** —*hemlock* Plu. **2** (fig., of the sea) **blossom** —W.PREDIC.ADJ. *blood-red* E.; (of outrage, as if a flower) **blossom forth** A.; (of discord, vices, dissimilarities) Pl. Plu.; (of courage, if uncontrolled) —W.DAT. *in acts of madness* Pl.; (of a belief) —W. ἐκ + GEN. *fr. a supposition* Arist. **3** (of a body smeared w. naphtha) **burst out** —W.ACC. *into flame* Plu.; (of an arm) **give out, sweat** —*oil of roses* Plu.; (of a plain) **give off** —*dust* Plu.; (of putrefying animals) **breed** —*bees and wasps* Plu. **4** (medic., of a body infected by plague) **break out** —W.DAT. *in pustules and ulcers* Th.; (of a rash, a fever) Plu.; (of a disfiguring mark) —W.GEN. *on someone's body* Plu.

ἐξ-ανθίζομαι mid.vb. (fig., of a woman) **blossom forth, prettify oneself** Ar.

ἐξ-ανίημι vb. | iteratv.impf. ἐξανίεσκον (AR.) | fut. ἐξανήσω, also mid. ἐξανήσομαι | **1** cause (sthg.) to issue forth; (of bellows) **send forth** —*a blast of air* Il.; (of a god) —*a fountain of wine (fr. the ground)* E.; (of the earth) —*a stream* Call. —*Erikhthonios, armed men (ref. to the Sown Men)* E.; (of a river, putrefying matter) —*a smell, a vapour* AR. Plu.; (of a person) **draw forth** —*blood (w. a knife)* E.; **pronounce** —*curses* (W.DAT. *against someone*) S. **2** (w. the source specified) **pour forth** —*streams of tears* (W.GEN. *fr. one's eyes*) E.; **belch forth** —*foul breath (fr. one's gullet)* E.Cyc.; (of a woman) **throw** —*a thyrsos (fr. her hand)* E.; **deliver** —*a child (fr. her womb)* Pi. **3** (intr., of a river) **issue forth, arise** —W.GEN. *in a land* AR. **4** (of a person) **loosen, undo** —*straps* E.; reduce pressure on, **let off** —*an enemy* E.; **lessen, abate** —*one's virtuous behaviour* Plu. **5** (intr., of a painful disease) **abate** S.; (of a person) **let up, relent** —W.GEN. *fr. one's anger* E.

ἐξ-ανίστημι vb. | aor.1 mid. ἐξανεστησάμην ‖ aor.pass. ἐξανεστάθην ‖ The act. and aor.1 mid. are tr. For the intr.mid. see ἐξανίσταμαι below. The act. athem.aor. and pf. are also intr. | **1 lift up, raise** —*one's body, knee, face* E. **2 make** (W.ACC. someone) **get up** (fr. a seat or sim.) E. Pl. D. Plu. —W. ἐκ + GEN. *fr. a suppliant posture* E.; **order** (W.ACC. an ambush, i.e. the men in it) **to rise up or emerge** X.; **raise up, bring back to life** —*the dead* S.; (of a satyr) **make** (W.ACC. his phallus) **stand up** E.Cyc. **3** cause (persons) to depart (fr. a place); **uproot, remove, expel** —*a populace or group of people* Hdt. Th. Lycurg. —(W.ADV. or ἐκ + GEN. *fr. a place*) Hdt. —(W.GEN. *fr. their homes*) S.; **expel** —*a person (fr. one's city)* S.; **oust** —*officials* Hdt. **4 uproot, destroy, lay waste** —*a city* Hdt. E. —*a country* E.; **eradicate** —*a populace* Plb. ‖ PASS. (of a city) **be uprooted or laid waste** E. **5 raise, start up** —*animals (fr. their lairs)* X. **6** bring into being, **engender** —*offspring* (W.DAT. *for a dead brother, by marrying his widow*) NT.

—**ἐξανίσταμαι** mid.vb. | imperatv. ἐξανίστασο, also ἐξανίστω (E.) | also ACT.: athem.aor. ἐξανέστην | pf. ἐξανέστηκα | **1 stand up, get up, rise to one's feet** (sts. W.GEN. or ἐκ + GEN. *fr. one's seat*) Hdt. S. Pl. X. +; **get up** —W.GEN. or ἐκ + GEN. *fr. bed* E. X.; **rise and depart** (after a meal, a meeting, or sim.) Isoc. Pl. X. + —W. εἰς + ACC. *for a place, a walk* Pl. X.; (of a suppliant) **get up and leave** —W.GEN. *a shrine* E. ‖ PF.ACT. (of a dead person) **have risen up** —W.GEN. *fr. the underworld* S.fr. **2** (of soldiers) **rise up, come out** (fr. ambush) Th. X. —W.GEN. or ἐκ + GEN. *fr. ambush* E. Plb. **3** (of a commander) **move one's location** Th.; (of troops) **move into action** X. Plb. Plu. **4** (of a populace) **emigrate** Plb. —W.GEN. or ἐκ + GEN. *fr. a place* Pi. Hdt.; **be removed** or **be forced to emigrate** (sts. w. ἐκ + GEN. fr. a place) Hdt.; (of Zeus) **be removed, be deposed** —W.GEN. *fr. his throne* A. **5** (of a place) **be depopulated** Hdt. ‖ PF.ACT.PTCPL. (of cities) **laid waste** D. **6** ‖ PF.ACT.PTCPL. (of a mountain) **rising** —W. ἐκ + GEN. *fr. the surrounding land* Plb.

ἐξανιών (ptcpl.): see ἐξάνειμι

ἐξ-ανοίγω vb. **lay open, reveal** —*one's schemes* Ar.

ἐξ-άντης ες adj. [ἄντα] (medic., of a sick person) **free from** (illness), **out of danger** Pl.

ἐξ-αντλέω contr.vb. **1 draw off, drain** —*water* Pl. **2** (fig.) drain to the dregs, **bear to the bitter end** —*a labour, a trouble* E.; (wkr.sens.) **endure, have to put up with** —*a destiny* E.Cyc. —*a miserable life* Men.

ἐξ-ανύω, Att. **ἐξανύτω**, also **ἐξανύσσω** (S.) vb. | Att.impf. ἐξήνυτον | fut. ἐξανύσω, ep. ἐξανύω | aor. ἐξήνυσα | **1** bring (sthg.) to completion or fulfilment; (of a god) **accomplish** —*the plans of a goddess* Il.; (of a person) **perform, discharge** —*religious rites* S.; **fulfil, suffer** —*a dire fate* S.; **achieve** —*one's goal* E.; **complete** —*a war, a task, or sim.* E. AR.; **bring about** —*sorrows (for oneself)* E.; **carry out** —*an instruction* AR.; perh. **impose** —*an obligation* (W.DAT. *on someone*) S.; perh. **make** —*someone's life* (W.PREDIC.ADJ. *free fr. pain*) S. **2** ‖ MID. bring (sthg.) about for oneself; **find** —*a remedy for one's troubles* E.; **obtain** —*burial* (W.DAT. *for one's children*) E.; (of satyrs) **a drum** (w. παρά + GEN. *fr. a goddess*) E. **3 succeed** (in doing sthg.) X. —W.INF. *in doing sthg.* E. **4** make an end of, **slay** —*a warrior* Il. —*wild beasts and monsters* E.; **end** —*one's life* E. **5 traverse** —*a path* Theoc. **6** (intr.) complete a journey, **arrive** —W.PREP.PHR. *at a place* Hdt.; **journey to** —W.ACC. *the underworld, heaven* S. E. **7** (periphr.) put into effect, **ply** —*a swift step (i.e. walk swiftly)* E. —*a race* (W.DAT. *on foot, i.e. run*) E.

ἐξ-απαείρω dial.vb. [ἀπαίρω] **clear away** —*dishes* Philox.Leuc.

ἐξα-πάλαστος (or **-πάλαιστος**) ον adj. [ἕξ, παλαστή] (of a cubit, as a unit of measurement) **equal to six palm-breadths** Hdt.; (of ingots) **measuring six palms** (in length) Hdt.

ἐξ-απαλλάσσω vb. **1 remove, free** —someone (W.GEN. fr. troubles) E.; (intr.) **take leave, be rid** —W.GEN. of life E. ‖ PASS. **be freed, escape** —W.GEN. fr. troubles, disaster Hdt. S. **2** ‖ PASS. **back out** —W.GEN. of what one has said Th.

ἐξ-απατάω contr.vb. | iteratv.impf. ἐξαπατάσκον (Ar.) ‖ PASS.: fut. ἐξαπατήσομαι (X.) | **1 thoroughly deceive, deceive, trick, cheat** —someone, the mind Hom. Hes. Thgn. Hdt. Ar. Att.orats. + —(W.NEUT.ACC. in sthg.) Ar. Isoc. +; (intr.) **be deceitful, cheat** Th. Ar. Att.orats. +; (of stories) Pi. ‖ PASS. **be deceived** Hdt. E. Th. Ar. +; **be cheated out of** —W.ACC. one's dinner Ar.
2 trick —someone (W.COMPL.CL. into believing that sthg. is the case) Pl. X. —(w. ὥστε + INF. into doing sthg.) X.
3 seduce —someone's wife Hdt.

ἐξαπάτη ης f. **deception, deceit** X. D. ‖ PL. **deceits, tricks** Hes. Thgn.

ἐξαπατητικός ή όν adj. (of a stratagem) **capable of effecting a deception** (W.GEN. of the enemy) X.

ἐξαπατύλλω vb. (of a politician) **deceive, dupe** —the people Ar.

ἐξ-απαφίσκω vb. | only aor.1 ἐξηπάφησα (hHom.), and aor.2 ἐξήπαφον | **deceive, trick, cheat** —a person, the mind Od. Hes. hHom. E. AR.; (mid.) Il.

ἐξά-πεδος ον adj. [ἕξ, πούς] (of a fathom) **consisting of six feet** Hdt.

ἐξ-απεῖδον aor.2 vb. [ἀφοράω] **see from afar** —a person S.

ἐξα-πέλεκυς εως masc.fem.adj. [ἕξ] **having six axes** (carried by lictors in the *fasces*, i.e. having six lictors, the number who accompanied a praetor when outside Rome or in command of an army); (of a commander) **of praetorian rank** Plb.; (of his office) **praetorian** Plb. ‖ MASC.SB. **praetor** Plb.

ἑξά-πηχυς υ, gen. ους (Ion. εος) adj. [πῆχυς] (of carved figures) **measuring six cubits, nine feet tall** Hdt.; (of a shield) X.(dub.) | cf. ἕξπηχυς

ἐξαπιναῖος (or **ἐξαπίναιος**) ᾱ ον (also ος ον) adj. [ἐξαπίνης] (of actions or occurrences) **sudden** X. Call. Plb.
—**ἐξαπιναίως** adv. **suddenly** Th. X.

ἐξαπίνης, dial. **ἐξαπίνᾱς**, also **ἐξάπινα** (NT.) adv. [reltd. ἐξαίφνης] **suddenly** Hom. +; (quasi-adjl., of spring) **suddenly appearing** Theoc.

ἐξά-πλεθρος ον adj. [ἕξ, πλέθρον] (of a stade) **consisting of six plethra** Hdt.

ἐξαπλήσιος η ον Ion.adj. (of an object) **six times larger** (W.GEN. than another) Hdt.

ἐξ-αποβαίνω vb. **disembark** (usu. W.GEN. fr. a ship) Od. AR.

ἐξ-αποδύνω vb. **take off** —one's clothes Od.

ἐξά-πολις ιος Ion.f. [ἕξ, πόλις] **Hexapolis, Six Cities** (a confederacy of Dorian cities in the SE. Aegean, consisting of Halikarnassos, Lindos, Ialysos, Kameiros, Knidos and Kos) Hdt.

ἐξ-απόλλυμι vb. | pf. ἐξαπόλωλα | aor.2 mid. ἐξαπωλόμην | **1 utterly destroy** —a household E.; **destroy, kill** —a person, wild beasts Trag. ‖ MID. and PF.ACT. (of a tribe, of things) **perish utterly, be completely destroyed** Emp. Hdt.; (of a rite) **be completely lost, disappear** (fr. a land) Hdt.
2 ‖ MID. and PF.ACT. (of persons) **perish from, be lost from** —W.GEN. a city Il.; (of seed, fig.ref. to a populace) —a land A.; (of treasures) —houses Il.; (of the sun) —the sky (in a mist) Od.

ἐξ-απονίζω vb. **wash** —someone's feet (W.GEN. fr. a basin, i.e. w. water fr. it) Od.

ἐξ-αποξύνω vb. **sharpen** —a stake E.Cyc.

ἐξ-απορέω contr.vb. [ἀπορέω¹] | aor.pass. (w.act.sens.) ἐξηπορήθην (Plu.) | **be in great uncertainty** or **difficulty** Pl. Arist. Plu.

ἐξ-αποστέλλω vb. **1 send out, despatch** —an ambassador, messenger, commander, troops, or sim. Plb. NT. ‖ PASS. (of persons) **be despatched** Plb.
2 send back, send home —a captive Plb.; **send away, dismiss** —someone (W.PREDIC.ADJ. empty-handed) NT.

ἐξαποστολή ῆς f. **despatch** (of persons, troops, ships, or sim.) Plb.

ἐξ-αποτίνω ep.vb. **pay in full, satisfy** —Erinyes Il.

ἐξά-πους πουν, gen. ποδος adj. [ἕξ, πούς] (of a statue) **six feet tall** Plu.

ἐξ-αποφθείρω vb. **utterly destroy** —someone S.; **extinguish** —people's lives A.

ἐξ-άπτω vb. **1 fasten, attach** —sthg. (to sthg. else) Il. Ar. —someone or sthg. (W.GEN. to sthg.) Hom. E. AR. Plu. —(w. ἐκ + GEN.) Hdt. —(w. ἀπό + GEN.) X. ‖ MID. (intr.) **hang on** (to a rope) Il. ‖ PASS. (of things) **be attached** (to sthg. else) X. Plb.
2 (of a suppliant) **attach** —one's body (W.PREDIC.SB. as if an olive branch, W.DAT. to someone's knees) E.; **press upon** (someone) —prayers (envisaged as an olive branch) E.
3 put —garments (W.GEN. on someone's body) E. —(w. ἀμφί + DAT. on someone) E. —(W.DAT. over a corpse) E. ‖ MID. **attach to oneself** (i.e. around one's waist, neck or wrist) —signet rings, bells Ar. D.; **put** (W.ACC. clothes) **on** —W.GEN. one's body E.
4 make or **propose a link** (betw. two things); **make** (W.ACC. a city) **dependent upon** —W.GEN. naval power Plu.; **attribute** —W.ACC. one's actions (W.GEN. to fortune) Plu.
5 ‖ MID. **hang upon, keep close to** —W.GEN. an enemy's rear, his line of march Plb. Plu.; (of troops, sailors) **make contact** or **engage** (sts. W.GEN. w. an enemy) Plb. Plu.; **attack** —W.GEN. a country Plu.
6 ‖ MID. **apply oneself to** —W.GEN. activities Plu.
7 kindle —a flame Plu.; (fig., of a populace) —someone's enthusiasm and ambition Plu. ‖ PASS. (of naphtha) **be kindled** Plu.; (fig., of persons) **be kindled** (by or to philosophical discussion) Pl.

ἐξ-απωθέω contr.vb. | aor. ἐξαπῶσα | **thrust away, repel** —someone E.

ἐξαραίρημαι (Ion.pf.pass.): see ἐξαιρέω

ἐξᾱράμην (dial.aor.mid.): see ἐξαίρω

ἐξαράομαι mid.contr.vb. **pronounce** —W.COGN.ACC. curses S.(tm.)

ἐξ-αράσσω vb. **1 knock out** —someone's teeth Semon. —mucus (fr. one's nose) Hippon.; (of a wave) —a mast (fr. its socket) Od.(tm.); (of a person) **knock out of place** —a barrier Ar.
2 knock —stubbornness (W.GEN. out of someone) Ar.
3 (of a storm) **shatter, wreck** —sailors Men.

ἐξ-ᾱργέω contr.vb. (of a person) **be completely inactive** Arist.; (of a king's power) **decline, wane** Arist. ‖ PASS. (of actions) **be unperformed** S.

ἐξάργματα των n.pl. [ἐξάρχω] **first pieces** (of flesh cut fr. a murdered person, ref. to his extremities) AR.

ἐξ-αργυρίζω vb. **1 convert into cash, sell off, liquidate** —property D.; (mid.) Is. ‖ PASS. (of property; fig., of a country) **be sold off** Plu.
2 ‖ MID. **strip of all money, plunder** —people Plb.

ἐξ-αργυρόω contr.vb. **convert into cash, sell off** —property, one's bedding Hdt. Th.

ἐξ-άρδω vb. (of a spring) **water** —a plain E.fr.

ἐξ-αρέσκομαι mid.vb. | aor.inf. ἐξαρέσασθαι | **1 propitiate** —gods X.; (intr.) **perform propitiatory sacrifices** Aeschin. **2 appease, conciliate** —persons D.

ἐξ-αριθμέω contr.vb. **1 count up, number** —troops, ships, objects Hdt. Pl. ‖ PASS. (of troops) be counted up Hdt. **2 count out** —money D. —(W.DAT. for someone, i.e. pay him) D. **3 enumerate, recount, catalogue** —events, speeches, wrongs, virtues, or sim. Isoc. Arist.; (mid.) D. Plb. ‖ PASS. (of things) be enumerated Arist.

ἐξαρίθμησις εως f. **recounting, narrative** (W.GEN. of one's actions) Plb.

ἐξ-άριθμος ον adj. [ἔξ, ἀριθμός] (of a place for competitions, ref. to Olympia) **numbering six** (W.GEN. in terms of altars, or perh. of contests) Pi.

ἐξ-αρκέω contr.vb. | fut. ἐξαρκέσω | aor. ἐξήρκεσα | **1** (of things) **be enough, be sufficient, suffice** E. Att.orats. Pl. + —W.DAT. for someone or sthg. Heraclit. S. Att.orats. Pl. + —W.PREP.PHR. for sthg. Lys. Isoc. Pl. + —W.INF. for doing sthg. Pl. **2** (of things) **satisfy, be satisfactory for** —W.DAT. someone E. **3** ‖ IMPERS. **it is enough** Pl. Is. —W.DAT. for someone (i.e. he is satisfied or content) And. Pl. —(+ INF. to do sthg.) Hdt. Att.orats. Pl. + —(+ DAT.PTCPL. to have sthg.) D. **4** (of a god or person) **be sufficient** (for someone's needs) E. Pl.; **give satisfaction** —W.NOM.PTCPL. by doing sthg. Ar. —in doing sthg. (i.e. do enough of it) X. **5** (of Zeus) **have the capacity** —W.INF. to punish everyone E.fr.; (of a person) **be strong enough, be a match** —W.DAT. for everyone E. **6** (of persons) **be satisfied** or **content** —W.DAT. w. sthg. Pi. —W.NOM.PTCPL. to have sthg. E.; (mid.) —W.INF. to do sthg. Plb. **7 give help** —W.DAT. to someone Pi. —W.NEUT.ACC. in sthg. X.

—**ἐξαρκούντως** ptcpl.adv. **enough, sufficiently** Ar. Isoc.; (w. ἔχειν) **be content** —W.DAT. w. sthg. Pl.

ἐξαρκής ές adj. **1** (of wealth) **enough, sufficient** A. **2** (of domestic matters) **in satisfactory order, ready** S.

ἔξαρμα ατος n. [ἐξαίρω] **elevation** (of the celestial pole, above the horizon) Plu.

ἐξ-αρνέομαι mid.contr.vb. | aor. ἐξηρνησάμην ‖ aor.pass. (w.mid.sens.) ἐξηρνήθην | **1 strongly refuse to admit or accept** (a claim or charge); **deny** (sthg.) E. Isoc. Pl. —murder Hdt. —a suggestion E. —W.PTCPL. owing money Ar. —W.NOM. or ACC. + INF. or μή + INF. doing sthg., that sthg. is the case Aeschin. D. Plb. **2 refuse, decline** (an offer or request) Pl. Plb. **3 repudiate** —an agreement Plb.

ἐξάρνησις εως f. **denial** (of a charge) Pl.

ἐξαρνητικός ή όν adj. (of a person) **good at making denials** Ar.

ἔξαρνος ον adj. **1 refusing to admit or accept** (a claim or charge); (periphr. w. εἶναι or γίγνεσθαι) **make a denial** (of), **deny** (sthg.) Ar. Att.orats. Pl. Thphr. Plu. —W.ACC. sthg. Att.orats. Pl. —W.GEN. Isoc. —W. περί + GEN. Isoc. D. Plu. —W.NOM. or ACC. + INF. or μή + INF. doing sthg., that sthg. is the case Hdt. Ar. Att.orats. Pl. —W.COMPL.CL. that sthg. is the case D. **2** (periphr. w. γίγνεσθαι) **repudiate** —W.ACC. an agreement Is. D.

ἐξ-αρπάζω vb. | fut. ἐξαρπάσομαι (also w.pass.sens.) | aor. ἐξήρπασα, ep. ἐξήρπαξα | **1 snatch away** —someone or sthg. Ar. Plu. —(W.PREP.PHR. fr. someone, out of someone's hands) Hdt. E. Ar. Plu. —(W.GEN. out of a ship) Od.; (of a god) —a warrior (fr. battle) Il.; (of a commander) **rescue** —a city (fr. a siege) Plu. —a commander (W.GEN. fr. a siege) Plu.; (gener., of persons) **rescue, save** —someone Plu. ‖ PASS. (of a person) be snatched away (out of someone's clutches) D. Plu.; be saved —W.GEN. fr. an enemy's savagery Plu.; (of a substance) be robbed —W.ACC. of moisture Pl. **2** (of the force of a wind) **tear away** —a sail AR.; (hyperbol., in a threat, of a person) **tear out** —someone's guts Ar. **3** ‖ MID. **abduct** (someone) S.(dub.)

ἔξαρσις εως f. [ἐξαίρω] **raising up** (W.GEN. of naval siege-engines) Plb.(cj., for ἐξαίρεσις)

ἐξ-αρτάω contr.vb. **1 hang** (sthg.) from (sthg. else); **hang** —a shield (w. ἐκ + GEN. fr. one's shoulders) Plb.; **append** —a detail (W.GEN. onto a story) Plu. ‖ PASS. (of a chain of rings) be made to hang Pl. ‖ PF.PASS. (of a chain of rings) be suspended, hang Pl.; (of things) —W.GEN. or ἐκ + GEN. fr. sthg. Pl. Plu. **2** ‖ PF.MID.PASS. (of a plateau) app., **have steep edges** Th. **3** ‖ MID. **attach oneself** (to someone or sthg.); **hang on** (to a rope) Ar.; (of a suppliant) **clasp** (someone) E. —W.GEN. someone's hand E.; **hold on** —w. περί + ACC. to someone's chin E.; (of a soldier) **keep in touch** —W.GEN. w. the main body of troops X. ‖ PF.MID. (of children) be attached, cling —W.GEN. to someone's clothes E. **4** ‖ PF.PASS. **have** (w.ACC. a false beard, a wallet) attached (to one's person) Ar. Plu.; **have** (W.ACC. letters) dangling —w. ἐκ + GEN. fr. one's fingers Aeschin.; **have** (W.ACC. a dead child) suspended —W.GEN. fr. one's neck Plu.; (fig., of a commander) **have attached** (to oneself) —W.ACC. various kinds of troops (envisaged as forming a chain) D. **5** ‖ PF.MID.PASS. (of plains) **be connected, be adjacent** —W.GEN. to hills, a city Plu. **6** (fig.) **make** (W.ACC. oneself, one's reputation, an enterprise) **dependent** —W.GEN. on someone or sthg. Plu. ‖ PF.MID.PASS. (of persons or things) **be dependent** —W.GEN. on someone or sthg. E. Isoc. Plu. —W. ἐκ + GEN. Pl. Plb. ‖ PF.PASS. (fig.) **have** (W.ACC. sthg.) **dependent** —W.GEN. on oneself Plu.

ἐξ-αρτίζω vb. **complete, come to the end of** —one's time (in a place) NT.

ἐξ-αρτύω vb. | pf.mid.pass. ἐξήρτυμαι | **1** (act. and mid.) **prepare, fit out** —a naval expedition, a fleet, ships Th. Plb. Plu.; **equip** —a city (W.PREDIC.PHR. w. seven gates) E.fr.; **arrange** —someone's murder E.; **prepare, develop** —one's oratorical technique, one's body (W.PREP.PHR. for a contest) Plu.; (gener.) **make ready, prepare, arrange** —matters (sts. W.ADVBL. or PREP.PHR. somewhere, in a certain way) E. Th.; **see to** —preparations Plb.; **prepare for** —war Plb. **2** ‖ MID. **prepare oneself, make preparations** Th.; **prepare, arrange** —W.INF. to do sthg. A. **3** ‖ PRES.PASS. (of war) **be brewing** E. ‖ AOR.PASS. (of an expedition) **be equipped** —W.DAT. w. troops and ships Th. **4** ‖ PF. (also PLPF.) PASS. (usu. ptcpl.) (of persons, fleets, or sim.) **be prepared** or **equipped** —W.DAT. w. ships, weapons, supplies, or sim. A. Hdt. Th. Plb. Plu.; (of a country, ships) —W.ADV. **better, properly** Th. Plb.; (of horses) **be ready** or **equipped** E.; (of things) be prepared or ready Hdt. Pl. Plu.

ἔξαρχος ου m.f. [ἐξάρχω] **1 leader** (W.GEN. of a dirge) Il. **2 leader, chorus-master** (of followers of Dionysus or Sabazios) E. D. **3 leader** (of a procession) Call. **4** (at Rome) **chief** (W.GEN. of the priests, i.e. pontifex maximus) Plu.

ἐξ-άρχω vb. **1** be initiator and leader (in an activity in which others participate); (ref. to song and dance) **take the lead** —w.GEN. *in lamentation, dancing, singing* Hom. Hes. —*in a paean* Plu.; **lead off** —w.ACC. *a dithyramb, paean, other song* Archil. E. X.(also mid.) Arist. Theoc. —*dances* hHom.; (intr., of singers) **begin** Pi. X.
2 (ref. to other activities) **take the lead** X. —w.GEN. *in impious arguments, in stone-throwing* Pl. X. —w.INF. *in doing sthg.* Il.
3 initiate, propose —*plans* Il. —w.GEN. *a plan* Od.(mid.) —*a decree* Plu.
4 begin —*a speech* S.; **dictate** —*an oath* E.
5 ‖ MID. **prepare** —*a sacrificial basket* E. | cf. ἐνάρχομαι 1
6 ‖ MID. **begin** —w.PTCPL. *engaging in a contest* AR.
ἑξάς άδος *f.* [ἕξ] the number six, **six** Plu.
ἐξ-ασκέω contr.vb. **1 fit out, equip** —*someone* (w. *clothes*) E.; **furnish** —*someone* (W.DAT. w. *a bath and clothes*) S.; **adorn, arrange** —*one's hair* (W.DAT. *in a mirror*) E.
‖ PF.PASS.PTCPL.ADJ. (of persons) **equipped** (W.DAT. w. *musical instruments*) E.; (of a commander, fleet, city, w. *ships, men,* or sim.) Plu.; (of arms and equipment) in good order Plu.
2 train —*pupils* Pl.; **exercise** —*soldiers* Plu.; **practise, perfect** —*a skill* Plu. ‖ PF.PASS. (of skills) have been practised Plb.
‖ PF.PASS.PTCPL.ADJ. (of pupils, cavalry) trained (W.ACC. or περί + ACC. *in sthg.*) X. Plu.
ἐξ-άσσω, Att. **ἐξάττω**, ep. **ἐξαΐσσω** vb. **dart out** (of a house) Ar. Plu. —W.GEN. *of a gate* Il.(tm.); (of snakes) —w. ἐκ + GEN. *fr. a temple* Ar. ‖ PASS. (of a spear) speed, fly —w.GEN. *fr. someone's hand* Il.(tm.)
ἐξ-αστράπτω vb. (of a garment) **shine like lightning** NT.
ἐξ-ατιμάζω vb. treat with disrespect, **dishonour** —*someone* S.
ἐξάττω Att.vb.: see ἐξάσσω
ἐξ-αυαίνω vb. | aor. ἐξηύηνα | (of a wind) **dry up** —*reservoirs* Hdt. ‖ PASS. (of trees) wither away Hdt.
ἐξ-αυγής ές adj. [αὐγή] | compar. ἐξαυγέστερος | ‖ COMPAR. (of horses) gleaming more brightly (W.GEN. than snow) E.
ἐξ-αυδάω contr.vb. **1 speak out** Il. hHom. E.; (tr.) **speak, say** —*these words, terrible things,* or sim. Pi. S. E.; **give voice to** —*a paean, song,* **cry** A.(mid.) E. Ar.
2 speak of, mention —*someone* or *sthg.* A.(mid.) E.; **call** (someone) —W.PREDIC.SB. *such and such* E.
ἐξ-αυλίζομαι mid.vb. (of a commander) **move one's quarters** —w. εἰς + ACC. *to a place* X.
ἐξ-αυτῆς adv. [app. fr. ἐξ αὐτῆς τῆς ὁδοῦ] **at once, immediately** NT.
ἐξ-αὖτις ep.adv. [αὖτις] **1** (ref. to movt.) **back again** (to a previous place or condition) Hom. AR.
2 again, once more Hom. hHom. AR. Theoc.
3 thereafter or **hereafter, later** Hes. Archil. AR.
ἐξ-αυτομολέω contr.vb. **desert** —w. πρός + ACC. *to someone* Ar.
ἐξ-αυχέω contr.vb. **1 be confident** —W.AOR.PTCPL. *of having done sthg.* A. —W.PRES.INF. *that one is doing sthg.* E.
2 suppose, expect —w. ἄν + FUT.INF. or + ACC. and AOR.INF. *that one* (or *someone) would do* (or *have done) sthg.* S.
ἐξ-αύω[1] vb. [αὔω[1]] | aor.ptcpl. ἐξαύσας | **take out** —*a log* (w. ἐκ + GEN. *fr. a chest*) B.(cj.)
ἐξ-αύω[2] vb. [αὔω[2]] | only aor. (tm.) ἐκ ... ἤϋσα | **cry out** S.
ἐξ-αφαιρέομαι mid.contr.vb. (of a person) **take away** —*life* (W.GEN. *fr. someone*) Od.; (of a deity's anger) —*good sense* (fr. *someone's mind*) Lycurg.(quot.trag.); (of evil fortune) —*the hope of sthg. happening* S.

ἐξ-αφανίζομαι pass.vb. (of things) **disappear completely** Pl.
ἐξ-αφίημι vb. **1 send forth, throw** —*a javelin* X.; **despatch** —*troops* Plb.
2 (fig.) **throw away** —*promised wealth* (i.e. the prospect of gaining it) S.Ichn.
3 ‖ PASS. (of a person) be released —W.GEN. *fr. an obligation* S.
ἐξ-αφίσταμαι mid.vb. **stand aloof from** —W.GEN. *someone's ill fortune* S.; **back away from** —W.GEN. *one's former words* E.
ἐξ-αφρίζομαι mid.vb. (fig., of a person, envisaged as a recalcitrant horse checked by a sharp bit) **foam out** —*one's rage* (W.PREDIC.ADJ. *in blood*) A.
ἐξ-αφύω vb. [ἀφύσσω] **draw off** —*wine* (fr. *storage-jars*) Od.
ἐξαχῇ adv. [ἕξ] **in six places** —*ref. to splitting sthg.* Pl.
ἑξά-χους ουν adj. [χοῦς] (of a water-clock) **holding six khoes** (approx. nineteen litres) Arist.; (of a water-jar) Plu.
ἔξαψις εως *f.* [ἐξάπτω] **kindling** (of fire) Plu.
ἐξ-εγγυάω contr.vb. **1** (leg.) **hand over on security** —*a slave* (W.DAT. *to someone, for interrogation*) Antipho
2 release on payment of a security, release on bail —*an imprisoned debtor* D. ‖ PASS. (of prisoners) be released on bail Att.orats.
ἐξεγγύη ης *f.* **surety, security** Is.(dub.)
ἐξεγγύησις εως *f.* **release on payment of bail** D.
ἐξ-εγείρω vb. | pf. ἐξεγρήγορα | aor.2 mid. ἐξηγρόμην, dial.3pl. ἐξέγροντο, inf. ἐξεγρέσθαι, ptcpl. ἐξεγρόμενος |
1 awaken, wake —*someone* S. E.(dub.) Ar. X. Theoc.
—*one's troops* Plb. ‖ MID. **wake up** E. Ar. Pl. AR. Theoc. Plu.
‖ PASS. be awakened (by sthg.) A. E.*Cyc.*; wake up Hdt. X. Plb.
2 (of a rider) **rouse, stir on** —*a horse* X. ‖ PASS. (of a person, a city) be roused (by insults, a cry for help) A. E.
3 (fig.) **awaken** —*a dormant murder* (i.e. provoke vengeance for it) E.; rouse into flame, **kindle** —*coal* Ar. ‖ PF. (of trouble) be awakened Ar.
ἐξέγερσις εως *f.* causing (of troops) to wake up, **reveille** Plb. Plu.
ἐξεδήδοκα (pf.), **ἐξέδομαι** (fut.mid.): see ἐξέδω
ἐξ-έδρᾱ ᾱς *f.* **1** perh., outside area (of a house) with seats, **verandah** E.
2 perh. **bench** Men.
3 hall, chamber (in a portico of Pompey's theatre at Rome) Plu.
ἔξ-εδρος ον adj. **1 out of one's proper place**; (of a person) away from one's dwelling-place, **away from home** S.; (quasi-advbl., of a person being pursued) **out of** (W.GEN. *one's land*) E.; (fig., of words) **straying, adrift** (fr. sense) E.
2 (of an excess of sthg.) **beyond all bounds** (adduced as an example of an otiose epithet) Arist.(quot.)
3 (of a complexion) **outlandish, exotic, foreign-looking** Ar.
ἐξ-έδω vb. | fut. ἐξέδομαι | pf. ἐξεδήδοκα | The aor. is supplied by ἐκφαγεῖν. | (of a dog) **eat up, gobble up** —*someone's dish* Ar.; (fig., of a politician, envisaged as a dog) —*cheese-rind* (i.e. paltry takings, w. ἐκ + GEN. *fr. cities*) Ar.
ἐξεῖδον (aor.2): see ἐξοράω
ἐξείης ep.adv.: see ἑξῆς
ἐξ-εικάζω vb. (of those serving a ruler out of fear) **make** (W.ACC. themselves, i.e. their services) **resemble** —W.DAT. *the services of those who have genuine affection for him* X.
‖ PASS. (of one thing) be made to resemble —W.DAT. *another thing* X. ‖ PF.PASS.PTCPL.ADJ. (of lightning, in neg.phr.) resembling (W.DAT. *the sun's midday heat*) A.(dub.); (of a person) portrayed with a true likeness (by a mask) Ar.; (of things heard) expressed in images A.; (of a person's chest, seen at a distance) in semblance E.

ἐξ-είλησις εως *f.* [εἰλέω²] (in wrestling) app. **twisting free, extrication** (W.GEN. of one's neck, hands, sides) Pl.

ἐξ-είλλω (or **ἐξίλλω**) *vb.* **1** (of hounds) **disentangle** —*the tracks of hares* X.
2 (leg.) **eject** —*someone* (W.GEN. *fr. a place of work*) D. | cf. ἐξούλη

ἐξ-ειλύομαι *pass.vb.* | *aor.ptcpl.* ἐξειλυσθείς | (of snakes) **uncoil** Theoc.

ἔξ-ειμι¹ (sts. written **ἔξ εἰμί**) *vb.* [εἰμί] **be from, be one of** —W.GEN. *the Myrmidons* Il. | see also ἔξεστι

ἔξ-ειμι² *vb.* [εἶμι] | neut.impers.vbl.adj. ἐξιτητέον | Only pres. and impf. (other tenses are supplied by ἐξέρχομαι). The pres.indic. has fut. sense. | **1 come** or **go out** (of a house, city, or sim.) Hom. + —W.GEN. *of a building, a country* Od. Trag. —W. ἐκ + GEN. *of a building, city, region, country* Hdt. E. Th. +; **get out** —W.GEN. *of bed* E.
2 depart, take one's leave S.
3 leave one's country, go abroad Th.
4 (of troops) **go out on campaign, march out** Hdt. Th. Ar. X. + —W.COGN.ACC. *on a campaign* Th.
5 (of a person) **go out** —W.COGN.ACC. *on a final journey (to the grave or underworld)* E. —*on an excursion* D. —*on an exploit* S.; (gener.) **go forth** —w. εἰς + ACC. *to the test (of a proposition)* S.
6 (of an actor) **come out** (of the stage building), **come on** Ar.
7 (of certain Spartans) **retire, be discharged** —W. ἐκ + GEN. *fr. the class of knights* Hdt.
8 (of waves) **come up** —W.ADV. *onto the shore* hHom.; (of a person, envisaged as a gale) **sweep forth, erupt** Ar.
9 (of circumstances) **turn out** —W.ADVBL.PHR. *in a certain way* S.
10 (of pain) **come to an end, pass away** S.; (of time, an office) **expire** Hdt. Lys.

ἐξεῖναι (inf.): see ἔξεστι

ἐξ-εῖπον *aor.2 vb.* | Att.2sg.aor.1 ἐξεῖπας | **1 speak out, speak, tell** (about sthg.) Il. hHom. S. Th. —W.DAT. or PREP.PHR. *to someone* Hom. S. Plu.; **deliver** —W.COGN.ACC. *a true account* E. —*a command* AR.
2 say, declare —W.ACC. + COMPL.CL. *of someone, that sthg. is the case* S. Mosch. —W.INDIR.Q. *what is the case* E.; **say** —W.DIR.SP. *sthg.* Call.
3 speak about, tell of, mention —*sthg.* (sts. W.DAT. *to someone*) Pi. Trag. Ar. AR. Theoc. Plu.
4 address —W.DBL.ACC. *abusive remarks to someone* E. D.

ἐξειργασμένως *pf.pass.ptcpl.adv.:* see under ἐξεργάζομαι

ἐξ-είργω, Ion. **ἐξέργω** *vb.* **1 exclude** (someone fr. a place, by preventing him fr. entering or remaining there); **exclude, shut out, keep out** —*someone* (sts. W.GEN. or ἐκ + GEN. *fr. a place*) Hdt. E. Ar. Att.orats. Pl. Plu.
2 (esp. of officials) **exclude, debar, ban** —*someone (fr. an activity or place)* Hdt. Pl. D. —(W.PREP.PHR. *fr. a place*) Lys. Pl. Aeschin. || PASS. (of a person) **be debarred** Pl.
3 cut off (someone, fr. sthg.); **prevent** —*someone* (W.GEN. *fr. sleeping*) Plu. || PASS. **be cut off** —W.GEN. *fr. a resource* Th. Plu.
4 hold (someone or sthg.) **back** or **in check**; (of a person, a law) **restrain, check, prevent** —*sthg.* E. D.; (of speech, i.e. time spent on it) **hamper, hold back** —*the moment for action* S.; (of circumstances) **stand in the way** Pl. X. —W.ACC. and μή + INF. *of someone doing sthg.* Pl. || PASS. (of persons) **be hampered** or **constrained** Isoc. —W.DAT. or PREP.PHR. *by domestic wars, a law, sickness* Hdt. Th. Pl. —W.DAT. *by an obligation* (sts. W.INF. *to do sthg.*) Hdt.

ἐξείρηκα (pf.), **ἐξείρητο** (3sg.plpf.pass.): see ἐξείρω²

ἐξείρομαι *Ion.mid.vb.:* see ἐξέρομαι
ἐξειρύω *Ion.vb.:* see ἐξερύω

ἐξ-είρω¹ *vb.* [εἴρω¹] **1 put out, extend** —*one's hand* Hdt.; (of a wasp) —*its sting* Ar.
2 (of a person) **pull out** —*someone's tongue (to inspect it)* Ar.

ἐξ-είρω² *vb.* [εἴρω²] | pres. not found | fut. ἐξερῶ, Ion. ἐξερέω | pf. ἐξείρηκα | 3sg.plpf.pass. ἐξείρητο | **1 speak out, speak, tell** (about sthg.) Hom.(sts.tm.) S. AR.; **speak** —*the truth* S.; **deliver** —*an account* S.; **utter** —*a boast* S.
2 say, declare —W.INDIR.Q. *how sthg. happened* hHom. E.*fr.* —W.COMPL.CL. *that sthg. is the case* S. || PASS. (of things) **be said** S.
3 speak about, tell of, mention, relate —*sthg.* (sts. W.DAT. *to someone*) S. E. Hellenist.poet.
4 say —W.DBL.ACC. *sthg. of someone* S.; **speak** —W. κακῶς + ACC. *abusively of someone* E.

ἐξελασία ᾱς *f.* [ἐξελαύνω] **driving out** (of pigs, to feed) Plb.

ἐξέλασις εως *f.* **1 driving out, expulsion** (W.GEN. of someone, sts. also W. ἐκ + GEN. fr. a place) Hdt. Plu.
2 marching out, departure (W.GEN. of a commander, W. ἐκ + GEN. fr. a place) Hdt.
3 riding forth (of cavalry and chariots, fr. a royal palace), **mounted procession** X.
4 cavalry charge Plu.

ἐξ-ελαύνω *vb.* | fut. ἐξελῶ | fut.inf. ἐξελᾶν, ep. (w.diect.) ἐξελάαν | aor. ἐξήλασα, ep. ἐξέλασσα, ἐξέλασα || PASS.: aor. ἐξηλάθην, Ion. ἐξηλάσθην || also (as if fr. ἐξελάω) ep.pres.ptcpl. (w.diect.) ἐξελάων, dial.fem. ἐξελάοισα (Call.) |
1 drive out (a flock, to pasture) Od. —*cattle (fr. a cave)* hHom. —*sheep* (W.GEN. *fr. a cave*) Od.
2 drive away, drive out, expel —*persons, animals, troops, populations, or sim.* (freq. W.GEN. or PREP.PHR. *fr. somewhere*) Hom. +; (mid.) Th. | PASS. (of persons) **be driven away** or **out** Hdt. +
3 drive into exile, banish —*someone* (sts. W.GEN. or ἐκ + GEN. *fr. a land or city*) Hdt. S. E. Th. +; (mid.) X.; (fig.) **banish** —*a type of character (fr. comic dramas)* Ar. || PASS. **be banished** Hdt. +
4 eject —*someone* (W.GEN. *fr. a position of honour*) Hes. —(w. ἐκ + GEN. *fr. a share of property*) Is. || PASS. **be ejected** —W.GEN. *fr. office* Arist.
5 (wkr.sens.) **remove** —*dust* (W.GEN. *fr. horses' flanks*) Call.
6 drive off (as spoil) —*cattle* Od. Plb.(mid.) —*lambs* (W.GEN. *fr. their pens*) Od.; (of Herakles —*Cerberus* Ar.; (of a charioteer) **drive away** —*captured horses* (sts. W.GEN. *fr. the enemy*) Il.
7 (intr., of a charioteer) **drive out** (to battle or sim.) Il. E. Call.; **drive out of** or **beyond** —W.GEN. *a trench* Il.; (of a Roman general) **ride out** —W.ACC. *on his triumph* Plu.; (tr., of celebrants of the Eleusinian Mysteries) **convey forth** —*Iacchus (fr. Athens)* Plu. || MID. (tr., of a charioteer) **drive on** —*his horses* Theoc.
8 (intr., of a horseman) **ride out** E. Th. Lys. +
9 (of a commander) **lead out** —*an army, troops* Hdt.; (intr., of a commander, troops) **march out** Hdt. E.; **march forth** —W.ADV. *fr. somewhere* X.
10 row away —*a ship* (W.GEN. *fr. its mooring*) AR.
11 knock out —*someone's teeth* (W.GEN. *fr. his jaws*) Od.
12 (of a smith) **beat out, forge** —*ingots* (W.GEN. *fr. molten gold*) Hdt. || PASS. (of iron) **be beaten out** Hdt.
|| PF.PASS.PTCPL.ADJ. (of metal objects) **forged** Hdt.

ἐξελεγκτέος ᾱ ον *vbl.adj.* [ἐξελέγχω] (of an argument) **to be refuted** Pl.

ἐξ-ελέγχω vb. **1** expose to shame or reproach; (of new wine) perh. **discredit** —*last year's vintage* Simon. ‖ PASS. (of a person) be put to shame or be faulted —W.ACC. *in respect of ancestry* E.
2 test (someone or sthg.); (of Time) **put to the test** —*truth* Pi.; (of assessment by weight) —*poetry* Ar.; (of a person) **test** —*fortune, one's hopes* Plb. —*someone* (W.INDIR.Q. *to see whether he will do sthg.*) Plu.; **examine** —*a countless amount of bronze* (*to discover the source of each item*) Pi.
3 cross-examine, question —*someone* Trag.; **investigate** —*a matter* And. ‖ PASS. be asked one's view (of a course of action) D.
4 refute, confute —*persons, arguments, or sim.* S. Ar. Att.orats. + —W.DBL.ACC. *someone on some point* Pl.; **refute** (W.ACC. someone) **by proving** —W.COMPL.CL. *that sthg. is the case* And. Pl. ‖ PASS. (of persons, arguments, or sim.) be refuted Att.orats. +
5 show up or expose (someone or sthg., for what they are); **show up, expose, convict** —*someone* E. Ar. Att.orats. +; **convict** —W.ACC. + PTCPL. or COMPL.CL. *someone of doing or being sthg.* Att.orats. Pl. +; **show up** —W.ACC. + PTCPL. *sthg. as being such and such* Isoc. ‖ PASS. (of persons) be shown up or exposed E. Ar.; be convicted —W.PTCPL. or COMPL.CL. *of doing or being sthg.* E. Att.orats. +; (of things) be shown up —W.PREP.PHR. *in their true light* Th.
6 prove a claim to —*a sum of money* D.

ἐξ-ελευθερικός ή όν adj. (at Rome, of riff-raff) **from the freedman class** Plu. ‖ MASC.PL.SB. freedmen Plu.

ἐξ-ελευθεροστομέω contr.vb. speak too freely S.

ἐξελεύσομαι (fut.mid.), **ἐξελήλυθα** (pf.): see ἐξέρχομαι

ἐξ-ελίσσω, Att. **ἐξελίττω** vb. **1 unwind, undo** —*the string of a writing-tablet* E.; (fig.) **unravel** —*an oracle* E.; **unfold** —*a story* E.
2 (of Nereids) **turn** (W.ACC. their footsteps) **in a circular dance** E.
3 perh. **circle around** —*someone* (W.INTERN.ACC. *w. a rapid turning of feet*) E.
4 (intr., of cavalry) **wheel round** Plu.; (of a person) **turn about** —W.PREP.PHR. *to the right* Plu.; (tr., of a commander) **skirt round** —*a trench* Plu.
5 (of a commander) cause to wheel about, **turn** —*a phalanx* X. ‖ PASS. (of soldiers) wheel about, execute a counter-march X. Plu.
6 (of a commander) **extricate** —*his forces* (W.GEN. *fr. passes*) Plu.; (intr., of a soldier) **extricate oneself** (fr. difficult ground) Plu.; (of ships, a naval commander) **slip out** (past the enemy) Plb.

ἐξ-έλκω vb. **1 drag** or **haul out** —*someone* (fr. a house, a cavern) Ar. Pl. Plb. —*triremes* (w. ἐκ + GEN. *fr. docks*) Isoc.; (fig.) **haul, deliver** —*Greece* (W.GEN. *fr. slavery*) Pi. ‖ PASS. (of a person) be dragged out (of a house) Arist.; (of an octopus) —W.GEN. *fr. its lair* Od.; (of a crocodile) be hauled out (of water) Hdt.
2 pull out —*arrow-heads* (*fr. flesh*) Plu. —*someone's testicles* Ar. ‖ PASS. (of an arrow) be pulled out (of a body) Il.
3 draw —*a sword* (W.GEN. *fr. its scabbard*) E.; (app.intr.) **draw one's sword** E. ‖ PASS. (of a lot) be drawn out Ar.
4 (of a weaver) **pull, draw** —*the spool* (W.PREP.PHR. *past the warp*) Il.
5 (of a cripple) **drag along** —*his foot* S.; (of an old man) —*his bent back and tottering legs* E.

ἐξ-ελληνίζω vb. **trace to a Greek origin** —*a Latin word* Plu.

ἔξελον (ep.aor.2): see ἐξαιρέω

ἐξέμεν and **ἐξέμεναι** (ep.fut.infs.): see ἔχω

ἐξέμεν and **ἐξέμεναι** (ep.athem.aor.infs.): see ἐξίημι

ἐξ-εμέω contr.vb. | aor. ἐξήμεσα, also ep. ἐξήμησα (Hes.) |
1 (of Charybdis) **vomit forth, spew up** —*water, a mast and keel* Od.; (of Kronos) —*a stone* Hes.; (of a person) —*a sickness* (*by taking an emetic*) Pl.; (intr.) **throw up** Ar.
2 (fig., of a politician) **disgorge** —*ill-gotten gains* Ar.

ἐξέμολον (aor.2): see ἐκβλώσκω

ἐξ-εμπολάω contr.vb. **1** (of a sailor) **gain from trade** —*a profit* S.
2 ‖ PASS. (of goods) be sold off Hdt.; (of a person, fig.ref. to being betrayed) S.

ἐξ-εναίρω vb. | aor.2 inf. ἐξεναρεῖν | **slay** —*a warrior* Hes.

ἐξ-εναρίζω vb. **1 strip** (a dead warrior) of weapons; **strip, despoil** —*someone* Il. AR.; **strip away** —*someone's arms* Il.
2 (gener.) **slay** —*someone* (*usu. in battle*) Hom. Hes. B. AR.

ἐξ-ενέπω vb. **1 speak of, tell of, relate** —*great deeds* Pi. —*every detail* AR.
2 (causatv., of a victorious athlete) **have** (W.ACC. Aigina) **proclaimed** —W.PREDIC.SB. *as one's country* Pi.
3 (intr.) **speak** (opp. be silent) AR.

ἐξένευσα[1] (aor.): see ἐκνεύω
ἐξένευσα[2] (aor.): see ἐκνέω

ἔξεο (Ion.athem.aor.mid.imperatv.): see ἐξίημι

ἐξ-επάδω vb. remove (sthg.) by means of a charm or spell; **charm away** (someone's fear) Pl. ‖ PASS. (of persons) have (W.ACC. their angry mood) charmed away S.

ἐξ-επαίρω vb. **stir up, incite** —W.ACC. + INF. *persons to do sthg.* Ar.

ἐξ-επεγείρομαι mid.vb. (of a person) **wake up** E.(cj.)

ἐξ-επεύχομαι mid.vb. **boast loudly** —W.AOR.INF. *of having done sthg.* S.

ἐξ-επίσταμαι mid.vb. **1 have full knowledge of, be thoroughly familiar with** —*sthg.* Hdt. Trag. Ar.; **know full well** —W.ACC. + PTCPL. or INF. *that sthg. is the case* Hdt. S. E. —W.INDIR.Q. or COMPL.CL. *what* (or *that sthg., or if sthg.*) *is the case* Hdt. S. E. —W.INF. *how to do sthg.* Hdt. S. E.fr.; (intr.) **be fully aware** (of sthg.) Hdt. S.
2 know by heart —*a speech, lines in a play* Pl. D.

ἐξ-επίτηδες adv. **on purpose, deliberately** Ar. Pl. D. Din. Men. Plu.

ἐξ-επομβρέω contr.vb. [ἐπί, ὄμβρος] (of Zeus) **rain heavily** S.fr.

ἐξέπραθον (aor.2): see ἐκπέρθω
ἐξεπτάμην (athem.aor.mid.): see ἐκπέτομαι
ἐξέπταξα (dial.aor.): see ἐκπτήσσω
ἐξέπτην (athem.aor.): see ἐκπέτομαι

ἐξ-εράω contr.vb. [ἐράω[2]] | aor. ἐξήρᾱσα | aor.pass.ptcpl. ἐξερᾱθείς | **1 empty out, pour out** (votes, fr. voting-urns) Ar. —*stones* (fr. one's clothes, W.ADV. *upon the ground*) Ar. —*the contents of a wineskin* Ar.(mid.) ‖ PASS. (of votes) be emptied out Is.
2 (of a lawcourt attendant) **empty out, pour out** —*the water remaining in the klepsydra at the end of a speech* (*to show that the whole of the allocated time has not been used*) D.
3 (of a lawcourt attendant) **empty out** —*a voting-urn* Arist.

ἐξ-εργάζομαι mid.vb. **1** work so as to bring (sthg.) to completion or perfection; **make, build** —*a temple, a tomb* Hdt.; **create** —*living bodies* E. —*trenches* Aeschin. —*a particular kind of person* Pl.; **make** —*someone* (W.PREDIC.ADJ. *such and such*) Pl. X.; **finish work on** —*a place* (*i.e. its fortification*) Th.; **complete** —*a piece of work* Th.; **perfect** —*a skill* Th. X. ‖ PASS. (of a ship, temple, or sim.) be built or created Hdt. X. Plu.; (of work; of a place, i.e. its fortification; of a speech, i.e. its writing) be completed Th. Isoc.; (of skills) be perfected X.

2 accomplish (an action) or achieve (a result); **accomplish, perform, do** —*a deed, evil, or sim.* Hdt. S. E. Ar. +; **commit** —*murder, crimes* E. Pl.; **do** —*harm* (W.ACC. or DAT. *to someone*) Hdt.; **create, cause** —*sufferings, confusion, a state of affairs* E. Pl. X. +; **bring about** —*an alliance* Aeschin.; **achieve** —*one's purpose* Plb. Plu. ‖ PASS. (of a deed or sim.) be done Hdt. Trag. +; (phr.) ἐπ' ἐξειργασμένοις *when the deed is done, after the event* A. Hdt. S.
3 succeed in arranging —W.INF. or ACC. + INF. *for sthg. to happen* Plb. Plu.
4 work at, **cultivate, farm** —*land* X. ‖ PASS. (of land) be cultivated or farmed (sts. W.ADV. *well* or sim.) Hdt. Th. X. +
5 (intr., of a historian) **write exhaustively, go into detail** —W.PREP.PHR. *about sthg.* Plb.
6 undo, destroy, ruin —*someone* Hdt. E. ‖ PASS. (of persons) be done for, be ruined E.

—**ἐξειργασμένως** *pf.pass.ptcpl.adv.* **exhaustively, in detail** Plu.

ἐξεργασίᾱ ᾱς *f.* **perfection** (of a technique) Plb.

ἐξεργαστικός ή όν *adj.* (of persons) **capable of achieving** (W.GEN. sthg. attempted) X. Plb.

ἐξέργω *Ion.vb.*: see ἐξείργω

ἐξ-ερεείνω *ep.vb.* **1 make an inquiry; ask** —W.DIR.SP. *sthg.* Il.
2 inquire about —*someone or sthg.* Od. hHom. AR.
3 question —*someone* Od. Hes.*fr.* hHom. AR.; (mid.) Il.
4 investigate, explore, search —*the recesses of a cave* hHom.; **pursue one's quest over** —*the pathways of the sea* Od.

ἐξ-ερεθίζω *vb.* **arouse, provoke, incite** —*a person, a populace* Pi. Plu. —*anger, malignity, passion* Plu.; **help to spread, encourage** —*a fire* Plu. ‖ PASS. (of a populace) be exasperated Plu.

ἐξ-ερείδω *vb.* **support** —*a siege-engine* (W.DAT. *w. props*) Plb. ‖ PASS. (of a section of wall) be propped up (fr. below), be underpinned Plb.

ἐξ-ερείπω *vb.* | aor.1 ἐξήρειψα | aor.2 ἐξήριπον | **1** ‖ AOR.1 (tr., of a woodcutter) send falling to the ground —*the branches of an oak tree* Pi.
2 ‖ AOR.2 (intr., of an oak tree) fall to the ground, crash down Il.; (of Ouranos) fall down (on Earth, for sexual union) Hes.; (of boars) crash (W.ACC. their necks) to the ground Hes.; (of a horse's mane) stream down —W.GEN. *fr. the yoke-pad* Il.

ἐξέρεισις εως *f.* [ἐξερείδω] **propping up** (of a shield, on the ground) Plb.

ἐξ-ερεύγομαι *mid.vb.* | act.aor.2 ἐξήρυγον (Call.) | **1** (of a river) **discharge** (itself) —W.DAT. *through forty mouths* Hdt.
2 ‖ ACT.AOR.2 (fig., of a person) pour out —*one's knowledge of sthg.* Call.(tm.) —*one's woes* Call.

ἐξ-ερευνάω *contr.vb.* **1 investigate thoroughly** (a murder) S.
2 look for, seek out —*sthg.* (as the object of a journey) S. —*a corpse, necessary supplies* E.
3 (act. and mid., of soldiers) **reconnoitre** —*territory, approaches and entrances* Plb.; (act.) **search** —*places (for booty)* Plu.

ἐξ-ερέω[1] *ep.contr.vb.* [ἐρέω[1]] **1 inquire, ask** AR. —W.INDIR.Q. *what is the case* Od. Emp.
2 (act. and mid.) **inquire about** —*someone or sthg.* Od.
3 question —*someone* Od.; (mid.) Hom.(sts.tm.) AR.(sts.tm.)
4 (of a deer) **search, scour** —*ridges and dales (for pasture)* Od.; (of persons, a ship) **search for** —*water, a channel* AR.; (intr.) **search** AR.

ἐξερέω[2] (Ion.fut.): see ἐξείρω[2]

ἐξ-ερημόω *contr.vb.* **1 make bereft, desolate** —*a family* (by one's death) S. —*a house* (by leaving it without an heir) Is. D. ‖ PASS. (of a house, a family) be left destitute (of heirs) Pl. Is. D.
2 ‖ PASS. (of a country, cities) be depopulated Ar. Plb.
3 (of troops in the field) **leave unprotected** —*their property at home* X.
4 (of a woman) **desert, abandon** —*her house* E.
5 (of Kadmos) **empty, despoil** —*a dragon's jaw (of its teeth)* E.

ἐξ-ερίζω *vb.* **put up a fight** (against a proposal) Plu.

ἐξ-εριθεύομαι *mid.vb.* (of aspirants for an office) **canvass** —*persons* Plb.

ἐξεριστής οῦ *m.* [ἐξερίζω] (pejor.) **wrangler, quibbler** (W.GEN. in argument) E.

ἐξ-ερμηνεύομαι *pass.vb.* (of a word) **be translated** Plb.

ἐξ-έρομαι, Ion. **ἐξείρομαι** *m.vb.* | Ion.impf. ἐξειρόμην | fut. ἐξερήσομαι | aor.2 ἐξηρόμην | **1 inquire about** —*sthg.* Il. —W.GEN. *someone* (W.INDIR.Q. *how he is*) S.
2 question —*someone* Il. AR.
3 ask —W.DBL.ACC. *someone, about someone* (W.INDIR.Q. *where he is*) S.

ἐξ-έρπω *vb.* **1** (of a lame person) **creep** or **crawl out** (of a dwelling) S.; (of crabs) —W.ADV. *out (of the sea)* Ar.; (of bugs) —W. ἐκ + GEN. *fr. a bed* Ar.
2 (of an army) **move off** X.

ἐξ-έρρω *vb.* (in imperatv.) **depart, be gone** —W.GEN. *fr. a land* E.

ἐξ-ερύκω *vb.* **ward off, keep at bay** —*someone's evil-doing* S.

ἐξ-ερύω, Ion. **ἐξειρύω** *vb.* | Io.aor. ἐξείρυσα, ep. ἐξείρυσσα, also ἐξέρυσα | iteratv.aor. ἐξερύσασκον | **1 pull** or **drag away** —*a corpse, a chariot* Il.
2 pull out —*a spear, stake, arrow* (usu. W.GEN. *fr. a shield, a part of the body*) Hom. AR. —*a bilge-plug (fr. the bottom of a boat)* Hes.; **draw out** (W.ADV. *at the same time*) —*life and a spear-point* (W.GEN. *fr. someone*) Il.; **snatch** —*a bow* (W.GEN. *out of someone's hand*) Il.; **rip off** —*someone's genitals* Od.
3 haul out —*fish (fr. the sea, in a net)* Hdt. —(W. ἔκτοσθε + GEN. *out of the sea*) Od. —*one's nets* (W.GEN. *fr. the sea*) Theoc.*fr.*; **drag** —*a river god* (W.ADV. *fr. the depths*) Call.
4 (of a priest) **draw out** —*a bull's tongue (to inspect it)* Hdt.

ἐξ-έρχομαι *mid.vb.* | fut. ἐξελεύσομαι (Hdt. NT.) | aor.2 ἐξῆλθον, ep. ἐξήλυθον (AR.), dial.ptcpl. ἐξελθών | pf. ἐξελήλυθα ‖ Impf. (and usu. fu-.) are supplied by ἔξειμι[2]. |
1 come or **go out** (of a house, city, or sim.) Hom. + —W.GEN. *of a place* Hom. Trag. AR.(tm.) —w. ἐκ + GEN. Hdt. S. Th. +; **leave** —W.ACC. *a land, a city* Hdt. Arist.
2 (of a person) **leave one's country, go abroad** D.(law); (of goods) **be exported** Pl.
3 (of troops) go out on campaign, **march out** Hdt. Th. Ar. X. + —W.COGN.ACC. *on a campaign* X. Aeschin.
4 (of adversaries) **come out** —W.ACC. *in a contest* S.; (of hunters) **go out** —w. ἐπί + ACC. *after a boar* Hdt. —*for a hunt* X.; (gener., of a person) **come forth** —w. εἰς + ACC. *to a test, a trial of strength* E.
5 (of an actor) come out (of the stage building), **come on, enter** Ar.
6 (of persons) **emerge, pass** —w ἐκ + GEN. *out of (the class of) boys* Isoc. X. —w. εἰς + ACC. *into (the class of) adults or elders* X.
7 (of combatants) **come away, emerge** (fr. a war) Th.; (of a contestant) —W.NOM.PTCPL.PHR *holding the prize of victory* S.
8 (of a lie) **issue, come** —w. ἀπό - GEN. *fr. someone's lips* Thgn.; (of an argument) —w. παρά + GEN. *fr. someone* Pl.
9 (of persons) go beyond normal bounds; **go** —w. ἐπὶ

πλεῖστον to the extreme (of what is possible) Th. —w. εἰς τόδε to this extreme (of speech) S.; (intr., of education) go astray Pl.; (of a person, envisaged as a prosecutor) go all out —w. ἐπί + ACC. for someone's death E.
10 (of persons or things) come out in the end (in a certain state); (of the verdict in a trial) **come out, result** —W.PREDIC.ADJ. in an equal vote A.; (of a person, a god) **turn out, prove** —W.PREDIC.ADJ. different, true S.; (of Justice) **come out, prevail** —W.PREP.PHR. in the end Hes.; (of a prediction, a dream) **come true** Hdt.; (of a dead person's anger, envisaged as a curse) **run full course, be satisfied** Hdt.
11 (of things) come to an end; (of the darkness of night) **depart, end** E.; (of time, a year, a treaty) **expire** Hdt. S. Pl. X. || AOR.PTCPL.ADJ. (of a year, a month) **past, last** Att.orats.
12 (of magistrates) **leave office** Arist. || AOR.PTCPL.ADJ. (of the Council) **outgoing** And.
ἐξερῶ (fut.): see ἐξείρω²
ἐξ-ερωέω contr.vb. | aor. ἐξηρώησα | (of chariot-horses) **swerve from the course** Il.; (of a person) **step aside** —W.GEN. fr. the middle of a road Theoc.
ἐξ-ερωτάω contr.vb. **1 ask** (questions) E.
2 ask about —someone's lineage (W.INDIR.Q. fr. what source it comes) Pi.
ἐξ-έσθω vb. (of ulcers) **eat away** —flesh A.
ἐξεσίη ης f. [ἐξίημι] **sending forth** (of persons), **embassy, mission** Hom. Call.
ἔξεσις ιος Ion.f. **dismissal, divorce** (W.GEN. of a wife) Hdt.
ἐξέσσυτο (ep.3sg.aor.2 mid.): see ἐκσεύομαι
ἔξ-εστι impers.vb. [εἰμί] | inf. ἐξεῖναι, imperatv. ἐξέστω, ptcpl. ἐξόν | impf. ἐξῆν | fut. ἐξέσται, ptcpl. ἐξεσόμενον, opt. ἐξέσοιτο | **it is allowed, it is possible** —W.INF. or W.DAT. + INF. (for someone) to do or be sthg. Hdt. Trag. Th. + —W.ACC. + INF. Hdt. Ar. Pl.
ἐξ-ετάζω vb. | fut. ἐξετάσω, also ἐξετῶ (Isoc.) | aor. ἐξήτασα, dial. ἐξήταξα (Theoc.) || neut.impers.vbl.adj. ἐξεταστέον | **1 examine, scrutinise, inspect** —someone or sthg. Th. Ar. Att.orats. Pl. +; **examine** —W.INDIR.Q. what (or whether sthg.) is the case Th. Att.orats. + —W.ACC. + INDIR.Q. someone, as to what his feelings are Thgn. —someone, to see what kind of person he is (or sim.) Att.orats.; **make inquiries** —W.PREP.PHR. about sthg. Is. Plb. || PASS. (of persons or things) be examined Att.orats. +
2 (milit.) **inspect, review** —troops Th. || PASS. (of troops) be reviewed E. Th.
3 question —someone Hdt. S. Pl. —(w. 2ND ACC. about sthg.) Pl. X.
4 reveal by test or scrutiny, **show up** —worthless and lazy persons X. —useful people D.; **discover** —W.ACC. + PTCPL.PHR. that sthg. is such and such Plb. || PASS. be found or proved —W.PREDIC.SB. a friend, an enemy E. D. —W.PTCPL. to be doing (or to have done) sthg. D.; (of experience) be revealed D.
5 || PASS. present oneself (for inspection, examination, at a roll-call, or sim.) Isoc. Pl. D.; (wkr.sens.) be numbered or counted —W.PREDIC.ADJ. as one (W.GEN. of certain people) And. D. —w. μετά + GEN. alongside others D.
6 || PASS. (at Rome, of persons) be registered (in a census) Plu.; be classed —w. ἐν + DAT. among the Equites Plu.
ἐξέτασις εως f. **1 examination, scrutiny, inspection** (of persons or things) Pl. Lycurg. D. Arist. Men. Call.epigr. +
2 (milit.) **inspection, review** (of troops, equipment) Th. Isoc. X. Arist. Plu.
3 (at Rome) **review** (of the Equites, by a censor) Plu.

ἐξετασμός οῦ m. **examination, review** (of a matter) D.
ἐξεταστής οῦ m. **1 inspector, scrutineer** (W.GEN. of military traditions) Plu.; **investigator** (of stolen property) Plu.
2 (as the title of an official w. financial responsibilities) **assessor, auditor** Aeschin. Arist.
ἐξεταστικός ή όν adj. **1** (of a person) **engaged in theoretical investigation** (W.GEN. of a craft) X.; **eager to examine** (W.GEN. a subordinate's work) X.
2 (of a salary) **for an auditor** D.
—**ἐξεταστικῶς** adv. **in a spirit of inquiry** —ref. to attending the Assembly D.
ἐξ-έτης ες (also **ἐξετής** ές) adj. [ἕξ, ἔτος] **1** (of a child, a horse) **six years old** Il. Pi. Ar. Pl. Theoc.
2 (of an office, a period of time) **lasting six years** Lys. Plu.
—**ἐξέτις** ιδος fem.adj. (of a girl) **six years old** Pl.
ἐξ-έτι (or **ἐξ ἔτι**) prep. **1 ever since** —W.GEN. babyhood AR. —one's forefathers Od. —W.NEUT.GEN.DEMONSTR.PRON. that time Call. AR. —(W.RELATV.CL. when sthg. happened) Il. Call. AR. —W.ADV. that time Call.
2 (ref. to movt.) **from** —W.GEN. a father (i.e. fr. his house) AR.(dub.)
ἐξετῶ (fut.): see ἐξετάζω
ἐξ-ευθετίζω vb. **look after** —a baby's needs S.Ichn.(cj.)
ἐξ-ευθύνω vb. (of officials) **examine** —magistrates Pl.
ἐξ-ευκρινέω contr.vb. **state systematically** —points at issue Plb.
ἐξ-ευλαβέομαι mid.contr.vb. **be very cautious** or **careful** Pl. —W.ACC. over sthg. Pl. —w. μή + INF. not to do sthg. E.; **be careful to avoid** —sthg. reprehensible or undesirable Plu.
ἐξ-ευμαρίζω vb. [εὐμαρής] **1 ease, lighten** —someone's troubles E.
2 | MID. **provide** —hope and a means of safety E.
ἐξ-ευμενίζομαι mid.vb. **propitiate** —the gods Plu.
ἐξ-ευπορέω contr.vb. **1 put into effect, comply with** —the will of a goddess E.; **provide, supply** —help Pl.
2 (intr.) **find a way out of a dilemma** Pl.
ἐξεύρεσις ιος Ion.f. [ἐξευρίσκω] **1 discovery** (of a grave) Hdt.
2 invention (W.GEN. of the game of draughts) Hdt.
ἐξευρετέος ᾱ ον vbl.adj. (of a way of thinking) **to be discovered or devised** Ar.
ἐξεύρημα ατος n. **1 that which is discovered or invented; invention** (ref. to an object or way of doing sthg.) A. Hdt. Ar.
2 (gener.) **scheme, idea, brainwave** E. Ar.
3 insight (of an oracle, a seer) Hdt. S.
ἐξ-ευρίσκω vb. | fut. ἐξευρήσω | aor.2 ἐξηῦρον, dial. ἐξεῦρον || neut.impers.vbl.adj. ἐξευρετέον | **1 find by seeking, find, discover** —someone or sthg. Il. +
2 find out by inquiring or investigating, **discover** —sthg. Thgn. Hdt. S. E. Th. Ar. + —W.INDIR.Q. what is the case E. Antipho Ar. +; **find** —someone (W.PREDIC.ADJ. or SB. to be such and such) S.; **find the meaning of, understand** —an oracle Hdt.
3 find out by thinking, **devise** —a custom, plan, trick, or sim. Pi. Hdt. S. E. Ar. Pl. +; (mid.) Theoc.; **devise, invent** —a song Stesich. Pi. —a skill, craft, game, or sim. A. Hdt. +; **devise a way** —w. ὥστε + ACC. and INF. for someone to do sthg. Ar. || IMPERS.PF.PASS. a scheme has been devised Hdt.
4 procure (sthg., for oneself or another); (of a person) **find, win** —victory in the games Pi.; (of a bow) **find, provide** —a stomach's needs S.; (of beauty) **win, bring** —grief (W.DAT. for someone) S.
5 search, explore —lands and seas Pi.
ἐξ-ευτελίζω vb. [εὐτελής] **belittle, disparage** —someone Plu.
ἐξ-ευτρεπίζω vb. **make ready** —things indoors E.

ἐξ-εύχομαι *mid.vb.* **1 proclaim, declare** —*one's race* A.; **claim** —W.PREDIC.ADJ. (W.INF. understd.) *to be such and such (in race)* A.
2 boast —W.INF. or ACC. + INF. *of doing sthg., that sthg. is the case* A. Pi.
3 pray (for sthg. to happen) A. —W.ACC. + INF. *for someone to do sthg.* E.

ἐξεφαάνθην (ep.aor.pass.), **ἐξέφανεν** (dial.3pl.aor.2 pass.): see ἐκφαίνω

ἐξ-εφίεμαι *mid.vb.* **give orders** —W.INF. *to do sthg.* S. E.

ἐξεφρίεμεν (1pl.impf.): see ἐκφρέω

ἐξ-έχω *vb.* **1** (of a branch) **stick out, project** —W.GEN. *fr. a torch* Ar.
2 ‖ PTCPL.ADJ. (of objects) **convex** (opp. concave) Pl.
3 (of the sun, its warmth) **come out** Carm.Pop. Ar. D.

ἐξ-έψω *vb.* (of a sacrificial animal, whose stomach has been filled w. meat and water to serve as a cooking-pot) **boil, stew** —*itself* Hdt.

ἔξ-ηβος ον *adj.* [ἥβη] (of a person) **past the prime of manhood, mature** A.

ἐξ-ηγέομαι *mid.contr.vb.* **1** (of a commander) **lead forth to battle** —W.GEN. *soldiers* Il.; (of a commander, a state or nation) **lead** (troops, other states) —W.ADV. or PREP.PHR. *somewhere, against someone* Hdt. X.; **assume leadership** (in war) Hdt. Th.
2 (of a state) **give a lead to, direct** —*a country, the cities in it, one's allies* Th.; (of a politician) —*a state* Th.; (of a person) **take charge** —W.GEN. *of an activity* X.
3 (of a person) **be leader** or **guide, lead the way** hHom. —W.DAT. *for others* S.; **lead** or **show the way to** —W.ACC. *a place* S.
4 prescribe, order, command —*sthg.* Hdt. Th. X.; **give instructions** or **directions** —W.DAT. *to one's allies* Th. X.; (of a law) **prescribe, direct** Pl.
5 (of a person administering an oath) **prescribe, dictate** —*the gods* (*who are to be sworn by*) E.; (of a secretary to the Assembly) **dictate, read out** —*a law* (W.DAT. *to a herald, for public proclamation*) D.
6 (of a person w. expert knowledge, esp. a seer or priest) **expound, explain** —*sthg.* (sts. W.DAT. *to someone*) Hdt. E. Pl. —W.INDIR.Q. *whether sthg. is the case* A.; **give instructions** or **directions** E. Th. X. —W.DAT. *to someone* E. —(W.INF. *to do sthg.*) A.
7 (specif., at Athens, of official advisers on matters relating to homicide or sim.) **expound, interpret** —*laws and customs* D.; (of the Eumolpidai, as depositories of sacred law relating to the Eleusinian Mysteries) —*a law* And.; (intr., of both these groups) **act as expounder** or **interpreter** And. Lys. | see ἐξηγητής 2
8 (gener., of a person) **explain** —*sthg.* (sts. W.DAT. *to someone*) A. Hdt. Th. + —*a poet, his words* Pl. —W.INDIR.Q. *what one must do* (or sim.) Hdt. Pl. + —W.ACC. + INF. *that sthg. is the case* S.; (intr.) **offer an explanation** A. Hdt.; **give guidance** or **advice** Pl. —W.DAT. *to someone* S.
9 relate, recount (sts. W.DAT. *to someone*) —*a story, events, or sim.* A. Hdt. S. Th. + —W.INDIR.Q. *how sthg. happened* X.; (intr.) **go into detail** —w. περί + GEN. *about sthg.* Isoc. Pl. X. D.

ἐξήγησις εως *f.* **detailed account, description, exposition** (freq. W.GEN. of sthg.) Th. Plb.; (w. περί or ὑπέρ + GEN.) Plb.; (w. περί + ACC.) Pl.

ἐξηγητής οῦ *m.* **1 expounder, expositor, interpreter** (of portents, ref. to seers) Hdt.; (W.GEN. of ancestral laws and customs, ref. to advisers of the Persian king) Hdt.; (of religious practices, ref. to Athenian nobles in the time of Theseus, to the chief priest at Rome) Plu.; (of laws and customs, ref. to a Roman patron, for his client) Plu. | see also εἰσηγητής 1
2 (specif., at Athens) **expositor, interpreter, official adviser** (several in number, consulted by individuals on matters relating to homicide, burial, pollution, purification, or sim.) Pl. Is. D. Thphr.
3 (iron.) **expositor, interpreter** (W.GEN. of all kinds of bad behaviour, ref. to a person who explains obscure words which describe it) Aeschin.
4 ‖ PL. (ref. to words) **expositors, narrators** (W.GEN. of sthg.) Pl.
5 app. **prime mover, instigator** (W.GEN. of a scheme) D.

ἐξήειρα (ep.aor.): see ἐξαίρω

ἑξήκοντα *indecl.num.adj.* [ἕξ] **sixty** Hom. +

ἑξηκονταέτης *adj.*, **ἑξηκονταετία** *f.*: see ἑξηκοντούτης

ἑξηκοντάκι *num.adv.* **sixty times** Pi.

ἑξηκοντα-ταλαντία ᾱς *f.* [τάλαντον] **sum of sixty talents** D.

ἑξηκοντούτης ες, also **ἑξηκονταέτης** ες (or **-ετής** ές) *adj.* [ἔτος] (of a person) **sixty years old** Mimn. Pl. Plu.
—**ἑξηκονταετία** ᾱς *f.* **period of sixty years** Plu.

ἑξηκοστός ή όν *num.adj.* **sixtieth** Hdt. Th. +

ἐξ-ήκω *vb.* | The pres. is used w. the sense of a pf., the impf. of a plpf. | **1** (of a person) **have come** —W.COGN.ACC. *by a particular route* S. —W.ADV. *to a certain point* (in one's behaviour or circumstances) S.; (of learning) **have arrived** —W.ADV. *at a particular goal* Pl.; (of a time for doing sthg.) **have come** or **arrived** S.
2 (of one's allotted portion of life) **have come to an end** S.; (of a period of time) **have expired** Hdt. Lys. Pl. X. D.; (of an office, guardianship, statute of limitations) Pl. D.(law)
3 (of prophecies) **have come out in the end, have turned out** —W.PREDIC.ADJ. *true* S.; (of a dream, an oracle) **have come true, have been fulfilled** Hdt.

ἐξηλάθην (aor.pass.), **ἐξήλασα** (aor.), **ἐξηλάσθην** (Ion.aor.pass.), **ἐξήλασσα** (ep.aor.): see ἐξελαύνω

ἐξήλατος ον *adj.* [ἐξελαύνω] (of a shield) **beaten out** (by a smith) Il.

ἐξῆλθον (aor.2), **ἐξήλυθον** (ep.aor.2): see ἐξέρχομαι

ἐξ-ήλυσις ιος *Ion.f.* **way out, outlet** (for a river, sts. w. ἐς + ACC. *to the sea*) Hdt.; (for fire, w. ἐκ + GEN. *fr. a city*) Hdt.

ἐξ-ῆμαρ *temporal adv.* [ἔξ, ἦμαρ] **for six days** Od.

ἐξημαρτημένως *pf.pass.ptcpl.adv.*: see under ἐξαμαρτάνω

ἐξ-ημερόω *contr.vb.* **1 make cultivable, reclaim** —*thorny land* Hdt. —*wild trees* Plu.
2 make tame —*earth and sea* (by clearing them of monsters) E.
3 make gentle, soften —*the harshness of someone's character* Plb.; **civilise** —*someone, an island* Plu. ‖ PASS. (of a person or character) **be softened** or **civilised** Plu.

ἐξημέρωσις εως *f.* **reclaiming** (w.GEN. of the earth, for cultivation) Plu.

ἐξημοιβός όν *ep.adj.* [ἐξαμείβω] (of new clothes) **worn in exchange** (for old) Od.

ἐξῆν (impf.): see ἔξεστι

ἐξηπάφησα (aor.1), **ἐξήπαφον** (aor.2): see ἐξαπαφίσκω

ἐξ-ηπεροπεύω *vb.* **thoroughly beguile** or **deceive** —*someone* Ar.

ἐξῆρα (aor.), **ἐξηράμην** (aor.mid.): see ἐξαίρω

ἐξηραμμένος *pf.pass.ptcpl.adj.*: see under ξηραίνω

ἐξήρᾱσα (aor.): see ἐξεράω

ἐξ-ήρης ου f. [ἕξ, ἐρέσσω] (sts. appos.w. ναῦς) **six-rowed ship** (w. three banks of oars, and rowers seated in groups of six, so that every oar was operated by two oarsmen) Plb. Plu.

ἐξήριπον (aor.2): see ἐξερείπω

ἐξήρυγον (aor.2): see ἐξερεύγομαι

ἐξηρώησα (aor.): see ἐξερωέω

ἑξῆς, ep. **ἑξείης** adv. [reltd. ἔχω] | freq. combined w. πᾶς, πάντες every, all | **1** (ref. to spatial sequence) **one after another, in order, in a row** Hom. Hes. E. Th. +
2 (ref. to sequence of events) **one after another, in sequence, successively** Hom. E. Th. Ar. +
3 (specif.) **step by step, methodically** —ref. to pursuing an argument Pl. —ref. to writing X.; **in chronological order** —ref. to recording events Th.
4 (ref. to position) **next** (to someone or sthg.) E.; (as prep.) —W.GEN. or DAT. to someone Ar.
5 (ref. to time) **thereafter, next** Pl. Arist.; (prep.phr.) ἐν τῷ ἑξῆς soon afterwards NT.; (as prep.) **next after** —W.GEN. or DAT. sthg. Pl. D. +
6 (quasi-adjl., of things) coming next in order of time, **next, following** Pl. D. +

ἐξ-ηττάομαι Att.pass.contr.vb. [ἡσσάομαι] **be overcome** —W.GEN. by someone's determination Plu.

ἐξ-ηχέω contr.vb. (of persons) **give voice to** —a swan-song (fig.ref. to a last-minute appeal) Plb.

ἐξ-ιάομαι mid.contr.vb. **1 thoroughly cure** or **heal** —someone, a part of the body Hdt. E.
2 cure, repair —a fault or defect in sthg. Pl.
3 relieve —someone's fears Pl. —hunger and thirst Pl.
4 make good, make amends for —damage Pl.
5 avert —the capture of one's city E.

ἐξ-ιδιάζομαι mid.vb. [ἴδιος] **1 claim as one's own, appropriate** —a place Plb.
2 bring over to one's side, win over —persons Plb.

ἐξιδιασμός οῦ m. **appropriation** (W.GEN. of cities) Plb.

ἐξ-ιδιόομαι mid.contr.vb. **claim as one's own, appropriate** —a place Isoc. X.

ἐξ-ῑδίω vb. | aor. ἐξίδισα | **sweat** (euphem. for shit or fart) Ar.

ἐξίδμεναι (ep.inf.): see ἔξοιδα

ἔξιδον (ep.aor.2): see ἐξοράω

ἐξ-ιδρύω vb. **1 set down, seat** —someone (W.PREP.PHR. in a place) S.
2 ‖ MID. **settle, establish** —one's life (somewhere) E.fr.

ἐξ-ίημι vb. | ep.athem.aor.inf. ἐξέμεν, ἐξέμεναι | Ion.athem.aor.mid.imperatv. ἔξεο | **1 let out** —a person, troops (fr. a city) Il. Hdt. —(W.ADV. fr. the Trojan Horse) Od. —oil (W.GEN. fr. a corpse's stomach) Hdt.
2 (act. and mid.) **put away** (by indulging), **satisfy** —desire for sthg. Hom.(tm.) Sapph. Thgn.(tm.)
3 (of sailors) **let out** —a sail Pi. —brailing-ropes E.; (fig., of persons) —every (or a murderous) brailing-rope (i.e. make every effort, a murderous effort) E. Ar.
4 (of a mad person) **discharge** —foam (fr. his mouth) E.; (of flesh) —decomposed matter (W.PREP.PHR. into the veins) Pl.; (of the sun) **emit, shed** —its beams E.
5 (intr., of a river, a lake) **flow out, issue** (freq. W.PREP.PHR. into a sea) Alc. Hdt. Th.
6 ‖ MID. **send away** (fr. one's house, back to her father's), **divorce** —one's wife Hdt.

ἐξ-ῑθύνω vb. **1** (of a carpenter's chalk-line) **mark as straight** —a ship's timber (for cutting) Il.
2 (intr., of a helmsman) **keep a straight course** AR.

ἐξ-ικετεύω vb. **beg, implore** (someone) —W.INF. to do sthg. S.

ἐξ-ικμάζομαι pass.vb. [ἰκμάς] (of food) **be drained of moisture** (by being digested) Pl.

ἐξ-ικνέομαι mid.contr.vb. | aor.2 ἐξῑκόμην, ep. ἐξῐκόμην, dial. ἐξῑκόμᾱν, dial.3du. ἐξῐκέσθᾱν | **1 arrive** Sapph. A. Pi. S.; **arrive at, reach** —a place Hom. Hes. A. Pi. B. E. AR.(sts.tm.) —W.PREP.PHR. A. Hdt. Plb. —W.PREP.PHR. maturity S.fr.
2 go to, have recourse to —someone Od. Pi.
3 (of missiles, persons throwing them) **reach** (the enemy) X. Plu.; (of persons) —W.GEN. the enemy (sts. W.DAT. w. a missile or weapon) X.; (of an arrow) —W.ADVBL.NEUT.ACC. a certain distance Hdt.
4 reach (w. sound or sight); **reach** —W.DAT. the dead (by calling to them) Ar. —W.GEN. sthg. (W.DAT. w. one's eyes, i.e. see it) E.; (of a person, w. the voice; of a person's sight) —W.PREP.PHR. a certain distance X. Plu.
5 reach, attain —the pinnacle of wisdom Pi. —W.PREP.PHR. the highest honours Plu. —W.GEN. a goal or sim. E. X. —W.PREP.PHR. Hdt. Pl. Plu.; **go as far as, achieve** —W.ACC. what is necessary Th.; **reach, get** —W.ADVBL.NEUT.ACC. or PREP.PHR. a certain distance (in one's inquiries) Hdt.
6 (of resources) **stretch far enough, suffice** Pl. —w. εἰς + ACC. for sthg. Hdt. X.
7 (of praise) **be conducive** —w. εἰς + ACC. to delight X.

ἐξ-ῑλάσκομαι mid.vb. | aor. ἐξῑλασάμην, ep.inf. ἐξῑλάσασθαι | **1 propitiate, appease** —a deity Hdt.(oracle) X. Men. Plb. Plu.
2 placate —someone's anger Plb.
3 ‖ PASS. (of an injury) **be atoned for** —W.DAT. by compensation Pl.

ἐξίλλω vb.: see ἐξείλλω

ἐξ-ῑπόω contr.vb. | 3du.pf. ἐξῑπώκατον | (of logs) **press heavily upon, weigh down** —someone's shoulder Ar.

ἐξ-ιππάζομαι mid.vb. **ride out** (fr. a body of troops, a city, or sim.) Plu.

ἐξ-ιππεύω vb. **ride out** (of a city) Plu.

ἐξ-ίππον ου n. [ἵππος] **six-horse chariot** Plb.

ἕξις εως f. [ἔχω] **1 state of having, possession** (sts. W.GEN. of sthg.) Pl. Arist.
2 state of being (in a certain condition); **state, condition** (esp. of a person, the body or soul) Isoc. Pl. X. +
3 disposition (towards virtue, opp. practising it) Arist.
4 habit, practice (in an activity) Plb.

ἐξ-ισόω contr.vb. | neut.impers.vbl.adj. ἐξισωτέον | **1 make** or **consider equal** (in status, number, dimensions); **make** (W.ACC. persons or things) **equal** (to each other, to others) Ar. Plb. —W.DAT. to someone or sthg. else Isoc. Men. —w. πρός + ACC. Plu.; **put on an equal footing** —W.ACC. the right of reply (betw. two disputants) S. ‖ PASS. (of persons or things) **be** or **be made equal** Pl. —W.DAT. to others Hdt. Pl. Plu.
2 bring (W.ACC. someone) **to a level** —W.DAT. w. another's misfortunes S.; **treat** (W.ACC. a matter) **on a level** —W.DAT. w. the most serious accusations Antipho
3 (of charioteers) **bring level** or **abreast** —the yokes of their teams S.
4 ‖ MID. (of women) **make oneself equal to, be a match for, rival** —W.DAT. goddesses (in beauty) Sapph.; (of a nation) —another (in strength) Th.; (of a person) —one's superiors Isoc. ‖ MID. and PASS. (of a person) **be a match** —w. πρός + ACC. for another (in wealth, military achievements) Isoc.
5 match (things) in respect of worth; **make** (W.ACC. a reward, for someone) **commensurate** —W.DAT. w. his public service Plu.; **make** (W.ACC. one's praise) **do justice** —W.DAT. to someone's achievements Isoc. ‖ PASS. (of honours) **be made commensurate** —w. πρός + ACC. w. one's

ἐξίστημι

noble deeds Plu.; (of a speech) **do justice** —W.DAT. *to misfortunes suffered* Isoc.
6 ‖ PASS. (of strife) perh., **be levelled out, be resolved into harmony** S.
7 (intr., of persons) **be like** —W.DAT. *someone* S. Th.; **make oneself equal** (in length of battle-line) —W.DAT. *to the enemy* Th.; (in size of camp) *—to another's* Plb.; (of a historian) **make one's account coterminous** —W.DAT. *w. a given period* Plb.

ἐξ-ίστημι *vb.* —also **ἐξιστάνω** (NT.) *vb.* | aor.1 ἐξέστησα ‖ For the intr.mid. see ἐξίσταμαι below. The act. athem.aor., pf. and plpf. are also intr. | **1 displace** (sthg.); **get rid of** or **change** *—a constitution* Plu.; (of sensations or sim.) **drive out, pervert** *—rational thought* Plu.
2 displace (someone) from a normal condition (of mind or sim.); **drive** (W.ACC. someone) **out** —W.GEN. *of one's senses* E. X. *—of oneself* (i.e. make one beside oneself) D.; **dislodge** *—someone* (fr. *his plans*) Plu.; (wkr.sens.) **astonish** *—someone* NT.; (intr., of pain) **cause derangement** Arist.; (of features of speech or writing) **cause distraction** Arist.; **cause excitement** Arist.; (of high-mindedness) **steer** *—someone's feelings* (W.PREP.PHR. *into insensitivity*) Plu.

—ἐξίσταμαι *mid.vb.* | also ACT.: athem.aor. ἐξέστην | pf. ἐξέστηκα | 3sg.plpf. ἐξειστήκει | **1 displace oneself or be displaced** (fr. somewhere); **get out of the way, stand clear** E. Lys. Ar. Pl. X.; **stand to the side** —W.GEN. *of a road* Hdt.; **remove oneself, retire** —w. ἐκ + GEN. fr. *a place* X.; **get out of** —W.GEN. *one's seat and someone's way* X.; **give way** —W.DAT. *to a group of people* Ar.; (of the night sky) *—to daylight* S.; (of a person) **give way, defer** —W.DAT. *to someone* S.; (of good sense) **depart, be lost** S.; (of elements in the natural world) **become displaced** E. ‖ PF.ACT. (of Strife) **have withdrawn** (to somewhere) Emp.; (of a lock of hair) **have become dislodged** —w. ἐκ + GEN. fr. *its place* E.
2 (tr.) **move out of the way of, shrink from, shun** *—someone or sthg.* S. D.
3 lose —W.GEN. *one's mind* E.; **be driven out** —W.GEN. *of oneself* (i.e. to distraction) Aeschin.; (wkr.sens.) **be astonished** NT. ‖ PF.ACT. **be out of** —W.GEN. *one's mind* E. Isoc. *—oneself* (i.e. be beside oneself) Men.; (of a mind) **have lost** *—the capacity to reason* Plb.; (of a person) **be beside oneself** Pl. Men.; **be crazy** Men.
4 give up possession (of sthg.); **abdicate from, give up** —W.GEN. *one's empire* Th.; **be relieved of** —W.GEN. *one's property* Antipho D. ‖ PLPF.ACT. **had been relieved of** —W.GEN. *one's property* D.
5 give up association (w. someone or sthg.); **dissociate oneself** —W.GEN. fr. *someone* Ar. *—fr. public life, human concerns* Isoc. Pl.; **disown** —W.GEN. *one's actions* D.; **forget** —W.GEN. *what one has learned* X. D.; **abandon** —W.GEN. *a resolve, practice, principle* S. X. D.; **give up** —W.GEN. *someone's friendship* Lys. *—one kind of behaviour* (w. εἰς + ACC. *for another*) Pl.; **resign** —W.GEN. fr. *an office* Th. —(W.DAT. *in favour of someone*) Plu. ‖ PF.ACT. **stand aloof** —W.GEN. fr. *public life, fr. common laws and customs* Isoc.
6 (of persons or things) **change** —W.GEN. fr. *oneself* (i.e. fr. *one's normal self*), fr. *one's natural character, fr. one's own form or nature* Isoc. Pl. Arist. —w. εἰς + ACC. *into sthg. else* Arist. ‖ PF.ACT. (of a form of government) **have degenerated** —W.GEN. fr. *the best form* Arist. ‖ PF.ACT.PTCPL.ADJ. (of wine) **gone off, turned sour** E.; (of a face) **distorted** X.
7 (of a person) **change one's attitude** or **opinion** Th. Arist.
8 ‖ PF.ACT. (of the subject matter of poetry) **be removed from the ordinary** Arist.

ἐξ-ιστορέω *contr.vb.* **1 seek out, learn** *—one's destiny* A. *—the path of someone's thoughts* E.; **inquire about** *—someone's journey* A.
2 question —W.DBL.ACC. *someone about sthg.* Hdt. *—someone* (W.COGN.NEUT.ACC. w. *questions that do not cause pain*) E.; **ask** *—someone* (W.INDIR.Q. *whether one shd. do sthg.*) E.

ἐξ-ίσχω *vb.* (of Scylla) **hold out** *—her heads* (W.PREP.PHR. *outside her cave*) Od.

ἐξίσωσις εως *f.* [ἐξισόω] **equalisation** (W.GEN. *of property, among the Spartans*) Plu.

ἐξίτηλος ον *adj.* [ἔξειμι²] **1 going out** or **departing**; (of a seed, sown in foreign soil) **dying out** Pl.; (of a family) **extinct** Hdt.; (of an attribute inherited fr. the gods) A.fr. Pl.
2 (of purple cloaks) **losing colour, fading** X.
3 (of a person's influence) **ended** Plu.
4 (of events) **vanished from memory, forgotten** Hdt. Isoc.
5 (of persons) **worn out, exhausted** Plu.

ἐξιτητέον (neut.impers.vbl.adj.): see ἔξειμι²

ἐξιτός ή όν *adj.* ‖ NEUT.IMPERS. (w. ἐστί) **it is possible** (W.DAT. *for someone*) **to get out** (of a place) Hes.

ἐξ-ιχνεύω *vb.* **1 track down** *—persons, cattle* S.*Ichn.* E. Plu.
2 (fig.) **trace the source of** *—a calamity* A.
3 (fig., of a foreigner) **try to capture** (i.e. to speak) *—the Ionian language* Tim.

ἐξ-ιχνοσκοπέω *contr.vb.* **track down** *—horses* S. ‖ MID. **track footsteps** S.

ἐξ-μέδιμνος ον *adj.* [ἕξ] (of a grain-bin) **holding six medimnoi** Ar.

ἐξ-ογκόω *contr.vb.* **1** ‖ MID. (of audacity) **swell out, grow greater** E. ‖ PASS. (of a person, whose clothing is packed w. gold-dust) **be swollen out** Hdt. ‖ NEUT.PL.PF.PASS.PTCPL.SB. **affluence** or **success** E.
2 ‖ PF.PASS.PTCPL.ADJ. (fig., of persons) **swollen with pride** (W.DAT. *in themselves and their countries*) Hdt.; (in Troy and in having commanded an army there) E.
3 (w. both literal and fig. force) **exalt** *—one's mother* (W.DAT. *w. a tomb, i.e. honour her by building it up*) E. ‖ MID. **swell with pride** —W.DAT. fr. *lavish meals* E.

ἐξογκώματα των *n.pl.* **edifices** (of stone) **built up** (in honour of the dead Herakles), **grand monuments** E.

ἐξ-οδάω *contr.vb.* **sell off** *—someone's property* (W.DAT. *to another*) E.Cyc.

ἐξοδεία ᾱς, Ion. **ἐξοδίη** ης *f.* [ἐξοδεύω] **military expedition** Hdt. Plb.

ἐξ-οδεύω *vb.* (of a commander, troops) **make an expedition** Plb.

ἐξόδιον ου *n.* [ἔξοδος] **ending, finale** (of a tragedy) Plu.; (fig., of a person's career) Plu.

ἐξ-οδοιπορέω *contr.vb.* **come out** —W.GEN. fr. *a house* S.

ἔξ-οδος ου *f.* [ὁδός] **1 place of going out, exit** (of a room, building, city, or sim.) Hdt. Trag. +
2 outlet (ref. to the respiratory and vocal passages of the body) Pl.
3 means of going out, way out (fr. a place) Th.; **outlet** (for a river, W.PREP.PHR. *into the sea*) Hdt.
4 action or **occasion of coming** or **going out, exit, departure** (of a person fr. a place or building) S. E. Pl. X.; **emigration** (w. ἐκ + GEN. fr. *a country*) Hdt.; (fig., ref. to forgetfulness) **departure** (W.GEN. *of memory*) Pl.
5 departure for war, military expedition, campaign Hdt. Th. Ar. Att.orats. +; **advance onto the field of battle** Hdt. E. Lys.; **sortie** (fr. a city) Th.; **mission** (by an individual) S.
6 excursion (fr. home, by a woman) Ar. Pl. D. Thphr. Plb. Plu.

7 procession (of people, fr. a city) Hdt.; (fr. a house) E.*fr*.
8 (fig.) **way out** (of a difficulty) Pl.; (w. ἐκ + GEN.) Hdt.
9 end, expiry (of a truce) Th.; (W.GEN. of a term of office) X.
10 (euphem.) departure from life, **passing away, death** NT.
11 outcome, conclusion (W.GEN. of an argument) Pl.
12 final scene (of a tragedy, ref. to all that follows the last choral ode) Arist.
13 exit tune (for a chorus leaving the orchestra at the end of a comedy, fig.ref. to music played for jurors leaving a courtroom) Ar.
14 outgoing payment, expenditure Plb.

ἐξ-οδυνάομαι *pass.contr.vb.* **be tormented with pain** E.*Cyc*.

ἔξοθεν *adv*.: see ἔξωθεν

ἔξ-οιδα *pf.vb*. | ep.inf. ἐξίδμεναι | **1 know thoroughly, know full well** —W.NOM.PTCPL. *that one is in such and such a situation* S. —W.ACC. + PTCPL. *that someone is doing sthg.* S. —W.INDIR.Q. or COMPL.CL. *what* (or *that sthg.*) *is the case* S.
2 know (sthg.) S.; **know** or **know about** —*sthg.* S. E. AR.

ἐξ-οιδέω *contr.vb*. **1** (of a person) **be swollen** —W.ACC. *in the forehead* (w. *bruises*) E.*Cyc*.; (of corpses left on the battlefield) —*in the face* Men.
2 (fig., of part of a city-state) **swell beyond the proper size** Plb.

ἐξ-οικέω *contr.vb*. **1** remove one's home (fr. a city or country), **move out, emigrate** (sts. W.PREP.PHR. or ADV. to a place) Att.orats. Arist.
2 || PASS. (of an area of ground in a city) be occupied by refugees (fr. the countryside) Th.

ἐξοικήσιμος ον *adj*. (of a place) **able to be lived in, habitable** (by a foreigner) S.

ἐξ-οίκησις εως *f*. **1 place of exile** (ref. to Philoktetes' cave) S.(cj.)
2 emigration Pl. Arist.

ἐξ-οικίζω *vb*. **1** remove from one's home, **dispossess** —*occupants of a region* Th.; **eject** —*someone* (W.GEN. *fr. home*) E.; **transplant** —*persons* (W.PREP.PHR. *to a place*) Plu.
2 (fig.) **banish** —*gold and silver coins* (W.GEN. *fr. a country*) Plu. || PASS. (of war) be banished —W.GEN. *fr. a country* Plu.
3 depopulate —*an island* (W.GEN. *of its males, by killing them*) E.; (mid.) —*a region* Plu.
4 || MID. (of a person) **emigrate** (fr. a country) Pl.; **move out** (fr. a house) Aeschin.; (of the gods, fr. heaven) Ar.

ἐξ-οικοδομέω *contr.vb*. **1** complete the building of, **build** —*a temple, blockading wall, houses* Hdt. X. Plu. || PASS. (of a wall) be built Ar.
2 build up, repair —*an eroded cliff* (*to create a pathway*) Plb. || MID. **rebuild** —*a fallen wall* Plb.

ἐξ-οιμώζω *vb*. **cry out** —W.DAT. or COGN.ACC. *w. mournful cries* S.

ἐξ-οινόομαι *pass.contr.vb*. **become completely drunk** E.

ἐξοιστέος ᾱ ον *vbl.adj*. [ἐκφέρω] (of a mat) **to be brought out** Ar.

ἐξ-οιχνέω *contr.vb*. | Ion.3pl. ἐξοιχνεῦσι | **go out** (of a city) Il.

ἐξ-οίχομαι *mid.vb*. **1 have gone forth** or **out** (of a house) Il.
2 be gone, depart S.
3 (of a quality) **be gone, have disappeared** (fr. someone) Pl.

ἐξ-οιωνίζομαι *mid.vb*. **regard** (W.ACC. one's fortune) **as ill-omened** Plu.

ἐξ-οκέλλω *vb*. **1** (intr., of a ship) **run aground, be stranded** —W.PREP.PHR. *at a place* A. Hdt.
2 (fig., of persons) **be swept, be driven** —W.PREP.PHR. *into a lengthy discourse, an unfavourable situation, criminal behaviour, or sim.* Isoc. Plb. Plu.; **go to ruin** Plb.
3 (tr., fig.) **leave stranded** —*a person* (w. εἰς + ACC. *in a marriage*) A.*fr*. —(*in ruin*) E.

4 || IMPERS.MID. or PASS. (fig.) matters founder, one runs aground or is stranded —W.ADV. *here* (*i.e. on this issue*) A.

ἐξ-ολεθρεύομαι *pass.vb*. [ὄλεθρος] (of persons) **be utterly destroyed** NT.

ἐξ-ολισθάνω *vb*. | aor.2 ἐξώλισθον | **1** (of a liver, i.e. part of it) **slip out** (of a wound) Il.(tm.); (of a sword) —W.GEN. *of someone's hand* Plu.
2 (of the point of a weapon) **slip** or **glance off** (a shield) E.
3 (fig., of a person smeared in oil) **slip out of** —W.ACC. *someone's slanders* (*envisaged as wrestling-holds*) Ar.; (of a word) **slip away** —W.DAT. *fr. persons* (*i.e. out of their mind*) Ar.
4 (intr., of a person) **slip away, escape** Ar.

ἐξ-όλλυμι *vb*. **1** (sts. hyperbol., of deities, persons, things) **utterly destroy** —*persons* Od. Thgn. E. Ar. Pl. D. Men. —*a country* D.
2 || MID. (of persons or things) **be utterly destroyed, perish, die** Emp. E.*Cyc*. Ar. Pl. D. Plu.
3 || PF.ACT. **have been destroyed, have perished, be dead** E. Ar. Pl.

ἔξομαι (fut.mid.): see ἔχω

ἐξ-ομαλίζω *vb*. (fig.) **level out, calm down** —*the masses* Plb.

ἐξ-ομηρεύομαι *mid.vb*. **take** (W.ACC. someone) **hostage** Plu.

ἐξομήρευσις εως *f*. **taking of hostages** Plu.

ἐξ-ομιλέω *contr.vb*. **1 associate, converse** (w. someone) Plu. —W.DAT. *w. people* X. || MID. (of a woman) **be away from one's normal society, be away from home** E. [or perh. *be out in company* (w. *others*)]
2 (of garlands of different colours, fig.ref. to wounds) **keep one company** E.*Cyc*.
3 (tr.) **win over, make a friend of** —*someone* Plu.

ἐξ-όμιλος ον *adj*. (of a group of strangers) coming from outside one's society, **foreign, alien** S.

ἐξ-ομματόω *contr.vb*. (of Prometheus) **give clear discernment of, clarify the meaning of** —*signs fr. flames* A.

ἐξ-όμνυμι *vb*. **1** (leg.) take an oath that one is incapable of undertaking a public office, by reason of ill-health or other cause) || MID. **take an oath of exemption** Aeschin. D. Arist. —W.ACC. *fr. an office, an embassy* Aeschin. D. Thphr.; **claim on oath** —w. μή + INF. *that one is incapable of serving in the cavalry* Arist. || ACT. **claim on oath as a ground for exemption** —W.ACC. + INF. *that someone is unwell* D.
2 (of a defendant) **take an oath that one is incapable of attending** —*a trial* Thphr.
3 (act. and mid., of a witness) take an oath disclaiming knowledge; **take an oath of disclaimer** Att.orats. Pl.; (tr.) **take an oath that one has no knowledge of** —*facts stated in evidence, the truth of evidence, slanderous accusations* Aeschin. D. Arist.; **deny on oath** —w. μή or τὸ μή + INF. *that one knows sthg.* S. D.
4 (in Roman or non-Athenian ctxt.) **renounce, resign** —*an office* Plu.; (intr.) **decline an office** Plu.

ἐξ-ομοιόω *contr.vb*. **1 make** (W.ACC. sthg.) **like** (usu. W.DAT. sthg. else) Hdt. Pl. Plb.; **assimilate, adapt** —*oneself* (W.DAT. *to a political system*) Pl.
2 || MID. **make oneself like** —W.DAT. *someone* E. Plb. || PASS. be made like (someone) —W.ACC. *in nature* S.
3 || PASS. (of a bee, i.e. its activities) **be comparable** —W.DAT. *to a person's activities* X.; (of a river) —w. πρός + ACC. *to another river* Plu.

ἐξομοίωσις εως *f*. **similarity** (of conduct, to someone else's) Plu.

ἐξ-ομολογέομαι *mid.contr.vb*. **1 confess, admit** —*one's sins, actions, a feeling, the truth* NT. Plu.; **acknowledge** —*defeat* Plu. —*the unacceptability of sthg.* Plu.

ἐξομολόγησις

2 acknowledge gratefully, give thanks or praise —W.DAT. + COMPL.CL. *to God, for doing sthg.* NT.

3 ‖ ACT. agree, contract, promise (to do sthg.) NT.

ἐξομολόγησις εως *f.* confession, admission, acknowledgement (usu. W.GEN. of sthg.) Plu.

ἐξ-ομόργνυμι *vb.* 1 wipe away (sthg. that stains or pollutes); wipe away —*foam* (W.GEN. *fr. someone's mouth and eyes*) E.(tm.); wipe up (fr. the ground) —*a drop of blood* E.*fr.* ‖ MID. wash off from oneself (W.DAT. *w. pure water*) —*sthg. heard* (*that is polluting one's ears*) E.; (intr.) wipe oneself dry (of tears) E.

2 ‖ MID. wipe off (sthg. that pollutes one's person, onto sthg. or someone else); wipe off from oneself, smear —*blood* (W.DAT. *onto someone's clothes*) E.; (fig.) —*one's stupidity, one's buggery* (W.DAT. *onto someone*) E. Ar.; rub off, imprint —*one's faults* (w. εἰς + ACC. *onto one's soul, the souls and bodies of one's children*) Pl.

ἐξόμορξις εως *f.* wiping off, imprinting (of one thing on another) Pl.

ἐξόν (neut.ptcpl.): see ἔξεστι

ἐξ-ονειδίζω *vb.* 1 taunt (someone) —W.INTERN.ACC. *w. insults* S. —*in an audacious manner* E.; reproach —W.DAT. + COGN.ACC. *someone, w. a reproach that is to his credit* E.; (intr.) be reproachful or insulting S. Plu. ‖ PASS. be taunted Plu. —W.COGN.ACC. *w. insults* S.

2 hold up for blame, criticise —*offensive or illegal behaviour, someone's misfortunes* Plb. Plu.

ἐξ-ονομάζω *vb.* 1 call by name, address (someone) Hom.(tm.)

2 declare, announce —*one's lineage* hHom. —W.ACC. + FUT.INF. *that someone will do sthg.* E.

3 name (in Latin) —*Greek philosophical terms* Plu.

ἐξ-ονομαίνω *vb.* 1 tell the name of, name —*someone* Il.

2 refer to, mention —*sthg.* Od. hHom. AR.(tm.)

ἐξ-ονομακλήδην *adv.* [ὄνομα, καλέω] | also tm. ἐκ ... ὀνομακλήδην (Od.) | In Il. sts. written ἐξ ὀνομακλήδην (ἐκ in tm. w. following ὀνομάζων, just as in Od. ἐκ may be taken w. following ὀνόμαζες rather than w. ὀνομακλήδην). But the cpd. is indivisible once in Od., and in Critias. | by calling a name, by name —*ref. to addressing someone* Hom. Critias

ἐξ-όπισθε(ν), ep. **ἐξόπιθε(ν)** *adv. and prep.* 1 (as adv.) behind (someone) Il. Hes. Ar. Pl. Call. AR. Plu.; at the rear (of an army) Il. X. Plu.; from behind (someone or sthg.) Ar. Theoc. Plu.; (ref. to direction) εἰς τὸ ἐξόπισθεν *backwards* Pl.

2 (as prep.) behind —W.GEN. *someone or sthg.* Il. Ar. Plu.; next after, after —W.GEN. *sthg.* Ar.

—**ἐξόπιν** *adv.* from behind, astern —*ref. to a wind blowing* B.; behind, on the rump —*ref. to an eagle having white feathers* A.

ἐξ-οπίσω *adv. and prep.* 1 (as adv.) in a backwards direction, backwards, back Il. Hes. hHom.

2 back to a starting-point, back, back again Hes.

3 (as prep.) away —W.GEN. *fr. one's hand* (*i.e. fr. the action which it performs, ref. to averting one's eyes*) S.*fr.* | cf. πάλιν 1

4 (as adv.) hereafter, henceforth, in time to come Od. Hes. hHom. Eleg. Pi.

ἐξοπλασία *f.*: see ἐξοπλισία

ἐξ-οπλίζω *vb.* fully arm, equip for battle —*troops, marines* Hdt. X. Plu.; (fig.) —*Ares, violence* (*i.e. get ready for war or violent conflict*) A. ‖ MID. (of persons) arm oneself, get under arms E. X. Plu.; arm or equip oneself —W.DAT. *w. sthg.* E. X. Plu. (of troops) be in full armour, stand armed X.; (of a commander, ref. to his army) be in full battle array Plu. ‖ PF.PASS.PTCPL.ADJ. (of persons) ready under arms Ar. Pl. X. Plu.; (fig., of a mallet) ready for action Ar.

ἐξοπλισία (also **ἐξοπλασία** Arist.) ᾱς *f.* muster of troops in battle array, armed parade X. Arist. Plb.

ἐξόπλισις εως *f.* arming, getting armed (by troops) X.

ἔξ-οπλος ον *adj.* [ὅπλα] (of enemy troops) not well armed, unprotected, vulnerable Plb.

ἐξ-οπτάω *contr.vb.* 1 thoroughly bake or fire —*jars* (*in a kiln*) Hdt.; fire, heat —*a kiln* Hdt.

2 thoroughly roast —*a hare* Ar. —*human flesh* (W.DAT. *on a fire*) E.Cyc.

3 ‖ PF.PASS.PTCPL.ADJ. (of a stuffed fig-leaf) well cooked Ar.

ἐξ-οράω *contr.vb.* | aor.2 ἐξεῖδον, ep. ἔξιδον | 1 look forth, gaze, stare Il.

2 ‖ MID. see to it —W.COMPL.CL. *that one does sthg.* S.

3 ‖ PASS. (of persons or things) be fully visible (at a distance) E.

ἐξ-οργιάζω *vb.* (of melodies) stir to frenzy, violently arouse —*the soul* Arist.

ἐξ-οργίζω *vb.* | fut. ἐξοργιῶ | anger, enrage —*persons, their minds, an animal* (sts. w. πρός + ACC. *against someone or sthg.*) X. Aeschin. ‖ AOR.PASS. (of persons) become angry or enraged Plb. —W.DAT. or πρός + ACC. *w. someone or sthg.* Plb.

ἐξ-ορθιάζω *vb.* (of an oracle) shrill forth —*many things* A.

ἐξ-ορθόω *contr.vb.* 1 set upright —*sthg. that has been knocked down* Pl.

2 set right, correct —*sthg. that has become distorted* Pl.; (mid.) —*an unsatisfactory situation, one's life* E.

3 guide in a straight or prosperous course —*one's fortune* S.

ἐξ-ορίζω *vb.* 1 put or send beyond one's borders, expel —*persons seeking asylum* E. —*criminals* Pl. D. Arist. —*a corpse* Plu. —*a traitor's bones* (w. ἔξω + GEN. *outside a country*) Lycurg. ‖ PASS. be cast out beyond the borders Hyp. —W.GEN. *of a country* Lycurg.

2 (of a captor) take away, remove —*someone* (W.ADV. *fr. a country*) E.

3 (of a mother) cast out, expose —*a baby* (W.PREDIC.SB. *as prey for birds and beasts*) E.

4 (of a lawgiver or sim.) expel —*indecent talk* (w. ἐκ + GEN. *fr. a city*) Arist.; eliminate, get rid of —*uncivilised behaviour* Pl. D.

5 ‖ MID.PASS. (fig., of an ancestral taint) spread beyond the boundaries (by affecting the innocent as well as the guilty) E.

ἐξ-ορίνω *vb.* provoke, exasperate —*someone* (W.DAT. *w. childish yelping*) A.

ἐξόριστος ον *adj.* [ἐξορίζω] 1 (of a criminal's corpse) cast out beyond the borders Din.

2 (of a person) banished, exiled D.; (W.GEN. fr. a country) Plb.

ἐξ-ορκίζω *vb.* 1 administer an oath; make (W.ACC. someone) swear an oath Aeschin. Plb. —w. ἦ μήν + FUT.INF. *that they will do sthg.* Plb. ‖ PASS. have an oath administered to one, take an oath Aeschin. Plb.

2 adjure, appeal to —*someone* (w. κατά + GEN. *in the name of God*, w. ἵνα + SUBJ. *to say sthg.*) NT.

ἐξορκισμός οῦ *m.* administration of an oath Plb.

ἐξορκιστής οῦ *m.* exorcist NT.

ἔξ-ορκος ον *adj.* [ὅρκος] (of a person) under oath Pi.

ἐξ-ορκόω *contr.vb.* administer an oath Hdt. Th.(treaty) D.; make (W.ACC. someone) swear an oath D. —W.ACC. *by the Styx* Hdt. —w. ἦ μέν + FUT.INF. *that he will do sthg.* Hdt. —W.FUT.INF. D.

ἐξόρκωσις ιος *Ion.f.* state of being under oath, obligation to one's oath Hdt.

ἐξ-ορμάω contr.vb. 1 cause (someone or sthg.) to start out; (of cities, rulers) send out —troops A. E.; (of sailors) set moving —a ship Th.; (of a person) —a nimble foot Ar.; (of trainers) start off —athletes (at their exercises) Pl.
2 stir on (someone) to action; (of persons, fear) incite, urge on —someone E. Th. Ar. Plu. —(w. ἐπί + ACC. to valour) X. —(W.INF. to do sthg.) X. Plu.
3 (intr., of persons, freq. of troops, commanders) set out E. X. Aeschin. Men. Plb. Plu. —W.GEN. fr. a land E. —w. ἐπί + ACC. for a task Men.; hasten away E.; sally forth —W.GEN. fr. a city Plb.; (of a ship) race away —W.ADV. in a particular direction Od.; (fig., of an affliction) start off, go on the attack S.
4 ∥ MID. (of persons, freq. of troops, commanders) set out Hdt. S. E. X. Men. —w. ἀπό + GEN. fr. a house S. E. —w. πρός + ACC. for a task E.
5 ∥ MID. (of arrows) speed forth —W.GEN. fr. a bow A. E.

ἐξ-ορμενίζω vb. [ὅρμενος shoot, stalk] (of a baby's growth) sprout forth (i.e. proceed quickly) S.Ichn.

ἐξ-ορμέω contr.vb. (of a ship) be at anchor out of harbour, lie offshore Att.orats.; (fig., of a person) be moored —w. ἐκ + GEN. outside a city Aeschin. Hyp.

ἐξ-ορμίζω vb. 1 take out of harbour —a ship D.
2 take out (W.PREP.PHR. to sea) —what is needed for burial E.
3 ∥ MID. (fig.) come out —W.GEN. of one's dwelling E.

ἔξορμος ον adj. [ἐξορμάω] (of a sailor) setting forth (W.GEN. fr. an island) E.

ἐξ-ορούω vb. (of a lot) spring out (of a helmet, when shaken) Il.(tm.); (of winds) rush out (of a bag) Od.(tm.)

ἐξ-ορύσσω, Att. ἐξορύττω vb. 1 dig out (of the ground); dig up —corpses (w. ἐκ + GEN. fr. a place) Hdt. —garlic bulbs Ar. —olives Lys. D. Arist. ∥ PASS. (of earth) be dug out (of a trench) Hdt.; (of plants) be dug up X.
2 dig through —a roof NT.
3 gouge out —someone's eyes Hdt. Plu.

ἐξ-ορχέομαι mid.contr.vb. 1 dance one's way out (of jail) D.
2 (fig., of a Spartan who negotiated a dishonourable peace) dance away, sell down the river —great Spartans of the past Plu. [The fig. use derives fr. the story of a suitor who forfeited a proposed marriage by disgraceful dancing; see ἀπορχέομαι.]

ἐξ-όσδω dial.vb. [ὄζω] (of a herdsman) give off a smell, smell —W.NEUT.ADV. foully Theoc.

ἐξ-οσιόω contr.vb. 1 treat as holy, sanctify —fire Plu.
2 ∥ MID. keep oneself holy —W.ACC. w. lips that avoid ill-omened speech (i.e. maintain a holy silence) E.
3 ∥ MID. perform sacred rites Plu.

ἐξ-οστρακίζω vb. banish by ostracism, ostracise —someone And. Lys. Pl. Plu. ∥ PASS. be ostracised Hdt. And. Plu.

ἐξοστρακισμός οῦ m. banishment by ostracism Plu.

ἐξ-ότε relatv.adv. [ὅτε¹] from the time when, ever since Ar. Call. AR.

ἐξ-οτρύνω vb. urge on, encourage (someone) Th. —someone (W.INF. to do sthg.) A. E. —(w. ἐπί + ACC. to dangerous actions) Th.

ἐξ-ουδενέω (also ἐξουθενέω) contr.vb. [οὐδείς] consider of no value, treat with contempt —a person NT. ∥ PASS. (of a person) be treated with contempt NT.

ἐξούλη ης f. [ἐξείλλω] (leg.) ejectment (seizure of property by a plaintiff fr. a defendant who has refused to surrender it) And. D.

ἐξουσία ᾱς f. [ἔξεστι] 1 possibility, opportunity, licence (freq. W.INF. or τοῦ + INF. to do sthg.) Th. Att.orats. Pl. +; (w.GEN. for sthg.) Th. Lys. Pl. +

2 lack of restraint, liberty (W.PREP.PHR. w. regard to lifestyle) Th.; (pejor.) licence, freedom (to do sthg.) Th. Pl. D.; (W.GEN. afforded by wealth) Th.
3 power, authority (of a ruler, official, or sim.) E.fr. Isoc. Aeschin. +
4 position of power, office Isoc. Pl. Arist. ∥ PL. persons holding positions of power, authorities, officials NT. Plu.
5 capability, resources (of a state) Th.; availability (of supplies) Th.
6 show of wealth and power, pomp Plu.

ἐξουσιάζω vb. 1 have licence or permission (for the indulgence of one's appetites) Arist.
2 exercise authority —W.GEN. over someone NT.

ἐξουσιαστικώτερον compar.adv. with a greater show of authority Plb.

ἐξ-οφέλλω vb. (of a suitor) increase in number or raise in value —his wedding gifts Od.

ἐξ-όφθαλμος ον adj. [ὀφθαλμός] 1 (of a person, a horse) with prominent or protruding eyes Pl. X.
2 (fig., of the illogicality of an action) standing out for all to see, unmistakable Plb.

ἐξ-οχετεύω vb. (fig.) channel off —one discourse (W.GEN. fr. another, i.e. move to a new one) Emp.

ἐξοχή ῆς f. [ἐξέχω] prominence; (quasi-adjl., of persons) κατ' ἐξοχήν in a prominent position (W.GEN. in a city) NT.

ἔξοχος ον adj. 1 standing out (beyond other persons or things, in respect of some quality); (of persons) pre-eminent, outstanding, foremost, exceptional Il. Pi. Theoc.; (W.ACC. in courage, beauty, wealth) Thgn. Simon. AR.; (of a house, garden, gift, destiny, or sim.) outstanding, exceptional Od. Pi. B. Theoc. Plu.; (of days) outstandingly suited (W.INF. for doing sthg.) Hes.
2 (of a person) pre-eminent, outstanding, greatest (W.GEN. of or among people, sts. also W.DAT. in courage) Hom. Hes.fr. Alcm.; (of an ox, a sheep) finest (W.GEN. of all, of one's own) Il. AR.; (of a person) superior (to another) S.fr.; (of a piece of land, to others) Il.; (of numbering) supreme (among skills) A.
3 (of a warrior) standing out (W.GEN. + ACC. among people, w. his head and broad shoulders) Il.; towering (W.GEN. + DAT. over people, in stature) Plu.
4 (of a person) foremost (W.DAT. among warriors) Il.; (of goats) finest (among all the flocks) Od.

—ἐξοχώτερος ᾱ ον compar.adj. (of a person) superior Pi.
—ἐξοχώτατος η ον superl.adj. (of a person) supreme, most outstanding Pi.; (W.ACC. in beauty) E.; (of goats) most excellent (W.PREP.PHR. for milking) Pi.fr.; (of circumstances, W.INF. at teaching sthg.) A.
—ἔξοχον neut.sg.adv. to an exceptional degree, beyond, above (W.GEN. other people) Hom. Hes.fr. hHom. AR.
—ἔξοχα neut.pl.adv. especially, above all Hom. Sapph. Pi. Call. AR.; exceptionally, extremely Od. Theoc.; by far (W.ADJ. best) Hom. Hes.fr. hHom.; beyond, above (W.GEN. all others, sthg. else) Hom. hHom. Pi. Call. AR.
—ἐξόχως adv. especially, above all Pi. B. E.
—ἐξοχώτατα superl.adv. in the best possible way —ref. to saying sthg. Pi.

ἐξ-οχυρόομαι pass.contr.vb. (of persons under siege) be securely fortified Plu.

ἐξ-πηχυς υ, gen. ους adj. [πῆχυς] (of a shield) measuring six cubits, nine feet tall X.(cj.) ∣ cf. ἑξάπηχυς

ἐξ-υβρίζω vb. (of persons, peoples) behave aggressively, brutally, abusively or insolently Hdt. Th. X. Plu.; commit aggressive or abusive acts Hdt. S. Lys.; (of things) get out of

ἐξυγιάζω

control Pl. ‖ PASS. (of a city) be treated contemptuously Hyp.

ἐξ-υγιάζω vb. **restore to full health** —*wounded people* Plb.

ἐξ-υγραίνομαι pass.vb. (of matter) **become liquefied** Plu.; (of the bowels) **turn to liquid, become loosened** Plu.

ἐξ-υλακτέω contr.vb. **bark out**; (fig., of a person) **cry out savagely** Plu.

ἐξ-υμνέω contr.vb. **sing the praises of, speak highly of** —*sthg*. Plb.

ἐξ-υπανίστημι vb. | athem.aor. ἐξυπανέστην | (of a weal) **rise up from underneath (the skin), start up on** —W.GEN. *someone's back* Il.

ἐξ-υπεῖπα aor.1 vb. [ὑπεῖπον] **suggest** —W.DAT. + INF. *to someone that he shd. do sthg*. E.

ἐξ-ύπερθε adv. **up above** S.

ἐξ-υπέρχομαι mid.vb. | aor.2 ἐξυπῆλθον | **sneak away** S.*Ichn*.

ἐξ-υπηρετέω contr.vb. **1 give full assistance** (to someone) S. **2** (gener.) **deal with** (sthg.); **cope with** —W.DAT. *misfortunes* E.*satyr.fr.*; **indulge in, give rein to** —W.DAT. *lawless behaviour* Lys.

ἐξυπνίζω vb. [ἔξυπνος] **awaken from sleep** —*a person* NT. ‖ PASS. **be awakened from sleep** Plu.

ἐξ-υπνος ον adj. [ὕπνος] **awakened from sleep** NT.

ἐξ-υπτιάζω vb. perh. **turn upside down** —*a person's name* (app.ref. to word-play) A.

ἐξυρημένος pf.pass.ptcpl.: see ξυρέω

ἐξ-υφαίνω vb. **1 finish weaving** —*a garment, a fabric* Hdt. Plu.; (fig.) **complete** —*the full pattern of one's plans* Plb. ‖ PASS. (fig., of individual books in a long historical work) **be woven out to the end** —W.PREP.PHR. *thread by thread* (*i.e. in an ordered series, like threads of the warp*) Plb. **2** (fig., of a lyre) **weave out, elaborate** —*a song* Pi. ‖ PASS. (of blessings) **be woven out** —W.DAT. *for someone* Pi. **3** ‖ PASS. (of a honeycomb) **be intricately constructed** (by bees) X.

ἐξύφασμα ατος n. **finished piece of weaving, woven product** (W.GEN. of a κερκίς *pin-beater*) E.

ἐξ-υφηγέομαι mid.contr.vb. **lead the way** S.

ἔξω (fut.): see ἔχω

ἔξω adv. and prep. [ἐκ] | For compar. and superl. see ἐξωτέρω, ἐξωτάτω. | **1** (ref. to direction, usu. w.vb. of motion) **from the interior** (of a house, city, place, body, or sim.), **outside, out** Hom. +; (as prep.) **outside, out of** —W.GEN. *somewhere or sthg*. Hom. +
2 (ref. to location) **outside, on the outside** Hom. +; **outside** (one's city or country), **abroad** Th. +; (as prep.) **outside** —W.GEN. *somewhere or sthg*. Od. +; **on the other side of, beyond** —W.GEN. *a place* Hdt. Isoc.
3 outside the range of —W.GEN. *missiles* Th. X.
4 out of —W.GEN. *one's senses* Pi. E.; **beside** —W.GEN. *oneself* (i.e. not in one's normal state) Pl.
5 outside the sphere of, outside —W.GEN. *a family, kinship* S. Is.
6 outside the range or sphere (of immaterial things); **out of the reach of, clear of, free from** —W.GEN. *trouble, danger, or sim*. Trag. Ar. Att.orats. —*blame* S. Antipho; **unconnected or unconcerned with** —W.GEN. *a war, an affair, a topic, or sim*. Th. Ar. Isoc. D. Arist.; **alien to, unlike** —W.GEN. *someone* (i.e. his behaviour) S.; **beyond** or **contrary to** —W.GEN. *reason, justice, hopes, beliefs, or sim*. S. E. Th. Isoc. +
7 (ref. to time) **beyond** —W.GEN. *midday, five years, military age* X. D.
8 apart from, except for —W.GEN. *someone or sthg*. Hdt. Th. And. +; **apart from, besides** —W.GEN. *sthg*. Th. Ar. Isoc. +; ἔξω ἤ **apart from** —W.ACC. *sthg*. Hdt.

9 (quasi-adjl., ref. to persons, affairs, or sim.) **external, foreign** Th. Isoc. +; (w.art.) οἱ ἔξω **outsiders, foreigners** Th.

ἔξωθεν (also **ἔξοθεν** Ibyc.) adv. and prep. **1** (ref. to direction) **from outside** A. E. Pl. +; **from another country** Isoc.
2 (ref. to location) **outside, on the outside** Archil. Hdt. Th. Ar. +; (as prep.) **outside** —W.GEN. *a city, house, camp* Hdt. E. X.; **on the other side of, beyond** —W.GEN. *a place* Hdt. —*the crest of a wave* Ibyc.
3 out of the reach of, clear of, free from —W.GEN. *disaster, fear* S. E.; **unconnected with, irrelevant to** —W.GEN. *an issue* Aeschin.
4 (quasi-adjl., of people, cities) **external, foreign** Th. Isoc. Pl. +; (of arguments) **foreign to the subject, extraneous, irrelevant** D.

ἐξ-ωθέω contr.vb. | impf. ἐξεώθουν | fut. ἐξωθήσω, also ἐξώσω | aor. ἐξέωσα, also ἐξῶσα (NT.) | **1** (of a warrior, a spear) **thrust or force out, knock out** —*an eyeball, teeth* Il.(tm.); (of a person) **pull out** —*a spear* (W.GEN. *fr. someone's thigh*) Il.(tm.)
2 force out, expel, banish —*someone* S. —(W.GEN. *fr. a country*) S. E.; (of particles, in the body) —*other particles* Pl. ‖ PASS. (of inhabitants) **be forced out** (sts. w. ἐκ + GEN. fr. a land, a city) Hdt. Plb.; (of a person) —W.GEN. *fr. one's country* S.
3 thrust aside, push out of the way —*someone* (*in favour of someone else*) S.; (of horses) **push aside** —*obstacles* Plb.; (of citizens) **abrogate, annul** —*a law* Plu. ‖ PASS. (of a person) **be excluded** (fr. succession to kingship) Plb.; **be debarred** —W.INF. *fr. doing sthg*. D.
4 (of troops) **force out of position, dislodge, push back** —*enemy troops* (sts. W.PREP.PHR. *to or fr. a place*) Th. X. Plb. Plu. ‖ PASS. (of troops) **be pushed back** X. Plb. Plu.
5 (of sailors in a sea-battle) **drive ashore** —*enemy ships* (w. ἐς or πρός + ACC. *to land*) Th.; (of sailors in a storm) **bring in** —*a ship* (*to a shore*) NT. ‖ PASS. **be driven ashore** E.*Cyc*. Arist. —W.PREP.PHR. *to land* Th. X.
6 push (sthg.) **forward**; (of a rower) **push out** —*one's hands* Plb.; (of a river) **project** —*its stream* (*over a precipice*) Plb.; (fig., of a person) **thrust out** —*a pain-giving tongue* (*envisaged as a sting or weapon, i.e. speak painful words*) S. ‖ PASS. (of a battering-ram) **be pushed out** (of a shelter) Plb.
7 force (someone) **into a situation**; **force, drive, push** —*a city* (W.PREP.PHR. *into a dangerous undertaking*) Plu. ‖ PASS. (fig., of a tardy person) **be swept along** —W.PREP.PHR. *into winter* (i.e. find oneself overtaken by it) Th.; (of a leader) **be plunged** —W.PREP.PHR. *into war* (by someone's ambition) Plu.

ἐξώλεια ας f. [ἐξώλης] (in legal ctxt.) **utter destruction** (invoked on oneself and one's family in a curse, if one is not telling the truth) Att.orats.

ἐξώλης ες adj. [ἐξόλλυμι] **1** (of troops) **utterly destroyed, wiped out, annihilated** Hdt.; (of persons and their families, in the formula of a curse) Att.orats.; (gener., of persons, in an imprecation) Ar. Men.
2 (of a people) **deserving to have a curse of utter destruction invoked, accursed, abominable** A.; (of persons) Ar. D.; (gener., of a person) **pernicious, deadly** Plu.

ἐξωμιδοποιΐα ας f. [ἐξωμίς, ποιέω] **tunic-making** X.

ἐξωμίζω vb. (of a person, raising a hand in voting) **bare to the shoulder** —*one arm* Ar.

ἐξ-ωμίς ίδος f. [ὦμος] **1 short garment leaving one shoulder and arm bare, one-sleeved tunic** (worn by slaves and the poor) Ar. X.

2 (at Rome) **sleeveless tunic** (leaving both shoulders and arms bare) Plu.

ἐξωμοσίᾱ ᾱς *f.* [ἐξόμνῡμι 1] (leg.) **taking of an oath of exemption** (fr. public office) Ar. D. Plu.

ἐξ-ωνέομαι *mid.contr.vb.* **1 buy off** —*danger, dishonour* Lys. Arist. —*informers, someone's ambition* Plu.
2 offer to buy, **bid for** —*brides, houses, someone's services* Hdt. Aeschin. Plu.

ἐξ-ώπιος ον *adj.* [ὤψ] **out of sight**; (wkr.sens., of persons, guest-rooms) **away** (w.GEN. fr. a house) E.; (of a person) **away from home** Ar.(mock-trag.)

ἔξ-ωρος ον *adj.* [ὥρᾱ] **1** (of a person) **past one's prime** Aeschin. Plu.
2 (of actions) unsuited to the occasion, **unfitting** S.

ἐξώστης ου *m.* [ἐξωθέω] **one who thrusts out of the way** ‖ ADJ. (of a wind) **that drives (ships) off course** Hdt.; (fig., of Ares, envisaged as a wind) E.

ἐξώστρᾱ ᾱς *f.* **stage-machine** (of the Hellenistic theatre, sts. identified w. the ekkuklema, a trolley used to display interior scenes in tragedy); (in fig.ctxt.) **stage** (as a place where things are made public) Plb.

ἐξωτάτω *superl.adv.* [ἔξω] **in the outermost position** Pl.

ἐξωτερικός ή όν *adj.* [ἐξωτέρω] **1 belonging to the outside**; (of rule) extending beyond one's borders, **external, foreign** Arist.
2 (of good things) **external** (opp. belonging to the soul) Arist.
3 (of activities) relating to external objects (opp. internal and contemplative), **external** Arist.
4 (of an investigation) **outside the scope** (of the immediate subject) Arist.
5 (of discourses, arguments) **extraneous** or **exoteric** (opp. belonging to the Peripatetic school) Arist.

ἐξώτερος ᾱ ον *compar.adj.* [ἔξω] (of darkness) further out, **outer, extreme** NT.

ἐξωτέρω *compar.adv. and prep.* **1** (as prep.) **too far outside** —w.GEN. *a race-track* A.
2 (as adv.) further outside (some limit or criterion), **further** or **too far afield** Arist.

ἔο (enclit. **ἑό**) (ep.3sg.gen.pers.pron.): see ἕ

ἐοᾱγής *dial.adj.*: see εὐᾱγής

ἐοῖ (ep.3sg.dat.pers.pron.): see ἕ

ἔοι (ep.3sg.opt.): see εἰμί

ἔοικα, Ion. **οἶκα** *statv.pf.vb.* [γέγοικα] ‖ 1pl. ἐοίκαμεν, dial. ἔοιγμεν, 3pl. ἐοίκᾱσι, also εἴξᾱσι, Ion. οἴκᾱσι ‖ ep.3du. ἔϊκτον ‖ inf. ἐοικέναι, Att. εἰκέναι (Ar.) ‖ ptcpl. ἐοικώς, Att. εἰκώς, perh. also ep. εἰκώς (also fem.pl. εἰοικυῖαι), Ion. οἰκώς ‖ PLPF.: 3sg. ἐῴκει, Att. ᾔκειν (Ar.), 3pl. ἐῴκεσαν, ep. ἐοίκεσαν ‖ ep.3du. ἐΐκτην ‖ also ep.3sg.plpf.mid. ἤϊκτο, ἔϊκτο ‖ also ep.3sg.impf. εἶκε (Il.), Att.2sg.fut. εἴξεις (Ar.)
‖ neut.compar.ptcpl. εἰκότερον (Antipho) ‖ see also εἰκότως ‖
1 (of persons or things) **be like, look like, resemble** —w.DAT. *someone or sthg.* Hom. + —w.DAT.PRES. or FUT.PTCPL. *someone doing* (or about to do) sthg. Hom. Hes. Pl. X. ‖ PTCPL.ADJ. **like, resembling** (usu. w.DAT. *someone or sthg.*) Od. +
2 (of persons) **seem** —w.INF. *to be someone* Il. —*to be doing sthg.* (or to be about to do, or to have done sthg.) Hdt. Trag. +; (of things) —w.PF.PASS.INF. *to have been done* A. Pi. Pl.; (parenth.) ὡς ἔοικας, ὡς εἴξᾱσι (οἴκᾱσι) *so you seem, so they seem* Hdt. S. E.; (impers.) ὡς ἔοικε (οἶκε) *so it seems* Hdt. S. E. +; (without ὡς, freq. in answers) Pl.
3 (of a person) perh. **be fit** or **worthy** —w.INF. *to do sthg.* Od.; (of an action) **befit** —w.DAT. *someone* X.
4 ‖ IMPERS. (freq. in neg.phrs.) **it is fitting, suitable** or **appropriate** Hom. —w.INF. or w.ACC. or DAT. + INF. (*for someone*) *to do sthg.* Hom. + ‖ PTCPL.ADJ. (of persons or things) **fitting, suitable** Hom. Hes.*fr.* Pl.
5 ‖ NEUT.PTCPL. (usu. without ἐστί, but freq. w. ἦν or other part of εἰμί) **it is fitting, suitable** or **appropriate** (usu. w.ACC. or DAT. + INF. *that someone shd. do sthg., that sthg. shd. be the case*) Hdt. Trag. +
6 ‖ NEUT.PTCPL. (usu. without ἐστί, but freq. w. ἦν or other part of εἰμί) **it is likely, probable, natural** —w.ACC. + INF. *that someone shd. do sthg.* P . Trag. +; (also pl. ἐοικότα) Pi.
7 ‖ NEUT.COMPAR.PTCPL. (w. ἐστί or sim.) **it is more likely** or **natural** —w.ACC. + INF. *that someone shd. do sthg.* Antipho
8 ‖ PTCPL.ADJ. (of an account, argument, or sim.) **probable, plausible** Hdt. Pl. Arist. ‖ NEUT.SG.PTCPL.SB. **probability, likelihood** Hdt. Th. Pl. Arist.; **probable proposition** (opp. positive fact) Arist. ‖ NEUT.PL.PTCPL.SB. **things that are probable, plausible, reasonable** or **likely** Hdt. S. E. Th. Att.orats. Pl. +
9 (phrs.) παντὶ τῷ οἰκότι *in all probability* Hdt.; (also) τῷ εἰκότι Th.; ἐκ τοῦ εἰκότος, ἀπὸ τῶν εἰκότων Th.; κατὰ τὸ εἰκός Th. Pl. +; ὡς τὸ εἰκός Pl. X.; τοῦ εἰκότος πέρα *beyond what is reasonable* S.; παρὰ τὸ εἰκός *unreasonably* Th.

ἐοίκησα (Aeol.aor.): see οἰκέω

ἑοῖο[1] (ep.gen.possessv.pron.adj.): see ἑός

ἑοῖο[2] (ep.3sg.gen.pers.pron.): see ἕ

ἔοις (ep.2sg.opt.): see εἰμί

ἔοισα and **ἐοῖσα** (Aeol. and dial.fem.ptcpl.): see εἰμί

ἐόλει *3sg.plpf.vb.* (w.impf.sens.) [perh.reltd. εἰλέω[1]] ‖ 3sg.plpf.pass. ἐόλητο ‖ (of fire) **make** (w.ACC. *someone*) **flinch** or **waver** Pi. ‖ PASS. (of a person) **be troubled** or **tormented** —w.ACC. *in one's heart or mind* (*by love*) AR. Mosch.

ἔολπα (ep.pf.): see ἔλπομαι

ἐόν (ep.1sg.impf.), **ἐόν** (neut.ptcpl.): see εἰμί

ἐόντως *Ion.ptcpl.adj.*: see under εἰμί

ἑόρᾱκα (Att.pf.), **ἑορᾱκεσαν** (Att.3pl.plpf.): see ὁράω

ἔοργα (pf.): see ἔρδω

ἑορτάζω, Ion. **ὁρτάζω** *vb.* [ἑορτή] ‖ impf. ἑώρταζον, Ion. ὅρταζον ‖ aor.inf. ἑορτάσαι ‖ **1 celebrate a festival** Hdt. E. Th. Ar. Pl. Plu. —w.COGN.ACC. X ; (gener.) **behave as if celebrating a festival, have a holiday** Pl.
2 celebrate with a festival —*a king's birthday* Pl. —*good news* Plu.; **make a festival out of** —*preparations for war* Plu.

ἑόρτᾱσις εως *f.* **holiday-making** Pl.

ἑορταστικός ή όν *adj.* (of military contests) **suitable for festivals** Pl.

ἑορτή ῆς, dial. **ἑορτᾱ́** ᾶς, Ion. **ὁρτή** ῆς *f.* ‖ perh. to be written unaspirated ἐ-, ὀ- ‖ **1 festival** (celebrated w. sacrifices and feasting) Od. +; (iron.) **festivity** (ref. to human sacrifices or sim., enjoyed by Erinyes) A.
2 (gener.) **holiday, holiday-making** Th. Pl. Theoc.

ἑός (Boeot. **ἰός**) ἅ (Ion. ἥ) όν *possessv.pron.adj.* [reltd. ἕ, ὅς[2]] ‖ ep.epic.poet. ἑοῖο, irreg.masc.gen. ἕηος (Il.) ‖ **1** (as 3sg.) **his, her** Hom. Hes. A.(dub.) Pi. Corinn. Hellenist.poet.; (as 3pl.) **their** Hes. Pi. Hellenist.poet
2 (as 1sg.) **my** AR.; (as 1pl.) **our** AR.
3 (as 2sg.) **your** Il. AR. Theoc.; (as 2pl.) **your** AR.

ἑοῦ (ep.3sg.gen.pers.pron.), **ἑούς** (Boeot.): see ἕ

ἐοῦσα (fem.ptcpl.): see εἰμί

ἐπ-αβελτερόω *contr.vb.* [ἐπί, ἀβέλτερος] **make a greater fool of** —*a foolish person* Men.

ἐπᾱβολέω *dial.contr.vb.*, **ἐπᾱ́βολος** *dial.adj.*: see ἐπηβολέω, ἐπήβολος

ἐπ-αγαίομαι *mid.vb.* **take delight** or **exult in** —W.DAT. *one's strength, someone's ruin* AR.

ἐπ-αγάλλομαι *mid.vb.* **take delight in** —W.DAT. *war* Il. —W. ἐπί + DAT. *an activity* X.

ἐπ-αγανακτέω *contr.vb.* **be very indignant** Plu.

ἐπαγγελίᾱ ᾱς *f.* [ἐπαγγέλλω] **1** (leg.) **formal announcement** (made in the Assembly, of an intention to bring a δοκιμασία *scrutiny* case, i.e. to charge someone w. speaking in the Assembly while disqualified) Aeschin.; **notification of a charge** (w. πρός + ACC. to magistrates, against someone for proposing a decree while disqualified) D.
2 (gener.) **offer, promise** (to do sthg.) Aeschin. D. Arist. Plb. NT. Plu.
3 command, demand Plb.

ἐπ-αγγέλλω *vb.* **1 take a report** —W.ACC. *of someone's words* (W.ADV. *inside*) Od.(dub., v.l. ἀπ-); **proclaim** (W.DAT. to the gods) —W.ACC. + PREDIC.ADJ. *that one's prayers are fulfilled* A.; (intr.) **make an announcement, give notice** (of sthg.) Ar. X. ‖ MID. **make an announcement** Hdt.; **announce, report** (W.DAT. to someone) —W.COMPL.CL. *that sthg. is the case* Hdt.
2 announce, proclaim —*a truce* (W.DAT. or ἐς + ACC. *to someone, in a country*) Th. —*the Mysteries, a truce during the Mysteries* Aeschin.; **declare** —*war* Pl. ‖ PASS. (of a truce) be announced —w. ἐς + ACC. *in a country* Th.
3 (leg.) **give notice of** —*a scrutiny case* Aeschin.; **give notice of a charge** —w. πρός + ACC. *to magistrates* D. | see ἐπαγγελία 1
4 give orders or **instructions** Hdt. —W.INF. or W.DAT. + INF. (*for someone*) *to do sthg.* Hdt. Att.orats. X. —W.ACC. + INF. Th.; **order** —W.ACC. *sthg., nothing, evil things* E. Isoc. X. ‖ MID. **send orders** —W.INF. *to do sthg.* Hdt. —w. ἐς + ACC. *to a place* (W.DAT. + ὅκως ἄν W.OPT. *for someone to do sthg.*) Hdt.; (gener.) **give orders** —W.DAT. *to someone* E.
‖ NEUT.PASS.PTCPL.SB. **instruction** (W.DAT. to someone, fr. an oracle) Hdt.
5 send an order for —*troops, ships, or sim.* (W.DAT. or PREP.PHR. *to someone, a place*) Th. X.; **send a request** —W.INF. (*for someone*) *to help* Th.(treaty) ‖ MID. **send an order** (for sthg.) X. —W.INF. *to raise an army* Hdt.
6 offer —*meals* (W.DAT. *to strangers*) Pi. ‖ MID. **offer, promise** —*sthg.* (sts. W.DAT. *to someone*) Hdt. S. E. Th. Att.orats. + —W.PRES. or AOR.INF. *to do sthg.* Th. Lys. Pl. + —W.FUT.INF. Hdt. Att.orats. + —w. ὥστε + PRES.INF. Th.; (intr.) **make overtures** —W.PTCPL.CL. *offering sthg., showing willingness to do sthg.* Hdt.; **offer one's services** X.
7 (esp. of sophists) **promise, profess to offer, offer to teach** —*virtue, wisdom, a skill, or sim.* Isoc. Pl. X. Aeschin.; **offer** or **claim** —W.INF. *to do sthg.* Isoc. Pl. D. Arist.
8 ‖ MID. (gener.) **make offers** or **overtures** D.; **propose, suggest** —W.NEUT.ACC. *sthg.* (*as a concession or favour*) D.

ἐπάγγελμα ατος *n.* **1 promise, offer** (made by a politician) Aeschin. D.
2 assertion, claim, declaration (by a sophist or sim.) Isoc. Pl. Arist.

ἐπαγγελτικός ή όν *adj.* | compar. ἐπαγγελτικώτερος | **1** (of a person) **given to making promises** Plu.
2 ‖ COMPAR. (of a statement) **making rather a large claim** Arist.

ἐπ-αγείρω *vb.* **gather up, collect** —W.DBL.ACC. *objects, fr. people* Il.; **gather together, assemble** —*a populace* Pi.(tm.)
‖ MID. (of persons) **gather together** Od.(tm.)

ἐπάγερσις ιος Ion.*f.* **raising, mustering** (W.GEN. of an army) Hdt.

ἐπάγην (aor.2 pass.): see πήγνῡμι

ἐπ-αγῑνέω Ion.contr.vb. **bring up** —*goats* (W.DAT. *to someone*) Hdt.

ἐπ-αγλαΐζω *vb.* | fut. ἐπαγλαϊῶ | **1** (of a plan) **adorn** or **gladden** —*a populace* (W.PREP.PHR. *w. benefits to their lives*) Ar.
2 ‖ MID. **exult, have pride** (in sthg.) Il.

ἐπ-άγνῡμι *vb.* | 3sg.pf. (tm.) ἐπί ... ἔᾱγε | ‖ STATV.PF. (of an old man's back) **be broken** or **bent forwards** Hes.

ἐπᾱγορίᾱ ᾱς dial.*f.* [reltd. ἐπηγορέω] **blame, censure** Pi.*fr.*

ἔπ-αγρος ον *adj.* [ἄγρᾱ] (of the hands of thieves) **in search of prey** Call.

ἐπαγροσύνη ης *f.* **success in hunting** Theoc.*fr.*

ἐπ-αγρυπνέω *contr.vb.* **remain awake** Plu.

ἐπ-άγω *vb.* **1 lead** or **bring** (persons or things) to a place; (of persons, gods) **bring up, bring along** —*someone or sthg.* (sts. W.ADV. or PREP.PHR. *to somewhere*) Thgn. Pi. Hdt. Trag. Lys. Ar. +; (of wagons) —*stones* Th.; (fig., of hope) **lead** —*someone* (W.PREP.PHR. *to his death*) E.
2 (of a commander) **lead on** —*troops* (sts. W.DAT. or PREP.PHR. *against an enemy*) A. Hdt. E. Th. Ar. +; (intr., of troops) **advance** Ar. —W.DAT. *against someone* Plb.
3 (of hunters) **set on, urge on** —*hounds* (*against a quarry*) Od.(dub.) X.(also mid.)
4 (of a disputant) **hurry on** —*a discussion* Pl.; (of an aulos-player) **set up** —*a quicker tempo* X.; (intr.) **speed up** (an action) Ar.
5 bring about (a situation or condition); (of a deity) **bring on** —*a day* (*of a particular kind, e.g. good or ill*) Od.(tm.) Archil.(tm.) —*the day of freedom* Hdt.(oracle); (of Ouranos) —*night* Hes.; (of the sun, during an eclipse) —*darkness* (*at noon*) AR.
6 bring (sthg. unwelcome) **upon** (someone or sthg.); (of persons, deities, circumstances) **bring, impose, inflict** —*suffering, ruin, trouble, or sim.* (sts. W.DAT. *on someone*) Hes. Archil. A. S. Pl. Is. +; (of old age) —*whiteness* (*on hair*) Pl.; (of persons) **bring to bear** —*certain behaviour* (w. ἐπί + ACC. *against someone*) Is. ‖ MID. **bring on oneself** —*ill will, trouble, misfortune* X. D. Men.; **bring** —*disaster, slavery* (W.DAT. *on oneself*) Lys. D.
7 bring (sthg.) **to bear** (on sthg.); **apply** —*a goad* (W.DAT. *to horses*) E. —*heat* (w. ἐπί + ACC. *to snow*) Pl. —*one's jaw* (i.e. *gnaw sthg.*) Ar. —*a contrivance, one's eye, one's intellect* (W.DAT. *to sthg.*) Pl. Call. Plu.
8 bring in, bring up —*supplies* Th. ‖ MID. **have brought in, procure** —*supplies* Th.; **procure for oneself** —*escape fr. death* S.; **secure** —*the enslavement of one's allies* Th.(dub., cj. ἐπείγομαι)
9 bring in, invite in (to a country) —*an enemy* Hdt. Lys. Ar. Aeschin. —*a war* Aeschin.; **bring in** (to a house) —*a paramour* A. S. ‖ MID. **bring in** (as helpers, allies, rulers, or sim.), **bring in, call in, invite in** —*a person, troops, allies, or sim.* Hdt. Th. Pl. X. +; **bring home** (to a country) —*someone's bones* Hdt.; **bring in** (to a house) —*a stepmother* (*for one's children*) Pl.; (of a Muse) **bring in** (to a city) —*a poet or musician* E.
‖ PASS. (of people) **be brought in** (to help) Th.
10 ‖ MID. **bring** or **call in** —*a witness, a judge* Isoc. —*poets* (W.PREDIC.SB. *as witnesses, sts.* W.DAT. *to statements*) Pl.; **adduce, cite** —*someone* (*as an authority*) Pl. —*evidence* (W.COMPL.CL. *that sthg. is the case*) X. —*a decree* Aeschin.; **introduce** —*comparisons* (*in one's speech*) X.
11 bring round, win over —*someone* Od.; **induce** —*someone* (*to do sthg.*) E. Th. —(W.INF.) E. Th.(mid.) Isoc. —(w. πρὸς τό + INF.) Isoc. ‖ MID. **win over** —*the populace* (*to one's point of view*) Th. —*people* (w. εἰς + ACC. *into one's society*) Isoc.

12 (philos.) **lead on, guide** —*someone* (W.PREP.PHR. *to what they do not yet know*) Pl.; (intr., log.) **argue by induction** (opp. by deduction) Arist.
13 bring —*a lawsuit, an accusation, or sim.* (usu. W.DAT. *against someone*) Pl. D. ‖ PASS. (of a person) be brought to trial X.(dub., v.l. ὑπάγω)
14 put —*a vote* (sts. W.DAT. *to people, i.e. put sthg. to the vote*) Th. ‖ PASS. (of a vote, i.e. verdict) be brought in —W.DAT. *against someone* X.
15 bring in additionally, **insert, intercalate** —*five days* (W.PREP.PHR. *in every year*) Hdt.

ἐπαγωγή ῆς *f.* **1 bringing in, import** (W.GEN. of provisions) Th.
2 bringing in, calling in (W.GEN. of people, as helpers or allies) Th.
3 advance or **charge** (of troops or cavalry, against the enemy) Plb. Plu.
4 inducement (of persons, to do sthg.) D.
5 calling in (of a supernatural being, to do harm), **incantation** Pl.; **conjuring** (W.GEN. of Hekate) Thphr.
6 induction (as a method of argument, opp. συλλογισμός *deduction*) Arist.

ἐπαγώγιμος ον *adj.* [ἐπαγωγή 5] (of harmful things, ref. to silver and gold) **sent by evil spirits** Plu.

ἐπαγωγός όν *adj.* [ἐπάγω] **1** (of music performed in exotic rites) **bringing on, inducing** (W.GEN. a mad frenzy) A.*fr.*; (of a physical condition, W.GEN. sleep) Pl.
2 (of words, arguments, or sim.) **seductive, enticing, appealing** Hdt. Th. D. Plu.; **designed to appeal** (W.GEN. to persons, their sympathy) Plu.
3 (of training) **conducive** (w. πρός + ACC. to sthg.) X.
4 ‖ NEUT.SB. attraction, allure, appeal (W.GEN. of sthg.) Pl.
‖ NEUT.IMPERS. (w. ἐστί) it is tempting —W.INF. *to do sthg.* X.

ἐπ-αγωνίζομαι *mid.vb.* **1** (of a commander, compared to an athlete) **contend, compete** —W.DAT. *w. an enemy commander* Plu.
2 base one's contention (i.e. argument) —W.DAT. *on evidence* Plu.

ἐπ-ᾴδω, also **ἐπαείδω** *vb.* ‖ ἐπᾱείδω *metri grat.* (Bion) ‖ dial.impf. ἐπᾷδον (Theocr.) ‖ fut. ἐπᾴσομαι ‖ aor.inf. ἐπᾷσαι ‖ also aor. ἐπήεισα (Call.) ‖ aor.pass.ptcpl. ἐπασθείς ‖ neut.impers.vbl.adj. ἐπαστέον ‖
1 sing or utter an incantation or spell (freq. fig., ref. to persuasive eloquence or sim., rather than magic); **sing** or **utter an incantation** (sts. W.COGN.ACC. incantation, or W.INTERN.ACC. sthg. as an incantation) A. E. Pl. X. Theoc. —W.DAT. *over someone* Pl. X. —W.ACC. *for someone* Bion ‖ PASS. (of a person) have a spell cast on one Pl. X.
2 (of a Persian priest) **incant, chant** —*a theogony* Hdt.
3 (gener.) **sing a song** —W.DAT. *over or for a new regime* Ar. —*at or for someone's birth* Call.; app., sing additionally (while sthg. else is happening), **sing also** —*a song* Ar.

ἐπαείρω *ep.vb.*: see ἐπαίρω

ἐπ-αέξω *vb.* make (sthg.) increase; (of a god) **prosper** —*someone's work* Od.(tm.) ‖ PASS. (of a person's livelihood) be increased, grow Semon.

ἔπ-ᾱθλον ου *n.* [ἆθλον] prize in a contest; (gener.) **prize, reward** (sts. W.GEN. of war, ref. to spoils) Plu.; (for labours) Plu.; (pl. for sg.) E.(dub.)

ἔπαθον (aor.2): see πάσχω

ἐπ-αθρέω *contr.vb.* **look upon** (w. favour) —*someone's action* B.; **look upon, survey, consider** —*a situation* AR. —*the actions of the gods* S.(cj.)

ἐπ-αθροίζομαι *mid.vb.* (of people, troops) **gather in increasing numbers** NT. Plu.
ἐπ-αιάζω *vb.* **utter a mournful cry in response** Bion
ἐπ-αιγίζω *vb.* [αἰγίς²] (of a wind) **rush down** (upon a ship, a cornfield) Hom. hHom.
ἐπ-αιδέομαι *mid.contr.vb.* **1 be ashamed** (of doing sthg.) S. —W.INF. *to do sthg.* E.
2 be respectful, show deference E.*fr.*; (tr.) **respect, reverence** —*a god* Pl.

ἐπαίνεσις εως *f.* [ἐπαινέω] **praise** (W.GEN. of someone) E.
ἐπαινέτης ου *m.* **1 praiser, commender, panegyrist** (sts. W.GEN. of someone or sthg.) Th. Att.orats. Pl. X. Men. Plu.
2 (ref. to a rhapsode) **champion** (W.GEN. or περί + GEN. of Homer) Pl.

ἐπαινετικός ή όν *adj.* (of a person) **given to praising** Arist.
ἐπαινετός ή όν *adj.* (of persons or things) deserving to be praised, **praiseworthy, laudable** Pl. Arist. Plb. Plu.
ἐπαινέω *contr.vb.* —also **ἐπαίνημι** Aeol.*vb.* ‖ Lacon.1sg. ἐπαινίω ‖ Aeol.nom.pl.ptcpl. ἐπαίνεντες ‖ impf. ἐπῄνουν, ep. ἐπῄνεον ‖ fut. ἐπαινέσω, also ἐπαινέσομαι, dial. ἐπαινήσω (Pi.) ‖ aor. ἐπῄνεσα, ep. ἐπῄνησα ‖ PASS.: fut. ἐπαινεθήσομαι ‖ aor. ἐπῃνέθην ‖ neut.impers.vbl.adj. ἐπαινετέον ‖
1 approve, applaud, commend —W.DAT. *someone* Il. —W.ACC. *a speech, an agreement, marriage, choice, law, or sim.* Il. Pi. Hdt. Trag. Th. + —W.DAT. *persons* (W.ACC. *for their speech*) hHom. ‖ AOR. (1st pers., w.pres.sens.) I approve —*someone's behaviour* S. E.; (intr.) I approve (equiv. to *well done!*) Ar.
2 (intr.) **approve, assent, concur** Hom.(sts.tm.) Hes. E. Th. Ar. +
3 praise —*someone or sthg.* Hes. + —W.DAT. *someone* Pi. —W.ACC. *someone* (W.NEUT.ACC. *for sthg.*) Pl. —(W.DAT. *for sthg.*) S. —(w. ὅτι and COMPL.CL. *for doing sthg.*) Pl. ‖ PASS. (of persons or things) be praised Pi. +
4 (of a rhapsode) **champion** —*Homer* Pl.
5 express appreciation or thanks (for a service or an invitation); **thank** —*someone* E.Cyc. —W.DBL.ACC. *someone, for sthg.* A.; **offer thanks for** —*an invitation* (which one has not accepted) X.; (intr.) **offer thanks** (in accepting) E.; (in declining) Ar.; (also, 1st pers.aor. w.pres.sens., in accepting, equiv. to *thank you!*) E.
6 express one's approval of a course of action, **recommend** —W.INF. *doing sthg.* A. S. —W.ACC. + INF. *that someone shd. do sthg.* A. —W.DAT. + INF. A.

ἐπ-αινή ῆς *ep.fem.adj.* [αἰνός] (epith. of Persephone, as an underworld goddess) **dire, dread** Hom. Hes.
ἔπ-αινος ου *m.* [αἶνος] **1** (sg. and pl.) **commendation, approval, praise** Simon. Hdt. S. Pl. X.
2 (ref. to a speech) **eulogy** Th. Isoc. Pl. +; (appos.w. λόγος) Pl.

ἐπαΐξᾱς (ep.aor.ptcpl.), **ἐπαΐξασκον** (iteratv.aor.): see ἐπᾴσσω

ἐπ-αίρω, ep. **ἐπαείρω** *vb.* ‖ fut. ἐπαρῶ ‖ aor. ἐπῆρα ‖ aor.pass. ἐπήρθην, ep. ἐπηέρθην (AR.) ‖ **1** lift and place (on sthg.); **lift** —*corpses* (W.GEN. *onto wagons*) Il. —*spits* (*onto their rests*) Il. —*a yoke* (W.DAT. *onto bulls*) AR. ‖ MID. **lift up** —*a baby* (W.DAT. *to one's breast*) AR.
2 lift up, raise —*a person, part of the body* Il. S. E. Ar. Theoc. —*one's eyebrows* (*in disdain*) Men.(cj.) —*sacrificial offerings* S.; (intr., of a rider) **raise oneself** (in the saddle) Hdt.; (of a recumbent person) —W.PREP.PHR. *on one's elbow* Call.
‖ MID. **raise** —*masts* Plb.; **raise to one's lips** —*wine* Thgn.(cj.)
‖ PASS. (of a person) be raised to a height —W.DAT. *on a river bank* AR.; (fig., of a person, envisaged as a bird) be

raised aloft —w.DAT. *on wings* Thgn.; (of sails) be raised (i.e. spread, opp. shortened) Plu.; (of a swelling) rise up Men. ‖ PF.PASS. (of a penis) be erect Ar.
3 raise in intensity, **raise** —*one's voice* D.
4 **exalt, magnify, glorify** —*a city* Pi. —*one's ancestral home* X.; **promote the interests of** —*a state* D. ‖ PASS. be elevated or exalted Ar. —w.DAT. *by the labours of others* E.
5 ‖ MID. **raise, take up** —*arms* (w.DAT. *against someone*) E. —*a spear* (*meton. for spearmen, against someone*) E.; (fig.) **brandish** —*threats* (*against a city*) D.; **start up, stir up** —*a quarrel* S.
6 (of a circumstance) **raise** —w.DBL.ACC. *someone's spirits* E.; (of a person) **rouse** (in oneself) —*anger* (w.DAT. *against someone*) E.; (of persons, deities, circumstances) **excite, incite, encourage** —*someone* Hdt. S. E. Th. Ar. —(w.INF. *to do sthg.*) Hdt. Ar. Att.orats. Pl. + —(w. ὥστε + INF.) E. ‖ PASS. be excited, encouraged or elated —w.DAT. or PREP.PHR. *by sthg.* Hdt. Th. Ar. Att.orats. + —w. πρός + ACC. *in the face of sthg.* Th.; be incited or induced —w.INF. *to do sthg.* Th. Att.orats. —w. ἐς τό + INF. Th.

ἐπ-αισθάνομαι *mid.vb.* **1** have a perception of, **hear** —w.ACC. *someone's voice* S. —w.GEN. *someone's voice, words* S.
2 **be aware of** —w.ACC. or GEN. *someone's intention* Hes.*fr.* —w.ACC. *none, the multitude* (*of someone's troubles*) S. —*nothing* (*ref. to the perception of a bodily ailment*) D. —w.GEN. *unsoundness* (*in one's body*) D.
3 hear of —w.ACC. *sthg.* A. —*someone's death* S.
4 sense —w.ACC. + PTCPL. *that someone is pleased* E.*Cyc.* —w.NOM.PTCPL. *that one is being summoned* S.
5 have sense-perception —w. περί + GEN. *in relation to sthg.* Pl.

ἐπαίσσω *ep.vb.*: see ἐπάσσω

ἐπάϊστος ον *Ion.adj.* [ἐπαΐω] (of persons, always w. γίγνομαι *come to be*) heard of, **discovered, detected** Hdt.; (w.GEN. by someone) Hdt.; (w.AOR. or PF.PTCPL. as having done sthg.) Hdt.

ἐπ-αισχής ές *adj.* [αἶσχος] (of reproaches) bringing shame or disgrace, **shaming** Pl.

ἐπ-αισχύνομαι *mid.vb.* **1** feel shame (at sthg.); **be ashamed** —w.DAT. *of a name, of one's absence fr. battle* Hdt. —w.ACC. *of someone, his words* NT. —*of an action* (i.e. performing it) Pl. —w.INF. *to do sthg.* A. Pl. —w.PTCPL. *of doing or having done sthg.* Hdt. S.
2 (intr.) feel ashamed (of oneself), **feel a sense of shame** Pl.; (tr., of people, being reproved) **feel shame before** —w.ACC. *someone* X.

ἐπ-αιτέω *contr.vb.* **1** ask for in addition, **ask for** —*sthg. else* Il.
2 (gener.) **ask for, beg for, request** —*sthg.* S. E. Ar. Plu.(quot.com.) —(w. 2ND ACC. *fr. someone*) S.; (intr.) **beg** NT. ‖ MID. **make a request** S.

ἐπ-αιτιάομαι *mid.contr.vb.* **1** bring an accusation against, **accuse** —*someone* Hdt. Th. —(w.GEN. *of a crime*) E. T. D. —(w.NEUT.ACC. *of sthg.*) Antipho —(w.INF. *of doing sthg.*) S. Th. Ar. Pl. Aeschin. —(w.GEN. *of a burial,* + INF. *of having planned it*) S. —(w. ὅτι + COMPL.CL. *of doing sthg.*) Hdt. Th.; (intr.) **make accusations** Hdt. Pl. X. D. ‖ PASS. be accused Plu.
2 **find fault with** —*someone's speech* S.; **blame** —*someone* (w.GEN. *for a calamity*) A.; **lay the blame upon** —*a circumstance* Th.; **complain** —w.ACC. + INF. *that sthg. is the case* Pl.
3 (of a person, w. play on words) **blame** (the cosmic mind) —w.COGN.ACC. *for causes* (*of phenomena, i.e. claim that it explains them*) Pl.

ἐπ-αίτιος ον *adj.* **1** (of persons) **blameworthy, to blame** Il. Plu.; **guilty** (w.GEN. *of sthg.*) A. E. Th.; (of actions) **culpable** Th. Lys.
2 (wkr.sens., of a deity, a circumstance) **responsible** AR.; (w.GEN. *for sthg.*) E.*fr.*(cj.) AR.

ἐπ-αΐω, also contr. **ἐπάω** (E.) *vb.* [ἀΐω¹] | aor. ἐπήϊσα (Hdt. AR.) | **1** (of gods) **listen to, hearken to, attend to** —w.GEN. *the wicked and the righteous* E.; (of persons) —*the gods* A.; (wkr.sens.) **hear** —w.GEN. *what someone is saying* Plu.
2 (of gods) **be sensitive to, be vulnerable to** —w.GEN. *iron* Hdt.
3 (of persons) **realise** (sthg.) Hdt. —w.NOM.PASS.PTCPL. *that one is being laughed at* Ar. —w.ACC. + PTCPL. *that someone is doing sthg.* AR.
4 **know, understand** —*a barbarian language* S.
5 have knowledge (of a specific subject); **know** —*sthg., nothing, a little* (sts. w.GEN. or περί + GEN. *about sthg.*) Pl. Arist. —w. περί + GEN. *about sthg.* Pl. —w.INDIR.Q. *what is the case* Ar. Pl. Arist.; **be an expert** Pl. Arist.

ἐπ-αιωρέομαι *mid.pass.contr.vb.* **1** (of a commander, camped on high ground) **be poised threateningly over** (the enemy) Plu.; (fig., of fear) **hang** or **loom over** —w.DAT. *someone* AR.(tm.)
2 (fig., of a commander) **hold oneself poised** —w.DAT. *for war* Plu.

ἐπ-ακμάζω *vb.* (fig., of good qualities in a person) **ripen, mature** Plu.

ἐπακοέω *dial.contr.vb.* [reltd. ἐπήκοος] (of gods) **listen, give heed** Pi.(cj.)

ἐπ-ακολουθέω *contr.vb.* **1** (of persons) **follow closely** (sts. w.DAT. *someone*) Th. Ar. Pl. X. +; (of troops) **follow in pursuit** (sts. w.DAT. *of the enemy*) Th. X. +; (of effects) **follow** (sts. w.DAT. *sthg.*) Pl. Arist.; (of a corpse's severed hand) **come away** (in someone's hand) X.
2 follow (in the mind), **keep up** Pl. —w.DAT. w. *a speaker, an argument, or sim.* Isoc. Pl. D.
3 follow, go along with, **be guided by** —w.DAT. *opinions, feelings, circumstances, or sim.* Att.orats. Arist. —*adherents of a doctrine* Arist.
4 **pursue** —w.DAT. *the truth* Isoc.; **attend to** —w.DAT. *a task* Pl.
5 (of things) come subsequently; (of signs) **offer confirmation** or **authentication** (of things said) NT.

ἐπακολούθημα ατος *n.* **consequence, effect** (of sthg.) Plu.

ἐπάκοος *dial.adj.*: see ἐπήκοος

ἐπακουός όν *adj.* [ἐπακούω] (of a person) **listening, attentive** (w.GEN. *to an assembly*) Hes.

ἐπακουστός όν *adj.* (of things) **which can be heard, audible** Emp.

ἐπ-ακούω *vb.* **1** hear —w.ACC. or GEN. *someone's words, a voice, an account, or sim.* Hom. + —w.GEN. *someone* Th. Pl. —w.INDIR.Q. *what is the case* Il.; **hear of** —w.ACC. + PTCPL. *sthg. happening* S.
2 **overhear** (persons talking) Ar. Pl.
3 **listen** A. Hdt. E. —w.GEN. *to someone* S. E. Ar. Pl. —*to someone's words or sim.* S. Ar. — —w.ACC. *to sthg. spoken* Hom. —(w.GEN. *by someone*) Od. Thgn. Men.
4 **give heed, pay attention** A. Pl. —w.GEN. *to Justice* Hes. —*to a prayer, someone's words* Anacr. Thgn.; **comply** —w.DAT. w. *an order* Hdt.

ἐπ-ακρίζω *vb.* [ἄκρος] (fig.) reach the top, **perform the culminating act** —w.GEN. *of many acts of bloodshed* A.

ἐπ-ακροάομαι *mid.contr.vb.* **1** listen —w.GEN. *to someone* Men. NT.
2 hear —w.ACC. *sthg. said* Men.

ἐπακτήρ ἦρος *m.* [ἐπάγω 3] **1** one who urges on (hounds), **huntsman** Hom. Call.
2 fisherman AR.
ἐπακτικός όν *adj.* [ἐπάγω 12] (of arguments) **inductive** Arist.
ἐπ-άκτιος ᾱ ον (also ος ον) *adj.* [ἀκτή¹] **1** (of a person, an altar) **on the shore** E. AR.; (fig., of mangers for fishermen, ref. to places where they eat) E.*fr.*; (of a city, pasture-land, house) **by the shore, on the coast** S. AR.
2 (of flocks) **on the banks** (of a river) AR.
ἐπακτός όν *adj.* [ἐπάγω] **1** (of corn, supplies) **brought in** (fr. abroad), **imported** Th.; (fig., of justice) **imported** or **borrowed** (W.PREP.PHR. fr. other people) Pl.; (of courage) **acquired** (opp. inborn) Hdt.
2 (of an oath) **imposed** (by another person) Isoc.
3 (of suffering) **brought on** (by spells) E.; (of a war, by a political leader) Plu.
4 (of an affliction) **brought on oneself, self-induced** S. [or perh. *foreign to oneself*, as 5]
5 (of a person, a populace) **brought in** (fr. abroad), **alien, foreign, immigrant** Pi. E.; (of a ruinous marriage) **with a foreigner** E.; (of a man, ref. to a lover) brought in (to a marriage), **alien, intrusive** S.; (wkr.sens., of an empire) belonging to a foreigner, **abroad, foreign** Plu.
6 (of an army or sim.) brought in to help, **foreign, mercenary** A. S. Isoc.; (fig., of frenzy, envisaged as a kind of bodyguard for a tyrant) Pl.; (of rain, compared to an army) **invasive** Pi.
ἐπακτρίς ίδος *f.* a kind of small boat X.
ἐπακτρο-κέλης ητος *m.* a kind of pirate-ship Aeschin.
ἔπαλα (dial.aor.): see πάλλω
ἐπ-αλαλάζω *vb.* **1 raise a cry of triumph** or **victory** A.
2 raise a war-cry A. —W.DAT. *to Enyalios* (*i.e.* Ares) X.
ἐπ-αλάομαι *mid.pass.contr.vb.* | aor.pass.ptcpl. ἐπαληθείς | **wander** or **roam to** —*countries, cities* Od. AR.; **wander, roam** —W.ADV. *much* or *far* Od.
ἐπ-αλαστέω *contr.vb.* **be indignant** or **filled with rage** Od. AR.
ἐπ-αλγέω *contr.vb.* **grieve over** —W.GEN. *someone* E.
ἐπ-αλείφω *contr.vb.* | app. -ᾰ- metri grat. (Alcm.) | **1 smear** (W.ACC. wax) **over** —W.DAT. *someone's ears* Od.(tm.); **plug** (w. wax) —*someone's ears* Od.(tm.) Alcm. || PASS. (of a dye) be smeared on (a fabric) Pl.
2 (of a liquid substance) **oil** —*rough parts of the tongue* Pl.
3 (of a person) put oil on (an athlete); (fig.) **prepare** (W.ACC. a military leader) **for a contest** —w. ἐπί + ACC. *against someone* Plb.
ἐπ-αλέξω *vb.* | only fut. ἐπαλεξήσω | **1 help, defend, protect** —W.DAT. *someone* Il.
2 (tr.) **keep off, avert** —*an evil day* (W.DAT. *fr. someone*) Il.(tm.)
ἐπ-αλετρεύω *vb.* **grind meal for** —*sacred cakes* AR.
ἐπ-αληθεύω *vb.* **make true, make good, validate** —*a reason, an argument* (*previously offered*) Th.
ἐπαλής ές *adj.* [ἀλέᾱ] (of a meeting-place) **warm** Hes.
ἐπ-αλινδέομαι *pass.contr.vb.* | 3sg.plpf. ἐπηλίνδητο | (of footprints) **be rolled in the dust, be obliterated** —W.DAT. *by winds* AR.
ἐπ-αλκής ές *adj.* [ἀλκή] **giving strength** A.(dub.)
ἐπαλλαγή ῆς *f.* [ἐπαλλάσσω] **interchange, exchange** (W.GEN. of marriages, i.e. intermarriage betw. families) Hdt.
ἐπαλλάξ *adv.* **with crossing** or **overlapping** (of a horse's fore or hind legs, as may happen when they are not separated by a sufficiently broad girth) X.

ἐπάλλαξις εως *f.* **1 overlapping, interlocking** (of branches in a palisade) Plb.; **crossing** (W.GEN. of one's fingers) Arist.
2 alternation, interchange (of words) Pl.
ἐπ-αλλάσσω, Att. **ἐπαλλάττω** *vb.* **1** (of hares) **criss-cross** —*their jumps* (i.e. *some jumping forwards, others at an angle to them*) X. || PASS. (of horsemen's lances) **become crossed** —W.DAT. *w. each other* X. || PF.PASS.PTCPL.ADJ. (of tracks) **criss-crossed** X.
2 || PASS. (of a soldier's foot) **be interlocked** —W.DAT. *w. an opponent's* E. || PF.PASS.PTCPL.ADJ. (of a person's arms) **crossed** Plu.
3 || PASS. (of an argument) app., **become entangled** X.
4 (intr., of two opposing gods) **alternate** (ref. to changing the fortunes of war) Il.
5 (intr., of constitutions, powers, theories, functions) **overlap** Arist.
ἐπ-άλληλος ον *adj.* **1** (of two people's hands) **raised against each other** S.
2 one after another; (of ranks) **one close behind another** Plb.; (of a double or triple phalanx) **one behind the other** Plb.; (of a phalanx) **double** Plb.
3 (of funerals, wars and dangers) **coming in quick succession** Plu.
ἐπάλμενος (ep.athem.aor.mid.ptcpl.): see ἐφάλλομαι
ἔπαλξις εως *f.* [ἐπαλέξω] **1 battlement, parapet** Il. Plb. || PL. **battlements** Il. A. Hdt. E. Th. X. +
2 (collectv.sg.) **fortifications** (ref. to walls) Th. Ar.
3 (gener.) **defence, protection** A. E.
ἔπ-αλπνος ον *adj.* [reltd. ἄλπνιστος] (of a homecoming) **joyful, happy** Pi.
ἔπαλτο (ep.3sg.athem.aor.mid.): see ἐφάλλομαι
ἐπ-αλωστής οῦ *m.* [ἀλοάω] **thresher** X.
ἐπ-αμαξεύομαι *pass.vb.* [ἁμαξεύω] (of ground) **be passed over by wagons, be marked with wagon-tracks** —W.DAT. *by wheels* S.
ἐπ-αμάομαι *mid.contr.vb.* **1 gather together** or **heap up for oneself** —*a bed* (*of leaves*) Od.
2 heap up, pile on —*earth* (*over corpses, around plants*) Hdt. X.; (of a dead person) **have** (W.ACC. earth) **heaped over oneself** Thgn.
ἐπαμβατήρ ῆρος *m.f.* [ἐπαναβαίνω] **one who mounts aggressively** (upon sthg.); (ref. to a skin disease or ulcer) **assailant, attacker** (W.GEN. of flesh) A.
ἐπαμβεβαώς (ep.pf.ptcpl.): see ἐπαναβαίνω
ἐπ-αμείβω *vb.* **1** (of two warriors) **exchange** —*armour* (W.DAT. *w. one another*) Il.
2 || MID. (of victory) **come in turn to** —*men* Il.; (of troubles) —*other persons* Archil.
ἐπᾱμέριος, ἐπάμερος *dial.adjs.*: see ἐφημέριος, ἐφήμερος
ἐπαμμένος (Ion.pf.mid.ptcpl.): see ἐφάπτω
ἐπαμμένω *dial.vb.*: see ἐπαναμένω
ἐπαμοιβαδίς *adv.* [ἐπαμείβω] **1 intertwiningly** (W.DAT. w. each other) —*ref. to branches growing* Od.
2 one behind another —*ref. to persons standing* AR.(cj.)
3 one after another —*ref. to pleading w. persons* AR.(v.l. ἐν-)
ἐπαμοίβιμος ον *adj.* (of acts) **of exchange** or **barter** hHom.
ἐπαμοιβός όν *adj.* (quasi-advbl., of tiles being laid) **one after another, in succession** AR. | cf. ἐπημοιβός
ἐπ-αμπέχω *vb.* | aor.2 ptcpl. ἐπαμπισχών | **1 place** (W.ACC. earth) **as a covering upon** —W.DAT. *a corpse* E.
2 (intr., fig.) **cloak oneself** (i.e. disguise one's weaknesses) —W.DAT. *in insolence and boasting* Plu. || PASS. (of a person's true nature) **be cloaked** (i.e. disguised) —W.DAT. *by calculation* Plu.

ἐπαμύντωρ ορος *m.* [ἐπαμύνω] **helper** or **defender** Od.

ἐπ-αμύνω *vb.* **1 bring help** or **protection** (freq. W.DAT. to someone or sthg.) Il. Hdt. Th. Ar. Att.orats. Pl. +
2 **come to the rescue of, repair** —W.DAT. *one's fortunes, people's needs, a difficult situation* Isoc.; **help in** —W.DAT. *an activity* Isoc.
3 (of arguments) **help to prove** —W.COMPL.CL. *that sthg. is the case* Pl.

ἐπαμφέρω *ep.vb.*: see ἐπαναφέρω

ἐπ-αμφιέννῡμι *vb.* **cloak, disguise** —*a misfortune* (W.DAT. *w. money*) Men.

ἐπ-αμφοτερίζω *vb.* [ἀμφότεροι] **1** (of a person) **play a double game, be a double-dealer** Th. Plu.
2 **be in two minds** Pl.; **waver** —W.DAT. *in one's thinking* Plu.
3 (of arguments or statements) **admit of two interpretations, be ambiguous** Isoc. Pl.
4 (of subjects of study) **fall into two classes** Arist.
5 (of natural qualities) **be liable to change both ways** —W.PREP.PHR. *for the worse or the better* Arist.

ἐπάν *temporal conj.*: see ἐπήν

ἐπ-αναβαίνω *vb.* | ep.pf.ptcpl. (w.diect.) ἐπαμβεβαώς (AR.) |
1 **climb up** (a wall) X. —w. ἐπί + ACC. *onto a table, a building* Ar.
2 || PF.PTCPL. **mounted** (on a horse) Hdt. —W.GEN. *on a ram* AR.
3 **come up inland** Th.
4 **be promoted** —w. εἰς + ACC. *to a rank* X.
5 (of causes and principles) **be extended** —w. ἐπί + ACC. *to higher* (i.e. *remoter*) *things* Arist.

ἐπ-αναβάλλομαι *mid.vb.* **1 throw up onto** (or **over**) **one's shoulder, put on** —*a cloak* Ar.
2 **delay, defer** —*the capture of a city* Hdt.

ἐπ-αναβασμοί ῶν *Att.m.pl.* [ἀναβαθμοί] **upward flight of steps** (of a staircase or ladder) Pl.

ἐπ-αναβιβάζω *vb.* **cause** (W.ACC. men) **to climb up** (onto towers) Th.

ἐπαναβληδόν *adv.* [ἐπαναβάλλομαι] **thrown over the shoulder** —*ref. to wearing a cloak* Hdt.

ἐπ-αναβοάω *contr.vb.* **raise a cry additionally** (while someone is dancing), **also raise a cry** Ar.

ἐπ-αναγιγνώσκω *vb.* **1 read out in addition** —*the end of a law* Lys. || PASS. (of a decree) **be read out next** (after speeches) D.
2 (wkr.sens.) **read** —*a letter* Plb.

ἐπ-αναγκάζω *vb.* **compel, force** —W.ACC. + INF. *someone to do sthg.* A. And. Ar. Pl. +; (intr.) **apply compulsion** or **force** Hdt. Th. D. Plb. || PASS. **be compelled** Plb. —W.INF. *to do sthg.* Ar.

ἐπάναγκες *neut.adj. and adv.* **1** (as adj., of nothing) **compulsory** Pl. || IMPERS. (w. ἐστί, sts.understd.) **it is compulsory or obligatory** —W.INF. or W.ACC. or DAT. + INF. (*for someone*) *to do sthg.* Att.orats. Pl. Arist. Plu.
2 (as adv.) **compulsorily, of necessity** Hdt. Aeschin. D. Arist.; τὰ ἐπάναγκες *necessary things* NT.

ἐπ-αναγορεύω *vb.* || IMPERS.PASS. **a proclamation is repeated** Ar.

ἐπ-ανάγω *vb.* **1 cause** (someone or sthg.) **to go upwards**; (fig.) **bring up** —*a subject* (W.PREP.PHR. *into the light of day, as if fr. subterranean darkness*) Pl.; (of insults against a person) **make** (W.ACC. one's anger) **rise** Hdt. || PASS. (of deeds) **be elevated** —W.PREP.PHR. *to heroic status* D.
2 **bring back** —*someone* (sts. W.PREP.PHR. *to a place*) D. Plb.; (intr.) **come back, return** (usu. W.PREP.PHR. to or fr. a place) Plb. NT. Plu.; (to an activity) Plb.; **come back from retirement** Plb.
3 (of a commander) **bring** or **draw back** —*an army* (W.PREP.PHR. *to a place*) Th. —*ships* (*away fr. land*) X.; (intr., of a commander, troops) **withdraw, retreat** X.; (of a person) **draw back** Men.
4 (of a javelin-thrower) **draw back** —*the right side of his body* X.
5 (of a person) **bring back** —*a speaker, an argument, a topic* (W.PREP.PHR. *to a certain point or theme*) Pl. X. Aeschin. Plb.; (intr., of a writer) **return** —W.PREP.PHR. *to the starting-point* Plb. || PASS. (of an argument) **be brought back** (to first principles) X.
6 **bring back, restore** —*a family* (W.PREP.PHR. *to the honours that belong to it*) Isoc. —*a city* (*to its previous state*) Plu. —*a situation* (*to liberty*) D.; (wkr.sens.) **bring** —*someone's good breeding* (*into contempt, by criticising him*) Aeschin.
7 **bring** —*someone* (W.PREP.PHR. *before officials*) Plb.; **refer** —*crimes* (*to courts*) Pl. || PASS. (of issues) **be referred** —W.PREP.PHR. *to officials* Arist.
8 (intr., of a sailor) **put out** —W.PREP.PHR. *fr. land, into deep waters* NT. || PASS. (of a naval commander, sailors) **put out for an attack** Hdt. Th. X. Plb. Plu. —W.DAT. *on someone* Hdt. Plb.

ἐπαναγωγή ῆς *f.* **1 leading up** [W.GEN. + PREP.PHR. of the soul, to contemplation of realities, envisaged as movt. fr. subterranean darkness) Pl.
2 **putting out to sea for an attack** Th.
3 **reversion** (W.PREP.PHR. to an earlier point in a narrative) Plb.

ἐπ-αναδιπλόομαι *mid.contr.vb.* (of a statement) **contain duplication** Arist.

ἐπ-αναθεάομαι *mid.contr.vb.* **gaze again on** —*someone* X.

ἐπ-αναιρέομαι *mid.contr.vb.* **1 get rid of, kill** —*someone* Plb.; **destroy** —*a city* Plb.
2 **withdraw** —*a proposed law* Plu.
3 **take upon oneself, undertake** —*a war* Plb. Plu.

ἐπαναίρεσις εως *f.* **destruction, annihilation** (of a dynasty) Plb.; **killing** (of individuals) Plb.

ἐπ-αναίρω *vb.* **1** (of a hound) **lift up** —*its head* X.
2 || MID. **raise** (W.ACC. one's stick) **against** —W.DAT. *someone* Th.; **lift up** (against someone) —*one's spear* (i.e. *take up arms*) S.
3 || MID. **raise oneself, rise** (fr. a seat) Ar.

ἐπ-ανακαλέω *contr.vb.* **call upon, invoke** —*one's native land* Tim.

ἐπ-ανάκειμαι *mid.pass.vb.* (of an unpleasant existence) **be imposed** (by laws) —W.DAT. *upon evildoers* X.

ἐπ-ανακλαγγάνω *vb.* [ἀνά, κλαγγάνω] (of hounds) **yelp repeatedly** X.

ἐπ-ανακοινόω *contr.vb.* **communicate again** —W.DAT. *w. someone* Pl.

ἐπ-ανακρέμαμαι *pass.vb.* [ἀνακρεμάννῡμι] (of persons in a city-state) **be dependent** (on others) Arist.

ἐπ-ανακρούομαι *mid.vb.* (fig., of a person) **back water, retrace one's steps** Ar.

ἐπ-ανακυκλέομαι *pass.contr.vb.* (of a circle, ref. to a planetary orbit) **make a counter-revolution** Pl.

ἐπανακύκλησις εως *f.* **counter-revolution** (W.GEN. of a circle) Pl.

ἐπ-ανακύπτω *vb.* (of a javelin, when held at the ready) **incline upwards** X.

ἐπ-αναλαμβάνω *vb.* **1 go back to and take up again, reconsider** —*an issue* Pl.; **resume** —*an argument* Pl.; **resume by saying** —W.INDIR.Q. *what is the case* Pl. X.

2 (intr.) take up a question again, **go back over an issue** Pl. Arist.; go back and say (sthg.) again, **reiterate** Pl.

ἐπ-αναλίσκω *vb.* **spend** (W.ACC. time) **additionally** (on sthg.) D.

ἐπ-αναμένω, dial. **ἐπαμμένω** (A.) *vb.* **1** (of persons) **wait longer** Hdt. Ar.; (tr.) **wait for** —*someone* Ar. **2** (of troubles) **still remain, lie in store** —W.ACC. or DAT. + INF. *for someone to suffer* A.

ἐπ-αναμιμνήσκω *vb.* **remind** —*someone* (W.COMPL.CL. or INDIR.Q. *that sthg., or what, is the case*) Pl. D.

ἐπ-ανανεόομαι *mid.contr.vb.* make new again, **revive, restate** —*someone's argument* Pl.

ἐπ-αναπαύομαι *pass.vb.* | only 3sg.fut. ἐπαναπαήσεται | (of peace, as a blessing) **rest upon** —w. ἐπί + ACC. *a house* NT.

ἐπ-αναπηδάω *contr.vb.* **jump up aggressively** (at someone) Ar.

ἐπ-αναπλέω *contr.vb.* **1 sail out for an attack** Hdt. —w. ἐπί + ACC. *against someone* Hdt. **2 sail back again** (sts. W.ADV. or PREP.PHR. to a place) X. D. Plb. **3 put to sea again** —w. ἐπί + ACC. *for tribute-collecting* X. [or perh. *sail again up a strait*] **4** (fig., of foul language) **rise to the surface** (as wine sinks into the body) Hdt.

ἐπ-αναπολέω *contr.vb.* go over yet again, **reiterate** —*a statement* Pl.

ἐπ-αναρρήγνῡμι *vb.* **tear open again** —*a wound* Plu.

ἐπ-αναρρῑπτέω *contr.vb.* (of a hare) **fling oneself up into the air** X.

ἐπ-ανάσεισις εως *f.* [ἀνασείω] **aggressive brandishing** (W.GEN. of weapons) Th.

ἐπ-ανασκέπτομαι *mid.vb.* **examine again** —W.INDIR.Q. *what is the case* Pl.

ἐπ-ανασκοπέω *contr.vb.* **examine again** —*statements, happenings* Pl. X.

ἐπανάστασις εως *f.* [ἐπανίσταμαι] **1 uprising, rebellion, revolt** (sts. W.DAT. or PREP.PHR. against someone or sthg.) Hdt. Th. Isoc. Pl. X. Arist. + **2** (ref. to a person) **rebel** (W.GEN. against a throne) S.

ἐπ-αναστρέφω *vb.* (milit.) **wheel round** (to face the enemy) Th. Ar. X.; (mid.) Ar. X.

ἐπανάτασις εως *f.* [ἐπανατείνω] **extending, holding up** (W.GEN. of a sceptre) Arist.

ἐπ-ανατείνω *vb.* || MID. **hold out** —*threats and dangers* (W.DAT. *to someone*) Plb.; **threaten** —W.FUT.INF. *to do sthg.* Plb. || PASS. (of hope) be held out —W.DAT. *to someone* X.

ἐπ-ανατέλλω, dial. **ἐπαντέλλω** (A. Pi. E.) *vb.* **1 lift up** —*one's foot* (*in climbing stairs*) E. **2** (intr., of the sun) **rise** Hdt.; (of a person) **get up, rise** —W.GEN. *fr. one's bed* A.; (of troops) **issue forth** —w. ἐκ + GEN. *fr. a camp* Plu.; (of hair) **spring up on** —W.DAT. *the diseased part of a body* A.; (fig., of bloodshed) **rise up** (as if demanding vengeance) E. **3** || PRES.PTCPL.ADJ. (of time) arising, coming, future Pi.

ἐπ-ανατίθημι *vb.* | ep.aor.inf. ἐπανθέμεναι | **1 put** (W.ACC. *a log*) **on top** (of sthg.) Ar. **2** || PASS. (of power) be conferred —W.DAT. *on someone* Pl. **3 put to again, close again** —*city-gates* Il.(dub.)

ἐπ-αναφέρω, ep. **ἐπαμφέρω** (Sol.) *vb.* **1** (of ambassadors) **bring back** —*a proposal* (w. εἰς + ACC. *to a place*) X. || PASS. (of a severed head, proposals) be brought back —W.PREP.PHR. *to a person, a place* Plb. **2 bring back** (into existence); **revive, display afresh** —*the characteristics of Nestor* Pl. || PASS. (of tracks, ref. to their scent) be restored or revived (when a frost thaws) X.
3 report or refer (a matter, to someone for consultation or decision); **refer** —*a matter* (W.DAT. or ὡς + ACC. *to someone*) Arist. Men. Plu.; (intr.) **refer** (a matter to the Assembly, to a person, i.e. consult them) And. Men. —W.DAT. *to a populace* Plb. || PASS. (of matters) be referred —w. ὡς + ACC. *to someone* D.
4 judge or class (sthg.) by reference (to someone or sthg.); **refer, relate** —*considerations, circumstances* (W.PREP.PHR. *to someone or sthg.*) Pl. Arist.; (intr.) **make reference** —W.PREP.PHR. *to sthg.* Arist. || PASS. (of statements) refer, relate —W.PREP.PHR. *to someone* Arist.
5 refer (someone or sthg.) back (to a cause or sim.); **attribute, ascribe** —*a share of responsibility* (W.DAT. *to the gods*) Sol.; (of the gods) **devolve** —*an action* W.PREP.PHR. *upon persons, i.e. make them responsible for it*) Plu.; **attribute, refer** —*sthg.* (W.PREP.PHR. *to sthg., as a cause or explanation*) Pl. D.; (intr.) **attribute responsibility** —W.PREP.PHR. *to a god* Ar.; **have recourse** —W.PREP.PHR. *to sthg.* (*for an explanation*) Pl.; (of a first principle) **lead back** —W.PREP.PHR. *to sthg.* Pl.
6 enter into one's accounts, **record** —*a sum of money* D. —(w. εἰς + ACC. *against someone, i.e. charge it to his account*) D.

ἐπαναφορά ᾶς *f.* **1 reference** (of a matter, to the Assembly) And.
2 reference, attribution (of an offence, w. ἐπί + ACC. *to a cause*) Arist.

ἐπ-αναφῡσάω *contr.vb.* **pipe up** (W.ACC. a tune) **in accompaniment** (to a lyre-player) Ar.

ἐπ-αναχωρέω *contr.vb.* **1 come** or **go back, return** Th. Pl. X. Arist.
2 retire, retreat, withdraw Hdt. Th. Ar. X.; (of a line of soldiers) **move backwards** (as a tactic) X.

ἐπαναχώρησις εως *f.* **retreat, withdrawal** (of the sea, fr. the shore, after an earthquake) Th.

ἐπ-ανδιπλάζω *dial.vb.* [ἀνά, διπλάζω] **repeat** (a question) A.

ἐπ-ανδιπλοΐζω *dial.vb.* [διπλοΐζω] **repeat** (a greeting) A.(cj.)

ἐπ-ανδρόω *contr.vb.* **populate with men, man, people** —*an island* (W.DAT. w. *one's sons*) AR.

ἐπ-άνειμι *vb.* | Only pres. and impf. (other tenses are supplied by ἐπανέρχομαι). The pres.indic. has fut. sense. |
1 (of military help) **come up** (to a place) —W.ADV. *fr. below* Th.; (of a person) **go up** (i.e. inland) —W.ADV. *to a place* Pl.; (of a person examining someone's body) **move upwards** (fr. the feet) Pl.; (of water) **rise up** —W.ADV. *fr. below* Pl.; (fig., of a person) **rise** —W.PREP.PHR. *to a higher level* (*of insight*) Pl.; go up (to a higher rank), **be promoted** Pl.; (of degrees of kinship) perh. **ascend** (through relatives) Pl.
2 (fig., of an aulos, ref. to its music) **rise** or **start up again** S.
3 (of persons, animals) **come** or **go back, return** (usu. W.ADV. or PREP.PHR. *to* or *fr. somewhere*) X. Aeschin. Lycurg. Thphr. Plb. Plu.; (of an adopted son, sts. W.PREP.PHR. *to one's original family*) Is. D.; (of a person) **revert** —W.PREP.PHR. *to one's former circumstances* Men.
4 (of a writer, speaker, disputant) **go back** —W.PREP.PHR. or ADV. *to a subject, a point of digression, or sim.* Hdt. Pl. X. Is. D. Plb.; **go back over** —W.ACC. *arguments, assumptions* Pl.; **retrace one's steps** Pl. X.

ἐπ-ανεῖπον *aor.2 vb.* **also announce** —*a reward* (W.DAT. *for someone who does sthg.*) Th.

ἐπ-ανερεύγομαι *mid.vb.* **belch back up** —*seawater* Tim.

ἐπ-ανέρομαι, Ion. **ἐπανείρομαι** *mid.vb.* | aor.2 ἐπανηρόμην, dial. ἐπανερόμᾱν, Ion. ἐπανειρόμην | **ask** (freq. W.ACC. *someone*) **again** Hdt. Ar. Pl. —*sthg.* A. Pl. —W.INDIR.Q.

ἐπανέρχομαι

what (or whether sthg.) is the case Hdt. Pl. Aeschin. —W.DIR.SP. sthg. Ar. Pl.

ἐπ-ανέρχομαι mid.vb. | aor.2 ἐπανῆλθον, dial. ἐπανῆνθον ‖ Impf. and fut. are supplied by ἐπάνειμι. | **1 go or come back, return** (freq. W.PREP.PHR. to or fr. somewhere) Anacr. Th. Att.orats. Pl. +; (of an adopted son, sts. W.PREP.PHR. to his original family) Is. D.; (of an inheritance) **revert** —W.PREP.PHR. to someone D.
2 (of the sea) **go back, retreat** —W.PREP.PHR. fr. the coastline Th.; (of a law) **go back** (to a remoter degree of family relationship, in assigning inheritance) Is.(dub.)
3 (of a writer, speaker, disputant) **go back** —W.PREP.PHR. or ADV. to a subject, a point of digression, or sim. E. Isoc. Pl. D. Arist. Plb.; **go back over** —W.ACC. a subject Isoc. Pl. X. D.; **retrace one's steps** Pl. Arist.
4 go up —W.PREP.PHR. into mountains X.
5 (of a skill) **pass over** or **be imported** —W.PREP.PHR. into a country Hdt.

ἐπ-ανερωτάω contr.vb. **1 question again** or **continue questioning** —someone X.
2 (w. little or no sense of repetition) **question, ask** (freq. W.ACC. someone) Pl. —sthg. or about sthg. Pl. —W.INDIR.Q. what (or whether sthg.) is the case Pl. —W.DIR.SP. sthg. Pl. ‖ PASS. (of a person) **be questioned** Pl.

ἐπ-ανέχω vb. (fig.) **find support for, alleviate** —private affairs and sorrows (W.DAT. w. public activities) Plu.; (intr.) **support oneself by, rely on** —W.DAT. hopes D.(dub.)

ἐπ-ανήκω vb. **1 have come back, have returned** (sts. W.PREP.PHR. to someone or fr. somewhere) Aeschin. D. Plb. Plu.
2 (imperatv. and fut.) **come back, return** (sts. W.PREP.PHR. to someone or fr. somewhere) Men. Plb. Plu.

ἐπανῆλθον (aor.2), **ἐπανῆνθον** (dial.aor.2): see ἐπανέρχομαι

ἐπανθέμεναι (ep.aor.inf.): see ἐπανατίθημι

ἐπ-ανθεμίζω vb. (fig., prob.intr., of fantasies of sound, ref. to lyre music) **blossom like flowers** S.Ichn.

ἐπ-ανθέω contr.vb. **1** (of roses) **flower, blossom, bloom** Theoc.; (of hair) Alcm. Ar. X.; (of down, ref. to pubic hair) —W.DAT. on a boy's genitals Ar.; (fig., of voluptuousness) —w. ἐπί + DAT. on a woman's breasts Ar.; (of beauty) —on someone Theoc.; (of freshness, on works of art) Plu.
2 (fig., of a moral quality) **spring up, grow** —W.DAT. in children and animals Pl.; (of a national trait, ref. to argumentativeness) **be all too visible** (on someone's face) Ar.
3 (of salt) **form a crust** (on the ground) Hdt.

ἐπ-ανθιάω contr.vb. [reltd. ἀνθέω] (of whiskers) **blossom, sprout** (on someone's face) AR.

ἐπ-ανθίζω vb. (fig.) adorn as with flowers, **crown** —libations to the dead (W.DAT. w. lamentations) A. —one's family (w. sorrows) A. ‖ MID. (fig.) **adorn** or **crown oneself** —app. W.INTERN.ACC. w. a final crown (ref. to a culminating act of murder) A.

ἐπ-ανθρακίδες ων f.pl. [ἄνθραξ] **small fishes for roasting on charcoal, sprats** Ar.

ἐπ-ανθρῴσκω dial.vb. [ἀναθρῴσκω] | aor.2 ptcpl. ἐπανθορών | (of oarsmen) **leap onto** —W.DAT. rowing-benches A.

ἐπ-ανίημι vb. **1** (of a deity) **let loose, set on** —a warrior (W.DAT. against another deity) Il.(tm.)
2 let go, give up —a way of doing sthg. D. **get rid of** —fear D.; **relax** —severity of discipline Plu.; **release** —dogs (W.GEN. fr. work) X.
3 (intr.) **leave off** —W.NOM.PTCPL. doing sthg. Pl.; (of animals) **slacken off** (in their efforts) X.; (of fear) **abate** Plu.
4 (of grain) **drop** (in price) D.

ἐπ-ανισόω contr.vb. **1 equalise, even out, balance** (against each other) —things being distributed Pl.; **cause** (W.ACC. two nations) **to be evenly balanced** —w. πρός + ACC. against each other Th.; (of one force) **even out** —an imbalance (w. another) Plu.; (intr., of a person or procedure) **restore equality** Arist. ‖ MID. **achieve equality** or **balance** (in apportioning things) Pl. ‖ PASS. (of a circumstance) **be evenly balanced** —w. πρός + ACC. against another Plu.
2 make (W.ACC. oneself) **equal** —W.DAT. to someone's qualities (i.e. match them) Plu.

ἐπ-ανίστημι vb. | Only in pres. For the athem.aor. and pf. (intr.) see ἐπανίσταμαι below. | **make** (W.ACC. soldiers) **sally forth** —W.DAT. against someone (w. ἐκ + GEN. fr. a place of ambush) Plu.; (fig.) **raise up, get up** —walls (envisaged as lying on the ground asleep, i.e. rebuild them) Pl.; **revive, restore** —honours Plu.

—**ἐπανίσταμαι** mid.vb. | fut. ἐπαναστήσομαι | athem.aor.act. ἐπανέστην | pf.act. ἐπανέστηκα | **1 stand up** (at someone's bidding) Il. AR.; **stand up next** (to speak) X. Aeschin. D. Plb. Plu.; **get up** (fr. bed) Ar.; **mount** —w. ἐπί + GEN. onto a ship's deck X.
2 ‖ STATV.PF.ACT. (of a fortified city) **be set up** (against adversaries) Ar.
3 rise up in revolt, revolt, rebel (freq. W.DAT. against someone or sthg.) Hdt. Th. Ar. Pl. Arist. + —w. ἐπί + ACC. NT. ‖ STATV.PF.ACT. **be in revolt** —W.DAT. against someone Hdt.
4 set oneself up —W.INF. to be a tyrant And.(law) Arist.(law) —w. ἐπὶ τυραννίδι Arist.(law)
5 (of men) app. **have sexual relations** —W.DAT. w. each other Plb.(quot.)

ἐπ-άνοδος ου f. **1 journey back up** (fr. a subterranean cave to daylight) Pl.; (fig.) **ascent** (W.GEN. to reality) Pl.
2 journey back, return (to a place) Plb. Plu.
3 (rhet.) **return** (to points made earlier in a speech), **recapitulation** Pl. Arist.

ἐπ-ανορθόω contr.vb. | impf. ἐπηνώρθουν | aor. ἐπηνώρθωσα | **1 set up again, restore** —a city's power, a political order, people's fortunes, or sim. Th. Lys. Isoc. Pl.
2 set upright, give a helping hand to —people (who have suffered a misfortune) Isoc. X. —the lives (of such people) Pl.; **put on the right path, set right** —someone Ar. Isoc.
3 (act. and mid.) **correct, revise, amend** —laws Pl. —a will Is. —a constitution Arist. —peace terms D. —Homer Plu.; **correct, put right, rectify** —mistakes, faults, deficiencies, or sim. Att.orats. Pl. Arist. Plu. —a monster's abnormal appearance Pl.; **improve** —the state of the cavalry Din.; **bring to a successful issue** —private quarrels D. ‖ MID. **correct one's mistakes, set oneself right** Isoc. Pl. ‖ PASS. (of a person's vices) **be set right** —W.DAT. by sthg. D.; (of a situation, a person's fortunes) **be repaired** or **improved** Aeschin. D. Plb.

ἐπανόρθωμα ατος n. **correction, amendment** (of a writer, fault, law, or sim.) Pl. D. Arist.; **rectification, improvement** (of a situation) Plu.

ἐπανόρθωσις εως f. **1 process of correcting, correction, amendment** (of laws, peace terms, speeches) D. Plu.
2 setting right, correction (of people, in their understanding of sthg.) Plb.; **disciplining** (of troops, by a commander) Plu.; **improvement** (of a situation, a person's prospects, character, or sim.) Plb. Plu.; **making amends** (for wrongs) Plu.

3 capacity for accepting correction or improvement (in persons) Arist.
4 means of correcting, remedy (for a situation) Arist.
ἐπανορθωτέος ᾱ ον *vbl.adj.* (of things) to be corrected Pl.
ἐπανορθωτικός ή όν *adj.* (of justice) restorative Arist.
ἐπαντέλλω *dial.vb.*: see ἐπανατέλλω
ἐπ-άντης ες *adj.* [ἄντα] (of a hill) steep Th.
ἐπ-αντιάζω *vb.* light upon, meet with (people) hHom.
ἐπ-αντλέω *contr.vb.* pour or channel water (into a place) Pl. —W.PREP.PHR. onto sthg. Pl.; (of a bodily process) pour in, discharge —nutriments (into the veins) Pl. ‖ PASS. (of streams) be channelled off Pl.
ἐπ-ανύω *vb.* | 2sg.aor.mid. (app.tm.) ἐπὶ ... ἤνύσω ‖ aor.pass. ἐπηνύσθην | ‖ MID. bring about, win —thanks (W.DAT. *for someone*) S. ‖ PASS. (of victory) be achieved Hes.
ἐπ-άνω *adv. and prep.* **1** on the upper part (of sthg.); on top or up above Ar. Pl. NT.; (quasi-adjl., of a tower, parts of a city) upper (opp. lower) Hdt. Pl.; (as prep.) on top of or above —W.GEN. *sthg.* Hdt. Pl. NT. Plu.
2 earlier (in a literary work) Plb.; (quasi-adjl., of a discussion) previous Arist.
3 earlier (in time) D.; (quasi-adjl., of time) previous Plb.; (as prep.) earlier than, before —W.GEN. *an event* Plu.
4 (as prep., ref. to authority) above, over —W.GEN. *cities* NT.
5 (as adv., w. numeral) above, more than NT.
ἐπάνωθε(ν) *adv. and prep.* **1** from above, on top —*ref. to earth falling on a corpse* E.; (as prep., ref. to the location of the head) on top —W.GEN. *of a person* Pl.
2 up from the coast, in the interior (of a country) Th.
3 (ref. to ancestry, modifying adj. ἐσθλός *illustrious*) by descent —w. ἀπό + GEN. *fr. someone* Theoc.
4 (quasi-adjl., of poets) of earlier times Theoc.*epigr.*
ἐπάξᾱ (dial.2sg.aor.mid.): see πήγνυμι
ἐπάξᾱς (aor.ptcpl.): see ἐπάσσω
ἐπ-άξιος ᾱ ον *adj.* **1** (of persons or things) worthy, deserving (of sthg.) A.(dub.) S.; (W.GEN. of sthg.) E.(dub.) Pl.
2 (of a person) worthy, deserving, fit (W.INF. to pity, i.e. to be pitied) S.; (of an animal, to count in a certain class) Pl.; (of a name, to possess, i.e. worth possessing) Pl.
3 (of a person) worthy, qualified (to do sthg.) Pl.
4 (of things) sufficient in worth (for sthg.); (of a crown) worthy (W.GEN. of the pankration) Pi.; (of a joy) worth (W.GEN. everything, i.e. any price) Pi.; (of sufferings, retribution) sufficient, appropriate (W.GEN. to justice, crimes) A.; (of plans, to the children of a god) AR.
5 (of a marriage) worthy of oneself, deserved S. ‖ NEUT.PL.SB. one's just deserts A.
6 (of persons) worthy of note, notable Hdt.; (of customs) noteworthy Hdt.
—**ἐπαξίως** *adv.* in a manner worthy (of oneself or the occasion), fittingly, appropriately S.
ἐπ-αξιόω *contr.vb.* **1** think it right, see fit —W.INF. *to do sthg.* S.
2 regard (W.ACC. persons) as deserving —W.INF. *for one to give them a fair return* S.
3 think, expect, believe —W.ACC. + INF. *that someone knows sthg.* S.
ἐπ-αξόνιος ον *adj.* [ἄξων] (of a chariot) upon an axle, wheeled Theoc.
ἐπ-αοιδή ῆς, dial. **ἐπαοιδά** ᾶς, also **ἐπῳδή** ῆς *f.* incantation, spell, charm (for magic or healing) Od. Pi. Hdt. Trag. Pl. +; (W.GEN. against sthg.) A.; (ref. to persuasive eloquence) A.

ἐπ-απειλέω *contr.vb.* **1** threaten —W.DAT. *someone* Il. —(W.COGN.ACC. *w. threats, terrifying words, or sim.*) Il. Hdt. S. Ar. —(W.ACC. *in a quarrel*) Il. ‖ PASS. be threatened —W.ACC. *w. terrifying words* S.
2 threaten (sts. W.DAT. someone) —W.FUT.INF. or ACC. + FUT.INF. *that one (or someone) will do sthg.* Il. Hdt. S. Ar. AR. —w. ὡς + NOM.FUT.PTCPL. Isoc.
3 threaten —*a penalty* Pl.
4 (intr.) make threats S. X.
ἐπ-αποδύομαι *mid.vb.* strip oneself —W.DAT. *for a task* Ar.; (fig., of a nation) get ready to fight —W.DAT. *w. an enemy* Plu.
ἐπ-αποθνῄσκω *vb.* die after or in addition to —W.DAT. *someone* Pl.; die later (after someone else) Plu.
ἐπ-αποπνίγομαι *pass.vb.* be choked in the process (of eating) Ar.(cj.)
ἐπ-απορέω *contr.vb.* [ἀπορέω¹] raise a further question —W.PREP.PHR. or INDIR.Q. *about sthg., whether sthg. is the case* Plb. ‖ NEUT.PL.PF.PASS.PTCPL.SB. further questions Plb.
ἐπ-αποστέλλω *vb.* **1** despatch (W.ACC. a person) to follow after —W.DAT. *someone* Plb.; despatch (W.ACC. someone) subsequently Plb. ‖ PASS. (of persons, a letter) be despatched subsequently (or to follow after someone) Plb.
2 despatch (W.ACC. troops) additionally or as reinforcements Plb.
3 despatch (W.ACC. persons, troops) for an attack (on persons, a country) Plb.
ἐπαππένᾱ (Aeol.fem.nom.pf.mid.ptcpl.), **ἐπάπτω** *Ion.vb.*: see ἐφάπτω
ἐπ-αράομαι *mid.contr.vb.* | aor. ἐπηρᾱσάμην | **1** utter an imprecation (against another person); invoke a curse (usu. W.DAT. on someone) Hdt. Isoc. Pl. Plu.; call down —*harm or sim.* (W.DAT. *on someone*) Plu. —W.COGN.ACC. *curses* Plu.
2 utter an imprecation (against oneself, usu. to be fulfilled if one is not telling the truth); invoke a curse —W.DAT. *upon oneself, one's family* Pl. D. Plu.; (tr.) call down —*utter destruction* (W.DAT. *on oneself, one's family*) Att.orats.; pray —W.ACC. + INF. *for oneself and one's family to be utterly destroyed* Aeschin. | cf. ἐξώλεια
3 invoke against oneself —W.INTERN.ACC. *certain words (of imprecation)* S. D.
4 curse —W.ACC.PTCPL. *someone doing sthg.* Pl.
5 (wkr.sens.) app. swear in addition —W.FUT.INF. *to do sthg.* E.
ἐπ-αραρίσκω *ep.vb.* | aor. ἐπῆρσα, aor.2 (tm.) ἐπὶ ... ἤραρον | 3sg.plpf. ἐπαρήρει | **1** fit, fasten —doors (W.DAT. *to doorposts*) Il. —*a crossbar (to the arms of a lyre)* hHom.(tm.)
2 ‖ STATV.PLPF. (of a bolt) be fixed (to doors) Il.
—**ἐπάρμενος** η ον *ep.athem.aor.mid.ptcpl.adj.* (of resources, a boat's gear) perh., with fastenings upon (them), locked up Hes.
ἐπ-αράσσω *vb.* slam shut —*a door* Pl. Plu.(dub.) | cf. ἐπιρράσσω 2
ἐπάρατος ον *adj.* [ἐπαράομαι] (of a person, place, an action, object) under a curse, accursed Th. Pl. Aeschin. NT. Plu.; (of a place, w. μή + INF. forbidding habitation) Th.
ἐπ-άργεμος ον *adj.* [ἄργεμον, medic. *leucoma*] (fig., of words, oracles, signs) with defective vision, dim, obscure A.
ἐπ-άργυρος ον *adj.* (of couches, oars) overlaid with silver Hdt. Plu.
ἐπ-ᾱρή ῆς *Ion.f.* [ἀρά] imprecation, curse Il.
ἐπ-αρήγω *vb.* give help A. S. —W.DAT. *to someone* Hom. hHom. E. Ar. X. —*to someone's struggle* AR.

ἐπαρηγών όνος *m.f.* **helper** (in a battle, a task) AR.
ἐπαρήρει (ep.3sg.plpf.): see ἐπαραρίσκω
ἐπ-αρίστερος ον *adj.* **1** (of writing) **towards the left, from right to left** (app.w. further connot. *the wrong way*) Hdt. **2** **left-handed;** (fig., of a person) **gauche, maladroit, clumsy** Plu.
—**ἐπαρίστερα** *neut.pl.adv.* **from right to left** —*ref. to draping one's cloak* (*over the right shoulder, then the left hip, contrary to the normal way*) Ar.
—**ἐπαριστέρως** *adv.* **maladroitly, clumsily, in the wrong way** —*ref. to interpreting sthg.* Men.
Ἐπ-άριτοι ων *m.pl.* [reltd. ἀριθμός] **Eparitoi, The Select** (a name given to soldiers of the Arcadian League) X.
ἐπάρκεια ᾱς *f.* [ἐπαρκέω] **help, assistance, support** (in war) Plb.
ἐπάρκεσις εως *f.* **help, assistance, support** (to a person) S. E.
ἐπ-αρκέω *contr.vb.* | fut. ἐπαρκέσω, ep.inf. ἐπαρκέσσειν (AR.) | aor. ἐπήρκεσα, dial. ἐπάρκεσα, ep.inf. ἐπαρκέσσαι (AR.) |
1 (of persons or things) **protect against, ward off** —*death, injury, suffering* (sts. W.DAT. *fr. someone*) Od. S. AR.
2 **give help** or **support** (freq. W.DAT. to someone) Thgn. Hdt. Trag. Ar. Att.orats. Pl. +; (in neg.phr.) **help, protect** —W.DAT. + τὸ μὴ οὐ and INF. *someone, against suffering sthg.* A.; (of power) perh. **offer protection** Sol.(v.l. ἀπ-)
3 **provide, supply, furnish** (sts. W.DAT. for someone) —*a remedy* A. —*a triumph in the games* Pi. —*clothing* E.Cyc. —*ways of avoiding sthg.* Pl. —*modest help* Men.
—W.PARTITV.GEN. *a share of sthg.* X.
4 (of a law or maxim) **prevail, hold good** S.
—**ἐπαρκούντως** *ptcpl.adv.* perh. **with resources sufficient to provide support** (W.DAT. for oneself) S.(v.l. ἀπ-)
ἐπαρκής ές *adj.* **1** (of natural elements) app. **suited** or **conducive** (W.ACC. to mixing) Emp.
2 (of resources) **providing sufficient support** (W.DAT. for expenditure) Plu.
ἐπάρμενος *ep.athem.aor.mid.ptcpl.adj.*: see under ἐπαραρίσκω
ἐπ-άρουρος ον *adj.* [ἄρουρα] (of a person) prob. **on earth** (opp. in the underworld) Od. [sts. interpr. as *attached to the earth, having the status of a land-worker*]
ἐπ-αρτάω *contr.vb.* (fig., of a speaker) **hang, dangle** (as a threat) —*terrors* (W.DAT. *over listeners*) Aeschin. || PF.PASS. (of terrors) **hang** —W.DAT. *over someone* D.
ἐπ-αρτής ές *adj.* [ἀρτέομαι] (of persons) **ready, equipped** (for a voyage) Od.; (of food, equipment) **prepared** AR.
ἐπ-αρτίζω *vb.* **get ready** —*arrangements for a meal* AR. || MID. **make preparations** —W.INF. *to depart* AR.
ἐπ-αρτύνομαι *mid.vb.* **prepare for oneself** —*a meal* hHom.
ἐπ-αρτύω *vb.* **1 make secure, fix** —*a lid* (*on a chest*) Od.
2 (of Zeus) **prepare, arrange** —*pain and trouble* (*for people*) Od.(tm.)
ἐπαρχίᾱ (also **ἐπαρχεῖα** NT.) ᾱς *f.* [ἔπαρχος] (gener.) territory governed by a city or country, **province** Plb. Plu.; (specif., of Rome) NT. Plu.
ἐπαρχικοί ῶν *m.pl.* inhabitants of a Roman province, **provincials** Plu.
ἔπ-αρχος ου *m.* [ἄρχω] **1 governor** (of territory controlled by a country) Plb. Plu.
2 (at Rome) *praefectus*, **prefect** (a middle-ranking official) Plb. Plu.
ἐπ-άρχω *vb.* **1 rule as a subordinate to another;** (of an Assyrian chieftain) **have control over, govern** —W.GEN. *a region* X.

2 rule over territory additional to or outside of one's own; (of a ruler, a nation) **have** or **take control** —W.GEN. *of foreigners, their territory, or sim.* Isoc. Pl. X. Lycurg. Plb. Plu.
3 (of a Roman consul) **have charge of a province** Plu.
4 || MID. (of a wine-server) **pour the first drops** —W.DAT. *into cups* (*for spilling out as a libation, before the cup is filled for drinking*) Hom.
5 || MID. (of a goddess) **offer as a first taste** —*nectar and ambrosia* (*to a baby god*) hHom.
ἐπ-αρωγή ῆς *f.* **help, assistance** (to a person) AR.
ἐπ-αρωγός οῦ *m.* (*also f.* AR.) **helper** Od. Sapph. E. AR.
ἔπασα (aor.): see πάσσω
ἐπασάμην (aor.mid.): see πατέομαι
ἐπ-ασκέω *contr.vb.* **1** (fig., of a mother) **deck out, adorn, furnish** —*her daughter* (W.DAT. *w. skills*) Pi.*fr.*; (of a poet) —*a hero* (*w. honours*) Pi.; **exalt, glorify** —*a city* Pi.*fr.* || PASS. (of a courtyard) **be finished off** —W DAT. *w. a wall and its copings* Od.
2 practise —*a craft* Hdt. E.*fr.* Aeschin. —*certain customs* Hdt.; **cultivate** —*virtuous behaviour, wisdom, memory of the past* Hdt. Ar.; **train for, specialise in** —*the pankration, the pentathlon, single combat, military activities* Hdt. Aeschin.
3 (of a commander) **train** —*his military forces* Plu.
ἐπασσάμην (ep.aor.mid.): see πατέομαι
ἐπασσύτεροι αι α *ep.pl.adj.* **1** (quasi-advbl., of ranks of soldiers moving, persons killed, rocks thrown) **one after another, in quick succession** Il. Hes.; (of cries reaching heaven) B.*fr.*; (of watchers taking their stations) **one relieving another, in relays** Od. [or perh. *at a close distance fr. one another*]
2 || COLLECTV.SG. (of surf breaking on the shore) **wave after wave** Il.
3 || SG. (of poverty) **ever-increasing** AR.; (of a breeze) perh., **freshening** AR.
ἐπασσυτερο-τριβής ές *adj.* [τρίβω] (of mourners' hands) **pounding thick and fast** (on their bodies) A.
ἐπ-ᾴσσω, ep. **ἐπαΐσσω** *vb.* | aor. ἐπῇξα, ptcpl. ἐπᾴξας, ep. ἐπήϊξα, ptcpl. ἐπαΐξας | iteratv.aor. ἐπαΐξασκον | **1** (of persons, esp. warriors) **spring, rush** or **charge forward** (sts. W.DAT. *w. a spear, a sword*) Hom. S.(dub.) E. Ar. AR. —W.DAT. *at or against someone* Hom. —W.ACC. Il.(dub.); (of a boar) **charge** B.; (of Scylla, wolves) **spring to the attack** AR.
2 (of a warrior) **charge into** —W.ACC. *a mêlée of chariots* Il.; **charge at, storm** —*a wall* Il.
3 (of a hawk) **swoop down** (on its prey) Il.; (of storm-winds) **rush down** —W.PREP.PHR. *fr. the clouds* Il.; (of a towering wave) **crash down** AR.; (without connot. of aggression, of the goddess Iris) **speed down** —W.DAT. *to a place* Call.
4 (of winds) **rush at, assail** —W.ACC. *someone* Archil.; (fig., ref. to the winds of fortune) Pi.
5 (fig., of a soul) **make a spurt forward** (in reaching a decision) Pl. || MID. (of runners) **make a dash for** —W.ACC. *the prize* Il.
6 || MID. (of a person's arms) perh. **move freely** —W.GEN. *fr. the shoulders* (*as a sign of youthfulness*) Il.(dub.)
ἐπαστέον (neut.impers.vbl.adj.): see ἐπᾴδω
ἐπ-αυδάω *contr.vb.* **1 repeat a command** —W.DAT. + INF. *to someone to do sthg.* Ar.(cj.)
2 || MID. **call upon, invoke** —*a deity* S.
ἔπαυλα *n.pl.*: see ἔπαυλοι
ἐπ-αυλέομαι *pass.contr.vb.* (of a song) **be sung to the aulos** E.
ἐπ-αυλίζομαι *mid.vb.* **1** (of troops) **encamp for the night on the battlefield, bivouac** Th. Plu.

2 encamp for the night close by —w.DAT. *a city, an enemy camp* Plu.
3 (of birds) roost —w.DAT. *in a tree* AR.
ἐπαύλιον ου *n*. [dimin. ἔπαυλις] 1 shelter, refuge (for people, ref. to a hut) Call.
2 country dwelling, homestead Plb. Plu.
ἔπ-αυλις εως *f*. [αὐλις] 1 country dwelling, homestead Hdt. Plu.; (in Roman ctxt.) country house, villa Plu.
2 (gener.) dwelling-place, abode (ref. to a city) A.(cj.); residence (ref. to a house or sim.) NT. Plu.
3 (milit.) overnight camp, bivouac Plb.; (fig., ref. to a sheepfold) quarters (w.DAT. for sheep and a lion) Plb.
ἔπ-αυλοι ων *m.pl.* —also ἔπαυλα ων (S.) *n.pl.* [αὐλή] 1 pens, folds (for sheep) Od. S.
2 (gener.) dwelling-places, abodes S.
ἐπ-αυξάνω *vb*. | aor. ἐπηύξησα | —also ἐπαύξομαι (X.) *pass.vb*. 1 increase, enlarge —*one's empire* Th. —*someone's power* Aeschin. —*existing matter* Emp.; encourage —*someone's indolence* D.
2 increase in prestige, exalt —*one's country* Th.
3 ‖ PASS. (of children) grow up Pl.; (of a ruler, his power) grow strong D. Plb.; (of good qualities) increase, be multiplied X.
ἐπ-αύξη ης *f*. increase (in amount, of good things) Pl.
ἐπ-αύξησις εως *f*. 1 increase (in amount, measure, value) Pl. Plu.
2 enrichment (of persons) Plb.
ἐπαύξομαι *pass.vb.*: see ἐπαυξάνω
ἐπαύρεσις εως *f*. [ἐπαυρίσκω] enjoyment, satisfaction, benefit (accruing fr. sthg.) Hdt. Th.
ἐπαυρέω *contr.vb.*: see ἐπαυρίσκω
ἐπ-αύριον *adv*. on the next day; (phr., w.dat.art. τῇ or w. εἰς τήν) on the morrow, on the next day Plb. NT.
ἐπαυρίσκω *vb*. | aor.2 ἐπηύβρον, dial. ἔπαυρον (Pi.), inf. ἐπαυρεῖν, ep. ἐπαυρέμεν ‖ MID.: fut. ἐπαυρήσομαι | aor.2 ἐπηυρόμην, dial.2sg. ἐπαύρεο (Pi.), ep.2sg.subj. ἐπαύρηαι, also ἐπαύρῃ | aor.2 inf. ἐπαυρέσθαι, aor.1 inf. ἐπαύρασθαι (Plb.) | —also ἐπαυρέω (Hes.) *contr.vb*.
1 make physical contact (w. sthg.); (of a spear) touch, graze —*an opponent's flesh* Il.; (of a warrior, w.DAT. w. a spear) Il.; (of a charioteer) —w.GEN. *a stone (marking the turning point)* Il.; (of a spear) make contact —w.ADV. *slightly* Il.; (of a wave) meet with, encounter —w.GEN. *a skilful helmsman* AR.
2 (of people) partake of, share in —w.GEN. *someone's possessions* Il.; (of Sirius) —*night (for a longer time than day)* Hes.; (intr., of persons) have a share (of possessions) Od.; (in someone's misfortune) Pi.
3 derive, gain, enjoy —w.ACC. *the greatest amount (by way of benefit)* Thgn.; meet with, experience, suffer —w.GEN. *death (at someone's hands)* E.(cj.); (intr.) suffer (misfortune) AR. ‖ MID. meet with —w.ACC. *a misfortune* Od.; gain, win —*a return for one's labours* Pi.; derive, reap —*some good* (w.GEN. *fr. someone*) And.
4 ‖ MID. enjoy the benefit of —w.GEN. *someone's good sense* Il. —*an inquiry* E. —*a wind* AR. —*freedom* Plb. —*one's life (by preserving it)* AR.; (intr.) enjoy a benefit —w.NEUT.ACC.ADV. *to a specified extent* Arist.
5 ‖ MID. (iron.) enjoy the benefit or reap the consequences of —w.GEN. *a person (i.e. his behaviour)* Il. —*one's mischief-making, one's name, someone's hostility* Il. Hdt. E.; reap a benefit or reward —w.GEN. *fr. one's behaviour* A.; (intr.) reap the consequences Il.

ἐπ-αυτέω *contr.vb*. 1 cry out in acclamation (of someone's action) Call. Theoc.
2 (of a personif. island) utter also or in response —w.COGN.ACC. *a great cry* Call.(tm.); (of wheel-hubs) also screech (while chariots clatter along) Hes.(tm.)
ἐπ-αυχένιος ον *adj*. (of a yoke) on the neck Pi.
ἐπ-αυχέω *contr.vb*. 1 be filled with confidence —w.DAT. *by someone's words* Ar.; be confident —w.ACC. + FUT.INF. *that someone will do sthg*. S.
2 take pride, exult —w.DAT. *in one's actions* S.
ἐπ-αυχμέω *contr.vb*. (of Zeus) cause a drought S.fr.
ἐπ-αύω *vb*. [αὐω²] | ep.aor. (tm.) ἐπὶ ... ἄϋσα | aor.ptcpl. ἐπαύσας (A.) | aor.imperatv. ἐπαύσον (Theoc., dub.) | 1 shout in addition or afterwards, also shout out Hom.(tm.)
2 shout in response or addition; cap with a cry —w.DAT. *someone shouting sthg.* A.
3 shout over —w.DAT. *a slain or wounded enemy (i.e. in triumph)* Il.(tm.); cry (w.ACC. sthg.) over —w.DAT. *a dead friend* Theoc.
ἐπ-αφαναίνομαι *Att.pass.vb.* be shrivelled up; (fig., of a person) wither away (fr. laughing at sthg.) Ar.
ἐπ-αφάω *contr.vb*. [ἀφάω] 1 (of Zeus) touch (Io, in engendering Epaphos) A.; (mid.) —w.GEN. *Io* Mosch.
2 (of a goddess, in a proposed etymology of her name) touch (things) Pl. ‖ MID. (of a person) touch, feel —w.GEN. *a wall* AR.
ἐπαφή ῆς *f*. 1 touch (of Io by Zeus, in engendering Epaphos) A.
2 (gener.) touching (of sthg.) Pl.; touch, contact (betw. things) Pl.; touch (as a sense) Pl.
3 taking in hand, handling, control (w.GEN. of someone's ambition) Plu.
ἐπ-αφίημι *vb*. 1 discharge, let fly (at the enemy) —*javelins* X.
2 send out, despatch —*troops or sim.* (freq. w.DAT. against the enemy) Plb.
Ἔπαφος ου *m*. Epaphos (son of Zeus and Io, miraculously engendered by a touch) A. Pi. B. Hdt. E. Isoc.
ἐπ-αφρίζω *vb*. (of the sea) froth, foam Mosch.
ἐπ-αφρόδιτος ον *adj*. [Ἀφροδίτη] 1 (of prostitutes) with sexual charm, alluring Hdt.; (of a man) charming, lovely Aeschin.
2 (of Homer's poetry) imbued with the charm of Aphrodite (because of Helen) Isoc.; (of words and actions, lovers' quarrels) X.
3 ‖ MASC.SB. (rendering *Felix*, cognomen of Sulla) Favourite of Venus, Fortune's Favourite (w. allusion to the *Venus throw*, the highest in value in a Roman game of dice) Plu.
ἐπ-αφύσσω *vb*. | aor. ἐπήφυσα | draw off (fr. one vessel) and add (to another); transfer —*warm water* Od.
ἐπ-αχθής ές *adj*. [ἄχθος] 1 (of a tragic poet's words, as a symptom of an ailment in his technique) heavy, ponderous, overweight Ar.
2 (fig., of persons) overbearing, oppressive, annoying Th. Isoc. Pl. D. Plu.
3 (of activities) burdensome A.; (of speech, behaviour, a law, or sim.) offensive, invidious Pl. D. Arist. Plb. Plu.
—ἐπαχθῶς *adv*. offensively Plu.
ἐπ-άχθομαι *mid.vb*. feel distress over —w.DAT. *someone's misfortunes* E.
ἐπ-αχλύω *vb*. [ἀχλύω] (of the moon) be obscured or dimmed AR.
ἐπάω *vb*.: see ἐπάϊω

ἐπεάν Ion. temporal conj.: see ἐπήν
ἐπέβᾱν (dial.athem.aor.), ἐπέβᾱσα (dial.aor.1), ἐπεβάσατο (dial.3sg.aor.1 mid.), ἐπέβην (athem.aor.), ἐπέβησα (aor.1), ἐπεβήσατο (ep.3sg.aor.mid.): see ἐπιβαίνω
ἐπεβωσάμην (Ion.aor.mid.): see ἐπιβοάω
ἐπ-εγγελάω contr.vb. **laugh at, sneer at, mock** —W.DAT. *someone* S. X. Plu.; (intr.) **sneer, mock** S. Aeschin.
ἐπ-εγγυάω contr.vb. **pay a security deposit** Lys.(law)
ἐπ-εγείρω vb. | fut. ἐπεγερῶ | aor. ἐπήγειρα || EP.AOR.2 MID.: 3sg. ἐπέγρετο, ptcpl. ἐπεγρόμενος || PASS.: aor. ἐπηγέρθην |
1 rouse from sleep, rouse, waken —*someone* Od. Thgn. Lys. Ar. Pl. + || MID. **rouse oneself from sleep, wake** Hom. E. Theoc. || PASS. **be woken** Plu.
2 (fig.) **reawaken** —*war, conflict, trouble* (envisaged as dormant) Sol. S. Plu.; **revive** —*a proposed law* Plu. || PASS. (of a dead person's wrath) **be reawakened** Hdt.; (of opinions) **be awakened** —W.DAT. *by questioning* Pl.
3 rouse, stir into action —*a country* Hdt.; **rouse** —*someone* (W.PREP.PHR. *to youthful vigour*) Pl.; **stimulate** —*one's torpid nature* (W.DAT. *to practical enterprises*) Plu.
4 stir up, provoke —*an argument, a swarm of arguments* Pl. —*someone's feelings, persecution* (W.PREP.PHR. *against someone*) NT.; **raise up** —*lamentation* (W.PREDIC.ADJ. *still more*) S.(tm.)
ἐπ-εγκαλέω contr.vb. **make an accusation** or **complaint against** —W.DAT. *someone* Lys.
ἐπ-εγκάπτω vb. **also take a mouthful of** —*garlic* Ar.
ἐπ-εγκελεύω vb. **urge on, cheer on** (someone) E.*Cyc.*
ἐπ-εγκεράννυμαι mid.vb. **also mix in** —*ingredients* Pl.
ἐπέγρετο (ep.3sg.aor.2 mid.), ἐπεγρόμενος (ptcpl.): see ἐπεγείρω
ἐπ-εγρήγορος ον adj. [ἐγρήγορα, see ἐγείρω] (of a person) **wakeful, watchful, alert** Plu.
ἐπ-εγχάσκω vb. **mock, scoff** (at someone) S.*fr.*
ἐπ-εγχέω contr.vb. | aor.inf. ἐπεγχέαι (A., cj.) | **1 pour in** —*one cupful* (w. ἐπί + DAT. *after another*) E.*Cyc.*; (fig.) **pour in** (W.ACC. *one's suffering*) **on top** (of another's) A.(dub.)
2 pour (W.ACC. *water*) **on** —W.DAT. *sthg.* Philox.Leuc.
ἐπέδεξα (Ion.aor.): see ἐπιδείκνῡμι
ἐπέδραμον (aor.2): see ἐπιδραμεῖν
ἐπέδρη Ion.f.: see ἐφέδρα
ἐπεζάρει (3sg.impf.): see ἐπιζαρέω
ἐπέζησα (aor.): see ἐπιζώω
ἐπέην (ep.3sg.impf.): see ἔπειμι¹
ἐπεί (also strengthened ἐπείπερ A. +), Ion. ἐπείτε (Hdt.), also ἐπειδή (Archil. +), strengthened ἐπειδήπερ (Th. +) *temporal and causal conj.*
—A | **as temporal conj.** |
1 (ref. to an occurrence in past time, prior to that of the main vb., usu. w.aor.indic. in plpf. sense) **when, after** Hom. + • ἐπεί ῥ' εὔξαντο *when they had prayed* Hom. • ἐπείτε ἀνδρώθη *when he had grown to manhood* Hdt. • ἐπειδὴ Ἀθηναῖοι ἦλθον *after the Athenians had arrived* Th.; (equiv. to ἐξ οὗ *from the time when*) • δέκατον μὲν ἔτος τόδ' ἐπεί ... στόλον ... ἦραν *this is the tenth year since they launched an expedition* A. • ἐπείτε παρέλαβον τὸν θρόνον τοῦτον, ἐφρόντιζον *ever since I took over this throne, I had been thinking* Hdt.
2 (ἐπεί κε, rarely ἐπεὶ ἄν, + SUBJ., ref. to an occurrence in future time, prior to that of the main vb.) **when, after** Hom. • ἦ τέ μιν οἴω πολλὰ μετακλαύσεσθαι, ἐπεί κ' ἀπὸ λαὸς ὄληται *I think that he will weep bitterly afterwards, when the whole people has perished* Il. • οὐ γὰρ ἔτ' ἄλλη ἔσται θαλπωρή, ἐπεὶ ἂν σύ γε πότμον ἐπίσπῃς *for there will be no other comfort when you meet your doom* Il. [After Hom., ἐπεί and ἐπειδή coalesce w. ἄν, giving ἐπήν (also ἐπάν, Ion. ἐπεάν) and ἐπειδάν, except (twice) in ἐπεὶ δ' ἄν (A. E.). See ἐπήν, ἐπειδάν.]
3 (ἐπεί or ἐπεί κε or ἐπείτε ἄν + SUBJ., ref. to a repeated action, w. main vb. usu. pres.) **when, whenever, when once** Hom. + • ἔρχομαι ... ἐπὶ νῆας, ἐπεί κε κάμω πολεμίζων *I return to the ships, when I am wearied with fighting* Il. • ἐπεὶ νὺξ ἔλθῃ ... κεῖμαι ἐνὶ λέκτρῳ *when night comes, I lie in bed* Od. • (in a general statement) ἐπεὶ δ' ἁμάρτῃ, κεῖνος οὐκέτ' ἔστ' ἀνὴρ ἄβουλος οὐδ' ἄνολβος ὅστις ... *but when he makes a mistake, he is no longer a thoughtless or unlucky man, if he* (repairs the damage) S. | see ἐπήν, ἐπειδάν
4 (w.opt., ref. to a repeated action, w. main vb. in past tense) Hom. + • νύκτας δ' ἀλλύεσκεν, ἐπεὶ δαΐδας παραθεῖτο *but every night she undid the work, when she had set torches beside her* Od. • ἐπειδὴ δὲ ἀνοιχθείη, εἰσῇμεν *when the door was opened, we used to go in* Pl. • τῇ ἐπείτε συγκλίνοιτο ὁ Ἄμασις, μίσγεσθαι οὐκ οἷός τε ἐγίνετο *whenever Amasis went to bed with her, he was unable to have intercourse* Hdt.
5 (combined w. temporal advbs. or advbl.phrs.) ἐπεὶ (ἐπειδὴ or sim.) τάχιστα *as soon as* A. +; (also w. θᾶττον) D. Arist.; (w. εὐθέως) X.; (w. αὐτίκα) Pi.; (w. τὰ πρῶτα, τὸ πρῶτον) Il. A.
—B | **as causal conj.** |
1 (introducing a subordinate cl.) **since, because** Hom. +
2 (sts. ellipt., introducing a main cl.) **for, because** (i.e. *I say this because*) S. E. +
ἐπείγω vb. | ep.3du. ἐπείγετον | impf. ἤπειγον, ep. ἔπειγον | aor. ἤπειξα (Plu.) || MID.: fut. ἐπείξομαι || PASS.: aor. (w.mid.sens.) ἠπείχθην | neut.impers.vbl.adj. ἐπεικτέον |
1 press upon (someone or sthg.) **with force**; (of the weight of a fleece) **press upon** —*someone* Il.; (intr., of the strength of the wind) **press hard** (on a great wave, forcing it over a ship's side) Il. || PASS. (of warriors) **be pressed hard** Il. —W.DAT. *by enemy spears* Il.; (of a ship) —*by winds or waves* Od. E.; (of an axle) —*by wheels* Parm.; (of bushes) **be assailed** or **overwhelmed** —W.DAT. *by the onslaught of fire* Il.; (of a boiling cauldron) **be played upon** —W.DAT. *by a powerful fire* Il.
2 press or **push** (sthg.) **forward**; (of rowers) **ply** —*oars* (W.DAT. *w. their hands*) Od.; (of a favourable wind) **drive on** (a ship) Od. || PASS. (of a ship) **be driven on** —W.DAT. *by rowers, their hands, a wind* Od. AR.
3 impel or **compel** (a person); (of a divine summons) **impel, urge on** —*someone* S.; (intr., of necessity, a circumstance) **be compelling** Hom. Plu.; (of a task) **be pressing** Od.; (of the moment for sailing and good weather, of need and a favourable breeze) **require action** S. AR.; (of a journey) **be urgent** Plu. || NEUT.PL.PTCPL.SB. *urgent or pressing matters* Plu.
4 press upon (someone) **in pursuit**; (of hunting dogs) **harry, hound** —*a deer or hare* Il.; (fig., of a person) **press hard on the heels** (of another, i.e. force him into precipitate action) Pl.
5 cause (sthg.) **to be performed with urgency** or **haste; hasten on** —*a purchase* Od. —*a voyage* S. —*a battle* Plu.; (of Fate) —*a person's destiny* Theoc.; (mid.) —*a marriage* Od. —*a voyage, preparations* Th. || PASS. (of work) **be hastened on** Call. | see also ἐπάγω 8
6 | MID. and AOR.PASS. (of persons) **hurry, make haste** (in travel or other activity) Hom. + —W.INF. *to do sthg.* Hom. Hes. A. Hdt. Th. Att.orats. +; (of the chariot of night, a ship, the hours) **hasten on** A. Pi. Th.; (of winds) **rush on** Il.; (of fig-

juice) **act rapidly** (to curdle milk) Il. ‖ ACT. (of persons) **hurry, make haste** Pi. S. E. Ar.

7 ‖ MID. (of persons) **be impatient** or **eager** Od. Archil. Th. Theoc. —W.ACC. + INF. *for sthg. to happen* Od. —W.GEN. *for war, a journey* Hom. AR. —w. περί + GEN. *for victory* Il.; (of a person's course) **aim at** —W.GEN. *a goal* S.*Ichn.*

ἐπειδάν *temporal conj.* [ἐπειδή, ἄν¹] **1** (w.subj., ref. to an occurrence in future time, prior to that of the main vb.) **when, after** Hdt.(dub.) S. E. Th. Ar. + • ἐπειδὰν πνεῦμα τοὔκ πρῴρας ἀνῇ, τότε στελοῦμεν *when the headwind falls, then we shall set out* S. | see also ἐπεί A 2

2 (w.subj., ref. to a repeated action, or in a general statement) **when, whenever** Il. A. Th. Ar. + • ἐπειδὰν δὲ ἡ ἐκφορὰ ᾖ, λάρνακας κυπαρισσίνας ἄγουσιν ἄμαξαι *when the funeral takes place, wagons bring cypress-wood coffins* Th. • ἀνδρὸς δ' ἐπειδὰν αἷμ' ἀνασπάσῃ κόνις ἅπαξ θανόντος, οὔτις ἔστ' ἀνάστασις *when the dust has sucked up the blood of a man once he is dead, there is no raising him up again* A. | see also ἐπεί A 3

ἐπειδή, ἐπειδήπερ *temporal and causal conjs.*: see ἐπεί
ἐπεῖδον (aor.2): see ἐφοράω
ἐπείην (Ion.athem.aor.opt.): see ἐφίημι
ἐπ-εικάζω *vb.* **imagine, infer, guess** —*someone's fate* A. —W.ACC. + INF. *that someone is such and such* S. —W.ACC. + PTCPL. *that someone is doing sthg.* A.; (intr.) **make an inference** or **guess** A. Hdt. S.

ἐπεικτέον (neut.impers.vbl.adj.): see ἐπείγω
ἐπεικώς (Att.pf.ptcpl.): see ἐπέοικα
ἐπειλεγμένος (pf.pass.ptcpl.): see ἐπιλέγω
ἔπ-ειμι¹ *vb.* [εἰμί] | ep.3sg.impf. ἐπῆεν, ἐπῆεν, 3pl. ἔπεσαν | ep.fut. ἐπέσσομαι ‖ See also ἔπι (used for 3sg. ἔπεστι). |

1 (of persons or things) **be located upon, be on** (a specified place or object) Hom. Hdt. + —W.DAT. *sthg.* Il. Thgn. Trag. + —w. ἐπί + DAT. Hdt. X. D. Call. —w. ἐπί + GEN. Hdt. Ar. D.; (of doors, gates) **be set in** (a wall) Od. Hdt. —w. ἐν + DAT. *in a wall* Hdt.

2 (of qualities or attributes, such as charm, majesty, shame, power) **be attached, belong** Archil. Pi. X. —W.DAT. *to someone or sthg.* hHom. Eleg. A. Pi. + —w. ἐπί + DAT. Thgn. Arist.; (of a name) —W.DAT. *to someone* Hdt.; (in neg.phr., of a number, to persons or ships lost in battle) Hdt.

3 (of unwelcome things, such as fear, danger, old age, suffering, divine anger) **loom, threaten** Hes. S. D. —W.DAT. *for someone* Thgn.; (of compulsion, a penalty) **be imposed** (usu. W.DAT. on someone) Pl. Is.

4 ‖ FUT. (of punishment, pleasure, profit) **will follow** or **accrue** A. S. Ar.

5 ‖ FUT. (of a person, an honour) **will exist hereafter, will survive** or **live on** Od. hHom. Hdt.(oracle) ‖ FUT.PTCPL.SB. **future generations** Aeschin.(quot.epigr.) Call.*epigr.* Theoc. Plb.

6 (of a god, ruler, commander, priest; of the law, envisaged as a master) **be set over, be in charge** A. Hdt. E. —W.DAT. *of persons* A. Hdt.

7 (of generations, numbers) **be additional** —W.DAT. or ἐπί + DAT. *to others* Hdt. Plb.; (of a herald's cry, envisaged as a witness on oath) **be added in confirmation** (of a statement) Pi.

ἔπ-ειμι² *vb.* [εἶμι] | Only pres. and impf. (other tenses are supplied by ἐπέρχομαι). The pres.indic. has fut. sense. |
1 (of persons) **come along, approach, arrive** Hom. E. AR. ‖ MASC.PTCPL.SB. person who happens to come along, first comer S.

2 go or come to (a location); **go to, visit** —*a farm* Od.; (of Proteus) **go up to, go round** —*seals* (*to count them*) Od.; (of a commander) —*troops* (*to encourage them*) Th. —*a city's gates* E.

3 (of a god) **visit** or **traverse** —*land and sea* Pi.*fr.*; (of a person) **draw near** —W.ACC. or ἐς + ACC. *to old age, death* Pi.

4 (w. hostile connot., of warriors, troops, commanders, gods) **advance, make an attack** Il. + —W.DAT. *on persons, places* Il. Hdt. Th. + —w. ἐπί or πρός + ACC. Hdt. Th. +; (of a river) **encroach** (on land) Hdt. ‖ MASC.PL.PTCPL.SB. **assailants, aggressors** Hdt. Th. +

5 (of things, oft. w.connot. of aggression) **come upon** (a person); (of old age, a storm of troubles, retribution, force) **come upon, assail** —W.ACC. *someone* Il. A. E.; (of doom, danger) **approach, threaten** (sts. W.DAT. someone) Sol. Hdt.; (of a thunderbolt) X.; (of noise) **reach** —W.DAT. *someone* Il. ‖ PTCPL.ADJ. (of troubles, dangers, wounds, or sim.) **approaching, threatening** Hdt. E. Att.orats. Pl.

6 come close in time; (of winter) **come on, approach** Hdt. X.; (of night) Thgn. A.; (of games, an Assembly) X. Aeschin.; (gener., of time) **go on** Pl.

7 come next or afterwards; (of a stepmother) **come after** (a mother, i.e. replace her) E.; (of waves, events, after others) S. Pl.; (of a person) **succeed, take over** —W.PREDIC.SB. *as archon* Aeschin. ‖ MASC.PTCPL.SB. person who comes next, **successor** S. ‖ PTCPL.ADJ. (of a day, night, season, year) **coming, following, succeeding, next** Hdt. E. Th. Ar. Att.orats. +; (of speech, words) E. Pl.; (of an Assembly, a Council meeting) Aeschin. D.; (of time, life, absence, hope) **coming, future** E. Lys. Ar. Isoc. Pl. X. ‖ FEM.PTCPL.SB. (w. ἡμέρα understd.) **next day** Plb. NT. ‖ NEUT.PL.PTCPL.SB. **consequences, outcome, future** B. Lycurg. D.

8 (of a thought) **occur** —W.DAT. *to someone* Pl. X. ‖ IMPERS. **it occurs** —W.DAT. *to someone* (usu. W.INF. *to do sthg.*) Pl. D.

9 (of a poet) **move to, start upon** —W.ACC. *a fresh theme* Xenoph. Call.; (of a mourner) —*tearful laments* E.

ἐπεῖναι (Ion.athem.aor.inf.): see ἐφίημι
ἐπείννυσθαι (Ion.mid.inf.): see ἐπιέννυμι
ἔπειξις εως *f.* [ἐπείγω] **haste, hurry** Plu.
ἐπείπερ *temporal and causal conj.*: see ἐπεί
ἐπ-εῖπον aor.2 *vb.* **1 say** (sthg.) **next** or **in addition; follow on** (after another speaker) **by saying** —*sthg.* Th.; **add** —*a remark* (sts. W.DAT. *to other remarks*) Aeschin. Arist. Call.*epigr.* Plu.; **add an instruction** —W.ACC. + INF. *that someone shd. do sthg.* Hdt.; **speak in response** (to receiving a gift) —*certain words* Hdt.

2 pronounce (W.ACC. criticism) **against** —W.DAT. *foreigners* A.

ἐπείρομαι *Ion.mid.vb.*: see ἐπέρομαι
ἐπειρύω *Ion.vb.*: see ἐπερύω
ἐπειρωτάω *Ion.contr.vb.*, **ἐπειρώτημα** *Ion.n.*, **ἐπειρώτησις** *Ion.f.*: see ἐπερωτάω, ἐπερώτημα, ἐπερώτησις

ἐπ-εισάγω *vb.* **1 bring in** (someone) **additionally**; **also bring in, introduce** —*mistresses* (w. εἰς + ACC. *into the same house as one's wife*) And. —*a woman* Men.; (of a defendant) —*someone* (*as a witness, into court*) Aeschin.; (mid., of a ruler) —*new citizens* or *colleagues* (*into a city*) Pl.

2 bring in (sthg.) **additionally; introduce** —*another scheme* Plb.; (mid.) —*irrelevant matters* (*into a speech*) Aeschin. —*a water supply* (w. ἐπί + ACC. *to a place*) Plb.

3 (intr., of a dramatist) **put on a play next** (after some occurrence) Aeschin.; (tr., of a historian, Fortune) **bring on next** —*a further drama* (fig.ref. to an event or a narrative of events) Plb. Plu.

4 (gener.) **bring in** (sthg. new); **introduce** —*entertainments* Plu.; (of a law) —*factional strife* (W.DAT. *into a city*) Plu.

ἐπεισαγωγή

 ‖ PASS. (of a subject of conversation) be introduced Plu. 5 ‖ MID. import —*food* Plu.

ἐπεισαγωγή (**ἐπεσ-**) ῆς *f.* (ref. to an entrance in a wall) **means of enabling access** (into a city, W.GEN. of an enemy force) Th.

ἐπεισαγώγιμα ων *n.pl.* **imported goods** Pl.

ἐπεισακτός όν *adj.* **1** brought in additionally; (of a race, of persons) **immigrant, foreign** E. Plu.; (of grain, supplies) **imported** D. Plu.; (fig., of deleterious practices) Plu. **2** (of musicians) brought in for the occasion, **hired** Plb. **3** (of a stream of love) **introduced** (W.PREP.PHR. through the eyes, opp. inherent in a person) Pl. **4** (of a pleasure) **adventitious, extraneous** Arist.

ἐπ-εισβαίνω (**ἐπεσ-**) *vb.* go into (the sea) aggressively (i.e. to make an attack); (of soldiers) **plunge** —w. ἐς (εἰς) + ACC. *into the sea* Th.; (of a cavalryman, W.DAT. on a horse) X.; (fig., of disputants) —w. εἰς + ACC. *into a discussion* Pl.

ἐπ-εισβάλλω (**ἐπεσ-**) *vb.* **1** put in additionally, **add** —*a cup of strong wine* (W.DAT. *to a weaker drink*) E. **2** (intr., of military forces) **make a further assault** Th.

ἐπεισβάτης (**ἐπεσ-**) ου *m.* [ἐπεισβαίνω] one who goes on board (a ship) additionally, **extra passenger** E.

ἐπ-είσειμι (**ἐπεσ-**) *vb.* | Only pres. and impf. (other tenses are supplied by ἐπεισέρχομαι). The pres.indic. has fut. sense. | **1** enter (a building) **as well** (as other people) D. Plu.; **enter next** (after others) Thphr.(cj.) **2** (of soldiers) go in (to battle) next, **attack next** Hdt. **3** (of hounds) **go on in** (to a lair) X. **4** (of the sufferings of characters in tragedy) **be presented on stage next** Aeschin. **5** (pejor., of unhealthy persons, foreign doctrines) **get in** (to a city) Plu. **6** (of extraneous elements) **impinge, intrude** (on a body) Democr. Pl.

ἐπ-εισέρχομαι (**ἐπεσ-**) *mid.vb.* | aor.2 ἐπεισῆλθον | Impf. and fut. are supplied by ἐπείσειμι. | **1** come or go in (to a house, building, city) additionally or afterwards; **also enter** or **enter next** Hdt. Pl. Plb. Plu. —W.DAT. *to join someone* Th. Plu. **2** (specif., of a second wife) **come in next** (into a house) Hdt.; (of ambassadors, into an assembly, the Roman Senate) Plb. **3** (of a second message, items in a banquet) **arrive next** Hdt. Philox.Leuc. **4** (pejor., of a stranger) **intrude upon** —*a city and house* E.; (of persons) —w. εἰς + ACC. *upon someone's farm* D.; (of passions, extraneous elements) **impinge, intrude** (on persons, their bodies) Pl. **5** (of goods) **be imported** (into a country) Th.; (of an undesirable practice) **be introduced** Plu. **6** (of the Day of Judgement) **come upon** —w. ἐπί + ACC. *people* NT.

ἐπ-εισκαλέω *contr.vb.* (of a member of the Council) call in additionally, **co-opt** —*another member* Arist.

ἐπείσκλητος ον *adj.* (of a member of the Council) **co-opted** Arist.

ἐπ-εισκωμάζω *vb.* [εἰς, κωμάζω] (of disputants) **burst in like disorderly revellers** Pl.; (fig., of arguments) Pl.

ἐπεισόδιον ου *n.* [ἐπείσοδος] **1** coming on (of a character in a tragedy, to join the chorus; specified as the part betw. choral odes, and the content of which is part of the plot), **episode, scene** Arist. **2** (gener.) dispensable section of a tragedy or epic (contrasting with or breaking up the main plot), **episode, interlude** Arist.

3 interlude (W.GEN. provided by Fortune, envisaged as the producer of a tragedy; ref. to an event which interrupts a more important train of events) Plb.

ἐπεισόδιος ον *adj.* (of performances of music and dance at a banquet) **incidental** or **by way of interlude** Plu.; (of a desire for sthg.) **extraneous** (opp. innate) Plu.

ἐπεισοδιόω *contr.vb.* (intr.) **introduce episodes** (in tragedy) Arist.; **break up and vary a narrative** (in epic) —W.DAT. *w. dissimilar episodes* Arist.; (tr.) **break up and vary** —*a speech* (*w. encomia*) Arist.

ἐπεισοδιώδης ες *adj.* **1** (of the plot or actions of tragedy or epic) consisting of episodes (either weakly connected to each other or inessential to the whole), **episodic** Arist. **2** (fig., of the substance of the universe; of nature, likened to an inferior tragedy) **lacking cohesion, incoherent** Arist.

ἐπ-είσοδος ου *f.* **arrival, intrusion** (of a person) S.

ἐπ-εισπαίω *vb.* (fig., of a heap of good things) **burst in on** —W.DAT. *someone* (W. εἰς + ACC. *into his house*) Ar.

ἐπ-εισπηδάω *contr.vb.* **1 leap in on top of** —*people in a ditch* X. **2** (intr.) **burst in** (to a place) Ar. D.

ἐπ-εισπίπτω (**ἐπεσ-**) *vb.* **1** make a violent incursion (into a place); (of Bacchants, compared to soldiers) **fall upon, burst into** —*villages* E.; (of a usurper) —*a city* E.; (intr., of persons, troops) **burst in** (to a city, a building) S. E. X. Men. Plb. **2** (of troops or sim.) **fall upon, attack** —W.DAT. *persons, places* E. X. Plu.; (of a thunderstorm) —*an army* Hdt.; (intr., of troops, winds) **go on the attack** Tim. X.

ἐπ-εισπλέω (**ἐπεσ-**) *contr.vb.* **1 sail in afterwards** Th. X. **2 sail in for the attack** Th.

ἐπ-εισρέω *contr.vb.* (fig., of the benefits of a ruler's wisdom) **flow into** —w. εἰς + ACC. *his subjects* Plu.

ἐπ-εισφέρω (**ἐπεσ-**) *vb.* **1 bring in additionally; bring in** (to a house) —*a worse trouble* A.; (of Destiny) **bring in** (W.DAT. to a house) **as well** (as forging a weapon) —*a child* (*to commit murder*) A. **2 bring forward, introduce** —*more reasons* (for sthg.) E. —*a proposal* Ar.; (mid.) —*evidence* Th. ‖ PASS. (of a situation) be presented (to one), occur Hdt.

ἐπ-εισφρέω (**ἐπεσ-**) *contr.vb.* | aor. ἐπεισέφρησα | also aor. ἐπεισφρήκα, ptcpl. ἐπεισφρείς, subj. ἐπεισφρῶ ‖ MID.: aor.inf. ἐπεισφρέσθαι | **1** put in additionally; **put** (W.ACC. a second wife, a mistress) **into** —W.DAT. *a wife's bed* E. **2** send in aggressively; (of Hera) **send** (W.ACC. snakes) **against** —W.DAT. *the baby Herakles* E.; (of a god) **inflict** —W.ACC. *a further trouble* E. —*his anger* (W.DAT. *on a house*) E.*fr.* **3** ‖ MID. **allow in, admit** —*a foreign enemy* (W.DAT. *to Greece*) X.

ἔπ-ειτα, Ion. **ἔπειτε**, dial. **ἔπειτεν** (Pi. Ar.) *adv.* [εἶτα] **1** (denoting sequence in time) **thereafter, then, next** Hom. + **2** (w.art., quasi-adjl.) **next, following, future** A. + • ὁ ἔπειτα χρόνος *future time* E. Th. + • οἱ ἔπειτα *future generations* A. • τὸ (or τὰ) ἔπειτα *what comes next* (usu. equiv. to 'the future') S. E. + **3** (denoting consequence or inference, esp. after a conditional cl.) **in that case, then** Hom. + • εἰ δ' ἐτεὸν δὴ τοῦτον (i.e. μῦθον) ἀπὸ σπουδῆς ἀγορεύεις, ἐξ ἄρα δή τοι ἔπειτα θεοὶ φρένας ὤλεσαν αὐτοί *if you are making this proposal seriously, then the gods themselves have destroyed your wits* Il. **4** (after ἤ, introducing an alternative, usu. the less desirable) as a second course of action, **if it comes to that**

Hom. Alc. Hdt. • φεύγωμεν ἐφ' ἵππων, ἥ μιν ἔπειτα γούνων ἁψάμενοι λιτανεύσομεν *let us flee by chariot, or, failing that, let us clasp his knees and beg for mercy* Il.
5 (after ptcpl., w. finite vb., denoting sequence in time) **then** Hom. + • μειδήσασα δ' ἔπειτα ἑῷ ἐγκάτθετο κόλπῳ *smiling, she then put it in her bosom* Il.; (also) κἄπειτα Ar.; (contrastv.) **even then, nonetheless** A. + • εἰ πτωχὸς ὢν ἔπειτ' ἐν Ἀθηναίοις λέγειν μέλλω *if, being a beggar, I still intend to speak among the Athenians* Ar.
6 (denoting consequence, in a surprised or indignant q.) **then, and so, therefore** E. + • ἔπειτα τοῦ δέει; *so what do you want?* Ar.; (also) κἄπειτα E. +
7 (occas., introducing a new element in a narrative or description) Hom. • ἠέλιος μὲν ἔπειτα νέον προσέβαλλεν ἀρούρας *and so, the sun was just striking the fields* Il. • νῆσος ἔπειτά τις ἔστι *now, there is an island* Od.

ἐπείτε Ion. temporal and causal conj.: see ἐπεί
ἔπειτε Ion.adv., **ἔπειτεν** dial.adv.: see ἔπειτα
ἐπ-εκβαίνω vb. (of sailors) **disembark** Th. —w. ἐς + ACC. *onto land* Th.
ἐπ-εκβοηθέω contr.vb. (of troops) **come out to counter-attack** Th.
ἐπ-εκδιδάσκω vb. explain in addition or afterwards; **explain additionally, go on to explain** —w.ACC. or COMPL.CL. sthg., that sthg. (or what) is the case Pl. Plu.; (intr., of a narrative) **provide further explanation** Plb.
ἐπ-εκδιηγέομαι mid.contr.vb. fully explain in addition or afterwards; **go on to explain in detail** —w.ACC. or COMPL.CL. sthg., that sthg. is the case Pl.
ἐπ-εκδραμεῖν aor.2 inf. (of troops) **make an attacking sortie** X. —w.DAT. *against someone* X.(dub.)
ἐπ-εκδρομή ῆς f. **attacking sortie** (fr. a town, by troops) Th.
ἐπ-έκεινα adv. and prep. [ἐκεῖνος] **1** on or to that side; (as prep.) **on** or **to the far side of, beyond** —w.GEN. *a place* X. Plb. NT. Plu.; (ref. to the Good being located) **further in degree than, beyond** —w.GEN. *Being* Pl.
2 (w.neut.pl.art.) τὰ ἐπέκεινα (τἀπέκεινα A.) **the regions beyond** (usu. W.GEN. *a place*) A. Hdt. Plu.
3 (w.neut.sg.art., advbl.) τοὐπέκεινα *beyond, on the far side of* —w.GEN. *a place* E.; (in prep.phrs.) ἐν τῷ ἐπέκεινα *on the far side* (W.GEN. *of a place*) Th.; εἰς τὸ ἐπέκεινα *to the other side* (of sthg.) Pl. X.; οἱ ἐκ τοῦ ἐπέκεινα *those who live further on* X.
4 (gener.) to or in that place, **over there** Plu.
5 on the far side (of a specified or implied event or time, ref. to either past or future); (as adv.) **earlier** Isoc.; (quasi-adjl., w.art.) ὁ ἐπέκεινα χρόνος *past time* Isoc.; *future time* Plu.
ἐπεκέκλετο (ep.3sg.redupl.aor.2): see ἐπικέλομαι
ἐπέκερσα (ep.aor.): see ἐπικείρω
ἐπ-εκθέω contr.vb. (of troops) **rush out on the attack** Th. X.
ἐπ-εκπίνω vb. **drink in addition** —*a jug of milk* E.Cyc.
ἐπ-εκπλέω contr.vb. (of ships) **sail out on the attack** Th.
ἐπ-έκπλους ου Att.m. act of sailing out for the attack, **attacking sortie** (by ships under blockade) Th.
ἐπεκρήηνα (ep.aor.): see ἐπικραίνω
ἐπ-έκτασις εως f. **lengthening** (of a word, either by prolonging a short vowel or by adding a syllable) Arist.
ἐπ-εκτείνω vb. **1 lengthen, pronounce as long** —*a short vowel* Arist. ‖ PASS. (of a vowel) **be lengthened** Arist.; (of a word, by the lengthening of a short vowel or by the addition of a syllable) Arist.
2 (of a philosopher) **extend in number, multiply** —*substances* Arist. ‖ PASS. (of the size of a literary work) be extended or expanded Arist.

3 (intr., of a person applying a descriptive term) **extend** or **stretch** (the reference) —W.PREP.PHR. *to certain persons* Arist.
ἐπ-εκχωρέω contr.vb. (of a fleet) **move out for the attack** A.
ἐπ-έλασις εως f. **charge** (by cavalry) Plu.
ἐπ-ελαύνω vb. | ep.3sg.impf. (tm.) ἐπὶ ... ἤλαε (AR., cj.) |
1 drive —*wagons* (w. ἐπί + GEN. *over a frozen sea*) Hdt.
2 (of a rider) **drive** or **urge on** —*his horse* X.; (of a charioteer) —*his horses* AR.(tm.); (intr.) **ride up** (to a place) Plu.; (of cavalry, a single rider) **charge** Hdt. X. Plu. —W.DAT. *against someone* X. Plu. —w. ἐπί + ACC. Hdt.
3 (of a commander) **lead** (W.ACC. *an army*) **on the attack** Hdt.; (intr., of a commander, an army) **move forward on the attack** Hdt. Plu. —w. ἐπί + ACC. *against an enemy, a place* Hdt.
4 (intr., of a naval commander) **sail to the attack** Plu.
5 (of ships) **run aground** —w. περί + ACC. *on a reef* Hdt.
6 (of a craftsman) **beat** or **hammer out** (W.ACC. *bronze*) **on top** (of oxhides covering a shield) Il.(tm.) ‖ PASS. (of bronze) be beaten out on top (of hides) Il.
7 ‖ PF.PASS. (of a wall) have been made to run —W.ADV. *on both sides* (*of a door*) Hes.
8 (gener.) **press** —*one's chest and hands* (*against an object, to push it*) AR. ‖ PASS. (of part of a steel blade) be driven in next (after the cutting edge) X.
9 impose —*an oath* (W.DAT. *on someone*) Hdt.; **add** —*an oath* (w. ἐπί + DAT. *to seal an agreement*) Hdt.; **inflict, make** —*war* (W.DAT. *on someone*) AR.
ἐπ-ελέγχω vb. (of old age) app. **bring dishonour** Thgn.(tm.)
ἐπελεύσεσθαι (ep.fut.mid.inf.), **ἐπελήλυθα** (pf.): see ἐπέρχομαι
ἐπέλησα (aor.): see ἐπιλήθω, under ἐπιλανθάνομαι
ἐπέλκω Ion.vb.: see ἐφέλκω
ἐπ-ελπίζω vb. **1 hope in addition, also hope** —W.FUT.INF. *to do sthg.* E. —W.COMPL.CL. *that sthg. will be the case* Th.; (gener.) **have hope** (of sthg.) Plb.
2 (causatv.) **raise hopes in** —W.ACC. *someone* (W.COMPL.CL. *that sthg. will be the case*) Th.
ἐπ-έλπομαι, ep. **ἐπιέλπομαι** mid.vb. **1 hope, expect** —W.FUT.INF. *to do sthg.* Hom. A.
2 imagine, suppose —W.ACC. + FUT.INF. *that someone will do sthg.* AR. —W.ACC. + AOR.INF. *that someone did sthg.* Telest.
ἐπεμάσσετο (3sg.aor.mid.): see ἐπιμαίομαι
ἐπ-εμβαίνω vb. | ep.pf.ptcpl. ἐπεμβεβαώς | **1 step** or **tread upon, set foot in** —W.GEN. *a land* S. —w. ἐπί + ACC. *some region of the universe* Pl.; **trespass** —w. εἰς + ACC. *on someone's land* Men. ‖ STATV.PF.PTCPL. (of a person) **standing upon** —W.GEN. *a threshold* Il. —*a cliff* AR.; **mounted** (on a chariot) Pi. —W.GEN. *on a chariot* Hes. —*on a ram* AR.; (of wolves) —W.ACC. *on horses' backs* S.
2 step aggressively upon, mount —W.DAT. *battlements* A.(dub.); (hyperbol.) **trample upon** —W.DAT. *enemies or sim.* S. E. Hyp. Plb. Plu. —w. κατά + GEN. S.
3 (fig., w.derog.connot.) **put one's foot on, seize** —W.DAT. *an opportunity* D.; (wkr.sens., of a commander) **march on** (to further achievements) Plu.
4 (of sailors) **go on board in addition, also embark** D.
ἐπ-εμβάλλω vb. | neut.impers.vbl.adj. ἐπεμβλητέον | **1 put on** —*the lid of a jar* Hes.
2 (of a deity) **bring down on top** (of someone) —*a house* E.; (of an Erinys, a person) **cast on top** (of someone) —*a rock, stones* E. Plu.; (of Erinyes) **impose, force** —*a bit* (W.DAT. *on someone*) E.; (of a writer) **make further impositions** (of

words) —W.DAT. *on readers* (i.e. crush them under verbiage) Arist.
3 add, insert —*an intercalary month* (to the year) Hdt. —*letters* (sts. w. ἐπί + ACC. *into words*) Pl. —*a digression* (W.DAT. *into an argument*) Pl.; (of sounds) **impose** —*fresh motion* (on other sounds) Pl. ‖ MID. (of sculptors) **add** —*unnecessary details* (W.DAT. *to their work*) Pl.
4 (intr., of rivers) **flow in additionally, add further water** (to a river) X.
5 (of a person) **thrust forward, drive home** —*a spear* X.
6 put forward, offer —*oneself* (W.PREDIC.SB. *as protector*) S.

ἐπεμβάτης ου *m.* [ἐπεμβαίνω] one who is mounted, **rider** Anacr. E.; (W.GEN. of a horse, a chariot) E.
ἐπέμμενος (Aeol.pf.mid.ptcpl.): see ἐπιέννυμι
ἐπέμολον (aor.2): see ἐπιβλώσκω
ἐπ-εμπηδάω contr.vb. **jump on** —W.DAT. *someone* (when he is down) Ar.
ἐπ-εμπίπτω vb. **1 fall on, attack** —W.DAT. *flocks* S.
2 fall to, set to work, get stuck in Ar.; (of a boxer) —W.DAT. w. *one's shoulder* (i.e. use one's shoulder to put weight behind a punch) Theoc.
ἐπ-εναρίζω vb. **kill** (W.ACC. *someone*) **as well** (as another) S.
ἐπ-ενδίδωμι vb. **deliver on top** (of two blows) —*a third blow* (W.DAT. *at someone*) A.
ἐπ-ενδύνω vb. **put on** —*a second tunic* (w. ἐπί + ACC. *over a first*) Hdt. ‖ PF.MID. or PASS. (of men in disguise) **have on** (W.ACC. *female dress*) **over** —W.DAT. *their breastplates* Plu.
ἐπενδύτης ου *m.* **outer garment** NT.
ἐπενήνεον (impf.): see ἐπινηνέω
ἐπ-ενήνοθε ep.3sg.statv.pf. [perh.reltd. ἦνθον, see ἔρχομαι]
1 (of an oil) perh. **bloom upon, cover** —*the gods* (i.e. their bodies) Od. hHom.
2 (of downy hair) perh. **spread, grow** (on someone's head) Il.; (of the woollen nap on a cloak) Il.
3 (w.pf.sens., of a long time) **have passed** AR.
ἐπ-ενθρῴσκω vb. (of a god in armour) **leap** —w. ἐπί + ACC. *upon someone* S.; (of a person) —w. πρός + ACC. *towards an altar* Pi.fr.(cj.); **leap on** (a bed) S.
ἐπενθών (dial.aor.2 ptcpl.): see ἐπέρχομαι
ἐπ-εννέπω vb. **speak over** (a sacrificial victim) —W.DAT. w. *prayers* (i.e. utter prayers over it) AR.(tm.)
ἐπ-εντανύω vb. **stretch tight** —*a cable* Od.
ἐπ-εντείνω vb. ‖ aor.pass.ptcpl. ἐπενταθείς ‖ **1** ‖ PASS. **press with all one's weight against** —W.DAT. *a sword* S.
2 (intr.) **exert oneself further, redouble one's efforts** Ar.; (of discussion) **intensify** Thphr.
ἐπ-εντέλλω vb. **command** or **order in addition** —*sthg. else* S.
ἐπ-εντύνω (also **ἐπεντύω**) vb. **1 make ready, prepare** —*chariot-horses* Il.
2 ‖ MID. **arrange** or **prepare for** —*a contest* Od.; **prepare** —W.INF. *to depart* AR.
ἐπ-εξάγω vb. **1** (intr., of a commander) **lead out** (troops) **to battle, take the field** Th.
2 extend one's line by moving (or causing others to move) **out of position**; (of troops) **extend the line of battle** —w. ἀπό + GEN. *fr. themselves* (i.e. fr. the main line) Th.; (of a naval commander) **extend one's line** (of ships) Th.
ἐπ-εξαγωγή ῆς *f.* **extension of the line** (W.GEN. by the wing of a fleet) Th.
ἐπ-εξαμαρτάνω vb. ‖ neut.impers.vbl.adj. ἐξαμαρτητέον ‖ (leg.) **commit a further offence** D.
ἐπ-έξειμι vb. [ἔξειμι²] ‖ Only pres. and impf. (other tenses are supplied by ἐπεξέρχομαι). The pres.indic. has fut.

sense. ‖ **1** (milit., of troops, sts. of commanders) **come out** (usu. fr. a city, sts. fr. a camp or other position) **to meet** (the enemy), **come out, sally forth, take the field** Hdt. Th. X. Plb. Plu. —W.DAT. *against the enemy* Th. Isoc. Plu. —w. ἐς + ACC. *for battle* (sts. W.DAT. w. *the enemy*) Th.
2 (leg.) **institute legal proceedings** Att.orats. Pl. Arist. Plu. —W.DAT. *against someone* (sts. W.GEN. *for a crime*) Att.orats. Pl. —W.ACC. Antipho (dub.); (gener.) **counter** —W.DAT. *someone about to commit a crime* Men.; **punish** —W.ACC. *ingratitude* Plu.
3 (of a writer or speaker) **go over, go through, cover** —W.ACC. *a topic* Hdt. Ar. Pl. P u.
4 follow up, pursue, develop —W.DAT. *an argument* Pl.; **proceed to** or **carry out** —W.ACC. *greater acts of vengeance* Th.; (intr.) **follow up** (an idea a good intention, or sim.), **follow through, persevere** Th. Pl.

ἐπ-εξελαύνω vb. **send out to the attack** —*one's cavalry* X.
ἐπ-εξέλεγχος ου *m.* [ἐξέλεγχος] **further refutation** (as a sophistic technique) Pl. Arist.
ἐπ-εξεργάζομαι mid.vb. **1 perpetrate in addition** —*one deed* D.
2 (hyperbol.) **destroy a second time** —*a man already dead* (w. grief) S.
ἐπ-εξέρχομαι mid.vb. ‖ aor.2 ἐπεξῆλθον ‖ Impf. and fut. are supplied by ἐπέξειμι. ‖ **1** (milit., of troops, sts. of a commander) **come out** (fr. a city) **to meet** (the enemy), **come out, sally forth, take the field** Hdt. Th. Isoc. X. Aeschin. Plb. Plu. —W.DAT. *against the enemy* Plu. —w. ἐς + ACC. *for battle* (W.DAT. w. *the enemy*) Th.; (of a commander) **march against, go and attack** —W.DAT. *a city* E.; (fig., of a person) **come out on the attack** (w. verbal threats) S.; **attack, criticise** —W.DAT. *a saying* Pl.
2 (leg., of persons) **institute legal proceedings** Att.orats. Arist. —W.DAT. *against someone* (sts. W.GEN. *for a crime*) Att.orats. Pl. —W.ACC. Lys.(dub.) —w. κατά + GEN. Antipho; **proceed with** —W.COGN.ACC. *a case, an indictment* (W.DAT. *against someone*) Pl. D.; **bring a prosecution** —W.ACC. *for murder* Antipho Plu. —W.DAT. Men.; (fig.) **take action against** —W.ACC. *someone's pollution* (ref. to the taint of murder) Antipho
3 (gener., of gods, persons) **seek retribution, exact punishment** (for wrongs) E. Th. —W.DAT. *fr. someone* Th.; **punish** —W.ACC. *a person, a wrong* Plu.
4 go over, traverse, visit —W.ACC. *every region* Hdt.
5 (of a writer or speaker) **go over, go through** —*a topic, argument, or sim.* A. Th. Pl. Arist. —*each person* (W.PREP.PHR. *by name*) Aeschin.
6 follow up, take advantage of —W.DAT. *one's present good fortune* Th.; **pursue** —W.DAT. *an issue, an argument* Antipho Pl.; (intr.) **follow through, press ahead** (w. a plan, an argument, an action) Antipho Th. Pl. —W.ACC. w. *a plan, a task* Th.
7 have recourse to, try —W.ACC *everything* Th.
8 (of a lawgiver) **go further, proceed** —W.PREP.PHR. *to the limit of sthg.* Pl.; (of outrageous behaviour) —*to an extreme* Hdt.

ἐπ-εξέτασις εως *f.* **further review** (W.GEN. of troops) Th.
ἐπ-εξευρίσκω vb. **devise** or **invent** (W.ACC. sthg., nothing) **in addition** Hdt. ‖ PASS. (of things) **be devised in addition** Arist.
ἐπ-εξηγέομαι mid.contr.vb. **describe again** —*a battle* Plu.
ἐπεξῆς Ion.adv.: see ἐφεξῆς
ἐπεξ-ιακχάζω vb. [ἐπί, ἐξ] (of a warrior) **cry out with frenzied joy** —*a victory-hymn* A.

ἐπ-έξοδος ου *f.* marching out (of a city) to face the enemy, **attacking sortie** Th.

ἐπ-εξορκίζω *vb.* **make** (someone) **swear in addition** —W.COGN.ACC. *an oath* Plb.

ἐπ-έοικα *pf.vb.* | Att.ptcpl. ἐπεικώς | 3sg.plpf. ἐπεῴκει ‖ The pf. has pres. sense. | **1** (of a person) **be like** or **suited to** —W.DAT. *someone* Il.; (of all things) **be suited to, befit** —W.DAT. *young men* Il. Tyrt.
2 ‖ IMPERS. **it is fitting, suitable** or **appropriate** Od. AR. Theoc.*epigr.*(dub.) —W.INF. or W.ACC. or DAT. + INF. (*for someone*) *to do sthg.* Hom. Pi. AR. Bion
3 ‖ PTCPL.ADJ. (of things) **fitting, suitable** or **appropriate** (W.DAT. for someone or sthg.) A. Mosch.
—**ἐπεικότα** neut.pl.acc.ptcpl.adv. (in neg.phr.) **in a likely way, naturally** —*ref. to the baby Hermes quickly growing to maturity* S.*Ichn.*

ἐπεπείκει (3sg.plpf.1): see πείθω
ἐπεπήγειν (plpf.): see πήγνυμι
ἐπέπιθμεν (ep.1pl.plpf.2): see πείθω
ἐπέπληγον (ep.redupl.aor.2): see πλήσσω
ἐπέπλων (ep.aor.2): see ἐπιπλέω
ἐπεποίθει (ep.3sg.plpf.2): see πείθω
ἐπέπομαι Ion.mid.vb.: see ἐφέπομαι
ἐπεπόνθη (plpf.): see πάσχω
ἐπεπόρδει (3sg.plpf.): see πέρδομαι
ἐπεπράκειν (plpf.), **ἐπεπράμην** (plpf.pass.): see πέρνημι
ἐπεπτάμην (athem.aor.mid.), **ἐπέπταν** (dial.athem.aor.act.), **ἐπεπτόμην** (aor.2 mid.): see ἐπιπέτομαι
ἐπέπταρον (aor.2): see ἐπιπτάρνυμαι
ἐπεπύσμην (plpf.mid.): see πυνθάνομαι
ἐπέπω Ion.vb.: see ἐφέπω
ἐπέρασα (aor.), **ἐπέρασσα** (ep.aor.): see πέρνημι

ἐπ-εργάζομαι *mid.vb.* **work upon** or **cultivate beyond what is permissible; encroach upon** —*a neighbour's land, private land* Pl. Arist. —*sacred olives* Lys. —*a sacred plain* Aeschin.

ἐπ-εργασίᾱ ᾱς *f.* **1 cultivation** (of ground) **beyond what is permissible; encroachment** (on a neighbour's land) Pl.; (W.GEN. on sacred and unmarked land) Th.
2 right of mutual cultivation (of each other's land, by neighbouring peoples) X.

ἐπ-ερεθίζω *vb.* **stir on to activity, excite** —*horses* (W.DAT. w. *shouts and whips*) Plu.

ἐπ-ερείδω *vb.* | ep.aor. ἐπέρεισα | **1 apply pressure** or **force; thrust home** —*a spear* (w. ἐς + ACC. *into the belly*) Il.; **put in, apply** —*great strength* (*to a throw*) Hom. ‖ MID. (fig., of a disputant, envisaged as a warrior) **make a powerful thrust** Ar.
2 (of a commander) **bring to bear** —*a whole phalanx* (W.DAT. *against opposing forces*) Plu.; (intr.) **press hard** —W.DAT. *upon opposing forces* Plu.
3 ‖ MID. (of ships) **press** —*their sails* (W.DAT. *against the forestays, i.e. have their sails billow forth against them, under a following wind*) E.
4 (fig., of sleep) **press** —*its wing* (W.DAT. *upon someone*) AR.(tm.)
5 ‖ MID. (intr., of a person) **lean on** —W.DAT. *a staff* Ar.; **prop oneself up** Plu.; (of an infant) **support oneself** (on one's legs) Pl.; (fig., of a country) **be dependent on** —W.DAT. *an enterprise* (*i.e. on its success*) AR.

ἐπ-ερεύγομαι *mid.pass.vb.* (of rivers, sea tides) **be disgorged** or **roar onto** —*shores* AR.

ἐπ-ερέφω *vb.* **roof over** (i.e. complete) —*a shrine* Il.(tm.)

ἐπ-έρομαι, Ion. **ἐπείρομαι** *mid.vb.* | fut. ἐπερήσομαι, Ion. ἐπειρήσομαι | aor.2 ἐπηρόμην, Ion. ἐπειρόμην | **put a question** (to a person or god); **ask, question** (freq. W.ACC. someone) Hdt. E.*fr.* Th. Ar. Isoc. + —W.ACC. *about sthg.* Hdt. —W.PREP.PHR. Hdt. Arist. —W.INDIR.Q. *what* (or *whether sthg.*) *is the case* Hdt. S. Th. Pl. X. + —W.INTERN.ACC. *sthg.* Ar. X. D.

ἐπ-ερύω, Ion. **ἐπειρύω** *vb.* | ep.aor. ἐπέρυσσα, Ion. ἐπείρυσα, ep.Ion. ἐπείρυσσα (AR.) | **1 pull to, pull shut** —*a door* Od.
2 haul up —*a pillar* (*onto a funeral mound*) Od.(tm.)
3 draw to oneself —*someone's cheeks* (*for a kiss*) AR.
4 ‖ MID. **draw over oneself** (as a blanket) —*a lionskin* Hdt.

ἐπ-έρχομαι *mid.vb.* | impf. ἐπηρχόμην (Th., dub.) | ep.fut.inf. ἐπελεύσεσθαι | aor.2 ἐπῆλθον, ep. ἐπήλυθον, dial.ptcpl. ἐπενθών (Theoc.) | pf. ἐπελήλυθα ‖ Impf. and fut. are usu. supplied by ἔπειμι².
1 (of persons, gods, animals) **come along, come up, draw near, approach, arrive** Hom. Ibyc. Thgn. Pi. Hdt. Th. +; **come upon, encounter** —W.DAT. *someone* Il. Hdt. Th. AR.(tm.); **come** —W.ADV. or ἐς + ACC. *to a place* Hom. S. —*to feasts* B.*fr.*
2 (tr.) **come** or **go to** (a specific place); **come** or **go to, visit** —*a farm, house, shrine, region, or sim.* Od. Pi.*fr.* S. E. Call.; (of a commander) —*gates and guard posts* E. —*people* (*meton. for their cities*) Th.
3 come or **go to** (a person, esp. for advice or help); **come** or **go to, visit** —*persons, seers* Od. E. —*political associations* Th.
4 go over (terrain); **go over, traverse** —*a region, a country* Od. Hdt. E. D. Plu.; (of a lion) **range through** —*valleys* Il.; (of living creatures) —*land and sea* hHom.; (of persons) **walk over** (ice) Th.
5 (w. hostile connot., of persons, troops, commanders, lions) **come on, make an attack** Il. Callin.(tm.) Hdt. Th. Ar.(cj.) + —W.DAT. *on persons, places, animals* Il. Hdt. E. Th. + —w. ἐπί or πρός + ACC. Hdt. Th.; **invade** —W.ACC. *a country* Th. Plb.; (of a river) **encroach on, inundate** —*land* A.(dub.) Hdt.; (of a tidal wave) —*a city* Th.; (wkr.sens., of a spear) **reach** —*someone's neck* Il.
6 (of a person) **attack verbally, assail, confront, reprove** —*someone* E. Ar.
7 pass on to (some new undertaking or topic); **come, proceed** —w. ἐς + ACC. *to war* Th. —*to a stage in a conversation* S.; **approach** —w. ἐπί + ACC. *a subject* Isoc.; **proceed to** —W.ACC. *undertakings* Th.; **have recourse to** —W.ACC. *song, prophecies* E. Pl.
8 come forward (to speak) Hdt. E. Th. Isoc. Pl. —w. ἐπί + ACC. *before a body of people* Hdt. Th. Plb. —W.DAT. Hdt. Th.
9 come next or **additionally**; (of a second wife) **come next** Hdt.; (of military support, reinforcements, ships) **come in addition** (sts. W.DAT. for someone) Th.
10 come close, be nearly alike —W.DAT. *to someone* (W.ACC. *in some quality*) Pi.
11 (of a speaker or writer) **go over, run through, recount** —*everything* Ar. Pl.; **pursue** —*a discussion* Arist.; **proceed to a discussion** —w. περί + GEN. *about sthg.* Arist.; **review** —*a previous discussion* Arist. —W.INDIR.Q. *what is the case* Arist.
12 (of abstr. things or emotions, both welcome and unwelcome) **come to** (persons); (of the gifts of the gods, joy and its loss) **come** —W.DAT. *to people* Thgn. S.; (of sexual desire, a desire for sthg. or to do sthg.) **come over** (usu. W.DAT. someone) hHom. Hdt. Pl.; (of sleep) —W.ACC. or DAT. *someone* Od. Hdt.; (of a surge of troubles, sickness, coughing and sneezing, a feeling) **come upon, assail** —W.DAT. *someone* Od. A. Pl. Theoc.; (of pestilence, fig.ref. to slaughter) —W.ACC. *a city* A.
13 (of times or circumstances) **approach** or **arrive**; (of night) **come on, approach, arrive** Hom. Hdt. Plu.; (of daylight) Plb.; (of a specified day) Od. hHom.; (of games, a

festival, an Assembly) Th. Plb.; (of spring) Stesich. Thgn. Ar.; (of old age) Eleg.; (of the future) Pi.; (of seasons) **move on or pass by** Od. hHom. ‖ PTCPL.ADJ. (of good and ill, trouble) coming, future hHom. A.
14 (of words or ideas) come spontaneously, **occur** (usu. W.DAT. to someone) Isoc. D. Men. ‖ IMPERS. **it occurs** —W.DAT. *to someone* (W.INF. *to say, think, ask or do sthg.*) Att.orats. Pl. X. Plb. Plu. —W.ACC. + INF. Pl.

ἐπ-ερωτάω, Ion. **ἐπειρωτάω** contr.vb. **1 put a question** (to a person or god); **ask, question** (freq. W.ACC. someone) Hdt. Pl. X. Aeschin. + —W.ACC. *about sthg.* Hdt. Aeschin. NT. —W.PREP.PHR. Hdt. Isoc. Pl. + —W.INDIR.Q. *what (or whether sthg.) is the case* Hdt. Th. Att.orats. X. Arist. NT. —W.INTERN.ACC. *sthg.* Hdt. Antipho Th. Pl. + ‖ PASS. be questioned Th. Ar. Pl. X. +
2 (of a chairman) **put a question** (to the vote) D.
3 ask —W.DBL.ACC. *someone for sthg.* NT.

ἐπ-ερώτημα, Ion. **ἐπειρώτημα**, ατος n. **question asked, question** Hdt. Th.

ἐπ-ερώτησις εως, Ion. **ἐπειρώτησις** ιος f. **questioning** (of a person) Hdt.; **inquiry** (W.GEN. about sthg.) Hdt. ‖ PL. **consultations** (w. higher authorities, by persons seeking instructions) Th.

ἔπεσα (aor.1), **ἔπεσαν**¹ (3pl.): see πίπτω

ἔπεσαν² (ep.3pl.impf.): see ἔπειμι¹

ἐπεσβολίη ης Ion.f. [ἐπεσβόλος] **throwing in of words** ‖ PL. app., **uninvited speech or presumptuous language** Od.

ἐπεσ-βόλος ον adj. [ἔπος, βάλλω] **1** (of a person) throwing words about, **loose-talking, ranting, scurrilous** Il.
2 (of a quarrel betw. two groups) **with exchange of coarse taunts** AR.

ἐπ-εσθίω, also **ἐπέσθω** vb. **eat** (W.ACC. a large amount of relish) **in addition to** —W.DAT. *a little bread* X.; **eat as a relish** —*plain salt* Call.epigr.

ἔπεσον (aor.2): see πίπτω

ἐπεσπόμην (Ion.aor.2 mid.): see ἐφέπομαι

ἔπεσπον (aor.2): see ἐφέπω

ἐπεσσύθην (aor.pass.), **ἐπεσσύμενος** (ep.pf.mid.ptcpl.), **ἐπέσσυται** (ep.3sg.pf.mid.), **ἐπέσσυτο** (ep.3sg.athem. aor.mid.): see ἐπισεύω

ἐπεστάθην (athem.aor.), **ἐπεστεώς** (Ion.pf.ptcpl.), **ἐπέστην** (athem.aor.): see ἐφίσταμαι

ἐπέσυτο (3sg.athem.aor.mid.): see ἐπισεύω

ἐπέσχεθον (ep.aor.2), **ἐπέσχον** (aor.2): see ἐπέχω

ἐπέτᾱς ᾱ dial.m. [ἕπομαι] (fig., ref. to wealth) **attendant, companion** (of a person) Pi.

—**ἐπέτις** ιδος f. (ref. to a female slave) **attendant** (for a girl) AR.

ἐπ-έτειος ον (also ᾱ ον A.) adj. [ἐπί] **1** occurring every year; (of crops) **yearly, annual** Hdt. Pl. Plb. Plu.; (of furrows, meton.ref. to harvests) A.; (of tribute) Hdt.; (of a sacrifice, a ceremony) Hdt. Call. AR. Plb.; (of sicknesses) Pl.
2 measured in terms of a year; (of river-water, a papyrus crop, produce) **annual** Hdt. Pl.
3 lasting for a year; (of a decree, a security) **valid for a year** D.; (of offices) **annual** Plb.
4 (fig., of persons, ref. to their temperaments) **changing every year** Ar.

ἐπ-ετήσιος ον adj. **1** occurring every year; (of a festival) **yearly, annual** Call.
2 lasting for a year; (of an office) **annual** Th.
3 lasting all year; (of a fruit) **growing all the year round** Od.

ἔπετον (dial.aor.2): see πίπτω

ἐπέτοσσε (dial.3sg.aor.): see ἐπιτόσσαι

ἐπ-ευθύνω vb. **direct** —one's hand (w. ἐπί + DAT. against someone) S.; (of a hare's tail) **steer** —its body X.

ἐπευρίσκω dial.vb.: see ἐφευρίσκω

ἐπ-ευφημέω contr.vb. **1 cry out in agreement** Plu. —W.INF. *that one shd. do sthg.* Il. AR.
2 (in religious ctxts.) utter auspicious words over or in celebration of (sthg.); **sing** (W.ACC. hymns) **over** —W.DAT. *libations to the dead* A.; **sing** (W.ACC. a paean) **in response** —W.DAT. *to someone's prayers* E.; **sing** (W.ACC. a paean) **in celebration of** —W.ACC. *someone's good fortune* A.fr. —Artemis (W.DAT. *over someone's fate*) E.; (gener.) **utter auspicious words** (in performing a sacrifice) Ar.
3 express (W.DAT. to someone) **good wishes for** —W.ACC. *a safe return* AR.

ἐπ-ευχή ῆς f. **prayer** Pl.

ἐπ-εύχομαι mid.vb. **1** say confidently or proudly, **claim** or **boast** —W.PRES.INF. *that one is doing sthg.* A. —W.FUT.INF. *that one will do sthg.* A. —W.AOR.INF. *that one has done sthg.* Il. hHom. Pl. —W.AOR.PTCPL. E Pl. —W.COMPL.CL. hHom. —W.ACC. + PREDIC.SB. *that someone or sthg. is such and such* E.
2 utter words of exultation, triumph or derision (esp. over someone); **exult** Hom. hHom. A. —W.DAT. *over someone* Il.
3 utter a prayer (for sthg.); **pray** (freq. W.DAT. to a god or the gods) Hom. Hippon. Thgn. Pi. Hdt. E. + —W.INTERN. or COGN.ACC. w. certain words or prayers Trag. —W.INF. *that they (the gods) shd. do sthg.* P .fr. S. Ar. X. D. Plu. —*that one may do sthg.* A. S. Pl. —W.ACC. + INF. *that someone may do sthg., or that sthg. may happen* Od. A. And.(law) Pl. X. Aeschin. +
4 (tr.) **pray for** —death (for oneself) A. —good fortune (W.DAT. *for someone*) Plu. —W.NEUT.ACC. *certain things or in certain words* (W.DAT. *for oneself or another*) A. Pl.
5 pray for (sthg.) as a punishment; **utter an imprecation** (against someone) S. —W.NEUT.INTERN.ACC. *in loud or proud words* (W.DAT. *against a city*) A.; (tr.) **call down, invoke** —doom, curses (W.DAT. *on someone*) A. Pl.; **pray** —W.INF. *that one may suffer sthg.* S.
6 utter a prayer of thanks —W.DAT. *to the gods* Thphr. —(W.PTCPL. *for having escaped*) S.

ἐπ-ευωνίζω vb. [εὔωνος] **lower the price** (of goods for sale) D.; (tr.) **lower** —the market price D.

ἐπεφάσμην (plpf.mid.pass.): see φαίνομαι, under φαίνω

ἔπεφνον (redupl.aor.2): see θείνω

ἐπεφόρβει (3sg.plpf.): see φέρβω

ἐπέφραδον (ep.redupl.aor.2): see φράζω

ἐπεφύκειν (plpf.), **ἐπέφῡκον** (ep.3pl.): see φύομαι, under φύω

ἐπέχρησα (aor.): see ἐπικίχρημι

ἐπέχυντο (ep.3pl.athem.aor.): see ἐπιχέω

ἐπ-έχω vb. | fut. ἐφέξω, also ἐπισχήσω | aor.2 ἐπέσχον, imperatv. ἐπίσχες, inf. ἐπισχεῖν | ep.aor.2 ἐπέσχεθον (AR.), 3sg.opt. ἐπισχέθοι (A.) ‖ neut.impers.vbl.adj. ἐπισχετέον ‖ Some unaugmented forms of aor.2 (e.g. ἐπίσχοιμι, mid.ptcpl. ἐπισχόμενος) are indistinguishable fr. forms of ἐπίσχω, and may be derived fr. either vb. For the most part, these forms are treated here, as aor.2 of ἐπέχω. |
1 have or hold (sthg.) upon (sthg.); **keep, rest** —one's feet (W.DAT. on a footstool) Hom.; **hold** —a sword (W. πρός + DAT. to someone's neck) E.
2 hold out for acceptance, **hold out, offer, present** —a cup, wine (to someone) Hom.; (of a woman) —her breast (W.DAT. to a baby) Il. E. —nurture (W.DAT. w. her breast and its milk) and bathing (w. her hands) E.; (of a father) —W.INF. (sthg.) to

drink Ar. ‖ MID. **put to one's lips** —*a cup* Stesich. AR.; (intr.) **put** (a cup) **to one's lips** Pl.
3 hold or **direct** (sthg.) **towards** (someone or sthg.); **direct, aim** —*a bow* (W.DAT. *at a target, a person*) Pi. E.; **hold out** —*a pitcher* (W.DAT. *to a stream*) Theoc. ‖ MID. **take aim** (at someone, w. a bow) Od.
4 hold or **direct one's course** (towards someone or sthg., w.connot. of aggression); **advance against, set upon, attack** —W.DAT. *someone* Od.(tm.) Hes. Pl.; (of a commander, on the march) **aim** —w. ἐπί + ACC. *for an enemy* Hdt.; (of a charioteer) **make for** —W.DAT. *an opponent's chariot* E.; (of ships) **bear down** —w. ἐπί + DAT. *on the enemy* Th.; (of a person) **assault, rape** —W.DAT. *a woman* Pi.*fr*.; **assail** —W.DAT. *someone* (w. *insults*) Od.; (fig., of trouble) **bear down hard** (on someone) S.(cj.)
5 (wkr.sens., of ships) **hold a course** —w. πρός + ACC. *for a place* Plu.; (of sailors) **head straight for** or **put in at** —W.DAT. *a place* AR.; (of a person's fortune) **head** —w. ἐπί + ACC. *for trouble* Ar.
6 direct —*one's thoughts* (w. ἐπί + DAT. *to sthg.*) Thgn. Pl. —(W.DAT.) Plu.; (intr.) **direct one's thoughts** —w. ἐπί + DAT. *to someone* (*i.e. have someone in mind*) Hdt.; **have in mind, intend** —W.PRES. or FUT.INF. *to do sthg.* Hdt.; **be intent** —W.DAT. *upon public offices* Ar. —*upon an activity* Plb.
7 hold back or **keep in check** (persons or things); **check, restrain, stop** —*one's hand, one's anger, persons, their speech* S. E. —*reins* (meton. for a chariot) S. —*an activity* Th.; (of a thunderbolt) —*an aggressor* A.; (of a fallen tree) —*a stream* Il.; (of a prophet) **hold back, withhold** —*a prophecy* E.; (of a person) **delay, put off, postpone** —*a voyage, funeral, negotiations, or sim.* S. E. Th. D.
8 shut —*someone's mouth* (W.DAT. *w. one's hand*) Plu. ‖ MID. **stop up** —*one's ears* Pl.
9 hold back (someone, fr. sthg.); **stop, prevent, restrain** —*someone* (W.GEN. *fr. an activity*) A.*fr.* E. Pl. X. D. —(w. μή + INF. *fr. doing sthg.*) S. —(w. ὥστε + INF. *so that they neglect to do sthg.*) Th.
10 (intr.) **hold back, refrain** (fr. doing sthg.) Od. Hdt. Th. —w. μή + INF. *fr. doing sthg.* Hdt. X. —W.PTCPL. E. Ar. Men. —W.GEN. *fr. an activity* Th. Ar. Pl. X. D.; **wait, pause** (freq. W.ACC. for a period of time) Hdt. Trag. Th. Ar. Att.orats. Pl. +; **defer action** —w. περί + GEN. *on an issue* Th. ‖ IMPERATV. (as a single-word command) **wait!** Trag. Ar. Is. D. ‖ MID. (of the Senate) **defer a decision, take no action** —W.ACC. *on sthg.* Plb.(dub.)
11 ‖ MID. (of girls, while running) **hold in check** (i.e. stop fr. flapping about by hitching up) —*the folds of their dresses* hHom. [or perh. wkr.sens. *take hold of*]
12 ‖ MID. (wkr.sens.) **take hold of** —*a person* (W.GEN. *by the hand*), *a sword, a ship's stern* AR.
13 extend over (a space); (of a fallen body) **cover, occupy** —*a specified amount of ground* Il.; (of a vine, the branches of an olive tree, seen in a dream) —*the whole earth* Hdt.; (of fire) **reach** —*so much* (*of a pyre*) Il.; (of besiegers) —*so much* (*of a city wall, w. flammable material*) Th.; (of sunlight or moonlight) **catch** —*surfaces* Pl.; (intr., of a fleet) **extend, be spread out** —W.PREP.PHR. *over a large area of sea* Th.; (of earthquakes) —*over a large area of land* Th. ‖ MID. (of Ouranos) **spread oneself out** —w. ἀμφί + DAT. *around Gaia* Hes.
14 (of seaweed) **cover** —*a drowned man* Hippon.; (of a grave) —*a corpse* Call.*epigr*.
15 (of troops in line) **occupy the same space as, cover** —*specific opponents* Hdt.; (of troops or ships) **occupy, make up** —*a wing* (*of one's own forces*) Th.

16 (of attackers) **occupy** or **overrun** —*a region or country* Hdt. Th.
17 (of a harvest) **take over the time and attention of, occupy** —*people* Hdt.; (of lamentation) **take hold of, fill** —*a camp and city* Plu.
18 (intr., of persons) **press on** (in an action) S.*Ichn*. E.; **keep on, persist** Ar. —W.PTCPL. *in doing sthg.* Ar. ‖ PRES.PTCPL. (quasi-advbl.) **continually, persistently** Ar. Pl. Men.
19 (of a certain kind of wind) **become established, prevail** Hdt. Plb. Plu.; (of a particular fortune, in the world at large) D.
20 (of night, darkness) **come on, arrive** Plu.

ἐπέῳκει (3sg.plpf.): see ἐπέοικα

ἐπηβάω Ion.contr.vb.: see ἐφηβάω

ἐπηβολέω, dial. **ἐπαβολέω** contr.vb. **achieve possession** —W.ACC. *of sthg.* Iamb.adesp. —W.GEN. Pi.*fr.*

ἐπήβολος, dial. **ἐπάβολος**, ον adj. [ἐπιβάλλω] **1** (of a person) **in possession** (W.GEN. of a ship and rowers) Od.; (of a house and land) Hdt.; (of victories or prizes) Call.; (of gods, ref. to Poverty and Helplessness) Hdt.; (of wits, an ailment) A. S.; (of knowledge or sim.) Pl.
2 (of persons) **successful in achievement** (W.GEN. of fine things) Arist.; **effective, proficient** (W.INF. at doing sthg.) Plu.; (of a person's mind) **skilled** (W.GEN. in a craft) Theoc.; (of advice, a course of action) **hitting the mark, effective** AR.
3 (of a turning-post) **to be attained** or **reached** (W.DAT. by a chariot) AR.; (of a means of escape) **attainable** AR.

ἐπηγκενίδες ων *f.pl.* timbers extending around the top of a boat's hull, **gunwales** Od.

ἐπ-ηγορέω contr.vb. [ἀγορεύω] **accuse** —W.DAT. *someone* (W.NEUT.ACC. *of sthg.*) Hdt.

ἐπήεισα (aor.): see ἐπᾴδω

ἐπῄεν (ep.3sg.impf.): see ἔπειμι¹

ἐπηετανός όν adj. [perh.reltd. ἔτος] | sts. w. ηε in synizesis | perh., lasting the whole year; (of milk, food, fodder, sustenance, supplies) **unfailing, abundant, plentiful** Od. Hes. Pi.; (of washing-troughs and watering-places) Od.; (of logs, cauldrons, wool on a fleece) Hes. hHom.; (of trees) Theoc. ‖ NEUT.SB. **abundant supply, plenty** (of food and drink) Od.

—**ἐπηετανόν** neut.adv. **in never-failing abundance** —*ref. to vegetable-beds flourishing* Od.; **in large numbers** —*ref. to tending horses* AR. [or perh. *for a year*]

ἐπήιξα (ep.aor.): see ἐπᾴσσω

ἐπήισα (aor.): see ἐπαΐω

ἐπῆκα (Ion.aor.): see ἐφίημι

ἐπήκοος, dial. **ἐπάκοος**, ον adj. [ἐπακούω] **1** (of persons, gods) **hearing** (W.GEN. of deeds, troubles, a verdict) A.; **listening** (W.GEN. to persons, speeches, or sim.) E. Pl. Call.*epigr*. Theoc.; **giving ear, attentive, responsive** Ar. Pl.; (W.GEN. or DAT. to persons, prayers, or sim.) Pl.; (prep.phrs.) εἰς ἐπήκοον, ἐν ἐπηκόῳ *within hearing* X. ‖ MASC.SB. **listener** (to someone) Pl.; (W.GEN. to speeches, plans, or sim.) E. Pl. Plu.
2 (of prayers) **listened to** (W.PREP.PHR. by gods) Pl.

ἔπηλα (aor.): see πάλλω

ἐπῆλθον (aor.2), **ἐπήλυθον** (ep.aor.2): see ἐπέρχομαι

ἐπ-ηλυγάζομαι (v.l. **ἐπηλυγίζομαι**) mid.vb. [ἠλύγη] **1 cause** (W.ACC. persons) **to put one in the shade** (i.e. use them to screen one fr. view) Pl.
2 (fig.) **cause** (W.ACC. one's own fear) **to be overshadowed** —W.DAT. *by the common fear* Plu.

ἐπῆλυξ υγος *masc.fem.adj.* (of a rock) **overshadowing** (i.e. putting persons in the shade, so as to conceal them) E.*Cyc.*

ἔπηλυς υδος *m.f.* [ἐπελεύσομαι, ἐπήλυθον, see ἐπέρχομαι] | neut.nom.acc.pl. (as adj.) ἐπήλυδα | **1** one who comes to a land, **immigrant, newcomer, foreigner** A. Hdt. E. Th. Isoc. D. + || ADJ. (of a nation, its origin) **foreign** Hdt. Pl.; (of persons) Plb. Plu.
2 (gener.) **outsider, stranger** AR.
3 one who comes to (a place or person), **visitor** S. E.
ἐπηλυσίη ης *Ion.f.* **visitation, attack** (by a supernatural being, summoned by magic or incantations) hHom.
ἐπήλυσις ιος *Ion.f.* **1 onset** (w.GEN. of maturity) Archil.
2 onslaught, attack (by robbers) Call.
ἐπ-ημάτιος η ον *Ion.adj.* (quasi-advbl., of persons gathering) **day by day, every day** AR.
ἐπημερος *Ion.adj.:* see ἐφήμερος
ἐπημοιβός όν *ep.adj.* [ἐπαμείβω] **1** (of horizontal bars securing a gate) **crossing over each other** Il.
2 (of new tunics) **to wear in exchange** (for old) Od.
ἐπ-ημύω *vb.* (of a crop of corn, under a strong wind) **bow** —w.DAT. *w. its ears* Il.(tm.)
ἐπήν (also **ἐπάν** X. +), Ion. **ἐπεάν** *temporal conj.* [ἐπεί ἄν¹] **1** (w.subj., in Hom. sts. w.opt., ref. to an occurrence in future time, prior to that of the main vb.) **when, after** Hom. +
• ἄξομεν ἐν νήεσσιν, ἐπὴν πτολίεθρον ἕλωμεν *we shall take (them) on the ships, when we have captured the city* Il. • τότε γὰρ αἱρήσετε ἡμέας, ἐπεὰν ἡμίονοι τέκωσι *you will capture us only when mules give birth* Hdt. | see also ἐπεί A 2
2 (w.subj., in Hom. sts. w.opt., ref. to a repeated action) **when, whenever** Hom. + • ἐπὴν ἔλθῃσι θέρος *whenever summer comes* Od. • ἅπαντα τὰ τοιαῦτα, ἐπὰν ἴδητε, ἀποκτείνετε *whenever you see such creatures, you kill them* D. | see also ἐπεί A 3
ἔπηξα (aor.): see ἐπάσσω
ἔπηξα (aor.): see πήγνυμι
ἐπήορος ον *Ion.adj.* [ἐπαίρω] (of spears) **uplifted, raised** AR.; (of a spiral of smoke) **rising** AR.; (of a flower, w.DAT. on twin stalks) AR.
ἐπ-ηπύω *vb.* shout in support for, **cheer on** —w.DAT. *someone* Il.
ἐπ-ήρατος ον *adj.* [ἐρατός] (of an island, city, region, cave, shrine) **lovely, delightful** Hom. Hes.*fr.* hHom.; (of clothing, a feast, a song) Hom. Sapph.; (of glory or fame) Alc. Pi.; (of a woman's or goddess's appearance, voice, name) Hes. Sapph. AR.; (of a young woman) A. AR.
ἐπηρεάζω *vb.* [ἐπήρεια] | aor. ἐπηρέασα | **behave spitefully** or **obstructively** Hdt. Antipho X. D. Arist. —w.DAT. *towards someone* X. Is. D. Plu. —*towards someone's proposals* D. —w.ACC. *towards someone* Arist. NT.; (wkr.sens.) **obstruct, thwart** —w.ACC. *someone's ambition* Plu. || PASS. be treated spitefully or obstructively Lys. D. Arist.
ἐπηρεασμός οῦ *m.* **spiteful** or **obstructive behaviour** (defined as thwarting another's wishes, not for personal benefit but to prevent any benefit accruing to the other) Arist.
ἐπήρεια ας *f.* spiteful or obstructive attitude or behaviour, **spite, malice** Th. Is. D. Arist.
ἐπ-ήρετμος ον *adj.* [ἐρετμόν] **equipped with oars**; (of men) **at the oar** Od.; (of ships) **oared** Od.
ἐπ-ηρεφής ές *adj.* [ἐρέφω] **1** (of banks, cliffs) **overhanging** Hom.; (of a wild olive) **spreading** Theoc.
2 (of beehives, perh. in hollow rocks) **sheltered** Hes.; (of a cave, w.DAT. by trees and rocks) AR.; (of a wooden image, by trees) AR.; (of a dragon's coils) **covered** (w.DAT. w. scales) AR.; (of a fleece, w. wool) AR.
ἐπ-ήρης ες *adj.* [ἐρέσσω] (of ships) **oared** AR.

ἐπῆρσα (ep.aor.): see ἐπαραρίσκω
ἐπητείη ης *Ion.f.* [ἐπητής] app. **courtesy, kindness** AR.(pl.)
ἐπητής έω *Ion.masc.fem.adj.* (of a person) app. **well-mannered, courteous, kindly** or **friendly** Od.; (of Amazons, in neg.phr.) Il.
ἐπ-ήτριμοι α *pl.adj.* [perh.reltd. ἤτριον] **1** (quasi-advbl., of warriors falling in battle, handfuls of corn falling to the ground) perh. **in sequence, one after another** Il.
2 (of Nereids circling, flies swarming, trees standing in ranks, beacon-fires blazing, clothes piled up) **one after another, close together** AR.
ἐπητύς ύος *f.* [reltd. ἐπητής] app. **courtesy, kindness** (towards someone) Od.
ἔπηυρον (aor.2): see ἐπαυρίσκω
ἐπ-ηχέω *contr.vb.* (of places) **resound, echo** E.*Cyc.* Pl.
ἐπήχθην (aor.1 pass.): see πήγνυμι
ἐπί *prep.* | W.ACC., GEN. and DAT. | sts. following its noun (w. anastrophe of the accent, e.g. ἦξαν ... ἀλλήλοις ἔπι *they rushed upon each other* E. |
—**A** | location or space |
1 on the top of, **on, upon** —W.GEN. or DAT. *the earth or ground, an object, part of the body, or sim.* Hom. +; (as adv.) **on top, thereupon** Hom. Hdt.
2 within the limits of, **on** —W.GEN. or DAT. *an island, piece of land* Il. +
3 over —W.ACC. *an area, part of the body, or sim.* Hom. +
4 as far as —W.ACC. *a limit or distance* Hom. +
5 at —W.GEN. or DAT. *a location* Il. +
6 by the side of, **beside** —W.GEN. or DAT. *places or things* Hom. +
7 at a point (in the sea) beyond, **off** —W.GEN. or DAT. *a town or island* Hdt.
8 on —W.GEN. *the left or right* Il. +
9 on the coast of —W.GEN. *a region* Th. Isoc.
10 inside, in, at —W.GEN. *a workplace, brothel* Hdt. +
11 in the presence of, **before** —W.GEN. *people* Antipho D. +
12 (ref. to sitting) **on** —W.GEN. or DAT. *a seat or sim.* Hom. + —W.ACC. NT.
13 (ref. to being conveyed) **on** —W.GEN. or DAT. *a horse, chariot, ship, or sim.* Hom. +
14 (ref. to walking) **on** —W.GEN. *tiptoes, one or two legs* S. Pl.
15 (ref. to lying) **on** —W.GEN. *one's side* Il.
—**B** | movt. or direction |
1 up to, **to** —W.ACC. *a place* Hom. +
2 (ref. to coming to stand) **at** —W.ACC. *a place* Pl. X.
3 in the direction of, **towards, to** —W.ACC. or GEN. *someone or sthg.* Hom. + —W.ACC. *right or left* Il. + —*arms, battle, tasks* Hom. +
4 into the presence of —W.ACC. *persons* Hdt. NT.
5 (ref. to coming or changing) **to** —W.ACC. *a certain condition* Hdt. +
6 onto, upon —W.ACC. or GEN. *a threshold, the ground, land, shore* Hom. +
7 (ref. to falling) **onto** —W.ACC. *one's face* Il.; (phr.) ἐπὶ κεφαλήν **head-first, headlong** Hdt. +
8 up onto, onto —W.ACC. *a wall, tower, horse, or sim.* Il. +; (ref. to raising oneself) **on** —W.GEN. *an elbow* Il.
9 (ref. to pouring water) **onto, over** —W.ACC. *hands* Hom.
10 over, across —W.ACC. or DAT. *the earth, sea, or sim.* Hom. +
11 (ref. to placing persons or things) **in** —W.ACC. *a place* Od. —W.DAT. *in, on or against a place* Hom. +
12 beside, by —W.DAT. *a river, ships* Il.
13 (ref. to paying back or owing money) **to** —W.ACC. *a bank* D.

14 (ref. to adopting someone) **into** —W.ACC. *a name* D.
15 (ref. to winning fame) **among** —W.ACC. *people* Il.
16 (ref. to dividing sthg.) **among** —W.ACC. *people* Od. Pl.
17 (w. aggressive connot.) **upon, against** —W.ACC. or DAT. *enemies, animals, fortifications, or sim.* Hom. +; (ref. to shooting) **at** —W.DAT. *a target* Hom. Pl. +
18 (as adv., ref. to advancing) **behind, after** Il.
—C | time |
1 **in the time of** —W.GEN. *a person or god* Il. + —*one's youth* Ar. —*peace* Il. —*a war* Th.
2 in or over the course of, **in** or **during** —W.DAT. *a day* Il. Hes. Hdt.; (phr.) αἰεὶ ... ἐπ' ἤματι *each day, day by day* Od.; **at** or **by** —W.DAT. *night* Il. +
3 **at** —W.DAT. *an event* Pl. X. Thphr. Plu.; **on** —W.GEN. *an occasion* Pl. D. —W.DAT. *a particular day* D. | see also καιρός 4, 7
4 for the length of, **for** —W.ACC. *a period of time* Hom. + —W.DAT. *a day, night* Il.
5 before the end of, **within** —W.DAT. *a day* Hom.
6 **after** —W.DAT. *someone or sthg.* A. Hdt. E. Th. +
7 following (in repeated succession), **after** —W.DAT. *sthg.* Od. Trag. + • ὄγχνη ἐπ' ὄγχνῃ *pear upon pear* Od.
8 **up to, until** —W.ACC. *a certain time* Od. +
—D | state or condition |
1 **in** —W.GEN. or DAT. *a particular state or situation* Pi. S. +
2 **at** —W.GEN. *anchor* Hdt. E. +
3 **in the power** or **hand of** —W.DAT. *someone* Pi. Hdt. S. +
4 **in dependence upon** or **under the protection of** —W.GEN. or DAT. *someone* S. Th. +
5 (ref. to having authority or responsibility) **over** —W.GEN. or DAT. *someone or sthg.* Od. Hdt. +
6 **in possession of** —W.GEN. *one's property* Th. —W.GEN. or DAT. *a name* D.
7 (ref. to doing sthg.) in relation to, **by** —W.GEN.REFLEXV. PRON. *oneself* Il. + • ἐπ' ἑωυτοῦ διαλέγεσθαι *speak in a dialect of one's own* Hdt.
—E | basis or cause |
1 (ref. to judging) **on the basis of, according to** —W.GEN. or DAT. *some criterion* Th. +
2 (ref. to being tried) **on** —W.DAT. *a capital charge* D.
3 (ref. to making an agreement) **upon** —W.DAT. *certain conditions* Hdt. Th. +; (phrs.) ἐφ' ᾧτε *on condition that*; ἐπ' ἴσῃ, ἐπὶ (τοῖς) ἴσοις *on fair terms*; ἐπὶ ῥητοῖς *on fixed terms* | see ὥστε 2, ἴσος 8, ῥητός 2
4 **for** —W.DAT. *a certain sum* Il. +; **at** —W.DAT. *a rate of interest* D.; **on the basis of** —W.DAT. *a security* D. Arist.
5 on account of, **because of** —W.DAT. *someone* Il. X.; **for** —W.DAT. *a reason* Hdt. Th. + —*no reason* D.
6 (ref. to being named) **after** —W.GEN. *someone* Hdt.
—F | purpose |
1 for the purpose of, **for** —W.ACC., GEN. or DAT. *some end* Hom. +
2 (ref. to going or sending) **for, after** —W.ACC. *someone or sthg.* Od. +
3 (ref. to inviting) **to** —W.ACC. *a meal* Il. +
4 (ref. to asking) **for** —W.DAT. *sthg.* Hdt.
5 to the honour of, **for** —W.DAT. *the dead* Hom. Lys.
6 (ref. to using a particular name) **for** —W.DAT. *sthg.* Pl. X.
7 in favour or support of, **for** —W.GEN. *a particular course of action* D.
—G | addition |
1 **in addition to** —W.DAT. *someone or sthg.* Hom. +; (as adv.) **in addition, besides** Hom. Hdt. S.; (in numerals) • τρισχίλιοι ἐπὶ μυρίοις *three thousand on top of ten thousand* (i.e. thirteen thousand) Plu.

2 **on top of, with** —W.DAT. *a staple food* X.; (ref. to gifts following) **along with** —W.GEN. *a bride* Od.
—H | attendant circumstances |
1 **with** —W.DAT. *a task unfinished, words unspoken, sheep unsacrificed* Il. S. E.
2 **with** —W.DAT. *skill, favour, prejudice, hostility, insolence, or sim.* Il. +
3 **in** —W.DAT. *particular circumstances* Th.; (phr.) ἐπ' αὐτοφώρῳ *in the act* Hdt. E. Ar. +
4 (phrs.) ἐπ' ἴσης *equally*; ἐπὶ κεφαλαίῳ (κεφαλαίων) *in summary*; ἐπὶ μέρους *in part*; ἐπὶ σχολῆς *at leisure* | see ἴσος 9, κεφάλαιον 7, μέρος 15, σχολή 1
—I | specification |
1 **in respect of, regarding** —W.ACC. or DAT. *someone or sthg.* Il. +
2 (ref. to identifying a particular quality or attribute) **in** —W.GEN. *someone or sthg.* S. Isoc. Pl. +
3 (ref. to speaking) **on** —W.GEN. *a particular subject* Pl.
—J | extent or degree |
1 (ref. to a wall being wide) **to the extent of** —W.GEN. *eight bricks* X.; (ref. to troops or ships being drawn up) **to a depth** or **length of** —W.GEN. *a certain number* Th. X. —W.ACC. Th.
2 (phrs.) ὡς ἐπὶ (τὸ) πολύ (or πλεῖστον) *for the most part*; ἐπὶ πλέον *to a further or greater extent* (see πολύς 5, πλεῖστος 4, πλείων 4) | see also βραχύς 17, ἐλάσσων 7, ἐλάχιστος 5, ἴσος 9, λεπτός 11, μακρός 10, μικρός 11, πλῆθος 9, τοσοῦτος 4
ἔπι prep. | The wd. is used as equiv. to 3sg. ἔπεστι, also 3pl. ἔπεισι (Hdt., oracle). See ἔπειμι¹. | 1 (of a silver hilt) **be on** —W.DAT. *a sword* Od.
2 (of hands and feet, in neg.phr.) **be attached** (to personif. Oath) Hdt.(oracle)
3 (of qualities or attributes, such as beauty, power, trust, glory) **be attached, belong** (usu. W.DAT. *to someone or sthg.*) Hom. Thgn.; (of a privilege) —W.DAT. *to someone* A.; (of love, in neg.phr.) —*to ugliness* Pl.
4 (of unwelcome things, such as fear, divine anger, death) **threaten, loom** (usu. W.DAT. *for someone*) Hom. Thgn.
5 (of a penalty) **be imposed** —W.DAT. *on sthg.* Hes.
6 (of a person) be set over, **be in control** Od.; (of restraint) Od.

ἐπ-ιάλλω, Att. **ἐφιάλλω** vb. | ep.impf. (tm.) ἐπὶ ... ἴαλλον | Att.fut. ἐπιαλῶ or ἐφιαλῶ | ep.aor. ἐπίηλα, more freq. (tm.) ἐπὶ ... ἦλα | 1 (of Zeus) **send** —*a wind* Od.(tm.) —*a long old age* (W.DAT. *to someone*) AR.(tm.); **set on foot, instigate** —*actions* Od.
2 (of a person) **put on** —*a fastening* (to doors, a chest) Od.(tm.); **place** —*a noose* (W.DAT. *around one's neck*) Theoc.; **inflict** —*an evil fate* (W.DAT. *on someone*) Od.(tm.)
3 (of an aggressor) **lay** —*his hands* (usu. W.DAT. *on someone*) Od.(tm.) hHom.(tm.)
4 (intr.) app. **lay one's hands on** (someone, aggressively) Ar.; **set one's hands** —W.DAT. *to a task* Ar.; **set about a task** Ar.

ἐπιάλμενος (ep.athem.aor.mid.ptcpl.): see ἐφάλλομαι
ἐπιανδάνω ep.vb.: see ἐφανδάνω
ἐπίαξα, ἐπίασα (aor.): see πιέζω
ἐπ-ιάχω vb. —also **ἐπιαχέω** (hHom.) contr.vb. | ep.impf. or aor.2 ἐπίαχον | 1 **shout in approval** or **applause** (for a speech, an accomplishment) Il. AR.
2 (of warriors, going into battle) **raise a cry** Il.
3 (of a wood) **resound** (w. the howling of animals) hHom.(tm.)

ἐπι-βάθρᾱ ᾱς f. [βάθρον] 1 (fig., ref. to a place) **means of approach, stepping-stone** (to another place) Plb. Plu.

ἐπίβαθρον

2 (ref. to the despatch of military aid) **stepping-stone** (W.GEN. to a greater expedition) Plu.

ἐπί-βαθρον ου *n*. **1** payment for passage (on a ship), **fare** Od.; (pl., ref. to a sacrifice made before embarkation, envisaged as paid to Apollo) AR.
2 (pl.) payment for landing, **landing-fee, toll** Call.
3 perh. **pedestal** (W.GEN. of a throne) Call.

ἐπι-βαίνω *vb*. | fut. ἐπιβήσομαι | athem.aor. ἐπέβην, dial. ἐπέβᾱν, imperatv. ἐπίβᾱ (Thgn.), ἐπίβηθι (Ar.) | also ep.3sg.aor.mid. ἐπεβήσετο (Hom. AR.), ἐπεβήσατο (AR.) | ep.aor.mid.imperatv. ἐπιβήσεο ǁ also (causatv.) ep.fut. ἐπιβήσω, inf. ἐπιβησέμεν | (causatv.) aor.1 ἐπέβησα, dial. ἐπέβᾱσα, imperatv. ἐπίβησον, dial.3sg.aor.1 mid. ἐπεβᾱ́σατο (Call.) |
1 (of persons arriving by sea) **set foot on** or **in** —W.GEN. *land, a country* Hom. hHom. E. Call. AR. —W.ACC. Pi.*fr*. E.*fr*.; **reach land** AR.; (causatv., aor.1 act.) **put** (W.ACC. someone) **ashore** —W.GEN. *in his homeland* Od.
2 (of persons, gods, troops) **set foot in, enter** —W.GEN. *a city, country, its borders, a shrine, or sim.* Od. hHom. Hdt. E. Th. Att.orats. + —W.DAT. NT.; (of a god, a bird) **alight** —W.ACC. or ADV. *at a place* Hom. hHom. —W.GEN. E.; (causatv., aor.1 act.) **set** (W.ACC. someone, conveyed by carriage) **down** —W.GEN. *in a place* E.
3 (of a wounded man) go on one's feet, **walk** (opp. be carried) Il.; (of a crow) **take a step** Hes.; (of a person) **step** —w. ἐπί + GEN. *on bodies* Hdt. —W.GEN. *on missiles* X. —W.DAT. *on a tombstone* Thphr.; (fig.) **trample** —W.GEN. *on a populace* Thgn.; (of an Erinys) —w. ἐπί + DAT. *on someone's eyes* (*i.e.* blind him) AR.; (of an ox) —*on someone's tongue* (*i.e.* silence him) Thgn.
4 **step onto, mount** —W.GEN. *a chariot, wagon, or sim.* Hom. hHom. Anacr. Eleg. E. AR. —W.ACC. E. —w. ἐπί + ACC. Hdt. —w. ἐπί + GEN. Theoc.; **step in** (to a carriage) Sapph.; **mount** —W.GEN. *a horse* Il. Hes. —w. ἐπί + ACC. Hdt. —W.ACC. *horses' backs* Hes. —w. εἰς + ACC. *upon a giant beetle* Ar.; (of chariothorses, fr. the viewpoint of spectators) —W.GEN. *the chariot in front* Il.; (causatv., aor.1 act.) **cause** or **order** (W.ACC. someone) **to mount** —W.GEN. *a chariot* Il.; (aor.1 mid., of a goddess) **set** (W.ACC. someone) **on** —W.GEN. *her chariot* Call. ǁ STATV.PF.PTCPL.ADJ. **mounted** (on a horse) Hdt.; (w. ἐπί + ACC. on a donkey) NT.; (W.DAT. on a chariot) Plu.; (w. ἐπί + GEN. on a platform) Plb.; (of Zeus) seated aloft (W.ACC. on his heavenly throne) E.
5 **go on board, embark** Il. S. Th. AR. Plb. NT. —W.GEN. *on a ship or boat* Hom. Hes.*fr*. E. AR. —w. ἐπί + GEN. Hdt. —w. ἐπί + ACC. Hdt. E. Th. X. —W.ACC. AR.; (of troops) **board** (an enemy ship) Hdt. —W.DAT. *an enemy ship* Th.; (causatv., fut.act.) **embark** —W.ACC. *someone* (W.GEN. *on a ship*) Il. ǁ STATV.PF.PTCPL.ADJ. (of a person) on board (W.GEN. a ship) Plu.
6 step upon (sthg. raised); **mount** —W.GEN. *ramparts, walls* Il. Thgn. Hdt. Th. Plb. —*a tomb, a ship's prow* E. AR. —W.ACC. *a towering rock* E.; **climb** (a tree) Od.; (of a child) —W.GEN. *on someone's knees* hHom.; (causatv., aor.1 act.) **set** (W.ACC. someone) **on** —W.GEN. *the stern-deck* (as helmsman) AR.
7 (of a person, intent on suicide) **mount** (a pyre) B.; (fig., of a corpse) —W.GEN. *a pyre* (*i.e.* be placed on it) Il.; (causatv., aor.1 act., of a deadly boar) **cause** (W.ACC. persons) **to be placed on** —W.GEN. *a pyre* Il.
8 (of a man) climb into, **enter** —W.GEN. *a woman's bed* Hom. Hes. hHom. A.
9 (causatv., aor.1 act., of an archer) **mount** or **place** (W.ACC. a string) **on** —W.GEN. *a bow-tip* B. ǁ STATV.PF. (of a tower) be mounted or stand —w. ἐπί + DAT. *on another tower* Hdt.

10 **set foot upon** —W.GEN. *a road* Theoc.; (causatv., aor.1 act., of dawn) **set** (W.ACC. many people) **on** —W.GEN. *their way* Hes.
11 **enter upon, reach** —W.GEN. *forty years* (of age) Pl. —*one's tenth year* Theoc.
12 (fig.) **tread the path of, engage in, undertake, embark on** —W.DAT. *manly deeds* Pi. —W.GEN. *a craft* hHom. —*a dance* Ar. —*shamelessness* Od. —*piety* S.; **enter into possession of, experience** or **enjoy** —W.GEN. *a rightful share of honour* hHom. —*peace* Alcm. —*good cheer, joy* Od. AR.; **entertain** —W.GEN. *an expectation* S.; (causatv., aor.1 act., of a person or god) **set** (W.ACC. someone) **on the path of** —W.GEN. *song, honours* Hes. —*glory* Il. —*good sense* Od. —*slavery* E.*fr*.; (in seafaring cxt.) **embark** —W.ACC. *someone* (W.GEN. *on fair weather, i.e. set him on a prosperous course*) Pi.
13 (w. hostile connot.) **go into, enter, invade** —W.ACC. *a land, a nation* Hdt.; (hyperbol.) —*a meadow* S.; **make an attack** Plu. —W.DAT. *on the enemy* X.; (of a populace) —*on individuals* Plu.; (of a blow fr. Zeus, a malicious rumour) **assail** —W.ACC. *someone* S.; (wkr.sens., of sufferings) **issue forth** (fr. a specified source) —w. πρός + ACC. *against someone* S.; (of haste for an illicit marriage) **come upon** —W.DAT. *someone* S.; (of excess) **encroach on** —W.ACC. *praise* (*i.e.* cause there to be too much of it) Pi.; (of a cloud of forgetfulness) **come over** (persons) Pi.(tm.)
14 (gener., ref. to movt. forwards or towards a goal); (of a populace) **come forth against** (attackers) Il.(tm.); (of troops) **advance** Plb. Plu. —w. ἐπί + ACC. *against troops, places* Plb.; (of a boxer) **step forward** —W.DAT. *w. his right foot* Theoc.; (of trenches, being dug) **move forwards** Plb.; (fig., of persons) **go further** (in their demands) Plb.; (of a poet) **come to, alight on** —W.ACC. *an appropriate occasion* (for saying sthg.) Pi. ǁ MID. (of a person, a river) go as far as, **reach** —W.ACC. *a place* E.*fr*. AR.

ἐπι-βάλλω *vb*. **1** throw or place on or onto; **throw, cast** —*locks of hair* (on a corpse) Il. —*a cloak or other covering* (sts. W.DAT. *over a recumbent person*) Od.(tm.) Ar. —*one's cloak* (W.DAT. *over one's eyes*) E —*persons, things* (w. ἐπί + ACC. *onto sthg.*) Hdt. Th. Pl. —*bread* (into an oven) Hdt.; **pile on top** (of sthg.) —*corpses, gold leaves, earth* Hdt. Th. X.; (wkr.sens.) **place** —*a yoke* (W.DAT. *on horses, bulls*) AR.(tm., also mid.); (of fate) **impose** —*an end on misfortune* Thgn.(tm.) ǁ MID. **cast, dash** —*washing-water* (W.DAT. *on one's flesh*) E. ǁ PASS. (of things) be thrown on (other things) Hdt. Th.; (of a grappling-iron) be thrown on board (a ship) Th.; (of ashes) be scattered —w. ἐπί + ACC. *on a tomb* Hdt.
2 inflict (violence or pain); (of Zeus, a person, lit. or fig.) **lay** (W.ACC. a hand or hands) **on** (sts. W.DAT. persons, places) A.(tm.) Ar. Theocr. Plb. Plu. —(w. ἐπί + ACC.) NT.; (without connot. of violence) AR.(mid., tm.); **apply** —*a whip* (to mules) Od.; **inflict** —*lashes* (W.DAT. *on someone*) X.; (of gods) —*pain, sorrow* (on humans) S. E.; (wkr.sens., of slavery) **impose** —*fear and a sense of danger* (W.DAT. *on a soul*) Pl.
3 **impose** —*punishment, a fine, tribute* (sts. W.DAT. *on someone*) Hdt. Th. Att.orats. Pl. X. Arist. +; (intr.) **impose a fine** (usu. W.DAT. on someone) Lys. D. (law) Arist. ǁ PASS. (of a fine) be imposed —W.DAT. *on someone* Hdt.
4 **affix** —*a seal, a seal-impression* (W.DAT. *to sthg.*) Hdt. Ar. Pl. Men. Plu. —(w. ἐπί + ACC.) Ar.; **apply** —*a signet-ring* Hdt.; **impress** —*a stamp* (on metal) Arist. —(fig.) *a stamp of glory* (W.DAT. *on exploits*) Isoc.; **stamp** —*a brand-mark* (w. ἐπί + ACC. *on a horse's jaw*) Arist. ǁ MID. **stamp oneself with** —*brand-marks* Hdt.

5 (of the sun) cast —*light* (*on the moon*) Pl.; (of a horse) **dash, strike** —*its hooves* (w. ἐπί + ACC. *against a shield*) Hdt.
6 cast in additionally, **add** —*one's soul* (*to a gift*) Theoc.; **add, contribute** —*little or nothing* (W.DAT. *to an inquiry*) Arist.; (intr.) add to the sale-price, **put in a higher bid** (for a contract) Arist.
7 add (by placing next in a formation); **add** —*a body of troops* (W.DAT. *to another body*) Plb.; (intr., of troops in a formation) **come next** Plb.; (of persons in a procession, sts. W.DAT. *after others*) Plu.
8 (of a speaker) **add** —W.DIR.SP. *sthg.* Thphr.; **interject** (during a discussion) Plb. —W.DAT.PTCPL. *while someone is speaking* Thphr.; perh. **follow on, speak next** (after another) Plb.
9 (of a ship) **make for** —W.ACC. *a place* Od. hHom.; (usu. of troops or commanders, sts. w.connot. of aggression) **make for, come up to, come upon** —W.DAT. or ἐπί + ACC. *persons, places* Plb. Plu.; **go to** or **enter** —w. εἰς + ACC. *a country* Plb. ‖ MID. **make for, approach** —W.DAT. *a city* Call.
10 (of the sea) **strike** —*a rock* AR.; (intr., of souls) **collide** (w. each other) Pl.; (of a man) **commit a sexual assault** (on a woman) Ar.
11 devote oneself —W.DAT. *to public affairs* Plu.
12 (of an inquiry, an opportunity) **come one's way** Arist.
13 (of a share, an amount) **fall, be allotted, belong** (to someone) Hdt. NT. —W.DAT. *to someone* Hdt. Arist. —w. ἐπί + ACC. D.; (of a share of slander) **fall on, be directed against** —W.DAT. *someone* D.
14 (of fortune) **fall out, turn out** —W.ACC. + INF. *w. the consequence that someone has sthg.* Thgn. ‖ IMPERS. it falls out (as an obligation) —W.ACC. + INF. *that someone shd. do sthg.* Hdt.; it falls out (as appropriate) —W.DAT. + INF. *for someone to do sthg.* Plb.
15 ‖ MID. put upon oneself, **put on** —W.ACC. *a garland* E.; (intr.) **put on some clothing** Thphr. ‖ PF.PASS.PTCPL. wearing a covering of —W.ACC. *rugs* Plu.
16 ‖ MID. impose on oneself, **subject oneself to** —*voluntary slavery* Th.
17 ‖ MID. **cast** (W.ACC. *lots*) **over** (the division of an estate) Od.(tm.)
18 ‖ MID. **lay down** or **set up** —*stays* (*supporting a ship under construction*) AR.(dub.)
19 ‖ MID. aim towards, **have an eager desire for** —W.GEN. *spoils* Il. —*maidenhood* (*opp. marriage*) Sapph. —*a good life* Arist.
20 ‖ MID. **attempt, undertake** —W.ACC. *a task* Pl. Plu. —*an investigation* Arist. —W.DAT. *an enterprise* Plb.; **attempt, plan** —W.INF. *to do sthg.* Plb.
21 ‖ PF.PASS. (of an archer) have one's arrow placed —w. ἐπί + DAT. *on the bow-string* X. ‖ PF.PASS.PTCPL.ADJ. with one's arrow on the bow-string X.

ἐπίβασις εως (Ion. ιος) *f.* [ἐπιβαίνω] **1** place or means of taking a step, **foothold** (in snow) Plb.
2 (fig., ref. to a hypothesis) **stepping-stone** (in an argument) Pl.
3 basis or pretext for an attack (on someone) Hdt.

ἐπι-βάσκω *vb.* (causatv.) **set** (W.ACC. *persons*) **on the path** —W.GEN. *of disaster* Il.

ἐπι-βαστάζω *vb.* (of the Cyclops) **feel, handle** —*persons* (W.DAT. *w. his hands*) E.*Cyc.* [or perh. *lift up*]

ἐπιβατεύω *vb.* [ἐπιβάτης] **1** be on board ship as a soldier (opp. sailor), **be a marine** Hdt. Pl.; **be on board** —W.DAT. *a man* (*i.e. the ship he commands, w. sexual double entendre*) Ar.
2 (fig.) hitch a ride on (i.e. use as a justification for one's conduct), **base oneself on** —W.GEN. *a remark* Hdt.; **usurp, trade on** —W.GEN. *someone's name* Hdt.
3 (of a commander) **set foot in, invade** —W.GEN. *a country* Plu.

ἐπιβάτης ου *m.* [ἐπιβαίνω] **1** one who goes on board a ship (opp. rower); (ref. to a soldier, usu. collectv.pl.) **marine** Hdt. Th. Lys. Pl. D. Plb. Plu.
2 passenger Hdt. D. Plu.; (ref. to a merchant) D.
3 ‖ PL. (gener.) sailors, crew (w. ἐκ + GEN. fr. the Argo, i.e. the Argonauts) Hdt.
4 (in the Spartan navy) app. **second-in-command** Th.; (W.GEN. *to the commander*) X.
5 rider (in a chariot) Pl.; (on a horse) Arist. Plu.

ἐπιβατικός ή όν *adj.* of or relating to a marine; (of service) **as a marine** Plb. ‖ NEUT.SB. (sg., w.art.) the marines Arist.; (pl.) Plb.

ἐπιβατός ή όν *adj.* **1** (of a raised area) **accessible** Hdt.; (of a country, W.DAT. *to a commander*) Plu.
2 (of a wall) **scalable** Plu.
3 ‖ NEUT.IMPERS. (w. γίγνεται) there is access —w. ἐπί + ACC. *to a place* Pl.
4 (fig., of a person) **accessible, open** (W.DAT. *to bribery*) Plu.

ἔπι-βδα ης (dial. ᾱς) *f.* [2nd el.app.reltd. πούς] day after a festival; (gener.) **next day** (as the occasion for facing consequences) Pi.

ἐπι-βεβαιόω *contr.vb.* **1 confirm** —*a statement* (*i.e. its truth*) Men.
2 ratify —*a law* Plu.

ἐπιβησέμεν (fut.inf.), **ἐπιβήσεο** (ep.aor.mid.imperatv.), **ἐπιβῆσον** (aor.1 imperatv.), **ἐπιβήσω** (fut.): see ἐπιβαίνω

ἐπιβήτωρ ορος *m.* [ἐπιβαίνω] **1** one who mounts (a horse or chariot); **rider** (W.GEN. *of a horse*) hHom.; **driver** (W.GEN. of a chariot team) Od.
2 (ref. to a boar) **mounter, mate** (W.GEN. *of sows*) Od.; (ref. to a bull) **one of mating age** Theoc.

ἐπι-βιβάζω *vb.* **1 put on board, embark** —*troops* (w. ἐπί + ACC. *on ships*) Th.
2 cause (someone) to mount (on an animal used for riding); **mount** —*a person* (usu. w. ἐπί + ACC. *on a donkey or sim.*) NT.

ἐπι-βιβρώσκω *vb.* ǀ ep.2sg.aor.2 (tm.) ἐπὶ ... ἔβρως ǀ **eat next** (after drinking) —*a honeycomb* Call.(tm.)

ἐπι-βιόω *contr.vb.* ǀ aor.2 ἐπεβίων, ptcpl. ἐπιβιών, inf. ἐπιβιῶναι ǀ aor.1 ἐπεβίωσα (Plb. Plu.) ǀ **1 live on, survive** —W.ACC. *for a specified time* Th. Is. D. Plb. Plu. —(W.DAT. *after someone, i.e. after his death*) Plu.
2 live on past the end of, **outlive** (a war) Th.

ἐπι-βλέπω *vb.* **1** cast a look, **look, glance** —w. εἰς + ACC. *at someone* Pl.
2 look at, survey, watch —*someone or sthg.* Plu.
3 look at (w. the mind); **look at, contemplate, take notice of** —*misfortunes, arguments, a cause, maxim, or sim.* Isoc. Pl. Arist. Men. —W.DAT. *someone's fortunes* S.(dub.) —w. ἐπί + ACC. *a city* Din.
4 (of deities) **watch over** —*regions* Call.

ἐπίβλεψις εως *f.* **1** looking towards (someone or sthg.); **gaze** (W.GEN. of an audience) Plu.
2 view, sight (of an action) Plu.

ἐπιβλήδην *adv.* [ἐπιβάλλω] perh. **with blow laid on blow** —*ref. to hammering in pegs* AR.

ἐπίβλημα ατος *n.* **1** that which is thrown over as a covering; (ref. to an embroidered oriental tapestry) **coverlet** (for a couch) or **drape** (for a wall) Plu.
2 patch (to mend a garment) NT.

ἐπιβλής ῆτος *m.* that which is placed against a door (to secure it), **beam** or **bar** Il.

ἐπι-βλύω *vb.* [reltd. βλύζω] (of foaming waves) **gush over** —W.DAT. *seaweed* AR.

ἐπι-βλώσκω *vb.* | aor.2 ἐπέμολον | (of suffering) **come upon, befall** —*someone* S.

ἐπι-βοάω *contr.vb.* | aor. ἐπεβόησα | MID.: Ion.3sg. ἐπιβῶται (Theoc.) | Ion.fut. ἐπιβώσομαι | aor. ἐπεβοησάμην, Ion. ἐπεβωσάμην | **1 call** or **cry out** (usu. W.DAT. to someone) —W.COMPL.CL. *that sthg. is the case* Th. Plu. —W.INF. *to do sthg.* Th.; **cry out encouragement to, cheer on** —W.DAT. *someone* Plb.
2 cry out (W.INTERN.ACC. a lament, a song) **in accompaniment** A. —W.DAT. *to a ritual* Ar.
3 ‖ MID. **call out, appeal** (for help) Hdt.; (tr.) **call out to, call upon, appeal to** —*gods or humans* Hom. Hdt. E. Th. Plu. —(W.INF. or μή + INF. *to do or not to do sthg.*) Th.; **pray to** —*a deity* (W.INF. *that one may have sthg.*) Theoc.; mention in an appeal, **appeal to, invoke** —*ancestral tombs, one's desolate condition* Th. —*anything considered useful* Th.
4 ‖ PASS. be cried out against, be criticised —W.ACC. *in regard to one's private conduct* Th.

ἐπιβοήθεια ᾱς *f.* [ἐπιβοηθέω] (milit., sg. and pl.) **support, reinforcement** Th. X.

ἐπι-βοηθέω *contr.vb.* (esp. of commanders, troops, ships) **bring help, support** or **reinforcements** (freq. W.DAT. to others) Hdt. Th. X. Plb. Plu. —W.DAT. *against others* Th.

ἐπιβόημα ατος *n.* [ἐπιβοάω] **shout, call** (to someone) Th.

ἐπιβόησις εως *f.* **shout of approval, acclamation** Plu.

ἐπιβόητος, Ion. **ἐπίβωτος**, ον *adj.* **1** (of a person) cried out against, **criticised** Th.
2 notorious Anacr.

ἐπιβολή ῆς *f.* [ἐπιβάλλω] **1 throwing** (W.GEN. of grappling-irons) **on board** (enemy ships) Th.
2 putting on, wearing (W.GEN. of clothes) Th.
3 that which is laid on top (of sthg.); **layer, course** (of bricks) Th.
4 that which is imposed, **fine** Att.orats. X. Arist.; (on a woman, w. further connot. of sexual molestation) Ar.
5 imposition of a tax, **charge, fee** Plu.
6 demand for the supply of troops, **requisition** Plb.
7 (in military ctxt.) **onset, assault, attack** Plb. Plu.
8 intention or aspiration (to do sthg.); **plan, design** (sts. W.GEN. for sthg.) Men.(cj.) Plb. Plu.

ἐπι-βουκόλος ου *m.* (usu. appos.w. ἀνήρ) **herdsman** (W.GEN. of cattle) Od.

ἐπιβούλευμα ατος *n.* [ἐπιβουλεύω] **scheme, plan, plot** Th. Plu.

ἐπιβούλευσις εως *f.* **planning** (for an attack) A.(cj.); **plotting** (of a murder) Pl.

ἐπιβουλευτής οῦ *m.* **plotter** (W.DAT. against an army) S.

ἐπι-βουλεύω *vb.* | fut.pass. ἐπιβουλεύσομαι (X.) | **1** form a plan against another; **plot, scheme** (freq. W.DAT. against someone or sthg.) Hdt. E. Th. Ar. Att.orats. Pl. + ‖ PRES. or AOR.PTCPL.SB. (w.art.) plotter or planner S. Antipho Th. Isoc. + ‖ PASS. (of persons, nations, or sim.) be plotted against (sts. w. ὑπό + GEN. by someone) Th. Att.orats. Pl. +
2 (tr.) **plot, plan** —*escape, revolt, crimes, or sim.* (freq. W.DAT. *against someone or sthg.*) Hdt. Th. Ar. Att.orats. ‖ PASS. (of an activity, policy, crime, or sim.) be planned (sts. W.DAT. against someone) Antipho Th. Ar. Isoc.
‖ NEUT.PL.PRES.PTCPL.SB. plots X.
3 (gener.) **act with deliberate intent** Antipho Arist.

4 form a plan (to take possession of sthg.); **have designs on** —W.DAT. *a statue* Hdt. —*a place* Th. —*others' property* Isoc. X. Is.
5 form a plan (to achieve sthg.); **aspire to** —W.DAT. *great achievements* Hdt.; **plan, be intent on** —W.DAT. *tyranny, destruction, an enterprise* Lys. Pl.
6 (gener.) **plot** or **plan** —W.INF. *to do sthg.* Hdt. Th. Lys. Ar. Pl. X. + —W.INDIR.Q. *how to do sthg.* X.
7 ‖ MID. **prolong one's deliberations** Th.(dub.)

ἐπι-βουλή ῆς *f.* **1** plan formed against another, **plot, scheme** Hdt. Th. Att.orats. Pl. +
2 offensive manoeuvre (by a helmsman, in a sea-battle) Th.
3 (prep.phrs.) ἐξ ἐπιβουλῆς *according to plan, by design, deliberately* Antipho Th. Pl. X. (also) μετὰ ἐπιβουλῆς Pl.

ἐπιβουλίᾱ ᾱς *f.* **plotting, conspiracy** Pi.

ἐπίβουλος ον *adj.* **1** (of persons, their character) **designing, scheming** Pl. X. Aeschin. D. Arist.; (of Eros) **having designs on, scheming after** (W.DAT. the beautiful and the good) Pl.
2 ‖ MASC.SB. plotter (W.GEN. against someone's life and kingdom) Plb.
3 (of afflictions) **plotted** (by a deity) A.
—**ἐπιβούλως** *adv.* **schemingly, underhandedly** Plu.

ἐπι-βραχεῖν aor.2 inf. | 3sg. (tm.) ἐπὶ ... ἔβραχε | (of the sky) **echo, resound** AR.(tm.)

ἐπι-βρέμω *vb.* **1** (causatv., of the strength of a wind) **make** (W.ACC. a fire) **roar** Il.
2 (of Bacchus) **roar out** —W.INTERN.ACC. *a command* E.(dub.); (of Zeus) **roar** —W.DAT. *w. thunder* Lyr.adesp.
3 ‖ MID. (of a Thracian swallow, fig.ref. to unintelligible foreign speech) **roar** —w. ἐπί - DAT. *on someone's lips* Ar.

ἐπι-βρίζω *vb.* | dial.3sg.aor.subj. ἐπιβρίσσῃσι (or perh. ἐπιβρίξῃσι) | **fall asleep** Theoc.(cj.)

ἐπιβρῑθής ές *adj.* [ἐπιβρίθω] (of a deity) bringing one's weight to bear, **mighty, powerful** A.

ἐπι-βρίθω *vb.* | aor. ἐπέβρισα | **1** (of warriors, a boxer) **press heavily** (on opponents) Il. Theoc.; (of fighting, on warriors) Il.; (of Herakles, on a bull) —W.DAT. *w. his shoulder* Theoc.; (gener., of an enemy force) **launch an attack** AR.
2 (of the seasons) app. **weigh down** (vines, w. fruit) Od.; (of rain, snow) **fall heavily** Il.; (of storm-winds) **press heavily** (on a ship) AR. —W.DAT. *on the sea* AR.; (fig., of prosperity) **come in full weight** Pi.

ἐπι-βρομέω *contr.vb.* (of a flock of birds) **pass noisily over** —W.DAT. *the sea* AR.; (of the sea) **roar against** —W.DAT. *rocks* AR. ‖ PASS. (of ears) be made to ring —W.DAT. *w. lyre music* AR.

ἐπι-βροντάω *contr.vb.* (of a god) **thunder in response** (to an event) Plu.

ἐπιβρόντητος ον *adj.* (fig., of a person) **struck mad, crazy** S.

ἐπι-βρύω *vb.* (of flowers) **burst into bloom** or **grow luxuriously** Theoc.

ἐπι-βρωμάομαι *mid.contr.vb.* (of Hera) **bellow** or **bray against** —W.DAT. *the lovers of Zeus* Call.

ἐπι-βύω *vb.* | aor.ptcpl. ἐπιβύσας | (fig.) **stop up** —*politicians' mouths* (W.DAT. *w. coins*) Ar.

ἐπι-βώμιος ον *adj.* **1** (of fire) **on altars** E. ‖ NEUT.PL.SB. sacrifices at altars Theoc.
2 (quasi-advbl., of sheep which are dragged) **to altars** AR.

ἐπιβωμιοστατέω *contr.vb.* [ἵσταμαι] **stand at the altar** (as a suppliant) E.

ἐπιβώσομαι (Ion.fut.mid.), **ἐπιβῶται** (Ion.3sg.mid.): see ἐπιβοάω

ἐπίβωτος Ion.adj.: see ἐπιβόητος

ἐπι-βώτωρ ορος *m.* [βόσκω] **shepherd** (W.GEN. of flocks) Od.

ἐπιγαθέω *dial.contr.vb.*: see ἐπιγηθέω

ἐπί-γαιος ον *adj.* [γῆ] **upon the earth** ‖ NEUT.PL.SB. **parts** (of a pyramid) **at ground level** Hdt.

ἐπι-γαμβρεύω *vb.* [γαμβρός] **marry** —*one's deceased brother's wife* NT.

ἐπι-γαμέω *contr.vb.* **1** (of a man) **marry** (W.ACC. a mother) **in addition** —W.DAT. *to her daughter* And.; **take as a second wife** —W.ACC. *a stepmother* (W.DAT. *for one's children*) E. —*a woman* (W.DAT. *for one's children, i.e. to be their stepmother*) Plu. ‖ PASS. (of a woman) **be married as a second wife** Plu. **2** (of a woman) **marry** —W.ACC. + DAT. *one husband after another* E.(dub.)

ἐπιγαμία ᾱς, Ion. **ἐπιγαμίη** ης *f.* **intermarriage** or **right of intermarriage** (betw. families, states, nations) Hdt. Att.orats. Pl. X. Arist. Plu.

ἐπί-γαμος ον *adj.* (of a man) **of marriageable age** Hdt.; (of a woman) D. Men. Plu.

ἐπι-γαυρόομαι *pass.contr.vb.* **be filled with pride and joy** Plu. —W.DAT. *by a military assignment* X.

ἐπιγδουπέω *ep.contr.vb.*: see ἐπιδουπέω

ἐπιγεινόμενος (dial.aor.2 mid.ptcpl.): see ἐπιγίγνομαι

ἐπί-γειος ον *adj.* [γῆ] **1** (of animals) **living on the earth** Pl. **2** ‖ NEUT.PL.SB. **earthly things** (opp. heavenly) NT.

ἐπι-γελάω *contr.vb.* **1 laugh** (at someone's expense) Il.(tm.); **laugh** or **smile** (in response to someone or sthg.) Pl. X. Thphr. Plb. Plu. **2 laugh approvingly** —W.DAT. *at someone making a joke* Thphr. Plu.; (of gods) **smile favourably** —W.DAT. *on dances* Ar.

ἐπι-γεραίρω *vb.* **treat** —W.ACC. someone) **with honour** X.

ἐπι-γηθέω (or dial. **ἐπιγᾱθέω**) *contr.vb.* **gloat over** —W.DAT. *someone's troubles* A.(cj.)

ἐπι-γηρύομαι *mid.vb.* | aor.pass.ptcpl. (app. w.mid.sens.) ἐπιγηρῡθείς (v.l. ἐπικηρυχθείς) | **cry out** A.(dub.)

ἐπι-γίγνομαι, Ion. and dial. **ἐπιγίνομαι** *mid.vb.* | aor.2 ἐπεγενόμην, dial.3sg. ἐπέγεντο (Thgn.), dial.ptcpl. ἐπιγεινόμενος (Pi. B.) | **1** (of persons) **come into existence next** or **later**; (of children) **be born next** or **in the future** Pi. Hdt. Th. Is.; **be descended** —W. ἐκ + GEN. *fr. someone* Hdt.; (of a younger generation) **come next** Th.; (of a sage, a politician) **come after, succeed** (sts. W.DAT. another) Hdt. Ar. ‖ PRES.PTCPL.ADJ. (of persons) **belonging to future generations** Hdt. ‖ MASC.PL.PTCPL.SB. (usu. pres., sts. aor.) **future generations** B. Th. Att.orats. Pl. + **2** (of natural phenomena) **come about next**; (of leaves) **come next** (in the course of the seasons) Il.; (of a season) **come on** Th. X.; (of night) **fall** Hdt. Th. X.; (of time) **pass** Hdt. Th. Isoc. ‖ PTCPL.ADJ. (of a day, a season) **following, next** Th. **3** (of things) **come into existence additionally** Emp. **4** (gener., of persons or things) **come next** or **afterwards**; (of sailors) **follow after** (when others have departed) Th.; (of an event) **happen next** Antipho —W. ἐπί + DAT. *after another* Hdt.; (of physical discomforts) **come on, follow** (in the course of a disease or medical treatment) Hdt. Th. Pl.; (of a discovery) **follow** (upon an event) Th. ‖ NEUT.PL.PTCPL.SB. **subsequent developments** (W.GEN. in technology) Th. **5** (of money or property) **come in the future**; (of an estate) **devolve** —W.DAT. *on someone* Is.; (of rent) **be due later** D. ‖ NEUT.PL.SB. **profits** or **interest accruing** Arist. **6** (of things) **come on** (as an end or culmination); (of the end of life, i.e. death) **finally come** —W.DAT. *to someone* Hdt.; (of a successful conclusion) **crown** —W.DAT. *plans* Thgn. Hdt. **7** (of occurrences, esp. natural phenomena) **come on suddenly** or **unexpectedly**; (of a storm, downpour, wind) **come on, arise** Hdt. Th. NT.; (of an earthquake) **happen** X.; (of a storm, an earthquake, or sim.) **happen to, strike** —W.DAT. *someone* Hdt.; (of sickness) **strike, attack** —W.DAT. *someone* Isoc. D.; (gener., of happenings, sufferings) **befall** —W.DAT. *someone* Hdt. Th.; (of a season) **come on** —W.DAT. + PTCPL. *while people are doing sthg.* Hdt.; (of night) **fall** —W.DAT. *on an event* Th. **8** (of troops) **come upon, attack** —W.DAT. *opponents* Th. X.; (of a warship) **come on the attack** Th. **9** (of persons or things) **come as an (unwelcome) addition**; (of assailants) **arrive as well** —w. ἐπί + DAT. *on top of a sea-battle* Hdt.; (of wind) **come to add strength** —W.DAT. *to flames* Th.; (of plague) **come as an additional affliction** Th.; (of a calamity) **crown all** Th. **10** (of things) **arise in consequence** or **by association**; (of pleasure and pain, blame and regret) **follow** —W.DAT. *upon actions* Arist. Plu.; (of falsehood and truth) —*upon opinion* Pl.

ἐπι-γιγνώσκω, also **ἐπιγῑνώσκω** (Plb. +) *vb.* **1 understand the identity of, recognise** —*a person, a god* Od. Hdt. S. Men. Call.*epigr.* + —*a skill* Pl. —*an object* Men. —*a voice, a place* Men. NT. ‖ PASS. (of a person) **be recognised** Plb. **2 understand the nature or implications of, understand, recognise** —*a wrongful act* A. **3 have knowledge of, be familiar with, understand** —*someone's behaviour* And.; (of a housekeeper) —*an estate* X.; **know of** —W.GEN. *someone's just mind* Pi. **4 observe, watch, see** —W.ACC. + PTCPL. *persons doing sthg.* Od.; **detect, find** —*someone doing sthg.* X. **5 find out, discover, detect, recognise** (what has happened) Th. —*facts, reasons, circumstances* Plb. NT. —W.ACC. + PTCPL. *that someone is doing sthg., that sthg. is the case* S. X. Plb. Plu. —W.INDIR.Q. or COMPL.CL. *what* (or *that sthg.*) *is the case* Is. Plb. NT. ‖ PASS. (of facts) **be discovered** or **recognised** Plb. Plu.; (of letters) **be detected** —W.PTCPL. *as being forged* Plu. **6 come to a judgement on, decide on** —*suitable measures* Th. —*sthg.* (w. περί + GEN. *about someone*) Th.; **decide** (W.ACC. nothing) **further** Th.

ἐπι-γλωσσάομαι, Att. **ἐπιγλωττάομαι** *mid.contr.vb.* app., **give tongue to** (words of foreboding); **tell** (W.ACC. sthg.) **by way of foreboding** A. —W.GEN. *about Zeus* A. —w. περί + GEN. *about Athens* Ar.

ἐπιγναμπτός ή όν *adj.* [ἐπιγνάμπτω] (prob. of bracelets) **twisted, curved** hHom.

ἐπι-γνάμπτω *vb.* **1 bend** —*an opponent's spear* Il. ‖ PASS. (of oars) **become bent, bend** AR. **2** (fig., of a goddess) **bend to one's will, win over** —*gods* Il.; **control, restrain** —*one's heart* Il.; (of respect) **influence** —*men's minds* Il.

ἐπιγνώμων ονος *m.* [ἐπιγιγνώσκω] **1 one who decides, judge, assessor** (W.GEN. of legal or mercantile issues, reasons for doing sthg.) Pl. Plu.; (of a slave's value) D. **2 inspector** (of land, sacred olives) Lys. Pl. **3 witness** (W.DAT. + INF. to someone's being distressed) Mosch.

ἐπι-γνωρίζω *vb.* **make known, signify** —W.ACC. + INF. *that sthg. is the case* X.

ἐπίγνωσις εως *f.* [ἐπιγιγνώσκω] **knowledge, understanding** (sts. W.GEN. of sthg.) Plb.

ἐπιγονή ῆς *f.* [ἐπιγίγνομαι] **coming generation** (W.GEN. of livestock, ref. to animals born within the next year) Plu.

ἐπίγονοι ων *m.f.pl.* **1 children born afterwards, descendants, successors** A.(dub.); (of Macedonian fathers, as a military force in Egypt) Plb.; **next generation** (of bees) X.(dub.)
2 children born in addition (to the child chosen as heir), **remaining children** Pl.
—**Ἐπίγονοι** ων *m.pl.* **Epigonoi** (name given to the sons of the commanders who died attacking Thebes w. Polyneikes) Pi. E.; (title of an epic poem on this subject) Hdt.
ἐπιγουνίδιος ον *dial.adj.* [ἐπιγουνίς] (of a baby) **on the knees** (of someone feeding it) Pi.
ἐπι-γουνίς ίδος *dial.f.* [γόνυ] **part of the leg above the knee, thigh-muscle** or **thigh** Od. AR. Theoc.
ἐπιγράβδην *adv.* [ἐπιγράφω] **in a manner that grazes the surface, with a graze, superficially** —*ref. to wounding* Il.
ἐπίγραμμα ατος *n.* **1 inscription** (on a tomb, monument, work of art, or sim.) Hdt. E. Th. Pl. +
2 list (of defaulters, posted in public) Is.
3 (leg.) **written estimate** or **demand** (for damages, made by a prosecutor in an indictment) D.
4 (leg.) **description, title** (of a charge) Arist.
—**ἐπιγραμμάτιον** ου *n.* [dimin.] **epigram** Plu.
ἐπιγραφεύς έως *m.* **registrar** (of property, for the purpose of taxation) Isoc.
ἐπιγραφή ῆς *f.* **1 act of inscribing, inscribing, inscription** (W.GEN. of gravestones) Th.; (of captured armour, w. the victor's name) Plb.
2 (concr.) **inscription** Pl. Plb. NT. Plu.; **inscribed dedication** (W.GEN. to a god) Plb. || PL. **graffiti** Plb.
3 (leg.) **registering, recording** (W.GEN. of names) Is.
4 assessment (W.GEN. of financial requirements) Plu.
5 ascription (of an action to an agent), **credit** (freq. W.GEN. for achievements or sim.) Plb.
6 ascription (of a work to an author), **authority of an author's name** (as a criterion of worth) Plb.
ἐπι-γράφω *vb.* **1** (of a warrior, an arrow) **mark the surface of, graze** —*flesh* Il. —*a person* (w. 2ND ACC. *on the shoulder, the flat of the foot*) Hom.
2 scratch a mark on —*a lot* Il.
3 inscribe —*writing, names, an epigram, or sim.* (sts. W.DAT. or ἐπί + ACC. *on an object*) Hdt. Th. Pl. X. + || MID. **have** (W.ACC. *a couplet*) **inscribed** —w. ἐπί + ACC. *on an object* Th.; **have drawn** or **painted** (on one's shield) —*a club* X. —*the Gorgon* (w. play on 12, i.e. choose the Gorgon as patron) Ar. || PASS. (of writing or sim.) **be inscribed** (sts. W.DAT. or PREP.PHR. *on an object*) Hdt. Pl. X. + —W.DAT. *over a person* (i.e. on his tomb) Pl.; (of a tablet) —W.ACC. *w. a name* Arist.; (of a document) **be labelled** —W.PREDIC.SB. *as a will* D.
4 || PASS. (of a letter) **be addressed** —W.DAT. *to someone* Plb. Plu.
5 (leg., of a prosecutor, in an indictment) **write down, enter, specify** —*a penalty* Ar.; (mid.) Att.orats. Arist. || PASS. (of damages, sums of money, a form of words) **be specified** (in an indictment) Lys. Isoc. Pl. || NEUT.PL.PF.PASS.PTCPL.SB. **specified damages** D.
6 (of a lawgiver) **prescribe** —*penalties* Aeschin. || PASS. (of fines) **be prescribed** (by law) Isoc. Din.
7 (of the Areopagus) **specify** —*the reason for imposing a fine* Arist.
8 (of a registrar of property) **impose** —*a property-tax* (W.DAT. *on someone*) Isoc.; (of a commander) —*quotas of soldiers* (*on regions and rulers*) Plu.
9 || MID. **attach, assign** —*a sum* (W.DAT. *to property, as a valuation*) Lys. Is. || PASS. (of a valuation) **be assigned** —W.DAT. *to property* Lys.

10 add a name on a public list or in a legal document || MID. **register, record** —*one's name* Lys. —*one's parents* D. —*a person* (W.PREDIC.SB. *as father, guardian, witness*) Is. D. —(w. ὡς + PTCPL. *as being so and so*) D. —(W.GEN. *as son of someone*) Is. —W.ACC. + INF. and PREDIC.SB. *that someone's name is such and such* Is.; **register oneself** —W.INF. + PREDIC.ADJ. *as being of such and such a deme* Lys. || ACT. **register** —*someone* (W.PREDIC.SB. *as guardian*) Is. || PASS. **be registered** —W.PREDIC.SB. *as guardian* D.
11 || MID. (of a populace) **add to the register, enrol** —*citizens* Th.
12 || MID. **register for oneself, choose, adopt** —*a patron* (i.e. a political champion, w. allusion to the obligatory choice of a patron by a resident alien) A.
13 append the name of —*someone* (w. ἐπί + ACC. *to a decree, as its proposer*) Aeschin. || MID. **append one's name** (to a contract, i.e. be a signatory to it) Arist.; (of a politician) —W.DAT. or ἐπί + ACC. *to another's proposal* Aeschin. D.
14 (fig.) **append the name of** —*oneself* (w. ἐπί + ACC. *to an achievement, i.e. claim credit for it*) Aeschin. —(W.DAT. *to enemy commanders defeated by others, i.e. claim credit for their defeat*) Plu. || PF.PASS. **have one's name appended** —w. ἐπί + DAT. *to one's country's misfortunes* (i.e. be answerable for them) Din.; **be responsible in name alone** (for events which are the product of Chance) Men.
ἐπί-γρυπος ον *adj.* [γρυπός] (of the beak of the ibis) **hooked** Hdt.; (of a person, a horse) **rather hook-nosed** Pl.
ἐπίγυον ου *n.* **stern-cable** Plb.
ἐπι-δαίσιος ον *adj.* [δαίομαι²] (of a home, ref. to heaven) **allotted** (to Zeus) Call.
ἐπι-δακρύω *vb.* **shed tears** (in response to sthg.) Ar. Aeschin. Men. Plu.
ἐπίδᾱμος *dial.adj.*: see ἐπίδημος
ἐπι-δανείζω *vb.* **1 lend money on property already mortgaged** D.
2 || MID. **borrow** (sts. W.ACC. *money*) **on property already mortgaged** D.; (fig.) **borrow** —*time* (w. παρά + GEN. *fr. Fortune*) Plu.
ἐπι-δατέομαι *mid.contr.vb.* | 3sg.pf.pass. (tm.) ἐπὶ … δέδασται | || PASS. (of a portion) **be allotted** (to sthg.) Hes.
ἐπι-δαψιλεύομαι *mid.vb.* [δαψιλής] **give lavishly, make a generous present of** —*one's mothers and sisters* (W.DAT. *to people*) Hdt. —W.GEN. *laughter* (*to people*) X.
ἐπιδεδράμηκα (pf.), **ἐπιδέδρομα** (ep.pf.2): see ἐπιδραμεῖν
ἐπιδέγμενος (athem.pres.mid.ptcpl.): see ἐπιδέχομαι
ἐπιδεής ές *adj.* [ἐπιδέω²] | compar. ἐπιδεέστερος | (of persons or things) **lacking, in need of** (W.GEN. *sthg.*) Pl. Plu. || COMPAR. **inferior** (W.GEN. *to sthg.*) Pl. || MASC.PL.SB. **needy persons** D.
—**ἐπιδεῶς** *adv.* **defectively, inadequately** Pl.
ἐπίδειγμα ατος *n.* [ἐπιδείκνυμι] **1 demonstration, proof** (that sthg. is the case) X.; (W.GEN. *of wisdom, wealth, virtue, justice, or sim.*) Pl. X. D.
2 display (W.GEN. *of danger, by a performer*) X.
|| COLLECTV.PL. **show** or **exhibition** (put on by a master of ceremonies) X.
ἐπι-δείκνυμι, also **ἐπιδεικνύω** *vb.* | 3sg.impf. ἐπεδείκνῡ, ἐπεδείκνυε, 3pl. ἐπεδείκνυσαν, ἐπεδείκνυον | aor. ἐπέδειξα, Ion. ἐπέδεξα || neut.impers.vbl.adj. ἐπιδεικτέον | **1 put on display, exhibit, show, reveal** (freq. W.DAT. *to others*) —*persons, objects* Hdt. S. E. Th. A. + —*proofs* A. —*one's strength* Pi. —*a city's power* Th.
2 (gener.) **communicate to others, make public, reveal** —*one's thoughts, compositions* Isoc.; **try out** (a speech, on one's friends) Ar.; **communicate** (peace terms) —W.DAT. *to*

one's allies Th.(treaty) ‖ PASS. (of writings, speeches) be presented or made public Isoc.
3 ‖ MID. exhibit or make public (sthg. of one's own, oft. w.connot. of ostentation), **display, show off** (freq. W.DAT. to others) —*one's army* Hdt. —*one's wife* (W.PREDIC.ADJ. *naked*) Hdt. —*the strength of one's limbs, one's wealth* Pi. B. —*one's achievements, courage, wisdom, good fortune, or sim.* B. Att.orats. Pl. + —*one's afflictions* E.fr.
4 ‖ MID. give a demonstration (of a skill); (of Apollo) **demonstrate** or **perform** —*the right kind of music* Pi.fr.; (intr., of a sophist, rhetorician, or other expert) **give a lecture** or **demonstration** Ar. Pl. X.; **deliver an epideictic speech** Arist.
5 ‖ MID. represent (by one's appearance), **reflect, recall** —*a person (now dead)* Plu.
6 (sts. mid.) show (in order to establish a point), **demonstrate, prove** —W.ACC. or COMPL.CL. *sthg., that sthg. is the case* Th. Ar. Att.orats. Pl. + —W.ACC. + PTCPL. *that someone is doing (or has done) sthg., that sthg. is the case* Hdt. Ar. Att.orats. Pl. + —W.ACC. + PREDIC.ADJ. *someone (to be) such and such* Att.orats. Pl. + —W.NOM.PTCPL. *that one is doing sthg.* And. —W.INF. + PREDIC.ADJ. *that one is such and such* X. ‖ PASS. be proved —W.PREDIC.SB. *a murderer* Antipho; (of persons or things) —W.PTCPL. or PTCPL. + PREDIC.SB. or ADJ. *to be doing (or to have done) sthg., to be such and such* Att.orats. Pl. ‖ IMPERS.PF.PASS. it has been demonstrated —W.COMPL.CL. *that sthg. is the case* Att.orats.

ἐπιδεικτικός ή όν *adj.* (of a speech, a class or style of speech or writing) concerned with display, **epideictic, declamatory** (opp. deliberative or forensic, described as being concerned w. praise or blame) Arist.; (opp. historical writing) Plb. ‖ MASC.SB. epideictic orator Arist.; professional declaimer (opp. forensic orator) Plu. ‖ FEM.SB. art of display (of sophistic knowledge) Pl.

—ἐπιδεικτικῶς *adv.* **in a declamatory style** (opp. a plain one) —*ref. to speeches being composed* Isoc.; **for display** or **show** —*ref. to fighting a war, ships being constructed* Plu.

ἐπιδεῖν (aor.2 inf.): see ἐφοράω

ἐπίδειξις εως, Ion. ἐπίδεξις ιος *f.* **1 exhibition, display, demonstration** (sts. W.GEN. of sthg.) Th. Ar. Isoc. Pl. +; (W.INDIR.Q. or COMPL.CL. *what, or that sthg., is the case*) Att.orats. Plu.
2 (sts. derog.) **demonstration, performance** (by a sophist, rhetorician or public speaker) Th. Isoc. Pl.
3 (specif.) **epideictic speech** Isoc.
4 public exhibition or **performance** (by cavalrymen, sophists, drill-sergeants, music lecturers) X. Thphr.
5 that which is pointed out (to people), **public knowledge** Hdt.
6 (ref. to a punishment inflicted on an individual by the gods) **lesson, example** (W.DAT. *for a country*) E.

ἐπι-δειπνέω *contr.vb.* eat (sthg.) as an accompaniment (to bread, i.e. as an ὄψον), **dine on a relish** Ar.

ἐπι-δέκατος ον *adj.* **1** (of interest) at the rate of one tenth (of the principal), **of ten percent** Arist.
2 ‖ NEUT.SB. tenth part, tithe (of property, given to a deity) And.(law) X. D.

ἐπιδέκομαι *Ion.mid.vb.*: see ἐπιδέχομαι
ἐπιδεκτέον (neut.impers.vbl.adj.): see ἐπιδέχομαι
ἐπι-δέμνιος ον *adj.* [δέμνιον] (quasi-advbl., of a woman falling) **onto** or **into a bed** E. [or perh. sitting *on a bed*]
ἐπι-δέξιος ον *adj.* [δεξιός] **1** (of writing) towards the right, **from left to right** (app.w. further connot. *the correct way*) Hdt.; (of drinking contests, ref. to the direction in which a cup is passed) E. ‖ NEUT.PL.SB. right side (of a person) Ar.
2 (of a person) **dextrous, adroit, shrewd, tactful** Aeschin. Arist. Thphr. Men. Plb. Plu.; **skilful** (W.INF. *at doing sthg.*) Theoc.epigr.

—ἐπιδέξια *neut.pl.adv.* | sts. written ἐπὶ δεξιά (see δεξιός 7) | **1 from left to right** (the auspicious direction) —*ref. to persons standing up in sequence* Od. —*ref. to directing toasts* Critias —*ref. to circling an altar* Ar. —*ref. to draping one's cloak* (i.e. over the left shoulder, then the right hip) Ar. Pl.
2 on the right —*ref. to Zeus sending lightning* Il.

—ἐπιδεξίως *adv.* **skilfully, shrewdly** Aeschin. Men. Plb.; **tactfully** Plb.

ἐπιδεξιότης ητος *f.* **dexterity, cleverness** Aeschin. Plu.; **tactfulness** Arist.

ἐπίδεξις Ion.f.: see ἐπίδειξις

ἐπι-δέρκομαι *mid.vb.* (of the Sun, the eye of Zeus) **look upon** —*deities, all things* Hes.

ἐπιδερκτός όν *adj.* (of things) **to be seen, visible** Emp.

ἐπιδέσθαι (aor.2 mid.inf.): see ἐφοράω

ἐπί-δεσμος ου *m.* [δεσμός] **bandage** Ar.

ἐπι-δεσπόζω *vb.* **be master over** —W.DAT. *a people* A.

ἐπιδευής ές, Aeol. ἐπιδεύης ες *adj.* [ἐπιδεύομαι] **1** (of a person) **needy, in want** Il.; (of Being, in neg.phr.) **deficient** Parm.
2 (of persons, animals) **lacking** (W.GEN. *in food*) Hom. Hes. Hdt.; (in shameful and outrageous behaviour) Il.; (in beauty, intelligence) Theoc.; **in need** or **want** (W.GEN. *of a bride; of a person, as a helper*) AR. Theoc.
3 ‖ NEUT.SB. lack or shortage (W.GEN. *of justice*) Il.
4 falling short (in strength) Od.; (W.GEN. *in strength*) Od.; (W.GEN. *of someone's strength, i.e. being inferior to him*) Od.; (W.GEN. + ACC. *of someone in strength*) hHom.; **short** (W.GEN. *by little, i.e. not far*, W.INF. *fr. dying*) Sapph.(cj.)
5 (of a total) **falling short** (W.GEN. *by a certain number*) Hdt.
6 (of divine decrees) failing or falling short of, **beyond the reach of** (W.GEN. *the skill of a diviner*) AR.

ἐπι-δεύομαι *mid.vb.* **1 lack, feel the want** or **need of** —W.GEN. *persons* Hom. —*children* Mimn. —*someone's help* AR.
2 be lacking in, be in want of, be short of —W.GEN. *gold* Il. —*skill* Thgn. —*courage* AR.; (of a bull) —*a voice* Mosch.
3 fall short of, be inferior to —W.GEN. *someone* Il.
4 fall short, be found wanting —W.GEN. *in battle* Il.

ἐπι-δέχομαι, Ion. ἐπιδέκομαι *mid.vb.* | athem.pres.ptcpl. ἐπιδέγμενος (B.) ‖ neut.impers.vbl.adj. ἐπιδεκτέον |
1 receive additionally, **admit, accept** —*citizens* Hdt.
2 receive, welcome —*persons* Plb. —(w. εἰς + ACC. *into an alliance*) Plb.; **accept** —*an offer, order, or sim.* Plb.; **listen patiently to** —*a speech* Plb.
3 take upon oneself willingly, **undertake** —*a war* Plb.; **incur** —*expense and trouble* Plb.
4 expect, await —*doom* B.
5 (of circumstances, behaviour) **allow** or **admit of** —*mistakes, correction, condemnation, forgiveness, or sim.* D. Arist. Plb.; (in neg.phr., of a virtuous person's life) —*a suspicion of wrongdoing* Aeschin.; (of time) **allow** (one) —W.INF. *to make a long speech* Din.

ἐπι-δέω[1] *contr.vb.* [δέω[1]] **1 fasten on, attach** —*a crest (to a helmet)* Ar.; (w. ἐπί + ACC. *to one's helmet*) Hdt.(mid.) ‖ PF.PASS.PTCPL.ADJ. (of loads) attached (to pack animals) Plb.
2 tie fast, secure —*doors* (w. *a rope*) Od.(dub.) | see πεδάω 2
3 bind up, bandage —*a hand* Plu. ‖ PF.PASS. have had (W.ACC. *one's wounds, leg, hand*) bandaged X.

ἐπι-δέω² *contr.vb.* [δέω²] **1** (act. and mid.) **have a further need, still be in need** —W.GEN. *of sthg.* Hdt. Pl. Plb. || IMPERS.MID. **there remains a need** —W.GEN. *of sthg.* X. **2** || MID. (of a period of office) **be still wanting** —W.GEN. *a certain number of days* (*until its expiry*) Pl. || ACT. (of a total) **fall short** —W.GEN. *by a certain number* Hdt.

ἐπί-δηλος ον *adj.* [δῆλος] **1** (of a person) **clearly revealed** (in respect of actions or feelings), **apparent** Thgn.; (W.DAT. *to others*) Hdt. Men.; (W.PTCPL. *as doing sthg.*, i.e. **clearly doing sthg.**) Ar.; (of a look) **clearly indicative** (W.GEN.PTCPL. *of someone who has done sthg.*) Ar. **2** (of a circumstance, an achievement, or sim.) **noticeable, conspicuous** X. Arist. Plu.; (pejor., of an epithet) **standing out, obtrusive, glaring** Arist. **3** (of a fact or circumstance) **clear, evident, obvious** Thgn. Ar.

—ἐπιδήλως *adv.* **clearly, evidently** Ar. Arist. Plu.

ἐπιδημεύω *vb.* [ἐπίδημος] **live among the people, live in town** (opp. in the country) Od.

ἐπιδημέω *contr.vb.* **1 be** or **live at home** (in one's city, opp. abroad) Th. Att.orats. Pl. X. Arist.; (opp. in the country) Men. **2** (aor.) **come home** (fr. abroad) Att.orats. X. **3** (of a foreigner) **be a visitor** (in a city or country) Att.orats. Pl. X. Arist. Thphr. —W.ADV. or PREP.PHR. *to or fr. somewhere* Att.orats. Pl. Plb. Plu.; (of Muses) **be resident** —W.PREP.PHR. *in someone's house* Ar.; (of a god) **come and visit** (his shrine) Call.

ἐπιδημίᾱ ᾱς *f.* **1 homecoming** (fr. abroad) Men. **2 visit** (by a foreigner) Pl. X. D. Plu.; **stay** (W.ADV. in the upper world, ref. to the duration of a person's life) Men.

ἐπιδήμιος ον *adj.* **1** in one's own community; (of a person) **at home** (opp. abroad) Od.; (of robbers) **in one's own country** (i.e. stealing fr. one's countrymen, opp. outsiders) Il.; (of war) **civil** Il. **2** in or visiting another's community; (of merchants, foreigners) **resident** Hdt. AR. **3** (of lovemaking) **in public** AR.

ἐπι-δημιουργοί ῶν *m.pl.* app. **officials** or **magistrates** (sent to a dependent city) Th.

ἐπί-δημος, dial. **ἐπίδᾱμος**, ον *adj.* [δῆμος] **1** (of a goddess) **resident** (W.DAT. in a place) Call. **2** (of a person's reputation) **among the people, public** S.

ἐπι-διαβαίνω *vb.* **1 go across** (sts. W.ACC. a ditch, river, sea) **next** (i.e. after others or in pursuit of them) Hdt. Th. Plb. —W.DAT. *in pursuit of someone* X. **2 go across** (sts. W.ACC. a river) **in order to launch an attack** Plb. —W. ἐπί + ACC. *on the enemy* Plb.

ἐπι-διαγῑνώσκω Ion.vb. [διαγῐνώσκω] **consider further, reconsider** —*earlier decisions* Hdt.

ἐπι-διαιρέω *contr.vb.* (of a commander) **divide up, distribute** —*troops* Plb. || MID. (of cities, commanders) **divide up** or **distribute among each other** —*people, cities* Hdt.

ἐπι-διακρίνω *vb.* **give an additional and final decision** (in case of a tied vote), **settle an issue** Pl.

ἐπι-διανέμομαι *pass.vb.* (of an extra weight) **be assigned additionally, be added** —W.DAT. *to a standard unit of weight or currency* Arist.

ἐπι-διαρρήγνυμαι *pass.vb.* **burst as a result** (of swallowing someone) Ar.

ἐπι-διασαφέομαι *pass.contr.vb.* (of a matter) **be clarified further** Plb.

ἐπι-διατείνω *vb.* (of a report) **spread** —W.PREP.PHR. *as far as somewhere* Plb.

ἐπι-διατίθεμαι *mid.vb.* **deposit additionally** —*a sum of money* (*as security for a future action*) D.

ἐπι-διαφέρομαι *pass.vb.* (of ships) **be carried across** (the Isthmos) **as well** (as others) Th.

ἐπι-διδάσκω *vb.* **give further instruction** —W.ACC. *to someone* X. —*about sthg.* X.

ἐπι-δίδωμι *vb.* | 1pl.aor.mid.subj. ἐπιδώμεθα (Il.) | **1 give in addition** (to other things); **also give** (sts. W.DAT. to someone) —*items, money* Il. Hdt. Plb.; (intr.) **give more** Hes. **2** (of a father) **give** (a dowry) **as well** (as his daughter); **give** (freq. W.DAT. w. one's daughter) —*a dowry, sum of money, property, or sim.* Il.(sts.tm.) Hdt. Att.orats. X. || PASS. (of a dowry) **be given** (usu. W.DAT. w. a daughter) Pl. Is. Men. **3** (gener.) **give freely or willingly, give** (freq. W.DAT. to someone) —*material things* Thgn. Hdt. Th. D. + —*the favour of one's services* E. —*liberty to do sthg.* Ar. —*opportunity for discussion* Pl. —W.PARTITV.GEN. *part of one's share* X.; (of a god) —W.ACC. *ease of action* (W.DAT. *to someone's hands*) E. **4** (specif.) **give voluntarily** (to the state, at a time of need); **voluntarily donate** (sts. W.DAT. to the state) —*money, a ship, or sim.* Att.orats.; (intr.) **make a voluntary donation** Att.orats. Plu. **5 offer** —*oneself* (i.e. one's services) Ar. Pl. Plb. —(W.DAT. *to someone*) Ar. Plu. —(W.DAT. + PREDIC.ACC. *to the Council, as leader of a sacred embassy*) Din.; **devote** —*oneself* (W.DAT. or PREP.PHR. *to an activity*) Plu. **6 give into another's hands, deliver, hand over** —*a letter or sim.* NT. Plu. **7** (intr., of sailors) **give oneself up, surrender** (to the wind) NT. **8** || MID. (of parties to an oath) **give to one another** —*gods* (i.e. *call upon them as witnesses*) Il.; (of one party) **offer** —*an oath* hHom.(cj.) **9** (intr., of persons, communities) **advance, develop, progress** Isoc. Pl. X. Arist. + —w. εἰς or πρός + ACC. *in power, prosperity, virtue, vice, unpopularity, or sim.* Th. Isoc. Pl. Arist. —w. ἐπί + ACC. *for the better* Isoc. X.; (of personal qualities, skills, or sim.) **develop, improve** Th. Pl. X. D. Arist.; (of land) **increase** —w. ἐς + ACC. *in height* Hdt.; (of a practice) **spread** Isoc. Arist.; (of a situation or predicament) **get worse** Th. Ar.

ἐπι-δίζημαι *mid.vb.* **1 want** (W.NEUT.ACC. sthg.) **further** Hdt. **2** (of a historical discourse) **inquire next** —W.ACC. + INDIR.Q. *about someone, who he was* Hdt.

ἐπι-δίζομαι *mid.vb.* **seek out** —*persons* Mosch.

ἐπι-διήγησις εως *f.* **supplementary narrative** (as a rhetorical technique) Arist.

ἐπι-δικάζω *vb.* **1** (leg., of a magistrate) **adjudge** —*an estate* (W.DAT. *to a claimant*) Is. D. **2** || MID. **prosecute a claim** (for an estate or heiress) Att.orats. —W.GEN. *for an estate* Isoc. Is. D. —*for an heiress* And.; **win a claim** (of this kind) Is. D. —W.GEN. *for an estate* Is. D. —*for an heiress* D. || PASS. (of an estate or heiress) **be awarded to a claimant** Is. D. **3 establish a case** (against a murderer) Pl. **4** (in non-legal ctxt.) **claim** —W.GEN. *a certain status* Arist.

ἐπιδικασίᾱ ᾱς *f.* **1 prosecution of a claim** (for an estate or heiress, freq. W.GEN.) Is. D. Arist. **2 adjudication of a claim** (W.GEN. for an estate) D.

ἐπι-δικεῖν aor.2 inf. | dial.3pl.aor. (anastrophic tm.) δίκον ... ἔπι | **cast** (W.ACC. leaves and garlands) **on** (someone) Pi.

ἐπί-δικος ον *adj.* [δίκη] **1** (of an estate or heiress) **subject to a claim** (sts. W.DAT. by someone) Is. D. Men.

2 (of a place) subject to a claim for ownership, **contested** (w. πρός + ACC. w. someone) Plu.; (of a victory) subject to dispute, **disputable** Plu.

ἐπι-δῑνέω contr.vb. **1 whirl round** (in preparation for a throw) —*a helmet, stone, carcass* Hom. ‖ PASS. (of eagles) wheel about Od.
2 ‖ MID. (of a person's mind) **turn over, ponder** —*an issue* Od.

ἐπι-δίομαι mid.vb. [δίομαι¹] (of Erinyes) **pursue** —*someone* A.(tm.)

ἐπι-διφριάς άδος f. [δίφρος] app. **chariot-rail** Il.

ἐπι-δίφριος ον adj. (as predic., of gifts that are placed) **on a chariot** Od.

ἐπι-διωγμός οῦ m. **continued pursuit** (W.GEN. of the enemy) Plb.

ἐπι-διώκω vb. **1 go in pursuit** (sts. w.connot. of continuing a pursuit already begun) Hdt. Th. Lys. X. Plb. Plu. —W.ACC. *of persons, troops, ships* Hdt. Th. + ‖ PASS. be pursued Th.
2 (of a quarrelsome wife) **chase after** (a husband, when he goes out of doors) Men.

ἐπι-δοιάζω vb. **think over, ponder** —*many plans* AR.

ἐπιδόμενος (aor.2 mid.ptcpl.): see ἐφοράω

ἐπί-δοξος ον adj. [δόξα] **1** (of persons or things) **likely or expected** Plu.; (W.PRES. or AOR.INF. to do sthg., to happen, or sim.) Hdt. Att.orats. Pl.; (W.FUT.INF.) Hdt. Isoc. Lycurg. Plu.; (W.FUT.PTCPL.) Plu. ‖ NEUT.IMPERS. (w. ἐστί understd.) there is a likelihood —W.PRES.INF. *of fighting a war* Arist.
2 (of repute) **glorious** Pi.

ἐπι-δορατίς ίδος f. [δόρυ] **spear-head** Plb.

ἐπι-δόρπιος ον adj. [δόρπον] (of water) **for the evening meal** Theoc. [or perh. *for use after* such a meal]

ἐπίδοσις εως f. [ἐπιδίδωμι] **1** voluntary contribution (to the state, at a time of special need), **donation** Aeschin. D. Thphr. Plu.
2 progress, advance, increase (sts. W.GEN. in sthg.) Isoc. Pl. X. D. Arist. Plb. +

ἐπι-δουπέω, ep. **ἐπιγδουπέω** contr.vb. ‖ ep.aor. (tm.) ἐπὶ ... ἐγδούπησα ‖ **1** (of Athena and Hera) **thunder in response** or **approval** Il.
2 make a crashing noise (w. cymbal-clappers) Plu. —W.DAT. w. spears (on shields) Plu.

ἐπιδοχή ῆς f. [ἐπιδέχομαι] **admission, acceptance** (W.GEN. of new citizens) Th.

ἐπι-δραμεῖν aor.2 inf. ‖ fut. ἐπιδραμοῦμαι ‖ aor.2 ἐπέδραμον, ep.3du. ἐπεδραμέτην ‖ pf. ἐπιδεδράμηκα ‖ ep.pf.2 ἐπιδέδρομα ‖ pf.pass. ἐπιδεδράμημαι ‖ The pres. and impf. are supplied by ἐπιτρέχω. ‖
1 (w. aggressive connot., of individuals) **run up, charge forward** Il. Plu.; (of troops) **charge** X. Plu. —W.DAT. or ἐπί + ACC. *at persons* Th. X. Plu.; **make an assault** (on a place) Th.
2 (of dogs) **rush to attack** Od. —W.DAT. *a person* Theoc.; (of a hind) —*a hunter* X.; (of hounds) —w. ἐπί + ACC. *a hare* X.
3 (without aggressive connot., of persons) **run up** —W.DAT. *to someone* AR.
4 (of horses, in a race) **run on** Il. —W.NEUT.ACC. *a certain distance* Il.; (of a ship, being hauled to the sea on rollers) AR.
5 (of a surge, driven by wind) **rush on over** —W.ACC. *the darkness under the sea* S.; (of a rumour) **quickly spread through** —*a city* Plu.
6 (of a commander, troops) **overrun** —*a place* Hdt. Th. Plb. Plu.; (of armed men, compared to fire) —*opponents* AR.
7 (fig., of persons) **rush in, act impetuously** or **impulsively** Hdt. Pl. D.
8 (of a writer or speaker) **run quickly over, touch on** —*a topic* X. D. Arist. Plb. Plu. —W. περί + GEN. Isoc. Arist. ‖ PASS. (of a topic) be touched on X.
9 ‖ PF.2 (usu. statv.; of light, mist) **have run over, be spread over** (a place) Od.; (of a faint gleam) —W.DAT. *night* AR.; (of a spiral pattern) —*the seams of a ball* AR.; (of forgetfulness) have come over —W.ACC. *someone's mind* AR.
10 (of blemishes, marks of violence) **run all over** —W.DAT. *a corpse* Plu.

ἐπι-δράττομαι Att.mid.vb. [δράσσομαι] **lay hold** —W.GEN. of sthg. Plu.; (of a lustful nature) **maintain a hold on** —W.GEN. *a person* (*even when on the point of death*) Plu.

ἐπιδρομή ῆς f. [ἐπιδραμεῖν] **1** (in military ctxt.) **onset, charge, attack** Th. Plb. Plu.; **assault** (W.DAT. on a fort) Th.
2 incursion or **invasion** (into a country) Plu.
3 (prep.phr.) ἐξ ἐπιδρομῆς **by a sudden incursion** (into a country) Hdt.; **by a frontal attack** (on an enemy or city) Plu.; (in non-military ctxt., ref. to suffering harm) *from a sudden attack* D.; (gener., ref. to making a choice, things happening) *all in a rush* Pl. Men.; (ref. to making a speech) *extempore, off-the-cuff* Plu.
4 place where ships run in, landing-place E.

ἐπιδρομίη ης Ion.f. **attack** or **incursion** (by pillagers) AR.

ἐπίδρομος ον adj. **1** (of a wall) that may be taken by assault, **assailable, scalable** Il.
2 (of terrain) that may be overrun (by the enemy), **vulnerable to attack** Plu.; (of polluted rites) perh. **vulnerable to intervention** (W.DAT. by the gods) A.
3 (of an island) **that may be coursed over** (W.DAT. by seabirds rather than by horses) Call.; (of sea, by ships) Mosch.
4 ‖ MASC.SB. cord running along the top (of a net) X.
5 (of mechanical devices) perh. **mobile** Plu.

ἐπι-δυσφημέω contr.vb. **use abusive language to describe** —*persons* Arist.

ἐπι-δύω vb. [δύω¹] ‖ aor.inf. (tm.) ἐπὶ ... δῦναι ‖ (of the sun) **sink, set** (on an action, i.e. before it can take place) Il.

ἐπιδώμεθα¹ (1pl.aor.mid.subj.): see ἐπιδίδωμι

ἐπιδώμεθα² (1pl.aor.2 mid.subj.): see ἐφοράω

ἐπιείκεια ας f. [ἐπιεικής] **1 sense of what is right, fair or reasonable, feeling of fairness, fair-mindedness** Th. Isoc. Pl. Plu.; (opp. observance of the letter of the law, the sanction of an oath) Isoc.; (opp. a sense of justice) Plu.; **equity** (opp. justice) Arist.
2 (as a quality reflected in a person's behaviour) **fairness of conduct, reasonableness, decency, respectability** Th. Att.orats. Arist. Plu.; (opp. πονηρία, φαυλότης *wickedness, baseness*) Hyp. Arist.
3 (as a quality shown to or received fr. others) **fair treatment, indulgence, forbearance** D. Arist. Plb. NT. Plu.
4 (personif., as a Roman deity) **Clemency** Plu.
5 flexibility (in the weft-thread, opp. the greater firmness of the warp) Pl.

ἐπι-είκελος ον adj. (of persons) **resembling, like** (W.DAT. gods) Hom. Hes. hHom.

ἐπι-εικής ές adj. [ἔοικα] ‖ compar. ἐπιεικέστερος, superl. ἐπιεικέστατος ‖ **1** (of a tomb, a recompense) **fitting, suitable** Hom. ‖ NEUT.IMPERS. (w. ἐστί, usu.understd.) it is suitable or right Hom. Hes.fr. —W.INF. or ACC. + INF. *to do sthg., that sthg. shd. be the case* Hom. Lys. D. Arist.
2 (of a theory, motive, explanation, speech, or sim.) **reasonable, plausible** Hdt. Th. Pl. D. Plb.
3 (of actions, speech, thoughts, or sim., sts. opp. δίκαιος *prescribed by justice or law*) **fair, reasonable, equitable** Hdt.

ἐπιεικτός

Th. Ar. Isoc. Pl. +; (of persons) **acting fairly** or **equitably** Arist. ‖ NEUT.SB. **fairness** S. Th. Pl.
4 (of persons) **competent, capable, able** Hdt. Pl. X.
5 (w. moral connot., of persons) **reasonable, decent, respectable** Th. Att.orats. Pl. Arist. +; (of a reputation) Isoc.
6 ‖ MASC.PL.SB. (w. social or political connots.) **upper classes** Arist.; (also compar.) Arist.
7 (of a route) **reasonable, decent** Plu.
—**ἐπιεικῶς**, Ion. **ἐπιεικέως** adv. **1** to a **reasonable degree, fairly well** Hdt. Ar. Isoc. Pl. +; (w.adj. or adv.) **fairly** Pl. X. D. Men.; (w. ἔχειν) *be in a fairly good state* Isoc. D.
2 broadly speaking, more or less Pl.; (in a calculation) **pretty well, about** Plb.
3 out of fairness (opp. that which is required by justice) Antipho; **in a fair-minded way** Isoc.
4 plausibly, reasonably Isoc. Pl. Plb.
5 decently, respectably Arist.
6 app. **properly** —*ref. to being named in a certain way* Plu.
7 with restraint or **moderation** Plu.
ἐπι-εικτός όν adj. [εἴκω] **1** (in neg.phr., of strength, passion) **yielding** Hom.; (of grief) **relenting, remitting** Il.
2 (in neg.phr., of deeds) app., **to be yielded to, tolerable** Od.
ἐπιειμένος¹ (pf.mid.ptcpl.): see **ἐπιέννυμι**
ἐπιειμένος² (pf.mid.ptcpl.): see **ἐφίημι**
ἐπιεῖσι (Ion.3pl.): see **ἐφίημι**
ἐπι-είσομαι ep.fut.mid.vb. [εἴσομαι²] | also aor.ptcpl. ἐπεισάμενος | **1 hasten up** (to someone) Il.; **go quickly to** —*a place* Od.
2 go against, attack —*an opponent* Il.
ἐπι-έλδομαι mid.vb. **wish, desire** —W.INF. *to say sthg.* AR.
ἐπιέλπομαι ep.mid.vb.: see **ἐπέλπομαι**
ἐπίελπτος ον ep.adj. [ἐπέλπομαι] (of events) **to be expected** Archil.
ἐπι-έννυμι, Ion. **ἐπείνυμι** vb. | ep.3pl.aor. ἐπιέσσαμεν ‖ MID.: Ion.inf. ἐπείνυσθαι | fut.ptcpl. ἐπιεσσόμενος (Pi.), inf. ἐφέσσεσθαι (AR.) | AOR.: 3sg. ἐφέσσατο (AR.), ep.3pl. (tm.) ἐπὶ ... ἕσσαντο | ptcpl. ἐπιεσσάμενος (Pi.), ἐφεσσάμενος (Theoc.) | inf. ἐπιέσασθαι (X.) | PF.: 3sg. ἐπίεσται | ptcpl. ἐπιειμένος, Aeol. ἐπιέμμενος, ἐπέμμενος |
1 put over (someone) —*a cloak (as a blanket)* Od.
2 ‖ MID. (pres., fut. or aor.) **clothe oneself in** —*a cloak* Hdt.; (of deities) —*a cloud (for concealment)* Il.; (of a sea god) —*waves* AR.; (fig., of a dead person, his life) —*earth* Simon. Pi. X. AR. Theoc.*epigr.*
3 ‖ AOR.MID. **clothe** —*one's back* (W.DAT. *in a cloak*) Pi.
4 ‖ PF.MID. **be clothed** or **clad in** —*a dress* Sapph.; (fig., of a tortoise, being cooked in a cauldron) —*bronze* Hdt.(oracle); (of a person) —*courage* Hom. —*shamelessness* Il. hHom.; (of a dead person) —*earth* Alc.
ἐπιέψομαι (ep.fut.mid.): see **ἐφέπομαι**
ἐπιζαρέω contr.vb. | only 3sg.impf. ἐπεζάρει | (of the Sphinx) app. **attack, harass** —*a city* E.; (of winds) —*a sea and a people* E.
ἐπιζάφελος ον adj. (of anger) **vehement, violent, furious** Il.
—**ἐπιζάφελον** neut.adv. **furiously** —*ref. to being angry* AR.
—**ἐπιζαφελῶς** adv. **furiously** —*ref. to being resentful or angry* Hom.; **roughly** —*ref. to questioning someone* hHom.
ἐπι-ζεύγνυμι, also **ἐπιζευγνύω** vb. **1 yoke** —*a carriage* (W.DAT. *to horses*) A.(dub.); **fasten** (onto cables) —*logs* Hdt.; (of a boxer) **bind** —*one's hands* (W.DAT. *w. thongs*) Theoc. ‖ PASS. **let** (W.ACC. one's lips) **be linked** or **harnessed** —W.DAT. *to evil speech* A.
2 (gramm.) **link up** (two words, w. one article) Arist.; **connect** —*a word* (W.DAT. *w. another*) Arist. ‖ PASS. (of the same word) **be coupled** —W.DAT. *to two opposed phrases* Arist.
3 join (two points, by a line); (of an architect) **join up** —*columns* (W.DAT. *w. architraves*) Plu.; (of hills) **connect** —*a neck of land* (*betw. two areas*) Plb.; (of a sea or mountain range) **form a link between** —*the sources or mouths of rivers* Plb.
ἐπι-ζέφυρος ον adj. (of the people of Lokris in S. Italy) **western** Hdt. Th. Arist. Plu.
ἐπι-ζέω contr.vb. | aor. ἐπέζεσα | **1** (fig., of youthful temper, bile) **boil over** (sts. W.DAT. *in someone*) Hdt. Ar.; (of smouldering charcoal, w. play on θυμός *wrath*) **flare up** —W.DAT. *in someone* Ar.; (of a calamity, divine anger) **burst seething** —W.DAT. or PREP.PHR. *upon a family, a city* E.; (of the stings of poison) **scald** S.
2 (causatv.) **set** (W.ACC. a cauldron) **to boil** —W.DAT. *on a fire* E.*Cyc.*
ἐπί-ζηλος ον adj. [ζῆλος] (of a person, his fortune) **enviable** A. B.
ἐπι-ζήμιος ον adj. [ζημία] **1** (of a person, an activity or situation) entailing loss or damage, **harmful, detrimental, prejudicial** (sts. W.DAT. *to someone*) Th. Isoc. X. Aeschin. Arist.
2 (of persons) **liable to a penalty** or **fine** Pl. ‖ NEUT.SB. (sg. and pl.) **punishable offence** Arist. ‖ NEUT.PL.SB. **penalties** or **fines** Pl.
ἐπι-ζημιόω contr.vb. **impose a fine** —W.DAT. *of a certain sum* X.
ἐπιζημίωσις εως f. **imposition of a fine** Arist.
ἐπι-ζητέω contr.vb. **1 go in search of, seek out** —*someone or sthg.* D. NT. Plu.
2 (of a hunter) **look for** —*a hare* X. ‖ MASC.PL.PTCPL.SB. **those seeking out** (game), **beaters** X.
3 seek by asking, ask for —*someone or sthg.* Hdt. X. D.; **make inquiries** (after someone) X.
4 seek in vain, miss —*someone* Plu. ‖ PASS. (of a person) **be missed** Plb.
5 wish to obtain, seek or **wish for** —*sthg.* Hdt. Arist. NT. Plu.; **require** —W.COMPL.CL. *that sthg. shd. be the case* Arist.; (of persons or things) **call for, require** —*an explanation* Plb. ‖ PASS. (of persons) **be required** (to be present) X.; (of friends) **be wished for** Arist.; (of things) **be looked for** or **required** (as identifying or characteristic features) —w. ἐν + DAT. *in sthg.* Arist.
6 seek, wish, desire —W.INF. *to do sthg.* Plb. NT.
7 seek to know, inquire, investigate Arist. —W.INDIR.Q. *who someone is, what is the case* Pl. Arist. Plb. ‖ PASS. (of a subject) **be investigated** Arist. ‖ IMPERS.PASS. *it is a matter for inquiry* —W.INDIR.Q. *whether sthg. is the case* Arist.
ἐπι-ζώννυμι vb. ‖ PF.PASS.PTCPL. (of performers of ritual dances in armour) **girdled** —W.DAT. *w. bronze waistbands* Plu.
ἐπι-ζώω vb. | 3sg.subj. ἐπιζώῃ (Pl.), dub.) | Att.ptcpl. ἐπιζῶν | Att.aor. ἐπέζησα, Ion. ἐπέζωσα | **live on, survive** Hdt. Pl. Plu.; (fig., of envy) Plu.
ἐπίηλα (ep.aor.): see **ἐπιάλλω**
ἐπίημι Ion.vb.: see **ἐφίημι**
ἐπιήνδανον (ep.impf.): see **ἐφανδάνω**
ἐπί-ηρα acc.n.pl. [ἦρα¹] **acts of kindness, loyal service** S.; (iron., ref. to death by the sword) **deserts, reward** (befitting one's wantonness) AR.
ἐπι-ήρανος¹ ου m. [ἤρανος] (ref. to Pythagoras) app. **master** (W.GEN. of wise works) Emp.; (of fine deeds, ref. to Dionysus) Ion

ἐπι-ήρανος² ον adj. [ἦρα¹] (of a foot-bath) **welcome, congenial** (W.DAT. to someone's spirits) Od.
ἐπί-ηρος ον adj. (of earth) **kindly, compliant** Emp.
ἐπιθαλάσσιος, Att. ἐπιθαλάττιος, ᾱ ον (also ος ον) adj. [θάλασσα] (of people) **living on the coast** Hdt.; (of a city, trading-post, region) **coastal** Th. X. Plb. ‖ NEUT.PL.SB. coastal regions Hdt. Th.
—ἐπιθαλασσίδιος, Att. ἐπιθαλαττίδιος, ον adj. (of a city) **by the sea, coastal** Th. Pl. X.
ἐπι-θάνατος ον adj. **on the point of death** D.
ἐπι-θαρρέω Att.contr.vb. [θαρσέω] **have confidence in** —W.DAT. *military forces and divine aid* Plu.
ἐπι-θαρσύνω, Att. ἐπιθαρρύνω vb. (of commanders) **encourage** —*soldiers, followers* Il. Plu.; (of the gods) —*a people* Plu.
ἐπι-θαυμάζω vb. 1 **pay one's respects to, show one's appreciation of** —*a teacher (by giving him a present)* Ar.
2 **be amazed by** —*an unexpected event* Plu.
ἐπι-θεάζω vb. [θεός] **utter appeals to the gods** A. E. Pl.
ἐπι-θειάζω vb. 1 **utter appeals to the gods** Th.; **appeal** (to someone) **in the name of the gods** Plu. —w. μή + INF. *not to do sthg.* Th.
2 (of a speaker) **allege the gods** (as having ordered someone to do sthg.) Plu.; **consecrate** or **dedicate** (a building) Plu.
ἐπιθειασμός οῦ m. **appeal to the gods** Th.
ἐπι-θεραπεύω vb. 1 **work to promote** —*one's return fr. exile* Th.
2 **be attentive or deferential towards, keep on good terms with** —*someone* Th.
ἐπίθεσις εως f. [ἐπιτίθημι] 1 (in military ctxt.) **attack** (sts. W.DAT. or ἐπί + ACC. on someone) Pl. X. Arist. Men. Plb. Plu.
2 (in political ctxt.) **attack** (sts. w. ἐπί + ACC. on rulers, their office) Arist.; (W.GEN. on a ruler) Arist.; (in legal ctxt.) Antipho
3 **application of an epithet** (to persons or things) Arist.
4 **laying on** (W.GEN. of hands, in transmission of divine authority) NT.
5 **attempt to establish** (W.GEN. a tyranny) Plu.
ἐπι-θεσπίζω vb. (of a deity) **make a prophecy about** —W.DAT. *a tripod* Hdt.
ἐπιθετέον (neut.impers.vbl.adj.): see ἐπιτίθημι
ἐπιθετικός όν adj. [ἐπιτίθημι] 1 **of the kind that goes on the attack**; (of a commander) **not afraid to attack, aggressive** X.; (of thoroughbred dogs) **good at attacking** (W.DAT. wild animals) X.
2 (of the nature of a bold man) **enterprising, venturesome** (W.PREP.PHR. in all activities) Arist.
ἐπίθετος ον adj. 1 (of festivals) **additional** (opp. long-standing) Isoc.; (of the power of an office) **appropriated, assumed** (opp. original) Plu. ‖ NEUT.PL.SB. additional powers (acquired by the Areopagus, since its foundation) Arist.
2 (of troubles, caused by man) **additional** (W.DAT. to those arising naturally) Men.; (of desires) **incidental, occasional** (opp. universal) Arist.
3 ‖ NEUT.SB. **epithet** (ref. to an adjective) Arist.
4 (of a Roman's third name, i.e. *cognomen*) **conveying the added notion** (W.GEN. of some exploit or bodily feature) Plu. ‖ NEUT.SB. additional name, *cognomen* Plu.
ἐπι-θέω contr.vb. [θέω¹] 1 **run up** (to a person, enemy troops, an animal) Hdt. Th. X. Plu.
2 (of a ship) **run ahead** Plu.
ἐπι-θεωρέω contr.vb. 1 **keep an eye on** —*sthg. that is happening* Men.
2 **contemplate, inspect** —*objects* Plu.

ἐπιθήκη ης f. [ἐπιτίθημι] 1 **addition, increase** (to existing wealth) Hes.
2 **additional item** (in a list) Ar.
ἐπίθημα ατος n. 1 **that which is put on as a cover, lid** (of a chest, cauldron, jar, coffin) Il. Hdt. Arist. Plu.; **stopper** (of a wine-jar) Hippon.
2 **that which is placed on a grave, gravestone** Is.
ἐπιθηματουργίᾱ ᾱς f. [ἔργον] **making of lids** or **covers** Pl.
ἐπι-θιγγάνω vb. (of a person) **touch** —W.GEN. *one's head* Plu.
ἐπιθόμην (aor.2 mid.): see πείθω
ἐπι-θορυβέω contr.vb. 1 **applaud loudly** Pl. X.
2 **noisily interrupt** —W.DAT. *someone* Plu.(cj.)
ἐπιθρέξᾱς (ep.aor.ptcpl.): see ἐπιτρέχω
ἐπι-θρῴσκω vb. 1 **leap upon** —W.GEN. *a tomb* (as an insult to a dead man) Il.; **leap aboard** —W.GEN. *a ship* Il. E.
2 (of horses) **leap in one bound** —W.NEUT.ACC. *such a distance* Il.
3 (of a boulder, torn fr. a cliff) **bounce along** Hes.
4 (of a swan) **alight** —W.DAT. *on a river bank* hHom.; (of a bird) **plunge** —W.DAT. *into flames* AR.
ἐπι-θῡμέω contr.vb. [θυμός] 1 **set one's heart on, long for, covet, desire** —W.GEN. *sthg.* A. Hdt. Th. Ar. Att.orats. Pl. + ‖ PASS. (of things) **be desired** Pl. Plb.
2 **desire with sexual feeling, desire** —W.GEN. *a person* Hdt. Lys. Ar. Pl. X.
3 **desire** —W.INF. *to do sthg.* Hdt. S. E. Th. Ar. Att.orats. + —W.ACC. + INF. *sthg. to happen* Hdt.
ἐπιθύμημα ατος n. **thing desired, object of desire** Pl. X. Arist.
ἐπιθυμήτειρα ᾱς f. (ref. to an Amazon) **lover** (W.GEN. of war) Call.
ἐπιθυμητής οῦ m. 1 **one who desires, covets or loves; lover** (freq. W.GEN. of sthg.) Hdt. Att.orats. Pl. Arist.
2 **ardent follower, devotee** (W.GEN. of Socrates) X.
ἐπιθυμητικός ή όν adj. (of persons, a part of their nature or soul) **characterised by desire, desirous, covetous, appetitive** (sts. W.GEN. of sthg.) Pl. Arist. ‖ NEUT.PL.SB. feelings of desire, appetites Pl.
—ἐπιθυμητικῶς adv. (w. ἔχειν) **be desirous** —W.GEN. *of sthg.* Isoc. Pl.
ἐπιθυμητός ή όν adj. (of things) **to be desired, desirable** Arist.
ἐπιθῡμίᾱ ᾱς, Ion. ἐπιθυμίη ης f. 1 **desire, craving, longing, appetite** (freq. W.GEN. for sthg.) Hdt. E. Th. Att.orats. Pl. +
2 **sexual desire, desire, passion** Lys. Isoc. Pl. X.
ἐπιθυμιάματα των n.pl. [ἐπιθυμιάω] **incense-offerings** S.
ἐπι-θῡμιάω contr.vb. **make an incense-offering** Plu. —W.COGN.ACC. *of a little incense* Men.
ἐπι-θύμιος ον adj. [θυμός] ‖ NEUT.IMPERS. (w. ἐστί) **it is in the mind** —W.DAT. + INF. *of someone, to do sthg.* Ibyc.
ἐπ-ῑθύνω vb. | iteratv.impf. ἐπιθύνεσκον | **point in a straight direction, direct, guide** —*a bow, a plough-handle* S. AR.
ἐπι-θύω vb. [θύω¹] | also tm. ἐπὶ ... θύω (hHom.) | 1 **burn** (W.ACC. barley) **as a sacrifice on** (an altar) hHom.(tm.)
2 (of a person, a spirit of vengeance) **sacrifice** or **slay** (W.ACC. a person) **in addition** (to another) E.(tm.) —W.DAT. *to another* A. Plu.(mid.); (of a priest) **sacrifice next** —*a second victim* Plu.(mid.)
ἐπ-ῑθύω vb. 1 **rush up** (to seize sthg.) Od. —W.INF. *to do sthg.* Il.
2 **be eager** —W.INF. *to do sthg.* hHom. AR.
ἐπι-θωρᾱκίδιον ου n. [θώραξ] **tunic worn over a cuirass** Plu.

ἐπι-θωύσσω vb. cry out in encouragement or command; urge (someone) **on with shouts** A.; **call out** (w.NEUT.ACC. sthg.) **as an order** —w.DAT. *to someone* A.; (of a panpipe) **call out time** —w.DAT. *to the oars* (i.e. the rowers) E.

ἐπι-ίστωρ ορος *m.f.* [ἴστωρ] **1 one who is knowledgeable** (w.GEN. about ships, the sea) AR.
2 one who is privy to knowledge, **witness** AR.; (w.GEN. to someone's words) AR.
3 (ref. to Herakles) perh. **expert** (w.GEN. in great deeds) Od.

ἐπι-καγχαλάω contr.vb. | 3sg.iteratv.impf. (tm.) ἐπὶ ... καγχαλάασκε | **laugh in delight over** —w.DAT. *someone* AR.

ἐπι-καθαιρέω contr.vb. **complete the destruction of** —*a fortification* Th.

ἐπι-καθέζομαι mid.vb. (of Wealth, envisaged as a winged Victory) **settle** —w. ἐπί + DAT. *on a certain side* (in a war) Ar.

ἐπι-κάθημαι, Ion. **ἐπικάτημαι** mid.vb. **1** (of a person) **sit upon** (or perh.fig. **hoard**) —w.DAT. *a sleeve full of money* Hdt.; (of an owl) **sit** or **perch on** —w.DAT. *Athena* Ar.; (of Aphrodite, meton. for sexual passion) **settle** —w. ἐπί + DAT. *on someone* Ar.
2 sit at (a banker's table); **be in charge** (of a bank) D. —w. ἐπί + DAT. *of a bank* D.
3 (of troops) **be in hostile occupation** (of a region) Th.; **occupy a threatening position** —w. πρός + DAT. *close to a city* Plu.
4 (fig., of fear of troops occupying an acropolis) **loom over** —w.DAT. *those below in the city* Plb.

ἐπι-καθίζω vb. **1** (of an owl) **sit** or **perch on** —w.DAT. *a masthead* Plu.
2 (of troops) occupy a position for attacking, **lay siege to, invest** —w.DAT. *a city* Plb.
3 (causatv.) **seat** —*someone* (w.PREP.PHR. *on coverings*) NT.

ἐπι-καθίστημι vb. | athem.aor. ἐπικατέστην | **1 establish** —*persons to judge* (w. ἐπί + DAT. *on an issue*) Pl. || MID. **set up** —*a guard* (*for a wall*) Th.
2 establish (w.ACC. an office) **in addition** (to another, sts. as a check on it) Arist. || ATHEM.AOR. (of an office) be established next Arist.
3 appoint (w.ACC. someone) **as successor** (to another) Plb. || PASS. be appointed to succeed (to an office) Plb.

ἐπι-καινόω contr.vb. **make innovations to** —*laws* A.(cj.)

ἐπι-καίνυμαι mid.vb. | 3sg.pf. and plpf. (tm.) ἐπὶ ... κέκασται, ἐπὶ ... ἐκέκαστο | **surpass** —*everyone* (w.DAT. *in wealth and prosperity*) Il.; **be pre-eminent** —w.DAT. *in sharpness of wit* Il.

ἐπι-καίριος ον adj. | superl. ἐπικαιριώτατος | **1** (of persons) **having an urgent need** (w.PASS.INF. to receive medical treatment) X. || SUPERL. (of tasks, aspects of a skill) most important X.
2 || MASC.PL.SB. (sts. superl.) important persons, top men X.

ἐπί-καιρος ον adj. [καιρός] | superl. ἐπικαιρότατος | **1** right for the time or circumstances; (of a healer, fig.ref. to a ruler) **suited to the needs of the time** Pi.; (of an action, a victory) **timely, opportune** Th.; (of acquisitions, topics) **appropriate** S. Arist.; (of a tripod) **suitable** (w.GEN. for holy water) S.
2 (usu. in military ctxts., of regions or places) **well-situated, advantageous** Th. Isoc. X. D. Arist. Plu.; (w.INF. to make use of) Th. || NEUT.PL.SB. advantageous positions X.
3 || NEUT.SB. vital part (of the body) X.

ἐπι-καίω vb. **1** burn (w.ACC. sacrificial offerings) **on** (an altar) hHom.(tm.)
2 light (w.ACC. a fire) **on** (an altar) hHom.
3 || PF.PASS. (of a person) be sunburnt Men.; be tanned —w.DAT. *in colour* Plb.

ἐπι-καλέω contr.vb. **1** call (someone) to a place or activity; **summon, invite** —*persons* (*into a palace*) Od.(tm.) —*gods* (*to a dance*) Ar.(tm.)
2 call by name (as witness to an oath, sacrifice, or sim.), **call upon, invoke** —*a god* Hdt.
3 || MID. call upon for help, **call upon, appeal to** —*a god* Hdt. Th. Pl. X. Arist. Plb. —(w.INF. *to do sthg.*) Hdt. Pl. —*the dead* (w. μή + INF. *that sthg. shd. not happen, i.e. not to allow it to happen*) Th.; (of an orator) invoke —*Intelligence and Education* D.
4 || MID. (in military ctxt.) call upon for help, **call upon, appeal to** —*a person, a people, allies, or sim.* Hdt. Th. Pl. X. Lycurg. Arist. —(w.INF. *to bring help*) Hdt.; **appeal for, summon** —*help* Hdt.; **appeal for help** Hdt. Th. X.
5 || MID. (leg., in Roman ctxt.) **appeal to** —*a magistrate, the people* Plu. —*the emperor* NT.
6 || MID. **invite in** —*people* (as *settlers*), *a foreign army or leader* (w.PREP.PHR. *to a country or sim.*) Hdt. Th.; **invite in settlers** Hdt.
7 || MID. **call on, summon** —*a person or god* (w.PREDIC.SB. *as a witness*) Antipho Pl. Plb. —*gods and men* (w.INF. *to see sthg.*) X.
8 || MID. (of officials) call to one's presence, **summon** —*someone* Hdt. Th.
9 || MID. app., call out to a fight, **challenge** —*someone* Hdt.
10 || MID. (of a message) **offer an invitation** (to do sthg.) Hdt.
11 call by a further name; **call** —*a horse* (w.PREDIC.ADJ. *well-bred, mettlesome, or sim.*) X. || PASS. (of a people) be later named —w.PREDIC.SB. *such and such* Hdt.; (of persons or things) be called, entitled or nicknamed —w.PREDIC.SB. or ADJ. *such and such* Hdt. Att.orats. Pl. X. Arist. +
12 (in legal or quasi-legal ctxts.) **make an accusation** or **complaint** —w.DAT. *against someone* Isoc. Pl. D. —w.ACC. *of sthg.* (usu. w.DAT. *against someone*) Th. Att.orats. Pl. X. —w.COMPL.CL. *that sthg. is the case* Th. —w.ACC. + INF. Antipho Th.; **make** (w.NEUT.ACC. certain) **complaints** Ar. || PASS. be accused Antipho —w.NEUT.ACC. *of sthg.* Antipho —w.COMPL.CL. *of having done sthg.* Antipho; (of money) be the subject of complaint Hdt. | NEUT.PL.PASS.PTCPL.SB. accusations Antipho Isoc.

ἐπι-καλύπτω vb. **1** (of a stupor) envelop as with a veil, **shroud, veil** (a god) Hes.(tm.)
2 conceal with a covering, **cover up, conceal, hide** —*money* Plu.; (of the earth) —*a dead person* Thgn.(tm.); (of snow) —*a track* X.; (of a tiara) —*a person's brain* Plu.; (of old age) **cover** —*the light* (i.e. sight) *of the eyes* (w.PREDIC.ADJ. *in darkness*) E. || PASS. (of an asp) be concealed —w.DAT. *under figs and leaves* Plu.
3 conceal, keep secret —*a dilemma, facts* Pl. Plb.; **disguise** —*ugly things* (w.DAT. w. *polite terms*) Plu. || PASS. (of a person's name, ref. to its significance) be obscure or unclear Pl.

ἐπικαμπή ῆς f. [ἐπικάμπτω] **1** bending (of a wall) so as to form an angle, **wall running at an angle** (to another) Hdt.
2 (milit.) **angle, angular formation** (created by stationing the wing of an army obliquely in relation to the main body) X.

ἐπικαμπής ές adj. (of a staff) bent at an angle, **curved, angular** Plu.

ἐπικάμπιος ον adj. **1** (of quarters in a camp) **at an angle** (w. πρός + ACC. to other quarters) Plb.
2 || NEUT.SB. (milit.) angular formation (created by stationing the wing of an army or fleet obliquely in relation

to the main body) Plb.

ἐπι-κάμπτω *vb.* (milit., of a commander, troops) **move the wings to form an angle** (to the main body) X.; **move** (W.ACC. a wing) **to form an angle** X.

ἐπι-κάμπυλος ον *adj.* (of an old man) **bent** (W.ACC. at the shoulders) hHom.; (of timbers) Hes.

ἐπι-κάρ (sts. written **ἐπὶ κάρ**) *adv.* [κάρᾱ] **headlong** Il.

ἐπι-καρπίᾱ ᾱς *f.* [καρπός¹] **1 produce, yield** (fr. the land) Pl. **2 revenue** (fr. tax-collection) And. **3** (in financial ctxt.) **income, profit** D. Arist.; (gener.) **benefit, profit, reward** Isoc.

ἐπι-κάρσιος ᾱ (Ion. η) ον (also ος ον Plb.) *adj.* [reltd. κείρω] **1 at a right angle or crosswise**; (of a street, trench, river) **at a right angle** (sts. w. πρός + ACC. to sthg.) Hdt. Plb.; (of ships) **sideways on** (to the current) Hdt.; (of planks, in a gangway) **placed crosswise** Plb. **2** (quasi-advbl., of ships driven by winds) **sideways** Od.; (of a wounded monster's neck, made to lean) **to one side** Stesich. **3** || NEUT.PL.SB. **crosswise extent** (of a country, i.e. E.–W., opp. N.–S.) Hdt.

ἐπι-καταβαίνω *vb.* **1** (of troops, on high ground) **go down** —w. ἐς or πρός + ACC. *to a place* Hdt. Th.; (gener., of troops) **march down** —w. πρός + ACC. *to the sea* Plu. **2 descend in pursuit** or **attack** Hdt. Th. Plb.

ἐπι-καταβάλλω *vb.* | ep.aor.2 (tm.) ἐπὶ ... κάββαλον | **1 cast down** (W.ACC. a robe) **over** —W.DAT. *sthg.* AR.(tm.) **2** (of hounds) **lower** —*their ears* X.

ἐπι-κατάγομαι *mid.vb.* (of sailors, a ship) **put in to land later** Th.

ἐπι-καταδαρθάνω *vb.* | aor.2 ἐπικατέδαρθον | **fall asleep afterwards** Th. Pl.

ἐπι-καταίρω *vb.* (of a soldier, compared to a bird) **swoop down on** —W.DAT. *someone* Plu.

ἐπι-κατακλύζω *vb.* also **flood** —*a whole continent* (as well as a city) Hdt.

ἐπι-κατακοιμάομαι *mid.contr.vb.* **go to sleep on** (tombs) Hdt.

ἐπι-καταλαμβάνω *vb.* **catch up** or **overtake** —*persons, ships* Th. Plb.; (of the moon) —*the sun* (at the end of a month) Pl.

ἐπι-καταλλαγή ῆς *f.* **sum added to an exchange** (of money); **cost of exchange** (W.GEN. of copper coinage, for silver) Thphr.

ἐπι-καταμένω *vb.* **remain behind longer** (in a place) X.

ἐπι-καταρρέω *contr.vb.* | aor.2 pass. (w.act.sens.) ἐπικατερρύην | (of a wounded man) **sink down** or **collapse upon** —W.DAT. *corpses* Plu.

ἐπι-καταρρήγνυμαι *pass.vb.* (of rainstorms) **burst out in a heavy downpour** Plu.

ἐπι-καταρρῑπτέω *contr.vb.* **throw** (W.ACC. oneself) **down** (fr. a rock) **after** (having thrown another) X.

ἐπι-κατασφάζω *vb.* **1 kill** (W.ACC. a person, oneself) **over** —W.DAT. *a corpse, a tomb* Hdt. Plu. **2 kill** (W.ACC. oneself) **next** (after killing another) Plb.

ἐπι-κατατέμνω *vb.* **extend a cutting** (in a mine) D.

ἐπι-καταψεύδομαι *mid.vb.* **add lies** (to a speech) Hdt. Th.

ἐπι-κάτειμι *vb.* (of a disease) **descend further** —w. ἐ. ἐς + ACC. *into the bowels* Th.

ἐπικάτημαι *Ion.mid.vb.*: see ἐπικάθημαι

ἐπί-καυτος ον *adj.* [καυτός] (of javelins) **burnt at the tip** (to harden them) Hdt.

ἐπι-καχλάζω *vb.* | iteratv.impf. ἐπικαχλάζεσκον | (of waves) **seethe against** —W.DAT. *rocks* AR.

ἐπί-κειμαι *mid.pass.vb.* [κεῖμαι] **1** (of things) **lie** or **be placed on top** (of other things); (of a block of stone) **lie on top** (of a building, as its roof) Hdt.; (of objects) **lie on** —W.DAT. *tables, altars, coals, or sim.* NT. Plu.; (of palisades) **be placed** —w. ἐπί + DAT. *on the edges of trenches* Plb.; (of mud) **be put on** —W.DAT. *the tops of plants* X.; (of weights) **be laid on top** (of columns) Arist.; (fig., of a scowling brow) **stand over** —W.DAT. *a sullen face* Theoc. **2** (of a crown, helmet) **be placed on** —W.DAT. *someone's head* Thgn. E.; (of a yoke) —*someone's neck* Thgn.(tm.) || PTCPL. (of a person) **having** (W.ACC. a crown) **on one's head** Plu.; (of an actor) **having on** (W.ACC. the mask of a certain character) Plu. **3** (of things which close, seal or constrain) **be placed on** or **against** (sthg.); (of doors) **be put to, be shut** Od.; (of a boulder) **be placed** —w. ἐπί + DAT. *against a cave* (i.e. its entrance) NT.; (of a seal) —W.DAT. *on sthg.* Thgn.; (fig., of doors) —*on the tongue* (so as to stop speech) Thgn.; (of fear, compared to a bridle) —*on the boldness of the populace* Plu. **4** (of places or natural features) **lie in a commanding** or **threatening position** (w. respect to another place); (of a city, hill, country) **overlook, command** —W.DAT. *a region* Plb.; (of Crete) —*the whole sea* (i.e. the Mediterranean) Arist. **5** (of islands) **lie off** —W.DAT. or ἐπί + DAT. *a place* Hdt. Th. Plb.; **lie offshore** Hdt. Th. **6** (of a commander, troops, sailors, ships) **make an attack** (freq. W.DAT. on the enemy) Hdt. E. Th. Ar. X. Plb. +; (in non-military ctxts., of a boxer) **press home an attack** Theoc.; (of persons) **attack** or **assault** (someone) Ar.; **make a verbal attack on, threaten** —W.DAT. *someone* Hdt.; **be inimical** —W.DAT. *to oligarchy* Th.; (of a storm) **attack** NT. Plu. **7 apply oneself forcefully to a task**; (of a labourer) **go hard at it** Men.; (of persons making a request) **be insistent** Hdt. NT. **8** (of a crowd of listeners) **press eagerly around** —W.DAT. *someone* NT. **9** (of things) **be a burden** or **threat**; (of compulsion) **be laid upon** (someone) Il. AR.(dub.) Plu.; (of poverty, a burden) **lie upon** —W.DAT. *someone's shoulders* Thgn.; (of trouble, danger) **hang over** —W.DAT. *someone* X. Plu.; (of sickness, its effects, war, need) **weigh heavily** Th. Plu.; (of thirst) **be oppressive** AR.(tm.) **10** (of a penalty, a fine) **be imposed** (freq. W.DAT. on someone) Hdt. Th. Att.orats. X. Arist.; (of dishonour) **be attached** —W.DAT. *to cowards* X. **11** (of a name) **be given** —W.DAT. *to sthg.* Pl.; (of a letter) **be added** (to a word) Plu.

ἐπι-κείρω *vb.* | ep.aor. ἐπέκερσα | **1** (of a deity) **cut down** —*soldiers* A.; (of a boar) —*vine-rows* (W.DAT. w. its tusks) B. **2** (of a warrior) **cut off, isolate** —*enemy troops* Il. **3** (of a deity) **cut short, thwart, frustrate** —*a warrior's skill in fighting* Il.(tm.)

ἐπι-κελαδέω *contr.vb.* (of listeners) **shout in approval** Il.(tm.)

ἐπικέλευσις εως *f.* [ἐπικελεύω] **further instruction** (to troops, fr. a commander) Th.

ἐπι-κελεύω *vb.* **1 give further encouragement** (to continue sthg. already begun); **urge on** (persons, hounds) E. Ar. X. —W.DAT. *persons* E. X. —W.DAT. + NEUT.ACC. *a person, in a task* Pl. —W.ACC. *a person* Th. || MID. **persist in encouraging** —W.DAT. *someone* (usu. W.INF. *to do sthg.*) Th. Plu. **2** (of a hunter) **give further encouragement** (to his hounds) X.

ἐπι-κέλλω *vb.* | aor. ἐπέκελσα, also ἐπέκειλα (NT.) | **1** (intr., of sailors, ships) **put in to shore** Od. AR.; **put in** —W.DAT. *to land, an island* Od. AR. —W.ACC. *to a country* AR.
2 (tr.) **bring to shore** —*a ship* NT.

ἐπι-κέλομαι *mid.vb.* | ep.redupl.aor.2: 3sg. ἐπεκέκλετο, imperatv. ἐπικέκλεο, ptcpl. ἐπικεκλόμενος | **call upon, invoke** —*a supernatural being* (*as a helper*) Il. A. —W.DAT. + INF. *a deity, to do sthg.* AR.; **call out** —W.DAT. *to persons* AR.

ἐπι-κεράννυμι *vb.* —also **ἐπικίρνημι** *Ion.vb.* | aor.inf. ἐπικρῆσαι | **mix** (or perh. **mix afresh**) —*wine* (*w. water*) Od. || PASS. (of a bowl) be used for mixing (wine) Hdt.

ἐπι-κερδαίνω *vb.* gain as an addition, **add** —*three years* (*to one's life*) Plu. —*a year* (W.DAT. *to a term of office*) Plu.

ἐπι-κέρδια ων *n.pl.* [κέρδος] **profits** (fr. trade) Hdt.

ἐπι-κερτομέω *contr.vb.* **1 mock, jeer at, taunt** —*someone* Hom. Hdt. Theoc. Plu.
2 app. **speak teasingly** or **disingenuously** (to someone) Il.

ἐπι-κεύθω *vb.* | always w.neg. | (intr.) **conceal one's thoughts or knowledge, stay silent** Hom. A.; (tr.) **conceal** —*speech* (i.e. refuse to say what is in one's mind) Hom. —*what the gods allow to be revealed* AR.; **keep** (W.ACC. someone) **in the dark** AR.

ἐπικέχοδα (pf.): see ἐπιχέζω

ἐπι-κήδειος ον *adj.* **1** (of a song) **of mourning** E.
2 || NEUT.SB. **epitaph** (ref. to an elegiac couplet) Plu.

ἐπί-κηρος ον *adj.* [κήρ] (of a sailor's life) **exposed to harm, hazardous, perilous** Call.*epigr.*
—**ἐπικήρως** *adv.* **perilously** Isoc.

ἐπικηρύκεια ᾱς *f.* [ἐπικηρῡκεύομαι] **sending out of representatives to negotiate with others (for peace); formal representations** (W.PREP.PHR. to a nation) D. Plb.

ἐπικηρῡκεύματα των *n.pl.* **formal communications by heralds, diplomatic requests** E.

ἐπικηρῡκεύομαι *mid.vb.* **1 send a formal communication by herald or messenger** (freq. W.DAT. or PREP.PHR. to someone); **open negotiations, make overtures** Hdt. Th. Ar. Isoc. Pl. D. +; **communicate** —W.INF. *that one is ready* (W.INF. *to do sthg.*) Th.; **communicate an intention** —W.INF. *to do sthg.* Th.; **send an order** —w. ὥστε μή + INF. *not to do sthg.* Th.; **send an inquiry** —W.INDIR.Q. *whether someone wishes to do sthg.* Hdt.; **make** (W.NEUT.ACC. certain, no) **overtures** Hdt. Th. Ar. || NEUT.GEN.PL.PASS.PTCPL. when overtures were being received —w. ἀπό + GEN. *fr. people* Th.
2 (of a messenger) **bring a communication** —W.PREP.PHR. *fr. someone* Plb.

ἐπι-κηρύσσω, Att. **ἐπικηρύττω** *vb.* **1 proclaim, announce** —*a penalty* (W.DAT. *for an offender*) Plu. —W.DBL.ACC. *death as the penalty* X. —W.COMPL.CL. *that a certain penalty will be imposed* Plu.; **set** —*a price* (W.DAT. or ἐπί + DAT. *on someone, i.e. on his head*) Hdt. D. Plu. || PASS. (of a price) be set —W.DAT. *on someone* Hdt. D. Plu.
2 announce publicly —W.FUT.INF. *that one will give a reward* Lys. || PASS. (of a reward) be offered —W.DAT. *to someone* Plu.
3 make a proclamation authorising —*reprisals* (w. κατά + GEN. *against a nation*) Plb.
4 proclaim (W.ACC. someone) **an outlaw** Plu. || PASS. be proclaimed (as king) —W.DAT. *over a land* A.(dub.) | see ἐπιγηρύομαι
5 proclaim, demonstrate (by one's conduct) —*one's fickleness and unreliability* Plb.

ἐπι-κίδναμαι *pass.vb.* **1** (of dawn) **be spread over** —W.NEUT.ACC. *a certain space or distance* Il.
2 (of river water) **stream over** —*the earth* Il.

—**ἐπικίδνημι** *act.vb.* | 2pl.imperatv. ἐπικίδνατε | app. **shroud** —*one's heart* (W.DAT. *in troubles, i.e. prepare for the worst*) Hdt.(oracle)

ἐπι-κίνδυνος ον *adj.* **liable to danger or risk**; (of a country, a city) **in a hazardous** or **precarious state, at risk** Hdt. Arist.; (of a situation or activity) **dangerous, hazardous, risky** Hdt. Th. Att.orats. Pl. X. Arist. +; (of revenue) **precarious** D. || NEUT.PL.SB. **dangerous situations** X.
—**ἐπικινδύνως** *adv.* **dangerously, hazardously** S. Th. X. Plu.

ἐπικίρνημι *Ion.vb.*: see ἐπικεράννῡμι

ἐπι-κίχρημι *vb.* | aor. ἐπέχρησα | **lend** —*legions* (W.DAT. *to someone*) Plu.

ἐπι-κλάζω *vb.* (of Zeus) **give a peal of** —*thunder* (W.DAT. *for someone, i.e. as a sign of favour*) Pi.(tm.)

ἐπι-κλαίω *vb.* **wail in response** (to someone) Ar.

ἐπίκλαυτος ον *adj.* (of a nightingale's song) **tearful** Ar.

ἐπι-κλάω *contr.vb.* | aor. ἐπέκλασα || aor.pass. ἐπεκλάσθην | (fig.) **break down** (someone's resolve or opposition); (of an orator, entreaties, a person's misfortune, a pet's affection) **move, affect** —*people* Plu. || PASS. be moved, be weakened, relent Th. Plu. —W.DAT. *in one's resolution* Th.

ἐπι-κλεής ές *adj.* [κλέος] (of deeds, a city) **famous** Simon. AR.

ἐπι-κλείω¹, Att. **ἐπικλῄω** *vb.* [κλείω¹] **close up** —*people's arseholes* (to stop them defecating) Ar. || PASS. (of flaps on a cuirass) close X.

ἐπι-κλείω² *ep.vb.* [κλείω²] **1** (of persons) **celebrate, extol** —*the latest song* Od.
2 call, name —*a person, god or place* (W.PREDIC.ADJ. or SB. *such and such*) AR.
3 call upon —*a god* AR. —(W.INF. *to help*) AR.

ἐπίκλημα ατος *n.* [ἐπικαλέω 12] **charge, accusation, complaint** S. E. X.

ἐπίκλην *adv.* [ἐπικαλέω 11] **1** (ref. to calling or describing sthg.) **with an additional or alternative name, by the name** (W.PREDIC.SB. or ADJ. *such and such*, or W.GEN. *of sthg.*) Pl.
2 (as if acc.sg.fem.) **additional or alternative name, name** (in apposition to ACC.SB. *such and such*) Pl.

ἐπί-κληρος ου *f.* [κλῆρος] **1** (at Athens) **woman who is assigned to a heritable estate, heiress** Ar. Att.orats. Pl. Arist. Men. Plu. [The term is applied to a female descendant of a man dying without a legitimate male heir. The estate passes into the control of her husband (or, if she is unmarried, the nearest male relative who claims her in marriage) until a son born to them comes of age to inherit.]
2 (gener., ref. to a Spartan woman) **inheritor** (W.GEN. of a large estate) Plu.

ἐπι-κληρόω *contr.vb.* **1** (of officials) **assign by lot, allot** —*aulos-players* (W.DAT. *to chorus-directors*) D. —*sums of money* (to boards), tribes (to areas of responsibility) D. —*courts, cases* (to magistrates) Arist.; **choose by lot** —*persons, things* D. Arist. || PASS. (of courts) be allotted (to jurors) D.; —(of a tribe) —W.DAT. *to a part of a country* (to guard) Pl.
2 (of the Fates) **ordain** —W.ACC. + INF. *that someone shd. do sthg.* Call.

ἐπίκλησις εως *f.* [ἐπικαλέω 11] **1 additional or alternative name; name** (given to a country) Th.; (pejor., ref. to a descriptive term given to a person or city, as reflecting their conduct) Th. X.; **nickname** Plu.; (in Roman ctxt.) **surname,** *cognomen* Plu.
2 (in Roman ctxt.) **appeal** (sts. W.GEN. to a magistrate) Plu.

—ἐπίκλησιν *acc.adv.* **1** (ref. to calling or describing someone or sthg.) **by the name** (W.PREDIC.SB. or ADJ. such and such) Hom. Hes. Hdt. Plu.
2 (without vb.) **with the name, called, surnamed** or **nicknamed** (W.PREDIC.SB. or ADJ. such and such) hHom. Hdt. AR. Plu.
3 in name only, **nominally** (such and such) Il. Hdt.

ἐπίκλητος ον *adj.* **1** (of persons) **called in, summoned** (to a war) Hdt.; (to a hunt) Call. ‖ MASC.PL.SB. persons invited in (to help a city) Th.
2 (of a meeting) **specially convened** Hdt. ‖ MASC.PL.SB. persons who have been summoned (to a meeting) Hdt.; (specif.) councillors (of the Persian king) Hdt.
3 ‖ MASC.PL.SB. invited guests (at a social event) Ar. Men.
4 (of abuse) **gratuitous** Plb.

ἐπικλινής ές *adj.* [ἐπικλίνω] **1** (of terrain) **sloping** Th.; (of hills) **steep** Plu.
2 (of scales) **inclining, tilting** Call.

ἐπίκλιντρον ου *n.* part of a couch (perh. headrest); (app., meton.) **back seat, arse** (of a woman) Ar.

ἐπι-κλίνω *vb.* | pf.pass.ptcpl. ἐπικεκλιμένος | **1** cause (sthg.) to incline; (of hounds) **prick up** —*their ears* X.
2 (of a commander) **deflect, turn** —*his attention* (W.PREP.PHR. *towards a new goal*) D.
3 cause (sthg.) to lean on or against (sthg.) ‖ PF.PASS.PTCPL. (of the arm of a crane) leaning on (a wall) Th.; (of doors) put to, closed Il.
4 ‖ PF.PASS. (of an island) lie close —W.DAT. *to a region* E.; (of a land) —*to the edge of the Black Sea and of the earth* AR.

ἐπι-κλονέω *contr.vb.* | iteratv.impf. ἐπικλονέεσκον | (of the powers of love) **buffet against** (someone) AR. ‖ MID. (of persons) **hurry after** (someone) AR.

ἐπί-κλοπος ον *adj.* [κλέπτω] **1** (of a god, a person, their character, a plan) **thievish, cunning, sly** Od. Hes. Thgn. A. Pl. AR.
2 (of a person) **deceitful** (W.GEN. in speech) Il.; app. **canny** or **clever** (W.GEN. w. bows) Od.

—ἐπικλοπάδᾱν *dial.adv.* **cunningly** Stesich.

ἐπι-κλύζω *vb.* | aor. ἐπέκλυσα ‖ PASS.: ep.3pl.impf. (tm.) ἐπὶ ... κλύζοντο | **1** (of a river) **flood over** —*a region* Plb.; (intr.) **be in flood** Theoc.; (of a tidal wave, following an earthquake) **cause an inundation** Th.; (fig., of quaking of the ground) **deluge** —*a city* E.
2 (of a wave) **flood over, drown** —*a person* AR.; (fig., of pain) **overwhelm** —*someone's heart* AR. ‖ PASS. (of waves) be churned up (by oars) AR.(tm.)
3 (fig., of foreign gold) app. **flood over** —*someone's expenses* (*i.e. be more than sufficient to cover them*) Aeschin.

ἐπίκλυσις εως *f.* **inundation** (of land, by a tidal wave) Th.

ἐπί-κλυτός όν *adj.* (of a person) **famous** (W.DAT. among men) AR.

ἐπι-κλύω *vb.* | aor.2 ἐπέκλυον | **1 listen to** —*a tale* Il.
2 hear —W.GEN. *a person shouting* AR. —*a message* Od. —W.ACC. *a voice, pronouncement* S.Ichn. AR.
3 hear —W.GEN. *fr.* someone (W.ACC. + INF. *that someone is doing sthg.*) AR.

ἐπι-κλώθω *vb.* | aor. ἐπέκλωσα | **1** assign (sthg. to someone) by spinning (the threads of destiny); (of Fate, the Fates) **spin out, ordain** —*death* Callin. —*an allotted role* (W.INF. *for someone to hold forever*) A. —W.ACC. + INF. *that sthg. shd. be the case* B.; (of Zeus, the gods) —*happiness, sorrow, ruin, or sim.* (usu. W.DAT. *for a person*) Od.(sts.mid.); (of gods, Eris) —W.DAT. + INF. *for someone, that they shd. do sthg.* Hom.(mid.) E.; (fig., of a person) —*a fate* (W.DAT. *for another person, ref. to a philosophical interrogation*) Pl.

2 ‖ NEUT.PL.AOR.PASS.PTCPL.SB. threads spun (by the Fates) Pl. ‖ PF.PASS.PTCPL.ADJ. (of opinions) pre-ordained Pl.

ἐπι-κνάω *contr.vb.* | 2sg. ἐπικνῇς | ep.3sg.impf. (tm.) ἐπὶ ... κνῆ | **grate** (W.ACC. cheese, a herb, or sim.) **on** (wine or food) Il.(tm.) —W.DAT. *food* Ar.

ἐπικνέομαι *Ion.contr.vb.*: see ἐφικνέομαι

ἐπι-κοιμάομαι *mid.contr.vb.* ‖ PF. have been in bed (opp. asleep) Pl.; (fig., of a people) have been asleep (opp. wakeful, alert) Plb.

ἐπι-κοινόομαι *mid.contr.vb.* **1** (of a person) **consult** —W.DAT. *w. someone* Pl.
2 (perh., of persons) **contract** —*marriages* (W.DAT. *w. each other*) Pl.

ἐπί-κοινος ον *adj.* [κοινός] **common** (to several persons); (of a husband) **shared** (by two women) E.; (of an oracular response) **joint** (for two parties) Hdt.; (of sexual intercourse w. any woman) **communal, available to all alike** Hdt.

—ἐπίκοινα *neut.pl.adv.* **jointly** —*ref. to giving an oracle to two parties* Hdt.; **communally** —*ref. to women being available for sexual intercourse* Hdt.

ἐπι-κοινωνέω *contr.vb.* **1 act in partnership** —W.DAT. *w. someone* D.; (of things) **communicate, have connections** —W.DAT. *w. each other* Pl.
2 (of a word) **have in common, share** —W.GEN. *letters* (w. *another word*) Pl.; (of a law) **have** (W.ACC. nothing) **in common** —W.DAT. *w. another law* Aeschin.

ἐπικοινωνίᾱ ᾱς *f.* **interrelationship** (of things, w. each other) Pl.

ἐπι-κοιτέω *contr.vb.* [κοίτη] (of besiegers) **have night quarters** —w. ἐπί + GEN. *at their siege-works* Plb.

ἐπικοκκάστρια ᾱς *f.* (ref. to Echo) app., woman who mocks, **comedienne** Ar.

ἐπι-κομπάζω *vb.* **1** add (W.NEUT.ACC. this) **boast** (after a cry of triumph) E.
2 add (W.ACC. certain details) **by way of extravagant embellishment** —W.DAT. *to a true account* Plu.

ἐπι-κομπέω *contr.vb.* **1 boast as well** (as making promises) Th.
2 boast of, vaunt —*one's bravery* Th.

ἐπι-κόπτω *vb.* **1 bring a blow to bear upon, strike, fell** —*an ox* Od.
2 (of an autocrat) **cut down, eliminate** —*people who have become too powerful* Arist.
3 (fig.) strike with criticism, **reprove, find fault with** —*someone* Plu.

ἐπι-κοσμέω *contr.vb.* **1 add ornamentation to, embellish** —*walls, shrines, a statue* Hdt. Hyp.; **adorn** —*a corpse* (w. *elaborate robes*) X. —*a lictor's rods* (w. *laurels*) Plu.
2 give honour to —*persons* (W.DAT. *w. inscriptions and pillars*) Hdt. —*a dead man's virtues* (w. *appropriate obsequies*) Plu.; **celebrate** —*a goddess* (w. *singing*) Ar.
3 improve (in quality or prestige) —*choruses and games* Plu.; **add extra splendour to, enhance** —*a victory* (W.DAT. *by one's humanity*) Plu.; (of the grace of one's actions) —*one's virtues* Plu. ‖ PASS. (of a way of doing sthg.) be improved —W.DAT. *by proper conduct and correct legislation* Arist.

ἐπί-κοτος ον *adj.* [κότος] (of a person) **full of rancour** or **anger, wrathful** (W.GEN. because of sthg.) A.; (of the schemes of a goddess, of discord) A. Pi.*fr.*; (of the haste of pursuers) A.(cj.)

—ἐπικότως *adv.* **rancorously, angrily** A.

ἐπικουρέω *contr.vb.* [ἐπίκουρος] **1** (in military ctxt., of a leader, a nation, troops) **help as an ally, give help** or

ἐπικούρημα

support (freq. W.DAT. to persons, a nation, or sim.) Il. Hdt. E. Th. Att.orats. X. +
2 serve as a mercenary (in a foreign army) Isoc. Pl.
3 (gener.) give help or support (usu. W.DAT. to someone or sthg.) E. Lys. Ar. Pl. X. +; protect —W.DAT. someone (W.ACC. against cold) X.; help towards, provide for —W.DAT. one's subsistence Aeschin.
4 provide help against, alleviate —W.DAT. troubles Isoc. —sickness, hunger, old age X. ‖ IMPERS.PASS. help is provided —W.DAT. against poverty and suspicion X.

ἐπικούρημα ατος *n*. protection (W.DAT. + GEN. for the eyes, against snow) X.

ἐπικούρησις εως *f*. help, protection (W.GEN. against troubles, want) E. Pl.

ἐπικουρητικός ή όν *adj*. (of one of the three classes in the ideal city-state) auxiliary Pl.(v.l. ἐπικουρικός)

ἐπικουρία ᾱς, Ion. **ἐπικουρίη** ης *f*. **1** (in military ctxt.) help, support (esp. fr. an ally) A. B. Hdt. E. Th. Isoc. +; (collectv., concr.) auxiliary force A. Th.
2 role of the auxiliary class (in the ideal city-state) Pl.
3 (gener.) help, support E. Ar. Att.orats. Pl. +

ἐπικουρικός όν *adj*. **1** (of an army's fortunes) dependent on auxiliaries (i.e. mercenaries) Th. ‖ NEUT.SB. auxiliary force (of mercenaries) Th.
2 (of one of the three classes in the ideal city-state) auxiliary Pl.

ἐπί-κουρος ου *m*. (*also f*. E.) [2nd el.uncert.] **1** (in military ctxt.) one who offers help, helper, supporter, ally (sts. W.DAT. for someone) Il. Archil. E. Plb. ‖ PL. troops providing help, helpers, allies Il. Stesich. A. Th.; (specif.) auxiliaries (freq. equiv. to mercenaries) Hdt. Th. Lys. Isoc. Pl. +
2 ‖ PL. mercenaries (in the service of a tyrant) Hdt.; (acting as his bodyguard) Th.
3 ‖ PL. (as one of the three classes in the ideal city-state) auxiliaries (serving both as soldiers and as assistants to the rulers) Pl.
4 (gener., ref. to a person, god, animal) helper, supporter, protector (sts. W.GEN. or DAT. of someone or sthg.) Hes. Simon. Pi. Hdt. E. Ar. +
5 one who helps another to gain vengeance; avenger (W.DAT. for a dead person, W.GEN. of his murder) S. E.

—ἐπίκουρος ον *adj*. **1** giving help or support (to someone); (of night) helpful (to a thief) hHom.; (of a path of words, to the poet or the subject of his praise) Pi.; (of an argument, W.DAT. to persons) Pl.; (of past virtues, when recalled to mind, W.DAT. to victims of injustice) Th.; (of death) bringing help or relief (to one suffering fr. the troubles of old age) S.
2 giving help or support (W.GEN. against sthg.); (of a hand) offering help or protection (against troubles) E.; (of fire, against cold and darkness) X.; (of sleep, against sickness) E.; (of wine, against the sourness of old age) Pl.

ἐπι-κουφίζω *vb*. **1** make lighter (in weight) ‖ PASS. (of a ship) be lightened (by the loss of passengers) Hdt.
2 (of persons or circumstances) make (sthg.) lighter (to bear); lighten —*labours* (W.DAT. *for someone*) Pl.; alleviate —*calamities* D.; provide relief —W.GEN. *fr. toil, troubles* E.
3 lighten the burdens of, support (by financial help or sim.) —*one's friends* X.
4 lift up —*a body* S. —*soil* X.; (fig.) buoy up —*persons* (W.DAT. *w. hopes*) X.
5 (of youth) make frivolous —*a person's mind* Thgn.

ἐπι-κραδάω *contr.vb*. (of sailors) keep in motion, ply —*oars* AR.

ἐπι-κραίνω, ep. **ἐπικρααίνω** *vb*. | aor. ἐπέκρᾱνα, ep. ἐπεκρήηνα, ep.imperatv. ἐπικρήηνον, ep.3sg.opt. ἐπικρήνειε | 3pl.pf.plpf.pass. (tm.) ἐπὶ ... κεκράανται, κεκράαντο |
1 fulfil (a request or sim.); (of a person) fulfil —*someone's prayer* (*to a god*) Il.; (of a god) —*a wish* (W.DAT. *for someone*) Il.; (of Hermes' wand) —*divine ordinances* hHom.; (of a god) grant fulfilment —W.DAT. *to persons* (*i.e. to their prayer or wish*) Il.; (of an Erinys) bring about (W.NEUT.PL.ACC. true) fulfilment (of a curse) A.; (of Zeus) ratify —*a promise* (*w. a nod*) Call.
2 bring (an event) to fulfilment; (of Zeus) accomplish, bring about —*the outcome* (*of a vote*) A.; (of an Erinys) —*a bitter outcome* (*for a marriage*) A.; (of Zeus) make —*a land* (W.PREDIC.ADJ. *fruitful*) A.; (of a destined time) fulfil, bring to fruition —*the touch of Zeus* (*in engendering Epaphos*) A.(mid.); (of a person) perform —*a favour* (W.DAT. *for someone*) A.; (of a king) discharge —*every duty* A.
3 ordain (w. guarantee of fulfilment in the future); (of a god, Erinyes, their words) decree, ordain, determine —*sthg.* A.(also mid.) S.; (of a person) —*a course of action, retribution* A. ‖ PASS. (of a role) be ordained or decreed (by Fate) —W.DAT. *for someone* A. (tm.)
4 ‖ PASS. (of the rims of a basket or bowl) be finished off or decorated —W.DAT. *w. gold* Oc.(tm.)

ἐπί-κρανον ου *n*. [reltd. κρᾱνίον¹] **1** head-dress E.
2 capital (on a column) E.

ἐπικράτεια ᾱς *f*. [ἐπικρατέω] **1** control, power (W.GEN. of persons, as that fr. which one escapes) X.; (of a king, a country, a region, over other places) X. Plb.
2 (concr.) territory under control (W.GEN. of oneself, others) X. Plu.
3 achievement or period of domination, supremacy (W.GEN. of a country) Plb.

ἐπι-κρατέω *contr.vb*. **1** (of persons) have power, be in charge (in a place) Od. Archil.; have control —W.DAT. *over ships, islands* Hom.; (of a king, a nation) have control of, rule —W.GEN. *a city, an island, lands, peoples* Hdt. —*the sea* Hdt. Th.
2 (of commanders, troops, combatants, opponents) have the upper hand, be victorious, prevail (in a war, dispute, or sim.) Il. Hdt. Th. Lys. Ar. X. + —W.GEN. *over enemies, opponents* Hdt. Th. Lys. Ar. Isoc. —; have superiority —W.DAT. *in naval strength, in infantry* Th. —W.PREP.PHR. *at sea* X.
3 conquer —W.GEN. *a country, cities* Hdt.; capture, take control of (the Acropolis) Hdt. —W.GEN. *ships* Hdt. —*a stockade* X.; take possession of —W.GEN. *corpses and wrecks* Hdt.; get control of —W.GEN. *a fire* Hdt.; take charge of —W.GEN. *affairs* Hdt.
4 overcome, get the better of —W.GEN. *someone's villainy* Lys. —*old age* Pl. —W.ACC. *defects of nature* Isoc.; (of truth) —W.GEN. *human calculations* Aeschin.
5 acquire, gain —W.GEN. *means of subsistence* Th. —*objects of desire* Pi.
6 prevail in argument, carry the point —*w*. μή + INF. or W.ACC. + INF. *that one shd. not do sthg., that sthg. shd. be done* Th.
7 (of vices) gain control —W.GEN. *of people* X.; (of a name) gain acceptance Hdt. Plb.; (of a part of one's personality) become dominant Pl.; (of justice) prevail Men.

ἐπικρατής ές *adj*. | compar. ἐπικρατέστερος | ‖ COMPAR. (of combatants) superior (W.DAT. in a battle) Th.

—ἐπικρατέως *adv*. powerfully, forcefully Il. Hes. Stesich. Ibyc. AR.

ἐπικράτησις εως f. **conquest** (W.GEN. of a people) Th.

ἐπι-κρεμάννῡμι vb. | aor. ἐπεκρέμασα ‖ PASS.: aor. ἐπεκρεμάσθην | **1** ‖ PASS. (of a rock, a wave) **overhang** (a place, a ship) hHom. AR.; (of a house, a fortress) **overlook** —W.DAT. *a place* Plu.
2 cause (W.ACC. ruin, danger) **to hang over** —W.DAT. *persons* Thgn. Call. Plb. ‖ PASS. (of blame, death, fear, danger, punishment, or sim.) **hang over, threaten** (sts. W.DAT. persons, places) Thgn. Simon. Pi.(tm.) Hdt. Th. AR.(sts.tm.) +

ἐπικρήηνον (ep.aor.imperatv.), **ἐπικρήνειε** (ep.3sg.aor.opt.): see ἐπικραίνω

ἐπικρῆσαι (aor.inf.): see ἐπικεράννῡμι

ἐπικριδόν adv. [ἐπικρίνω] **by selection** AR.

ἐπι-κρίνω vb. **give an additional or deciding judgement; adjudicate, judge, decide** Pl. Plu.(cj.) —*a question at issue* Pl. Plb. Plu. —W.INDIR.Q. *which is the more correct of two options* Plu. —W.ACC. + INF. *that a demand shd. be met* NT.

ἐπ-ίκριον ου n. [ἴκρια] **yard-arm** (supporting a sail) Od. AR.

ἐπικριτής οῦ m. [ἐπικρίνω] **adjudicator** (W.GEN. of reports) Plb.

ἐπι-κροτέω contr.vb. **1** (of chariots) **clatter after** (horses) Hes.
2 (of persons) **clap, applaud** Men. —W.DAT. *someone* Plu.

ἐπίκροτος ον adj. ‖ NEUT.SB. **ground that has been beaten** (by horses' hooves), **hard ground** X.

ἐπι-κρούω vb. **1 strike** —*the ground* (W.DAT. *w. a staff*) A. —*one's sword* (*w. one's hand*) Plu.
2 knock in —*a nail* Ar.
3 ‖ MID. (fig.) **strike with criticism, inveigh against** —*sthg.* Ar.

ἐπι-κρύπτω vb. **1 conceal** —*one's bloody hands* A. —*one's deformity, someone's body* Plu. —*the meaning of a word* Pl. —*a likeness* Plu. —W.PTCPL. *being complicit in sthg.* Plu. ‖ MID. **conceal** —*facts, circumstances* S.fr. Lys. Pl. D. Plb. Plu. ‖ PASS. (of a name, a circumstance) **be concealed or disguised** Pl. Arist.
2 ‖ MID. **conceal** —W.DBL.ACC. *sthg. fr. someone* Plb. —W.ACC. + COMPL.CL. *fr. someone that sthg. is the case* Pl.; (intr.) **conceal** or **disguise the truth** Pl. X. Plb. Plu. —W.ACC. *fr. someone* Pl. Plb.
3 ‖ MID. **disguise oneself** —W.DAT. *in another's clothing* Plu.; **disguise one's intentions** —W.DAT. *by using a certain term* Th.

ἐπίκρυφος ον adj. (of a path, actions) **concealed, disguised** Pi. Plu.

ἐπίκρυψις εως f. **concealment** Plu.

ἐπι-κρώζω vb. (of crows) **caw at** (someone) Ar.

ἐπι-κτάομαι mid.contr.vb. **acquire additionally, gain** —*an ally, friends, witnesses* A. S. —*another custom* Hdt. —*an empire, naval power, property, or sim.* Th. Pl. X. Plb.

ἐπι-κτείνω vb. (hyperbol.) **kill again** —*a dead person* S.

ἐπι-κτερεΐζω, also **ἐπικτερίζω** vb. | aor.inf. (tm.) ἐπὶ ... κτερεΐξαι, aor.opt. (tm.) ἐπὶ ... κτερίσαιμι | **perform** (W.COGN.ACC. funeral rites) **over** (a dead person, a tomb) Hom.(tm.)

ἐπίκτησις εως f. [ἐπικτάομαι] **further gain** (to a person's reputation) S.

ἐπίκτητος ον adj. (of a wife, friends, land, or sim.) **acquired later** (opp. original or long-standing) Hdt. X. Lycurg. Plu.; (of property, opp. inherited) Pl.; (of an opinion, a personal attribute, opp. innate) Pl. Arist. Plu. ‖ NEUT.PL.SB. **gains, acquisitions** Plu.

ἐπι-κτυπέω contr.vb. | aor.2 ἐπέκτυπον | **1** (of Olympos) **thunder in response** (to the cry of swans) Ar.; (of the Clashing Rocks) **make a thunderous crash** AR.
2 (of walkers) **stamp loudly** —W.DAT. *w. their feet* Ar.; (of dancers) Ar. Tim. Plb.
3 beat —W.DAT. *upon one's shield* AR.; (tr.) **beat upon** —*one's shield* (W.DAT. *w. one's sword*) AR.

ἐπι-κῡδέστερος ᾱ ον compar.adj. [κῦδος] **1** (of persons) **more distinguished** X.; (of achievements) **more brilliant** Isoc.
2 more confident (W.DAT. in one's hopes) Plb.; (of hopes, prospects) **brighter** Plb.
—**ἐπικῡδεστέρως** compar.adv. **more brilliantly** or **successfully** —*ref. to fighting* Plb.

ἐπι-κυΐσκομαι pass.vb. (of a hare) **conceive again** (before the end of its first pregnancy) Hdt.

ἐπι-κυκλέω contr.vb. (of the revolving paths of the Great Bear, i.e. the changing seasons) **bring round** —*sorrow and joy* (W.DAT. *to all*) S.(tm.) [unless intr., *sorrow and joy come round to all* (*like the changing seasons*)]

ἐπι-κυλινδέω contr.vb. —also **ἐπικυλίω** (Plb.) vb. **roll** —*rocks* (W.DAT. or ἐπί + ACC. *at people*) X. Plb.

ἐπι-κῡμαίνω vb. (fig., of a phalanx) **pour forward like a wave after** —W.DAT. *the cavalry* Plu.

ἐπι-κύπτω vb. (intr., of persons) **bend over** or **down** Ar. X.

ἐπικυρέω contr.vb.: see ἐπικύρω

ἐπι-κῡρόω contr.vb. **confirm, ratify** —*a proposal, policy, law, alliance, or sim.* Th. X. Is. D. Plb. Plu. —W.ACC. + INF. *that someone must die* E.; (of the goddess Nemesis) **decide** —W.ADV. *well* S. ‖ PASS. (of proposals, laws, or sim.) **be ratified** Th. Arist. Plb. Plu.

ἐπί-κυρτος ον adj. [κυρτός] (of an animal) **arched** or **humped** S.Ichn.

ἐπι-κυρτόω contr.vb. | masc.nom.du.ptcpl. (w.diect.) ἐπικυρτώοντε | (of snakes) **arch forward** —*their heads* Hes.

ἐπι-κύρω vb. —also **ἐπικυρέω** (Hes.) contr.vb. | aor. ἐπέκυρσα, also aor.ptcpl. (tm.) ἐπὶ ... κυρήσᾱς | **1 chance upon, come across, find** —W.DAT. *sacrificial offerings being burned* Hes.(tm.); (of a lion) —W.DAT. *a carcass* Il.(tm.)
2 (of persons) **meet with, encounter** —W.GEN. *unenvious persons* Pi. —W.DAT. *reversals of fortune* Pi.
3 (of a warrior) app. **come close to** or **reach** —W.DAT. *an opponent's neck* (*w. his spear-point*) Il.(tm.); (of persons) **reach, find** (a spring) AR.; (of a wild animal) —W.DAT. *flocks* AR.
4 come into possession of, hit upon —W.GEN. *a ship in poor condition* AR. —*a good life* A.

ἐπικύρωσις εως f. [ἐπικῡρόω] **confirmation, ratification** (W.GEN. of a vote) Arist.

ἐπι-κωκύω vb. **lament over, bewail** —*someone or sthg.* S.

ἐπι-κωλύω vb. **hinder, stand in the way of** —*someone* X. —W.DBL.ACC. *someone in an action* S. —W.INF. *one's doing sthg.* Men.; (intr.) **be a hindrance** Th.

ἐπι-κωμάζω vb. **1 go off with a band of revellers** Plb. Plu.; **gate-crash** —*w.* ἐπί + ACC. *on people* Ar.; (fig., of citizens) **go careering off** —*w.* εἰς + ACC. *to other cities* Pl. ‖ PASS. **be gate-crashed by a band of revellers** Plu.
2 (of a lover) **go to perform a drunken serenade** (at the house of one's beloved) Call.epigr.

ἐπι-κώμιος ᾱ ον adj. [κῶμος] **belonging to a celebration** (of an athletic victor); (of a voice, a song) **celebrating victory** Pi. ‖ NEUT.SB. **victory-song** Pi.

ἐπί-κωμος ον adj. [app. κώμη] (of a person) **resident in a village** Call.

ἐπι-κωμῳδέω contr.vb. **make fun of** —*someone's behaviour* Pl.

ἐπί-κωπος ον *adj.* [κώπη] (quasi-advbl., of a weapon being thrust in) **up to the hilt** Ar.
ἐπιλαβή ῆς *f.* [ἐπιλαμβάνω] **grasping** (W.GEN. of a person's clothes) A.
ἐπι-λαγχάνω *vb.* | pf. ἐπιλέλογχα | **1 be drawn in a second lot** (to fill a vacancy for an office) Aeschin. D.
2 (of old age) fall to one's lot next, **take over, come afterwards** S.
ἐπι-λάζυμαι *mid.vb.* **hold tight, stop** —*one's mouth* (i.e. keep quiet) E.
ἐπιλάθομαι *dial.mid.vb.*: see ἐπιλανθάνομαι
ἐπι-λαμβάνω *vb.* **1 get in addition** —*a sum of money (as profit,* W. ἐπί + DAT. *on one's capital*) Arist.; **accept in addition** (to water) —*a little wine* Plu.
2 (of a sickness) **take hold of** —*persons* Hdt. Th. Men. Plu.; (of sleep) AR.(tm.) || PASS. (of persons) be affected —W.DAT. *by a sickness* (fig.ref. *to disobedience*) S. —W.ACC. *in one's consciousness* (i.e. become unconscious) Plu.
3 (of winter, night) **overtake, interrupt** —*an enterprise (before it is finished)* Th.
4 occupy an extent of time; **fill, cover** —*a certain number of years or days (while holding an office)* Th. Plu.; **take up** —*the greater part of the night (in quarrelling)* Men.
5 occupy an extent of space; (of a file of troops) **match the length of** —*a line of corpses* X.; (of a person, while searching) **cover** —*much ground* Theoc.; (of kindness) —*a broader area than justice* Plu.; (of a private individual) **encroach on** —*state land* (W.DAT. *w. buildings or excavations*) Pl.
6 put a stopper to (an opening, so as to block it); **stop** —*injected fluid* (W.GEN. *fr. running back out of an aperture*) Hdt. —*the water in a water-clock (used to time a speech)* Att.orats.; **stop up, block** —*a clock's outlet pipe* Arist.(cj.) —*one's nose (to avoid an unpleasant smell)* Ar.
7 stop, prevent —*a horse* (w. τοῦ + INF. *fr. doing sthg.*) X.
8 || MID. **lay hold** (usu. W.GEN. of persons or things, sts. w.connot. of force) Hdt. E. Th. Att.orats. Pl. + —W.ACC. *of a person* NT.; (of scythes on chariot wheels) **catch** —W.GEN. *people* X.
9 || MID. (of officials) **seize, confiscate** —W.GEN. *goods* D.; (of persons, in pursuit of a claim) lay or attempt to lay hands on, **lay claim to** —W.GEN. *items of property, money* Isoc. Pl. D.
10 || MID. **attack** —W.GEN. *an enemy* X.
11 || MID. make a verbal attack, **criticise** (usu. W.GEN. persons, speeches, or sim.) Isoc. Pl. X. Plb. Plu.; **object, protest** (against someone, while he is speaking) Pl. Thphr. —W.GEN. *against someone* Pl.; **object** —W.COMPL.CL. *that sthg. will be the case* Pl.
12 || MID. **seize** —W.GEN. *an opportunity* Ar.; **grasp, attain** —W.GEN. *objects of perception* (W.DAT. *by reasoning*) Pl.
13 || MID. **get, obtain, find** —W.GEN. *a champion* Hdt. —*an excuse, opportunity, licence, immunity, or sim.* Hdt. Pl. Aeschin. D. Plb. Plu. —*quiet, respite (fr. sthg.)* Isoc. Pl.
14 || MID. **come upon, encounter** —W.GEN. *difficult terrain* X.; **reach** —W.GEN. *a place* Plu.; **keep close** —W.GEN. *to mountains* Plu.
15 || MID. **undertake, embark on** —W.GEN. *enterprises and struggles* Plu.
16 || MID. (of a speaker) **touch on** —W.GEN. *a topic* Isoc. Pl.
ἐπι-λαμπρύνω *vb.* (fig.) **brighten up** —*a table (w. the quality of food and drink)* Plu.; **add splendour to** —*one's family* Plu.
ἐπίλαμπτος *Ion.adj.*: see ἐπίληπτος

ἐπι-λάμπω *vb.* **1** (of the sun, the moon) **shine forth** Il. hHom. X. Plu. —W.DAT. *on people, places* Men. Plu. —*on an activity* Plu.
2 (of day) **dawn** Hdt. —W.DAT. *for persons* (W.ADJ. *to their delight*) Hdt.; (fig., of spring) **shine forth** Hdt.; (of a person's youth) Pi.fr.
3 (of torches) **gleam on** —W.DAT. *the tips of animals' horns* Plu. || MID. (of a helmet) **gleam** (on someone's head) AR.
4 (tr., of the sun) **light up, illuminate** —*hills* AR.
ἐπι-λανθάνομαι, also ἐπιλήθομαι, dial. ἐπιλάθομαι *mid.vb.* | fut. ἐπιλήσομαι | aor.2 ἐπελαθόμην | pf. ἐπιλέλησμαι | pf.act. ἐπιλέληθα (Hdt., dub.), dial. ἐπιλέλαθα (Pi.) || pf.pass.ptcpl. ἐπιλελησμένος (NT.) | **forget** Scol. S. E. Ar. Pl. —W.GEN. *someone or sthg.* Hom. + —W.ACC. *sthg.* Hdt. E. Ar. Att.orats. Pl. + —W.INF. *to do sthg.* Ar. Pl. Hyp. Thphr. Theoc. —W.PTCPL. *that one is in a certain situation* Pi. E. —W.INDIR.Q. or COMPL.CL. *what (or that sthg.) is the case* X. Is. Lycurg. || PF.PASS.PTCPL.ADJ. **forgotten, overlooked** NT.
—ἐπιλήθω *act.vb.* | aor. ἐπέλησα | (of sleep) **cause forgetfulness** —W.GEN. *of everything* Od.
ἐπίλᾱσις ιος *dial.f.* **forgetfulness** (W.GEN. of sufferings) Pi.
ἐπι-λεαίνω *vb.* | Ion.aor.ptcpl. ἐπιλεήνας | (fig.) make smooth (by eliminating awkwardness), **clear the way for acceptance of, facilitate** —*someone's proposal* Hdt.
ἐπι-λέγω *vb.* | aor. ἐπέλεξα | PASS.: aor. (w.mid.sens.) ἐπελέχθην (A.) | pf.ptcpl. ἐπειλεγμένος, ἐπιλελεγμένος |
1 say (W.ACC. sthg.) **over** —W.DAT. *a corpse* Hdt.
2 say in connection with (an action); **say in explanation, explain, add** —W.INTERN. or COGN.ACC. *words, an explanation, or sim.* Hdt. Ar. —W.DIR.SP. *sthg.* X. Plu. —W.INDIR.Q. or COMPL.CL. *what (or that sthg.) is the case* Hdt. Plu.; **add** —*the reason (for a statement)* Arist.; **cite** —W.DBL.ACC. *sthg. as evidence* Th.
3 call (someone, by a certain name) in explanation or justification for an action; **call** —*persons* (W.PREDIC.SB. *the accursed*) Hdt.
4 apply or **repeat** —*someone's words* (W.PREP.PHR. *in all situations*) Arist.; **apply** —*a descriptive term* (W.DAT. *to sthg.*) Arist.; **say about** (W.DAT. sthg.) —W.COMPL.CL. *that sthg. is the case* Arist.
5 say (sthg.) afterwards; **add** —*an example (after a rhetorical argument, instead of before it)* Arist.; (intr.) **speak next** or **afterwards** Lys. || PASS. (of examples) be cited afterwards Arist.
6 compose additionally —*words (for musical compositions)* Pl.
7 describe (W.ACC. sthg.) **additionally** —W.PREDIC.ADJ. *as such and such* Pl. || PASS. (of a place) be called (in another language) —W.PREDIC.SB. *such and such* NT.
8 || MID. **mention** —*someone* A. [or perh. **call upon**]
9 (act. and mid.) select in addition (for inclusion w. others), **pick out, select, choose** —*persons or things* Hdt. Th. Isoc. Call. Plb. + || PF.PASS. (of persons) have been chosen Isoc. X. Plb.
10 || MID. include in one's thoughts, **take into account, consider** —W.NEUT.ACC. *these things or sim.* B. Hdt. —W.INDIR.Q. or COMPL.CL. *what (or that sthg.) is the case* Hdt. —W.FUT.INF. or ACC. + FUT.INF. *that one (or someone) will do sthg.* Hdt.; (perh.) —W.ACC. + PRES.INF. *that sthg. is the case* A.
11 || MID. **take note of, read** —*sthg. written* Hdt.
ἐπι-λείβω, also ἐπιλείβω *vb.* **pour libations on** Od. —W.DAT. *sacrificial offerings* AR. **pour on** —*wine* Il.(tm.)

ἐπι-λείπω vb. 1 leave (sthg.) remaining; **leave untouched** —*resources* Pl.; **leave unspoken, pass over** —*topics* Pl. ‖ PASS. (of the larger part of sthg.) be left over Od.(tm.)
2 (of things) leave (someone) short (of a sufficient quantity); (of commodities, resources) **fail, run out on** —*someone* Hdt. Lys. Ar. Pl. X. D. +; (of time, water in a water-clock) Isoc. D.; (of youth, hopes, courage) Thgn. Th. Aeschin.; (of witnesses) —*those needing them* Ar.; (of rainwater) —*rivers* Hdt.
3 leave (someone) short of (an expected service); (of a Muse, care fr. the gods) **fail, let down** —*someone* Pl.; (at Athens, of a Scythian archer, i.e. policeman) Ar.
4 ‖ PASS. (of persons) be left deficient —W.DAT. *in power, resources* Arist.; be inferior —W.GEN. *to someone* Arist.
5 (intr., of commodities, resources) **run short, run out, fail** Th. Lys. Ar. Pl. X. D. +; (of persons) D.; (of time) Lys. Isoc.; (of knowledge, speech) Pl.; (of courage) —W.DAT. *for someone* Plu.
6 (of rivers, wells, or sim.) **run dry** Hdt. D. Plu.
7 (of animals) **become extinct** Hdt.
8 lose strength or effectiveness; (of a penis, shoes) **be worn out, give out** Ar. X.; (of a memory) **fade** Aeschin.
9 (of a law) **fail** —w. μή + INF. *to do sthg.* Antipho (dub.)
ἐπι-λείχω vb. (of dogs) **lick** —*someone's wounds* NT.
ἐπίλειψις εως f. [ἐπιλείπω] **disappearance** (W.GEN. of birds, during an epidemic) Th.
ἐπιλεκτ-άρχης ου m. [ἐπίλεκτος, ἄρχω] **commander of elite soldiers** Plu.
ἐπίλεκτος ον adj. [ἐπιλέγω] 1 (of soldiers) **picked, select, elite** Plb. Plu.; (of a ship's crew) Plb.
2 ‖ MASC.PL.SB. picked or elite soldiers X. Aeschin. Plb.; (in the Roman army) specially selected troops, *extraordinarii* Plb. Plu.
ἐπιλέλησμαι (pf.mid.): see ἐπιλανθάνομαι
ἐπι-λέπω vb. **strip, whittle** —*a branch* hHom.
ἐπι-λεύσσω vb. have vision over (a distance), **be able to see** —W.NEUT.ACC. *so far* Il.
ἐπιλήθομαι mid.vb.: see ἐπιλανθάνομαι
ἐπίληθος ον adj. [ἐπιλήθω] (of a drug) **causing forgetfulness** (W.GEN. of troubles) Od.
ἐπιλήθω vb.: see under ἐπιλανθάνομαι
ἐπι-ληΐς ΐδος f. (ref. to a city) **spoil** or **prize of war** X.
ἐπι-ληκέω Ion.contr.vb. [λᾱκέω] make a sound in accompaniment; perh. **clap** or **cheer on** (dancers) Od.
ἐπιληπτικός ή όν adj. [ἐπιλαμβάνω] (of a sickness) **epileptic** Arist. ‖ MASC.PL.SB. epileptics Arist.
ἐπίληπτος, Ion. ἐπίλαμπτος, ον adj. 1 (of a person) **caught, apprehended** S.; (W.PTCPL. while doing sthg.) Hdt.
2 (of a slave) prob., suffering from a disability, **disabled** Hyp.
3 (fig.) disabled by, **suffering from** (W.DAT. every kind of vice) D.
4 ‖ MASC.SB. epileptic D. Thphr.
ἐπιλήπτωρ ορος m. (ref. to Zeno of Elea) **critic, censurer** (W.GEN. of all things) Plu.(quot.)
ἐπιλήσμων ον, gen. ονος adj. [ἐπιλανθάνομαι] | superl. ἐπιλησμονέστατος, irreg. ἐπιλησμότατος (Ar.) | (of persons, a soul) **forgetful** Ar. Att.orats. Pl. X.; (W.GEN. of sthg.) X.
ἐπιλήσομαι (fut.mid.): see ἐπιλανθάνομαι
ἐπίληψις εως f. [ἐπιλαμβάνω] 1 **seizure** or **attempted seizure** (of property, in pursuit of a claim) Pl.
2 **criticism, censure** Isoc. Plu.
ἐπῐ-λίγδην adv. | ῐ *metri grat.* | app. **with a glancing blow** —*ref. to being struck by a weapon* Il.

ἐπι-λιμνάζομαι pass.vb. (of plains) **be turned into lakes** —W.DAT. *by torrents* Plu.
ἐπι-λιπαίνω vb. (of a river) **give an oily sheen to** —*the skin of bathers* Plu.
ἐπιλιπής ές adj. [ἐπιλείπω] (of activities) **left unfinished** Plu.
ἐπιλλείβω vb.: see ἐπιλείβω
ἐπ-ιλλίζω vb. [ἰλλός] 1 give a distorted look; **wink** (in complicity) —W.DAT. *at someone* Od.; perh. **glance shiftily** hHom.
2 **look askance, give a scornful look** AR. —W.DAT. *at someone* AR.
3 scornfully utter —W.INTERN.ACC. *taunts* (W.DAT. *against someone*) AR.
ἐπιλογή ῆς f. [ἐπιλέγω] process of selection, **selection** (W.GEN. of men) Plb.
ἐπι-λογίζομαι mid.vb. | aor. ἐπελογισάμην, also pass. (w.mid.sens.) ἐπελογίσθην (Hdt.) | **take into account, consider** —*a circumstance* X. —W.COMPL.CL. *the fact that sthg. is the case* Hdt. X. D.
ἐπιλογισμός οῦ m. **auditing** (of accounts) Arist.(dub.)
ἐπίλογος ου m. 1 concluding statement or reasoning, **conclusion** Hdt.
2 **epilogue, peroration** (of a speech) Arist.
3 **additional** or **explanatory statement** Arist.
ἐπί-λογχος ον adj. [λόγχη] (of a hunter's javelin) equipped with a spear-head, **sharp-tipped** E.
ἐπίλοιπος ον adj. [ἐπιλείπω] (sg. and pl., of things, esp. of periods of time) **left over, still left, remaining** Pi. Hdt. E. Th. Att.orats. Pl. + ‖ PL.SB. (w.art., in same gender as dependent gen.) rest (W.GEN. of the cities) Hdt. ‖ NEUT.PL.SB. remaining parts, rest (freq. W.GEN. of sthg.) Hdt. S. E. Ar. Pl. +
ἐπί-λῡπος ον adj. [λύπη] (of activities or conditions) associated with pain, **painful** Arist.
ἐπίλυσις εως f. [ἐπιλύω] **release** (W.GEN. fr. fears) A.
ἐπι-λύω vb. 1 **release, unleash** —*hounds* X.
2 ‖ MID. (of old age) **release, free** —*someone* (w. μή + INF. fr. *experiencing an emotion*) Pl.
3 **unravel, explain** —*parables* (W.DAT. *to persons*) NT.
4 ‖ PASS. (of a dispute) **be settled** NT.
ἐπι-λωβεύω vb. [λώβη] **mock** (someone) Od.
ἐπι-μαίνομαι mid.vb. | aor. ἐπεμηνάμην ‖ aor.2 pass. ἐπεμάνην | 1 (of a mind) **be mad** —W.DAT. *by reason of a murder* A.
2 (of a person) **be mad with love for** —W.DAT. *someone* Il. Anacr. Mosch.; (also aor.2 pass.) Plu.
3 be wildly enthusiastic for, **be crazy about** —W.DAT. *activities* Ar.; (of a goddess) **be madly fond of** —W.DAT. *a place* Call. ‖ AOR.2 PASS. be entranced by —W.DAT. *someone's behaviour* Ar.
4 (fig., of the air) **be in a frenzy** (fr. the brandishing of spears) A.
ἐπι-μαίομαι mid.vb. | fut. ἐπιμάσσομαι | aor.: 3sg. ἐπεμάσσατο, ptcpl. ἐπιμασσάμενος, inf. (tm.) ἐπὶ ... μάσασθαι | 1 seek after (a place or goal); **make for** —W.GEN. *a rock, a bathing-place* Od. Theoc.; **aim for** —W.GEN. *arrival at a land* Od.; **strive for** —W.GEN. *great deeds* Hes.fr.; (of a person's heart) **be set on** —W.GEN. *gifts* Il.
2 touch (sthg.) with the hand; **feel** —W.ACC. *a ram, the backs of sheep* Od. —*a wound* Il.; **clutch, grasp** —W.ACC. *a sword-hilt* Od. —*a person* (W.GEN. *by the hand*) AR.; **put one's hand** —w. ἐπί + ACC. *on an ox's back* Hes.fr.; **feel** or **feel for** (an object, a part of the body) Od.(sts.tm.); **clutch at** —W.GEN. *one's throat* AR.
3 **touch, strike** —W.ACC. *a person* (w. *a wand*) Od. —*horses* (W.DAT. *w. a whip*) Il.

4 attempt —W.ACC. *the art of fire-making* hHom.; **ply** —W.ACC. *a craft* Bion
5 ponder —W.ACC. *sthg.* (W.DAT. *in one's mind*) AR.; **grasp, take in** (sights, w. one's eyes) AR.

ἐπι-μανδαλωτός όν *adj.* (of a kiss) **with the tongue thrust out** Ar.

ἐπιμανής ές *adj.* [ἐπιμαίνομαι] (of a sickness, fig.ref. to courting popular favour) **mad, raging** Plu.

ἐπι-μανθάνω *vb.* learn additionally or afterwards; **learn** (W.ACC. sthg.) **new** X.; **learn** (W.ACC. sthg.) **later** (opp. earlier) Th.; **learn afterwards or also** —W.INF. *to do sthg.* Hdt. —W.INDIR.Q. *whether sthg. is the case* Hdt.

ἐπι-μαρτυρέω *contr.vb.* (of persons) **take evidence of** —sthg. (W. πρός + ACC. *to someone*) Plu.; (of events or circumstances) **provide evidence** or **confirmation** (usu. W.DAT. of sthg.) Plu.; (of names) **testify, admit** —W.INF. *to being in a certain state* Pl.

ἐπιμαρτυρία ᾱς *f.* [ἐπιμαρτύρομαι] **appeal** (W.GEN. to gods and local heroes) **to bear witness** Th.

ἐπι-μαρτύρομαι *mid.vb.* **1 call upon** (W.ACC. gods, sts. understd.) **to witness** (an agreement, an injustice, or sim.) X. Plb.
2 call on (W.ACC. persons, sts. understd.) **to witness** (an injustice or sim.) Ar. D. Plb. —W.COMPL.CL. *that sthg. is the case* D.
3 make an appeal (to persons) —W.INF. or (more freq.) μή + INF. *to do (not to do) sthg.* Hdt. Th.
4 appeal to the fact, cite as evidence —W.COMPL.CL. *that sthg. is the case* Pl. —W.ACC. + PF.INF. *that sthg. has happened* Plu.

ἐπι-μάρτυρος ου *m.* (ref. to a god) **witness** (to a person's words) Hom.(dub.) Hes.(dub.) [prob. to be written ἐπὶ μάρτυρος]

ἐπί-μαρτυς υρος *m.* (ref. to a god) **witness** (to a peace treaty) Ar.; (W.GEN. to evil deeds) AR.; (ref. to a person, W.GEN. to someone's judgement) Call.

ἐπιμάσσομαι (fut.mid.): see ἐπιμαίομαι

ἐπι-μαστίδιος ον *adj.* [μαστός] (of babies) **at the breast** A. E.

ἐπι-μάστιος ον *adj.* (of a clod of earth, envisaged as a baby) **at the breast** AR.

ἐπίμαστος ον *adj.* [ἐπιμαίομαι] (of a vagrant) app. **sought out, picked up** Od. [or perh. *seeking (food)*]

ἐπι-μαχέω *contr.vb.* [μάχομαι] (of allied peoples) **fight in defence of** —W.DAT. *each other's country* Th.

ἐπιμαχία ᾱς *f.* **defensive alliance** (opp. συμμαχία *alliance for both attack and defence*) Th. X. D. Arist.

ἐπί-μαχος ον *adj.* [μάχη] (of places) **vulnerable to attack** Hdt. Th. X.

ἐπι-μείγνῡμι (sts. written **ἐπιμίγνῡμι**) *vb.* —also (pres.) **ἐπιμίσγω** **1** add by mixing in; (of nature) **mix** or **blend in, add** —*pleasure* (i.e. the capacity for giving it, W.DAT. *to an otherwise harmful person*) Pl.; (of a god) **confer** —*glory* (W.DAT. *on a city*) Pi.*fr.*
2 bring into contact; (of a god) **involve** —*a people* (W.DAT. *in public celebrations*) Pi.; (of a murderer) **introduce** —*the shedding of kindred blood* (W.DAT. *to mortals*) Pi.; (of soldiers) **engage** —*their hands* (W.DAT. *w. the enemy, i.e. join in combat*) Pi.
3 ‖ MID. (of combatants) **join in battle, clash** Il.; (of an individual warrior) —W.DAT. *w. the enemy* Il.
4 ‖ MID. (of persons, states) **have contact** or **dealings** —W.DAT. or PREP.PHR. *w. people, each other, a country* Od. Hdt. Th. X. Arist. +; (also act.) Th. X.

5 ‖ MID. **go to join, participate** —W. ἐς or ἐπί + ACC. *in councils or feasts* Hes.; **visit** or **approach** (usu. W.DAT. *a place*) Call.
6 ‖ MID. (of a woman) **have sexual intercourse** —W.DAT. *w. a man* D.
7 ‖ PASS. (of possessions) **be mixed in** —W. πρός + ACC. *w. someone's property* Plb.

ἐπι-μειδάω *contr.vb.* **smile** (at someone, whom one is addressing) Hom. Hes. hHom.

ἐπι-μειδιάω *contr.vb.* **smile** (at or in response to sthg.) X. AR. Plu.

ἐπιμειξίᾱ (sts. written **ἐπιμῑξίᾱ**) ᾱς, Ion. **ἐπιμειξίη** ης *f.* [ἐπιμείγνῡμι] **contact, dealings** (usu. W.DAT. or PREP.PHR. w. people) Hdt. Th. Pl. X. D. +

ἐπίμειξις ιος Ion.*f.* **participation** (W.DAT. in a symposium) Thgn.

ἐπιμέλεια ᾱς, Ion. **ἐπιμελείη** ης *f.* [ἐπιμελέομαι] **1 care, concern** (freq. W.GEN. or PREP.PHR. for someone or sthg.) Hdt. Th. Att.orats. Pl. X. Arist. +
2 (specif., ref. to a public duty or sim.) **commission, charge, responsibility** (sts. W.GEN. or PREP.PHR. for or in relation to sthg.) Att.orats. Arist.
3 activity pursued with diligence, **pursuit, occupation** Arist.

ἐπι-μελέομαι *mid.contr.vb.* —also (pres.) **ἐπιμέλομαι** *mid.vb.* [μέλω] | fut. ἐπιμελήσομαι | aor.pass. (w.mid.sens.) ἐπεμελήθην | pf. ἐπιμεμέλημαι | neut.impers.vbl.adj. ἐπιμελητέον | **1 have care** or **concern** Hdt. E.(dub.) Th. Att.orats. + —W.GEN. *for someone or sthg.* Hdt. Th. Ar. Att.orats. + —W.PREP.PHR. Isoc. Fl. X. —W.NEUT.ACC. *about sthg.* Th. X. Thphr.
2 take care, be concerned —W.ACC. + INF. *that someone shd. do sthg.* Th. —w. ὅπως (sts. ὡς) + FUT.INDIC., or + SUBJ. or OPT. *that one or someone shd. do sthg., that sthg. shd. be the case* Th.(treaty) Isoc. X. —W.GEN. + INF. *for sthg., namely to do it* X. —W.GEN. + COMPL.CL. *for someone, that he shd. be such and such* Pl.
3 (of persons in authority) **have supervision, be in charge** —W.GEN. *of persons or things* Lys. X. —W.NEUT.ACC. *in certain areas* Pl.

ἐπιμέλημα ατος *n.* object of attention, **pursuit, occupation** X.

ἐπιμελής ές *adj.* **1** (of persons) **taking care, careful, conscientious** (sts. W.GEN. or PREP.PHR. about someone or sthg.) Ar. Isoc. Pl. X. Is. Arist. +
2 (of a horse's grooming) performed with care, **careful** Men.
3 (of an activity) being of concern, **falling as a charge** or **responsibility** (W.DAT. to someone) Pl. ‖ NEUT.SB. concern, responsibility (W.GEN. for sthg.) Th.
4 (phrs.) ἐπιμελὲς ἦν or ἐγένετο (w.neut.sg. subject *this*, or neut.pl. *what someone said*, or more freq. impers. *it*) *was a matter of concern or interest* —W.DAT. *for someone* Hdt. Aeschin. D. Arist. Men. +; (impers.) —W.DAT. + INF. *for someone to do sthg.* Th. Att.orats. Arist. —W.DAT. + μή W.SUBJ. *for someone, that someone shd. not do sthg.* Pl.; ἐπιμελές (w. ἐστί or ἦν, sts. understd.) *there is a concern* —W.DAT. *for someone* (W.GEN. or PREP.PHR. *about sthg., i.e. sthg. is a matter of concern for someone*) Pl D. Arist. Plb.; ἐπιμελὲς πεποίημαι *I have made it my concern* —W.INF. *to do sthg.* Pl.

—ἐπιμελῶς *adv.* **carefully, conscientiously** Att.orats. Pl. X. Arist. Men. Plb. +

ἐπιμελητής οῦ *m.* **1** one who has care or charge, **manager, supervisor, overseer** (usu. W.GEN. of things, places) Ar. Pl. X.

Arist. Theoc. Plb. +

2 (specif., at Athens, as the title of an official, sts. W.GEN.) **curator, supervisor, superintendent** (of criminals, ref. to οἱ ἕνδεκα *The Eleven*) Antipho; (of sacred olives) Lys.; (of the Mysteries, the procession at the city Dionysia) D. Arist.; (of a tribe, a taxation-group, the dockyards) D.; (of the market) D. Arist. Din.; (of springs) Arist.

ἐπιμελητικός ή όν *adj.* (of a person) **capable of taking charge** X. ‖ FEM.SB. **art of management** Pl.

ἐπιμέλομαι *mid.vb.*: see ἐπιμελέομαι

ἐπι-μέλπω *vb.* **sing** (W.ACC. a paean) **in celebration** (of an event) A.(dub.)

ἐπι-μέμονα *pf.vb.* **be eager, long** (to go somewhere) S.

ἐπι-μέμφομαι *mid.vb.* **1 find fault with, blame** —W.DAT. *someone* Od. —(W.NEUT.ACC. *for sthg.*) Hdt. —*actions* Plb. —W.ACC. *an island* Call.
2 find fault, complain Hdt. —W.PREP.PHR. *because of someone* Il.; **complain of** —W.GEN. *sthg.* Il. S. —W.NEUT.ACC. Hdt.

ἐπι-μένω *vb.* **1** (of persons) **remain, stay, wait** (in a place, or instead of doing sthg.) Hom. +
2 (of persons or things) **remain in position** (opp. falling off sthg.) Th. Pl.
3 (of bodily matter, animal traces, snow) **remain, last** Pl. X. Plb.
4 (of persons) **continue, persist** —w. ἐπί + DAT. *in an argument, an investigation* Pl. —w. ἐπί + GEN. *in misbehaviour* D. —*in a siege* Plb. —W.DAT. *in a course of conduct* X.; **persist with, abide by** —W.DAT. *a treaty* X. —*persons, policies, habits* Plb. Plu.
5 (tr., of persons) **wait for, await** —*an event* Isoc.; (of a fate, a life, sufferings) —*someone* S. E. Pl.; (of Charon's oar) —*someone's journey towards death* E.
6 wait for —W.ACC. + AOR.PASS.INF. *sthg. to be done* Th.; **wait** —W.FUT.INF. *w. the intention of doing sthg.* Th. —W.AOR.INF. *so as to do sthg.* (i.e. w. the consequence that one does it) S.

ἐπίμερος *dial.adj.*: see ἐφίμερος

ἐπί-μεστος ον *adj.* [μεστός] (of gifts) **in full measure, abundant** Call.

ἐπι-μεταπέμπομαι *mid.vb.* **send for reinforcements** Th.

ἐπι-μετρέω *contr.vb.* **1 give a further measure** (of grain) —W.DAT. *to someone* Hes.; (gener.) **measure out, distribute** —*grain* Plu. ‖ PASS. (of grain) **be measured out in addition** (to financial contributions) Hdt.
2 give as an additional amount, pay (W.ACC. a sum of money) **in addition** (sts. W.DAT. to wages) Plu.; **award additionally** —*a period of military command* (W.DAT. *to someone*) Plu. ‖ PASS. (of things) **be awarded additionally** —W.DAT. *to someone* Plu.
3 (gener.) **do** (sthg.) **additionally; throw in as well** —*many remarks* Plb.; (intr.) **add** —W.DAT. *to one's achievements* Plb.; **go further** or **too far** (in one's actions or attitude) Plb.
4 (fig., of Fortune) **give an extra measure** (of bad luck) Plb.; (of a narrative) **add extra detail, become more expansive** Plb.
5 (of a historian) **measure out, calculate** —*an army's movements* (*on a battlefield*) Plb.

ἐπί-μετρον ου *n.* [μέτρον] **1 additional measure, excess** Theoc.
2 (prep.phr.) ἐν ἐπιμέτρῳ *as an additional contribution* (*to a discourse*), *into the bargain* Plb.

ἐπι-μήδομαι *mid.vb.* **plan** (W.ACC. a trick) **against** —W.DAT. *someone* Od.

Ἐπιμηθεύς έως, dial. **Ἐπιμᾱθεύς** έος *m.* **Epimetheus** (brother of Prometheus, unwise recipient of Pandora fr. Zeus) Hes. Pi. Pl.

ἐπιμηθής ές *adj.* [reltd. προμηθής] (of dogs) **thinking after acting, imprudent, hasty** Theoc.

ἐπι-μήκης ες *adj.* [μῆκος] (of the sides of a gangway) **long** Plb.

ἐπι-μηλάδες ων *fem.pl.adj.* [μῆλα] (of she-goats) **protecting flocks** Call.

ἐπι-μήνιος ον *adj.* [μήν²] **1** (of grain, ref. to its ration) **measured in terms of a month, monthly** Plu. ‖ NEUT.PL.SB. **monthly rations or provisions** Plb.
2 ‖ NEUT.PL.SB. **monthly offerings** Hdt.
3 ‖ NEUT.PL.SB. **monthly discharge, menses** (of a woman) Arist.

ἐπι-μηνίω *vb.* **be angry with** —W.DAT. *someone* Il.

ἐπι-μητιάω *contr.vb.* | *fem.ptcpl.* (w.diect.) ἐπιμητιόωσα | **devise a way** —W.INF. *to do sthg.* AR.

ἐπι-μηχανάομαι *mid.contr.vb.* **1 invent** (as a counter-measure), **devise** —*a remedy* Hdt.; (intr.) **try every device** Hdt.
2 (of cooks) **devise in addition** —*other new dishes* X.

ἐπι-μήχανος ον *adj.* [μηχανή] (of a city) **inventive** (W.GEN. of evil deeds) Hdt.(oracle)

ἐπιμίγνυμι *vb.*: see ἐπιμείγνυμι

ἐπι-μιμνήσκομαι *mid.vb.* | *fut.* ἐπιμνήσομαι, also *pass.* (w.mid.sens.) ἐπιμνησθήσομαι | *aor.* ἐπεμνησάμην, also *pass.* (w.mid.sens.) ἐπεμνήσθην, *dial.* ἐπεμνάσθην | *pf.* (w.pres. sens.) ἐπιμέμνημαι ‖ *neut.impers.vbl.adj.* ἐπιμνηστέον |
1 bring to mind, recall, remember —W.GEN. *someone or sthg.* Hom.(sts.tm.) Sapph. Hdt. AR.
2 be mindful of, think of —W.GEN. *sthg.* Il.(sts.tm.) Archil.
3 make mention of, speak of —W.GEN. *someone or sthg.* Od. A. Hdt. S. Th. Att.orats. + —w. περί + GEN. Hdt. Pl. X. Hyp. —W.ACC. *sthg.* Hdt. Plb.; **mention** —W.NEUT.ACC. *this much* (or sim.) Hdt. X. Is. D. —*many things* (W.GEN. *about sthg.*) Hdt. —W.COMPL.CL. or INDIR.Q. *that* (or *how*) *sthg. is the case* Pl. X.

ἐπι-μίμνω *vb.* **1 remain at, persist in** —W.DAT. *a task* Od.
2 wait upon —W.ACC. *a hope* (i.e. wait for it to materialise) Hes.(tm.)

ἐπιμίξ *adv.* [ἐπιμείγνυμι] **mixed up, in confusion, indiscriminately** Hom.

ἐπιμῑξίᾱ *f.*: see ἐπιμειξίᾱ

ἐπιμίσγω *vb.*: see ἐπιμείγνυμι

ἐπι-μίσθιος ον *adj.* (of a worker) **hired** Plu.

ἐπί-μοιρος ον *adj.* [μοῖρα] (of a victor at the Isthmian Games) **also winning a share** (W.GEN. of crowns at other games) B.

ἐπίμολοι ων *m.pl.* [ἐπέμολον, see ἐπιβλώσκω] **attackers, invaders** (W.GEN. of a land) A.

ἐπιμομφά ᾶς *dial.f.* [ἐπιμέμφομαι] **blame, reproach** Pi.

ἐπίμομφος ον *adj.* **1** (of a person) **reproving, censorious** (W.DAT. of persons) E.
2 (of happenings) **open to blame** or **complaint** A.

ἐπιμονή ῆς *f.* [ἐπιμένω] **1 wait, delay** (of a person, at a place) Th.
2 perseverance Pl. Plu.

ἐπίμονος ον *adj.* **1** (of a person) **persistent, steadfast** (W.DAT. or ἐν + DAT. in one's purpose or conduct) Plb. Plu. ‖ NEUT.SB. **steadfastness** (W.GEN. of purpose) Plb.
2 (of an activity or condition) **lasting, continuing** or **permanent** Plb.

ἐπί-μοχθος ον *adj.* [μόχθος] (of excellence) **won by toil** B.

ἐπι-μύζω vb. [μύζω¹] (of goddesses) **mutter in annoyance, grumble** (at a speech by Zeus) Il.
ἐπίμυκτος ον adj. (of Poverty) **scorned, abhorred** Thgn.
ἐπι-μύρομαι mid.pass.vb. (of an isthmus) **be washed over** (by the sea) AR.
ἐπι-μύω vb. | aor. ἐπέμυσα | **1 close one's eyes** Plb.; (euphem., ref. to dying) Call.epigr.
2 signify agreement by a wink Ar.
ἐπι-μωμητός, dial. ἐπιμωμᾶτός, όν adj. (of one kind of Strife) **blameworthy, reprehensible** Hes.; (of a deed) Theoc.
ἐπι-νάστιος ον adj. [ναίω] **having gone to be an inhabitant** (W.GEN. of a country) AR.
ἐπι-ναύσιος ον adj. [ναυτίᾱ] **feeling sick** Plb.
ἐπινάχομαι dial.mid.vb.: see ἐπινήχομαι
ἐπί-νειον ου n. [ναῦς] **naval base** Hdt. Th. Arist. Plu.
ἐπι-νείφω vb. || IMPERS. **it keeps snowing** X.
ἐπινέμησις εως f. [ἐπινέμω] **spreading** (W.GEN. of fire) Plu.
ἐπι-νέμω vb. | aor. ἐπένειμα || neut.impers.vbl.adj. ἐπινεμητέον | **1 distribute** —food (sts. W.DAT. to persons) Il. Philox.Leuc. —land and houses Pl.; **assign** —sthg. (w. ἐπί + DAT. to a category) Pl.
2 pasture (cattle) beyond one's boundaries; **cause** (W.ACC. one's cattle) **to encroach** (on another's land) Pl. Arist.; (intr., of neighbours) **trespass** (on one's land) D.
3 || MID. (gener., of a people) **encroach** (on a neighbouring country) Plu.; (fig., of a boundary for female behaviour) perh. **trespass** (into the territory of men, i.e. invade their prerogatives) A.
4 || MID. (of fire, disease) **spread through** —a city Hdt. Th.; (of fire) **spread to** —a painting Plu.; (of a practice) —other people Plu.; (intr., of fire) **spread** Plb. Plu.
5 || MID. (of pirates, i.e. their activities) **extend over** —the whole of a sea Plu.; (fig., of a poet) perh. **rake, sweep over** —a place (W.DAT. w. arrows, ref. to song) Pi.
6 || MID. (of mange) **feed on, consume** —hair Call.
ἐπι-νεύω vb. **1** (of a god or person) **nod** (in agreement, assent or confirmation of a promise) Il.(sts.tm.) hHom. Pi.(tm.) Antipho Ar. Pl. + —W.DAT. to someone hHom. Men.
2 nod in assent to, approve —W.NEUT.ACC. sthg. E. Pl. D. —lies D. Call. —W.DAT. sthg. Call.
3 (of the Council) **incline** —w. εἰς + ACC. towards someone Ar.; (of persons) **signify agreement** (sts. W.DAT. w. someone) —W.ACC. + INF. that sthg. is the case Aeschin.; (gener.) **agree** (to sthg.) Plb.; (to do sthg.) NT.
4 give a signal to another (by a movement of the head); **give a signal by nodding** Od.(tm.) —W.DAT. to someone X. —(W.INF. to do sthg.) Il.(tm.)
5 (of Kypris) **promise** —a woman (W.DAT. to a husband) E.
6 (of a warrior) **nod** —W.DAT. w. one's helmet (i.e. cause its plume to shake threateningly) Il.; (of a plume) **nod on top of** —W.DAT. someone (i.e. his head) Theoc.
7 (of a sacred date-palm) **nod in response** (to a god's approach) Call.
ἐπι-νέφελος ον adj. [νεφέλη] || NEUT.PL.SB. **cloudy weather** Hdt.
ἐπι-νεφρίδιος ον adj. [νεφρός] (of fat) **on the kidneys** Il.
ἐπι-νέω¹ contr.vb. [νέω²] **assign** (sthg. to someone) **by spinning** (the threads of destiny); (of Fate) **spin out, ordain** (W.DAT. + PTCPL. for a person being born) —future experiences Il. —W.ACC. + INF. that sthg. shd. happen Il.; (intr., of the threads of the Fates) **spin** —W.ADV. in a certain way Call.
ἐπι-νέω² contr.vb. [νέω³] **pile on top** (of a sacred structure) —wagon-loads of sticks Hdt. || PASS. (of tables) **be piled high** —W.GEN. w. good things (i.e. dishes) Ar.

ἐπι-νηνέω contr.vb. [reltd. νέω³, νηέω] | only impf. ἐπενήνεον | **pile up** —corpses (W.GEN. on a pyre) Il.
ἐπι-νήχομαι, dial. ἐπινάχομαι mid.vb. | aor. ἐπενηξάμην | **1 swim to** —an island Call.
2 (of a drifting island) **swim upon** —W.DAT. the current Call.; (fig., of a dead person's voice) **float upon** (a stream) Theoc.
ἐπι-νίκιος (also once ἐπίνῑκος Pi., ἐπινίκειος S.) ον adj. [νίκη] **1 associated with victory** (in athletic or dramatic contests); (of songs) **of victory** Pi. Call.; (of a performance at wrestling) **victorious** Pi. || NEUT.PL.SB. **victory-songs** A. B.; **victory celebrations** And. Pl. D.; **prizes** S.
2 associated with victory in war; (of military strength) **victorious** S.; (of games, songs, paeans, a festival, procession, temple) **in honour of** or **to commemorate a victory** Plb. Plu.; (of the day) **of a victory** Plu.; (of honours) **earned by a victor** Plu. || NEUT.PL.SB. **victory celebrations** D. Plu.
ἐπι-νίσομαι (also ἐπινίσσομαι) mid.vb. **1** (of a god) **come to, visit** —a city Lyr.adesp.; (of ruinous folly) —the gods AR.
2 (of a river) **move over** —W.GEN. plains S.
3 (of persons) **travel** AR.; **go about, roam** —W.ADV. somewhere Theoc.
ἐπι-νοέω contr.vb. | aor. ἐπενόησα || aor.pass. (sts. w.act.sens.) ἐπενοήθην | **1 think of, devise, plan** —sthg. (most freq. NEUT.ACC.) Hdt.(also aor.pass.) Th. Lys. Ar. Pl. X. + || PASS. (of things) **be in mind, be planned** Plb. || NEUT.PL.PASS.PTCPL.SB. **ideas, plans** Plb.
2 have in mind, propose, plan —W.PRES. or AOR.INF. to do sthg. Hdt.(also aor.pass.) E. Antipho Th. Ar. Pl. X. + —W.FUT.INF. Hdt. X.
3 (intr.) **have an idea** Th. Ar.; **plan** (an action) Antipho; **plan to act** —W.ADV. in a certain way Hdt. Th.
4 realise —W.PTCPL. that one is doing sthg. Plu.
ἐπινόημα ατος n. **product of thinking, thought, idea, notion** Plb.
ἐπίνοια ᾱς f. **1 process of thinking, thinking, thought** Plb.; (W.GEN. of or about sthg.) Th. Plb. Plu.; (W.COMPL.CL. that sthg. is the case) Th.
2 skill in thinking, inventiveness, quick-wittedness Ar. X.
3 product of thinking, thought, idea, notion, invention Ar. Pl.
4 that which one has in mind to do, **purpose, intention, plan** E. Th. Ar. Plb. NT. Plu.
5 comprehension, understanding (of sthg.) Pl.; κοινὴ ἐπίνοια common sense Plb.
6 afterthought, second thoughts S.
ἐπινομή ῆς f. [ἐπινέμω] **spreading** (of fire) Plu.
ἐπινομίᾱ ᾱς f. **pasturage beyond one's boundaries, right of mutual pasturage** (for neighbouring peoples) X.
ἐπι-νομοθετέω contr.vb. **make additional laws** Pl.
ἐπίνομος ον adj. [ἐπινέμω] perh., **occupying neighbouring pasturage**; (fig., of a host of heroines) app. **local** Pi.
ἐπί-νοσος ον adj. [νόσος] (of a person's body) **prone to sickness, unhealthy** Arist.
ἐπίννυσσε (ep.3sg.impf. or aor.): see πινύσκω
ἐπι-νυστάζω vb. **doze after** —W.DAT. a meal Plu.
ἐπι-νωμάω contr.vb. **1** (of Iron, personif. for warfare) **distribute, apportion** —allotments of land (w.connot. of burial places) A.; (of Ares) —different fates (w. ἐπί + DAT. to different people) S.
2 (of Erinyes) **manage** —their allotted roles A.
3 (of a person) **observe** —corpses (W.DAT. w. one's eyes) E.
4 (app., intr.) **come near, approach** —W.DAT. someone S.
ἐπι-νωτίζω vb. (of Herakles) **cover one's back** (w. a lionskin) E.

ἐπί-ξανθος ον *adj*. [ξανθός] (of hares) inclining to chestnut, light brown X.

ἐπι-ξενόομαι, Ion. **ἐπιξεινόομαι** *mid.pass.contr.vb*. **1** be entertained as a guest (usu. W.DAT. by someone) AR. Plu. ‖ PF. have been a guest-friend, be on terms of hospitality —W.DAT. *w. many people* D.
2 perh. make a claim of guest-friendship A.
3 live abroad or as a foreign visitor Isoc. Arist.

ἐπί-ξηνον ου *n*. [perh. ξαίνω] butcher's block A. Ar.

ἐπιξῡνόομαι *mid.contr.vb*. [ἐπίξῡνος] **1** communicate —*a message* (W.DAT. *to someone*) AR.
2 be a partner in —*a deed* AR.

ἐπί-ξῡνος ον *adj*. [ξῡνός] (of a field) common or public Il.

ἐπι-ξύομαι *pass.vb*. (of cheese) be grated on top (of wine) Pl.

ἐπι-οίνιος ον *adj*. [οἶνος] (of a prize) for wine-drinking Thgn.

ἐπι-οινοχοεύω *vb*. pour wine —W.DAT. *for the gods* hHom.

ἔπιον (aor.2): see πίνω

ἐπιορκέω *contr.vb*. [ἐπίορκος] | aor. ἐπιώρκησα | **1** swear a false oath, swear falsely, perjure oneself Hdt. Ar. Att.orats. Pl. X. Arist. + —W.COGN.ACC. *w. an oath* Att.orats. —W.ACC. *by gods* Ar. Att.orats. X. —*by a hearth* Hdt. —*w.* πρός + GEN. *before a god* Il. —*w.* κατά + GEN. *on the lives of one's children* Lys.
2 swear an oath by —*a god* Lys.(law of Solon)

ἐπιορκία ᾱς *f*. swearing falsely, perjury Pl. X. D. Arist. Plb. Plu.

ἐπί-ορκος ον *adj*. [ὅρκος] | superl. ἐπιορκότατος | **1** (of an oath) sworn falsely, perjured Il. Ar.
2 (of persons) swearing falsely, perjured Att.orats. X. Plb.(quot.epigr.) ‖ PL.SB. perjurers Hes. E. Ar. Din.
—**ἐπίορκον** *neut.adv*. **1** with a false oath, falsely —*ref. to swearing* Il. Hes. Thgn. Emp. AR. Mosch.
2 with an oath that will prove false (because its fulfilment is prevented), vainly Il.

ἐπι-όρομαι *ep.mid.vb*. [reltd. ὁράω; cf. ἐπίουρος] | always tm. | 3pl. ἐπὶ ... ὄρονται | 3pl.impf. ἐπὶ ... ὄροντο | 3sg.plpf.act. (w.impf.sens.) ἐπὶ ... ὀρώρει | keep watch over (persons or animals in one's charge) Hom.

ἐπι-όσσομαι *mid.vb*. **1** look out for (i.e. guard against) —*the death and flight of comrades* Il.
2 (of a lion) fix one's eyes on —*a person* AR.(tm.)

ἐπί-ουρος ου *m*. [οὖρος²; cf. ἐπιόρομαι] **1** keeper (W.GEN. of pigs, cattle) Od. Theoc.
2 guardian (W.GEN. of a town) AR.; (of a voyage, ref. to the Dioscuri) AR.; (W.DAT. over an island, ref. to its ruler) Il.; (over a spring, ref. to a dragon) AR.

ἐπιούσιος ον *adj*. [ἐπὶ οὐσίᾳ] (of bread) providing subsistence NT. [or perh. ἐπὶ οὖσαν (ἡμέραν) or ἐπιοῦσα (ἡμέρα), *sufficient for the present day* or *the next day*]

ἐπιόψομαι (ep.fut.mid.), **ἐπιόψωμαι** (dial.aor.mid.subj.): see ἐφοράω

ἐπί-παγχυ *adv*. [πάγχυ] entirely Theoc.

ἐπι-παιᾱνίζω *vb*. conduct (W.ACC. a procession) in the manner of a triumphal paean Plu.

ἐπιπάλλω *vb*.: see πιπάλλω

ἐπι-παμφαλάω *contr.vb*. [παμφαλάω *gaze in astonishment*] gaze at —*many things at once* AR.

ἐπίπαν *adv*. [ἐπί, πᾶς] | ἐπὶ πᾶν (A.), unless to be written ἐπὶ πᾶν | **1** (modifying an adj.) altogether, completely, entirely A.
2 on the whole, usually Hdt.; (more freq.) τὸ ἐπίπαν or ὡς τὸ ἐπίπαν Hdt.; ὡς ἐπίπαν Plb.
3 (w. a numeral) εἰς ἐπίπαν *in all, in total* Xenoph.(dub., cj. ὡς ἐπίπαν)

ἐπι-παραγίγνομαι *mid.vb*. **1** (of troops) arrive afterwards Plb.
2 (of a person) come next, succeed (in an office) Plb.

ἐπι-παρανέω *contr.vb*. [παρά, νέω³] heap up still more (firewood) alongside Th.

ἐπι-παρασκευάζομαι *mid.vb*. procure (W.ACC. sthg.) in addition X.

ἐπι-πάρειμι *vb*. [πάρειμι²] **1** (of a commander, troops) follow a parallel course above (i.e. on higher ground) X. Plb.
2 come to help, bring reinforcements Th. X.
3 (of a commander) advance against —W.DAT. *troops* Th.
4 (of a commander, delivering an address) go along the lines (of troops) Th.; go along —W.PREP.PHR. *in front* Plb.; (tr.) go along in front of —*an army* Th.

ἐπι-παρεμβάλλω *vb*. (intr., of troops) fall into a line parallel with others, dress ranks Plb.; (tr.) fall into, form —*a phalanx* Plb.

ἐπι-πασσαλεύω *vb*. nail up (on the front of a temple) —*an image* A.satyr.fr.

ἐπι-πάσσω *vb*. sprinkle —*locusts* (w. ἐπί + ACC. *on milk*) Hdt. —*salt* (*on fish*) Men.; sprinkle on (a fire) —*barley groats* Theoc. ‖ PASS. (of barley groats) be sprinkled on (wine) Pl.

ἐπίπαστος ον *adj*. **1** (of a remedy) applied by sprinkling Theoc.
2 ‖ NEUT.SB. a kind of cake or tart sprinkled with sauce Ar.

ἐπί-πεδος ον *adj*. [πέδον] | irreg.compar. ἐπιπεδέστερος (X.) | **1** (of ground) level, flat Pl. X. Plb. Plu. ‖ NEUT.SG. or PL.SB. level ground X. Plb. Plu.
2 ‖ NEUT.PL.SB. surface (of the earth, opp. what is below it) Pl.
3 (geom., of surfaces, angles, magnitudes) in two dimensions, plane, planar Pl. Arist. ‖ NEUT.SB. plane Pl. Arist.
4 (of a number) square (opp. cubic) Pl.

ἐπιπειθείη ης Ion.*f*. [ἐπιπείθομαι] trust, confidence Semon.

ἐπιπειθής ές *adj*. (of a part of the soul) obedient (W.DAT. to reasoning) Arist.

ἐπι-πείθομαι *mid.pass.vb*. | pf.2 (w.mid.pass.sens., tm.) ἐπὶ ... πέποιθα | **1** be persuaded, comply, obey Hom. hHom. S.; comply with, obey —W.DAT. *someone, an order* Hom. Hes.; obey a request —W.DAT. + INF. *fr. someone, to do sthg.* Il.
2 be convinced by, believe in, trust —W.DAT. *evidence* A.
3 (of a heart) have confidence in —W.DAT. *its manly prowess* AR.(tm.)

ἐπι-πελάζω *vb*. (of a sword) come close to —W.DAT. *someone's blood* (i.e. threaten his life) E.(tm.)

ἐπι-πέλομαι *mid.vb*. | only 3sg. and pl. (tm.) ἐπὶ ... πέλεται (πέλονται) and aor.2 ptcpl. ἐπιπλόμενος | **1** (of sickness, old age, death) come to —W.DAT. *people* Od.(tm.)
2 (of a year, the years) move on, roll by Od. Hes.
3 (of a cloud of darkness, fig.ref. to blindness, of fear) come over (a person) S. AR.
4 ‖ AOR.2 PTCPL.ADJ. (of a night, dawn) following, next AR.
5 (of a goddess) come close, approach AR.

ἐπί-πεμπτος ον *adj*. [πέμπτος] (of a loan) bearing interest at the rate of one-fifth of the principal, bearing twenty-percent interest X.

ἐπι-πέμπω *vb*. **1** send next or afterwards, subsequently send —*messages, a person* Hdt. Pl.
2 send (someone) to (a destination); send off, despatch —*persons* (sts. W.PREP.PHR. *to persons or places*) D. Plb. Plu.
3 send (hostile agents) against (persons); send —*troops* (W.DAT. *against enemy troops*) Plu. —*certain people* (*against someone, as prosecutors*) Lys. —*a person* (*to someone, to murder him*) Plu.; (of a god) —*the Sphinx* (*against a people*)

ἐπίπεμψις E.; (of the souls of murdered persons) —*avenging daimons* (*against their murderers*) X.
4 (of gods) send (sthg. welcome or unwelcome) to (persons); **send** —*a dream, grace, love* Pi.*fr.*(tm.) Hdt. X. —*compulsion* (*to do sthg.*) Pl.; **inflict** —*terrors and dangers* (W.DAT. *upon wrongdoers*) Lys.; (of the power of the multitude) —*punishments* (*envisaged as supernatural visitations*) Pl. ‖ PASS. (of love, a violent personality) be sent —W.DAT. *to someone* (W.PREP.PHR. *by a god*) Pl. D.
5 send as an addition (to sthg. already sent); **send by way of reinforcement** —*an army, further help, supporting troops* Th. X. Plu.; **send a further supply of** —*provisions* Ar. ‖ PASS. (wkr.sens., of supplies) be sent —W.DAT. *to armies* Plb.

ἐπίπεμψις εως *f.* **despatch** (W.GEN. of troops, w. ἐπί + ACC. to many places) Th.

ἐπί-περκνος ον *adj.* [περκνός] (of hares) **rather dark** (in colour) X.

ἐπι-πετάννῡμι *vb.* (of a hare) **spread** —*its ears* (w. ἐπί + ACC. *over its shoulder-blades*) X.

ἐπι-πέτομαι *mid.vb.* | fut. ἐπιπτήσομαι | athem.aor. ἐπεπτάμην | aor.2 ἐπεπτόμην | also dial.athem.aor.act. ἐπέπτᾱν (Call.) | **1** (of a bird) **fly up close** X.; **fly to** or **towards** —W.DAT. *someone* Hom. —*a city* Ar.; (of a dream) —*someone* Hdt.; (of a goddess) —W.ACC. *a mountain peak* Call.; (of an arrow) **fly ahead** Il.; (fig., of young persons, envisaged as bees) **flit** —w. ἐπί + ACC. *to all expressions of opinion* Pl.
2 (of birds) **fly over** —*land or sea* E. Ar.

ἐπι-πήγνῡμι *vb.* (of frost) **solidify** —*the warm scent* (*of an animal*) X.

ἐπι-πηδάω *contr.vb.* | fut. ἐπιπηδήσομαι | **1** (of persons, horses) **leap** or **jump on** —W.DAT. *persons* Ar. Pl.; (fig., of people behaving as a horse) **trample on** —W.DAT. *islands* Plu.(quot.com.)
2 (of marines) **leap on** —w. ἐπί + ACC. *to decks* (*of enemy ships*) Plb.; **leap on board** Plb.

ἐπι-πιέζω *vb.* **press upon** —*someone's mouth* (W.DAT. w. one's hands) Od.(tm.) —*a ploughshare* (w. one's foot) AR.(tm.)

ἐπι-πίλναμαι *athem.mid.vb.* [πιλνάω] (of the goddess Ate) come close to, **touch** —W.DAT. *the ground* Il.(tm.); (of snow) **come near** (a place) Od.

ἐπι-πίνω *vb.* **drink** (W.ACC. or PARTITV.GEN. sthg.) **afterwards** (usu. after eating) Od.(tm.) Hes.(tm.) Ar. Pl. X. Arist. Men.(cj.); (intr.) Plu.

ἐπι-πίπτω *vb.* **1** (of persons) **fall against** or **over** —W.DAT. *each other* Th.
2 (of things) **fall downwards onto** (sthg.); (of chaff, during winnowing) **fall** —w. ἐπί + ACC. *on grain* X.; (of a building) —W.DAT. *on people* Plu.
3 throw oneself aggressively (upon someone or sthg.); (usu. of soldiers) **make an attack** Th. X. Plb. Plu. —W.DAT. *on persons, places, ships* Hdt. Th. X. Men. Plb. Plu. —w. εἰς or ἐπί + ACC. Plb.
4 (of persons, in an embrace or appeal) **throw oneself** —W.DAT. *upon someone* NT. —w. ἐπί + ACC. *onto someone's neck* NT.
5 have recourse —w. ἐπί + ACC. *to a plea* Isoc.
6 (of a storm, heavy snow or rain) **strike** (sts. W.DAT. persons) Hdt. Pl. X. Plu.
7 (of a disease, hiccups, other maladies) **attack** (sts. W.DAT. persons) Th. Pl. Plb. Plu.; (of snakes, envisaged as a plague) —W.DAT. *a people* Hdt.
8 (of sufferings, danger, war) **strike, befall** —W.DAT. *people, a city* E. Th. Pl. Plu.; (intr.) of a fate) Pi.*fr.*; (fig., of claimants) **be sprung upon** —W.DAT. *defendants* D.

9 (of fear, the Holy Spirit) **fall upon, come over** —W.DAT. or ἐπί + ACC. *people* NT.; (of considerations) **occur** —W.DAT. *to people* Plu.

ἐπι-πίστωσις εως *f.* **further confirmation** (as a sophistic technique) Pl.

ἔπιπλα ων *n.pl.* [perh. ἐπιπέλομαι] **movable property, personal effects** or **items of furniture** Hdt. Th. Att.orats. X. Arist. +

ἐπι-πλάζομαι *mid.pass.vb.* **wander over** —*the sea* Od. AR.

ἐπι-πλάζω *Aeol.vb.*: see ἐπιπλήσσω

ἐπι-πλάσσω *vb.* **smear** or **plaster on** —*sealing-clay* Hdt.

ἐπι-πλαταγέω *contr.vb.* **clap, applaud** —W.DAT. *someone* Theoc.

ἐπι-πλέκομαι *pass.vb.* (of events) **be connected** —W.DAT. *w. other events* Plb.

ἐπίπλεος *Ion.adj.*: see ἐπίπλεως

ἐπίπλευσις εως *f.* [ἐπιπλέω] **capacity for sailing to the attack** (opp. ἀνάκρουσις *capacity for backing water*) Th.

ἐπι-πλέω *contr.vb.* —also **ἐπιπλείω** *ep.vb.* —**ἐπιπλώω** *Ion.vb.* [πλέω¹] | aor. ἐπέπλευσα, ep.aor.2 ἐπέπλων | Ion.aor.ptcpl. ἐπιπλώσᾱς, ep.aor.2 ptcpl. ἐπιπλώς |
1 (of persons, ships) **sail upon** or **over** —*the sea* Hom. Hes. hHom. AR. Theoc.; (of a nautilus) —W.DAT. Call.*epigr.*
2 sail against, attack —W.DAT. or ἐπί + ACC. *persons, places, ships* Hdt. Th. X. Plb. Plu.; (intr.) **make an attack by sea** Hdt. Th. Lys. X. Plb. Plu.
3 (of a commander-in-chief, delivering an address) **sail up** (to individual ships) Plu.; (of ships, to other ships in the same fleet) Plb.
4 (of a crew, commanders, passengers) **sail on board** Hdt. Th. D. Plb. —w. ἐπί + GEN. *a ship* Hdt. D.; (app., of an officer) **sail in command** (in place of the trierarch) Plb.
5 sail in charge of —W.DAT. *a trading venture* D.
6 sail up afterwards (to join other ships) Plb.; **sail after** —w. ἐπί + DAT. *all the rest of the fleet* (*i.e. in the rear*) Plb.
7 (of things) **float** —w. ἐπί + GEN. *on water* Hdt.; (of an island) —W.DAT. *on the sea* Call.
8 (of persons) **slide along the surface** (of ice) Plb.

ἐπί-πλεως ᾱ ων *Att.adj.* —**ἐπίπλεος** η ον *Ion.adj.* [πλέως]
1 filled on top; (of a table, a meadow envisaged as a table) **covered** (W.GEN. w. food) Hdt.; (of a mountain, w. oaks) Hdt.; (of plains, w. people) Hdt.
2 (of a container) **full** (W.GEN. of figs) Plu.

ἐπίπληξις εως *f.* [ἐπιπλήσσω] **rebuke, criticism** Aeschin. Plu.

ἐπι-πληρόομαι *mid.contr.vb.* equip again with a full complement, **man with a replacement crew** —*one's ships* Th.

ἐπι-πλήσσω, Att. **ἐπιπλήττω**, Aeol. **ἐπιπλάζω** *vb.* **1 strike** —*horses* (W.DAT. *w. a bow, used as a whip*) Il.
2 assail (someone or sthg.) verbally; **deliver a rebuke** Sapph. S. Isoc. Pl. X. D. +; **rebuke, reprove, find fault with** —W.DAT. *someone or sthg.* Il. Att.orats. Pl. Plb. Plu. —W.DAT. + ACC. *someone for sthg.* A. Hdt. Pl. —W.ACC. *sthg.* Plb. —*someone* Pl.(dub.) ‖ PASS. (of persons) be rebuked Pl. Plu.

ἐπιπλοκή ῆς *f.* [ἐπιπλέκω] **1 entanglement, complication** (W.GEN. in one's life) Men.
2 association, contact (betw. persons, countries) Plb.; (pejor.) **involvement, interference** (W.PREP.PHR. w. another country) Plb.
3 sexual relationship Plu.

ἐπιπλόμενος (aor.2 mid.ptcpl.): see ἐπιπέλομαι

ἐπίπλοος ου *Ion.m.* [app. ἐπιπλέω] perh., organ that floats on top; **caul** (of a pig, ref. to the membrane covering the intestines) Hdt.

ἐπί-πλους¹ ου Att.m. [πλόος] **1** act of sailing against, **attack** (sts. W.DAT. or ἐπί + ACC. against ships, a place) Th. X. Plb. Plu.
2 approach (of friendly ships) Th.
ἐπίπλους² ουν Att.adj. [ἐπιπλέω] (of a ship) designed for attacking, **of war** Plb. ‖ FEM.SB. **warship** Plb.
ἐπιπλώς (ep.aor.2 ptcpl.), **ἐπιπλώω** Ion.vb.: see ἐπιπλέω
ἐπι-πνέω contr.vb. —also **ἐπιπνείω** ep.vb. | aor. ἐπέπνευσα |
1 (of winds or breezes) **blow over** —the sea Hes.; **blow on** (persons) Il. Plu. —W.DAT. persons Hdt. Ar. —W.ACC. Call. —W.DAT. a ship Od.; **blow favourably** (for sailors) Od. AR.; (fig., of fortune) —W.DAT. for people Plb.
2 (fig., of Ares, a warrior) **blast, storm** (against a city) A. S.; (of Aphrodite, w.connot. of destructive power) **blow over** —all things E.
3 (of Ares) **breathe upon, inspire** —W.DAT. warriors (w. warlike spirit) E.(dub.); (of deities) —W.ACC. a person, a crow (w. prophetic ability) Call. AR.; (of spokesmen of the Muses, ref. to cicadas) **breathe** —a gift (W.DAT. upon someone, i.e. inspire him w. rhetorical expertise) Pl.
4 (of bulls, made by Hephaistos) **breathe** or **blast forth** —fire AR.
ἐπίπνοια ᾶς f. breathing upon (a person, usu. by a deity or other supernatural force), **breath, inspiration** A. Pl. Arist. Plb. Plu.
ἐπίπνους ουν Att.adj. **breathed upon, inspired** (usu. W.PREP.PHR. by a god, a person, love) Pl. Plu.
ἐπι-πόδιος ᾱ ον adj. [πούς] (of fetters) **on the feet** S.(dub.)
ἐπι-ποθέω contr.vb. **1 desire again, wish for, miss** —someone or sthg. (no longer present) Hdt. Plu.
2 desire additionally, want, miss —sthg. (not yet present) Pl.
ἐπι-ποιμήν ένος f. (ref. to a nymph) **shepherdess** Od.
ἐπιπολάζω vb. [ἐπιπολῆς] **1 be on top**; (of weeds, after ploughing) **be on the surface** (of the earth) X.
2 (of persons, cities) **have the upper hand, be prominent** or **pre-eminent** Isoc. D. Plb.
3 (of vices, faults, opinions, habits) **be prevalent** X. Arist. Plb.
4 (of moisture) **abound** (in plants) Plu.
Ἐπιπολαί ῶν f.pl. **Epipolai, Heights** (a plateau above Syracuse) Th. Plb. Plu.
ἐπιπόλαιος ον adj. **1** (of eyes) **on the surface** (opp. deep-set), **prominent, protruding** X.
2 (of education, a method of inquiry) **simple** or **superficial** Isoc. Arist.; (of a statement, an argument, or sim.) Arist.
3 (of a falsehood) **obvious, patent** Arist.; (of a solution) Men.
4 (of a condition) **common** Arist.
—**ἐπιπολαίως** adv. | compar. ἐπιπολαιότερον | **superficially** —ref. to showing affection, expressing an opinion, or sim. Arist.
ἐπιπολαστικῶς adv. [ἐπιπολάζω] **insolently** —ref. to shouting at an enemy Plb.
ἐπιπολῆς gen.adv. and prep. [perh.reltd. ἐπιπέλομαι] **1 on top** or **on the surface** Hdt. Pl. X. Plb. Plu.
2 (as prep.) **on top** —W.GEN. of sthg. Hdt. Ar.; (as etymology of the name Epipolai) **higher than, above** —W.GEN. the surrounding terrain Th.
3 (quasi-adjl., w. εἶναι, of arguments) **superficial** Arist.; (of facts) **plain, easy** (W.INF. to see) Arist.
4 (prep.phr.) ἐξ ἐπιπολῆς **superficially** —ref. to being wounded Plu.
ἐπι-πόλιος ον adj. [πολιός] (of a person, ref. to his hair) **growing grey** D.
ἐπί-πολος ου m. [πέλω, πολέω] **attendant** S.
ἐπι-πομπεύω vb. **celebrate a triumph over** —W.DAT. one's country's calamities Plu.

ἐπι-πονέω contr.vb. **undertake further labour, toil on** Pl. X.
ἐπί-πονος ον adj. [πόνος] **1** (of activities or circumstances) **laborious, effortful, wearisome** S. E. Th. Lys. Isoc. Pl. +
2 (of persons) **hard-working, industrious** Ar. Pl.
3 (of an omen) **portending trouble** X.
4 (of persons) **in distress** Plu.
—**ἐπιπόνως** adv. **laboriously, effortfully, industriously** S.(cj.) Th. Isoc. X. Arist. +
ἐπι-πορεύομαι mid.vb. | aor.pass. (w.mid.sens.) ἐπεπορεύθην | **1** (of commanders, troops, usu. w. hostile connot.) **make one's way forward, advance** or **march** X. Plb. Plu.; **march through** —a country Plb. Plu.; **march** or **proceed to** —a place Plb. Plu.
2 (without hostile connot., of persons) **come up, come along** Plu.; **proceed to, visit** —a place Plb.; **traverse** —the world Plu. —W.DAT. fields Plu.; **make a journey** —w. πρός + ACC. to someone NT.
3 (of a commander) **come forward** (to deliver an address) Plb. Plu.; **come up to** —one's troops (to address them) Plb. Plu.; (of ambassadors) **come forward to speak** —w. ἐπί + ACC. before the populace Plb.
ἐπι-πορπάομαι mid.contr.vb. **pin** or **fasten on** —one's cloak Plb.
ἐπι-πορπίς ίδος f. [πόρπη] **pin, brooch** (for fastening a cloak at the shoulders) Call.
ἐπιπόρπωμα ατος n. [reltd. ἐπιπορπάομαι] that which is fastened by a pin or brooch, **cloak** Plu.
ἐπι-ποτάομαι mid.contr.vb. | dial.3sg.pf. (tm.) ἐπὶ ... πεπότᾱται | ‖ PF. (of a death-mist) **hover over** (people) A.(tm.); (of pollution, envisaged as darkness) —W.DAT. a person A.(tm.)
ἐπιπρέπεια ᾱς f. [ἐπιπρέπω] **suitable resemblance** (of one thing to another) Plb.
ἐπι-πρέπω vb. **1** (of a person's appearance) **stand out** —W.PREDIC.ADJ. as slave-like, powerful Od. Theoc.
2 (of an inherited noble spirit) **be conspicuous in** —W.DAT. one's sons Pi.
3 (of adornments) **befit, suit** —W.DAT. the grace of one's figure Plu. ‖ IMPERS. **it is fitting** —W.ACC. + INF. for someone to do sthg. Xenoph.
ἐπι-πρεσβεύομαι mid.vb. **send envoys** (sts. W.DAT. or PREP.PHR. to someone) Plu.
ἐπι-πρό adv. **1** (ref. to movt.) **onwards, forwards, ahead** Call. AR.
2 (ref. to position) **in front** (of persons) AR.
3 further beyond (a region just mentioned) AR.
ἐπι-προβάλλω vb. **fling forth, hurl** —weapons (w. ἐπί + DAT. at someone) Plu.(quot.epigr.)
ἐπι-προβλώσκω vb. | aor.2 ptcpl. ἐπιπρομολών | **come forward** (to a place) AR.
ἐπι-προέχομαι mid.vb. (of islands) **lie ahead** (as obstacles) AR.
ἐπι-προθέω contr.vb. **run on ahead**; (of sailors) **speed onwards** AR.
ἐπι-προϊάλλω vb. **1 send forth, despatch** —gods (on an errand) hHom.
2 move forward —a table (W.DAT. towards someone) Il.
ἐπι-προΐημι vb. | ep.aor. ἐπιπροέηκα | **1 send forth** (on a mission), **despatch** —persons (sts. W.DAT. to a place) Il.; **send on** (to a destination) —persons, oxen AR.
2 (of a sea god) **speed forth** —a ship (fr. a lake, W.DAT. to the sea) Il.
3 let fly, discharge —an arrow (W.DAT. at someone) Il.
4 (of Eros, playing w. knucklebones) **throw** (W.ACC. one) **after** —W.DAT. another AR.

ἐπιπρομολών

5 spread about —*a rumour* AR.
6 (intr., of a sailor) direct (one's ship) towards, **make for** —W.DAT. *a place* Od.
ἐπιπρομολών (aor.2 ptcpl.): see ἐπιπροβλώσκω
ἐπιπρο-νέομαι *mid.contr.vb.* (of rowers) move forwards, **make headway** AR.
ἐπι-προπίπτω *vb.* **fall forwards to the ground** AR.
ἐπι-προσβάλλω *vb.* (of sailors) **direct one's course to** —W.DAT. *a place* AR.
ἐπί-προσθεν (also **ἐπίπροσθε** Men.) *adv. and prep.* [πρόσθεν] 1 (ref. to position) **in front, ahead** E. Pl. X. Men.; (w.connot. of obstruction) **in the way** Pl.; (as prep.) **in front** —W.GEN. *of sthg.* Pl.
2 (ref. to preference or precedence) in a superior position or ranking, **in front, ahead** Pl.; (as prep.) —W.GEN. *of someone or sthg.* E. Plb. Plu.
ἐπιπροσθέω *contr.vb.* (of a building) **be in front** or **in the way** —W.DAT. *of others* (*so as to obstruct the view of them*) Plb.; (fig., of the lapse of time) **be an obstacle** —W.DAT. *to the understanding of events* Plu.
ἐπιπροσθήσεις εων *f.pl.* (collectv.) that which stands in the way (so as to obstruct the view), **cover** (for ambushers) Plb.
ἐπι-προτέρωσε *adv.* (ref. to movt.) **further forwards** AR.
ἐπι-προφαίνομαι *pass.vb.* (of birds) **appear** or **be visible ahead** AR.
ἐπι-προφέρω *vb.* bring forward onto; **plant** —*the sole of one's foot* (*on a serpent*) AR.
ἐπι-προχέω *contr.vb.* (of a nightingale) **pour forth** —*a lament* hHom.
ἐπι-πτάρνυμαι *mid.vb.* | only act.aor.2 ἐπέπταρον | (of gods or humans) sneeze in response or accompaniment (to a person or event, as a good omen); **give an accompanying sneeze** hHom. —W.DAT. *to a person, words* Od. Theoc.
ἐπιπτήσομαι (fut.mid.): see ἐπιπέτομαι
ἐπι-πτυχή ῆς *f.* [πτυχαί] **fold** or **flap** (W.GEN. of a cuirass) Plu.
ἐπι-πωλέομαι *mid.contr.vb.* 1 (of a commander) **go round** or **among, patrol** —*the ranks of his men* Il.
2 (of a warrior) **range among** —*enemy ranks* Il.
ἐπι-ρραβδοφορέω *contr.vb.* [ῥαβδοφόρος] (of a horse) be urged on with a stick, **move into a gallop** X.
ἐπι-ρραίνω *vb.* [ῥαίνω] **sprinkle** (W.ACC. water) **on** —*a surface* Theoc.
ἐπι-ρραπισμός οῦ *m.* [ῥαπίζω] **reproof, reproach** Plb.
ἐπι-ρράπτω (also **ἐπιράπτω** NT.) *vb.* [ῥάπτω] **1 sew up** or **repair by sewing** (a bag w. holes) Thphr.
2 sew on —*a patch* (w. ἐπί + ACC. *onto a garment*) NT.
ἐπι-ρράσσω, Ion. **ἐπιρρήσσω** *vb.* [ῥάσσω] | Ion.iteratv. impf. ἐπιρρήσεσκον | **1 slam into place** —*a bar* (*fastening a door*) Il.; **heave home** —*a rock* (*to close an entrance*) Plu.
2 slam shut —*a door* S. Plu.(dub.) | cf. ἐπαράσσω
3 (intr., of a shower of hail) **beat down** S.
ἐπι-ρρέζω *vb.* [ῥέζω] | iteratv.impf. ἐπιρρέζεσκον | **1 make sacrificial offerings on** (an altar) Od.
2 sacrifice —*an animal* (sts. W.DAT. *to a deity*) Theoc.
ἐπιρρεπής ές *adj.* [ἐπιρρέπω] (fig., of hopes) inclining the scales, **favourable, optimistic** Plb.
ἐπι-ρρέπω *vb.* [ῥέπω] **1** (of destruction, envisaged as being in the scales of fate or Zeus) **sink** or **weigh down upon** —W.DAT. *persons* Il.; (of Justice) **tilt the scales** —W.DAT. *for someone* (W.INF. *to learn through suffering*) A.; (of a fate) **fall to one's lot** A.; (of a marriage hymn) **fall to** —W.DAT. + INF. *someone to sing* A.
2 (tr., of Zeus) **incline, tilt** —*the scales* (W.ADVBL.PHR. *now on this side, now on that*) Thgn.; (of deities) **let** (W.ACC.

wrath, rancour, harm) **fall** or **weigh down** —W.DAT. *on a city* A.
ἐπι-ρρέω *contr.vb.* [ῥέω] | aor.2 pass. (w.act.sens.) ἐπερρύην | **1** (of a tributary of the Styx) **flow on the surface of** —*another river* Il.
2 (of ever-changing waters) **flow in afterwards** —W.DAT. *for persons who step into the same rivers* Heraclit.; (of rivers) **flow in** (to the sea) Ar.; (of bile, to the blood) Pl.; (of water) **stream** —W. ἐπί + ACC. *onto fields* (*fr. above, opp. rise up fr. below*) Pl.
3 (of pleasures or sim.) **flow in** (to the soul) Pl.; (of good and bad things, to the body, W.ADV. fr. the soul) Pl.
4 (fig., of time) **flow on** A.
5 (fig., of troops, crowds) **come streaming on** Il. Hdt. Pl. X. Men. Theoc. +; (of topics for discussion) **come thick and fast** Isoc. Pl.; (of wealth, blessings, customs, or sim.) **pour in, accrue, accumulate** E. Pl. X. Plu.
ἐπι-ρρήγνῡμι *vb.* [ῥήγνῡμι] **rend, tear** —*one's clothes* (w. ἐπί + DAT. *over a calamity*) A. —(W.DAT. *over a dead person*) Call.
ἐπι-ρρήδην *adv.* [εἴρω²] **1** app. **honestly, straightforwardly** —*ref. to speaking* AR.
2 app. **with a specific title** —*ref. to honouring someone* AR.
ἐπί-ρρησις ιος Ion.*f.* [ῥῆσις] speech directed to or against (someone); **reproof, criticism** Archil.
ἐπιρρήσσω *Ion.vb.*: see ἐπιρράσσω
ἐπί-ρρητος ον *adj.* [ῥητός] (of manual occupations) spoken against, **criticised** (as not fitting for free men) X.
ἐπί-ρρικνος ον *adj.* [ῥικνός] (of a hound's hind legs) **lean, wiry** X.
ἐπι-ρρίπτω *vb.* —also (pres. and impf.) **ἐπιρριπτέω** (X. Plb.) *contr.vb.* [ῥίπτω] **1** throw (sthg.) at or on (sts. W.DAT. someone or sthg.); **throw** —*a spear* (*at someone*) Od. —*logs or beams* (*onto enemies below*) X. Plb. —*garlands* (*at or onto a person or statue, as an expression of gratitude*) Plb. Plu. —*weapons or clothing* (*onto a person or fire*) Plu. —*a cloak* (*over a corpse*) Plu. —(w. ἐπί + ACC. *onto a colt*) NT.
2 (reflexv., of a hound, pursuing a hare) **fling oneself** (on its tracks) X.
3 (of a god) **impose, inflict** —*wanderings* (W.DAT. *on someone*) A.
ἐπιρροή ῆς *f.* [ἐπιρρέω] **1** additional flow, **further stream** (of blood, i.e. additional slaughter) A.
2 app., inflowing stream, **branch** (of a river) AR.
3 inflow, infusion (of contaminating elements into water) A.; (fig., of thoughts or emotions, into the mind or soul) Pl.
4 (fig.) **onflow, approaching stream** (W.GEN. of troubles) E.
ἐπι-ρροθέω *contr.vb.* [ῥοθέω] **1** make an accompanying or answering noise; (of persons) **add one's cry** (to another's) A.; **shout in approval** —W.NEUT.ACC. *of sthg.* E.; **shout in response** —W.COMPL.CL. *that sthg. is the case* E.; (of a mourner's head) **resound** (w. the noise of blows) A.
2 (tr.) **roar** or **rant against** —*someone* S.
ἐπί-ρροθος ον *m.f.* [ῥόθος] **1** app., one who shouts in encouragement; (ref. to a god or human) **helper, supporter** Il. AR.; (ref. to long nights, for a farmer, as conducive to making economies in rations) Hes. || ADJ. (of a tower) protective AR.; (of a stratagem) helpful AR. | cf. ἐπιτάρροθος
2 || ADJ. (of abuse) noisy, obstreperous S.; (of a wife's new home) full of shouted rebukes, censorious S.*fr.*
3 || ADJ. (of rape by a captor) perh., bringing a new wave (W.GEN. of miseries) A.
ἐπι-ρροιβδέω *contr.vb.* [ῥοιβδέω] (of avenging spirits) **come with a whirring of wings** E.(cj.)

ἐπι-ρροιζέω contr.vb. [ῥοιζέω] (of Erinyes) **impose by howling** or **screeching** —*flight* (W.DAT. *on someone*) A.

ἐπι-ρρομβέω contr.vb. [ῥόμβος] (of a lover's ears) **hum** or **buzz** Sapph.

ἐπι-ρροφέω contr.vb. [ῥοφέω] **take a gulp** —W.PARTITV.GEN. *of water* Plu.

ἐπι-ρρύζω vb. [ῥύζω *growl, snarl*] (of a person, envisaged as a dog) **growl** or **snarl** (at someone) Ar.

ἐπι-ρρυθμίζω vb. [ῥυθμίζω] **reshape, rearrange** —*musical compositions* Pl.

ἐπι-ρρύομαι mid.vb. [ῥύομαι] (of a deity) **protect** —*a city* A.

ἐπί-ρρυσις εως f. [ῥύσις] **inflow, influx** (of water or silt) Plb.

ἐπι-ρρυσμίη ης Ion.f. [ῥυθμός] perh. **reshaping** Democr.

ἐπίρρυτος ον adj. [ἐπιρρέω] **1** (of streams of nourishment) **flowing in** (to the body) Pl.; (of the capacity of sight, to the eyes, fr. the sun's light) Pl.
2 (of the fruitfulness of land and livestock) **in an abundant stream, overflowing** A.
3 (of the body) **subject to an influx** (of replenishing matter) Pl.
4 (of a plain) **well-watered** X.

ἐπι-ρρώννυμι vb. [ῥώννυμι] **1** (of troops) **strengthen, make more secure** —*a victory* Plu.
2 (of persons or events) **boost the morale** or **confidence of, encourage, embolden** —*persons, troops* Hdt. Th. X. D. Plb. Plu. —(w. πρός + ACC. *for an undertaking*) Plu. —(W.INF. *to do sthg.*) Plu. || PASS. **be encouraged, emboldened** or **given confidence** Th. X. Plb. Plu. || IMPERS.AOR.PASS. **confidence was given** —W.DAT. + INF. *to someone to do sthg.* S.
|| STATV.PLPF.PASS. (w.impf.sens.) **be full of confidence** Th.

ἐπι-ρρώομαι ep.mid.vb. [ῥώομαι] **1** (of women) **work vigorously** —W.DAT. *at handmills* Od.; (of rowers) —*at the oars* AR.; (of a person's arms) **be invigorated** (by a magic drug) AR.
2 move nimbly —W.DAT. *on one's feet* Hes. AR.(tm.)
3 (of Zeus' hair) **stream forward** (at his nod) Il. hHom.; (of a person's curls) **wave** (as he walks) AR.

ἔπισα (aor.): see πιπίσκω

ἔπισαγμα ατος n. [ἐπισάσσω] **burden** (W.GEN. of a disease) S.

ἐπίσαμος dial.adj.: see ἐπίσημος

ἐπι-σάσσω, Att. **ἐπισάττω** vb. **1 impose as a burden** (for carrying), **load** —*sthg.* (w. ἐπί + ACC. *onto a donkey, a camel*) Hdt.
2 load with a saddle, saddle —*a horse* X.

ἐπι-σείω, ep. **ἐπισσείω** vb. **1** (of Zeus, Apollo) **threateningly shake** —*the aigis* (sts. W.DAT. *at persons*) Il.; (fig., of a politician) **hold out as a threat** —*a nation, its king* (as a *potential invader*) Plu.
2 (of Zeus) **shake** (W.ACC. his locks) **in assent** E.(tm.)
3 brandish —*a sword* AR. Plu.
4 stir on, incite —*a city, Erinyes* (W.DAT. *against someone*) E.
5 shower upon (someone) —*songs of praise* B.

ἐπι-σεύω, ep. **ἐπισσεύω** vb. | ep.aor. ἐπέσσευα || MID.: ep.3pl.impf. ἐπεσσεύοντο | athem.aor.: 3sg. ἐπέσυτο (E.), ep. ἐπέσσυτο, ptcpl. ἐπισύμενος (A.) | ep.pf. (w.pres.sens.): 3sg. ἐπέσσυται, ptcpl. ἐπεσσύμενος (so accented) || PASS.: aor. (w.mid.sens.) ἐπεσσύθην (S.*Ichn*.) |
1 (w. hostile connot.) **set** (someone or sthg.) **in motion against** (a person); **set** (W.ACC. *slaves*) **upon** (someone) Od.; (of a god) **send** —*a sea-monster* (W.DAT. *against someone*) Od. —*troubles, bad dreams* (*to someone*) Od.
2 || MID. and AOR.PASS. **hasten on, rush up** (to a person or place) Hom. S.*Ichn*. AR. —W.PREP.PHR. *to someone* Il. —W.ADV. *to a place* Hom. —W.ACC. (of a dream) **speed** —W.DAT. *to someone* Od.

3 || MID. (w. hostile connot.) **spring** or **rush forward** Hom. AR. —W.INF. *to strike someone* AR.; **rush at, attack, assault** —W.DAT. *persons, ships* Il. AR. —W.ACC. *persons* Od. —W.ACC. or GEN. *a wall* Il.; (of a wave) **come rushing on** (at a boat or swimmer) Od.; (of fire) **sweep over, engulf** —W.ACC. *a city, its walls* Il. E.; (of a blight, ruin) —*a land* A. E.
4 || MID. (of a person's heart) **be eager** (for sthg.) Il. —W.INF. or ὥς τε + INF. *to do sthg.* Il. —w. ὄφρα + SUBJ. *that one shd. do sthg.* Il.

ἐπί-σημα ατος n. [σῆμα] **device, symbol** (on a shield) A. E.

ἐπι-σημαίνω vb. **1 give a visible** or **audible sign**; (of gods) **signify, indicate** —W.DAT. *to someone* (W.ACC. + INF. *that sthg. is the case*) X.; (intr.) **give a sign** or **mark an event** (by causing sthg. to happen) Plu.
2 (of an aulos-player, trumpets) **give a signal** (for action) Men. Plu.
3 (medic., of a disease) **show symptoms** (in a particular part of the body) Th.
4 describe —*someone* (W.PREDIC.ADJ. *as being such and such, in looks*) Plu.; (of a monument) **indicate, record** —*persons* (*as being such and such, in character*) Plu.
5 impose a distinguishing sign; (of a definition) **make a clear distinction** Arist. || MID. **impress the mark of** —*a single nature, a specific class* (sts. W.DAT. *on things*) Pl.; (gener.) **indicate, specify** —W.INDIR.Q. *whether this or that is the case* Pl. Men. || PASS. (of a people) **be marked** or **distinguished** —W.INF. (*in such a way as*) *to be called after someone* (i.e. *by bearing his name*) E.
6 || MID. **mark with a seal**; (fig.) **set one's seal of approval on, approve** —*a magistrate's accounts* D.; **approve, applaud, commend** —*a person, words* Aeschin. Plb.; (intr.) **show one's approval** Isoc. Plb.; **cry in approval** —W.DIR.SP. *'Well said!'* Thphr.
7 || MID. (esp. of a historian) **mark out as particularly noteworthy, single out, call attention to** —*persons, behaviour, events* Plb.; (of a commander) **show one's recognition of** —*meritorious soldiers* (W.DAT. w. *gifts*) Plb.; (of an assembly) **mark** (by sending an embassy) —*a ruler's coming of age* Plb.
8 || MID. (gener.) **note down** —*sthg.* (*in writing*) Plu.; (of a poet) **indicate, signify** —*sthg.* (*in a particular passage*) Plu.; (of an oath-taker) **declare** —W.DIR.SP. *sthg.* Arist.; (of a lawgiver) app. **give a clear answer to the question** —W.DIR.Q. *'What is my intention?'* Pl.

ἐπισημασία ᾶς f. **1 special notice, highlighting** (of a person, by a historian) Plb.
2 indication of opinion (by a historian) Plb.; **indication of disapproval** (by a Senate) Plb.
3 mark of favour, recognition (accorded to a person, for services) Plb.
4 approval (of a person's behaviour) Plb.
5 sign of displeasure (fr. the gods, seen in natural phenomena) Plb.
6 indication of unfavourable weather (seen in astronomical phenomena) Plb.

ἐπίσημον ου n. [ἐπίσημος] **1 distinguishing mark, emblem** (of a ship, ref. to a bow or stern ornament) Hdt. Plu.; **device, symbol** (on a shield) Hdt. Men.(dub.) Plb. Plu.; (on a staff) Hdt.; (on a coin) Plu.
2 mark, imprint (W.GEN. of hooves) S.*Ichn*.

ἐπί-σημος, dial. **ἐπίσαμος**, ον adj. [σῆμα] **1** (of precious metal) **having a distinguishing mark** or **stamp, coined, minted** Hdt. Th. X. Plb.
2 (of offerings) **having an inscription, inscribed** Hdt.

ἐπισίζω

3 (of a name) providing a distinguishing feature, **distinguishing, distinctive** Parm.
4 (of the baby Oedipus) having a distinctive mark, **marked** (W.DAT. by golden pins, w. further connot. *celebrated* or *notorious*) E.
5 (of a person, an action) clearly visible, **conspicuous** E.; (of forms and colours) Arist.(cj.); (of a divine warning) **clear, manifest** E.; (of a reminder of one's mistakes, ref. to the corpse of a person for whose death one is responsible) S.; (of punishment) **providing a clear indication** (W.COMPL.CL. that sthg. is the case) Lycurg.
6 (of persons) **conspicuous, notable, distinguished, celebrated** Hdt. E.; (of a goddess) E.; (of a person's ability, the stamp of his character, his fortune) E. Plb.; (of a marriage) E.; (of an achievement) Plb.; (of a tomb) Th.; (of a calamity) **signal** E.; (of a public event) **ostentatious** Plb.
7 (pejor., of persons, their life or avarice) **notorious** Plb. NT. Plu.

—**ἐπισήμως** adv. **conspicuously** —ref. to participating in processions Plb.

ἐπι-σίζω vb. **whistle on** —a person (envisaged as a dog, w. ἐπί + ACC. against an enemy) Ar.

ἐπι-σιμόω contr.vb. [σιμός] (of a commander, leading troops) **turn aside** or **change direction** X.

ἐπι-σιτίζομαι mid.vb. | fut. ἐπισιτιοῦμαι, Ion. ἐπισιτιεῦμαι | aor. ἐπεσιτισάμην | (of troops, sailors) provide oneself with food, **get provisions** Hdt. Th. X. D. Arist. Plu. —W.ACC. for lunch Th.

ἐπι-σίτιος ον adj. [σῖτος] (of persons) in the condition of receiving food (opp. wages), **working only for one's keep** Pl.

ἐπισιτισμός οῦ m. [ἐπισιτίζομαι] **1 acquisition of provisions** (by or for troops) X. D. Plb. Plu.
2 (concr.) **provisions** (for troops) X. Plu.; (for persons) Hyp. D. NT.
3 (fig., ref. to a military campaign that brings in much plunder) **provisioning operation** (W.DAT. for a country) X.

ἐπι-σκάζω vb. (of an old woman) **limp upon** —W.DAT. withered feet AR.

ἐπι-σκεδάννυμαι pass.vb. **1** (of phlegm) **spread** —w. ἐπί + ACC. over sthg. Pl.
2 (of a basket of dung) **be scattered over** —W.DAT. someone Plu.

ἐπι-σκέλισις εως f. [σκέλος] extending of the leg, **stride** (of a horse) X.

ἐπισκεπτέος ᾱ ον vbl.adj. [ἐπισκέπτομαι] (of hypotheses) **to be examined** Pl.

ἐπι-σκέπτομαι mid.vb. | fut. ἐπισκέψομαι | aor. ἐπεσκεψάμην || For pres. and impf. Att. uses ἐπισκοπέω, ἐπισκοπέομαι. | **1** (of Zeus) **look upon, notice** —someone's troubles E.; (of sailors) **catch sight of** —an island Call.
2 go to see (someone); **pay a visit** (to a sick person) Isoc. X.; (iron., to persons envisaged as sick) D.; (tr.) **visit** —a sick or imprisoned person Isoc. NT. —one's brothers (i.e. friends in Christ or kinsfolk) NT.; (of death) —a person S.(dub.); (of God, envisaged as the light of dawn) —His people NT.
3 look at inquiringly, look at, inspect —persons, things Pl. X. D. Thphr.; **examine, see** —W.INDIR.Q. what is the case Hdt. X.
4 look at (w. the mind), **look into, consider, examine** —sthg. Th. Lys. Pl. X. D. Arist. + —W.INDIR.Q. what (or whether sthg.) is the case Pl. X. Arist. +; (intr.) **undertake an investigation** or **inquiry** (sts. W.PREP.PHR. about sthg.) Pl. X. Arist. Plb.
5 (of God) **determine** —W.INF. to do sthg. NT.
6 look out for, select —persons (for a task) NT.

ἐπι-σκευάζω vb. **1 get** (sthg.) **ready** or **equipped** || MID. **equip oneself, make preparations** (for travel) NT.

|| PF.PASS.PTCPL.ADJ. (of a meal, funerary offerings) **prepared, ready** Ar.; (of horses) **equipped** (i.e. saddled and bridled) X.
2 pack —items (w. ἐπί + GEN. on wagons) X. || MID. **load up** —pack-animals X.
3 refit —ships Th. And. X. D. Plb.; **repair** —a fort, temple, road, bridge, or sim. Th. X.(inscription) D. Arist. Plb. Plu. —a necklace, objects carried in a procession Ar. D.; **restore, rebuild** —a temple, city Isoc. Plu. || PASS. (of ships) **be refitted** or **repaired** Th. X. D. | NEUT.PL.PASS.PTCPL.SB. **repairs** Is.
4 || MID. **make alterations in design** (to a ship) Th.; **reconstitute** or **remodel** —a city Pl. || ACT. (fig.) **reshape** —the nature of dialectic and rhetoric Arist.

ἐπισκευαστής οῦ m. **repairer** (W.GEN. of religious objects carried in a procession) D.; (of temples, ref. to an official) Arist.

ἐπισκευαστός ή όν adj. (of the immortality of the universe) **renewed** (by the creator god) Pl.

ἐπισκευή ῆς f. **1 repair, restoration** (of temples, walls, buildings) Hdt. Att.orats. Plb. Plu.; **repair** or **refitting** (of ships) Plb.
2 facilities for repair or **refitting** (of ships) Th.
3 equipment or **baggage** (of an army) Plb.; **trappings** (of horses and mules) Plb.
4 || PL. **materials, equipment** (for workmen) D.; (gener.) **material goods, commodities** Plb.

ἐπίσκεψις εως f. [ἐπισκέπτομαι] **1 visual consideration** or **examination, inspection** (of objects, places) Pl. X.; (of activities) Plb.; (of the Roman Equites, by a Censor) Plu.
2 visit of inspection (to a sick person), **medical attendance** Plb.
3 mental consideration, investigation, inquiry, examination Pl. X. Arist. +
4 prior consideration, contemplation (W.GEN. of a planned speech) X.

ἐπί-σκηνος ον adj. [σκηνή] **1** (of lamentation) **at a hut** (i.e. in front of it) S.
2 || MASC.PL.SB. **troops who take up quarters** (in occupied territory) Plu.

ἐπισκηνόω contr.vb. (of enemy troops) **take up quarters** —W.DAT. or ἐπί + DAT. in houses Plb.

ἐπι-σκήπτω vb. **1 lay, place, rest** —one's hand (W.DAT. on the earth) B.; (intr.) **lay one's hand** —W.DAT. on the earth B.
2 (intr., of things) **fall like a thunderbolt**; (of portents fr. heaven) **come crashing down** —W.DAT. on someone Plu.; (of a task) **fall, devolve** (upon someone) —W.ADV. here A.(v.l. ἀπο-)
3 (of persons, freq. those leaving final instructions before death) **impose a solemn responsibility** (on someone); **lay a solemn charge** (freq. W.DAT. on someone) S. E. Att.orats. —W.INF. to do sthg. Hdt. Trag. Th. Att.orats. Pl. Plu.; **charge, command** —W.ACC. someone S. E. —W.ACC. + INF. someone to do sthg. E.; (of Fate) **impose** —W.DAT. + INF. on someone, the task of doing sthg. A.
4 (of a dying person) **invoke** (as a curse) —a specified fate (W.DAT. on a people, if they fail to carry out his final instructions) Hdt.
5 press, urge —pleas (on someone) E.; **lay, impose** —a favour (i.e. the responsibility of discharging it, W.DAT. on someone) S.
6 impose —sacred items (as a responsibility, W.DAT. on someone) Hdt.
7 || MID. (leg.) **make a formal allegation of false testimony** (as notice of an intention to prosecute a witness); **make a formal allegation** Lys. Pl. Is. Arist. —W.DAT. against a witness

or his testimony Att.orats. Pl. Arist. —W.DAT. + GEN. *against a witness, for false testimony* Aeschin. D. ‖ PASS. be alleged —W.INF. *to have given false testimony* Pl.
8 ‖ MID. (gener.) **bring an accusation** (against someone) Lys. —W.GEN. *of murder* (W.DAT. *against someone*) Pl. ‖ PASS. be accused —W.GEN. *of murder* S.

ἐπίσκηψις εως *f.* **1 injunction, instruction** (of a dying man, to his survivors) Is.; (gener.) **request, plea** Plu.
2 (leg.) **formal allegation** (sts. W.GEN. of false testimony) Pl. Is. D. Arist.

ἐπι-σκιάζω *vb.* **1** (of a person in a dream) **overshadow** —*a place* (W.DAT. *w. his wings*) Hdt.; (of the power of God; of a cloud, indicating His presence) —W.ACC. or DAT. *persons* NT.; (of a person's shadow) **fall on** —W.DAT. *someone* NT.
2 ‖ PF.PASS. have (W.ACC. one's eyes) concealed in the shadows S.

ἐπί-σκιος ον *adj.* [σκιά] **1** (of a place) **in shade, shady** Pl.; (of a room) **shadowy, dark** Plu.
2 (of a person's hand) **shading, screening** (W.GEN. his eyes) S.

ἐπι-σκιρτάω *contr.vb.* **leap upon**; (fig.) **exult over** —W.DAT. *a corpse* Plu.

ἐπι-σκοπέω *contr.vb.* | Only pres. and impf.; for other tenses see ἐπισκέπτομαι. | **1** (of persons) **look at, observe** —*other persons, things* S. E. Ar. Pl.(mid.) +; **keep a watch for** —*a watcher fr. above* (*ref. to Zeus*) A.; **look on, witness** —*one's final day* S.(dub.)
2 (of a tutelary god) **look upon, watch over** —*a city, populace, fleet* S. E. Ar.; (of a dragon) —*a stream* E.; (of Zeus, the scales of Justice) **keep a watch on** —*persons, things* A.; (of chance, divine concern) **oversee** —*human affairs* E. Lycurg. ‖ PASS. (of persons) be watched —W.PREP.PHR. *by virtue* X.
3 (of a commander) **survey** —*a plain* A.; **inspect, review** —*troops* X. Plu.
4 (of persons in authority) **watch over, oversee** —*a constitution* Pl.; (intr.) **have oversight** Pl. X.
5 (of a doctor) **examine** or **attend to** —*the sick* X.; (of persons) **visit** —*a sick and aged person* Isoc.; (intr.) **pay a visit** (to a sick person) D. Plu. ‖ MID. (of persons) **keep an eye on, attend** (a sick person) D. ‖ PASS. (in neg.phr., of a sleepless person's bed) be visited —W.DAT. *by dreams* A.
6 ‖ PASS. (gener., of parts of the world) be seen or visited Plb.
7 (act. and mid.) **look at inquiringly, look at, inspect, examine** —*persons, things* Isoc. Pl. X. Arist. Thphr. +; **look to see** —W.INDIR.Q. *whether sthg.* (*or what*) *is the case* X. D. +; (intr.) **make an inspection** X.
8 (act. and mid.) **look at** (w. the mind), **look into, consider, examine** —*sthg.* Isoc. Pl. X. + —W.INDIR.Q. *what* (*or whether sthg.*) *is the case* Pl. X. Arist.; (intr.) **make an investigation** or **inquiry** (sts. W.PREP.PHR. about sthg.) Pl. X. Arist.

ἐπισκοπή ῆς *f.* **1 visitation** (by God, ref. to a demonstration of His power) NT.
2 office (held by a person) NT.

ἐπί-σκοπος ου *m.* [σκοπός 1–2] **1 one who keeps protective watch** (usu. W.GEN. over sthg.); (ref. to a person) **watcher, guard** (over a corpse) S.; **guardian, protector** (of a city, a house) Il. A.; (of a stream, ref. to a dragon) E.; (ref. to a person) **overseer, supervisor** (of persons, activities, behaviour) Pl. Plu.; (of the constitution, ref. to the Areopagus) Arist. Plu. ‖ ADJ. (of a ship's captain) keeping a keen eye (W.GEN. on his merchandise) Od.
2 (ref. to a deity) **overseer, guardian, protector** (sts. W.GEN. of persons, places, activities) Il. Sol. Simon. A. Pi. S. Plu.; (W.DAT.) Call.; (ref. to a deity exercising judicial or punitive power) **watcher** (W.GEN. over activities) Plu.; (ref. to Justice, Nemesis) Pl.; (ref. to terror, W.GEN. over the mind) A.
3 (ref. to a person) **viewer** (W.GEN. of someone's resting-place) S.; **one sent to spy** (W.DAT. on persons, ships) Il.
4 (ref. to an Athenian official, sent to a subject or allied city) **inspector, visiting commissioner** Ar.
5 one who has responsibility for oversight or supervision (in the Church); **overseer, supervisor** NT.

—ἐπίσκοπος ον *adj.* [σκοπός 3] **aimed at** or **hitting a target**; (fig., of a song) **bearing with true aim** (W.GEN. upon a disaster) S.; (of blessings) **showered appropriately** (on a victory) A.

—ἐπίσκοπα *neut.pl.adv.* **true to the mark** —*ref. to shooting arrows* Hdt.

ἐπι-σκοτέω *contr.vb.* [σκότος] **1 bring darkness** or **obscurity** (upon sthg.); (of a house) **overshadow** —W.DAT. *neighbours* D.; (of a cloud, fig.ref. to military forces) **cast a shadow over** —W.DAT. *a people* Plb.; (of fog, smoke) **darken the sky** Men. Plb. ‖ PASS. (of part of the sky) be in shadow (during an eclipse of the moon) Plu.
2 (of a person) **obscure, screen** —W.DAT. *someone* (W.GEN. *fr. his view of another person*) Pl.
3 (fig., of a person) **obscure the meaning of, obfuscate** —W.DAT. *an oracle* Plu.; (of things) **obscure, cloud** —W.DAT. *a person's judgement, ability to see sthg., or sim.* Isoc. Arist.; (of a writer) **be obscure** (in style or meaning) Arist. ‖ PASS. (of a person's real nature, the truth) be obscured Plb.; (of a person) be blinded (by an emotion) Plb.; be hampered or frustrated Plb.
4 (fig.) **overshadow** (so as to diminish the relative importance of sthg.); (of a person's virtues, vices, achievements) **put into the shade** —W.DAT. *other things* D. Plu.

ἐπισκότησις εως *f.* **darkening, obscuration** (of the sun, in an eclipse) Plu.

ἐπισκοτίζομαι *pass.vb.* (fig., of truth) **be obscured** Plb.

ἐπίσκοτος ον *adj.* (of the sun's path) **darkened** (during an eclipse) Pi.*fr.*

ἐπι-σκύζομαι *ep.mid.vb.* | 3sg.aor.opt. ἐπισκύσσαιτο | (of a person, his heart) **be angry** or **indignant** (at sthg.) Hom.

ἐπι-σκυθίζω *vb.* **serve wine in the Scythian fashion** (i.e. neat) Hdt.

ἐπι-σκυθρωπάζω *vb.* (of hounds) **look sullen** or **surly** X.

ἐπισκύνιον ου *n.* **1 loose skin above the eyes** (which may be contracted in a frown); **brow** (of a lion) Il.; (of a person) Ar. Theoc.
2 gravity (in a person's demeanour) Plb.

ἐπι-σκώπτω *vb.* **1 jeer at, make fun of, mock** —*someone or sthg.* X. Plb. Plu. —(w. ὡς + COMPL.CL. *by saying that sthg. is the case*) Pl.; (intr.) **joke, jest, jeer** Ar. X. Plb. Plu. —W. εἰς + ACC. *at sthg.* Plu.
2 say in jest or **sarcastically** —W.COMPL.CL. *that sthg. is the case* X. Plu. —W.DIR.SP. *sthg.* Thphr.

ἐπίσκωψις εως *f.* **jest, sarcasm** Plu.

ἐπι-σμάω *contr.vb.* [σμάομαι] | 3sg. ἐπισμῇ | (fig.) **smear** —W.DBL.ACC. *abuse on someone* Ar.

ἐπι-σμυγερός ή όν *Ion.adj.* (of personif. Darkness of Death) **gloomy, mournful** Hes.; (of a person's fate) **grim, painful** AR.

—ἐπισμυγερῶς *adv.* **1 in a grim** or **painful manner, grimly, painfully** Od. AR.
2 to grim or **painful effect, to one's cost** Od.
3 (intensv., w.adjl.phr. *insatiable in jealousy*) **grimly** AR.

ἔπ-ισος ον *adj.* [ἴσος] (of a contest) **evenly balanced** Plb.(dub.)

ἐπισπαστήρ ῆρος *m.* [ἐπισπάω] handle or knob by which a door is pulled to, **door-handle** Hdt.

ἐπισπαστικός ή όν *adj.* (of offered terms) **appealing, attractive** Plb.

ἐπίσπαστος ον *adj.* **1** (of trouble) **brought upon oneself** Od. **2** (of a noose) **pulled tight** E.

ἐπι-σπάω *contr.vb.* **1** pull (persons or things, by physical effort); **pull, drag** —*someone* (W.GEN. *by the hair*) E. Tim. —(*by the hand*) Plu.; (of a ship) **drag along** —*a person* (*on another ship, holding onto a spear caught in the rigging*) Pl. ‖ MID. (of a man throwing himself over a cliff) **drag with one** —*someone holding on* X. ‖ PASS. be pulled or dragged —W.GEN. *by one's hair* E. —W.DAT. *by one's hand* Th.
2 pull at —*the nozzles of wineskins* Hdt.; (mid.) —*a stake* (*in a palisade*) Plb.
3 ‖ PASS. (of the sea, after receding because of an earthquake) be drawn or pulled —W.ADVBL.PHR. *back again* Th.; (of a person's senses, in an epileptic fit) be pulled about or convulsed Plu.
4 pull to, close —*a door* X.; (mid.) Plu.
5 ‖ MID. (of boats) **pull tight** —*tow-lines* Plb. ‖ PASS. (of a noose) be pulled tight D.
6 draw or **haul in** —*a net* Sol.; (fig., of a captor) —*a person* S.*fr.*
7 bring on oneself —*troubles* A.; (mid.) —*pains* Men.(cj.)
8 obtain, gain, win —*glory* S.; (mid.) —*an advantage* Hdt. —*goodwill* Plb.
9 (of a desire) **draw on, entice** —*the soul* Pl. ‖ PASS. (of persons, ref. to their minds or emotions) be drawn —W.PREP.PHR. *towards particular behaviour* Pl. Plu.
10 ‖ MID. **induce, cause** —*someone* (W.INF. *to burst into tears*) X.; (of a circumstance) **induce, tempt** —*someone* (*to do sthg.*) Plu.; (intr.) **produce a temptation** —W.INF. *to do sthg.* Th. ‖ PASS. be drawn or induced —W.INF. *to do sthg.* D.
11 ‖ MID. (of a topic) **attract, appeal to** —*a reader* Plb.; (intr., of an argument) **be appealing** or **attractive** Th.
12 ‖ MID. (in military ctxts.) **draw on, lure, entice** —*the enemy* (W.PREP.PHR. *towards oneself, into a place, to battle*) Plb. Plu.; **bring upon oneself** (through one's own fault) —*an enemy, an attack* Plb. Plu.
13 ‖ MID. draw in (outside support); **bring** or **invite in** —*a commander, troops, help, or sim.* Plb.
14 ‖ MID. (gener.) **draw, invite** —*people* (W.PREP.PHR. *into a tent*) Plu.; **draw to oneself** —*persons* (*as associates*) Plu.; (of a commander) **draw after one** —*a military force* Plb. Plu.; (of fugitives) —*enemy troops* Plu.

ἐπισπεῖν (aor.2 inf.): see ἐφέπω

ἐπι-σπείρω *vb.* **1** sow (w. seeds) —*an area of ground* Hdt. **2 sow afterwards** —*weeds* (W.PREP.PHR. *among wheat*) NT. **3** (fig.) **cast** —*blame* (W.DAT. *on wrongdoers*) Pi.; (of decorous behaviour) **sow the seeds of** —*beauty's bloom* Lycophronid.

ἐπίσπεισις ιος *Ion.f.* [ἐπισπένδω] **pouring of a libation** (over a sacrificial victim) Hdt.

ἐπι-σπένδω *vb.* **1 pour a libation** (over a sacrificial victim) A.*fr.* Hdt.; **pour as a libation** —*wine, blood, milk* (sts. W.DAT. or κατά + GEN. *over a sacrificial victim*) Hdt. Plu.; **pour a libation** —W.DAT. *over a corpse* A.
2 pour —W.COGN.ACC. *a libation* (w. ἐπί + DAT. *to accompany a prayer*) A.
3 make an offering of —*tears* (*over a dead person*) Theoc.
4 ‖ MID. **make a further truce** (after the expiry of an earlier one) Th.

ἐπι-σπέρχω *vb.* **1** (of a charioteer) **urge** or **hasten on** —*horses* (W.DAT. *w. a whip*) Il.; (of sailors) **vigorously ply** —*the oars* AR.(dub.)
2 urge forward (by non-physical means); **urge on** (persons) Od. AR.; (of a commander) —*his troops* (W.NEUT.ACC. *w. certain words*) Th.; (of tasks lying ahead) —*a person* AR.; (of a god) **hasten on** (to a conclusion) —*events* A.
3 (intr., of storm-winds) **rush on** Od. Pi.*fr.*; (of an army in flight) Tim.
4 (of a personif. ship) **be eager** —W.INF. *to be under way* AR.

ἐπισπερχῶς *adv.* **hastily** X.

ἐπισπέσθαι (aor.2 mid.inf.): see ἐφέπομαι

ἐπι-σπεύδω *vb.* **1** hasten on (persons, their actions); **urge on** —*persons* X. Theoc.; **hurry along, encourage** —*a discussion* Pl. —*an expedition, a march* Isoc. Plu.; **give encouragement** (to an enterprise) Hdt.; (wkr.sens., of topics, wine) **be stimulating** (to people) X.
2 hasten on (an action of one's own); **hurry along** or **be eager for** —*action* (opp. *remaining inactive*) S.; **hurry to take up** —*an office* Plb.
3 (intr., of persons) **make haste, hurry** X. Men. AR. Plb.; (of a foot) E.; (of a child's abilities) **develop quickly** Pl.

ἐπισπόμενος (aor.2 mid.ptcpl.): see ἐφέπομαι

ἐπισπονδή ῆς *f.* [ἐπισπένδω] **renewed truce** Th.

ἐπισπορίη ης *Ion.f.* [ἐπισπείρω] **sowing of too much seed, over-seeding** Hes.

ἐπίσποροι ων *m.pl.* those begotten later, **descendants** (W.GEN. of the present generation) A.

ἐπίσπου (aor.2 mid.imperatv.): see ἐφέπομαι

ἐπίσπω (aor.2 subj.): see ἐφέπω

ἐπίσπωμαι (aor.2 mid.subj.): see ἐφέπομαι

ἐπισσείω, ἐπισεύω *ep.vbs.*: see ἐπισείω, ἐπισεύω

ἐπίσσυτος ον *adj.* [ἐπισεύω] (of painful visions) **onrushing** A.; (of a message) **rushing upon** (W.ACC. someone's mind) E.; (of springs of tears) **gushing** A.; (of blessings) **coming in profusion** A.

ἐπίσσωτρον ου *ep.n.* [σῶτρον *felloe, rim* (*of a wheel*)] that which is upon the felloe (of a chariot wheel), **tyre** Il.

ἐπίστα (2sg.mid.): see ἐπίσταμαι

ἐπισταδόν *adv.* [ἐφίσταμαι] **1 standing** or **stopping close** (to each person) —*ref. to rebuking one person after another, serving wine to everyone* Od.
2 perh., attending closely (to a task), **attentively** —*ref. to preparing a meal* Od.
3 at close quarters —*ref. to boxers wounding each other* (or perh. *in succession, one after another*) AR.; **nearby** —*ref. to women wailing* (or perh. *in response*) AR.; **while standing** (W.DAT. *on one's feet*) —*ref. to someone swaying* (or perh. *this way and that*) AR.

ἐπι-στάζω *vb.* (fig., of a poet) let fall in drops, **drip, shed** —*grace* (*on persons*) Pi.

ἐπι-σταθμάομαι *mid.contr.vb.* (fig.) **weigh in the balance** (of one's thoughts) —*all things* A.

ἐπισταθμεύω *vb.* [ἐπίσταθμος] **1** (of soldiers) **be quartered** or **billeted** (on persons) Plb.; (of a commander) —W.DAT. *on a goddess* (*i.e. lodge in her temple*) Plu.
2 ‖ PASS. (of persons) be obliged to provide billets Plb.; (of respectable houses) be commandeered as lodgings —W.DAT. *for disreputable people* Plu.

ἐπισταθμίᾱ ᾱς *f.* **obligation to provide billets** (for soldiers) Plu.

ἐπί-σταθμος ου *m.* [σταθμός] **1** one who is quartered on another, **viceroy, governor** (ref. to a local deputy of the Persian king) Isoc.

2 ‖ ADJ. (of the figure of a hero) set up at the door (W.GEN. of someone, as if billeted on him) Call.*epigr.*

ἐπίσταμαι *mid.vb.* [app. ἐπί, ἵσταμαι] | 2sg. ἐπίστασαι, also ἐπίστᾳ (A. Pi.), dial. ἐπίστῃ (Thgn.), Ion.3pl. ἐπιστέαται | Ion.3pl.subj. ἐπιστέωνται | imperatv. ἐπίστασο, also ἐπίστω | impf. ἠπιστάμην, 2sg. ἠπίστασο, ἠπίστω, 3sg. ἠπίστατο, ep. ἐπίστατο, Ion.3pl. ἠπιστέατο | fut. ἐπιστήσομαι | aor. ἠπιστήθην |
1 have knowledge or capability (mental, practical or moral), **have the skill, be able, know how** —W.INF. *to do sthg.* Hom. +
2 have knowledge of, **be versed** or **skilled in** —*handicrafts* Hom. —*the Muses' gifts* Archil. —*the art of medicine* Hdt.; (gener.) **have knowledge of, be acquainted with, understand** —*sthg.* Semon. Eleg. +
3 know as a fact, know —*sthg.* Hdt. Trag. + —W.NOM. or ACC. + PTCPL. *that one (or someone) is doing sthg. (or is such and such), that sthg. is the case* Hdt. S. E. Th. + —W.ACC. + INF. *that sthg. is the case* Hdt. S. —W.INDIR.Q. or COMPL.CL. *what (or that sthg.) is the case* Thgn. +; (intr.) Od. +
4 be convinced, feel sure (usu. mistakenly) —W.NOM. or ACC. + PTCPL. or W.ACC. + INF. or W.COMPL.CL. *that sthg. is the case* Hdt.; **feel** —W.INF. or COMPL.CL. *that one has been badly treated* Hdt.
5 know —*a person* Ar. NT.; **know the identity of** —*one's parents* E.
—**ἐπιστάμενος** η ον *ptcpl.adj.* (of persons) **skilled, expert, clever** Hom.; (W.DAT. w. the spear) Il.; (W.GEN. at the lyre and singing) Od.; (of dancers' feet) Il.
—**ἐπισταμένως** *ptcpl.adv.* **skilfully, expertly** Hom. Hes. hHom. Thgn. X.
ἐπιστασία ᾱς *f.* [ἐφίστημι] being in charge, **management** (W.GEN. of work) X.; **supervision** (of a pupil, by a teacher) Plu.; **authority, control** (exercised by a ruler) Plu.
ἐπιστάσιος ον *adj.* (epith. of Jupiter, as translation of *Stator*) app. **Standing firm** Plu.
ἐπίστασις εως *f.* **1 station** or **position in line** (of warships) Plb.
2 action of stopping, **halt** (by an army) X. Plb.; **pause** (by a traveller, W.GEN. for thought or prompted by his thoughts) S.
3 bringing to a stop, **check** (on an army's advance) Plb.; (on growing hostility) Plb.
4 pause (in a narrative) Plb.
5 (in ctxt. of philosophical inquiry) **necessary pause for thought** or **reflection** (W.INDIR.Q. as to whether sthg. is the case) Arist.
6 (gener.) pause for thought (or application of attention); **consideration, attention** (given to someone or sthg.) Plb.; **anxiety, concern** Plb.
7 perh. **stirring up** or **gathering** (W.GEN. of a crowd, as causing anxiety to the authorities) NT.
8 starting-point, introduction (to a new section of a historical work) Plb.
ἐπιστατέον (neut.impers.vbl.adj.): see ἐφίσταμαι
ἐπιστατέω *contr.vb.* [ἐπιστάτης] **1 have charge, control** or **oversight** —W.DAT. or GEN. *of persons, things, activities* A. Pi. Hdt. S. E.*fr.* Isoc. +; (intr.) Isoc. Pl. +
2 (at Athens) **be president** or **chairman** (of the officials presiding in the Council and Assembly) Th.(decree) And.(decree) Ar. Arist.
ἐπιστάτης ου *m.* [ἐφίσταμαι] **1** one who stands nearby, **follower** or **dependant** Od.

2 (milit.) **soldier standing behind one** (in a battle formation, opp. παραστάτης *next man*) X. Plb.
3 (gener.) one who is in charge, **supervisor, manager, overseer** Isoc. Pl. X. +; (W.GEN. of an activity or event) S. E. Ar. Att.orats. +; **controller, master** (W.DAT. of the yoke-straps of fire-breathing bulls) E.
4 (specif.) **chief, commander** (of troops) A.; **handler** (W.GEN. of an elephant, ref. to its rider) Plb.; **supervisor** (W.ADJ. *of an altar*, ref. to a temple attendant) E.; (periphr.) **master** (W.GEN. of arms, ref. to a soldier) A.; (of a chariot, ref. to a charioteer) S. E.; (of an oar, ref. to a rower) E.; (of a flock, ref. to a shepherd) S. Pl.; (derog.) **superintendent** (of mirrors and perfumes, ref. to a Phrygian slave) E.
5 master, lord (W.GEN. of a place, ref. to a god) S.
6 master (as designation of Jesus by his disciples) NT.
7 (at Athens) **president** or **chairman** (of the officials presiding in the Council and Assembly) X. Aeschin. D. Arist.
8 superintendent, overseer (W.GEN. of public works) Aeschin. D. Plu.; (of the navy) Aeschin.; (of a public place) Hyp.
9 (gener.) **official** Arist. Plb. Plu.
10 governor (W.GEN. of a city or region) Plb. | see also ἐπίστατον

ἐπιστατικός ή όν *adj.* **1** (of a science) **of being in charge, of command** Pl.
2 (of a lawsuit) **in connection with the presidency** (of the Council and Assembly) Arist.

ἐπίστατον ου *n.* | only gen. ἐπιστάτου (and so perh.fr. ἐπιστάτης) | (ref. to a kitchen utensil) perh. **trivet** (bronze tripod serving as a pot stand) Ar.

ἐπισταχύω *vb.*: see ὑποσταχύω
ἐπιστέαται (Ion.3pl.mid.): see ἐπίσταμαι
ἐπι-στείβω *vb.* **tread upon** —*a spot of ground, an island* S. Call.
ἐπι-στείχω *vb.* (of a person) **go** or **come to** —*an island* Pi.; (of winds) **blow over** —*a land* A.
ἐπι-στέλλω *vb.* **1** send a message (usu. written, sts. spoken); **send a message** (sts. W.DAT. to someone) Hdt. E. Th. Isoc. —W.PREP.PHR. *about someone or sthg.* Th. Isoc. —W.COMPL.CL. *stating that sthg. is the case* Th. D.; **send** —*a message* Hdt. E. Th. Att.orats. + —W.COGN.ACC. *a letter* Aeschin. D. ‖ NEUT.PL.PASS.PTCPL.SB. (pres., aor., pf.) messages (sts. W.PREP.PHR. fr. someone or somewhere) Th. Isoc. Pl. +
2 send or give orders or instructions (written or spoken); **give an order** (sts. W.DAT. to someone) Hdt. Th. Att.orats. Pl. X. + —W.INF. *to do sthg.* Hdt. Trag. Th. Ar. Pl. +; (specif.) **send orders by letter** Thphr. ‖ PF.PASS. (of persons) have been given orders Th.; (of a function) have been assigned —W.DAT. *to someone* A. ‖ IMPERS.PASS. (aor., pf., plpf.) an order was (or has or had been) given (sts. W.DAT. to someone) Hdt. Th. —W.INF. *to do sthg.* A. Hdt. X. ‖ NEUT.PL.PF.PASS.PTCPL.SB. orders (sts. W.PREP.PHR. fr. someone) A. E. Th. Isoc. +

ἐπι-στενάζω *vb.* **groan** or **lament over** —W.DAT. *someone or sthg.* A. Plu.
ἐπιστεναχίζω *vb.*: see ἐπιστοναχίζω
ἐπι-στενάχω *vb.* **groan over** or **in response to** —W.DAT. *a person in distress* A.; (gener., of suppliants) **groan** S. ‖ MID. groan in response or accompaniment (to someone) Il.(sts.tm.)
ἐπι-στένω *vb.* **1** (of persons) **groan in response** or **accompaniment** (to a mourner) Il.(tm.); (of heaven, to a clash of combatants) Hes.
2 groan or **lament over** —W.DAT. *someone or sthg.* E. Plu. —W.ACC. *sthg.* S.; **groan** (at a sight) Plu.

ἐπι-στεφανόω contr.vb. place a garland or crown of victory on —an altar Pi.
ἐπιστεφής ές adj. [ἐπιστέφω] **1** (fig., of bowls) with a crown (of overflowing liquid); **brimming** (W.GEN. w. wine) Hom.; (w. the Graces) Scol.
2 (of an island) **crowned, topped** (W.GEN. by a wild wood) Archil.
ἐπι-στέφω vb. | dial.fem.nom.pl.ptcpl. ἐπιστεφοῖσαι (Alcm.) | **1** ‖ MID. **crown, fill to the brim** —bowls (W.GEN. w. wine) Hom.
2 (intr., of tables) **be covered** or **laden** —W.GEN. w. loaves Alcm.
3 (fig.) offer as a crown, **pay the tribute of** —libations (W.DAT. to a dead man) S.
ἐπιστέωνται (Ion.3pl.mid.subj.), **ἐπίστῃ** (dial.2sg.mid.): see ἐπίσταμαι
ἐπίστημα ατος n. [ἐφίστημι] that which is set up (over a grave), **monument** or **gravestone** Pl.
ἐπιστήμη ης, dial. **ἐπιστάμᾱ** ᾱς f. [ἐπίσταμαι] **1** practical understanding or skilled knowledge, **skill, expertise** (in an activity, e.g. archery, war, swimming) S. Th. Lys. Isoc. Pl. +
2 (gener.) **knowledge** S. Th. Isoc. Pl. + ‖ PL. kinds of knowledge B. Isoc. Pl. +
3 scientific knowledge, science (esp. opp. τέχνη practical skill) Pl. Arist. Plb. Plu.; (opp. δόξα opinion, belief) Pl. ‖ PL. sciences (opp. τέχναι practical skills) Isoc. Pl. X. Arist.
ἐπίστημι Ion.vb.: see ἐφίστημι
ἐπιστημονικός ή όν adj. [ἐπιστήμων] (of a mental faculty) **involving knowledge, scientific** (opp. λογιστικός calculative) Arist.; (of a practical activity, a definition) Arist.
ἐπιστήμων ον, gen. ονος adj. [ἐπίσταμαι] **1** (of persons) having knowledge and ability, **skilful, clever** (W.DAT. in counsel and thought) Od.; **knowledgeable, skilled, expert** E. Pl. X. Arist. Plb.; (W.GEN. in a craft or activity) Pl. X.; (W.NEUT.ACC.) X.; **having the requisite knowledge** (W.INF. to do sthg.) Pl. X.
2 (gener.) **possessing knowledge, knowledgeable** (usu. W.GEN. about sthg.) S.(cj.) Pl. X. Arist. Plb. Plu.; **familiar** (w. the sea, naval matters) Th.; (w. places) X.
3 possessing true or scientific knowledge (opp. δόξα opinion, belief), **truly knowledgeable** (sts. W.GEN. about sthg.) Pl.; (of an entity) Arist.
—ἐπιστημόνως adv. | compar. ἐπιστημονέστερον, superl. ἐπιστημονέστατα | **knowledgeably, expertly** Pl. X.
ἐπι-στηρίζω vb. (of an apostle or prophet) **support, strengthen** —people, their souls, churches NT.
ἐπιστητός όν adj. [ἐπίσταμαι] (philos., of things) that can be known, **knowable** Pl. Arist.
ἐπι-στίλβω vb. (of a colour) **glisten on the surface** (of water) Plu.
ἐπίστιον[1] ου n. [prob.reltd. ἐφίστημι] app. **slipway** (for a ship) Od.
ἐπίστιον[2] Ion.n., **ἐπίστιος** Ion.adj.: see ἐφέστιος
ἐπι-στοβέω contr.vb. [reltd. στέμβω agitate] | iteratv.impf. ἐπιστοβέεσκον | **scoff at, mock** —someone AR.
ἐπιστολάδην adv. [ἐπιστέλλω; cf. στολή] **girt up** —ref. to wearing one's tunic Hes.
ἐπιστολεύς έως m. (in the Spartan navy) app., one who conveys or gives orders, **second-in-command, vice-admiral** X. Plu. | cf. ἐπιστολιαφόρος
ἐπιστολή ῆς f. **1** message (written or spoken, sent or given direct, esp. conveying instructions); **instructions** Hdt. Pl.; (pl. for sg.) **message** or **instructions** Trag.
2 letter Th. Att.orats. X. +; (pl. for sg.) E. Th.

ἐπιστολια-γράφος ου m. [ἐπιστόλιον, γράφω] **letter-writer, secretary** Plb.(cj.)
ἐπιστολια-φόρος ου m. [φέρω] (in the Spartan navy) app., one who conveys or gives orders, **second-in-command** (W.DAT. to the admiral) X. | cf. ἐπιστολεύς
ἐπιστολιμαῖος ον adj. [ἐπιστολή] (pejor., of military forces) promised by or existing only in written messages, **on paper** D.
ἐπιστόλιον ου n. [dimin. ἐπιστολή] **letter** or **written message** Plb. Plu.
ἐπι-στομίζω vb. [στόμα] | fut. ἐπιστομιῶ | aor. ἐπεστόμισα | **1** (of the aulos) **block the mouth of** —its player Plu.
2 (fig.) stop the mouth of, **muzzle, gag, silence** —someone Ar. Aeschin. D. Plu. ‖ PASS. (of a person) be muzzled Pl. Plu.
ἐπι-στοναχέω contr.vb. (of the sea) **groan in response** (when a goddess plunges in) Il.
ἐπι-στοναχίζω (v.l. ἐπιστενοχίζω) vb. (of the earth) **groan in response** (to Zeus' footfalls) Hes.
ἐπι-στορέννῡμι vb. **spread on top** (of brushwood) —a goatskin Od.(tm.)
ἐπιστρατεία ᾱς, Ion. **ἐπιστρατηίη** ης f. [ἐπιστρατεύω] **campaign, expedition** (against a country) Hdt. X. D.; (W.GEN. against a city) Th.
ἐπιστράτευσις ιος Ion.f. **campaign, expedition** (against a country) Hdt.
ἐπι-στρατεύω vb. **1** (act. and mid., of commanders, troops) **go on campaign** A. Hdt. S. Th. + —w. ἐπί + ACC. against people, places Hdt. Th. And. Pl. + —W.DAT. E. Th. Ar. + —W.ACC. S. E. Th.; (without connot. of aggression, perh. iron.) **take troops** —W.DAT. (v.l. ACC.) to people Th.
2 ‖ MID. (fig., of Eros) **make war against, attack** —W.ACC. persons E.; (of a pain) —W.DAT a person E.; (of sleep, compared to a Persian invader) —w. ἐπί + ACC. a person's eyelids Ar.; (of the north wind) **go on campaign** Ar.
ἐπι-στρατοπεδεία ᾱς f. **nearby encampment** (W.GEN. of enemy troops) Plb.
ἐπι-στρατοπεδεύω vb. **encamp near** or **opposite** Plb. —W.DAT. to an enemy, a place Plb. —w. ἐπί + ACC. to a mountain Plb.
ἐπίστρεπτος ον adj. [ἐπιστρέφω] (of a person's life, youthful beauty) that one turns one's attention towards, **looked at in admiration** (sts. W.DAT. by people) A.
ἐπιστρεφής ές adj. turning one's full attention or efforts (to sthg.); (of an orator) **vigorous, forceful, incisive** X.
—ἐπιστρεφῶς, Ion. **ἐπιστρεφέως** adv. **1 eagerly, with keen interest** —ref. to asking a question Hdt.
2 vigorously, forcefully —ref. to delivering a harangue Aeschin.
ἐπι-στρέφω vb. | aor. ἐπέστρεψα | pf. ἐπέστροφα (Plb.) ‖ PASS.: aor.2 (usu. w.mid.sens.) ἐπεστράφην | **1 turn** (sthg.) in some direction (sts. specified by ADV. or PREP.PHR.); (of persons, animals) **turn** —their head, neck, flanks E. X. Mosch.; (intr.) turn oneself, **turn** Ar. X. Plb. + ‖ MID. and AOR.2 PASS. **turn** Plb. Plu.; app. **turn to move** —W.PREP.PHR. towards a place A. ‖ PASS. (of the revolutions of the heavens) be made to turn Pl.
2 turn (someone or sthg.) in the reverse direction; **turn around** —an enemy warrior (by pulling on his helmet) Il.; **turn** —one's back (in retreat) Hdt.(oracle); (intr.) **turn round** S. Plb. NT. Plu.; reverse one's course, **turn about, turn back** Hdt. Plb. + ‖ MID. and AOR.2 PASS. **turn round** Hdt. E. X. Plb. +; (fig., of a decision) be reversed S.
3 (in naval and military ctxts.) **turn** (ships, troops) round (to face in a reverse or different direction); **turn** —ships Th.

X. Plu.; **wheel round** —*troops, cavalry, a horse* Th. Plu.; (intr., of a commander, troops, cavalry) X. Plb. Plu.; (of a naval commander) **change direction, turn** Plb.
4 (causatv.) **turn about, put to flight** —*enemy troops* X.
5 ‖ MID. and AOR.2 PASS. (of persons, gods) move in or to (a place); **range about, roam** hHom. —W.ACC. *along pathways* Pl.; (tr.) **roam over** —*mountain tops* Anacr.; (of shameless behaviour) —*the earth* Thgn.; (of Night and Day) **pass over, traverse** —*the earth* Hes.; (of persons) **go about in** —*a city* Archil.; **visit** —*places, cities* E.; (intr.) **pay a visit** —w. εἰς + ACC. *to a region* X.; (fig., of an oracular command, in the form of punishment) perh. **be visited on** —*someone* E.
6 turn, direct, apply (to a situation) —*one's thoughts, a versatile disposition* Thgn.; app. **urge, press** (on someone) —*a pledge* S.
7 deliver (W.ACC. a speech) **forcefully** or **earnestly** Plu. ‖ PF.PASS.PTCPL.ADJ. (of words) delivered forcefully, earnest, vehement Hdt.
8 ‖ MID. and AOR.2 PASS. turn one's attention (to sthg.); **have regard** or **concern** E. D. —W.GEN. *for someone or sthg.* Thgn. S. D.
9 (w. moral or religious connot.) turn (persons) towards (virtuous behaviour or obedience to God); **turn** —*someone* (W.PREP.PHR. *to God*) NT. —*the hearts of fathers* (i.e. *their compassion*, W.PREP.PHR. *towards their children*) NT. —*a person's eyes* (fr. *darkness to light*) NT.; (intr., of a sinner) **turn** (to God) NT. —W.PREP.PHR. *to God* (sts. W.GEN. *fr. folly*) NT.
10 (gener., of a speaker, a speech) **influence, affect, move** —*people* Plu.; (of circumstances) **induce** —*someone* (W.INF. *to do sthg.*) Plu.; (of a person) **set right** —*ill-disciplined or ignorant persons* Plu.
ἐπιστροφάδην *adv.* **turning this way and that, to right and left** —*ref. to striking or killing people* Hom.; perh. **moving from one side to the other** —*ref. to a person driving cattle* hHom.
ἐπιστροφή ῆς *f.* **1 causing to turn, revolving** (W.GEN. of the whorl of a spindle) Pl.
2 twisting (W.GEN. of ropes) Plu.
3 (milit.) **wheeling round** (of troops, cavalry) Plb. Plu.; (W.GEN. of enemies who are being pursued) S.; (fig.) **renewed onset** (W.GEN. of troubles) S.; **recoil, visitation** (W.GEN. of punishment, in requital for a crime) E.(cj.); **counter-action, reprisal** (by a city) Th.
4 change of direction, turn (by ships) Th.
5 movement in or to (a place); **frequenting** or **visiting** (W.GEN. of a house, by guests) A.; **occupation, mastership** (of a house, by its owner) A.; right to visit, **access, admittance** (to a country) E. ‖ PL. haunts (of cattle) Ar.(quot. A.)
6 attention, notice, concern (sts. W.GEN. paid towards someone or sthg.) S. E. X. D. Men. Plb.; **consideration, respect** (for persons) Plb.; **treatment** (of offences) Plb.
7 conversion (of Gentiles, to Christianity) NT.
ἐπίστροφος ον *adj.* **1 ranging about**; (of a person) **apt to pay visits** (W.GEN. to people) Od.
2 having dealings, conversant, involved (W.GEN. w. wrongdoings) A.
3 (of river channels) turning this way and that, **winding** AR.
ἐπι-στρωφάω *contr.vb.* (of gods, persons) **roam through, visit** —*cities* Od. —*a land* AR.(tm.); (of an army) **roam over** —*a plain* E.fr.; (of worries) **visit, haunt** —*a person* hHom. ‖ MID. (of a person) **move about in, frequent** —*a house* A.; **come to visit** —*a place* E.

ἐπι-στύλιον ου *n.* [στῦλος] **1** (archit.) beam laid across columns, **epistyle, architrave** Plu.
2 pigeonhole or **shelf** (for storing official documents) Arist.
ἐπίστω (mid.imperatv.): see ἐπίσταμαι
ἐπι-συκοφαντέω *contr.vb.* **also bring false charges against** —*persons* Plu.
ἐπισύμενος (athem.aor.mid.ptcpl.): see ἐπισεύω
ἐπι-συνάγω *vb.* **bring together** (to the same place), **gather together, collect, assemble** —*troops, persons* Plb. NT.; (of a bird) —*its young* (under its wings) NT. ‖ PASS. (of troops, persons, birds) **be gathered** or **assembled** Plb. NT.
ἐπι-συνάπτω *vb.* (of a historian) **join on, append** —*events* (W.DAT. *to others previously described*) Plb.
ἐπι-συν-δίδωμι *vb.* (of streams of water, under pressure) **be discharged together** —W.PREP.PHR. *into an empty space* Plu.
ἐπι-συνθήκη ης *f.* **additional agreement** (in a treaty) Plb.
ἐπι-συντρέχω *vb.* (of a crowd) **come running together, quickly assemble** NT.
ἐπισύρματα των *n.pl.* [ἐπισύρω] **traces, trail** (left by an object being dragged along) X.
ἐπισυρμός οῦ *m.* **1 procrastination, delay** Plb.
2 sloth, laziness Plb.
ἐπι-σύρω *vb.* **1** ‖ MID. (of a newborn animal) **drag oneself along** (over the ground) X.
2 (fig., of a defendant) **skim** or **slur over** —*the facts of a case* Lys.; (of a historian) —*events* Plb.; (intr., of a speaker) **be casual** or **off-hand** D. ‖ PASS. (of an aspect of historical writing) be treated casually or scantily Plb.
ἐπι-συστέλλομαι *pass.vb.* (of poetic style) **be toned down** (opp. elevated) Arist.
ἐπι-σφάζω, Att. **ἐπισφάττω** *vb.* **1 slaughter** or **sacrifice** (W.ACC. a person) **upon** or **over** —W.DAT. *a tomb, a burning ruin* E. Plu.; **shed in sacrifice** (W.ACC. a sheep's blood) **upon** —W.DAT. *a grave-altar* E.; **shed over** (hands polluted by bloodshed) —*fresh blood* (in purification) E.fr. ‖ PASS. (of animals) be sacrificed over (i.e. at the tomb of) —W.DAT. *a dead person* X.
2 slaughter (W.ACC. a third sacrificial victim) **in addition** —W.DAT. *to two others* E.; **kill** (W.ACC. someone) **in addition** E. Plu. —W.DAT. *to someone else* Plu.; **shed** (W.ACC. a mother's blood) **in requital** (for a father's murder) E.
3 slay (W.ACC. someone) **beside** or **over** —W.DAT. *someone else* (i.e. his corpse) X. ‖ MID. **slay oneself** (beside or over someone's corpse) X.
4 deal the death-blow, finish off, despatch —*a wounded person* Plu.
ἐπι-σφαίρα ᾱς *f.* **spherical knob, button** (placed on the point of a sword or javelin, when used in training) Plb.
ἐπισφάλεια ᾱς *f.* [ἐπισφαλής] **precariousness, mutability** (W.GEN. of fortune) Plb.
ἐπι-σφαλής ές *adj.* [σφάλλω] **1** liable to cause a slip; (of a situation or course of action) **precarious, fraught with danger, risky** Pl. Arist. Din. Men. Plb. Plu.; (of a place) **perilous** Plb. Plu.; (of an illness) **dangerous, serious** Plu.
2 liable to suffer a slip; (of power, prosperity, human life, a political system) **precarious, unstable, insecure** D. Arist. Men. Plb.
—**ἐπισφαλῶς** *adv.* at risk to oneself, **riskily** —*ref. to doing sthg.* Plu.; **precariously, unstably** —*ref. to a ship moving* Plu.; **dangerously, seriously** —*ref. to being sick or wounded* Plb. Plu.; (w. ἔχειν, διακεῖσθαι) be in a precarious or dangerous state or situation Plb. Plu.
ἐπισφάττω *Att.vb.*: see ἐπισφάζω
ἐπι-σφοδρύνω *vb.* **strengthen, add responsibility to** —*a magistracy* Plu.

ἐπι-σφρᾱγίζομαι *mid.vb.* **1** mark with a seal (for security, authentication or identification); **seal up** —*approved statements or regulations* Pl.
2 impress the seal of —*a particular description* (W.DAT. *on sthg.*) Pl. —*a single category* (*on a branch of knowledge*) Pl. ‖ PASS. (of things) be sealed —W.DAT. *w. a particular descriptive label* Pl.
3 (fig.) have marked with a seal of approval, **obtain sanction for** —*one's illegal behaviour* Plb.
4 ‖ PASS. (of the truth) be impressed —*w.* ἐν + DAT. *on people's minds* Plb.

ἐπι-σφύρια ων *n.pl.* [σφυρόν] app. **ankle-guards** (worn by warriors) Il.

ἐπι-σχεδόν *adv. and prep.* **1** (ref. to location) **near, close** AR.; (as prep.) —W.GEN. or DAT. *to someone or sthg.* AR.
2 (ref. to motion towards) **near, close** AR.(sts.tm.)

ἐπισχέθοι (ep.3sg.aor.2 opt.), **ἐπισχεῖν** (aor.2 inf.): see ἐπέχω

ἐπι-σχερώ *adv. and prep.* [σχέσθαι, see ἔχω; cf. σχερός] **1 in a row, one after another** —*ref. to sitting, coming ashore, being killed, placing logs* Il. AR.; (as prep.) **in succession** —W.DAT. *to one another* (*i.e. one after another*) AR.
2 (quasi-adjl., of a tale) **next in order, next** —W.GEN. *in a song* AR.
3 gradually, by degrees —*ref. to time turning the hair white* Theoc.

ἐπίσχες (aor.2 imperatv.): see ἐπέχω

ἐπισχεσίη ης *Ion.f.* [ἐπέχω] **offering** or **putting forward** (W.GEN. of a story or explanation, as a pretext for one's actions) Od.

ἐπίσχεσις εως *f.* **1 halting, checking** (W.GEN. of war, crimes) Plu.; **means of imposing a check** (on child-bearing) Pl.; **stoppage** or **failure** (of speech, as a physical affliction) Plu.
2 stop, wait, delay (at a place, by a commander) Th.
3 holding back, reluctance, hesitation (W.INF. to do sthg.) Od.

ἐπισχετέον (neut.impers.vbl.adj.), **ἐπισχήσω** (fut.): see ἐπέχω

ἐπι-σχίζω *vb.* (of oxen) cut on the surface, **cut a furrow in** —*ploughland* AR.

ἐπ-ισχῡ́ω *vb.* **1 strengthen** or **improve** —*a city* X.
2 (intr., of a crowd of speakers) **be insistent** NT.

ἐπ-ίσχω *vb.* | See also ἐπέχω for forms which may belong to either vb. | **1 present, entrust, turn over** —*a matter* (W.DAT. *to an arbitrator*) AR.
2 (of a charioteer) **direct, aim** —*his horses* (W.DAT. *at someone*) Hes.
3 (of a charioteer) **hold back, check, restrain** —*his horses* Il.; (of Ares) —*his might and hands* Hes.; (of fear, a proverb) —*persons, their behaviour* Th. Pl.; (of a person) —*his spirit* (W.GEN. *fr. abuse and violence*) Od. —*someone* (W.INF. *fr. doing sthg.*) Pl.; (of a circumstance) **hold up** —*definitive treatment of a topic* Pl.
4 (intr.) **refrain, cease** —*w.* τοῦ + INF. *fr. doing sthg.* Pl. ‖ IMPERATV. (as a single word command) **stop!, wait!** E.
5 (perh.intr., of the moon's light) **extend** (over places) Sapph.

ἐπιταγή ῆς *f.* [ἐπιτάσσω] **1 order, command, demand** Plb.
2 condition (imposed in a treaty) Plb.
3 enforced contribution, levy Plb.

ἐπίταγμα ατος *n.* **1 order, command, demand** Att.orats. Pl. Arist. Plb. Plu.
2 condition (imposed in a treaty) Plb.
3 ‖ PL. (milit.) **reserve** or **subsidiary detachments, reinforcements** Plb. Plu.

ἐπίτᾱδες *dial.adv.*: see ἐπίτηδες

ἐπιτακτήρ ῆρος *m.* (gener.) **command-giver** X.

ἐπιτακτικός ή όν *adj.* (of an art, a branch of intellectual science, the faculty of prudence) related to giving commands, **commanding, authoritative** Pl. Arist.; (of the rational element in the mind) **exercising command** (W.GEN. over the soul) Arist.

—**ἐπιτακτικῶς** *adv.* **by giving orders, imperiously** Arist.

ἐπίτακτος ον (also **ἐπιτακτός** όν Pi.) *adj.* **1** (of the limit of a task, labours) imposed by order, **prescribed** Pi. Call.
2 (milit., of Roman cohorts) drawn up behind or in addition, **reserve** Plu. ‖ MASC.PL.SB. **reserve troops** Th.

ἐπι-ταλαιπωρέω *contr.vb.* **1 continue to labour** Th.
2 labour additionally —*w.* πρός + DAT. *at sthg. else* Pl.

ἐπιτάμνω *Ion.vb.*: see ἐπιτέμνω

ἐπι-τανύω *vb.* | only in tm. | 3sg.fut.pass. ἐπὶ ... τανύσσεται |
1 draw home —*a door-bolt* (W.DAT. *by its strap*) Od.
2 ‖ PASS. (of bows) be bent (i.e. strung) Archil.
3 (of Zeus) **stretch** or **spread out** —*darkness* (W.DAT. *over a battle*) Il.

ἐπιτάξ *adv.* [ἐπιτάσσω] in accordance with orders, **by prior arrangement** —*ref. to sitting next to someone* Call.; perh. **by rote, mechanically** (opp. after considering what is appropriate in an individual case) —*ref. to giving medicines* E.fr.(cj.)

ἐπίταξις εως (Ion. ιος) *f.* **1 imposition, demand for payment** (W.GEN. of tribute) Hdt.
2 giving of orders, commanding Pl. Arist.
3 command, order, instruction Pl.
4 (gramm.) **command, imperative** (as a form of linguistic expression) Arist.

ἐπιτάραξις εως *f.* [ἐπιταράσσω] **state of confusion** or **disturbance** (within the eyes) Pl.

ἐπι-ταράσσω, Att. **ἐπιταράττω** *vb.* **1** (of a dream) disturb in addition (to sthg. else happening), **also disturb** or **upset** —*someone* Hdt.
2 (of troops) **harass** —*workmen* (*w. missiles and shouts*) Plu.; (of vanity and ambition) **confound, play havoc with** —*someone's judgement* Plu.; (of vocal problems) —*the sense of someone's words* Plu.; (of divided leadership) —*an enterprise* Plu. ‖ PASS. (of a person) be thrown into confusion Plu.

ἐπιτάρροθος ου *m.f.* [app.reltd. ἐπίρροθος] **1** (ref. to a god or goddess) **helper, supporter** (usu. W.DAT. for someone, sts. W.GEN. in battle) Hom.; (W.GEN. of the Athenians) S.lyr.fr.
2 (ref. to a person) **conqueror** or **ruler** (W.GEN. of a city) Hdt.(oracle)

ἐπίτασις εως *f.* [ἐπιτείνω] **1 tightening** (W.GEN. of lyre-strings) Pl.; (fig., of a state's control over the populace) Plu.
2 intensification (W.GEN. of rainfall) Plb.

ἐπι-τάσσω, Att. **ἐπιτάττω** *vb.* | fut.pass. ἐπιτάξομαι (E.) |
1 (milit.) arrange (troops) next (to others, usu. behind them, in a battle formation or while on the march); (act. and mid.) **station** —*cavalry* (w. ἐπί + DAT. or GEN. *on the right wing*) Th. Plb.; (W.PREP.PHR. *behind infantry*) X.; **station** (W.ACC. troops) **behind** —W.DAT. *others* X. Plb. ‖ PASS. (of troops, cavalry, a fleet) be stationed —W.PREDIC.ADJ. *at the furthest extreme* Hdt. —W.ADV. or PREP.PHR. *behind others* Hdt. Pl. Plu.; be stationed behind (sts. W.DAT. others) Hdt. Th. Plu.
2 set as a guard or **in charge** (of sthg.); **leave on guard** —*ships* Th. ‖ PF.PASS. (of persons) have been set to guard (wagons) Th.; (of a commander) have been placed in charge

—W.DAT. *of troops* Plb.; (of an art) have been given responsibility —W.DAT. or ἐπί + DAT. *for sthg.* Pl.
3 ‖ PASS. (of an ethnic group of soldiers) be assigned —W. ἐς + ACC. *to a larger group* Hdt.
4 impose (sthg.) as an order (on persons); **impose** —*tasks, troubles, regulations* (*usu.* W.DAT. *on someone*) B.fr. Hdt. Pl. +; **demand, require, request** —*sthg.* (*sts.* W.DAT. *fr. someone*) Hdt. Th. Pl. + ‖ PASS. have (W.NEUT.ACC. a greater demand) imposed on one Th.; (of a claim) be enforced —W.DAT. *on someone* Th.; (of tribute) be imposed —W.DAT. *on communities* Hdt. Plb.; (gener., of tasks, requests, sts. W.DAT. on persons) Pl. X. +
5 issue a command, **give orders** (sts. W.DAT. to someone) Hdt. S. Th. Ar. + —W.INF. *to do sthg.* Hdt. Ar. Att.orats. + —W.ACC. + INF. *that someone shd. do sthg., that sthg. shd. be done* Hdt. X. D.; **give** —W.COGN.ACC. *an order* Aeschin. ‖ PASS. submit to commands, be dictated to E. Ar.; be ordered —W.INF. *to do sthg.* Pl. ‖ IMPERS.PASS. (pres., aor. and plpf.) orders are (were or had been) given —W.DAT. *to someone* (*usu.* W.INF. *to do sthg.*) Hdt. Th. X. Men.
‖ NEUT.PRES.PTCPL.SB. (sg. and pl.) orders Hdt. Lys. +
6 (of a poet) use language that conveys an order, **use an imperative** Arist.

ἐπι-τάφιος ον *adj.* [τάφος¹] on the occasion of a burial; (of a speech) **funeral** Pl. D. Plu.; (of games) Arist. Plu. ‖ MASC.SB. funeral speech Arist. Plu.; (in fig.ctxt.) funeral games Plu.

ἐπι-ταχύνω *vb.* **1** cause to move quickly; **hasten, hurry** —*persons* (W.GEN. *on their way*) Th.; **quicken, speed up** —*persons, a horse, march, procedure* Plu. ‖ PASS. (of persons) be made to hurry Plu.
2 cause to come quickly; (of a person, a circumstance) **hasten on** —*a war, a battle* Plu.

ἐπιτεθυμμένος (pf.pass.ptcpl.): see ἐπιτύφομαι

ἐπι-τείνω *vb.* | iteratv.impf. ἐπιτείνεσκον (Hdt.) | **1 stretch, extend** —*planks* (W.PREP.PHR. *over a bridge, a trench*) Hdt.; (fig., of a ruler, establishing a sea empire) —*a yoke* (W.DAT. *over the necks of islands*) Call. ‖ PASS. (of darkness) be spread —W.DAT. *over people* Od.(tm.)
2 make tight or tense (opp. slacken or relax); **tighten** —*lyre-strings* Pl.; (fig., of a lawgiver, compared to a lyre-tuner) **tighten up** (i.e. impose more rigid discipline on) —*a country* Plu. ‖ PASS. (of sinews) be contracted Pl.; (fig., of the human body, envisaged as a tuned instrument) be put under tension (by sickness) Pl. ‖ PF.PASS. (of a hound's thighs) have (W.ACC. the muscles) tensed X.
3 (fig.) make more intense, **intensify, increase** —*work, exercise, movement, physical discomfort* Pl. Plu. —*emotions, feelings, traits of character* Pl. Plb. Plu.; (intr., of political opposition, practical difficulties, traits of character) **be intensified** Plb. Plu. ‖ PASS. (of war) be intensified —W.DAT. *for people* Il.(tm.); (wkr.sens., of persons) increase, grow —W.DAT. *in goodwill* Plb.
4 (in political ctxt.) **tighten up, intensify** (i.e. take to an extreme) —*a particular form of government* Arist.; (intr., of persons) **go to an extreme** (by doing sthg.) Arist.; (of a ruler) **tighten one's authority** Plu. ‖ PASS. (of a form of government) be intensified Arist.
5 increase in amount, **increase, raise** —*property assessments* Arist. —*monetary assets* Plu. ‖ PASS. (of prices) be increased D.
6 increase in loudness, **raise** —*one's voice* Plu. (of a crowd) **intensify** —*its hisses* Plu.; (intr., of a dog) **bark more loudly** Plu.
7 subject to intense effort, **stretch, strenuously exert** —*oneself* Plu.; cause (someone) to make an effort,

stimulate, impel —W.ACC. + INF. *someone to do sthg.* X.; (intr.) be intense or strenuous, **exert oneself, increase one's efforts** Pl. D. Arist. Plu. ‖ PASS. be spurred on —w. εἰς + ACC. *to manly virtue* X.
8 ‖ PASS. (of persons subsisting on limited rations) app., be stretched in endurance, last out —W.ADVBL.PHR. *for a longer time* X.

ἐπι-τειχίζω *vb.* **1** build fortifications in or on (the borders of an enemy country); **build a forward base for offensive operations** Th. —W.DAT. *against people* X. —W.PREP.PHR. *in enemy country* Th.; (tr.) **fortify** (W.ACC. a place) **as a base for offensive operations** (sts. W.DAT. against a country, a city) Att.orats. X. Plu. ‖ PASS. (of a place) be fortified as a forward base (sts. W.DAT. against people, a country) X. Aeschin. D. Plu.
2 (fig.) **establish** (W.ACC. a tyrant, an enemy) **as a threat** (sts. W.DAT. to people) D. Plu.

ἐπιτείχισις εως *f.* building of a forward base for offensive operations (in enemy country) Th.; **fortification** (W.GEN. of a place) **as a base for offensive operations** Th.

ἐπιτείχισμα ατος *n.* forward base for offensive operations X. D.; (W.GEN. in or against a country) D. Plu.; (ref. to an island, W.GEN. or DAT. or PREP.PHR. against persons, a country) D.; (fig., ref. to philosophy, W.DAT. or perh. GEN. against the law, cited as an excessively poetical metaphor) Arist.(quot.)

ἐπιτειχισμός οῦ *m.* **1** building of a forward base for offensive operations Th. X.; (W.DAT. against a country) Th.
2 (gener.) means of imposing a blockade (W.PREP.PHR. on a country) D.

ἐπι-τελειόω *contr.vb.* **complete** —*a sacrifice* Plu.

ἐπιτελείωσις εως *f.* **1 fulfilment** (W.GEN. of a prayer) Plu.; (specif.) **completion of celebratory rites** (W.GEN. for children, i.e. for their birth) Pl.
2 culmination, consummation (W.GEN. of a political career, ref. to a high office) Plu.; (of a person's good fortune, ref. to his death, after a life of noble deeds) Plu.

ἐπι-τελέω *contr.vb.* **1** bring (an activity) to an end or its goal; **complete, accomplish, perform** —*an action or undertaking* Hdt. Th. Isoc. +; (mid.) Plb.; **complete** —*a wall* Th. X. —*a process of change* Arist. —*what is deficient* (i.e. supply what is lacking) Arist.; **come to the end of** —*a speech* Arist.; **bring to a conclusion** —*a war* Plb. ‖ PASS. (of things) be performed or accomplished Hdt. Isoc. +; (of a room, wall, speech) be completed Hdt. Th. Isoc.
2 put into effect, **discharge, execute, carry out** —*orders, decisions, plans, promises, agreements* Hdt. Th. Isoc. Pl. +; **fulfil** —*a vision in a dream* Hdt.; (of a judge) **implement** —*a charge* Pl. ‖ MID. bring about for oneself, **reach** —*a decision* Pl.; **effect** —*one's death* X. ‖ PASS. (of plans, promises) be carried out Isoc. D.; (of a prophecy) be fulfilled Hdt.; (of vengeance, as predicted by an oracle) Hdt.
3 perform —*sacrifices* Hdt.; **celebrate** —*rites, festivals, games* Hdt. Plb. Plu.
4 pay —*tax, tribute* Hdt.; (mid., fig.) —*the things associated w. old age* (i.e. its penalties) X.

ἐπιτελής ές *adj.* (of an activity, order, plan, promise) **completed, accomplished, carried out** Hdt. Th. Plb.; (of a prayer, a prophecy) **fulfilled** Pl. Plu.

ἐπι-τέλλω *vb.* | once metri grat. ἐπιτέλλω (Od., v.l. ἐπιστέλλω) | 3sg.impf. (tm.) ἐπί ... ἔτελλε | aor. ἐπέτειλα ‖ MID.: aor. ἐπετειλάμην ‖ PASS.: 3sg.plpf. (tm.) ἐπί ... ἐτέταλτο |
1 (act. and mid.) **give an order** or **instruction** (sts. W.DAT. to someone) Hom. hHom. Pi. Ar.(mock-ep.) AR. —W.INF. *to do sthg.* Hom. AR. —W.ACC. + INF. *for someone to do sthg.* AR.

2 (tr., act.) **give** —*orders* Il. —*an instruction* (sts. W.DAT. *to someone*) Hom.(tm.)
3 (act. and mid.) **prescribe** —*an agreed course of action* Il. —*a journey* AR.; **assign** (to someone) —*herding of cattle* hHom.
4 (act. and mid.) **impose, inflict** —*a painful return* Od. —*hard tasks* (sts. W.DAT. *on someone*) Od. Hes. —*death* (*on someone*) Pi. —*pains* (*on someone's heart*) AR.; (gener.) **set** —*a limit for sufferings* A. ‖ PASS. (of full responsibility) be imposed —W.DAT. + INF. *on someone, to do sthg.* Hom.(tm.)
5 ‖ MID. (of the sun, stars) **rise** Hes. hHom.; (fig., of Eros) **arise, appear** Thgn. ‖ ACT. (of a part of the zodiac) **rise** Plb.
6 ‖ MID. (of spirals of smoke) **rise after** —W.DAT. *one another* AR.
7 ‖ MID. (of a gadfly) **pursue, attack** —W.DAT. *cattle* AR.(tm.)
ἐπι-τέμνω, Ion. **ἐπιτάμνω** *vb.* **1 cut superficially, cut, gash** —*one's own or another's body, flesh, head, hand* Hdt. Aeschin. D. Theoc.; (mid., of two men in a blood pact) —*their arms* (*perh. each other's arms*) Hdt.
2 cut short, curtail —*a speaker, his speech* Plb.; (of a historian) **abridge, epitomise** —*a narrative* Plu. ‖ PASS. (of speakers) be cut short Plb.
3 discount, reject —*excuses, expressions of opinion* Plb.
ἐπί-τεξ εκος *fem.adj.* [τίκτω] (of a woman) **about to give birth** Hdt.
ἐπι-τέρμιον ου *n.* [τέρμα] (ref. to disaster) **final outcome** (W.GEN. of a marriage) A.*fr.*
ἐπι-τερπής ές *adj.* [τέρπω] (of a person, place, memories, an action) giving pleasure, **pleasant, delightful** hHom. Pl. Arist. Plu.
—**ἐπιτερπῶς** *adv.* **pleasantly, delightfully** —*ref. to dancing, playing the lyre* Plu.
ἐπί-τερπνος ον *adj.* [τερπνός] | compar. ἐπιτερπνότερος | (of an activity) **pleasant, delightful** Thgn.
ἐπι-τέρπομαι *mid.pass.vb.* **1 be delighted** —W.ACC. *in one's heart* (W.PTCPL. *on seeing sthg.*) hHom. —(W.DAT. *by a place*) hHom.
2 take pleasure in —W.DAT. *an activity or event* Od. Hes. Plu. —*one's good fortune* Thgn. —*horses* Pi.
ἐπιτευκτικός ή όν *adj.* [ἐπιτυγχάνω] (of an army's position, the enthusiasm of troops) **conducive to success** Plb.
ἐπι-τεύχω *vb.* **build** (W.ACC. a crown, fig.ref. to battlements) **for** or **upon** —W.DAT. *a city* Pi.(tm.)
ἐπι-τεχνάομαι *mid.contr.vb.* **devise** —*a plan, a deed* Hdt.; **contrive** —W.COMPL.CL. *that sthg. shd. happen* Plu.
ἐπιτέχνησις εως *f.* **forward planning, innovative thinking** Th.
ἐπιτήδειος ᾱ ον (also ος ον Th.), Ion. **ἐπιτήδεος** η ον *adj.* [ἐπίτηδες] | compar. ἐπιτηδειότερος, Ion. ἐπιτηδεότερος | superl. ἐπιτηδειότατος, Ion. ἐπιτηδεότατος |
1 suited to an end or purpose; (of persons, places, things) **suitable, appropriate** (sts. W.DAT. or εἰς or πρός + ACC. for someone or sthg.) Hdt. Th. Lys. Ar. Pl. +; (W.INF. for the performance of an activity) Hdt. E. Th. Ar. + ‖ NEUT.IMPERS. (w. ἐστί) it is suitable (sts. W.INF. or ACC. + INF. to do sthg., for someone to do sthg.) Hdt. Pl. X.
2 (of persons, their feelings) **well-disposed, friendly** (sts. W.DAT. to someone) Hdt. Th. Att.orats. +; (of a person) **in favour** (W.DAT. of sthg.) Th. ‖ MASC.SB. (usu.pl.) **close friend** Th. Att.orats. Pl. +
3 (of sacrifices) **favourable** Hdt.; (of actions) **beneficial** (W.DAT. to the populace) Lys.; (wkr.sens., of places, food) **agreeable, welcome** Hdt.; (prep.phr.) ἐς τὸ ἐπιτήδειον *advantageously* Th.
4 ‖ NEUT.PL.SB. **things suited to one's needs, requisites, essentials** (usu. ref. to means of subsistence) Hdt. Th. Att.orats. +; (in military ctxt.) **provisions** Th. X. Plb. Plu. ‖ SG. **requisite amount** (of money) X.
—**ἐπιτηδείως**, Ion. **ἐπιτηδέως** *adv.* | superl. ἐπιτηδειότατα |
1 appropriately, properly Hdt.
2 favourably, advantageously Antipho Th.; (w. ἔχειν, of a political situation, a military location) **be favourable** Th. Plu.
3 (w. ἔχειν, διακεῖσθαι, of persons) **be well-disposed** —W.DAT. or πρός + ACC. *to someone or sthg.* Is. Plu.
ἐπιτηδειότης ητος *f.* **1 suitability** (of persons, places, circumstances, w. πρός + ACC. for some purpose) Pl. Plb.
2 necessary material, requirements (w. πρός + ACC. for a war) Plb.
ἐπίτηδες, ep. **ἐπιτηδές**, dial. **ἐπίτᾱδες** (Theoc.) *adv.* **1 on purpose, deliberately** Hom. Hdt. Th. Lys. Ar. Pl. +
2 with ulterior motive, deceitfully E.
ἐπιτήδευμα ατος *n.* [ἐπιτηδεύω] (sg. and pl.) **pursuit, activity** Att.orats. Pl. +; (sg.) **practice, policy** (of a state) Th. ‖ PL. **habits, behaviour** (of an individual) Th. Att.orats. +; **practices, customs, way of life** (of a country) Th.
ἐπιτήδευσις εως *f.* **1 practice** (W.GEN. of an activity, virtue) Pl.
2 form of activity, pursuit, profession (of a person) Pl.; **way of life** (of a people) Th. ‖ PL. **practices, behaviour** Pl.; (W.GEN. in life) E.
3 effort (required to maintain a simple lifestyle) Plu.
ἐπιτηδεύω *vb.* [ἐπίτηδες] | aor. ἐπετήδευσα | **1 act with deliberate purpose, deliberately arrange, ensure** —W.COMPL.CL. *that sthg. shd. be the case* Hdt. ‖ PRES. and AOR.PTCPL. (w. quasi-advbl. force) **acting with a specific purpose in mind, deliberately** Hdt. ‖ PASS. (of a building) **be deliberately constructed** (in a certain way) Hdt.; (of hounds) **be carefully trained** —w. πρός + ACC. *for some purpose* X.
2 (gener.) **pursue, practise** —*a form of behaviour, a way of life* Hdt. S. Th. Ar. Att.orats. Pl. + —*an art or craft* Pl. X. ‖ PASS. (of activities, forms of behaviour) **be practised** Lys. Pl. X.
3 follow a practice, be in the habit —W.INF. *of doing sthg.* Hdt. Pl.
ἐπι-τήκω *vb.* **melt** —*wax* (w. ἐπί + ACC. *over writing, to conceal it*) Hdt.; (W.DAT. *over a corpse, to preserve it*) Plu.
ἐπι-τηρέω *contr.vb.* **1 look out, watch** or **wait for** —*someone* (*whose arrival is expected*) Th. Lys. Plb. —*night-time* hHom. —*a notice* Ar. —*someone's mistake, decision, evasive arguments* Ar. Aeschin. D. —*a verdict or damages* Arist. —*a strong wind, sailing weather* Ar. Plb. —*an opportunity* Men. Plb. Plu. —W.COMPL.CL. *when someone does sthg.* Ar. X.; (intr.) **look out, wait** (for someone) Lys.; (of a dog) **be on the watch** (for an opportunity to do sthg.) Ar.
2 watch closely, keep an eye on —*an enemy commander, a river-crossing* Plu.
ἐπι-τίθημι *vb.* | aor.1 ἐπέθηκα | athem.aor.: 1pl. ἐπέθεμεν, 3pl. ἐπέθεσαν, imperatv. ἐπίθες, subj. ἐπιθῶ, opt. ἐπιθείην, inf. ἐπιθεῖναι, ptcpl. ἐπιθείς ‖ MID.: aor.1 ἐπεθηκάμην (Hom. Hdt.), athem.aor. ἐπεθέμην ‖ neut.impers.vbl.adj. ἐπιθετέον ‖
1 place —*someone or sthg.* (W.DAT. or ἐπί + ACC. *on someone or sthg.*) Od. B. Hdt. Th. + —(w. ἐπί + GEN.) Hdt. —(W.GEN.) Il.; **place** (W.ACC. sthg.) **on** (sthg. unspecified, its identity being understd. fr. the ctxt.) Hom.(sts.tm.) hHom. Hdt. E. +; (specif.) **place on** (an altar), **offer** (sts. W.DAT. to a god) —*thigh-bones* Od.(tm.) AR.(tm.) —*incense* Antipho Ar. Men. ‖ MID. **place** —*one's hands* (W.DAT. *on someone's breast, in lamentation*) Il.(tm.); **put on** (sts. W.DAT. one's head) —*a*

helmet Il.(tm.) —*a garland* E.(tm.) Men.; (of a mourner) **lay on, apply** —*the thump of one's hand* (W.DAT. *to one's head*) E.
2 place against (as a barrier); **put** —*a boulder* (W.DAT. *over a cave entrance*) Od.; **put in place** —*a door-stone* Od. ‖ MID. **put** —*doors* (fig.ref. *to one's hands*, W.DAT. *to one's ears*) Pl.
3 put to, **close** —*doors* Hom. hHom.; (of the Seasons) —*a cloud* (*serving as the gateway to the sky*) Il.; **close up** —*a place of ambush* (ref. *to the Trojan Horse*) Od.(dub.)
4 put in place or add on (as a finishing touch); **add** or **fit** —*a gold tip* (*to a bow*) Il. —*a brooch* (*to clothes*) Od. —*doors* (*to a building, to Tartaros*) Od. Hes. —*cat-heads* (i.e. *projecting beams supporting the anchor*, W.DAT. *to ships' prows*) Th.; (of an inventor) —*bridle and bit* (W. ἐν + DAT. *as part of a horse's gear*) *and eagles* (W.DAT. *to temples, i.e. as ornaments for their roofs*) Pi.
5 add (as a final or culminating action); **add** —*fulfilment* (W.DAT. *to a prediction*) Il. —*crowning acts* (W. ἐπί + DAT. *to others*) D. —*a finishing touch* (W.DAT. *to sthg.*) Lys. Isoc. Pl.
6 add (to an existing sum); **add** —*other gifts, an amount of gold* Hom. —*years* (*to a specified number, i.e. become older*) Hes.; (of Zeus) —*a seventh day* (*to six already passed*) Od.(tm.)
7 (in legal ctxt.) **add, offer** —*an assurance or guarantee* (*by swearing an oath*) Is. D. Men.
8 (of a god) **give, grant** —*victory, glory, favour, or sim.* (sts. W.DAT. *to someone or sthg.*) Il.(tm.) hHom. Alcm.(tm.) Archil.(tm.) Lyr.adesp.; **plant** (a thought) —W.DAT. *in someone's mind* (usu. W.INF. *to do sthg.*) Od.(tm.)
9 (of a god) **apply** —*his mind* (W.DAT. *to sthg.*) Il.(tm.)
10 assign, give —*a name* (*to persons or things*) Hdt. Pl.; (mid.) Od.(tm.) Arist.
11 despatch —*a letter, poem* (sts. W.PREP.PHR. *to a place*) Hdt. D.
12 impose, inflict (freq. W.DAT. *on someone*) —*a penalty, punishment* Od. Hes. Hdt. E. Th. Att.orats. + —*grief, doom, ruin* Hom.(tm.) —*dangers* Isoc. —*a compulsion* (W.INF. *to do sthg.*) X.; (of a lawgiver) **add as a penalty** —W.INF. *that one must go without sthg.* X. ‖ MID. **instil** —*fear* (W.DAT. *in someone*) X.
13 ‖ MID. **give orders** —W.DAT. *to someone* Hdt. —W.INF. *to do sthg.* Hdt.
14 ‖ MID. **bring on oneself** —*a murder* (i.e. *the guilt incurred by it*) *and public curses* A.; **incur** —*a penalty* Th.
15 ‖ MID. **apply oneself to, engage in, undertake** —W.DAT. *an activity* Hdt. Th. Lys. Isoc. + —*politics* Pl. —*the overthrow of democracy* Aeschin.; **aspire to** —W.DAT. *tyranny* Lycurg.; **undertake** —W.INF. *to do sthg.* Isoc. Pl.; **apply oneself** (to an activity) Hdt.
16 ‖ MID. (of persons, troops, animals) **attack** —W.DAT. *persons, armies, places* Hdt. Antipho Th. Ar. Isoc. +; **make an attack** Th. +
17 ‖ MID. (in social or legal ctxt.) **attack** —W.DAT. *political opponents or parties, adversaries at law, institutions* Th. Att.orats. +; **inveigh against** —*someone's faults* Isoc.
18 ‖ MID. **triumph over** —W.DAT. *someone's misfortunes* D.

ἐπι-τίκτω *vb.* **1** (of a wife, who has borne enough children) **go on to bear** —*more than enough* Plu.
2 (fig., of a country past its prime, envisaged as a woman of advanced years) **bear** (W.ACC. *someone*) **as heir** —W.DAT. *to the virtues of past leaders* Plu.

ἐπι-τῑμάω, Ion. ἐπιτῑμέω *contr.vb.* **1 pay honour to** —*a dead person* Hdt.
2 increase the worth (of sthg.) ‖ PASS. (of grain) be raised in price D.

3 (leg.) **impose** —*a penalty* Hdt. —(W.DAT. *on someone*) D.
4 find fault Th. Att.orats. + —W.DAT. *w. sthg. or someone* (sts. w. ὅτι + INDIC. *for doing sthg.*) Att.orats. Pl. +; **complain** —W.ACC. + INF. *that sthg. is the case* Th. —W. ὅτι + INDIC. Arist. ‖ PASS. (of persons or things) be criticised Isoc. X. Hyp. Arist.; (of things) be held against —W.DAT. *someone* X. Arist. ‖ IMPERS. a criticism is made —w. ὅτι + INDIC. *that sthg. is the case* Arist.

ἐπιτίμημα ατος *n.* instance of complaint, **criticism, censure** Arist.

ἐπιτίμησις εως *f.* **1** offering of complaint, **criticism, censure** Th. Isoc. Arist. Plb.
2 punishment or **penalty** (imposed on a defeated ruler) Plu.

ἐπιτῑμητής οῦ *m.* **1 assessor, appraiser** (W.GEN. *of workmanship*) A.; (of what is in one's own interest) Antipho
2 censurer, castigator, critic (W.GEN. *of persons, their actions*) E. Pl. Plb.

ἐπιτῑμήτωρ ορος *m.* perh., one who pays honour or respect (to another); (ref. to Zeus) **patron, protector** (W.GEN. *of suppliants and guests*) Od.

ἐπιτῑμίᾱ ᾱς *f.* [ἐπίτιμος] condition of having political rights, **enfranchisement, citizenship** Aeschin. D.

ἐπιτίμιον ου *n.* **1** perh. **rite of honour** (paid to a dead person) A.; (pl.) S.(dub.)
2 penalty (sts. W.GEN. *for sthg.*) Att.orats. Plb.; (pl.) Hdt. Trag. Att.orats. X. +

ἐπί-τῑμος ον *adj.* [τῑμή] **1** having political rights, **with full citizenship, enfranchised** Th. Ar. Att.orats. X. Arist. Plu.
2 (of the property of persons in voluntary exile) **not confiscated** D.(law)
3 (of military service) **honourable** Plu.

ἐπιτίτθιος *adj.*: see ὑποτίτθιος

ἐπι-τλῆναι athem.aor.inf. ‖ 3sg.imperatv. ἐπιτλήτω ‖ **listen patiently** —W.DAT. *to someone's words* Il.; (of a person's heart) **be patient** Il.

ἐπι-τμήγω *vb.* **slit** —*an animal's throat* AR.

ἐπί-τοκος ον *adj.* [τόκος] **1** (of money borrowed) **at interest** D.
2 (of interest) on interest, **compound** Pl.

ἐπιτολή ῆς *f.* [ἐπιτέλλω] **rising** (W.GEN. *of a star or constellation*) E.(dub.) Plb.; (pl. for sg.) Th.

ἐπι-τολμάω *contr.vb.* **1 bear up, be patient** Od.; (of a person, his heart) **bear, have the patience** —W.INF. *to listen, to accept what the gods send* Od. Thgn.
2 (of a person) **venture upon** —W.DAT. *a great scheme* Plu.; (of a horse) **pluck up courage for** —W.DAT. *a jump* Plu.
3 show courage in the face of —W.DAT. *misfortune* Plu.
4 show boldness in the face of, **take advantage of** —W.DAT. *someone's misfortune* Plu.

ἐπιτομή ῆς *f.* [ἐπιτέμνω] **1** superficial cut, **incision, cut** (W.GEN. *on the head*) Aeschin.
2 epitome, abridgement (of a historical work) Plu.

ἐπίτονος ου *m.* [ἐπιτείνω] **backstay** (rope extending fr. the mast-head to the stern of a ship, by which, along w. the πρότονοι *forestays*, the mast was held in position) Od.; (fig., ref. to a sinew or tendon, helping to hold the back erect) Pl.

ἐπι-τοξάζομαι *mid.vb.* **shoot an arrow** —W.DAT. *at someone* Il.

ἐπί-τοπος ον *adj.* [τόπος] (of colonists) **in place, on site** Plb.

ἐπι-τόσσαι *dial.aor.inf.* ‖ 3sg. ἐπέτοσσε ‖ ptcpl. ἐπιτόσσαις ‖ **meet with, come upon** —W.ACC. or GEN.PTCPL. *someone doing sthg.* Pi.

Ἐπι-τραγίᾱ ᾱς *fem.adj.* [τράγος] **Epitragia** (epith. of Aphrodite, given for her changing a she-goat into a he-goat) Plu.

ἐπι-τραγῳδέω contr.vb. **add a dramatic** or **tragic note** —W.DAT. *to a narrative, the commemoration of a person* Plu.

ἐπι-τραπέω contr.vb. **turn over** (sthg. as a responsibility), **leave it** —W.DAT. + INF. *to someone to do sthg.* Il.

ἐπι-τρέπω vb. | Aeol.1pl.subj. ἐπιτρόπωμεν | aor.1 ἐπέτρεψα | aor.2 ἐπέτραπον | pf. ἐπιτέτραφα (Plb.) || MID.: fut. ἐπιτρέψομαι | aor.2 ἐπετραπόμην || PASS.: aor.1 ἐπετρέφθην, Ion. ἐπετράφθην | aor.2 ἐπετράπην | pf.: ἐπιτέτραμμαι, ep.3pl. ἐπιτετράφαται || neut.impers.vbl.adj. ἐπιτρεπτέον, also pl. ἐπιτρεπτέα (Hdt.) |
1 turn, direct —*a detachment of troops* (w. ἐπί + ACC. *to the right*, W.INF. w. *instructions to do sthg.*) X. || MID. (of a person's mind) **turn to, be set upon** —W.INF. *asking sthg.* Od.
2 turn over (to another, as a charge or responsibility), **commit, entrust, leave** —*a household, city, command, one's affairs, or sim.* (W.DAT. *to someone*) Hom. Sapph. Thgn.(tm.) Pi.*fr.* Hdt.(sts.mid.) Th. +; **leave, bequeath** —*one's property* (W.DAT. *to one's children*) Od.; **entrust** —*a child* (*to someone, for teaching*) Pl. —*a patient* (*to a doctor*) Antipho —*oneself* (*to someone*, W.INF. *to look after in old age*) Ar. || MID. **entrust oneself** —W.DAT. *to someone* X. || PASS. (of persons, places, things) **be entrusted** —W.DAT. *to someone* Il. Hdt. Antipho +; (of persons) —W.ACC. w. *sthg.* Hdt. Th.
3 (intr.) **entrust** or **surrender a responsibility, leave things** —W.DAT. *to someone* (*to do*) Hom. Hdt. —*to a lack of calculation, to chance* Th. Lys.; **charge, leave** —W.DAT. + INF. *someone to do sthg.* Il. Pi. Hdt. Ar. —(*in legal ctxt.*) *someone to reach a decision* Antipho And.
4 (leg.) **refer a matter** (to someone, for arbitration); **entrust, submit** —*a matter for arbitration, one's disputes, an issue* (W.DAT. *to someone*) Ar. Att.orats.; (intr.) **seek arbitration** or **a decision** —W.DAT. *fr. a person, a god, an oracle* Hdt.(mid.) Th. Ar. Att.orats. + —(W.INDIR.Q. *on which of two things is the case*) Ar.; **go to arbitration** Hdt. Th. + || PASS. (of a case) be submitted for arbitration —W.DAT. *to someone* Th.
5 give up, yield —*victory* (W.DAT. *to someone*) Il.; **yield up, surrender** —*one's heart* (W.DAT. *to distress*) Alc.
6 allow —W.DAT. + INF. *someone to do sthg.* Th. Ar. Att.orats. Pl. + —W.ACC. + INF. *someone to do sthg., sthg. to happen* Lys. X. Is. AR.(tm.); **give a free hand** —W.DAT. *to someone* Th. Lys.; **acquiesce in, agree to** —W.DAT. + PTCPL. *someone doing sthg.* Hdt. Isoc. Pl. +; allow (sthg. to happen or someone to get away w. sthg.), **acquiesce, give way** Pi. Th. Ar. Att.orats. Pl. +
7 yield, give in —W.DAT. *to one's old age* Il. —*to one's youth and passion* Hdt. —*to pleasures and desires* Pl.

ἐπι-τρέφω vb. **1** provide with food, **maintain, support** —*members of a household* Hdt.
2 || PASS. (of persons, a new generation) **grow up** Hdt.

ἐπι-τρέχω vb. | ep.aor.1 ptcpl. ἐπιθρέξας | The fut., aor.2 and pf. are supplied by ἐπιδραμεῖν. | **1 run up** (to a place) Plu.
2 (of an athlete) **run over** —W.DAT. *corn-ears* Call.; (of a ship, compared to a rolling stone) **bound along** —W.DAT. *on a violent wave* AR.; (of a spear) **rush past** or **graze the surface** (of a shield) Il.
3 (of hounds) **run in pursuit of** —W.ACC. *hares, their tracks* X.; (of chariots) **run close behind** —W.DAT. *horses* Il.
4 (of a commander, troops) **overrun** —W.ACC. *a region* Plb.
5 (of the down of a first beard) **spread over** —W.DAT. *someone* (*i.e. his cheeks*) Call.
6 (of mistakes) **run through, permeate** —W.DAT. *a person's career* Plu.; (of the charm of a person's speech) **be diffused**

over —W.DAT. *the harshness of his sentiments* Plu. || PTCPL.ADJ. (of charm) **pervasive** Plu.

ἐπι-τρίβω vb. | pf. ἐπιτέτριφα || PASS.: fut.pf. (as fut.) ἐπιτετρίψομαι | aor.2 ἐπετρίβην | **1** (hyperbol., of an assailant) **grind down, crush, pound** —*someone* Ar. || PASS. (of a person) **be pounded** (by blows) Ar.; **have** (W.ACC. one's shoulder) **crushed** or **bruised** (by a burden) Ar.
2 (of the sun's heat) **wear down** —*a country and its people* Hdt.
3 (of venomous spiders) **rack** —*persons* (W.DAT. w. *pain*) X.; (of a person's behaviour) **torment** —*someone* (W.DAT. w. *desire*) Ar. || PASS. **be tormented** —W.DAT. *by desire* Ar.
4 (of birds) **wipe out** —*locusts* Ar.; (fig., of a bad actor) **murder** —*a character* (*whom he is playing*) D.; (gener., of persons, gods, circumstances) **grind** or **wear down, crush, ruin** —*someone* Ar. D. Men.; (of fortune) **dash** —*expectations* Plb. || PASS. (of a family) **be wiped out** Sol.; (of persons) **be ground down** or **utterly ruined** Ar.; (2sg.aor.opt., in imprecations) ἐπιτριβείης *may you be crushed!, blast you!* Ar.
5 app., **bring pressure to bear upon; wear down** (by argument) —*someone* Plb.
6 || PASS. **be annoyed** —W.PREP.PHR. *by the behaviour of others* Plu.

ἐπι-τριηραρχέω contr.vb. **serve as a trierarch beyond one's term** D. || PASS. (of a period of time) **be spent serving as trierarch beyond term** D.

ἐπιτριηράρχημα ατος n. **expense incurred while serving as trierarch beyond one's term** D.

ἐπί-τριπτος ον adj. [ἐπιτρίβω] (of a person) **deserving to be crushed, damnable, blasted** S. And. || MASC.FEM.SB. **damnable rogue** Ar.

ἐπί-τριτος ον adj. [τρίτος] **1** (of a ratio betw. two numbers in a series) **of one-and-a-third to one, of four to three** Pl. Arist.; (in musical ctxt.) **of the fourth** Pl. | see also ἡμιόλιος 2
2 (of a loan) **bearing interest at the rate of one-third of the principal, bearing thirty-three percent interest** X.; (of interest) **at thirty-three percent** Arist.

ἐπιτροπαῖος η ον Ion.adj. [ἐπιτροπή] **entrusted as a responsibility;** (of authority) **delegated** Hdt.; (of royal power) **held by a regent** Hdt.

ἐπιτροπείᾱ (sts. written **ἐπιτροπίᾱ**) ᾱς f. [ἐπιτροπεύω] **1 guardianship** (of a child) Pl. Arist.; (specif., of a royal heir, ref. to the function of a regent) Plb.
2 (gener.) **guardianship, charge, protection** (of a younger man by his lover) Pl.; (of a person, by a god) Arist.

ἐπιτρόπευσις εως f. **guardianship** (W.GEN. of orphans) Pl.

ἐπιτροπευτικός ή όν adj. (of a person) **with supervisory skills** X.

ἐπιτροπεύω vb. [ἐπίτροπος] **1 administer a charge or responsibility entrusted to one;** **be guardian** (of a child) Hdt. Att.orats. Pl. —W.GEN. *of a child* Hdt. Plb. Plu. —W.ACC. Th. Att.orats. Pl.; **administer as guardian** —W.ACC. *a person's property* Pl. D. || PASS. (of a child) **be under guardianship, be a ward** Att.orats. —W. ὑπό + GEN. *of someone* Isoc. Is.; **be treated** (W.ADV. badly or properly) by a guardian Lys. Pl. D.
2 rule by delegated authority; (of a person) **be governor** (of a city) Hdt. —W.ACC. or GEN. *of a city or country* Hdt.; (of a naval commander) **take charge of** —W.ACC. *someone's fleet* Plb.
3 (of rulers, persons in authority) **govern, administer, manage** —W.ACC. *a city or country* Hdt. Pl. —W.GEN. *the people* Hdt.; (of a politician) —W.ACC. *the populace* Ar.; (intr., of a people) **exercise administrative control** (over their

neighbours) Hdt.
4 (of a slave) **be steward** (of a household) Ar.; **be foreman** or **supervisor** (of an estate) X.
5 (gener., of foreigners and slaves) **look after things** —W.DAT. *for citizens* Pl.; (of a person) **supervise** —W.ACC. *someone* (*doing sthg.*) Pl.; (of the sun) **oversee** —*everything* (*in the visible world*) Pl.; (of an irrational power) **govern** —*everything* Pl.; (of justice, as an all-pervasive force) Pl.; (of a science) **have control** (over another) Pl.

ἐπιτροπή ῆς *f.* [ἐπιτρέπω] **1** process of referring (a dispute) to arbitration; **referral** (W.GEN. of a case, w. ἐς + ACC. to someone) Th.; (gener.) **arbitration** Th. D.
2 granting of permission (to do sthg.) Pl.; **power of decision** (as granted to another) Plb.; (gener.) **authority** Plb. NT.
3 guardianship (of a child) Pl. Is. D. Arist. Plu.
4 (leg.) lawsuit by a ward against a guardian, **guardianship suit** D.; (also) δίκη ἐπιτροπῆς Is. D.
5 (equiv. to Lat. *deditio*) **unconditional surrender** Plb.

ἐπιτροπίᾱ *f.*: see ἐπιτροπείᾱ

ἐπιτροπικός ή όν *adj.* [ἐπίτροπος] (of laws) **concerning guardianship** (of children) Pl.

ἐπίτροπος ου *m.* [ἐπιτρέπω] **1** one who has been entrusted with a charge or responsibility; **guardian** (of a child) Hdt. Th. Att.orats. Pl. +; (of war orphans, fig.ref. to a country's goodwill) Hyp.
2 (gener., ref. to a god) **guardian** (of a person) Pi.; (of one's beloved, ref. to a lover) Pl.
3 (ref. to a citizen) **patron** (of a freedman) Arist.
4 trustee (W.GEN. of money) D. Plb.
5 supervisor, steward (of a person's household, estates, finances) Hdt. Ar. X. D. Arist. +; (in an army, of provisions for a mess) X.
6 (ref. to a politician) **champion, leader** (of the people) Ar.; (as the designation of an ideal ruler) **trustee** (of a city) Arist.
7 vicegerent, deputy (of a king, placed in charge of a city) Hdt.; (ref. to such a person) **governor** (W.GEN. of a city) Hdt.
8 deputy in charge (W.GEN. of the administration of a kingdom) Aeschin.; **regent** Plu.

ἐπιτρόπωμεν (Aeol.1pl.subj.): see ἐπιτρέπω

ἐπιτροχάδην *adv.* [ἐπιτρέχω] with the words running fast, **fluently** —*ref. to speaking* Il.; (pejor.) **volubly, glibly** Od.

ἐπι-τροχάω *contr.vb.* **1** (of a person) **run on** or **ahead** AR.
2 (of water) **run over** —W.DAT. *sand* AR.

ἐπι-τρύζω *vb.* (of a woman casting a spell) **mutter** or **whisper** Theoc.; (of literary enemies) —W.DAT. *against someone's poetry* Call.

ἐπι-τρωπάω *contr.vb.* **entrust** —*a noble enterprise* (W.DAT. + INF. *to someone, to be his charge*) AR.

ἐπι-τυγχάνω *vb.* | aor.2 ἐπέτυχον | pf.mid.pass.ptcpl. ἐπιτετευγμένος | **1** happen to meet (someone or sthg.); **happen upon, light upon, encounter** —W.GEN. or DAT. (sts. understd.) *persons, animals, ships, objects, places* Hdt. Th. Lys. Ar. Pl. X. + —W.ACC. *desires and feelings* (*in people*) Pl.
2 happen upon (a situation); **find** —W.GEN. or DAT. + PTCPL. or PREDIC.ADJ. *a ship putting to sea, cities doing sthg., entrances open, fires abandoned* Th. Pl. X. Plu.
3 happen to come upon, **hit upon** —W.DAT. *a style of diction* Pl. —*a right action* X.
4 meet by design (opp. by accident); **meet** —W.DAT. *someone* Pl.
5 achieve an aim or goal; **hit** —W.GEN. *the target* (fig.ref. to achieving a goal) Arist.; **hit upon** —W.GEN. *what is advantageous* (*envisaged as a target*) Isoc. —*the best course of action* Isoc.; (of an orator) —*the opinions of an audience* Arist.; **win, gain** —W.GEN. *a woman* (*as wife*) Men.; **meet with, find** —W.GEN. *good sailing weather* Isoc. —*sleep* Theoc.
6 (gener.) **be successful, succeed** Th. Pl. Arist. Men. + —W.GEN. *in sthg.* Isoc. Pl. X. D. Arist. —W.NEUT.ACC. X. —W.DAT. *in a battle* Aeschin. —W.PTCPL. *in doing sthg.* Hdt. || PF.MID.PASS.PTCPL.ADJ. (of achievements) **successful** Plb.
7 (without any notion of coincidence) **happen in fact** —W.PTCPL. *to be saying sthg.* Hdt.

—ἐπιτυχών οῦσα όν *aor.2 ptcpl.adj.* (of persons) **casually met, chance, ordinary** (opp. special or selected) Hdt. E. And. Pl.; (of words, stories) **random** Pl. Plu.; (of hounds, ref. to their breed) **ordinary** X.; (of a city) **insignificant, unimportant** X.; (of an interval of time) **customary** X. || MASC.FEM.SB. (sg. and pl.) **ordinary person** Thgn. Lyr.adesp. Ar. Att.orats. Pl. Plu. || NEUT.SB. **ordinary** or **everyday matter** Pl.; **random item** Pl.

ἐπι-τυμβίδιος ον *adj.* [τύμβος] **1** (of laments) **at a tomb** A.
2 (of the lark) **tomb-crested** (fr. the likeness of its crest to the floral ornamentation crowning gravestones) Theoc.

ἐπι-τύμβιος ον *adj.* (of praise, lamentation, libations) **given** or **expressed at a tomb** A. S. || NEUT.PL.SB. **offerings at a tomb** S.(cj.)

ἐπι-τύφομαι *pass.vb.* | aor.2 ἐπετύφην | pf.ptcpl. ἐπιτεθυμμένος | (fig.) **be inflamed with desire** —W.GEN. *for someone* Ar. || PF.PTCPL.ADJ. (of a monster, ref. to Typhon) **fiery, furious** Pl.

ἐπιτυχής ές *adj.* [ἐπιτυγχάνω] **1** (of persons, their handling of affairs) **successful** Plb.; (of the outcome of a war) Plb.
2 (of a person's judgement) **successful in understanding** or **anticipation** (W.GEN. of situations) Isoc.

—ἐπιτυχῶς *adv.* **successfully, correctly, effectively** —*ref. to speaking or predicting* Isoc. Pl. Plu.

ἐπιτυχίᾱ ᾱς *f.* **good fortune, success** Plb.

ἐπι-τωθασμός οῦ *m.* **jeering, mockery** Plb.

ἐπι-φαείνομαι *ep.pass.vb.* | aor. (w.diect., tm.) ἐπὶ ... φαάνθην | (of battle) **come into view** (when a mist clears) Il.(tm.)

ἐπι-φαιδρύνομαι *mid.vb.* | ep.3sg.impf. (anastrophic tm.) φαιδρύνετ' ἔπι | **make** (W.ACC. one's skin) **radiant** —W.DAT. *w. oil* AR. | see also περιφαιδρύνω

ἐπι-φαίνω *vb.* **1 show forth, display, reveal** —*one's personal qualities* Plb. Plu. || PASS. (of personal qualities) **be revealed** —W.DAT. *in actions* Plu.; (of a person's athletic physique) **be visible** —W.DAT. *on a statue* Plu.; (of inner feelings) —*in one's outward appearance* Plu.
2 (intr.) **reveal** or **make a show of oneself** Thgn.; **appear, be seen, show oneself** —W.PREDIC.SB. or ADJ. *as such and such* Plb.
3 || PASS. (esp. of commanders, troops, cavalry, ships) **come into view, put in an appearance, appear** (sts. W.DAT. to persons) Hdt. Th. X. Plb. Plu. —W.PREP.PHR. *at a place* Hdt. X. Plb. —W.DAT. *at a place, a scene of action* Plb. Plu.; (of help) **appear, be forthcoming** —W.DAT. *for someone* Hdt.
4 || PASS. (of a god or supernatural being, a person in a dream) **reveal oneself, appear** (sts. W.DAT. to someone) Hdt. Ar.(cj.) Men. Plb. Plu.
5 (intr., of day) **become light, dawn, break** Plb.; (of dawn, fig.ref. to the Messiah) **shed light** —W.DAT. *on persons* NT.; (of the sun, stars) **be visible** NT. || PASS. (of day, sunrise) **appear** Plb. Plu.

ἐπιφάνεια ᾱς *f.* **1 coming into view, appearance** (W.GEN. of day, ref. to dawn) Plb.
2 appearance, arrival (of troops, a fleet) Plb.
3 appearance, manifestation, epiphany (of a god) Plu.; (of deities in the sky, in the form of stars) Plu.

ἐπιφανής

4 (w. play on 3) **emergence into the limelight** (of a person) Pl.
5 physical appearance, aspect (of a person) Plb. Plu.; (of an animal, an army) Plb.
6 (geom.) visible plane, **surface** (of an object) Arist. Plb. Plu.
7 visible edge, **side, face** (of a body of troops) Plb.; (of a city, a camp) Plb.
8 conspicuousness (of a place) Arist.; **splendour** (of a temple) Plb.; (pejor.) **show, ostentation** Plb.
9 fame, distinction (of a person, family, city) Isoc. Plu.

ἐπιφανής ές adj. | compar. ἐπιφανέστερος, superl. ἐπιφανέστατος | **1** (of a god) **appearing, manifesting oneself** Hdt.
2 (of a place, a building) **in full view, clearly visible** (sts. W.DAT. to someone) Th.; (of a royal tent) **conspicuous, prominent** Plb.
3 (of a person) **clearly seen** (W.PTCPL. to be doing sthg.) Isoc.; **readily identifiable** (W.INDIR.Q. as to what sort of person he is) Pl.
4 (of proofs, circumstances) **manifest, evident, clear** Th. Arist.
5 (of persons) standing out (among others), **prominent** Isoc. Pl. X.
6 (w. honorific connot., of persons, families, cities, peoples) **distinguished, famous, illustrious** Pi. Hdt. Th. Att.orats. +; (of a person) **renowned** (W.DAT. or PREP.PHR. for sthg.) Th. Pl.; (pejor.) **notorious** Lycurg.
7 (of customs) **noteworthy, remarkable, striking** Hdt.; (of figures of speech) Isoc.; (of events, calamities) Arist.(quot.trag.) Plb.
8 (of achievements, events, places) **celebrated, famous** Isoc. Pl. Men. Plb.; (of a deed, service in war, a public office) **distinguished** Pl. Plb.; (of sacrifices) **splendid, magnificent** Plb.; (of the day of God's judgement) **glorious** NT.

–ἐπιφανῶς adv. **1** in a manner that is visible to all, **visibly, conspicuously, publicly** Th. Isoc. D. Arist. Plb. Plu.
2 in the limelight —ref. to living Men.
3 conspicuously, splendidly —ref. to a woman being clothed, a horse being caparisoned Plu.; **magnificently** —ref. to celebrating a triumph, games and festivals Plb. Plu.
4 brilliantly —ref. to practising rhetoric, pleading a case Plu.; **with distinction, illustriously** —ref. to reigning, fighting, serving in the army Plb. Plu.

ἐπίφαντος ον adj. (of a person) **visible, in plain view** (i.e. alive, opp. dead and gone) S.

ἐπίφασις εως f. **1 display** (W.GEN. of one's readiness for battle) Plb.; **demonstration, expression** (of one's anger) Plb.
2 (pejor.) **show, display, ostentation** Plb.
3 outward appearance, demeanour, expression (of a person) Plb.
4 appearance (opp. reality) Plb.
5 app., visible area, **surface area** (of a city) Plb.

ἐπι-φατνίδιος ᾱ ον adj. [φάτνη] (of a horse's halter) **for tethering at the manger** X.

ἐπι-φέρω vb. **1** carry or bring (funeral offerings, to a grave); **bring** —offerings (sts. W.DAT. for a dead person) Th. Isoc. Is. Plu. || NEUT.PL.PASS.PTCPL.SB. offerings (for a grave) Isoc.
2 place —a wreath (W.DAT. on a corpse) Plu.
3 bring (military conflict); **bring** —an army (against someone) A. —(w. ἐς + ACC. into a land) E.; **launch** —a war (sts. W.DAT. or ἐπί + ACC. against someone) Il.(tm.) Hdt. Th. X. —a warlike assault Ar.(mock-trag.)
4 (in the language of treaties, laws, formal announcements) **bear, take up** —arms (sts. W.DAT. or ἐπί + ACC. against persons or places) Th. X. D.
5 impose or inflict (physical force); **lay** —one's hands (W.DAT. on someone) Hom. || PASS. (of a blow) be inflicted Tim.
6 bring or impose (sthg. unwelcome); **bring** —death (W.DAT. to fishes) Il.(tm.); **impose, inflict** (sts. W.DAT. on someone) —punishment, retribution Th. Pl. Plb. —slavery Th.; (gener., of circumstances) **bring, cause** —grief, death, discredit Arist.
7 bring forward (charges or causes of blame, against persons); **bring, direct** —an accusation, a legal action, blame (sts. W.DAT. against someone) Hdt. E. Th. Ar. Att.orats. Pl. +; **impute** (usu. W.DAT. to someone) —folly, madness, promiscuity, other failings or misdeeds Hdt. Th. Isoc. X. Arist.
8 (gener.) **bring forward, adduce** —a falsehood, evidence Aeschin. Arist.
9 attribute, assign —a cause (W.DAT. to someone or sthg.) Isoc. Pl. —intelligence or some other mental faculty (w. ἐπί + ACC. to someone) Arist.
10 offer —freedom (sts. W.DAT. to someone) Th.; (of Kharis) **confer, bestow** —honour Pi.; (of circumstances or qualities) **bring** —pleasure Plu.
11 bestow, give, apply —a name (sts. W.DAT. to sthg.) Pl. Arist.; (of a person devising names) **use** —particular letters Pl.; **assign** —attributes (W.DAT. to sthg.) Pl.
12 (gener.) **bring to bear, apply, use** (against someone or sthg., or in a given situation) —artifices, knowledge, innovation Th. Pl. Aeschin.
13 apply or **adapt** —one's personal feelings (W.DAT. to someone, i.e. humour him) Th. | for ἐπὶ ἦρα φέρειν show consideration see ἦρα¹
14 || MID. (of an unmarried woman) bring with oneself, **bring as a dowry** —a sum of money Att.orats.; (of a widow) —another's property (W.DAT. to one's bed, i.e. one's children's inheritance as a dowry for a second husband) E.; (of a soldier) **take along with one** —rations Plu.
15 || MID.PASS. (of a commander, troops, ships) **move to the attack, bear down** (sts. W.DAT. on opponents) Il.(tm.) Hdt. Th. Pl. +; (of animals, a bird of prey) X.; (fig., of a speaker) Hdt. Ar.; (of an argument) Pl.; (of a high sea) **threaten** (sailors) X.
16 || PASS. (of a raft) be carried downstream Hdt.
17 || PASS. (of persons) be inclined or eager —W.INF. to do sthg. Plb.
18 || PASS. (of danger) hang over, threaten (sts. W.DAT. someone) Aeschin. Plb. || PASS.PTCPL.ADJ. (of troubles, situations, violence, war) coming, threatening Antipho Hyp. Plb.
19 || PASS.PTCPL.ADJ. (wkr.sens., of a topic, a time) coming next, following Isoc. Plb. || NEUT.PL.PASS.PTCPL.SB. what is to come, the future Hdt.; what follows (in speech or writing) Plb.

ἐπί-φημι vb. [φημί] **assent to, comply with** —W.DAT. what is customary Emp.

ἐπι-φημίζω vb. **1** speak (the name of a god) in connection (w. sthg.); **associate** —a god (W.DAT. w. a part of a city, i.e. name it after the god) Pl. —the gods (w. one's actions, i.e. claim to be acting in their name) D. —(w. all great achievements, i.e. give credit for them to the gods) Plu. || PF.PASS.PTCPL.ADJ. (of a chariot) dedicated (W.DAT. to a god) Plu.
2 || MID. make an utterance in accompaniment (to the start of an enterprise), **predict a bad outcome** or **speak words of ill omen** Hdt.
3 declare —W.FUT.INF. that one will do sthg. E.(dub.); (in a religious ctxt.) **solemnly declare** —W.ACC. + INF. that sthg. is the case Plu.

4 call —W.DBL.ACC. *sthg. by a certain name* Pl.; **designate** —W.ACC. + INF. + PREDIC.SB. *sthg. to be such and such* Pl.

ἐπιφήμισμα ατος *n.* utterance in accompaniment (to the start of a return journey, by defeated troops), **invocation, imprecation** (opp. the prayers and paeans w. which they had started the outward journey) Th.

ἐπι-φθέγγομαι *mid.vb.* **1 add one's voice** (in support or accompaniment of another person) A.
2 pronounce (sthg.) in connection (w. sthg.); **assign the name of** —W.ACC. *a single science* (*i.e. the grammatical*, w. ἐπί + DAT. *to letters of the alphabet*) Pl.
3 (of persons naming things) **assign** or **utter as a name** (for sthg.) —W.COGN.ACC. (*merely*) *a piece of their own voice* (*opp. an underlying correct name assigned by nature*) Pl.
4 say again, **repeat** —*a statement* Plb.
5 speak in accompaniment (of an action); (of women, at a religious ceremony) **chant an accompanying refrain** Call.
6 (of a trumpet) give the signal (for action), **sound the charge** Plu.
7 say afterwards ‖ PASS. (of words) be pronounced next (after others in a sentence) Pl.
8 (gener.) say next or in addition, **add** —*a remark, greeting, account, quotation* Plb. Plu. —W.COMPL.CL. *that sthg. is the case* Plb.

ἐπι-φθονέω *contr.vb.* **1** begrudge (sthg. to someone); **withhold permission** —W.DAT. *fr. someone* (*to do sthg.*) Od.
2 feel resentment or indignation towards, **frown on** —W.DAT. *people* (*because of their behaviour*) Hdt.

ἐπί-φθονος ον *adj.* [φθόνος] **1** provoking jealousy, offence or resentment; (of activities, circumstances, behaviour) **offensive, odious, resented** A. E. Ar. Pl. X. Aeschin. +; (of revenge, an opinion) **resented** (w. πρός + GEN. *by the gods, most people*) Hdt. ‖ NEUT.SB. odium or resentment Th.
2 (of persons) provoking ill will, **resented** D. Plu.; (W.DAT. *by persons, a god*) E. Th.
3 (of gods, persons or things) showing jealousy or ill will; (of a goddess) **resentful of, bearing a grudge against** (W.DAT. *Zeus' murderous eagles*) A.; (of a people) **prone to take offence** A.; (of women's minds) **prone to jealousy** E.; (of the dancing of Erinyes) **vindictive** A.; (of a reproach, an action) **spiteful** Telest. Is.

—**ἐπιφθόνως** *adv.* **1** in a manner provoking resentment, **odiously, offensively, distastefully** Th. X.
2 (w. διακεῖσθαι) be resented —W.DAT. *by someone* Th.
3 (w. ἔχειν) feel jealousy —w. πρός + ACC. *towards someone* X.

ἐπι-φθύζω *vb.* [reltd. πτύω] **spit on** (persons, to avert harm fr. them) Theocr.

ἐπι-φιλοπονέομαι *mid.contr.vb.* **energetically devote oneself** —W.DAT. *to hunting* X.

ἐπι-φλέγω *vb.* **1** (of troops) **set fire to** —*everything in their path, a city* Hdt. Th.; (fig., of a victorious commander) **blaze one's way through** —*an enemy country* Plu.
2 (of fire) **set ablaze** —*a forest* Il. —*a person* Mosch.; **burn up, consume** —*a corpse* Il.; (of a thunderbolt) **set on fire** —*an altar* Plu.
3 (fig., of a poet) **set alight** —*a city* (W.DAT. *w. songs*) Pi.; (intr., of the celebration and glory of a person) **be ablaze** Pi.
4 excite (feelings); **inflame, enrage** (someone) Men.; (of a trumpet) **fire, inflame** —*an entire army* A.; (intr., of a populace) **be aflame** (w. hostility) Tim.; (of sexual passion) **be in full blaze** Plu.

ἐπι-φλύω *vb.* rant against —W.DAT. *the gods* AR.

ἐπί-φοβος ον *adj.* [φόβος] (of a circumstance) **alarming, terrifying** (W.DAT. *to people*) Plu. ‖ NEUT.PL.SB. terrifying words A.

ἐπι-φοιτάω, Ion. **ἐπιφοιτέω** *contr.vb.* **1** go frequently (to a person or place); (of an individual, an animal) **pay visits** (to someone) Plu. —W.PREP.PHR. *to a place* Th. Plu.; (of a bird) —W.DAT. *to a people* Hdt.
2 (of a group of people) **pay visits** or **keep coming** Hdt. Plu. —W.DAT. *to places* Plu.; (of troops) **keep invading** (a land) Th.
3 (of a vision in a dream) **keep coming** (sts. W.DAT. *to someone*) Hdt.
4 go to various places; (of an individual) **go around, make visits** Plu. —W.DAT. *to places* Plu. —W.ADV. *everywhere* Plu.
5 (of pottery) come as an import, **arrive** (in a country) Hdt.
6 (of persons) **arrive later** (than others) Hdt.

ἐπιφορά ᾶς *f.* [ἐπιφέρω] **1 offering** (made at a grave) Plu.
2 additional contribution (W.GEN. *to a city's prosperity*, W.ADV. *fr. abroad*) Plb. ‖ PL. extra payments (for a ship's crew) Th.
3 application (of terms to persons, in a particular ctxt.) Pl.; **assignment** (of a quality, to an entity) Pl.; **transferring** (of a word, to a ctxt. to which it does not properly belong, in a metaphor) Arist.
4 onset, attack (of enemy troops, animals) Plb. Plu.; **hail** (of missiles) Plb.; **inundation** (by rivers) Plb. Plu.; **heavy downfall** (of rain or snow) Plb.; **welling up** (of tears) Plb.; (wkr.sens.) **arrival** or **onset** (of winter) Plb.
5 threatening behaviour, fury (of a mob) Plb.
6 impulsive behaviour (of a mad person) Plu.

ἐπι-φορέω *contr.vb.* **place** or **pile** (W.ACC. *earth, wood, stones*) **on top** (of sthg.) Hdt. Ar. X.; **put on** (a table) —*items of food* Ar.(cj.) ‖ PASS. (of earth) be piled on top Plu.

ἐπιφόρημα ατος *n.* **additional course** (in a meal) Hdt.

ἐπίφορος ον *adj.* [ἐπιφέρω] | *superl.* ἐπιφορώτατος | **1** (of wind) **carrying, spreading** (a fire, w. ἐς + ACC. *towards a city*) Th.; carrying (a ship) forwards, **favourable** Plu. ‖ SUPERL. (fig., of Hermes, envisaged as a wind) most favourable (W.INF. *for bringing an action to a successful conclusion*) A.
2 (of terrain) **favourable** (for an army) Plu.; (of landing-places, W.DAT. *for sailors*) Plu.
3 (of bitches) **close to giving birth** X.

ἐπιφραδέως *adv.* [ἐπιφράζομαι] **cleverly, wisely** —*ref. to persuading, speaking, questioning, realising* Parm. AR.

ἐπι-φράζομαι *mid.vb.* | *aor.* ἐπεφρασάμην, *ep.* ἐπεφρασσάμην ‖ *aor.pass.* (w.mid.sens.) ἐπεφράσθην | **1** take into one's head, **determine** —W.INF. *to say sthg.* Od.; **think of** —*sthg.* (W.INF. *namely, taking a certain action*) Il.
2 devise, contrive —*death, a marriage* (W.DAT. *for someone*) Od. Theoc. —*singing and music* Pi.*fr.* —*a trick, scheme, plan* Hes. Thgn. Hdt. AR.; (intr.) **devise a scheme** Hdt.; **plan** —W.INF. *to do sthg.* Call.
3 think about, consider —*a plan* Il. —W.INDIR.Q. *what is the case* Il.
4 notice, observe —*someone* Od. —(W.ACC.PTCPL. *doing sthg.*) Heraclit.; **take special note of** or **recognise** —*someone* Od.
5 hear or **take note of** —*someone's advice* Il.; **learn of** —*someone's death* AR.; **find out** (sthg.) Call.
6 guess, imagine —*sthg.* Hdt. —W.INDIR.Q. *how sthg. has come about* Hdt.; **have an idea** Hdt. AR. —W.ADV. *better than someone else's* Sol.

ἐπι-φρίσσω vb. (of sharp hairs) **bristle on** —W.DAT. *hedgehogs' backs* Emp.

ἐπι-φρονέω contr.vb. **1 show good sense, be shrewd** Od. **2 pay attention to** —*a song* Pl. (misquoting Homeric ἐπικλείω *celebrate*)

ἐπιφροσύνη ης f. (sg. and pl.) **good sense, prudence, shrewdness** Od. Hes. Thgn. AR.

ἐπί-φρουρος ον adj. [φρουρέω] (fig., of a sword) **keeping guard over** (W.DAT. *a captive's neck*) E.

ἐπί-φρων ον, gen. ονος adj. [φρήν] (of persons, their planning or counsel) **thoughtful, prudent, shrewd** Od. Hes. Theoc.; (of a plan) **clever** B.

ἐπι-φυλάσσω vb. **watch for** —*an opportunity to sail* Pl.

ἐπι-φύλιος ον adj. [φῦλον] (of peoples) **divided into tribes** E.

ἐπι-φυλλίδες ων f.pl. [φύλλον] **small grapes among the leaves** (ignored at the grape-harvest and left for gleaners to pick later); (fig., ref. to the successors of Euripides) **leftovers, cast-offs** A.

ἐπι-φύομαι pass.vb. | athem.aor.act. ἐπέφυν | pf.act. ἐπιπέφῡκα | **1** || STATV.PF. (of a tree, plants) **grow** —W.DAT. or ἐπί + GEN. *on a tomb, a bank* Hdt. Plb. Plu.; (of a wart) —W.PREP.PHR. *above someone's lips* Plu.; (fig., of blights) —W.DAT. *on beautiful things* Pl.; (pres.pass., of diseases) —*on souls* Plb. **2 fasten oneself to** (persons or things); (of persons, compared to hunting dogs) **stick close to, hound** —W.DAT. *wrongdoers* (compared to wild animals) Plu.; (of speakers or politicians) **make an attack** Plu. —W.DAT. *on persons, faults, a clause in a will* Plu.; (wkr.sens.) **lay stress** —W.DAT. *on grievances* Plu.; (athem.aor.act., fig., of a historian) **cling tight** (to a piece of information) Plb. **3 apply oneself** —W.DAT. *to public affairs* Plu.; **persist** —W.PTCPL. *in doing sthg.* Plu. **4** (athem.aor., of a young man) **spring up later, be an upstart** Plu.

ἐπι-φυτεύω vb. **plant on top** (of a pile of earth) —*thyme* Ar.

ἐπι-φωνέω contr.vb. **1** prob. **speak of** —*a tomb* (perh. W.DAT. *to no one*) S. **2 utter in allusion** (W.DAT. to sthg.) —W.COGN.ACC. *a remark* Plu. —W.DIR.SP. *sthg.* Plu.; **say in allusion** (w. εἰς + ACC. to sthg.) —W.COMPL.CL. *that sthg. is the case* Plu. **3 exclaim, call out** NT. —W.ACC. or DIR.SP. *sthg.* NT. Plu.; **cry in outrage against** —W.DAT. *someone* NT.

ἐπιφώνημα ατος n. **remark, comment** Plu.

ἐπιφώνησις εως f. **cry, exclamation** Plu.

ἐπι-φώσκω vb. [φάος] (of a day) **grow light, dawn** NT.

ἐπιχαιρεκακίᾱ ᾱς f. [ἐπιχαιρέκακος] **delight over another's misfortune, spitefulness, malice** Arist.

ἐπιχαιρέ-κακος ον adj. [ἐπιχαίρω, κακός] **delighting in another's misfortune, spiteful, malicious** Arist.

ἐπι-χαίρω vb. | pf.aor.mid. ἐπεχηράμην | aor.2 pass. ἐπεχάρην | **1 feel malicious pleasure, gloat** Ar. D. Men. AR.(mid.) Plu. —W.DAT. *over persons, their misfortunes* S. Isoc. D. Arist. —W.DAT. + PTCPL. *over someone being insulted, having died* Plu. **2 rejoice, be delighted** —W.ACC. + PTCPL. *when someone is faring well* S. || AOR.PASS. (of gods) **be pleased** —w. ἐπί + DAT. *w. prayers* Ar.(dub.)

ἐπι-χαλάω contr.vb. **give way, yield** —W.DAT. *in the face of torments* A.

ἐπι-χαλκεύω vb. **1 forge on** (an anvil); (fig.) **hammer into shape** (a person) Ar. [or perh. *serve as an anvil*] **2** (fig., of a speaker) perh. **drive home a point** or **put the finishing touches** (to an argument) Arist.

ἐπί-χαλκος ον adj. [χαλκός] **1** (of a shield) **covered with bronze, bronze-plated** Hdt. Ar. **2** (fig., of a woman) app. **brazen** Theoc.

ἐπιχαρής ές adj. [ἐπιχαίρω] (of a person's troubles) **giving pleasure** (W.DAT. to another) A.

ἐπι-χαρίζομαι mid.vb. | Boeot.aor.imperatv. ἐπιχάριτται | **1 grant a favour to, oblige** —W.DAT. *someone* Ar. **2** (tr.) **make a present of, offer the services of** —*someone* (W.DAT. *to another*) X.

ἐπί-χαρις ι, gen. ιτος adj. [χάρις] | acc. ἐπίχαριν | compar. ἐπιχαριτώτερος, superl. ἐπιχαριτώτατος (X.) | (of a person) **charming, pleasing, attractive, agreeable** Pl. X. Plu.; (of a sight, symposium, behaviour) X. Plu.; (in neg.phr., of Ares, W.DAT. to people) A.; (advbl.phr.) χάριν οὐκ ἐπίχαριν *for the disagreeable benefit* (W.GEN. *of someone*) Pl. || NEUT.SB. **charm, attractiveness** Pl. X.

—ἐπιχαρίτως adv. **pleasingly, gracefully, graciously** —ref. to speaking or acting X.

ἐπίχαρμα ατος n. [ἐπιχαίρω] **1 malicious joy, gloating** (over another's misfortune) E.; (ref. to a person) **object of malicious joy** or **gloating** (W.DAT. for someone) E. Theoc. **2 cause for joy** or **delight** (brought by another's good fortune) E.fr.

ἐπίχαρτος ον adj. **1 giving cause for malicious joy**; (of persons, their sufferings) **rejoiced** or **gloated over** (sts. W.DAT. by others) A. Th. D. **2 giving cause for joy**; (of a lion cub) **pleasing, delightful** (W.DAT. to persons) A.; (of an action) **welcome, joyful** S.

ἐπι-χέζω vb. | fut. ἐπιχεσοῦμαι | pf. ἐπικέχοδα | **shit on** (someone) Ar.; **shit** (involuntarily, in reaction to pain or fear) Ar.

ἐπι-χειλής ές adj. [χεῖλος] (fig., of a city, envisaged as a container for liquids) app., **filled** (w. some commodity) **up to the lip** (opp. completely full), **almost full** Ar.

ἐπι-χειμάζω vb. (of troops) **pass the winter** (at a place) Th.

ἐπί-χειρα ων n.pl. [χείρ] **1 wages for manual labour**; (gener.) **wages, payment, recompense, reward** (sts. W.GEN. for sthg.) Ar. Pl. Theoc.epigr. Plb.; (W.GEN. of renown, i.e. consisting in it) Pi.fr.; (sg.) Plb. **2** (iron., ref. to a penalty or punishment) **wages, reward** (sts. W.GEN. for sthg.) A. Antipho Call. Plb. Plu.; (W.GEN. fr. the sword, ref. to violent death) S.

ἐπι-χειρέω contr.vb. | neut.impers.vbl.adj. ἐπιχειρητέον, also pl. ἐπιχειρητέα (Th.) | **1 lay hands upon, start on** —W.DAT. *a meal* Od.; **put one's hand to** —W.DAT. *the helm* Th. **2 set one's hand to, attempt, undertake** —W.DAT. *an enterprise or activity* Hdt. E. Th. + —W.ACC. Thgn. E. Antipho Isoc. + || PASS. (of things) **be attempted** or **undertaken** Th. Pl. + **3 make an attempt to gain, aspire to** —W.DAT. *royal power, tyranny* Hdt. **4 make an attempt** (to do sthg.) Hdt. Th. + —W.INF. *to do sthg.* Hdt. Th. + —W.PTCPL. *at doing sthg.* Hdt. **5** (of persons, esp. commanders or troops) **make an attack** Hdt. Antipho Th. + —W.DAT. or PREP.PHR. *on persons or places* Hdt. Th. Ar. + || PASS. **be attacked** Th.

ἐπιχείρημα ατος n. **1** (gener.) **attempt, undertaking** Isoc. Pl. X. D.; (in military ctxt.) **enterprise, plan** Th. X. D. **2 proposal, argument** (in a speech) Plb. Plu. **3 rhetorical exercise** Plb.

ἐπιχείρησις εως f. **1 attempt** (W.GEN. at sthg.) Pl. **2 execution, implementation** (W.GEN. of a decision) Th. **3 enterprise, undertaking** Hdt. Th. Pl. **4 attempt** (on a person's life), **attack** Plu.; (W.DAT. on a person) Hdt.

5 (milit.) **attack** Th. Plu.; (W.DAT. on enemies) Th.; (W.GEN. on a place) Th.
6 treatment (of a topic, by a writer) Plb.
7 topic for discussion (by a writer) Plu.
8 rhetorical exercise Plb.

ἐπιχειρητής οῦ *m.* **1 one who makes an attempt, enterprising** or **venturesome person** Th.
2 (ref. to desire) **attempter** (W.GEN. of everything) Pl.

ἐπι-χειροτονέω *contr.vb.* **1** (of the Assembly) **vote in approval by a show of hands, vote to approve** (a law) Arist. —W.ACC. *a law, a proposal* D. ‖ PASS. (of a leader's decision) be approved by a vote (of the people) Plu.
2 (of the Assembly) **vote to confirm** —*the tenure of a magistracy* Arist.
3 (of presiding officers) **put a matter to a vote** (in the Assembly) D.(law)
4 (of a Roman tribune) **secure by vote** (of the people) —*the office of praetor* (W.DAT. *for someone*) Plu.

ἐπιχειροτονίᾱ ᾱς *f.* **1 show of hands in approval, vote of approval** (of nominated military officers, by the people) Pl.; (of candidates for office, by the Council at a scrutiny) Arist.
2 confirmatory vote (by the Assembly, for the tenure of a magistracy or generalship) D. Arist.
3 (gener.) **vote** (by the Assembly, on whether there is a case for holding an ostracism) Arist.(dub.)

ἐπι-χέω *contr.vb.* | 2sg.fut. ἐπιχεῖς | aor. ἐπέχεα, ep. ἐπέχευα ‖ MID.: ep.3sg.aor. ἐπεχεύατο | ep.3pl.athem.aor. ἐπέχυντο |
1 pour (water) **over** (hands); **pour** —*water* (sts. W.DAT. *over someone's hands*) Hom.(sts.tm.) Philox.Leuc.
2 pour in additionally; add —*water* (sts. W.DAT. *to wine*) X. —(w. εἰς + ACC. *to a cup*) Ar.; (medic.) **add fluids** (to a sick person) Pl.
3 ‖ MID. have (wine) poured (into a cup) for a toast; **offer a toast** —W.GEN. *to someone* Plb. —W.ACC. or GEN. *in unmixed wine* (sts. W.GEN. *to someone*) Theoc.
4 pour on (to sthg.) —*perfume, honey, oil, wine, a libation* Ar. AR.(tm.) NT. Plu.
5 (of the Muses) **pour forth** —*a dirge* (W.DAT. *over someone*) Pi.(tm.)
6 (of warriors) **shower down** (on someone) —*spears* Il.(tm.); (of Zeus) —*winds and waves* Od.(tm.)
7 (of Harpies) **spread** —*a stench* (*over food*) AR.(tm.); (of a deity) —*sleep* (W.DAT. *over someone*) Hom.(tm.) hHom.(tm.) ‖ MID. **strew on** (the inside hull of a boat) —*brushwood* Od. ‖ PASS. (of mud, after heavy rainfall) be spread over (grain) X.
8 ‖ MID. **cast** —*one's arms* (W.DAT. *around someone*) AR.
9 heap up —*earth, a grave-mound* (sts. W.DAT. *over someone*) Hom.(tm.) AR.(mid., tm.) ‖ MID. **heap over oneself** —*a pile of leaves* Od. ‖ PASS. (of wood) be piled on top (of bodies and armour) Plu.
10 ‖ MID.PASS. (of persons) **stream** or **pour onwards** (in pursuit) Il.; **pour in** (to a city or country) Plu.; (of mice) **swarm over, overrun** —W.DAT. *an army* Hdt.; (of troubles) **beset, overwhelm** —W.DAT. *someone* Plb. Plu.; (of Latin words) **supersede, replace** —W.DAT. *Greek ones* Plu.
11 ‖ PASS. (of an argument) be presented —W.DAT. *to someone* Pl.

ἐπι-χθόνιος ον *adj.* (of persons) **dwelling on the earth, earthly** Hom. Hes. hHom. B.; (of the human race) Pi.*fr.*; (of a class of supernatural beings) Hes. ‖ MASC.PL.SB. dwellers on the earth Hom. Hes. hHom. Thgn. Lyr. Hellenist.poet. | see also ὑποχθόνιος 1

ἐπι-χλευάζω *vb.* **jeer at, mock** —*someone's virtues* Plu.

ἐπι-χνοάω *contr.vb.* **have soft hair on top;** (of girls) **have a downy head** —W.DAT. *of white hair* AR.

ἐπί-χολος ον *adj.* [χολή] (of grass) **producing bile** (in cattle) Hdt.

ἐπι-χορεύω *vb.* **come dancing up** (to someone) X.

ἐπι-χόω *contr.vb.* **heap up** —*a pile of earth* (W.DAT. *over a corpse*) Plu.

ἐπι-χραεῖν *aor.2 inf.* | 3pl. ἐπέχραον | **1** (of persons, animals) **attack** —W.DAT. *enemies, animals* Il.; (of suitors) **harass, pester** —W.DAT. *a woman* Od.; (of winds) **blow violently, gust** AR.
2 (of necessity) **force** —W.ACC. + INF. *someone to do sthg.* AR.; (of a person) **be determined** or **hasten** —W.INF. *to do sthg.* AR.
3 touch or **graze on the surface, scrape** —W.GEN. *someone* (W.DAT. *w. one's fingertips*) AR.

ἐπι-χράομαι *mid.contr.vb.* (of persons) **have dealings** (w. others) Th. Pl.; **associate, keep company** —W.DAT. *w. someone* Hdt.; (of the Muses) **frequent, visit** —W.DAT. *a land* E.

ἐπι-χρεμέθω *vb.* [χρεμετίζω] (of a horse) **neigh** AR.

ἐπι-χρίμπτω *vb.* **1** (of Destiny) **bring** —*a cloud* (w. ἐπί + ACC. *over a land*) B.*fr.*
2 ‖ PASS. (of a person crouching down) move close (to the surface of a stream) AR.

ἐπι-χρίω *vb.* **1 apply unguent to, anoint** —*one's cheeks* Od.; (mid.) —*one's flesh* (W.DAT. *w. oil*) Od. ‖ MID. anoint oneself (w. oil) Call.
2 smear (a bow) —W.DAT. *w. grease* Od.
3 smear —*mud* (w. ἐπί + ACC. *on someone's eyes, to cure his blindness*) NT.(dub.) —*someone's eyes* (w. mud) NT.

ἐπί-χρῡσος ον *adj.* [χρῡσός] (of objects) **overlaid with gold, golden, gilded** Hdt. Pl. X. Plu.

ἐπι-χρωματίζω *vb.* [χρῶμα] **apply colour;** (fig., of a poet) **apply, lay on** —W.COGN.ACC. *the colours of a craft* (W.DAT. *w. words, i.e. paint it verbally*) Pl.

ἐπίχυσις εως *f.* [ἐπιχέω] **1 flow** (of a liquid, in a particular direction) Pl.
2 inflow, addition (W.GEN. of citizens, caused by a high birthrate) Pl.; **increase** (W.GEN. in the strength of pleasures) Pl.
3 toast (drunk to a person, sts. W.GEN. for sthg.) Plb. Plu.

ἐπι-χώομαι *mid.vb.* **be angry** —W.DAT. *at someone's words* AR.

ἐπι-χωρέω *contr.vb.* **1** (of troops) **come up** (to join forces w. a commander) Th.; (of allies) **join up** —w. πρός + ACC. *w. a commander* X.
2 (of a phalanx) **move forward** (to the attack) X.
3 (of assailants) **come up, approach** Plu.
4 give way, yield —W.DAT. *to someone* S.; **assent, agree** (to a proposal) Plb.
5 allow, condone —W.NEUT.ACC. *certain traits of behaviour* Plu.; (of circumstances) **allow time** —W.DAT. *to someone* (perh. w. πρός + ACC. *for sthg.*) Plu.

ἐπιχωριάζω *vb.* [ἐπιχώριος] **1 pay a visit** —W.ADV. *to a city* Pl.
2 (of a practice) **be the local custom** —W.PREP.PHR. *in a city* Arist.; (of behaviour) **be endemic** —W.PREP.PHR. *among people* Plb.

ἐπι-χώριος ᾱ (Ion. η) ον (also ος ον) *adj.* [χώρᾱ] **1** (of gods, persons, birds) **belonging to a country, local, native** A. Pi. Hdt. E. Ar. Pl. + ‖ MASC.PL.SB. local inhabitants, natives Hdt. S. Th. Ar. +; (sg.) Pl.
2 (of objects, clothing, behaviour, activities) **characteristic of, customary in** or **originating in a country, local, native** Pi.

B. Hdt. E. Th. Ar. +; (of deaths) **of fellow citizens** A.; (of offences) **against locals** (opp. foreigners) Pl. || NEUT.SB. local custom Th.; national trait (of behaviour) Ar.
3 || NEUT.IMPERS. (W. ἐστί, sts. understd.) **it is the local custom** Ar. —W.INF. OR DAT. + INF. (*for people*) *to do sthg.* Th. X.
4 (advbl.acc.) τὸ ἐπιχώριον *in the native language* Pl.
5 (of a bush) **nearby** Theoc. || NEUT.PL.SB. **things nearby** (opp. far away) Pi.
6 (of absurdity of speech) **characteristic** (W.GEN. of a comic poet's Muse) Pl.
—**ἐπιχωρίως** *adv.* **in the local manner** Ar.
ἐπίχωσις εως *f.* [ἐπιχόω] **piling up** (of debris, carried by a torrent) Plb.
ἐπι-ψακάζω *vb.* **1** (of Zeus) **send light showers** (on sown fields) Ar.
2 (of wine-pourers, in a parody of the high-flown language of Gorgias) **besprinkle** (drinkers) —W.DAT. *w. small cups* X.
ἐπι-ψαύω *vb.* **1 touch with the hand** (as a deliberate act); **clasp, grasp** —W.GEN. *someone's hair or beard* Archil. Plu. —*a mare's genitals* Hdt. —*a bow* S. —(of a hand) —*a sword hilt* S.
2 come into physical contact with, touch —W.GEN. *an object, the ground* (W.DAT. *w. one's feet*) Hes. Plu.
3 (gener.) **have contact with, have a part in** —W.GEN. *a burial* S.; **have contact** —W.DAT. *w. good sense* (W.NEUT.ACC. *even a little bit, i.e. have some sense*) Od. [sts. interpr. as *reach even a little way* (*w. one's wits*)]
4 grasp, attain, achieve (renown) Pi. —W.GEN. *love that is within one's power* (*to achieve*) Pi.
5 (of a historian) **touch upon, treat briefly** (a topic) Hdt. —W.GEN. *events* Plb.; (pejor.) **light upon, stumble upon** —W.GEN. *the truth* Plb.
ἐπι-ψεύδομαι *mid.vb.* **1 lie** (about an accomplishment) X.; (tr.) **lie about, falsify** —*a number* (*of men slain*) Plu.
2 attribute (sthg.) **falsely** (to someone or sthg.); **tell lies** —W.DAT. *about the gods* AR.; (of novelty) **falsely impart** —W.ACC. *qualities that do not exist* (W.DAT. *in things*) Plu.
3 || PASS. (of persons) **be mistaken** Arist.
ἐπι-ψηλαφάω *contr.vb.* **1 touch on the surface in order to examine, feel** —*a ring* Pl.
2 feel or **grope about for** —W.GEN. *a bed* Pl.
ἐπι-ψηφίζω *vb.* | *fut.* ἐπιψηφιῶ | **1** (in political ctxt., of the chairman of the Council or Assembly) **put a motion to the vote** Th. Att.orats. Pl. X. Arist. —W.INF. *to do sthg.* Th.; (tr.) **put** (W.ACC. a motion) **to the vote** X. Aeschin. D. Arist.; (of the president of the Amphictyonic Council) Aeschin. || PASS. (of a proposal, an appointment to a magistracy) **be put to the vote** Aeschin. Arist.
2 put a motion —W.DAT. *to a disfranchised person* (*i.e. allow him to vote on it*) Hdt.
3 (of an ephor) **put a motion** —w. ἐς + ACC. *to the Spartan assembly* Th.
4 (in non-political ctxt., of a commander or soldier) **put a motion to the vote** X.
5 (of a disputant in a debate) **take the votes of, solicit the opinions of** —W.ACC. *persons present* Pl.
6 || MID. (at Athens and elsewhere, of the people) **vote in favour** Plu.; (tr.) **vote in favour of** —*proposals* Plu.; (of the Roman Senate) —*a further term of office* (sts. W.DAT. *for someone*) Plu.; (of members of the Senate) **propose a vote for** —*a further term* (*for someone*) Plu. || PASS. (of a proposal) be approved by vote Plu.
ἐπί-ψογος ον *adj.* [ψόγος] **1** (of talk) conveying reproach, **censorious, scandalous** A. || NEUT.PL.SB. **reproaches** X.
2 (of a person's youth) **open to reproach, discreditable** Plu.
—**ἐπιψόγως** *adv.* **reproachfully, disapprovingly** Plu.
ἐπι-ψοφέω *contr.vb.* (of quivers carried by dancers) **rattle in accompaniment** (to the beating of their feet) Call.
ἐπι-ψύχω *vb.* [ψύχω¹] (of winds) **cool** —*lands* AR. Plu.
ἐπ-ιωγή ῆς *f.* **place of shelter** (for ships), **sheltered anchorage** Od. AR.
ἐπλάθην (aor.pass.): see πελάζω
ἔπλασα (aor.), **ἔπλασσα** (dial.aor.): see πλάσσω
ἔπλε (ep.3sg.aor.2), **ἔπλεο** and **ἔπλευ** (ep.2sg.aor.2 mid.), **ἔπλετο** (3sg.): see πέλω
ἔπλευσα (aor.): see πλέω¹
ἐπλήγην (aor.2 pass.): see πλήσσω
ἔπλησα (aor.), **ἐπλήσθην** (aor.pass.): see πίμπλημι
ἔπληντο (ep.3sg.athem.aor.mid.), **ἔπληντο** (3pl.): see πελάζω
ἔπνευσα (aor.): see πνέω
ἐπ-όγδοος ον *adj.* **1** (of a ratio betw. two numbers in a series) of one-and-an-eighth to one, **of nine to eight** Pl.; (in musical ctxt.) of the ratio of the fifth (i.e. 3:2) to the fourth (4:3), **of the tone** Pl.
2 (of a loan) bearing interest at the rate of one-eighth of the principal, **bearing twelve and a half percent interest** D.
ἐποδιάζω Ion.vb., **ἐπόδιον** Ion.n.: see ἐφοδιάζω, ἐφόδιον
ἐπ-οίγω *vb.* | ep.3pl.plpf.pass. ἐπώχατο | || PASS. (of gates) **be closed** Il.
ἐποικέω *contr.vb.* [ἔποικος] **1 go** (to a place) **as a settler** or **colonist; settle in** —*cities and regions* E.; (intr.) **settle** (in a city) Pl. —W.PREP.PHR. *in a region* X.
2 be settled close by; (w. hosti e connot., of occupants of a powerful city) **live threateningly close** —W.DAT. *to another people* Th. || PASS. (of a garrison in enemy territory) **be occupied as a threat** —W.DAT. *to the country* Plu.
ἐπ-οικοδομέω *contr.vb.* **1 make additions by building; build up** —*a wall* Men. —(W.PREDIC.COMPAR.ADJ. *to a greater height*) Th.
2 rebuild or **repair** —*a wall* X. D.
3 (rhet., of a writer) **build up** (one phrase after another in a sequence of ascending force) Arist.
4 build on or **onto** (a place); **build** —*a temple* (W.DAT. *on a site*) Plu. —*a civic organisation* w. ἐπί + GEN. *on a certain code of behaviour, envisaged as a foundation*) Pl. || PASS. (of supports in a building) **be built on top** (of others) Pl.; (of a wall) **be built** —w. ἐπί + DAT. *on a foundation* X. —W.DAT. *onto a fort* Plu.
5 build for offensive purposes (in enemy territory); **build** (W.ACC. a fort) **as a base for operations** Plb.; **fortify** (W.ACC. a temple) **as a base for operations** Plb. || PASS. (of a place) **be fortified as a base for operations** Plb.
ἔπ-οικος ου *m.* (also *f.* S.) [οἶκος] **1 one who comes as an additional inhabitant** (opp. the existing population or an original colonist), **new settler** E. Th. Ar. Isoc. +
2 (gener.) **colonist** Th. Plu.; (appos.w. λαός *group of colonists*) Call.
3 (pejor.) **immigrant, alien, outsider** S.
4 inhabitant (of a region), **local person** S. || ADJ. (of a home, in a specified country) **settled, inhabited, occupied** A.
ἐπ-οικτίζω *vb.* **take pity on** —*a sight* S.
ἐπ-οικτίρω *vb.* **feel pity for, take pity on** —*persons, their words, tomb, fate* Trag.; (intr.) Xenoph. A. S.
ἐποίκτιστος ον *adj.* [ἐποικτίζω] of a burden, ref. to dead children) **pitiable** A.
ἔπ-οικτος ον *adj.* [οἶκτος] (of a murder) **pitiable** A.
ἐπ-οιμώζω *vb.* **wail** or **shriek over** —W.DAT. *an experience* A.

ἐπ-οιχνέω *contr.vb.* (of Rumour) **travel to, visit** —*peoples* B.

ἐπ-οίχομαι *mid.vb.* **1** go to or towards (persons or things); **go up to** —*persons* Od.; **visit** —*someone, a house* Thgn. Pi. AR.; (of the infant Hermes) **go to** —*his cradle* hHom.; (of Athena) —*battle* Hes.(tm.); (of a ploughman, at evening) —*his supper* Od.; (of persons) **approach, attend** —*gods* (W.DAT. *w. feasts of welcome*) Pi.; (of the Argonauts) **go on a quest for** —*the Golden Fleece* AR.
2 (of gods, warriors) **assail, attack** —*persons, gods, animals* (sts. W.DAT. *w. arrows, a spear*) Hom.; (intr., of Justice) **attack** A.; (of arrows) **rain down** Il.; (of sea-swell) **rush on** AR.
3 go about, range around Hom. AR. —W.ADV. *in all directions* Il.; (tr.) **range over, pace along** —*ships' decks* Il.
4 go round (a company) (of a wine-pourer, a beggar) **go round** Od.; (tr., of a commander) —*his men, their ranks* Il.; (of a sea god) —*his seals (to count them)* Od.
5 (of a weaver) go to and fro along, **work at** —*a loom* Hom.; (gener., of persons) **go about** —*one's work, the work of war* Hom. Mimn.; (of countrymen) —*cornfields and orchards* (W.DAT. *at their tasks*) Theoc.; (intr.) **busy oneself** (w. a task) Il.

ἐπ-οκέλλω *vb.* **1** **run ashore, beach** —*ships* Hdt. Th.
2 (intr., of ships, sailors) **run aground** Th. Plb.

ἐπ-ολολύζω *vb.* utter a cry of joy or triumph in response; (of women) **cry out in exultation** (over some event) A.(also mid.); (of men) Ar. Men.; (of Muses and Graces) **joyfully respond** (to birds singing) —W.COGN.ACC. *w. a song* Ar.

ἕπομαι *mid.vb.* | irreg.3sg. ἕπεται (AR.) | imperatv. ἕπου, ep. ἕπευ, Ion. ἕπεο | impf. εἱπόμην, ep. ἑπόμην | fut. ἕψομαι || AOR.2: ἑσπόμην, ep. app. ἑσπόμην | imperatv.: ep.2sg. σπεῖο, ep.3sg. σπέσθω (v.l. ἑσπέσθω Hom.), also 2pl. ἕσπεσθε (hHom.) | ep.inf. σπέσθαι (v.l. ἑσπέσθαι Hom.; also Pi., cj.) | ep.ptcpl. σπόμενος (v.l. ἑσπόμενος Hom.; also Pi. Hellenist.poet.) | ep.subj. and opt. app. σπώμην, σποίμην (Od., cj. for ἑσπ-), also 3sg.subj. ἕσπηται (Pi., v.l.), opt. ἑσποίμην (Pi. AR.) || In ep., the aor.indic. is prob. to be interpr. as ἐσπ- (with ἐ as augment), hence non-indic. σπέσθαι, σπόμενος (not ἑσπ-) etc. (forms which are sts. guaranteed by metre). The non-indic. forms in ἑσπ- in Pi. and Hellenist.poet. are prob. based on the Homeric variant readings. |
1 (gener., of animate beings, also of things capable of motion) go in company with (persons or things); (of persons, gods, animals) **follow** or **accompany** (sts. W.DAT. *someone or sthg.*) Hom. +; (of wedding gifts) —w. ἐπί + GEN. *a bride (to her husband's house)* Od.
2 (of abstr. things, such as honour, good fortune, victory, personal qualities) **follow, accompany, attend** (sts. W.DAT. *someone*) Il. Hes. Eleg. A. Pi. +
3 (specif.) follow a leader or master; (of troops, servants, or sim.) **follow** (sts. W.DAT. *someone*) Hom. Hes. Sol. Pi. Hdt. Trag. +
4 follow with the aim of catching; (of soldiers) **follow up, pursue** (sts. W.DAT. *an enemy*) Il. Hdt. X.; (of hounds) **go in pursuit** (of prey) X.; **seek after** —W.DAT. *dishonest gains* Thgn.
5 (of a horse) **keep pace** —W.DAT. *w. other horses* Il.
6 (of persons or their attributes) correspond with or suit (some requirement); (of an elderly commander, in neg.phr.) **keep pace** —W.DAT. *w. the crises of war* Plu.; (of a person's limbs) **be a match** (for one's courage) Il.; (of courage, for strength) Pi.; (of a person's strength and hands) **be of service** Od.
7 follow or yield to (sthg. exerting a force); (of a warrior, his lungs) **follow, come with** —W.DAT. *a spear (as it is pulled out of his chest)* Il.; (of a parapet, when pulled) **come away** Il.; (of a helmet) —W.DAT. *w. the hand pulling it* Il.
8 be guided by, **follow** —W.DAT. *a track, a sign* A. X.
9 follow in obedience, **comply with** —W.DAT. *someone* S. —*a command* Pi. —*a custom* Hdt. Th.; (w. sexual connot., of a woman) **give in to** —W.DAT. *a lover* Call.
10 follow mentally, **follow, understand** —W.DAT. *an argument or statement* Pl.
11 follow in time; (of a child) **follow, come next** (after a first-born) Hdt.; (of persons) **come after, succeed** —W.DAT. *a preceding generation* Pl.; (of a period of time) —*another period* Hdt.
12 || IMPERS. the following step is —W.INF. *to do sthg.* Arist.
13 follow as a consequence; (of a state of affairs) **follow** or **result from, be consequent upon** —W.DAT. *certain kinds of behaviour* X. || NEUT.PL.SB. consequences (W.GEN. of an arrangement) Pl.
14 be a natural or appropriate accompaniment; (of nymphs) **belong with, count among** —W.DAT. *neither mortals nor gods* hHom.; (of a maxim) **suit, apply to** —W.DAT. *someone* Pi.; (of a due limit) **be applicable** —W.PREP.PHR. *in every situation* Pi.; (gener., of things) **be in accord** or **consistent** —W.DAT. *w. other things* A. Pl.

—**ἑπομένως** *ptcpl.adv.* **1 secondarily** (opp. primarily) Arist.
2 subsequently (W.DAT. *to sthg.*) Plb.
3 as a consequence Pl.
4 correspondingly Arist.; **in conformity** (W.DAT. *w. sthg.*) Pl. Arist.

ἐπομβρία ᾱς *f.* [ἐπόμβρος] **heavy rain, downpour** Ar. D.; **deluge** (ref. to a flood) Plu.

ἔπ-ομβρος ον *adj.* [ὄμβρος] (of a summer) **rainy** Plu.

ἐπ-όμνυμι *vb.* —also (pres. and impf.) **ἐπομνύω** **1 swear in assent** (to an order) Od.
2 swear (W.COGN.ACC. *an oath*) **on** (crooked statements) Hes.(tm.)
3 swear —W.NEUT.ADV. *w. a false oath* Il. Emp. —(W.ACC. *by a god*) Hes. Thgn.
4 (gener.) **swear** (an oath) Hdt. Th. Pl. + —W.COGN.ACC. *an oath* Pl. Theoc. —W.NEUT.ACC.PL. *in these terms* Ar. —W.FUT.INF. (sts. w. ἦ μήν) *to do sthg.* E. Th. Pl. X. + —W.COMPL.CL. or w. ἦ μήν + PRES.INF. *that sthg. is the case* X. Plu.
5 (tr.) **swear by** —*a god, the sun, one's friendship* (sts. W.FUT.INF. *to do sthg.*, or W.PRES.INF. or COMPL.CL. *that sthg. is the case*) Hdt. E. Ar. X. +
6 endorse —W.COGN.ACC. *an oath* (W.DAT. *for someone, i.e. confirm that he has sworn correctly*) Plu.

ἐπ-ομφάλιος ον *adj.* [ὀμφαλός] (quasi-advbl., of a shield being struck) **on the boss** Il.

ἐπ-όνᾱσις ιος *dial.f.* [ὄνησις] **enjoyment** (W.GEN. of drinking together) Alc.

ἐπ-ονείδιστος ον *adj.* [ὀνειδίζω] (of actions or circumstances) **reprehensible, disgraceful, shameful** E. Att.orats. Pl. X. Arist. Plb.

—**ἐπονειδίστως** *adv.* **1 reprehensibly, disgracefully, shamefully** Isoc. Pl. Plb.
2 reproachfully, reprovingly —*ref. to criticising persons* Plb.

ἐπ-ονομάζω, Aeol. **ἐπονυμάζω** *vb.* | Aeol.3pl.aor. ἐπωνύμασσαν | neut.impers.vbl.adj. ἐπονομαστέον | **1** apply (a word) as a name (to sthg.); **give the name of** —*pottery, being* (W.DAT. *to sthg.*) Pl.; **give** —W.COGN.ACC. *a single name* (W.DAT. *to more than one thing*) Pl. || PASS. (of hubris) be given as a name —W.DAT. *to sthg.* Pl.

2 call by a name or epithet, call, name, entitle —*someone or sthg.* (W.PREDIC.SB. or ADJ. *such and such*) Alc. Th. Pl. D. Arist. Plu.; **give** —W.COGN.ACC. *the name* (W.PREDIC.SB. *such and such*) Pl. ‖ PASS. (of persons or things) **be called** —W.PREDIC.ADJ. or SB. *such and such* E.*fr.* Th. Pl. X. + —W.COGN.ACC. *by a certain name* Pl.; **be designated** —W. εἶναι + PREDIC.SB. *as being such and such* Pl.; (of a person) **be surnamed** —W.PREDIC.SB. *so and so* Plu. **3 derive** —W.DBL.ACC. *the name 'so and so'* (W. ἀπό + GEN. *fr. sthg.*) Pl. **4** ‖ PASS. (of a person) **be named** —W.ADV. *after one's father* Pl.; (of places, things) —W. ἀπό + GEN. *after someone or sthg.* Th. Pl. —W.GEN. S. E. Pl. **5 signify through the name given, name, indicate** —*a property of sthg.* Pl. **6 call on or pronounce** —*the name* (*of a dead person, in honouring him*) Hdt.; **address** —*someone* (W.ADV. *by his father's name*) Th.

ἐπ-οπίζομαι *mid.vb.* **have regard for, beware** —*the anger of gods* Od. hHom. Thgn.

ἐποποῖ *interj.*: see under ἔποψ

ἐποποιΐα ᾶς, Ion. **ἐποποιΐη** ης *f.* [ἐποποιός] **epic poetry** Hdt. Arist.

ἐποποιικός ή όν *adj.* (of an aspect of composition) **related to epic poetry** Arist.

ἐπο-ποιός οῦ *m.* [ἔπος, ποιέω] **epic poet** Hdt. Arist. Plu.

ἐπ-οπτάω *contr.vb.* **roast** (W.ACC. entrails) **over** (a fire) Od.

ἐποπτεία ᾶς *f.* [ἐποπτεύω] **final revelation** (in the Eleusinian Mysteries) Plu.

ἐπ-οπτεύω *vb.* | iteratv.impf. ἐποπτεύεσκον | **1 look over, inspect, view** —*one's estates* Od. Hes. —*battle-lines, the progress of a battle* Plb. **2** (of gods or godlike beings) **look upon, watch over** (usu. protectively or benignly) —*persons, situations* A. Pi.; **keep watch on** —*the earth* Call. **3** (of officials) **exercise surveillance** —W.PREP.PHR. *over the laws* Pl.; **be an observer of, look into** —W.ACC. *a state of affairs* Plb. **4** (gener.) **contemplate** —*someone's precepts* Emp.; **cast an eye over** —*historical writings* Plb. **5** (of a person who has gone through earlier stages of initiation in the Eleusinian Mysteries) **witness the final revelation** Pl.; (in fig.ctxt.) **behold as a final revelation** —*visions of ultimate truth* Pl.; (fig.) **be enraptured** or **ecstatic** Ar.

ἐπ-οπτήρ ῆρος *m.* (ref. to a god) **one who looks on** (w. favour), **witness** (W.GEN. *to someone's prayers*) A.

ἐπόπτης ου *m.* [ἐπόψομαι, see ἐφοράω] **1** (ref. to a god) **one who watches over, overseer, protector** (W.GEN. *of a place*) Pi. **2** (ref. to a person) **overseer** (W.GEN. *of someone's conduct*) D. **3** (gener.) **spectator, viewer** (W.GEN. *of someone's sufferings or conduct*) A. Plu.; (of one's own sufferings, ref. to the ἔποψ *hoopoe, as if related etymologically*) S.*fr.* **4 witness to the final revelation** (in the Eleusinian Mysteries) Plu.

ἐποπτικός ή όν *adj.* (of certain subjects taught by Aristotle) **for a select audience, esoteric** Plu.; ‖ NEUT.PL.SB. **final revelations** (in the Eleusinian Mysteries) Plu.; (fig., ref. to ultimate philosophical truths) Pl.

ἐπόπωζε (3sg.impf.): see under ἔποψ

ἐποράω *Ion.contr.vb.*: see ἐφοράω

ἐπ-ορέγω *vb.* **1 make a further grant** (of sthg.); (of Zeus) **continue to give** —*glory* (W.DAT. *to someone*) Il.(tm.) ‖ MID. **give an additional amount** —W.PARTITV.GEN. *of honour* Sol. **2** ‖ MID. **stretch out, raise** —*one's hands* (W.DAT. *against an adversary*) AR.; (intr.) **reach forward** (to strike) Il.; **reach out for, grasp** —W.GEN. *sthg.* AR. **3** ‖ MID. **seek after, yearn for** —W.GEN. *sthg.* Emp. Pl. **4** ‖ MID. **ask for more, make further demands** Hdt.

ἐπ-ορθιάζω *vb.* **1** (of mourners) **cry shrilly** —W.DAT. *in lamentation* A.; (of an oracular god) **shrilly proclaim** —W.ACC. *sthg.* A.(cj.) **2** (of Erinyes) **raise a shrill cry over** —W.DAT. *a house* A.; (of a woman) **shrill forth** (W.INTERN.ACC. *a cry of triumph*) **over** —W.DAT. *a beacon-signal* A.

ἐπ-ορθοβοάω *contr.vb.* [ὀρθός, βοάω] **lift up a cry** —W.COGN.ACC. *of lamentation* (W.DAT. *for someone*) E.(dub.)

ἐπορμάω, ἐπορμέω *Ion.contr.vbs.*: see ἐφορμάω, ἐφορμέω

ἐπ-όρνυμι *vb.* —also (impf.) **ἐπορνύω** | aor. ἐπῶρσα, imperatv. ἔπορσον | 3sg.plpf. w.mid.sens., tm.) ἐπὶ ... ὀρώρει ‖ 3sg.aor.2 mid. ἐπῶρτο | **1** (of a god) **arouse, stir up** —*strength and speed of limbs* (W.DAT. *in someone*) Il. —*desire* AR.(tm.); (of a god or person) **stir, incite** —*someone, snakes* (W.INF. *to do sthg.*) Il. Theoc. **2** (of a god) **set** —*someone* (W.DAT. *against another*) Il. Hes. E.*Cyc.*; **raise** —*winds, waves* (sc. W.DAT. *against sailors, ships*) Hom.(sts.tm.); **bring** —*sorrow, the day of death, sleep, longing* (W.DAT. *on someone*) Hom. hHom.(tm.) **3** ‖ MID. (of a boxer) **spring forward** Il.(tm.); (of a runner) **speed close behind** (another) Il.(tm.); (of a personif. river) **rush upon** —W.DAT. *someone* Il.; (of an expedition) **speed forth** A.(dub.); (of a favourable daimon) **come forth** Thgn.(tm.) ‖ PLPF.ACT. (of fruit) **spring up** (on a plant) hHom.(tm.) **4** ‖ MID. (of a wind) **begin** —W.INF. *to blow* Od.(tm.)

ἐπ-ορούω *vb.* **1** (of a warrior) **rush against, assail, attack** —W.DAT. *an opponent* Il. Hes.; (of a bull) Theoc.; (intr., of a warrior) **spring forward** (to strip a fallen opponent) Il.; **spring to the attack** Il. Hes. AR.; (of a lion) hHom. **2** (without connot. of hostility) **rush up** —W.DAT. *to someone* (w. help) Il.; **spring onto** —W.ACC. *a chariot* Il.; (of a god, as a dolphin) —W.DAT. *a ship* hHom. **3** (of sleep) **fall suddenly upon** —W.DAT. *someone* Od.

ἐπ-ορχέομαι *mid.contr.vb.* **dance in accompaniment to** —W.DIR.SP. *a ritual cry* D.

ἔπος εος (ους) *n.* [reltd. εἶπον] **1** (gener., sg. and pl.) **that which is spoken or an act of speaking, utterance, speech** or **word** (oft. in a sense determined by ctxt., e.g. ref. to an oracle, advice, proverb, order, message, story) Hom. + **2 word** (contrasted w. action, esp. ἔργον) Hom. + **3** (specif., esp. ref. to etymology or meaning) **single word, word** Hdt. Ar. Pl. + **4 line of hexameter verse**; (sg. and pl.) **line, verse** (either of epic poetry or of an oracle) Pi. Hdt. Th. Pl. +; (sg.) **passage** (of epic poetry) Pl. **5 line of verse** (in metres other than hexameter); (sg. and pl.) **verse** (of drama) Ar.; (pl., of lyric) Alcm. Pi.; (of elegy) Thgn. **6** (prep.phr., usu. w.neg.) πρὸς ἔπος *to the purpose, to the point* (i.e. *in a way that is useful or relevant*) Ar. Pl. | for ὡς ἔπος εἰπεῖν *practically*, see εἶπον 10

ἐπ-οτοτύζω *vb.* **wail** —W.COGN.ACC. w. *a cry of woe* E.

ἐπ-οτρύνω *vb.* **1 give stimulus or encouragement** (to someone) Hom. Hdt. S. AR. —W.INF. *to do sthg.* Hom. AR. —W.DAT. *to someone* Od. AR. —(+ INF. *to do sthg.*) Hom. Hes. **2** (tr.) **urge on, incite, encourage** —*someone* Hom. Hdt. Plu. —(+ INF. *to do sthg.*) Hom. Pi. S. AR. —(+ PREP.PHR. *further forward*) Hdt. —(*to battle*) Plu.

3 stir up —*a fight* (W.DAT. *betw. two people*) Od.; **urge** —W.ACC. + INF. *that war shd. be prosecuted more vigorously* Th.; (of trumpeters) **give a signal for** —W.ACC. *engagement* (W.DAT. *to troops*) Th.
4 quickly send —*messages* Od. ‖ MID. **hasten on** —*someone's send-off* Od.; (intr.) **press on, be hasty** A.

ἐπ-ουράνιος ον *adj.* (of gods) **dwelling in heaven, heavenly** Hom. ‖ MASC.PL.SB. **gods** Theoc. Mosch. ‖ NEUT.PL.SB. **heavenly things** (opp. earthly) NT.

ἐπ-ουρίζω *vb.* **1 send** (or send with) **a favourable wind**; (of Erinyes) **waft** —*their breath* (W.DAT. *at someone*) A.; (fig., of a person) **help along** —*someone's steps* (W.ADV. *this way*) S.*fr.*; **direct** —*one's thoughts* (W.ADV. *this way*) E.
2 (intr., of a runner) **have a fair wind at one's back** Ar.

ἔπ-ουρος ον *adj.* [οὖρος¹] **1** (of a breeze) **favourable, fair** S.
2 (fig., of Ares, as if at sea) **carried by a favourable wind** (i.e. travelling rapidly) S.(v.l. ἄπουρος)

ἐπουρόω *contr.vb.* (of sailors) **have a favourable wind** Plb.

ἐπούρωσις εως *f.* (fig., ref. to a rhetorical device) **wafting along** (of a speech, by supplementary arguments) Arist.(quot.)

ἐπ-οφείλω *vb.* **still owe** —*tribute* Th.

ἐπ-οφθαλμιάω *contr.vb.* **cast envious eyes** —W.DAT. or πρός + ACC. *on someone's money* Plu.

ἐπ-οχέομαι *mid.contr.vb.* | *fut.* ἐποχήσομαι | **be carried** or **ride** (on a camel) X. —W.DAT. *on horses, a chariot* Il.

ἐπ-οχετεύω *vb.* **1 carry along a channel or pipe**; (of a person) **pipe in** (liquids, into jars) Pl.; **channel** —*water* (w. ἐπί + ACC. *to a place*) Pl.
2 ‖ MID. (fig., of the soul) **channel into oneself, flood oneself with** —*desire* Pl.

ἐποχή ῆς *f.* [ἐπέχω] **1 stop, cessation** (of an activity) Plb.
2 (philos.) **suspension of judgement** Plu.
3 (astron.) **position** or **longitude** (of a star, at a particular time) Plu.

ἔποχον ου *n.* [ἔποχος] **riding-cloth** (a padded cloth used in place of a saddle) X. | cf. ἐφίππιος 1

ἔπ-οχος ον *adj.* [ὄχος] **1** (of persons) **mounted, riding, conveyed** (W.DAT. on chariots) A.; (W.GEN. on ships) A.; (fig., of speech) **carried along** or **impelled by** (W.GEN. madness) E.
2 (of a person, his body) **good at riding, confident in the saddle** X. Plu.; (of a woman, w. sexual connot.) Ar.
3 (of a bay) **admitting marine traffic, navigable** (W.DAT. by large ships) Plu.

ἔποψ οπος *m.* **hoopoe** S.*fr.* Ar. Pl. +
—**ἐποποῖ** *interj.* **epopoi** (imitation of the cry of the hoopoe) Ar.
—**ἐπόπωζε** *3sg.impf.vb.* (of the hoopoe) **cry popoi** or **epopoi** Ar.(cj.)

ἐπ-οψάομαι *mid.contr.vb.* (of Spartans) **enjoy as a main course, savour** —*broth* Plu.

ἐπόψιμος ον *adj.* [ἐπόψις] (of a calamity, in neg.phr.) **which can be looked upon** S.

ἐπόψιος ον *adj.* **1** (of a place) **in full view, visible** S.; (of an altar) **conspicuous** hHom.
2 (of gods) **overlooking** (human behaviour), **watchful, observant** S.; (of Zeus) Call. AR.; (as epith. of Zeus) AR.; (of Zeus or Apollo) Call.

ἔποψις εως *f.* [ἐπόψομαι, see ἐφοράω] **1 capacity to see into the distance, range of vision, sight** (enjoyed by a person, or measured fr. a place) Hdt. Pl.
2 ability to see, view, sight (of persons, an event) Th. Plu.

ἐπόψομαι (fut.), **ἐπόψατο** (dial.3sg.aor.): see ἐφοράω

ἐπράθην (aor.pass.): see πέρνημι
ἔπραθον (aor.2): see πέρθω
ἔπρεσε (ep.3sg.aor.): see πίμπρημι
ἐπρήθην (Ion.aor.pass.): see πέρνημι
ἔπρηξα (Ion.aor.): see πράσσω
ἔπρησα (aor.): see πίμπρημι
ἐπριάμην (aor.mid.): see πρίασθαι
ἑπτά *indecl.num.adj.* **seven** Hom. +
ἑπτα-βόειος ον *adj.* (of a shield) **made of seven oxhides** Il.; (of fighting spirits) Ar.(mock-ep.)
ἑπτά-βοιος ον *adj.* [βοῦς] (of a shield) **made of seven oxhides** S.
ἑπτά-γλωσσος ον *adj.* [γλῶσσα] (of a lyre) **with seven tongues, seven-toned** or **seven-stringed** Pi.
ἑπτά-γωνον ου *n.* [γωνία] **musical instrument with seven corners** (perh. a kind of harp), **septangle** Arist.
ἑπτά-δραχμος ον *adj.* [δραχμή] (of items) **costing seven drachmas** Theoc.
ἑπτα-ετής ές (or **ἑπταέτης** ες), Att. **ἑπτέτης** ες *adj.* [ἔτος] (of a boy) **seven years old** Ar. Pl. Plu.
—**ἑπτέτις** ιδος *fem.adj.* (of a girl) **seven years old** Ar.
—**ἑπτάετες** *neut.adv.* **for seven years** Od.
—**ἑπταετία** ᾱς *f.* **period of seven years** Plu.
ἑπτα-καί-δεκα *indecl.num.adj.* [δέκα] **seven and ten, seventeen** Hdt. +
ἑπτακαιδεκα-έτης ες *adj.* [ἔτος] **1** (of a person) **seventeen years old** Plb.
2 (of a comradeship) **seventeen years long** Plb.
ἑπτακαιδεκά-πους πουν, gen. ποδος *adj.* [πούς] (of the square root of a number, measured in foot-lengths) **of seventeen feet** Pl.
ἑπτακαιδέκατος η ον *num.adj.* **seventeenth** Th. Plb. Plu.
ἑπτα-και-εἰκοσιπλάσιος ᾱ ον *adj.* [εἴκοσι] (of a portion) **twenty-seven times greater** (W.GEN. than another) Pl.
ἑπτάκις (also **ἑπτάκι** AR.) *adv.* **seven times** Hippon. Pi. Lys. +
ἑπτακισ-μύριοι αι α *pl.num.adj.* [μυρίος] **seven times ten thousand, seventy thousand** Hdt. Plb. Plu.
ἑπτακισ-χίλιοι αι α *pl.num.adj.* **seven thousand** Hdt. Th. +
ἑπτά-κλινος ον *adj.* [κλίνη] (of a dining-room) **having space for seven couches** (i.e. moderately sized) X.
ἑπτακόσιοι αι α *pl.num.adj.* **seven hundred** Hdt. Th. +
ἑπτά-κτυπος ον *adj.* [κτύπος] (of the lyre) **seven-toned** or **seven-stringed** Pi.
ἑπτά-λογχος ον *adj.* [λόγχη] (of an expedition) **with seven companies of spearmen** S.
ἑπτάμην (athem.aor.mid.): see πέτομαι
ἑπτά-μηνος ον *adj.* [μήν²] (quasi-advbl., of babies born) **after seven months** (of pregnancy) Hdt.
ἑπτα-μόριον ου *n.* **territory consisting of seven districts** (transl. Lat. *Septempagium*) Plu.
ἑπτά-μυχος ον *adj.* [μυχός] (of a cave) **with seven chambers** Call.
ἔπταξα (dial.aor.): see πτήσσω
ἑπτά-πηχυς υ *adj.* [πῆχυς] (of objects) **measuring seven cubits** (in length or height, i.e. about ten and a half feet) Hdt. Plb.
ἑπτα-πόδης ου *masc.adj.* [πούς] (of an object) **seven feet long** Il. Hes.
ἑπτά-πορος ον *adj.* [πόρος] (of the Pleiades) **following seven paths** E.; (of the Nile) Mosch.
ἑπτά-πυλος ον *adj.* [πύλαι] (of Thebes, its walls) **with seven gates** Hom. Hes. Pi. B. Trag.; (periphr., of a kingdom, ref. to Thebes) E.
ἑπτά-πυργος ον *adj.* [πύργος] (of a land, ref. to Thebes) **with seven towers** (meton. for gates) E.

ἔπταρον (aor.2): see πτάρνυμαι

ἑπτά-στομος ον *adj.* [στόμα] (of the city, walls or gates of Thebes) **with seven openings** E.

ἑπτα-τειχής ές *adj.* [τεῖχος] (of exits, ref. to the gates of Thebes) **seven in the walls, seven** A.

ἕπτατο (3sg.athem.aor.): see πέτομαι

ἑπτά-τονος ον *adj.* [τόνος] (of the lyre, its voice) **seven-toned** B. Ion E.

ἑπτά-φθογγος ον *adj.* [φθόγγος] (of the lyre) **seven-voiced** E.

ἑπτά-φυλλος ον *adj.* [φύλλον] (of a cabbage) **seven-leafed** Hippon.

ἕπταχα *adv.* **into seven parts** —*ref. to dividing sthg.* Od.

ἑπτά-χους ουν *adj.* [χοῦς¹] (of a water-clock) **holding seven khoes** (about 22 litres) Arist.

ἑπτετηρίς ίδος *f.* [ἑπταετής] festival held every seventh year (counting inclusively, i.e. every six years), **six-yearly festival** Arist.

ἑπτέτης Att.*adj.*: see ἑπταετής

ἑπτ-ήρης ου *f.* [ἐρέσσω] **seven-rowed ship** (w. three banks of oars, and rowers seated in groups of seven, so that two levels of oars had two men per oar and one level had three) Plb.

ἑπτ-ορόγυιος ον Aeol.*adj.* [ὄργυια] (hyperbol., of a person's feet) **seven fathoms long** Sapph.

ἔπυδρος Ion.*adj.*: see ἔφυδρος

ἐπυθόμην (aor.2 mid.): see πυνθάνομαι

ἐπύλλια ων *n.pl.* [dimin. ἔπος] (sts. derog.) **little passages of verse, verselets** (by Euripides) Ar.

ἕπω *vb.* **attend to, look after** —*one's armour* Il. | For the vb. in tm. see ἀμφέπω, ἐφέπω, μεθέπω, περιέπω. | Not reltd. ἕπομαι.

ἐπ-ωβελία ᾶς *f.* [ὀβελός] (leg.) **fine of an obol per drachma** (i.e. one sixth, of a sum claimed in litigation, sts. payable by an unsuccessful plaintiff to the winning party) Att.orats.; (imposed on a defaulting debtor as a form of interest) Pl.

ἐπῳδή *f.*: see ἐπαοιδή

ἐπῳδός οῦ Att.m. [ἐπᾴδω] **1** one who deals in spells, **enchanter, charmer, sorcerer** E. Pl.; **one who casts a spell against** or **charms away** (W.GEN. winds, fears) A. Pl. ‖ ADJ. (of words) **casting a spell** (for the purpose of persuasion) Pl.
2 (of a landmark, ref. to its name) perh. **conjuring up** (W.GEN. the shape of a metamorphosed person) E.

ἐπ-ώδυνος ον *adj.* [ὀδύνη] (of wounds) **painful** Ar.

ἐπ-ῴζω *vb.* [ᾠόν] (of a mother-bird) sit over her eggs; (fig., of a mourning mother, sitting at a tomb) **brood over** —W.DAT. *her dead children* A.*fr.*

ἐπ-ωθέω contr.*vb.* **1 thrust on top** (of someone) —*a crag* hHom.(tm.)
2 push (a person) Plu.; **thrust** —*a spear* Plu.

ἐπ-ωλένιος ον *adj.* [ὠλένη] (quasi-advbl., of a child being carried) **in the arms** AR.

ἐπ-ωμάδιος ᾱ ον *adj.* [ὦμος] (of wings) **on the shoulders** Theoc.

ἐπωμαδόν *adv.* **on the shoulders** —*ref. to supporting sthg.* AR.

ἐπ-ωμίς ίδος *f.* joint where the shoulder meets the collar-bone; (gener.) **shoulder** E. Call. Plu.; **shoulder-blade** X.

ἐπώμοτος ον *adj.* [ἐπόμνυμι] **1** (of a person) **on oath** S.; **bound** (W.DAT. by oaths) S.
2 (of a god) **called as a witness to an oath** S.

ἐπωνύμασσαν (Aeol.3pl.aor.): see ἐπονομάζω

ἐπωνυμίᾱ ᾱς, Ion. **ἐπωνυμίη** ης *f.* [ἐπώνυμος] name that is given to indicate the nature, origin or associations of its bearer, **name, title** A. Hdt. Th. Ar. Att.orats. Pl. +; (advbl.acc.) ἐπωνυμίην *by name* Hdt.

ἐπωνύμιον ου *n.* **1 name, title** (of a goddess) Alc.(or Sapph.)
2 additional name, surname Plu.; (in Roman ctxt., equiv. to *cognomen*) Plu.

ἐπωνύμιος ᾱ ον *adj.* (of a city, a song) **named after** (W.GEN. someone or sthg.) Pi.

ἐπ-ώνυμος ον *adj.* [ὄνομα] **1** bearing a name given to indicate (an essential aspect of one's nature or an event w. which one is associated); (of a named person or place) **so named, with the name specially chosen** (for a reason stated or implied) Il. hHom. A. Emp. E.*fr.*
2 (of a name) given to indicate (the nature or associations of its bearer), **specially chosen** (for a reason stated or implied) Od. Hes.
3 bearing a name (indicating origin or associations) which is derived from an already existing name: (of a stream) **bearing one's name** A.; (of persons, places or things) **named after** (W.GEN. someone or sthg.) Hes.*fr.* Pi. Hdt. Trag. Pl. D. +; (w. ἐπί + GEN.) Hdt.; (W.DAT.) Pl. Plb.; (of a name) **derived** (W.GEN. fr. someone) E.; (gener., of a person) **celebrated because of** (W.GEN. an event) Plu.
4 (of a goddess) bearing a further name, **also called** (W.PREDIC.ADJ. such and such) Hdt.; (W.GEN. by many names) S.*fr.*
5 (of places) **named** (after someone or sthg.), **with local names** Plb. [or perh. *with distinctive epithets*]
6 named so as to reflect (one's nature or essential qualities); (of gods, persons) **truly named** A. E.; (W.GEN. after sthg.) E.; (in neg.phr., of a person's state of mind) **true to the name** (of mother) A.; (of a man, W.GEN. of maiden, i.e. girlish) A.; (of a device on a shield) **true in meaning** (for the bearer of the shield) A.; (of a name) **all too true** (to the nature of its bearer) A. S.
7 (of a god, a person) **giving one's name** (W.GEN. to a land, tribe, people) S. E. Lycurg. D.; (of an object, to a person) S.
8 ‖ MASC.SG.SB. (at Athens) hero whose name is given (to one of the ten tribes); **eponymous hero** (W.GEN. of a tribe) D. Arist. ‖ PL.SB. (collectv.) eponymous heroes (sts. ref. to their statues in the agora, in front of which official notices were displayed) Att.orats. Arist. Plb.; (W.GEN. of the tribes) Arist.
9 ‖ MASC.SG.SB. (at Athens) hero whose name is given (to one of forty-two year-groups of men, aged eighteen to sixty, as a way of marking eligibility for military service and certain public offices); **eponymous hero** (of a year-group) Arist. ‖ PL.SB. (collectv.) eponymous heroes (sts. W.GEN. of year-groups) Arist.; (phr.) ἐν τοῖς ἐπωνύμοις *involving the same year-group* (ref. to military service) Aeschin.

ἐπ-ωπάω contr.*vb.* [ὤψ] (of Hades, personif. Curse) **watch over, keep an eye on** —*human affairs* A.; (of Persuasion's eye) —*a person's speech* A.

ἐπωπή ῆς *f.* (pl.) **place for observation** (W.GEN. of an animal) A.

ἐπ-ωτίδες ων *f.pl.* [οὖς] ear-timbers (ends of a cross-beam projecting like ears on each side of a ship's prow, fr. which the anchors were hung when not in use), **cat-heads** E.; (strengthened on a warship, for ramming enemy ships) Th.

ἐπ-ωφελέω contr.*vb.* **help** —*someone* S. E. Ar. X. —W.DAT. S. E.(dub.); (intr.) S. Pl.

ἐπωφέλημα ατος *n.* **handout, offering** (W.GEN. of food) S.

ἐπῴχατο (ep.3pl.plpf.pass.): see ἐοίγω

ἔραζε *adv.* **1 to the ground** —*ref. to things falling, dripping or bending* Hom. Hes. Hellenist.poet.

2 **onto land** (opp. sea) AR.
3 **on the ground** Mosch.

ἔραμαι *mid.vb.* | irreg. 2 and 3sg. ἔρᾱσαι, ἔρᾱται (Theoc.) | dial.3sg.subj. ἔρᾱται | dial.opt. ἐραίμᾱν | impf. ἠράμην, dial. ἠράμᾱν, ep.2pl. ἐράασθε (Il.) | aor. ἠρασάμην, 3sg. ἠράσατο, also ep. ἠράσσατο, ἐράσσατο ‖ PASS. (w.mid.sens.): fut. ἐρασθήσομαι, aor. ἠράσθην |
1 **be in love** —W.GEN. *w. someone* Il. Sapph. Thgn. Theoc. Mosch.; (intr.) Theoc.
2 ‖ AOR. (sts. pass.) **fall in love** —W.GEN. *w. someone* Hom. Hes. Pi. Hdt. E. Isoc. +; (intr.) Archil. E. Ar. +; **develop a passion** —W.COGN.ACC. E.
3 **long for, desire** —W.GEN. *sthg.* Il. hHom. Thgn. A. Pi. Hdt. + —W.ACC. Alcm. Thgn. —W.INF. *to do sthg.* Anacr. Thgn. Scol. Pi. S. E. Ar.

ἐρανίζω *vb.* [ἔρανος] 1 **raise an interest-free loan** (fr. one's friends) Thphr. —w. παρά + DAT. *among friends* Pl.; (tr., gener.) **ask for, collect** —*honours* Aeschin. ‖ MID. **raise, collect** —*money for school-fees* (w. παρά + GEN. *fr. one's friends*) Plb
2 **contribute to an interest-free loan** —W.DAT. *for someone* Antipho; (fig., ref. to giving false testimony) **contribute one's services** —W.DAT. *to one's associates* D.

ἐρανικός ή όν *adj.* (of lawsuits) **concerning friendly loans** Arist.

ἐράνισις εως *f.* **raising of a friendly loan** Pl.

ἐρανιστής οῦ *m.* **member of a dining club** Arist.

ἐραννός ή (dial. ᾱ́) όν, Aeol. **ἔραννος** ᾱ ον *adj.* [ἔραμαι] (of places) **lovely, delightful** Hom. Hes.*fr.* Sapph. Ar. Theoc. Mosch.; (of water, the light of dawn) Simon. B.

ἔρανος ου *m.* 1 **meal to which one brings a contribution, communal dinner** Od. X.
2 (gener.) **feast** Pi. Call.
3 (specif.) **interest-free loan** (contributed by friends), **friendly loan** Ar. Att.orats. Pl. Thphr.
4 (fig.) **contribution** (ref. to tribute fr. allied states) Ar.; (made to the war effort by mothers, in the form of their sons) Ar.; (ref. to a speech at a dinner) Pl.; (gener., ref. to a service rendered or payment of a debt of gratitude) E. Th. Att.orats. Pl. Arist.
5 app. **enforced loan** (to the poor, imposed on the rich) Plb.; **charitable payment, dole** (fr. the state) Plu.

ἐρασί-μολπος ον *adj.* [ἔραμαι, μολπή] (of the Muse Thalia) **song-loving** Pi.

ἐρασι-πλόκαμος ον *adj.* (of a girl) **lovely-haired** Ibyc. Pi.

ἐρασι-χρήματος ον *adj.* [χρῆμα] **money-loving** X.

ἐράσμιος ον (Ion. η ον) *adj.* 1 (of persons, their attributes) **lovable, lovely** Semon. X. Plu.; (of youthfulness) Anacr.; (of beauty, sights) Pl.
2 (of a ruler) **beloved** (W.DAT. *by his city*) A.; (of a rustic poet, by his herds) Mosch.

ἐραστεύω *vb.* [ἐραστής] (of a poor man) **desire, long for** —W.GEN. *a marriage above his station* A.

ἐραστής οῦ *m.* [ἔραμαι] 1 (w. sexual connot.) **lover** or **passionate admirer** (sts. W.GEN. of a person, personal attributes) Ibyc. E. Th. Ar. Att.orats. Pl. +
2 (in political ctxt., of a city, a people) Th. Ar.; (of tyranny, monarchy) Hdt. Ar.; (of a way of thinking) S.; (of a state's policy) Plb.
3 (gener.) **one who is enamoured or desirous** (of sthg.); **lover** (of wars) E.; (of speeches) Pl.; (of someone's companionship or friendship) Ar. X.; (of political concord) Plu.; (of praise, honour, glory) Pl. X. Plu.; (of trouble, crime, hard work) Ar.; (of thought, knowledge, reality, truth, or sim.) Pl.; (of living) X.; (of achieving distinction, becoming a perfect citizen) Pl. X.
4 **one who is passionately eager** (W.GEN. *for children*) E.

ἐραστός ή όν *adj.* (of qualities) **lovable, desirable** Pl.

ἐρατεινός ή όν *adj.* (of women) **lovely, delightful** Hom. Hes. hHom.; (in neg.phr., of Polyphemos) Od.; (of manliness) Il.; (of places, rivers, their waters) Hom. hHom. Pi.; (of ambrosia, honey, a feast) Hom. Hes.*fr.* hHom. Pi.; (of a plaything) hHom.; (of sexual unions, festivities) Od. Thgn. Pi.*fr.*

ἐρατίζω *vb.* 1 (of a lion, a god) **have a passionate desire, be ravenous** —W.GEN. *for meat* Il. hHom.
2 (of Zeus) **be in love** (w. Hera) Call.

ἐρατός ή (dial. ᾱ́) όν *adj.* (of women, youths, their attributes) **lovely, delightful** Hes. Eleg. Lyr. A. E.; (of places, plants, natural phenomena) Hes. hHom. Eleg. Lyr. AR. Theoc.; (of the lyre, song, speech, sounds) Hes. hHom. Lyr. E. Ar. AR.; (of activities, accomplishments, circumstances) Il. Hes. Eleg. Lyr.
—**ἐρατόν** *neut.adv.* **delightfully** —*ref. to playing the lyre* hHom.

ἐρατύω *dial.vb.*: see ἐρητύω

Ἐρατώ οῦς *f.* **Erato** (one of the nine Muses, sts. specified as the Muse of poetry) Hes. Pl. Call. AR.

ἐρατ-ώνυμος ον *adj.* [ἐρατός, ὄνομα] (of Europa) **of lovely name** P.

ἐραυνάω *contr.vb.*: see ἐρευνάω

ἐράω[1], Ion. **ἐρέω** (Archil. Anacr.) *contr.vb.* [reltd. ἔραμαι] | impf. ἤρων, iteratv. ἐράεσκον (Hes.*fr.*) | only pres. and impf. | 1 **be in love** —W.GEN. *w. someone* Hes.*fr.* Thgn. Hdt. E. +; (intr.) Thgn. + —W.COGN.ACC. E. ‖ MASC.SG.PTCPL.SB. **lover** (opp. the beloved) Pl. X. ‖ PASS. **be loved** Hdt. + ‖ MASC.SG.PASS.PTCPL.SB. **beloved person** Pl. X.
2 **long for, desire** —W.GEN. *sthg.* Archil. Semon. Thgn. Trag. + —W.INF. *to do sthg.* Alcm. Trag. +

ἐράω[2] *contr.vb.* only in cpds. ἀπεράω, ἐξεράω

ἐργάζομαι *mid.vb.* [ἔργον] | impf. ἠργαζόμην, ep. ἐργαζόμην, later εἰργαζόμην | fut. ἐργάσομαι, dial. ἐργαξοῦμαι (Theoc.) | aor. ἠργασάμην, Ion. ἐργασάμην, dial. ἐργασάμᾱν, later εἰργασάμην | pf.mid.pass. εἴργασμαι, Ion. ἔργασμαι ‖ PASS.: fut. ἐργασθήσομαι | aor. ἠργάσθην ‖ neut.impers.vbl.adj. ἐργαστέον |
1 (intr.) **work** (at a task requiring physical effort, usu. w. the hands); **work, labour** Od. Hes. Thgn. Hdt. Th. +; (of bellows) **get to work** Il.
2 (tr.) **make, produce, create** —*objects, buildings* Pi. Hdt. Th. Ar. +; (of a poet) —*songs* Pi.; (of dishonest gains) **cause** —*misery* S. ‖ PASS. (of things) **be made or produced** A. Hdt. Th. +; (fig., of a person) —W.PREP.PHR. *fr. a rock* (*i.e. be hardhearted*) A.
3 **do** —W.COGN.ACC. *work* Hes. Hdt. X. Arist.; (gener.) **perform** —*actions, tasks* Hom. Hes. Hdt. Trag. Th. + ‖ PASS. (of things) **be done** Hdt. Trag. +; (of murder) **be committed** X.
4 **do** —W.DBL.ACC. *sthg.* (*good or bad*) *to someone or sthg.* Hdt. S. E. Th. Ar. + —W.ACC. + DAT. *sthg. to someone* Ar. ‖ PASS. (of things) **be done** —W.DAT. *to someone* S.; (of a person) **have** (W.ACC. *sthg. untoward*) **happen to one** E.
5 (leg., of a slave) **commit** —*an offence* Is. Hyp.
6 **work upon** (a material); (of a smith) **work** —*gold* Od.; (of a craftsman) —*timber and stones* X. ‖ PF.PASS.PTCPL.ADJ. (of stones) **worked, sculpted** Th.; (of precious metals) **wrought** Isoc.
7 **work upon** (so as to put to productive use); (of farmers) **work** —*land* Hes. Hdt. Th. Isoc. X.; (of fishermen) —*the sea* Hes. ‖ PASS. (of land) **be worked** X.

ἔργαθον

8 earn by working, **make** —*money* Thgn. Hdt. Ar. Pl. —*a livelihood* And.
9 work at, **practise** —*arts, crafts* Pl. X. —*justice, lawlessness* NT.
10 work at a trade or occupation; (gener.) **work, do business, make a living** D.; (specif.) **work** —w. ἐν + DAT. *in commerce, finance* D.; **do business** —w. ἐν + DAT. *in the market-place* D.; **engage in trade** —W.PREP.PHR. *by sea* D.; (of prostitutes) **ply one's trade, make a living** (sts. W.DAT. w. one's body, on the strength of one's physical attraction) D. Plb. Plu.

ἔργαθον (ep.aor.2): see εἴργω

ἐργαλεῖα, Ion. **ἐργαλήια**, ων *n.pl.* [ἔργον] **tools** (of a worker) Th. Pl. X. Plu.; **instruments** (of a doctor) Hdt.

ἐργάνη ης *f.* **worker, craftswoman** (ref. to memory) A.

ἐργασείω *vb.* [desiderativ. ἐργάζομαι] **intend to do** —*sthg.* S.

ἐργασίᾱ ᾱς, Ion. **ἐργασίη** ης *f.* [ἐργάζομαι] **1** work (as an activity); **work, labour, occupation** hHom. Isoc. Pl. X. +; **work** or **working** (W.GEN. of hammers) Call.; (wkr.sens.) **effort, trouble** (W.INF. to do sthg.) NT.
2 making, manufacture (usu. W.GEN. of things) Pl. X.; **production** (of pleasure) Pl.
3 work involved in manufacture; **work** (W.GEN. on a wall) Th.; **workmanship** (of a statue, cloak, cuirass) Th. Plu.; (concr.) **product** (of someone's hand, ref. to a wall) Pi.
4 working, shaping (W.GEN. of metals) Hdt. Pl.
5 working (W.GEN. of land) Ar. Isoc.; (of mines) Th. Hyp.
6 business, trade, profession Pl. X. D. Arist. Thphr. +; (ref. to prostitution) Hdt. Aeschin. D.
7 employment that brings in an income, work, business X. Hyp. NT.
8 making (W.GEN. of money) Arist.
9 gain, profit NT. || PL. **earnings** Isoc. D.

ἐργάσιμος ον *adj.* (of stone) **that can be worked** Alc.; (of mines) **workable** or **working** Arist.; (of land) **cultivable** or **cultivated** Pl. X.

ἐργαστέος ᾱ ον *vbl.adj.* (of tasks) **to be performed** X.

ἐργαστήρ ῆρος *f.* **worker, labourer** (on a farm) X.

ἐργαστηριακός ή όν *adj.* (of people) **of the labouring class** Plb.

ἐργαστήριον ου *n.* **1 place of work or manufacture, workshop, factory** Hdt. Att.orats. Plu.
2 place where goods are sold or services offered, **shop** Ar. Att.orats. Plu.
3 (fig., ref. to a city engaged in making and selling arms) **workshop** (W.GEN. of war) X.
4 place where prostitutes work, **brothel** D.
5 place of punitive forced labour; (fig., in voc., as pejor. address to a slave) **jail-bird** Men.
6 group of workmen; (pejor.) **gang** (W.GEN. of villains, informers, fellow conspirators) D.

ἐργαστικός ή όν *adj.* **1** (of a person) of the kind that works hard, **industrious** X. || MASC.PL.SB. **working men** Plb.
2 (of an art) **concerned with the manufacture** (W.GEN. of sthg.) Pl.
3 (of organs of the body) **concerned with the processing** (W.GEN. of food) Arist.

ἐργάτης ου, dial. **ἐργάτᾱς** ᾱ *m.* [ἔργον] **1 worker, workman** Pl. X. Arist. Men. Call. +; (appos.w. ἀνήρ) D.
2 || ADJ. (of a person) **hard-working, industrious** Ar. Pl. X.
3 one who works on the land, **workman, labourer** E. X. D. Men. NT.; **tiller** (W.GEN. of the soil) Hdt. Plu.; (gener.) **peasant** (ref. to a herdsman) S.; (appos.w. ἀνήρ, λεώς) *labouring man* or *folk* Ar. Theoc.; (appos.w. βοῦς) *working ox* Archil. Plb. Plu.

4 creator (of a song, ref. to a poet) E.; **instigator** (W.GEN. of a contest) S.*satyr.fr.*
5 practitioner (of an art) Isoc.; (W.GEN. of a craft or occupation) X.
6 (gener.) **doer** (of a deed) S.; (W.GEN. of fine deeds) X.; (of wrong) NT.

—**ἐργάτις** ιδος *f.* **1 woman who works for hire, hireling** (ref. to a prostitute) Archil.; (in neg.phr., ref. to a Muse) Pi. Call.
2 || ADJ. (of women) **industrious** Hdt.; (of a hand) **active** S.

ἐργατικός ή όν *adj.* **1** (of a person, a class) of the kind that works, **working** Pl. Plu.
2 (of persons) **hard-working** Pl. Plu.
3 (of a river) **active** (opp. sluggish) Hdt.

—**ἐργατικῶς** *adv.* **productively, advantageously** (w. πρός + ACC. for some purpose) Plu.

ἐργατίνης ου, dial. **ἐργατίνᾱς** ᾱ *m.* **workman, labourer** AR. Theoc.; (appos.w. ἀνήρ) Theoc.; (w. βοῦς) *working ox* AR.

ἐργάτις *f.*: see under ἐργάτης

ἔργμα *n.*: see εἶργμα

ἔργμα ατος *n.* [ῥέζω] **deed, action** Hes. hHom. Eleg. Pi. B. Trag. +

ἐργμένος (ep.pf.pass.ptcpl.): see εἴργω

ἐργο-δότης ου *m.* [ἔργον, δίδωμι] **one who gives out work; one who places a commission** or **contract** (for the services of an artisan) X.

ἐργολαβέω *contr.vb.* [ἐργολάβος] **1 take on work**; (of an artisan) **contract for** —*statues, a wall* X. Plu.
2 (pejor., of sophists, orators, politicians) **sell one's services** Aeschin. D. —W.DAT. *to someone* D.; **pursue personal profit** Aeschin. D. Plb.(dub.)

ἐργολαβίᾱ ᾱς *f.* **commission, contract** (for the composition of a speech) Isoc.; (for building works) Plu.

ἐργο-λάβος ου *m.* [ἔργον, λαμβάνω] **one who takes on work, contractor** Pl. Thphr. Plu.; (W.GEN. for a statue) Plu.

ἔργον ου *n.* [reltd. ἔρδω] **1** that which is done or performed, **deed, act, achievement** Hom. +; (opp. word or speech) Hom. +
2 work in progress, work, task Hom. +; (esp. of women, ref. to their occupations or crafts) Hom. +
3 activity of working, work Hom. +
4 work of a particular kind (usu.pl., defined by GEN. or ADJ.); **work, action, activity** (of fighting, feasting, lovemaking, seafaring, fishing, or sim.) Hom. +
5 (ref. to warfare, without defining wd.) **action** Il. A. Hdt. Th.
6 (gener.) **thing, matter, affair** Hom. +
7 appropriate work, task, job, function (W.GEN. or POSSESSV.ADJ. of persons or things) A. Hdt. Th. Ar. Pl.; (W.POSSESSV.ADJ. + INF. of someone, to do sthg.) A.
8 appropriate or useful employment, need or **use** (W.GEN. for sthg.) E. Pl.; (neg.phr., ref. to an action which is out of place) οὐκ (or οὐδέν or sim.) ἔργον (w. ἐστί, sts. understd.) *there is no need or use* (W.GEN. *for sthg.*) B.*fr.* Hdt. S. E. Ar.; *there is no point* (W.INF. *in doing sthg.*) S. Ar.
9 hard work or **difficult task**; (phr.) ἔργον (w. ἐστί, freq. understd.) *it is a difficult task* (W.INF. *to do sthg.*) X. D. Arist. Thphr. Men.
10 (concr.) **work, handiwork** (sts. W.GEN. of a specified maker) Hom. Hes. A. Hdt. X. Theoc.; (ref. to buildings or architecture) Hdt. Ar.
11 || PL. **tilled fields** or **farmland** Hom. Hes. Eleg. Hdt. X. Call. Theoc.
12 || PL. **mine-workings** X. Is. D.
13 || PL. **siege-works** Plb.
14 income, profit (W.GEN. on money, loaned at interest) Is. D. || PL. **profits** D.

ἔργω *Ion.vb.*: see εἴργω
ἐργώδης ες *adj.* [ἔργον] **1** (of persons, enemies) **troublesome, annoying** Men. Plu.; (of a sickness) Plu. **2** (of things) **troublesome, laborious, difficult** Isoc. X. Arist. Men. Plu.
ἐργωνία ᾱς *f.* [ὠνέομαι] purchase of a contract, **contract** Plb.
ἔρδω *dial.vb.* [reltd. ἔργον, ῥέζω] | impf. ἔρδον, also ἔερδον (Scl.) | iteratv.impf. ἔρδεσκον | fut. ἔρξω | aor. ἔρξα | pf. ἔοργα | 3sg.plpf. ἐώργει (Od.), Ion. ἐόργεε || PASS.: aor.ptcpl. ἐρχθείς (B.) | pf.ptcpl. ἐργμένος (B.) |
1 (intr.) **act** (sts. opp. πάσχω *suffer*) Il. Thgn. A. Pi. B. S. —W.ADV. *in a certain way* Hom. Hes. Eleg. Pi. B. E. AR.
2 do, perform, accomplish —*sthg.* (esp. *good or bad deeds*) Hom. Hes. Eleg. Lyr. Hdt. Trag.; **practise** —*a craft* Ar. ‖ PASS. (of a deed) be done —W.ADV. *well* B.
3 do —W.DBL.ACC. *sthg.* (esp. *good or bad*) *to someone* Hom. Hes. Semon. A. Hdt. —W.ACC. + DAT.PERS. Od.
4 behave or act towards, **treat** —*someone* (W.ADV. *well, badly*) Il. Iamb. Thgn. B. Hdt. E. Theoc.
5 create or effect (sthg.); **cause** —*sufferings* A.; **render** —*help* S.; **make** —*drugs* (W.PREDIC.ADJ. *more potent*) Theoc.
6 perform —*a sacrifice* Hom. Hes. A. Hdt.; **offer** —*sacrificial animals* Hom.; (intr.) **sacrifice** Hes. hHom. ‖ PASS. (of a sacrifice) be performed Pi. Hdt.
ἐρεβεννός ή όν *adj.* [Ἔρεβος] (of night, clouds, air) **dark, murky, gloomy** Il. Hes.
ἐρέβινθος ου *m.* **chickpea** Il. Sapph. Ar. Philox.Leuc. Pl. Plu.; (as the exemplar of sthg. worthless) Ar.; (collectv.sg.) Ar.; (colloq., ref. to a penis) Ar.
ἐρεβο-διφάω *contr.vb.* [Ἔρεβος] (of philosophy students) grope about in Erebos, **search the nether darkness** (w. their minds) —W.PREP.PHR. *beneath Tartaros* Ar.
Ἔρεβος ους (Ion. ευς) *n.* | ep.gen.dat. Ἐρέβεσφιν, also Ἐρέβευσφι | **1 Erebos** (child or sibling of primordial Khaos, the region of nether darkness, freq. contrasted w. the region of light above the earth, sts. indistinguishable fr. Tartaros or Hades) Hom. Hes. Thgn. S. E. Ar. AR.
2 nether darkness (beneath the surface of the sea) S.
—**Ἐρεβόθεν** *adv.* **from Erebos** E.
—**Ἐρεβόσδε** *adv.* **to Erebos** Od.
ἐρεβώδης ες, gen. εος *dial.masc.fem.adj.* (of the sea) **dark as the nether world** Lyr.adesp.
ἐρεείνω *ep.vb.* [reltd. ἔρομαι] **1** make an inquiry; **inquire, ask** Od. hHom. AR. —W.DIR.SP. *sthg.* Il. —W.INDIR.Q. *what is the case* AR.; (mid.) —W.DIR.SP. *sthg.* Od.
2 inquire about —*sthg.* Hom. hHom. AR. Theoc.
3 inquire of, question —*someone* Hom. hHom. AR. —W.DBL.ACC. *someone, about sthg. or someone* Od. AR.
4 search (for someone) AR.
ἐρεθίζω *vb.* | impf. ἠρέθιζον, ep. ἐρέθιζον | fut. ἐρεθιῶ (Plb.) | aor. ἠρέθισα | pf. ἠρέθικα || PASS.: aor. ἠρεθίσθην | pf. ἠρέθισμαι ‖ neut.impers.vbl.adj. ἐρεθιστέον | **1** stir to anger or annoyance, **provoke, anger, irritate** —*persons, gods, animals* Hom. Hdt. S. Ar. Pl. X. +; (of a lion) **harass** —*men and dogs* Il.; (of a commander, troops) —*an enemy* Plb. Plu.; (of a boxer) **challenge** —*an opponent* Theoc. ‖ PASS. (of persons, animals, insects) be provoked Hdt. Ar. X. Men.
2 (medic.) **irritate** —*diseases* (W.DAT. or PTCPL. *by using drugs*) Pl. ‖ PASS. (of ulcers) be irritated or inflamed —W.PREP.PHR. *by treatment* Plb.
3 stir to action; perh. **provoke, prompt** —*someone* (*into making disclosures or inquiries*) Od.; **incite** —*persons* (*to do sthg.*) Plb.; (of a leader) **urge on** —*stragglers* E.; (of a charioteer) —*horses* E.; (of a musician) **stir up, rouse** —*a* *sound fr. a musical instrument* Telest. ‖ PASS. (of a person) be stirred or incited (to a song or passion) Pi.*fr.* Theoc.; (of passionate feelings) be provoked Pl.; (of a spark) be excited —W.DAT. *by a fan* Ar.
4 (gener., of fear) **agitate, disturb** —*someone's mind* A. ‖ PASS. (of the sky) be shaken or convulsed —W.DAT. *by thunder and storm-winds* A.; (of a person's breathing) be agitated E.; (wkr.sens., of a person) be stirred (in one's feelings) Mosch.
ἐρεθίσματα των *n.pl.* **stirring, rousing** (W.GEN. of choruses, in competition w. each other) Ar.
ἐρέθω *vb.* [reltd. ἐρεθίζω] | iteratv.impf. ἐρέθεσκον |
1 provoke, anger, irritate —*a person* Il.
2 (of sorrows, troubles, dreams) **disturb, torment** —*a person, the heart* Od. AR.
3 stir to passion, **inflame** —*Aphrodite* (*through poetry*) Mosch.
4 start up —*speech* Theoc.(dub.)
ἐρείδω *vb.* | impf. ἤρειδον, ep. ἔρειδον | aor. ἤρεισα, ep. ἔρεισα, Boeot. εἴρισα ‖ MID.: aor. ἠρεισάμην, ep. ἐρεισάμην ‖ MID.PASS.: ep.3pl.pf. ἐρήρεινται, Ion. ἐρηρέδαται, Ion.pf.ptcpl. ἐρηρεισμένος (Hdt.) | plpf.: ep.3sg. ἠρήρειστο, 3pl. ἠρήρειντο, Ion. ἐρηρέδατο ‖ PASS.: ep.aor. ἐρείσθην
| The sections are grouped as: (1–8) press, push or thrust, (9–11) place persons or things in a position where they are supported, (12–15) provide support, (16) fix securely, (17) gener., bring one thing into contact w. another. |
1 apply pressure or force (to sthg.); **press upon** —*a shield* (W.DAT. w. *spears*) Il.; (of a warrior, his shield and helmet) —*a warrior* (*standing next in a line of troops*), *his shield and helmet* Il.; (of a combatant) **press hard** —*an opponent* Pi. ‖ PASS. (of a warrior, struck by a weapon) be pressed or forced —W.DAT. *to the ground* Il.; (of a wrestler's knee) —*into the dust* A.; (of supporting slats, into holes in a tortoise-shell lyre) S.*Ichn.*; (of a person) be hard pressed —W.DAT. *by shipwreck* (*fig.ref. to exile*) Pi.
2 press (sthg., against sthg. else); **press** —*one's side* (*against someone, to support him*) S. —*one's knee* (W.PREP.PHR. *against someone's back*) Plu.; (of a warrior) —*one's shield* (w. ἐπί + GEN. *against a comrade's shield*) Tyrt.
3 press (sthg.) downwards; **press** —*one's knees, arms, chest* (W.DAT. *against the ground*) hHom. AR. —*a corpse* (*onto a stake*) E.; **force** —*a horse's legs and haunches* (W.PREP.PHR. *to the ground*) Pl.; **hurl down** —*a stone* (W.PREP.PHR. *fr. above, so as to shatter it*) Corinn. ‖ STATV.PLPF.MID.PASS. (w.impf.sens., of earth-born warriors, likened to plants) be drooping down —W.ADV. *towards the ground* AR.; (of rocks) become submerged (beneath towering waves) AR.
4 press, thrust —*a sword* (W.DAT. *into one's side*) S.; **press home** —*a sword* Plu. —*a sword-stroke* E.; (fig.) **bring to bear, hurl** —*words, strings of lyrics* (*envisaged as weapons, sts.* W.PREP.PHR. *against persons*) Ar.; (mid., of two opponents) —*insult* (W.PREP.PHR. *against insult*) Ar. [or perh. intr., *fight it out* —W.ADVBL.PHR. *insult for insult*]
5 ‖ MID. and AOR.PASS. (w.mid.sens., intr., of a thrower, wrestler, person turning a stake) apply all one's weight, strength or pressure, **press** or **strain hard** Hom.; (of bulls, made by Hephaistos) **press on the ground** —W.DAT. w. *their hooves* AR. ‖ PLPF.MID.PASS. (w.impf.sens., of a spear, an arrow) force a way —W.PREP.PHR. *through a cuirass* Il.
6 (intr., of comic poets) **press home an attack** —w. εἰς + ACC. *against a politician* Ar.; (of sickness) **press** (threateningly, upon health) A.; (of a storm-cloud, a gale) **threaten** —W.PREP.PHR. *land* Plu.

ἐρείκη

7 press hard, **vigorously fuck** —*a woman* Ar. ‖ PASS. (of a woman) be vigorously fucked Ar.
8 (intr., of an animal) deal vigorously with one's food, **chomp away** Ar.
9 place (someone or sthg., against sthg.) for support; **lean, prop, rest** —*an object* (W.PREP.PHR. *against a wall, a pillar*) Hom. —*persons* (*against other persons, an altar*) E. Theoc. —*corpses* (W.DAT. *against each other*) Od.; **prop up** —*one's helmet* AR.
10 ‖ STATV.PF. and PLPF.PASS. (of stones) stand propped (against a stump) Il.; (of chairs) stand ranged —W.PREP.PHR. *along a wall* Od.
11 place (sthg., on sthg.) for support; **support, rest** —*a part of the body* (W.PREP.PHR. *on an object, the ground, foliage*) Hdt. E. Pl. AR.; (of a soldier) —*his shield* (*app., on his shoulder*) E. ‖ MID. **rest** —*one's cheek* (W.PREP.PHR. *on one's hand*) AR. —*one's hand* (*on someone's shoulder*) Call.; (of a dragon) —*its jaw* (*on the ground*) AR.
12 give support (to sthg.); (of Atlas) **support** —*the pillar* (*or pillars*) *of heaven and earth* (W.DAT. *on his shoulders*) A.; (of piles) —*a bridge* Plu.
13 cause (sthg.) to act as support; **use** (W.ACC. one's forearm) **as support** (for one's head) E.
14 ‖ MID. and AOR.PASS. (w.mid.sens.) **prop** or **support oneself** —W.DAT. or ἐπί + GEN. *upon a sceptre, staff, spear* Hom. E. AR. —*on the ground* Hes. —W.GEN. *on the ground* (W.DAT. *w. one's hand*) Il. —w. εἰς + ACC. *on one knee* Plu.
15 ‖ PASS. (of a beam) be supported —W.PREP.PHR. *by columns* Pi. ‖ STATV.PF.MID.PASS. (of bronze figures) rest or be supported —W.DAT. *on their knees* Hdt.; (of horses' manes) rest —W.DAT. *on the ground* Il.
16 place or fix (sthg.) securely; **plant, secure** —*an anchor* (W.DAT. *on the sea bed*) Pi. —*philosophical teachings* (W.PREP.PHR. *deep in one's understanding*) Emp.; **fasten** —*rafts* (*to land*) Plb.; (fig.) **fix** —*one's eyes* (W.PREP.PHR. *on the ground*) E. AR.; (intr., of a ship's prow) **stick fast** (on a shore) NT. ‖ MID. (of soldiers killed abroad) app. **fix firm, plant** —*one's homecoming* (W.PREP.PHR. *at the place where they were cremated*) Pi. ‖ PASS. (of the foundations of Justice) be firmly established A. ‖ STATV.PLPF.MID.PASS. (of rocks at sea, a stone in a temple) stand firmly fixed AR.; (of darkness, perh. envisaged as a wall) —W.ADV. *all around* AR.
17 (wkr.sens.) **press, push** —*a pitcher* (W.PREP.PHR. *into a stream*) AR. —*one's lips* (*into wine-lees*) Theoc. —*one's mouth* (*to a reed pipe*) Mosch.; (of a person stretched out on the shore) —*one's feet* (*into the sea*) AR.; **apply** —*one's mind* Theoc.
18 perh. **bring** —*a lamb* Theoc. [or perh. *put down as a wager*]

ἐρείκη ης *f.* **heather** A. Call. Theoc.(pl.)

ἐρείκω *vb.* | impf. ἤρεικον, poet. ἔρεικον | aor.2 ἤρικον | **1** (of ploughmen) **rend, break open** —*the earth* Hes.; (of mourners) **tear** —*their clothes* A. Tim.; (intr.) **cause a split** or **tear** Pl. ‖ PASS. (of a cuirass) be split or torn open Il. Tyrt.; (of a rocky field, by ploughing) AR.
2 (intr., aor.2, of a helmet) **be split open** Il.
3 (of winds) **shatter, smash** —*ships* (W.PREP.PHR. *against one another*) A. ‖ PASS. (of bones) be shattered Pi.*fr.*

ἔρειο (mid.imperatv.), **ἐρείομεν** (1pl.subj.): see ἐρέω¹

ἐρείπια ων *n.pl.* [ἐρείπω] **1 ruins** (of buildings, cities) Hdt. E. Plu.; **wreckage** (of ships) A. E.; **tattered remnants** (W.GEN. of clothing) E.; (periphr., W.GEN. νεκρῶν) *fallen corpses* S.
2 SG. fallen building, ruin Arist.

ἐρείπω *vb.* | impf. ἤρειπον, ep. ἔρειπον | fut. ἐρείψω | aor. ἤρειψα (Plu.) | aor.2 ἤριπον, ep. ἔριπον ‖ PASS.: aor.1 ptcpl. ἐρειφθείς (S.), aor.2 ptcpl. ἐριπείς (Pi.) | plpf.: 3sg. ἐρήριπτο (Plu., cj.), ep. ἐρήριπτο |
1 throw down, cast in ruins, demolish —*battlements, walls* Il. Hdt. X. —*banks of a ditch* (W.DAT. *w. one's feet*) Il. —*a city* S. E.*fr.* —*mountains* Ar.(cj.); (of an earthquake) —*houses* Plu. ‖ PASS. (of structures) be demolished Il. Plb. Plu.
2 (fig., of a god) **strike down, bring low** —*a family* S.; (of stormy weather) **make prostrate** —*a person* (W.DAT. *w. fear*) Simon.; (of rulers) **ruin, wreck** —*their people* (W.DAT. *w. feuds*) B.
3 (intr., aor.2, of persons, animals, trees) **collapse, fall** Hom. Hes. Archil. AR.; (of a star) —W.PREP.PHR. *into the sea* Theoc.
4 ‖ PASS. (of a person) be laid low, fall (in battle) Pi.; fall as a ruined wreck S.
5 ‖ PASS. (of Earth) be fallen upon (by Ouranos) Hes.
6 ‖ PASS. (of thunder) be hurled down S.

ἔρεισμα ατος *n.* [ἐρείδω] **1 support** (afforded by a staff) E.
2 ‖ PL. (concr.) **supports, props** (for a house, a wall) Pl. Plb.; (for a boat, to keep it upright on shore) Theoc.; (ref. to ropes, attaching a person to a pillar) E.; (ref. to hands and knees, for persons slipping on ice) Plb.; (W.GEN. for the hand, ref. to staffs) E.
3 (fig.) **support, prop, mainstay** (W.GEN. of a city, ref. to a ruler, a sacred area) Pi. S.; (of Greece, ref. to Athens) Pi.*fr.* Isoc.; (of a people, ref. to a mountain) E.; (of all things, ref. to Pan) Lyr.adesp.; (gener., ref. to an all-important person or circumstance) Plu.

ἐρείψιμος ον *adj.* [ἐρείπω] (of a building) **falling in ruins** E.

ἐρειψι-πύλᾱς ᾱ *dial.masc.adj.* [πύλαι] (of Herakles) **gate-wrecking** B.

ἐρειψί-πυργος ον *adj.* [πύργος] (of warriors) **tower-wrecking** B.

ἐρειψί-τοιχος ον *adj.* [τοῖχος] (of rival brothers) **smashing down the walls** (W.GEN. of their house) A.

ἐρεμνός ή (dial. ά) όν *adj.* [ἔρεβος] **1** (of night, evening) **dark** Od. Hes. Stesich. AR.; (of the underworld) Od. E.; (of the earth) hHom. AR.; (of blood) A. S.; (of a storm-wind; fig., of love, likened to a storm-wind) Il. Ibyc.; (of Zeus' aigis) Il. Hes.; (of wings, a cloak) AR.; (of a garland, W.DAT. *w. roses*) B.
2 (fig., of talk) spread in the dark, **hidden, secret** S.

ἔρεξα (ep.aor.): see ῥέζω

ἐρέοντο (ep.3pl.impf.mid.): see ἐρέω¹

ἐρεοῦς ᾶ οῦν *Att.adj.* [ἔριον] (of a warm or weatherproof layer of clothing) **made of wool, woollen** Pl.

ἐρέπτομαι *mid.vb.* | only ptcpl. | (of animals) **feed on, devour** —*plants, grain* Hom. hHom.; (of fishes) —*the fat of a corpse* Il.; (of persons) —*the lotus plant* Od.; (of a greedy person) —*the food of rich men* Ar.

ἐρέπτω *vb.*: see ἐρέφω

ἐρέριπτο (ep.3sg.plpf.pass.): see ἐρείπω

ἐρέσθαι (aor.2 mid.inf.): see ἔρομαι

ἐρέσσω *vb.* [ἐρέτης] | impf. ἤρεσσον, ep. ἔρεσσον | ep.aor. ἤρεσα | **1 row** (a ship) Hom. S. AR.; (fig., of a nautilus, w. its feet) Call.*epigr.* ‖ PASS. (of a ship) be rowed A. AR. Plu.
2 (fig., of a bird, an Erinys) **row**, ply the air, propel oneself (sts. W.DAT. *w. wings*) S. ‖ MID. (of birds) **row** —W.DAT. *w. the oars of their wings* A. ‖ PASS. (of Io, as a cow) be propelled —W.DAT. *by a gadfly* A.
3 (fig.) put (sthg.) in repeated motion; **ply** —*one's foot* (i.e. steps) E.; (of mourners) —*the beat of hands to one's head* A.; (intr.) **beat** A.
4 put into effect, **ply** —*threats, a plan* S.
5 ‖ PASS. (of a bow) be handled S.

ἐρεσχηλέω *contr.vb.* (of persons) **mock, tease** Pl. —*someone* Pl.; (fig., of a difficult argument) —W.DAT. *persons* Pl.

ἐρέτης ου *m.* **rower** Hom. A. Hdt. E.*fr.* Th. Ar. +
ἐρετικός ή όν *adj.* (of crews) **of rowers** Plu. ‖ FEM.SB. **art of the rower** Pl.
ἐρετμόν οῦ *n.* **oar** Hom. A. Pi. Hdt.(oracle) E. Hellenist.poet.
ἐρετμόω *contr.vb.* (of a pine tree) **furnish with oars** —*rowers' hands* E.
ἐρεύγομαι *mid.vb.* | *act.aor.2* ἤρυγον, *inf.* ἐρυγεῖν | **1** (of a person) **belch** Od. Thphr.
2 (of Charybdis) **spew out waters** —W.ADV. *terrifyingly* AR.; (tr., of wolves which have eaten flesh) **spew out** —*blood* Il.; (of infernal rivers) —*darkness* Pi.*fr.*
3 (of liquids) **be forcibly ejected**; (of seawater) **spew** —W.ADV. *out (fr. the sea, into a river's mouth)* Il.; (of streams of fire) **spew out** (fr. a volcano) Pi.; (of waves) —W.PREP.PHR. or ADV. *onto dry land* Od.; (of a river) —W.PREP.PHR. *into the sea* Alc. AR.; (gener., of seawater) **surge** AR.
4 (of a bull, a wounded warrior compared to a bull) **bellow** Il.; (of a wounded warrior) AR.; (of the throat of Herakles) Theoc.
5 (of a river) **roar** (W.ADV. terrifyingly) **when disgorged** (into the sea) AR.
6 (of a person) **utter, proclaim** —*secrets* NT.
ἐρευθέδανον ου *n.* [ἐρεύθω] **a kind of plant (and the reddish pigment obtained fr. its roots), madder** Hdt.
ἐρευθήεις εσσα εν *adj.* (of a cloak) **deep red** AR.
ἔρευθος εος *n.* **1 redness** (of a cloak) AR.
2 red flush or **blush** (on a person's flesh) Call. AR.; **rosy complexion** Mosch.
ἐρεύθω *vb.* [reltd. ἐρυθρός] | *aor.inf.* ἐρεῦσαι | **1** (of slain warriors) **make red, redden** —*the earth* (sts. W.DAT. *w. blood*) Il.; (intr., of the earth) **become red** —W.DAT. *w. blood* B. ‖ PASS. (of a river) be reddened —W.DAT. *w. blood* B.(cj.); (of sacrificial altars) Theoc.
2 ‖ MID.PASS. (of apples) **become red, redden** Sapph. Theoc.; (of the rising sun) AR.; (of a star) AR.
3 ‖ MID.PASS. (of a person) **redden** —W.ACC. *on the flesh* (i.e. *blush*) Theoc.; **be flushed** —W.DAT. *w. grace and beauty* AR.
ἔρευνα ης *f.* [ἐρευνάω] **search, investigation, inquiry** S. E.
ἐρευνάω (also **ἐραυνάω** NT.) *contr.vb.* | *impf.* ἠρεύνων | *fut.* ἐρευνήσω, *dial.* ἐρευνάσω | *dial.aor.* ἐρεύνασα |
1 (of persons, gods) **search for** —*persons, things* Od. hHom. Thgn. Pi.*fr.* Trag. Pl. +; (of hounds) —*tracks* Od.; (intr.) **search** (for sthg.) Il. Pi. Pl. Plb. ‖ PASS. (of things) be searched for Pl. X.
2 search, explore —*places* Pi. Hdt. E. Theoc. +; (intr.) **make a search** (of a person, a ship) E. Antipho
3 investigate, examine —*persons, their behaviour* Pl. Plb. —*the nature of everything* Pl.(mid.) —*the Scriptures* NT.; (intr.) **make investigations** Pl.
4 seek knowledge of, inquire about —*a story* E. —*causes of things, the difference betw. things* Pl. Plb.; **inquire, ask** —W.NEUT.ACC. *about sthg.* E.*fr.* —W.INDIR.Q. *how sthg. happened or may be caused to happen* E. X.
5 discover by inquiring, search out —*the gods' plans* Pi.*fr.* —*the answer to a question in logic* Pl.; (intr.) **investigate, inquire** S. E.
6 seek, try —W.INF. *to do sthg.* Theoc.
ἐρέφω *vb.* —also **ἐρέπτω** *vb.* | *impf.* ἤρεφον, *ep.* ἔρεφον | *fut.* ἐρέψω | *aor.* ἤρεψα, *ep.* ἔρεψα ‖ PASS.: *aor.ptcpl.* ἐρεφθείς |
1 cover with a roof, roof over —*a building* Hom. Ar. D. —*a ship* (W.DAT. *w. shields*) AR.
2 cover with a garland (or other decoration); (of a person, god, wreath) **crown** —*a person, a people* (sts. W.DAT. *w. a garland*) Pi. B. —*a temple* (w. *skulls*) Pi. —*the rim and handles of a bowl* (w. *wool*) S. ‖ MID. **crown** —*one's hair, brows* (W.DAT. *w. a garland*) B. AR.; **crown oneself** —W.DAT. *w. ivy* E. ‖ PASS. be crowned —W.DAT. *w. garlands* B.
3 (of downy hair) **cover** —*a person's chin* Pi.
Ἐρεχθεύς έως (*ep.* ῆος, *dial.* έος) *m.* **Erekhtheus** (mythol. early king of Athens, cult figure worshipped on the Acropolis) Il. Hes.*fr.* Pi. Hdt. E. Th. +
—**Ἐρεχθεῖδαι** (also poet. **Ἐρεχθεΐδαι**) ῶν (*dial.* ᾶν) *m.pl.* **descendants of Erekhtheus** (ref. to the Athenians) Pi. S. E. D. AR. Plu.; (sg., as a form of address) Ar.(mock-oracle)
—**Ἐρεχθηΐς** ΐδος, *Att.* **Ἐρεχθῇς** ῇδος *f.* **1 Erekhtheis** (name of an Athenian tribe) Antipho D.
2 daughter of Erekhtheus AR. Plu.
ἐρέχθω *vb.* **subject to physical or mental distress**; (of a person) **tear** or **break** —*one's heart* (W.DAT. *w. tears, lamentations and sorrows*) Od. ‖ PASS. (of a person) **be racked** —W.DAT. *by pains* hHom.; (of a ship) be battered —W.DAT. *by winds* Il.
ἐρέψιμος η ον *adj.* [ἐρέφω] (of trees, i.e. timber) **for roofing over** (buildings) Pl.
ἔρεψις εως *f.* **roof covering, roofing** Plu.
ἐρέω[1] *ep.contr.vb.* [reltd. ἔρομαι] | 1pl.subj. ἐρείομεν ‖ MID.: *imperatv.* ἔρειο | 3pl.impf. ἐρέοντο | **1** (mid.) **make an inquiry, inquire, ask** Od.
2 (act. and mid.) **inquire about** —*sthg.* Hom.
3 (act. and mid.) **inquire of, question** —*someone* Hom.; **ask** —*someone* (W.INDIR.Q. *what or whether sthg. is the case*) Hom.
4 seek after, search for —*someone or sthg.* Od. AR.
ἐρέω[2] *Ion.fut.*: see εἴρω[2]
ἐρέω[3] *Ion.contr.vb.*: see ἐράω[1]
ἐρημάζω *vb.* [ἔρημος] | *iteratv.impf.* ἐρημάζεσκον | (of persons) **be away from others, be alone** Theoc.
ἐρημαῖος η ον *Ion.adj.* **1** (of young birds) **deserted, abandoned** AR.
2 (of places) **deserted** AR.; (of trees, sands) **isolated, lonely** Mosch.
3 ‖ FEM.SB. **deserted place** or **wilderness** AR.
ἐρημίᾱ ᾱς, *Ion.* **ἐρημίη** ης *f.* **1 solitary place, wilderness, wasteland** A. Ar.; **desert** Hdt.; (gener.) **deserted** or **isolated place** E. Pl. X. +
2 absence of persons (in a place or building), **lack of inhabitants** or **occupants** Th. Isoc. X.
3 state of solitude, solitude, isolation (of persons) E. Att.orats. Pl. +; **loneliness** (W.GEN. of a voyage) Hdt.
4 absence of friends or resources, friendlessness, isolation, desolate condition (of persons) S. E. Th. Att.orats. Pl. +
5 desolation (of a bereaved house) E.; (of a city captured in war) E.
6 (gener.) **absence, want, lack** (W.GEN. of persons or things) E. Th. Lys. Ar. Pl. +; **freedom, escape** (W.GEN. fr. miseries) E.
ἐρημο-νόμος ον *adj.* [νέμω] (of goddesses) **inhabiting a desert** AR.
ἐρημό-πολις *fem.adj.* [πόλις] | only nom. | (of a woman) **whose city is desolate** or **laid waste** E.
ἔρημος, *Att.* **ἐρῆμος**, η (*dial.* ᾱ) ον (also ος ον) *adj.* **1** (of places) **uninhabited, deserted, lonely** Od. A. Pi. Hdt. E. Th. + ‖ FEM.SB. **uninhabited land** or **desert** Hdt. ‖ NEUT.PL.SB. **desert parts** (sts. W.GEN. of a country) Hdt.
2 (of places) **abandoned, empty** Il. Pi. Hdt. E. Th. Ar. +; **destitute** (W.GEN. of people, ships) Hdt. S. E. Th. +
3 (of persons, animals) **alone, isolated** Pi. Trag. Th. +

4 (of a funeral) lacking the presence of persons, **unattended** E. ‖ FEM.PL.SB. unattended vines Ar.
5 (of persons) deprived of friends or resources, **isolated, friendless, desolate** Il. Trag. Th. Ar. Att.orats. +; **deserted** (w. πρός + GEN. by persons) S.; **deprived, destitute, bereft** (W.GEN. of persons or things) Hdt. S. E. Isoc. +; (of philosophy, envisaged as a young girl) **forsaken** (by those who shd. be attentive to her) Pl.
6 (of a house) **lacking an heir** Att.orats.
7 (gener., of places or things) being without, **lacking, free from** (W.GEN. persons or things) Hdt. Pl.
8 (leg., of a lawsuit or arbitration) from which one party is absent, **uncontested, going by default, forfeited** Th. Att.orats. ‖ FEM.SB. uncontested lawsuit Pl. D.
9 (leg., of an inheritance or sim.) **unclaimed** Is. Arist.
—**ἔρημα** neut.pl.adv. **in solitude** or **desolation** E.
ἐρημόω contr.vb. **1** leave (a place) desolate; **lay waste, ravage** —temples, a country Th. And. ‖ PASS. (of cities) be desolated or laid waste Th. Plu.
2 leave (a place) unoccupied (by loss of population); (of inhabitants) **evacuate** —a city Th. ‖ PASS. (of places) be depopulated or left unoccupied Hdt. Th. Lys. Isoc. X. NT. —W.GEN. by people Hdt.; (of a city) be left short (of men) Th.
3 (of an individual) cause (a place) to be unoccupied (by departure); **vacate, abandon, leave** —a place E. Pl. —a carriage A.; (of a dead person) —one's body E.; (of a dead soldier) —one's post A.; (of a felled tree) —the place where it grew Pi.
4 cause (someone) to be alone or isolated; **leave, abandon** —persons A.; **isolate, keep apart** —persons (fr. others) E.; leave (W.ACC. oneself) isolated (i.e. short of friends) Plu. ‖ PF.PASS. (of persons) be isolated or in the wilderness E.; be left destitute (of allies) X.
5 cause (someone or sthg.) to be deprived (of someone); (of war) **strip** —a house (W.GEN. of persons) Pi. ‖ PASS. (of persons, animals) be deserted or abandoned —W.GEN. by persons Hdt. E. Plu.; (of an army) be deprived —W.GEN. of the service of its cavalry Plb.; (of a throne) —of a ruler A.; (of things) —of protection X.
6 deprive —W.DBL.ACC. someone, of a part of his joy Pi.
7 cause (sthg.) to be free (of sthg.); **clear** —a place (W.GEN. of a lion, opponents, enemy troops) E. Plu.; (of an attacker) —a ship's oars (of rowers) E. ‖ PASS. (of breath, when filtered through a blocked nose) be freed —W.GEN. of scents Pl.
ἐρήμωσις εως f. **desolation, devastation** (of a place) NT.
ἐρηρέδαται, ἐρηρέδατο (Ion.3pl.pf. and plpf.mid.pass.), **ἐρήρεινται** (ep.3pl.pf.mid.pass.), **ἐρηρεισμένος** (Ion.pf.mid.pass.ptcpl.): see ἐρείδω
ἐρήριπτο (3sg.plpf.pass.): see ἐρείπω
ἐρήρισται, ἐρήριστο (ep.3sg.pf. and plpf.mid.): see ἐρίζω
ἐρήσομαι (fut.mid.): see ἔρομαι
ἐρητύω (also **ἐρητῡ́ω**), dial. **ἐρᾱτύω** vb. | impf. ἐρήτῡον, iterativ. ἐρητύεσκον | fut. ἐρητύσω | aor.: inf. ἐρητῦσαι, imperatv. ἐρήτῡσον, iterativ. ἐρητύσασκον ‖ PASS.: ep.3pl.aor. ἐρήτῡθεν |
1 hold or **keep back, restrain, check** —persons, their passion Hom. AR.; (mid.) Il. ‖ MID. check oneself, **come to a halt** Il.; **hold back** (opp. depart) Od. AR. ‖ PASS. (of persons) be made to settle —W.PREP.PHR. in their seats Il.; (of passionate feelings) be restrained or assuaged Il.; (of a journey) be held back Il.
2 restrain, keep —one's hand (W.GEN. fr. a girl) B. —persons (fr. conflict) E. —dogs (fr. barking) Theoc.; **stop** —W.ACC. + PTCPL. a person fr. grieving AR.

3 ‖ MID. **hold back** —W.GEN. fr. a journey, a challenge AR. ‖ MID. or PASS. **hold back** or **be prevented** —W.INF. fr. doing sthg. AR.
4 (of a road) **maintain a separation** (betw. people) S.
ἐρι- intensv.prfx.
ἐρι-αύχην ενος masc.fem.adj. [αὐχήν] (of horses) **strong-necked** Il. hHom.
Ἐρι-βόᾱς ᾱ dial.m. [βοή] **Loud-shouter** (cult name of Dionysus) Pi.fr.
ἐρι-βρεμέτης ου (Ion. εω), dial. **ἐριβρεμέτᾱς** ᾱ m. [βρέμω] (epith. of Zeus) **loud thunderer** Il.; (ref. to Aeschylus) Ar.(mock-ep.) ‖ ADJ. (of lions) **loud-roaring** Pi.
ἐρί-βρομος ον adj. [βρόμος] **1** (epith. of Dionysus) **loud-roaring** hHom. Anacr.; (of lions) Pi.
2 (of the earth, a cloud) **loud-rumbling** Pi.
ἐρι-βρύχης ου (Ion. εω), dial. **ἐριβρῡ́χᾱς** ᾱ masc.adj. [βρῡχάομαι] (of a bull) **loud-bellowing** Hes.; (of a boar) **loud-squealing** B.
ἐρι-βῶλαξ ακος masc.fem.adj. (of a region) having rich soil, **very fertile** Hom. AR.
ἐρί-βωλος ον adj. [βῶλος] (of a region) having rich soil, **very fertile** Hom.; (of ploughland) Il. hHom.
ἐρίγδουπος ep.adj.: see ἐρίδουπος
ἐριδαίνω vb. [ἔρις] | aor. ἐρίδηνα | **1** (of persons or gods) be at variance, **dispute, quarrel, wrangle** Hom. AR.
2 engage in rivalry or competition, **contend, compete** Od. Call. —W.DAT. w. someone AR.; (of winds) —W.DAT. w. each other Il. ‖ MID. **compete** Il.(dub.)
3 contend in war, **fight** AR.
ἐριδμαίνω vb. **1** (of boys) **irritate, provoke** —wasps Il.
2 (intr., of a god) **be quarrelsome** or **pick a fight** AR.
3 (of persons) **contend, compete** (w. one another) Mosch. —W.INF. to win a prize Theoc.
ἐρί-δματος ον dial.adj. [intensv.prfx., δέμω] (of Strife) app., strongly built, **firmly established** A.
ἐρί-δουπος, ep. **ἐρίγδουπος**, ον adj. [δοῦπος] **1** (epith. of Zeus) **loud-thundering** Hom. Hes. hHom.
2 (of horses' hooves) **thunderous** Il.; (of shores, rivers) Hom.
3 (of a porch) **echoing, resounding** Hom.
4 (of groans) **clamorous** Pi.fr.; (of the faculty of hearing) **noisy** Emp.
ἐρίζω vb. [ἔρις] | ep.inf. ἐριζέμεν, ἐριζέμεναι | impf. ἤριζον, ep. ἔριζον, dial. ἔρισδον (Theoc.), iterativ. ἐρίζεσκον | fut. ἐρίσω (NT.), dial. ἐρίξω (Pi.) | aor. ἤρισα, ep. ἔρισα, also ἔρισσα, dial. ἔριξα (Pi.) | pf.inf. ἠρικέναι (Plb.) ‖ MID.: ep.3sg.aor.subj. ἐρίσσεται | ep.3sg.pf. ἐρήρισται, plpf. ἐρήριστο |
1 be at variance (w. someone); **dispute, quarrel** (sts. W.PREP.PHR. over sthg.) Il. Hdt. S. Ar. X. D. —W.DAT. or PREP.PHR. w. a person, a god Il. Hes. Pi. Isoc.; (of a city) **be in dispute** —W.DAT. w. another city Th.(treaty); (pejor., of disputants) **wrangle** (opp. debate) Pl.(sophists) Isoc.
2 argue (in the face of opposition) —W.ACC. + INF. that sthg. will be the case D. —w. μή + INF. against doing sthg. Plu.
3 (act. and mid.) engage in rivalry or competition, **contend, compete, vie** (sts. W.ACC. or DAT. or PREP.PHR. over sthg.) Hom. Hes. Pi. Ar. X. Theoc. —W.DAT. or PREP.PHR. w. gods, persons, animals Hom. Hes. Pi. B. Hdt. Lys. +; (mid., of speed of foot and feats of strength) **enter into competition** Pi.
4 (of persons) **provoke** —W.DAT. each other (W.INF. to fight) Od.
ἐρί-ηρες masc.pl.adj. [intensv.prfx., ἧρα¹] | only nom. and acc. | (of companions) perh. **loyal, trusty** Hom.; (of Achaeans) Stesich.

—**ἐρίηρος** ου *masc.sg.adj.* (of a companion) perh. **loyal, trusty** Il.; (of a bard) Od.

ἐρῑθακίς ίδος *f.* [ἔρῑθος] woman hired for pay, **servant-girl** Theoc.

ἐρῑθείᾱ ᾱς *f.* [ἐρῑθεύομαι] (pejor.) **canvassing** or **electioneering** Arist.

ἐρῑθεύομαι *mid.vb.* [ἔρῑθος] app., put oneself up for hire; (pejor., of a person seeking public office) **canvass for votes, electioneer** Arist.

ἐρι-θηλής, dial. **ἐριθᾱλής**, ές, gen. έος *adj.* [intensv.prfx., θάλλω] showing good growth; (of trees, branches, saplings) **flourishing, thriving** Il. Hes. Simon.; (of vineyards, a land) **fruitful, fertile** Il. AR.; (of grass) **lush** hHom. Theoc.; (of flowers) **in bloom** Sapph.

ἔρῑθος ου *m.f.* 1 one who works for hire; (*m.*) **working man, labourer** (ref. to a harvester) Il.
2 (*f.*) **servant-woman** Hes.
3 (*f.*) **wool-worker** (ref. to a woman who spins or weaves, fr. supposed connection w. ἔριον wool) D. Theoc.
4 (fig.) **servant** (W.GEN. of the belly, ref. to a fart) hHom.

ἐρι-κλάγκτᾱς ᾱ *dial.masc.adj.* [intensv.prfx., κλάζω] (of wailing) **clangorous, strident** Pi.

ἐρί-κτυπος ον *adj.* [κτύπος] (epith. of Poseidon) **loud-rumbling** Hes.; (of Zeus) **loud-thundering** Archil.

ἐρι-κῡδής ές *adj.* [κῦδος] 1 (of gods, their children) having great glory, **glorious** Hom. hHom. Simon.; (of temples) Theoc.
2 (of a place) **glorious, famous** Pi.*fr.* Hdt.(oracle)
3 (of the time of youth) bringing great glory, **glorious** Il. Hes.; (of a victory) B.
4 (gener., of the gifts of the gods) **glorious, splendid** Il.; (of honours paid to the gods) hHom.; (of a feast) Hom.

ἐρι-κύμων ον, gen. ονος *adj.* [κύω] (of a hare) **heavily pregnant** (W.DAT. w. a litter) A.

ἐρί-μῡκος ον *adj.* [μῡκάομαι] (of oxen) **loud-bellowing** Hom. Hes. hHom.

ἐρῑνεός οῦ *m.* —also **ἐρῑνός** οῦ (Theoc.) *m.* **wild fig tree** Hom. Hes.*fr.* Theoc. Plu.

Ἐρῑνῦς ύος, Aeol. **Ἐρίννῡς** υος *f.* | acc.pl. Ἐρῑνύας, also Ἐρῑνῦς | gen.pl. Ἐρῑνύων (sts.trisyllab.) | 1 **Erinys** (avenging deity, usu. several in number, upholding the moral order, esp. by execution of curses and by punishment of perjury and crimes within a family) Hom. Hes. Pi. Trag. Ar. +; (correcting infringements of the laws of the natural world, such as a horse talking, the sun going beyond its limits) Il. Heraclit.
2 **Erinys** (W.GEN. of an individual, as a personal avenging spirit or curse) Hom. Hes. Alc. Hdt. Trag.
3 **Erinys** (ref. to a person, envisaged as an agent of vengeance) E.
4 **Erinys** (W.GEN. of a person's mind, ref. to a frenzied or destructive impulse) S.

ἔριον, Ion. **εἴριον**, ου *n.* 1 (sg. and pl.) **wool** Hom. Hdt. Ar. Pl. +
2 (phr.) εἴρια ἀπὸ ξύλου **tree wool** (*i.e.* cotton) Hdt.

ἐριοπωλικῶς *adv.* [ἐριοπώλης wool-seller] **in the manner of a wool-seller** —*ref. to fraudulently wetting wool to make it heavier* (*and thus gain a higher price*) Ar.

ἐριό-στεπτος ον *adj.* [στέφω] (of branches carried by suppliants) **wreathed in wool** A.

ἐριούνιος ου *m.* —also **ἐριούνης** ου *m.* [perh. ἐρι-, Arcado-Cypriot οὐν- run] (epith. of Hermes) perh. **good runner** Hom. hHom. Ar. [or perh. 2nd el.reltd. ὀνίνημι, i.e. *good helper*]

ἐριουργέω *contr.vb.* [ἔργον] **work with wool** X.

ἐριπείς (aor.2 pass.ptcpl.): see ἐρείπω

ἐρί-πλευρος ον *adj.* [intensv.prfx., πλευρά] (of an ox's body) **strong-ribbed** Pi.

ἐρίπνη ης *f.* [ἐρείπω] (usu.pl.) **broken cliff, crag** Pi.*fr.* E. AR. || PL. (fig.) **steep heights** (W.GEN. of battlements) E.

ἔριπον (ep.aor.2): see ἐρείπω

ἔρις ιδος *f.* | acc. ἔριν, ep. ἔριδα | 1 **strife, contention, wrangling, quarrel** Hom. Hes. Eleg. Heraclit. A. Pi. +; (W.GEN. w. someone) Thgn. Hdt.
2 **strife of battle, fighting** Il. Hes. Pi.
3 wrangling with words, **dispute, controversy, argument** Hdt. E. Th. Pl.; (pejor.) **quibbling disputation** (ref. to argument w. a view to victory rather than truth, sts.opp. dialectic) Isoc. Pl.
4 **rivalry, competition, contest** (betw. persons) Hom. Pi. Hdt. E. Th. Ar. +; (W.GEN. over sthg.) E.
5 (as a deity) **Eris, Strife** Il. Hes. Ibyc. A. E.

ἐρι-σθενής ές *adj.* [intensv.prfx., σθένος] (epith. of Zeus) **very powerful, almighty** Hom. Hes.; (of Poseidon) Hes.*fr.*; (of the Lapiths) AR.

ἔρισμα ατος *n.* [ἐρίζω] **reason for strife, quarrel** Il.

ἐρι-σμάραγος ον *adj.* [intensv.prfx., σμαραγέω] (epith. of Zeus) **loud-thundering** Hes.

ἐρι-στάφυλος ον *adj.* [σταφυλή] (of wine) **made from rich grapes** Od.

ἐριστικός ή όν *adj.* [ἔρις] 1 (of a person) **of the disputatious kind, fond of wrangling, contentious** Pl. || PL.SB. persons who engage in quibbling disputation (ref. to those who argue w. a view to victory in debate rather than truth, such as sophists) Pl. Arist.
2 (of debates, arguments, games) **of the disputatious** or **quibbling kind** Isoc. Pl. Arist.; (of an art) **connected with disputation** Pl. Arist. || FEM. and NEUT.SB. **disputation** Pl. Arist. || NEUT.PL.SB. **sophistical disputations** Arist.

—**ἐριστικῶς** *adv.* **in a disputatious manner** (sts.opp. dialectically) —*ref. to arguing* Pl.

ἐριστός ή όν *adj.* [ἐρίζω] **that may be disputed** || NEUT.PL.IMPERS. (w. ἐστί understd., in neg.phr.) **one may dispute** —W.DAT. *w. powerful people* S.

ἐρι-σφάραγος ον *adj.* [intensv.prfx., σφαραγέομαι, σφαραγίζω] (of Zeus, Poseidon) **loud-crashing** hHom. Pi.*fr.* B.

ἐρί-τῑμος ον *adj.* [τῑμή] (of gold, tripods) **highly prized, precious** Il. hHom. Ar.(mock-ep.); (of Athena's aigis) Il.

ἐρίφειος ᾱ ον *adj.* [ἔριφος] (of meat) **from a kid** X.

ἔριφος ου *m.f.* 1 **young goat, kid** Hom. Hes. Alc. Xenoph. Philox.Leuc. Call. +
2 app. **goat** NT.

—**Ἔριφοι** ων *m.pl.* **Kids** (two stars in the constellation Auriga, their rising and setting assoc.w. bad weather) Call.*epigr.* Theoc.

—**ἐρίφιον** ου *n.* [dimin.] **kid** or **goat** NT.

Ἐριχθόνιος ου *m.* **Erikhthonios** (autochthonous Athenian hero, sts. identified w. Erekhtheus, conceived by Earth fr. the seed of Hephaistos) E. Isoc. Pl.

ἐριώλη ης *f.* **whirlwind, hurricane** Ar. AR.

ἑρκεῖος ον (also ᾱ ον) *adj.* [ἕρκος] 1 (epith. of Zeus) **of** or **belonging to the courtyard** (as having an altar there), **of the courtyard, household** Od. Hdt. S. E. Pl. D. +; (of an altar of Zeus) **in the courtyard, household** Pi.*fr.* E.
2 (of a gate or door) **of the courtyard, outer** A.
3 (periphr., of a building) **household** (i.e. house) S.

ἑρκίον ου *n.* [dimin. ἕρκος] 1 **wall** (W.GEN. of a courtyard) Hom.
2 **dwelling** AR. [or perh. *roof*]

ἑρκο-θηρικός ή όν *adj.* [θήρᾱ] (of a technique) **of hunting with things that enclose** (i.e. nets or traps) Pl.

ἕρκος εος (ους) *n.* **1 that which encloses and confines, enclosure** Pl.
2 (specif.) **fence** or **wall** (around a garden or vineyard) Hom. hHom. Mosch.; (around a courtyard) Od. Archil. Sol.; (around Tartaros) Hes.; (around a temple) Hdt.; **defensive wall** (of a city) A.; **barricade** (around a camp, beached ships) Hdt. S.; **pen, stall** (for cattle) Pi.*fr.*
3 space that is enclosed; **courtyard** Hom. AR.; **precinct** (of a temple) S. || PL. (gener.) **courts** Od. AR.
4 (fig.) **fence, wall, barrier** (of bronze, ref. to a line of armed men) Il.; (W.GEN. against spears, ref. to a shield or other covering) Il.; (against injury in war, ref. to a lionskin) Theoc. | see also ἄρκος
5 (fig., ref. to persons) **bulwark, bastion** (W.GEN. of people, a land) Il. A. Pi.*fr.*; (W.GEN. against battle) Il.
6 (gener.) **barrier, bulwark, defence** A. Pi. Call. Plu.; (W.GEN. provided by a land, for refugees) E.
7 (periphr.) **wall, barrier, fence** (W.GEN. of teeth) Hom. Sol.
8 (periphr.) **enclosure** (W.GEN. of the sea, i.e. the sea itself, app. regarded as an enclosed space) Pi.; (W.GEN. of a signet, i.e. the circular face of a ring bearing the device which makes the seal) S. || PL. **enclosures** (W.GEN. of jars, amphoras, i.e. jars and amphoras which enclose) Pi.
9 that which entraps; (sg. and pl.) **net** (for catching birds) Od. E. Ar.; (for deer) Pi.; (fig., into which a person falls or is cast) S. E. AR.; (W.GEN. of Justice) A.; (of sexual passion) E.; **snare** (ref. to a necklace) S. || PL. **coils** (of a lasso) Hdt.

ἑρκτή Ion.*f.*: see εἱρκτή

ἕρμα, Aeol. **ἔρμα**, ατος *n.* **1 prop, stay** (to hold up a ship on shore) Il. hHom.
2 prob. **prop, support** (clung to by a woman in labour) A.
3 (fig., ref. to a person or persons) **prop, mainstay, pillar** (W.GEN. of a city) Hom.; (ref. to a principle of conduct) Pl.
4 (ref. to an arrow) app. **foundation, cause** (W.GEN. of pains) Il.
5 that which provides stability (to a thing in motion); **ballast** (ref. to stones allegedly swallowed by cranes) Ar.; (W.GEN. for a throw, ref. to a stone attached to a message) Plu.; (fig., ref. to a council of elders, for a state envisaged as an unstable ship) Plu.
6 sunken rock, reef (as a danger to ships, sts. in fig.ctxt.) Alc. Anacr. A. Hdt. E. Th. +; (fig., W.GEN. of Justice) A.

Ἕρμαια *n.pl.*, **Ἕρμαιον** *n.*, **Ἑρμαῖος** *adj.*: see under Ἑρμῆς

ἕρμαιον ου *n.* [Ἑρμῆς] **gift of Hermes** (as god of good fortune), **piece of luck, godsend, windfall** S. Pl. D. Men. Plb.

ἑρμαῖος ᾱ ον *adj.* (of a gift of the gods) **lucky** A.

Ἕρμαις Aeol.*m.*, **Ἑρμᾶς** dial.*m.*: see Ἑρμῆς

ἕρματα των *n.pl.* [εἴρω¹] **earrings** Hom.

Ἑρμ-αφρόδιτος ου *m.* [Ἑρμῆς, Ἀφροδίτη] **Hermaphroditos** (two-sexed deity, son of Hermes and Aphrodite) Thphr.

Ἑρμάων ep.*m.*, **Ἑρμέης** Ion.*m.*, **Ἑρμείᾱς** ep.*m.*, **Ἑρμείης** ep.Ion.*m.*: see Ἑρμῆς

Ἑρμήδιον (or **Ἑρμίδιον**) ου *n.* [dimin. Ἑρμῆς] **1 little Hermes** (ref. to a Herm) Ar. | see Ἑρμῆς 2
2 || VOC. (in affectionate address) **dear little Hermes** Ar.

ἑρμηνείᾱ ᾱς *f.* [ἑρμηνεύω] **1** process of communication or expression; **communication** (of sensations, W.DAT. to the soul) Pl.; **expression** (of thought, by means of speech) X. Arist.
2 process of explanation; **explanation, interpretation** (W.GEN. of sthg.) Pl.

ἑρμήνευμα ατος *n.* **1** instance of explanation; **explanation, interpretation, exposition** E.
2 memorial, monument (W.GEN. to Peleus' marriage to Thetis, ref. to her shrine) E.

ἑρμηνεύς έως (Ion. έος), dial. **ἑρμᾱνεύς** έος *f.* **1** one who explains (language foreign to one's own), **interpreter, translator** Hdt. X. Plb. Plu.
2 one who explains (language or thought that is unclear), **interpreter, expositor** (sts. W.GEN. of someone or sthg.) A. Pi. Pl. X.
3 one who transmits information (fr. one person to another), **spokesman, mouthpiece** E.; (W.GEN. of the gods, ref. to a poet) Pl.

ἑρμηνευτής οῦ *m.* **interpreter** (of the divine, ref. to a priest) Pl.

ἑρμηνευτικός ή όν *adj.* (of the art) **of an interpreter** Pl.

ἑρμηνεύω *vb.* [ἑρμηνεύς] **1** act **as interpreter** or **translator** (of a foreign language) X.; (tr.) **interpret** or **translate** —speeches Plu. —a word (W.PREDIC.ADJ. or SB. as such and such) Plu. || PASS. (of a word) be **interpreted** or **translated** —W.PREDIC.ADJ. or SB. as such and such NT.
2 put into words, **express, explain, expound** —sthg. Antipho Th. Pl. X.; (intr.) —W.DAT. to someone S.
3 (of poets) be a mouthpiece for —the words of the gods Pl.; (of rhapsodes) —the words of poets Pl.; (of daimons) **communicate, transmit** —messages betw. gods and mortals Pl. || PASS. (of a god's words) be communicated —W. εἰς + ACC. to his priestess E.; (of the contents of a letter) —W.DAT. to someone Plb.

Ἑρμῆς οῦ, Ion. **Ἑρμέης** έω, ep.Ion. **Ἑρμείης** εω, also ep. **Ἑρμείᾱς** ᾱο (also contr. ω), dial. **Ἑρμᾶς** ᾶ, Aeol. **Ἕρμαις** ᾱ *m.* —also **Ἑρμάων** ωνος (also contr. ᾱνος) ep.*m.* | voc. Ἑρμῆ, dial. Ἑρμᾶ | ep.dat. Ἑρμέῃ |
1 Hermes (deity, son of Zeus and Maia, his chief roles being messenger and intercessor betw. gods and mortals, and guide of souls of the dead to Hades) Hom. +
2 (usu.pl.) **Herm** (quadrangular pillar, usu. made of stone, w. an erect phallus, surmounted by a bust of Hermes, placed in doorways, public places and on roads, oft. halfway betw. places, w. a protective or apotropaic function) Th. Att.orats. X.
3 ἀστὴρ Ἑρμοῦ (or Ἑρμῆς alone) **star of Hermes** (ref. to the planet Mercury) Pl. Arist.
4 (provb.) κοινὸς Ἑρμῆς **fair shares for all** (i.e. all are entitled to share in a ἕρμαιον, a lucky find) Arist. Thphr. Men.; ἐν τῷ λίθῳ (or ξύλῳ) Ἑρμῆς (ἐστι) **Hermes** (is) **in the stone** (or wood) (i.e. the material has innate potentiality) Arist.

—**Ἕρμαια** ων *n.pl.* **festival of Hermes** Pl. Aeschin.

—**Ἕρμαιον** ου *n.* **temple of Hermes** Th. Arist. Plb.

—**Ἑρμαῖος** ᾱ ον *adj.* (of places) **named after Hermes, of Hermes** Od. A. S. Plb.

Ἑρμίδιον *n.*: see Ἑρμήδιον

ἑρμίς (or **ἑρμίν**) ῖνος *m.* [ἕρμα] **bed-post** Od. Hippon.

ἑρμο-γλυφεῖον ου *n.* [Ἑρμῆς, γλύφω] **place where Herms are carved, sculptor's workshop** Pl.

Ἑρμο-κοπίδαι ῶν *m.pl.* [κόπτω] **mutilators of Herms** (ref. to perpetrators of a notorious act of vandalism and sacrilege in 415 BC, overshadowing the forthcoming Athenian invasion of Sicily) Ar. Plu.

ἔρνος (also **ἕρνος** Ibyc.) εος (ους) *n.* **1 young tree or plant, sapling, shoot** Hom. Alcm. Ibyc. E. Hellenist.poet. || PL. **sprigs** (ref. to a garland) Pi.
2 (fig.) **offspring, child** (sts. W.GEN. of a person or deity) Pi. B. Trag. Ar. Theoc.

ἔρνυγας m. or f.acc.pl. [app. ἔρνος] app. **branches** (fig.ref. to horns) Arist.(quot.poet.)

ἔρξα[1] (ep.aor.): see εἴργω

ἔρξα[2] (aor.), **ἔρξω** (fut.): see ἔρδω

ἐρξίης εω Ion.m. [prob. ἔρδω] **doer** (as transl. of Δαρεῖος) Hdt.

ἐρόεις εσσα εν adj. [ἔρος] (of persons, their attributes, places, things) **lovely** Hes. hHom. Lyr. Emp. Ar. Mosch.

ἔρομαι, Ion. **εἴρομαι** mid.vb. | fut. ἐρήσομαι, Ion. εἰρήσομαι || AOR.2: ἠρόμην, Ion. εἰρόμην | imperatv. ἐροῦ | subj. ἔρωμαι, Ion. εἴρωμαι | opt. ἐροίμην | inf. ἐρέσθαι, Ion. εἰρέσθαι | ptcpl. ἐρόμενος, Ion. εἰρόμενος |
1 make an inquiry, inquire, ask Hom. hHom. Hdt. E. + —W.NEUT.ACC. *sthg.* Hdt. S. E. + —W.INDIR.Q. *what or whether sthg. is the case* Od. Sapph. Hdt. E. + —W.DIR.Q. hHom. Hdt. E. +
2 inquire of, question, ask —*someone* Hom. Hdt. E. Ar. + —(W.INDIR.Q. *what or whether sthg. is the case*) Hom. hHom. Anacr. Hdt. S. E. + —(W.DIR.Q.) hHom. Hdt. E. Ar. + —(W.COGN.ACC. *a question*) Od. Hdt. S. E. Ar. +
3 inquire about —*someone or sthg.* Hom. Hdt.; **ask** —W.DBL.ACC. *someone about someone* Pi.
4 put a request to —*someone* Ar.

ἔρος ου m. [ἔραμαι, reltd. ἔρως] **1 sexual love, love, passion, desire** (sts. W.GEN. for someone) Hom. Hes. Thgn. Lyr. Trag. AR. Theoc.
2 desire, inclination, eagerness (W.GEN. for sthg.) Hom. Hes.fr. hHom. Thgn. E.
3 Eros, Love (as a god, usu. considered son of Aphrodite) Hes. Sapph. Ibyc. Call.epigr. Theoc.

ἔροτις ιδος dial.f. [perh.reltd. ἑορτή] **feast** or **festival** E.

ἑρπετόν οῦ, Aeol. **ὄρπετον** ου n. [ἕρπω] **1 creature that moves or crawls** (on the ground); (gener., freq.pl.) **creature, animal, beast** Od. Alcm. Hdt. E. Ar. X. +; (opp. winged) Hdt. AR. Theoc. NT.; (opp. person) Call.; (specif., ref. to Typhon) Pi.; (ref. to a dog) Pi.fr.; (ref. to a beetle) Semon.; (ref. to a serpent) Theoc.
2 (fig., ref. to Eros) **creature** Sapph.

ἔρπις ιδος m. [Egyptian loanwd.] | acc. ἔρπιν | **wine** Hippon.

ἑρπύζω vb. [ἕρπω] | only pres.ptcpl. ἑρπύζων | **1** (of persons, weighed down by age or distress) **move slowly or heavily, drag one's steps, trudge** Hom. AR.
2 (of a person's thoughts, compared to a dream) **move falteringly, flutter** AR.

ἕρπυλλος ου m.f. a kind of herb, **thyme** Ar. Theoc.epigr. Mosch.

ἕρπω vb. | impf. εἷρπον, ep. ἕρπον | dial.fut. ἑρψῶ, 1pl. ἑρψεῦμες (Theocr.) | aor. εἵρπυσα (Ar.) | **1 exercise the power of movement proper to a living being**; (of persons, gods or animals) **move** Hom. hHom. A. Pi. S.; (of the hides of sacrificed animals, in a reversal of nature) **crawl** Od.
2 (gener., of persons, gods or animals) **go, come** (sts. W.ADV. or PREP.PHR. to or fr. a place or person) hHom. Trag. Ar. Call. Theoc. —W.COGN.ACC. *on a path, journey, mission* S. Theoc.
3 proceed —W.PREP.PHR. *to an activity, undertaking or situation* Pi. S. E.
4 (of sickness, a sound, good fortune) **come** Pi. S. E.; (of a tear) —W.PREP.PHR. *fr. someone's eyes* S.; (of a vine, ref. to a garland) **go** —W.PREP.PHR. *round a goddess's hair* Call.; (of song, a saying) **go forth** Pi.; (of grapes) **grow, develop** S.fr.; (of youthful beauty) —W.ADV. *onwards* S.; (of time, as bringer of grey hairs) —W.PREP.PHR. *to the cheeks* Theoc.; (of war) **go on** Ar.
5 (of tomorrow) **come** —W.PREDIC.ADJ. *unseen* S.fr. || PTCPL. (of time) coming Pi.
6 (of circumstances, the designs of the gods) **move** —W.ADV. or PREP.PHR. *in a particular way, to a particular outcome* S. E. Theoc.
7 (w. sinister or aggressive connot., of deception, ruin, envy) **creep up** —W.DAT. or PREP.PHR. *on persons* S.; (of lyre-playing) **go** —W.PREP.PHR. *against steel* (i.e. challenge military activity in importance) Alcm.

ἐρράγην (aor.2 pass.): see ῥήγνυμι

ἐρράδαται, ἐρράδατο (ep.3pl.pf. and plpf.pass.): see ῥαίνω

ἔρραμμαι (pf.pass.): see ῥάπτω

ἔρρᾱνα (aor.2), **ἐρράνθην** (aor.pass.): see ῥαίνω

Ἐρραφέωτα Aeol.voc.m.: see Εἰραφιώτα

ἐρράφην (aor.pass.): see ῥάπτω

ἐρρεῖτο (3sg.impf.pass.): see ῥέω

ἐρρήθην (aor.pass.): see εἴρω[2]

ἔρρηξα (aor.): see ῥήγνυμι

ἐρρηφορέω contr.vb., **ἐρρηφορίᾱ** f.: see ἀρρηφορέω, ἀρρηφορίᾱ

ἔρριμμαι (pf.pass.), **ἐρρίφθην** (aor.pass.), **ἔρριψα** (aor.act.): see ῥίπτω

ἐρριμμένος pf.pass.ptcpl.adj.: see under ῥίπτω

ἐρρύηκα (pf.), **ἐρρύην** (aor.2 pass.): see ῥέω

ἐρρύθμισμαι (pf.pass.): see ῥυθμίζω

ἐρρυόμην (impf.mid.), **ἐρρυσάμην** (aor.mid.), **ἐρρύσθην** (aor.pass.): see ῥύομαι

ἔρρω vb. | fut. ἐρρήσω | aor. ἤρρησα (Ar.) | **1 go, come** or **move** (w.connot. of attendant mischance or distress); **make an ill-fated journey** Il.; **wander forlornly** Od. hHom. A. Call.; (of the lame Hephaistos) **come stumbling along** Il.; (of unwelcome persons) **be damn well coming** Ar.
2 (of persons, places, things) **be gone, be lost, have perished** Trag. Pl. X. Plu.
3 || 2SG. and PL.IMPERATV. (as a dismissive order, w. tone of hostility or contempt) **be off with you!** Hom. hHom. Thgn. S. E. Melanipp. +; (as colloq. imprecation, w. ἐς κόρακας *to the crows*) **go away, bugger off!** Ar. || FUT.INDIC. (in neg.q., equiv. to imperatv.) οὐκ ἐρρήσετε (sts. w. ἐς κόρακας); *won't you bugger off?* Ar.; (in conditional cl.) εἰ μὴ ἐρρήσετε *if you don't bugger off* Ar. || OPT. ἔρροις *off with you!* AR. || PTCPL. ἔρρων + IMPERATV. *be off and do sthg.* E. | see also ἔλλετε
4 || 3SG.IMPERATV. (dismissively, indicating the speaker's lack of further interest, or as an imprecation, indicating ill will) **let** (someone, sthg., a place) **go** or **go to ruin** Hom. Archil. S. E. AR. | 3SG.OPT. **may** (old age) **vanish** —W. κατά + GEN. *beneath the waves* E.; **may** (a person, a house) **be brought to ruin** E.; **may** (a night, a fate) **never come** E.

ἔρρωγα (pf.): see ῥήγνυμι

ἔρρωμαι (pf.pass.), **ἐρρώμην** (plpf.pass.): see ῥώννυμι

ἐρρωμένος pf.pass.ptcpl.adj., **ἐρρωμένως** adv.: see under ῥώννυμι

ἐρρώοντο, ἐρρώσαντο (ep.3pl.impf. and aor.mid.): see ῥώομαι

ἔρρωσα (aor.), **ἐρρώσθην** (aor.pass.): see ῥώννυμι

ἔρση ης, dial. **ἔρσᾱ** (also **Ἕρσᾱ** Alcm.) ᾱς, ep. **ἐέρση** ης, Aeol. **ἐέρσᾱ**, dial. **ἐέρσᾱ** (Pi.), ᾱς f. **1 dew** Hom. Hes. Sapph. Pi. Hellenist.poet. || PL. **dewdrops** or **raindrops** Il. Pi. Theoc.
2 dew (meton., ref. to honey) Hes.; (ref. to seawater, the foam of stirred milk and honey) Pi.; (phr.) ποντία ἔερσα (app.) *rosemary* Pi. [also interpr. as *coral*]
3 (personif., daughter of Zeus and Selene) **Ersa, Dew** Alcm.
4 (fig.) **young lamb** or **kid** Od.

ἐρσήεις, ep. **ἐερσήεις**, εσσα εν *adj*. **1** (of plants, meadows, paths) covered with dew, **dewy** Il. hHom. AR.
2 (fig., of a corpse) **fresh as dew** (i.e. without decay) Il.

ἔρσην *Ion.adj*.: see ἄρσην

ἐρυγγάνω *vb*. [reltd. ἐρεύγομαι] (of Polyphemos) **belch out** —*Bacchus* (meton. for wine) E.Cyc.

ἐρυγεῖν (act.aor.2 inf.): see ἐρεύγομαι

ἐρύγμηλος ον *adj*. [ἐρυγεῖν, see ἐρεύγομαι] (of a bull) **bellowing** Il.

ἐρυθαίνω *vb*. [ἐρυθρός] | aor. ἐρύθηνα | **1** (of blood) **stain red** —*a garment* AR. ‖ PASS. (of earth, water) be made red —W.DAT. *w. blood* Il.; (of flowers) turn red Bion
2 (of a girl) **redden** —*her cheeks* (by blushing) AR.; (intr., of a girl's cheeks) **turn red** AR.

ἐρύθημα ατος *n*. **1** unnatural redness, **reddening** (W.GEN. of the eyes, as a symptom of sickness) Th.; (of the face, ref. to a blush) E.; **blush** Plu.
2 flush (caused by passionate emotion) Plu.
3 natural redness, **redness** (of a hare's coat) X.; (of a person's face) Plu.

ἐρυθραίνομαι *mid.vb*. (of persons) become red, **blush** X. Arist.

ἐρυθριάω *contr.vb*. | aor. ἠρυθρίᾱσα | (of persons) become red, **blush** Pl. X. Aeschin. D. Plu.

ἐρυθρο-δάκτυλος ον *adj*. (of dawn) **red-fingered** (cited as a less appropriate epith. than ῥοδοδάκτυλος *rosy-fingered*) Arist.

ἐρυθρό-πους ποδος *m*. [πούς] a kind of bird; perh. **redshank** Ar.

ἐρυθρός ᾱ (Ion. ή) όν *adj*. **1** (of the colour) **red** Pl.; (of wine, nectar) Hom. hHom. Archil.; (of bronze, gold) Il. Thgn.; (of a liquid offering, fig.ref. to blood) A.; (of soil, stone) Hdt. Pl.; (of feathers, petals) Hdt. Theoc.; (of a penis, a bruised face) Ar. Arist.; (of painted or dyed objects, a woman's made-up complexion) Hdt.(oracle) X. Plu.
2 (as the name of a sea) **Red** (ref. to the Indian Ocean, also to its two Gulfs, the Arabian, now called the Red Sea, and the Persian) A.fr. Pi. Hdt. Ar. X. Plb. +; (as exemplifying a remote and unknown place) D.

ἐρύθω *vb*. redden —*one's cheeks* (W.DAT. *w. shame*) Call.

ἐρῡκανάω *ep.contr.vb*. —also **ἐρῡκάνω** *ep.vb*. [ἐρύκω] | 3pl. (w.diect.) ἐρῡκανόωσι | 3sg.impf. ἐρῡκανε | **hold back, detain** or **restrain** —*persons* Od.

ἐρῡκω *vb*. [reltd. ἔρυμαι] | ep.inf. ἐρῡκέμεν, dial. ἐρῡκεν (B.) | ep.impf. ἔρῡκον | fut. ἐρῡξω | aor. ἤρῡξα, ep. ἔρῡξα | ep.aor.2 ἠρῡκακον, also ἐρῡκακον, inf. ἐρῡκακέειν |
1 restrain (someone fr. doing sthg.); **restrain, hold back** —*persons* (fr. *an action*) Hom. hHom. E. Call. —(W.GEN. fr. *battle*) Il.; (of Aiolos) —*the winds* AR.; (of Strife) **keep** —*a person's spirit* (W.PREP.PHR. fr. *work*) Hes.; (of persons or circumstances) **prevent** or **forbid** —*someone* (W.INF. fr. *doing sthg.*) Pi. E. AR.
2 hold in check, curb —*a person's impulses, speech, violence* Od. B. Call. AR.
3 keep (someone fr. departing); **detain** or **shut in** —*persons* (W.ADV., PREP.PHR. or DAT. *in a place*) Od. AR.; (of the sea) **coop up** —*people* (on *land*) Il.; (of a ditch) **confine** —*persons* Il.; (of the earth) —*a dead person* Il.; (of bonds) **restrain** —*persons* Od. hHom. AR. ‖ PASS. be detained —W.ADV. or PREP.PHR. *in a place* Od. AR.; be constrained —W.DAT. *by winds* (W.INF. *to remain in a place*) AR.
4 keep (someone from departing) (by hospitality); **detain** —*a guest* Hom. Stesich. ‖ PASS. be detained Od.
5 (of a commander) **rally** —*one's troops* (in a specified place) Il.
6 prevent from dispersing, **keep back** —*a group of people* Hom.
7 pull up, rein in —*horses* Il.; **hold stationary, hold, keep** —*horses* (W.ADV. or PREP.PHR. *in a specified place*) Il.
8 check (someone in motion); **stop** —*a warrior* (w. *a spear-throw*) Il. ‖ MID. (of horses) **hold back, slow down** Il.
9 prevent the passage or progress (of someone or sthg.); **stop, check, hold off** —*assailants, invaders* Hom. Hdt.; (of a ditch, a wall) —*horses and troops, a warrior's fury* Il.; (of air-pressure) —*water* (fr. *flowing out of a vessel*) Emp. ‖ PASS. (of waves) be checked (fr. breaking, by a heavy covering of snow) Il.
10 debar (someone) from approach; (of a household) **keep away, exclude** —*a beggar* Od. (of a god) —*a person* (W.GEN. fr. *Hades*) S. ‖ PASS. (of troops) be kept away —W.GEN. fr. *a river* (by the enemy) Hdt.
11 (of an area of ground) **keep apart, lie between** (two groups of people) Il.
12 keep away (sthg. harmful); (of armour, a shield) **repel, ward off** —*a spear* Il.; (of a person) —*harm* (W.DAT. or ἀπό + GEN. fr. *someone*) Il. X. Theoc.; (of *Truth*) —*an accusation* Pi.; (of food and drink) **keep at bay** —*hunger* Od.; (of a person) **prevent, save** —*a city* (W. μή + INF. fr. *being destroyed*) A.(dub.)
13 withhold —*trust* (W.GEN. fr. *organs of sense*) Emp.

ἔρυμα ατος *n*. [ἔρυμαι] **1** defensive barrier, **protection, defence, guard** (W.GEN. for the flesh, the body, ref. to armour, warm clothing) Il. Hes. X.; (for beached ships, ref. to a stockade) Hdt.; (against snow and weapons, ref. to an animal skin) Call.; (without GEN., ref. to a river, canal, trench) X.; (periphr., W.COLLECTV.GEN.SG. ἀσπίδος) *defensive shields* E.
2 source of protection, **protection, defence, safeguard** (W.GEN. for a country, ref. to the Areopagus) A.; (for a constitution, ref. to the power of a political leader) Plu.; (W.DAT. for a house, ref. to sons) E.; (for a person, ref. to fleeing) E.; (W.GEN. against one's enemies, ref. to a supernatural chariot) E.
3 (concr.) temporary barrier constructed for defence, **defensive wall, barricade** Hdt. Th. Plu.; (periphr., W.GEN. τείχεος, τειχῶν) *defensive wall or walls* Hdt. Pl.
4 defensive wall of a city, **wall** (of Troy, Thebes) S. E.fr.; (pl., of Athens) X.
5 place fortified for defence, **fort, fortress, fortification** Th. X. Arist. Plb. Plu.
6 (fig., ref. to a mountain) **bulwark, bastion** (W.GEN. of a land, ref. to a mountain) E. Call.

ἔρυμαι *ep.athem.mid.vb*. | 3sg. ἔρυται (Hes.), ἔρυται (AR.) | inf. ἔρυσθαι | impf.: 2sg. ἔρυσο, 3sg ἔρυτο, 3pl. ἔρυντο | pf. (w.pres.sens.): 3pl. εἰρύαται, εἰρύαται, inf. εἴρυσθαι | plpf. (w.impf.sens.): 3sg. εἴρῡτο, 3pl. εἴρυντο, εἴρυατο | —also **ἐρύομαι** *ep.mid.vb*. | inf. ἐρύεσθαι | 3sg.impf. ἐρύετο | 3sg.fut. ἐρύσσεται | aor.: 3sg. ἐρύσατο, 2sg.subj. ἐρύσσεαι, opt. ἐρυσαίμην (S.), 3sg. ἐρύσαιτο | —also (w. metrical lengthening, or by analogy w. pf. of ἔρυμαι) **εἰρύομαι** *ep.mid.vb*. | 3pl. εἰρύονται, 3sg.opt. εἰρύοιτο (AR.) | fut.: 1pl. εἰρυόμεσθα, 3pl. εἰρύσσονται | aor.: 2sg. εἰρύσσαο, 3sg. εἰρύσατο, 3sg.opt. εἰρύσαιτο, imperatv. εἰρῡσο (AR.), inf. εἰρύσσασθαι —also **ῥύομαι** (and **ῥύομαι**), Aeol. **ῥύομαι** *mid.vb*. | ep.athem.inf. ῥῦσθαι | impf. ἐρρῡόμην, ep.3sg. ῥῦετο, dial.3pl. ῥύοντο (Pi.), ep.athem.3pl. ῥῦατο

| 2sg.athem.iteratv.impf. ῥύσκεο | fut. ῥύσομαι, dial.3pl. ῥύσεῦνται (Call.) | AOR.: ἐρρῡσάμην, ep. ῥῡσάμην, Aeol.2sg. εὐρύσαο, ep.3sg. ῥύσατο, ep.3du. ῥῡσάσθην | ptcpl. ῥῡσάμενος | imperatv. ῥῦσαι | inf. ῥύσασθαι ‖ PASS.: aor. ἐρρύσθην (NT.) |

1 keep safe from harm; (of gods, persons, armour, fortifications, or sim.) **guard, protect** —*persons, animals, places, things* Hom. Hes. Archil. Hdt. Trag. Hellenist.poet.; (intr., of armour) **offer protection** —W.DAT. *for someone* Il.; (of a monster) **keep guard** Hes.
2 (of gods, persons, activities) bring out of danger or trouble, **save, rescue** —*persons* (freq. W.GEN. or PREP.PHR. *fr. sthg.*) Hom. Alc. Thgn. Pi. Hdt. Trag. + —(W.INF. or μή + INF. *fr. suffering death or punishment*) Hdt. E. ‖ PASS. be rescued NT.
3 (w. sinister rather than protective connot.) be on guard for, **watch out for** —*someone arriving* Od.; **keep a close watch on** —*a ship and its crew* AR.
4 perh. **discover** or **comprehend** —*the plans of the gods* Od.
5 make or keep (non-material things) safe or secure; **safeguard, maintain, uphold** —*decrees sanctioned by Zeus* Il.; **observe, respect** —*a god's wish or advice, a person's ruling* Il. AR.; perh. **make secure, accomplish** —*one's objectives* E.
6 protect oneself against, **keep off, avert** —*death, what is fated* Il. Sol. —*pollution* S.; (of armour) protect against, **stop** —*a spear* Hom.
7 hold (sthg.) back; (of a goddess) **keep back, delay** —*Dawn* Od.; (of a person) **keep hidden, control** —*one's anger* Il.; (intr.) **keep one's counsel** (W.DAT. in one's mind, opp. speaking out) Od.
8 hinder, check, stop —*the purpose of Zeus* Il. —W.ACC. + PTCPL. *someone doing sthg.* Pi.
9 (perh. an archaic Spartan legal term) **redeem, atone for** —*one's alleged faults* Th.(dub.)

ἐρυμνός ή όν *adj.* **1** having or offering secure protection (by nature or design); (of terrain, a military position) **strong, secure** Th. X. Arist. Plb.; (of walls, a city, a palace) **strongly fortified** E. X. Plu.; (of islands, W.DAT. w. walled cities) Call. ‖ NEUT.SB. (milit., sg. and pl.) strong or fortified position X.
2 (of rocks, mountains) **mighty, rugged** E. X. AR.

—**ἐρυμνοτέρως** *compar.adv.* **in a stronger** or **more secure position** —*ref. to buildings being sited* Arist.

ἐρυμνότης ητος *f.* **strength, security** (of a military position, city walls, an acropolis) X. Arist. Plb.; **impenetrability** (of terrain, mountains) Plb.

ἐρύομαι *ep.mid.vb.*: see ἔρυμαι

ἐρυσ-άρματες ων *masc.pl.adj.* [ἐρύω, ἅρμα] (of horses) **chariot-drawing** Il. Hes.

ἐρυσίβη ης *f.* **mildew, blight** (in crops or plants) Pl. X.

ἐρυσί-πτολις ι, gen. ιος *ep.adj.* [ἔρυμαι, πόλις] (epith. of Athena) **protecting the city** Il. hHom.

ἐρυσμός οῦ *m.* **protection, safeguard** (W.GEN. against illness or magic, ref. to a herb or spell) hHom.

ἔρυσο (2sg.impf.mid.): see ἔρυμαι

ἐρύσσεαι (2sg.aor.mid.subj.), **ἐρύσσεται** (3sg.fut.mid.): see ἐρύομαι

ἐρυστός ή όν *adj.* [ἐρύω] (of swords) **drawn** S.

ἔρῡτο (3sg.impf.mid.): see ἔρυμαι

ἐρύω *ep.vb.* —also **εἰρύω** *Ion.vb.* | inf. ἐρύειν, also athem. εἰρύμεναι (Hes.) | impf. ἔρυον, also εἴρυον (Mosch.) | fut. ἐρύω | aor. ἔρυσα, ἔρυσσα, Ion. εἴρυσα, ep. ἔρυσσα, ptcpl. ἐρύσας, ἐρύσσας, Ion. εἰρύσας, imperatv. εἴρυσον (S.) ‖ MID.: 3pl.impf. ἐρύοντο, perh.3sg.athem. (unless plpf.pass.) εἴρῡτο | fut.inf. ἐρύεσθαι | aor. ἐρυσάμην, ἐρυσσάμην, also εἰρυσάμην, εἰρυσσάμην, ptcpl. ἐρυσσάμενος, inf. ἐρύσασθαι, ἐρύσσασθαι ‖ PASS.: 3pl.pf. εἰρύαται, εἰρύαται | pf.ptcpl. εἰρῡμένος | 3pl.plpf. εἰρύατο, εἴρυντο |

1 pull (w. force or violence, sts. to a specified place); **pull, drag, haul** —*a person or animal* Hom. AR. Mosch. —*a corpse (behind a chariot)* Il. —*the Trojan Horse* Od.(also mid.); (of dogs) —*lions* (W.ADV. αὖ, app. *backwards, prob. as reinterpretation of* αὐερύω) Call.
2 (act. and mid., of warriors) **drag away** —*a corpse (of a friend or enemy, sts.* W.ADV. or PREP.PHR. *fr. the fighting or in a specified direction)* Il.
3 (act. and mid., without connot. of violence) draw (someone) in some direction or from some location; **pull, draw** —*a person* (W.ADV. *closer*) Od. —(W.GEN. or PREP.PHR. *away fr. battle, other persons*) Il. AR.; draw to oneself, **take with one** —*a person (as a companion in flight)* AR.
4 (act. and mid.) draw (sthg.) in some direction or from some location; **pull, draw** —*an arrow or spear* (usu. W.PREP.PHR. *fr. a corpse, a part of the body, a wound, the ground*) Hom. —*a herb (fr. the ground)* Od. —*one's cloak (over one's head)* Od. —*one's dress (app. to one's knee)* Theoc. —*a cloak (fr. someone's head)* AR.; (fig.) —*some undesirable circumstance (away fr. one's foot, i.e. avoid it)* Pi.; (of a woman) **pull up** —*her dress (to keep it out of the sea)* Mosch.
5 pull at, tug —*a person* (W.GEN. *by a part of his clothing*) Il.
6 (of an animal) **pull** —*a wagon* Mosch.
7 pull at (destructively); (of a warrior) **pull away, tear down** —*parts of a wall* Il.; (of dogs and birds of prey) **pull about, tear at** —*a corpse* Il.; **tear** —*skin* (W.PREP.PHR. *fr. bones*) Od.; (mid.) —*the hide (fr. an animal's limbs)* Theoc.; (of wind) —*a mast (fr. the forestays)* Il.
8 pull (by a rope); (of the gods, as an impossible feat) **haul down** —*Zeus* (W.PREP.PHR. and ADV. *fr. heaven to earth*) Il.; (of Zeus) **haul up** —*the gods, earth and sea* Il.; (of persons) **hoist up** —*a person (so as to suspend him)* Od. —*a sail* AR.; **pull up** —*an anchor-stone* AR.(dub.)
9 pull (a ship) out of or into water; **haul up** —*a ship (sts.* W.ADV. or PREP.PHR. *onto land)* Hom. Hes. hHom.(mid.); (act. and mid.) **haul down** —*a ship (sts.* W.ADV. or PREP.PHR. *to the sea)* Hom. Hes. Alc. AR. ‖ PASS. (of ships) be hauled up Hom.
10 ‖ MID. **pull ashore** —*a person drifting at sea* AR.
11 ‖ MID. **draw** or **pull off** (fr. spits) —*food (that has been roasted on them)* Hom. hHom.
12 draw —*a bowstring* Il. —*a bow* Hdt. ‖ MID. **bend** —*a bow (in order to string it)* Od.
13 ‖ MID. **draw** —*a sword (sts.* W.GEN. or PREP.PHR. *fr. its scabbard, fr. beside one's thigh)* Hom. Hes. AR. Theoc. —*a knife (hanging beside the scabbard)* Il.; (act.) —*a sword* S.
14 draw —*a lot* Call.
15 app. mould —*bricks (fr. mud)* Hdt. | cf. ἕλκω 21
16 ‖ MID. app. **weigh** —*a person* (W.DAT. *against gold, i.e. pay his weight in gold as ransom)* Il. | cf. ἕλκω 18, ἀντερύομαι

ἔρχαται, ἔρχατο (ep.3pl.pf. and plpf.pass.): see εἴργω

ἐρχατάομαι *ep.pass.contr.vb.* [reltd. ἔρχαται, see εἴργω] | only 3pl.impf. (w.diect.) ἐρχατόωντο | (of pigs) **be penned in** Od.

ἐρχθείς (aor.pass.ptcpl.): see ἔρδω

ἐρχθῆναι (ep.aor.pass.): see εἴργω

ἔρχομαι *mid.vb.* | imperatv. ἔρχου, dial. ἔρχεο, ἔρχευ | impf. ἠρχόμην (NT.) | fut. ἐλεύσομαι | AOR.2: ἦλθον, dial. ἤνθον, 1pl. ἤνθομες (Theoc.), also ep. and poet. ἤλυθον | inf. ἐλθεῖν, ep. ἐλθέμεναι, ἐλθέμεν, Aeol. ἔλθην | imperatv. ἐλθέ, Aeol.

ἔλθε | ptcpl. ἐλθών, dial. ἐνθών, Lacon. ἐλσών | subj. ἔλθω, dial. ἔνθω, Lacon. ἔλσω | opt. ἔλθοιμι, dial. ἔνθοιμι, Lacon. ἔλσοιμι | AOR.1: ἦλθα (NT.) | pf. ἐλήλυθα, ep. εἰλήλουθα, 1pl. εἰλήλουθμεν | pf.ptcpl. ἐληλυθώς, ep. ἐληλουθώς, εἰληλουθώς | 3sg.plpf. ἐληλύθει, Ion. ἐληλύθεε, ep. εἰληλούθει || also (imitating barbarian speech) pres. ἔλθω, ἔρχω (Tim.) || The impf. and fut. are usu. supplied by εἶμι. |
1 (of persons, other living things) make one's way, **proceed**, **come** or **go** (freq. W.ADV. or PREP.PHR. to or fr. somewhere) Hom. + —W.COGN.ACC. *on a journey, mission, or sim.* Hom. +
2 (specif.) **set out, depart** Il.; (of a ship) Od.
3 come back, return Hom.
4 (of humans, opp. gods) **go about, move, walk** —W.ADV. *on the earth* Il.
5 (gener., of inanimate or abstr. subjects, such as ships, sounds, periods of time, natural phenomena, circumstances, feelings; ref. to movt. of various kinds, freq. W.ADV. or PREP.PHR. specifying its nature or direction) **come** or **go, arrive** or **depart** Hom. +
6 come (W.PREP.PHR. to a certain condition, situation or activity); **come** —w. εἰς τοῦτο, εἰς τοσοῦτον *so far (in action or behaviour)*, παρ' ὀλίγον, παρὰ μικρόν *within an inch (of sthg.)*, or sim. Hdt. + —w. εἰς + ACC. *into discussion, to blows, a fight, or sim.* (usu. W.DAT. w. someone) A. Hdt. +; **engage**, **be involved** —w. διά + GEN. *in a fight or sim.* (sts. W.DAT. w. someone) Hdt. +
7 (as periphr.fut.) **be going, be about** —W.FUT.PTCPL. *to do sthg.* Hdt. Pl. X.
Ἐρχομενός *dial.m.f.:* see Ὀρχομενός
ἔρψις εως *f.* [ἕρπω] **creeping** Pl.
ἐρῶ (fut.): see εἴρω²
ἐρῳδιός οῦ *m.* **heron** Il. Semon. Hippon. Ar. Call.
ἐρωέω¹ *contr.vb.* [ἐρωή¹] (of blood) **flow, gush** (fr. a wound) Hom.
ἐρωέω² *contr.vb.* [ἐρωή²] **1** (intr.) **hold** or **draw back** (fr. doing sthg.) Il. —W.GEN. *fr. fighting* Il.; **cease** or **have respite** —W.GEN. *fr. fighting, toil, suffering* Il. hHom. AR.(cj.)
2 (of horses) **slacken speed** or **give ground** (to others) Il.
3 (of cloud cover, on a mountain top, in neg.phr.) **cease** or **withdraw** Od.
4 (tr.) **drive** or **force back, repel** —someone (W.PREP.PHR. *fr. a place*) Il.; (prob., of corslets) **fend off** —*destruction* Tyrt.
5 hold back, withhold —*one's hands* (fr. conflict) Theoc.; (of a river god) —*his stream* Call.
6 leave, quit —*a ship, a seat* Theoc.
ἐρωή¹ ῆς *f.* **1 vigorous motion, impetus, swing** (of a winnower, a shipwright wielding an axe) Il.; **heave** (of men pushing a ship fr. its cradle into the sea) AR.
2 onset, attack (of a warrior) Il.
3 volley, onset (of missiles, as a danger) Il. AR.; **throw** or **flight** (of a spear) Il.; (as a measure of distance) Il.
4 rush or **surge** (of thoughts, in Zeus' mind) Hes.*fr.*
ἐρωή² ῆς *f.* **pause, respite** (W.GEN. fr. fighting) Il. Theoc.; (fr. tears) Mosch.
ἐρωΐα ᾶς *Aeol.f.* **respite** (fr. lovesickness) Theoc.
ἔρως ωτος *m.* [ἔραμαι, reltd. ἔρος] **1 sexual love, love, passion, desire** Il. +; (pl.) Pi. +
2 passionate desire, eagerness (freq. W.GEN. for sthg.) Archil. Trag. Th. +; (W.INF. to do sthg.) A. Hdt. Th. || PL. (gener.) desires Pi. S. Pl.; (W.GEN. for sthg.) Pi. E. Ar.
3 passionate joy, rapture S.
4 Eros, Love (as a god, usu. considered son of Aphrodite) Alcm. + || PL. Erotes, Loves (deities attendant on Aphrodite) E. Hellenist.poet.

ἐρωτάω, Ion. **εἰρωτάω** *contr.vb.* | Megar.imperatv. ἐρώτη | impf. ἠρώτων, Ion. εἰρώτων | aor. ἠρώτησα | **1 make an inquiry, inquire, ask** Hdt. E. Th. Ar. + —W.NEUT.ACC. *sthg.* A. Hdt. E. + —W.COGN.ACC. *a question* Th. Pl. Aeschin. —W.INDIR.Q. *what or whether sthg. is the case* Od. Hdt. Ar. + —W.DIR.Q. Ar. + || NEUT.PASS.PTCPL.SB. question asked Th. Pl. +
2 inquire of, question, ask —*someone* Od. hHom. Hdt. S. E. Th. + —(W.NEUT.ACC. *sthg.*) Hdt. Trag. + —(W.INDIR.Q. *what or whether sthg. is the case*) Hdt. + —(W.DIR.Q.) Trag. + || PASS. (of persons) be questioned Hdt. E. Th. +
3 inquire about —*sthg.* A. Hdt. Th. Pl. +; **ask** —W.DBL.ACC. *someone about sthg.* Od. Thgn. X. + || PASS. be asked about —*sthg.* Pl.
4 ask for, request —*sthg.* NT.; **put a request to, entreat, beg** —*someone* NT. —(W.INF. *to do sthg.*) NT. —(w. ἵνα or ὅπως + SUBJ. *to do sthg., for sthg. to be done*) NT.
ἐρώτημα ατος *n.* **that which is asked, question** Th. Pl. X. Aeschin. D. +; (W.GEN. about sthg.) Th.
ἐρώτησις εως *f.* **1 asking of a question, questioning, interrogation** Isoc. Pl. X. Arist.; (W.GEN. of someone) Pl.; (by someone) Pl.
2 question, query Pl. X. Plb. Plu.; (W.GEN. about sthg.) Pl.
ἐρωτητικός ή όν *adj.* (of persons) **able** or **apt to ask questions** Pl.
ἐρωτικός ή όν *adj.* [ἔρως] **1 relating to love**; (of the art) **of love** Pl.; (of a speech, a song) **about love** Pl. Arist. Bion; (of the circumstances) **of a love affair** Th.; (of feelings, desires, behaviour, thoughts, poems, or sim.) **of a lover, erotic, sexual** Th. Pl. Aeschin. Arist. Men. Plu. || NEUT.PL.SB. the matter or subject of love Pl.; passionate love (W.GEN. of beauty) Pl.; love-affairs Plu.; love-letters Plu.
2 (of persons) **prone to fall in love, amorous, passionate** Pl. X. Aeschin. Arist. Theoc. Plu. || MASC.PL.SB. lovers (as a class of persons) Pl. X. Arist.
3 (without sexual connot.) **passionately eager** (w. πρός + ACC. for sthg.) Plu. || NEUT.PL.SB. passionate cravings (w. πρός + ACC. for sthg.) Pl.
—ἐρωτικῶς *adv.* **1 amorously, with erotic feelings** or **sexual passion** Pl. Men. Plu.; **because of sexual passion** —*ref. to feeling resentment* Th.
2 with passionate eagerness or **desire** Pl. X.
ἐρωτίς ίδος *f.* **loved one, darling, sweetheart** Theoc.
ἐρωτύλα ων *n.pl.* [dimin. ἔρως] **little love-affairs** Bion
ἐρωτύλος ου *m.* **loved one, darling, sweetheart** Theoc.
ἐς¹ *prep.:* see εἰς
ἐς² *prep.:* see ἐκ
ἐσ- (in cpds.): see εἰσ-
ἔσαλτο (ep.3sg.athem.aor.mid.): see εἰσάλλομαι
ἔσαν (ep.3pl.aor.): see ἕννυμι
ἔσαν (ep.3pl.impf.): see εἰμί
ἔσāνα (dial.aor.): see σαίνω
ἔσαντο (3pl.aor.mid.), **ἔσασθαι** (aor.mid.inf.): see ἕννυμι
ἔσαξα (aor.): see σάσσω
ἐσάπην (aor.pass.): see σήπω
ἐσάς (aor.ptcpl.): see ἵζω
ἔσασθαι (aor.mid.inf.), **ἔσατο** (3sg.aor.mid.): see ἕννυμι
ἐσ-ἄχρι *prep.* **as far as** —W.GEN. *a place* AR.
ἔσβεσα (aor.1), **ἐσβέσθην** (aor.pass.), **ἔσβην** (athem.aor.): see σβέννυμι
ἐσγεννάσονται (Boeot.3pl.fut.mid.): see ἐκγεννάω
ἔσδομαι *dial.mid.vb.:* see ἕζομαι
ἔσεαι (Ion.2sg.fut.mid.), **ἔσει** (2sg.fut.mid.): see εἰμί

ἐσ-έργνῡμι Ion.vb. [reltd. εἴργω] **enclose** —*a mummified corpse* (*in a case*) Hdt.

ἐσεσάχατο (Ion.3pl.plpf.pass.): see σάσσω

ἔσεσθαι (fut.mid.inf.), **ἔσεσθον** (2 and 3du.fut.mid.), **ἔσεται** (ep.3sg.fut.mid.), **ἔσῃ** (2sg.fut.mid.): see εἰμί

ἔσηκα (Lacon..aor.): see τίθημι

ἔσηνα (aor.): see σαίνω

ἔσηρα (aor.): see σαίρω

ἐσθέω contr.vb. [ἐσθής] | only Ion.pf.pass.ptcpl. ἐσθημένος | ‖ PF.PASS.PTCPL. (of persons) **clothed, dressed** —W.COGN.ACC. *in particular clothing* Hdt. —W.DAT. *in rags* Hdt.

ἐσθήματα τῶν n.pl. **clothes, garments** Trag. Th.

ἔσθην (3du.plpf.mid.): see ἕννῡμι

ἐσθής ῆτος, dial. **ἐσθάς** ᾶτος f. [ἕννῡμι] | irreg.dat.pl. ἐσθήσεσι (NT.) | **clothing, clothes** (of an individual or as worn by persons generally) Od. Hes. hHom. Pi. Hdt. Trag. + ‖ PL. **clothes** (of persons, or as worn on more than one occasion) A. Isoc. Pl. X. Arist. +; (pl. for sg., as worn by an individual) E.

ἐσθίω, also **ἔσθω** vb. [reltd. ἔδω] | dial.inf. ἐσθίην (Alcm.), ep. ἐσθιέμεν, ἐσθέμεναι | impf. ἤσθιον, ep. ἦσθον ‖ Fut. and pf. are supplied by ἔδω, aor. by φαγεῖν. | **1** (of gods, persons, animals) **eat** —*food, flesh, or sim.* Hom. Hes. Alcm. Iamb. A. Hdt. + —W.PARTITV.GEN. X.; (intr.) Hom. +
2 consume, devour (by feasting) —*a household, its resources* Od. ‖ PASS. (of a person's property) **be consumed** Od.
3 (fig., of fire) **consume, devour** —*corpses* Il.
4 ‖ PASS. (of teeth) **be eaten away, rot or decay** Thphr.
5 gnaw, bite —*one's lip* (*in annoyance*) Ar.; (fig.) **vex, fret** —*oneself* Ar.

ἐσθλός ή (dial. ᾱ́) όν, dial. **ἐσλός** ᾱ́ όν, Aeol. **ἔσλος** ᾱ ον adj. **1** (of persons) **of good quality** (in respect of birth, social standing, abilities, character, or sim.), **good, fine, excellent, admirable** Hom. Hes. Iamb. Eleg. Lyr. Trag. +; (of deities, in respect of helpfulness) Od. Hes. Thgn.; (of horses) Il.
2 (of persons, their mind or understanding) having the right feelings, **good, sound, reliable** Hom. Thgn. S.; (w. εἰς + ACC. towards someone) S.; (of a dog, fig.ref. to a person) **loyal** (W.DAT. to someone) A.
3 (of material things, such as armour, wagons, medicines, a meal, a gift) good of one's kind, **good, fine, excellent** Hom.; (of a place) Hes.; (of a marriage) E.; (of abstr. qualities, such as fame, advice, like-mindedness, deeds, joys) Hom. + ‖ NEUT.PL.SB. **good things** (ref. to material possessions or benefits) Cd. +; (ref. to actions, words or thoughts, in terms of their beneficial or moral quality) Od. +
4 good (as being welcome or boding well); (of a prediction, an event, birds of omen, news) **good, welcome, happy** Hom. Pi. S. E.; (of fortune) Sapph. S.; (of a time to be born) **favourable** Hes. ‖ NEUT.SB. (sg. and pl.) **good fortune** Hom. +
5 ‖ NEUT.IMPERS. (w. ἐστί understd.) **it is good** (i.e. right and proper) —W.INF. *to do sthg.* Il. Hes.; (also neut.pl.) Archil.

ἔσθος ους (ους) n. [ἕννῡμι] **item of clothing, garment** Il. hHom. Ar.

ἐσθῶ (aor.pass.subj.): see ἵζω

ἔσθω vb.: see ἐσθίω

ἔσις εως f. [ἵημι] **aiming** or **impulse** (coined for use in speculative etymologies) Pl.

ἐσκαθορᾷς (Ion.2sg.): see εἰσκαθοράω

ἐσκεμμένως pf.pass.ptcpl.adv.: see under σκέπτομαι

ἐσκλήκειν (ep.plpf.), **ἐσκληώς** (ep.pf.ptcpl.): see σκέλλω

ἔσκον (iterativ.impf.): see εἰμί

ἐσλός dial.adj., **ἔσλος** Aeol.adj.: see ἐσθλός

ἐσμέν (1pl.): see εἰμί

ἐσμεύω vb. [ἑσμός] (fig., of persons, compared to flies and wasps) **swarm** Call.(cj.)

ἑσμός οῦ m. [ἵημι] **1 swarm** (of bees, wasps) Hdt. Ar. Pl. X. Plu.; (of birds) A.; (of insects) Plu.; (fig., of people) A. Ar. Call.; (of Muses) Call.; (of diseases) A.; (of words, arguments) Pl.
2 jet, stream (of milk, fr. the earth) E.

ἐσοίμην (fut.mid.opt.), **ἔσομαι** (fut.mid.): see εἰμί

ἐσπάρην (aor.pass.), **ἔσπαρκα** (pf.), **ἔσπαρμαι** (pf.pass.): see σπείρω

ἔσπεισα (aor.): see σπένδω

ἑσπέρᾱ ᾱς, Ion. **ἑσπέρη** ης f. [ἕσπερος] **1 evening** Pi. +; (phrs.) ἑσπέρας *in the evening* Pi. Ar. Pl. +; (also) τῆς ἑσπέρας Ar.; ἀφ' ἑσπέρας *at nightfall* Th. X. +; πρὸς ἑσπέραν *towards evening* Ar. Pl. X. +; (ref. to future time) εἰς ἑσπέραν *for the evening, when evening comes* Ar. Pl. Hyp.
2 (fig., ref. to old age) **evening** (W.GEN. of life) Arist.(quot. Emp.)
3 West (indicating direction or location, in prep.phrs., w. ἀπό or πρός) Hdt. E. Th. Lys. +

Ἑσπερίδες ων f.pl. **Hesperides** (daughters of Night, who guarded a tree bearing golden apples in the far west) Hes. Mimn. Stesich. E. Isoc. AR.

ἑσπερινός ή όν adj. (of gymnastic exercises by soldiers) performed in the evening, **evening** X.

ἑσπέριος ᾱ (Ion. η) ον (also ος ον E.) adj. **1** (quasi-advbl., of persons or gods performing an activity) **in the evening** Hom. hHom. Thgn. Pi. Call. AR.
2 (of songs) **performed in the evening** Pi.; (of a star, ref. to the planet Venus) **appearing in the evening** (opp. morning) Call.; (gener., of stars) **in the evening** Theoc.; (of the darkness) **of evening** AR.
3 (of persons, a land, sea, dwelling) **in the west, western** Od. E. Call. AR. Plu. ‖ NEUT.PL.SB. **western regions** Th. Plu.

ἕσπερος ου m. (also f. AR.) | neut.nom.acc.pl. ἕσπερα | **1 evening** Od. Hes. hHom. Pi. AR.; (also neut.pl.) Od.
2 Hesperos, Evening star (ref. to the planet Venus) Sapph. E. Pl. Arist.(quot. E.) Call. Bion; (appos.w. ἀστήρ) Il.
3 West Call.

—**ἕσπερος** ον adj. **1** (of braziers) **lit at evening** S.
2 in or **towards the west**; (of regions) **western** A.; (of stars, sky) E.; (of glens, the side of a naval encampment, opp. eastern) S.
3 (of a god, ref. to Hades) **whose abode is in the west** (as the region assoc.w. darkness) S.

ἑσπέσθαι (ep.aor.2 mid.inf.), **ἕσπεσθε** (2pl.imperatv.), **ἕσπεται** (irreg.3sg.): see ἕπομαι

ἕσπετε (2pl.aor.2 imperatv.): see ἐνέπω

ἑσποίμην (ep.aor.2 mid.opt.), **ἑσπόμενος** (ep.ptcpl.), **ἑσπόμην** (aor.2), **ἐσπόμην** (ep.aor.2): see ἕπομαι

ἐς Boeot.prep.: see ἐκ

ἔσσα (aor.), **ἔσσαι**[1] (2sg.pf.mid.), **ἐσσάμενος** (aor.mid. ptcpl.), **ἔσσασθαι** (aor.mid.inf.), **ἔσσατο** (3sg.aor.mid.): see ἕννῡμι

ἔσσαι[2] (dial.aor.inf.), **ἔσσατο** (dial.3sg.aor.mid.), **ἔσσαντο** (dial.3pl.): see ἵζω

ἔσσαν (dial.fem.acc.sg.ptcpl.): see εἰμί

ἔσσεαι, ἔσσῃ, ἐσσῇ (ep. and dial.2sg.fut.mid.), **ἔσσεται** and **ἐσσεῖται** (ep.3sg.fut.mid.), **ἔσσεσθαι** (ep.fut.mid.inf.): see εἰμί

ἔσσευα (ep.aor.), **ἐσσεύοντο** (ep.3pl.impf.mid.): see σεύω

ἐσσήν (or **ἑσσήν**) ῆνος m. [prob.loanwd.] **king** (W.GEN. of a people; of the gods, ref. to Zeus) Call.

ἐσσί (ep.2sg.): see εἰμί

ἔσσο (2sg.plpf.mid.): see ἕννῡμι
ἔσσο (mid.imperatv.), ἔσσομαι (ep.fut.mid.), ἐσσόμενος (ep.fut.mid.ptcpl.), ἔσσονθη (Boeot.3pl.fut.mid.): see εἰμί
ἔσσον (aor.imperatv.): see ἕννῡμι
ἐσσόομαι Ion.pass.contr.vb.: see ἡσσάομαι
ἐσσύθην (ep.aor.pass.), ἔσσυμαι (ep.pf.mid.), ἐσσύμενος (ep.pf.mid.ptcpl.adj.), ἐσσυμένως (ep.pf.mid.ptcpl.adv.), ἔσσυτο (ep.3sg.athem.aor.mid.): see σεύω
ἔσσω (fut.): see ἕννῡμι
ἐστάθεν (ep.3pl.aor.pass.), ἐστάθην (aor.pass.), ἔσταθι (pf.imperatv.): see ἵσταμαι
ἔσται (3sg.fut.mid.): see εἰμί
ἑστᾱκα (dial.pf.), ἑστάκη (dial.3sg.plpf.), ἕσταμεν (1pl.pf. and plpf.), ἐστάμεν and ἐστάμεναι (ep.pf.inf.), ἑστάναι (pf.inf.), ἑσταότες (ep.nom.pl.pf.ptcpl.): see ἵσταμαι
ἐστάλην (aor.pass.), ἔσταλμαι (pf.mid.pass.): see στέλλω
ἔστᾱν (dial.athem.aor.), ἔστᾰν (ep.3pl.athem.aor.), ἕστᾱσα (dial.aor.), ἔστασαν (ep.3pl.aor.): see ἵστημι
ἕστασαν (3pl.plpf.), ἑστᾶσι (3pl.pf.), ἕστατε (2pl.pf.), ἕστατον (3du.pf. and 2du.pf.imperatv.), ἑστάτω (3sg.pf.imperatv.): see ἵσταμαι
ἐστέ (2pl.), ἔστε¹ (2pl.imperatv.): see εἰμί
ἔσ-τε² conj. and adv. [εἰς, τε¹]
—A conj. 1 (ref. to an occurrence in past time) up to the time when, until —W.INDIC. (usu. AOR.) sthg. was the case A. S. X. AR.; (ref. to present time, W.PRES.INF. in indir.sp.) Hdt.
2 (ref. to future time) until —W.AOR.SUBJ. (usu. w. ἄν or κε) or (after historic tenses) W.OPT. sthg. is the case Hes. Thgn. Hdt. Trag. X. AR. Theoc.
3 (ref. to an occurrence in past time) as long as, while —W.IMPF.INDIC. sthg. was the case Thgn. X.
4 (ref. to future time) as long as, while —w. ἄν + SUBJ. (usu. PRES.) or (after historic tenses) W.AOR.OPT. sthg. is the case Xenoph. Hdt. S. E. X.
—B adv. (in prep.phr.) ἔστε (ἔστ') ἐπί as far as, right up to —W.ACC. a place X. Call. AR. —a cubit (in height) Theoc.
ἔστειλα (aor.): see στέλλω
ἑστεώς (Ion.pf.ptcpl.): see ἵσταμαι
ἕστηκα (pf.), ἑστήκει(ν) (ep.3sg.plpf.), ἑστηκώς (pf.ptcpl.), ἑστηώς (ep.pf.ptcpl.), ἑστήξω (fut.pf.): see ἵστημι
ἔστην (athem.aor.), ἔστησαν¹ (3pl.): see ἵσταμαι
ἔστησα (aor.), ἔστησαν² (3pl.): see ἵστημι
ἐστί (3sg.): see εἰμί
ἑστίᾱ ᾱς, Ion. ἱστίη (also ἱστίη), also ἑστίη (AR. Theoc.), ης f. 1 hearth (of a house, esp. as a place of sanctity and a refuge for suppliants) Od. Hes. Hdt. Trag. Th. Ar. +
2 (gener.) hearth, house, home Pi. Trag. Pl. +; (fig., ref. to the grave) S.
3 household, family Hdt. Pl.
4 hearth of a god or of his temple, sacred hearth, altar Trag. And. Pl. +
5 κοινὴ ἑστίᾱ public hearth (in a city's town hall) Arist. Plb.
6 (fig., ref. to a place which is to its surroundings as a hearth is to a house); sacred hearth (W.GEN. of islands, ref. to Delos) Call.; (of an empire, ref. to a capital city) Plb.
—Ἑστίᾱ ᾱς, Ion. Ἱστίη (also Ἱστίη) ης f. 1 Hestia (goddess of the hearth) Hes. +; (honoured first in sacrifices and libations and addressed first in prayers) hHom. Pi. E. Ar. Pl. +; (provbl.) ἀφ' Ἑστίας ἄρχεσθαι start from the beginning Pl.; (ref. to doing sthg. thoroughly) Ar. Pl.
2 (in Roman ctxt.) Vesta Plu.
—Ἑστιάδες ων f.pl. (usu. appos.w. παρθένοι) Vestal Virgins (guardians of Rome's sacred flame in the temple of Vesta) Plu.

ἑστιάματα των n.pl. [ἑστιάω] food served at a banquet (W.DAT. + GEN. to the gods, by Tantalos) E.; (fig., ref. to abusive words) food, nourishment (for anger) Pl.
ἑστίᾱσις εως f. feast, banquet Th. Isoc. Pl. D. Arist. Men. +; (fig., W.GEN. of speeches) Pl.; (without GEN., ref. to speeches) Pl.
ἑστιάτωρ ορος m. one who gives a banquet, host Pl. Men.; (for one's tribe, as a leitourgia) D.
ἑστιάω, Ion. ἱστιάω contr.vb. [ἑστίᾱ] | impf. εἱστίων, Ion.3sg. ἱστίᾱ | aor. εἱστίᾱσα, inf. ἑστιᾶσαι | pf. εἱστίᾱκα || PASS.: impf. εἱστιώμην | fut. ἑστιάσομαι | aor. εἱστιάθην | pf. εἱστίᾱμαι, 3sg.imperatv. ἑστιᾱσθω, Ion.inf. ἱστιῆσθαι |
1 provide a feast for, feast, entertain to dinner —persons Hdt. E. Ar. Att.orats. Pl. X. + —(W.DAT. w. a particular food) Pl. —the members of one's tribe or deme (as a leitourgia) D. Thphr.; (intr.) provide a feast, act as host Ar. Pl. Thphr. || PASS. be feasted, be entertained to dinner Hdt. Ar. Att.orats. Pl. X. + —W.ADVBL.ACC. in a dream (i.e. imagine one is feasting) Ar.; (fig.) be entertained (W.PREP.PHR. by oneself, i.e. by one's own thoughts or day-dreams) Pl.; be fed —W.DAT. on sweet smells X.; (of the soul) —W.ACC. on reality, the earth Pl.
2 celebrate with a feast —a marriage E. Ar. Is. Plu. —a victory (in war or athletics) X. D. —the tenth-day ceremony (i.e. the day of naming a baby) D.; give a feast —W.DBL.ACC. for women, at the Thesmophoria Is.
3 (fig.) feast —someone, one's faculty of reasoning (W.GEN. on speeches) Pl. || PASS. (of a participant in philosophical discussion) be given a feast Pl. || IMPERS.PF.PASS.IMPERATV. let a feast (W.NEUT.ACC. of this kind) have been provided Pl.
ἑστιόομαι pass.contr.vb. (of a house) be provided with a hearth (fig.ref. to a child, as continuing a family line) E.
ἑστιοῦχος ον adj. [ἔχω] 1 (of a person, a bird-god) having guardianship of the hearth Ar. Pl.; (gener., of a goddess) having guardianship (W.GEN. of a land) E.
2 having a hearth; (of a land) of one's hearth and home A.; (of a rural dwelling) providing hearth and home E.; (of a city) with hearths or altars (seen as in danger of pollution) S.
3 (of firelight) shining at the hearth A.satyr.fr.
ἔστιχον (ep.aor.2): see στείχω
ἑστιῶτις ιδος fem.adj. (of a breeze) coming to the hearth (i.e. to one's home) S.
ἔστο (3sg.plpf.mid.): see ἕννῡμι
ἐστόν (2 and 3du.): see εἰμί
ἔστραμμαι (pf.pass.), ἐστράφην (aor.2 pass.): see στρέφω
ἐσ-τρίς num.adv. three times Pi.
ἔστρωσα (aor.), ἔστρωται (3sg.pf.pass.): see στόρνῡμι
ἔστω (3sg.imperatv.), ἔστων and ἔστωσαν (3pl.imperatv.): see εἰμί
ἑστῶ (pf.subj.), ἑστώς (pf.ptcpl.): see ἵσταμαι
ἔστωρ ορος m. peg (app. used to link a yoke to a wagon-pole) Il.
ἐσύθην (aor.pass.): see σεύω
ἔσφηλα (aor.): see σφάλλω
ἐσ-ύστερον adv. later, subsequently Hdt.
ἔσυτο (3sg.athem.aor.mid.): see σεύω
ἐσφυδωμένος (pf.pass.ptcpl.): see σφυδόομαι
ἐσχάρᾱ ᾱς, Ion. ἐσχάρη ης f. | ep.gen.dat.sg.pl. ἐσχαρόφιν |
1 place for a fire; (phr.) πυρὸς ἐσχάραι places where watchfires burn Il.
2 (in domestic ctxt.) hearth, fireplace Od. Semon. E.Cyc. AR. Plu.
3 portable container for fire, brazier (used for cooking) Ar.; (used in religious rituals) A.; (opp. βωμός altar, a fixed

structure) S.; (perh. placed on top of an altar) E.; (carried in a religious procession) X.
4 (gener.) **altar** (as a place for burnt offerings) A. E. Ar. D. AR.
5 (colloq.) female genitals, **cunt** Ar.
ἐσχαρεών ῶνος *m.* **hearth** Theoc.
ἐσχάριον ου *n.* **base** (of a wheeled siege-tower) Plb.
ἐσχαρίς ίδος *f.* **brazier** (used in religious rituals) Plu.
ἐσχατάω *ep.contr.vb.* [ἔσχατος] | only masc.fem.ptcpl. (w.diect.) ἐσχατόων ωσα | **1** (of a place) be at the furthest part (of a region), **be on the border** Il.
2 (of a soldier) be at the edge (of his own lines), **be a straggler** Il.
3 (of the west, a mountain range) be at an extreme distance, **be remote** Call. Theoc.
ἐσχατεύω *vb.* (of a region) **be at the extremity** —W.GEN. *of a country* Plb.
ἐσχατιᾱ ᾶς, Ion. ἐσχατιή ῆς *f.* **1** furthest or remotest part, **extremity, edge, border** (W.GEN. of a place) Hom. Hdt. Hellenist.poet. Plb.; (of battle) Il.
2 (without GEN., specif.) **border, frontier** (of a country) Pl. X. Arist. Plb. Plu.(oracle); **coast** (of an island) Od. S.; **edge** (of a pyre) Il.; (gener.) **furthest place** Hes. Hdt. Theoc.; **remote place** Archil.
3 piece of land on a border or in the remote countryside, **outlying estate** Aeschin. D.
4 furthest point, limit, summit (in achievement) Pi.; (W.GEN. of prosperity) Pi.
5 furthest point (in time); (periphr.) **finality** (W.GEN. of death) Pi.
ἐσχατό-γηρως ων, gen. ω *adj.* [γῆρας] (of a person) **in extreme old age** Plu.
ἔσχατος η (dial. ᾱ) ον *adj.* [reltd. ἐξ] | compar. ἐσχατώτερος (Arist.) | **1** (ref. to location) furthest in distance; (of peoples) **furthest, most remote** Od. Hdt. Th.; (of troops, in an encampment) **at the furthest end** (W.COMPAR.GEN. beyond others) Il.; (in a military formation) **at the extreme edge** Th. X.; (of a person) **furthest back** (in an audience, opp. in the front row) Ar.
2 (of places, boundaries) **furthest** Pi.*fr.* Hdt. Trag. Th. X. +; (of the limits of old age) E.; (of a voyage) Pi.; (of the limits of a vortex) Emp.
3 (of places or things) located in an extreme position (relative to others); (of a room) **furthest, innermost** Od.; app. **outermost** E.; (of flesh) **inmost** (ref. to the inner body, opp. outer skin) S.; (of seaweed) **in the lowest depths** Theoc.; (of a position in a camp, a shoot on a tree) **endmost** S. Theoc.; (of a turning-post) **at the far end** (of a racecourse) S.; (of ships) **at the extreme edge** (of a fleet) E.; (of the wing of an army) **extreme** Th. ‖ NEUT.SB. (sg. and pl.) furthest part or edge (W.GEN. of the earth, a country, an island, a city, life, or sim.) Sapph. B. Hdt. E. Th. Pl. +; (of an army or military formation) Hdt. Th.
4 (of an object) at its furthest point; (phr.) ἐσχάτη πυρά *edge of a funeral mound* S.
5 (of dawn) **earliest** (i.e. the very break of day) Theoc.
6 (of persons) at the end of a sequence; (of a person, standing in a line) **at the end** Hdt.; (of a charioteer, during a race) **at the back** S.; (of troops) **at the rear** (of an army) Hdt. Plb.; (of a king, a hired labourer) **last, most recent** Hdt. NT.; (of an ancestor) **remotest** Theoc.; (of a person, as hyperbol. term of praise) **last** (W.GEN. of the Greeks, the Romans, heroes) Plu.
7 (of things) at the end of a sequence; (of syllables in a word) **last, final** Arist. (of days, in which to do sthg.) Arist.; (of the Day of Judgement) NT.; (of a person's time of life) **last possible** (for having children) Arist.
8 last remaining; (of water in a river which is drying up) **last, final** Hdt.; (of a root, ref. to a family) S.; (of hope) Pi. S.*fr.*; (of a funeral hymn) Pi.*fr.*(cj.); (of a struggle) E.
9 (log., of a premise of a syllogism) **minor** Arist.; (of an individual term or category) **final, particular** (opp. primary or universal) Arist. ‖ NEUT.PL.SB. particular terms or categories Arist.
10 extreme in extent or degree; (of troubles, insults, dangers, disgrace, want, or sim.) **utmost, worst possible** S. E. Att.orats. Pl. +; (of penalties, punishments) **extreme, severe** Att.orats. Pl. +; (of democracy) Arist. ‖ NEUT.SB. (sg. and pl.) extreme wrong, punishment or danger Att.orats. +; extremity, limit (usu. W.GEN. of daring, suffering, or sim., w.vb. *go to, reach,* or sim.) Hdt. S. E. Th. Pl. +
11 (w. positive connot., of manly deeds) **supreme** Pi.; (of prizes, or perh. of the peak of prizes) Pi. ‖ NEUT.SB. summit (of happiness or achievements) Pi.
12 (prep.phrs.) ἐς τὸ ἔσχατον *to the very last, to the bitter end* (ref. to holding out) Hdt. Th.; (also) *to the furthest degree, extremely* Hdt.; εἰς τὰ ἔσχατα *extremely* X.
—ἔσχατον *neut.sg.adv.* **1 for the last time** S.
2 finally, in the end Call.; (w.neut.art.) Pl.
—ἔσχατα *neut.pl.adv.* **at the far ends** (of an encampment) —*ref. to beaching ships* Il.; **at the furthest end** (W.GEN. of the earth) Hes.; **furthest away** —*ref. to living* Hdt.
—ἐσχάτως *adv.* **1** (qualifying an adj.) to the furthest degree, **extremely, utterly** X. Plu.
2 (w. ἔχειν or διακεῖσθαι) **be close to the end** (*of endurance or life*) Plb. NT.
ἔσχεθον (ep.aor.2), ἔσχηκα (pf.), ἐσχόμην (aor.2 mid.), ἔσχον (aor.2): see ἔχω
ἔσχων (impf.): see σχάζω
ἔσω *adv. and prep.*: see εἴσω
ἔσωθε(ν) *adv. and prep.* [ἔσω] **1** (ref. to movt.) **from within, from inside** Hdt. Arist. Plb. NT.; (as prep.) **from out of** —W.GEN. *a scabbard* E.; **out from between** —W.GEN. *the Clashing Rocks* E.
2 (ref. to location) **inside** Emp. Hdt. Trag. X. +; (as prep.) —W.GEN. *a place* A. E.
ἐσώτερος ᾱ ον *compar.adj.* (of a prison) **inner** NT.
—ἐσωτέρω *compar.adv.* (ref. to movt.) **further inside** —W.GEN. *a country* Hdt.
ἐτάζω *vb.* **examine, scrutinise** (sthg.) Pl.
ἐτάθην (aor.pass.): see τείνω
ἔται ὦν *m.pl.* | ep.dat. ἔτῃσι | **1** members of the same family, **kinsmen** Hom.
2 members of the same community, **citizens** or **fellow citizens** Il. Pi.*fr.*
—ἔτης ου *m.* **private citizen** (opp. official) A. Th.(treaty)
ἑταίρᾱ, Aeol. ἔταιρα, ᾶς, Ion. ἑταίρη, also ep.Ion. ἑτάρη, ης, dial. ἑτάρᾱ ᾶς *f.* [ἑταῖρος] **1 female companion** or **friend** (of a woman or goddess) Sapph. Pi. B.(cj.) Call. Mosch.
2 companion, associate (W.GEN. of Ares, ref. to Eris) Il.; (of Panic, ref. to Flight) Il.; (of the Graces, ref. to Nike) Ar.; (of Poseidon, ref. to Helike, nymph of the city so named, of which he is patron god) Call.; (of the Corybants, ref. to nymphs) Call.
3 companion (ref. to a personif. lyre, w. further connot. *girlfriend*) hHom.; (W.GEN. of a feast, ref. to a tortoise, anticipating the use of its shell for a lyre) hHom.; (gener., W.DAT. for a feast, ref. to a lyre) Od.
4 girlfriend, mistress (of a man) E.*Cyc.* Theoc.

ἑταιρείᾱ

5 (specif.) **courtesan** (opp. common prostitute; sts.ref. to a woman engaged in an informal longer-term sexual relationship w. one man or several) Hdt. Ar. Att.orats. Pl. X. Thphr. +

ἑταιρείᾱ (also **ἑταιρίᾱ**) ᾱς, Ion. **ἑταιρηίη** ης *f*.
1 association, company, band (W.GEN. of persons of one's own age) Hdt.; (of witnesses) D.
2 (specif.) **association, group, party** (of persons w. a common cause, esp. political) Th. Att.orats. Pl. X. Arist. +; **association** (w. members of such a group) And. | cf. ἑταιρέω 1
3 (gener.) **comradeship, companionship** S. E. Isoc. Pl. X. D. +

ἑταιρεῖος, also **ἑταιρήιος**, η ον *Ion.adj*. **1** of or belonging to comradeship; (epith. of Zeus) **who oversees comradeship** Hdt.
2 (of love, betw. Zeus and Maia) **companionable** hHom.

ἑταιρεύομαι *mid.vb*. (of a man) **prostitute oneself** Plb.(quot.); (of a woman) **be a prostitute** Plu.

ἑταιρέω *contr.vb*. **1** (of a youth) **be a hired boyfriend** (of a man), **prostitute oneself** Ar. Att.orats. Plb. Plu. —W.DAT. *to someone* Aeschin.; (w. play on political connot. ἑταιρεία 2) **form an association** —W.DAT. *w. someone* And.
2 (of a woman) **be a prostitute** Plu.

ἑταιρηίη *Ion.f.*, **ἑταιρήιος** *Ion.adj*.: see ἑταιρείᾱ, ἑταιρεῖος

ἑταίρησις εως *f*. **acting as a hired boyfriend** (for a man), **male prostitution** Aeschin. D.

ἑταιρίᾱ *f*.: see ἑταιρείᾱ

ἑταιρίδιον ου *n*. [dimin. ἑταίρᾱ] (pejor.) **petty courtesan, tart** Men.

ἑταιρίζω (also **ἑταρίζω**) *vb*. [ἕταιρος] | ep.aor.inf. ἑταιρίσσαι | ep.aor.mid. ἑταρισσάμην | **1 be a companion** or **friend** —W.DAT. *to someone* Il. hHom.
2 || MID. **take** (W.ACC. someone) **as one's companion** Il. Call.

ἑταιρικός ή όν *adj*. **1** (of friendship) **of the kind that exists between comrades** Arist.; (opp. betw. relatives) Arist.
2 || NEUT.SB. **association, group or party** (w. political interests) Th. Hyp. Plu.; **loyalty to a party** (opp. family) Th.
3 ἑταιρικὴ ἵππος *cavalry of the Comrades* (*in the Macedonian army*) Plb. | see ἕταιρος 6
4 [reltd. ἑταίρᾱ] (of behaviour) **appropriate to a courtesan, seductive, meretricious** Plb.

—**ἑταιρικῶς** *adv*. **1 in a comradely manner** Arist.
2 in the manner of a courtesan Plu.

ἑταιρίστρια ᾱς *f*. [ἑταιρίζω] prob. **woman who uses female prostitutes** Pl.

ἕταιρος, Aeol. **ἔταιρος**, ep. **ἕταρος**, ου *m*. **1 comrade, companion, associate** (in war or other activity) Hom. +; (W.GEN. of night, i.e. acting under cover of darkness) hHom.; (of the feast, i.e. fond of feasting) hHom.(dub.); (W.GEN. in drinking and dining) Thgn.; (fig., ref. to a breeze, for sailors) Od.; (W.GEN. of foolish men, ref. to envy) Pi.*fr*.
2 (gener.) **comrade, friend** Hom. +
3 associate, follower (of Socrates) X.; (of a philosopher, a celebrated lawmaker) Arist.
4 || PL. **members of a group of persons pursuing a common cause** (esp. political), **associates** Th. Lys. D.
5 boyfriend, partner (of a woman) Semon. Ar.
6 || PL. **Comrades** (name of an elite cavalry corps in the Macedonian army) Plb.

—**ἕταιρος** ᾱ ον *adj*. (of a part of the soul) **associating** (W.GEN. w. certain experiences) Pl.

—**ἑταιρότατος** η ον *superl.adj*. || MASC.SB. **most intimate friend** Pl.

ἐτάκην (aor.2 pass.): see τήκω

ἐτάλασσα (ep.aor.): see τλῆναι
ἔταμον (dial.aor.2): see τέμνω
ἐτάρᾱ *dial.f.*, **ἐτάρη** *ep.Ion.f.*, **ἔταρος** *ep.m.*: see ἑταίρᾱ, ἑταῖρος
ἐταρίζω *vb*.: see ἑταιρίζω
ἐτάρπην (ep.aor.2 pass.): see τέρπω
ἐτάφην (aor.2 pass.): see θάπτω
ἐτεή *Ion.f.*, **ἐτεῇ** *Ion.dat.adv.*: see under ἐτεός
ἐτέθαπτο (3sg.plpf.pass.): see θάπτω
ἐτέθην (aor.pass.): see τίθημι
ἐτεθήπεα (plpf.): see ταφεῖν

ἔτειος ᾱ ον *adj*. [ἔτος] **1** (of athletic contests, tribute) **recurring every year, yearly, annual** Pi. E.
2 (of watch-keeping duty) **lasting a year, year-long** A.
3 (of hares) **one year old** X.

ἐτεκόμην (aor.2 mid.), **ἔτεκον** (aor.2): see τίκτω
ἔτεμον (aor.2): see τέμνω

ἐτεός όν *ep.adj*. | only neut.nom.sg. ἐτεόν, acc.pl. ἐτεά | (sg., as predic. to unexpressed subject in conditional cl., *if it is*) **true** Il.; (pl., of many things) I .
—**ἐτεή** ῆς *Ion.f*. **truth, reality** Democr.
—**ἐτεῇ** *Ion.dat.adv*. **in truth, in reality** Democr.
—**ἐτεόν** *neut.adv*. **1** (in conditional cl., following εἰ) **truly, really, in fact** Hom. AR.; (in dir. statement) hHom. Call. AR.; (in dir.q.) Call.; (in dir.q., expressing bewilderment or indignation) **really, actually** Ar.
2 (in conditional cl.) **truly, rightly** (opp. falsely or wrongly) Il. Theoc.

ἐτερ-αλκής ές *adj*. [ἕτερος, ἀλκή] **1** (of a group of combatants) **with other strength or help, bringing fresh support** Il.
2 (of victory) app., giving strength or help to the other side (i.e. the losing side), **turning the tide of war** Hom.; (of Ares) A.
3 (of a battle) **bringing success now to one side and now to the other, finely balanced, undecided** Hdt.

—**ἐτεραλκέως** *Ion.adv*. **indecisively** —*ref. to fighting* Hdt.

ἐτερ-ήμερος ον *adj*. [ἡμέρα] (quasi-advbl., of the Dioscuri being alive and dead) **on alternate days** Od.

ἐτέρηφι (ep.gen.dat.fem., also fem.dat.adv.): see ἕτερος

ἑτερό-γλωττος ον *Att.adj*. [γλῶσσα] (of persons) **of different speech, speaking a foreign language** Plb.

ἑτερό-γναθος ον *adj*. [γνάθος] (of a horse) **with jaws that differ** (in sensitivity, one side being hard, the other soft) X.

ἑτεροδοξέω *contr.vb*. [δόξα] **think that one thing is another** Pl.

ἑτεροδοξίᾱ ᾱς *f*. **thinking that one thing is another** Pl.

ἑτεροζήλως *adv*. [ζῆλος] **with enthusiasm for one side, in a partisan way** Hes.

ἑτερό-ζυξ ζυγος *masc.fem.adj*. [ζεύγνῡμι] (fig., of a city, envisaged as a horse) **with one** (of a pair) **at the yoke, without a yoke-fellow** (ref. to another city) Plu.

ἑτεροιόομαι *pass.contr.vb*. (of things) **be made different, be changed** or **altered** Hdt.

ἑτεροῖος ᾱ (Ion. η) ον *adj*. (of a person, climate, way of doing things) **of a different kind** (fr. another) Hdt.; (gener., of things) Pl.

ἑτεροιότης ητος *f*. **difference in kind** Pl.

ἑτερο-κλινής ές *adj*. [κλίνω] (of ground) **inclining on one side, sloping** or **uneven** X.

ἑτερο-μήκης ες *adj*. [μῆκος] **1 having unequal lengths**; (of a kind of exercise for horses, entailing turning) app. **in an oblong pattern** (opp. in a circle) X.
2 (of a number) **oblong** (opp. square, i.e. produced by the multiplication of two unequal factors) Pl.

ἑτερό-πλοος ον, Att. **ἑτερόπλους** ουν adj. [πλόος] relating to the one (opp. the other) leg of a voyage; (of money, ref. to a loan) **for an outward voyage** D. ‖ NEUT.PL.SB. money for the outward voyage D.

ἑτερο-ρρεπής ές adj. [ῥέπω] (of Zeus) **inclining one or the other way** (i.e. impartial) A.

ἕτερος ᾱ (Ion. η) ον, dial. **ἅτερος** (Aeol. **ἄτερος**) ᾱ ον adj. | ep.fem.gen.dat. ἑτέρηφι | In crasis w.art., Att.masc. ἅτερος, fem. ἡτέρᾱ or ἁτέρᾱ, neut. θάτερον (sts. written θἄτερον), gen.dat.masc.neut. θᾱτέρου ῳ (θᾱ̆-), dat.fem. θᾱτέρᾳ (θᾱ̆-) or θἡτέρᾳ, pl.masc. ἅτεροι, neut. θάτερα (θᾱ̆-) | later masc.sg. (by analogy) θάτερος (Men.) | Ion.masc. οὕτερον, neut. τοὕτερον, gen.masc.neut. τοὐτέρου, dat.fem. θητέρῃ (Archil.), τητέρῃ (Call.) | dial.masc. ὥτερος, neut. θώτερον (Theoc.) |

1 one or other (of two), **one** Hom. + • χειρὶ ... ἑτέρῃ **with one hand** Il. • ἡ ἑτέρη πύλη **one of the two gates** Hdt. • τοῖνδ' ἑλοῦ δυοῖν πότμοιν τὸν ἕτερον **of these two fates choose one** E. • (pl., ref. to one or other of two groups) οὐδ' ἄρα τώ γε ἔκλυον ἀμφοτέρων, ἑτέροισι δὲ κῦδος ἔδωκαν **they did not listen to both sides, but gave glory to one or the other** Il. ‖ FEM.DAT.SB. **with one hand** Pl.

2 the other (of two) Hom. + • δι' οὔατος ... ἑτέροιο **through the other ear** Il. • τὸ ἕτερον κέρας **the other wing** (of an army) Hdt. ‖ FEM.DAT.SB. **with the other hand** Hom. +

3 (w. the adj. applied to both members of a pair) • ἑτέρῳ μὲν δουρὶ ... τῷ δ' ἑτέρῳ **with one spear ... but with the other** Il. • (in same cl.) ἁ δ' ἀτέρα τὰν ἀτέραν κύλιξ ὠθήτω **let the one cup jostle the other** Alc. • (expressing alternating relationship) συμφορὰ δ' ἑτέρους ἕτερα πιέζει **different calamities afflict different people** E.

4 (in a sequence) **next, second** Hom. + • ἡ μὲν ... ἡ δ' ἑτέρη ... ἡ δὲ τρίτη **one** (woman) **... the next ... the third** Od. • ἕτερον τέρας **a second portent** Hdt. ‖ FEM.SB. (usu.dat.) **next day** Hdt. S. E. Pl +

5 (w. demonstr.adjs. or numerals) **other, further** Hes. + • τόσσοι ... ἕτεροι ποταμοί **just as many other rivers** Hes. • ἑτέρας δύο ἡμέρας **for two further days** Hdt.

6 other (out of an indeterminate number) Hom. + • ὅς δέ κ' ἀνὴρ ἀπὸ ὧν ὀχέων ἕτερ' ἅρμαθ' ἵκηται **any man who reaches another chariot from his own** Il. • ἕτερος ... πανουργότερός τις ἀναφανήσεται **another man more villainous** (than I) **will appear** Ar.

7 of another kind, different (sts. W.GEN. fr. someone or sthg. else) Hom. + • ἕτερος ἤδη ἦν καὶ οὐχ ὁ αὐτός **he was now a different man and not the same** D. • ἐλέγετο ἕτερον εἶναι σωφροσύνης σοφία **wisdom was said to be a different thing from good sense** Pl.

8 (euphem.) **different** (fr. good, i.e. bad); (of a person's fortune) **adverse** Pi. Call. • πλέον θάτερον **more harm than good** Isoc. Pl. • (w. contrasting wd. expressed) ἀγάθ' ἢ θάτερα, ἵνα μηδὲν εἴπω φλαῦρον **good or the opposite, to avoid using an unpleasant term** D.

9 (prep.phrs.) ἐπὶ θάτερα **to the other side or in the other direction** Pl. +; τὰ ἐπὶ θάτερα **the other side** (of a city, a body) Hdt. E.; ἐς τὰ ἐπὶ θάτερα **to the other side** Th.; (W.GEN. of a river, a city) Th. X.; ἐκ τοῦ ἐπὶ θάτερα **from or on the other side** Th. Pl. X.; (W.GEN. of a hill) Th.; ἐκ ... ἑτέρης (w. χειρὸς understd.) **on the other hand** (i.e. side) AR.

—**ἑτέρᾳ**, ep. **ἑτέρηφι**, Ion. **ἑτέρῃ**, Aeol. **ἀτέρᾳ** fem.dat.adv. **1 by another route** Hes. Hdt. Ar. Theoc.

2 in another or **different way** —ref. to things turning out S. —ref. to explaining sthg. Ar.

3 in another place or direction, elsewhere —ref. to looking Ar.; (also w.art., opp. ἄλλοσε in one direction) θατέρα (or θητέρᾳ) **in the other direction** —ref. to directing one's thoughts S.

—**ἑτέρως** adv. **1 in one** or **the other way** (of two) Pl.
2 in another way, differently Od. Ar. Isoc. Pl. +; (W.GEN. fr. sthg.) Pl.
3 wrongly —ref. to forming opinions X.

ἑτερότης ητος f. **otherness, divergence** Arist. Plu.

ἑτερό-τροπος ον adj. [τρέπω] (of a person's luck) **turning in a different direction** (i.e. for the worse) Ar.

ἑτερ-όφθαλμος ον adj. [ὀφθαλμός] (of a person) **one-eyed** D. Arist. Plu.; (fig., of Greece, envisaged as deprived of either Athens or Sparta) Arist.(quot.)

ἑτεροφωνίᾱ ᾱς f. [ἑτερόφωνος] **variation in sound** (betw. a singer and an accompanying lyre) Pl.

ἑτερό-φωνος ον adj. [φωνή] (of an army) **speaking a different dialect** A.

ἑτέρωθεν (also perh. **ἑτέρωθε** Hes.) adv. **1** (ref. to location) **from** or **on the other side** Hom. Hes. hHom. AR. Theoc.
2 on one side Theoc.; (w.art.) τοὐτέρωθεν Hippon.
3 from another place, from elsewhere D.; **elsewhere** Hdt.
4 (ref. to source) **from the other party** (in a lawsuit) Lys.; **from elsewhere** Pl. Aeschin. D. Arist.

ἑτέρωθι adv. **1** (ref. to location) **on the other side, opposite** Od.
2 in another place, elsewhere Hom. Hdt. Att.orats. Pl. Plu.
3 (ref. to writing) **in another passage, elsewhere** Hdt. Arist. Plu.; (W.GEN. in a narrative) Hdt.
4 at another time Hdt.

ἑτέρως adv.: see under ἕτερος

ἑτέρωσε adv. **1 to the other side, in the other direction** Hom. Pl. AR.
2 on the other side Il. D.
3 to one side, aside Hom. Ar.; (also) εἰς ἑτέρωσε AR.
4 to somewhere else, elsewhere Ar. Pl. D. Men. Plu.

ἐτέτλαμεν (ep.1pl.plpf.): see τλῆναι

ἔτετμον (ep.aor.2): see τετμεῖν

ἐτετύγμην (plpf.pass.), **ἐτετεύχατο** (ep.3pl.): see τεύχω

ἔτης m.: see under ἔται

ἐτησίαι ων (Ion. ἕων) m.pl. [ἔτος] (sts. appos.w. ἄνεμοι) **winds recurring annually** (during the summer in the Mediterranean), **etesian winds** Hdt. D. Plb. Plu.

ἐτήσιος ον adj. **1 lasting a year**; (of mourning) **year-long** E.
2 recurring every year; (of sacrifices, libations, offerings, produce of the earth) **annual** Th. Call. AR. Plu.
3 (of winds) **etesian** AR.

ἐτητυμίη ης Ion.f. [ἐτήτυμος] **truth** Call.

ἐτήτυμος ον adj. [redupl. ἔτυμος] **1 true** (opp. mistaken or false); (of a story, statement, or sim.) **true** Od. Hes. hHom. Trag. AR. ‖ NEUT.SB. **truth** Ar.(quot. E.)
2 (of a messenger) **bringing the truth, reliable** Il. hHom.; (of a prophetic god, his speech) **truthful** E.
3 real or genuine (opp. unreal or false); (of a child) **true-born** A. S.; (of gold) **true, genuine** Theoc.; (of reputation) hHom. Pi.; (of truth, the path to truth) Pi. Parm.; (of the source of a river) **actual** AR.
4 (of a sea god, ref. to being visible) **in one's true form** AR.
5 (of a return home) **certain, assured** Od.

—**ἐτήτυμον** neut.adv. **1 truly, reliably** —ref. to speaking, promising Hom. hHom. AR.
2 in actual fact, truly, really Hom. hHom. Archil. AR.

—**ἐτητύμως** adv. **1 truly, rightly** —ref. to deciding an issue, naming a person A.
2 in actual fact, truly, really A. E.; (also) ὡς ἐτητύμως S.

ἔτι adv. **1** (ref. to present or past time, indicating the continuance of a previous action or condition); **now** (or at

ἔτλᾱν

the time in question) as formerly, **still, yet** Hom. + • εἰ Ζεὺς ἔτι Ζεύς *if Zeus is still Zeus* S. • ὄφρ' ἔτι κεῖνος ἀνὴρ ἐπιδήμιος ἦεν *while that man was still in the country* Od.
2 now (or at the time in question) in contrast to the future, **at present, as yet, still** Hom. + • ἦμος δ' οὔτ' ἄρ πω ἠώς, ἔτι δ' ἀμφιλύκη νύξ *while it was not yet dawn but still twilight* Il.
3 (ref. to future time, indicating continuance) **still, yet, further** Hom. + • ἐς τί ἔτι κτείνεσθαι ἐάσετε λαὸν Ἀχαιοῖς; *how long will you continue to allow the people to be killed by the Achaeans?* Il.
4 (ref. to an occurrence or state in future time) **in the future, hereafter** Hom. + • οὐ γὰρ ἔτ' ἄλλη ἔσται θαλπωρή *for there will be no other comfort in future* Il. • (freq. in threats) ἦ μὴν ἔτι Ζεὺς ... ἔσται ταπεινὸς *I declare that Zeus will be abased some day* A.
5 again, once more Hom. + • δός μοι ἔτι *give me* (*the cup*) *again* Od.
6 (countering an implied obstacle) **still, yet, after all** Od. + • ἔτι γάρ κεν ἀλύξαιμεν κακὸν ἦμαρ *for we might still escape the day of doom* Od.
7 (making an addition) **also, further, besides** Hom. + • δίδου ... δὸς δ' ἔτι *grant ... and grant also* Od. • γένος ... ἔτ' ἄλλο *yet another race* Hes.; (introducing a cl.) • ἔτι δὲ καὶ *and furthermore* Th.
8 (strengthening a compar.adv. or adj.) **yet, still, even** Hom. + • ἔτι μᾶλλον *still more* Hom. +; (also) ἔτι πλέον Hdt. + • ἔτι πρότερον *even earlier* Hdt. + • κἄτι τῶνδ' ἀλγίονα *and things yet more painful than these* S.
9 (strengthening another temporal adv.) • ἔτι νῦν (or sim.) *even now* Il. + • ἔτι πρίν *even before* (*sthg. happens*) Th. D. | For ἐξ ἔτι *ever since* see ἐξέτι.

ἔτλᾱν (dial.athem.aor.), **ἔτλην** (athem.aor.): see τλῆναι
ἐτμάγην and **ἐτμήγην** (aor.2 pass.): see τμήγω
ἐτμήθην (aor.pass.): see τέμνω
ἐτν-ήρυσις εως *f.* [ἔτνος, ἀρύω] **soup-ladle** or (ref. to a jug) **soup-pourer** Ar.
ἔτνος εος (ους) *n.* **soup** (of beans, peas or other vegetables) Alcm. Hippon. Ar. Pl.
ἑτοιμάζω *vb.* [ἕτοιμος] | aor. ἡτοίμασα || pf.mid.pass. ἡτοίμασμαι | **1 make ready** or **available** —*a prize, a sacrificial victim or offering* Hom.(sts.mid.) —*a home* E. —*ships, troops, money, supplies, or sim.* Hdt. Th. X. Men. Theoc. Plb. + —*the way of the Lord* NT.; (of God) —*His salvation* NT.
2 furnish, supply —*a plan* E. —*pleasures* E. —*gratification* (W.DAT. *to desires*) Pl.; **devise** —*an accusation and pretext* S. —*a death-plot* Call.
3 || MID. **make preparations for** —*recruitment of troops* Th.; **make** (W.NEUT.ACC. *these, other, or sim.*) **preparations** Th. Plb.; (intr.) **make preparations** Hdt. Plb. —W.INF. *to do sthg.* X.
4 || MID. **make available for oneself, provide oneself with, secure** —*support, money, maintenance, or sim.* Th. X. D. Plb.
5 || PASS. (of persons or things) **be made ready or available** E. Th. D. Plb. NT.; (of trouble) **be prepared or planned** —W.DAT. *for someone* And.
ἕτοιμος, Att. **ἔτοιμος**, η (dial. ᾱ) ον (also ος ον) *adj.* **1** (of things) **ready, prepared, at hand** Hom. Xenoph. Pi. Hdt. E. Th. +; (of a marriage) **available** (for suitors to compete for) Pi.; (of prey) readily captured, **easy** AR. || COMPAR. (of tears) coming more readily (W.GEN. than laughter) A.
|| NEUT.PL.SB. **things ready to hand** (opp. objects of future inquiry or aspiration) Th.

2 (of abstr. things) **certain** or **inevitable**; (of a marriage) **assured** (for a suitor) E.; (of a prediction) **realised, made good** Hom.; (of a person's fate) **sure to be fulfilled, certain** Il.; (of a plan) **sure to succeed, effective** Il.; (of a journey to death) **inescapable** S.
3 || NEUT.IMPERS. (w. ἐστί understd.) **it is certain or inevitable** —W.DAT. + INF. *that someone shd. suffer or experience sthg.* Sol. Anacr.; (W.ACC. + INF.) Pl.; (W.ACC. or DAT. understd.) E.
4 (of persons) **ready, prepared** Hdt. S. E.; (W.PREP.PHR. for sthg.) Hdt. X. Arist.; (W.DAT. for someone) AR.; (W.INF. to do sthg.) Hdt.
5 ready, willing, eager A. Pi.; (W.INF. to do sthg.) Hdt. Trag. Th. Ar. Att.orats. Pl. +; (w. τό + INF.) S.; **active, zealous** (W.DAT. in the raising of horses) Pi.
6 (of a person's resolve) **ready, fixed, eager** Th. Ar.
—**ἑτοίμως** *adv.* | compar. ἑτοιμότερον, superl. ἑτοιμότατα | **readily, willingly, easily** Th. Att.orats. Pl. +
ἑτοιμότης ητος *f.* **1 readiness, preparedness** (of persons, for an activity) D. Plb.
2 readiness to hand, availability (of things) Plb. Plu.
ἐτός[1] *adv.* **in vain**; (only in colloq. neg.phr., prefixed to a statement) οὐκ ἐτός *it's not for nothing, no wonder* Ar. Pl.
ἐτός[2] ή όν *adj.* [ἐτεός] (of prayers) **true, unfeigned** Call.
—**ἐτῶς** *adv.* **truthfully** Call.
ἔτος εος (ους) *n.* (as a period of time) **year** Hom. +; (w. a numeral or num.adj., indicating a date, a person's age, or sim.) Hom. +
ἔτραγον (aor.2): see τρώγω
ἐτραπόμην (aor.2 mid.), **ἔτραπον** (aor.2), **ἐτράπην** (aor.2 pass.): see τρέπω
ἔτραφε (dial.3sg.impf.), **ἔτραφον** (ep.aor.2), **ἐτράφην** (aor.2 pass.): see τρέφω
ἐτρέφθην (aor.pass.): see τρέπω
ἔτρησα (aor.): see τετραίνω
ἐτρώθην (aor.pass.), **ἔτρωσα** (aor.): see τιτρώσκω
ἐτύθην (aor.pass.): see θύω[1]
ἔτυμος όν (also dial. ά όν S.) *adj.* [ἐτεός] | superl. ἐτυμώτατος | **1 true** (opp. mistaken or false); (of a story, statement, or sim.) **true** Stesich. A. Pi. E. Ar. Call.
|| NEUT.PL.SB. **true things, truths** Od. Hes. Thgn. || SUPERL. (of the light of a star, fig.ref. to a guiding principle in life) **truest** Pi.
2 (of a messenger) **bringing the truth, reliable** A.
3 existing in reality (opp. unreal or imaginary); (of happenings, sufferings) **real, actual** Od. A.; (of a person's voice) S.
4 (of an art or science) **true, genuine** Pl.(quot.)
—**ἔτυμον** *neut.sg.adv.* **1 truly, rightly, correctly** —*ref. to speaking* Hom. S.
2 in actual fact, **truly, really** Od.
—**ἔτυμα** *neut.pl.adv.* **1 truly, rightly, correctly** —*ref. to addressing someone* A.
2 in a manner that is true to life, **naturally** —*ref. to depicting persons in art* Theoc.
—**ἐτύμως** *adv.* **1 truly, rightly, correctly** —*ref. to speaking, surmising* Xenoph. Theoc.
2 with true feelings, **truly, sincerely** A.
3 in actual fact, **truly, really** Pi. B. Ion E. Ar. Philox.Leuc.; (also) ὡς ἐτύμως A.
ἐτύπην (aor.2 pass.): see τύπτω
ἐτύχησα (ep.aor.1), **ἔτυχον** (aor.2): see τυγχάνω
ἐτύχθην (aor.pass.): see τεύχω

ἐτωσιο-εργός όν *adj.* [ἐτώσιος, ἔργον] (of a person) working to no good purpose, **ineffective** Hes.

ἐτώσιος ον *adj.* [ἐτός¹] **1** in vain; (quasi-advbl., of weapons being dispatched or reaching their target, seeds being planted, or sim.) **in vain, without effect** Hom. Hes. hHom. Theoc.
2 (of gifts) **given in vain** Od.; (of words) **spoken in vain** Hes.
3 (of a burden on the earth, ref. to a person) **useless** Il.; (of grief) AR.
4 (of work) **unfinished** Hes.
—**ἐτώσια** *neut.pl.adv.* **1 in vain** —*ref. to toiling, coaxing, searching* AR. Theoc.
2 uselessly —*ref. to ageing* AR.
3 ineffectively —*ref. to a boxer making feints* Theoc.

εὖ, ep. **ἐύ** (or **ἔυ**) *adv.* [ἐύς] **1** in a manner or to a degree that is thorough, appropriate or praiseworthy, **well, fully, thoroughly, properly** Hom. + • εὖ μέν τις δόρυ θηξάσθω, εὖ δ' ἀσπίδα θέσθω *let each man have his spear sharpened well and keep his shield in proper condition* Il. • εὖ τόδ' ἴσθι *be well assured of this* A. • οὐκ εὖ φρονεῖς *you are not thinking sensibly* S.
2 (w. moral connot.) in an appropriate, kindly or beneficial manner Hom. + • ὅς ῥά μιν εὖ ἔρξαντα κακῷ ἠνίπαπε μύθῳ *who treated him with abuse, although he had done him a good service* Il. • ἵνα τίς σε καὶ ὀψιγόνων ἐὺ εἴπῃ *so that a man even of later generations may speak well of you* Od. • εὖ φρονῶ τὰ σά *I am well-disposed towards you* S.
3 with good fortune or happiness, **well, fortunately, successfully, happily** Hom. + • εὖ ζώουσι *they have a good life* Od. • εὖ τελευτῆσαι τὸν βίον *bring one's life to a happy end* Hdt. • εὖ ... εἴη *may it turn out well* A.
4 (w. μάλα, conveying emphasis, when qualifying an adj. or noun) • ὑμεῖς ... εὖ μάλα πᾶσαι *every single one of you* (*women*) hHom. • εὖ μάλα πρεσβύτης *a really quite elderly man* Pl.
5 ‖ NEUT.SB. (or perh. as neut. of adj. ἐύς) τὸ ... εὖ *the good, the right* A. E. Ar.(quot. E.); (without art., of divinities) εὖ διδόναι *bestow good* S. E.
6 (interj.) εὖ γε (or εὖγε) *well done!, well said!, bravo!* S. Ar. Pl. X. Men. Call.*epigr.* +

ἐύ (Ion.3sg.gen.enclit.pers.pron.): see ἕ

εὐαγγελίζομαι *mid.vb.* [εὐάγγελος] | aor. εὐηγγελισάμην (NT.), inf. εὐαγγελίσασθαι | **1 bring** or **announce good news** —W.DAT. *to someone* Ar. D. —W.COMPL.CL. or ACC. + INF. *that sthg. is the case* Thphr. Plu.; **bring good news** —w. πρός + ACC. *to someone* Men.; **bring good news of** —W.ACC. *great successes* (W.DAT. *for one's country*) Lycurg.
2 (specif., of Jesus, his followers, angels) **proclaim the good news** (i.e. the Gospel), **preach** NT. —W.ACC. or DAT. *to persons, communities* NT. —W.ACC. or PREP.PHR. *about someone or sthg.* NT. —W.DBL.ACC. *to someone, about sthg.* NT.; **exhort** (W.ACC. someone) **by preaching** —W.INF. *to do sthg.* NT. | PASS. (of persons) have the good news (i.e. the Gospel) preached to one NT.; (of a message) be preached NT.

εὐαγγέλιον ου *n.* **1 reward for good news** (given to a messenger) Od. Plu.
2 ‖ PL. reward for good news (ref. to being garlanded) Ar.; thank-offerings (to the gods) for good news Ar. Isoc. X. Aeschin. Men. Plu.
3 ‖ PL. (gener.) **good news** Plu.
4 (specif.) **good news, Gospel** (sts. W.GEN. of God, His kingdom) NT.

εὐαγγελιστής οῦ *m.* preacher of the good news (i.e. the Gospel), **evangelist** NT.

εὐ-άγγελος ον *adj.* **1** (of a person, beacon-fire, dawn, report) **bringing good news** (sts. W.GEN. of sthg.) A. E.; (of a messenger's expectation) **of bringing good news** E.
2 (of hope) **of receiving good news** A.

εὐαγέω *contr.vb.* [εὐαγής] (of worshippers of Dionysus) **be pure** E. Theoc.; (of the unborn Apollo) Call.

εὐ-αγής ές *adj.* [ἄγος] **1** free from pollution (in the eyes of the gods); (of a killer, a killing) **free from taint** or **guilt** And.(law) D.(law) Plu.; (of a solution to a problem) **that leaves no taint** S.; (of burial rites) **without taint** (W.ADV. for the world below) S.; (of an object dedicated to the gods) Pl.
2 (gener., of persons) **untainted, pure** Call. Theoc.; (of libations, sacrifices) **pure, holy** AR.
—**εὐαγέως** *Ion.adv.* **in a pure and holy manner, according to proper ritual** —*ref. to performing sacrifices* hHom. AR.
—*ref. to bathing* (before a sacrifice) AR.

εὐ-αγής, dial. **ἐοαγής** (Lyr.adesp.), ές *adj.* [αὐγή] **1** (of a place) **with a clear view** E.; (W.GEN. of an army) A.
2 (fig., of a subject of inquiry) **offering a clear view** (to the mind) Pl.
3 (of a rock) clearly seen, **conspicuous** Pi.*fr.*
4 (of the sun, aither, snowfalls) **bright** Parm. E. Pl.
5 (of the goddess Health) **radiant** Lyr.adesp.

εὐάγητος ον *adj.* (of the appearance of clouds) **bright** Ar.

εὐ-άγκαλος ον *adj.* [ἀγκάλη] (in neg.phr., of the burden borne by Atlas) **easy on the arms** A.

εὐ-αγκής ές *adj.* [ἄγκος] | also dial.fem.adj. εὐάγκεια (Call.) | (of a hill, a mountain) **with lovely glens** Pi. Call. [unless εὐάγκεια is fem.sb. *lovely glens*, cf. μισγάγκεια]

εὐαγορέομαι *dial.pass.contr.vb.* [ἀγορεύω] be spoken well of, **be praised** Pi.

εὐαγορία ᾱς *dial.f.* **praise** (of a person) Pi.*fr.*; **acclamation** (of a goddess) Call.

εὐαγρία ᾱς *f.* [εὔαγρος] **success in hunting** Plb.

εὔ-αγρος ον *adj.* [ἄγρᾱ] (of an ambush) **successful in capturing the prey** S.

εὐαγωγία ᾱς *f.* [ἀγωγή] **good upbringing** (of a person) Aeschin.

εὐ-άγωγος ον *adj.* [ἀγωγός] **1** (of a person, a city) **easily influenced** (sts. W.PREP.PHR. by someone) Isoc. Plb.; (of a person's soul) **easily guided** (W.DAT. by an educator) Pl.; (of persons, the mind) **easily led** (W.PREP.PHR. towards sthg.) Pl. X. Arist. Plb.
2 (of a river) **good for transportation** (of merchandise) Isoc.

εὐ-άγων ωνος *masc.fem.adj.* [ἀγών] (of honour) **of success in the games** Pi.

εὐ-αδίκητος ον *adj.* [ἀδικέω] (of a person) **easily wronged** And.

εὔαδον (ep.aor.2): see ἁνδάνω

εὐ-άεθλος ον *dial.adj.* [ἄθλος] | scanned as trisyllable | (of a family) **successful in athletic contests** Pi.

εὐάζω *vb.* [εὐαί, εὐάν] (of Bacchants) **raise the ritual cry** E. Plu.; (of their chants) S. ‖ MID. **raise the cry for** —*Bacchus* E.

εὐ-ᾱής ές, gen. έος *adj.* [ἄημι] **1** (of a place) **well-aired, exposed to the wind** Hes. Simon.
2 (of a breeze) blowing favourably, **favouring** Hdt. E.; (fig., of Sleep) **wafting gently** S.

εὐαί *interj.* [reltd. εὐάν, εὐοῖ] **euai!** (ritual cry, assoc.w. Bacchants) Ar.

εὐ-αίνετος, also **εὐαίνητος** (Pi.), ον *adj.* [αἰνετός] (of Orpheus) **widely praised, renowned** Pi.; (of a poet's imagination) B.

εὐ-αίρετος ον *adj.* [αἱρετός] **1** (of a country) **easy to capture** Hdt.
2 (of persons) **easy to lay hands on** (i.e. find) X.

εὐαισθησίᾱ ᾱς *f.* [εὐαίσθητος] **ease** or **keenness of perception** Pl.

εὐ-αίσθητος ον *adj.* [αἰσθητός] (of persons, parts of the body) **perceptive, sensitive** Pl. X. Plu.

—**εὐαισθήτως** *adv.* | compar. **εὐαισθητοτέρως** | **perceptively, sensitively** Pl.

εὐ-αίων ωνος *masc.fem.adj.* [αἰών¹] **1** associated with a happy life; (of a god, a person) **happy, blessed** E. Call.; (of a person's life or destiny) Trag.
2 (of wealth) **which makes life happy** S.*fr.*
3 (of Sleep) **blissful** S.

εὐ-αλαζόνευτος ον *adj.* [ἀλαζονεύομαι] (of inherited advantages) **easy to make boastful claims about** Arist.

εὐ-ᾱλάκατος ον *dial.adj.* [ἠλακάτη] (of a woman) **possessing a fine distaff** Theoc.

εὐάλιος *dial.adj.*: see εὐήλιος

εὐ-άλωτος ον *adj.* [ἁλωτός] (of persons, animals) **easily captured** X. Plu.; (fig., of a boy) **falling an easy prey** (to a lover) Pl.; (of a person, to flattery, pleasure, bribery, or sim.) Plu.

εὐᾱμερίᾱ *dial.f.*, **εὐάμερος** *dial.adj.*: see εὐημερίᾱ, εὐήμερος

εὐ-άμπυξ υκος *masc.fem.adj.* (of a Muse) **wearing a beautiful headband** Pi.*fr.*

εὐάν *interj.* [reltd. εὐαί, εὐοῖ] **euan!** (ritual cry, assoc.w. Bacchants) E.

εὐ-ανάγνωστος ον *adj.* [ἀναγιγνώσκω] (of a written composition) **easy to read** Arist.

εὐ-ανάκλητος ον *adj.* [ἀνακαλέω] **1** (of dogs' names) **easy to call out** X.
2 (of persons, their feelings) **easily recalled** (to a certain state) Plu.

εὐ-ανάπνευστος ον *adj.* (of a sentence in the periodic style) **able to be uttered in a single breath** Arist.

εὐανδρέω *contr.vb.* [εὔανδρος] **1** (of a city) **be well supplied with men** Plu.
2 (of a ship's crew) **consist of able-bodied men** Plu.

εὐανδρίᾱ ᾱς *f.* **1** (gener.) **manly excellence** E.; (specif.) **military valour** E.
2 physical prowess (ref. to a contest at the Panathenaia) And. Arist.
3 fine display of manhood (ref. to a group of men) X.; **strength in men, manly strength** (of a city, army, ship's crew) Plu.

εὔ-ανδρος ον *adj.* [ἀνήρ] **1** (of a land, a city, its streets) **peopled by fine men** Carm.Pop. Pi. B. E. Ar. Call.
2 (of a land's good fortune) **in manly excellence** A.

εὐάνεμος *dial.adj.*: see εὐήνεμος

εὐ-άνθεμος ον *adj.* [ἄνθος] (fig., of a person's physique) in **full flower, blooming** Pi.

εὐ-ανθής ές *adj.* **1** (of places) **rich in flowers, flowery** Thgn. Ar. Pl.; (of a garland) Simon. Pi.; (of a person, a ship) **garlanded with flowers** Sapph. Pi.
2 (of down on young men's cheeks) **blooming, luxuriant** Od.
3 (of a colour) **rich, bright** Pl.
4 (fig., of a nymph) **blooming** Pi.; (of a person, oiled for the gymnasium) Ar.; (of youthfulness, prosperity, a person's spirits) Pi.

εὐᾱνορίᾱ ᾱς *dial.f.* [εὐήνωρ] **manly prowess** E. || PL. **feats of manly prowess** Pi.

εὐ-αντάω *contr.vb.* (of a goddess) **meet favourably, graciously welcome** —W.DAT. *a poet's song* Call.

εὐαντής ές *adj.* (of an enterprise) perh., **meeting with favour** (fr. a deity), **successful** AR.

εὐάνωρ *dial.adj.*: see εὐήνωρ

εὐ-απάλλακτος ον *adj.* [ἀπαλλάσσω] (of a horse) **easily got rid of** (by sale) X.

εὐ-απάτητος ον *adj.* [ἀπατάω] **easily deceived** Pl.

εὐ-απήγητος ον *Ion.adj.* [ἀφηγέομαι] (in neg.phr., of a way of doing sthg.) **easily described** Hdt.

εὐ-απόβατος ον *adj.* [ἀποβαίνω] (of an island) **easy to disembark on** Th.

εὐ-απολόγητος ον *adj.* [ἀπολογέομαι] (of a crime) **easily defended** Plu.

εὐ-αποτείχιστος ον *adj.* [ἀποτειχίζω] (of a harbour, occupants of a besieged city) **easy to cut off by building a wall** Th. X.

εὐ-αρεστοτέρως *compar.adv* [ἀρεστός] **in a manner more acceptable** (W.DAT. to someone) X.

εὐ-αρίθμητος ον *adj.* [ἀριθμητός] (of persons or things) **easily counted** Pl. X. Arist.

εὔ-αρκτος ον *adj.* [ἄρχω] (of a horse's mouth) **easily controlled** (w. the reins) A.

εὐ-άρματος ον *adj.* [ἅρμα] (of a ruler, a city) **possessing fine chariots** Pi. S.

εὐαρμοστίᾱ ᾱς *f.* [εὐάρμοστος] **1 harmony** (in sound) Arist.; (in spoken language) Isoc.; (as a desirable quality in a person's nature) Pl.
2 harmonising (of different elements in a populace) Plu.
3 rapport (in personal relations) Plu.

εὐ-άρμοστος ον *adj.* [ἁρμόζω] **1** (of the reeds of a panpipe) **carefully fitted together** (perh. w. further connot. *tuneful*) E.
2 (of scaling ladders) of a suitable length, **high enough** (W.PREP.PHR. for a wall) Plb.
3 (of a substance, ref. to salt) **blending well** (w. other flavours) Pl.
4 (of a person's nature or character) **well-balanced** Isoc.; **in accord** (w. πρός + ACC. w. sthg.) Isoc.
5 (of a tune, a dancer's movement) **in time, harmonious** Pl. || NEUT.SG.SB. **harmony** Pl. || NEUT.PL.SB. **harmonious sounds** Arist.
6 (of a person) possessing harmony (in one's nature), **harmonious** Pl.; (fig., w. musical connot., of a god's name) **in harmony** (w. his nature) Pl.
7 (of a person) **adaptable** (w. πρός + ACC. to all circumstances) Plb.; **accommodating** (W.DAT. to people) Plu.; (of life together) **lived in harmony** (W.PREP.PHR. w. one's wife) Plu.

—**εὐαρμόστως** *adv.* **in a manner that accords well** (w. πρός + ACC. w. sthg.) Isoc.

εὐ-άροτος ον *adj.* [ἀρόω] (of land) **good for ploughing** AR.

εὐάσματα των *n.pl.* [εὐάζω] **ritual cries of celebration** (by Bacchants) E.

εὐασμός οῦ *m.* **chanting of Bacchic cries** Plu.

εὐαχής *dial.adj.*: see εὐηχής

εὐ-ᾱχητος ον *dial.adj.* [ἠχέω] (of songs, the sea) **loudly resounding** E.

εὐ-βάστακτος ον *adj.* [βαστάζω] (of things) **easy to carry** Hdt. Arist.

εὔ-βατος ον *adj.* [βατός] (of terrain, a mountain) **accessible** or **passable** Pl. X. Plb.; (of a river) **easy** (W.INF. to cross) A.

εὐ-βοήθητος ον *adj.* [βοηθέω] (of a country, its inhabitants) **capable of being defended** Arist.

Εὔβοια ᾱς, Ion. **Εὐβοίη** ης *f.* **Euboea** (island off the east coast of Attica and Boeotia) Hom. +

—**Εὐβοίηθε(ν)** *Ion.adv.* **from Euboea** Call.

—**Εὐβοῆς** (also **Εὐβοεῖς**), Ion. **Εὐβοέες**, έων *m.pl.* | acc. Εὐβοέας, also perh. Εὐβοᾶς | dat. Εὐβοεῦσι | inhabitants of Euboea, **Euboeans** Hdt. +
—**Εὐβοϊκός** ή όν *adj.* **1** (of hills, flocks, beacons, a congress) on Euboea, **Euboean** Hdt. E. Aeschin. ‖ NEUT.PL.SB. affair of Euboea (ref. to a revolt) Th.
2 (of a talent) in Euboean currency, **Euboïc** Hdt. Plb.
—**Εὐβοΐς** (also **Εὐβοιίς** S.) ίδος, also contr. **Εὐβοῖς** ῖδος *fem.adj.* **1** (of the land, shore, headlands, extremity) **of Euboea** Trag.; (of a woman) **from Euboea** S.
2 (of minae) in Euboean currency, **Euboïc** Hdt.
εὔ-βοτος ον *adj.* [βοτόν, βόσκω] **1** (of an island, a land) **rich in cattle** Od. AR.
2 rich in pasturage Pl. Call. Plb. Plu.
3 (of a lamb) **well-nourished** Theoc.
εὔ-βοτρυς υ, gen. υος *adj.* [βότρυς] (of an island) **rich in grapes** S.
εὐβουλίᾱ ᾱς *f.* [εὔβουλος] **sensible planning, sound judgement, prudence** Pi.*fr.* Trag. Th. Ar. Isoc. Pl. +
εὔ-βουλος ον *adj.* [βουλή] (of persons) **sound in planning or advice, sensible, prudent, wise** Thgn. Pi. B. Hdt. E. Th. +; (of Themis) Pi.; (of the Areopagus) S.
—**εὐβούλως** *adv.* **prudently** A.
εὔ-βους βοος *masc.fem.adj.* [βοῦς] | only dial.acc. εὔβων (v.l. εὔβουν) | (of an island) **rich in oxen** hHom.
εὐ-γαθής ές *dial.adj.* [γηθέω] (of shouting) **joyful** E.
εὐ-γάθητος ον *dial.adj.* (of a sacrifice) **joyful** E.
εὖγε (interj.): see εὖ 6
εὔ-γειος ον (also **εὔγεως** ων) *adj.* [γῆ] (of a hill or mountain) **possessing good soil, fertile** Plu.
εὐγένεια (also **εὐγενίᾱ** E.) ᾱς *f.* [εὐγενής] **1 noble birth, nobility** A. E. Att.orats. Pl. X. Arist. +
2 noble behaviour (W.GEN. of judges) Plu.
3 noble quality, nobility (W.GEN. of an orator's speeches) Plu.
εὐ-γένειος, ep. **ἠυγένειος**, ον *adj.* [γένειον] (of a lion) **with a fine beard** or **whiskers** Hom.; (of Pan) hHom.; (of a person) Pl.
εὐ-γενέτᾱς ᾱ *dial.m.* [γενέτης] **1 descendant of noble ancestors** E.
2 ‖ ADJ. of noble birth E. Tim.
εὐ-γενής, ep. **ἠυγενής** (hHom.), ές *adj.* [γένος, γίγνομαι] | see also εὐηγενής | **1** (of a person, a family) **well-born, of noble birth, noble** Trag. Th. Ar. Isoc. Pl. +; (of Themis) hHom. ‖ NEUT.SB. **nobility** E. Arist.
2 (of a lion, fig.ref. to a king) **noble** A.; (of horses, other animals) **of good stock** Thgn. S. Plb. Plu.; (of fighting-cocks) Plb.
3 having the moral attributes of one of noble birth; (of persons, their minds, characters or behaviour) **noble** S. E. Lycurg. Arist. Men. Plu.; (of a speech) E. Plu. ‖ NEUT.SB. **nobility** (W.GEN. of a person's mind) E.
4 having the physical attributes of one of noble birth; (of a person's head, cheek, neck, face, bearing) **noble** E.
5 (of tattooing, for Thracians) **indicative of high birth** Hdt.
6 (of soil) **of good quality** Plu.; (fig.ref. to a wife, in her capacity for breeding) Plu.
7 (of a service) **generous, selfless** Plu.
—**εὐγενῶς** *adv.* **1** in a manner befitting one of noble birth, **nobly, bravely, gallantly** —*ref. to dying, fighting, enduring, or sim.* E. Men. Plb. Plu.
2 (w. moral connot.) **noble-mindedly, nobly** —*ref. to speaking* Plu.

3 generously, selflessly —*ref. to doing a favour or sim.* E.*fr.* Plb.
4 (wkr.sens.) with genuine feelings, **truly, whole-heartedly** S.(dub.cj.) Plb.
εὐγενίᾱ *f.*: see εὐγένεια
εὐ-γεφύρωτος ον *adj.* [γεφυρόω] (of a section of a river) **easy to bridge over** Plb.
εὔγεως *adj.*: see εὔγειος
εὐγηρίᾱ ᾱς *f.* [εὐγήρως] **happy old age** Arist.
εὔ-γηρυς υ *adj.* [γῆρυς] (of song) **euphonious, melodious** Ar.
εὐ-γήρως ων *adj.* [γῆρας] **1** (of a person) **enjoying a happy old age** Arist.
2 in ripe old age (at the time of death) Call.*epigr.*
εὐγλωσσίᾱ, Att. **εὐγλωττίᾱ**, ᾱς *f.* [εὔγλωσσος] **fluency of speech, ready tongue, eloquence** E.*fr.* Ar.
εὔ-γλωσσος, Att. **εὔγλωττος**, ον *adj.* [γλῶσσα] **1** having fluent or ready speech; (pejor., of a person) **glib** Ar.
2 (fig., of a mind) well able to speak (its thoughts), **eloquent** A.
εὔγματα των *n.pl.* [εὔχομαι] **1 boasts** Od.
2 prayers A. S. Ar. Call.
ἐύ-γναμπτος ον *ep.adj.* [γναμπτός] (of brooch-pins, or the sheaths for them) **elegantly curved** Od.; (of brooches) AR.
εὔ-γνητος ον *adj.* [γίγνομαι] (of myrtle twigs) **from good stock** Philox.Leuc.
εὐγνωμονέω *contr.vb.* [εὐγνώμων] have a kindly attitude, **show consideration** (for others) Plu.
εὐγνωμοσύνη ης *f.* **1 good judgement** Aeschin.
2 (w. moral connot.) **understanding, considerateness, kindness** Plb. Plu.
εὐ-γνώμων ον *adj.* [γνώμη] **1** (of a person) possessing good judgement, **discerning, sensible** Aeschin.
2 (w. moral connot., of persons, their nature) **understanding, considerate, kindly** And. X. Aeschin. Arist. Theoc. Plb. +; (of speech, behaviour) Plu.
3 (of an argument) **reasonable** Plu.
—**εὐγνωμόνως** *adv.* **1 with good judgement, sensibly** X.
2 considerately, kindly Plu.
εὔ-γνωστος ον *adj.* [γνωστός] **1** (of a god) **readily recognisable, manifest** S.; (of a person) **easily recognised** —W.PTCPL. + PREDIC.SB. *as being such and such* Men.
2 (of things) **well-known, familiar** Lys. Pl. Aeschin.; **easy to understand** X. D.
εὔ-γομφος ον *adj.* [γόμφος] (of temple-doors) **finely riveted** E.
εὐγονίᾱ ᾱς *f.* [γονή] **successful production of offspring, fertility** Pl. X.
εὔ-γυιος ον *adj.* [γυῖα] (of youths) **with fine limbs** B.
εὐγωνίᾱ ᾱς *f.* [εὐγώνιος] (geom.) shape with equal angles; (in ctxt.) **square** E.(cj.)
εὐ-γώνιος ον *adj.* [γωνίᾱ] (of trees, planted in rows) **at regular** or **pleasing angles** X.
εὐ-δαίδαλος ον *adj.* (of a ship, a temple) **finely crafted** B.
εὐδαιμονέω *contr.vb.* [εὐδαίμων] | aor. ηὐδαιμόνησα, Ion. εὐδαιμόνησα | **1 be blessed by the gods, be happy** or **fortunate** S. E. Ar. Isoc. Pl. X. +; (usu. as a warm expression of gratitude) εὐδαιμονοίης *god bless you!* E. Ar.(mock-trag.)
2 (of communities, ref. to material happiness) **be prosperous** or **successful** Hdt. Th. And. Isoc. Pl. X. +
εὐδαιμονίᾱ ᾱς, Ion. **εὐδαιμονίη** ης *f.* **1** state of being blessed by the gods, **good fortune** (opp. ill fortune) Hdt.; (gener.) **happiness** hHom. Pi. B. Hdt. S. E. +

εὐδαιμονίζω

2 material happiness, **prosperity** (of a country, community, or individual) Hdt. E. Th. Att.orats. +

εὐδαιμονίζω vb. | aor. ηὐδαιμόνισα | neut.impers.vbl.adj. εὐδαιμονιστέον | **call** or **account** (W.ACC. a person, community or circumstance) **happy, fortunate** or **blessed** S. E. Att.orats. Pl. +; **congratulate** —a person E.fr. Pl. Plb. Plu. —(W.GEN. on sthg.) Pl. X. D. Arist. Plu. ‖ PASS. **be accounted happy** or **be congratulated** Pl. Arist. Plu.; (of luxury) **be counted a source of happiness** Plu.

εὐδαιμονικός ή όν adj. **1** (of things) **conducive to happiness** Pl. X. Arist.
2 (of persons) **of the happy kind** Ar. Arist.

—**εὐδαιμονικῶς** adv. **happily** Ar.; **prosperously** X.

εὐδαιμονισμός οῦ m. [εὐδαιμονίζω] **congratulation** (of a person) Arist. Plu.

εὐ-δαίμων, Boeot. **εὐδήμων**, ον, gen. ονος adj. **1** (of persons, their life, destiny, or sim.) **blessed by the gods, fortunate, happy** Hes. Thgn. Lyr. Trag. Ar. Att.orats. +; (W.GEN. in one's manner and speech) Pl.; (of the Acropolis) E.; (specif., of a person) **happy** (opp. εὐτυχής enjoying good fortune, as marked by wealth) E. ‖ NEUT.SB. **happiness** Th.
2 (of persons, communities, countries) **enjoying material happiness** (in terms of wealth, power or prestige), **prosperous, flourishing, wealthy** Pi. Hdt. S. E. Th. Ar. + ‖ NEUT.PL.SB. **prosperity** Hdt.
3 (of things) conducive to happiness; (of wealth) **blessed, happy** S.; (of youthful vigour, sleep, a sight, circumstances) E.

—**εὐδαιμόνως** adv. | compar. εὐδαιμονέστερον, superl. εὐδαιμονέστατα | **happily** E. Ar. Isoc. Pl. +

εὐ-δάκρῡτος ον adj. [δακρῡτός] (of news) **deserving to be wept over, lamentable** A.

εὐ-δάπανος ον adj. [δαπάνη] **spending freely** or **lavishly** Plu.

εὐ-δείελος (also **εὔδειλος** Alc.) ον adj. [reltd. δείελος, δείλη, unless δῆλος] app., with a fair or distinct appearance in the late afternoon; (of Ithaca, as lying in the west, and perh. as being low-lying, i.e. lacking cloud-covered mountains) **well-visible at sunset** Od.; (of a hypothetical island) Od.; (of Krisa, nr. Delphi) hHom.; (of a land, a hill) Pi.; (prob. of a sacred precinct) Alc.

εὐ-δείπνος ον adj. [δεῖπνον] **1** (of the dead) **feasting well** (on sacrificial offerings) A.
2 (of feasts) **sumptuous** E.

εὐ-δενδρος, ep. **ἠΰδενδρος** (B., cj.), ον adj. [δένδρεον] **having fine** or **abundant trees**; (of a grove, a hill, the earth) **well-wooded** Pi. B.; (of a sacred precinct) Simon.; (of pastures) E.

εὐ-δερκής ές adj. [δέρκομαι] (of a circumstance) **clear to see, easy to comprehend** A.fr.

εὔ-δηλος ον adj. [δῆλος] **1** (of facts or circumstances) **very clear** or **evident** A. Pl.; (of a model of virtue) **conspicuous** Plu.
2 (phr., of a person) εὔδηλος εἶναι be quite clearly (doing sthg.) Men. —W.NOM.PTCPL. doing sthg. D. —W. ὅτι + INDIC. X. | see also ἔνδηλος 2
3 ‖ NEUT.IMPERS. (W. ἐστί, sts. understd.) **it is quite clear** —W. ὅτι or ὡς + INDIC. that sthg. is the case Att.orats. Pl. X. Plu. —W.INDIR.Q. what is the case X. D.

—**εὐδήλως** adv. **clearly** —ref. to delivering an oracle Plu.

εὐδήμων Boeot.adj.: see εὐδαίμων

εὐδίᾱ ᾱς f. [δῖος] **1 fair weather** (on sea or land, freq.opp. χειμών storm) Sapph. Antipho Pl.(pl.) X. +; (in fig.ctxt.) A. Pi. X. Plu.

2 (fig.) state of calm, **calm, tranquillity** Pi.(sts.pl.) E. X.; **ease of mind** S.Ichn.; **relief** (W.GEN. after troubles) E.(cj.)

εὐ-διάβατος ον adj. [διαβατός] (of rivers) **easy to cross** X.

εὐ-διάβλητος ον adj. [διαβάλλω] (of persons) **easily set at variance** (w. one another) Arist.

εὐ-διάβολος ον adj. **1** (of persons) **easy to slander** Arist.
2 (of things) **easily made the subject of slander, easily misrepresented** Pl.

εὐδι-ᾱερι-αυρι-νήχετος ον adj. [εὐδίᾱ, ἀέριος, app. αὔρᾱ, νήχω] (of dithyrambic preludes) **of the kind that swim calmly on the airy breeze** Ar.

εὐδιαίτερος (compar.adj.): see εὔδιος

εὐ-δίαιτος ον adj. [δίαιτα] **living economically** (opp. extravagantly) X.

εὐ-διάκοπος (also **εὐδιάκοπτος**) ον adj. [διακόπτω] (of cables, snow) **easy to cut through** Plb.

εὐ-διακόσμητος ον adj. [διακοσμέω] (of a street) **easy to adapt** (for a purpose) Plb.

εὐδιαλλάκτως adv. [διαλλάσσω] **in a spirit of reconciliation** Plu.

εὐ-διάλυτος ον adj. [διαλυτός] **1** (of friendships) **easily dissolved** Arist.; (of a country, as a political unity) Plu.
2 (of an enemy) **ready to reach an agreement** Plb.

εὐδιᾱνός ά όν dial.adj. [εὐδίᾱ] (fig., of a remedy for cold winds, ref. to a cloak) **bringing fair weather, warm** Pi.

εὐ-διάσπαστος ον adj. [διασπάω] (of a stake) **easily wrenched out of place** Plb.

εὐ-διάφθαρτος ον adj. [διαφθείρω] (of water) **easily polluted** Pl.

εὐ-διάφθορος ον adj. **1** (of persons) **easily corrupted** Arist.
2 (of oligarchy) **easily destroyed** Arist.

εὐδιάω contr.vb. [εὐδίᾱ] | only ptcpl. (w.diect.) εὐδιόων | **1** (of sailors, dolphins) **enjoy fair weather** AR.
2 (of a bay) **be calm** AR.

εὐδιεινός ή όν adj. (of the calm) **of tranquil weather** Pl. ‖ NEUT.PL.SB. **sheltered areas** X.

εὐ-διήγητος ον adj. [διηγέομαι] (of things) **easily described** Isoc.

εὐδικίη ης Ion.f. [δίκη] **1 rightness of judgement** Call. ‖ PL. **just dealings** or **judgements** Od.
2 entitlement by right (to sthg.) AR.

εὔδιος ον adj. [εὐδίᾱ] | compar. εὐδιαίτερος | (of a wind) **calm** X.; (of weather, for a voyage) **fair** Theoc.; (of headlands) perh. **under a clear sky** AR.

—**εὔδια** neut.pl.adv. (fig.) **calmly, tranquilly** —ref. to sleeping (after a fit of madness) E.

εὔ-δμητος, ep. **ἐΰδμητος**, dial. **ἐΰδμᾱτος**, ον adj. [δέμω] (of a wall, an altar, other structures) **well-built** Hom. Hes. hHom. Pi. B. AR.

εὐ-δοκέω contr.vb. **1** (act. and mid.) **be well pleased, be content** or **satisfied** (sts. W.DAT. or ἐπί + DAT. w. someone or sthg.) Plb.; (of God, w. εἰς + ACC. or ἐν + DAT. w. His son) NT.
2 be content, consent, resolve —W.INF. or ACC. + INF. to do sthg., that sthg. shd. be the case Plb. NT.
3 (of things) **be acceptable** or **welcome** —W.DAT. to someone Plb.

—**εὐδοκούμενος** η ον mid.pass.ptcpl.adj. (of things) **satisfying, acceptable** (sts. W.DAT. to someone) Plb.

—**εὐδοκουμένως** mid.pass.ptcpl.adv. **in a manner that is acceptable** (W.DAT. to someone) Plb.

εὐδόκησις εως f. **approbation** (sts. W.DAT. for sthg.) Plb.

εὐδοκίᾱ ᾱς f. **goodwill, favour** (of God, persons) NT.

εὐδοκιμέω contr.vb. [εὐδόκιμος] | aor. ηὐδοκίμησα, Ion. εὐδοκίμησα | pf. ηὐδοκίμηκα | **1** (of persons) **have a good**

reputation, **be highly esteemed** or **renowned** (sts. W.PREP.PHR. in or for sthg., or among people) Thgn. Hdt. Th. Att.orats. Pl. +; (of things) **be highly esteemed** Att.orats. +; (also pass.) Plu.

2 (aor. or pf.) **gain renown** Hdt. Ar. Att.orats. Pl. +

εὐδοκίμησις εως *f.* **good reputation** Pl.

εὐδοκιμίᾱ ᾱς *f.* **high esteem, renown** Pl.

εὐ-δόκιμος ον *adj.* (of persons, armies, a city or country, horses) **highly reputed, renowned, celebrated** (sts. W.PREP.PHR. for sthg.) A. E. Isoc. Pl. +; (of justice, a personal quality, a diet) Isoc. Pl.; (of a person's death) **glorious** E.; (of a witness) **highly reputable** Pl.

εὐδοξέω *contr.vb.* [εὔδοξος] (of persons, a city) **be highly reputed, be renowned** or **celebrated** E. X. Aeschin. D. Men.

εὐδοξίᾱ ᾱς *f.* **fame, honour, glory** Simon. Pi. E. Att.orats. Pl. X. +

εὔ-δοξος ον *adj.* [δόξα] **1** (of a person) **enjoying a good reputation** Thgn.; (of a reputation) **honourable** E.; (of activities or circumstances) **highly esteemed** Pl. X.

2 (w. more strongly positive connot., of persons, places, activities, or sim.) **celebrated, famous, glorious** Pi. B. Hdt. E. Th. X.; (app., of a person's purpose) A.

—**εὐδόξως** *adv.* **with distinction, admirably** —*ref. to answering a question* Pl.

εὐ-δρακής ές *adj.* [δέρκομαι] (of restless sleep) **quick-sighted** (because the sleeper is quick to wake up and see again) S.

εὐδρομέω *contr.vb.* [δρόμος] (of an athlete) **run swiftly** Plu.

εὔ-δροσος ον *adj.* [δρόσος] (of places) **well-watered** Ar.; (of a cup of wine, app.ref. to the addition of water) Philox.Leuc.; (of streams) **watery** E.(dub.)

εὕδω *vb.* | impf. ηὗδον, ep. εὗδον, iteratv. εὕδεσκον | fut. εὑδήσω | **1** (of gods, persons, animals) **sleep, be asleep** Hom. Eleg. Lyr. Hdt. Trag. Ar. +; (of the mind or soul) A. Pi.*fr.* Pl.; (of dead persons) Il. S. Mosch.

2 go to sleep Hom. Thgn. E. Ar.

3 (fig.) **take one's ease, be idle** S. Pl.

4 (fig., of wind, sea, the natural world) **be at rest, be hushed, be still** Il. Alcm. Simon. A.; (of painful announcements, in neg.phr.) **be silent** (i.e. stop) E.; (of a trouble) **be laid to rest** Simon. E.; (of war; of murder, i.e. a demand for it to be avenged) **lie dormant** Sol. E.; (of a sense of obligation) Pi.

εὐ-έανος ον *adj.* [ἑανός] (of a goddess) **beautifully robed** Mosch.

εὐ-εγχής ές *adj.* [ἔγχος] (epith. of Ares) **who wields the mighty spear** B.

εὔ-εδρος ον *adj.* [ἕδρᾱ] **1** (of gods) possessing an excellent seat (ref. to a city or its temples), **dwelling in a fine abode** A.

2 (of the Argo) **finely benched** Theoc.

3 (of a horse) **offering a secure seat** (for its rider) X.

εὐ-έθειρα ης *Ion.fem.adj.* (of a girl) **with lovely hair** Anacr.

εὐ-ειδής ές *adj.* [εἶδος¹] (of a woman) having a fine appearance, **good-looking, beautiful** Il. Hes. Thgn. Pi. B. Hdt. +; (of a woman's complexion) E.; (of a baby, child, youth) Hdt. Plu.; (of a man) **handsome** A. Hdt. E. Pl. X. || NEUT.SB. **good looks** Arist.

εὐ-είμων ον, gen. ονος *adj.* [εἷμα] (of women) **beautifully robed** A.

εὔειρος *Ion.adj.*: see εὔερος

εὐ-έκτης ου *masc.adj.* [ἕξις] (of persons) **in good physical condition** Plb.

εὐεκτικός ή όν *adj.* **1** (of persons, their bodies) **in good physical condition, fit** Pl. Arist.

2 || NEUT.SB. **that which is conducive to fitness** Arist.

εὐ-έλεγκτος ον *adj.* [ἔλεγχω] **1** (of a person, an argument) **easily refuted** Pl. Arist.

2 (of claims) **easily tested** Pl.

εὔ-ελπις ι, gen. ιδος *adj.* [ἐλπίς] **1** (of persons) **hopeful, confident** Th. Pl. X. Arist. Din. + —W.FUT.INF. or ACC. + FUT.INF. *of doing sthg., that someone will do sthg.* A. Th. Pl. —W.ACC. + PRES.INF. *that sthg. is the case* Pl.

2 (of expectation) **confident, optimistic** E.(cj.); (of talk) Plb.; (of military strength) **inspiring confidence** (in a populace) Th.

εὐελπιστίᾱ ᾱς *f.* **hopefulness, optimism** Plb.

εὐ-έμβολος ον *adj.* [ἐμβάλλω] (of a country) **easy to invade** Arist.

εὐ-εξάλειπτος ον *adj.* [ἐξαλείφω] (of a name, in neg.phr.) **easily erased** (fr. a list) X.

εὐ-εξαπάτητος ον *adj.* [ἐξαπατάω] **easily deceived** Pl. X. Arist.

εὐ-εξέλεγκτος ον *adj.* [ἐξελέγχω] (of arguments) **easily refuted** Pl.

εὐεξίᾱ ᾱς *f.* [ἕξις] **1 good physical condition, fitness** (sts. W.GEN. of the body) Isoc. Pl. X. Aeschin. Arist. +

2 (gener.) **good condition** (W.GEN. of a soul) Pl.; (of a state, its armed forces) Plb.

εὐ-έξοδος ον *adj.* **1** (of a country, a city) **easy** (for troops) **to march out from** Arist.

2 || NEUT.IMPERS. (w. ἐστί, in neg.phr.) **it is easy to find a way out** (fr. Hades) A.

εὐ-επαγωγός όν *adj.* easily brought over, **ready to defer** (w. πρός + ACC. to a decision) Plb.

εὐ-επακολούθητος ον *adj.* [ἐπακολουθέω] (of a method of reasoning) **easy to follow** Arist.

εὐέπεια ᾱς *f.* [εὐεπής] **1 gracious** or **courteous language** (of a messenger) S.

2 fine diction (of a rhetorician) Pl.

εὐ-επής ές *adj.* [ἔπος] **1** (of speech) **gracious, courteous** X.

2 (of a proposal) agreeably phrased, **appealing, welcome** Hdt.

εὐ-επιβουλευτότερος ᾱ ον *compar.adj.* [ἐπιβουλεύω] (of a host's left side, at dinner) **more exposed to treacherous designs** (than his right) X.

εὐ-επίθετος ον *adj.* [ἐπιτίθημι] (of persons, military forces, places) **easy to attack** Th. Arist. Plb.; (of a proposition) Pl. || NEUT.IMPERS. (w. ἐστί) it is easy to make an attack X.

εὐ-επίληπτος ον *adj.* (of an action) **open to criticism** Plb.

εὐεργεσίᾱ ᾱς, Ion. **εὐεργεσίη** ης *f.* [reltd. εὐεργής, εὐεργός] **1** doing of good deeds, **kind behaviour** Od. Thgn. Arist.

2 (freq.pl.) **good deed, act of kindness, service, benefaction** (oft. in a public ctxt.) Od. Hes. B. Hdt. Th. +; (W.GEN. to someone) Pi. Isoc. Pl.

3 status or **title of public benefactor** X. D.

εὐεργετέω *contr.vb.* [εὐεργέτης] | impf. ηὐεργέτουν, aor. ηὐεργέτησα, pf. ηὐεργέτηκα, later εὐεργ- || neut.impers.vbl.adj. εὐεργετητέον |

1 do a good deed, perform an act of kindness, confer a favour S. Ar. Isoc. X. —(W.COGN.ACC. or NEUT.INTERN.ACC. w. *a great act of kindness or sim.*) Isoc. Pl. X. D.

2 (tr.) **do a good deed, kindness, service** or **favour** —W.ACC. *to a person, one's city* A. E. Ar. Att.orats. Pl. + —(W.COGN. or NEUT.INTERN.ACC. w. *a great act of kindness or sim.*) Att.orats. Pl. || PASS. **be treated kindly** or **benefited** Pl. X.

εὐεργέτημα

Aeschin. —W.COGN. or NEUT.INTERN.ACC. w. *a great service or sim.* Pl. X. Is. D.

εὐεργέτημα ατος *n.* **good deed, act of kindness, service, benefaction** Att.orats. X. Arist. Plb. Plu.

εὐεργέτης ου (Ion. εω), dial. **εὐεργέτᾱς** ᾱ *m.* [reltd. εὐεργής, εὐεργός] **1** one who does good deeds, **benefactor** (freq. W.GEN. of persons, a city or country) Pi. Hdt. S. E. Th. Att.orats. +; (W.DAT. to someone) Hdt. S.*Ichn.* E.

2 (as an honorary title) **benefactor** (W.GEN. of a king, city or country) Hdt. Att.orats. Pl. X. +

3 ‖ ADJ. (of a person) **beneficent** (W.DAT. to others) Pi.

εὐεργετικός ή όν *adj.* **1** (of a person) of the kind who is a benefactor, **beneficent** Arist. Plb. ‖ NEUT.SB. **beneficence** (of a ruler's policy) Plb.

2 (of things) **beneficial** Arist.; (of a faculty, ref. to virtue) **beneficially productive** (W.GEN. of many great things) Arist.

3 (of a reputation) **for doing good** Arist.

εὐεργέτις ιδος *f.* | acc. εὐεργέτιν | **1 benefactress** E.

2 ‖ ADJ. (of a soul) **beneficent** Pl.

εὐ-εργής ές *adj.* [ἔργον] **1** (of a ship, a chariot) **well-built** Hom. hHom.; (of a garment) **well-made** Od. AR.; (of a steering-oar) Hes.; (of a ladle, a mattock) Call. Mosch. | see also εὐερκής 2

2 (of gold) **well-wrought** Od.

3 ‖ NEUT.PL.SB. **good deeds, services** Od.

εὐ-εργός όν *adj.* **1** (of a woman) doing good deeds, **virtuous** Od.

2 (of rock crystal) **easy to work, malleable** Hdt.; (of a crop) **easy to harvest** Theoc.

εὐέρκεια ᾱς *f.* [εὐερκής] condition of having a good barrier, **state of security** Pl.

εὐ-ερκής ές *adj.* [ἕρκος] **1** (of a courtyard) **well-fenced, strongly walled, secure** Hom. Hes.; (of a city, hill, precinct, or sim.) A. Pi. Pl. Plu.

2 (of doors) offering a secure barrier, **secure, sturdy** Od.(v.l. εὐεργής)

εὐ-ερνής ές *adj.* [ἔρνος] (of bay) with fine shoots, **sprouting, burgeoning** E.

εὔ-ερος, also perh. Ion. **εὔειρος**, ον *adj.* [ἔριον] **1** (of a fleece) **woolly** S.; (of prey, ref. to sheep) **fleecy** S.

2 (fig., of a city, compared to a woolly blanket) **cosy, snug** Ar.

εὐέστιος ον *adj.* [εὐεστώ, w. play on ἑστία] (of a hearth, W.GEN. among islands, periphr. for Delos) **prosperous, happy** Call.

εὐ-εστώ Ion.*f.* [εἰμί] | only dat. εὐεστοῖ | state of well-being, **prosperity, happiness** A. Hdt. Call.

εὐετηρίᾱ ᾱς *f.* [ἔτος] **1 good year, good season** (in terms of fruitfulness and fertility, for crops and cattle) Pl. X.

2 (gener.) **prosperity, plenty** D. Arist.

εὐ-εύρετος ον *adj.* [εὑρετός] (of a storage place) **in which things are easy to find** X.

εὐ-έφοδος ον *adj.* (in military ctxts., of places) easy to approach or attack, **accessible** or **assailable** Th. X. Plb.

εὐζηλίᾱ ᾱς *f.* [ζῆλος] **good taste** or **unpretentious style** (in the use of language) Plu.

ἐύ-ζυγος ον *ep.adj.* —also **εὔσδυγος** ον *Aeol.adj.* [ζυγόν] (of ships) **finely benched** Od. Alc. AR.

εὐζωΐα, dial. **εὐζοΐα**, ᾱς *f.* [ζωή] **happy life** Pi. Arist.

εὔ-ζωνος, ep. **ἐύζωνος**, ον *adj.* [ζώνη] **1** (of a woman) with a fine waistband, **finely girdled** Il. Hes. hHom.

2 (of a man) well-girt (for a journey), **unencumbered, travelling light** Hdt. Th.

3 (of troops) **nimble, agile** X.; **light-armed, lightly** equipped X. Plb. Plu. ‖ MASC.PL.SB. (as a component of an army) **light-armed troops** X. Plb.

4 (fig., of poverty) **easy to bear, not burdensome** Plu.

εὔ-ζωρος ον *adj.* [ζωρός] (of wine) unmixed (w. water), **neat** E. Ar.; (of a cup) **of neat wine** Plu.(quot.poet.)

εὐηγενής ές *ep.adj.* [reltd. εὐγενής] **1** (of a person) **of noble birth** Il.(dub., cj. εὐηφενής) Theoc.

2 (of a chin) **noble** hHom.

εὐ-ηγεσίη ης Ion.*f.* [ἡγέομαι] **good leadership** Od.

εὐήθεια (also dial. **εὐηθίᾱ**) ᾱς, Ion. **εὐηθίη** ης *f.* [εὐήθης] **1 goodness of character, good nature** Pl.

2 (iron. or pejor.) innocence of character (leading to mistaken behaviour), **simple-mindedness, naivety, foolishness** A. Hdt. E. Th. Att.orats. Pl. +

εὐ-ήθης ες *adj.* [ἦθος] **1** (of a person) having a well-meaning character, **good-natured, simple-hearted** Pl. ‖ NEUT.SB. simplicity of character (as an old-fashioned virtue) Th.

2 (iron. or pejor., of persons, their actions, words, beliefs, or sim.) having an innocent character, **simple-minded, naive, foolish** Hdt. E.(dub.) Att.orats Pl. X. +

—**εὐήθως** *adv.* | superl. εὐηθέστατα | **foolishly** E. Pl. D. Arist. Plb.

εὐηθίζομαι *mid.vb.* **behave simple-mindedly** Pl.

εὐηθικός ή όν *adj.* (of persons) **of the simple-hearted** or **simple-minded kind** Pl.

—**εὐηθικῶς** *adv.* **naively, foolishly** Ar. Pl.

εὐ-ηκής ές *adj.* [ἄκος] (of an utterance) **that brings a cure** (for illness) Emp.

εὐ-ήκης ες *adj.* [reltd. ἀκίς, ἀκωκή] (of a spear, a sword) with a good point, **sharp** Il. AR.

εὐ-ήκοος ον *adj.* [ἀκούω] (of an element in the soul) listening willingly, **obedient** (to a principle) Arist.

—**εὐηκόως** *adv.* **with a willing ear** —*ref. to listening to accusations against someone* Plb.

εὐ-ήλατος ον *adj.* [ἐλαύνω] (of terrain) **easy to ride over** X.

εὐ-ῆλιξ ικος *adj.* (of a face) characteristic of the prime of youth, **youthful** Men.

εὐ-ήλιος, dial. **εὐάλιος**, ον *adj.* (of a rock, a house) **in full sunlight** E. X.; (of the fire) **of the bright sun** E.; (of groves, the upper air, a day) **sunny** E. Melanipp. Ar.

—**εὐηλίως** *adv.* **in bright sunshine** A.

εὐημερέω *contr.vb.* [εὐήμερος] **1** (of a person) **pass one's days happily** S.

2 (of persons, states, commanders) **prosper, be successful** Arist. Plu.; (of relations betw. persons) S.; (of a person's reputation) Plu.

3 (specif., of an orator or actor) **have a successful day, put on a successful performance** Aeschin. Thphr. Plu.

εὐημέρημα ατος *n.* **success** (of cavalry, in an engagement) Plu.

εὐημερίᾱ, dial. **εὐᾱμερίᾱ**, ᾱς *f.* **1 good weather** X.

2 (fig.) **good fortune, prosperity, well-being** Pi. E. Arist.; **success** (in war) Plb.

εὐ-ήμερος, dial. **εὐάμερος**, ον *adj.* [ἡμέρα] **1** (of the light) **of happy days** S.

2 (fig., of the face of the deity Hesychia) **bright, serene, happy** Ar.; (of a part of the soul) Pl.; (perh. of a person's fortune) E.*fr.*

εὐ-ήνεμος, dial. **εὐάνεμος** (also app. **εὐάνεμος** S.), ον *adj.* [ἄνεμος] **1** (of a voyage) **with fair winds** Theoc.

2 (of glens) open to winds, **windswept** S.

3 (of a harbour) affected favourably by winds, **sheltered, calm** E.

εὐ-ήνιος ον *adj.* [ἡνία] **1** (of horses) **obedient to the reins** Pl.
2 (fig., of persons) **tractable, docile** Pl.
—**εὐηνίως** *adv.* (fig.) **in a compliant manner** —*ref. to engaging in philosophical discussion* Pl.

Εὔηνος ου *m.* **Evenus** (of Paros, poet, 5th–4th C. BC) Pl. Arist.

εὐ-ήνωρ, dial. **εὐάνωρ**, ορος *masc.fem.adj.* [ἀνήρ] **1** having or consisting of fine men; (of a land, city, people) **of fine men** Pi.
2 (of wine, bronze) app. **that gladdens a man** Od.

εὐηπελίᾱ ᾱς *f.* [reltd. ὀλιγηπελίη] **prosperity** Call.

εὐ-ήρατος ον *adj.* [ἐρατός] (of an abode, a region, acts of friendship) **lovely** Pi.; (of beauty) Telest.

εὐ-ήρετμος ον *adj.* [ἐρετμόν] **1** (of a thole-pin) perh. **fitting an oar well** A.
2 (of ships) **finely oared** E.; (of an oar) **shapely** S.

εὐ-ήρης ες *adj.* **1** [ἀραρίσκω] (of oars) perh., well-fitted (for the hand), **easy to handle** Od. AR.(cj.)
2 [perh. ἐρέσσω] (of beating oars, periphr. for a ship) perh. **ready for rowing** E.
3 (of ships) app. **equipped to put on a good turn of speed** (by contrast w. ships that are slow, because heavy and undermanned) Plu.

εὐ-ήρυτος cv *adj.* [ἀρύω] (of water) **easy to draw** (fr. a well) hHom.

εὐ-ήτριος ον *adj.* [ἤτριον] (of a fabric) **well-woven** Pl.

εὐ-ηφενής ές *ep.adj.* [ἄφενος] (of persons) **wealthy, prosperous** Il. | see also εὐηγενής 1

εὐ-ηχής, dial. **εὐᾱχής**, ές *adj.* [ἠχή] (of a hymn) **resounding** or **melodious** Pi. Call.

εὐ-θάλασσος ον *adj.* [θάλασσα] (of a gift to Athens, fr. Poseidon) **of mastery of the sea** S.

εὐ-θαλής ές *adj.* [θάλλω] (of herbs) **blooming** Mosch.

εὐ-θᾱλής ές *dial.adj.* [θηλέω] **1** (of a region) **verdant, blooming** B.; (of crops) **flourishing** Ar.
2 (of fruitfulness) **thriving, abounding** E.; (of health, fortune) Pi

εὐθανασίᾱ ᾱς *f.* [εὐθανατέω] **noble death** Plb.

εὐθανατέω *contr.vb.* [θάνατος] **die nobly** Plb.

εὐθανάτως *adv.* **with a happy death** —*ref. to departing fr. life* Men.

εὐθαρσέω *contr.vb.* [εὐθαρσής] **be confident** or **cheerful** And.

εὐ-θαρσής ές *adj.* [θάρσος] **1 confident, in good heart** A. X. Plb. Plu.
2 courageous E.
3 (in military ctxt., of places) giving confidence (opp. alarm), **secure** X.
—**εὐθαρσῶς** *adv.* **1 confidently** Plb. Plu.
2 courageously Arist. Plu.

εὐθεῖα *f.*: see under εὐθύς

εὐθενέω (also **εὐθηνέω**) *contr.vb.* (of a farmer, a people) **prosper, thrive, flourish** —w.DAT. w. *livestock* hHom. Plu.; (of livestock, fertility) A. Arist.; (gener., of a house, a country) A. Hdt. X.; (of persons, affairs) D. Arist. Men. Plu.; (also pass., of a people) Hdt.

εὐθενίᾱ (v.l. **εὐθένεια**) ᾱς *f.* **abundance** (w.GEN. of possessions and slaves) Arist.

εὐ-θεράπευτος ον *adj.* [θεραπευτός] (of persons) **easily won over** X.

εὐθετίζω *vb.* [εὔθετος] **arrange in good order** —*the bones of a sacrificed animal* Hes.

εὔ-θετος ον *adj.* [θετός] **1** (of ashes) **easily stowed** (in urns) A. [or perh. of the urns themselves, on ships]
2 (of persons or things) **well-adapted, suited, fit** (W.DAT. or PREP.PHR. for sthg.) Plb. NT.
—**εὐθέτως** *adv.* **suitably, fittingly** Arist.

εὐ-θεώρητος ον *adj.* [θεωρέω] (of arguments, facts, consequences, or sim.) **easy to discern** Arist. Plb. Plu.

εὐθέως *adv.*: see under εὐθύς

εὔ-θηλος ον *adj.* [θηλή] (of a cow or calf) **big-uddered** E.

εὐθημοσύνη ης *f.* [εὐθήμων] **good management, orderliness** Hes. X.

εὐ-θήμων ον, gen. ονος *adj.* [τίθημι] **1** (of slave-women) **maintaining the good order** (W.GEN. of a house) A.
2 (of song) **well-arranged, harmonious** AR.

εὐθηνέω *contr.vb.*: see εὐθενέω

εὐ-θήρᾱτος ον *adj.* [θηρᾱτός] **easy to hunt down**; (of a person) **falling an easy prey** (to pleasures) Arist.; (of Zeus' will, in neg.phr.) **easy to track** A.; (of a goal) **easy to pursue** Plb.

εὔ-θηρος ον *adj.* [θήρᾱ] **successful in hunting** E.

εὔ-θικτος ον *adj.* [θιγγάνω] having a ready touch, **quick, sharp** (in repartee) Plb.

εὐ-θνήσιμος ον *adj.* [θνήσκω] (quasi-advbl., of blood pouring forth) **in an easy death** A.

εὔ-θοινος ον *adj.* [θοίνη] (of a reward) **consisting of a fine feast** A.

εὐ-θορύβητος ον *adj.* [θορυβέω] (of a person's temperament) **easily unsettled** Plu.

εὔ-θραυστος ον *adj.* [θραύω] (of a wooden nail) **easily broken** Plu.

εὔ-θριγκος ον *adj.* [θριγκός] (of a palace) **with fine cornices** E.

εὔ-θριξ, ep. **ἐΰθριξ**, τριχος *adj.* [θρίξ] having rich or beautiful hair; (of a beard) **handsome, bushy** E.; (of horses) **with fine manes** Il.; (of hounds) **with fine coats** X.; (of flocks) **with fine fleeces** Theoc.; (of a bird's neck) **finely feathered** Theoc.

εὔ-θρονος, ep. **ἐΰθρονος**, ον *adj.* [θρόνος] (of Dawn) **beautifully enthroned** Hom.; (of goddesses and demi-goddesses) Pi. B. AR.

εὔ-θροος ον *adj.* [θρόος] (of a panpipe) **fair-sounding, melodious** Lyr.adesp.

εὔ-θρυπτος ον *adj.* [θρύπτω] (of a kind of soil) **easily broken, crumbly** Plu.

εὐθύ *neut.adv.*: see under εὐθύς

εὐθυβολίᾱ ᾱς *f.* [εὐθύς, βάλλω] **straightness of aim** (of missiles) Plu.

εὐθύ-γλωσσος ον *adj.* [γλῶσσα] **direct in speech, plain-speaking** Pi.

εὐθύ-γραμμος ον *adj.* [γραμμή] (of geometrical figures) having straight lines, **rectilinear** Arist.

εὐθυ-δίκαιος ον *adj.* (of Erinyes) upholding straight justice, **upright** A. B.

εὐθυδικίᾱ ᾱς *f.* [δίκη] **immediate trial of a lawsuit** (opp. dispute about its admissibility, entailing διαμαρτυρία or παραγραφή) Is. D.

εὐθύ-δικος ον *adj.* (of a house, a mind) upholding straight justice, **upright** A. B.

εὐθυδρομέω *contr.vb.* [δρόμος] (of sailors) **run a straight course** NT.

εὐθυ-θάνατος ον *adj.* (of a sword-stroke) **immediately fatal** Plu.

εὐθυ-μάχᾱς ᾱ *dial.masc.adj.* [μάχη] (of a boxer) **straight-fighting, fighting fairly** Pi.

εὐθυμαχίᾱ ᾱς *f.* **straightforward fighting** (in war, opp. covert operations) Plu.

εὐθῡμέω contr.vb. [εὔθῡμος] **1 be cheerful, be in good spirits** E.Cyc. Theoc. NT.; (mid.) Democr. Pl. X. Arist. Plu.
2 (tr.) **cheer, gladden** —someone A.fr.
εὐθῡμίᾱ ᾱς, Ion. **εὐθῡμίη** ης f. **cheerfulness, good spirits** Pi. B. Lyr.adesp. Democr. X. Plu.
εὔ-θῡμος ον adj. [θῡμός] **1 good-hearted, kind** Od.
2 (of persons, their mind or soul) **cheerful, in good spirits** A. Democr. Pl. X. NT. Plu.; (of old age) Pi.
3 (of a horse) **spirited** X.
4 (of a symposium) **full of good cheer** Ion
—**εὐθύ̄μως** adv. | compar. εὐθῡμότερον, superl. εὐθῡμότατα | **cheerfully, in good spirits** A. Democr. X. Plb. NT.
εὔθυνα ης f. [εὐθύ̄νω] **1 setting straight** (of persons or their behaviour) Pl.
2 (specif., at Athens, usu.pl.) **public examination, audit** (of the conduct and financial accounts of magistrates, during and at the end of their term of office) Ar. Att.orats. Pl. X. Arist. Plu.; (freq.) εὐθύ̄νας (or εὔθυναν) ὑπέχειν or διδόναι *undergo scrutiny, give an account* Ar. +; (also) εὐθύ̄νας (or εὔθυναν) ὀφλισκάνειν *fail the examination* And. Lys.
3 (in other states, usu.pl.) **examination** (of officials) X. Arist. Plb. Plu.
εὔθῡνος ου m. **examiner, auditor** (of public officials, esp. at Athens) And.(decree) Pl. Arist.; (of humans, ref. to Zeus, Hades) A.
εὐθυντήρ ῆρος m. **1** (ref. to a person) **rectifier, corrector** (W.GEN. of bad behaviour, in a city) Thgn.
2 (appos.w. οἴαξ *tiller*) **director, guide** (of a ship) A.
εὐθυντήριος ᾱ ον adj. **1** (of a sceptre) **directing, ruling** A.
2 || FEM.PL.SB. app., rudder-slots or channels (at a ship's stern, guiding the movt. of the two steering-oars) E. | see also ζεύγλη 4
εὐθυντής οῦ m. **1** (ref. to a populace) **ruler** (W.GEN. of a land) E.
2 examiner, auditor (of public officials) Pl.
εὐθυντικός ή όν adj. (of a court) **for examination** or **audit** (of public officials) Arist.
εὐθύ̄νω vb. [εὐθύς] | aor. ηὔθῡνα | **1 direct** (someone or sthg.) on a straight course; (of an attendant) **direct, guide** —a child (i.e. his steps) S. —the steps (of an old man) E.
2 (of a herdsman) **direct, guide** —cattle X.; (of a rider) —a winged animal A.; (of a charioteer) **steer** —a chariot, its course E. Isoc.; **control** —the reins Ar.
3 (of a helmsman or commander) **direct, steer** —a ship A. E.; (of a Muse, envisaged as helmsman) —a poet's thoughts B.; (of a politician) **manage** —the helmsman's task Plu.(oracle)
4 (of a king, a populace) **direct, govern** —a people, a city Trag.
5 (of Zeus, of time to come) **keep on course** —the fair wind of a person's fortune, a person's happiness and wealth Pi.; (of a Muse) **direct** —a fair wind of verses (W.PREP.PHR. *to a place*) Pi.; (of a ruler) **deliver** —judgements (W.DAT. *to a people*) Pi.
6 put straight, correct —crooked judgements Sol.; (fig.) **straighten** —a person (compared to bent wood, W.DAT. w. threats and blows) Pl.; (intr., of a legal case) **set things straight** Pl.
7 make straight (i.e. make ready) —a path (for the Lord) NT.
8 (specif., esp. at Athens) subject (someone) to public examination (during or after his term of office); **examine, call to account** —an official Pl. Arist. Plu.; (intr.) **serve as an examiner** (of officials) Pl.
9 (in Roman ctxt.) **call** (W.ACC. an official) **to account** —W.GEN. *for misuse of public funds* Plu. || PASS. (of a Spartan king or ephor) be called to account —W.GEN. *for crimes, for his tenure of office* Th. Arist.
10 find fault with or **set right** —a historian's language Plu.
εὐθυ-όνειρος ον adj. **having vivid** or **good dreams** Arist.
εὐθυπλοκίᾱ ᾱς f. [πλέκω] **direct interweaving** (W.GEN. of warp and weft) Pl.; (fig., of different personalities, in a community) Pl.
εὐθύ-πνοος ον adj. [πνοή] (of a wind) **blowing directly, unswerving** Pi.
εὐθυ-πομπός όν adj. (of life) **guiding directly** (a person, W.PREP.PHR. along the path of his forefathers) Pi.
εὐθυπορέω contr.vb. [εὐθύπορος] **1** (of a person) **travel a straight course** —W.COGN.ACC. *on a particular path of life* Pi.; (fig., of a boxer's trainer) —on the course of blows (app., teach his pupil how to take the right course) Pi.; (of a person's destiny, envisaged as a ship) A.
2 (of a person's physical development) **proceed straightforwardly** Arist.
εὐθύ-πορος ον adj. [πόρος] **1** (prob. of a person's fortune) **travelling a straight course** A.fr.
2 (fig., of a person's character) **straightforward** Pl.
εὐθυρρημονέω contr.vb. [ῥῆμα] (of a person, quoting a line of poetry) **spontaneously utter** —a similar word (in place of the original) Plu.
εὔ-θυρσος ον adj. [θύρσος] (of a fennel rod) **making a fine thyrsos** E.
εὐθύς εῖα (Ion. είη) ύ adj. [reltd. ἰθύς] | compar. εὐθύτερος, superl. εὐθύτατος | **1** (gener., of things) **straight** (opp. bent, crooked, or sim.) Pl. Arist.; (prep.phr.) κατὰ τὸ εὐθύ *in a straight line* (opp. crookedly) Pl.
2 extending in a straight direction; (of a road, canal, voyage) **straight, direct** Pi. Th. Pl. X.; (of the flight of a javelin) Pi.; (prep.phr.) εἰς τὸ εὐθύ, τὸ κατ' εὐθύ *straight ahead* X. || NEUT.SB. **straightness** Pl. Arist.; **verticality** (of a spinning-top, ref. to its axis) Pl.; **straight course** (for a horse) X.
3 (ref. to behaviour, usu. w. moral connot.); (of a person, a path of speech, w. allusion to 1 or 2) **straight, direct** Thgn. Scol. E.; (gener., of persons, their mind, speech, other attributes) **straightforward, forthright, frank, honest** Tyrt. Pi. E. Pl.; (of justice) **direct, unswerving** Sol. Thgn. A. Pi.; (prep.phrs.) ἀπὸ τοῦ εὐθέος *straightforwardly* (in speech) Th.; ἐκ τοῦ εὐθέος *directly, bluntly* (ref. to making a request) Th.
—**εὐθεῖα** ᾱς f. **1 direct route** A.fr. Pl.; (advbl.acc.) τὴν εὐθεῖαν *by the direct route, directly* (ref. to taking action, supporting someone) E. Plu.; (prep.phr.) ἀπ' εὐθείας *straightforwardly, frankly* (ref. to speaking) Plu.
2 straight line Pl.
—**εὐθέως** neut.adv. **1 straightaway, immediately** S. Th. Ar. Att.orats. Pl. +
2 to take the first example that occurs, **for instance** Plb. | cf. αὐτίκα 4
—**εὐθύ** neut.adv. **1** (ref. to motion or direction) **directly, straight** (towards someone) Men. —W.ADV. or PREP.PHR. *towards a place* hHom. S.; (as prep.) **directly towards, straight for** —W.GEN. *a person or place* Th. Ar. Pl. X.; **straight to** —W.GEN. *the rescue* Ar. —*death* Plu.
2 (ref. to time) **straightaway** Arist. Call. Theoc.
—**εὐθύς** adv. **1** (ref. to location or direction) **immediately, directly** —W.PREP.PHR. *above, past or next to a place* Th.; **straight** —W.PREP.PHR. *towards a place* hHom. Pi. Th. X.; **next, close by** Theoc.
2 (as prep.) **straight towards** —W.GEN. *a place* E.

3 (ref. to time) **straightaway, immediately, at once** Hes.*fr.* Tyrt. Pi. Trag. Th. +; (w. temporal ptcpl., to indicate that the action of the main vb. follows immediately) • τῷ δεξιῷ κέρᾳ τῶν Ἀθηναίων εὐθὺς ἀποβεβηκότι ... ἐπέκειντο *they attacked the right wing of the Athenians as soon as it had landed* Th.
4 for instance Arist.

εὐθύτης ητος *f.* **straightness** (as an attribute of things) Arist.

εὐθύ-τομος ον *adj.* [τέμνω] (of a road) **cut straight** Pi.

εὐθυ-φερής ές *adj.* [φέρω] (of a dancer's limbs) **held straight** Pl.

εὐθύ-φρων ον, gen. ονος *adj.* [φρήν] (of the Eumenides) with straight intentions, **sincerely disposed** (W.DAT. towards a land) A.

εὐθυωρία ᾱς *f.* [reltd. ὅρος] **1 straightness** of boundary lines; **direct line** (of vision) Pl.; **vertical axis** (of a spinning-top) Pl.
2 (prep.phrs.) εἰς εὐθυωρίαν *in a direct sequence (ref. to things being arranged)* Arist.; κατ᾽ εὐθυωρίαν *directly (ref. to opposing someone)* Arist.; *in a directly reciprocal relationship (ref. to people engaging w. each other)* Arist.

εὐθύωρον neut.adv. **straight ahead** —*ref. to leading an army* X.

εὐιάζω *vb.* [εὔιος] (of satyrs, a drunken reveller) **raise the Bacchic cry** S.*Ichn.* E.*Cyc.*

εὐ-ίατος ον *adj.* [ἰᾱτός] **1** (of a sickness, a fault) **easy to cure** X. Arist.
2 (of a person) **easy to cure** (of a fault or belief) Arist.

εὐ-ίερος ον *adj.* [ἱερός] (of a precinct) **holy** Theoc.*epigr.*

Εὔιος ου *m.* [reltd. εὐαί, εὐάν, εὐοῖ] he who is worshipped (by Bacchants) with the ritual cry 'euoi', **Euios** (ref. to Dionysus) E. Ar. Plu.; (meton. for wine) Men.

—εὔιος ον *adj.* **1 associated with the ritual cry of Bacchants;** (of revels, rites, mountains, the grape) **Bacchic** E.; (of women celebrants, the fire of their torches) S. E.; (epith. of Dionysus) Lyr.adesp. S. E.
2 (of the accoutrements of a priestess of Apollo) **mystic** E.

—εὔια neut.pl.adv. **with Bacchic cries** E.

εὔ-ιππος ον *adj.* [ἵππος] **1** (of persons) **riding fine horses** or **skilled in horsemanship** Hes.*fr.* hHom. Pi. E. X. ‖ SUPERL. (of cavalrymen) **most impressively mounted** X.
2 having or consisting of fine horses; (of a land, a god's gift to a land) **of fine horses** Pi. S. E. Call.; (of chariots) **with fine horses** E.

εὐιώτης ου *masc.adj.* [εὔιος] (of choruses of girls) **Bacchic** Lyr.adesp.

εὐ-καθαίρετος ον *adj.* [καθαιρετός] (of an enemy) **easy to overcome** Th.

εὐ-κάθεκτος ον *adj.* [καθεκτός] (of a people) **easy to control** X.

εὐκαιρέω *contr.vb.* [εὔκαιρος] **1 have time, leisure** or **opportunity** Plb. —W.PREP.PHR. *for sthg.* NT. —W.INF. *to do sthg.* NT.
2 enjoy good times, prosper Plb.

εὐκαιρία ᾱς *f.* **1 appropriate measure, sense of proportion** (opp. excess, in a speaker's treatment of a subject) Isoc.
2 appropriate behaviour, tact Men.
3 appropriate time (W.GEN. for sthg.) Pl.
4 favourable time, opportunity (to do sthg.) NT.
5 favourable location (of a city or sim.) Plb.
6 time of well-being, prosperity (of persons, peoples) Plb.

εὔ-καιρος ον *adj.* [καιρός] **1 appropriate to the time** or **circumstances;** (of speech or action) **opportune, appropriate** S. Men.; (of a day) **suitable** NT.
2 (of a place) **well-situated, conveniently located** Plb.
3 ‖ NEUT.IMPERS. (w. ἐστί) **it is opportune** or **appropriate** —W.INF. or ACC. + INF. (*for someone*) *to do sthg.* Arist. Men.

—εὐκαίρως *adv.* ‖ compar. εὐκαιρότερον, superl. εὐκαιρότατα ‖ **1 in a manner appropriate to the time** or **circumstances, opportunely, appropriately** Isoc. Pl. X. Arist. Men. Plb. +
2 favourably, conveniently —*ref. to a place being situated* Isoc. Plb.
3 (w. ἔχειν) **have time or leisure** (*for someone*) Plb.

εὔκᾱλος dial.adj.: see εὔκηλος

εὐ-κάματος ον *adj.* (of weariness, in the service of Dionysus) **that is joyful weariness** E.

εὐ-καμπής ές *adj.* [κάμπτω] **1** (of a scythe, a key) **nicely curved** or **bent** Od.; (of a bow) hHom. Call. Theoc.; (of a sickle) AR.; (of a plough) Mosch.
2 (of the sun's course) **gently curving** Plu.
3 (of the wing of an army) **easy to bend, flexible** Plu.

εὐ-κάρδιος ον *adj.* [καρδίᾱ] (of a person) **stout-hearted, brave** S. E.; (of a horse) X.

—εὐκαρδίως *adv.* **bravely** —*ref. to offering one's neck in sacrifice* E.

εὐκάρπεια ᾱς *f.* [εὔκαρπος] **fruitfulness** E.

εὔ-καρπος ον *adj.* [καρπός¹] **1** (of humans and animals) **blessed with rich crops** hHom.
2 (of a land, fields) **rich in crops, fruitful** Pi. E. Pl.; (of summer) S.
3 (of a crop) **rich, fruitful** E.
4 (fig., of a crop of children) **fruitful** A.*fr.*

εὐ-καταγώνιστος ον *adj.* [καταγωνίζομαι] (of enemy forces) **easy to overcome** Plb.

εὐ-κατακράτητος ον *adj.* [κατακρατέω] (of a place) **easy to control** Plb.

εὐ-κατάλλακτος ον *adj.* [καταλλάσσω] (of persons) **easy to bring round** or **appease, easily placated** Arist.

εὐ-κατάλυτος ον *adj.* [καταλύω] (of a nation's greed) **easy to put an end to** X.

εὐ-κατανόητος ον *adj.* [κατανοέω] (of an argument) **easy to understand** Plb.

εὐ-κατάφορος ον *adj.* [καταφέρω] (of persons) **easily carried along, inclined, prone** (w. πρός + ACC. *to sthg.*) Arist.

εὐ-καταφρόνητος ον *adj.* [καταφρονέω] (of persons or things) **easy to look down on, contemptible** X. D. Arist. Men. Plb. Plu.

—εὐκαταφρονήτως *adv.* **in a manner provoking contempt** —*ref. to playing the aulos* Plu.

εὐ-κατέργαστος ον *adj.* [κατεργάζομαι] **1** (of undertakings) **easy to accomplish** X. Arist.
2 (of food) **easy to digest** Plu.
3 (of a people) **easy to subjugate** Plu.

εὐ-κατηγόρητος ον *adj.* [κατηγορέω] (of a city, a people, passages in a will) **easy to bring a charge against, open to accusation** or **censure** Th. Plb. Plu.

εὐ-κέατος ον *adj.* [κεάζω] (of the cedar, the fig tree, ref. to their timber) **easily cleft** Od. Theoc.

εὐ-κέλαδος ον *adj.* (of an aulos) **sweet-sounding, melodious** E.; (of choruses) Ar.; (of songs) Eleg.adesp.

εὔ-κερως, ep. **ἠΰκερως**, ων, gen. ω *adj.* —also **εὐκέραος** ον *dial.adj.* [κέρας] (of a cow) **with fine horns** Mosch.; (of prey, ref. to cattle) S.

εὐκηλήτειρα ᾱς *f.* [εὔκηλος] **soother** Hes.(dub.)

εὔκηλος, dial. **εὔκᾱλος**, ον *adj.* [reltd. ἕκηλος] **1 free from anxiety or disturbance;** (quasi-advbl., of persons doing sthg.) **at will, at ease, with calmness, without trouble** Hom. Hes. hHom. A. S. AR.

2 (of Night) **quiet** Theoc.; (of the wings of a gliding hawk) **still, motionless** AR.; (of calm) AR.

—**εὔκηλον** neut.adv. **calmly, without anxiety** —ref. to casting a look E.

—**εὐκήλως** adv. **quietly, still** —ref. to lying down AR.

εὐκῑνησίᾱ ᾱς f. [εὐκίνητος] **ease of movement, mobility** (of troops) Plb.

εὐ-κίνητος ον adj. [κῑνητός] **1** (of certain substances, compared w. others) having ease of movement, **mobile** Pl.
2 (of persons) **easily moved, prone** (w. πρός + ACC. to anger) Arist. Plu.; (gener.) **flexible** Plu.
3 (of troops) **mobile, light** Plb.; (of ships) **easy to manoeuvre** Plb.
4 (of a theory) **easy to refute** Arist.

εὐ-κίων ον, gen. ονος adj. (of halls) **with fine pillars** E.

εὐ-κλεής, ep. **ἐυκλεής**, also **ἐυκλειής**, ές adj. [κλέος] | acc.masc. εὐκλεᾶ, dial. εὐκλέᾱ | dial.dat. εὐκλέϊ ‖ PL.: acc.masc. εὐκλεεῖς, ep. ἐυκλείας, dial. εὐκλέᾱς | (of persons or things) having good repute, **renowned, famous, glorious** Hom. Lyr. Trag. Lys. Pl. X. +; (wkr.sens.) **reputable, honourable** E.

—**εὐκλεῶς**, ep. **ἐυκλειῶς** adv. | compar. εὐκλεέστερον, superl. εὐκλεέστατα | **gloriously** Il. A. E. X. Plu.

εὔκλεια (also **εὐκλείᾱ** A.) ᾱς, ep. **ἐυκλείη** ης f. **1** good repute, **renown, fame, glory** Hom. B. Trag. Th. Att.orats. Pl. +; (wkr.sens.) **good name, honour** E. Ar.
2 (as a deity) **Eukleia** B.

εὐκλεΐζω vb. | aor.ptcpl. εὐκλεΐσᾱς (Tyrt.) | dial.aor. εὐκλέϊξα | **bring renown to, glorify** —persons, places Tyrt. Pi. B.

ἐύ-κλωστος ον ep.adj. [κλωστός] (of a tunic) **well-spun** hHom.

ἐυ-κνήμῑς ῑδος ep.masc.adj. [κνημίς] (of Achaeans) **equipped with fine greaves** Hom. Hes.fr.; (of the companions of Odysseus) Od.; (inappropriately, of the companions of Telemachus) Od.

εὐ-κοινόμητις ιδος fem.adj. [κοινός, μῆτις] (of government) **with good common purpose** A.

εὐ-κοινώνητος ον adj. [κοινωνέω] (of a person) **easy to negotiate with** Arist.

εὐκολίᾱ ᾱς f. [εὔκολος] **1 easy-going disposition, good nature, good humour** Pl. Plu.; (gener.) **ease of manner** Pl.
2 (specif.) **easy-going attitude, indifference** (W.PREP.PHR. in relation to food) Plu.
3 ease, facility (w. πρός + ACC. in verse-making) Plu.

εὔκολος ον adj. [reltd. δύσκολος] **1** (of persons) **good-humoured, cheerful, contented, easy-going** Ar. Pl. Arist. Plu.; **content** (W.INF. to endure sthg.) Plu.; **on good terms** (W.DAT. or πρός + ACC. w. people) Ar. Plu.; **at peace** (W.DAT. w. oneself) Pl.; (of the gods) **easy-going** (opp. punitive) Plu.
2 (specif., in relation to food) **relaxed, not fussy** Plu.
3 (of an undertaking) **trouble-free, easy** Pl. ‖ NEUT.IMPERS. (w. ἐστί) it is easy —W.INF. or ACC. + INF. to do sthg., for sthg. to be the case Isoc.(v.l. εὔλογον) Pl.

—**εὐκόλως** adv. **in an easy-going manner, contentedly, cheerfully** Lys. Isoc. Pl. X. Arist. Plu.; (pejor.) **casually, carelessly** Pl.

εὐ-κομιδέστατος η ον superl.adj. [κομιδή] (of pastures) app. **providing the best nourishment** (for cattle) Hdt.

εὔ-κομπος ον adj. [κόμπος] (of the beat of a dance-leader's foot) **loud-ringing** E.

εὔ-κοπος ον adj. [κόπος] | compar. εὐκοπώτερος | (of a task) **requiring little effort, easy** Plb. NT.

εὐ-κόσμητος ον adj. [κοσμητός] (of porches) **finely decorated** hHom.

εὐκοσμίᾱ ᾱς f. [εὔκοσμος] **good order, orderly behaviour, discipline** (among groups of people or in public life) E. Att.orats. Pl. X. Arist. Plu.

εὔ-κοσμος ον adj. [κόσμος] **1** (of troops) **in good order, well-disciplined** Th. ‖ NEUT.SB. **sense of order, discipline** Th.
2 (of affairs, in a community) **in good order** Sol.; (of flight) **orderly** A.

—**εὐκόσμως** adv. | superl. εὐκοσμότατα | **1 in good order, neatly, methodically** —ref. to placing or arranging things Od. Hes.; **in due order** (as pre-arranged) —ref. to taking one's seat AR.
2 in an orderly or **disciplined manner, decorously** —ref. to boys singing a person's praises Thgn. —ref. to orators delivering speeches Plu.
3 in fine array —ref. to being dressed or equipped X.
4 trimly, expertly —ref. to carving wood AR.

ἐυ-κρᾱής ές ep.adj. [κεράννῡμι] (of a wind) **well-tempered, moderate, gentle** AR.

εὔ-κραιρος ον, ep.Ion. **εὔκραιρος** η ον adj. [reltd. κέρας] (of cows) **with fine horns** hHom. A.

εὐ-κρᾱς ᾶτος masc.fem.adj. [κεράννῡμι] (of a spring of water) **maintaining an even temperature** (w. πρός + ACC. in summer and winter) Pl.

εὐκρᾱσίᾱ ᾱς f. **temperate quality, mildness** (W.GEN. of a climate) Pl.

εὔ-κρᾱτος ον adj. **1** (of regions) **containing a suitable mixture** or **proportion** (of heat and cold), **temperate** E.fr.
2 (of a form of oligarchy) **well-blended, temperate, mild** Arist.

ἐύ-κρεκτος ον ep.adj. [κρέκω] (of a lyre) **having a beautiful sound when struck, tuneful** AR.

εὔ-κρηνος ον adj. [κρήνη] (of a city) **with fine springs** Call.

εὔ-κρῑθος ον adj. [κρῑθαί] (of a threshing-floor) **rich in barley** Theoc.

εὐκρῑνέω contr.vb. [εὐκρῑνής] **carefully select** —troops X.

εὐ-κρῑνής ές adj. [κρίνω] **1** (of winds, weapons) **easy to tell apart, easily distinguished, distinct** Hes. X.
2 (of military preparations) **well-arranged, in good order** Hdt.
3 (of a decision in a lawsuit) **easy to make, clear-cut** Is.
4 (medic.) **having a favourable diagnosis**; (of a body) **in a promising state of health** Isoc.; (fig., of a situation) Men.(cj.)

—**εὐκρῑνῶς** adv. | compar. εὐκρῑνέστερον | **1 distinctly** —ref. to seeing sthg. Pl.
2 in a well-defined order —ref. to things being laid out X.
3 (w. ἔχειν) **be right in one's judgement** (of sthg.) Pl.

εὔ-κρῐτος ον adj. [κρῐτός] (of an issue) **easy to judge, clear-cut** A. Pl. ‖ NEUT.SG.IMPERS. (w. ἐστί understd.) it is easy to judge —W.COMPL.CL. that sthg. is the case Pl. ‖ NEUT.PL.IMPERS. (w. ἐστί) the decision is easy Men.

εὐ-κρότητος ον adj. [κροτητός] (of a pitcher, a knife) **well-made by hammering, well-wrought** S. E.

εὔ-κρυπτος ον adj. [κρυπτός] (of facts) **easy to conceal** A.

εὐκταῖος ᾱ ον adj. [εὔχομαι] **1** relating to a prayer; (of prayers, incantations) **prayerful, pious** Ar. Pl.; (of words) **of prayer** (to an Erinys, ref. to a curse) A.; (of thanks) **for the fulfilment of prayers** A. ‖ NEUT.PL.SB. **prayers** A.
2 (of a deity) **invoked in prayer** (sts. W.DAT. by persons) E.; (of an Erinys) A.
3 relating to a vow (i.e. a promise to do sthg.); (of a sacrificial victim) **paying for a vow, as a votive offering** E.(dub.) ‖ NEUT.PL.SB. offerings made in fulfilment of a vow, **votive offerings** A.satyr.fr. S.

εὐ-κτέανος¹ ον *adj.* [εὖ, κτέανα] (of cities) rich in possessions, **wealthy** A.
εὐ-κτέανος² ον *adj.* (of an oak) app. **straight-grained** Plu.
εὐκτέον (neut.impers.vbl.adj.): see εὔχομαι
ἐυ-κτήμων ον, gen. ονος *dial.adj.* [κτῆμα] (of a street) rich in possessions, **wealthy** Pi.
εὐ-κτίμενος, ep. **ἐυκτίμενος**, η (dial. ᾱ) ον *adj.* [κτίζω] **1** (of a city) **well-built** or **furnished with fine buildings** Hom. Hes. B. AR.; (of streets) Il.
2 (of islands) **furnished with fine cities** or **buildings** Hom. hHom.
3 (of a house) **well-built** Od.; (of a threshing-floor) **well-made** Il.(v.l. ἐυτρόχαλος)
4 (of an orchard or vineyard) **well laid out** or **well-cultivated** Hom.
εὐ-κτιτος, ep. **ἐύκτιτος**, ον *adj.* **1** (of a city) **well-built** or **furnished with fine buildings** Il. Hes.*fr.* hHom. B.
2 (of an island) **with fine cities** or **buildings** Anacr.
3 (of halls, a house) **well-built** Lyr.adesp. B.
εὐκτός ή όν *adj.* [εὔχομαι] (of things) **prayed for** or **to be prayed for**, **desired** or **desirable** S.(cj.) E. Lys. Isoc. X. + ‖ NEUT.IMPERS. (w. ἐστί, sts. understd., + DAT.) it is to be prayed for by a person (i.e. he should pray) —W.INF. to do such and such E. X. ‖ NEUT.PL.SB. outcome that is prayed for or desired Il.
εὐ-κυκλής ές *adj.* [κυκλέω] (fig., of Truth) **well-rounded** Parm.
εὐ-κυκλος ον *adj.* [κύκλος] **1** (of shields) **well-rounded**, **round**, **circular** Il. Tyrt. A. Call.; (of a cradle) E.; (of rims of hunting-traps) X.
2 (of a ball) **spherical** Parm.; (of heavenly bodies) Pl.
3 (of seats) **in a circle** Pi.; (of a dance) **circular, circling** Ar.
4 (of wagons) **strong-wheeled** Od. A.
εὐλάβεια ᾱς, Ion. **εὐλαβίη** ης *f.* [εὐλαβής] **1** cautious or careful behaviour, **caution**, **care** Thgn. S. E. Ar. Pl. D. +; (W.GEN. about sthg.) S. Antipho Plu.; (W.GEN. in one's course of action) S.; (personif., as a deity) **Caution** E.
2 precaution (W.GEN. against sthg.) Pl. D. Arist.
3 scrupulous behaviour, **reverence** (W.PREP.PHR. in relation to the gods) D. Plu.
εὐλαβέομαι *mid.contr.vb.* | aor.pass. (w.mid.sens.) ηὐλαβήθην ‖ neut.impers.vbl.adj. εὐλαβητέον ‖ **1 be careful** or **cautious** (sts. W.PREP.PHR. over sthg.) S. E. Pl. X. +
2 take care —W. ὅπως + FUT.INDIC. that one does sthg. Ar.
3 take care —W. μή (sts. ὅπως μή) + SUBJ. that one does not do sthg., that sthg. does not happen S. E. Ar. Pl. X. + —W.INF. or μή + INF. not to do sthg. S. E. Ar. Pl. +
4 be careful of, beware of —someone or sthg. A.*fr.* Ar. Isoc. Pl. +
5 carefully protect —a vulnerable part of one's body E.; **take care over** —the right moment (for action) E.
6 behave scrupulously towards, have respect for —a god Pl.
εὐ-λαβής ές *adj.* [λαβεῖν, see λαμβάνω] **1** taking hold or undertaking well; (of persons, their characters) **careful**, **cautious** Pl. D. Arist. Plb. Plu. ‖ NEUT.SB. care, caution Pl. Plu.
2 (of political change) cautiously effected, **cautious** Pl.
3 (of persons) **devout** NT.
—**εὐλαβῶς** *adv.* | compar. εὐλαβέστερον, also εὐλαβεστέρως (E.) | **carefully, cautiously** E. Pl. D. Plb. Plu.
εὐλαβίη Ion.*f.*: see εὐλάβεια
εὐλαί ὧν (Ion. ἑων) *f.pl.* larvae (of the fly or other insect), **maggots, worms** (feeding on corpses) Il. Hdt. Plu.
εὐλάκᾱ ᾱς *Lacon.f.* [reltd. αὖλαξ] **ploughshare** Th.(oracle)

εὐλαξεῖν *Lacon.fut.inf.* **plough** Th.(oracle)
εὐ-λείμων ον, gen. ονος *adj.* [λειμών] (of an island, a region) **rich in meadowland** Od. Hes.*fr.* hHom.
εὐ-λεκτρος ον *adj.* [λέκτρον] **1** (of Aphrodite) **who brings wedded joy** S.
2 (of a bride) **joyfully wedded** S.
εὔ-ληπτος ον *adj.* [ληπτός] **1** (of an enemy populace) **easy to take over** Th.
2 (of a situation) **easy to manage** Plu.
—**εὐληπτότατα** neut.pl.adv. **in a manner most convenient for taking hold** —ref. to handing over a wine-cup X.
εὔληρα ων *n.pl.* **chariot-reins** Il.
εὐ-λίμενος ον *adj.* [λιμήν] (of shores, a city-state) **possessing good harbours** E. Pl.
εὐλογέω *contr.vb.* [εὔλογος] | impf. ηὐλόγουν, later εὐλόγουν | aor. εὐλόγησα (NT.) ‖ fut.pass. εὐλογήσομαι (Isoc.) | **1 speak well of, praise, eulogise** —someone or sthg. Trag. Ar. Isoc. Plb. ‖ PASS. be praised S. Ar. Isoc.
2 (of gods, by their actions) **praise, honour** —someone E.
3 praise, thank —God NT.
4 (of God, Christ, heroes) confer or call down divine blessings upon, **bless** —persons NT.; (of Christ) **bless, consecrate** —food NT. ‖ PASS. be blessed NT.
εὐλογητός όν *adj.* (of God) **blessed** NT.
εὐλογίᾱ ᾱς *f.* **1 good use of speech** or **language** (ref. to style and correctness) Pl.
2 praise, eulogy Pi. E. Th. Ar. Isoc. Lycurg.
3 plausible explanation (for an event) Plb.
εὐλογιστέω *contr.vb.* [εὐλόγιστος] **make rational decisions** Plu.
εὐ-λόγιστος ον *adj.* [λογιστός] **1** (of a ratio) **easy to calculate** Arist.
2 (of persons) reckoning well or rightly, **of sound judgement, rational** Arist. Plb.
—**εὐλογίστως** *adv.* | superl. εὐλογιστότατα | **rationally** Plb. Plu.
εὔ-λογος ον *adj.* [λόγος] **1** (of advice) based on good reasoning, **reasoned, sensible** A.
2 easy to explain or justify; (of conduct, assumptions) **rational, reasonable** Pl. D. Arist. Plb.; (of a pretext or cause) **plausible** Th. D. Plb. Plu. ‖ NEUT.IMPERS. (w. ἐστί, sts. understd.) there is good reason, it is reasonable —W.INF. or ACC. + INF. to do sthg., that someone shd. do sthg., that sthg. shd. be the case Th. Pl. D. Arist. Plb. ‖ NEUT.SB. good reason, justification (for doing sthg.) Th. ‖ NEUT.PL.SB. things that are reasonable (to expect or infer), probabilities Arist. Plb. Plu. | see also εὔκολος 3
3 (of an action) well spoken of, **reputable, creditable** Ar.
—**εὐλόγως** *adv.* | compar. εὐλογώτερον, also εὐλογωτέρως | **with good reason, reasonably, justifiably** A. Th. Ar. Att.orats. Pl. Arist. +
εὔ-λογχος ον *adj.* [reltd. λέλογχα, λαγχάνω] (of phantoms) **favourable, propitious** Plu.(quot. Democr.)
εὐ-λοιδόρητος ον *adj.* [λοιδορέω] (of a person's costume) **easy to deride** Men.
εὔ-λοφος ον *adj.* [λόφος] (of a helmet) **well-plumed, with a fine crest** S.
εὔ-λοχος ον *adj.* [λόχος] (of Artemis, Eileithuia) **who eases the labour of childbirth** E. Call.
εὐ-λύρᾱς ᾱ *dial.masc.fem.adj.* —also **εὔλυρος** ον (Ar.) *adj.* [λύρᾱ] (of Apollo) **skilled with the lyre** Sapph. B. E. Ar.; (of the Muses) Ar.
εὔ-λυτος ον *adj.* [λυτός] **1** (of hounds) **easy to untie** X.
2 (of affectionate feelings, political connections) **easy to loosen** or **break up** E. X.

—**εὐλύτως** adv. in a manner allowing easy release, **loosely** Plb.
εὐμάθεια (also **εὐμαθίᾱ**) ᾱς, Ion. **εὐμαθίη** ης f. [εὐμαθής] facility or quickness in learning or understanding Pl. Arist. Call.
εὐ-μαθής ές adj. [μανθάνω] 1 (of persons) **quick to learn or understand** Isoc. Pl. D. Plu.
2 (of things) **easy to learn or understand** A. X. Aeschin. Arist. Plb.; (of a symbol, the voice of a deity) **easy to recognise** S.; (of an argument) **easy** (W.INF. to judge) Aeschin.
—**εὐμαθῶς** adv. | compar. εὐμαθέστερον | **with easy comprehension, intelligently** Pl. Aeschin.
εὐμάκης dial.adj.: see εὐμήκης
εὔ-μαλλος ον adj. [μαλλός] (of sheep) **with fine fleeces, fleecy** B.; (of a victor's headband) **of fine wool, woollen** Pi.
εὐμάρεια (also perh. **εὐμαρίᾱ**) ᾱς, Ion. **εὐμαρείη** ης f. [εὐμαρής] 1 easiness (opp. difficulty); **ease, facility** (of movement, action) S. E.; (W.GEN. of an inquiry) Arist.
2 **ease, readiness** (W.GEN. of resources, ref. to a supply of food) S.; **ready supply, abundance** (W.GEN. of pain) S.; **ready provision** (w. εἰς + ACC. for needs) Pl.; (w. πρός + ACC. against sthg.) Pl.
3 **ready possibility, good chance** (W.INF. of doing sthg.) Pl. X.
4 **easing** (of the bowels), **relieving oneself** Hdt.
εὐμαρέω contr.vb. **have a ready supply** —W.GEN. of everything B.
εὐ-μαρής ές adj. [perh. μάρη hand] 1 **easy to accomplish**; (of the killing of a slave, a separation fr. one's wife) **easy** A.; (of an undertaking) E. Bion Plu. || NEUT.PL.SB. **easy outcome** (to an undertaking) Alc. || NEUT.IMPERS. (w. ἐστί, sts. understd.) **it is easy** —W.INF. to do sthg. Sapph. Thgn. Pi. E. Theoc. Plb.; (also) ἐν εὐμαρεῖ (w. ἐστί understd.) + INF. E.
2 (of time, envisaged as a god) **bringing ease or relief** (fr. suffering) S.
—**εὐμαρῶς**, dial. **εὐμαρέως** adv. **easily, readily** Thgn. A.fr. B. Pl. AR. Theoc. +
εὔμαρις ιδος f. [loanwd.] | acc. εὔμᾰριν | **oriental shoe** (perh. made of deerskin), **slipper, moccasin** A. E.
εὐμᾱχανίᾱ dial.f.: see εὐμηχανία
εὐ-μεγέθης ες adj. [μέγεθος] 1 (of animals, topographic features, objects) **of good size, large** Ar. X. Plu.
2 (of testimony) **substantial, weighty** D.
εὐ-μειδής ές adj. [μειδάω] (of a deity) **smiling favourably, looking kindly** (W.DAT. on someone) Call. AR.
εὐ-μελής ές adj. [μέλος] (of music) **with a good melody, melodious** Arist.
εὐμένεια, also **εὐμενίᾱ** (Pi.), ᾱς f. [εὐμενής] **goodwill, kindness, favour** (of gods or humans) Pi. Hdt. S. E. Th. Pl. +
εὐμενέτης ες adj. (of persons) **well-disposed, kindly** Od.
εὐμενέω dial.contr.vb. | ptcpl. εὐμενέων, Aeol.fem. εὐμενέοισα | 3pl.opt. εὐμενέοιεν | (of gods or humans) **show kindness or goodwill** Pi. —W.DAT. to someone AR. Theoc.
εὐ-μενής ές adj. [μένος] 1 (of gods, their hearts, minds, other attributes) **well-disposed, kindly** (sts. W.DAT. to someone) hHom. Lyr. Trag. Ar. Pl. +; (of persons) Hdt. Trag. And. Pl. X. +
2 (of things assoc.w. divine favour; of fortune, a ritual cry) **favourable, propitious** A. Pi. Pl.; (of a land) **auspicious** (W.DAT. + INF. for persons to fight in) Th.; (of the earth, drinking-water) **bountiful** A.; (of prosperity) Lyr.adesp.
3 (of terrain, without association w. divinity) **favourable, agreeable** (W.DAT. to those walking across it) X.
—**εὐμενῶς**, dial. **εὐμενέως** adv. | compar. εὐμενέστερον,

also εὐμενεστέρως (Isoc.) | **with goodwill, in a kindly spirit** A. E. Att.orats. Pl. X. AR. +
Εὐμενίδες ων f.pl. **Eumenides, Kindly Goddesses** (euphem. name for Erinyes) A.(title) S. E. D. Plu.
εὐμενίζομαι mid.vb. **make favourable to oneself, propitiate** —gods and heroes (W.DAT. w. sacrifices) X.
εὐμενικός ή όν adj. (of correction of a person's error) **well-meaning, kindly** Plb.
εὐ-μετάβλητος ον adj. [μεταβάλλω] (of objects) **which can be easily changed** (in appearance) Arist.
εὐ-μετάβολος ον adj. (of persons or things) **easily undergoing change, changeable** Isoc. Pl. X. Arist. Plb. Plu.
εὐ-μετάθετος ον adj. [μετατίθημι] (of fortune) **changeable, fickle** Plb.(cj.)
εὐ-μετακίνητος ον adj. [μετακινέω] (of things) **easily changed** (W.PREP.PHR. for the worse) Arist.
εὐ-μετάπειστος ον adj. [μεταπείθω] (of a person) **easily persuaded to change one's mind** Arist.
εὐ-μεταχείριστος ον adj. [μεταχειρίζω] (of persons) **easy to handle or deal with, manageable** Isoc. Pl. X. Plu.; (of an enemy's power, a situation) Th. X.; (of a topic) Isoc.; (of the use of a commodity, ref. to money) **offering easy handling** Arist.
εὔ-μετρος ον adj. [μέτρον] (of a sling, for lifting cargo) **of appropriate dimensions** A.
εὐ-μήκης, dial. **εὐμάκης**, ες adj. [μῆκος] 1 **of good length**; (of a person) **tall** Pl. Theoc.; (of a horse's forelock) **long** X.
2 (fig., of a person's good fortune) **extensive, impressive** E.(dub.)
εὔ-μηλος ον adj. [μῆλα] (of places) **rich in sheep** Od. hHom. Pi. Theoc.
εὐμηχανίᾱ, dial. **εὐμᾱχανίᾱ**, ᾱς f. [εὐμήχανος] 1 **ready means, capability** (of doing stg.) Pi.
2 **inventiveness, ingenuity** (W.GEN. of Fortune) Plu.
εὐ-μήχανος ον adj. [μηχανή] 1 (of deities or persons) **resourceful** A. Pl.; (W.GEN. in argument) Pl.; **capable** (W.INF. of doing sthg.) Ar.
2 (of an idea) **ingenious** Pl.
—**εὐμηχάνως** adv. **ingeniously** Plu.
εὐ-μίμητος ον adj. [μιμητός] (of a character trait) **easy to imitate** Pl.
εὐ-μίσητος ον adj. [μισητός] (of lying) **sincerely hated** X.
εὔ-μιτος ον adj. [μίτος] (of a tapestry) **having good warp-threads, finely threaded** E.
εὔ-μιτρος ον adj. [μίτρᾱ] (of a tunic) **well-belted** Mosch.
ἐυ-μμελίης ω ep.Ion.adj. [μελίᾱ] (epith. of Priam, other warriors) **armed with a fine ash-wood spear** Hom. Hes. AR.
εὔ-μνᾱστος ον dial.adj. [μιμνήσκω] (of a fear) **that keeps alive the memory** (W.GEN. of sthg.) S.
εὐμνημονεστέρως compar.adv [μνήμων] (of praise of a person, w. ἔχειν) **be easier to remember** X.
εὐ-μνημόνευτος ον adj. [μνημονευτός] (of things) **easy to remember** Pl. D. Arist.
εὔ-μοιρος ον adj. [μοῖρα] 1 (of persons) **having a large share** (of Love) Pl.
2 **enjoying a happy fortune or destiny** B. Call.
εὐμολπέω contr.vb. [εὔμολπος] **be a fine musician** hHom.
εὔ-μολπος ον adj. [μολπή] (of wedding songs) **melodious** A.fr.
Εὔμολπος ου m. **Eumolpos** (mythol. ruler of Eleusis, instructed by Demeter in her mysteries) Hes.fr. hHom. E. Th. +
—**Εὐμολπίδαι** ῶν (dial. ᾶν) m.pl. **descendants of Eumolpos, Eumolpidai** (members of an Eleusinian clan, assoc.w. the Mysteries) S. Th. Att.orats. Arist. Flu.

εὐμορφίᾱ ᾱς *f.* [εὔμορφος] **1** excellence of physical form; **beauty** (of a goddess, man or woman) E. Pl. X. Plu.; **shapeliness** (W.GEN. of a liver-lobe, in a sacrificial victim) A. **2** (pejor.) **showiness** (W.GEN. of language) E.*Cyc.*

εὔ-μορφος ον *adj.* [μορφή] **1** having a good shape or form; (of a man, woman, body) **beautiful, handsome** Sapph. A. Hdt. S.*fr.* Plu.; (of a statue) A.; (perh. transf.epith., of the finery of girls) A.
2 (transf.epith., of the power) **of one in the beauty of manhood** A.

εὐμουσίᾱ ᾱς *f.* [εὔμουσος] (fig.) **fine music, pleasing rhythm** (W.GEN. of hard work) E.*fr.*

εὔ-μουσος ον *adj.* [μοῦσα] (of singing) **musical, melodious** E.; (of honours paid to a god) Ar.

εὐνάζω *vb.* [εὐνή] | fut. εὐνάσω, dial. εὐνάξω | aor. ηὔνασα, ep. εὔνασα ‖ MID.: 3sg.dial.aor. εὐνάσατο (Call.) ‖ PASS.: ep.impf. 3sg. εὐνάζετο, 3pl. εὐνάζοντο | aor. (sts. w.mid.sens.) ηὐνάσθην, dial. εὐνάσθην |
1 cause (someone) to lie down or sleep; **instruct** (W.ACC. persons) **to lie down** or **sleep** (in a designated place) Od. E.; (of a fawn) **put to bed** —*its young* (*in a lair*) X. ‖ PASS. (of a baby) be put to bed Pi.*fr.*; (of a young fawn) X.
2 (of sleep) **bring rest to** —*a person* AR. ‖ MID. (of persons) **retire to rest, lie down to sleep, go to bed** Od. Hes. E. X. AR. Theoc. —W.DAT. *beside someone* Call.; (of seals) Od.; (of birds) **roost** Od.
3 ‖ MID. and AOR.PASS. (w. sexual connot., usu. ref. to casual unions) **go to bed, sleep** —w. παρά + DAT. *w. someone* Od. —W.DAT. *w. someone* hHom. E. —*in someone's bed* Pi.; (w. note of sarcasm) **be bedded** —W.DAT. *in a royal marriage* E.; (of heaven) **join in sexual union** (w. earth) A.*fr.*(cj.)
4 (fig.) **lull to sleep** —*longing* (*for someone*) S.; (of a singer) —*an island* (W.PREDIC.PHR. *not without a banquet of songs of celebration, i.e. sing its praises into the night*) Pi.*fr.*; **lay to rest, calm** —*one's anger* AR. ‖ PASS. (of a trouble) be laid to rest S.
5 (euphem., of Hades, sickness) **lay to rest** (in death) —*a person* S. AR.; (of a slight tilt of the balance) —*an aged body* S.

εὐ-νᾱής ές *adj.* [νάω] (of a stream) **fair-flowing** B. Call.

εὐναίη ης *Ion.f.* [εὐναῖος] **mooring-stone, anchor-stone** AR. | see εὐνή 9

εὐναῖος ᾱ ον *adj.* [εὐνή] **1** relating to bed; (predic., of a sick person's spirit, being bound fast) **in bed** E.
2 relating to the marriage bed; (of a person) sharing a marriage bed, **wedded** A.*fr.* E.; (of Kypris, ref. to one's sexual partner) E.; (of marriage) **of bedfellows** A. E.; (of talk) **about marriage** Call.*epigr.*
3 relating to an animal's bed; (of a wild animal) **in the lair** S.*Ichn.*; (of a hare) **staying in the lair** X.; (of its tracks) **having the scent of** or **leading to the lair** X.; (predic., of a straw nest, being built) **as a bed** (for chicks) E.
4 (of steering-oars) perh. **securely couched** (in their rudder-slots) E.(dub.)

εὐνάματα *n.pl.*: see εὐνήματα

εὐνάσιμα ων *n.pl.* [εὐνάζω] **places for making a lair** (for a hare) X.

εὐνάτᾱς ᾱ *dial.m.* [εὐνάω] **bedfellow, husband** E.

εὐνάτήρ ῆρος *m.* **bedfellow, husband** A.

—**εὐνάτειρα** ᾱς, Ion. **εὐνήτειρα** ης *f.* **1 wife** A.; **bedfellow, partner** (W.GEN. of a god, in a casual liaison) S.
2 (fig., w. ref. to night) **bringer of rest** (W.DAT. + GEN. to men, fr. labours) AR.

—**εὐνάτρια** ᾱς *f.* **bedfellow, wife** S.

εὐνᾱτήριον ου *n.* **bedroom** A.; (pl. for sg.) **bed** S.; (meton.) **wife** E.(dub.)

εὐνάτωρ (also perh. **εὐνήτωρ** E.) ορος *m.* **bedfellow, husband** A. E.

εὐνάω *contr.vb.* [εὐνή] | ep.aor. εὔνησα ‖ aor.pass.inf. εὐνηθῆναι, ptcpl. εὐνηθείς | **1 instruct** (W.ACC. persons) **to lie down** (for an ambush) Od.
2 put to sleep —*a dragon* AR. ‖ PASS. lie down to sleep S.; (of a soldier) have one's bed (in a place) S.; (of Cerberus) S.
3 ‖ PASS. (w. sexual connot.) go to bed, sleep (w. someone) Hom. AR. —W.DAT. *w. someone* Il. Hes. hHom. AR. —w. παρά + DAT. Hes.
4 (fig.) **lay to rest, still, hush** —*someone's lamentation* Od. ‖ PASS. (of the winds) be stilled or hushed Od. AR.

εὐνέτης ου, dial. **εὐνέτᾱς** ᾱ *m.* **bedfellow, husband** E.

—**εὐνέτις** ιδος *f.* **wife** AR.

εὐνή ῆς, dial. **εὐνά** ᾶς *f.* | ep.gen.dat.sg.pl. εὐνῆφι(ν) |
1 bedding (opp. bedstead) Od.
2 (gener., as a place for resting or sleeping in) **bed** Hom. Hdt. Trag. Ar. Isoc. X. +; (ref. to the boat in which Helios crosses the Ocean by night) Mimn.
3 marriage bed (freq. meton. for marriage or sexual intercourse) Hom. Hes. Pi. Trag. AR. Theoc.
4 bed (of a partner in a casual union, freq. meton. for sexual intercourse) Hom. Hes. Semon. Mimn. Pi. B. Trag. +
5 makeshift outdoor bed; bed (of leaves) Od.; **lair** (for an ambusher) Od. ‖ PL. **sleeping quarters, bivouac** (of troops in the field) Il. A. E. Th. Pl.
6 lair (of a lion, deer, hare) Hom. X. Theoc.; **sleeping-place** (for a pig, ref. to a sty) Od.; (for a bird, ref. to a nest) S. Theoc.
7 ‖ PL. **dwelling-place, abode** (of Typhon, beneath the earth; of nymphs, on a mountain) Il.
8 resting-place (of a dead person, ref. to the underworld) S.; (pl. for sg.) A.
9 ‖ PL. **mooring-stones, anchor-stones** (let down by cables fr. a ship's bows) Hom. AR.

—**εὐνῆθεν** *adv.* **from** or **out of bed** —*ref. to getting up* Od. AR.

εὐνήματα (or perh. **εὐνάματα**) των *n.pl.* **marriage bed, marriage** E.

εὐνήτειρα *Ion.f.*: see εὐνάτειρα, under εὐνᾱτήρ

εὐνήτωρ *m.*: see εὐνάτωρ

εὖνις[1] ιδος *masc.fem.adj.* | acc.sg. εὖνιν | nom.pl. εὔνιδες | **bereft, deprived, in want** (W.GEN. of someone or sthg.) Hom. A. Emp. AR.; app. **bereaved** (without GEN., by the deaths of one's children) A.

εὖνις[2] ιδος *f.* [εὐνή] **bedfellow, wife** S. E. Call.

ἐύ-νυητος ον *ep.adj.* [ἐύ, νέω[2]] (of garments) **well-spun** Hom.

εὐνοέω *contr.vb.* [εὔνοος] **show goodwill** or **kindly feelings, be well-disposed** (freq. W.DAT. towards someone) Hdt. S. Lys. Ar. X. D. +; **be sympathetic** —W.DAT. *to someone's interests* Hdt. Plu.

εὔνοια ᾱς, Ion. **εὐνοίη** ης *f.* **1 goodwill, kindly feelings** Hdt. Trag. Th. Ar. Att.orats. Pl. +; (W.PREP.PHR. towards someone) Hdt. Att.orats. Pl. +; (W.GEN. towards someone) A.(dub.) Hdt. Th. Lys. Pl. X.; (w.possessv.adj., as ἡ σὴ εὔνοια *goodwill towards you*) Lys. Pl. X. ‖ PL. feelings of goodwill A. Isoc.
2 demonstration of goodwill (ref. to a gift or service) D.

εὐνοΐζομαι *mid.vb.* **show goodwill** Arist.

εὐνοϊκός ή όν *adj.* (of persons) **having kindly feelings, well-disposed** (W.DAT. towards someone) D.; (of a display) **of goodwill** (shown by a populace) Plb.

—εὐνοϊκῶς *adv.* | *compar.* εὐνοϊκωτέρως (D.), *superl.* εὐνοϊκώτατα | **with goodwill, in a kindly spirit** Pl. X. Hyp. D. Plb. Plu.; (w. ἔχειν, διακεῖσθαι) *feel goodwill, be well-disposed* (*usu.* W.DAT. *or* PREP.PHR. *towards someone*) Isoc. X. D. Plb.

εὐνομέομαι *pass.contr.vb.* [νόμος] | *fut.* εὐνομήσομαι | (of persons, a country, city, household) **be well regulated by laws, be governed well** Hdt. Th. Att.orats. Pl. X. Arist. +

—εὐνομέω *act.contr.vb.* (of a city) **have good laws** (w. play on εὐδαιμονέω *have good fortune*) Pl.

εὐνομίᾱ ᾱς, Ion. **εὐνομίη** ης *f.* **1** (gener.) **good order, law and order, proper behaviour** Od. hHom. Xenoph. Pi. Tim. Pl. + || PL. law-abiding actions Pl.
2 (in political ctxt.) **good order** or **good government** Hdt. Th. Ar. Pl. X. Arist. +; (described as the possession of good laws and the willingness to obey them) Arist.; (as the title of a poem by Tyrt.) Arist.
3 orderly observance (of divine laws) S.
4 (personif.) **Lawfulness** Sol.; (as a deity) **Eunomia** Hes. Lyr. D.

εὔ-νομος ον *adj.* **1** (of persons, cities, lands) having or obeying good laws, **well-governed, law-abiding** Pi. Pl.; (of a destiny, granted by Zeus to a city) **of orderly government** Pi.
2 (of a banquet) **well-ordered, orderly** Pi.

εὔ-νοος ον, Att. **εὔνους** ουν *adj.* [νόος] | Att.dat.sg. εὔνῳ | Att.nom.pl. εὖνοι || Ion.compar. εὐνοέστερος, Att. εὐνούστερος | Att.superl. εὐνούστατος | (of persons, their feelings, gods, cities, or sim.) **bearing goodwill, well-disposed, kindly, friendly** (freq. W.DAT. towards someone or sthg.) Alc. Thgn. Hdt. Trag. Th. Ar. +; (fig., of a sword) **kind** (W.DAT. to someone, in helping him to a quick death) S. || NEUT.SB. **goodwill** S. Th.

—εὐνόως *adv.* (w. ἔχειν) *be well-disposed* —W.PREP.PHR. *towards someone* Plu.

εὐνουχίζω *vb.* [εὐνοῦχος] **make** (W.ACC. oneself) **into a eunuch** (fig.ref. to abstaining fr. sexual relations) NT. || PASS. *be made into a eunuch, be castrated* —W.PREP.PHR. *by another* NT.

εὐνοῦχος ου *m.* [εὐνή, ἔχω] (orig., one who acts as attendant in the royal bedchamber or harem; gener., castrated man, usu. performing a servile role, esp. in eastern lands) **eunuch** Hippon. Hdt. Ar. Pl. X. Arist. +; (ref. to a man who is born impotent) NT.; (ref. to a man who abstains fr. sexual relations) NT.

εὖντα (dial.masc.acc.sg.ptcpl.): see εἰμί

εὔ-ξενος, Ion. **εὔξεινος**, ep.Ion. **ἐΰξεινος**, ον *adj.* [ξένος²] **kind to strangers or guests**; (of persons) **hospitable** AR.; (of men's quarters) **welcoming** A.; (of a harbour, W.DAT. to sailors) E.; (epith. of Zeus) **protector of strangers** or **guests** AR.

—Εὔξεινος ου Ion.m. (usu. appos.w. πόντος) **Euxine** or **Hospitable Sea** (i.e. Black Sea, euphem. for Ἄξεινος) Pi.(dub.) Hdt. Th. X. Arist. +

—ἐυξείνως ep.Ion.adv. **hospitably** AR.

εὔ-ξεστος, ep. **ἐΰξεστος**, η ον (also ος ον) *adj.* [ξεστός] (of objects made fr. wood, such as an oar, chair or wagon) **well-hewn, well-carved** or **well-polished** Hom. AR.; (of a bath, uncert. whether made of wood, earthenware or stone) Hom.

ἐΰ-ξοος (also **ἔυξος**) ον ep.adj. [ξέω] (of objects made fr. wood) **well-hewn, well-carved** or **well-polished** Hom. Hes. Call. AR.

εὐξύμβλητος, εὐξύμβολος, εὐξύνετος *adjs.*: see εὐσ-

εὐογκίη ης Ion.f. [εὔογκος] **appropriate bulk** Democr.

εὔ-ογκος ον *adj.* [ὄγκος²] (of a literary topic) **weighty, calling for dignified treatment** Arist.

εὐοδέω *contr.vb.* [εὔοδος] (of water) **have free passage** D.

εὐοδίᾱ ᾱς *f.* **safe journey** Ar.

εὔ-οδμος, Att. **εὔοσμος**, ον *adj.* [ὀδμή] (of spring, an island) **sweet-smelling, fragrant** Pi.*fr.*; (of garlands, nectar, celery) Call. Theoc.; (of a man, W.ACC. w. respect to his hair) E.

εὔ-οδος ον *adj.* [ὁδός] (of a road, terrain) **easy to travel over** X.; (of a mountain) **easy to cross** X.

εὐ-οδόω *contr.vb.* (of Zeus) **help on one's way, provide a safe journey for** —*someone* S.(dub.) || PASS. *be successful* (*in sthg.*) NT.

εὐοῖ, also **εὐοῖ** (or sim.) *interj.* [reltd. εὐάν, εὐαί] **euoi!, euhoi!** (ritual cry, assoc.w. Bacchants) S. E. Ar. D.

εὔ-οικος ον *adj.* [οἶκος] **good at management** (of one's affairs or finances) X.

εὔ-ολβος ον *adj.* [ὄλβος] (of kings) **prosperous** E.

εὐ-ομολόγητος ον *adj.* [ὁμολογέω] (of a proposition) **easy to agree to, readily admitted** Pl.

εὐοπλίᾱ ᾱς *f.* [εὔοπλος] **excellence of military equipment** X.

εὔ-οπλος ον *adj.* [ὅπλα] (of soldiers, citizens) **well-armed, well-equipped** X.; (w. sexual connot.) Ar.

εὐοργησίᾱ ᾱς *f.* [εὔοργος] **easy temperament, calm disposition** E.

εὐοργήτως *adv.* **with one's temper under control** Th.

εὔ-οργος ον *adj.* [ὀργή] **having an easy temperament, easy-going** Ar.(cj.)

—εὐόργως *adv.* **with equanimity** —*ref. to bearing one's fate* E.*fr.*

εὐ-όριστος ον *adj.* [ὁριστός] || NEUT.SB. **substance which is easily bounded** (e.g. liquid) Arist.

εὐορκέω *contr.vb.* [εὔορκος] **1 swear a true oath** (i.e. swear in support of an assertion that is true) Isoc. —W.ACC. *by one's life* E.
2 be true to one's oath (i.e. to the promise made in it) Th. And.(law) X. Plb.; (of a juror, that one will judge in accordance w. the laws) D.; (of a plaintiff, that one is telling the truth) D. || PASS. (of a goddess) *be truly sworn by* (through the oath-taker keeping to the promise sworn in her name) Call.

εὐορκίᾱ ᾱς *f.* **swearing truly, fidelity to one's oath** Pi. D.

εὔ-ορκος ον *adj.* [ὅρκος] **1** (of a person) **true to one's oath** Hes. Hdt.(oracle) E. Pl. X.; (of a god) Call.; (of a plaintiff, that one is telling the truth) Antipho
2 (of the conduct or verdict of a juror) **true to one's oath** (that one will judge in accordance w. the laws) Att.orats.; (of evidence or statements by a plaintiff) Antipho D.
|| NEUT.IMPERS. (w. ἐστί, sts. understd.) **it is consistent with one's oath** —W.INF. *to do sthg.* Th. D.

—εὐόρκως *adv.* **in accordance with one's oath** A.

εὐ-ορκώματα των *n.pl.* [ὁρκόω] **true oaths, sworn pledges** A.

εὔ-ορμος ον *adj.* [ὅρμος²] (of a harbour, a land) **good for anchorage** Hom. Hes. S. E.; (of a vantage-point) **in a place good for anchorage** AR.

εὔοσμος Att.adj.: see εὔοδμος

εὐ-όφθαλμος ον *adj.* [ὀφθαλμός] **1** (of persons) **with beautiful eyes** X. Men.
2 (of a crab) **furnished with good eyes** X.
3 (fig., of a proposal) **pleasing to the eyes, attractive** Arist.

εὐοχθέω *contr.vb.* [εὔοχθος] (of a person) **have an abundant supply** (of food) Hes.

εὔοχθος ον *adj.* (of food, feasts) **abundant, plentiful** B.*fr.* E.

εὐ-παγής ές *adj.* [πήγνῡμι] **firmly compacted**; (of ice, a stake, a staff) **firm, solid, sturdy** S.*satyr.fr.* X. Theoc.; (of a foetus, a baby, an animal's limbs) Pl. X. Plu.

εὐπάθεια ᾱς, Ion. **εὐπαθείη** ης *f.* [εὐπαθής] **1** state of experiencing good or enjoyable things; (sg.) **enjoyment or pleasure** X.; **enjoyable experience** (W.GEN. of fine things) Plu. || PL. enjoyable experiences Pl. Plu.
2 revelry, festivity Plu. || PL. entertainments, revelries, festivities Hdt. Plu.; (concr.) luxuries Pl. X. Plu.
3 state of being well-treated (by a benefactor), **enjoyment of benefits** Arist.

εὐπαθέω *contr.vb.* **enjoy oneself, have a good time** Hdt. Pl. Plu.

εὐ-παθής ές *adj.* [πάθος] easily affected; (of naphtha) **sensitive** (W. πρός + ACC. to fire) Plu.

εὐπαιδευσίᾱ ᾱς *f.* [παιδεύω] **good breeding or education** Pl.

εὐ-παίδευτα *neut.pl.adv.* [παιδευτός] with a show of good breeding or training, **tactfully** E.

εὐπαιδίᾱ ᾱς *f.* [εὔπαις] condition of being blessed with a child or children, **blessing of parenthood** A.*fr.*(pl.) E. Ar. Isoc.

εὔ-παις παιδος *masc.fem.adj.* [παῖς¹] **1** (of persons) **blessed with children** hHom. Hdt. E. Ar.; (of a life) E.
2 (of the son of Leto, i.e. Apollo) being a fine or lovely child, **fine, lovely** E.

εὔπᾱκτος *dial.adj.*: see εὔπηκτος

εὐ-πάλαμος ον *adj.* [παλάμη] **1** (of care) full of skill or resource, **resourceful** A.
2 (of songs) made with skill, **skilful, dextrous** Ar.(quot.com.)

εὐ-παλής¹ ές *adj.* [πάλλω] (of a Bacchant's thyrsos) easy to brandish, **handy, light** S.*Ichn.*

εὐ-παλής² ές *adj.* [πάλη] (of challenges) easily wrestled with, **successfully overcome** AR.; (of a task) **easy to perform** Lyr.adesp.
—**εὐπαλέως** Ion.*adv.* **successfully** —*ref. to accomplishing sthg.* AR.

εὐ-πᾱξ πᾰγος *dial.masc.fem.adj.* [πήγνῡμι] (of a roundel of feathers, i.e. a fan) **firmly set, well held together** E.(cj.)

εὐ-παράγωγος ον *adj.* [παράγω] **1 easily led astray** Ar.
2 (of hope) easily leading one astray, **seductive** Pl.

εὐ-παράδεκτος ον *adj.* [παραδέχομαι] (of schemes) **easy to accept, acceptable** Plb.

εὐ-παραίτητος ον *adj.* [παραιτητός] (of a person, one's nature) easy to plead with, **willing to forgive** Plu.

εὐ-παρακολούθητος ον *adj.* [παρακολουθέω] (of a narrative) **easy to follow, comprehensible** Plb. || NEUT.SB. ease in following (an argument) Arist.

εὐ-παρακόμιστος ον *adj.* [παρακομίζω] **1** (of a ship) **easy to bring up** (W. πρός + ACC. to land) Plu.
2 (of a voyage) **entailing an easy route along** (a coast) Plb.
3 (of a city) **affording easy transportation** (to itself, of timber and other local products) Arist.

εὐ-παραλόγιστος ον *adj.* [παραλογίζομαι] **easily misled or deceived** Plb.

εὐ-παραμύθητος ον *adj.* [παραμυθέομαι] (of gods) **easily won over** or **appeased** (W.DAT. by prayers and sacrifices) Pl.

εὐ-πάρᾱος ον *dial.adj.* [παρειά] (of Medusa) **fair-cheeked** Pi.

εὐ-παράπειστος ον *adj.* [παραπείθω] **easily won over, compliant** (W.DAT. towards people) X.

εὐ-πάρθενος ον *adj.* [παρθένος] (of Dirke) **lovely in maidenhood** E.

εὐ-παρόξυντος ον *adj.* [παροξύνω] **easily provoked** or **irritated** (W.PREP.PHR. by misfortunes) Plu.

εὐ-παρόρμητος ον *adj.* [παρορμάω] **easily excited to passion** (W. πρός + ACC. against persons) Arist.

εὐ-πάρυφος ον *adj.* [παρυφή *border (of a garment)*] (of waist-cloths) **with handsome borders** Plu.

εὐ-πάτειρα ᾱς *fem.adj.* [πατήρ] (of Victory) born of a noble father, **of noble birth** Men.

εὐ-πατέρεια ᾱς (Ion. ης) *fem.adj.* **1** (of Helen) born of a noble father, **of noble birth** Hom.; (of Tyro) Od.; (of Artemis) AR.; (of girls) Mosch.
2 (of the hall in which Artemis dwells) **of a noble father** (i.e. Zeus) E.

εὐ-πατρίδης ου, dial. **εὐπατρίδᾱς** ᾱ *masc.adj.* **1** (of a man) born of noble ancestors, **of noble birth** S. E.; (of a family) E. || PL.SB. men of noble birth S. Theoc.
2 || PL.SB. Eupatridai (name of the old Athenian aristocratic governing class, reputedly established by Theseus) Scol. Isoc. X. Arist. Plu.; (sg.) X.
3 || SB. (in Roman ctxt., sg. and pl.) **patrician** Plu.

εὔ-πατρις ιδος *fem.adj.* (of a woman, a demi-goddess) born of a noble father, **of noble birth** S. E.

εὐ-πάτωρ ορος *masc.adj.* (of a man) born of a noble father, **of noble birth** A.

εὐ-πέδιλλος ον Aeol.*adj.* [πέδιλον] (epith. of Iris) **with beautiful sandals** Alc.

εὐπείθεια ᾱς *f.* [εὐπειθής] readiness to obey, **obedience** Plu.

εὐ-πειθής (also **εὐπιθής** A., perh. E.) ές *adj.* [πείθω] | The form εὐπιθής is confirmed once by metre in A.; in some passages of A. (and in E.) the choice betw. the two forms is uncert. | **1** (of persons) ready to obey, **obedient** (sts. W.DAT. to someone or sthg.) A. Pl. X. Arist. Plb. Plu.; (W.GEN. to laws) Pl.; (of horses, sts. W.DAT. to a charioteer) Pl. X. AR.
2 (of persons) easily persuaded, **persuadable, receptive** A.; (W.PREP.PHR. to some behaviour or opinion) Pl. Plu.
3 (of persons) easily persuading, **persuasive, convincing** E.; (of dreams, signs, confidence) A.

εὔ-πειστος ον *adj.* **1** (of persons) ready to obey, **obedient** X.
2 easy to persuade, **persuadable** Arist.
3 (of statements) **persuasive, convincing** S.
—**εὐπείστως** *adv.* (W. ἔχειν) **be easily persuaded** —W.INF. *to do sthg.* Ar.

εὐ-πέμπελος ον *adj.* [πέμπω] (of the allotted role of Erinyes, in neg.phr.) **easily dismissed** A.

εὐ-πένθερος ον *adj.* [πενθερός] (of a bridegroom) **with a noble father-in-law** Theoc.

εὔ-πεπλος ον *adj.* [πέπλος] (of women, goddesses) with a fine robe, **beautifully robed** Hom. Hes. Pi.*fr.* B. Theoc.

εὔ-πεπτος ον *adj.* [πέσσω] (of meat) **easily digested** Arist.

εὐ-περίκοπτος ον *adj.* [περικόπτω] (of a person) given to curtailment (of formalities, in meeting or conversing w. people), **informal, unceremonious** Plb.

εὐ-περίληπτος ον *adj.* [περιληπτός] (of a historical topic) **circumscribed, restricted** (in subject matter) Plb.

εὐ-περίσπαστος ον *adj.* [περισπάω] (of stakes) **easily stripped** (of nets) X.

εὐ-πέταλος ον *adj.* [πέταλον] **1** (of bay, ivy) **leafy** or **with lovely leaves** Pi.*fr.* Ar.
2 (of crumpets) app. **leaf-like** (in shape) Philox.Leuc.

εὐ-πέτεια ᾱς, Ion. **εὐπετείη** ης *f.* [εὐπετής] **1 easiness** (of doing sthg.), **ease** E. Pl.
2 easiness (of acquiring persons or things); **availability** (W.GEN. of persons) Hdt. Pl.; (of food) X.; (of supplies) Plu.

εὐ-πετής ές *adj.* [πίπτω] **1** coming about easily; (of actions or undertakings) **easy** A. Pl.; (W.DAT. for the gods) E.; (of a route, access to a place) Pl. X. || NEUT.IMPERS. (W. ἐστί, sts. understd.) **it is easy** —W.INF. or DAT. + INF. *(for someone) to do sthg.* Hdt. Pl. X. —W.ACC. + INF. *for sthg. to happen* Hdt.

2 (of vices) **easy** (W.INF. to acquire) Pl.; (of persons, places, things, W.PASS.INF. to be captured or seen, i.e. to capture or see) Hdt. Pl.
3 (of a circumstance) contributing ease, **convenient** X.
4 (of shields) **easy to carry** Plu.; (of a type of cloak) easy to wear, **light** Plb.
5 (of Bacchus, meton. for wine) **at ease, content** (in whatever places mortals locate him) E.*Cyc.*
—**εὐπετῶς**, Ion. **εὐπετέως** *adv.* | compar. εὐπετέστερον, also εὐπετεστέρως (Hdt.) | **1 easily** A. Hdt. Antipho Pl. +
2 (w. numerals) **easily as much as** (a specified number) Hdt.
3 perh. **without further ado** —*ref. to doing sthg. requested* S.*Ichn.*
4 (w. ἔχειν, of circumstances) *have turned out well, be favourable* A.
εὐ-πηγής ές *adj.* [πήγνυμι] (of a person) **well-built** Od.; (of a chariot, doors, towers) **sturdy** AR.
εὔ-πηκτος, dial. **εὔπᾱκτος**, ον *adj.* [πηκτός] (of a palace, hut, chamber) **well-built, sturdy** Hom. Hes.*fr.* hHom.; (of a ship's deck) B.
εὔ-πηνος ον *adj.* [πήνη] (of a piece of weaving) with good weft-threads, **richly textured** E.
εὔ-πηχυς υ *adj.* [πῆχυς] having a beautiful forearm; (pleon., of arms) **beautiful, shapely** E.
εὐπιθής *adj.*: see εὐπειθής
εὐ-πινής ές *adj.* [πίνος] (of a house) **free of dirt, clean** E.*fr.*
εὔ-πιστος ον *adj.* [πιστός] **1 trustworthy, reliable** X.
2 trusting, credulous Arist.
εὔ-πλαστος ον *adj.* [πλαστός] **1** (of a person's nature, compared w. iron placed in a fire) easy to mould, **ductile, pliable** Pl.; (of speech, compared w. wax) Pl.
2 (of persons) **adaptable, versatile** Arist.
εὐ-πλατής ές *adj.* [πλάτος] (of a spear-head) of good breadth, **broad** X.
ἐύ-πλειος η ον *ep.Ion.adj.* [πλέως] (of a knapsack) **well-filled** Od.
εὐ-πλεκής, ep. **ἐυπλεκής**, ές *adj.* [πλέκω] **1** (of tassels) **well-braided** Il.
2 (of chariots) well-plaited (i.e. having a bodywork of plaited leather), **well-strung** Il. Hes.
3 (fig., of songs) **well-woven** Pi.*fr.*
εὔ-πλεκτος, ep. **ἐύπλεκτος**, ον *adj.* [πλεκτός] **1** (of ropes) **well-twined** Il.
2 (of nets) **finely meshed** E.
3 (of a chariot) **well-strung** Il. | see εὐπλεκής 2
εὔ-πλοια ᾱς, ep.Ion. **εὐπλοίη** ης *f.* [πλόος] **safe** or **successful voyage** Il. A. S. Plu.
εὐ-πλόκαμος, ep. **ἐυπλόκαμος**, ον *adj.* **1** (of women and goddesses) **with lovely hair, fair-tressed** Hom. Hes.*fr.* hHom. B. Hellenist.poet.; (of the head of Eros) Mosch.; (fig., of the sea) Archil.(dub.)
2 (of hair) **lovely** E.
—**ἐυπλοκαμῖδες** ων *ep.fem.pl.adj.* (of women) **fair-tressed** Od.
εὔ-πλοος ον *adj.* [πλόος] **having a safe voyage** Theoc.
ἐυ-πλυνής ές *ep.adj.* [πλύνω] (of a cloak) **well-washed** Od.
εὔ-πνοος, ep. **ἐύπνοος**, ον, Att. **εὔπνους** ουν *adj.* [πνοή] | compar. εὐπνοώτερος | **1** || COMPAR. (of a horse's wide nostrils) allowing easier breathing X.
2 having pleasant breezes || NEUT.SB. airiness, freshness (W.GEN. of a place) Pl.
3 (of flowers) having a fine scent, **fragrant** Mosch.
εὐποδία ᾱς *f.* [εὔπους] **excellence of foot** (in a horse) X.

εὐ-ποιητικός ή όν *adj.* (of persons) **ready to do good, beneficent** Arist.; (W.GEN. to others) Arist.; (of liberality) Arist. || NEUT.SB. beneficence Arist.
εὐ-ποίητος ον (ep. η ον) *adj.* [ποιητός] (of objects, clothes, buildings) **well-made** Hom. Hes. hHom. B. AR.
εὔ-ποκος ον *adj.* [πόκος] (of flocks) **fleecy** A.
εὐ-πόλεμος ον *adj.* (of a city) **successful** or **effective in war** X.
εὔ-πομπος ον *adj.* [πομπή] (of a ruler) **providing a safe escort** (for a city, envisaged as a storm-tossed ship) S.; (of good fortune, as coming fr. Hermes πομπαῖος) A.
εὐπορέω *contr.vb.* [εὔπορος] | aor. ηὐπόρησα, later εὐπόρησα | **1 have good resources; be well supplied** Isoc. Pl. X. —W.GEN. w. troops, witnesses D. Plu. —w. money, provisions, horses, ships, land arguments, or sim. Att.orats. Pl. X. Arist. Plb. Plu. —W.DAT. Plb.; (also mid.) Plb.
2 have good financial resources, be well off Att.orats. Pl. X. Arist. Men. Plu.; (mid.) Plb. NT.; (act., of war) **be financed** —W.ADV. *fr. a certain source* Th.
3 (tr.) have (sthg.) as a resource; **have** or **make available** —*money* (sts. W.DAT. *for someone*) Att.orats. —*a plan* D. —*plausible arguments* Plb.
4 be resourceful; have a solution (to a difficulty) Antipho; **have the means** (to do sthg.) Th. Arist. Plu. —W.INF. or τοῦ + INF. *to do sthg.* Pl.; **know** —W.INDIR.Q. *how one may do sthg., what one is to say* Pl.; **be successful** —W.PTCPL. *in doing sthg.* Pl.
5 (philos.) be in a position of knowledge; **have an answer** or **solution** (to a question) Pl. Arist. —W.NEUT.ACC. *to a certain question* Pl.; **be sure** —W.GEN. *of the truth* Arist.
εὐπορίᾱ ᾱς *f.* **1** state of having good resources; (gener., sg. and pl.) **abundance of resources** Isoc. D. Plb.
2 plentiful or **ready supply, abundance** (W.GEN. of money, material objects, the necessities of life) Th. Isoc. Pl. X. Arist. Plb. +; (of revenues, good things) Arist.; (ref. to persons) **ready source of supply** (W.DAT. for another's vices, i.e. means of financing them) Aeschin.
3 provision of supplies (for an army) Plu. || PL. supplies Plu.
4 (sg. and pl.) abundance of financial resources, **financial success, prosperity, affluence, wealth** Att.orats. Pl. X. Arist. +
5 (gener.) **comfortable condition** (W.GEN. of daily life) Th.; **generous support, helpfulness** (W.GEN. of good fortune) Th.; (W.PREP.PHR. fr. one another, i.e. mutual help) Isoc.; **provision of financial support** S.
6 opportunity, facility (to do sthg.) Pl. X.; (W.INF. to do sthg.) Th.; (W.GEN. for sthg.) Plu.
7 solution (of a difficulty or doubt) X.; (in philosophical ctxt.) Pl. Arist.
εὐ-πόριστος ον *adj.* [πορίζω] (of common items of food) **easily procured** (opp. luxuries) Plu.
εὔ-πορος ον *adj.* [πόρος] **1** (of terrain, a road) **easy to travel on** Pl. X. Plu.; (fig., of a sea of ruin, in neg.phr.) **easy to cross** A. || NEUT.IMPERS. (w. ἐστί) it is easy —W.INF. *to cross a country, to travel in any direction* Th. X.
2 (of things) **easily procured, readily available, abundant** Hdt. Ar. Pl. X. || NEUT.SB. availability (W.GEN. of a hope of sthg.) Th.
3 (of actions, undertakings, situations) **easily managed, easy, straightforward** Th. Pl. X. D. Arist. || NEUT.IMPERS. (w. ἐστί, sts. understd.) it is easy —W.INF. *to do sthg.* Th. Pl. X. D. Arist. +
4 (of persons) **easy to manage** X

5 full of resources, **resourceful** Ar. Isoc. Pl. X.; **adept** (W.INF. at doing sthg.) Ar.; (in philosophical ctxt.) provided with a ready answer, **well-informed** Pl.
6 (of valour) **resourceful** X.; (of a tongue) **ready, glib** Ar.; (of friendship) **productive** Ar.
7 (of persons, cities) **well provided for, well off, prosperous** Th. Att.orats. X. Arist. Men. Plb. +; (of the position of a ruler or city) **prosperous, strong** D.

—**εὐπόρως** adv. | compar. εὐπορώτερον, superl. εὐπορώτατα | **1 easily, readily** Pl. X. D. Men. Plu.; (w.impers. ἔχει) it is easy —W.DAT. + INF. for someone to do sthg. Antipho (cj., for εὐρόπως)
2 resourcefully —ref. to devising sthg. Pl.; **in an informed manner** —ref. to enumerating sthg. Pl.; **copiously** —ref. to narrating a topic Isoc.
3 (w. ἔχειν or διακεῖσθαι) be well supplied or prosperous Th. D.

εὐποτμέω contr.vb. [εὔποτμος] (of cowardice) **meet with success** Plu.

εὐποτμίᾱ ᾱς f. **good fortune** Plu.

εὔ-ποτμος ον adj. [πότμος] (of a paean) **for good fortune** A.

εὔ-ποτος ον adj. [ποτός] (of milk) **good to drink** A.; (of a river) **good to drink from** A.

εὔ-πους πουν, gen. ποδος adj. [πούς] (of a girl, a goddess) **fair-footed** Sapph. Call.; (of horses, hounds) **sound-footed** X.

εὐπρᾱγέω contr.vb. [πράσσω] (of persons, cities) **fare well, be successful, prosper** Th. X. Arist. Plu.

εὐπρᾱγίᾱ ᾱς f. **1** (sg. and pl.) **good fortune, prosperity, success** Pi. Antipho Th. Isoc. Pl. +
2 acting correctly, **proper conduct** Pl.
3 doing good, **acting well** Pl.

εὔπρᾱκτος ον adj. (of an objective) **easy to achieve** X.

εὐπρᾱξίᾱ ᾱς, Ion. **εὐπρηξίη** ης f. **1** (sg. and pl.) **good fortune, prosperity, success** Hdt. Trag. Th. X. Hyp. D. +
2 acting well X.

εὐπρέπεια ᾱς f. [εὐπρεπής] **1 impressive appearance** (of a ship) Th.; **attractiveness** (of the body or sim.) Aeschin. Plb. Plu.; (of a word, ref. to its sound; of an argument) Pl.
2 propriety (W.PREP.PHR. in relation to writing) Pl.
3 speciousness, seeming respectability (sts. W.GEN. of an argument, of language) Th. Pl. Plu.; **polite pretext** Plu.

εὐ-πρεπής ές adj. [πρέπω] **1** having a good appearance; (of persons, their form or physical attributes) **good-looking, attractive** Lyr.adesp. E. Ar. Att.orats. X. +; (of a bull) E.fr.
2 (of the moon, statues, housing, fountains and streams) **attractive** S.fr. Th. Pl. X.; (of a cloak) **handsome** E.; (of an armada) **impressive** Th.; (of a person's appearance, in full armour) Hdt.
3 (of a death) **honourable, glorious** Th.; (iron., of shameful facts) **splendid** (W.INF. to make public) E.fr.
4 decent in appearance (w.connots. of good looks and propriety); (of a person) **decent, respectable** Hdt.; (of clothing) **becoming, appropriate** (for a king) A. || NEUT.SB. dignified or becoming appearance (of a woman) E.fr.
5 (in neg.phrs.) proper or suitable; (of contact betw. certain persons) **proper** Plu.; (of a story) **suitable** (W.PREP.PHR. for epic poetry) Hdt.; (of an explanation, an illness, W.PASS.INF. to be spoken of) Hdt. Isoc. || NEUT.IMPERS. (w. ἐστί, sts. understd.) it is proper or suitable —W.INF. or ACC. + INF. (for someone) to do sthg. A. Th.; (in neg.phr.) E.
6 (of an argument, a name) **attractive, appealing** Pl.
7 (pejor.) having an outward appearance of goodness or propriety; (of an argument, excuse, accusation, verbal expression, or sim.) **specious, plausible** A.(cj.) Hdt. E. Th. Plu. || NEUT.SB. speciousness (of an argument or sim.) Th. Plu.; (prep.phr.) ἐκ τοῦ εὐπρεποῦς **speciously, by way of pretence** Th.

—**εὐπρεπῶς**, Ion. **εὐπρεπέως** adv. | compar. εὐπρεπέστερον, superl. εὐπρεπέστατα | **1 attractively, impressively** —ref. to a horse being caparisoned Plu.
2 becomingly —ref. to a woman dressing herself E.
3 decently, honourably, creditably Hdt. E. Th. Pl. Aeschin. Plu.
4 plausibly —ref. to speaking in one's defence Th.
5 (pejor.) **with a specious pretext** or **false pretence** Th. Plu.

εὔ-πρεπτος ον adj. [πρεπτός] (of ships) **clearly visible** A.

εὐπρηξίη Ion.f.: see εὐπραξίᾱ

εὔ-πρηστος ον adj. [πρῆσαι, see πίμπρημι] (of wind, fr. bellows) **blowing strongly** Il.

εὐπροσηγορίᾱ ᾱς f. [εὐπροσήγορος] **cordiality** Isoc.

εὐ-προσήγορος ον adj. **1** ready to talk to others and be talked to; (of persons, their speech, feelings) **cordial, affable** E. Isoc. Plu.
2 (of a polluted person's condition, in neg.phr.) such as to encourage friendly contact E.

εὐ-πρόσοδος ον adj. | superl. εὐπροσοδώτατος | (of persons) **approachable, accessible** (W.DAT. to all) Th. X. Plu. || SUPERL. (of places) most easily accessible X.

εὐ-πρόσοιστος ον adj. [προσφέρω] (of a haven fr. disaster) **easy to approach** or **reach** E.

εὐ-πρόσωπος ον adj. [πρόσωπον] **1** with an attractive face, **good-looking** Lyr.adesp. Ar. Pl. X. Arist.
2 with a friendly or joyful face S.; (fig., of the opening words of a speech) offering a joyful aspect, **cheerful, welcome** E.; (of fortune) **favourable, happy** A.(dub.)
3 (pejor., of a response, arguments, legislation) **speciously attractive, seemingly respectable** Hdt. D. Arist.

εὐ-προφάσιστος ον adj. [προφασίζομαι] (of a reason for doing sthg.) easy to justify, **plausible, unanswerable** Th.

εὔ-πρυμνος ον adj. [πρύμνα] (of ships) **fine-sterned** Il. B. E.

εὔ-πρωρος ον adj. [πρῷρα] (of ships) **fine-prowed** E.(dub.)

εὔ-πτερος ον adj. [πτερόν] **1** (of birds) with fine wings, **strong-winged** S.; (fig., of the breath of an aulos-player) Telest.
2 (of a bird's body or neck) **finely feathered** E.
3 (fig., of upper-class women) **well-plumed** or **high-flying** Ar.

εὔ-πυργος, ep. **ἠΰπυργος** (Pi., cj.), ον adj. [πύργος] (of a city) with fine towers or walls, **well-fortified** Il. Hes. Alcm. Pi. B.

εὔ-πωλος ον adj. [πῶλος] (of a city or country) **rich in colts** or **horses** Hom. S.

εὐράξ adv. **1 side on** (to an opponent, opp. face on) —ref. to adopting a position Il.
2 (interj., addressed to birds, combined w. πατάξ) **shoo!** Ar.

εὑρεῖν (aor.2 inf.), **εὑρέμεναι** and **εὑρέμεν** (ep.aor.2 infs.): see εὑρίσκω

εὑρεῖος (ep.gen.adj.): see εὑρρεής

εὑρείτᾱς dial.adj.: see εὑρρείτης

εὑρεσιλογέω contr.vb., **εὑρεσιλογίᾱ** f.: see εὑρησι-

εὕρεσις εως f. [εὑρίσκω] **1** act of finding or finding out; **discovery** (sts. W.GEN. of sthg.) Pl. Arist. Men. Plb. Plu.
2 devising, invention (W.GEN. of arguments) Pl.

εὑρετέος ᾱ ον vbl.adj. (of a deterrent to crime) **to be discovered** or **devised** Th.

εὑρετής οῦ m. **1 discoverer** (W.GEN. of things) Isoc. Pl. Plb. Plu.
2 deviser, inventor Isoc. Arist.

εὑρετικός ή όν adj. **1 capable of making a discovery** (sts. w.GEN. of sthg.) Pl.
2 inventive Pl.

εὑρετός ή όν adj. (of facts) **able to be found out, discoverable** X.

εὕρημα ατος n. **1** (concr.) that which is found (usu. by chance), **find, discovery** (ref. to an object) Hdt. E. X.; (ref. to a person) E.; **foundling** (ref. to an abandoned baby) S.
2 (abstr., freq. as object of εὑρίσκω) piece of good fortune that one lights upon unexpectedly, **piece of luck, godsend, windfall** Hdt. E. Th. Isoc. X. Is. Plu. | cf. ἕρμαιον
3 that which is found out (by intellectual or scientific means), **discovery** Isoc. Pl. X. D.
4 product of invention (sts. w.GEN. specifying the inventor), **invention, creation** (ref. to specific objects, such as the lyre, Bacchic hand-drum, a weapon or piece of armour, a dish of food) E. Philox.Leuc. X.; (ref. to a poetic composition) Pl.; (pl., ref. to a comic poet's innovations) Ar.; (ref. to a law) Pl. D.; (ref. to hunting) X.; (phr.) λόγων εὑρήματα **invented arguments** E.
5 product of thinking or devising, **plan** E. Antipho; **solution** (w.GEN. to one's plight) E.

εὑρησι-επής ές adj. [ἔπος] (of a poet) **inventive with words** Pi.; (pejor., of a litigant) Ar.

εὑρησιλογέω (v.l. **εὑρεσιλογέω**) contr.vb. [λόγος] (pejor.) **find clever things to say** Plb.

εὑρησιλογία (v.l. **εὑρεσιλογία**) ᾱς f. (pejor.) **clever or inventive talk** Plb.

Εὐρῑπίδης ου m. **Euripides** (5th-C. BC tragic poet) Ar. Pl. +
—**Εὐρῑπίδιον ου** n. [dimin.] (in voc. address) **my dear Euripides** Ar.
—**Εὐρῑπίδειος ᾱ ον** adj. (of a circumstance, as calling to mind a line of Euripides) **Euripidean** Pl.; (of a character in a play by him) Plu. || NEUT.SB. **Euripidean maxim** Plu.

Εὔρῑπος ου m. **1 Euripos** (strait separating Euboea fr. Boeotia, noted for the ebb and flow of its current) hHom. A. Pi. Hdt. E. Th. +
2 (gener., as common noun) **strait** X. Plu.

εὔ-ρῑς,„ep. **ἔυρρῑς, ῑνος** masc.fem.adj. [ῥίς] (of a dog) with a good nose, **keen-scented** S. X. AR.; (fig., of a person engaged in a search, compared to a dog) A.

εὑρίσκω vb. | impf. ηὕρισκον, Ion. εὕρισκον | fut. εὑρήσω | aor.2 ηὗρον, Ion. εὗρον | aor.2 inf. εὑρεῖν, ep. εὑρέμεναι, εὑρέμεν, Aeol. εὗρην | pf. ηὕρηκα, Ion. εὕρηκα || PASS.: fut. εὑρεθήσομαι | aor. ηὑρέθην, Ion. εὑρέθην | pf. ηὕρημαι, Ion. εὕρημαι |
1 find (by seeking or by accident), **find, discover, come upon** —someone or sthg. Hom. + —(W.PTCPL. doing sthg.) Hom. + || PASS. (of persons or things) **be found** A. +
2 find out (facts, by inquiry or experience); **find out, discover** (sthg.) Hdt. + —sthg. Hdt. + || PASS. (of facts) **be found out** S. Th. +
3 find out, discover —W.ACC. + PTCPL. that someone is doing sthg., that sthg. is the case Pi. Hdt. Trag. + —W.ACC. + INF. that sthg. is the case Hdt. —W.ACC. + PREDIC.ADJ. that someone or sthg. is such and such Hes. Thgn. Hdt. Trag. +; (also mid.) Hes.fr. S. || PASS. **be found** —W.PTCPL. to be doing sthg., to be such and such S. E. Th. + —W.PREDIC.SB. OR ADJ. (to be) such and such Trag.
4 find out (the answer to a question); **find out, discover** —W.INDIR.Q. by what remedies someone is curable A. —how one shd. do sthg. Th. || IMPERS.PASS. **it is discovered** —W.INDIR.Q. who did sthg. Hdt.
5 (act. and mid.) find (by thought), **find, discover, devise** —a remedy, means, scheme, complaint, excuse Hom. +; (act.) **devise, contrive to bring about** —someone's murder E.; (of a hound) —the death of a deer Pi.fr. || MID. **find a way** —W.INF. to do sthg. E. || PASS. (of actions) **be devised** S.
6 (act. and mid.) devise (sthg. new); **devise, invent** —ships A. —the Bacchic hand-drum E. —poems, songs, tunes Alcm. Pi. E. —a name Hdt. || PASS. (of geometry) **be invented** Hdt.
7 procure (sthg., for others); **procure** —a benefit, safety (W.DAT. for someone) Lys.(mid.) Pl.; (of money) —friends (for people) S.fr.; (of ambitions) —fame Pi.fr.
8 obtain (sthg., for oneself); **gain, achieve, win** —wealth, excellence, fame, help, a drink, or sim. Sol. Pi. Trag. —harm, sufferings Od. S. || MID. **gain** —a person (as friend) Archil. —fame, help, safety, privileges, or sim. Thgn. A. Pi. Hdt. Th. + —harm, troubles, death Od. A. Pi.fr.; **obtain permission** (fr. someone) —W.INF. to do sthg. Hdt.; (intr.) **succeed in a request** Lys. || PASS. (of things) **be gained or achieved** Pi. E.
9 (of things for sale) **bring in, fetch, earn** —a sum of money Hdt. X. Is. Thphr.; (of taxes) X. || NEUT.PTCPL.SB. (pres. or aor.) **sum which secures** (an item), **market price** X. Aeschin.

εὐροέω contr.vb. [εὔροος] **1 flow well**; (fig., of fortune) **be favourable** A. Plu.; (of a person's affairs, enterprises, power) **progress well, prosper** Plb. Plu.
2 (of a person) **speak fluently or eloquently** Plu.

εὔροια ᾱς f. **1 proper flow, good drainage** (W.GEN. of rainwater, as the responsibility of an official) Pl.
2 good flow (W.GEN. of procreative power, ref. to semen) Pl.
3 good flow (of words), **fluency, eloquence** Pl.; (W.GEN. of speech) Plu.
4 (gener.) **success** (of affairs, enterprises) Plb. Plu.

εὗρον (Ion.aor.2): see εὑρίσκω

εὔ-ροος, ep. **ἔυρροος, ον**, Att. **εὔρους ουν** adj. [ῥόος] **1** (of a river) **fair-flowing** Il. Lyr.adesp. S. E.
2 (of procreative power, the generative marrow, ref. to semen) **flowing easily** or **abundantly** Pl.

εὐρόπως adv.: see εὐπόρως, under εὔπορος

εὖρος¹ ου m. **east wind** (sts. personif.) Hom. Carm.Pop. Arist. Call. Theoc.; (appos.w. ἄνεμος) Hdt.

εὖρος² εος n. [εὐρύς] **1 breadth, width** (of persons, objects, natural features, freq. advbl.acc. εὖρος or τὸ εὖρος in breadth) Od. A. Hdt. Pl. +; εἰς (ἐς) εὖρος in breadth E.Cyc. Call.
2 broad side (i.e. longest side, of a triangular island) AR.; **broad extent, spaciousness** (of a cave's interior) Plu.

ἐυ-ρραφής ές ep.adj. [ῥάπτω] (of leather bags) **well-stitched** Od.

ἐυ-ρρεής (also **εὑρεής** Hes.fr.) ἐς ep.adj. [ῥέω] | only gen. ἐυρρεῖος, εὐρείος | (of a river) **fair-flowing** Il. Hes.fr.

ἐυ-ρρείτης ᾱο ep.masc.adj. —also **εὐρείτᾱς ᾱ** dial.masc.adj. (of rivers) **fair-flowing** Hom. Hes. E.; (of wine) Philox.Cyth.

ἐύ-ρρην ηνος ep.masc.fem.adj. —also **εὔρρηνος ον** ep.adj. [ῥήν] (of places) **rich in sheep** AR.

ἐύ-ρρῑνος ον ep.adj. [ῥινός] (of bellows) **made of tough leather** AR.

ἔυρρῑς ep.masc.fem.adj.: see εὔρις

ἔυρροος ep.adj.: see εὔροος

εὐρυ-άγυια fem.adj. [εὐρύς] | only nom., and acc. εὐρυάγυιαν | **1** (of a city) **with broad streets** Hom.
2 (of a land) **with broad pathways** hHom.
3 (of Justice) **who walks in the broad streets** Plu.(quot.lyr.)

εὐρυ-αίχμᾱς ᾱ dial.masc.adj. [αἰχμή] (of an army) **wide-reaching with the spear, far-conquering** Pi.fr.

εὐρυ-άναξ ακτος masc.adj. (epith. of Zeus) **wide-ruling** B.

εὐρυ-άνασσα ᾱς dial.fem.adj. (epith. of Demeter) **wide-ruling** Call.

εὐρυ-βίας ᾱ *dial.masc.adj.* —also **εὐρυβίης** εω *Ion.adj.* [βίᾱ] **1** having far-reaching might; (of sea gods) **mighty** Hes. Pi. AR.; (of Zeus) B.; (of rulers, heroes) hHom. Simon. Pi.; (of a seer) Pi.*fr*.
2 (of a boar) **of vast strength** B.; (of envy) **potent** B.

εὐρυ-δίνᾱς ᾱ *dial.masc.adj.* [δίνη] (of a river) **wide-eddying, turbulent** B.

εὐρυ-εδής ές, gen. έος *dial.adj.* [ἕδος] (of the earth) being a wide dwelling-place, **broad, spacious** Simon.

εὐρυθμίᾱ ᾱς *f.* [εὔρυθμος] **1 good rhythm, rhythmicality** (as a desirable quality in a person's nature) Pl.
2 ‖ PL. rhythmic cadences (in poetry or spoken language) Isoc.

εὔ-ρυθμος ον *adj.* [ῥυθμός] **1** (of music, a tune) **having a good rhythm** Pl. Arist.; (of a dancer's movement) Pl. ‖ NEUT.SB. **good rhythm** Pl.
2 (of a style of speech or writing) **having a good rhythm, rhythmical** Arist. ‖ NEUT.SB. **good rhythm** (as a feature of style) Pl.
3 (of a dancer's foot) **keeping time** (w. the music) Ar.; (of the notes of a lyre, W.DAT. w. a dancer's foot) Ar.; (of the steps of old men walking together) Ar.(mock-trag.)
4 (fig., of persons) **possessing good rhythm** (in their nature) Pl. ‖ NEUT.SB. **good rhythm** (as a desirable quality in a person's nature) Pl.
5 (of a person's body, a cuirass) **well-proportioned** X.; (of a shield or cloak, W.DAT. for a person, i.e. making a good fit) X.; (of the appearance of carefully laid out items) **harmonious** X. ‖ COMPAR. (of a foot) **more shapely** (W.GEN. than a shoe) Thphr.
6 (gener., of an athlete) **graceful** (in appearance or movt.) Plu.

—**εὐρύθμως** *adv.* **1 in measured cadences** —*ref. to speaking* Isoc.
2 gracefully, stylishly —*ref. to reclining on one's elbow* E.*Cyc*.

εὐρύ-κολπος ον *adj.* [κόλπος] (of the earth) **broad-bosomed** Pi.

εὐρυ-λείμων ον, gen. ονος *adj.* [λειμών] (of Libya) **with broad meadows** Pi.

εὐρυ-μέδων οντος *masc.adj.* [μέδω] (epith. of Poseidon, Chiron) **wide-ruling** Pi.; (of the aither) Emp.

εὐρυ-μέτωπος ον *adj.* [μέτωπον] (of oxen) **broad-browed** Hom. Hes. hHom.

εὐρυ-νεφής ές *adj.* [νέφος] (epith. of Zeus) **commanding the wide-spread clouds** B.

εὐρύνω *vb.* | ep.aor. εὔρῡνα | **1** make wide or broad, **broaden** —*a place for a contest* (i.e. clear enough space) Od.; (of two rivers, flowing apart fr. each other) —*the gap betw. them* Hdt.; (of oxen) —*furrows* (i.e. make broad furrows) Theoc.
2 (of a horse) **open wide, flare** —*its nostrils* X.

εὐρύ-νωτος ον *adj.* [νῶτον] **broad-backed** (as an indication of physical strength) S.

εὐρυ-όδεια ης *Ion.fem.adj.* [ὁδός] | only in gen. | (of the earth) app. **broad-pathed** Hom. Hes. hHom.

εὐρύ-οπα *nom.voc.acc.masc.adj.* [ὄψ] **1** (epith. of Zeus) having a wide-reaching voice, **wide-sounding, far-thundering** Hom. Hes. hHom. Pi.*fr*. Hdt.(oracle) [less prob. interpr. as *far-seeing* (ὄπωπα, see ὁράω)]
2 (of a shout) **wide-sounding** Lyr.adesp.

εὐρύ-πεδος ον *adj.* [πέδον] (of the earth) having a broad surface, **spacious** Lyr.adesp.

εὐρύ-πορος ον *adj.* [πόρος] (of the sea) **broad-pathed** Hom. A.

εὐρυπρωκτίᾱ ᾱς *f.* [εὐρύπρωκτος] **wide-arseholedness** (as indicating moral depravity) Ar.

εὐρύ-πρωκτος ον *adj.* [πρωκτός] (of a man) having a wide anus (fr. sexual penetration, also w. gener.connot. of moral depravity), **wide-arseholed** Ar.

εὐρυ-πυλής ές *adj.* [πύλαι] (of the house of Hades) **wide-gated** Hom.

εὐρυ-ρέεθρος ον *Ion.adj.* [ῥεῖθρον] (of a river) with a wide channel, **broad-flowing** Il.

εὐρύς εῖα (Ion. έα) ύ *adj.* | gen. εὐρέος εἴᾱς (Ion. είης) έος | acc. εὐρύν (also ep. έα) εῖαν (Ion. έαν, Aeol. εὔρηαν) ύ | dat. εὐρέϊ εἴᾳ (Ion. είῃ) ἔϊ | PL.: nom. εὐρέες εἶαι ἔα ‖ compar. εὐρύτερος, superl. εὐρύτατος |
1 (of persons, parts of the body) great in extent from side to side (opp. narrow); (of shoulders, a back) **broad** Hom. hHom.; (of the Cyclops' gullet) E.*Cyc.*; (of veins) Pl. ‖ COMPAR. (of a person) **broader** (than another, W.DAT. in shoulders and chest) Il.
2 (of landscape, terrain, or sim.) great in breadth; (of a road) **broad, wide** Il. B. Call.*epigr.* AR.; (of a trench) Il. Hdt. X.; (of a beach, plain, field, island) Hom.; (of a cave) Hom.; (of an arena) AR.; (of foundations) hHom. Call.; (of a stretch of land or sea) Hdt. AR.; (of a river) AR.; (of channels) Pl. ‖ SUPERL. (of a sea, a bay) **at the widest point** (that it reaches) Hdt. ‖ NEUT.COMPAR. or SUPERL.SB. **broader or broadest part** (of land or sea) Hdt.
3 (of manufactured objects) **broad or capacious**; (of a shield) **broad, wide** Hom. Tyrt. AR. Theoc.; (of a boat or ship) Od. Theoc.; (of a bed) Od.; (of doors) Od. AR.; (of a tomb) Il.; (of washing-troughs) Il.; (of a wall, ref. to its thickness) Il.; (of links in a horse's bit) X.; (of a head-dress) Call.; (of high boots, a box) Hdt. Theoc.
4 (gener., of features of the natural world) extending over a large area; (of the earth) **broad, wide, vast** Il. Hes. hHom. Pi.*fr*. AR.; (of the sea, its surface) Hom. Hes. Alc. Thgn. S. AR. +; (of the heavens) Hom. Hes. hHom. Thgn.; (of Tartaros) Hes. hHom.
5 (of countries, regions, cities) **broad, wide, spacious** Hom. Hes. Tyrt. Pi.*fr*. B. AR.
6 (of a house, room, or sim.) **spacious** Od. Pi. X. AR.
7 (of groups of people) extending over a large area; (of an encamped army) **broad** Il. Hes.; (of a gathering of people) Il. Pi.*fr*.; (of a circle of dancers) Call. AR.
8 (of a person's fame) extending far and wide, **far-reaching, wide-spread** Od. Simon. Pi.
9 (in quasi-provbl. expressions, opp. narrow, indicating the full range of possibilities); οὐκ ἔστιν οὔτ᾽ εὐρεῖα οὔτε στενὴ διαφυγή *there is no means of escape, either broad or narrow* Pl.; δύναμαι ποιεῖν τὸν δῆμον εὐρὺν καὶ στενόν *I can make the populace broad and narrow* (i.e. *I can do what I like with it*) Ar.

—**εὐρύ** *neut.adv.* **1 in a broad stream** —*ref. to rivers flowing* Il. Pi. AR.
2 far and wide —*ref. to a god or mortal exercising dominion* Hom. Pi. Call.

—**εὐρυτέρως** *compar.adv.* (w. ἔχειν, of a shoe-strap, w. secondary ref. to the anus) **be widened** Ar.

εὔρῡσαο (Aeol.2sg.aor.mid.): see ῥύομαι

εὐρυ-σθενής ές *adj.* [σθένος] having far-reaching strength; (of gods and heroes) **mighty** Hom. Pi. B.; (of an athlete, his achievements) Pi.; (of a city) Pi.; (of wealth) Pi.

εὐρύ-στερνος ον *adj.* [στέρνον] (epith. of Athena) **broad-bosomed** Theoc.; (fig., of Earth) Hes.

εὐρύ-στομος ον *adj.* [στόμα] (of parts of a horse's bit) **with wide openings** X.
εὐρύ-τῑμος ον *adj.* [τῑμή] (of Zeus) **widely honoured** Pi.
εὔ-ρυτος ον *adj.* [εὖ, ῥυτός] (of a spring) **fair-flowing** E.
εὐρυ-φαρέτρᾱς ᾱ *dial.masc.adj.* [εὐρύς, φαρέτρᾱ] (epith. of Apollo) **with capacious quiver** Pi.
εὐρυ-φυής ές *adj.* [φύω] (of barley) growing broadly, **broad-eared** Od.
εὐρυ-χαίτᾱς ᾱ *dial.masc.adj.* [χαίτη] (epith. of Dionysus) **richly tressed** Pi.
εὐρύ-χορος ον *adj.* [χορός; perh. χῶρος by pop.etym.] with broad dancing-places; (gener., of cities, countries) **broad, spacious** Hom. Hes.*fr.* Tyrt. Lyr. Hdt.(oracle) AR.; (of streets) Pi. E. D.(oracle)
εὐρυχωρίᾱ ᾱς, Ion. **εὐρυχωρίη** ης *f.* [χῶρος] 1 breadth of space, **open space** (ref. to an area of ground) D. Plu.
2 (in military ctxts.) **open ground** Th. X.; **open sea** Hdt. Th. || PL. areas of open ground Plb.
3 (gener.) free space, **space, room** Carm.Pop. Hdt. Pl. Plu.
—**εὐρυχώρια** ων *n.pl.* **open spaces** (in a city) Pl.(dub., cj. εὐρυχωρίαι)
εὐρύ-χωρος ον *adj.* (of a road) **broad** NT.
εὐρώδης ες *adj.* (of Troy) **broad, spacious** S.(dub.)
εὐρώεις εσσα εν *adj.* [εὐρώς] (of the abode of Hades) full of mould, **mouldy, dank** Hom. Hes.; (of the path leading there) Od.; (of its darkness) hHom.; (of Tartaros) Hes.; (of a burial ground, a tomb) Archil. S.
Εὐρώπη ης, dial. **Εὐρώπᾱ** ᾱς, ep. (in sense 1) **Εὐρώπεια** ης *f.* 1 **Europa** (mythol. Phoenician princess, abducted to Crete by Zeus in the form of a bull) Hes.*fr.* Hdt. E.*fr.* Mosch.
2 **Europe** (ref. to central and northern Greece) hHom.; (ref. to the whole of Greece, or the wider continent, esp.opp. Asia) A. Hdt. E. Th. +; (appos.w. χέρσος *mainland*) Pi.
—**Εὐρωπήιος** η ον *Ion.adj.* (of a people) **dwelling in Europe** Hdt.
—**Εὐρώπιος** ᾱ ον *adj.* (of the land) **of Europe** E.
εὐρ-ωπός όν *adj.* [εὐρύς, ὤψ] (of a cleft in a rock) broad-faced, **broad, wide** E.
εὐρώς ῶτος *m.* 1 **mould, mildew** Simon. E. Pl. Call. Theoc. Plu.
2 **rust** Thgn. B.*fr.*
εὐρωστίᾱ ᾱς *f.* [εὔρωστος] **strength** (W.GEN. of spirit) Plu.
εὔ-ρωστος ον *adj.* [ῥώννῡμι] 1 (of persons, esp. troops, their bodies) **strong, robust, vigorous** Isoc. X. Plb. Plu.; (of a horse) X.; (of oxen) Plb.
2 **strong, stout** (W.ACC. in spirit) X.
—**εὐρώστως** *adv.* 1 **strongly, stalwartly** —*ref. to fighting* Plb. Plu.
2 **in a strong position** —*ref. to drawing up troops* X.
3 **vigorously** —*ref. to applauding* Men.
εὐρωτιάω *contr.vb.* [εὐρώς] || PTCPL.ADJ. (fig., of life in the country) **mouldy** Ar.
ἐύς (also **ἠύς**) **ἠύ** *ep.masc.neut.adj.* [reltd. εὖ] | gen. ἑῆος | masc.acc.sg. ἐύν, ἠύν | neut.acc.pl. ἠέα (Emp.) | neut.gen.pl. ἐάων | 1 (of persons, heroes, gods) **good, fine, noble** Hom. Hes. hHom. AR.; (of strength) Hom.; (of the limbs of sacrificial animals) Emp.
2 || NEUT.PL.GEN.SB. **good things, blessings** Hom. Hes. hHom. Call.
εὖσα (dial.fem.ptcpl.): see εἰμί
εὔ-σαρκος ον *adj.* [σάρξ] (of persons) **with good flesh, in good physical condition** X. Aeschin.; (of a horse, its haunches) X.
εὔσδυγος *Aeol.adj.*: see εὔζυγος
εὐσέβεια, also **εὐσεβίᾱ**, ᾱς, Ion. **εὐσεβίη** ης *f.* [εὐσεβής] 1 reverent conduct (towards gods or parents), **reverence, piety** Pi. B. Trag. Th. Att.orats. Pl. +; **respect** (for one's wife) E. || PL. acts of piety Thgn.
2 (as a deity) **Piety** Emp. Critias
εὐσεβέω *contr.vb.* **behave reverently** or **piously** (towards gods, parents, guests) Thgn. Trag. Att.orats. Pl. + —W.ACC. *towards gods, their shrines* A. E. || PASS. (of gods) be treated piously Antipho
εὐ-σεβής ές *adj.* [σέβω] 1 (of persons, their minds, hands, acts, words) **pious, reverent, righteous** (towards gods, parents, guests) Thgn. Pi. B. Hdt. Trag. Lys. +; (of a husband) **respectful** (towards his wife) E. || NEUT.SB. righteousness, piety S. E. Pl. D.; ἐν εὐσεβεῖ (w. ἐστί understd.) *it is a matter of piety* —w. μή + INF. *not to cheat the dead of their due* E.
2 (of jurors, their conduct or votes) **respectful of a sacred duty** (by keeping their sworn oath) E. Att.orats. || NEUT.SB. sacred duty Antipho
3 (of land, ref. to its production of plants assoc.w. certain gods) **pious** Men.; (of statues or offerings, as manifestations of human piety) Emp. Men.
4 || PL.SB. righteous dead (as occupants of a specific place in the underworld) Call.*epigr.*
—**εὐσεβῶς**, Ion. **εὐσεβέως** *adv* | compar. εὐσεβέστερον, superl. εὐσεβέστατα | **piously** P. Att.orats. Pl. X. +; (w.impers. ἔχει) *it is pious* —W.INF. *to do sthg.* S. D.; (in judicial ctxt.) *it is a sacred duty* —W.INF. *to do sthg.* D.
εὐσεβίᾱ *f.*, **εὐσεβίη** *Ion.f.*: see εὐσέβεια
εὐσέληνος, dial. **εὐσέλᾱνος**, ον *adj.* [σελήνη] (of the light) **of the bright moon** E.*fr.*(dub.); (of heaven) **moonlit** Lyr.adesp.(cj.)
εὔσελμος, ep. **ἐύσσελμος**, ον *adj.* [σέλμα] (of ships) **with fine rowing-benches** Hom. hHom. Stesich. E.
εὔ-σεπτος ον *adj.* [σεπτός] (of purity in words and deeds) **reverent** S.
εὐσημίᾱ ᾱς *f.* [εὔσημος] **good omens** (as a circumstance) Arist.
εὔ-σημος ον *adj.* [σῆμα] 1 **giving a clear sign**; (of a city) **clearly signalling** (W.DAT. + NOM.PTCPL. by smoke, that it has been captured) A.; (of a ship) **easily recognised, conspicuous** A.; (of the cries of birds) **clear, intelligible** (to a seer) S.; (of a dividing line) **clearly marked** Plb.
2 giving a favourable sign; (of the sight of a goddess, carved as a ship's emblem) **of good omen** (W.DAT. for sailors) E.(dub.); (of sacrificial entrails) Plu.
εὐσθενέω *contr.vb.* [σθένος] (of a person's body) **be at full strength** E.*Cyc.*
ἐύ-σκαρθμος ον *ep.adj.* [σκαρθμός] (of horses) having a good spring, **nimble, agile** Il.
εὐ-σκέπαστος ον *adj.* [σκεπάζω] (of interlocking hoplite shields) **offering good cover** or **protection** Th.
εὔ-σκεπτος ον *adj.* [σκέπτομαι] (of a question) **easy to examine** or **consider** Pl.
εὐσκευόω *contr.vb.* [σκεῦος] **be well-equipped** S.
εὐ-σκίαστος ον *adj.* [σκιάζω] (of the bed of a dead person, in the grave or underworld) **well-shaded, shadowy, dark** S.
εὔ-σκιος ον *adj.* [σκιά] 1 (of a house, cave, grove) having good shade, **shady** X. Lyr.adesp. Theoc.; (prob. of bushes) E.*fr.*
2 (of the shore of Acheron) **shadowy** Pi.
εὔ-σκοπος, ep. **ἐύσκοπος**, ον *adj.* [σκοπέω] 1 (epith. of Hermes) **keen-sighted, watchful** Hom. hHom.; (epith. of Artemis, unless to be taken as sense 4) Od.; (of Herakles) Theoc.
2 (of places) **commanding a good view** X.
3 (of a gleam) **clearly visible, conspicuous** AR.; (of cliffs) Plu.

4 [reltd. σκοπός] (epith. of Apollo, a huntress) **sure of aim** Hdt.(oracle) Call.; (of arrows) **well-aimed** A.
εὔσοια ᾱς f. [reltd. εὔσοος] **safety, welfare** S.
εὔ-σοος ον dial.adj. [σῶς] (quasi-advbl., of children sleeping) **safe and sound** Theoc.
εὐσπλαγχνίᾱ ᾱς f. [σπλάγχνον] **stout-heartedness** E.
εὔ-σπορος ον adj. [σπόρος] (of fields) **well-sown** Ar.
ἐύσσελμος ep.adj.: see εὔσελμος
ἐύ-σσωτρος ον ep.adj. [σῶτρον felloe, rim (of a wheel)] (of a wagon) with strong felloes, **with good wheels** Il. Hes.
εὐστάθεια ᾱς f. [εὐσταθής] **steadiness** or **composure** (of persons) Plu.
εὐσταθέω contr.vb. (of gods) stand firm, **be favourable** —W.DAT. **for citizens** E.
εὐ-σταθής, ep. **ἐυσταθής**, ές adj. [ἵσταμαι] 1 (of a hall or chamber) well-established, **strongly built** Hom.
2 (of persons, their souls or temperaments) **steady, tranquil** Democr. Plu.
3 (of a wind) **mild, gentle** AR.
εὐστάλεια ᾱς f. [εὐσταλής] condition of being lightly equipped, **light equipment** (of troops) Plu.
εὐ-σταλής ές adj. [στέλλω] 1 (of a military force) **well-equipped** A.
2 (of soldiers) **lightly equipped** (W.DAT. w. weapons) Th.; (of their bodies) Plu.
3 (of a cavalryman) **unencumbered** X.
4 (of a person, in neg.phr.) **in good trim** (W.ACC. w. regard to physical bulk) Plu.
5 **well-disciplined, orderly** Pl. Plu.
6 (of a voyage) **expeditious, swift** S.
ἐύ-στειρος ον (Ion. η ον AR.) ep.adj. [στεῖρα²] (of a ship) **with a fine keel** Call. AR.
εὔ-στερνος ον adj. [στέρνον] (fig., of crucibles within the earth, where substances are formed) **full-bosomed** Emp.
εὐ-στέφανος, ep. **ἐυστέφανος**, ον adj. 1 (of female deities or heroines) **fair-garlanded** Hom. Hes. hHom. Thgn.
2 (of sacrifices) **rich in garlands** (worn by celebrants) Ar.
3 (of a city) **fair-crowned** (w. battlements) Il. Hes.; (of streets) Pi.; (of tables, W.DAT. w. dishes) Philox.Leuc.
ἐύ-στιπτος ον ep.adj. [στιπτός] (of a robe) **closely woven** AR. [or perh. *well-trodden by fullers, i.e. spotlessly clean*]
εὔ-στολος, ep. **ἐύστολος**, ον adj. [στολή] (of a ship) **well-equipped** S. AR.
εὐστομέω contr.vb. [εὔστομος] 1 **use mild** or **polite language** A. Ar.
2 (of nightingales) **sing sweetly** S.
εὐστομίᾱ ᾱς f. **ease of articulation** (of a word) Pl.
εὔ-στομος ον adj. [στόμα] (of a hound) **with a good mouth** X.
—**εὔστομα** neut.pl.adv. (W.IMPERS.IMPERATV. κείσθω) *let the matter lie in a discreet silence* (i.e. *let nothing be said*) Hdt.; (W.IMPERATV. ἔχε) *keep quiet* (i.e. *stop speaking*) S. | cf. εὔφημος
εὐστοχέω contr.vb. [εὔστοχος] 1 **hit the target**; (of sailors) **locate successfully** —W.GEN. *a harbour mouth* Plb.
2 (fig.) **act rightly** or **successfully** Plb.; **be correct** —W.GEN. *in one's expectation* Plb.; **judge correctly** —W.GEN. *the right time, a distance* Plb.; **deal successfully** —W.GEN. w. *a situation* Plb.
εὐστοχίᾱ ᾱς, Ion. **εὐστοχίη** ης f. 1 **skill in hitting the target, sure aim** (of an archer) E. Call.; (concr., periphr. W.GEN. χερός) *that which gives sure aim* (of hand), **unerring bow** E.
2 capacity to hit the mark (intellectually), **sureness of judgement, shrewdness, sagacity** Arist. Plb.

εὔ-στοχος ον adj. [στόχος] 1 (of an arrow, javelin, missile, spear-stroke) **well-aimed, true to the mark, unerring** E. X. Plb.
2 (of soldiers) **sure of aim, unerring** (W.DAT. w. javelins) E.; (of an archer's hand, W.DAT. w. the bow) E.
3 (of persons) capable of hitting the mark (intellectually), **shrewd, sagacious** Ar. Arist.; (of a capacity) **for making shrewd judgements** Pl.
—**εὐστόχως** adv. 1 **with good aim, unerringly** X.
2 **with good judgement, shrewdly** Pl. Plb. Plu.
εὔστρᾱ ᾱς f. [εὕω] place for singeing (the bristles off slaughtered swine), **singeing pit** Ar.
ἐύ-στρεπτος ον ep.adj. [στρεπτός] (of oxhide ropes) **well-twisted** Od.
ἐυ-στρεφής ές ep.adj. [στρέφω] (of a rope) **well-twisted** Od. AR.; (of willow twigs, to form a rope) Od.; (of a bow-string) Il.; (of sheep-gut, used as a lyre-string) Od.
εὔ-στροφος, ep. **ἐύστροφος**, ον adj. 1 (of wool) **well-twisted** Il.
2 (of ships) **manoeuvrable** E.(dub.) Plu.; (of a living creature, envisaged as a ship) **easily turned** (by the gods, as if w. a rudder) Pl.
εὔ-στρωτος ον adj. [στρωτός] (of a bed) **well-spread, richly covered** hHom. Alc.
εὔ-στῡλος ον adj. [στῦλος] (of a temple) **with fine pillars** E.
εὐ-συλλόγιστος ον adj. [συλλογίζομαι] 1 (of things) **easy to prove by syllogistic argument** Arist.
2 (of a measurement, distance, reason) **easy to deduce** Plb. Plu.
εὐ-σύμβλητος, Att. **εὐξύμβλητος**, ον adj. [συμβλητός] (of a prophecy, a portent) **easy to interpret** A. Hdt.
εὐ-σύμβολος, Att. **εὐξύμβολος**, ον adj. [συμβολή, σύμβολον] 1 (of a solution to a question) **easy to infer** A.
2 (of a person) **easy to have dealings with** X.
3 (of lawsuits) with ready agreement, **easily settled** A.
4 (of a person) affording a good omen, **auspicious** (to encounter or catch sight of, before an undertaking) Plu. | cf. σύμβολον 9
εὐ-συνάγωγος ον adj. [συναγωγός] (of a place) **providing a convenient point of collection** (i.e. depot, W.DAT. for merchandise imported by land and sea) Arist.
εὐσυνεσίᾱ ᾱς f. [εὐσύνετος] **good understanding, intelligence** Arist.
εὐ-σύνετος, Att. **εὐξύνετος**, ον adj. [συνετός] 1 (of persons) of good understanding, **intelligent** Arist.
2 (of a bird's song) **well-understood** (W.DAT. by those who have understanding) E.
—**εὐξυνετώτερον** Att.compar.adv. **more intelligently** Th.
εὐσυνθετέω contr.vb. [reltd. συντίθημι] **abide by an agreement** Plb. Plu.
εὐ-σύνθετος ον adj. (of a compound word) **easily put together** Arist.
εὐ-σύνοπτος ον adj. [συνοπτός] 1 (of places or things) able to be taken in at one view, **visible as a whole** Isoc. Aeschin. Arist. Plb.; (of tombs) **within easy sight, in full view** (W.DAT. of each other) Arist.; (of an army, W.DAT. of occupants of a city) Plb.
2 (of a story, the length of a sentence, circumstances or facts) **easy to take in as a whole, easily grasped** Arist.
εὐ-σύντριπτος ον adj. [συντρίβω] (of ladders) **easily broken** Plb.
εὔ-σφυρος, ep. **ἐύσφυρος**, ον adj. [σφυρόν] (of women) **with beautiful ankles** Hes. Theoc.; (of a woman's foot) **shapely** E.

εὐ-σχεθής ές *adj.* [ἔχω] (of a bow) **easily grasped** Hes.*fr.*
εὐσχημονέω *contr.vb.* [εὐσχήμων] **behave with decorum** Pl.
εὐσχημοσύνη ης *f.* **1 excellence of form or bearing; graceful appearance** (of a deity, person, body) Pl. X.; **smart appearance** (of a soldier) Pl.
2 gracefulness (W.GEN. of a person's manner of life) Pl.; **refinement** (in lifestyle) Arist.
3 gracefulness, propriety, decorum (in behaviour or language) Pl. Arist.; (as a quality inherent in or imparted by music) Pl.
4 respectable status, dignity (of persons) Plb.
εὐ-σχήμων ον, gen. ονος *adj.* [σχῆμα] **1** (of persons) having a good appearance or bearing; (of a soldier) **smart** Pl.; (of horses) **good-looking, handsome** X.
2 (gener., of persons) **smart, sophisticated** Aeschin.; (of speeches or topics for speeches) **elegant, impressive** Pl. D.
3 having a proper appearance or bearing; (quasi-advbl., of a woman falling to the ground as a sacrificial victim) **with decorum** E.; (of a retreat by soldiers) **dignified, honourable** Plb.
4 (of persons) proper in behaviour, **respectable** Pl.; (of language, behaviour, a lifestyle, circumstances) **proper, decorous, dignified** Pl. Aeschin. D. Arist. Men. Plb. + || NEUT.SB. **decorum, propriety** Pl.
5 (pejor.) having an outward appearance of goodness or propriety; (of a person) **putting on a show of propriety** E.; (of arguments) **fine-sounding, specious** E.; (of a policy, an excuse) **plausible** Plb. Plu.
6 (of persons) **of high standing** or **repute** NT.
—**εὐσχημόνως** *adv.* | compar. εὐσχημονέστερον |
1 gracefully, stylishly —*ref. to performing an action* Ar. X.
2 with dignity —*ref. to surviving a battle, bearing misfortunes* X. D. Arist.
3 decently, respectably —*ref. to living* Aeschin.
εὔ-σχολος ον *adj.* [σχολή] (of a people) **at leisure** (i.e. at peace, opp. at war) Plb.
εὐσωματέω *contr.vb.* [σῶμα] **be strong in body** E. Ar.
εὐτακτέω *contr.vb.* [εὔτακτος] (of persons, a populace, troops) **behave in an orderly, disciplined** or **obedient manner** Th. X. Plu.
εὔ-τακτος ον *adj.* [τακτός] **1** (of troops) keeping in formation, **in good order** Th.; (of wasps, about to attack) Ar.; (of a march) **orderly** Th.
2 (gener., of troops) **well-disciplined, obedient, orderly** X. Plb. Plu.
3 (of a city, its citizens) **well-disciplined, orderly** Ar. X. D. Plu.; (of individuals, their lives) X. D. Plu.; (of merrymaking) **properly controlled** Plu.
—**εὐτάκτως** *adv.* | compar. εὐτακτότερον, also εὐτακτοτέρως | **1 in good order** —*ref. to ships or troops moving* A. X. Plu. —*ref. to boys walking to school* Ar.
2 in an orderly or **disciplined manner** X. Aeschin. D. Plu.
εὐταξίᾱ ᾶς *f.* **good order, discipline** (in military ctxt.) Th. Isoc. X. Plb. Plu.; (in a civic or political ctxt.) Isoc. Pl. X. D. Arist.; (of an individual, in his way of life) Plb. Plu.
εὐ-τάρακτος ον *adj.* [ταράσσω] (of cleverness) **easily confounded** or **frustrated** (by events) Plu.
εὖτε *temporal conj.* **1** (ref. to an occurrence in past time, w.impf.indic.) **when, at the time when** Hom. Archil. Thgn. A. Pi. B. Hdt. +; (w.aor.indic.) **when, after** Hom. Hes. hHom. Pi. Trag.; (w.plpf.indic.) Od.
2 (ref. to an occurrence in future time, w. ἄν + subj.) **when, at the time when** or **after** Il. Hes. hHom. Pi. Trag. (w.fut.pf. indic.) Anacr.

3 (ref. to a repeated action, w.subj. or ἄν + subj., w. main vb. in pres. or fut. tense) **when, whenever, when once** Hom. Hes. Eleg. Lyr. Hdt. Trag. +; (w.opt., w. main vb. in past tense) Hes. hHom. Eleg. A. B. Hdt. +
4 (causal, w.aor.indic.) **now that, since, because** S.
5 (introducing a comparison) **as when** (w.indic.vb.) Il.; **just like** (w.nom.sb. *sthg.*) Il. [v.l. ἠΰτε]
εὐ-τείχεος ον *ep.adj.* [τεῖχος] | only acc. εὐτείχεον | (of Troy) **well-walled** Il.
εὐτειχής ές *adj.* | acc. εὐτειχῆ, dial. εὐτειχέα | (of a temple, porch, city, the Trojan citadel) **well-walled** Thgn. Pi. E.; (of gates) **in well-built walls** Pi.
εὐ-τείχητος ον *adj.* [τειχέω] (of a country) **well-walled** hHom.
εὐτεκνίᾱ ᾶς *f.* [εὔτεκνος] **1** condition of being blessed with a child or children, **blessing of parenthood** E. Theoc.
2 excellence of children, **possession of excellent children** (as an asset for a parent) Arist. Plu.
εὔ-τεκνος ον *adj.* [τέκνον] **1** (of persons) **blessed with a child** or **children** E. X. Arist. Call. Plu.; (of Io) A.; (of a country, a house) E. Call.*epigr.*
2 (of an oracle) **offering hope of children** E.
3 (of a pair) **of fine children** E.
εὐτέλεια ᾱς, Ion. **εὐτελείη** ης *f.* [εὐτελής] **1 cheapness** (of cost) Hdt. Ar. Pl. Plu.
2 conduct which is sparing of expense, **thrift, frugality, economy** Th. Lys. Ar. X. Plu.
3 meanness, limitedness (W.GEN. of a person's intelligence) Arist.
εὐ-τελής ές *adj.* [τέλος] **1** (of things) **easily paid for, cheap** Hdt. Th. Pl. X. D. Plu.; (of a workman or hired person, w. some pejor.connot.) A. Pl.; (of a corpse, ref. to expenditure on its burial) Men.
2 (w.pejor.connot., of things) **cheap, mean** Pl. X. Arist. Plu.; (of a slave-girl) Men.
3 (of persons, their lifestyle, meals) **thrifty, frugal, economical** Isoc. X. Plu.
4 (of persons, officials, actors) **of poor quality, unimpressive** Arist.; (of persons) **unimportant, insignificant** Plb.; **unremarkable** (in appearance) Plu.
5 (of a word, narrative, style of speech) **unimpressive, undistinguished, commonplace** Arist. Plb. Plu. || COMPAR. (of a poet) **less serious** or **dignified** (in terms of subject matter, opp. σεμνότερος) Arist.
—**εὐτελῶς** *adv.* | compar. εὐτελέστερον, superl. εὐτελέστατα | **cheaply** or **economically** Isoc. X. D. Plu.
εὐ-τερπής ές *adj.* [τέρπω] (of the bloom of songs) **delightful, pleasing** Pi.
εὐ-τλήμων ον, gen. ονος *adj.* (of self-confidence) **steadfast** A.
ἐϋ-τμητος ον *ep.adj.* [τμητός] (of a leather strap or thong) **well-cut** Il. Theoc.
εὐτοκίᾱ ᾶς, Ion. **εὐτοκίη** ης *f.* [reltd. τίκτω] **easy childbirth** Call.*epigr.* Plu.
εὐτολμίᾱ ᾶς *f.* [εὔτολμος] **bravery, courage** E. Plb. Plu.
εὔ-τολμος ον *adj.* [τόλμα] (of persons, their hearts) **brave, courageous** A. Plu.
—**εὐτόλμως** *adv.* | compar. εὐτολμότερον | **bravely, courageously** Carm.Pop. A. Plu.
εὔ-τομος ον *adj.* [τέμνω] (of a city, the arrangement of private houses) **split up according to a regular plan** (i.e. laid out in straight streets) Arist.
εὐτονίᾱ ᾶς *f.* [εὔτονος] **eager striving** (w. πρός + ACC. for what is right) Plu.

εὔ-τονος ον *adj.* [τόνος] **1** (of military catapults) having good tension, **powerful** Plb.; (of ladders made fr. vines) **strong** Plu.
2 (of an arrow) **shot with force** Plu.; (of the impact of an arrow) **powerful** Plu.
3 (of a song) **vigorous, rousing** Ar.(v.l. ἔντονος) ‖ NEUT.SB. vigorous action Pl.
—**εὐτόνως** *adv.* **vigorously** —*ref. to accusing or refuting someone* NT. —*ref. to making requests* Plu. —*ref. to dogs barking* Plu.
εὔ-τορνος ον *adj.* [τόρνος] (of a shield's rim) **well-rounded** E.
εὐ-τράπεζος ον *adj.* [τράπεζα] **1** providing good fare at table; (of halls) **serving rich banquets** A.; (in neg.phr., of a fisherman's life) **blessed with fine meals** E.*fr.*
2 (of a person) **hospitable** Plu.
εὐτραπελεύομαι *mid.vb.* [εὐτράπελος] **make a witty remark** Plb.
εὐτραπελίᾱ ᾱς *f.* **1 ready wit** Pl. Arist. ‖ PL. witticisms, pleasantries Plu.
2 quickness of wit, flexibility of mind Isoc.
3 light-hearted or **easy-going manner** Plu.
εὐ-τράπελος ον *adj.* [τρέπω] **1 with a nimble turn of mind, witty, smart** Isoc. Arist.
2 flexible, versatile, easy-going (in personal relations) Plb.
3 (of an argument) **dextrous, smart** Ar.
—**εὐτραπέλως** *adv.* **dextrously, with versatility** Th.
εὐ-τραφής ές *adj.* [τρέφω] **1** (of children, youths) **well-reared** E.
2 (of cattle) **well-fed** Plb.; (of fatness of flesh) **well-nourished** E.*Cyc.*
3 (of a mother's milk) **nourishing** A.; (of river water) **promoting growth** (in a land) A.
εὐ-τρεπής ές *adj.* [τρέπω] (of persons, things, arrangements) **ready** E. X. D. Men. Plb. Plu.
—**εὐτρεπῶς** *adv.* **in a state of readiness** D. Plu.
εὐτρεπίζω *vb.* | *aor.* ηὐτρέπισα | **1** put (sthg.) into a state of readiness; **make ready** —*a sword, a noose* A. E. —*ships* D. —*defensive walls* X. —*a wedding song* E. —*all that is needed* (for an activity) E. Men.; **arrange** —*a drinking party* Men. ‖ PASS. (of things) **be made ready** E. Ar.
2 ‖ MID. **get ready for, prepare** —*one's attack* Th.; (of an officer) **make ready** —*his own division* X.
3 do (sthg.) in preparation (for sthg. else); **settle in advance** —*affairs* D. Plb.(mid.) —*one's plans* Th.(mid.)
4 secure, win over —*cities* (W.DAT. *for someone*) X. ‖ MID. **win over** (to one's side) —*cities* X.; **secure for oneself** —*people* (as allies or agents) D.
εὔ-τρεπτος ον *adj.* [τρέπω] (of air, as an element) **very variable** Plu.
εὐ-τρεφής, ep. **ἐυτρεφής**, ές *adj.* [τρέφω] **1** (of sheep, goats) **well-fed** Od.
2 (of young men and women) **correctly reared** Pl.
ἐύ-τρητος ον *ep.adj.* [τρητός] (of ear-lobes) **well-pierced** Il.; (of crucibles) **well-perforated** (w. air-holes) Hes.
Εὐ-τρίαινα ᾱ *dial.m.* | only *acc.* Εὐτρίαιναν | (title of Poseidon) **Lord of the fine trident** Pi.
εὔτριχος (gen.adj.): see εὔθριξ
εὔ-τροπος ον *adj.* [τρέπω] (of persons) full of turns, **versatile** (as suggested etym. of εὐτράπελος *witty*) Arist.
εὐτροφίᾱ ᾱς *f.* [τρέφω] **good nutrition** (of the body or soul) Pl.
ἐυ-τρόχαλος ον *ep.adj.* [τροχαλός] **1** (of a threshing-floor) **well-rolled** (i.e. level) Hes. | see also εὐκτίμενος 3

2 (of carriages) moving quickly on wheels, **swift-running** AR.
3 (of a person's arms) moving well, **supple** AR.
4 (fig., of a song) **quick-moving, lively** AR.
5 (of a ball) **well-rounded** AR.
εὔ-τροχος, ep. **ἐύτροχος**, ον *adj.* [τροχός, τρέχω] **1** (of chariots, wagons) **fine-wheeled** or **smooth-running** Hom. Hes. Sapph. AR.
2 (of cords) **running easily** (through loops) X.; (of the world-soul, as a circular entity) **running smoothly** Pl.
3 (of a tongue) **ready, fluent** E. Plu.
4 (of the circular body of a cradle) **well-rounded** E.
εὐτυκάζω *vb.* [εὔτυκος] **prepare, make ready** —*a mousetrap* Call.; (mid.) —*one's bow* A.
εὔ-τυκος ον *adj.* [app. τύκος] **1** app., well-worked with the mason's hammer; (of a house) **well-built** A. [or perh. *well-prepared, i.e. ready for habitation*]
2 (wkr.sens.) well-prepared; (of food, a fire) **ready** Hdt. Theoc.
3 (of a tongue) **ready** (to speak) A.; (of a person, W.INF. to do sthg.) A. B. Call.; (w. ἐς + ACC. for choral singing) Pratin.
εὔ-τυκτος ον *adj.* [τυκτός] (of objects) **well-made, finely wrought** Hom. Hes. hHom. B. AR.
εὐτυχέω *contr.vb.* [εὐτυχής] | *aor.* ηὐτύχησα, later εὐτύχησα | *pf.* ηὐτύχηκα, later εὐτύχηκα | **1 enjoy good fortune, be fortunate** Semon. Hdt. Trag. Th. +
2 be successful (in an enterprise, esp. war) Hdt. Trag. Th. +; (of an athlete) **be victorious** Pi.
3 (2sg.opt., sts. on parting) εὐτυχοίης *fare well, good fortune be with you* Trag. Men.
4 (of situations, enterprises) **turn out well, prosper, be successful** Trag. Th. ‖ PASS. (of situations) turn out well (sts. W.DAT. for people) Th. Plu.
εὐτύχημα ατος *n.* instance of good fortune or success, **piece of good fortune, success** E. Att.orats. Pl. X. Arist. Men. +
εὐ-τυχής ές *adj.* [τύχη] **1** (of persons, their life, destiny, or sim.) enjoying good fortune, **fortunate, lucky** Trag. Th. Ar. Att.orats. +; (opp. ὄλβιος) Hdt.; (opp. εὐδαίμων) E.
2 (of events or circumstances) **fortunate, happy** Hdt. Trag. Th. Isoc. + ‖ NEUT.SB. good fortune Th.
—**εὐτυχῶς**, Ion. **εὐτυχέως** *adv.* | *compar.* εὐτυχέστερον, *superl.* εὐτυχέστατα | **fortunately, happily** Pi. Hdt. Trag. Ar. Isoc. +
εὐτυχίᾱ ᾱς, Ion. **εὐτυχίη** ης *f.* state of good fortune, **good fortune, good luck** Pi.*fr.* B.*fr.* Hdt. E. Th. Ar. +; **success** (of an athlete) Pi. ‖ PL. instances or times of good fortune Hdt. E. Th. Ar. Isoc. +
εὔ-υδρος ον *adj.* [ὕδωρ] **1** (of places) abounding in water, **well-watered** Pi. Hdt. Pl. Call. Theoc. Plu.
2 (of a river) **with beautiful waters** B. E.
εὔ-υμνος ον *adj.* [ὕμνος] (of gods, islands) much (or worthy to be) celebrated in song, **well-hymned** hHom. Call.
εὐ-υπέρβλητος ον *adj.* [ὑπερβάλλω] (of an achievement) **easily surpassed** Arist.
εὐ-υφής ές *adj.* [ὑφή] (of a robe) **well-woven** Tim.
εὐφᾱμέω *dial.contr.vb.*, **εὐφᾱμίᾱ** *dial.f.*, **εὔφᾱμος** *dial.adj.*: see εὐφημέω, εὐφημίᾱ, εὔφημος
εὐ-φαρέτρᾱς ᾱ *dial.masc.adj.* [φαρέτρᾱ] (epith. of Apollo) **with beautiful quiver** S.
εὐ-φεγγής ές *adj.* [φέγγος] (of day, the moon, stars) **with brilliant light, shining brightly** A. B. AR.
εὐφημέω, dial. **εὐφᾱμέω** *contr.vb.* [εὔφημος] **1** (in orders) maintain propriety of speech (i.e. avoid using ill-omened words, by abstaining fr. speech, as the prelude to a ritual or

εὐφημίᾱ solemn act), **preserve an auspicious silence** Il. A. E. Ar. Call. **2** use words of good omen only, **avoid ill-omened words** Hdt. E. Ar. Pl. X. D. + ‖ PASS. be addressed in words that avoid ill omen A. **3** (as a response, imperatv.) εὐφήμει (or εὐφήμησον) *don't say that!, heaven forbid!* Pl. X. Plu.; (also interrog.) οὐκ εὐφημήσεις; Pl. **4** (w. positive connot.) use words of good omen; (of persons uttering a ritual cry of triumph, of the cry itself, the sound of sailors singing a paean) **ring out propitiously** A.; (in ctxt. of rejoicing or festivity) **cry out in gladness** or **triumph** E.fr. Ar. Plu. **5** speak well of, **praise** —*someone* Plu.

εὐφημίᾱ, dial. **εὐφᾱμίᾱ**, ᾱς f. **1** propriety of speech (i.e. avoidance of ill-omened words, by abstention fr. speech, as the prelude to a ritual or solemn act), **auspicious silence** S. E. Ar. Pl. Din. **2** use of words of good omen only, **avoidance of ill-omened words** Pl. **3** (w. positive connot.) **propriety, auspiciousness** (W.GEN. of a person's words) E. Aeschin.; **decency of language** D. **4** euphemistic language, **euphemism** Pl. **5** (pejor.) **fine-sounding language** Aeschin. D.; **fine sound** (W.GEN. of a person's words) Aeschin. **6** (sg. and pl.) honorific language, **praise** (of gods) Pi. Plu.; (of persons) Plu.

εὔ-φημος, dial. **εὔφᾱμος**, ον adj. [φήμη] **1** (of persons, their lips, utterances) maintaining propriety of speech (by avoiding ill-omened words, i.e. by silence, as the prelude to a ritual or solemn act), preserving auspicious silence, **reverently silent** S. E. Ar. **2** using words of good omen only; (of persons, their lips, tongue, speech or song, thoughts) **auspicious, reverent, pious** Xenoph. Simon. Trag. Ar.; (of questions, a type of song) Pl.; (of legendary stories) Plu. **3** (w.imperatv., as a response, deprecating inauspicious language) εὔφημος ἴσθι, εὔφημα φώνει (or sim.) *don't say that!, heaven forbid!* S. E. **4** (of an oracular shrine) where auspicious language is appropriate, **hallowed** E.; (of a day) about which it is appropriate to use auspicious language, **auspicious, joyful** A. **5** (of the singing of choirs) **reverent, joyful** E.; (of labours in the service of a god) E. **6** (without religious connot., of speeches) **laudatory, favourable, complimentary** Plb. **7** (pejor., of a manner of speech) **euphemistic** Aeschin.

—**εὐφήμως**, dial. **εὐφᾱ́μως** adv. | superl. εὐφημότατα | **1 reverently, piously** —*ref. to calling upon or singing about a deity* A. Pl. —*ref. to performing a religious action* Theoc. **2** (w. sarcastic connot.) using fine-sounding language, **solemnly** or **blandly** —*ref. to wording a proposal* D.

εὔ-φθαρτος ον adj. [φθαρτός] (of a nation's strength in numbers) **easily destroyed, perishable** Plb.

εὔ-φθογγος ον adj. [φθόγγος] (of the lyre, panpipes) **fair-sounding, tuneful** Thgn. E. ‖ COMPAR. (of songs, opp. dirges) more cheerful A.

εὐ-φιλής ές adj. [φιλέω] **1** (of a god, in neg.phr.) **showing friendly favour** (W.GEN. to Erinyes) A. **2** (of a king's hand) **well-beloved** A.

εὐ-φίλητος ᾱ ον dial.adj. (of a city) **well-beloved** A.

εὐφιλό-παις παιδος masc.fem.adj. [εὐφιλής, παῖς¹] (of a lion cub) **well-loved by** or **affectionate towards children** A.

εὐ-φιλοτίμητος ον adj. [φιλοτῑμέομαι] (of expenditure on public services) **made the object of honourable ambition** Arist.

εὔ-φλεκτος ον adj. [φλέγω] of porticoes) easily set on fire, **inflammable** X.

εὐ-φορέω contr.vb. (of land) **bear good crops** NT.

εὐ-φόρητος ον adj. [φορητός] (of the burial of a father killed honourably in battle) **easily borne, endurable** (W.DAT. by his household) A.

εὔ-φορος ον adj. [φέρω] **1** (of weapons) **easily carried, manageable** X. **2** (of labours) **easily borne** Pi **3** (of a dancer's body) capable of easy movement, **supple** X. —**εὐφόρως** adv. **patiently, easily** —*ref. to enduring sthg.* S.

εὐφραδέως Ion.adv. [ἐύ, φράζω] **in well-chosen** or **clear terms** —*ref. to speaking* Od.

εὐφραίνω, ep. **ἐυφραίνω** vb. ˘εὔφρων] | fut. εὐφρανῶ, Ion. εὐφρανέω, ep.Ion. ἐυφρανέω aor. ηὔφρᾱνα, dial. εὔφρᾱνα, ep. εὔφρηνα, also ἐύφρηνα ‖ PASS.: fut. εὐφρανθήσομαι, also εὐφρανοῦμαι, Ion. εὐφρανέομαι | aor. ηὐφράνθην, dial. εὐφράνθην |

1 cheer, gladden —*persons, their mind, spirit, life* Hom. hHom. Thgn. Lyr. Trag. Ar. +; (intr.) **give pleasure** E. Ar. X. **2** ‖ PASS. **enjoy oneself, be delighted, be gladdened** or **made happy** (sts. W.DAT. or PREP.PHR. in or by sthg.) Od. Pi. Hdt. S. E. Ar. +; (W.PTCPL. by seeing someone, hearing sthg.) Pi. E. Ar. X. Men.; (w. sexual connot.) **have a good time** Ar. Thphr.

εὔ-φραστος ον adj. [φράζω] (of written words) **easy to articulate in speech** Arist.

ἐν-φρονέων ουσα ep.nom.masc.fem.ptcpl. | prob. better written ἐὺ (or ἔυ) φρονέων | **with kindly thoughts, with goodwill** Hom. AR.

εὐφρόνη ης, dial. **εὐφρόνᾱ** ᾱς f. [εὔφρων] (euphem.) **kindly time, night** Hes. Archil.(cj.) Heraclit. Pi. Hdt. Trag. A.

εὐφροσύνη, ep. **ἐυφροσύνη**, ης, dial. **εὐφροσύνᾱ** ᾱς f. **1** (sg. and pl., freq. in ctxt. of banqueting or other festivity) **gladness, good cheer, joy, pleasure** Od. hHom. Eleg. A. Pi. B. + **2 Euphrosyne** (one of the three Graces) Hes. Pi.

εὐφροσύνως adv. **with good cheer, cheerfully** Thgn.

εὔ-φρων, ep. **ἐύφρων**, ον, gen. ονος adj. [φρήν] **1** (of persons, their spirits) **in good cheer, cheerful, joyful** Hom. hHom. Alcm. Semon. Eleg. Pi.; (of the Horai) hHom.; (of music, singing) E. **2** (of gods, their feelings, their aid) **well-disposed, kindly, favourable** hHom. A. Pi. S. Ar. AR.; (W.DAT. to young animals, to someone's prayers) A. Pi.; (of persons, their disposition) A. Pi.fr.; (of a person's destiny, future time, days) Pi.; (of a country, a house) A. Pi.fr.; (of land, W.DAT. to flocks) Pi.; (of streams, to people) S.; (of the light of a day of vengeance, an escort for deities, a vote) A. **3** (of a story) **of kindness** A. **4** (of wine; of a cargo, ref. to a belly-full of wine) **kindly, cheery** Il. E.Cyc.; (of corn) Hes. **5** (of persons, their speech, behaviour) having good sense, **sensible** A.; (of a rule for conduct) A.

—**εὐφρόνως** adv. | compar. εὐφρονέστερον | **1 with good cheer, joyfully** —*ref. to feasting* Pi. **2 in a kindly manner** —*ref. to soothing or greeting someone* A. E. **3 sensibly** A. Men.

εὐ-φυής ές f. [φυή] | Att.acc. εὐφυᾶ | **1** having a good natural appearance; (of a person's thighs, face, throat) **shapely** Il. E.; (of an elm) Il.

2 (of a dance-step) **graceful** Ar.
3 (of animals) having good natural qualities; (of horses) **thoroughbred** X.; (of their hooves) **well-formed** X.; (of dogs) **of good breeding, pedigree** X.
4 (of persons, souls) having good natural qualities or abilities, **naturally gifted** E.*fr.* Isoc. Pl. X. Arist. Plu.; (W.ACC. in intellect) Isoc.; (in mind and body) Pl.
5 (of persons, animals or things) **naturally suited** (w. εἰς or πρός + ACC. for sthg.) Isoc. Pl. X. Arist. Plb. Plu.; (W.INF. for doing sthg.) Aeschin.; (gener., of places, times, things) **convenient, suitable** (for some purpose) Plb. Plu.
6 (sts. iron.) **clever, smart** Isoc. Thphr. Plu.; (w. πρός + ACC. at doing sthg.) X.
—**εὐφυῶς** *adv.* **1** by natural means, **naturally** —*ref. to things being generated* Arist.
2 through natural talent —*ref. to being able to do sthg.* Pl.
3 conveniently, advantageously —*ref. to places being situated* (usu. w. πρός + ACC. *for activities or in relation to other places*) Arist. Plb.
4 (w. ἔχειν, of things or places) *be suited or convenient* —w. πρός + ACC. *for sthg.* Isoc. Arist. Plb. ǀǀ IMPERS. it is suitable —W.INF. *to do sthg.* Arist.
5 adeptly, skilfully Plu.
εὐφυΐα ᾱς *f.* **1 excellent natural qualities, natural talent** (of a person) Arist. Plu.; **natural disposition** (w. πρός + ACC. towards some virtue) Plu.
2 natural goodness (of an appetite or desire) Arist.
3 natural advantages (of a place) Plb. Plu.
εὐ-φύλακτος ον *adj.* [φυλάσσω] **1** (of the ripeness of fruit, in neg.phr.) **easy to preserve** A.
2 (of a swamp) easy to take precautions against, **easy to avoid** Plu.
3 ǀǀ NEUT.SB. good state of protection E. ǀǀ NEUT.PL.SB. circumstances offering good protection Th.
4 ǀǀ NEUT.PL.COMPAR.SB. better conditions for watching out (W.COMPL.CL.) to see whether sthg. may happen) Th.
εὔ-φυλλος ον *adj.* [φύλλον] (of a region) rich in leaves, **leafy** Pi.; (of tendrils, branches) E. AR.; (of a glade, W.DAT. w. laurel) E.
εὐφωνίᾱ ᾱς *f.* [εὔφωνος] **excellence of voice, vocal power** X. D.
εὔ-φωνος ον *adj.* [φωνή] **1** (of the Muses) **sweet-voiced, melodious, harmonious** Pi. Philox.Cyth.; (in neg.phr., of Erinyes) A.
2 (of a lyre) **with a lovely tone** Arist.
3 (of festivities) **tuneful** Pi.
4 (of a herald, politician) **with a fine** or **powerful voice** Ar. X. D.
εὐ-χαίτης εω *Ion.masc.adj.* [χαίτη] (epith. of Ganymede) **with beautiful hair** Call.*epigr.*
εὔ-χαλκος ον *adj.* [χαλκός] (of a helmet, axe, tripod, armour) **of fine bronze** Hom. A.; (of a spear, ref. to its tip) Il.
εὔ-χαρις ι, gen. ιτος *adj.* [χάρις] **1** (of persons, their way of thinking, social behaviour) **charming, gracious** Pl. X. Plb. Plu. ǀǀ NEUT.SB. charm X.
2 (of Aphrodite) **gracious, beneficent, full of favours** E.
3 (of a place) **pleasing, attractive** Arist.
εὐχαριστέω *contr.vb.* [εὐχάριστος] **offer thanks** (sts. W.DAT. to a person, to God) Plb. NT. Plu.; (ref. to saying grace before meals) NT.
εὐχαριστήρια ων *n.pl.* **thank-offerings** (to the gods) Plb.
εὐχαριστίᾱ ᾱς *f.* **1** feeling of thankfulness, **gratitude** Plb. NT.
2 offering of thanks (to persons or gods) Plb. Plu.

εὐ-χάριστος ον *adj.* [χαρίζομαι] **1** (of speech, activities) **gratifying, pleasing, agreeable** (sts. W.DAT. to people) X. Plb. Plu.
2 (of persons, their behaviour) **thankful, grateful** X. Plu.
—**εὐχαρίστως** *adv.* **agreeably, peacefully** —*ref. to dying* Hdt.
εὐ-χάριτος ον *adj.* (of a circumstance) **agreeable** X.(v.l. εὐχάριστος)
εὐ-χείμερος ον *adj.* [χεῖμα] (of cities, because of their location) **enjoying mild winters** Arist.
εὔ-χειρ χειρος *masc.fem.adj.* [χείρ] deft-handed, **dextrous, skilful** Pi. S.
εὐχειρίᾱ ᾱς *f.* **dexterity, skill** (of troops) Plb.
εὐ-χείρωτος ον *adj.* [χειρόομαι] **1** (of people, esp. troops) **easily overcome** (sts. W.DAT. by the enemy or circumstances) A. X. Plb. Plu.
2 (of persons) **easily controlled** (W.DAT. by a lawgiver) Arist.
εὐχέρεια ᾱς *f.* [εὐχερής] **1** (pejor.) easy-going attitude or behaviour (assoc.w. lack of moral scruples); **freedom from inhibitions, unscrupulousness, recklessness** A. Aeschin. Plb. Plu.; **licence** (W.GEN. for disgraceful behaviour) Pl.
2 easy-going attitude or behaviour (assoc.w. lack of care); **irresponsibility** (in a historian) Plb.
3 ease of handling (artistic materials), **dexterity, facility** (in an artist) Plu.
4 (w. positive connot.) ease in dealing with dangerous or difficult situations (freq. coupled w. boldness, courage); **fortitude, coolness** (of soldiers) Pl. Plb. Plu.; (as typical of Spartans) Pl.; (of a huntsman) Plb.; (iron., of politicians) Pl.
5 (gener.) **ease** or **convenience** (of an undertaking) Plb.
εὐ-χερής ές *adj.* [χείρ, or perh. χαίρω] **1** easy to handle (or perh. find pleasure in, circumstances that others would find repugnant); (of a person) **easy-going, not squeamish, tolerant** S.; (of a creature, ref. to the pig) Pl.; (of the life of a pig-keeper) Pl.; (phr.) ἐν εὐχερεῖ τίθεσθαι *make light of (a repugnant situation)* S.
2 (w. moral connot.) **easy-going, casual** (in attitude or behaviour) Arist.; **readily influenced, pliable** D. Plu.; (pejor.) **unscrupulous, irresponsible** Plb. Plu.
3 ǀǀ NEUT.SB. lax use (W.GEN. of words, opp. precision) Pl.
4 (of soldiers) indifferent to danger or suffering, **cool, unflinching** Plb.
5 (of undertakings or activities) easy to handle, **easy** Plb. Plu. ǀǀ NEUT.IMPERS. (w. ἐστί understd.) it is easy —W.INF. *to do sthg.* Plb.
—**εὐχερῶς** *adv.* ǀ compar. εὐχερέστερον ǀ **1** in an easy-going manner, **readily, lightly, without qualms** Att.orats. Pl. Arist.; **without flinching** —*ref. to drinking hemlock* Pl.; (w. ἔχειν) have no qualms or scruples —w. πρός + ACC. *about sthg.* X. Arist.
2 (pejor.) **casually, glibly** —*ref. to speaking* D. Plu.
3 (wkr.sens.) **without trouble, easily** Plb. Plu.
εὐχετάομαι *ep.mid.contr.vb.* [εὔχομαι] ǀ only pres. and impf., always w.diect. ǀ 3pl.pres. εὐχετόωνται ǀ 3pl.impf. εὐχετόωντο ǀ opt. εὐχετοῴμην ǀ inf. εὐχετάασθαι ǀ
1 say confidently, **say, declare** —W.INF. *that one is so and so* Od.
2 say proudly, **claim, boast** Il. —W.INF. *that one has done sthg., is such and such, or sim.* Od. AR.
3 speak triumphantly, **triumph, exult** Il. —w. ἐπί + DAT. *over a fallen enemy* Od.
4 pray —W.DAT. *to a god or the gods* Hom. hHom. AR.; (hyperbol.) —*to a mortal (i.e. regard him as a god, in admiration or gratitude)* Hom.

εὐχή ῆς, dial. **εὐχά** ᾶς f. **1** address to a god (as a petition), **prayer** Od. Hes. Thgn. Pi. B. Hdt. +
2 promise of repayment for an answered prayer, **vow** Hdt. S. Ar. X. Call.epigr. NT.; (concr., ref. to a votive offering) A.fr.
3 prayer for harm, **curse** A. E.
4 (gener.) **dearest wish, highest aspiration** Isoc. Pl.; (w.connot. of unreality) **pious hope, day-dream** Pl.; (prep.phr.) κατ' εὐχήν *as one would ideally wish* Arist.
εὔ-χῑλος ον adj. [χῑλός] (of a horse) receptive to fodder, **feeding well** X.
εὔ-χλοος ον adj. [χλόη] (epith. of Demeter, as promoting vegetation) **verdant** S.
εὔχομαι mid.vb. | impf. ηὐχόμην, dial. εὐχόμην | fut. εὔξομαι | aor. ηὐξάμην, dial. εὐξάμην | plpf. ηὔγμην (S.) ‖ PASS.: 3sg.pf. ηὖκται (Pl.) ‖ neut.impers.vbl.adj. εὐκτέον |
1 speak confidently, **say, declare, claim** —W.INF. *that one is such and such* Hom. hHom. A. Ar.(mock-ep.) AR.; (W.INF. understd.) Od. A. Pi. E. —W.INF. *that one has done sthg.* Il. Pi. —W.ACC. + INF. *that sthg. is the case* Pi.
2 speak boastfully, **boast** Hom.; claim —W.PRES.INF. *that one is such and such* Il. —W.FUT.INF. *that one will do sthg.* Il. S. —W.AOR.INF. *that one has done sthg.* Hom. Emp.
3 speak triumphantly, **triumph, exult** Il.
4 utter a prayer, **pray** (freq. W.DAT. *to a god or the gods*) Hom. + —W.INTERN. or COGN.ACC. *in certain words, w. a certain prayer* Simon. A. Pi. E. —W.INF. *that they (the gods) shd. do sthg.* Sol. Pi. Ar. —*that one may do sthg.* Il. Eleg. Pi. B. Hdt. Trag. + —W.ACC. + INF. *that someone may do sthg., that sthg. may happen* Hom. Hes. Pi. Hdt. Trag. Ar. +; (hyperbol.) —W.DAT. *to a mortal (i.e. regard him as a god, in admiration or gratitude)* Hom. ‖ IMPERS.PF.PASS. a prayer has been uttered Pl.
5 (tr.) **pray for** —sthg. *(beneficial to oneself)* Pi. Antipho X. —sthg. good or bad (W.DAT. or ὑπέρ + GEN. *for another person*) E. Lys. Ar. X.
6 promise as repayment for an answered prayer, **vow, promise** (usu. W.DAT. to a god or the gods) —W.FUT.INF. *to do sthg.* Hom. Hdt. S. E. Pl. + —W.PRES.INF. A.(dub.) —W.ACC. *an action (i.e. its performance)* A. —*a sacrifice, a dedication* Ar. Call.epigr.; **pray** (W.DAT. to the gods) —w. κατά + GEN. *w. the promise of an offering* Plu.
εὔ-χορδος ον adj. [χορδή] (of a lyre) **well-strung** Pi.
εὔ-χόρευτος ον adj. [χορεύω] (of Pan) **good at dancing** Lyr.adesp.
εὖχος εος n. [εὔχομαι] | only acc.sg. | **1** object of exultation or triumph (as sthg. that may be won or taken away), **glory, triumph** (in war) Hom. Hes. Tyrt.; (in the games) Pi.
2 object of prayer (as sthg. that may be granted), **prayer, wish** S.
εὐχρηστέω contr.vb. [εὔχρηστος] **be of use, be serviceable** or **effective** —W.DAT. or πρός + ACC. *for some purpose* Plb.
εὐχρηστίᾱ ᾱς f. **1 serviceability** (of cavalry, w. πρός + ACC. for every kind of terrain) Plb.
2 good service (rendered to another) Plb.
3 service, use (of things, for a particular purpose) Plb.
εὔ-χρηστος ον adj. [χρηστός] (of persons, animals, things) **serviceable, useful, effective** (sts. w. πρός + ACC. for some purpose) Pl. X. Arist. Plb.
—**εὐχρήστως** adv. **usefully, effectively** Plb. Plu.
εὐχροέω contr.vb. [εὔχρως] (of a Spartan woman) **have a fine colour** or **complexion** (fr. outdoor exercise) Ar.
ἐυ-χροής ές ep.adj. [χρώς] (of oxhide) having a good skin or colour, **in good condition** Od.

εὔ-χροος ον, Att. **εὔχρους** ουν adj. | Att.masc.nom.pl. εὔχροι ‖ compar. εὐχροώτερος | (of persons) **with a good colour** or **complexion** (through good health or cosmetics) X.
εὔ-χρῡσος ον adj. [χρῡσός] (of the R. Paktolos) **rich in gold** S.
εὔ-χρως ων adj. [χρώς] | only nom.masc. and nom.acc.neut. | (of a person) **with a good colour** or **complexion** (as a sign of health) X.; (of blood, meton. for wine; of pea soup, a penis) Ar.; (of a melody or dance-figure, as unsuitable for description by this adj.) Pl.
εὐχωλή ῆς f. [εὔχομαι] **1 boast, brag, vaunt** Il. Hes.
2 shout of exultation or **triumph** Il.
3 (ref. to a person) object of boasting or exultation, **glory, triumph, pride** (for others) Il.
4 prayer (of petition) Hom. Anacr. Pi.fr. AR.; (rendering thanks) Od.
5 promise of repayment for an answered prayer, **vow** Il. Hdt.
εὐχωλιμαῖος ου m. person bound by a vow, **votary** Hdt.
εὐψῡχίᾱ ᾱς f. [εὔψῡχος] **courage** A. E. Th. Lys. Isoc. +
εὔ-ψῡχος ον adj. [ψῡχή] **1** (of persons) with a stout heart, **brave, courageous** E. Th. Pl. Din. Men.; (of dogs) X. ‖ NEUT.SB. courage Th.
2 (of boldness) **gallant** A.
—**εὐψύχως** adv. **courageously** X. Plb.
εὕω vb. | ep.aor. εὗσα | **1 singe** —swine (i.e. burn off their bristles before cooking) Od. ‖ PASS. (of swine) be singed Il.
2 (of fiery smoke) **singe** —the Cyclops' eyelids and brow Od.
3 (fig., of a bad wife) **singe** (i.e. wear out) —her husband Hes.
εὐ-ώδης ες adj. [ὄζω] (of things, places, features of the natural world) **sweet-smelling, fair-scented, fragrant** Hom. hHom. Eleg. Lyr. A. Hdt. +
εὐωδίᾱ ᾱς, Ion. **εὐωδίη** ης f. **sweet smell, fragrance** Hdt. Pl. X. Arist. Plb. Plu.
εὐ-ώλενος ον adj. [ὠλένη] **1** (of a woman) **with beautiful arms** Hes.fr. Pi. Lyr.adesp.
2 (of a man's arm or hand) **shapely** E. Tim.
εὐωνίᾱ ᾱς f. [εὔωνος] **cheapness** (of food) Plb.
εὔ-ωνος ον adj. [ὤνος] (of commodities) at a good price, **cheap** Hippon. Pl. X. D. Plb. Plu.
εὐ-ώνυμος ον adj. [ὄνομα] **1** (of a demi-goddess) **bearing a fair name** Hes.
2 (of forefathers, a clan, a city) bearing a good name, **famous, renowned** Pi.; (transf.epith., of a victorious runner's feet) Pi.; (of the grace, the rightness) **of a good name** Pi.; (of a lawsuit) **honourable** Pl.
3 (of aristocracy) bearing a name of good omen, **auspiciously named** Pl.
4 (euphem.) on the auspicious side (i.e. left, properly the side of ill omen); (of a bird) **on the left** (opp. δεξιός *on the right*, the side of good omen) A.
5 (gener.) left or on the left; (of a person's hand, arm, side) **left** A. S. X.; (of an animal's horn) Plu.; (of the hand, as indicating a side) Hdt.; (of a place) **on the left** Pl. Plb. NT. ‖ FEM.SB. left hand Plu. ‖ NEUT.SB. left (as a side of the body, opp. right) Plu.; (prep.phrs.) ἐξ εὐωνύμου *on the left* Hdt.; (also) ἐξ εὐωνύμων NT.
6 (in military ctxt., of the wing of an army) **left** Hdt. Th. X. Plb. Plu.; (of a commander, troops, a position) **on the left** X. Plb. Plu. ‖ NEUT.SB. left side or wing of an army or fleet) Th. X. Plb. Plu.; (prep.phrs.) ἐξ εὐωνύμων *on the left wing* Plb. ‖ NEUT.PL.SB. left (as a position, opp. right) X. Plb.
εὐ-ῶπις ιδος fem.adj. [ὤψ] (of women) **fair-faced** Od. hHom. S. Call. AR.; (of the moon) Pi.

εὐ-ωπός όν adj. 1 (of a man) **good-looking** E.
2 (of temple doors) **offering a welcome sight** E.
3 (of a nurse's care for a baby) with kind looks, **kindly, cheerful** E.fr.
εὐ-ωριάζω vb. [ὥρᾱ] **disregard, slight** —a god's commands A.
εὐωχέω contr.vb. [reltd. ἔχω] | impf. ηὐώχουν, Ion. εὐώχεον ‖ MID.: Aeol.ptcpl. εὐωχήμενος | fut. εὐωχήσομαι ‖ PASS.: aor. (w.mid.sens.) ηὐωχήθην, Ion. εὐωχήθην | pf.ptcpl. ηὐωχημένος |
1 **entertain sumptuously, provide a feast for, feast** —persons Hdt. E.Cyc. Ar. X. Plu. —(w. 2ND ACC. on sthg.) Pl.; **feed well** —an animal Pl.
2 ‖ MID. and AOR.PASS. **dine well, feast** Alc. Hdt. Ar. Pl. X. + —w.ACC. on sthg. X. Plb.; (of animals) **have one's fill** X. —w.GEN. of sthg. Ar.
3 (gener.) **treat** —persons (w.GEN. to all that they desire) Pl.; (fig.) **entertain** —someone (w.GEN. w. new stories) Thphr. ‖ MID. (fig.) **relish, enjoy** —w.GEN. an argument Pl.
εὐωχίᾱ ᾱς f. **feast** or **feasting** Ar. Pl. X. Arist. Men. +
εὐ-ώψ ὦπος masc.fem.adj. [ὤψ] **fair-faced**; (transf.epith., of a girl's cheek) **fair, beautiful** S.; (of help fr. a goddess) **kindly** S.
ἔφᾱ (dial.3sg.impf. and athem.aor.): see φημί
ἐφαάνθην (ep.aor.pass.): see φαείνω
ἐφᾱβικός dial.adj., **ἔφᾱβος** dial.m.: see ἐφηβικός, ἔφηβος
ἐφ-αγιστεύω vb. [ἐπί] **solemnly perform** (over a tomb) —w.NEUT.PL.ACC.PHR. such rites as are due S.
ἐφ-αγνίζω vb. **solemnly offer** (over a tomb) —w.NEUT.PL.ACC. all things (that are owed to the dead) S.
ἔφαγον (aor.2): see φαγεῖν
ἐφ-αιρέω contr.vb. 1 (of pallor) **take hold of** —a person's cheeks AR.(tm.)
2 | MID. **choose next** (after others), **make the next choice of** —persons X.
3 ‖ PASS. **be chosen as successor** (to take command) Th.
ἐφ-άλλομαι mid.vb. | aor.2 ptcpl. ἐφαλόμενος | ep.athem.aor.: 3sg. ἔπαλτο, ptcpl. ἐπάλμενος, also ἐπιάλμενος |
1 (of a warrior) **leap** or **spring forward in attack** (sts. W.DAT. against someone) Hom. Hes.; (of a bird of prey) Od.; (of a madman) —w. ἐπί + ACC. against persons NT.
2 **leap, spring** —W.GEN. onto a chariot Il. —w. ἐπί + ACC. onto a threshold Pl.
3 (wkr.sens.) **spring forward** (in greeting someone) Od.
4 (fig., of a people's fame) **leap** —w. ἐς + ACC. to a distant land Pi.
ἔφ-αλος ον adj. [ἅλς] (of cities) **by the sea** Il.; (of huts) S.
ἐφ-αμαρτέω contr.vb. **go along in company** (w. someone) Il.(v.l. ἐφομαρτέω)
ἔφαμεν (1pl.impf. and athem.aor.): see φημί
ἐφᾱμέριος, ἐφᾱμερος dial.adjs.: see ἐφημέριος, ἐφήμερος
ἐφάμην (impf. and athem.aor.mid.): see φημί
ἐφ-άμιλλος ον adj. [ἅμιλλα] 1 **offering competition or rivalry**; (of persons or things) **rivalling, a match for, on a par with** (W.DAT. someone or sthg.) X. Plb. Plu.
2 (of persons, their qualities, military forces) **evenly matched** Plb. Plu.; (of a situation, a military engagement) **evenly balanced** Plb.
3 **being an object of competition or rivalry**; (of loyalty to the state, the offering of mutual aid) **open to competition** D.; (of ambition) **competitive** D.
—**ἐφαμίλλως** adv. in a way that is evenly balanced, **on equal terms** Plb. Plu.

ἔφαμμα ατος n. [ἐφάπτω] **cloak** or **top-coat** (of a soldier) Plb.
ἔφᾱν (dial.impf. and athem.aor.), **ἔφαν** (ep.3pl.): see φημί
ἔφᾱνα (dial.aor.): see φαίνω
ἐφ-ανδάνω, ep. **ἐπιανδάνω** vb. | impf. ἐφήνδανον, ep. ἐπιήνδανον | (of a speech, plan, or sim.) **be pleasing** —W.DAT. to someone Hom. AR. ‖ IMPERS. **it is pleasing** (to someone) Il. AR. —W.INF. to do sthg. AR.
ἔφανεν (ep.3pl.aor.2 pass.), **ἐφάνην** (aor.2 pass.), **ἐφάνθην** (aor.pass.): see φαίνομαι
ἔφαντο (3pl.impf. and athem.aor.mid.): see φημί
ἐφαπτίς ίδος f. [ἐφάπτω] **cloak** (worn by a soldier in a procession) Plb.
ἐφ-άπτω, Ion. **ἐπάπτω** vb. | Aeol.aor.ptcpl. ἐφάψαις ‖ MID.: aor. ἐφηψάμην, dial.3sg. ἐφάψατο | pf.ptcpl. ἐφημμένος, Ion. ἐπαμμένος, Aeol.fem. ἐπαππένᾱ ‖ PASS.: 3sg.pf. ἐφῆπται, 3sg.plpf. ἐφῆπτο |
1 **fasten** or **attach** (sthg.) to (someone or sthg.); (fig., of time) **fasten, impose** —the doom of childlessness (on someone) Pi.; (of a person) —an action (on someone, i.e. leave him no option but to commit it) S. ‖ PF. and PLPF.PASS. (of the bonds of death) **have been fastened on** —W.DAT. someone (i.e. he is doomed to die) Hom.; (of sorrows) **loom over, be in store for** —W.DAT. someone Il.; (of strife and quarrelling) **have taken hold of** —W.DAT. the gods Il. ‖ PF.PASS.PTCPL. (of fruit) **attached** —W.DAT. to trees Ar.(cj.)
2 ‖ MID. **attach oneself to** or **make contact with** (someone or sthg., w. one's hand); **touch, grasp** —W.GEN. a person, part of the body, an object Archil. Thgn. Pi. E. Ar. Isoc. +; (of a suppliant) —a person S. —the chin of a statue Alc.
3 ‖ MID. (w.connot. of aggression or appropriation) **lay hands on** —W.GEN. persons, their property S. Pl. D. —a royal house E. —the wall of someone's house (as a τοιχωρύχος burglar) Pl.; (of Strife) —booty A.
4 ‖ MID. **touch** (a place, w.connot. of reaching it); (of a swimmer) **touch** —W.GEN. dry land Od.; (of a fugitive) —a tomb (as sanctuary) E.; (of a person) —a peak (of fortune and success) Pi.; (of a tall statue) —a roof Pl.
5 ‖ MID. **attain** (an abstr. quality); (of a body) **attain, reach** —W.GEN. a certain condition Pl.; (of the exercise of virtue) —an end (i.e. goal) Arist. ‖ PF. (of persons) **have attained, be endowed with** —W.GEN. beauty, tallness Hdt.
6 ‖ MID. **attain** (w. the mind or other cognitive faculty), **grasp, apprehend** —W.GEN. sthg. Pl. Plu.
7 ‖ MID. **have contact or engagement** (w. things); **touch upon** —W.GEN. a topic or argument Pl. Plb.; **engage in** —W.GEN. an activity Pl.; **employ** —W.GEN. ineffectual words Pi. —W.DAT. prophetic skill, a prayer that is unfulfilled Pi.; **tread** —W.DAT. a straightforward path of life Pi.; (of an art) **deal with** —W.GEN. physical needs Plu.
ἐφάπτωρ ορος m. 1 (ref. to Zeus) **toucher** (of Io, w. allusion to the engendering of their son Epaphos) A.
2 **seizer** (W.GEN. of stolen property) A.
ἐφ-αρμόζω, Att. **ἐφαρμόττω**, dial. **ἐφαρμόσδω** vb.
1 **attach, fit** —finery (W.DAT. to a woman's body) Hes. —asphodel stalks (to rushes, to make wickerwork) Theoc.
2 **make** (sthg.) **suitable** (in size or shape) **for attachment**; (in neg.phr.) **fit** —a name (W.DAT. into elegiac verse) Critias; (intr., of armour) **fit** —W.DAT. someone Il.
3 **make** (sthg.) **conform** or **correspond** (in size, shape or nature); **adapt, match, suit** —expenditure (W.DAT. to income) X.; **connect, match** —sthg. described (w. ἐπί + ACC. w. sthg. known) Plb.; (intr., of objects) **match, correspond** —W.DAT. or πρός + ACC. w. each other Plu.; (of a concept) —w. ἐπί + ACC. w. another Arist.

ἔφαρξα

4 make (sthg.) correspond (in the way it is described); **apply** —*a name, description, definition* (sts. W.DAT. *to someone or sthg.*) Arist. Plb.; (intr., of a definition or sim.) **be applicable** (sts. W.DAT. or ἐπί + ACC. to someone or sthg.) Arist.
5 (gener.) bring to bear (sthg. suited to the circumstances); **duly add** (to the presentation of a gift) —*a spoken message* S.; **apply** —*a rule* (w. ἐπί + GEN. *in the case of someone*) Arist.; (of a historian) —*appropriate judgements* (W.DAT. *to the events described*) Plb.

ἔφαρξα (aor.): see φράσσω

ἔφᾱσα (dial.aor.), **ἔφᾰσαν**, **ἔφᾰτε** (3 and 2pl.impf. and athem.aor.), **ἔφασθε**, **ἔφατο** (2pl. and 3sg.impf. and athem.aor.mid.): see φημί

ἔφαψις εως *f.* [ἐφάπτω] **touching** (of Io by Zeus, ref. to the engendering of Epaphos) A.

ἐφ-έδρᾱ ᾱς, Ion. **ἐπέδρη** ης *f.* **1** (milit.) taking up a settled position (against a fortification), **blockade, siege** Hdt.
2 (gener.) **function of acting as a seat** Pl.

ἐφεδρείᾱ ᾱς *f.* [ἐφεδρεύω] **1** sitting by (to take on the winner in a contest, opp. being drawn to fight in the current round), **sitting in wait** (by boxers and wrestlers) Pl.; (fig., by a country, while others are at war) Plu.
2 (milit.) force lying in wait (for use when needed), **reserve, supporting** or **covering force** Plb.
3 military protection (W.GEN. of places) Plb.
4 (fig.) **protection** (W.GEN. fr. someone) Plb.; **support** (for a belief) Plb.
5 (gener.) **station, post** (of troops) Plb. Plu.

ἐφεδρεύω *vb.* [ἔφεδρος] | impf. **ἐφήδρευον** | **1** (of an urn, while being carried) **sit** or **rest upon** —W.DAT. *someone's head* E.
2 sit by (while others fight, waiting to step in next); (of military forces) **lie in wait** Th. Isoc. —W.DAT. *for the benefits* (fr. others' fighting) D.; (fig.) —*for someone's difficulties or disasters* (so as to benefit fr. them) D. Arist.; (gener.) **wait for an opportunity to attack** —W.DAT. *ships* E.
3 keep menacing watch over —W.DAT. *a prisoner* E.
4 (of troops) **be in reserve, offer support** or **cover** Plb. Plu. —W.DAT. *for others* Plb.
5 lie in wait Plb. Plu. —W.DAT. *for people* Plu.
6 keep a close watch —W.DAT. *on events* Plu.; **watch for** —W.DAT. *an opportunity* Plb.; **watch over, protect, supervise** —W.DAT. *activities, crops* Plb.

ἐφεδρίς ίδος *f.* **seat** or **throne** Call.

ἔφ-εδρος ον *adj.* [ἕδρᾱ] **1** (of a person) **seated on** (W.GEN. a horse) E.; (of Cybele, W.GEN. lions, or perh. a chariot drawn by them) S.; (of a bull's head) **resting on** (W.DAT. the Minotaur's breast) E.*fr.*
2 (of an army) **encamped in** (W.GEN. a land) E.
3 (of a person) **seated nearby** S.; (of a helmsman) **seated by** or **in charge of** (W.GEN. the steering-oars) Pl.; (of places for sitting) **adjoining** (W.DAT. tents) E.
4 || MASC.SB. contestant who sits by (to take on the winner in the next round); (esp. in military ctxt.) **opponent-in-waiting** (sts. W.DAT. for someone) A. Pi. E. Ar. X. Plb. Plu.
5 (of troops) **stationed in reserve** or **support** (W.DAT. for others) E. Plb.
6 (of persons) **waiting** or **watching for** (W.GEN. an opportunity) Plb. || MASC.SB. app., lookout (on a mountain top) Call.
7 (appos.w. βασιλεύς) **successor-in-waiting, heir apparent** Hdt.

ἐφ-έζομαι *mid.vb.* | impf. and aor.2 **ἐφεζόμην** | see also ἐφίζω | **1** (of a person or god) **seat oneself** or **sit upon** —W.DAT. *someone's knees* Il. Call. —*a seat, a rock, the seashore* Od. hHom. AR. —W.GEN. *a seat* Pi. —*a ship* AR. —W.ACC. *a ship* A. —*a rock* Call. —w. ἐπί + DAT. *an animal's back* Mosch.; (of a god) **alight upon** or **settle in** —W.DAT. *a citadel* Il.; (intr., of a person) **sit** —W.ADV. *somewhere* Od.
2 (of birds) **sit** or **settle on** —W.DAT. *a mast, house, river bank* Il. Hes. Ar. —W.ACC. *a river* E.; (of cicadas) —*a tree, a branch* Il. Hes.
3 (of a suppliant) **sit down by** —W.ACC. *a statue* A.

ἐφέηκα (ep.aor.), **ἐφείην**, **ἐφεῖναι**, **ἐφείς** (athem.aor.opt., inf., ptcpl.), **ἐφειμένος** (pf.pass.ptcpl.), **ἐφεῖτο** (3sg.athem.aor.mid.), **ἐφείω** (ep.athem.aor.subj.): see ἐφίημι

ἔφ-εκτος ον *adj.* [ἕκτος] (of interest) **at the rate of one-sixth of the principal, of sixteen and two-thirds percent** D.

ἐφ-έλκω, Ion. **ἐπέλκω** *vb.* | aor. **ἐφείλκυσα** | **1** draw after one (a part of one's body); (of fabulous sheep) **trail behind** (themselves) —*their long tails* Hdt. || MID. (intr.) **drag one's feet, shuffle along** Pl. || PASS. (of the feet of a wounded man, as he is carried away) trail behind Il.
2 || PASS. (of things attached to a person) **be drawn after one**; (of a spear, dangling fr. the hand of a wounded man) **be dragged** or **trail along** Il.; (of a trap, attached to an animal's foot) X.; (of a robe) Mosch.
3 draw after one (by a rope or harness); **lead on** —*a horse* (by the reins) Hdt. Plu.(mid.); **tow** —*horses* (swimming in a river), *captured ships* Plb. Plu.(mid.); (of swimmers) —*provisions* (in pouches) Th.; (fig., of a father, envisaged as a ship) —*his children* (envisaged as small boats) E.; (of a person) **have in tow** —*a cup* (attached to one's belt or to a wineskin) E.Cyc. || PASS. (of persons) be dragged along Plu.; (of horses, a stone) be towed (by a boat) Hdt. Plu.
4 (gener.) move (persons or things) by pulling, drawing or dragging; (of Helios, as he sets) **bring on** —*the light of the evening star* E.; (fig., of a person, when contemplating sthg.) **drag in** —*no other faculty of perception* (W.PREP.PHR. *together w. that of reason*) Pl. || MID. **drag** or **haul away** —*persons* E.; (of a person who has fallen into a whirlpool) **draw in after oneself** —*others* Pl.; (of dominant persons' characters, envisaged as weights tipping the scales) **draw** or **pull along** —*all else* Pl.; (of a commander) **pull, draw** —*one's troops* (W.PREP.PHR. *out of a narrow pass*) Plu.; (wkr.sens.) **take along with one** —*persons, troops, booty* Plu. || PASS. (of javelins stuck in shields) be dragged along Plu.
5 || MID. **pull closed, draw** —*a door-bolt* Lys.
6 || MID. **pull** —*a cloak* (W.PREP.PHR. *down over one's face or head*) Plu.
7 || MID. (of a powerful rower) **pull along** —*flagging fellow rowers* (i.e. propel the boat and crew by oneself) AR.
8 || MID. bring on as a consequence (a situation or condition); **bring on oneself** —*the opposite* (of what one wants) X.; (of a snake-bite) **bring on** —*sleep and collapse* Plu.; (of exile) **bring along** —*hardships* (W.PREP.PHR. *w. itself*) E.; (of sexual abuse) **lead to** —*murder and suicide* E.*fr.*; (of a person's conduct) —W.INF. *one's gaining a bad reputation* E.; (of monarchies) **be liable to** —*dangers* Isoc. || ACT. (of a person, moving to another country) **bring in one's wake** —*misfortunes* E.; (of gold and success) —*unjust power* E.
9 || MID. **draw** or **attract to oneself**; (of the sun) **draw up** —*water* (W.PREP.PHR. *to itself*) Hdt.; (of iron) **draw on, attract** —*a person* Od.; (of writers) —*readers* Plb. || PASS. be drawn or attracted —W.DAT. *to a stream* hHom.; be seduced —W.DAT. *by an offer* Th.

10 ‖ MID. appropriate for oneself, **assume, acquire** —*extraneous beauty* Pl. —*a reputation, title* Plb. Plu. —*strange ideas* Plu.
11 ‖ PASS. (of persons, camels) **be left trailing behind, lag behind** Hdt. Plb.; (of support) **be late or delayed** Plb.
12 (app.intr.) **delay** (doing sthg.) Thphr.

ἐφ-εξῆς, Ion. **ἐπεξῆς** *adv.* | freq. combined w. πᾶς, πάντες *every, all* | **1** (ref. to spatial sequence) **one after another, in order, in a row** Hdt. E. Ar. Pl. +
2 (ref. to a sequence of events) **one after another, in turn, successively, consecutively** Hdt. Att.orats. Pl. +
3 (specif.) **step by step, methodically** —*ref. to pursuing an argument or narrative* Isoc. Pl. +; **in chronological order** —*ref. to recording events* Isoc.
4 (ref. to position) **next** (to someone or sthg.) Hdt. Pl. D.; (as prep.) —W.DAT. *to someone or sthg.* Hdt. Pl. —W.GEN. Pl.
5 (ref. to time) **afterwards, next** D.; (as prep.) **next after** —W.DAT. *sthg.* Pl. Arist.
6 (quasi-adjl., of things) **coming next in order or time, next, following** Isoc. Pl. +

ἔφεξις εως *f.* [ἐπέχω] (advbl.acc.) ἔφεξιν *on the pretext* (W.GEN. *of sthg.*) Ar.

ἐφέξω (fut.): see ἐπέχω

ἐφ-έπομαι, Ion. **ἐπέπομαι** *mid.vb.* | impf. ἐφειπόμην, ep. ἐφεπόμην | fut. ἐφέψομαι, ep. ἐπιέψομαι (AR.) ‖ AOR.2: ἐφεσπόμην, Ion. ἐπεσπόμην, dial.3pl. ἐπέσποντο (Pi.) | subj. ἐπίσπωμαι | imperatv. ἐπίσπου | inf. ἐπισπέσθαι | ptcpl. ἐπισπόμενος ‖ aor.1 3sg.imperatv. ἐφεψάσθω (Theoc., dub.) |
1 (of persons, troops, ships, or sim.) **follow or accompany** (freq. W.DAT. someone or sthg.) Hom. Hdt. E. Th. Pl. X. +
2 (of good fortune) **accompany** —W.DAT. *someone* Hdt.; (of charm) —*a lyre-player* Ar.
3 (of soldiers) **follow up, pursue** (sts. W.DAT. an enemy) Il. Hdt. X. Plu.; (of hunters, sts. W.DAT. a prey) S.*Ichn.* X.
4 follow in agreement or obedience, **go along, comply** Hom.(tm.) Thgn. Pi. Th. X. —W.DAT. *w. a god's voice* Od. —*w. the will of Zeus* A. —*w. a woman's trickery* Hdt. —*w. a person's words, advice, judgements, notion of what is right* Hdt. S. E. AR.
5 follow the prompting of, **give rein to** —W.DAT. *passionate feelings* Od. —*youthful enthusiasm* AR.
6 (of a disputant) **follow** (another's lead or argument) Pl.; **be able to follow, understand** (an argument) Pl.
7 meet with —W.DAT. *grim consequences* AR.(dub.)

ἐφ-έπω, Ion. **ἐπέπω** *vb.* | ep.impf. ἔφεπον, iteratv. ἐφέπεσκον | fut. ἐφέψω | aor.2 ἐπέσπον, subj. ἐπίσπω, inf. ἐπισπεῖν |
1 direct or **drive** —*one's horses* (sts. W.DAT. against an enemy) Il.
2 (of a warrior) **drive before one** or **harass** —*an enemy, enemy troops* Il. —*a plain* (meton. for the men fighting on it) Il.; (intr.) **lay about one** (w. a spear) Il.; (wkr.sens., in neg.phr.) **deal with, handle** —*enemy troops* Il. (fig.) —*the jaws of war* Il.
3 (of the Fates) **pursue, punish** —*transgressions* Hes.
4 (of a commander) **manage, direct** —*everything* (W.ADV. *unwisely*) A.; (of a ruler) **govern** —*a city* A.; (of time allotted by fate) perh. **hold sway** (over a person's fortune) Pi.
5 wield, brandish —*a spear* Pi.
6 (gener.) engage in (an activity); **go about, attend to** —*one's work, affairs* Od.(tm.) Hdt.; **attend** —*festivities, symposia* Archil. Pi.; **practise** —*holy and lawful activities* Ar.; **ply, pursue** —*a new path* (of poetry) Ar.; **follow** —*someone's example* Pi.; **go on** —*a voyage* Mosch.
7 (of hunters) **range over** —*mountain peaks* Od.; (of nymphs) **haunt, frequent** —*earth and sea* Hes.; (of birds) —*an island* AR.; (of a god) **have dominion over** —*a mountain* Pi.
8 go in quest of —*fish and birds* (as prey) Od.
9 meet —*one's fate, the fateful day, death* Hom.

ἐφ-έρπω *vb.* | aor.inf. ἐφερπύσαι | **1 creep up** —W. ἐπί + ACC. *to sthg.* Ar.
2 (of the wrath of Erinyes) **come against, assail** —W.ACC. *a person* A.; (intr.) A.; (of a blight) **come over** (crops) A.
3 (of darkness) **come upon** —w. ἐπί + DAT. *the eyes* (of a dying person) E.
4 (of the heron, as a bird of good omen) **come along after** (an ill-omened bird) Call.(cj.)
5 (of night) **come on, approach** Theoc.; (of time) **advance** Pi.; (of a festival, i.e. the time for it) Theoc. ‖ PTCPL. (of a decision) approaching, coming Pi.*fr.*

ἔφες (athem.aor.imperatv.): see ἐφίημι

ἐφέσιμος ον *adj.* [ἔφεσις] (of a decision) **subject to referral** or **appeal** (w. εἰς + ACC. *to a court*) Arist.; (w. ὡς + ACC. *to a person*) D.

ἔφεσις εως *f.* [ἐφίημι] **1 discharge** or **means of discharge** (of missiles) Pl.
2 (leg.) referral (of a case, to a higher authority, either in place of or as an appeal against a decision by a lower authority); **referral** or **appeal** (w. εἰς + ACC. *to a court, a jury*) D. Arist. Plu.
3 process of aiming (for sthg. desired); **aiming** (W.GEN. at some outcome) Arist.; (of anger, W.GEN. at causing pain) Arist.

Ἔφεσος ου *f.* **Ephesus** (coastal city of Asia Minor) Hdt. Th. +

—**Ἐφέσιος**[1] ου *m.* citizen of Ephesus, **Ephesian** X. +
‖ PL. Ephesians (as a population or military force) Hdt. +

—**Ἐφέσιος**[2] ᾱ (Ion. η) ον *adj.* (of Artemis) worshipped at Ephesus, **Ephesian** X. Men. Plu. ‖ FEM.SB. Ephesian territory Hdt. X.

—**Ἐφέσια** ων *n.pl.* Ephesian festival (of Artemis) Th.

ἐφ-έσπερος ον *adj.* [ἐπί, ἑσπέρᾱ] (of a region) **lying to the west** (W.GEN. of a mountain) S.

ἐφέσσαι (ep.aor.inf.), **ἔφεσσαι** (ep.aor.mid.imperatv.), **ἐφεσσάμενος**[1] (ep.aor.mid.ptcpl.), **ἐφέσσατο**[1] (ep.3sg.aor.mid.), **ἐφέσσεσθαι**[1] (ep.fut.mid.inf.): see ἐφίζω

ἐφεσσάμενος[2] (aor.mid.ptcpl.), **ἐφέσσατο**[2] (3sg.aor.mid.), **ἐφέσσεσθαι**[2] (fut.mid.inf.): see ἐπιέννυμι

ἐφεστάμεν and **ἐφεστάμεναι** (ep.pf.infs.), **ἐφεστάναι** (pf.inf.), **ἐφεσταότες** (ep.nom.pl.pf.ptcpl.), **ἐφέστηκα** (pf.), **ἐφεστηκώς**, **ἐφεστώς** (pf.ptcpls.): see ἐφίσταμαι

ἐφ-έστιος, Ion. **ἐπίστιος**, ον *adj.* [ἑστίᾱ] **1 at one's own hearth, at home** Od. AR.; **at the hearth** (of another, as visitor or guest) AR. Plu.; (of parents, envisaged as a statue or shrine) **beside one's hearth** Pl.
2 (quasi-advbl., of a person coming or sim.) **to one's own hearth, to one's home** Od. A. E.; **to the hearth** (of another, as visitor or guest) Od. hHom. S. E. AR.
3 (specif., of a person seeking protection as a suppliant) **at the hearth** (of another) Hdt. AR.; (W.GEN. of someone's house) A. E.*Cyc.*; (of a god's abode, i.e. at his sacred hearth or altar) A.; (quasi-advbl., of a person being sent or brought) **to the hearth** (W.GEN. of the gods, a god's abode) A.; (of persons sitting) **at an altar** (out of doors) S.
4 (of fire, firelight) **from the hearth** S. E.; (of cries of triumph; quasi-advbl., of a sceptre being planted, in a dream) **beside the hearth** S.; (epith. of Zeus) **of the hearth** Hdt. S.

ἐφεστρίς

5 (of pollution) **at the sacred hearth** (of a temple, i.e. its altar) A.; (of sacrifices) **at the altar** (in a house) A.; (of a hiding-place) **beside an altar** E.
6 (of persons) possessing a hearth, **resident** (in a city, opp. outsiders) Il.; **residing among** (W.DAT. a people) AR.; **residing beside** (W.DAT. a river) AR.; (quasi-advbl., of persons arriving at a land) **to take up residence** AR.
7 (fig., of troubles) **resident** (W.GEN. in a house) A.(dub.)
—**ἐπίστιον** ου Ion.n. **household, family** Hdt.
—**ἐπίστιος** ου Ion.f. **hearth-cup** (ref. to a drink, perh. a special mark of hospitality) Anacr.

ἐφεστρίς ίδος f. [ἐπιέννῡμι] outer garment, **cloak** X.; (of a soldier) Plu.

ἐφέτης ου, dial. **ἐφέτᾱς** ᾱ m. [ἐφίημι] **commander** (of troops) A.
—**ἐφέται** ῶν m.pl. **ephetai** (at Athens, jury of fifty-one men chosen by lot to try certain homicide cases) And.(decree) D.(law) Arist.(cj.) Plu.

ἐφετμή ῆς, dial. **ἐφετμά** ᾱς f. **command, order** Hom. Hes. A. Pi. E. Call. AR.

ἔφευξα (aor.): see φεύζω

ἐφ-ευρίσκω, dial. **ἐπευρίσκω** vb. | Aeol.aor.2 inf. ἐπεύρην |
1 find (by seeking or by accident), **find, discover, come upon** —someone or sthg. Hom. Simon.(tm.) S. Pl. AR.
—(W.PTCPL. doing sthg. or in a certain condition) Hom. S. E.
—someone (W.PREDIC.ADJ. in a certain condition) Sapph.;
light upon, meet with —Poverty Men.
2 find out the truth about (someone); (of personif. time) **find out, expose** —someone S. || PASS. be found out —W.DAT. by time E.
3 find out, **discover** —W.ACC. + PTCPL. that sthg. is the case Pl. —W.ACC. + PREDIC.ADJ. that someone is such and such E. || PASS. be found —W.PTCPL. to be doing sthg., to be such and such Hdt. S. E. —W.PREDIC.SB. or ADJ. (to be) such and such S.
4 find (by thought), **find a way** —W. ὥστε μή + INF. to avoid doing sthg. E. || MID. **devise** —a plan Pi.
5 devise (sthg. new); (of a goddess) **devise, invent** —an art Pi.
6 (of taxes) **bring in** (W.ACC. a sum of money) **additionally** (to what they brought in before) X.

ἐφ-εψιάομαι mid.contr.vb. amuse oneself at the expense of, **make fun of, scoff at** —W.DAT. someone Od.

ἐφεωρᾶτο (3sg.impf.pass.): see ἐφοράω

ἔφη (3sg.impf. and athem.aor.): see φημί

ἐφ-ηβάω, Ion. **ἐπηβάω** contr.vb. **grow to manhood** A. Hdt. X.

ἐφηβικός, dial. **ἐφᾱβικός**, όν adj. [ἔφηβος] (of garments) **of a youth** Theoc.

ἔφ-ηβος ου, dial. **ἔφᾱβος** ω m. [ἥβη] **1** one who has reached adulthood, **young man, youth** Theoc.
2 || PL. (collectv., designating a specific age-group) **young men** X. Arist. Plb. Plu.
3 || PL. (specif., at Athens) **ephebes** (class of youths who at the age of eighteen swore an oath of loyalty and underwent military training for two years) Att.orats. Arist. Thphr. Plu.

ἐφ-ηγέομαι mid.contr.vb. (leg.) bring a magistrate to an offender (and require him to make an arrest); **give the lead** (sts. W.DAT. to the archons) D.

ἐφ-ήδομαι mid.vb. **rejoice** or **exult** (over someone's misfortune) X. D. —W.DAT. over persons, their misfortune X. D. Plu.

ἐφῆκα (aor.): see ἐφίημι

ἐφ-ήκω vb. **1 have come** or **arrived** S.; (of a specific day) Th.
2 (fut.) **come, arrive** S.; (of a prophecy) A.(cj.)
3 (of a division of soldiers) **extend over, cover** —an amount of space X.

ἐφ-ηλόομαι pass.contr.vb. [ἧλος] (of a rivet, fig.ref. to a fixed decision) **be nailed home** A.

ἔφ-ημαι mid.vb. [ἧμαι] **1 be seated** or **sit on** —W.DAT. a throne, rowing-bench Od. —the back of a horse or dolphin, a tree, the back of a tree (envisaged as a horse) Thgn. E. Mosch. —W.GEN. a shore S.
2 sit or **be seated at** —W.DAT. or ACC. a tomb A. —W.PREDIC.ADJ. an altar E.
3 sit close by (someone) A. —W.DAT. a house A. E.fr. —W.ACC. a statue A.

ἐφ-ημερεύω vb. **work on day-shift** (opp. at night) Plb.

ἐφημερίᾱ ᾱς f. [ἐφημέριος] division of priests performing daily duties (in a temple), **division** NT.

ἐφ-ημερίδες ων f.pl. **day-to-day records, diaries, journals** (kept by the staff of Alexander the Great) Plu.; (ref. to Caesar's Commentaries) Plu.

ἐφ-ημέριος, dial. **ἐφᾱμέριος** (also **ἐπᾱμέριος**), ον (ᾱ ον Pi.) adj. [ἡμέρᾱ] **1** (of one's course, prescribed by destiny) **by day, for the day ahead** Pi.
2 relating to a single day; (of a hired helper) **for the day, daily** Thgn.; (of an attitude) **appropriate to the day** Thgn.; (of thoughts) **only for the day** (i.e. limited in outlook) Od.; (quasi-advbl., of a person not doing sthg.) **during the day, that day** Od.
3 (of persons) as though lasting only one day, **short-lived** Ar.; (of grief for others) Thgn. || MASC.PL.SB. (ref. to mortals) **creatures of a day** Stesich.(cj.) A. B.

ἐφ-ήμερος, Ion. **ἐπήμερος**, dial. **ἐφᾱμερος** (also **ἐπᾱμερος**), ον adj. **1** relating to a single day or each day; (of pleasure, needs, food and drink, expenditure) **daily, day-to-day** Pi. Arist. Plu.
2 (quasi-advbl., of persons envisaged as cattle, living life) **only for the day, a day at a time** Semon.
3 (of persons) living only for the day, **improvident** or **capricious** Plu.
4 (of an entity) **lasting only one day, short-lived** (opp. long-lasting) Arist.
5 (of mortals, their bodies, souls and possessions) as though lasting only one day, **short-lived** S.Ichn.(cj.) Th. Pl.; (of a leaf) Theoc.; (of fortune, fame) E. Plu.; (of wealth) E.(dub.) || MASC.PL.SB. (ref. to mortals) **creatures of a day** A. Pi. E. Philox.Leuc. Pl.; (sg.) Pi.fr. Ar.
6 (of a poison) effective within a day, **quick-acting** Plu.

ἐφημοσύνη ης, dial. **ἐφημοσύνᾱ** ᾱς f. [ἐφίημι] **command, order** Hom. hHom. Pi. S. AR.

ἔφην (impf. and athem.aor.): see φημί

ἔφηνα (aor.): see φαίνω

ἔφης, also **ἔφησθα** (2sg.impf. and athem.aor.): see φημί

ἔφησα (aor.): see φημί

ἐφήσω (fut.): see ἐφίημι

ἔφθᾱν (dial.athem.aor.): see φθάνω

ἐφθάρην (aor.2 pass.), **ἔφθαρκα** (pf.act.), **ἔφθαρμαι** (pf.pass.): see φθείρω

ἔφθην (athem.aor.): see φθάνω

ἐφθίατο (ep.3pl.athem.aor.mid.), **ἔφθιτο** (3sg.): see φθίνω

ἐφθός ή όν adj. [ἕψω] **1** (of meat, other items of food) **boiled** Hdt. E.Cyc. Ar. Philox.Leuc. Pl. +
2 (of gold) **refined** Simon.

ἐφιάλλω Att.vb.: see ἐπιάλλω

ἐφ-ίδρωσις εως f. [ἱδρώω] **sweating** Plu.

ἐφ-ιζάνω vb. **1 sit down to** —w.DAT. *a meal* Il. **2 sit down on** —w.ACC. *a seat* AR. —w.DAT. *the back of a bull* Mosch. **3** (of sleep) **settle on** —w. ἐπί + DAT. *someone's eyelids* Il.

ἐφ-ίζω, dial. **ἐφίσδω** vb. | impf. ἐφῖζον, iteratv. ἐφίζεσκον | ep.aor.inf. ἐφέσσαι ‖ MID.: ep.fut.inf. ἐφέσσεσθαι | ep.3sg.aor. ἐφέσσατο, ep.aor.imperatv. ἔφεσσαι, ep.aor.ptcpl. ἐφεσσάμενος |
1 (pres. and impf.) **sit** (on a seat) Od.; (of an avenging spirit, on a rooftop) A.; (of a bird) **perch** —w.ADV. *in a place* Theoc. **2** (of Youthful Beauty) **settle on** —w.DAT. *the eyes of unmarried girls and boys* Pi.; (of sleep) —*people's eyelids* Mosch.; (of a mist) —w. πρός + ACC. *on a drunken person's eyes* Critias **3** (tr., fut. and aor.) **put** (w.ACC. someone) **on board** (a ship) Od. [or perh. *set ashore*] ‖ MID. **set, sit** —*a child* (w.DAT. *on one's knees*) Hom. Call.; **put** (w.ACC. someone) **on board** —w.GEN. *a ship* Od.

ἐφ-ίημι, Ion. **ἐπίημι** vb. | PRES. (ῑ usu. in Hom. and Att.): 3sg. ἐφίησι, dial. ἐφίητι, 3pl. ἐφιᾶσι, Ion. ἐπιεῖσι | 3sg.impf. ἐφίει, ep. ἐφίει, 3pl. ἐφίεσαν | fut. ἐφήσω, Ion. ἐπήσω | aor. ἐφῆκα, ep. ἐφέηκα, Ion. ἐπῆκα ‖ ATHEM.AOR.: imperatv. ἔφες | subj. ἐφῶ, ep. ἐφείω | opt. ἐφείην | ptcpl. ἐφείς | inf. ἐφεῖναι, Ion. ἐπεῖναι ‖ MID.: impf. ἐφιέμην | 3sg.athem.aor. ἐφεῖτο | pf.ptcpl. ἐπιεμένος (AR.) ‖ PASS.: pf.ptcpl. ἐφειμένος ‖ The sections are grouped as: (1–11) send, urge, (12–15) yield, allow, (16) refer, (17–18) order, (19–20) aim for. |
1 send, launch, discharge —*an arrow or spear* (w.DAT. *at someone*) Hom. hHom. AR. **2 send, despatch** —*someone* (as a messenger, w.DAT. *to someone*) Il. —(w.INF. *to do sthg.*) AR. **3** (of charioteers) **urge on** —*horses* Hes.; (of a commander) **send on** —*troops, cavalry* (sts. w.DAT. or ἐπί + ACC. *against the enemy*) Hdt. X. Plb. Plu. —(w.PREP.PHR. *into a region*) E. **4 set on, incite, provoke** —*someone* (w.INF. *to do sthg.*) Hom. X. **5 launch, unleash** —*a curse, one's anger* (w.DAT. *against someone*) A. E. Pl.; (fig.) —*one's tongue* (w. ἐς + ACC. *against someone*) E. **6 cast** —*someone* (w.PREDIC.SB. *as a prey*, w.DAT. *to fishes*) S. —*human limbs* (w.PREP.PHR. *into a cauldron*) E.*Cyc.* **7** (of the sun) **send down** —*its beams* (w.DAT. *on a place*) E.; (of a deity) —*hail, mist* AR. **8** ‖ PF.MID. **have let down** —*one's hair* (w.DAT. *onto one's shoulders*) AR.; **have draped** (a fleece) —w.DAT. *over one's shoulder* AR. **9** (of an aggressor) **lay** —*one's hands* (w.DAT. *upon a person, an animal*) Hom. B. E.; **put** —*a sword* (w.DAT. *to someone's throat*) E. **10 send, bring, inflict** —*an ill fate, sorrows, or sim.* (usu. w.DAT. *upon someone*) Hom. A. Theoc.; **impose** —*a contest* (w.DAT. *on people*) Od. **11 put** —*a stallion* (w.DAT. *to a mare*, w.INF. *to mount her*) Hdt. —*donkeys* (*to mares*) Hdt. **12 let** (w.ACC. water, a river) **flood in** —w. ἐπί + ACC. *to a place* Hdt. —w.DAT. *over people* Hdt. **13 yield up** —*a person* (w.PREDIC.ADJ. *as captive*, w.DAT. *to another*) S.; (of a hawk) **commit, spread** —*its wings* (w.DAT. *to the breeze*) AR.; (of persons) **yield, concede** —*leadership* (w.DAT. *to someone*) Th. —*privileges* (*to slaves*) Arist. ‖ PASS. (of authority to act as one pleases) **be conceded** —w.DAT. *to someone* D. **14** (fig.) **yield** —*the reins* (w.DAT. *to arguments, i.e. give them free rein*) Pl.; (intr.) **give way, abandon oneself** —w.DAT. *to laughter, a pastime* Pl.; (of a sailor) **commit oneself** —w.DAT. *to a favourable wind* (*by letting out one's sail*) Pl. **15 give permission** (freq. w.DAT. *to someone*) Hdt. S. And. Pl. Plu. —w.INF. *to do sthg.* Hdt. S. Isoc. Pl. X. Plb. + —w.ACC. + INF. *for someone to do sthg.* E.; (gener.) **allow** —w.DAT. + INF. *animals to do sthg.* Hdt. —w.ACC. + INF. *sthg. to happen* Parm. Arist. ‖ PASS. **be given permission** —w.INF. *to do sthg.* X.

16 (leg.) **refer a case to a higher authority** (either in place of or as an appeal against a decision by a lower authority); (of a plaintiff) **refer** —*a case* (w. εἰς + ACC. *to a court*) D.; (of an arbitrator) —*a person* (*i.e. his case, to a court*) D.; (intr., of a plaintiff) **refer one's case, appeal** —w. εἰς + ACC. *to a court* D. Arist.; (gener.) **submit** —*an issue requiring decision* (w.DAT. *to others*) Plu.

17 ‖ MID. **impose an order or instruction; give an order** (sts. w.DAT. *to someone*) Od. Trag. AR. —w.INF. *to do sthg.* Trag. Ar. Call. AR.; **order** —w.ACC. + INF. *someone to do sthg.* S. E. Theoc.; **give** (w.NEUT.ACC. a certain) **order** (sts. w.DAT. *to someone*) Il. S. Theoc.*epigr.*; **give** —w.COGN.ACC. *orders* (w.DAT. *to someone*) A.; **send orders** —w.PREP.PHR. *to a place* Th.(dub.) ‖ ACT. **give an order** —w.INF. *to do sthg.* Pi. **18** ‖ MID. perh., order (someone to give), **demand** —*an up-to-date report* E.

19 ‖ MID. **aim for, aspire to, desire** —w.GEN. *sthg.* S. E. Th. Ar. Att.orats. + —*a person* (*as one's wife*) E.; **aim, desire** —w.INF. *to do sthg.* S. E. Th. Arist.

20 ‖ MID. **make for** —w.GEN. *a place* Plu.; **aim at** —w.GEN. *a target* (w. *a weapon or missile*) Plu.

ἐφ-ικάνω vb. **1 come to, arrive at** —*a place* Call.; **arrive** AR. **2** (of painful old age) **come upon** (someone) Od.(tm.) **3** (of one's eagerness) **extend** —w.NEUT.ACC. *over as far a distance* (*as one might wish to travel*) Parm.(tm.)

ἐφ-ικνέομαι, Ion. **ἐπίκνεομαι** mid.contr.vb. | aor.2 ἐφῑκόμην, ep. ἐφῑκόμην, Ion.inf. ἐπίκεσθαι, Aeol. ἐπίκεσθαι |
1 (of a share of blessings) **come to** —w.ACC. *someone* Pi. **2** (of persons) **reach** (so as to make hostile or violent contact); **reach, hit** —w.GEN. *someone* (w. *a weapon, a stick*) Il. Pl. Plu.; (of Xerxes) **strike** —w.ACC. *the Hellespont* (w.INTERN.ACC. *three hundred blows*, w.DAT. *w. a whip*) Hdt. **3 have sufficient reach** (to make contact); **reach** (an apple on a tree) Sapph.; (an inflammation, w.DAT. by rubbing or scratching) Pl. **4 reach** (as far as a certain point); (of persons, w.connot. of aggression or malign influence) **have** (w.GEN. someone) **within one's reach** Isoc.; (of a ruler) **extend one's reach** —w. ἐπί + ACC. *over a region* (w.DAT. *through the fear he inspires*) X.; (of people's memory) **extend** —w. ἐπί + NEUT.ACC. *over a specified distance in time* X.; (of a speaker) **reach** (a requisite distance, w. his voice) Plu.; (of an article of dress) —w.ADV. *to a certain point* Plu. **5** (of the jealousy of others, in neg.phr.) **reach** —w.GEN. *someone* X.; (of a person's evildoing) —*everyone* D. **6 reach** (in terms of one's finances) —w.GEN. *the duty to undertake a public service* (*i.e. the financial qualification for undertaking it*) D. **7** (of a speaker or writer) go so far as to cover (a topic) comprehensively or properly; **describe accurately** or **adequately, do justice to** —w.GEN. *a person's character or behaviour, the facts of a situation, the grandeur of one's subject* Isoc. D. Plb. Plu.; **cover** —w.NEUT.ACC. *certain topics* (w.ADVS. *excellently and truly*) Hdt.; (intr.) **hit the mark** or **be successful** (in describing sthg.) Plb.; (fig., of a speaker, envisaged as an archer, in neg.phr.) **reach** —w.GEN. *a*

ἐφικτός

person's sufferings (W.DAT. *w. one's bow, i.e. succeed in finding adequate expression for them*) A.

8 (of a painter, sculptor or craftsman) **capture** —W.GEN. *the likeness (of a person or object)* Plu.

9 attain to —W.GEN. *virtue, nobility of character, other good qualities* Att.orats.

10 attain, gain, achieve —W.GEN. *honours, a public office, a goal* Isoc. Plb. Plu.

11 attain (w. the mind or sight), **attain a perception** —W.GEN. *of sthg.* Pl.

ἐφικτός όν *adj.* **1** (of places) **accessible** (to a viewer) Plu.; (of an argument, W.DAT. to persons, i.e. comprehensible) Plb.; (of a period of past time, W.DAT. to plausible reasoning) Plu.

2 (gener., of things) **accessible, attainable, achievable** Plb. Plu.

3 (prep.phrs.) ἐν ἐφικτῷ *within reach* (sts. W.GEN. *of someone*) Plu.; (also) εἰς ἐφικτόν Plu.

4 ‖ NEUT.IMPERS. (w. ἐστί) **it is possible** (sts. W.DAT. for someone) —W.INF. *to do sthg.* Emp. Plb.

ἐφίλατο (ep.3sg.aor.mid.): see φιλέω

ἐφ-ίμερος, dial. **ἐπίμερος**, ον *adj.* (of things, circumstances, activities) **desirable, delightful, lovely** Hes. Alcm. Archil. Semon. Thgn. A. +

—**ἐφίμερον** *neut.adv.* **delightfully** —*ref. to singing* AR.

ἐφ-ίππιος (also perh. **ἐφίππειος** Plu.) ον *adj.* **1** (of a cloth) **for a horse's back** X. Plu. ‖ NEUT.SB. **riding-cloth** X. | see ἔποχον

2 (of a running-race) **equivalent in length to a horse-race** Pl.

ἔφ-ιππος ον *adj.* [ἵππος] **1** (of a statue) of a person on horseback, **equestrian** Plu. ‖ MASC.PL.SB. **cavalrymen** X.

2 (of a billowing wave, fig.ref. to a surging mass) mounted on chariots, **of horses and drivers** S.

ἐφ-ίπταμαι *mid.vb.* (of a bird of prey) **fly to** or **alight upon** (a corpse) Plu.; (of Eros, compared to a bird) —*persons* Mosch.

ἐφίσδω *dial.vb.*: see ἐφίζω

ἐφιστάνω *vb.* [reltd. ἐφίστημι] **pay careful attention** Plb. —W.DAT. *to sthg.* Plb.; **consider carefully** —W.INDIR.Q. *how to do sthg.* Plb.

ἐφ-ίστημι, Ion. **ἐπίστημι** *vb.* | aor.1 ἐπέστησα | later pf. and plpf. ἐφέστακα, ἐφεστάκειν (Plb.) | also MID.: aor.1 ἐπεστησάμην ‖ AOR.PASS.: ἐπεστάθην ‖ The act. (incl. later pf. and plpf.) and aor.1 mid. are tr. For the intr.mid. see ἐφίσταμαι below. The act. athem.aor., pf. and plpf. are also intr. |

1 set on or **over** (sthg.); **station** —*troops* (W.DAT. *on city walls*) E.; **set, place** —*sthg.* (W.DAT. or ἐπί + DAT. or GEN. *on or over sthg.*) Th. Pl. X.; (of Zeus) **set overhead** —*a cloud* B.

2 set up (on a foundation); **set up, erect** —*statue-like corpses (around a tomb)* Plb. —*mortgage stones (on a property)* D. ‖ AOR.MID. **set up** —*doors* X. ‖ AOR.PASS. (geom., of a line) **be set** —W.PREDIC.ADJ. *upright (i.e. perpendicular)* Arist.

3 set on top or after (as a finishing touch); **cause** (W.ACC. a suitable destiny in the other world) **to follow upon** —W.DAT. *the life one has lived in this world* Pl. ‖ AOR.MID. **set** —*a good end (on one's life)* Pl.

4 set up, institute (in someone's honour) —*games* Hdt.

5 place next in order, **station** —*troops, ships* (W.DAT. *after others*) Plb.

6 set in a position of control or responsibility; **set, place** (W.ACC. someone, sts. W.PREDIC.SB. as a guard, ruler, or sim.) **in charge** or **control** (freq. W.DAT. or ἐπί + DAT. or GEN. *over someone or sthg.*) A. Hdt. Att.orats. Pl. X.(also aor.mid.) + —W.INF. *to do sthg.* Isoc. X. D. Arist. ‖ AOR.PASS. **be placed in command** X.

7 (w.connot. of hostility) **bring up** —*artillery* D.; **bring in** —*people (as aggressors or enemies)* Aeschin. Plb.; **bring on, impose** —*sthg. unwelcome* (sts. W.DAT. *on someone*) D. Plb.

8 cause to stand still, **bring to a halt, stop** —*an army, a march* X. Plu. —*an enterprise (of one's own)* Plb.; (of Helios) —*his chariot* Call.; (of a historian) **interrupt** —*his narrative* Plb.

9 direct, apply —*one's thoughts or questions* (w. κατά + ACC. or περί + GEN. *to sthg.*) Isoc. Arist.

10 direct, call the attention of —*someone* (w. ἐπί or πρός + ACC. *to sthg.*) Plb.; (of an occurrence) **arrest the attention of** —*someone* Plu.

11 (of a narrative, as it progresses) **bring** —*a historian* (w. ἐπί + ACC. *to a topic*) Plb.

—**ἐφίσταμαι** *mid.vb.* | imperatv. ἐφίστω ‖ also ACT.: athem.aor. ἐπέστην | pf. ἐφέστηκα, inf. ἐφεστάναι, ep. ἐφεστάμεναι, also ἐφεστάμεν | pf.ptcpl. ἐφεστώς, also ἐφεστηκώς, Ion. ἐπεστεώς, ep.nom.pl. ἐφεστάοτες ‖ AOR.PASS. (w.mid.sens.): ἐπεστάθην ‖ neut.impers.vbl.adj. ἐπιστατέον |

1 come up and take one's stand (on sthg.); **come and stand, take up a position** —W.DAT. *on a platform* E. —w. ἐπί + DAT. *on a threshold* Il.; **set foot** —w. ἐπί + ACC. *on a raft* Plb. ‖ AOR.PASS. **take one's stand** —W.DAT. *on a hill* E. ‖ STATV.PF. and PLPF.ACT. **stand** (upon a wall) Il. —W.DAT. *on a wall, in a chariot* Il.

2 come and stand on top ‖ NEUT.PTCPL.SB. **section** (of milk) that comes to the surface (i.e. that forms the cream) Hdt.

3 come and take one's stand (at a place); **come and stand, take up a position** —W.DAT. *at a door, a gate* Il. A. E. —w. ἐπί + DAT. *by a ballot-box, by railings* Ar. X. —w. ἐπί + ACC. *at a gate* Hdt. Pl. ‖ STATV.PF. and PLPF.ACT. **stand** —W.DAT. *at a door, house, altar* Od. E. —w. ἐπί or παρά + DAT. *at or by a place* Il. Pl.

4 (of troops) **take up a position next to** or **after** —W.DAT. *others* Plb.

5 (of dreams or visions) **come and stand by** or **over** (someone) Aeschin. —W.DAT. *someone, one's head* Il. Hdt. Isoc. NT. ‖ STATV.PLPF.ACT. **stand by** or **hover above** —W.DAT. *someone* Il.

6 ‖ PF.ACT. (of labours) **have been imposed** —W.DAT. *upon someone* S.

7 take charge or **control** Aeschin. D. —W.DAT. *of a house* E. —*of a task, a situation* E. Aeschin. D. ‖ STATV.PF. and PLPF.ACT. **be in charge** Hdt. S. E. Lys. Ar. + —W.DAT. *of persons, things, activities* Hdt. S. E. Ar. Isoc. X. + —W.GEN. *of sthg.* Hdt. E. —w. ἐπί + DAT. Isoc. X. —w. ἐπί + GEN. Hdt. Pl. D.

8 (gener.) come and stand near, **approach** (a person or place) S. Ar. Call.*epigr.* —W.DAT. *someone* Il. —W.COGN.ACC. w. *one's step* S.; app. **mingle** —w. εἰς + ACC. *w. a crowd* Isoc.; (of arguments) **crowd in upon** —W.DAT. *someone* Isoc.
‖ STATV.PF. and PLPF.ACT. **stand close** Il. Hdt. S. E. Ar. + —W.DAT. *to someone* Il. AR.

9 (w.connot. of suddenness, surprise or aggression) **arrive, appear** Hdt. Att.orats. —w. ἐπί + DAT. or ACC. *at a place* Hdt. Isoc. —W.DAT. *before someone* Th.; **come upon, be faced with** —W.DAT. *a situation* Isoc.

10 ‖ STATV.PLPF.ACT. (of warriors) **stand face to face** (w. the enemy) Hom.; (of opponents) —W.DAT. *w. one another* Il.

11 ‖ STATV.PF.ACT. (of an enemy) **be at hand, threaten, loom** Th. Aeschin. D.; (of countless fates of death) Il.; (of troubles,

danger) —W.DAT. *for persons, a city* Isoc. D.
12 (of events, usu. unwelcome) **come upon one**; (of changes of circumstances) **come along** Th.; (of a chance event) **befall** —W.DAT. *someone* S. ‖ AOR.PASS. (of a misfortune) **come upon, assail** —W.DAT. *someone* E.
13 (wkr.sens., of a season) **arrive** X. ‖ STATV.PF.ACT. (of darkness, rain) **have come on, have set in** Plb. NT.
14 ‖ STATV.PF.ACT. **have reached** (a particular point); (of a discussion) **be concerned** —w. περί + GEN. *w. sthg.* Arist.
15 (of persons on the move) **come to a halt, stop** Pl. X. Thphr. Men.; (of rowers) **pause** —W.GEN. *in a voyage* Th.
16 (in ctxt. of philosophical inquiry) **pause for thought, dwell on a point** Arist.
17 apply one's attention —w. ἐπί + ACC. *to a topic or activity* Isoc. D. Plb. ‖ STATV.PF.ACT. **have one's attention** —w. ἐπί + DAT. *on a topic* Isoc.

ἔφλαδον (aor.2): see φλάζω

ἐφοδεία ᾱς *f.* [ἐφοδεύω] **1 tour of inspection, doing the rounds, patrol** Plb.
2 patrol-route (ref. to a walkway on top of a wall) Plb.

ἐφ-οδεύω *vb.* **1** (in military ctxt.) **make a tour of inspection, do the rounds, go on patrol** X. Plb. Plu.; **do the round of, inspect** —*sentries* Plb. Plu. ‖ PASS. (of city walls) **be patrolled** Ar.
2 (of an official) **make a tour of inspection** (in a region) X.
3 (of a money-lender) **do the rounds of** —*shops* (*to collect interest*) Thphr.
4 (of a god) **exercise surveillance over, supervise** —W.DAT. *an undertaking* A.(dub.)

ἐφοδιάζω, Ion. **ἐποδιάζω** *vb.* [ἐφόδιον] **1 provide supplies for a journey** Hdt. ‖ MID. (of an admiral) **procure for a journey** —*a sum of money* (W.DAT. *for his sailors, i.e. as their pay*) X.
2 (gener.) **supply with provisions** —*destitute people* Plu.; (fig.) **support, foster** —*idleness, disobedience* (*amongst a people*) Plu. ‖ MID. **procure supplies** —w. ἐκ + GEN. *fr. a city* Plb.

ἐφ-όδιον, Ion. **ἐπόδιον**, ου *n.* [ὁδός] **1** (sg. and pl.) **travel expenses** (of a person) Th. Att.orats. X. D. Plu.; **travel allowance** (of an ambassador or official) Ar. D. Thphr.; **subsistence-money** (for a soldier on campaign) Lys.
2 ‖ PL. **provisions for a journey** Hdt. Arist. Men. Plb. Plu.; (w. sarcastic connot.) **rations** (i.e. fodder, W.DAT. *for horses taken to a festival*) And.
3 ‖ PL. **supplies, rations** (for a fleet or army on campaign) Th. D. Plb. Plu.
4 ‖ PL. (gener. or fig.) **money to cover expenses** (W.GEN. *of exile*) Aeschin. Plu.; (of a war) Arist.(quot.) Plu.; (of a single day) D.; **financial provision** (W.DAT. *for one's old age*) D.; **assets, life-savings** (of an old woman) Ar.
5 (fig.) **means of providing help towards some end**; (ref. to the valour of one's ancestors) **guarantee of access, passport** (w. εἰς + ACC. *to the goodwill of the people*) Hyp.; (ref. to the *Iliad*) **guide-book** (W.GEN. *to the art of war*) Plu.; (ref. to an action or circumstance) **support, back-up** (for an argument or the person making it) Hyp. D.; (gener.) **helping hand, assistance** (w. πρός or εἰς + ACC. *towards sthg.*) Plb. Plu.

ἔφοδος¹ ου *m.* [reltd. ἐφοδεύω] **one who does the rounds; inspector** (of a region) X.; **patrol** (in a camp) Plb.

ἔφ-οδος² ου *f.* [ὁδός] **1 way or means of approach** (to a place), **approach route, access** Th. X. ‖ PL. **routes, ways of access** (W.GEN. *for provisions, to a town under siege*) X.
2 process of making an approach ‖ PL. **communications** (of people, W.PREP.PHR. *w. each other*) Th.
3 means of approach, access (w. ἐπί + ACC. *to an assembly, as granted to a person*) Plb.; (*to a historical narrative, as made easier for the reader by the writer*) Plb.
4 method of approach (to a topic, by a writer), **approach, procedure** Arist. Plb.
5 hostile approach, onset, assault, attack (by military forces) Th. X. Plb. Plu.; (by persons, supernatural powers) A. E.; (W.GEN. *by a wave, an earthquake*) Plu.; (fig., W.GEN. *by an argument*) Pl.; (by reason, opp. force) Th.; (wkr.sens.) **sudden approach** (of an army) X.
6 (gener. or fig.) **opportunity for making an attack, opening** (for false accusers) Arist.; **method of attack** (of persons wishing to overthrow democracy) Lycurg.; **foray** (by a person wishing to make an impression on another) Men.(cj.)

ἐφόλκαιον ου *n.* [ἐφέλκω] app., **a kind of plank** (in ctxt., enabling a person to descend fr. a ship into the sea), **board, plank** Od.

ἐφόλκιον ου *n.* **small boat towed after a ship, ship's boat** Plu. ‖ PL. (fig., ref. to children) **dependants, appendages** Men.

ἐφολκίς ίδος *f.* (fig., ref. to a child, led by its father) **boat in tow** E.; (ref. to a person, following a helper) E.; (ref. to children) **appendage** (W.DAT. *to their mother*) E.

ἐφολκός όν *adj.* **1** (of statements) **enticing** Th.
2 (fig., of a person) **needing to be dragged along, laggard** Ar.; **hesitant** (W.PREP.PHR. *in speech*) A.

ἐφ-ομαρτέω contr.*vb.* **accompany** —W.DAT. *someone* AR.; **follow** AR. | see also ἐφαμαρτέω

ἐφ-οπλίζω *vb.* | iteratv.impf. ἐφοπλίζεσκον | **1 get ready, prepare, equip** —*a wagon* Hom. AR. —*a ship* Od. ‖ MID. **get ready** —*a ship's gear* AR.
2 (act. and mid.) **prepare** —*a meal* Hom. AR.
3 have the means —W.INF. *to do sthg.* AR.

ἐφορᾱτικός ή όν *adj.* [ἐφοράω] **in the habit of acting as overseer** (W.GEN. *of a person's work*) X.

ἐφ-οράω, Ion. **ἐποράω** contr.*vb.* | fut. ἐπόψομαι, ep. ἐπιόψομαι | aor.2 ἐπεῖδον, 3sg.imperatv. ἐπιδέτω, inf. ἐπιδεῖν ‖ MID.: dial.3sg.aor. ἐπόψατο (Pi.), subj. ἐπιδῶμαι (Pl., cj.) | aor.2 ptcpl. ἐπιδόμενος (A.), inf. ἐπιδέσθαι (E.), 1pl.subj. ἐπιδώμεθα (Ar.) ‖ PASS.: 3sg.impf. ἐφεωρᾶτο |
1 (of Helios, his light) **look upon, behold, survey** —*all things* Hom. —*persons* Thgn. Lyr.adesp.; (of the sun) **shine upon** —*someone* Plu. ‖ MID. (of personif. clouds) —*the earth* Ar.
2 (of gods) **regard with attention, watch, observe** —*people, their actions or behaviour* Od. A. Hdt. S. Pl. +; (of Zeus) **oversee** —*the deeds of men* Archil.(tm.) —*the outcome of everything* Sol.; (of Justice) —*what is sent by the gods* E.; (of God) **pay attention** —W.PREP.PHR. *to threats* NT. ‖ MID. (of persons) **take heed of** —*an avenging spirit* A.
3 catch sight of, see, behold —*someone, sthg., a place* Il. Pi.*fr.* Hdt. Trag. Th. Ar. + —*someone* (W.PTCPL. *doing or suffering sthg.*) Hom. Hdt. Trag. +; (also mid.) E. ‖ PASS. (of persons) **be kept in sight** X.; (of a place) **be within view** Th.
4 oversee, supervise —*affairs* Hdt. Th. Ar. Arist. —*a boy* Aeschin.; (of an official) **keep a watch on** —*persons* Arist.; **exercise surveillance** —W.PREP.PHR. *over sthg.* Arist.; (of a single art) **survey, encompass** —*knowledge of all relevant matters* Pl.
5 (of a commander, his troops) **be on the alert** (to see where help may be needed) Th. X.
6 (of a commander or ruler) **inspect** —*troops, animals, equipment* X. Plb. Plu. —*his land, properties* X. Theoc.; (intr.) **make a visit of inspection** Hdt.

ἐφορείᾱ

7 go to see, visit —*a person, a place* Od. Pi.; **pay a visit** (to wounded soldiers) X.
8 look over, **inspect, read** —*written documents* Hdt.
9 (ep.fut. and dial.aor.mid.subj.) inspect for the purpose of selection, **select** —*persons, a ship* Hom. Pl.(cj.)

ἐφορείᾱ ᾱς *f.* [ἐφορεύω] (at Sparta) **office of ephor, ephorate** X. Arist.(v.l. ἐφορίᾱ)

ἐφορεῖον ου *n.* (at Sparta) **headquarters of the ephors** X.

ἐφορεύω *vb.* **1** (of gods) exercise vigilance (over human affairs); (of Zeus) **watch, observe** —*someone's respectful behaviour* A.; (of Artemis) **watch over** —*childbirth* A.; (of a divine power) **oversee, supervise** —*different things* (W.ADV. *in different ways*) A.
2 (of a military force) **oversee, keep a watch on** —*a state of affairs* D.
3 (of representatives of an absent king) **be overseers** —W.GEN. *of a land* A.
4 (at Sparta) **be an ephor** Th. X. Plb. Plu.

ἐφορίᾱ *f.*: see ἐφορείᾱ

ἐφορικός ή όν *adj.* [ἔφορος] (of seats) **for the ephors** X.

ἐφ-όριος ᾱ ον *adj.* (of a market) **on the borders** (of a country) D.(law)

ἐφ-ορμαίνω *vb.* (of a hawk) **swoop to the attack** A.

ἐφ-ορμάω, Ion. **ἐπορμάω** *contr.vb.* | aor.pass. (w.mid.sens.) ἐφωρμήθην | **1 stir into hostile action**; (of gods) **stir up** —*war, winds* (W.DAT. *against someone*) Hom.; **stir on** —*wolves* (*to attack*) Hdt.; (of an inactive warrior) **rouse** —*his hand* (W.DAT. *to the spear*) A.*fr.*(dub.)
2 urge on —*sailors* (w. τό + INF. *to sail*) S.
3 (intr., of Eros) **dart against, assail** —W.DAT. *a person's heart* E.; (of soldiers, a crowd) **attack** (sts. W.DAT. *someone*) Plu.
4 || MID. and AOR.PASS. stir oneself into hostile action; (of warriors) **rush to the attack** Il. A. Pi.; (of Scylla, a gadfly) Od.; (of an eagle) **swoop to attack** —*a flock of birds* Il.
5 || MID. and AOR.PASS. (without hostile connot., of a person) **spring forward** (to clutch someone) Od.; **hasten forth** (to work) Hes.; (of Herakles) —W.ACC. *on painful labours* Hes.
6 || MID. and AOR.PASS. **be eager** —W.PRES. or FUT.INF. *to do sthg.* Hom.

ἐφ-ορμέω, Ion. **ἐπορμέω** *contr.vb.* **1** (of sailors or ships) be nearby at anchor (w. hostile purpose, usu. for a blockade); **lie moored close by** or **maintain a blockade** (sts. W.PREP.PHR. at a place) Hdt. Th. X. Plb. Plu.; **lie moored off** or **blockade** —W.ACC. *a place* Th. —W.DAT. *persons, places* Th. X. Plb. Plu.; (wkr.sens., of ships) **lie waiting at anchor** —(w. ἐπί + ACC.) *for some purpose* D. || PASS. (of people, ships) be blockaded Th.
2 (fig., of a person) **stay close by** (to guard someone) S.; (of a city) **lie in wait** —W.DAT. *for an opportunity* D.

ἐφορμή ῆς *f.* [ἐφορμάω] **1 way of approach** or **attack** Od.
2 attack, assault (by troops) Th.
3 enterprise, venture AR.

ἐφόρμησις εως *f.* [ἐφορμέω] **1 position at anchor** (facing the enemy) Th.
2 mooring place (fr. which to watch for the enemy) Th.
3 blockade Th.

ἐφ-ορμίζομαι *mid.vb.* **come to anchor** or **find a mooring** —w. ἐς + ACC. *in a harbour* Th.

ἔφορμος[1] ον *adj.* [ἐφορμέω] (of warships) **at anchor** Th.

ἔφορμος[2] ου *m.* **blockade** Th.

ἔφορος ου *m.* [ἐφοράω; cf. ἐπίουρος] **1 one who oversees**; (ref. to Eros) **watcher** (W.GEN. *over handsome boys*) Pl. || PL. **overseers** (of a king's army, ref. to his subordinates) A.; **guardians** (of a land, ref. to its citizens) S.; **supervisors** (of sacrifices) E.
2 ephor (at Sparta, one of five annually elected magistrates, w. executive, judicial and disciplinary powers) Hdt. Th. Isoc. Pl. X. Arist. +
3 || PL. **overseers** (ref. to a temporary committee of five men, appointed by an oligarchic faction at Athens in the late 5th C. BC) Lys.

ἐφ-υβρίζω *vb.* **be arrogant** or **insulting** (sts. W.NEUT.ACC. w. certain words or actions) Il. S. Plb.(quot.epigr.) Plu. —W.DAT. *towards someone or sthg.* S. E. Plu. —w. εἰς or πρός + ACC. E. Th. Plu. —W.ACC. E. Plu.; (also mid.) —W.ACC. E.(dub.)

ἐφυβρίστως *adv.* **disgracefully** —*ref. to killing someone* Plu.

ἔφυγον (aor.2): see φεύγω

ἐφ-ῡδάτιος η ον *ep.Ion.adj.* [ὕδωρ] | ῠ *metri grat.* | (of a nymph) **of the waters, water** AR.

ἐφ-υδριάς άδος *fem.adj.* (of a nymph) **of the waters, water** Call.

ἔφ-υδρος, Ion. **ἔπυδρος**, ον *adj.* **1** (of the West Wind) **wet, rainy** Od.
2 (of soil) **irrigated** (W.DAT. by springs) Hdt.

ἐφ-υμνέω *contr.vb.* **1 sing** (in connection w. some event); **sing** —*a paean, cry of triumph, traditional hymn* A. Pl. || PASS. (of a song) **be sung** —w. ἐπί + DAT. *at sacrifices* Pl.
2 sing (in connection w. a place); **invoke in song** —*some benefit* (W.DAT. *for a land*) A.
3 (without connot. of song) **call down** —*evil fortune* (W.DAT. *on someone*) S.; **utter** (W.NEUT.ACC. such) **imprecations** S.
4 harp on about —*sthg.* S.
5 follow in song (a singer leading a procession) Pl.

ἐφ-ύμνιον ου *n.* [dimin. ὕμνος] **brief chant** (in celebration of an event or a god), **refrain** Call. AR.

ἔφῡν (athem.aor.): see φύομαι, under φύω

ἔφυξα (aor.): see φεύγω

ἐφ-ύομαι *pass.vb.* | pf.ptcpl. ἐφῡσμένος | || PF.PTCPL. (of animals) **drenched by rain** X.

ἐφ-ύπερθε(ν) *adv. and prep.* **1 on top** or **above** Hom. Hellenist.poet.; (as prep.) **on top** —W.GEN. *of a house* AR.; **above** —W.GEN. *one's head* Mosch.
2 (w.vb. of motion) **onto the top** —W.GEN. *of a rock* AR.
3 further beyond —W.GEN. *a people* AR.

ἐφ-υστερίζω *vb.* (of cities) **be later** (than others, in hearing news) Th.

ἐφ-υφή ῆς *f.* **weft, woof** (opp. warp) Pl.

ἐφῶ (athem.aor.subj.): see ἐφίημι

ἔχαδον (aor.2): see χανδάνω

ἔχανον (aor.2): see χάσκω

ἐχάρην (aor.2 pass.): see χαίρω

ἐχ-έγγυος ον *adj.* [ἔχω, ἐγγύη] **1** having given or able to give a pledge or guarantee; (of a home) **secure, reliable** (as a refuge) E.; (of an argument) E.; (of the death penalty) **reliable** (for the prevention of crime), **effective** Th.; (of a betrothal) **confirmed, ratified** E.
2 (of persons) **safe to be trusted** (W.GEN. w. secrets) Plu.
3 (of persons, their authority) **equal** (w. πρός + ACC. to a task) Plu.; (W.INF. to doing sthg.) Plu.
4 (of a suppliant) having received a pledge, **under a guarantee** (of protection) S.

ἐχέ-θῡμος *adj.* [θῡμός] (of Aphrodite, in neg.phr.) **keeping control of one's passions** Od.

ἐχέμεν (ep.inf.): see ἔχω

ἐχεμῡθίᾱ ᾱς *f.* [μῦθος] **holding back one's speech, taciturnity** (as a Pythagorean principle) Plu.

ἐχε-νής ῆδος *fem.adj.* [ναῦς] (of adverse winds) **holding back ships** (fr. sailing) A.

ἐχε-πευκής ές *adj.* [app.reltd. πεύκη] (of an arrow) **sharp, piercing** Il.

ἔχεσκον (iteratv.impf.): see ἔχω

ἐχέ-στονος ον *adj.* [στόνος] (of an arrow) **sorrow-bringing** Theoc.

ἐχέτλη ης *f.* [ἔχω] **plough-handle** Hes. AR.

ἔχευα (ep.aor.): see χέω

ἐχέ-φρων ονος *masc.fem.adj.* [φρήν] **sensible, prudent** Hom. Hes.

ἐχθαίρω *vb.* [ἔχθος] | impf. ἤχθαιρον | aor. ἤχθηρα, dial. ἤχθᾱρα ‖ PASS.: fut. ἐχθαροῦμαι | regard with disfavour or enmity, **dislike, hate, detest** —*someone or sthg.* Hom. Hes. Archil. Thgn. Timocr. Trag. +—W.COGN.ACC. *w. great loathing* S.; (intr.) **show dislike** Od. ‖ PASS. be detested A. —W.DAT. *by someone* A. S. —W. ἐκ + GEN. S.

ἐχθαρτέος ᾱ ον *vbl.adj.* **to be detested** (W.DAT. by someone) S.

ἐχθές *adv.*: see χθές

ἔχθιστος (superl.adj.), **ἐχθίων** (compar.adj.): see ἐχθρός

ἐχθοδοπέω *contr.vb.* [ἔχθος] become hateful to, **be at enmity with** —W.DAT. *someone* Il.

ἐχθοδοπός όν *adj.* **1** (of a person, eyes) **full of hatred** S. AR.; (of war) Ar.; (of utterances, W.DAT. towards someone) S.
2 (of the path of an argument) **hateful, disagreeable** (W.DAT. to someone) Pl.

ἔχθος εος (ους) *n.* **1 enmity, hostility, hatred** Od. Thgn. Emp. Hdt. Trag. Th. +; (pl.) Il. Pi. Hdt.
2 (ref. to the name of a place) **thing of hatred** A.

ἔχθρᾱ ᾱς, Ion. **ἔχθρη** ης *f.* [reltd. ἔχθος] **enmity, hostility, hatred** Pi. Hdt. Trag. Th. Ar. Att.orats. +; (pl.) A. Hdt. Th. Att.orats. +

ἐχθραίνω *vb.* [ἐχθρός] | impf. ἤχθραινον | **hate** —*someone* X.

ἐχθρο-δαίμων ονος *masc.fem.adj.* **hateful to the gods** S.

ἐχθρό-ξενος ον *adj.* [ξένος²] (of persons, houses) **hostile to strangers, inhospitable** A. E.; (of a place, W.DAT. to sailors) A.

ἐχθρός ά (Ion. ή) όν *adj.* [ἔχθος] | compar. ἐχθίων ον, gen. ονος | superl. ἔχθιστος (also ἐχθρότατος Pi. S. D.) η ον |
1 (of persons or things) regarded with hostility or hatred, **hateful, detestable** (sts. W.DAT. to someone) Hom. Hes. Iamb. Eleg. Pi. Trag. +
2 showing hostility or hatred, **hostile** or **full of hate** (sts. W.DAT. towards someone) Thgn. Pi. Trag. +; (W.GEN. towards sthg.) Pi.

—**ἐχθρός** οῦ *m.* one who shows or is regarded with hostility or hatred, **enemy** Hes. +

—**ἐχθρῶς** *adv.* | compar. ἐχθιόνως (X.), ἐχθροτέρως (D.) | superl. ἐχθρότατα (D.) | **with hostility** or **hatred** Pl. X.; (w. ἔχειν or διακεῖσθαι) *be in a state of hostility or hatred* X. Is. D. Plb. Plu.

ἔχθω *vb.* | impf.pass. ἠχθόμην | **hate** —*someone* S. E. Call. ‖ PASS. (of persons or things) be hateful (sts. W.DAT. to someone) Od. Hes. A. Call.

ἔχιδνα ης (dial. ᾱς) *f.* [reltd. ἔχις] **1 viper** Hippon. Hdt. S. E. Pl. +; (exemplifying a malevolent person, usu. female) Trag. NT.
2 Echidna (monstrous snake-woman) Hes. B. S. E.; (ref. to a hundred-headed snake) Ar.

Ἐχῖναι ῶν (ep. ἄων) *f.pl.* –also **Ἐχινάδες** ων *f.pl.* **Ekhinai, Ekhinades** (group of small islands in the Ionian Sea, usu. appos.w. νῆσοι) Il. Hes.*fr.* Hdt. E. Th. Call. AR.

ἐχινέες ων *Ion.m.pl.* [ἐχῖνος] a kind of mouse with spine-like hairs (found in Libya), **mouse** Hdt.

ἐχῖνος ου *m.* [ἔχις] **1 hedgehog** Archil. Emp. S.*Ichn.* Ar. Arist.
2 (W.ADJ. θαλάττιος) **sea urchin** Pl.
3 jar, cauldron (ref. to a large, wide-mouthed vessel) Ar. Call.
4 (leg.) jar (in which a plaintiff or defendant sealed up documents relating to an impending case), **document jar** D. Arist. Thphr.
5 ‖ PL. sharp points, teeth (at each end of a horse's bit) X.

ἔχις εως *m.* **viper** Pl. D. Arist.; (fig.ref. to a person) D. Men.

ἔχμα ατος *n.* [ἔχω] **1** that which holds or supports ‖ PL. supports, props (W.GEN. for ships, ref. to stones) Il.; (for a boulder, ref. to smaller stones) Il.; buttresses (for a wall, ref. to posts) Il.; supporting foundations (W.GEN. of earth, for a tree's roots) AR.
2 that which holds back or checks; **check, defence** (W.GEN. against harmful magic, ref. to a tortoise) hHom.; **barrier** (W.GEN. against missiles, ref. to shields) AR. ‖ PL. obstacles, obstructions (in an irrigation channel) Il.

ἐχόντως *ptcpl.adv.*: see under ἔχω

ἔχραον, also **ἔχρεον** (impf.): see χράω, under χράομαι

ἐχρέωντο (Ion.3pl.impf.mid.): see χράομαι

ἔχρη (3sg.impf.), **ἔχρησα** (aor.): see χράω, under χράομαι

ἐχρῆν (3sg.impf.): see χρή

ἐχρήσθην (aor.pass.), **ἐχρῆτο** (3sg.impf.mid.), **ἐχρῶ** (2sg.), **ἐχρώμην** (1sg.), **ἐχρῶντο** (3pl.): see χράομαι

ἐχύθην (aor.pass.): see χέω

ἐχυρός ά όν *adj.* [ἔχω, reltd. ὀχυρός] **1** (of places, military positions) affording resistance to enemy attack (through either natural features or fortifications), **strong, secure, impregnable** Th. Isoc. X. D. Plb. Plu. ‖ NEUT.SB. secure place or stronghold Th. X. | see also ὀχυρός 3
2 (of a stable) **secure** (against theft of fodder) X.
3 (of property) in safe keeping, **secure, safe** X.
4 (of a situation or enterprise) securely based, **secure, safe** Th.; (of assurances, hope) **strong, firm** Th. ‖ NEUT.SB. state or feeling of security Th. X.; (prep.phrs.) ἐν τῷ ἐχυρῷ *in a secure state* Th.; ἐν ἐχυρωτάτῳ *in a state of greatest security* X.
5 (of an ally) in whose strength one may have confidence, **strong, reliable** Th. | see also ὀχυρός 4
6 (of a person) able to resist (a temptation); **secure, safe** (W.PREP.PHR. against handsome boys) Plu.
7 (of hand-to-hand fighting) perh. **stubborn** Plb.

—**ἐχυρῶς** *adv.* | compar. ἐχυρώτερον | **1 securely, steadfastly** —*ref. to managing one's government* Th.
2 in actual fact —*ref. to a prediction coming true* Th.

ἔχω *vb.* | ep.2sg.subj. ἔχῃσθα, ep.inf. ἐχέμεν | impf. εἶχον, ep. ἔχον, Aeol. ἦχον, iteratv. ἔχεσκον | fut. ἕξω, inf. ἕξειν, ep. ἐξέμεν, ἐξέμεναι | also fut.2 σχήσω, ep.2sg. σχήσησθα | aor.2 ἔσχον, imperatv. σχές, subj. σχῶ, opt. σχοίην, ptcpl. σχών, inf. σχεῖν, ep. σχέμεν | also ep.aor.2 ἔσχεθον, also σχέθον, 3du. ἐσχεθέτην, 3sg.imperatv. σχεθέτω, subj. σχέθω, opt. σχέθοιμι, ptcpl. σχεθών, Aeol.masc.nom.pl.ptcpl. σκέθοντες, inf. σχεθεῖν, also σχεθέειν, ptcpl. | pf. ἔσχηκα ‖ neut.impers.vbl.adj. ἑκτέον ‖ MID.: impf. εἰχόμην, ep. ἐχόμην | fut. ἕξομαι | fut.2 (sts. w.pass.sens) σχήσομαι, inf. σχήσεσθαι | aor.2 (sts. w.pass.sens) ἐσχόμην, ep.3sg. σχέτο, ep.imperatv. σχέο, 2pl. σχέσθε, ptcpl. σχόμενος, ep.3pl.opt. σχοίατο, inf. σχέσθαι ‖ The sections are grouped as: (1–3) hold by physical contact, (4) hold in one's possession, (5–7) possess as one's own, (8–9) have or carry on one's person, (10–12) have in a particular relationship to oneself, (13–14) have an abode or location, (15–22) have thoughts, responsibilities, activities, states of being, consequences, (23–28) have knowledge, ability or obligation, (29–36) hold

ἔχω

under constraint or restraint, (37–39) hold on a certain course, (40–49) intr. uses, (50–55) mid. uses. |
1 hold by physical contact; (of persons, animals) **hold, have** (in one's hands, arms, claws) —*someone or sthg.* Hom. +; (also mid.) Hom.
2 **hold** —*someone's hands (to prevent him using them)* Il. —*someone* (W.GEN. *by the hand or foot*) Il. —(W.PREDIC.ADJ. *in the middle, i.e. round the waist, as a wrestling grip*) Ar. ‖ PASS. be held —W.PREDIC.ADJ. *round the waist* Ar.
3 **hold, keep** —*sthg.* (W.PREP.PHR., PREDIC.ADJ. or PTCPL. *in a specified position*) Hom. +
4 hold in one's possession (opp. relinquish), **retain, keep** —*someone or sthg.* Il. ‖ PASS. (of things) be kept Il.
5 (gener.) hold as one's own, **have, possess** —*sthg.* Hom. +
6 (aor. and fut.2) take into one's possession, **acquire, get** —*sthg.* A. Pi. Hdt. +; **take, capture** —*cities or sim.* Hdt.
7 (specif.) have financial resources • οἵ τι ἔχοντες *the well-off* Hdt. • (intr.) οἱ ἔχοντες E. Ar.; (also sg.) S. • τὸ μὴ ἔχειν *want, poverty* E.
8 have on one's person or about one; **have, carry** —*weapons or sim.* Hom. +; **wear** —*clothes, armour, ornaments* (sts. W.PREP.PHR. *on a part of one's body*) Hom. +
9 (of a woman) **carry, be pregnant with** —*a child* E.; (intr.) **carry** —W.PREP.PHR. *in one's womb* Hdt. NT.; (without prep.phr.) Hdt. Arist.
10 **have** —*someone* (*as a wife*) Hom. + —(*as a husband*) Od.; (aor.) **get, marry** —*a wife* Hdt. ‖ PASS. be a wife —W.DAT. *to someone* Il.
11 have with one; (freq. of commanders) **have** —*persons, troops* (sts. W.PREP.PHR. *w. one*) Hdt. + ‖ PTCPL. (auxiliary to main vb.) having with one, with —*someone or sthg.* Hdt. +
12 (gener.) **have** or **keep** —*someone or sthg.* (W.ADV., PREP.PHR., PREDIC.ADJ. or PTCPL. *in a certain place or condition*) Od. +
13 (of gods, persons, animals) have as one's abode, **occupy, inhabit, dwell in** —*a place* Hom. +; (aor.) **take as one's home** —*a city* E.
14 (of a commander, troops) **have, occupy** (i.e. be on) —*a wing* (*of an army or fleet*) Hdt. Th. +
15 have in one's mind; **have, hold** —*someone* (*i.e. a memory of him*, W.DAT. *in one's mind*) Pl.; (intr.) νῷ ἔχειν *remember* (*sthg.*) Pl.; **keep** —*someone's words* (sts. understd., W.DAT. *in one's mind*) Hom.; (phr.) ἐν νῷ (νόῳ) ἔχειν *have in mind, intend* —W.INF. *to do sthg.* Hdt. Th. Pl. +
16 have as a responsibility, **have charge of, look after** —*someone or sthg.* Hom. +
17 have as an activity, **be occupied with** or **engaged in** —*fighting* Hom. —*hunting* S.; **maintain, keep** —*watch or guard, a lookout* Hom. Hdt. | For phrs. w. ἐν χερσί, μετὰ χεῖρας *have* (*an activity*) *in hand*, see χείρ 7.
18 have (a mental or bodily faculty, a state or condition, esp. an affliction); **have** —*good sense, old age, a wound, sorrows, madness, or sim.* Hom. +
19 (w. relationship betw. subject and object inverted; of states or conditions, e.g. old age, laughter, amazement, fear, sleep) **have, hold, affect** (or sim.) —*someone* Hom. +
20 ‖ PASS. (of persons) be affected —W.DAT. *by grief, anger, breathlessness, or sim.* Hom. +; (also aor.mid., w.pass.sens.) Od.; be caught or involved —w. ἐν + DAT. *in perplexity, trouble, or sim.* Hdt. +
21 (periphr., w.abstr. object) **have** —(e.g.) *desire, anger, quietness, an end* (*i.e. be desirous, angry, quiet, ended*) Hom. +

22 have as an accompaniment or consequence; (of activities) **entail, involve** —*disgrace* E. Th.; **invite** —*distrust and resentment* D.; (of a witness' statements) **admit of, allow for** —*disproof, examination* Lys.; (of a city) **allow, afford** —*a cause for indignation or complaint* (W.DAT. *to someone*) Th.
23 have at one's disposal, **possess, know** —*a trick* Hes. —*a manner of prophecy* S. —*a way of securing safety* E.
24 possess intellectually; **have heard** —*a whole speech or story* A.; **know, understand** —*sthg., everything, a situation, someone's meaning and wishes* S. E. Ar. Pl.
25 hold in one's estimation, **consider** —*someone* (w. ὡς or εἰς + PREDIC.SB. or W.PREDIC PTCPL. *as being such and such*) NT. —(w. ὅτι + COMPL.CL.) NT.
26 (intr., in neg.phrs.) have knowledge, **know** —W.INDIR.Q. *what one is to do, or sim.* Hdt. Trag. +
27 (intr.) have the means or power, **be able** —W.INF. (sts. understd.) *to do sthg.* Hom. +
28 (intr.) have a duty, **have** —W.INF. *to do sthg.* NT.
29 hold under constraint or restraint; (of persons, bonds) **hold fast, constrain, restrain** —*someone* Hom.; (wkr.sens.) **keep, detain** —*someone* (*in one's house*) Od. hHom. ‖ PASS. be held captive Hdt.
30 **hold back, rein in** —*one's horses* Il.
31 (of doors) **secure, close** —*a passageway* Od.; (of sinews) **hold together** —*flesh and bones* Od.
32 (aor. or fut.2, sts. fut.1) **hold back, keep in check, stop, halt** —*persons, things, activities* Hom. hHom. Tyrt. A. Pi.fr. +
33 (usu. aor. or fut.2) **restrain, stop, prevent** —*someone* (fr. *doing sthg.*) Pi. Hdt. + —(W.INF or μή + INF. fr. *doing sthg.*) Il. Hdt. E. —(w. τὸ μή or ὥστε μή + INF.) A. Hdt. + —(W.GEN. fr. *action or speech*) Hom. S. E. Ar +
34 ‖ MID. (aor., sts. w.pass.sens.) stop or be stopped in one's course; (of a person, a ship) **come to a halt, stop** Od.; (of a person's voice) **be stopped** (i.e. falter through emotion) Hom.; (of a spear, by a shield) Il.; (of water, by fire) Il.; (fut.2, w.pass.sens., of attackers) **be held back** Il.
35 hold back (oneself); **hold back, restrain** —*one's hands* Od. —(w. ἀπό + GEN. fr. *evil*) Od.(mid.); (of a river god) —*his current* (*to keep a swimmer safe*) Od.; **check, halt** —*one's speech* Od. E. —*one's step* E.; (intr.) **keep oneself, refrain** —W.GEN. fr. *war* Th. —w. μή + INF. fr. *doing sthg.* E. ‖ AOR.IMPERATV. stop! S. E. ‖ MID. (aor.) **keep** —*one's hands* (W.GEN. *off a person*) E.
36 ‖ MID. (usu. aor.) keep oneself, **refrain** or **desist** (fr. sthg.) Od. Hdt. —W.GEN. fr. *sthg.* Hom. Hdt. —W.INF. fr. *doing sthg.* AR. —w. τό + INF. S. ‖ AOR.IMPERATV. stop! Hom.
37 hold on a certain course; (of a charioteer) **direct, drive** —*one's horses, chariot* (freq. W.ADV. or PREP.PHR. *in some direction, against someone*) Il. Hes.; (intr.) **keep one's course** (for somewhere) Il. S.
38 **steer** —*a ship* (W.ADV. or PREP.PHR. *in some direction*) Od. Hdt.; (intr.) **steer, head** —W.ADV. *for a place* Od.; (aor.) **bring to land, moor** —*a ship* (W.ADV. or PREP.PHR. *at a place*) Od. Hdt.; (intr., aor. or fut.2, of sailors or ships) **put in, land** (usu. W.DAT. or PREP.PHR. *at a place*) Hdt. S. Th. Ar.
39 **direct** —*a curse* (W.PREP.PHR. *against someone*) S. —*one's mind* (W.ADV. or PREP.PHR. *somewhere, i.e. one's attention to someone or sthg.*) Sapph. Thgn. S. E. Th.
40 (intr.) remain in an existing place or condition; (of persons, their strength, defences) **hold on, hold out, stand firm** Hom.; (of bars) **hold firm** Il.; (in neg.phr., of a bone struck by a stone) **hold together** Il.; (of a spear) **hold course** Il. ‖ MID. (of a warrior) **hold out, hold one's ground** Il.

41 (intr., of persons or things) **remain, stay** —w.ADV., PREP.PHR. or PREDIC.ADJ. *in a certain place or condition* Il. +; (of a festive mood) **prevail** (among people) Od. ‖ PASS. (of affairs) be balanced —w.PREP.PHR. *on a knife-edge* Hdt.
42 (intr.) **extend** in space; (of tree roots) **extend** —w.ADV. *far* Od.; (of pillars) —*high* Od.; (of roads, structures) —w.PREP.PHR. *in a certain direction* Hdt.; (of a range of vision) —w.PREP.PHR. *over a certain distance* Hdt.; (of a competition) —w. διά + GEN. *through every sport* (i.e. include them all) Hdt.
43 (intr., of things) **pertain, relate** —w. ἐς + ACC. or w. περί + ACC. or GEN. *to someone or sthg*. Hdt.
44 (intr., gener.) **be** —w.PREP.PHR. *in a certain place or condition* Od. +
45 (intr.) **be** —w.ADV. *in a certain condition* (e.g. εὖ, κακῶς *well or badly off*) Od. + —(W.GEN. *in respect of sthg*.) Hdt. +
• ἔχοντες εὖ φρενῶν *being well-off for intelligence* E. • ὡς εἶχε τάχους *with what measure of speed he had* (i.e. as quickly as he could) Th.; (ref. to doing sthg.) ὡς ἔχω, ὡς εἶχον (or sim.) *just as I am or was* (i.e. without further ado, immediately) Hdt. +
46 (intr.) **be engaged** or **occupied** —w. ἀμφί or περί + ACC. w. *someone or sthg*. X.
47 (as auxiliary vb., w.aor.ptcpl., equiv. to pf.indic.) Hes. +
• τὸν μὲν προτίσας, τὸν δ' ἀτιμάσας ἔχει *he has honoured the one man, dishonoured the other* S.; (also w.pf.ptcpl.) S. X.; (w.pres.ptcpl., adding connot. of duration) Hdt. E. X.
• καταστένουσ' ἔχεις *you keep lamenting* E.
48 ‖ PTCPL. (as auxiliary to main vb.) ἔχων (W.PRES.INDIC., adding connot. of duration) Ar. + • φλυαρεῖς ἔχων *you keep talking nonsense* Pl.
49 ‖ IMPERATV. (drawing attention) **look here!** Ar.; (calling a halt to an argument) **stop there!** Pl.
50 ‖ MID. (of persons or things) **cling, stick** (sts. W.GEN. or PREP.PHR. *to someone or sthg*.) Hom. +; (fig.) —w.GEN. *to good men* (i.e. their company) Thgn.
51 ‖ MID. (gener.) **grasp after** or **involve oneself in** (W.GEN. sthg. non-material); **engage in** —*a task* Hdt. X. —*a fight* S.; **embrace** —*an excuse, a course of action, a line of argument* Hdt.; **adhere to** —*an opinion* Hdt. Th.; **hold fast by** (i.e. be content with) —*a life blessed w. children* E.; **strive after** —*safety* X.; **fix one's attention on** —*someone's crimes* D.; (of a country) **lay claim to** —*a name* Hdt.
52 ‖ MID. (of things) **hinge, depend** —w.GEN. or ἐκ + GEN. *on someone* Hom.
53 ‖ MID. **be next** in location; (of peoples or places) **be close** or **next** —w.GEN. *to others* Hdt. Th.; (of troops on the march) **come next** (after others) X.; **keep close** —w.GEN. *behind others* X. ‖ MASC.PL.SB. neighbouring people Hdt.
54 ‖ MID. **be next** in time; (of things) **come next** Isoc. —W.DAT. *after others* Pl. ‖ PTCPL.ADJ. (of a year, a day) next Th. +
55 ‖ MID. (of things) **be connected with, pertain to, have to do with** —W.GEN. *someone or sthg*. Pl. ‖ PTCPL. (quasi-adjl., of things) being of the nature of (W.GEN. sthg.) Hdt. Pl.
• ἄλλα ἢ ὀρνίθων ἢ ἰχθύων ἐχόμενα *other species of birds or fishes* Hdt.
—**ἐχόντως** *ptcpl.adv.* (in phrs.) νοῦν (νόον) ἐχόντως *sensibly* Hdt.(cj.) Isoc. Pl.; λόγον ἐχόντως *reasonably* Isoc. | The former is sts. written νουνεχόντως.
ἐχώσθην (aor.pass.): see χόω
ἐψευσμένως *pf.pass.ptcpl.adv.*: see under ψεύδω
ἐψήματα τῶν *n.pl.* [ἕψω] **boiled foods** Pl.

ἕψησις εως *f.* **1 boiling, stewing** (of food) Hdt. Plu.
2 smelting (of ore, to extract precious metals) Pl.
ἑψητός ή όν *adj.* **1** (of a drink) **made by boiling** (palm sap) X.
2 ‖ MASC.PL.SB. small fishes boiled for eating, boiled fish Ar. Men.
ἑψιάομαι *ep.mid.contr.vb.* | always w.diect. | 3pl. ἐψιόωνται, impf. ἐψιόωντο | inf. ἐψιάασθαι | 3pl.imperatv. ἐψιαάσθων | **amuse** or **entertain oneself** (w. singing, feasting, play, sport) Od. Call. AR.
ἕψω *vb.* | impf. ἧψον, Ion.3sg. ἧψεε | fut. ἑψήσω (Men.), also ἑψήσομαι (Pl.) | aor. ἥψησα ‖ aor.pass. ἡψήθην | **1 cook in a liquid, boil** or **stew** —(*esp*.) *meat, vegetables* Hdt. Ar. Pl. X. Thphr. Men. +; (hyperbol.) —*a person* Pl. ‖ PASS. (of meat, eggs) be boiled Hdt. Pl. Plb.; (of human limbs) E.*Cyc*.; (hyperbol., of a person) Ar.
2 put to the boil, boil —*a pot* Ar. Pl. Plu.
3 create by boiling, boil down —*perfume, dye, wine* Ar. Thphr.
4 ‖ PASS. (of gold) be refined (by smelting) Pi.
5 (provbl., ref. to a useless attempt to persuade someone) **boil** —*a stone* Ar.
6 (fig.) keep on the boil, **coddle, nurse** —*an inglorious old age* Pi.
ἕω (Att.acc. and gen.sg.), **ἕῳ** (Att.dat.sg.): see ἠώς
ἕω (Ion.subj.): see εἰμί
ἐῴην (pres.opt.): see ἐάω
ἔωθα (Ion.pf.), **ἐώθεα** (Ion.plpf.): see εἴωθα
ἕωθεν *Att.adv.*: see under ἠώς
ἑωθινός ή όν *adj.* [ἠώς] **1** relating to the time of dawn; (of the sun) **at dawn, early morning** Hdt.; (of lamps, a breeze) Call. Plu.; (of a military watch) Plb. Plu.; (of military combat, an Assembly meeting) **beginning early in the morning** E. Ar. ‖ FEM.SB. early watch Plb.
2 (advbl. and prep.phrs.) τὸ ἑωθινόν *in the early morning* Hdt.; ἐξ ἑωθινοῦ *from sunrise* Ar. Pl. X. Men.
ἐώθουν (impf.): see ὠθέω
Ἑῷος ον *ep.adj.* [ἠώς] (epith. of Apollo, as sun-god) **of the Dawn** AR.
ἑῴκει (3sg.plpf.), **ἑῴκεσαν** (3pl.): see ἔοικα
ἑωλο-κρᾱσία ᾱς *f.* [ἕωλος, κεράννῡμι] mixture consisting of the remains of last night's wine; (fig.) **stale lees, dregs** (W.GEN. of a person's depravity and crimes, i.e. unsavoury crimes committed long ago) D.
ἕωλος ον *adj.* [ἠώς] **1 kept until after dawn** (i.e. properly belonging to the previous day); (fig., of crimes committed long ago) **stale, out of date** D.; (of a commander) **past one's best** Plu.
2 (of a garland) **withered** Plu.; (of a reputation) **faded** Plu.
ἐώλπει (ep.3sg.plpf.): see ἔλπομαι
ἔωμεν (Ion.1pl.athem.aor.subj.): see ἄω
ἔῳμι (ep.opt.): see εἰμί
ἐών (ptcpl.), **ἔων**[1] (Aeol.ptcpl.): see εἰμί
ἔων[2] (Ion.impf.): see ἐάω
ἐωνήθην (aor.pass.), **ἐώνημαι** (pf.mid.pass.), **ἐωνησάμην** (aor.mid.), **ἐωνούμην** (impf.mid.): see ὠνέομαι
ἐωνοχόει (ep.3sg.impf.): see οἰνοχοέω
ἑῷος *Att.adj.*: see ἠῷος
ἑώρακα (Att.pf.), **ἑώραμαι** (Att.pf.pass.): see ὁράω
ἑώργει (3sg.plpf.): see ἔρδω
ἑώρταζον (impf.): see ἑορτάζω
ἑωρώμην (Att.impf.pass.), **ἑώρων** (Att.impf.): see ὁράω
ἕως[1], ep. **εἵως** *conj., adv. and prep.* —also (in usages A 1-4) **ἕωσπερ** *conj.* [περ[1]] | In ep., ἕως is of variable scansion (iambus, monosyllable, trochee) and is sts. written **εἷος** or **ἧος** when trochaic. | see also τέως, and dial.conj. ᾱ̔ς[1] |

ἕως

—A | as temporal conj. |
1 (ref. to actual occurrence in past time) up to the time when, **until** —W.AOR.INDIC. *sthg. was the case* Hom. A. Hdt. E. Th. +
2 (ref. to future time) **until** —w. ἄν or κε (sts. omitted) + AOR.SUBJ. or (after historic tense) OPT. *sthg. is the case* Hom. Hes. Trag. Th. + —W.AOR.INF. (in indir.sp.) Hdt.
3 (ref. to actual occurrence in present or past time) **as long as, while** —W.PRES. or IMPF.INDIC. *sthg. is or was the case* Hom. hHom. Hdt. Trag. Th. +
4 (ref. to future time) **as long as, while** —w. ἄν + PRES.SUBJ. *sthg. is the case* Thgn. A. S. Th. + —W.OPT. (in indir.sp., after historic tense; also by attraction to a preceding potential opt.) Pl.
5 (expressing purpose, after historic tense) **in order that** —W.OPT. *sthg. might be the case* Od.
—**B** | as demonstr.adv. |
for a time Hom. Hdt.; **for all that time, continually** Od.
—**C** | as prep. |
1 (ref. to time) **until** —W.GEN. *a time or event* Plb. NT. —*a person (i.e. the lifetime of that person)* Plb. NT. —w. τοῦ + INF. *sthg. is the case* Plb. NT. —W.GEN.RELATV.PRON. οὗ *such time as* (W.INDIC. or SUBJ. *sthg. is the case*) Plb. NT. —W.ADV. ἄρτι *now* NT. —πότε; *when?* NT. —w. εἰς + ACC. *a certain time* Plb.; ἕως ὅτου *while* NT.
2 (ref. to place) **as far as, up to** —W.GEN. *a person or place* Plb. NT. —W.ADV. ἄνω, κάτω, ἔσω, ὧδε *the top, bottom, inside, here* NT. —w. εἰς, ἐπί or πρός + ACC. *a place* Plb. NT.
3 (ref. to progression in number or degree) **as far as** —W.GEN. *a certain amount or magnitude* NT.; (ref. to the extent of an action or feeling) —*a certain point* NT.

ἕως², also **Ἕως** *Att.f.*: see ἠώς
ἔωσα (aor.): see ὠθέω
ἔωσι (Ion.3pl.subj.): see εἰμί
ἕωσπερ *temporal conj.*: see ἕως¹
Ἑωσ-φόρος (or **ἑωσφόρος**) dial. **Ἀοσφόρος**, ου *m.* [ἠώς, φέρω] (ref. to the planet Venus) **Bringer of Dawn, Morning Star** (son of Eos) or (without personif.) **morning star** Il. Hes. Pi. Pl.
ἑωυτόν (Ion.3sg.acc.reflexv.pron.): see ἑαυτόν

Z ζ

ζα- *Aeol.intensv.prfx.*
ζά *Aeol.prep.*: see διά
ζάβαις (Aeol.athem.aor.ptcpl.): see διαβαίνω
ζάγκλον ου *n.* [Sicilian wd.] reaping hook, **sickle** Th. Call.
Ζαγρεύς έως *m.* **Zagreus** (cult name of Dionysus on Crete) E.*fr.* Call.
ζάδηλος *Aeol.adj.*: see διάδηλος
ζαής ές *adj.* [ζα-, ἄημι] | acc. ζαῆν | (of a wind) blowing strongly, **furious, tempestuous** Hom. Hes.
ζά-θεος ᾱ (Ion. η) ον (also ος ον E., perh. Ar.) *adj.* —also **δάθιος** ᾱ ον *Boeot.adj.* [θεός] **1** (of places or natural features, such as countries, islands, sanctuaries, oracular shrines, mountains, rivers) strongly associated with a divine presence, **holy, sacred, numinous** Il. Hes. hHom. Pi. B. Hdt.(oracle) +
2 (of objects carried by a priestess) **holy, sacred** E.; (of rites, offerings) Pi.*fr.* E.; (of an oracular tripod) E.; (of the time of a festival) Pi.*fr.*; (of songs, honours) Ar. Castorio
3 (of the baby Zeus) **holy, divine** Corinn.
ζάκορος (or **ζακόρος**) ου *m.* [for 1st el. cf. ζάπεδον; 2nd el. perh.reltd. κορέω¹] one who has care of a temple building, **temple warden** Men. Plu. | cf. νεωκόρος
ζά-κοτος ον *adj.* [ζα-, κότος] **1** feeling great resentment or anger; (of a person) **resentful, rancorous, churlish** Il.; (of dogs, as a species) Theoc.
2 (of a spear, rainwater) **raging, furious** Pi.
ζα-κρυόεις εσσα εν *Aeol.adj.* (of death) **icy, freezing** Alc. [unless equiv. to δακρυόεις *tearful*]
ζάλεξαι (Aeol.aor.mid.imperatv.): see διαλέγομαι
ζάλη ης *f.* **tempest, storm** (at sea) A. S.; (on land) Pl. Plu.; (ref. to volcanic fire) A.; (pl., fig.ref. to ill fortune) Pi.
ζαλλεύω *Aeol.vb.* [app.reltd. ζηλόω] | only 3pl.imperatv. ζαλλευόντων | app. **set one's heart on** —*shameful things* Alc.
ζᾱλόω *dial.contr.vb.*, **ζᾱλωτός** *dial.adj.*: see ζηλόω, ζηλωτός
ζαμενέω *contr.vb.* [ζαμενής] | only ep.3sg.aor. ζαμένησε | be very angry, **be furious** Hes.
ζα-μενής ές *adj.* [μένος] | superl. ζαμενέστατος | **1** having great physical or emotional energy; (of Chiron, Medea, Memnon) **mighty, formidable** Pi.; (of a god) **vehement, furious** hHom.; (of a dancer) **vigorous** Pi.*fr.*
2 (of the sun) **powerful, intense** Pi.; (of a wind) **furious, frenzied, violent** Pi.*fr.*; (of the tumult of battle) AR.; (of verbal abuse) S.; (of a murder) E.(cj.); (of audacity) Pi.*fr.*
ζᾱμίᾱ *dial.f.*: see ζημίᾱ
Ζᾱν *dial.m.*: see Ζεύς
ζάπεδον *dial.n.*: see δάπεδον
ζα-πληθής ές *adj.* [πλῆθος] (of a beard) very great in quantity, **full, thick** A.
ζά-πλουτος ον *adj.* [πλοῦτος] **1** (of persons) **very wealthy** Hdt. E.*fr.*
2 (of a dowry) **rich, lavish** E.(dub.)

ζάπυρος *dial.adj.*: see διάπυρος
ζᾱτεύω *dial.vb.*, **ζᾱτέω** *dial.contr.vb.*: see ζητέω
ζα-τρεφής ές *adj.* [τρέφω] (of bulls, seals, hogs, goats) **well-fed** Hom.; (of a serpent) **bloated** hHom.
ζα-φλεγής ές *adj.* [φλέγω] (fig., of mortals, compared to leaves) **blazing strongly** (before fading away) Il.
ζαφοίταισα (Aeol.fem.ptcpl.): see διαφοιτάω
ζα-χρεῖος ον *adj.* [χρείᾱ] **1** (of words of entreaty) expressing one's great need A.(cj.)
2 (of a traveller) app. **in great need** (W.GEN. of a route, i.e. directions) Theoc.
ζα-χρηής (or **ζαχρειής**) ές *adj.* [reltd. χραεῖν] (of warriors, horses) **strong in attack, powerful** Il.; (of winds) **raging, violent** Il. AR.
ζά-χρῡσος ον *adj.* [χρῡσός] **1** (of households) **rich in gold** E.; (of trading) E.
2 (of a shield) **richly gilded** E.
ζεγέριες ων *m.pl.* [Libyan wd.] **zegeries** (a kind of mouse) Hdt.
ζειαί ὦν *f.pl.* a kind of grain, **spelt** Od. Hdt. X.; (sg.) Lyr.adesp.
ζεί-δωρος ον *adj.* [δῶρον] (of ploughland) grain-giving, **fertile** Hom. Hes. hHom.
ζειρά ᾶς (Ion. ῆς) *f.* long cloak (worn by Arabians and Thracians), **mantle** Hdt. X.
ζείω *ep.vb.*: see ζέω
ζεσ-ελαιο-παγής ές *adj.* [ζέω, ἔλαιον, πήγνυμι] (of cakes) **cooked in boiling oil** Philox.Leuc.
ζέσις εως *f.* **boiling, seething** (of particles of moisture) Pl.; (W.GEN. of the soul, in a state of emotion) Pl.
ζέσσα (ep.aor.): see ζέω
ζευγάριον ου *n.* [dimin. ζεῦγος] yoked pair, **team** (of oxen) Ar.
ζευγηλατέω *contr.vb.* [ζευγηλάτης] **drive a team** (of oxen) X.
ζευγ-ηλάτης ου *m.* [ζεῦγος, ἐλαύνω] **driver of a team** (of oxen) X. Plb.
ζευγίσιον ου *n.* [ζευγίτης] **tax-rating of the teamster class** Arist.
ζευγίτης ου *m.* [ζεῦγος] **1** one who keeps a pair of oxen, **teamster** (ref. to a member of one of Solon's four classes of Athenian citizens) D.(law) Arist. Plu.
2 (milit.) **partner in line abreast** Plu.
ζευγῖτις ιδος *fem.adj.* (of mares) **yoked** Call.
ζεύγλη (also perh. **ζεύγλα** E.*fr.*) ης, dial. **ζεύγλᾱ** ᾱς *f.* [ζεύγνυμι] | ep.gen.dat.sg.pl. ζεύγληφι | **1 yoke-pad** (betw. the yoke and a horse's neck, to prevent chafing) Il.
2 (gener.) **yoke** (for draught animals) A. Pi. Hdt. E. Call. AR.
3 (fig.) **yoke** (of subjection, for a people) Thgn.; (W.GEN. of delusion) E.*fr.*(cj.)
4 ‖ PL. rudder-straps (ropes by which a ship's steering-oars were hoisted and lowered) E.

ζεῦγμα

—**ζεύγληθεν** adv. **from the yoke** —ref. to fastening a plough-pole AR.
ζεῦγμα ατος n. **1 assemblage** (of boats) **lashed together, pontoon** (as a barrier, bridge, weapons-platform) Th. Plb. Plu.
2 bridge (spanning a river) Plu.
3 ‖ PL. (fig.) **yoke** (w.GEN. of compulsion) E.
ζεύγνῡμι vb. —also (pres. and impf.) **ζευγνύω** [reltd. ζυγόν] | ptcpl. ζευγνύς, inf. ζευγνύναι, also ζευγνύειν, ep. ζευγνύμεναι, ζευγνύμεν, also ζευγνῦμεν | impf. ἐζεύγνυον, ep. ζεύγνυον, 3pl. ἐζεύγνυσαν, ep. ζεύγνυσαν | fut. ζεύξω | aor. ἔζευξα, ep. ζεῦξα ‖ MID.: inf. ζευγνύσθαι | impf.: 3pl. ἐζεύγνυντο, ep.du. ζευγνύσθην | aor. ἐζευξάμην ‖ PASS.: aor. ἐζεύχθην, ptcpl. ζευχθείς, inf. ζευχθῆναι | aor.2 ἐζύγην, ptcpl. ζυγείς, inf. ζυγῆναι | pf.: ptcpl. ἐζευγμένος, inf. ἐζεῦχθαι | 3sg.plpf. ἔζευκτο |
1 (act. and mid.) **place a yoke on** (draught animals, to connect them to a vehicle); **yoke** —oxen, bulls, horses, mules (sts. w. ὑπό + DAT. to chariots, wagons) Hom. hHom. Thgn. A. Pi. E. AR. —a person (in a ritual dance) X. —(fig.) horses (on Athena's peplos, i.e. embroider yoked horses) E.; **fasten** —the necks of bulls (w. ὑπό + ACC. beneath a yoke) Mosch. ‖ PASS. (of a horse) **be yoked** —w. ἐν + DAT. to a chariot A. —w. ὑπό + ACC. Hdt.
2 (act. and mid.) **attach** (a chariot) by a yoke (to horses); **yoke** —a chariot E. Tim. Pl. Call.; (fig., of one who commissions a poem) —a chariot of the Muses Pi.
3 put a bridle on (a riding-horse); **bridle, harness** —a horse Pi. E.(mid.) Ar. —a dung-beetle Ar.
4 ‖ PASS. (of a person, envisaged as a trace-horse) **be harnessed** or **linked** —w.DAT. to another person (as helper) A.
5 harness or **lash** —a camel (to others, to form a team) Hdt. ‖ MID. **lash together** —camels Hdt.
6 (fig., of a poet) **harness, link** —a song (w.DAT. to victorious deeds) Pi. —one's Muse (w. ἐν + DAT. to ten notes, perh.ref. to lyre strings) Tim. ‖ PASS. (of an achievement) **be linked** —w.DAT. to streams of poetry Pi.
7 (fig.) **subject** (a person or animal) to constraint or overmastering power (envisaged as a yoke); **yoke, fetter** —a person (w.DAT. to a heavy yoke) A. —(to necessity or compulsion) E. Pl. —a person's mind (to the compulsion of madness) B.; (of a lot) —a female captive (to a master) E.; (of Artemis) —the race of lions (w. ἐν + DAT. in Bacchic frenzy) Pi.fr. ‖ MID. **fetter, bind** —someone (w. ἐν + DAT. w. oaths) E. ‖ PASS. (of a person) **be constrained** or **tamed** (by imprisonment) S. —w.DAT. by trickery and compulsion S.; **be fettered** or **bound** —w.DAT. by fate Pi. —by oaths, oracles E. —w. ὑπό + GEN. by money E.; (of monarchy) —w. ἐν + DAT. by laws Pl.
8 join (persons) in marriage or sexual union; (fig., of a father) **yoke** —a son (w.DAT. in marriage and the yoke-straps of a bride) E.fr.; (of a husband or lover) —a woman (sts. w.DAT. in marriage or a casual union) E.; (of a marriage night) **unite** (a bride, w. her husband) S.fr. ‖ MID. (of a man) **bed** —a wife E. —a woman (in a casual union) E. AR. ‖ PASS. (of a man or woman) **be yoked** or **united** (sts. w.DAT. or ἐν + DAT. in marriage or a casual union) S. E. —w.DAT. to a god A.fr.; (of a woman's body) **be brought in union** —w. ἐς + ACC. to a husband's bed E.; (gener., of women) **be given in marriage** Plu. ‖ PF.PASS.PTCPL.ADJ. (of a woman) **bedded** (opp. virgin) S.
9 join (opposite banks, by a bridge); **span, bridge** —a river or strait (usu. w. boats) A. Hdt. Att.orats. Plb. Plu.; (perh. also mid.) Hdt. ‖ PASS. (of a river or strait) **be bridged** Hdt. Pl.; (of ravines) **be spanned** —w.DAT. by bridges Plu.
10 construct —a bridge (of boats) Hdt. ‖ PASS. (of a bridge) **be constructed** Hdt. —w.DAT. w. boats X.
11 lash together —ships, rafts (sts. w. πρός + ACC. to each other) Plb.; **fasten** —inflated animal skins (w. πρός + ACC. to each other, to form a pontoon) X. ‖ PASS. (of ships) **be lashed together** Plb.
12 fasten together (fr. component parts), **build, construct** —ships Hes.fr.
13 brace (w. cables), **reinforce** —old ships Th.
14 (of archers) **span** —bows (w.DAT. w. strings) E.
15 (gener.) **bind** —a bird (w. ἐν + DAT. on a wheel) Pi. ‖ PASS. (of garlands) **be bound** —w. ἐπί + DAT. on a person's hair Pi.; (of a platform) **be fixed** —w. ἐπί + GEN. on posts Hdt.
16 fasten together, combine —the performance of two obligations Pi. ‖ PASS. (of things) **be linked** or **connected** (to each other) Pl.
—**ἐζευγμένος** η ον pf.pass.ptcpl.adj. (of double gates) **fastened together** Il.; (of women) **having** (w.ACC. cloaks) **fastened** Il.
ζεῦγος εος (ους) n. **1 yoked pair, pair, team** (of draught animals) Il. Att.orats. Pl. X. NT. Plu.; (of horses, for chariot racing) Th. And. Isoc. Pl.
2 vehicle drawn by a yoked pair, cart, wagon, carriage or **chariot** Hdt. Th. Ar. Att.orats. Pl. X. +
3 pair (of persons) A. E. Plu.; (of birds, snakes) Hdt. Call. NT. Plu.; (of leg-shackles, shoes) Hdt. Ar.; (of gladiators) Plb. Plu.
4 (gener.) **group, company** (of three persons or deities) E.
5 state of being paired, pairing (of male and female, in marriage) X.
ζευγο-τρόφος ου m. [τρέφω] **keeper of draught animals** Plu.
ζευκτήριος ᾱ ον adj. **1** (perh., of one thing) **connective** (w.GEN. of two, ref. to a bridge) A.
2 ‖ NEUT.SB. (fig.) **yoke** (imposed on a captured city) A.
3 ‖ FEM.PL.SB. **rudder-straps** (for hoisting and lowering a ship's steering-oars) NT.
ζεῦξις εως f. **1 harnessing** (of camels, to each other) Hdt.
2 bridging (w.GEN. of a strait, by boats) Hdt.
Ζεῦξις ιδος m. | acc. Ζεῦξιν | **Zeuxis** (painter, 5th–4th C. BC) Isoc. Pl. X. Arist. Plu.
Ζεύς Διός m. | voc. Ζεῦ | acc. Δία | dat. Διί (contr. Δί Pi.) ‖ poet. and dial. forms: nom. Ζήν, dial. Ζάν, Boeot. Δεύς | acc. Ζῆν, Ζῆνα, dial. Ζᾶνα, Δᾶν (Theoc.) | gen. Ζηνός, dial. Ζανός | dat. Ζηνί |
1 Zeus (son of Kronos and Rhea, father of gods and men, Olympian sky-god, source of rain and thunderbolts) Hom. +; (freq. in oaths) • οὐ μὰ Ζῆνα no by Zeus Hom. • ναὶ (or οὔ) μὰ (τὸν) Δία S.Ichn. Ar. Att.orats. Pl. + • νὴ (τὸν) Δία Ar. Att.orats. Pl. +
2 (w.epith., ref. to a specific attribute, e.g. πατήρ father, σωτήρ saviour, τέλειος fulfiller, ἑρκεῖος of the courtyard) Hom. +
3 (w.epith., ref. to a foreign or local deity) • Ζεὺς Ἄμμων Zeus Ammon (in Egypt) Pi. • Ζεὺς Λακεδαίμων Zeus of Lacedaemon Hdt.; (ref. to an alternative Greek deity) Ζεὺς χθόνιος, καταχθόνιος (or sim.) Zeus of the underworld (i.e. Hades) Il. Hes. Trag.
—**Διόθεν** adv. **from** or **by the will of Zeus** —ref. to things moving or originating Il. Hes. Thgn. A. Pi. E. +; (also) ἐκ Διόθεν Hes. AR.
Ζέφυρος ου m. [perh.reltd. ζόφος] **Zephyr, West Wind** Hom. +

—Ζεφύριος ᾱ ον *adj.* (of Locrians) **Zephyrian** (i.e. western) Pi. | see Λοκροί
—Ζεφυρίη ης *Ion.f.* **West Wind** Od.
ζέω *contr.vb.* —also **ζείω** (Call. AR.) *ep.vb.* | 3sg. ζεῖ, Ion. ζέει, ptcpl. ζέων, ep. ζείων | 3sg.impf. ἔζει, ep. ἔζεε, also ζέε | fut. (in cpd.) -ζέσω | aor. ἔζεσα, ep. ζέσσα |
1 (of water) **boil, seethe** Hom. Hes. Pi. Call.(cj.) Plu.; (of a cauldron) Il. Hdt. E.*Cyc.*; (of molten metal) Call.; (of food being cooked) Theoc.; (of bile in the body) Pl.; (of land and sea, struck by lightning-bolts) Hes.; (of an underworld lake of fire) —W.GEN. *w. water and mud* Pl.; (tr.) **boil** —*water* AR.
2 (of a sea, in a storm) **seethe** Hdt. AR.; (of wine, when first poured) **foam** Pl.; (tr., of a lightning-bolt, being forged) **spurt out** —*a jet of fire* AR.
3 (fig., of a deity, envisaged as a sea or storm) **boil, seethe** A.; (of a person, w. anger) Pl.; (of passion or anger) S. E.; (hyperbol., of blood) **boil** (through passion) Arist.(quot.) AR. Theoc.; (wkr.sens., of a person) **be fervent** —W.DAT. *in spirit* NT.
4 (of a soul, growing wings) **throb** Pl. ‖ NEUT.PTCPL.SB. throbbing sensation (as a bodily ailment) Pl.
ζῇ (Att.imperatv.), **ζῇ** (Att.3sg.pres. and subj.): see ζώω
ζηλήμων ον, gen. ονος *adj.* [ζηλόω] (of gods) **jealous, envious** Od. Call. Mosch.
ζῆλος ου *m.* **1** competitive feeling of jealousy (sts. opp. φθόνος *begrudging feeling*), **jealousy, envy** Archil. S.(dub.) Democr. Lys. Pl. D. +; (personif.) **Envy** Hes.
2 spirit of emulation (provoked by jealous admiration), **admiration, emulation** (sts. W.GEN. of persons or things) Att.orats. Arist. Call. Plb. Plu.; (personif., son of Styx, brother of Victory, Power, Strength) **Emulation** Hes.
3 state of being the object of jealous admiration, **enviable good fortune** or **prestige** S. E. D.; (W.GEN. of a potential marriage) E.
4 (gener.) **admiration, enthusiasm, eagerness, passion** (sts. W.GEN. for persons or things) S. E.*fr.* D. Plb. NT. Plu.; (wkr.sens.) **feeling** (W.GEN. about a political policy) Plb.
5 style (W.GEN. of oratory, prevailing at a particular time) Plu.
ζηλοσύνη ης *f.* **jealousy, envy** hHom.
ζηλοτυπέω *contr.vb.* [ζηλότυπος] **be jealous of, envy** —*a person* Pl. —*a person's honours, virtue, popularity* Aeschin. Plu.; **view with jealousy** —*activities* Aeschin.; (intr.) **be jealous** Isoc. Plb. ‖ PASS. (of the status of tyrant) be envied Plu.
ζηλοτυπίᾱ ᾱς *f.* **jealousy, envy** Aeschin. Plb. Plu.; (W.GEN. of a person's reputation or honours) Plu.
ζηλό-τυπος ον *adj.* [τύπτω] **struck by jealousy, jealous** Ar. Men.
ζηλόω, dial. **ζᾱλόω** (Theoc.) *contr.vb.* **1** feel jealousy (for what one counts another fortunate to possess); **be jealous of, envy** —*a person* Hes. hHom. A. E. Lys. Ar. + —(W.GEN. *for some quality or possession*) S. E. Ar. Isoc. Pl. X.
—(W.NEUT.ACC.) S. —(W.PTCPL. *for having died when he did*) A. —*another's wealth, abilities, virtue, or sim.* Att.orats.; (intr.) **be jealous** Arist. NT. ‖ PASS. (of persons or things) be envied Att.orats. Pl. X. +
2 admire enthusiastically (so as to wish to equal), **emulate** —*persons, their conduct, achievements, or sim.* Th. Att.orats. Pl. Arist. Plb. Plu.
3 count as enviable, **admire** or **praise** —*persons or things* E. Th. X. D. Plb. Plu.
4 strive after, set one's mind on, aspire to —*honours, fame, rewards, achievements* E. D. Men. Plb. Plu.

ζηλώματα των *n.pl.* **1 enviable fortune** (of a person) E.
2 enthusiastic feelings (for a political leader) D.
3 aspirations (of people) Aeschin.
ζήλωσις εως *f.* **enthusiastic admiration** (W.GEN. of foreigners) Th.
ζηλωτής οῦ *m.* **1** one who emulates (out of admiration), **emulator** Arist. Plb.; (W.GEN. of persons, their virtues) Isoc. Plb. Plu.
2 enthusiastic admirer (W.GEN. of a person's qualities, of policies, practices, or sim.) Pl. Aeschin. Plb. NT. Plu.
3 enthusiastic follower (W.GEN. of a person, as leader or teacher) Plb. Plu.
4 eager servant (W.GEN. of God) NT.; (epith. of the apostle Simon) **zealot** NT.
ζηλωτικός ή όν *adj.* (of persons) **of the jealous** or **emulous kind** Arist.
ζηλωτός ή όν (also ός όν E.), dial. **ζᾱλωτός** ά όν (Pi. Theoc.) *adj.* regarded or to be regarded with envy or jealous admiration; (of persons) **enviable, admirable** (freq. W.DAT. to many, all, or sim.) Archil. Thgn. Trag. Lys. Ar. Isoc. +; (W.GEN. for one's harmonious marriage) Pi.; (of a life, death, achievements, honours, or sim.) Simon. E. Ar. Att.orats. Pl. Arist. +
ζημίᾱ, dial. **ζᾱμίᾱ** (Ar.), ᾱς, Ion. **ζημίη** ης *f.* **1 damage, harm** or **loss** (material or financial) A. Hdt. Ar. Att.orats. Pl. X. +; (fig., ref. to a person) **dead loss, liability** X.
2 (esp. in legal ctxt.) **punishment, penalty** Hdt. Trag. Th. Att.orats. Pl. X. +; (specif.) **fine** Hdt. Th. Isoc. Pl. +
3 (leg.) harmful or punishable act, **offence** (committed by a slave) Is. Hyp.
ζημιόω *contr.vb.* | fut.pass. ζημιωθήσομαι, also ζημιώσομαι |
1 cause loss, damage or **harm to** —*persons, the state* Hdt. Lys. Isoc. Pl. X. ‖ PASS. (of persons, the state) suffer loss or damage (sts. W.ADVBL.NEUT.PL.ACC. greatly or sim.) Th. Att.orats. Pl. X. Arist. Men. +
2 (esp. in legal ctxt.) **punish, penalise** —*a person* (freq. W.DAT. *w. a specific penalty, such as death, a sum of money, i.e. fine*) Hdt. E. Th. Ar. Att.orats. Pl. + —*a decision* (i.e. those who made it) Th. —*the sea* (as if an offender) Hdt. ‖ PASS. be punished or penalised (freq. W.DAT. w. a specific penalty) Hdt. E. Th. Att.orats. Pl. X. +
ζημιώδης ες *adj.* **1** (of things) causing loss or damage, **damaging, ruinous** Pl. X.
2 (of persons) prone to loss (opp. profit), **loss-making** Arist.
ζημίωμα ατος *n.* punishment imposed, **penalty** Pl. X.
ζημίωσις εως *f.* **imposition of punishment** Arist.
Ζήν *m.*: see Ζεύς
ζῆν (Att.inf.): see ζώω
Ζήνων ωνος *m.* **1 Zeno** (of Elea, 5th C. BC, Presocratic philosopher) Isoc. Pl. Arist. Plu.
2 Zeno (of Citium, 4th–3rd C. BC, founder of Stoicism) Plu.
ζήσω (Att.fut.): see ζώω
ζῆτα *indecl.n.* [Semit.loanwd.] **zeta** (letter of the Greek alphabet) Pl.
ζῆτε (Att.2pl.imperatv.): see ζώω
ζητέω, dial. **ζᾱτέω** (Theoc.) *contr.vb.* —also **ζητεύω** (Hes. hHom.), dial. **ζᾱτεύω** (Alcm.) *vb.* | Aeol.fem.nom.ptcpl. ζάτεισα (Theoc.) ‖ neut.impers.vbl.adj. ζητητέον |
1 seek (by looking or searching), **look for, seek out** —*persons, animals, places, things* Il. Hes. hHom. Hdt. S. E. + —W.INDIR.Q. (*a place*) *where one may do sthg.* E.; (intr.) **search** hHom. Ar. Isoc. + ‖ PASS. (of persons or things) be sought S. Antipho Th. Ar. +
2 seek (by inquiry), **ask for** —*a person* E. X.

ζήτημα

3 try to obtain or bring about (material or advantageous things); **seek** —*a livelihood, safety, an alliance, the impossible, or sim.* Hes. Alcm. Sol. Thgn. Hdt. Trag. +
4 (of persons, during a famine) **feel the want of** —*food* Hdt.
5 try, attempt —w.inf. *to do sthg.* Hdt. Trag. Th. Ar. Att.orats. Pl. +; **wish for, desire** —w.acc. + inf. *sthg. to be the case* Isoc. Pl.
6 seek knowledge; **try to discover** or **find out** —*facts, the truth, or sim.* E. Ar. Att.orats. Pl. + —*a person* (*i.e. his identity*) Ar. —w.indir.q. *what* (*whether sthg., or sim.*) *is the case* Th. Ar. Att.orats. Pl. +; **ask** (someone) —w.dir.q. *where is such and such?* Ar. —w.indir.q. *what is the case* X.
7 inquire into, investigate, examine —*facts, circumstances, phenomena* S. Ar. Att.orats. Pl. +; (intr.) **inquire, investigate** Att.orats. Pl. + ∥ pass. (of things) be the object of inquiry Pl. Is. D.

ζήτημα ατος *n*. **1** act of seeking, **search** E.
2 that which is sought for, **object of a search** E.
3 search for information, **inquiry, investigation** S. Pl.
4 topic or cause of inquiry, **question, issue** Pl. NT.
5 means of searching ∥ pl. means of establishing the identity (w.gen. of a mother, ref. to swaddling-clothes) E.

ζητήσιμος η ον *adj.* searchable ∥ neut.pl.sb. places to be searched (in hunting) X.

ζήτησις εως *f*. **1** process of seeking, **search** (freq. w.gen. for persons or things) Hdt. S. E.*Cyc.* Th. Att.orats. Pl. +; (w.gen. of ships, i.e. their cargo) Hdt.
2 inquiry, investigation (judicial or intellectual) Th. Pl. Hyp. Arist. Din. Plb. +
3 argument, debate NT.

ζητητέος ᾱ ον *vbl.adj.* **1** (of persons or things) **to be sought** S. Pl. X. Arist. Men.
2 (of things) **to be investigated** Pl. Arist.
3 (of persons) **to be investigated** or **examined** Ar.

ζητητής οῦ *m.* **1 seeker** (w.gen. of knowledge) Pl.; **investigator** Pl.
2 (at Athens, usu.pl.) member of an official committee of inquiry (appointed by the Assembly), **commissioner of inquiry** Att.orats.

ζητητικός ή όν *adj.* (of persons) **disposed to investigate** or **inquire** Pl. ∥ neut.sb. spirit of inquiry (as a feature of Socratic dialogues) Arist.

ζητητός ή όν *adj.* (of a person) **sought after** (w.dat. by a people) S.

ζιζάνια ων *n.pl.* [Semit.loanwd.] weeds among corn, **tares, darnel** NT.

ζμύρνα *f.*: see σμύρνα

ζόα dial.*f.*, **ζόη** Ion.*f.*, **ζοΐα** Aeol.*f.*: see ζωή

Ζόννυσσος Aeol.*m.*: see Διόνῡσος

ζοός *adj.*: see ζωός

ζορκάς *f.*, **ζόρξ** *f.*: see δορκάς, δόρξ

ζοφερός ᾱ́ (Ion. ή) όν *adj.* [ζόφος] (of Khaos, the sky) **dark, gloomy** Hes. AR.

ζόφος ου *m.* **1 darkness, gloom** (of the underworld, sts. ref. to the region itself) Hom. Hes. hHom. A. E. AR.; (fig., ref. to despair or quasi-death) Archil.
2 (gener.) **darkness, gloom** (of a cave) hHom.; (of night) Hes.; (of winter) Pi.; (of the sky or atmosphere, due to weather) AR. Plb. Plu.
3 region of darkness (where the sun sets), **western darkness, west** Hom. AR. Theoc.; (prep.phr.) πρὸς ζόφον *to the west* (w.gen. *of a place*) Pi.

ζόω *vb.*: see ζώω

ζύγαινα ης *f.* [app. ζυγόν] **hammerhead shark** A.*satyr.fr.*

ζύγαστρον ου *n.* [reltd. ζυγόν] **storage chest** or **box** S. X.

ζυγέω contr.*vb.* (of military contingents) **be adjacent** —w.dat. *to others* Plb.

ζυγη-φόρος ον *adj.* [φέρω] (of a horse, its neck) **yoke-bearing** E.

ζύγιος ον (also Ion. η ον) *adj.* **1** (of horses) attached to the yoke, **yoked** E. ∥ masc.sb. yoke-horse Ar.
2 (of the chariot of Cybele) **with a yoked team** (w.gen. of wild animals) E.
3 (epith. of Hera, as goddess of marriage) **Yoker** AR.

ζυγό-δεσμον ου *n.* [δεσμός, δέω¹] rope fastening the yoke (to the plough-pole), **yoke-fastener** Il. Plu.

ζυγομαχέω contr.*vb.* [μάχομαι] **1** fight with one under the same yoke; **quarrel** (w. one's relatives) D. Men. —w.dat. w. *one's wife* Men.
2 (gener. or fig.) **quarrel** —w. πρός + acc. w. *a servant* Plu.; **spar** —w.dat. w. *a punchbag* Arist.(quot.com.); **struggle** —w.dat. *against hunger* Plu.; **be resistant** —w. πρός + acc. *to a way of life* Plu.
3 (of soldiers) fight against the yoke (of authority), **be rebellious** Plu.

ζυγόν οῦ *n.* —also **ζυγός** οῦ (hHom. Pl. Call. Plb. NT. Plu.), Aeol. **ζύγος** ου (Theoc.) *m.* [reltd. ζεύγνῡμι] ∣ ep.gen.dat. sg.pl. ζυγόφι(ν) ∣
1 wooden bar joining a pair of draught animals (and itself attached to the pole of a plough or carriage), **yoke** Hom. +
2 (fig.) **yoke** (imposed on the neck of the sea, i.e. the Hellespont, ref. to a bridge of boats) A.; (of authority or subjection, imposed on persons, countries, or sim.) hHom. Thgn. Pi. Trag. X. Call. +; (w.gen. or adj. of slavery) Hdt. Trag. Pl. D.(quot.epigr.); (w.gen. of military force) A.; (of necessity) E.; (ref. to the teaching of Jesus) NT.
3 (fig.) **yoke** (of marriage) E.; (of friendship, betw. men) Theoc.
4 (usu.pl.) cross-bench of a ship (on which the rowers sit), **bench, thwart** Od. Thgn. Hdt. S. E. AR.
5 (specif.) **helmsman's bench** (at the stern) A.; (fig.) **bench** (w.gen. of authority) E.(pl.); (w.adj. πρῶτον *chief*, w.gen. of a city) E.
6 cross-bar (joining the two arms of a lyre) Il.
7 beam (w.gen. of a pair of scales) A.; (gener.) **scales** Lys. Pl. D. Plu.; (pl.) D.
8 yard-arm (w.gen. of the mast-head) Pi.
9 cross-strap (of a sandal) Ar.
10 link (betw. observer and observed, ref. to light) Pl.
11 pair (of persons, ref. to Agamemnon and Menelaos) E.; (prep.phr.) κατὰ ζυγά *in pairs* Theoc.
12 formation of soldiers side by side, **rank, line** (opp. file) Th. Plb. Plu.

ζυγοστατέομαι pass.contr.*vb.* [ἵστημι] **1** (fig., of a war) **be in the balance** (so that the result may go either way) Plb.
2 (of a constitution) **be in equilibrium** Plb.

ζυγωθρίζω *vb.* **weigh up, examine** —*a thought* Ar. [also interpr. as *lock up*, reltd. ζύγωθρον *door-bar*]

ζύγωμα ατος *n.* [ζυγόω *yoke together*] **bar** (w.gen. for gates) Plb.

ζυγωτός ή όν *adj.* (of a chariot team) **yoked** S.

ζύμη ης *f.* **leaven, yeast** (used to ferment dough) NT.; (fig., ref. to teachings, app. as a source of corruption or falsehood) NT.

ζυμίτης ου masc.*adj.* (of bread) **leavened** X.

ζυμόομαι pass.contr.*vb.* (of wheatmeal) **be leavened** NT.

ζύμωμα ατος *n.* **fermented mixture** Pl.

ζύμωσις εως *f.* **fermentation** Pl.

ζῶ *Att.vb.*: see ζώω
ζωά *dial.f.*: see ζωή
ζω-άγρια ων *n.pl.* [ζωός, ἀγρέω] ransom paid for a person taken alive; (gener.) **reward for saving a life** Hom. Hdt. Call.; (sg.) Plu.(quot.epigr.)
ζωγραφέω *contr.vb.* [ζωγράφος] **1** depict by painting, **paint** —*persons or things* Pl. Plu.; (intr.) X. Plu. ‖ PASS. (fig., of sensory images, pleasures) be painted (in the soul) Pl. ‖ NEUT.PL.PASS.PTCPL.SB. paintings Pl.
2 decorate by painting, **paint** —*pots* Ar.
ζωγράφημα ατος *n.* that which is created by painting, **painting, picture** Pl. Plu.
ζωγραφίᾱ ᾱς *f.* **painting** (as an art) Pl. X.
ζωγραφικός ή όν *adj.* **1** (of a person) **skilled in painting** Pl. X.
2 (of the art) **of painting** Plb.
ζω-γράφος (also **ζωογράφος** Theoc.) ου *m.* [ζωός, γράφω] **1** one who depicts things in a lifelike way, **painter, artist** Hdt. Pl. X. D. Arist. Theoc. +
2 (fig., ref. to a philosopher-king) **designer** (W.GEN. of constitutions) Pl.
ζωγρέω *contr.vb.* [ἀγρέω] **1 take alive** (in war, opp. killing) —*persons* (*sts.understd.*) Il. Hdt. Th. X. Plb. Plu. ‖ PASS. be taken alive Hdt. Th. Isoc. Pl. X. Thphr. +
2 spare the life of —*a captured person* Hdt. —*a murderer* Pl.
3 (fig., of the disciples of Jesus) **catch** —*men* (opp. *fishes*) NT.
4 (of a wind) restore to life and strength, **revive** —*a wounded warrior* Il.
ζωγρίᾱ ᾱς, Ion. **ζωγρίη** ης *f.* (only dat., in periphr.phrs., w.vb. *capture* or sim.) **taking alive** Hdt. Plb. • Ἱστιαῖον ζωγρίῃ ἔλαβε he took Histiaios alive Hdt.
ζῴδια ων *n.pl.* [dimin. ζῷον] **1 small figures** (decorating a bowl) Hdt.
2 signs of the Zodiac Arist. Plb.
ζῳδιακός οῦ *m.* **Zodiac** Plb.
ζωέμεν, ζωέμεναι (ep.infs.): see ζώω
ζωή ῆς, dial. **ζωά** ᾶς, Ion. **ζόη** ης, dial. **ζόᾱ**, Aeol. **ζοΐα** (Theoc.), ᾱς *f.* [ζώω] **1** condition of being alive (opp. dead), **life** Lyr. A. Hdt. E. Pl. Arist. +
2 period from birth to death, **life** or **lifetime** Pi. B. Emp. Hdt. S.*fr.* E. +
3 way or **manner of life** Hdt. Pl. Arist.
4 means for supporting one's life, **livelihood, living** Hdt.
5 (concr.) that on which one lives, **substance, resources** Od. Hes.
ζωηδόν *adv.* [ζῷον] **in the manner of animals** Plb.
ζω-θάλμιος ον *adj.* [ζωή, θάλλω] (of Kharis) **making life blossom** Pi.
ζῴιον *n.*: see ζῷον
ζῶμα ατος *n.* [ζώννῡμι] **1 loin-cloth** (worn by athletes) Il.
2 app. **waistband** or **belt** (worn by warriors, sts. under a ζωστήρ) Hom. Alc.; (worn by a statue of Apollo) Call.
3 waistband, belt or **girdle** (worn by women) Alc. S.
ζωμεύματα των *n.pl.* [ζωμεύω *make into soup*] **soup-stuffs** (in ctxt., for export to triremes, app.w. play on ὑποζώματα *undergirding cables*) Ar.
ζωμίδιον ου *n.* [dimin. ζωμός] **bit of soup** Ar.
ζωμός οῦ *m.* **1 soup** or **broth** Asius Ar. Pl. Thphr. Plu. | see also μέλας 10
2 (fig.) **bloodbath** (on the battlefield) Thphr.
ζώνη ης, dial. **ζώνᾱ** ᾱς *f.* [ζώννῡμι] **1 waistband, belt** or **girdle** (worn by a woman or goddess, sts. richly decorated) Hom. Hes. A. Hdt. E. Men. +

2 (in specif.ctxts.) **girdle** (as covering the part of the body assoc.w. pregnancy or conception) hHom. A. E.; (undone by a man, before sexual intercourse) Od. hHom. Plu.; (undone by a woman, before childbirth) Pi. Call.
3 (provbl.) **girdle** (ref. to that of the wife or mother of the Persian king, a symbol of expense or luxury, as paid for by revenues fr. lands assigned to her) Pl. X.
4 waistband, belt (worn by Persian and other near-eastern men, of either elaborate or simple kind, sts. used to hold a weapon or money) Hdt. Pl. X. NT. Plu.
5 waistband, belt (of a warrior) AR. Plu. | see ζωστήρ 2
6 app., part of the body encircled by the belt, **waist** (of a man) Il.
ζώνιον ου *n.* [dimin. ζώνη] **waistband, belt** or **girdle** (of a woman) Ar.
ζώννῡμι, also **ζωννύω** (NT.) *vb.* | in Hom. perh. ζών- not ζώνν- | impf. ἐζώννυον (NT.) | fut. ζώσω (NT.) | aor. ἔζωσα, ep. ζῶσα ‖ MID.: ep.3pl.subj. ζών(ν)υνται | ep.3sg.impf. ζών(ν)υτο, 3sg.iteratv.impf. ζων(ν)ύσκετο | aor. ἐζωσάμην, ep.3sg. ζώσατο | pf.ptcpl. ἐζωσμένος | 3sg.plpf. ἔζωστο |
1 encircle (the waist) with a belt or girdle; **belt up, gird up** —*a man* (*for a fight*) Od. —*a woman* (w. *a waistband*) Hes. —(W.DAT. *in a fine dress*) Hes.; (gener.) **dress** —*oneself, another* NT.
2 ‖ MID. secure one's dress with a belt or girdle (as a prelude to action); (of a man) **belt up, gird oneself** Hom. Hes. AR. NT. —W.DAT. w. *a belt* Hdt. —w. *rags* Od. —W.ACC. (v.l. W.DAT.) w. *a metal guard* Il. —W.ACC. *in armour* Il.; (gener.) **be girt in armour** Theoc.; (plpf.) **have** (W.ACC. one's tunic) **girt up** —W.PREP.PHR. *to the thigh* Plu.
3 ‖ MID. (of a woman or goddess) **gird oneself** (for a journey) Thgn. —W.ACC. (v.l. W.DAT.) w. *a waistband* Il. —W.ACC. w. *a robe* Pi.*fr.*; **wear** (W.ACC. a tunic) **girt up** —W.PREP.PHR. *to the knee* Call. ‖ PF.PTCPL.ADJ. girt (W.DAT. *in a goatskin*) AR.
4 encircle with undergirding cables, **undergird** —*a ship* AR.
ζωο-γενής ές *adj.* [ζῷον; γένος, γίγνομαι] having the nature or existence of living things, **of the animate kind, mortal** (opp. ἀειγενής *eternal*) Pl.
ζωογονέω (or **ζῳογονέω**) *contr.vb.* [γόνος] **1** generate living creatures ‖ PASS. (of beetles) be generated (fr. putrefying animals) Plu.
2 cause to remain alive; **preserve** —*one's life* NT. ‖ PASS. be kept alive NT.
ζωογράφος *m.*: see ζωγράφος
ζωοθηρίᾱ ᾱς *f.* [θήρᾱ] **hunting of living creatures** Pl.
ζωοθηρικός ή όν *adj.* (of a category of hunting) **relating to the hunting of living creatures** Pl. ‖ FEM.SB. art of hunting living creatures Pl.
ζωό-μορφος ον *adj.* [μορφή] (of the image of a god) **in animal form** Plu.
ζῷον (also **ζῴιον** Semon.) ου *n.* [ζώω] **1 living creature, animal** (ref. to all animate beings, incl. humans) Semon. Hdt. Ar. Isoc. Pl. X. +; (extended to include things growing in the natural world) Pl.; (pejor.) **creature** (ref. to a beggar) Pl.; (ref. to Poverty) Ar.
2 carved or painted image, **figure** (of either animate or inanimate things) Emp. Hdt. Pl. X.; (gener.) **picture** or **painting** Pl. Plu.; (collectv.pl.) Hdt.
ζωοποιέω (or **ζῳοποιέω**) *contr.vb.* make alive, **bring back to life** —*the dead* NT.; (of the Holy Spirit) **give life** NT.
ζωός (also **ζοός** Archil. Theoc.) ά (Ion. ή) όν, also **ζώς** ζών (Il. Hdt.) *adj.* [ζώω] | masc.acc. ζών (Il.) | **1** (of persons, other animate beings) **living, alive** (opp. dead) Hom. Hes. Archil.

Tyrt. Pi. Hdt. +; (predic., ref. to a person or animal being captured) Il. Hdt. X. Plu. ‖ MASC.PL.SB. the living Hom. Hes. Archil. E.(dub.) Theoc.
2 (of an image of life, ref. to the soul) **living** Pi.*fr.*; (transf.epith., of a mouth) Thgn.

ζῳοτοκέω *contr.vb.* [ζῳοτόκος] (of animals) give birth to live offspring (opp. lay eggs), **be viviparous** Arist.

ζῳο-τόκος ον *adj.* (of cows) **giving birth to live calves** Theoc.

ζῳοτροφίᾱ ᾶς *f.* [ζῷον, τρέφω] **rearing of living creatures** Pl.

ζῳοτροφικός ή όν *adj.* (of a category of knowledge) **relating to the rearing of living creatures** Pl. ‖ FEM.SB. art of rearing living creatures Pl.

ζῳο-φάγος ον *adj.* [φαγεῖν] (of animals) eating living creatures, **carnivorous** Arist.

ζωπυρέω *contr.vb.* [ζώπυρον] 1 kindle into flame, **ignite** —*charcoal* Men.
2 (fig.) **inflame, fire up** —*a person* Ar.; (of anxiety) **kindle** —*fear* A.; (of circumstances) **stimulate** —*extravagant living* Plu. ‖ PASS. (of a mind) be set ablaze (w. emotion) A.

ζώ-πυρον ου *n.* [ζώω, πῦρ] that which brings fire to life ‖ PL. (fig.) vital sparks (W.GEN. of the human race, ref. to survivors of the Deucalionean flood) Pl.

Ζωροάστρης ου *m.* **Zoroaster** or **Zarathustra** (Persian prophet, 7th–6th C. BC) Pl. Plu.

ζωροποτέω *contr.vb.* [ζωρός, ποτόν] **drink neat wine** Call.(v.l. οἰνοποτέω)

ζωρός όν *adj.* 1 (of elements in the early cosmos) **unmixed, pure** Emp.
2 (of wine) unmixed (w. water), **neat** AR.

—**ζωρότερος** ᾱ (Ion. η) ον *compar.adj.* (of wine) mixed with less water (than usual, in honour of a guest), **stronger** Il.; (gener.) **neat** (as drunk by persons regarded as intemperate or uncultured) Hdt. Thphr.

ζώς *adj.*: see ζωός

ζῶσα (ep.aor.): see ζώννῡμι

ζωστήρ ῆρος *m.* [ζώννῡμι] 1 **waistband** or **belt** (of a man or woman) Od. Theoc.
2 (specif.) **waistband** or **belt** (of a warrior or soldier, usu. made of or decorated w. metal) Il. Hdt. S. Call. Plu.; (of the Amazon Hippolyte) Pi.*fr.* E. AR.

3 ‖ PL. (appos.w. ἀνέρες) app., those who gird themselves with the belt (W.GEN. of Enyo, meton. for war) Call.

ζωστός ή όν *adj.* (of an undergarment) **belted** Plu.

ζώστρᾱ ᾶς *f.* **headband** Theoc.

ζῶστρον ου *n.* **waistband** or **belt** (of a man or woman) Od.

ζωτικός ή όν *adj.* [ζώω] 1 (of an innate desire) **for generating life** Pl.
2 (of persons) **full of vitality** Pl. ‖ NEUT.SB. vitality Pl.
3 (of statues) **lifelike** X. ‖ NEUT.SB. lifelike quality X.

—**ζωτικῶς** *adv.* (w. ἔχειν) *be disposed to live* (opp. *kill oneself*) Plu.

ζώ-φυτος ον *adj.* [ζωή, φύω] 1 (of blood) **life-generating** A.
2 (of ground) **fertile** Plu.

ζώω, also **ζόω** (Semon.) *vb.* [reltd. βιόω] | pres.: ptcpl. ζώων, subj. ζώω, opt. ζώοιμι, inf. ζώειν, also ζόειν, ep. ζωέμεν, ζωέμεναι | impf. ἔζωον, ep. ζῶον, iteratv. ζώεσκον | aor. ἔζωσα (Call.) ‖ ATT.: pres. ζῶ, 2sg. ζῇς, 3sg. ζῇ, 1pl. ζῶμεν, 2pl. ζῆτε, 3pl. ζῶσι, ptcpl. ζῶν, imperatv. ζῆ, 3sg. ζήτω, 2pl. ζῆτε, subj. ζῶ, 3sg. ζῇ, opt. ζῴην, 1pl. ζῷμεν, inf. ζῆν | impf. ἔζων, 2sg. ἔζης, 3sg. ἔζη, 2pl. ἐζῆτε, 3pl. ἔζων | fut. ζήσω, also mid. ζήσομαι | aor. ἔζησα (NT. Plu.) | pf. ἔζηκα (Arist. Plu.) |

1 (of persons, other animate beings) **be alive, live** (opp. not exist or be dead) Hom. +; (of plants) Arist.; (of a flame) E.; (of the mind of the dead, in neg.phr.) E. ‖ INF.SB. life Trag. Th. Ar. Isoc. +

2 (fig., of squalls of ruin) **live** A.; (of prosperity, W.PREDIC. ADJ. *longer*) Pi.; (of oracles, divine laws) **be valid** S.; (of time) **be here and now** S.; (of the outcome of a plan) **have effect, materialise** S.

3 (of gods or humans) pass one's existence (in a certain way); **live** —W.ADV. or PREP.PHR. *at ease, well, badly, or sim.* Hom. + —W.PTCPL. or PREDIC.ADJ. *in a certain condition* Il. + —W.COGN.ACC. *a life that is good, miserable, without danger, or sim.* Od. Hdt. S. E. Ar. + —(*also*) W.DAT. S.

4 (of persons) make a living, **support oneself, subsist, live** —w. ἀπό + GEN. *off certain foodstuffs, resources, activities or persons* Thgn. Hdt. S. Ar. + —(*also*) w. ἐκ + GEN. Ar. D. —W.DAT. E.*Cyc.* —w. ἐπί + DAT. And. NT. —W.PTCPL. *by doing such and such* Hdt. +

5 live a life worthy of the name, **truly live** X.

ζωωτός ή όν *adj.* [ζῷον] (of a cloak) **decorated with figures** Plb.

Η η

ἡ (fem.nom.sg.art.): see ὁ
ἥ[1] (fem.nom.sg.demonstr.pron.): see ὁ
ἥ[2] (fem.nom.sg.relatv.pron.): see ὅς[1]
ἥ[3] (fem.nom.sg.possessv.pron.adj.): see ὅς[2]
ἤ[1] *interj.* **hey!** (to attract attention) Ar.; (repeated, to express impatience or annoyance) Ar.; **ah!** (repeated, to express consternation or horror) E.
ἤ[2], ep. ἠέ *disjunctive and interrog.conj.* **1** (introducing an alternative) **or** Hom. +; ἤ ... ἤ *either ... or* Hom. +; (also) ἤ ... τε Il. A.
2 (introducing a contrast, esp. after a compar. adj. or adv., or after an adj. expressing or implying comparison, as ἄλλος, ἕτερος) **than** Hom. +; (phrs.) πρὶν ἤ, πρόσθεν ἤ *earlier than, before, until* Il. Hdt. S. +; (after neg.) ἀλλ' ἤ *apart from, except for* Att.orats. + | see also ἤπερ
3 (introducing the first part of a disjunctive q., the second part being introduced by ἤ[1] or ep. ἦε, *or*) **is it the case that** (... *or*)? or (indir.) **whether it is the case that** (... *or*) Hom.
ἦ[1] *affirmative pcl. and interrog.conj.* —also (section 3) ep. ἦε *conj.* **1** (w. affirmative force, oft. in combination w. other pcls. or conjs., e.g. ἦ ῥα, ἦ γάρ, ἦ μάλα, ἦ μήν, ἦ που) **indeed, truly** (sts. iron.) Hom. +; **then indeed, then surely** E. Antipho; **though indeed, even though** Il.
2 (introducing a q.; oft. ἦ ῥα, ἦ γάρ, ἀλλ' ἦ, or sim.) **is it the case that ...?** Hom. +; ἦ γάρ; *isn't that right?* Pl.; (in indir.qs., oft. v.l. εἰ) **whether** Hom.
3 (as conj., introducing the second part of a disjunctive q., the first part being introduced by ἤ[2], section 3) **or is it the case that ...?** Hom. +; (indir.) **or whether it is the case that** Trag.
ἦ[2] (3sg.athem.aor. or impf.): see ἠμί
ἦ[3] (Att.impf.): see εἰμί
ᾗ[1] (fem.dat.sg.relatv.pron.): see ὅς[1]
ᾗ[2] *fem.relatv.adv.*: see under ὅς[1]
ᾗ[3] (3sg.athem.aor.subj.): see ἵημι
ἦ (3sg.subj.): see εἰμί
ἦα (ep.impf.): see εἰμί
ἦα[1] *n.pl.*: see ἤια[1]
ἦα[2] ἤων *n.pl.* **straw, chaff** Od.
ἦαται (ep.3pl.pres.mid.), ἦατο (ep.3pl.impf.mid.): see ἧμαι
ἥβα *dial.f.*: see ἥβη
ἠβαιός ή όν *ep.adj.* [app.reltd. βαιός; perh. created fr. a misinterpretation of οὐ δὴ βαιός as οὐδ' ἠβαιός] **very small in amount**; (of an excuse) **meagre** Call.; (neg.phr., w. οὐδέ, of common sense, hair on the head) *not even a tiny amount of* Hom.
—ἠβαιόν *neut.adv.* **1** (ref. to movt.) **for a short distance, a little way** Od.
2 (neg.phr.) οὐδ' ἠβαιόν *not even in the slightest* Hom. AR.; *not even for a little while* Il. AR.

ἡβάσκω *vb.* [ἡβάω] **1** (of a boy) **be on the verge of adulthood** X.
2 (of a cause of sorrow) **grow to full intensity** E.
ἡβάω *contr.vb.* | ep.ptcpl. (w.diect.) ἡβώων, fem. ἡβώωσα | ep.opt. (w.diect.) ἡβώοιμι, contr. ἡβῷμι | impf. ἥβων | aor. ἥβησα | **1** (of persons, male and female) **be youthful** (w.connot. of strength, attractiveness, passion, or sim.), **be young, be in one's prime, enjoy youth** Hom. Anacr. Scol. A. E. Ar. +; (of the heart, mind or body) Thgn. A. E.
2 be of an age regarded as mature (in ctxt. of marriage, citizenship, or sim.); **be of age, be a young adult** Hes. +; (of males) **be of military age** Th. Att.orats. X. + ‖ AOR. **come of age, reach adulthood** Hom. Hes. E. Att.orats. Pl. AR. ‖ MASC.PL.PTCPL.SB. **young men, men of military age**, or (gener.) **young people** Th. Ar. Pl. X. +
3 (of older persons, their spirit) **be as though youthful** (w.connot. of strength, mental alertness, or sim.), **be young** Il. A. E.
4 be in a state of full vigour; (of the ability to learn, amongst old men) **remain young, be vigorous** A.; (of an angry populace) **be rampant** E.; (of a vine) **thrive** Od.
ἥβη ης, dial. ἥβᾱ, also ἅβᾱ (Aeol. ἄβᾱ) ᾱς *f.* **1** period or state of youth (in persons and animals), **youth, youthful vigour, freshness** or **passion** Hom. Hes. Eleg. Lyr. Trag. +
2 coming of age, adulthood Hom. +; (for legal or military purposes, sts. fixed at a particular year) Th. +
3 (concr., collectv.) body of young men (of a people or state, esp. as sent to war), **youth, flower of youth** A. E. Ar. Tim.
4 (meton., ref. to the male sexual organs) **manhood** Ar.
5 freshness or **full vigour, loveliness** (W.GEN. of a feast) E.*Cyc.*
—Ἥβη ης, dial. Ἥβᾱ ᾱς *f.* **Hebe** (wife of Herakles, daughter of Zeus and Hera) Hom. Hes. Pi. E. Theoc.
ἡβηδόν *adv.* (freq.w. πάντες *all*) **from the young upwards, young and old alike** —*ref. to shaving the head in mourning* Hdt. —*ref. to taking up arms* Hdt.; **to the last man** —*ref. to slaughtering people* Plu.
ἡβητήριον ου *n.* **place for young men to spend time in, recreational resort, park** Plu.
ἡβητής οῦ, dial. ἁβᾱτᾱ́ς ᾶ *masc.adj.* (of a young man, the shape of an arm) **in the full vigour of youth** hHom. E. Call.
ἡβητικός ή όν *adj.* **relating to the period and state of youth**; (of the time) **of youth** X.; (of conversations) **about young men's concerns** X.
ἠβουλήθην (aor.pass.), ἠβουλόμην (impf.mid.): see βούλομαι
ἡβυλλιάω *contr.vb.* [ἡβάω] (of dancing-girls) **be in the bloom of youth** Ar.
ἡβῷμι and ἡβώοιμι (ep.opt.), ἥβων (impf.), ἡβώων (ep.ptcpl.), ἡβώωσα (ep.fem.ptcpl.): see ἡβάω
ἠγάασθε (ep.2pl.impf.mid.): see ἄγαμαι

ἠγαγόμην (aor.2 mid.), **ἤγαγον** (aor.2): see ἄγω
ἠγά-θεος η ον *ep.adj.* —also **ἀγάθεος** ᾱ ον *dial.adj.* [reltd. μέγας; θεός] (of places) **most divine** or **sacred** Hom. Hes. hHom. Lyr. AR. Plu.(quot.)
ἤγανον ου *Ion.n.* [app.reltd. τάγηνον] **frying-pan** Anacr.
ἠγάσθην (aor.pass.), **ἠγάσσατο** (ep.3sg.aor.mid.): see ἄγαμαι
ἡγεμονεύς ῆος *ep.m.* [ἡγεμονεύω] **guide, pilot** (on a voyage) AR.
ἡγεμονεύω, dial. **ἁγεμονεύω** *vb.* [ἡγεμών] **1** (of persons or animals) take the lead (for another to follow in a certain direction, on land or by sea); **go ahead, show** or **lead the way** (freq. W.PREP.PHR. to a place) Od. hHom. Pi. Theocr. —W.DAT. *for someone* Od. Hes. Theoc. —W.INTERN.ACC. *along a road* or *on a journey* Od. hHom. Pi. Parm. Ar. Theoc. —*on a voyage* AR.; (of a man making an irrigation-channel) **direct** —W.DAT. *water* (W.INTERN.ACC. *in its flow*) Il.
2 be a leader (in war or at sea); **lead** (in an attack, sts. W.PREP.PHR. against a place) Il.; (gener.) **be leader** or **in overall command** Hdt. —W.DAT. *amongst one's men* Il. —W.GEN. *of a military or naval force, the wing of an army* Il. Hdt. AR.
3 (in political ctxt.) **be a leader** (in a city-state) Pl.; (of a state) **have hegemony** —W.GEN. *over other states* Hdt. X. ‖ PASS. (of a state) be dominated or led (by another) Th. X.
4 be governor (of a Roman province) NT.
5 give or take the lead (in a course of action); (of a person) **take the lead, be a guide** —W.GEN. *in a philosophical inquiry* Pl.; (of divine forces, the soul, philosophy, or sim., sts. W.GEN. in sthg.) Il. Pl.
ἡγεμονέω *contr.vb.* (of an aspect of the soul) **be in control** (of a person) Pl.; (of wisdom) **be pre-eminent** (among man's blessings) Pl.
ἡγεμόνη ης *f.* (ref. to Artemis) **guide** (of colonists) Call.
ἡγεμονία ᾱς, Ion. **ἡγεμονίη** ης *f.* **1** leading the way (for others); **lead position** (amongst a school of fish) Hdt.
2 holding the position of control; **guidance, direction, control** (of the body, by the soul) Pl.; (over the laws, W.GEN. by politicians) Pl.
3 leadership (of a legal process); **presidency** (of a court) Aeschin.
4 leadership (of a state or empire); **authority, overall control** (exercised by an individual, family or body, in a Greek state) Th. Isoc. Arist.; **kingship, imperial rule** (in oriental states) Hdt.; **imperial power** (of Rome) Plb.
5 leadership (of a Greek city-state over others, on land or by sea), **hegemony, supremacy** Th. Att.orats. X. +
6 leadership (of military or naval forces, by an individual or a state), **generalship, captaincy, command** or **overall command** Hdt. Th. +
7 term of office as commander-in-chief or ruler, **command** Th. Plu.; **reign** (of a Roman emperor) NT.
8 territory and peoples under a ruler, **empire** Plu.
9 body of fighting men under a chieftain (amongst the Gauls); perh. **tribal unit** Plu.
ἡγεμονικός ή όν *adj.* **1** able to show the way (towards a goal, way of life, or sim.); (of persons) **able to give guidance** X.; **liable to exercise influence** (towards good or bad things) X. Plu.; (of philosophy) **conducive** (towards virtue) Plu.
2 able to be a leader (over others); (of persons, their nature or thinking) **skilled in** or **fit for leadership, having true leadership qualities** (in politics or military affairs) Pl. X. Arist. Plb. Plu.; (of the nature of men, opp. women) Arist.; (of a soul, amongst others) X.

3 of or relating to the category of leader (political or military); (of men) **of high office** or **rank** Plu.; (of a rank) **of leader** or **commander** Plb. Plu.; (of a life, position, experience) **of leadership** Arist. Plb. Plu.; (of relationships) **with leaders** Plu.; (of a position, a retinue) **appropriate for a leader** Plb. Plu.
4 (of things) holding the top position, **authoritative** Pl. Arist.; (of one of two ranks, the soul opp. the body) **senior, taking precedence** Isoc. Plu.; (of disciplines, wisdom) **leading, key** Pl. Arist.; (of events, an aim, a factor) Plb. Plu.
—**ἡγεμονικῶς** *adv.* **1 in the manner of a true leader** Plb. Plu.
2 (w. ἔχειν) **be in a position of domination** (over other states) Isoc.
ἡγεμόνιος ον *adj.* (epith. of Hermes) **guiding** Ar.
ἡγεμόσυνα ων *n.pl.* **thank-offerings for a god's guidance** (after a successful enterprise) X.
ἡγεμών, dial. **ἁγεμών**, όνος *m* (sts. *f.*) **1** one who leads or shows the way (on a path, journey or voyage); **guide** Od. +; (for a blind man) S. E.
2 one who guides or controls (a vehicle); **driver** (of a carriage) S.; **navigator, pilot** (of a ship) Od. Th.
3 that which goes in front (of others); **leader** (ref. to a ship, in a fleet) A.; (ref. to a bull, in a sacrificial procession) X.
4 one who gives guidance or exercises influence (in matters of conduct); **guide, adviser** Sol S.; **promoter** (of wisdom, peace, good behaviour) Pl. D.; **instigator** (of aggression, civil strife) Mimn. Thgn.
5 one who is pre-eminent or in overall control (in a state or land, amongst a people); **leader, ruler** Sol. Thgn. Pi. S. Th. +; (over a particular sphere, ref. to a deity) A. Pi.; (amongst bees, ref. to the queen) X.
6 leader (of an institution or other specified group) Hdt. Th. D.
7 leader (of military or naval forces) Il. A. Hdt. E. Th. +
8 (ref. to a state) one who is dominant (over others, politically or militarily); **dominant power** Th.
9 (in the Roman empire) **emperor** Plu.; **governor** (of a province) NT.
10 that which leads or controls (persons, their actions); (ref. to the heart, opp. the mind) **director** Pl.
11 that which leads (to certain consequences); (ref. to hard work) **bringer** or **producer** (of a pleasant life) X.; (ref. to ingratitude) **inciter** (to immoral deeds) X.
ἡγέομαι, dial. **ἁγέομαι**, Ion. **ἡγεῦμαι** (hHom.) *mid.contr.vb.* | neut.impers.vbl.adj. ἡγητέον | There are two basic senses: (1-5) lead, (6) consider. | **1** be a leader or guide (on a journey or sim.); **lead the way, act as guide** (oft. W.DAT. for persons) Hom. hHom. Pi. Hdt. Trag. + —W.INTERN.ACC. *on a journey* or *route* Od. Hdt. +; **take the lead in, lead** —*a procession* D.
2 be the one (of a pair, two parties or a group) who takes the lead (in an action); **take the lead, play the leading role** Hom. —W.GEN. *in a dance or song* (sts. W.DAT. *for* or *among people*) Od. hHom. Pi. X. Call. —*in both speech and action* X. —w. ἐν + DAT. *among the first Christians* NT.; (of the tongue, opp. actions) —W.ACC. *in all respects* S.
3 (of commanders or sim.) **lead** —W.DAT. *one's troops, a fleet* (usu. W.PREP.PHR. *into battle, to a place*) Hom. E. Att.orats. +; be in a leading position, **be at the head** —W.GEN. or DAT. *of troops or sim.* Il. A. +; **be in command** —W.GEN. or DAT. *of troops, a military campaign, or sim.* Hom. Hdt. +
4 (of persons) **be in power, rule** A. S. + —W.GEN. or DAT. *over a city or region* Hdt. E.*satyr.fr.*; **be in control** —W.DAT. *of*

one's pleasures Isoc.; (intr., of a state) **hold the hegemony** (in an alliance) Th.
5 take a lead in guiding or influencing (persons, towards certain goals); (of gods, persons, abstr. qualities) **lead, guide** (sts. W.DAT. persons, sts. also W.GEN. or PREP.PHR. in or to wisdom, virtue, or sim.) A. Pi. S. Pl. X.; **lead, invite** (someone) —W.PREP.PHR. *to friendship* Hes.
6 (of persons) **consider, believe, think** —W.COMPL.CL. *that sthg. is the case* Thgn. —W.ACC. + INF. Hdt. S. E. Th. + —W.DBL.ACC. (sts. w. εἶναι) *someone or sthg. (to be) such and such* Hdt. Trag. Th. Ar. +; ἡγεῖσθαι θεούς (w. εἶναι understd.) *believe that gods exist, believe in the gods* E. Ar. Pl.

ἠγερέθομαι ep.mid.pass.vb. —perh. also **ἠγερέομαι** ep.mid.pass.contr.vb. [ἀγείρω] | inf. ἠγερέεσθαι (Il.) | **1** (of gods, persons, ships) **gather, assemble** (in a place) Hom. Hes. hHom. AR. Mosch.
2 (of persons) **crowd together** (around or near someone) Hom. AR. Mosch.; (of ghosts, around sacrificial blood) Od.

ἠγέρθην[1] (aor.pass.): see ἀγείρω

ἠγέρθην[2] (aor.pass.): see ἐγείρω

ἠγηλάζω vb. [reltd. ἡγέομαι] **1** (of a contemptible man) **lead, guide** —*another contemptible man* (w.provbl.ref., *that like associates w. like*) Od.
2 drag out —*a harsh lot, a wearying life* Od. AR.

ἡγητέος ᾱ ον vbl.adj. [ἡγέομαι] (of things) **to be considered** —W.PREDIC.ADJ. *such and such* E.(cj.)

ἡγητήρ, dial. **ἁγητήρ**, ῆρος m. **1 guide** (for a blind man) S.
2 leader (of a people) Pi.

ἡγητής οῦ m. **guide** (for persons in a foreign land) A.

ἡγήτωρ, dial. **ἁγήτωρ**, ορος m. **1 leader** (of a people, troops) Hom. hHom.; (appos.w. ἄνδρες) Il.
2 (as title of gods) **lord** (of all, ref. to Zeus) Terp.; (of melody, ref. to Phoibos) E.; (of dreams, ref. to Hermes) hHom.

ἦγμαι (pf.mid.pass.): see ἄγω

ἠγοράασθε, ἠγορόωντο (ep.2 and 3pl.impf.mid.), **ἠγορῶ** (2sg.impf.mid.): see ἀγοράομαι

ἠ-δέ conj. [ἤ[1]] **and indeed, and** Hom. Hes. Eleg. Lyr. +; (correlatv.) ἠμέν ... ἠδέ *both ... and* Hom. Hes. Parm. AR.; ἠδὲ καί *and indeed also* Hom. Hes. Sol. +

ἥδε (fem.nom.pron. and adj.): see ὅδε

ᾔδεα (Ion.plpf.), **ᾔδειν** (plpf.), **ᾔδεις** (2sg.plpf.): see οἶδα

ᾐδέσθην (aor.pass.): see αἰδέομαι

ἡδέως adv.: see under ἡδύς

ἤδη adv. [ἤ[1], δή] **1** even before this time, **already** Hom. +; even before that time, **already by then** Hom. Hes. Hdt. +
2 at this point (in time), **now** Hom. +
3 (oft. w. νῦν) only at this stage (opp. before now), **at last** Od. +; **now** (unlike in the past), **only now** Od. Archil. Thgn. +; (esp. in phr. τότ' ἤδη) **only at that point** (opp. before then) A. Th. Isoc. +; **then at last** Od.
4 for now, for the present Il. +
5 already (opp. only in the future), **right now** —*ref. to sthg. happening* Sol. S. +; **then at once, then straightaway** E.
6 (esp. in commands) **right away, immediately** Hom. S. +
7 (ref. to location) **already at this point** (in space) Hdt. E. Plb.; **at this stage** (in a sequence of points) Pl.
8 (ref. to logical sequence) even before this point, **already, to begin with** Pl.
9 (ref. to the future) **presently** Hom. Hdt. +; **from now on, henceforth** Od. Hdt. +; **then, after that** E.
10 already (by so doing), **by immediate implication** —*ref. to sthg. becoming the case once sthg. else is posited* Pl.; **as a result, consequently** Plb.
11 (introducing a step in an argument, oft. w. γάρ or οὖν) **accordingly, furthermore, in fact** Hdt.; (introducing a new point) **indeed, in fact** Hdt.; **besides, as well** Pl.; **definitely, for sure** Ar. Pl. D.

ᾔδη (1 and 3sg.plpf.), **ᾔδησθα** (2sg.plpf.): see οἶδα

ἡδί (fem.nom.pron. and adj.): see ὁδί, under ὅδε

ἥδιστος (superl.adj.), **ἡδίων** (compar.adj.): see ἡδύς

ἥδομαι, dial. **ἅδομαι**, Aeol. **ἅδομαι** pass.vb. [reltd. ἡδύς] | fut. ἡσθήσομαι | aor. ἥσθην | also 3sg.aor.mid. ἥσατο (Od.) |
1 be pleased, gladdened or **delighted** —W.DAT. or PREP.PHR. *by someone, by or at sthg.* Hdt. S. E. Th. Ar. + —W.COMPL.CL. *that sthg. is the case* S. Ar. Pl.; (of a proposal) ἡδομένῳ τινὶ εἶναι *be pleasing to someone* Hdt. Antipho Pl.
2 derive pleasure (fr. sthg.); **enjoy** —W.PTCPL. *doing sthg.* Od. Semon. Sapph. Hdt. Trag. + —W.GEN. *a drink of wine* S. —W.NEUT.ACC. *sthg.* S. Th. Ar. —W.COGN.ACC. *pleasures* Pl.
3 (of persons, their hearts) **be happy, be joyful** Hdt. S. E. +; (of a bird's voice) Ar.

—**ἡδομένως** pass.ptcpl.adv. **happily, readily** —*ref. to doing chores or sim.* X.

ᾖδον (impf.): see ᾄδω

ἡδονή ῆς, dial. **ἁδονά** (also **ἡδονά**) ᾶς f. **1 pleasure, enjoyment, delight, joy** (physical, sensual or mental) Simon. Pi.*fr.* Hdt. Trag. +
2 that which is a source of pleasure; **pleasure** (ref. to an activity) Ar.; **joy** (ref. to good news) S.

ἧδος εος ep.n. **enjoyment, delight** (esp. in a victory or achievement) Hom. AR. Theoc.

ἡδυ-βόας ᾱ dial.adj. [βοή] | only neut.dat. ἡδυβόᾳ | (of the breath of the aulos) **sweetly calling** E.

ἡδύ-γελως ωτος masc.fem.adj. [γέλως] (of Pan) **laughing cheerfully** hHom.

ἡδυ-γνώμων ον, gen. ονος adj. [γνώμη] (of a person) **attractive mentally** (opp. physically) X.

ἡδυ-επής, dial. **ἁδυεπής**, ές adj. [ἔπος] (of speakers, singers, or sim.) **sweet-spoken** Il. Pi. B. S.; (of a lyre, a song) **sweet-sounding** Pi.

—**ἡδυέπειαι** ῶν ep.fem.pl.adj. (of the Muses) **sweet-spoken** Hes.

ἡδύ-θροος ον adj. [θρόος] (of the Muse, ref. to panpipe music) **sweet-sounding** E.

ἡδυ-λόγος ον adj. (of a flatterer) **smooth-tongued** E.

—**ἁδύλογος** ον dial.adj. (of a lyre) **sweet-sounding** Pi.

ἡδυ-μελής, dial. **ἁδυμελής**, ές, Aeol. **ἁδυμέλης** ες adj. [μέλος] (of birds, musical instruments, voices, or sim.) **with sweet song, sweetly singing** Lyr. Ar.

ἥδυμος ον adj. (of sleep) **sweet** hHom. Simon. AR.

ἡδυντικός ή όν adj. [ἡδύνω] (of the skill of flattery) **giving pleasure** Pl.

ἡδύνω vb. [ἡδύς] | pf.pass. ἥδυσμαι | **1** make palatable or add flavour to, **season** —*a dish* Pl.; (of an onion) **be a pleasant accompaniment to** —*food and drink* X.
2 make (words) pleasing (to the ear, w. creative or literary skill, or w. music); **sweeten, enrich** —*words* (*intended to flatter*) Pl.; **season, make palatable** —*incongruity in a literary work* (W.DAT. *w. other excellences*) Arist. || PASS. (of words) be made sweet or enriched (by melody) X.
|| PF.PASS.PTCPL.ADJ. (of the Muse of song, poetic language) endowed with sweetness Pl. Arist.

ἡδύ-οινος ον adj. [οἶνος] (of vines) **producing pleasant wine** X.

ἡδύ-οσμος ον Att.adj. —also **ἁδύοσμος** ον dial.adj. [ὀδμή]
1 (of spring) with sweet smell, **pleasantly fragrant** Simon.
2 || NEUT.SB. a kind of herb; app., spearmint NT.

ἡδυπάθεια ᾶς *f.* [ἡδυπαθής] (pejor.) **luxurious self-indulgence** X. Plu.

ἡδυπαθέω *contr.vb.* (oft.pejor.) **live in luxury** X.; **indulge oneself** X.

ἡδυ-παθής ές *adj.* [πάθος] (pejor., of a lifestyle) **luxurious, sybaritic** Plu.

ἡδύ-πνοος, dial. **ἀδύπνοος**, ον *adj.* [πνοή] **1** (of breezes) **sweet-blowing** E.
2 **with sweet breath**; (of a Muse, the voice of singers) **sweet-singing** Pi.; (of an auspicious dream) **sweet-speaking** S.

ἡδύ-πολις *masc.fem.adj.* [πόλις] | only nom. | (of a person) **pleasing to the city** (i.e. citizens) S.

ἡδύ-ποτος ον *adj.* [ποτόν] (of wine, nectar) **sweet as a drink, delicious** Od. hHom.

ἡδύς, dial. **ἀδύς**, Lacon. **ϝᾱδύς**, εῖα (Ion. είη, dial. έα) ύ, Aeol. **ἆδυς** εα υ, gen. έος εἴᾱς έος *adj.* | fem.nom. also ἡδύς (Od.) | dial.masc.fem.acc.sg. ἀδέα (Theoc. Mosch.) || compar. ἡδίων, neut. ἥδῑον, also ἥδιον (Ar. Theoc.), dial. ἅδιον (Theoc. Bion) || superl. ἥδιστος, dial. ἅδιστος |
1 having an agreeable or joyous effect on the mind, body or senses; (of foods, wine, water) **sweet, pleasing** or **welcome** Od. hHom. Thgn. +; (of sleep or rest) Hom. E.; (of odours, perfumes) Od. hHom. Alc. Hippon. +; (of music or musicians) Od. Hes. hHom. Alcm. Pi. +
2 (gener., of states, conditions, activities, courses of action) **pleasant, enjoyable, agreeable** Hom. +
3 (of news, events, statements, objects, sights) **pleasant, welcome** Hippon. Pi. Trag. +
4 (of persons) bringing pleasure, **pleasing, welcome** S. E. Theoc.; **pleasant, agreeable** E.; **sweet, dear** Theoc.
5 (iron., of persons) **amusing, delightful** Pl. Plu.
|| SUPERL.VOC. (as an address, w. some impatience) **kind friend** Pl.
6 || NEUT.SB. **that which is pleasing** Th. Pl. Arist.; **pleasure** Pl. || NEUT.IMPERS. (w. ἐστί, freq.understd.) **it is pleasant, enjoyable, welcome** (or sim.) —W.INF. **to do sthg.** A. +

—**ἡδύ** *neut.sg.adv.* **sweetly, pleasantly** Hom. hHom. Sapph. S.*satyr.fr.* Theoc.; **welcomely, pleasingly** E.

—**ἅδεα** *Aeol.neut.pl.adv.* **sweetly** Alc.

—**ἡδέως** *adv.* | compar. ἥδιον, dial. ἅδιον (Theoc. Mosch.), superl. ἥδιστα | **sweetly, pleasantly, happily, gladly, welcomely** S. E. Th. +

ἥδυσμα ατος *n.* [ἡδύνω] **seasoning, condiment** Ar. Pl. X. Arist. Plu.

ἡδυ-σώματος ον *adj.* [ἡδύς, σῶμα] (of a person) **attractive physically** (opp. mentally) X.

ἠέ[1], **ἦε** *ep.conjs.*: see ἤ[2], ἦ[1]

ἠέ[2] *interj.* (uttered in distress) **ah!** A.

ᾖε (Ion.3sg.impf.): see εἶμι

ἠέα (ep.neut.acc.pl.): see ἐΰς

ᾔει (3sg.impf.): see εἶμι

ᾔδει, ᾔδη (ep.3sg.plpf.), **ᾔείδης** (2sg.), **ᾔείδειν** (3pl.): see οἶδα

ἤειδον (impf.): see ἀ̓είδω

ᾔειν (1 and 3sg.impf.): see εἶμι

ἤειρα (ep.aor.), **ἤειρον** (Ion.impf.): see ἀ̓είρω

ᾔεις (2sg.impf.): see εἶμι

ἤεισα (aor.): see ᾄδω

ἠέλιος *ep.m.*: see ἥλιος

ᾖεν (ep.3sg.impf.): see εἰμί

ἠέπερ *ep.conj.*: see ἤπερ

ἠέρα (Ion.acc.sg.): see ἀήρ

ἠερέθομαι *Ion.pass.vb.* [ἀείρω] **1 rise or move in the air**; (of tassels, hair) **stream out** Il.; (of the arms of monstrous beings) **wave about** AR.
2 (of locusts, birds) **swarm aloft** Il. AR.; (of winds) **rise up** AR.
3 (fig., of thoughts, arising fr. impetuosity, anger, concern) **be up in the air** or **unstable** Il. AR.

ἠέρθην (aor.pass.): see ἀ̓είρω

ἤερι (Ion.dat.sg.): see ἀήρ

ἠέριος[1] η ον *Ion.adj.* [ἦρι[1]] (quasi-advbl., of a person doing sthg.) **in the morning** Hom. AR.

ἠέριος[2] *Ion.adj.*: see ἀέριος

ἠερμένος (ep.pf.pass.ptcpl.): see ἀ̓είρω

ἠεροειδής *Ion.adj.*: see ἀεροειδής

ἠερόεις *Ion.adj.*: see ἀερόεις

ἠέρος (Ion.gen.sg.): see ἀήρ

ἠεροφοῖτις *Ion.fem.adj.*: see ἀερόφοιτος

ἠερό-φωνος ον *Ion.adj.* [ἀήρ, φωνή] (of heralds) perh., with voices resounding through the air, **loud-voiced** Il.

ᾔεσαν (3pl.impf.): see εἶμι

ἠή *interj.* **ah!, alas!** A.

ἠήν *interj.* (expressing surprise) **ah!** Men.

ἦην (ep.3sg.impf.): see εἰμί

ἠθάς άδος *adj.* [ἦθος] **1** (of a person) **accustomed** (W.GEN. to sthg.) S.; (of birds used as decoys) **tame** Plu.
2 (of friends, orators) **familiar, well-known** E. D.; (of kinds of birds) **common** Ar. || NEUT.PL.SB. **that which is familiar** E. Ar.
3 || MASC.PL.SB. (w. ῥήτορες understd.) **practised orators** Ar.

ἠθεῖος η ον *ep.adj.* —also **ἠθαῖος** ᾱ ον *dial.adj.* (of a friend or brother) **trusted** Hom. Pi. || MASC.SB. (as a term of address) **trusted friend or brother** Il. Hes. AR.

ἠθέλησα (aor.), **ἤθελον** (impf.): see ἐθέλω

ἤθεος *Att.m.*: see ἤϊθεος

ἠθέω *contr.vb.* || PASS. (of water) **be filtered** (through earth or sim.) Pl.; (of earth) **be sifted** —W.PREP.PHR. **through water** Pl.

ἠθικός ή όν *adj.* [ἦθος] **1** (of differences) **of character** Plu.; (of friendship, as a relationship) **indicative of one's personal character** Arist.
2 (of virtue) relating to moral character, **moral** Arist.; (of speeches) **appealing to moral considerations** (opp. provoking an emotional response) Arist.; (of arguments, teachings, or sim.) **about moral questions, concerning ethics** Arist. Plb. Plu. || FEM.SB. **moral character** (of a person) Arist. || NEUT.SB. **moral part of the soul** Arist. || NEUT.PL.SB. **questions of ethics** Arist.; (as title of a work) *Ethics* Arist.
3 (of certain musical harmonies; of the aulos, in neg.phr.) **having a positive moral influence** Arist.; (of a practice) **ethical** Plu.
4 (of writing, music, sculpture, painting) **depicting** or **expressing character** Arist.

—**ἠθικῶς** *adv.* **1 on personal terms, personally** —*ref. to having dealings w. someone* Arist.
2 with reference to moral issues —*ref. to making speeches* Arist.
3 revealing one's personality, expressively, meaningfully —*ref. to smiling* Plu.
4 tactfully Plu.

ἠθμός οῦ *m.* [ἠθέω] **filter, screen** (ref. to the eyelashes) X.

ἠθο-γράφος ου *m.* [ἦθος, γράφω] **depicter of personality** (ref. to a painter) Arist.

ἠθοποιέω *contr.vb.* [ἠθοποιός] (of beauty) **shape** or **improve the character of** —*the beholder* Plu.

ἠθο-ποιός όν adj. [ποιέω] (of education, activities, stories) **character-building, morally beneficial** Plu.

ἦθος εος (ους) n. **1** general character or personality; **character, nature, disposition** (of persons, gods, animals, states, systems of government) Hes. Thgn. Heraclit. Simon.(dub., v.l. ἦτορ) Pi. Trag. +
2 outward bearing, demeanour (of a person) X. Lycurg. Plu.
3 representation of personality, **characterisation** (in the arts) Arist.
4 character (in a play or poem) Arist.
5 ‖ PL. **habits, ways** (of a people, animals) Hes. Sol. Thgn. A. E. +
6 ‖ PL. **habitual practices, customs or traditions** (of a people, the gods) Hes. Hdt. E. + ‖ SG. behavioural trait, **habit** E.fr.; **quality, character trait** Pl. Arist.
7 place which one habitually frequents (for living, sleeping, daily activities) ‖ PL. **customary places, haunts or abodes** (of animals, persons) Hom. Hes. A. Pi. +; **usual territories** (of a people) Hes. Pi. Hdt. +
8 ‖ PL. **customary paths** (of the sun) Hdt.
9 natural property (of a substance or material) Emp.

ἤϊα[1] (also metri grat. **ἤϊα**), contr. **ἦα** n.pl. | only nom.acc. | **provisions** Od. AR.; **food, prey** (of wolves and jackals, ref. to deer) Il.

ἤϊα[2], **ἤϊε**[1] (Ion.1 and 3sg.impf.): see εἶμι

ἤϊε[2] (voc.sg.): see ἤϊος

ἠΐθεος, dial. **ἀΐθεος** (Lyr.adesp.), Att. **ἤθεος**, ου m.
1 unmarried young man, young man, youth Hom. Sapph. B. Hdt. S. E. +; (ref. to an animal at the same stage of life, compared to a human) Pl.
2 ‖ PL. (specif., ref. to the chorus sent by Athens to Delos) **youths** Arist.; (ref. to the group sent as tribute to Minos in Crete) B. Plu.

ἤϊκτο (ep.3sg.plpf.mid.): see ἔοικα

ἤϊξα (ep.aor.): see ἄσσω

ἠϊόεις εσσα εν adj. [perh.reltd. ἠϊών] (of a river) perh. **sandy-banked** or **full of shoals** Il.

ἤϊον (ep.3pl.impf.): see εἶμι

ἤϊος η ον ep.adj. [reltd. ἰήϊος] (epith. of Apollo, always in voc.phr.) ἤϊε Φοῖβε **Lord Phoibos** Il. hHom.

ἤϊσαν (Ion.3pl.impf.): see εἶμι

ἠΐχθην (ep.aor.pass.): see ἄσσω

ἠϊών, dial. **ἀϊών**, also **ἠών** (dial. **ἀών**), όνος f. | DAT.PL.: dial. ἀϊόσι, also ᾀόσι, ep. ἠϊόνεσσι, dial. ἀϊόνεσσι | **shore** (of the sea, a lake) Hom. Pi. Hdt. E. Tim. X. +; **bank** (of a river) A. AR.

ἧκα[1] (aor.): see ἵημι

ἧκα[2] (pf.): see ἥκω

ἦκα adv. **1 slightly** —ref. to leaning, turning Hom. Theoc.
2 slowly —ref. to walking, lifting Od. AR.
3 softly, quietly —ref. to breathing, treading, talking, weeping Il. hHom. Call. AR.
4 gently —ref. to pushing, hitting, or sim. Hom. Thgn.
5 softly, gently —ref. to smiling, clothes gleaming (w. oil) Il. Hes. AR.

ἤκαλον adv. **gently** —ref. to a wind filling sails Call.

ἧκαν (3pl.aor.): see ἵημι

ἤκαχον (redupl.aor.2): see ἄχνυμαι

ἤκειν (Att.3sg.plpf.): see ἔοικα

ἤκεστος η ον adj. [perh.reltd. κεντέω] (of cattle, destined for sacrifice) perh. **untouched by the goad** (i.e. never used for work) Il.

ἠκηκόη (plpf.): see ἀκούω

ἠκισάμην (aor.mid.), **ἠκίσθην** (aor.pass.), **ἤκισμαι** (pf.pass.): see ἀκίζω

ἥκιστα superl.adv. [reltd. ἥσσων, ἧκα] **1 least, least of all, especially not** Hdt. S. E. Th. +; οὐχ ἥκιστα by no means least (i.e. but especially, in particular) Hdt. Th. Att.orats. Pl. +
2 (in reply to a question) not in the slightest, **not at all, far from it** S. E. Ar. Pl. X. Men.

ἥκιστος η ον superl.adj. (of a person) **weakest** or **slowest** (W.INF. at racing a chariot) Il.

ἦ κου Ion.adv.: see ἦπου

ἥκω vb. [reltd. ἵκω] | impf. ἧκον | fut. ἥξω, dial. ἡξῶ | pf. ἧκα (Call. NT.) | The pres.indic. is sts. used w. the sense of a pf., the impf. of a plpf., the fut. of a fut.pf. |
1 have come (to a place or person, or for a purpose), **have come, be present** Hom. +
2 (esp. imperatv. and fut.) **come** Trag. +
3 have come back or **returned** (to a place or person, or for a purpose), **have returned, be back** Trag. +
4 (esp. imperatv. and fut.) **come back** Trag. +
5 (of messages, supplies) **have arrived** Hdt. +
6 (of occasions, events, circumstances, esp. momentous ones) have arrived or come about, **come, be present, be here** Trag. +
7 (of words, events, things) have come to a point of relevance, **relate** —W.PREP.PHR. to someone or sthg. E. +
8 ‖ IMPERS. **it falls** (as a responsibility) —W.DAT. + INF. upon someone, to do sthg. S.
9 have come to or be at (a point of involvement in some state or emotion); (of persons) **have come** —W.PREP.PHR. to a certain age or state, the height of folly, or sim. Archil. +; **be involved** —w. διά + GEN. in fighting, anger A. S.; (of persons or things) **end up, be** —W.PREDIC.ADJ., PREP.PHR. or ADV. in a certain state S. + —W.ADV. in a certain state (+ GEN. in respect of sthg.) Hdt. +

ἤλαε (ep.3sg.impf.), **ἠλάθην** (aor.pass.): see ἐλαύνω

ἠλαίνω dial.vb. [ἀλαίνω] **1** (of birds) wander away (fr. their roosts), **roam abroad** Theoc.
2 (fig., of a person) **be deranged** Call.

ἠλάκατα των n.pl. **yarn on the distaff** (ref. to wool or other fibre) Od.

ἠλακάτη ης, dial. **ἀλακάτᾱ** (also **ἠλακάτᾱ**) ᾱς f. **1 distaff** Hom. Hdt. E. Theoc. Plu.; (fig.) **spindle-shaft** (as axis of the cosmos) Pl.
2 spindle-shaped or tapering upper part of a mast (of a ship), **mast-top** AR.

ἠλάμην (aor.mid.): see ἅλλομαι

ἤλασα (aor.), **ἠλασάμην** (aor.mid.): see ἐλαύνω

ἠλασκάζω vb. [ἠλάσκω] **1** (of a warrior, in a chariot) **keep rushing to and fro** Il.; (of a god) **perpetually roam among** —places and people hHom.
2 keep moving (in the face of an attack); **evade** —someone's rage Od.

ἠλάσκω vb. [reltd. ἀλάομαι] **1** (of spirits) **roam, range** —W.PREP.PHR. over territory Emp.; (of flies) **flit to and fro** Il.
2 (of deer, pursued by predators) **run this way and that** Il.

ἠλέ (ep.voc.): see ἠλεός

Ἠλέκτρᾱ ᾱς, Ion. **Ἠλέκτρη** ης f. **Electra** (daughter of Agamemnon and Clytemnestra, sister of Orestes) Hes.fr. Trag. Ar. +

Ἤλεκτραι ὧν fem.pl.adj. (of one of the gates of Thebes, on the eastern side) **Elektran** A. E.

ἤλεκτρον ου n. —also **ἤλεκτρος** ου m.f. [reltd. ἠλέκτωρ]
1 amber (esp. in jewellery) Od. Hes. Hdt. Pl. AR. ‖ PL. **pieces of amber** Od.
2 a kind of bright yellowish alloy of gold and silver, **electrum, white gold** S.
3 perh. **tuning-peg** (of a lyre) Ar.

ἠλεκτρο-φαής ές *adj.* [φάος] (of tears) **of gleaming amber** (shed by the Heliades mourning for their brother Phaethon, fr. which the resin was said to derive) E.

ἠλέκτωρ ωρος *m.* **shining one, sun** Il. Emp.; (appos.w. Ὑπερίων) Il. hHom.

ἠλέματος, dial. **ἀλέματος**, ον *adj.* [app.reltd. ἠλεός] | dial.gen. ἀλεμάτω (Theoc.) | (of persons) **feckless, foolish** Alc. Theoc.

—**ἠλεμάτως**, dial. **ἀλεμάτως** *adv.* **uselessly, in vain** Sapph. Call. AR.

ἤλεο (Aeol.3sg.aor.2 mid.): see αἱρέω

ἠλεός ή όν *ep.adj.* [perh.reltd. ἀλάομαι] | voc. ἠλεέ, also ἠλέ | 1 (of persons) wandering mentally, **deranged** (w.ACC. in their wits) Hom.
2 (of wine) causing senselessness, **befuddling** Od.

—**ἠλεά** *neut.pl.adv.* **senselessly, foolishly** Call.

ἠλευσάμην (aor.mid.): see ἀλέομαι

ἠλήλατο (ep.3sg.plpf.pass.): see ἐλαύνω

ἦλθα (aor.1), **ἦλθον** (aor.2): see ἔρχομαι

Ἡλιάδες ων *f.pl.* **daughters of the Sun, Heliades** A.(title) Parm. AR.

ἡλιάζομαι (or **ἡλιάζομαι**) *mid.vb.* [ἡλιαῖᾱ] **serve as a Heliast** Ar.; (w. play on ἥλιος, as if meaning *sunbathe*) Ar.

ἡλιαῖᾱ (or **ἡλιαίᾱ**) ᾱς *f.* **Heliaia** (chief lawcourt at Athens, ref. to the locality, assembly or proceedings) Ar. Att.orats. Arist.

ἡλιακός ή όν *adj.* [ἥλιος] (of a year) **solar** Plu.

ἡλίασις (or **ἡλίασις**) εως *f.* [ἡλιάζομαι] **service as a Heliast** D.(oath)

ἡλιαστής (or **ἡλιαστής**) οῦ *m.* **member of the jury of the Heliaia, Heliast** Ar. D.

ἡλιαστικός (or **ἡλιαστικός**) ή όν *adj.* 1 (of the wages, oath) **of a Heliast** Ar. Hyp.
2 (of an old man) **of the Heliast type** Ar.

ἠλίβατος, dial. **ἀλίβατος**, ον *adj.* (of cliffs, rocks, mountainous places) **very high, towering** Hom. Hes. Thgn. A. Pi. E. +; (of the throne of Zeus) Ar.; (of a cave) perh. **high up** or **set in a steep mountainside** Hes.; (of trees) **tall** Hes. hHom.; (of a cross, for crucifixion) Plu.(quot.epigr.)

ἤλιθα *adv.* [app.reltd. ἠλεός, ἠλέματος] 1 **exceedingly** (w.ADJ. πολύς) Hom.
2 to an exceeding degree or extent, **thoroughly, completely** or **profusely** Philox.Leuc.(cj.) AR.
3 to no effect, **in vain** —*ref. to trying to touch sthg.* AR.; **with no significance** (in the eyes of an augur) —*ref. to birds flying* Call.

ἠλιθιάζω *vb.* [ἠλίθιος] **act foolishly** Ar.

ἠλίθιος, dial. **ἀλίθιος**, ᾱ ον (also ος ον) *adj.* 1 (of persons, their character, emotions, attitudes, or sim.) lacking in sense, proper reasoning or purpose, **inane, ineffective** or **unreasonable** Simon. Pi. Hdt. E.*Cyc.* Ar. Att.orats. +
2 (of things undertaken or performed) without purpose or good result, **ineffective, pointless** A. Arist. Theoc.

—**ἠλίθιον** *neut.adv.* **inanely** or **ineffectively** Ar.

—**ἠλιθίως**, dial. **ἀλιθίως** *adv.* **unreasonably** Lys. Pl. D.; **ineffectively** Theoc.

ἠλιθιότης ητος *f.* **ineptitude** Pl.

ἠλιθιόω *contr.vb.* (of thunder) **stupefy** —*the senses* A.

ἡλικίᾱ, dial. **ἀλικίᾱ**, Aeol. **ἀλικίᾱ**, ᾱς, Ion. **ἡλικίη** ης *f.* [ἧλιξ] 1 stage or period in the life (of a person), **age, time of life** Pi. Hdt. Th. +
2 (specif.) **youth, prime of life, manhood** Pi. E. Th. Att.orats. Pl.; **girlhood** Sapph.; **maidenhood, virginity** (of a girl) Aeschin.
3 (pejor.) **youthful hot-headedness** Hdt.
4 stage of growth, **size, stature** Hdt. Pl. D. NT.
5 (collectv.) people of a similar age, **age group** Th. Isoc. Pl.; people in one's own age group, **peers, comrades** Il.
6 lifetime of a specific age group, **generation** Att.orats. Plu.; **age, time, period** (in history) Hdt. Isoc.
7 lifespan, allotted life, **life** Pi. Hdt. Arist. NT.
8 **right age** (sts. W.INF. to do sthg., esp. to have children) Hdt. Th. Att.orats. +; **marriageable age** Att.orats. Pl.; right age for military service, **military age** Th. Lys.
9 (collectv.) young men of military age, **youth** (esp. ref. to those lost in war) Sol. Pi. Th.

ἡλικιώτης ου *m.* 1 person of a similar age, **peer, fellow, comrade** Hdt. Ar. Att.orats. Pl. +
2 person contemporary to one's lifetime, **member of the same generation** Att.orats. Pl. X. +

ἡλικιῶτις ιδος *fem.adj.* (of narratives) belonging to the same time (as their subject matter), **contemporary** Plu.

ἡλίκος η ον *relatv.adj.* 1 (of persons) of the same age, **as old** (as another or others, w. case attracted to antecedent) Ar.
• ἄνδρα ... ἡλίκον Θουκυδίδην *a man as old as Thucydides* Ar.
• οἱ ἡλίκοι ἐγώ *people of the same age as me* Th.
2 (of a thing) **of the same size, as large** (as a person) Ar.
3 (of persons or things, usu. w.correlatv. τηλικοῦτος) of the same magnitude (in size, importance or power), **as great** (as others) Att.orats. Pl. Arist. + • τηλικαύταις ἥτταις καὶ συμφοραῖς περιπεσὼν ἡλίκας οὐδεὶς οἶδεν ἄλλοις γενομένας *having met with such great defeats and disasters, the like of which no one is aware of having happened to others* Isoc.
4 (in indir.qs., of persons) **of what age, how old** S. Isoc. Pl.
5 (in indir.qs., of persons or things) **how great** (in size, importance or power) Att.orats. Arist. Thphr. Men. +

—**ἡλίκον** *neut.adv.* (in exclam.) **how loudly!** Men.

ἧλιξ, dial. **ἆλιξ**, ικος *masc.fem.adj.* 1 (of twins, a pair of oxen) **of the same age** (as each other) Od. Ibyc.
2 (of persons) **of the same age** (sts. W.GEN. or DAT. as another or others) Pi. Tim. AR. Mosch.
3 (of things) **of the same age** (as persons) A. Call. AR.
4 (of a period of time) relating to one's age group, **for those of one's age** (ref. to competitors in the games) B.
5 || MASC.FEM.SB. (sts. appos.w. ἀνήρ, νεανίας, νεᾶνις) **person of the same age** (as another or others), **peer** or **fellow** Alcm. Pi. Hdt. E. Ar. +; (provb.) ἧλιξ ἥλικα τέρπει (or sim.) *like pleases like* Pl. Arist.

ἡλιό-βλητος ον *adj.* [ἥλιος, βλητός] (of plains) **sun-beaten** E.

ἡλιο-ειδής ές *adj.* [εἶδος¹] (of light) in kind like the sun, **sun-like** Pl.; (of the eye and sight, which were envisaged as sending out rays) Pl.

ἡλιό-κτυπος ον *adj.* [κτυπέω] (of a people) **sun-beaten** A.

ἡλιο-μανής ές *adj.* [μαίνομαι] (of the cicada) driven wild by the sun, **sun-maddened** Ar.

ἡλιό-μορφος ον *adj.* [μορφή] (of a person) **sun-like in appearance** Castorio

ἡλιόομαι *pass.contr.vb.* 1 || PRES.PTCPL.ADJ. (of parts of a vine) exposed to the sun X.
2 || PF.PTCPL.ADJ. (of a person) sunburnt (fr. outdoor work) Pl.

ἡλιο-πλήξ ῆγος *masc.fem.adj.* [πλήσσω] (of a part of the body) struck by the sun, **sunburnt** Call.

ἥλιος, dial. **ἅλιος**, Aeol. **ἄλιος**, ep. **ἠέλιος**, dial. **ἀέλιος**, ου *m.* 1 **sun** (as the source of daylight) Hom. +
2 sun (as the defining property of the world of the living opp. the dead) Hom. + • ὁρᾶν φάος ἠελίοιο *see the light of the sun (i.e. be alive)* Hom.

3 (in expressions of direction, ref. to east and west, as the places of sunrise and sunset) Hom. + | see δύσις 2, ἀνατολή 2
4 light and warmth of the sun, **sunlight** Hdt. + ‖ PL. sunny days Th.
5 (sg. and pl., as a unit of time) **day** Pi. E.
6 (personif.) **Helios** (sts. appos.w. Ὑπερίων) Hom. +; (identified w. Apollo) Carm.Pop. E.*fr.* Tim. Call.

ἡλιο-στερής ές *adj.* [στερέω] (of a wide-brimmed hat) keeping off the sun, **providing shade** S.

ἡλιο-τρόπιον ου *n.* [τρόπος] **sundial** Plu.

ἡλιτό-μηνος ον *adj.* [ἀλιταίνω, μήν²] (of a baby) missing the right month, **born prematurely** Il.

ἤλιτον (aor.2): see ἀλιταίνω

ἡλιῶτις ιδος *fem.adj.* [ἥλιος] (of the rays) **of the sun** S.

ἡλλάγην (aor.2 pass.), **ἤλλαγμαι** (pf.pass.), **ἠλλάχθην** (aor.pass.): see ἀλλάσσω

ἧλος, dial. **ἇλος**, ου *m.* **1 nail, rivet, stud, boss** (of gold, decorating a sword, cup or staff) Il.
2 nail, rivet or **peg** (to fasten sthg.) Pi. Pl. NT. Plu.; (to tighten bonds) Ar.; **spike** (in a man-trap) X.; **hobnail** (on a shoe's sole) Thphr. Plu.
3 (provb.) ἥλῳ ὁ ἧλος *a nail* (*is driven out*) *by a nail* (ref. to using like on like) Arist.

ἡλοσύνη ης, Aeol. **ἀλοσύνα** ᾱς *f.* [reltd. ἠλεός] **madness** Hes.*fr.* Theoc.

ἠλύγη ης *f.* [reltd. ἐπηλυγάζομαι] (fig.) **dimness, murkiness** Ar.

ἤλυθον (ep. and poet.aor.2): see ἔρχομαι

ἤλυξα (aor.): see ἀλύσκω

Ἠλύσιον ου *neut.adj.* of Elysium; (phr.) Ἠλύσιον πεδίον *Elysian plain, Elysian fields* (*in the underworld*) Od. AR. Plu.

ἤλυσις εως *f.* [ἤλυθον, see ἔρχομαι] action of walking, **tread, step** E.

ἤλφον (aor.2): see ἀλφάνω

ἥλωκα (Ion.pf.): see ἁλίσκομαι

ἠλώμην (impf.mid.): see ἀλάομαι

ἥλων (Ion.aor.): see ἁλίσκομαι

ἧμα ατος *n.* [ἵημι] throwing-weapon, **javelin, spear** Il.

ἠμαθόεις εσσα εν *ep.adj.* [ἄμαθος] **1** with plentiful sand; (epith. of Pylos, home of Nestor) **sandy, by the sandy shore** Hom. Hes. hHom.; (of Lektos) hHom.
2 (of a beach) **sandy** AR.

ἧμαι *mid.vb.* | 2sg. ἧσαι, 3sg. ἧσται (-ηται in cpds.), 2du. ἧσθον, 3pl. ἧνται, ep. εἵαται (or ἥαται), also ἕαται | imperatv. ἧσο | ptcpl. ἥμενος | IMPF: 1sg. ἥμην, 3sg. ἧστο (-ητο in cpds.), 3pl. ἧντο, ep. εἵατο (or ἥατο), also ἕατο |
1 (of gods, persons) **sit** (in a place) Hom. +
2 be seated in a position of authority; (of gods, kings, judges) **sit** —W.ACC. or PREP.PHR. *on a throne* Hom. hHom. A.; (of magistrates) —W.PREP.PHR. *in office* E.
3 (of a bird) **sit** —W.ACC. *on its nest* E.
4 (pejor.) **sit around idly** Il. Hes. Callin. A.
5 (of an army) **be encamped** (in a place) Il. Pi. E.
6 (of gods, persons) **abide, remain** —W.ADV. or PREP.PHR. *in a certain place* Hom. Hes.
7 (of things, esp. buildings) **be situated** —W.ADV. or PREP.PHR. *in a certain place* Od. +; (fig., of confidence about sthg.) —W.PREP.PHR. *in one's heart* A. E.
8 (of soldiers) **lie hidden** or **in ambush** Hom.
9 ‖ PTCPL.ADJ. (of a patch of ground) low-lying Theoc.

ἦμαρ, dial. **ἆμαρ**, ατος *n.* [reltd. ἡμέρᾱ] **1 day** (opp. night, fr. sunrise to sunset) Hom. Hes. Lyr. +; (advbl.acc.sg.) ἦμαρ *by day* Hom. Hes.; (collectv.sens.) νύκτας τε καὶ ἦμαρ *by night and day* Hom.
2 (as the whole twenty-four hours, incl. night) **day** Hom. Hes. Lyr. +; (in specif. expressions of time) ἤματα πάντα *for ever* Hom. +; ἐπ' ἤματι *for a day* Il.; *each day* Od. S.; *in a single day* Hom. Hes.; *during the day* (opp. *at night*) Theoc.
3 specific day (as a point in time), **day** Hom. Hes. Lyr. +; (W.ADJ. of one's death, bereavement, liberation, enslavement, or sim.) Hom. hHom. Ibyc. +
4 (collectv.sg.) **days, time** (of slavery, freedom, or sim.) Il. Thgn. +

ἡμαρτήθην (aor.pass.), **ἡμάρτηκα** (pf.), **ἡμάρτημαι** (pf.pass.): see ἁμαρτάνω

ἡμαρτημένως *pf.pass.ptcpl.adv.*: see under ἁμαρτάνω

ἥμαρτον (aor.2): see ἁμαρτάνω

ἡμάτιος η ον *Ion.adj.* [ἦμαρ] (quasi-advbl., of ships bringing supplies) **daily** Il.; (of gods, persons or things, moving or performing an activity) **in the daytime, by day** Od. Hes. AR.; (of bees being busy, persons rowing) **all day long** Hes. AR.

ἤμβλακον (dial.aor.2): see ἀμπλακεῖν

ἤμβροτον (ep.aor.2): see ἁμαρτάνω

ἡμεδαπός ή όν *adj.* [reltd. ἡμεῖς; for suffix cf. ἀλλοδαπός] (of persons, their manner or style) of our people or native land, **our own** Ar. Call. ‖ FEM.SB. our territory D.

ἡμεῖς, Aeol. **ἄμμες**, dial. **ἁμές** *1pl.pers.pron.* | acc. ἡμᾶς, Ion. ἡμέας (enclit. ἥμεας, once ἥμας Od.), Aeol. ἄμμε, dial. ἁμέ | gen. ἡμῶν, Ion. ἡμέων, ep. ἡμείων, Aeol. ἀμμέων, dial. ἁμέων, also ἁμῶν | dat. ἡμῖν (enclit. ἥμῖν, also ἧμῖν), Aeol. ἄμμῐν and ἄμμῑ, once ἄμμεσιν (Alc.), dial. ἁμῖν (enclit. ἁμῐν), also ἁμίν ‖ see also sg. ἐγώ, du. νώ ‖ The nom. is used to draw attention to particular persons, esp. in contrast w. another pron. Non-enclitic forms of other cases are used to draw attention, or w. preps. | **we, us** Hom. +

ἡμελημένως *pf.pass.ptcpl.adv.*: see under ἀμελέω

ἤμελλον (impf.): see μέλλω

ἠ-μέν *conj.* [ἦ¹ 1, μέν] **both** (as correlatv., usu.w. ἠδέ *and*, sts.w. δέ, τε¹ or καί) Hom. Hes. Parm. AR. • ἠμὲν δέμας ἠδὲ καὶ αὐδήν *both in appearance and in voice* Od.

ἦμεν¹ and **ἤμεν²** (dial.infs.): see εἰμί

ἦμεν² (1pl.impf.): see εἰμί

ἦμεν (1pl.impf.): see εἶμι

ἡμέρᾱ, dial. **ἀμέρᾱ**, Aeol. **ἀμέρα**, ᾱς, Ion. **ἡμέρη** ης *f.* [reltd. ἦμαρ] **1 day** (opp. night) Od. Hes. Thgn. +; (advbl.gen.sg.) ἡμέρας *by day* Hdt. +; (prep.phrs.) ἅμα (τῇ) ἡμέρᾳ *at dawn* Hdt. E. Th. Att.orats. +; πρὸς ἡμέραν *towards or before dawn* Att.orats. +; ἀφ' ἡμέρας *from dawn* Plb. Plu.; ἐξ ἡμέρας *by day* S.; μεθ' ἡμέραν *by day* Hdt. E. Att.orats. +; *in broad daylight* Ar.
2 (as the whole twenty-four hours, incl. night) **day** Od. +
3 specific day (as a point in time), **day** Hom. +; (of one's death or sim.) S. E.; (of judgement) NT.
4 (collectv.sg.) **days, time** (of one's youth, slavery, misery, or sim.) S. E. Arist. ‖ PL. days (of a person's life) S. NT.

ἡμερεύω *vb.* **1 spend the day** —W.GEN. *on a long journey* A. —W.PREP.PHR. *in a place* X.
2 spend one's days —W.ADV. *peacefully* S. —W.PREP.PHR. *in a certain place, activity or company* Isoc. X. D.

ἡμερήσιος ᾱ (Ion. η) ον (also ος ον) *adj.* **1** (of a journey) **of one day, lasting a whole day** Hdt. Pl. Plb.; (of a period of time) Plu.; (hyperbol., of a speech) Isoc.
2 (of a beacon's light, at night) **as if of day, like daylight** A.

ἡμερινός ή όν *adj.* **1** (of a voyage) **of one day, lasting for a day** X.; (of couriers, sentries) **on duty during the day, day-shift** X. Plu.

2 (of the light) **of day** Pl.; (of scientific observation) **of the day** (relating to length and seasonal variation) Plb.

ἡμέριος, dial. **ἀμέριος**, ᾱ ον (also ος ον) *adj*. **1** (of a wheel, fig.ref. to the sun) **of the day** E.; (of sustenance) **daily** Ar.

2 ‖ FEM.SB. **day** (opp. night) S.(dub.)

3 (of men, the human race) as though lasting only one day, **short-lived, transient** S. E.

4 (of bloodshed) **human** E. ‖ MASC.PL.SB. **mortal men** E.

ἡμερίς ίδος *f*. [ἥμερος] perh., trained or trellis vine, **garden vine** Od. Ar. AR.

ἡμερο-δρόμος ου *m*. —also **ἡμεροδρόμης** εω Ion.*m*. [ἡμέρᾱ, δραμεῖν] one who runs all day as a messenger, **runner, courier** Hdt. Pl.

—**ἀμεροδρόμος** ον *dial.adj*. (of a land) **taking a day to cross** Tim.

ἡμερο-θηρικός ή όν *adj*. [ἥμερος, θήρ] ‖ FEM.SB. **art of hunting tame animals** Pl.

ἡμερό-κοιτος, dial. **ἀμερόκοιτος**, ον *adj*. [ἡμέρᾱ, κοῖτος] (of a thief) **sleeping by day** Hes.; (of lambs) **lying down all day** E.*Cyc*.

ἡμερο-λεγδόν *adv*. [λέγω] while counting the days, **as the days mount up** A.

ἡμερολογέω *contr.vb*. **count** or **keep track of the days** —W.ACC. *for a period of time* Hdt.

ἡμερο-λόγιον ου *n*. system of counting or keeping track of the days of the year, **calendar** Plu.

ἥμερος ον (also ᾱ ον, Ion. η ον), dial. **ἅμερος** ον *adj*. **1** (of animals) **tame, domesticated** Od. Pl. X. +

2 (of trees, plants, fruits) **cultivated** Hdt. Pl. Arist.

3 (of roads) **manageable, passable** Pl.

4 (of persons, a lion cub) **gentle** (opp. harsh or fierce) A. Pl.; (of a goddess's arms, a person's voice) Pi.; (of persons) **meek** (opp. insolent) A. ‖ COMPAR. (of a murderer) **less dangerous** Pl.; (of a conclusion) **less extreme** Pl.

5 (of persons, a ruling house) **kindly, compassionate** Pi. Pl. D. ‖ NEUT.SB. **tenderness** or **compassion** Theoc.

6 (of Asklepios) **soothing** Pi. ‖ FEM.SB. (as a name for Artemis) **Soother** B. Call.

7 (of life in old age) **peaceful** Pi.

8 (of persons) **gentle, civilised** (fr. exposure to music) Pl.; (of peoples, a country, opp. barbaric) Hdt. Isoc.

—**ἥμερον** *neut.adv*. **quietly, peacefully** Pi.

—**ἡμέρως** *adv*. **kindly, with compassion** Plb. Plu.

—**ἡμερωτέρως** *compar.adv*. **1 more kindly** Plu.

2 somewhat less savagely —*ref. to committing a murder* Pl.

ἡμερο-σκόπος ου *m*. [ἡμέρᾱ, σκοπέω] **1** one who keeps watch by day, **lookout** Hdt. S. Ar. X.

2 ‖ ADJ. (of guards) **on lookout duty** Ar.; (of an eye) **on the lookout** A.

ἡμερότης ητος *f*. [ἥμερος] **gentleness** (of a person's character) Pl. Plu.

ἡμερο-φαντος ον *adj*. [ἡμέρᾱ, φαίνομαι] (of a dream, fig.ref. to extreme old age) **appearing by day** A.

ἡμερο-φύλαξ ακος *m*. **day-sentry** X.

ἡμερόω *contr.vb*. [ἥμερος] **1** bring under control or subdue, **tame** —*the spirits of wild beasts* Isoc. ‖ PASS. (of a wild beast) **be tamed** Pl.

2 tame, calm —*persons, their spirits, base appetites* Isoc. Pl.

3 make civilised or **cultured** —*persons, their souls, characters, or sim*. Pl. Plb. ‖ PASS. (of persons) **be** or **become civilised** Pl. Plu.; **be made gentle** (towards others) Pl.

4 make civilised —*barbarian tribes* Plu.

5 make safe —*the sea* (by ridding it of pirates or monsters) Pi. ‖ PASS. (of land) **be made safe** (for passage) A.

6 (act. and mid.) **bring under control by conquest, subdue, subjugate** —*peoples, cities, countries* Hdt. Plu.

ἡμέρωσις εως *f*. **process of civilising** (people) Plu.

ἦμες (dial.1pl.impf.): see εἰμί

ἡμέτερος ᾱ (Ion. η) ον, dial. **ἁμέτερος**, Aeol. **ἁμμέτερος**, ᾱ ον *possessv.adj*. [ἡμεῖς] **1** (of things, qualities) of or belonging to us, **our** (oft. w.art. ὁ ἡμέτερος) Hom. +; (ref. to particular classes of persons, interests or concerns) οἱ ἡμέτεροι **our people** (*i.e. kin, countrymen*) And. Isoc.; τὸ ἡμέτερον **our interest, position,** or sim. Th. Ar. Isoc. Pl. +; τὰ ἡμέτερα **our interests, affairs, possessions** Th. Isoc. +

2 (used for sg., when the subject is a figure of authority, or when other persons beside the subject are implied) **my** Hom. +

3 ‖ MASC. or NEUT.SB. (w. δόμος, δῶμα or δῶ understd.) **our house** Hom. hHom. AR.; ἐν ἡμετέρου **in our house** Archil. Hdt.

4 ‖ FEM.SB. (w.art.) **our land** Hdt. Th.

5 (w. objective force) **relating to us**; τὸ ἡμέτερον δέος *fear of us* Th.

—**ἡμέτερόνδε** *adv*. **towards our** or **my house** Od. AR.

ἡμέων (Ion.gen.pl.1pers.pron.): see ἡμεῖς

ἤμην (impf.mid.): see ἧμαι

ἤμην (impf.mid.): see εἰμί

ἤμησα (aor.): see ἀμάω

ἠμί *vb*. | 3sg. ἠσί, Aeol. ἦσι, dial. ἠτί | athem.aor. or impf. ἦν, 3sg. ἦ | **speak, say** (usu. following or introducing dir.sp.) Hom. Alcm. Sapph. Ar. Pl. Hellenist.poet.; (as interj., calling a servant) παῖ, ἠμί, παῖ *Boy! I say! Boy!* Ar.

ἡμι-ασσάριον ου *n*. [ἥμισυς] **half an *as*** (a coin or sum of money, in Roman currency) Plb.

ἡμί-βρωτος ον *adj*. [βιβρώσκω] (of geese) **half-eaten** X.

ἡμι-γένειος ον *adj*. [γένειον] (of a young man) **half-bearded, with beard only half-grown** (as indication of age) Theoc.

ἡμι-γενής ές *adj*. [γένος, γίγνομαι] (of the nature of smells) half-formed, **partial, incomplete** Pl.

ἡμί-γυμνος ον *adj*. [γυμνός] (of a man) **half-naked** Plu.

ἡμι-δαής ές *adj*. [δαίω] (of a ship; of Phaethon, hit by a thunderbolt) **half-burnt** Il. AR.

ἡμι-δακτύλιον ου *n*. [δάκτυλος] **half a finger's breadth** (as a measure) Plb.

ἡμι-δᾱρεικόν οῦ *n*. [δᾱρεικός] **half a daric** (a coin or sum of money in Persian currency) X.

ἡμι-δεής ές *adj*. [δέω²] (of wine-jars) **half-empty** X.

ἡμι-διπλοίδιον ου *n*. [reltd. διπλοῦς] **little half-fold dress** (app. an undergarment, worn folded double) Ar.

ἡμί-δουλος ον *adj*. [δοῦλος] (of children) **with one slave parent, half-slave** E.

ἡμι-έκτεων εω *n*. [ἑκτεύς] **half a sixth-part measure** (for grain, as a fraction of a medimnos) Ar.

ἡμί-εκτον ου *n*. [ἕκτη *one sixth of a stater*] **1** half a hekte (a coin or sum of money) Hippon.

2 half a sixth part (of a medimnos) D. Plu.

ἡμί-εργος ον *adj*. [ἔργον] (of fortifications) **half-built, incomplete** Hdt. Th.

ἡμι-θανής ές *adj*. [θνῄσκω] (of a man) **half-dead** (fr. a beating) NT.

ἡμι-θέη ης Ion.*f*. [θεά] **demi-goddess** Call.

ἡμί-θεος, Aeol. **αἰμίθεος**, Boeot. **εἰμίθιος**, Lacon. **ἡμίσιος**, ου *m*. [θεός] **demigod** (esp. ref. to the heroes of legend) Il. +

ἡμι-θνής ῆτος *masc.fem.adj*. [θνῄσκω] **1** (of persons) **half-dead** (fr. plague, burning) Th. Plu.

2 as though half-dead; **half-dead** (fr. fear) Aeschin. Call.; **looking half-dead** (fr. paleness due to indoor study) Ar.

ἡμί-θραυστος ον *adj.* [θραύω] (of masonry) **half-shattered** E.

ἡμι-κάκως *adv.* [κακῶς] only half badly, **tolerably well** —*ref. to making a living* Ar.

ἡμι-κλήριον ου *n.* [κλῆρος] inheritance of half an estate, **half-inheritance** Is. D.

ἡμι-κοτύλιον ου *n.* [κοτύλη] **half-cup measure** (of oil) Arist.

ἡμί-κραιρα ᾱς *f.* [κάρᾱ] half-face, **one side of the face** (of a man being shaved) Ar.

ἡμι-κύκλιον ου *n.* [κύκλος] **1** (geom.) **semicircle** Arist. **2** semicircular bench, **public bench** (as a meeting-place) Plu.

ἡμί-λιτρον ου *n.* [λίτρᾱ] (as a Roman measure) **half a pound** (of bread) Plu.

ἡμι-μανής ές *adj.* [μαίνομαι] (of a man) **half-crazy** Aeschin.

ἡμι-μέδιμνον ου *n.* [μέδιμνος] **half a medimnos** (of flour, grain) D. Plu.

ἡμι-μναῖον ου *n.* [μνᾶ] **half a mina** (as a weight or sum of money) Pl. X. D. Plu.

ἡμι-μόχθηρος ον *adj.* [μοχθηρός] (of persons) half-villainous, **half-corrupted** Pl.

ἡμι-όλιος ᾱ ον (also ος ον) *adj.* [ὅλος] **1** half as much again of the whole; (of things) **one and a half times as big** (W.GEN. as sthg. else) Hdt. X. Plu.; (of numbers, amounts, sizes, or sim.) **one and a half times as much or as many** (sts. W.GEN. as sthg. else) Isoc. Pl. Arist. Plb.; ‖ NEUT.SB. one and a half Pl. Arist.; one and a half times the amount Pl. X. Arist.
2 (of a ratio betw. two numbers in a series) **of one-and-a-half upon one** (i.e. 3:2) Pl.; (w. musical connot.) **of the fifth** Pl. | see also ἐπίτριτος 1
3 (of a kind of fast warship) **one-and-a-half-rowed** (prob. ref. to a two-banked ship, in which half of the upper bank of rowers could, when needed, stow their oars and constitute a boarding-party) Plb.; ‖ FEM.SB. one-and-a-half-rowed ship Plb.; pirate ship Thphr.

ἡμιόνειος, Ion. **ἡμιόνεος**, η ον *adj.* [ἡμίονος] (of carts) **drawn by mules** Hom. Hdt.; (of a yoke) **for mules** Il.

ἡμιονικός ή όν *adj.* (of pairs) **of mules** X.

ἡμί-ονος, Aeol. **αἱμίονος**, ου *m.f.* [ὄνος] **1** half-donkey, **mule** Hom. +; (fig.ref. to a king who was not a pure Mede) Hdt.(oracle)
2 (ref. to a non-hybrid animal) app. **wild ass, onager** Il.

ἡμι-οπος ον *adj.* [ὀπή] (of an aulos) with half the number of holes, **half-size** Anacr.

ἡμι-παγής ές *adj.* [πήγνυμι] (of snow, soda, salt) **semi-solid** Pl.

ἡμι-πέλεκκον ου *n.* [πέλεκυς] half-axe, **single-bladed axe** Il.

ἡμί-πεπτος ον *adj.* [πέσσω] (of fruits) **half-ripened** Plu.

ἡμι-πλέθρον ου *n.* [πλέθρον] **half a plethron** (as a distance) Hdt. X.

ἡμι-πλήξ ῆγος *masc.fem.adj.* [πλήσσω] (of a tree) **half cut through, half-felled** AR.

ἡμι-πλίνθιον ου *n.* [πλινθίον] half-brick; **ingot** (of gold) Hdt.

ἡμι-πόδιον ου *n.* [πούς] **half a foot** (as a measure) Plb.

ἡμι-πόνηρος ον *adj.* [πονηρός] (of a person) **half-wicked** Arist.

ἡμίσεια (fem.adj.): see ἥμισυς

ἡμίσεος *Lacon.m.*: see ἡμίθεος

ἡμι-στάδιον ου *n.* **half a stade** (as a distance) Plb.

ἥμισυς, Aeol. **αἴμισυς**, εια (Ion. and sts. Att. εα) υ *adj.* | fem.gen.sg. ἡμίσεος (Th.) | neut.nom.acc.pl. ἡμίσεα |
1 consisting of a half (of a whole), **half of** (in same case and number as sb.) Hom. +; • **ἡμίσεες λαοί** *half of the troops* Od. • **ἡμίσεος ἡμέρας πλοῦς** *half a day's sail* Th.
2 ‖ SB. (masc., fem. or neut.) half part or half (W.GEN. of sthg., this gen. giving its gender and number to sb.) Hdt. + • **ὁ ἥμισυς τοῦ χρόνου** *half of the time* D. • **αἱ ἡμίσειαι τῶν νεῶν** *half of the ships* Th.
3 ‖ NEUT.SB. (usu.sg.) half part or half (sts. W.GEN. of sthg.) Hom. +; • **ἥμισυ ... ἐνάρων** *half of the spoils* Il.; • **τὰ τῆς χορείας ἡμίσεα** *half of the dancing* Pl.; • (provb.) **πλέον ἥμισυ παντός** *half is more than the whole* Hes.; (after cardinal numbers) **καὶ ἥμισυ** *and a half* Hdt. Arist. NT.; (w. καί omitted) Plu. | for **ἥμισυ τρίτον** see τρίτος 6
4 ‖ MASC.SB. half of the men or people Hom. +
5 ‖ FEM.SB. half share or measure Pl. D.
6 (as a measure of comparison) being only half (in number, size, quantity); **half as much** or **half as many** (W.GEN. as sthg. or someone) Th. +; (of a man) **ἥμισυς ἑαυτοῦ** (*only*) *half of himself* (W.PREP.PHR. *in terms of virtue*) Pl.
—**ἥμισυ** *neut.adv.* to the extent or amount of half, **half** or **partially** Il. +; (doubled, in correlatv. constr.) **half ... half** Pi.
—**ἡμίσεως** *adv.* **in a half-finished** or **incomplete manner** —*ref. to stating sthg.* Pl.

ἡμι-τάλαντον ου *n.* **half a talent** (as a weight or sum of money) Il. Hdt. Is. D. | for **τρίτον ἡμιτάλαντον** see τρίτος 6

ἡμι-τέλεστος ον *adj.* [τελέω] (of fortifications) **half-finished** Th.

ἡμι-τελής ές *adj.* [τέλος] **1** half-complete; (of a household) **cut short** (because the husband is slain) Il.; (of a speech, a task) **unfinished, incomplete** Isoc. X.; (of a cloak) Plu.
2 (of a person) **falling short, deficient** (in courage) X.

ἡμί-τομος ον *adj.* [τόμος] **1** (of the moon's disc) consisting of a half segment, **half** Mosch.
2 ‖ NEUT.SB. severed half (of a foot, a body) Hdt.

ἡμιτύβιον, Aeol. **αἰμιτύβιον**, ου *n.* [perh.loanwd.] **face-cloth** Sapph. Ar.

ἡμί-φλεκτος ον *adj.* [ἥμισυς, φλέγω] (of logs) **half ablaze** Plu.; (of a person) **all but consumed** (by love) Theoc.

ἡμί-φωνος ον *adj.* [φωνή] **semi-syllabic** ‖ NEUT.SB. continuant (as description of *s* and *r*, thought of as midway betw. vowels and stops) Arist.

ἡμί-χουν ου *n.* [χοῦς¹] **half-khous** (of water, approx. 1.6 litres) Arist.

ἡμί-χρηστος ον *adj.* [χρηστός] (of a dictator) **halfway honest** Arist.

ἡμιωβελιαῖος ᾱ ον *adj.* [ἡμιωβέλιον] (of spiders) **like a half-obol coin** (W.ACC. in size) X.; (of meat) worth half an obol, **in a half-obol portion** Ar.

ἡμι-ωβέλιον ου *n.* [ὀβολός] **half-obol** (as a coin or sum of money) X. Arist. Thphr.

ἦμμαι (pf.pass.): see ἅπτω

ἦμος, dial. **ἆμος** *temporal conj.* | sts. w.correlatv. τῆμος |
1 (w.indic., ref. to pres. or past, as described by the main vb.) at the time when, **when** Hom. Hes. Thgn. Hdt. S. E. Hellenist.poet.
2 (w.subj., ref. to the future) at such time as, **when** Od. Hes. Ibyc.

ἠμπειχόμην (impf.mid.), **ἠμπεσχόμην** (aor.2 mid.), **ἤμπεσχον** (aor.2): see ἀμπέχω

ἠμπισχόμην (impf.mid.), **ἤμπισχον** (impf.): see ἀμπίσχω

ἤμπλάκημαι (pf.pass.), **ἤμπλακον** (aor.2): see ἀμπλακεῖν

ἠμύω *vb.* | aor. ἤμυσα | (of a horse, a wounded man) **bow down, droop** —W.ACC. or DAT. *one's head* Il.; (of sailors, on seeing a great wave) **duck down** —W.DAT. *w. heads turned aside* AR.; (of Troy) **collapse, fall** Il.

ἠμφεγνόησα (aor.), ἠμφεγνόουν (impf.): see ἀμφιγνοέω
ἠμφεσβήτουν (impf.), ἠμφεσβήτησα (aor.): see ἀμφισβητέω
ἠμφίεσα (aor.), ἠμφιεσμένος (pf.mid.ptcpl.): see ἀμφιέννῡμι
ἤμων ονος m. [ἵημι] spear-thrower (ref. to a warrior) Il.
ἤμων (impf.): see ἀμάω
ἥν¹ (fem.acc.sg.relatv.pron.): see ὅς¹
ἥν² (fem.acc.sg.possessv.pron.adj.): see ὅς²
ἢν¹ conj.: see ἐάν
ἢν² interj. look!, behold! E. Ar. Men. Theoc.
—ἠνίδε interj. [ἴδε¹] look!, behold! Call. Theoc.
—ἢν ἰδού interj. look!, behold! Pratin. E. Ar.
ἦν¹ (1 and 3sg.impf.): see εἰμί
ἦν² (1sg.athem.aor. or impf.): see ἠμί
ἤναρον (aor.2): see ἐναίρω
ἤνεγκα, ἤνεγκον (aor.1 and 2), ἤνεικα, ἤνεικον (dial.aor.1 and 2): see φέρω
ἠνειχόμην (impf.mid.): see ἀνέχω
ἠνεκές neut.adv. [reltd. ἤνεγκον, see φέρω] 1 throughout all time, always Emp.
2 continually or continuously Call.
—ἠνεκέως adv. throughout Emp.
ἠνεμόεις, dial. ἀνεμόεις, εσσα εν adj. [ἄνεμος] 1 (of places) wind-swept Hom. Hes. Tyrt. Pi. E. Call.; (of a sail) wind-filled Pi.
2 (of a hurricane's fury) stormy A.; (of a breeze) rushing S.; (fig., of thought) swift as the wind S.
ἤνεον (ep.impf.), ἤνεσα (aor.): see αἰνέω
ἤνεπον (impf.): see ἐνέπω
ἠνεσχόμην (aor.2 mid.): see ἀνέχω
ἤνετο (3sg.impf.pass.): see ἀνύω
ἠνέχθην (aor.pass.): see φέρω
ἤνεῳξα (aor.), ἠνεῴχθην (aor.pass.): see ἀνοίγνῡμι
ἤνησα (ep.aor.): see αἰνέω
ἤνθον (dial.aor.2), ἤνθομες (1pl.): see ἔρχομαι
ἡνία, dial. ἀνία, ων n.pl. reins Hom. Hes. Pi. AR.
ἠνιᾶ (3sg.impf.), ἠνιᾱ́θην (aor.pass.): see ἀνιάω
ἡνίαι ὦν, dial. ἀνίαι ᾶν f.pl. 1 reins (for controlling a horse or team of horses) Anacr. Pi. Trag. +; (also collectv.sg.) Pi. S. ‖ SG. rein S. X. Plu.; (prep.phrs.) ἐφ' ἡνίαν to the left (ref. to turning a horse, the rein being held in the left hand) Plb. Plu.; ἐξ ἡνίας from the left (ref. to troops wheeling about) Plb.
2 (fig.) reins (used to guide or control a woman, a state) E. Ar. Pl. Plu.; (used to control a discussion) Pl.
3 leather thongs (for tying a shoe), sandal-thongs, laces Ar.
ἠνίᾱσα (aor.): see ἀνιάω
ἠνίδε interj.: see under ἤν²
ἡνίκα (also strengthened ἡνίκαπερ X.), dial. ἀνίκα, Aeol. ἄνικα (Theoc.) temporal conj. 1 (w.indic., ref. to pres. or past, as described by the main vb.) at the time when, when Od. hHom. Thgn. Pi. S. E. +
2 (w. ἄν + SUBJ., ref. to the fut.) at such time as, when S. E. Ar. X. +; (after past-tense main vb., w. ἄν + OPT.) S.(dub.); (without ἄν) Pl. X. +
3 (w. ἄν + SUBJ., ref. to repeated action) whenever S. E. Ar. Pl. +; (after past-tense main vb., w.OPT. without ἄν) S. E.
4 (as relatv.adv., after vbs. of knowing or remembering) on which occasion or in which circumstance, the time when, when S. E. Ar.
ἠνιξάμην (aor.mid.): see αἰνίσσομαι
ἡνιο-ποιεῖον ου n. [ἡνίαι, ποιέω] rein-maker's workshop X.
ἡνιοστροφέω contr.vb. [ἡνιοστρόφος] drive —a team of horses E.; (intr.) A.

ἡνιο-στρόφος ου m. [ἡνίαι, στρέφω] one who plies the reins, charioteer S.
ἡνιοχείᾱ ᾱς f. [ἡνιοχεύω] charioteering Pl.
ἡνιοχεύς ἦος ep.m. [reltd. ἡνίοχος] charioteer Il.
ἡνιοχεύω vb. [ἡνιοχεύς] be the driver (of a chariot or cart) Hom.; (fig.) —W.GEN. of another's soul Anacr.
ἡνιοχέω contr.vb. [ἡνίοχος] 1 hold the reins (of a horse, while riding) X.
2 drive (a horse, or team attached to a vehicle) with reins; be the driver —W.GEN. of a pair of horses Pl. ‖ PASS. (of horses) be driven Pl. X.
3 (fig., of a poet) guide with reins —W.ACC. the mouths of Muses (as if they were a chariot team) Ar.
4 be the driver of, drive —chariots Hdt.
ἡνιόχησις εως f. driving, steering (of a chariot) Pl.
ἡνιοχικός ή όν adj. (of the art) of a charioteer Pl.; (of the goad and whip) Pl.; (of one part of the soul) Pl.
ἡνί-οχος, dial. ἀνίοχος, ου m.f. [ἡνίαι, ἔχω] 1 holder of the reins (in a vehicle drawn by horses, usu. a war-chariot or racing-chariot), driver, charioteer Il. Hes. Thgn. Pi. Hdt. E. +; (of a king's chariot) Hdt. E.
2 app. rider (of a horse) Thgn.
3 (fig.) controller (W.GEN. of an athlete's hands and strength, ref. to a trainer) Pi.; (of the aigis, ref. to Athena) Ar.
ἠνίπαπον (aor.2): see ἐνίπτω¹
ἧνις (or ἧνῑς) ιος f. [perh.reltd. ἐνιαυτός] | only acc.sg. ἧνιν (or ἤνῑν), acc.pl. ἥνῑς | yearling (ref. to a sacrificial heifer) Hom. AR.
ἠνίχθην (aor.pass.): see αἰνίσσομαι
ἠνοίγην (aor.2 pass.), ἤνοιγον (impf.), ἤνοιξα (aor.): see ἀνοίγνῡμι
ἤνον (impf.): see ἀνύω
ἠνορέη ης ep.f. —ἀνορέᾱ ᾱς dial.f. [ἀνήρ] 1 manly courage, strength or excellence (esp. in war), manliness, valour Hom. hHom. Pi. Ion Aeschin.(quot.epigr.) AR. ‖ PL. manly or valorous deeds Pi.
2 brute strength (of Titans or Giants) Hes.
ἤνοψ οπος masc.fem.adj. (of bronze) app. bright, shining Hom.; (of the sky) Call.; (of wheat) Call.
ἤνπερ conj.: see ἐάνπερ
ἠντεβόλει (Att.3sg.impf.): see ἀντιβολέω
ἤντεον (ep.3pl.impf.), ἤντησα (aor.): see ἀντάω
ἠντίασα¹ (aor.): see ἀντιάζω
ἠντίασα² (aor.): see ἀντιάω
ἤντληκα (pf.), ἤντλουν (impf.): see ἀντλέω
ἤνυκα (pf.), ἤνυον (impf.), ἤνυσα (aor.), ἠνύσθην (aor.pass.), ἤνυσμαι (pf.pass.): see ἀνύω
ἤνυστρον ου n. stomach of a cow; (as a dish) tripe Ar.
ἤνυτο (3sg.impf.pass.), ἠνυτόμᾱν (dial.impf.pass.), ἤνυτον (impf.): see ἀνύω
ἠνώγεα (Ion.plpf.), ἠνώγει(ν) (3sg.plpf.), ἤνωγον (impf.), ἤνωξα (aor.): see ἄνωγα
ἠνώχλησα (aor.), ἠνώχλουν (impf.): see ἐνοχλέω
ἦξα (aor.): see ἄσσω
ἠξιώθην (aor.pass.), ἠξίωσα (aor.): see ἀξιόω
ἥξω (fut.), ἡξῶ (dial.fut.): see ἥκω
ἠοῖ (Ion.dat.): see ἠώς
ἠοῖος Ion.adj.: see ἠῷος
ἤομεν (ep.1pl.impf.): see εἶμι
ἧος ep.conj.: see ἕως¹
ἠοῦς and Ἠοῦς (Ion.gen.): see ἠώς
ἧπαρ ατος n. 1 liver (of persons, esp. as vulnerable to attack or fatal injury) Hom. S. E. Mosch.; (as eaten by dogs, by a madman) Il. Arist.; (of Prometheus, devoured repeatedly as torture) Od. Hes. A. AR.

2 (of a sacrificial animal, inspected in divination) Plu.
3 (as vulnerable to love, fear, anguish, reproach, madness, or sim.) Trag. Hellenist.poet.; (as containing gall, thought to be a source of emotions) Archil. Pl.

ἤπαφον (aor.2): see ἀπαφίσκω

ἠπεδανός ή όν *adj.* (of Hephaistos) **crippled** Od. hHom.; (of persons, their arms) **puny** Il. hHom. AR.

ἠπείλησα (aor.): see ἀπειλέω

ἠπειρο-γενής ές *adj.* [ἤπειρος; γένος, γίγνομαι] (of a people) **being a race of the mainland** (ref. to Asia Minor) A.

ἠπειρόομαι *pass.contr.vb.* (of islands) **become joined to the mainland** Th.

ἤπειρος, dial. **ἄπειρος**, ου *f.* **1 land** (opp. sea) Hom. +
2 mainland (esp. that of Greece or Asia Minor, opp. offshore islands) Hes. Hdt. E. +
3 continent (ref. to Europe, Asia or Africa) Pi. Hdt. Trag. +

—**ἤπειρόνδε** *adv.* **1 towards** or **onto land** (fr. the sea) Od. AR.
2 to the mainland (opp. offshore islands) Od.
3 (ref. to a valley extending) **towards the land side** or **interior** (opp. sea), **inland** AR.
4 towards the lowlands (opp. mountains), **to the plain** AR.

Ἤπειρος ου *f.* **Epeiros** (region of NW. Greece) Pl. X. +

ἠπειρώτης ου (Ion. εω) *m.* **1 inhabitant of the mainland, mainlander** (opp. islander) Hdt. Th. Isoc.; (pl., appos.w. ξύμμαχοι *allies*) Th.
2 inhabitant of the continent (ref. to Asia) Isoc.

—**Ἠπειρώτης** ου *m.* inhabitant of Epeiros, **Epeirot** Plb. Plu.

ἠπειρωτικός ή όν *adj.* **1** (of peoples) **of the mainland** (of Greece) X. || NEUT.SB. **mainland region** Th.
2 (of peoples) **of the continent** (of Asia) Arist.

—**Ἠπειρωτικός** ή όν *adj.* (of an army) **from Epeiros, Epeirot** Plu.

ἠπειρῶτις ιδος *fem.adj.* **1** (of cities) **on the mainland, mainland** Hdt. Th.
2 (of an alliance) **land-based, relying on land forces** (opp. a navy) Th.
3 (of a woman) **from the continent** (of Asia), **continental, Asian** E.; (of the mind of such a woman) E.

ἤπερ (fem.relatv.pron.): see ὅσπερ

ἤ-περ, ep. **ἠέπερ** (more oft. written as two words **ἤ περ**, ep. **ἠέ περ**) *conj.* [ἤ², περ¹] (w.contrastv. force, after compar. adj., sts. more emphat. than ἤ alone) **even than, than** Hom. Sapph. Hdt. Isoc. +; (after ἄλλος, as emphat. version of ἄλλος ἤ) **indeed than, than** AR.

ἧπερ *relatv.adv.*: see under ὅσπερ

ἠπεροπεύς ῆος *ep.m.* **beguiler** or **deceiver** (ref. to Odysseus) Od.; (appos.w. ὄνειρος *dream*) AR.

ἠπεροπευτής οῦ, dial. **ἠπεροπευτάς** ᾶ *m.* | voc. ἠπεροπευτά | (ref. to Hermes) **deceiver** hHom.; (ref. to Paris, Eros) **beguiler** Il. Mosch.

ἠπεροπεύω *vb.* **1 deceive** —*persons, their minds* Hom. Hes. hHom.; (intr.) Od.
2 (of men, Aphrodite, lovemaking) **beguile** —*women, their minds* Hom. AR.

ἠπιαλέω *contr.vb.* [ἠπίαλος] **shiver from fever** Ar.

ἠπίαλος ου *m.* **feverish shivers, fever** Thgn.; (w. play on ἐφιάλτης *nightmare demon*) Ar.

ἠπιό-δωρος ον *adj.* [ἤπιος, δῶρον] (of a mother, Aphrodite) **kind in one's giving** Il. Stesich.

ἤπιος ᾱ (Ion. η) ον (also ος ον) *adj.* **1** (of deities, persons, esp. those in authority; also of their intentions, words, manner, or sim.) showing benevolence or kindness, **kind, gentle, generous** (sts. W.DAT. towards someone, esp. one to whom respect is owed) Hom. Hes. Hdt. S. E. Ar. +; (of a charioteer, towards his horses) Il. || COMPAR. (of a ruler) **more humane** (than another) Hdt.; (of a stepmother, in neg.phr.) **more gentle** (than a viper) E.
2 (of persons, their minds or opinions) having an unprotesting or sympathetic attitude (in relation to persons, their actions or plans); **trusting** Od. hHom. Ar.; **quiescent** E. || COMPAR. **more amenable** Th. D. || COMPAR.NEUT.SB. **more amenable state** (of mind) Th.
3 providing gentle or favourable conditions; (of a day) **favourable** (W.INF. for doing sthg.) Hes.; (of medical treatments) **gentle** (opp. harsh) Hdt.; (of fire which gives light in the universe, opp. darkness) **benign** Parm. || COMPAR. (of stifling heat, a state of sickness) **easier** or **relenting** Pl.
4 (of sleep, medicines) affording relief, **soothing** Il. Sol. A. S. Pl. Plu.

—**ἤπια** *neut.pl.adv.* with kind, gentle or generous thoughts, **kindly, gently** Hom. Hes. Thgn.

—**ἠπίως** *adv.* **1** in a manner demonstrating kindness, goodwill or care, **kindly** S. Men. Plu.
2 in a manner demonstrating favour or sympathy, **favourably, positively** Hdt. Plu.
3 in a manner demonstrating forbearance, tolerance or restraint, **kindly, leniently** or **charitably** Hdt. D. Plu.
4 gently —*ref. to caressing* Archil.
5 indifferently (opp. fervently) Plu.

—**ἠπιωτέρως** *compar.adv.* **more indulgently** D.

ἠπιό-φρων ον, gen. ονος *adj.* [φρήν] (of Aigina, as a nymph) **gentle-hearted** B.; (of the impulse of Love) **gentle** Emp.

ἦ-που (more freq. written as two wds. **ἦ που**, Ion. **ἦ κου**) *adv.* [ἦ¹, που] **1** (affirmative, w. a note of uncertainty) **surely, in my opinion, as I see it** Il. Hdt. Th. +
2 (iron., sts. in neg.phr.) surely it's the case that, **surely, no doubt** Trag. Ar. Att.orats. Pl. +
3 (in apodosis after εἰ, or correlatv. after ὅπου or sim.) **then surely, then so much the more** Th. Att.orats. X. +
4 (interrog.) **perhaps, I suppose ... ?** Hom. S. E. Ar.; (expressing incredulity) **can it really be the case that ... ?** E. Att.orats. +

ἠπύτης ου *m.* [ἠπύω] | only ep.nom. ἠπύτα | one who makes a public announcement, **proclaimer** (appos.w. κῆρυξ) Il.

ἠπύω (also **ἠπύω** Mosch.), dial. **ἀπύω** *vb.* | fut. ἠπύσω | aor. ἤπυσα | **1 call out to** or **address** (someone) in greeting; **call to, hail** —*a person* Od.
2 call out to gain attention (in seeking help or as an alert); **call out to** —W.ACC. *persons* Od. AR. —W.DAT. S. E. —W.DAT. and μή + INF. *to persons, not to approach* E.
3 call out (under the influence of a strong emotion); **cry out** (in distress) E. —*a word* (expressing sorrow) A. —W.INTERN.ACC. w. *moaning* E.; **call out to** —W.ACC. *dead relatives* E.; **shout out** (in anger) —W.DAT. + INTERN.ACC. *to people, w. terrible words* AR.
4 call out for the presence or service of (someone); **call upon, summon** —*a god* Pi. —*a poet* (*to compose on a theme*), *a leader* (*to give protection*) Pi. —W.DBL.ACC. *persons, for a task* E.
5 call out, utter —*someone's name* A.
6 (of a person, likened to a dog) **yap** Ar.; (of swans) **call** Hes.; (of a wind) **cry** Il.
7 (of a lyre) **sound, play** Od.; (of Tritons, w. conchs) **blast forth** —W.INTERN.ACC. *a marriage strain* Mosch.

ἦρ *n.*: see ἔαρ¹

Ἥρᾱ ᾱς, Ion. **Ἥρη** ης *f.* **Hera** (wife of Zeus) Hom. +

—**Ἡραῖον** ου *n.* **temple of Hera, Heraion** Hdt. Th. X. Call. Plu. || NEUT.PL.SB. **festival of Hera** Plu.

ἥρᾱ (Boeot.2sg.aor.mid.): see αἴρω

ἦρα[1] acc. (gender and number uncert.) [prob. ϝῆρα] app., feeling of respect, honour or goodwill; (always w. φέρειν bear, bring, i.e. show) **respect, consideration** (W.DAT. or ἐπί + DAT. to someone) Hom. AR.; **indulgence** (W.DAT. to one's anger) Il. [The order is sts. DAT. + ἐπὶ ἦρα (v.l. ἐπίηρα) φέρειν. See ἐπίηρα.]
—**ἦρα** prep. (in ctxt. of receiving honour) **in recognition** —W.GEN. of success in wrestling, of hospitality B. Call.

ἦρα[2] (aor.): see αἴρω

ἦρα[3] dial.pcl.: see ἆρα

Ἡρακλῆς, also contr. **Ἡρακλῆς**, έους (dial. έος, ep. ἦος) m. | voc. Ἡράκλεες (Pi.), also Ἡράκλεις | acc. Ἡρακλέᾱ (dial. Ἡρακλέᾰ), also Ἡρακλῆ, ep. Ἡρακλῆα, also Ἡρακλέην (AR. Theoc.) | dat. Ἡρακλεῖ (also Ἡρακλέει), Ion. Ἡρακλέι, ep. Ἡρακλῆι ‖ PL.: nom. Ἡρακλέες | acc. Ἡρακλέας | **Herakles** (son of Zeus and Alkmene, known for his great strength and huge appetites) Hom. +; (pl., ref. to portrayals on the stage) Ar.; (as exemplifying powerful opponents, com.ref. to debating partners) Pl.
—**Ἡρακλείδης** ου (ep. ᾱο), dial. **Ἡρακλείδᾱς** ᾱ m. **son of Herakles** Il. Theoc.
—**Ἡρακλεῖδαι** ῶν (Ion. έων, dial. ᾶν) m.pl. descendants of Herakles, **members of the Herakleid clan** (esp.ref. to a Doric dynasty which ruled Sparta, and was thought to have once ruled the entire Peloponnese) Tyrt. Pi. Hdt. +; (sg.) Hdt.
—**Ἡράκλεια** ων n.pl. **rites of Herakles** Hdt.; **festival of Herakles** Ar. D. Arist.
—**Ἡράκλειον** ου n. **temple** or **shrine of Herakles** Hdt. Th. X. Thphr. +
—**Ἡράκλειος**[1] ᾱ ον (also ος ον), Ion. **Ἡράκλεος** η ον (also S., cj.) adj. 1 (of the father, wife, children, a fellow warrior) **of Herakles** E.; (of the conception, mind, body) Pi. S. E.; (of the labours, weapons, bedchamber, or sim.) S.; (of baths, ref. to thermal springs) Ar.
2 (of the pillars) **of Hercules** (ref. to the promontories flanking the Strait of Gibraltar, regarded as the western limit of the world) Pi. Hdt. Pl. +
—**Ἡρακλήειος** η ον ep.Ion.adj. (only in periphr.phr.) βίη Ἡρακληείη **might of Herakles** (i.e. **mighty Herakles**) Hom. Hes. Theoc. Mosch.
—**Ἡρακληίς** ίδος f. poem about Herakles, **Herakleid** Arist.
Ἡράκλειος[1] adj.: see under Ἡρακλῆς
Ἡράκλειος[2] ᾱ ον adj. [Ἡράκλεια Herakleia, name of various Greek towns] (of a kind of stone, ref. to the lodestone) from Herakleia, **Herakleian** Pl.
Ἡρακλειτίζω vb. [Ἡράκλειτος] **be a follower of Heraclitus** Arist.
Ἡράκλειτος ου m. **Heraclitus** (philosopher fr. Ephesus, active c.500 BC) Pl. Arist. Plb. Plu.
—**Ἡρακλείτειος** ᾱ ον adj. 1 (of the teachings) **of Heraclitus** Arist. ‖ MASC.PL.SB. followers of Heraclitus Pl.
2 (of the sun) **in the cosmology of Heraclitus, Heraclitean** (as being quenched every night and then rekindled) Pl.
Ἡρακλῆς m.: see Ἡρακλῆς
ἡράμᾱν (dial.impf.mid.), **ἡράμην**[1] (impf.mid.): see ἔραμαι
ἡράμην[2] (aor.mid.): see αἴρω
ἡρανος ου m. **protector** (of sheep, ref. to the farmer-god Aristaios) AR.
ἤραρον (aor.2): see ἀραρίσκω
ἠρᾱσάμην (aor.mid.): see ἀράομαι
ἠρασάμην (aor.mid.), **ἠράσθην** (aor.pass.), **ἠράσσατο** (ep.3sg.aor.mid.): see ἔραμαι
ἠρᾶτο (3sg.impf.mid.): see ἀράομαι

ἤρατο (3sg.impf.mid.): see ἔραμαι
ἠρέθην (aor.pass.): see αἱρέω
ἠρέμα adv. 1 (ref. to motion or activity) **gently, steadily, slowly** Ar. Pl. X. Plu.
2 (ref. to mood or manner) **calmly, quietly, gently** Pl. X. AR. Plu.
3 (ref. to speaking) **calmly, softly** Pl. Plu.
4 (ref. to touching) **gently, lightly** Hellenist.poet. Plu.
5 (ref. to degree) **moderately, slightly** Pl. Arist.; (modifying adjs.) Pl. Arist.
ἠρεμαῖος ᾱ ον adj. | compar. ἠρεμαιότερος (Plu.), also ἠρεμέστερος (X.) | (of feelings, pleasures, pains) **mildly felt, mild** Pl.; (of coming into being) **gentle** Pl.; (of a belief) **weakly held, weak** Arist. ‖ COMPAR. (of eunuchs) more placid in temperament (opp. other men) X.; (of a city) more tranquil (than previously) Plu.
—**ἠρεμαίως** adv. **gently** —ref. to checking a horse w. the bit X.
—**ἠρεμεστέρως** compar.adv. **in a more settled** or **tranquil manner** X.
ἠρεμέω contr.vb. 1 (of things) **be motionless** or **at rest** (opp. in motion or active) Pl. Arist. Plu.
2 (of persons) **keep still and quiet** (in order to listen) AR.
3 remain in place (awaiting sthg.); (of a commander) **lie low** (in his camp) Plu.; (of a rider, a horse) **keep still** (opp. move off) X.
4 **remain quiet** (keeping in check what one wants to do or say) Pl. X.; (of a rider) **keep steady** or **calm** (opp. urging speed) X.; (of a horse, opp. going too fast) X.
5 (of hands) **be idle** (opp. engaging in work) AR.
6 **live quietly** (opp. engaging in confrontational politics) X. Plu.
7 (of tenets, legal ordinances) **remain unshakeable** or **unassailable** Pl.
ἠρέμησις εως f. 1 being at rest (opp. in motion), **stillness** Arist.
2 passing to a state of stability, **calming** (W.GEN. of anger) Arist.
ἠρεμί adv. [intensv. ἠρέμα] with no motion or sound, **stock-still** Ar.
ἠρεμίᾱ ᾱς f. [ἠρεμέω] 1 **rest, stillness** (opp. motion) Arist.
2 **stability, calm** Arist.
ἠρεμίζω vb. [ἠρέμα] 1 (of a rider) **bring to a stop** —a horse X.; (of a force) —sthg. in motion Arist.
2 (intr.) **sit quietly** X.
ἤρεον (ep.impf.): see αἱρέω
ἤρεσα (aor.), **ἤρεσκον** (impf.): see ἀρέσκω
ἤρετο (3sg.aor.2 mid.): see ἄρνυμαι
ἤρευν (ep.Ion.3pl.impf.): see αἱρέω
Ἥρη Ion.f.: see Ἥρᾱ
ἤρηκα (pf.), **ᾕρημαι, ᾑρήμην** (pf. and plpf.mid.pass.): see αἱρέω
ἠρήρει (Ion.3sg.plpf.): see ἀραρίσκω
ἠρήρειντο, ἠρήρειστο (ep.3pl and sg.plpf.mid.pass.): see ἐρείδω
ἠρήρησθα (Ion.2pl.plpf.): see ἀραρίσκω
ἠρησάμην (Ion.aor.mid.): see ἀράομαι
ᾑρήσομαι (fut.pf.mid.): see αἱρέω
ἤρθην (aor.pass.): see αἴρω
ἦρι[1] adv. [reltd. ἤριος[1]] **at a time early in the day, in the morning, early** Hom. Hellenist.poet.
ἦρι[2] (dat.sg.): see ἔαρ[1]
ἠριγένεια ης (dial. ᾱς) f. [ἠριγενής] **goddess who comes early in the morning, goddess of the morning** (ref. to Ἡώς Dawn) Od. Theoc.; (as proper name) Hes.; (appos.w. Ἡώς) Hom. hHom. Mimn.

ἠρι-γενής ές *adj.* [ἦρι¹; γένος, γίγνομαι] coming in the early morning; (of dawn) **early** AR. ‖ FEM.SB. early-born goddess (ref. to Dawn) AR.

Ἠριδανός οῦ *m.* **1 Eridanos** (mythical river in the north, esp. assoc.w. Phaethon and the amber tears of the Heliades) Hes. Hdt. E. +
2 Eridanos (river of Attica, tributary of the Ilissos) Pl.

ἠρικέναι (pf.inf.): see ἐρίζω

ἤρικον (aor.2): see ἐρείκω

ἠρινός *adj.*, **ἤρινος** Aeol.*adj.*: see ἐαρινός

ἠρίον ου *n.* **burial mound, barrow** Il. Hellenist.poet.; **burial place, grave** Att.orats. Arist. Plu.

ἤριπον (aor.2): see ἐρείπω

ἤρισα (aor.): see ἐρίζω

ἦρκα (pf.): see αἴρω

ἠρμένος (pf.mid.ptcpl.): see αἴρω

ἠρνήθην (aor.pass.), **ἤρνημαι** (pf.mid.), **ἠρνησάμην** (aor.mid.): see ἀρνέομαι

ἦροα (acc.sg.), **ἦροες**, **ἦροας** (nom. and acc.pl.): see ἥρως

Ἡρόδοτος ου *m.* **Herodotus** (of Halikarnassos, 5th-C. BC historian) Hdt. Arist. Plb. Plu.

ἠρόθην (aor.pass.): see ἀρόω

ἠρόιος *adj.*: see ἡρῷος

ἠρόμην (aor.2 mid.): see ἔρομαι

ἦρον (impf.): see αἴρω

ἦρος (gen.sg.): see ἔαρ¹

ἤροσα (aor.): see ἀρόω

ᾕρουν (impf.): see αἱρέω

ἥρπαξα (ep.aor.), **ἥρπασα** (aor.): see ἁρπάζω

ἤρρησα (aor.): see ἔρρω

ἦρσα (aor.): see ἄρδω

ἦρτο (3sg.plpf.pass.): see αἴρω

ἤρυγον (aor.2): see ἐρεύγομαι

ἠρύκακον (ep.aor.2): see ἐρύκω

ἡρωικός ή όν *adj.* [ἥρως] **1** of or relating to the heroes of myth and legend; (of the race, rank, times) **of the heroes, heroic** Pl. D. Arist.; (of their names, sufferings) Aeschin.
2 (of a line of verse, a metre) **heroic, epic** (ref. to the dactylic hexameter) Pl. Arist. ‖ NEUT.PL.SB. heroic verse Arist.
3 of the kind associated with the heroes; (of a man, in nature or appearance) **heroic** Plu.; (of virtue) Arist.
4 (of honours, sacrifices) of the kind associated with heroes (as the object of cult worship), **hero-like** Plb.

—**ἡρωικῶς** *adv.* **bravely** —*ref. to dying by execution* Plu.

ἡρωίς ίδος *fem.adj.* —also **εἰρωάς** άδος Boeot.*f.* **1** (of ceremonies, honours) **accorded to heroes** Pi.*fr.* AR.
2 ‖ SB. **heroine** (ref. to a mythol. character or local deity) Pi. Corinn. Call.

ἠρώμην (impf.mid.): see ἀράομαι

ἤρων (impf.): see ἐράω¹

ἡρώνη (also uncontr. **ἡρωίνη**) ης *f.* **heroine** (ref. esp. to a local deity as the object of cult worship) Ar. Call. Theoc.

ἡρῷον, Ion. **ἡρώιον**, ου *n.* place of worship of a cult hero, **hero's shrine** Hdt. Th. Ar. Pl. Thphr. Plu.

ἡρῷος (also **ἡρώιος**, **ἠρόιος** Pi.) ᾱ ον *adj.* **1** (of the virtues) **of heroes** Pi.; (of festival processions) **of cult heroes** Pi.
2 (of a rhythm) **heroic, epic** Pl. Arist. ‖ NEUT.SB. line of epic verse (ref. to the dactylic hexameter) Call. Plu.

ἥρως ωος (Att. ω, perh. also ep. ως) *m.* | voc. ἥρως, perh. also ἥρω (Carm.Pop.) | acc. ἥρωα, also ἥροα (Pi.), also contr. ἥρω, perh. also ἥρων (Hdt.) | dat. ἥρωι, also contr. ἥρῳ ‖ PL.: nom. ἥρωες, also ἥροες (Pi.) | acc. ἥρωας, also ἥροας (Pi.), also contr. ἥρως | gen. ἡρώων, Boeot. εἰρώων | dat. ἥρωσι, ep. ἡρώεσσι |
1 (ref. to troops, esp. those assoc.w. the Trojan war) **warrior, hero** Hom. Hes. Pi. +; (gener., as an honourable designation of other persons) **worthy man** Od. ‖ VOC. (oft. w. pers. name, addressed to warriors or others) **valiant sir, noble sir** Hom. Hes. Stesich. +
2 (ref. to illustrious figures of myth and legend, sts. regarded as possessing superhuman qualities) **hero** Hes. Thgn. Lyr. +; (ref. to the people of the fourth of the five Ages of Man, regarded as demigods) Hes. Pl.
3 (ref. to persons who have achieved a semi-divine status, usu. as objects of a religious cult) **hero, demigod** Heraclit. A. Pi. Hdt. +

ἡρῶσσαι ῶν *f.pl.* **heroines** (ref. to the Danaids) Call. AR.; (ref. to local deities of Libya) AR.

ἠρώτησα (aor.), **ἠρώτων** (impf.): see ἐρωτάω

ἧς¹ (fem.gen.sg.relatv.pron.): see ὅς¹

ἧς² (fem.gen.sg.possessv.pron.adj.): see ὅς²

ἧς (ep.fem.dat.pl.relatv.pron.): see ὅς¹

ἦς (dial.2 and 3sg.impf.): see εἰμί

ἦσα (aor.): see ἄδω

ἦσαι (2sg.mid.): see ἧμαι

ἦσαν (3pl.impf.): see εἰμί

ἦσαν¹ (3pl.plpf.): see οἶδα

ἦσαν² (3pl.impf.): see εἶμι

ἥσατο (3sg.aor.mid.): see ἥδομαι

ἦσθα, **ἦσθας** (2sg.impf.): see εἰμί

ᾔσθημαι (pf.mid.): see αἰσθάνομαι

ἥσθην (aor.pass.): see ἥδομαι

ᾔσθην (aor.pass.): see ἄδω

ἡσθήσομαι (fut.pass.): see ἥδομαι

ἦσθιον (impf.): see ἐσθίω

ᾐσθόμην (aor.2 mid.): see αἰσθάνομαι

ἦσθον (2du.mid.): see ἧμαι

ἦσθον (ep.impf.): see ἐσθίω

ἠσί (3sg.), **ᾗσι** (Aeol.3sg.): see ἠμί

ᾗσι¹ (ep.fem.dat.pl.relatv.pron.): see ὅς¹

ᾗσι² (ep.3sg.athem.aor.subj.): see ἵημι

ᾖσι (ep.3sg.subj.): see εἰμί

Ἡσίοδος ου *m.* **Hesiod** (didactic poet of Boeotia, 8th–7th C. BC) Hes. Pi. B. Hdt. Th. Ar. +

ἤσκειν (ep.3sg.impf.): see ἀσκέω

ᾖσμεν (1pl.plpf.): see οἶδα

ἧσο (mid.imperatv.): see ἧμαι

ἥσομαι (fut.mid.): see ἵημι

ἧσσα, Att. **ἧττα**, ης *f.* [ἡσσάομαι] **1 defeat** (esp. in war) Th. Att.orats. +
2 yielding, giving way (to one's emotions, desires, or sim.) Pl. Arist. Plu.

ἡσσάομαι, Att. **ἡττάομαι**, Ion. **ἐσσόομαι** pass.contr.*vb.* [ἥσσων] | Ion.impf. ἑσσούμην | fut. ἡσσηθήσομαι, Att. ἡττηθήσομαι, also ἡττήσομαι | aor. ἡσσήθην, Att. ἡττήθην |
1 (of persons) **be inferior** —W.GEN. *to someone* (W.DAT. *in a certain respect*) Hdt. +
2 (of persons, animals) **be outclassed** or **outdone** —W.GEN. or ὑπό + GEN. *by someone or sthg.* (W.DAT. or ἐν + DAT. *in a certain respect*) Hdt. +
3 be worsted (by an opponent); **be defeated** —W.GEN. or PREP.PHR. *by someone or sthg.* (oft. W.DAT., ACC. or PREP.PHR. *in a debate, court case, competition, battle, or sim.*) Hdt. +; (of an army's spirit) **be conquered** or **broken** Th. ‖ MASC.PL.PTCPL.SB. losing side (in a battle) A. +

4 be defeated (by external forces); **be overcome** —W.GEN. *by danger, flood-water* Th. X.; **be forced to give in** —W.GEN. *to a judgement, the truth* Th. X.
5 succumb (to one's own inner emotions, to temptations); **be overcome, be swayed** —W.GEN. *by fear, passion, or sim.* E. Pl. +; (of jurors, justice) —W.GEN. or ὑπό + GEN. *by emotions, bribes, or sim.* Att.orats. Pl.; (of goddesses) —W.GEN. *by a mortal's beauty* Isoc.

—**ἡττάω** *act.Att.contr.vb.* **1 defeat** —*opponents* (*in war, in debate*) Plb.
2 overwhelm psychologically, **vanquish** —*the enemy, their spirits* Plb.

—**ἡσσητέα**, Att. **ἡττητέα** *neut.pl.impers.vbl.adj.* (in neg.phr.) one must be beaten —W.GEN. *by a woman* S. Ar.

ἥσσων, Att. **ἥττων**, ον, gen. ονος *compar.adj.* [reltd. ἥκιστα, ἦκα] **1** (of persons, animals, things) inferior (to others, in status, ability, strength, or sim.); **inferior** (W.GEN. to someone or sthg., oft. W.DAT., ACC. or εἰς + ACC. in a certain respect) Il. +; **less able** (W.GEN. than someone or sthg., W.INF. to do sthg.) Hdt. Th. +; (of persons) **weaker** (in physical strength) Il.; (of an argument, in effectiveness) Ar. Isoc. +
2 ‖ MASC.PL.SB. **weaker party, the weak** A. X.; **losing side** (in a battle) Th.
3 unable to get the better of (external forces, inner emotions, temptations); **no match** (W.GEN. for fate, the gods, old age, sickness) E. Lys.; **overcome** (W.GEN. by passion, anger, pleasure, profit, or sim.) S. E. Ar. +
4 falling short (of a requirement); (of horses) **incapable** (W.GEN. of hard work) X.

—**ἧσσον**, Att. **ἧττον** *neut.adv.* **1** (w.vbs. or adjs.) **to a lesser extent, less** Od. +
2 (w.neg.) **less** (i.e. just as much) A. +

ἧσται (3sg.mid.): see ἧμαι
ἧστε (2pl.impf.), **ἤστην** (3du.impf.): see εἰμί
ἧστε (2pl.plpf.), **ἤστην** (3du.plpf.): see οἶδα
ἧστο[1] (3sg.impf.mid.): see ἧμαι
ἧστο[2] (3sg.plpf.mid.): see ἕννῡμι
ἥστωσα (aor.): see ἀιστόω

ἡσυχάζω *vb.* [ἥσυχος] **1** be calm in manner or behaviour, **be calm** or **quiet** A. E. Th.
2 keep silent (opp. speaking or making a noise); **be quiet** E. NT. ‖ NEUT.PTCPL.SB. stillness, quiet (W.GEN. of night) Th.
3 be calm or quiet through inactivity; **be at peace** (opp. war) Th.; **live peacefully** (opp. be aggressive) Th.; **hold back** (opp. take up arms, engage in public life) E.; **rest** (opp. work) NT.
4 (of persons suffering fr. plague, in neg.phr.) **be at rest** (i.e. be restless) Th.
5 (of a person waiting for someone or sthg.) **be patient** S. E.; (of a person's mind or thoughts) Isoc.
6 (of troops, commanders) **stay in position** (opp. move into action) Th. X. Plu.
7 (of ships, objects) **be at rest, be stationary** Th. Pl.
8 ‖ AOR. (causatv.) quieten, settle —*one's heart, base urges* Sol. Pl.

ἡσυχαῖος ᾱ ον *adj.* **1** (of a woman) **meek, acquiescent** E.; (of a person's reaction to disappointment) Plu.
2 (of one aspect of Kypris) **tranquil** S.*fr.*; (of an embryo) **untroubled** Pl.; (of thoughts) **calm, composed** Pl.
3 (of a horse-ride) **gentle, leisurely** X.; (of a person's step) S.(dub.)

ἡσυχαίτερος (compar.adj.), **ἡσυχαίτατος** (superl.adj.): see ἥσυχος

ἡσυχῇ (also **ἡσυχῆ**), dial. **ἡσυχᾷ**, also **ἅσυχᾷ** *adv.* **1** in an untroubled manner or condition, **calmly, peacefully, at ease** or **leisure** Hippon. Pi. E.*fr.* Pl. Aeschin. D.
2 (esp.ref. to movt.) in a calm and measured manner, **calmly, quietly, steadily** Ar. X. Men.
3 in a leisurely manner, **slowly** Pl. Plu.
4 without activity or motion, **inactively, quietly, still** Th. Ar. X.
5 gently, **mildly** E. Plu.
6 (ref. to sound) **softly** Pi. Pl. Plb.
7 on the quiet, **surreptitiously** Th. Theoc. Plu.
8 practically, more or less Men.; (modifying an adj. or ptcpl.) **slightly, somewhat** Theoc. Plu.

ἡσυχίᾱ, dial. **ἁσυχίᾱ**, ᾱς, Ion. **ἡσυχίη** ης *f.* **1** freedom from disturbance, **peace, quiet, tranquillity** Od. Thgn. Pi. E.; (opp. war) Th. Att.orats. +; (personif., as a civic deity, daughter of Justice) Hesychia Pi. Ar.
2 freedom from concerns or distractions (esp. enabling one to act unhurriedly), **ease, leisure** Archil. Hdt. Th. Ar. X.; (W.GEN. of a feast) Sol.
3 respite, **rest, pause** (sts. W.GEN. or PREP.PHR. fr. sthg.) Hdt. Th. Pl. X. D.
4 inaction (ref. to non-participation in a war) Hdt.
5 silence, **quiet** (esp.ref. to holding one's peace) Hdt. E. Ar. Att.orats.
6 lack of noise or commotion, **quiet** Hdt. E.
7 quiet or **out-of-the-way place** hHom. X.(quot.)

ἡσύχιμος ον *adj.* (of a day) **peaceful** Pi.

ἡσύχιος ον *adj.* ‖ superl. ἡσυχιώτατος (Pl.) ‖ **1** undisturbed (by threats or dangers); (of a person) **safe** Il.; (of peace) offering safety (for cattle) Pi.
2 undisturbed (by emotions or troubles); (of persons, their disposition, qualities or way of life) **calm, quiet** Hdt. Att.orats. Pl. Arist. NT.; (w. some pejor.connot.) **impassive** Pl. D. Plb. ‖ NEUT.SB. impassivity Plu.
3 (of a river) **flowing calmly** Call.*epigr.*

—**ἡσυχίως** *adv.* **peaceably** —*ref. to settling a dispute* hHom.; **level-headedly** —*ref. to answering and asking questions* Pl.

ἡσυχιότης ητος *f.* **calmness, impassivity** Lys. Pl.

ἥσυχος, dial. **ἅσυχος**, ον *adj.* ‖ compar. ἡσυχαίτερος ‖ superl. ἡσυχαίτατος (Pl.) ‖ **1** undisturbed (by external danger, threat or commotion), **tranquil, in peace** Hes. Anacr. Hdt. E. + ‖ NEUT.SB. tranquillity (W.GEN. of peace) Th.; (prep.phr.) ἐν ἡσύχῳ *without disturbance* S.
2 undisturbed (by internal concerns or emotions), **calm, unperturbed, at ease** Thgn. Hdt. E. +; (of a person's looks) **calm** A. E.
3 (of a person, when dead) **at rest** E.
4 calm in manner or behaviour, **calm, quiet, composed** S.*Ichn.* E. Ar. + ‖ COMPAR. (of persons) more subdued X.; (of a voice) gentler X.
5 not engaging in activity, **inactive, idle, quiet** Hdt.(oracle) S. E. Ar. + ‖ NEUT.SB. inactivity Th.
6 keeping silent (opp. speaking or making a noise), **quiet** Hdt. E. + ‖ COMPAR. (of a tongue) quieter S.
7 calm or mild in effect or influence; (of Sleep) **restful** Hes.; (of the gift of sleep) E. ‖ COMPAR. (of actions by Erinyes, sufferings) milder A. Th.

—**ἅσυχα** *dial.neut.pl.adv.* **1 quietly, softly** Theoc.
2 on the quiet, **clandestinely** Theoc.

—**ἡσύχως** *adv.* **calmly, quietly** A. E.; **peacefully** E.; **slowly, cautiously** E. X.

—**ἡσυχαίτατα** *neut.pl.superl.adv.* **very slowly** or **sluggishly** (opp. very quickly) Pl.

ἥσω (fut.): see ἵημι
ἦτα *indecl.n.* [Semit.loanwd.] eta (letter of the Greek alphabet) Pl.
ἦτε (2pl.impf. and 2pl.pres.subj.): see εἰμί
ἧτε (fem.relatv.pron.): see ὅστε
ἧτε (2pl.impf.): see εἶμι
ἡτέρᾱ (fem.nom.): see ἕτερος
ἤτην (3du.impf.): see εἶμι
ἠτί (dial.3sg.): see ἠμί
ἠτιάθην (aor.pass.), ἠτιᾱσάμην (aor.mid.): see αἰτιάομαι
ἧτις (fem.relatv.pron.adj.): see ὅστις
ἤ-τοι *adv. and conj.* 1 [ἤ¹ 1, τοι¹] (emph. and affirmative adv.) **indeed** Il. Hes. Pi. S.
2 [ἤ², τοι¹] (disjunctive conj.) **either, or** Pi. Hdt. Trag. +
ἤτον (3du.impf.): see εἰμί
ἦτορ *ep.n.* | only sg., usu. nom.acc. | dat. ἤτορι (Pi.*fr.*; perh. Simon., v.l. ἤθεϊ) | **1 heart** (as the site in the chest affected by strong emotion, fear, grief, delight, or sim.) Hom. Hes. Thgn. Lyr. A. AR. Mosch.; (of a bird) Alcm.
2 (as refreshed by food, drink or a break fr. combat) Il. Hes.
3 (as the seat of personal qualities, bravery, cruelty, pitilessness, or sim.) Hom. Hes. hHom. Eleg. Pi. Call.
4 (as the seat of thoughts, wishes, decisions, or sim.) Hom. Pi.
5 (as the seat or centre of a person's life) Hom.
6 (fig.) **heart** (w.GEN. of true reality) Parm.
ἤτριον, dial. ἄτριον, ου *n.* (sg. and pl.) **web** (on a loom) Theoc. Bion; (fig., ref. to the fabric or framework of rhetoric) Pl.; **weave** or **fabric** (of a garment, as bearing a design) E.
ἦτρον ου *n.* [ἦτορ] **lower abdomen** Ar. Pl. X. D.
ἧττα *Att.f.*, ἡττάομαι *Att.mid.contr.vb.*, ἡττητέα (Att.neut.pl.impers.vbl.adj.), ἥττων *Att.compar.adj.*: see ἧσσα, ἡσσάομαι, ἥσσων
ἠυγένειος, ἠυγενής, ἠύδενδρος *ep.adjs.*: see εὐγένειος, εὐγενής, εὔδενδρος
ἠυ-θέμεθλος ον *ep.adj.* [ἠύς, θέμεθλα] (of Earth) with solid foundations, **well-founded** hHom.
ἠύκερως *ep.adj.*: see εὔκερως
ἠύ-κομος ον *ep.adj.* [κόμη] **1** (of women, female deities) **with lovely hair, fair-tressed** Hom. Hes. hHom. Pi. AR. Mosch.
2 (of trees) **with fine foliage** Emp.
ἠύπυργος *ep.adj.*: see εὔπυργος
ηὑρέθην (aor.pass.), ηὕρηκα (pf.), ηὕρημαι (pf.pass.), ηὕρισκον (impf.), ηὗρον (aor.2): see εὑρίσκω
ἠύς *ep.adj.*: see ἐύς
ἠύτε *adv. and conj.* [reltd. ἤ²] **1 just like, like** (w.NOM.SB. someone or sthg.) Hom. hHom. B. Hellenist.poet.
2 (conj., esp. introducing similes) in the same manner as, **as when, just as** (someone or sthg. else does sthg.) Hom. hHom. AR. | see also εὖτε 5
Ἡφαιστό-πονος ον *adj.* [Ἥφαιστος, πόνος] (of armour) being the work of Hephaistos, **made by Hephaistos** E.
Ἥφαιστος, dial. Ἄφαιστος, Aeol. Ἄφαιστος, ου *m.* **Hephaistos** (crippled son of Zeus and Hera, god of fire, the forge and craftsmanship) Hom. +; (meton., ref. to fire or fine metal workmanship) Il. S.
—Ἡφαιστεῖον ου *n.* **temple of Hephaistos** (at Athens) Att.orats.; (at Memphis, where the god was identified w. Ptah) Hdt.
—Ἡφαίστειος ᾱ ον *adj.* (of fine creations, ref. to metalwork) **by Hephaistos** Call.
—Ἡφαίστια ων *n.pl.* **festival of Hephaistos** And. X. Arist.
Ἡφαιστό-τευκτος ον *adj.* [τεύχω] (of a flame, ref. to a volcano on Lemnos) **made by Hephaistos** S.

ἥφασα (Ion.aor.): see ἀφάσσω
ἧφι (ep.fem.gen.dat.sg.pl.possessv.pron.adj.): see ὅς²
ἠφίε and ἠφίει (3sg.impf.), ἠφίειν (1sg.impf.), ἠφίεσαν (3pl.impf.): see ἀφίημι
ἤφυσα (aor.): see ἀφύσσω
ἦχα (pf.): see ἄγω
ἠχέεις *adj.*: see ἠχήεις
ἠχεῖον ου *n.* [ἦχος] **a kind of resonant metal plate** (attached to a Parthian cymbal-clapper) Plu. | see ῥόπτρον 3
ἠχέτης ου, dial. ἀχέτᾱς ᾱ *m.* [ἠχέω] | ep.nom.sg. ἠχέτᾰ | **maker of music** (ref. to the cicada) Anan. Ar.; (appos.w. τέττιξ *cicada*) Hes.; (w. κύκνος *swan*) E.; (w. δόναξ *reed pipe*) A.; (perh.w. Λίνος) Pi.*fr.*
ἠχέω, dial. ἀχέω *contr.vb.* | dial.3pl. ἀχεῦσι (Theoc.) | Ion.iteratv.impf. ἠχέεσκον | **1** (of mountains, the sea) produce a loud echoing or reverberating sound (esp. under the power of divine voices or winds); **echo, resound** Hes. hHom. E.*fr.* Mosch.
2 (of metal or a metal object, also of certain musical instruments and their sound, esp. when struck or affected by a current of air) **resonate, ring out, sound** Hdt. Pl. Men. Call.; (of cymbals) A.*fr.*; (of the blast of a trumpet) Plu.; (of a gnat's rear-end) Ar.
3 (tr., of a person) cause to make a ringing sound, **clash** —*a cymbal* Theoc.
4 (of voices or musical instruments) produce resonant sounds; (of singing) **echo forth** Pi.*fr.*; (of an aulos, a lyre) —W.INTERN.ACC. *w. a certain quality of sound* S. —*w. songs* E.
5 (of insects, birds) produce resonant sounds likened to music; (of a cicada) **sing, make music** Alc. Theoc.; (of a swan) E.*fr.*; (of blackbirds) —W.INTERN.ACC. *w. their songs* Theoc.*epigr.*
6 (of persons, their bodies) produce a reverberating, resonant or strident sound; (of hands, in a gesture of mourning) **pound** (against the breast) E.; (of a corporeal being w. vocal organs, opp. non-living things) **have a voice** (for speaking) Plu.; (of an old man's spine) **creak** (when dancing) Ar.
7 raise one's voice (under strong emotion); (of persons) **cry out** E.*fr.* —W.ACC. *for a dead man* E.; (of persons, birds) —W.INTERN.ACC. *w. wails or songs of lamentation* Trag.
‖ PASS. (of a din, fr. a crowd) be raised or ring out S.
ἠχή ῆς, dial. ἀχᾱ́ ᾶς *f.* **1** loud echoing or reverberating sound; **crashing, din** (of a falling rock) Il.; (of shields, when struck) Call.; (of winds, trees blown in the wind) Il.; (of troops on the move or in battle, a large crowd) Hom. E.
2 resounding cry or call; **cry, crying out** (in anguish) E.; **cry, shout** (of command) E.; (of a triumphal song) A.
3 sound (of a trumpet) E.
4 characteristic resonant sound; **sound** (of flowing water) Mosch.; (of a particular kind of song) E.
5 noise, sound (of persons or animals, at a particular time and place, esp. as drawing one's attention) Call. Plu.; (of a divine voice) E.; (of talk about someone) Plu.
6 articulate sound (produced by the voice), **sound** Pl.
7 distinctive vocal or musical sound, **sound, tone** Pl.
8 musical sound of definite pitch, **tone** or **note** Pl.
ἠχήεις (also ἠχέεις Archil.) εσσα εν *adj.* **1** full of echoing, reverberating or resonant sound; (of the sea, waves) **full of sound, splashing, turbulent** Il. Archil. AR.; (of the north wind) **whistling** AR.; (of mountains, great halls, the bronze of a jug as it is filled) **echoing** Od. Hes. hHom. AR.; (of a babble) **noisy** AR.

2 (of hearing and speech, opp. pure reasoning) **overfull with sounds** Parm.

ἤχθην (aor.pass.): see ἄγω

ἤχθηρα (aor.): see ἐχθαίρω

ἠχθόμην[1] (impf.pass.): see ἄχθομαι

ἠχθόμην[2] (impf.pass.): see ἔχθω

ἧχι (also **ἧχι**), dial. **ἆχι** *relatv.adv.* [ἧ, see under ὅς[1], w. suffix -χι as in οὐχί] in that very place where, **where** Hom. Alcm.(cj.) Lyr.adesp. Call. AR.

ἦχον (Aeol.impf.): see ἔχω

ἦχος[1], dial. **ἆχος**, ου *m.* [reltd. ἠχή] **1** loud echoing or reverberating sound, **crash** (fr. Ares' shield, when struck) Call.; **din** (produced by a large crowd, voices crying out, war-drums) Men. Plb. Plu.
2 characteristic resonant or musical sound; **sound** (of the sea, a brook) Call. Mosch.; **notes** (of a cicada) Call.; (of an aulos) Mosch.
3 sound (perceived at a particular place or time); **noise** (of someone approaching) Theoc.
4 quality of sound, **tone** (of a person's voice) Plu.

ἦχος[2] ους *n.* **1 roaring sound** (of the sea) NT.; (fr. the sky) NT.
2 report, news (about someone) NT.

ἠχοῦ *relatv.adv.* [reltd. ἧχι] in that very place where, **where** hHom.

ἠχώ οῦς, dial. **ἀχώ** ῶς *f.* [reltd. ἠχή] | voc. ἠχοῖ, dial. ἀχοῖ | acc. ἠχώ, dial. ἀχώ | **1** reflected sound, **echo** (esp. of thunder, shouting, singing) Hes. hHom. A. Ar. Pl. Mosch.
2 echo (as an acoustic phenomenon) Pl.; (as an acoustic property of a place) Pl.
3 (personif., esp. as a mountain nymph, oft. linked w. Pan) **Echo** Pi. S. E. Ar. Call.*epigr.* Mosch.
4 (gener.) loud reverberating noise (of natural forces, objects, voices); **resounding noise** (of thunder, a tidal wave) A. E.; (of iron, a trumpet) A. E.; (of a hymn or sacred wardance) Alc. Ar. Lyr.adesp. Call.; (of wailing) Hdt. S. E.

ἠχώδης ες *adj.* || NEUT.SB. echoing quality (of the night) Plu.

ἦψα (aor.): see ἅπτω

ἤψεε (Ion.3sg.impf.), **ἤψησα** (aor.), **ἦψον** (impf.): see ἕψω

ἠῶθεν *Ion.adv.*: see under ἠώς

ἠῶθι (ep.Ion.gen.): see ἠώς

ἠών *f.*: see ἠιών

ἠῷος, also **ἠοῖος**, η ον *Ion.adj.* —also **ἑῷος** ᾱ ον (also ος ον) *Att.adj.* —also **ἆῷος** (also **ἀοῖος**) ᾱ ον *dial.adj.* [ἠώς]
1 (of the rays) **of dawn** E. AR.; (of birdsong, sleep, frost) **at dawn, early-morning** A. B. S. || FEM.SB. early morning Od.
2 (of a star, i.e. the planet Venus) **of dawn, morning** Ar.(quot. Ion) AR.; (of this star appearing at dawn (opp. evening) Call. || MASC.SB. morning star Arist.(quot. E.)
3 (quasi-advbl., of a god having been born) **at dawn** hHom.; (of the sun-god appearing) AE.; (of persons getting up, departing, embarking, burying) E. Call.*epigr.* AR.; (of oxen being slaughtered) Call.; (of a mist spreading, a cicada chirruping) Hes.
4 (of persons) situated in the east, **eastern** Od.; (of glades) Mosch.(dub.); (of an army) **from the east** Hdt. || FEM.SB. east Call.
5 facing the east; (of inhabitants of a country, a sea) **eastern** Hdt.; (of a wall) X. || NEUT.PL.SB. eastern parts (of a country) Plu.

ἠώς ἠοῦς *Ion.f.* | acc. ἠῶ | dat. ἠοῖ | ep.Ion.gen. ἠῶθι | —also **ἀώς** ἀοῦς *dial.f.* | acc. ἀῶ | dat. ἀοῖ | —also **ἕως** ἕω *Att.f.* | acc. ἕω | dat. ἕῳ | **1** beginning of daylight in the eastern sky, **dawn** or **sunrise** Hom. +; (ref. to a new day, esp. in a sequence) Hom. Theoc.; (ref. to a whole morning) Hom. Hes. AR.; (prep.phr.) ἠῶθι πρό *before* dawn Hom.
2 period from dawn until sunset (as a unit of time), **day** (of a festival, sts.opp. a night) Hellenist.poet.
3 morning light Il. Hdt. S. X. AR. Theoc.
4 location of dawn, **sunrise, east** Od. Theoc.*epigr.*; (prep.phr.) πρὸς (τὴν) ἠῶ or ἕω *to the east* (sts. W.GEN. *of a settlement, road, river, region, or sim.*) Hom. Hdt. Pl. X. +

—**ἠῶθεν** *Ion.adv.* —also **ἀῶθεν** *dial.adv.* —also **ἕωθεν** *Att.adv.* **1 after daybreak, at the start of the day** Hom. Ar. Pl. X. +; (opp. evening, the end of the day) Pl. X. Arist.
2 at daybreak Ar. Pl. X.

—**'Ηώς** Ἠοῦς *Ion.f.* —also **Ἀώς** Ἀοῦς (also Ἀόος Pi.) *dial.f.* —also **Αὔως** Αὔοος (also ως) *Aeol.f.* | acc. Αὔων | —also **Ἕως** Ἕω *Att.f.* **Dawn** (goddess, sts. regarded as the sister of Helios and Selene, mother of Memnon, lover of Tithonos and others) Hom. +

θαάσσω *ep.vb.*: see θάσσω
θᾱέομαι *dial.mid.contr.vb.*: see θεάομαι
θᾶημα *dial.n.*: see θέᾱμα
θᾱητός *dial.adj.*: see θεᾱτός
θαιρός οῦ *m.* **hinge-pin** (of a double door) Il.
θᾱκεύω *vb.* [θᾶκος] **sit** —w. ἐπί + GEN. *on a lavatory seat* Plu.
θᾱκέω, Ion. **θωκέω** *contr.vb.* **1 sit** (sts. W.INTERN.ACC. in a seat) S. Lyr.adesp.; (specif., in supplication on the ground or at an altar) S. E.
2 (of a god or king) **sit, preside** —W.INTERN.ACC. *in a seat of authority* A. —w. ἐν + DAT. Hdt.
θάκημα ατος *n.* **1** sitting (in supplication), **supplication** S.
2 seat, haunt (W.GEN. of Pan) E.
θάκησις εως *f.* means of or opportunity for sitting; **resting-place** S.
θᾶκος, Ion. **θῶκος**, ep. (w.diect.) **θόωκος**, ου *m.* **1 seat, throne** (for a deity, king, honoured person) Hom. hHom. A. E. Ar. AR. Plu.
2 (collectv.) **session, assembly, council** (of gods or men) Od. Hdt.
3 (gener.) **seat, bench** Hes. Tyrt. Hdt. E. Ar. X. Men.; (in a carriage) E.; **carriage** (for the Okeanides) A.
4 (euphem.) **latrine** (ref. to a pit outside a house) Thphr.
5 location in which to sit, **place** Hes. E. Pl. Theoc.; **perch** (for a nightingale) E.
6 place of regular occupation; **haunt** (of deities) A. E.; **seat** (of a seer) Pi. S. E.
—**θωκόνδε** *adv.* **for a session** or **council** —*ref. to gods coming to be seated* Od.
θαλάμαξ ᾱκος *m.* [θάλαμος] oarsman for the lowest bank of oars (on a trireme), **thalamian rower** Ar.
θαλάμευμα ατος *n.* **secret chamber** (ref. to the cave where the infant Zeus was hidden) E.
θαλαμευτός ή όν *adj.* (of treasure) **hidden in a chamber** Tim.
θαλάμη ης *f.* **1** secluded dwelling-place; (sg. and pl.) **lair** (of an octopus) Od. hHom.; (of a dragon) E.
2 (pl.) **covert** (on a mountainside) E.
3 (pl. for sg.) **chamber** (of a seer, ref. to his cave) E.; (of a person, ref. to his tomb) E.
4 (pl.) concealed hollow, **recess** (in Zeus' thigh, where the baby Dionysus was hidden) E.; (inside a nautilus) Call.*epigr.*
θαλαμήιος ον *Ion.adj.* **1** (of wooden beams) **for a house** or **chamber** Hes.
2 (of a bed) of a bride's chamber, **bridal** AR.
θαλαμη-πόλος ου *m.f.* [πέλω] **1** (*f.*) **attendant of the bedchamber** (ref. to a lady's maid) Od.; (*m.*, ref. to a eunuch at the Persian court) Plu.; (*m.*) **chamberlain** (of a Roman general) Plu.
2 (*m.*) **bridegroom** S.
3 (*m.*) **storekeeper** (of a grain supply) A.

θαλαμιά ᾶς (or perh. **θαλαμίᾱ** ᾱς), Ion. **θαλαμίη** ης *f.* oar-hole for the lowest bank of oars (on a trireme), **lowest-bank oar-hole** Hdt. Ar.; (fig.ref. to arm-holes in a corslet) Ar.
θαλαμιός οῦ (or perh. **θαλαμίᾱς** ου) *m.* | only gen.pl. θαλαμιῶν | oarsman for the lowest bank of oars (on a trireme), **thalamian rower** Th.
θάλαμος ου *m.* **1 inner room, chamber, bedroom** (oft. for a woman, esp. a bride) Hom. +; (collectv.pl., ref. to one room or apartment) Od. hHom. E. AR. Mosch.
2 secure room (for keeping valuables, weapons, foodstuffs); **storeroom, strong-room** Hom. Mimn. Hdt. E.*fr.* X.; **pen** (for sheep) E.*Cyc.*; **chamber** (ref. to a cave in which a young woman is imprisoned, w. play on 1) S. || COLLECTV.PL. storage area Od.
3 dwelling, palace Pi. E. Plu.; (fig.) **abode** (of Amphitrite, ref. to the Atlantic Ocean) S.
4 || PL. **halls** (in a house, a palace) Pi. S. E.; (assoc.w. subterranean deities) A. E.
—**θαλαμόνδε** *adv.* **1 to a chamber** AR.
2 to a storeroom Od.
θάλασσα, Att. and Boeot. **θάλαττα**, ης (dial. ᾱς) *f.* **1 sea** (opp. land or sky) Hom. +; **seawater** (esp. in ctxt. of drowning or inundation) Od. +; **sea-side** (fr. the perspective of coming fr. inland) Hdt. +
2 sea (opp. land, as a sphere of activity for transport or commerce) A. Hdt. Th. Pl. +
3 sea (w.specif.ref., esp. to the Mediterranean) Hdt. +
4 land-locked body of water (salt or fresh), **lake, sea** NT.; **salt-water spring** Hdt.
5 sea-level Th. Pl. Plb.
6 (fig.) **sea** (W.GEN. of troubles) A.
θαλασσαῖος ᾱ (Ion. η) ον *adj.* of or belonging to the sea; (of whirling currents) **of the sea** Simon.; (of dolphins, fish) Pi. Call.
θαλασσεύω, Att. **θαλαττεύω** *vb.* **1** (of ships) **be at sea** Th.
2 (of parts of a ship) **be below the water-line** Plu.
θαλασσίδιος η ον *Ion.adj.* (of lands) **coastal** Hdt.
θαλάσσιος, Att. **θαλάττιος**, ᾱ (Ion. η) ον (also ος ον) *adj.*
1 of or belonging to the sea; (of water, a strait, blasts of wind) **of the sea** A. Pi. E.; (of the shore) **of** or **near the sea** E.; (quasi-advbl., of a person thrown to drown) **in the sea** S.
2 of or from the sea; (of animals or plants, esp. opp. land and freshwater varieties) **sea** Archil. Alc. Hdt. Ar. Pl. +; (of a corpse, app.ref. to a conch) Thgn.
3 associated with the sea; (of deities) **marine** Lyr. E. Ar. Pl.; (of Poseidon's trident) A.
4 (of a purple garment) deriving colour from the sea (i.e. fr. the murex), **sea-dyed** Plb.
5 of or relating to the sea and seafaring (for commerce and travel); (of work, a way of life) **nautical, maritime** Hom.

Archil. E.*fr.*; (of perils) **of the sea** E.*Cyc.*; (of peoples) **seafaring** Hdt. Th.
6 associated with sailing at sea (in wartime); (of battles) **naval** Plu.; (of timbers, meton. for warships) **sea-going** Plu. ‖ MASC.PL.SB. **seamen, sailors** A. Arist.

θαλασσοκρατέω, Att. **θαλαττοκρατέω** contr.vb. [reltd. θαλασσοκράτωρ] **1** be the master of the sea (in terms of trade or the strength of one's fleet); (of tyrants, cities) **possess a maritime empire, rule the seas** Hdt.
2 (of a city, a commander) **have superior strength at sea** (in wartime) Th. X. Plb. Plu.

θαλασσο-κράτωρ, Att. **θαλαττοκράτωρ**, ορος *m.* [κράτος] one who possesses the dominant power at sea (through a navy), **master of the sea** Hdt. Th. X.

θαλασσό-πλαγκτος ον *adj.* [πλαγκτός] **1** (of ships) **sea-roaming** A.
2 (of a corpse) **sea-tossed** E.

θαλασσό-πληκτος ον *adj.* [πλήσσω] (of an island) **sea-beaten** A.

θαλασσοπορέω contr.vb. [πόρος] (of a sailor) **travel the seas** Call.*epigr.*

θαλαττ- (Att.): see θαλασσ-

θαλαττοκοπέω Att.contr.vb. [κόπτω] **keep on beating the sea** (w. an oar); (fig.) **bang on, bluster** Ar.

θαλαττόομαι Att.pass.contr.vb. (of a ship) **be flooded with seawater** Plb.

θαλαττουργέω Att.contr.vb. [θαλαττουργός] (of peoples) **work at sea, practise seafaring** Plb.

θαλαττουργός οῦ Att.*m.* [ἔργον] one who works at sea or earns his livelihood from the sea, **seaman, seafarer** X. Plb.

θαλέθω vb. [θάλος] | iterat.v.impf. θαλέθεσκον | **1** (of vegetation, trees) be in a state of mature and healthy growth, **flourish, be lush** Od. hHom. Ibyc. AR. Mosch.; (of meadows) —W.INTERN.ACC. *w. grass* Theoc.
2 (of young men) **be in the prime of youth** Od.; (of pigs) **be in peak condition, be plump** —W.DAT. *w. fat* Il.
3 (of a life) **be in full bloom, flourish** Emp. Lyr.adesp.

θάλεια ᾱς (Ion. ης) *fem.adj.* **1** in a flourishing condition or a state of perfection; (of youth) **fresh, vigorous** B.
2 (of dinners, banquets) **grand, with full ceremony** Hom. Hes. hHom.; (of a festival) Anacr.; (of the Nemean games) Pi.

—**Θάλεια** ης Ion.*f.* **Thaleia** (daughter of Nereus) Il.; (one of the nine Muses) Hes.

—**θάλειος** ον *adj.* (of garlands) **fresh** Emp. [or perh. *festive*]

θαλερός ά (Ion. ή) όν *adj.* **1** in prime condition (w.connots. of beauty or strength); (of men, esp. youths and husbands) **handsome** Il. Hes. hHom. A. E. +; (of women, esp. as wives, of a woman's youth) **beautiful** Il. Hes. hHom. Pi. E.; (of a male or female voice) **strong** Hom.; (of Ares' thighs) **sturdy** Il.; (of fat around meat) **rich** Od.
2 (of a mind) **vigorous** Lyr.adesp.
3 (of vegetation) growing strong and fruitful, **flourishing, fresh** Ion E. Plu.; (of an orchard) AR.
4 (of a horse's mane) **luxuriant** Il.
5 (of a wedding) **happy, prosperous** Od. hHom.; (of words) **affectionate** AR.; (of sleep) **deep** E.; (of tears, lamentation) **copious** Hom. E. Ar. AR. Mosch.

—**θαλερώτερον** compar.adv. **more copiously** —*ref. to weeping* Theoc.

θᾰλέω dial.contr.vb.: see θηλέω

Θαλῆς Θαλέω (also perh. Θάλεω) Ion.*m.* —also **Θάλης** Θάλητος *m.* **Thales** (of Miletos, 6th-C. BC philosopher and astronomer) Hdt. Ar. Pl. Arist. Call. Plu.

θαλίᾱ ᾱς, Ion. **θαλίη** ης *f.* [θάλος] **1** state of being in prime condition, **prosperity** Il.
2 atmosphere associated with prosperity, **joy, festivity** Xenoph. ‖ COLLECTV.PL. **delight** Od. Hes. Archil.
3 **feast, celebration** Hes. hHom. Thgn. Plu.; (ref. to a funeral) Plu.(oracle)
4 ‖ PL. (gener.) **festivities** (on one or several occasions) Hes. Archil. Lyr. Ion E. Ar. +

—**Θαλίᾱ** ᾱς, Ion. **Θαλίη** ης *f.* **Thalia** (one of the three Graces) Hes. Pi.

θαλλός οῦ *m.* [θάλλω] **1** branch (still growing), **shoot, branch** (esp. of an olive tree) E. Men. Theoc.; (budding fr. a sceptre) S.
2 branch (still in leaf, but cut, usu. fr. an olive tree), **bough** or **sprig** Archil. S. Plu.; (used to feed animals) Od. Pl. Theoc.; (as an offering, esp. by suppliants) A. E. AR. Din. +; (used in magic and purification rites) AR. Theoc.; (to make a wreath) Hdt. Pl. Aeschin. Plu.

θαλλο-φόροι ων *m.pl.* [φέρω] **branch-bearers** (ref. to old men in the Panathenaia in a ceremonial role) Ar. X.

θάλλω, Lacon. **σάλλω** vb. | dial.fem.nom.ptcpl. θάλλοισα | ep.aor.2 θάλον | pf. τέθηλα, dial. τέθᾱλα, Aeol.3pl. τεθάλαισι, ptcpl. τεθηλώς, dial. τεθᾱλώς, ep.fem. τεθᾱλυῖα | **1** (of vegetation) grow and be fruitful, **thrive, flourish** Od. Lyr. Emp. Trag. Ar. +; (of fruit) **ripen** Hes.; (of the earth, gardens, harvest-time, or sim.) **be in bloom, be fruitful** Od. hHom. Sapph. E. +; (of land) **abound** —W.ACC. *in fine trees* Pi.
2 (of persons, their life, cities) **thrive, flourish** Hes. Semon. Thgn. Lyr. A. S. +; (of persons) **be luxuriant** (w. hair, a beard) Pi. S.*Ichn.* E.; **bloom** —W.DAT. *in festive joy* Hes.; **have a bloom** (i.e. a rosy complexion) —W.ACC. *on one's skin* Archil.; (of a blush) **spread** AR.
3 (of a pig, its fat) **be abundant** Hom.; (of dew) Od.; (of the flow of blood) Pl.; (fig., of feasts, music) Hom. hHom. Anacr.; (of a symposium) **be in full flow** Pi.
4 (fig., of the dead) **remain fresh** (in people's memories) X.
5 (of Eros, desire) **blossom, flourish** hHom. Carm.Pop.; (of Peace) Hes.; (of excellence, vigour, happiness, peace) Pi. Tim. Plu.(quot.eleg.)
6 (of suffering and disease) **flourish, abound** S.; (of strife, outrage) **run rampant** A. B. E.

θάλος εος *n.* | ep.dat.pl. θαλέεσσι, Lacon. σάλεσσι |
1 condition of prosperity and plenty; (fig.) **abundance** (of songs) Pi.*fr.* ‖ PL. **luxuries or prosperity** Il. Alcm. Call.
2 **victory** (in an athletic contest) Pi.
3 (concr.) instance of flourishing life; (ref. to a young noble man or woman) **scion** Hom. hHom. Pi. E.; **flower** (ref. to one's beloved, as assoc.w. the Graces or Erotes) Lyr.; (fig.) **crown of glory** (ref. to Ortygia in relation to Syracuse) Pi. ‖ VOC. **petal** (in affectionate ref. to a daughter-in-law) Mosch.

θαλπιάω contr.vb. [θάλπω] | ep.ptcpl. (w.diect.) θαλπιόων | (of a person) **be warm** (under a blanket) Od.

θαλπνός ή (dial. ἅ) όν *adj.* (of the sun) **providing heat, warming** Pi.

θάλπος εος (ους) *n.* **1 heat** (of a pleasant kind), **warmth** (in spring, winter) A. X.
2 heat (oft. of an oppressive kind, esp. in summer or at midday) Trag. X. Plu. ‖ PL. **periods of oppressive heat** A. Ar. X.; **high temperatures** X.
3 (fig.) **burning sting** (of an arrow) S.

θάλπω vb. | dial.inf. θάλπεν (Men.) | aor. ἔθαλψα ‖ PASS.: aor. ἐθάλφθην | 3sg.pf. τέθαλπται | **1** apply heat (so as to soften or make supple); **warm** —*a bow* (*before stringing it*) Od.

—saplings (*to make the rim of a chariot frame or wheel*) Theoc. ‖ PASS. (of tin) be warmed (in the process of smelting) Hes.; (fig., of a person) be melted (i.e. persuaded) —W.DAT. *by arguments* Ar.
2 (of burning heat) **scorch** S.; (of the sun) —*birds, a serpent* Ar. AR. ‖ PASS. (of a person) be warmed (by summer heat) X.; (by a fire in winter) Bion; (of wool, by exposure to direct sunlight) S.; (of a person) —W.DAT. *by the sun* (*fig.ref. to being alive*) Pi.; be burned —W.DAT. *by fire* (*app., fig.ref. to being in a situation requiring urgent action*) Theoc.
3 dry —*clothes* (*in the sun*) E. ‖ PASS. (of clothes) be dried (in the sun) S.
4 warm (by close contact), **cuddle** —*a lover* Theoc.
5 (fig.) warm (w. strong emotion); (of a girl) **warm** —*a god's heart* (W.DAT. *w. love*) A.; (of madness, a spasm of agony) **burn** —*a person* A. S. ‖ PASS. be warmed —W.DAT. *by desire* A. —*by a fire* (*of hope*) S.
6 provide a comforting sensation of warmth; **comfort, cheer** —*a person* Men.; (of sleep) **soothe** —*a person's heart* B.
θαλπωρή ῆς *Ion.f.* warming effect, **comfort** (provided by a family member or comrade) Hom.
θαλύσια ων *n.pl.* [reltd. θάλος] harvest offering, **first-fruits** Il. Theoc.
θαλυσιάς άδος *fem.adj.* (of a journey) **for the harvest festival** Theoc.
θαμά *adv.* [reltd. θαμέες] **1 often, frequently, repeatedly** (esp. out of habit) Hom. Hes. Sol. Lyr. S. E. +
2 thick and fast —*ref. to shooting arrows* Il. —*ref. to currents whirling* E. —*ref. to a nightingale modulating her singing* Od.
—**θαμάκι(ς)** *adv.* **often** Pi.
θαμβαίνω *vb.* [θάμβος] **admire, be amazed at** —*exotic trees* Pi.
θαμβέω *contr.vb.* | Ion.3pl.impf. θάμβευν | pf. τεθάμβηκα | be affected by wonder, fear or surprise (at a sight or sound); **be amazed** or **astounded** Hom. hHom. B. Hdt. S. AR. Theoc. —W.ACC. *at someone or sthg.* Od. A. Pi. E. Plu. ‖ PASS. be made to feel amazed, be bewildered NT. Plu.
θάμβος εος (ους) *n.* **1** sense of wonder (esp. at a sight), **amazement, wonder** Hom. Pi. Th. Ar. Call. AR. +; (assoc.w. fear or panic) E. Pl. Plu.
2 that which causes wonder, **marvel** AR.
θαμέες ειαί *masc.fem.pl.adj.* [θαμά] | masc.acc. θαμέας, gen. θαμέων, dat. θαμέσι | **1** set or standing close together; (of pieces or layers) **close-set** Hom.; (of the teeth of a monster or a boar) Hom.; (of beached ships) Il.; (of islands) AR.
2 (of pyres) **densely packed** (w. corpses) Il.; (of horsehair around a helmet crest) **dense, thick** Il.
3 coming closely one after another; (of javelins, stones, snowflakes) **coming thick and fast** Il.; (of slings, i.e. slingshots) Archil.
4 (of sacrifices of oxen) **plentiful, lavish** AR.
—**θαμέως** *adv.* **often** Sapph.
θαμεινός *adj.*: see θαμινός
θαμίζω *vb.* **1** (of persons) **come often, make frequent visits** Hom. A.*satyr.fr.* Pl. X. AR.; (of a nightingale) S.
2 (of a sailor) **travel to and fro** Od.
3 (of a person) **be accustomed** —W.PASS.PTCPL. *to being waited upon* Od.
4 (of events) **happen frequently** Pl.
θαμινός, also **θαμεινός** (hHom. Call.), ή (dial. ᾱ́) όν *adj.* [reltd. θαμέες] **1** numerous and close together; (of quails caught in a net) **closely packed** Call.
2 coming with great frequency; (of thoughts) **constant** hHom.; (of feasts) Call.; (of a drip of water) Bion

—**θαμινά** *neut.pl.adv.* —also **θαμινόν** (AR.) *neut.sg.adv.* **frequently, repeatedly** Pi. Ar. Philox.Cyth. X. AR.
θάμνος ου *m.* [reltd. θαμά] **1 bush, thicket** (esp. as a hiding-place) Hom. Archil. Trag. +
2 dense vegetation (on a bush or tree) Od. hHom. Emp.
Θάμυρις ιδος *m.* | acc. Θάμυριν | —also **Θαμύρᾱς** ου *m.* **Thamyris** or **Thamyras** (Thracian bard who challenged the Muses) Il. E. Pl.
θανάσιμος ον *adj.* [θάνατος] **1** causing death; (of an action, an illness) **fatal** S. E. Pl. Plu.; (of a noose, trap, drugs, poisoned clothing) **lethal** S. E. Plu.; (of animals, esp. reptiles) **deadly** Plb. Plu.; (fig., of unjust behaviour) Pl. ‖ NEUT.SB. **poison** NT. Plu.
2 of or relating to killing or dying; (of methods or schemes) **murderous** E.; (of a trial) with death as the penalty, **capital** E.; (of Hades) **deathly** E.; (of the fated end of life) A. E.
3 (of persons, their final breath or lament) **at the point of death, dying** Trag. Pl.; (of blood being shed) **at death** A.
4 (of persons) **dead** S.
5 (fig., of a marriage) **like death** E.
—**θανασίμως** *adv.* **fatally** —*ref. to striking someone* Antipho
θανατάω *contr.vb.* (of a philosopher) **anticipate death** (in his lifestyle) Pl.
θανατη-φόρος, dial. **θανατᾱφόρος**, also **θανατοφόρος**, ον *adj.* [φέρω] **1** (of a fated event, suffering, illness, anger) bringing death, **deadly** A. Plu.; (of a sword-stroke) **fatal** Plu.; (of corpses infected w. a plague) **laden with death** (i.e. contagions) S.
2 entailing or involving death; (of a revolution) **bringing death** X.; (of the birth of mortals) **leading to death** (in due time) Pl.
θανατικός ή όν *adj.* (of a legal case) entailing the death penalty, **capital** Plu.; (of a proposal) **for the death penalty** Plu.
θανατόεις εσσα εν *adj.* (of mistakes) **death-laden, deadly** S.; (of the fated end of a person's life) E.
θάνατος ου, Lacon. **σάνατος** ω *m.* [θνήσκω] **1** moment or mode of the end of life; **death** (oft. as the result of murder, execution, starvation, disease, or in battle) Hom. +; (fr. natural causes, at the allotted time, in old age) Eleg. Simon. Pi. Lys. Pl.; (fig., ref. to the destruction of a city) Lycurg.
2 state of being dead (opp. alive), **death** Alcm. Heraclit. Pi. Hdt. S. Pl.; (phr.) βλέπειν θανάτους *look deathly pale* Men.
3 death (planned and inflicted intentionally), **murder, killing** A. Pi. Hdt. Att.orats. Call. +
4 (leg.) **death penalty, execution** Pi. Hdt. Ar. Att.orats. Pl. +; (phr.) δίκη θανάτου Th.; (prep.phr.) περὶ θανάτου *on a capital charge* Att.orats. Pl. +
5 (personif., as a deity) **Death** Il. Hes. Trag. Ar. Plu.
—**θανατόνδε** *adv.* **towards death** Il.
θανατόω *contr.vb.* | PASS.: 3sg.fut.opt. θανατώσοιτο (X.) | pf.ptcpl. τεθανατωμένος | put to death, **kill** —*someone* A. Hdt.; (of an authority) **condemn to death** (by law) —*someone* Antipho Pl. X. Arist. NT. Plu. ‖ PASS. (of persons) be put to death Pl. X. Arist. Plb. Plu.
θανάτωσις εως *f.* **execution** (of a subject population) Th.
θανέειν (ep.aor.2 inf.), **θανέεσθαι** (ep.fut.inf.), **θανεῖν** (aor.2 inf.), **θανέμεν** (dial.aor.2 inf.): see θνήσκω
θανοίσᾱς (dial.aor.2 fem.gen.ptcpl.), **θάνον** (ep.aor.2), **θανοῦμαι** (fut.), **θάνωμες** (dial.1pl.aor.2 subj.): see θνήσκω
θάξαις (dial.aor.ptcpl.): see θήγω
θάπτω *vb.* [reltd. τάφος[1]] | fut. θάψω | aor. ἔθαψα, ep. θάψα ‖ PASS.: fut. ταφήσομαι | aor. ἐθάφθην | aor.2 ἐτάφην, inf.

ταφῆναι | pf. τέθαμμαι, Ion.3pl. τετάφαται, inf. τεθάφθαι || 3sg.plpf. ἐτέθαπτο | fut.pf. τεθάψομαι || neut.impers.vbl.adj. θαπτέον |
1 perform funeral rites for —*a dead person* (*incl. ritual lamentation and cremation or burial*) Il. Hes. Hdt. E.; **ritually dispose of** —*animals, their remains* Hdt.
2 (specif.) **honour with burial, bury** —*a dead person* (*in a grave or tomb*) Od. B. Hdt. Trag. Th. + —*sacred or special animals* Hdt. —*a dead person's possessions or armour* (*w. the body*) Hdt. S. || PASS. **be buried** Od. + || PF.PASS. (fig., of the soul) **be buried** (*in the body*) Pl.

Θαργήλια, Ion. **Ταργήλια** (Hippon.), ων *n.pl.* **Thargelia** (an Attic and Ionian festival celebrated in honour of Apollo) Archil.(dub.) Hippon. Att.orats. X. Arist.
—**Θαργηλιών** ῶνος *m.* **Thargelion** (eleventh month of the Athenian year) Att.orats. Arist. Plu.
—**Ταργήλιος** ου *Ion.m.* **Targelios** (app., an Ionian deity orig. assoc.w. the Thargelia) Anacr.

θαρραλέος *Att.adj.*: see θαρσαλέος
θαρραλεότης ητος *Att.f.* [θαρραλέος] **courageousness** Plu.
θαρρέω *Att.contr.vb.*, **θάρρος** *Att.n.*, **θαρρύνω** *Att.vb.*: see θαρσέω, θάρσος, θαρσύνω

θαρσαλέος, Att. **θαρραλέος**, ᾱ (Ion. η) ον *adj.* [θάρσος]
1 (of persons, esp. soldiers, their hearts) **courageous** Hom. Th. Pl. X. + || NEUT.SB. **courage** Plu.
2 (of a person's voice, hopes) **confident** A. Pi.; (of telling the truth) **free from insecurity** Pl. || NEUT.SB. **sense of security** Il. Th. Lys.
3 (pejor., of persons, their hearts) **overconfident, arrogant** Od. Pl. AR.; (of a prayer) Simon.
4 (of activities) **requiring courage** Pl. Arist.
5 (of hope, a situation, words) **encouraging** Pl. X. Arist. AR.
—**θαρσαλέον**, Att. **θαρραλέον** *neut.adv.* **spiritedly** —*ref. to shouting or screeching* Plu.
—**θαρσαλέως**, Att. **θαρραλέως** *adv.* **1 courageously** Pl. X. +; **confidently** Od. Th. Isoc. +
2 unashamedly Od. Isoc. AR.

θαρσέω, Att. **θαρρέω** *contr.vb.* | Aeol.fem.pres.ptcpl. θέρσεισα (Theoc.) | dial.aor.ptcpl. θαρσήσαις (Pi.) | pf. τεθάρσηκα || freq. imperatv. θάρσει, pl. θαρσεῖτε |
1 (of persons) **be courageous** (*esp. in battle*) Hom. +; **have courage** —W.ACC. *before someone, a contest, threat, battle, death* Od. Hdt. E. Pl. X.; **dare** —W.INF. *to do sthg.* X. Plb. Plu. || PRES. or PF.NEUT.PTCPL.SB. **courage** Th. Plu.
2 (pejor.) **be courageous or confident** (*to an inappropriate degree*), **be arrogant** S. Th. Isoc. Pl.
3 be at ease and unafraid, have no fear Hdt. Trag. Th. Lys. Ar. +; (of animals) Call.*epigr.* Theoc.
4 have confidence Hom. hHom. Th. Att.orats. + —W.DAT. *in one's weapons, strength, birds* (*as an omen*) A. B. Hdt. Plb. —W.ACC. *about someone or sthg.* S. X. D. —W.PREP.PHR. *about someone or sthg., for some reason* S. Isoc. Pl. Plb.; **be confident** —W.COGN.ACC. *w. an uninformed or disgraceful confidence* Pl.
5 believe confidently —W.COMPL.CL. *that sthg. is the case, that sthg. will happen* S. Th. X.
—**θαρρούντως** *Att.pres.ptcpl.adv.* **with confidence** —*ref. to dancing in a death-defying manner* X.
—**τεθαρρηκότως** *Att.pf.ptcpl.adv.* **boldly** Plb.

θαρσήεις εσσα εν *adj.* (of persons) **courageous** Call.
θάρσος, Att. **θάρρος**, Aeol. **θέρσος**, εος (ους) *n.* —also **θράσος** εος (ους) *n.* **1** (also as θράσος) **courage** (*esp. in warfare or sim., oft. bestowed by a god*) Hom. Hes. Lyr. Trag. Th. +
2 (only as θάρσος) **audacity** Il. Emp. Arist.; **excessive or ill-founded confidence, overconfidence** Pl. X.
3 (also as θράσος) **confidence** Hes. Hdt. Trag. Th. +; (opp. *fear*) Pl. Arist.
4 (pejor., only as θράσος) **arrogance or insolence** (*esp. of women*) Pi. Hdt. Trag. Th. Ar. +
5 (only as θάρσος) **source or ground for confidence, encouragement** A. E.; **incentive** (*ref. to a success*) Plu.

θάρσυνος ον *adj.* (of a population) **courageous** (*in wartime*) Il.; (of an army) **encouraged** (W.DAT. *by an omen*) Il.
θαρσύνω, Att. **θαρρύνω** *vb.* | iteratv.impf. θαρσύνεσκον || see also θρασύνω | **1** (intr.) **give encouragement** Od. Hes. Hdt. E. Th. + —W.DAT. *w. words* Hom. AR.; (tr.) **encourage, embolden** —*persons, hearts* Hom. Hes. Archil. A. E. Th. + —(W.DAT. *w. words*) Od. Tyrt. AR. —(*by word and action*) X.
2 offer consolation AR.; (tr.) **console** —*persons* AR.
3 cheer on —*someone* (*during a task*) AR. Theoc.
4 (intr.) **be courageous** S.

θᾶς *Aeol. temporal conj.* [τέως; cf. ἇς¹] **until** —W. κε + SUBJ. *sthg. is the case* Alc.

θᾶσαι, θᾶσθε (dial.sg.pl.aor.mid.imperatv.), **θάσασθαι** (dial.aor.mid.inf.), **θᾶσεῖσθε** (dial.2pl.fut.mid.), **θασόμενος** (dial.fut.mid.ptcpl.): see θεάομαι

Θάσος ου *f.* **Thasos** (island in the N. Aegean, famous for precious metals and wine) Archil. Hdt. Th. +
—**Θάσιος** ᾱ (Ion. η) ον *adj.* of or from Thasos; (of a man) **Thasian** Lys. Pl. +; (of Herakles, as local deity) Hdt.; (of wine, wine-jars) Ar. X. D. Men. Plu.; (of a kind of oily sauce) Ar.; (of stone, ref. to marble) Plu. || MASC.PL.SB. **Thasians** (as a population or military force) Archil. +

θᾶσσον *compar.adv.*: see under ταχύς
θάσσω, ep. **θαάσσω** *vb.* [θᾶκος] | only pres. and impf. | ep.inf. θαασσέμεν | **1** (of a god, king or other authority) **sit** (*in a position of power*) Il. hHom. E. AR. —W.ACC. or PREP.PHR. *on a throne, tripod, or sim.* S. E.
2 (of a helmsman) **sit** —W.PREP.PHR. *at the tiller* AR.
3 (of suppliants) **sit** E. —W.ACC. or PREP.PHR. *at a shrine, on its floor* E.
4 (gener., of persons) **sit** (*at rest*) E. Call. —W.PREP.PHR. *at a feast* Od.; **occupy** —*a seat, place, or sim.* E. Ar.
5 (specif.) **lurk** (*watching or waiting*) E. Ar.; **cower, huddle** (*grieving or in fear*) hHom. E. AR. —W.INTERN.ACC. *in a miserable posture* E.; (of an army) **wait in position** E.

θάσσων (compar.adj.): see ταχύς
θάτερα (neut.nom.acc.pl.adj. w.art.), **θατέρᾳ** (fem.dat.sg.), **θάτερον** (neut.nom.acc.sg.), **θάτερος** (masc.nom.sg.): see ἕτερος
θατήρ *dial.m.*: see θεατής
θάττων (Att.compar.adj.): see ταχύς

θαῦμα, Ion. **θῶμα**, ατος *n.* **1 cause of wonder or surprise** (*ref. to an event, circumstance, sight or sound*); **wonder, surprise** Hom. hHom. Lyr. Hdt. Trag. Ar. +
2 (ref. to a person or animal, esp. through their appearance, size or strength); **marvel** (*ref. to a woman*) Od. hHom.; (*ref. to a warrior, his deeds*) Pi. S. E.; (*ref. to a monster, a bull*) Od. hHom. AR.
3 (ref. to an object, through its decoration or intricacy); **marvel** (*esp. ref. to textiles or equipment*) Hom. Hes. E. Mosch.; (*ref. to a building*) Od. hHom. Hdt.
4 figurine used to entertain or amuse, puppet or **doll** Pl.
5 stunt, feat (*in acrobatics*) X.; (gener.) **show** (*sts. involving performing animals*) Isoc. Pl. Thphr.; (pejor.) **trick** (*in a sophist's argument*) Pl. || COLLECTV.PL. **show** (*involving puppets*) Pl. Arist.

6 emotion caused by something wondrous, **amazement, surprise, wonder** Od. Hes. Hdt. Trag. Th. Ar. +

θαυμάζω, Ion. **θωμάζω** vb. | iteratv.impf. θαυμάζεσκον | fut. θαυμάσομαι, ep. θαυμάσσομαι | aor. ἐθαύμασα | pf. τεθαύμακα ‖ PASS.: fut. θαυμασθήσομαι | aor. ἐθαυμάσθην ‖ neut.impers.vbl.adj. θαυμαστέον |
1 react with amazement or confusion (on seeing, hearing or learning sthg. unusual or incredible), **be astonished** or **amazed** Hom. +; **look with wonder at** —*an event, place, work of art* Hom.; (hyperbol., of an unkempt man) **regard as unfamiliar** —*water (for washing)* Semon. ‖ PASS. (of a winter thunderstorm) be regarded with wonder (as if a portent) Hdt.
2 be surprised —W.ACC. *at someone, his behaviour or strength* Thgn. A. S. AR. —W.GEN. *at someone* E. Th. Att.orats. Pl. —W.ACC., GEN. or DAT. *at a situation, event, someone's behaviour or character* A. E. Th. Att.orats. + —W.PREP.PHR. *for some reason* Thgn. S. Th. Pl. + —W.COMPL.CL. or INDIR.Q. *that (or if) sthg. is the case* Il. Thgn. Hdt. S. E. Th. + ‖ PASS. (of a person) be regarded with surprise (for being absent) S.
3 show respect and admiration; **admire, respect** —*someone (esp. as a leader)* Il. Hdt. E. D. Thphr.; **honour** —*the dead, one's father's tomb* E.; (of the gods) —*a king* A. ‖ PASS. (of persons or things) be admired B. Hdt. Th. Isoc. +; (of a city) Th.; (of an offering to the gods) A.
4 be impressed —W.ACC. *w. persons, their beauty, spirit, strength* Od. hHom. Pi. —*w. a plan* Hdt.
5 wonder —W.INDIR.Q. *whether sthg. is the case* E. Ar. Pl. Thphr.

θαυμαίνω vb. | ep.fut. θαυμανέω | **1 watch with rapt attention** —*contests* Od.
2 be amazed at —*someone's strength, beauty* hHom.

θαυμάσιος ᾱ (Ion. η) ον (also ος ον Pl.), Ion. **θωμάσιος** η ον *adj*. **1** causing amazement; (of an event, situation, places) **amazing** Hdt. Ar. Att.orats. Pl. +; (of explanations, speeches, arguments) Hdt. Pl. Plu. ‖ NEUT.PL.SB. marvels (ref. to features of a country) Hdt.; (ref. to events or actions) Pl. X. NT.
2 causing admiration; (of persons) **marvellous, admirable** Att.orats. Pl. X. +; (of fruits) X.; (of works of art) Hes.; (of achievements) D.; (of sounds, voices) hHom. Pl.; (of a quality, ability, behaviour) Pl. Plu.
3 causing surprise or dismay; (of an event, portent, action, sight) **astonishing** Archil. Pi. Ar. Pl. Is. Plu.; (of an affliction) Pl.
4 ‖ MASC.VOC.SB. or ADJ. (sts.w. pers. name; expressing admiration, surprise or admonition, sts. iron.) **my good man** Pl.; (superl., expressing scorn) X.
—**θαυμάσιον** neut.adv. (phr.) θαυμάσιον ὅσον *to a remarkable degree, exceedingly* Pl.
—**θαυμασίως** adv. **1** in a surprising way, **surprisingly, remarkably** Pl.
2 to a remarkable degree, **extraordinarily, exceedingly** Ar. Pl. Plb. Plu.; (also) θαυμασίως ὡς Pl. D.

θαυμασμός οῦ m. **amazement, wonder** Plu.

θαυμαστής οῦ m. **admirer** (of persons, their character and achievements) Arist. Plu.

θαυμαστικός ή όν *adj*. [θαυμαστός] (of a person) of the sort who is admired, **admirable** Arist.

θαυμαστόομαι pass.contr.vb. (of a person) **be regarded with admiration** Plu.

θαυμαστός, Ion. **θωμαστός**, Lacon. **σαυμαστός**, ή (dial. ᾱ́) όν *adj*. [θαυμάζω] | ep.neut.nom.acc.pl. θαυμαστά | **1** causing amazement; (of persons) **remarkable, marvellous** Pi. B. Hdt. Trag. Att.orats. +; (of things, events, situations, or sim.) Semon. Thgn. Pi. Hdt. S. E. + | for θαυμαστὸς ὅσος see ὅσος 4
2 (of deities) prompting admiration and respect, **admired, venerated** E.
3 causing confusion or dismay; (of situations, events, a person's demeanour) **strange, puzzling** And. Pl.; (of persons, Erinyes) **astounding** A. Lys.; (of a jet of flame) E.
—**θαυμαστόν** neut.sg.adv. **1 marvellously** hHom.
2 (phr.) θαυμαστὸν ὅσον *to a remarkable degree, exceedingly* Pl. Plu.
—**θαυμαστά** neut.pl.adv. to a remarkable degree, **extraordinarily, exceedingly** Pl.; (also) θαυμαστὰ ... ὡς E.(dub.)
—**θαυμαστῶς** adv. **1** in a remarkable way, **remarkably, admirably** Pl.
2 to a remarkable degree, **extraordinarily, exceedingly** Pl. Arist.(dub.) Plu.; (also) θαυμαστῶς ὡς Pl. D.

θαυματοποιία ᾱς f. [θαυματοποιός] **conjuring** (as entertainment) Isoc. Pl.; (pejor., ref. to showy and misleading behaviour) Isoc.

θαυματοποιικός ή όν *adj*. (pejor., of an activity) **of the conjuring kind** Pl. ‖ FEM.SB. art of conjuring Pl.

θαυματο-ποιός οῦ m. [θαῦμα, ποιέω] one who performs tricks (to entertain), **illusionist, conjuror** Pl. D. Plu.; (specif.) **puppeteer** Pl.

θαυματουργέω contr.vb. [ἔργον] **1** (of a dancing-girl) **perform a stunt** X.
2 ‖ NEUT.PL.PF.PASS.PTCPL.SB. marvellous phenomena (of nature) Pl.

θαυματουργία ᾱς f. (pejor.) **showmanship** (in music) Pl.

θάψινος η ον *adj*. [θάψος] **1** (of persons) as yellow as the fustic shrub, **sallow-complexioned** Ar.
2 made from the fustic shrub; (of a colour) **sallow-yellow** Plu.

θάψος ου f. a kind of shrub (used to make a yellow dye); **fustic** (as an exemplar of yellowness) Theoc.

θεά, Boeot. **θιά**, Lacon. **σιά**, ᾶς, Ion. **θεή** ῆς f. [θεός] | sts. monosyllab. in E. | female deity (sts.ref. to a nymph, Nereid, Grace, Muse, or sim.), **goddess** (sts. w. her name) Hom. +; (ref. to a Siren) Alcm.; (ref. to a cloud) Ar. ‖ DU. two goddesses (ref. to Demeter and Persephone) S. E. Pl. Plu. ‖ PL. goddesses (ref. to Erinyes) Trag. Att.orats. Plu.

θέα ᾶς, Ion. **θέη** ης f. **1** action of looking; **watching** (a performance) Pl. X. Men. +; **viewing, looking** (at a corpse, at treasures) Hdt.; **sight-seeing** E. X.
2 investigation, surveying (of a location) Hdt. Th. Plb.
3 intellectual consideration, **contemplation** (of an idea, knowledge) Pl. Plb.; **attention** (demanded by a topic) Pl. X.
4 that which is seen or watched; **scene, spectacle** Trag. Th. Pl. X. +; **sight** (of someone's body, in an unintentional display) X.
5 show, games (in a theatre, arena, or sim.) Thphr. Plb. Plu.
6 opportunity to look closely or see clearly, **view** S. Pl.; distance from which one views, **point of view** Arist.
7 (concr.) place for watching (in a theatre), **seat, seating** Att.orats. +

θέαινα ης f. [θεά] female deity, **goddess** Hom. hHom. Call.

θέαμα, Ion. **θέημα**, dial. **θάημα**, ατος n. [θεά] **1 sight, spectacle** (ref. to a person, animal, event or scene, oft. causing wonder or terror) Semon. Trag. Ar. Pl. +; **marvel** (ref. to an ornate cup) Theoc.
2 show, entertainment (at a symposium, in a theatre) X. Arist.; **attraction** (in a city, ref. to a building, artwork or festival) Isoc.; (ref. to a statue) Plu.
3 direct observation (as a means of learning) Th.

θεάομαι, Ion. **θηέομαι**, dial. **θᾱέομαι** *mid.contr.vb.* | PRES.: Ion.3sg. θεῆται (Call.) | Ion.ptcpl. θηεύμενος | imperatv. θεῶ, pl. θεᾶσθε | opt. θεῴμην, ep.2sg. θηοῖο ‖ IMPF.: ἐθεώμην, Ion.3sg. ἐθηεῖτο, ep. θηεῖτο, ep.1pl. ἐθηεόμεσθα (quinquesyllab., v.l. ἐθηεύμεσθα), Ion.3pl. ἐθηεῦντο, ep. θηέοντο (trisyllab., v.l. θηεῦντο) | 3sg.iterativ.impf. θηέσκετο (AR.) ‖ FUT.: θεάσομαι, Ion. θεήσομαι, ep. θηήσομαι (Hes.) | dial.2pl. θᾱσεῖσθε (Call.), dial.ptcpl. θᾱσόμενος (Theoc.) ‖ AOR.: ἐθεᾱσάμην, Ion. ἐθεησάμην, ep.2sg. θηήσαο, ep.3sg. θηήσατο, ep.3pl. ἐθηήσαντο, also θηήσαντο | ptcpl. θεᾱσάμενος, Ion. θεησάμενος, dial. θᾱησάμενος (Pi.) | imperatv. θέᾱσαι, dial. θᾶσαι (Theoc.), dial.pl. θᾶσθε (Ar.) | inf. θεάσασθαι, Ion. θεήσασθαι, dial. θάσασθαι (Theoc.) | opt. θεᾱσαίμην, ep.2sg. θηήσαιο, ep.3sg. θηήσαιτο, ep.3pl. θηήσαιντο (AR.), also (contr.) θησαίατο (Od.) | PF.: τεθέᾱμαι ‖ PASS.: aor. ἐθεάθην (NT.) ‖ neut.impers.vbl.adj. θεᾱτέον |
1 look at (esp. w. wonder or admiration); **gaze at, marvel at, admire** —*someone or sthg.* Hom. Hes. Hdt. E. Ar. + ‖ PASS. (pejor., of persons) attract attention —W.DAT. *fr. others* NT.
2 (intr.) **watch** (as a spectator, esp. in a theatre) Hdt. Ar. Isoc. Pl. +
3 look at closely, **examine, study** —*someone or sthg.* Hdt. E. Th. Ar. Pl. +; (specif.) **survey** —*a coast* (*to make a map*) Hdt.; **inspect** —*an army, a person* Pl. X. NT.
4 examine mentally, **contemplate, consider** —*someone or sthg.* E. Th. Pl.; (intr.) **realise** or **take note** Pl. D.
5 (gener.) **see, watch** —*someone or sthg.* Hdt. E. Antipho Ar. + ‖ PASS. (of a person) be seen —W.PREP.PHR. *by someone* NT.

θεᾱρίᾱ *dial.f.*, **θεᾱρός** *dial.m.*: see θεωρία, θεωρός

θεᾱτής οῦ, Ion. **θεητής** έω *m.* —also dial. **θᾱτήρ** (B.), ep. **θηητήρ** (Od.), ῆρος *m.* 1 one who looks; **sightseer, visitor** (to a place) Hdt. E. Isoc. Plu.; **witness, spectator** (of a sight, an event) E. Pl. Men. Plu.
2 one who looks closely, **expert** Od.; **student** (W.GEN. of the truth) Arist.
3 member of an audience (at plays, contests, processions, or sim.), **spectator** B. Ar. Att.orats. Pl. X. +; (in less formal situations, w.connot. of wonder) Pl. X.; (in a court, opp. a participant) Aeschin.; (derog., in the Assembly) Th. ‖ COLLECTV.SG. audience Arist.

θεᾱτός, Ion. **θεητός**, ep. **θηητός**, dial. **θᾱητός**, ή (dial. ᾱ́) όν *adj.* 1 (of persons, things, places, contests) to be gazed at, **wondrous, admirable** Hes. Tyrt. Lyr. Pl. Hellenist.poet. +; (in neg.phr., of a corpse) **not to be looked at** S.
2 capable of being seen, **visible** Isoc. Pl.

θεᾱτρικός ή όν *adj.* 1 (of music) **for the theatre** Arist.; (of a speech, sight, event) suited to the theatre, **theatrical** Plb. Plu.
2 (of horse-racing) **in the circus** Plu.

—**θεᾱτρικῶς** *adv.* **as if on stage** —*ref. to fighting in a war* Plu.

θεᾱτροκρατίᾱ ᾱς *f.* [κράτος] authority of the audience (to decide what music is good), **spectator-power** Pl.

θέᾱτρον, Ion. **θέητρον**, ου *n.* 1 place for watching, **theatre** Hdt. Att.orats. Pl. +; (used for political assemblies, parades) Th. Att.orats. +; (ref. to a Roman circus) Plu.
2 **audience** (in a theatre) Hdt. Ar. Pl. +; (gener., ref. to a group of interlocutors) Pl.
3 place for display, **stage** Att.orats. Arist.; (fig., ref. to a battlefield) Plb.
4 **show, spectacle** (in a theatre or arena) Plu.

θεᾱτρ-ώνης ου *m.* [ὠνέομαι] one who owns a contract to manage a theatre, **theatre-manager** Thphr.

θέειον *ep.n.*: see θεῖον

θεειόω *ep.contr.vb.*: see θειόω¹

θεή *Ion.f.*: see θεά

θέη *Ion.f.*: see θέα

θεήιος *dial.adj.*: see θεῖος¹

θε-ήλατος ον *adj.* [θεός, ἐλαύνω] 1 (of an ox) **driven by a god** (to the sacrificial altar, opp. by human agency) A.
2 (of evils, omens, or sim.) **sent by the gods** Hdt. S. E. AR. ‖ NEUT.SB. miracle E.
3 (of a god's abode, i.e. a sanctuary) perh., divinely marked out, **sacred** E.

θέημα *Ion.n.*: see θέαμα

θεήσομαι (Ion.fut.mid.), **θεῆται** (Ion.3sg.mid.): see θεάομαι

θεητής *Ion.m.*, **θέητρον** *Ion.n.*: see θεατής, θέατρον

θειάζω *vb.* [θεῖος¹] (of seers and interpreters of oracles) **practise divination** Th.

θειασμός οῦ *m.* **inspired utterance** Th. Plb.(cj.) Plu.

Θείβᾱθε(ν) *Boeot.adv.*: see Θήβηθεν, under Θῆβαι¹

θείην (athem.aor.opt.): see τίθημι

θειλόπεδον *n.*: see εἱλόπεδον

θείμην (athem.aor.mid.opt.), **θεῖναι** (athem.aor.inf.): see τίθημι

θείνω *vb.* [reltd. φόνος] | dial.ptcpl. θένων (Theoc., dub.) | ep.inf. θεινέμεναι | impf. ἔθεινον | fut. θενῶ | aor.1: ep.ptcpl. θείνᾱς | aor.2: subj. θένω, imperatv. θένε, ptcpl. θενών, inf. θενεῖν | redupl.aor.2: ἔπεφνον, ep. πέφνον, ptcpl. πεφνών, ep.inf. πεφνέμεν ‖ PASS.: fut. πεφήσομαι | pf.: 3sg. πέφαται, 3pl. πέφανται, inf. πεφάσθαι |
1 deliver a stroke or blow, **strike** E. —*a person, part of the body, an object* (w. a weapon, hammer, hand, foot, or sim.) Hom. Pi. E. Ar. Hellenist.poet. —*horses* (w. a whip or goad) Il. E. ‖ MID. (of two opponents) strike each other A. ‖ PASS. (of a person) be struck Hom. A. AR.; (of horses) —W.DAT. *w. a goad* E.
2 (of a ship) **ram** —*another ship* A.
3 (intr., of drowned men) **strike** —W.PREP.PHR. *against a shore* A. ‖ PASS. be dashed or pounded (by waves or against rocks) A. Tim.
4 (fig.) **strike, lash** —*someone* (W.DAT. *w. a taunt*) A.
5 ‖ REDUPL.AOR.2 (of persons or animals) **kill, slay** —*a person, an animal* Hom. Hes. Pi. B. S. E. + ‖ PASS. be killed Hom.

θείομεν (ep.1pl.athem.aor.subj.): see τίθημι

θεῖον, ep. **θέειον**, Aeol. **θήιον** (Od.), ου *n.* 1 sulphurous vapour, **sulphur** (assoc.w. the smell of sthg. struck by lightning) Hom.
2 **sulphur** (used to sterilise a cup for a drink-offering) Il.; (burned to fumigate and ritually cleanse a place) Od. Theoc.; (burned to smoke out besieged armies) Th.

θεῖος¹, Aeol. **θήιος**, dial. (w.diect.) **θέηιος** (Bion), Lacon. **σεῖος**, ᾱ (Ion. η) ον *adj.* [θεός] 1 (of deities) **divine** Hes. S. Men. AR. ‖ NEUT.SB. divine being or power A. Hdt. E. +
2 venerated through association with the divine; (of rivers) **sacred** AR. Theoc.; (of land, cities) Pi. AR.; (of a tower at Troy) Il.; (of wood fr. a sanctuary) AR.; (of an eagle) Pi. ‖ NEUT.PL.SB. sacred objects X.
3 belonging to a god or the gods; (of the radiance of a goddess) **divine** hHom.; (of actions, plans) Hdt. E. Bion; (of strength) E. Pl.; (of foreknowledge) E.; (of salt, perh. as a preservative or assoc.w. hospitality) associated with the gods, **holy** Il. ‖ NEUT.SB. (sg.pl.) divine will S. Ar.
4 (of the Olympian race, a council, a chorus) consisting of deities, **of the gods, of deities** Il. Pl. Theoc.
5 originating with a god or gods; (of messages or sim.) **from the gods, heaven-sent** Hom. Stesich. Hdt. S. E.*Cyc.* Ar. +; (of

authority, a law) S. E. Th.; (of chance or fortune as the cause of sthg.) Hdt.; (of good qualities, blessings) Semon. Hdt. Trag. Pl. X. +; (of afflictions) A. S. Att.orats.
6 relating to the gods; (of subjects, stories) **about the divine** Hdt. Pl.
7 ‖ NEUT.PL.SB. **religious observances** S. X.
8 (of persons, centaurs) resembling the gods (in their abilities, qualities, status), **godlike, noble** Hom. Hes. Mimn. A. Pi. +; (esp. of a king, a queen) Od. S. Call.; (of the soul, the mind) E. X.; (of a degree of virtue) Arist.
9 (of poets, seers, philosophers) inspired by the gods, **inspired** Od. B. S. Ar. Pl. +
10 suitable for the gods or having a superior quality; (of a palace) **divine, excellent** Od.; (of unmixed wine) Od. E.*Cyc.*; (of dancing, music) Od. S. Ar.; (of water in a river) Alc.; (of a fire) S.
11 (of an event) **supernatural, extraordinary, strange** Hdt.; (of a person's hatred) **remarkable, awful** Men.
12 (of planets as causes of motion) **divine** Arist.
—**θείως** adv. | compar. θειότερον (Hdt.), also θειοτέρως (Hdt. X.) | **divinely, excellently** —*ref. to speaking* Pl. Arist.
‖ COMPAR. **rather mysteriously** (w. sinister connot.) Hdt.; **by divine providence** Hdt. X.

θεῖος² ου *m.* **brother of one's father or mother, uncle** E. Ar. Att.orats. Pl. +

θειότης ητος *f.* [θεῖος¹] **1** quality of being divine, **divinity** Plu.
2 godlike quality (of a person, human virtue) Plu.

θειόω¹, ep. **θεειόω** contr.vb. [θεῖον] **fumigate with sulphur** (for purification) —*a place* Od.(also mid.) E.

θειόω² contr.vb. [θεῖος¹] **regard as sacred, sanctify** —*a set of numbers* Pl.

θείς (athem.aor.ptcpl.): see τίθημι

θείω¹ ep.vb.: see θέω¹

θείω² (ep.athem.aor.subj.): see τίθημι

θέλγητρον ου *n.* [θέλγω] means of soothing or charming; **charm** (W.GEN. of sleep) E.

θέλγω vb. | iteratv.impf. θέλγεσκον | fut. θέλξω | aor. ἔθελξα, ep. θέλξα ‖ aor.pass. ἐθέλχθην, ep.3pl. ἔθελχθεν | **1** bewitch (by spells, enchantment or supernatural means); (of Hermes) **bewitch** —*the eyes of men* (W.DAT. *w. his wand*) Hom.; (of Circe) —*persons* (*w. drugs*) Od. AR. ‖ PASS. **be bewitched** (by drugs) Od.
2 bewitch (by music or song); (of Sirens) **bewitch** —*persons* Od. AR.; (of Orpheus) —*rocks and rivers* AR. ‖ PASS. (of trees) be bewitched —W.DAT. *by Orpheus' lyre* AR.; (of a dragon) —*by singing* AR.; (of Archimedes) —W.PREP.PHR. *by an inner siren* (fig.ref. to an engrossing subject of study) Plu.
3 bewitch (w. love); (of Eros, Erato, a person) **bewitch** —*persons or gods, their minds* Sapph. E. Pl. AR.; (of Eros, desire) **beguile** —*someone* (W.INF. *into doing sthg.*) A. S. ‖ PASS. **be bewitched** —W.DAT. *by love* Od.
4 (of Zeus, Apollo) **bewitch, beguile, bewilder** —*a person's mind or fighting spirit* Il.; (of Poseidon) —*a person's eyes* (*w. a trance*) Il.; (of Sleep) —*a dragon* AR.
5 bewitch (by persuasive or deceptive means); (of persons, deities) **cajole, beguile** —*a person* (sts. W.DAT. *w. words, lies, deceit*) Hom. Thgn. A. S. AR.
6 bewitch (w. welcome effect); (of sleep) **bewitch** —*the eyes* E.; (of singing) **charm away** —*painful toils* Pi.; (of a god) **soothe** —*a person in distress* A.; (of hope) **comfort** —*the mind* hHom. ‖ PASS. **be bewitched** —W.DAT. *by sleep* E.; (of griefs) be assuaged A.
7 (gener., of a singer or musician, the sounds of the lyre) **bewitch, enchant, charm, enthrall** —*persons, deities, their minds* Od. hHom. Pi. Theoc.*epigr.*; (of the sight of a star) —*the eyes* AR. ‖ PASS. (of a person's heart) be enchanted (by a singer) Od.; (of a listener, by a story) AR.; (of bathers, by a river) Alc.

θελεμός όν *adj.* [perh. θέλω] (of the water of a river) **tranquil** A.; (of a breeze) **gentle** A.

θέλεος ον *adj.* [θέλω] (of a person) **willing** A.

θέλημα ατος *n.* **1** that which is willed, **will, wish, intention** NT.
2 act of willing, **desire, impulse** (felt by someone) NT.

θελημός adj., **θελήμων** adj.: see ἐθελημός, ἐθελήμων

θελκτήρ ῆρος *m.* [θέλγω] **soother** (W.GEN. of pains, ref. to Asklepios) hHom.

θελκτήριον ου *n.* **1** means of enchanting; **enchantment, spell** (of Aphrodite) Il.; (of persuasive speech) A.
2 means of placating or winning favour; **propitiatory offering** (W.GEN. for the gods) Od.; (W.DAT. for the dead) E.
3 enthralling delight (W.GEN. for mortals, ref. to a singer's task) Od.

θελκτήριος ον *adj.* **1** (of drugs) **acting as a charm** AR.; (W.GEN. against bulls) AR.
2 (of words) **casting a spell** E.; (of a device) **for casting a spell** (W.GEN. for desire, i.e. to induce it) AR.; (of love-charms) **acting as a spell** (W.GEN. for love, either against it or to induce it) E.
3 (of a glance) **bewitching, alluring** A.
4 (of words) **beguiling, cajoling** A.
5 (of bedclothes) **offering comfort** (W.GEN. for weariness) A.
6 (of words) **soothing, calming** (W.GEN. words) A.

θέλκτρον ου *n.* **1** means of enchanting, **enchantment, charm** S.
2 bewitching power (W.GEN. of Orpheus' singing) AR.

θέλκτωρ ορος *f.* (epith. of Peitho) **charmer** A.

θελξι-επής ές *adj.* [ἔπος] (of a voice) with bewitching words, **spell-binding** B.

θελξί-μβροτος ον *adj.* [βροτός] (of Aphrodite) **enchanting mortals** B.

θελξί-φρων ον, gen. ονος *adj.* [φρήν] (of Erotes) **mind-enchanting** E.

θέλω vb.: see ἐθέλω

θέμεθλα ων *n.pl.* [app.reltd. θεμός] **1 foundations** (W.GEN. of Okeanos, i.e. bottom of the sea) Hes.; (of Zeus Ammon, i.e. of his temple) Pi.; (fig.) **edifice** (W.GEN. of Justice) Sol.
2 foundations, base (of an altar, the wall of a temple) Call. AR.
3 base (W.GEN. of a mountain) Pi.
4 lower parts, roots (W.GEN. of the eye) Il.; **base** (W.GEN. of the throat) Il.

θεμείλια ων *n.pl.* **1 foundations, base** (of a wall, grave-mound, temple) Il. hHom.
2 foundations (of cities, i.e. of their buildings) Call.
3 foundations (of an island, i.e. its bedrock) Call.

—**θέμειλον** ου *n.* **foundation** (around a statue) Call.

θεμέλιοι ων *m.pl.* **foundation-stones, foundations** (for a wall or building) Th. X. Plb. Plu.; (appos.w. λίθοι *stones*) Ar.; (fig., ref. to achievements to be built upon) Hyp.; (prep.phr.) ἐκ θεμελίων *from the very foundations, utterly* Plb. ‖ SG. **foundation-stone or foundations** (of a house) Arist. NT.; **base, foot** (W.GEN. of a wall) Plb.

—**θεμέλια** ων *n.pl.* **foundations** (W.GEN. of a prison) NT.

θεμελιόω *contr.vb.* | 3sg.plpf.pass. τεθεμελίωτο | **lay the foundations for** —*a building* (W.DAT. *w. certain materials*) X. || PASS. (of a house) **be founded** —*w.* ἐπί + ACC. *on rock* NT.

θεμελίωσις εως *f.* **laying of the foundations** (W.GEN. of a temple) Plu.

θέμεν, θέμεναι (athem.aor.infs.), **θέμενος** (athem.aor. mid.ptcpl.): see τίθημι

θεμερ-ῶπις ιδος *fem.adj.* [1st el.uncert.; ὤψ] (of Harmonia, a sense of shame) perh. **solemn-faced** A. Emp.

Θεμί-γονος ον *adj.* [Θέμις, γίγνομαι] (of the Horai) **born from Themis** Pi.*fr.*

θεμίζομαι (unless **θεμίσσομαι**) *mid.vb.* [θέμις] | dial.aor.ptcpl. θεμισσάμενος | **impose a proper limit; check, control** —*one's temper* Pi.

θεμί-ξενος ον *adj.* [ξένος²] (of a virtue) consisting of being just towards guests, **duly hospitable** Pi.*fr.*

θεμί-πλεκτος ον *adj.* [πλεκτός] (of garlands) **duly plaited** (i.e. won fairly) Pi.

θέμις ιδος (ep. ιστος) *f.* [perh.reltd. τίθημι] | acc. θέμιν (Pi. Trag. Pl. AR.), sts. app. θέμις (dub. in S. Pl. X.), ep. θέμιστα || ep.pl.: nom. θέμιστες, acc. θέμιστας, gen. θεμίστων || dial.pl.: nom. θέμιτες, gen. θεμίτων, dat. θέμισσι |
1 that which is established as right and appropriate (esp. in a person's speech and behaviour towards guests or the gods); **right way** Hom. Hes. Thgn. A. Parm. Pl. +; **propriety** (of oaths) A.; (impers.phr.) θέμις ἐστί *it is right* Hom. +
2 normal or customary behaviour, **custom, habit** (for someone in a particular situation) Hom. AR.
3 that which is due or expected; **tribute** (paid to a king) Il.; **payment** (in recompense) A.; **offering** (to the dead) AR.; **obligation** or **duty** (placed upon someone) Hes.
4 place where judgements are issued, **court** Il.
5 || PL. **decrees** or **judgements** (issued by the gods) Hom. Hes. Thgn.; (by kings or judges) Il. Hes. hHom. AR. Theoc.; (by an oracle) Pi.; **privileges** (granted to a king by Zeus) Il. || SG. **rule, statute** or **law** Il. hHom.
6 || PL. **rites** (in a mystery cult) AR.

—**Θέμις** ιδος (ep. ιστος, dial. ιτος, Ion. ιος) *f.* | acc. Θέμιν (Hes. +), ep. Θέμιστα | voc. Θέμι | **Themis** (goddess assoc.w. oaths and the Delphic oracle, daughter of Zeus and mother of Justice and Peace) Hom. +

θεμι-σκόπος ον *adj.* [σκοπέω] (of a dead hero) **overseeing properly** or **by divine right, legitimately presiding** (at processions) Pi.

θεμι-κρέων οντος *masc.adj.* [κρείων] (of a royal family) **ruling legitimately** or **by divine right** Pi.

θεμίσσομαι *mid.vb.*: see θεμίζομαι

θέμιστα (ep.acc.sg.), **θέμιστας** (ep.acc.pl.): see θέμις

θεμιστεῖος ᾱ ον *adj.* [θεμιστεύω] (of the sceptre) of one who pronounces judgements, **judicial** Pi.

θεμιστεύω, also **θεμιτεύω** (E.) *vb.* [θέμις] **1** (of a judge, king) **pronounce judgements** AR. —W.DAT. *for the dead* Od.; (of each Cyclops) **determine the law** —W.GEN. *for his own family* Od.
2 (of Apollo) **deliver an oracular judgement** hHom. [or perh. *declare* (W.ACC. *his will*) *by oracle*]
3 (of an oracular priestess or attendant) **communicate an oracle** E. Plu.
4 properly **celebrate** —*the rites of a goddess* E.

θεμιστο-πόλος ον *adj.* [πέλω] (of kings) **ministering with laws and justice, law-ministering** Hes.*fr.* hHom.

θεμιστός ή όν *adj.* **1** (of actions) sanctioned by divine law, **lawful** Archil.; (of bloodshed, in neg.phr.) A.
2 || NEUT.IMPERS. (w. ἐστί understd., in neg.phr.) **it is lawful** —W.ACC. + INF. *for someone to do sthg.* S.(cj.)

—**θεμιστῶς** *adv.* (in neg.phr.) **lawfully** A.

θεμιστοῦχος ον *adj.* [ἔχω] (o² kings) **administering the law, with legal authority** AR.

θεμίστων (ep.gen.pl.): see θέμις

θεμιτεύω *vb.*: see θεμιστεύω

θεμιτός ή όν *adj.* **1** (of an action, in neg.phr.) sanctioned by divine law, **lawful, permissible** Call. Plu.
2 || NEUT.IMPERS. (w. ἐστί, sts.understd., usu. in neg.phr.) **it is lawful** or **permissible** (usu. W.INF., or W.DAT. or ACC. + INF. (for someone) to do sthg.) hHom. Pi. Hdt. S. E. Pl. +

θεμοί ῶν *m.pl.* [perh. τίθημι] **dispositions** or **ordinances** (W.GEN. of words and deeds) hHom.(cj.)

θέμος εος (ους) *n.* [τίθημι] **serving** or **pile** (W.GEN. of tuna) Philox.Leuc.

θεμόω *contr.vb.* | only ep.3sg.aor. θέμωσε | (of a wave) app. **drive** or **cause** —*a ship* (W.INF. *to reach the shore*) Od.

θέναρ αρος *n.* **1 palm** (of the hand) Il.; (fig.) **hollow** (ref. to a concave surface on the top of an altar) Pi.; (ref. to the surface of the sea) Pi.
2 sole (W.GEN. of the foot) Cal.

θενεῖν (aor.2 inf.), **θενῶ** (fut.), **θενών** (aor.2 ptcpl.), **θένων** (dial.pres.ptcpl.): see θείνω

θέο (ep.athem.aor.mid.imperav.): see τίθημι

θεοβλάβεια ᾱς *f.* [θεοβλαβής] **god-sent delusion** Aeschin.

θεοβλαβέω *contr.vb.* **be offensive to the gods** —W.DAT. *w. one's arrogance* A.

θεο-βλαβής ές *adj.* [θεός; βλάβη, βλάπτω] **stricken by the gods, deluded** Hdt.

θεο-γεννής ές *adj.* [γέννα] **of divine lineage** S.

Θέογνις, Ion. **Θεῦγνις**, ιδος *m.* | acc. Θέογνιν | **1 Theognis** (Megarian elegiac poet, 6th or perh. 7th C. BC) Thgn. Isoc. Pl. X. Arist.
2 Theognis (5th-C. BC Athenian tragic poet) Ar.

θεογονίᾱ ᾱς, Ion. **θεογονίη** ης *f.* [θεόγονος] **account of the origins of the gods, theogony** Hes.(title) Hdt. Pl.

θεό-γονος ον *adj.* [γόνος] (of marriages) **of offspring of the gods** E. [or perh. *producing offspring of the gods*]

Θεο-δαίσια ων *n.pl.* [δαίς] **Theodaisia** (a Cretan festival assoc.w. Dionysus) Call.

θεό-δμητος, dial. **θεόδματος**, Lacon. **σιόδματος**, ον (also dial. ᾱ ον Pi.) *adj.* [δέμω] **1** (of a city, wall, streets, or sim.) **god-built** Il. Alcm. B. S. E.; (of Delos) Pi.; (of Apollo's chariot) Pi.
2 (of achievements, an obligation, freedom) **inspired by the gods, god-wrought** Pi.
3 (of an altar) perh., built for the gods, **sacred** E.

θεό-δοτος, also **θεόσδοτος**, ον *adj.* [δίδωμι] (of strength, prosperity, achievements, or sim.) **god-given** Hes. Pi. B. Arist.

θεο-ειδής, Lacon. **σιειδής**, ές *adj.* [εἶδος¹] **1** (of warriors, kings) having a divine appearance, **godlike, handsome** Hom. Hes.*fr.*; (of an Okeanid) Hes.; (of a girl) Alcm.; (of a boy's face) Pl.; (of a quality in a person) Pl.
2 (of the soul) **godlike** (in its immortality) Pl.

θεο-είκελος, Lacon. **σιείκελος** (cj.), ον *adj.* **1** (of persons) having a similarity to the gods, **godlike** Hom. Hes.*fr.* hHom. Sapph. Ar.; (of a quality in a person) Pl.
2 (of Athena's armour) **divine** hHom.

θεόθεν *adv.* **from** or **by the will of the gods** Od. Pi. Emp. Trag. Ar. +

Θεοίνια ων *n.pl.* [reltd. οἶνος] **Theoinia** (rites celebrated by women in honour of Dionysus at Athens) D.(oath)

θέοισα (dial.pres.ptcpl.): see θέω¹

θεοισεχθρίā ᾱς *f.* [ἐχθρός] activity hated by the gods, abominable behaviour Ar. D.

θεοκλυτέω *contr.vb.* [θεόκλυτος] call on the gods, **make invocations** A. Plu.; **invoke** —*a god* E. Plu.

θεοκλύτησις εως *f.* **invocation of the gods** Plb.

θεό-κλυτος ον *adj.* [κλυτός] (of prayers) **invoking the gods** A.

θεό-κραντος ον *adj.* [κραίνω] (of events) **ordained by a god** A.

Θεόκριτος ου *m.* **Theocritus** (of Syracuse, bucolic poet, 3rd C. BC) Call.*epigr.* Mosch.

θεό-κτιτος ον *adj.* [κτίζω] (of a homeland, ref. to Athens) **founded by the gods** Sol.

θεό-ληπτος ον *adj.* [ληπτός] possessed by a god, **divinely inspired** Arist.

θεολογέω *contr.vb.* [θεόλογος] **discuss the nature of the gods** Arist.

θεολογίā ᾱς *f.* **discussion about the gods** Pl.

θεολογικός ή όν *adj.* (of a branch of philosophy) relating to discussion about the gods, **theological** Arist.

θεό-λογος ου *m.* [λέγω] one who discourses about the gods, **theologer** (ref. to poets such as Hesiod, opp. physical scientists) Arist. Plu.

θεο-μανής ές *adj.* [μαίνομαι] **1** (of persons) **maddened by the gods** A. E.
2 (of a fate) **of god-sent madness** E.; (of madness) **god-sent** E.

θεό-μαντις εως *m.* [μάντις] **divinely inspired prophet** Pl.

θεομαχέω *contr.vb.* [θεομάχος] **fight against a god** or **the gods** E. Plu.; (ref. to planting crops unsuited to the soil type) X.

θεομαχίā ᾱς *f.* fighting between the gods, **theomachy** (ref. to an episode in the *Iliad*) Pl.

θεο-μάχος ον *adj.* [μάχομαι] **fighting against God** NT.

θεο-μήστωρ ορος *m.* one who counsels like the gods, **godlike counsellor** A.

θεο-μῑσής ές *adj.* [μῖσος] (of persons, their behaviour) **hated by the gods** Ar. Pl. Plu.

θεό-μορος ον *adj.* [μόρος] (of a king) with a fortune apportioned by the gods, **god-appointed** Pi.; (of songs, a marriage to a goddess) **god-given** Pi. | see also θευμόριος

θεο-μυσής ές *adj.* [μύσος] (of a person) being a source of pollution in the sight of the gods, **abominable** A.

θέον (ep.impf.): see θέω[1]

θεόομαι *pass.contr.vb.* (of Herakles) **be deified** Call.

θεό-πεμπτος ον *adj.* [πεμπτός] (of happiness, affliction) **god-sent** Arist.; (prep.phr.) ἐκ θεοπέμπτου *by divine agency* Plb.

θεο-ποίητος ον *adj.* [ποιητός] (of a mode of government) **divinely created** Isoc.

θεοπολέω *contr.vb.* [πέλω] **engage in religious observances** Pl.

θεό-πομπος ον *adj.* [πομπή] (of honours, good fortune) **god-sent** Pi. B.; (of snakes) Pi.*fr.*

θεο-πόνητος ον *adj.* [πονέω] (of a marriage) brought about by the gods, **god-created** E.

θεο-πρεπής ές *adj.* [πρέπω] (of a place) **fitting for a god** Pi.; (of a procession, spectacle, expenditure) Plu.

θεοπροπέω *contr.vb.* [θεοπρόπος] (of a seer) interpret the will of the gods, **prophesy** Hom. Pi. AR.

θεοπροπίā, dial. **θευπροπίā**, ᾱς, Ion. **θεοπροπίη** ης *f.*
1 prophecy or **oracle** Hom. AR.
2 prophetic skill B. AR.

θεοπρόπιον ου *n.* **prophecy** or **oracle** Il. Hdt.

θεο-πρόπος ου *m.* [πρέπω] **1** one who interprets omens or oracles, **seer, diviner** Hom. Call.; (appos.w. οἰωνιστής *augur*) Il.
2 one who inquires of an oracle (usu. for a city), **sacred envoy** A. Hdt. Plu.

—**θεοπρόπος** ον *adj.* (of speech) **prophetic** S. ‖ NEUT.PL.SB. oracles Call.

θεό-πτυστος ον *adj.* [πτύω] (of a people) spat out by the gods, **god-detested** A.

θεό-πυρος ον *adj.* [πῦρ] (of a flame) **of divine fire** (ref. to the sun) E.

θέ-ορτος ον *adj.* [ὄρνυμι] **1** (of prosperity) **god-sent** Pi.
2 (of a marriage) **to one of divine origin** A.

θεός οῦ, dial.contr. **θεύς** εῦ (Call.), Boeot. **θιός** ῶ, Lacon. **σιός** ῶ *m.f.* | ep.gen.dat.sg.pl. θεόφιν | voc. θεός, also θεέ (NT.) ‖ sts. scanned w. synizesis, esp. in Trag. |
1 divine being (male or female, conceived of as anthropomorphic, esp. opp. mortals, as specific or generic term); **deity, god** or **goddess** Hom. +; (w. the name of a deity) Od. +; (ref. to a specific one, esp. Zeus, who controls the weather) Hdt. Ar. X. Thphr. ‖ DU. τὼ θεώ the two goddesses (i.e. Demeter and Persephone, esp. invoked by women) And. Lys. Ar. X. +; the twin gods (i.e. Kastor and Polydeukes in the Peloponnese, Amphion and Zethos at Thebes) Ar. X.
2 entity regarded as divine (in conventional piety); **divinity, god** (ref. to the sun) Hdt. Trag.
3 circumstance, abstract idea or emotion regarded by humans as powerful or venerable; **god** (ref. to tyranny, prosperity, ambition, hope, caution, shame, sorrow, or sim.) A. E.
4 revered, blessed or exceptional human being; **goddess** (ref. to Niobe) S.; **god** (ref. to an ancestor) Pl. NT.; (ref. to a man of exceptional virtue) Arist.

—**θεώτερος** ᾱ (Ion. η) ον *compar.adj.* **1** (contrastv., of an entrance to a cave) of or belonging to the gods (opp. mortals), **divine** Od.
2 (compar., of a dance, a shrine) **more divine** (in form) Call.

θεόσδοτος *adj.*: see θεόδοτος

θεοσέβεια ᾱς *f.* [θεοσεβής] reverence for the gods, **piety** X.

θεο-σεβής ές *adj.* [σέβω] (of persons, cities) revering the gods, **devout, god-fearing** Hdt. S. E. Ar. Pl. +; (of a song) **pious, reverential** Ar.

—**θεοσεβῶς** *adv.* **devoutly** —*ref. to singing a paean* X.

θεό-σεπτος ον *adj.* [σεπτός] (of thunder) inspiring awe as if divine, **divinely awesome** Ar. [or perh. neut.sg.adv. awesomely]

θεο-σέπτωρ ορος *m.* [σέβω] **god-reverer** E.

θεόσσυτος *adj.*: see θεόσυτος

θεο-στυγής ές *adj.* [στυγέω] (of persons) hated by the gods, **god-detested** S.*satyr.fr.* E.

θεο-στύγητος ον *adj.* (of pollution incurred fr. a crime) **god-detested** A.

θεο-σύλης ου (Ion. εω), Aeol. **θεοσύλαις** ᾱ *masc.adj.* [συλάω] (of a person) despoiling gods, **sacrilegious** Alc. Iamb.adesp.

—**θεόσυλις** ιδος *fem.adj.* | acc. θεόσυλιν | (fig., of a nose) **sacrilegious** Hippon.

θεό-συτος, also **θεόσσυτος**, ον *adj.* [σεύω] (of a sound, smell, sickness, storm) **god-sent** A.

θεό-ταυρος ου *m.* [ταῦρος] **divine bull** (ref. to Zeus after metamorphosis) Mosch.

θεο-τερπής ές *adj.* [τέρπω] (of food) **such as would delight the gods** Philox.Leuc.

θεο-τίμητος, dial. **θεοτίμᾱτος**, ον *adj.* [τῑμητός] (of kings, a city) **honoured by the gods** Tyrt. A. B.

θεό-τῑμος ον *adj.* [τῑμή] (of a person, a city) **honoured by the gods** Pi. B.

θεό-τρεπτος ον *adj.* [τρέπω] (of circumstances) **reversed by the gods** A.

θεουδείη ης *Ion.f.* [θεουδής] fear of the gods, **reverence, piety** AR.

θεουδής ές *Ion.adj.* [δέος] (of persons, their minds) **god-fearing** Od. AR.

Θεο-φάνια ων *n.pl.* [φαίνω] **Theophania** (a springtime festival at Delphi) Hdt.

θεο-φιλής ές *adj.* [φιλέω] **1** (of cities) favoured by the gods, **blessed** Pi. B.; (of Attica, the Athenians) A. Isoc. Pl.; (of individuals) Plu.; (of a person's fortunes, a manner of death) A.*fr.* X.; (of an undertaking) Isoc.
2 (of persons, their actions, way of life) **dear to a god** or **the gods** (usu. because of their piety, virtue or intelligence) Hdt. Isoc. Pl. X. Arist. +; (of a god's festival, a statue) Ar. Plu.
3 (w. sexual connot., of a man) **loved by a goddess** Plu.
4 (of a kind of rivalry, a battle) **pleasing to a god** or **the gods** X. Plu.; (of salt) Pl.
5 (of the finishing touches to a building) **pleasing in an exceptional way, divine, heavenly** Plu.
—**θεοφιλῶς** *adv.* **1 with the gods' blessing** Isoc.
2 in a way pleasing to the gods, piously Isoc. Pl.

θεόφιν (ep.gen.dat.sg.pl.): see θεός

θεοφορέομαι *pass.contr.vb.* [θεόφορος] **be possessed by a god** Men.

θεο-φόρητος ον *adj.* [φορέω] (of a person) **possessed by a god, inspired** A. Plu.

θεό-φορος ον *adj.* [φέρω] (of pains experienced by a prophetess) **through possession by a god, god-inspired** A.

Θεόφραστος ου *m.* **Theophrastus** (philosopher, c.371–c.287 BC) Plu.

θεό-φρων ον, gen. ονος *adj.* [φρήν] (of a prophet) **with a mind inspired by a god** Pi.

θεράπαινα ης *f.* [θεράπων] **1 female attendant** (of a goddess) Sapph.(or Alc.) Plu.
2 female slave, maid (usu. of a woman) Hdt. Att.orats. X. Thphr. Men. Plu.

θεραπαινίς ίδος *f.* **female slave, maid** Pl. D. Plu.

—**θεραπαινίδιον** ου *n.* [dimin.] (sts. derog.) **slave-girl** Men. Plu.

θεραπείᾱ ᾱς, Ion. **θεραπηίη** ης *f.* [θεραπεύω] **1 service offered** (to deities), **worship** E. Isoc. Pl. X. +; **devotion** (to one's lover, as if to a god) Pl.; **respect** (for one's parents and ancestors) Pl. X.; (paid to royalty) Plu.
2 care (of oneself or others) Pl. D. +; **attention** (to the condition of one's soul) Pl.; **care, treatment** (sts. W.GEN. for the sick) Th. Pl. NT.; (specif.) **medical treatment** Antipho Pl. Arist. +
3 (concr.) **adornment** (of oneself, ref. to jewellery, perfume, or sim.) X. Plu.
4 care productive of growth or development; **nurture** (of children) Lys. Plb.; **training** (of animals) Pl.; **cultivation** (of plants, land) Pl. X. Plb.
5 maintenance (of one's home or property) Pl. X. Plb.
6 attention (paid to gain someone's favour); **ingratiating behaviour** Th. X. Aeschin.; means of wheedling or seducing, **flattery** Att.orats. +
7 group of attendants (esp. for an oriental noble, a king); **retinue, entourage** Hdt. Plb. Plu.; **group of household slaves** NT.; **bodyguard** Plb. Plu.; **escort** (consisting of cavalry) X.

θεράπευμα ατος *n.* (usu.pl.) act of caring, **care, attention** (paid to a child, a blind person) E.; (to a guest) Pl.; (to a dog) X.; (to one's body) Pl.; (specif.) **medical attention** Arist.

θεραπευτήρ ῆρος *m.* **personal attendant** X. Plu.

θεραπευτής οῦ *m.* **1** one who is attentive (to religious matters); **devoted performer** (W.GEN. of religious obligations) Pl.; **devoted worshipper** (W.GEN. of specific gods) Pl.
2 carer (W.GEN. for a person's body, its needs) Pl.; (for the sick, ref. to a doctor) Pl.
3 personal attendant X.

θεραπευτικός ή όν *adj.* **1** inclined to provide service or attention; (of soldiers) **attentive to orders, obedient** X. Plu.; (of a slave-girl) **attentive to needs** Men. ‖ NEUT.SB. attentiveness (W.GEN. towards friends) X.
2 (usu. pejor.) **intent on** or **skilled at courting favour** (sts. W.GEN. fr. people) Plu. ‖ NEUT.SB. deferential or ingratiating nature (W.GEN. of a person's conversation) Plu.
3 (of a political arrangement) **favourable** (W.GEN. to the common people) Plu.
4 (of an activity or skill) **relating to care** (of animals, clothing) Pl. ‖ FEM.SB. art of caring Pl.
5 (of a person's physical condition) **dependent on medical treatment** Arist.
—**θεραπευτικῶς** *adv.* **deferentially** or **ingratiatingly** Plu.

θεραπευτός ή όν *adj.* **1** (of virtue) **capable of being fostered** Pl.
2 to be cared for or **treated** Arist.

θεραπεύω *vb.* [θεράπων] | fut.mid. (usu. w.pass.sens.) θεραπεύσομαι | **1** (intr.) be an attendant (to a person); **serve** (under a military leader) Od.; **be a personal attendant** (of a king) Hdt.; (tr.) **attend at** —*a ruler's door* X.
2 serve (a god, in his temple) hHom.(mid.); (tr.) **serve, attend in** —*a temple* E.
3 (gener.) pay service (to the gods); **serve, minister to, honour** —*gods* Hes. Pi. Hdt. E. Lys. Isoc. +; (of a swan, as a singer) —*the Muses* E.
4 pay service (to persons); **serve, wait upon** —*a master* Ar. Pl. X.; (of subjects) **be deferential towards** —*a ruler* Hdt. ‖ NEUT.PTCPL.SB. deference Th. ‖ PASS. (of a ruler) be shown deference Hdt.
5 treat with respect or **favour, honour, favour** —*persons* E. Ar. Isoc. + —*the graves of great men* Pl. —*justice* Th. ‖ PASS. (of a person's fortunes) be honoured E.
6 observe, celebrate —*a day* (*as a festival*) Hdt. —*a rite* Lys. ‖ PASS. (of religious practices) be maintained Th.
7 (w.connot. of self-interest) cultivate, court the favour of —*a person, the populace, a people, or sim.* Th. Ar. Att.orats. +; **win the compliance of** —*someone* (W.DAT. *w. money*) Th.
8 care for, look after —*persons* (*esp. parents, the infirm*) E. Th. Ar. Isoc. Pl. + —*oneself, one's body, one's hair* Ar. Pl. Plu.; **cultivate** —*one's mind, body, soul* Pl.
9 (specif.) **care for the sick** or **give medical treatment** E. Th. Pl.; **care for** —*a sick person* Isoc.; **treat** —*an illness or sim.* Isoc. Pl. X. +; **heal** —*persons, their infirmities* NT.; (fig.) **nurse** —*one's sorrows* Pi.; **allay** —*suspicions* Plu. ‖ PASS. be treated Antipho Th. Pl. +; be healed NT.
10 restore, repair —*land* (*damaged by war*) Plb.
11 cultivate —*trees, land* Hdt. Lys. X.
12 rear —*herds* Pl.; **train** —*racehorses, lions* Isoc. Pl.
13 treat —*cloth, wool* (*before applying dye*) Pl.

14 look after, maintain —*one's navy* Th.; **cultivate** —*an alliance* Th.; (gener.) **attend to** —*the present need, what is expedient, an opportunity, one's pleasure, or sim.* S. Th. Pl. +
15 ensure, arrange for —*the opening of gates* Th.; **take care to ensure** —w. ὅπως + FUT. *that sthg. shd. happen* Th. —w. τὸ μή + INF. or w.ACC. + μή w.INF. *that sthg. does not happen* Th.

θεραπηίη *Ion.f.*: see θεραπείᾱ

θεραπίς ίδος *f.* [θέραψ] **handmaid** or **nurse** (W.GEN. of weak people, fig.ref. to the city of Athens) Pl.

θεράπνη ης, dial. **θεράπνᾱ** ᾱς *f.* [reltd. θεράπαινα, θεράπων] **1** female servant (of a god, a queen), **handmaid** hHom. AR.
2 place or building where one lives, **settlement** E.
3 (gener., sts.pl.) place where one was nurtured, **homeland** E.

—**Θεράπνη** ης, dial. **Θεράπνᾱ**, Lacon. **Σεράπνᾱ**, ᾱς *f.* **Therapne** (a city in Laconia) Alcm. Pi. Hdt.; (pl.) Isoc.

θεραποντίς ίδος *fem.adj.* (of a dowry) **consisting of servants** A.

θεράπων οντος *m.* **1** one who attends (on a nobleman or king), **member of an entourage, page** Hom. Call. AR.; (on the king of Persia, tyrants and commanders) Hdt. X. Plb. Plu.
2 one who assists (a warrior in battle), **companion-in-arms** (as Patroklos to Achilles) Il.; **groom** (responsible for a warrior's horses) Il.; **chariot-man** (ref. to a warrior's driver) Il.; **attendant** (ref. to a helot accompanying a Spartan hoplite) Th.
3 one who assists (a god or goddess), **attendant** Hom. Ar.; (to Aphrodite, ref. to Eros) Sapph. Pl.; (to Zeus, ref. to the eagle) Plu.
4 (fig.) **companion-in-arms** (W.GEN. of Ares, Enyalios, ref. to a warrior) Il. Hes.*fr.* Archil.; **servant** (W.GEN. of Zeus, ref. to a powerful prince) Od.
5 servant, devotee, worshipper (of a god) Alcm. Pi. Pl. Plu.; (W.GEN. of the Muses, a Muse, ref. to a poet) Hes. hHom. Thgn. B. Ar.; (ref. to the aulos) E.
6 one who serves in a household, **slave** Th. Ar. Att.orats. X. +
7 servant (to one's guests, fig.ref. to a noble family) Pi.

θέραψ απος *m.* **attendant** (to a man) Ion E.; (to a god, in a sanctuary) E.

θέρειος ᾱ (Ion. η) ον *adj.* [θέρος] **1** (of a drought) **in summer** Emp.
2 ‖ FEM.SB. **summer** Pi.(pl.) Hdt. Plb.

θερεύς (dial.gen.): see θέρος

θερέω (ep.aor.pass.subj.): see θέρομαι

θερίζω *vb.* [θέρος; cf. θρίζω] | Boeot.inf. θερίδδειν (Ar.) | aor. ἐθέρισα | **1** (intr.) do summertime work; **reap, harvest** Scol. Ar. Pl. X. NT.; (tr.) —*a crop* Hdt. Ar.(also mid.); (fig.) —*life (compared to a crop, i.e. envisaged as harvested by death)* E.*fr.*; (of Ares) **mow down** —*people (in war)* A. ‖ PASS. (of corn, a region) be harvested X. Plu.
2 (fig.) **reap** —*a harvest, what one has sown, or sim. (i.e. get a return for one's efforts, or what one deserves)* Pl. Arist.(quot.) NT.; (intr.) Ar. NT. ‖ MID. (of a Muse) **harvest** —*all things* Lyr.adesp.
3 cut off, sever —*the head and tongue (of an animal)* S. —*a helmet (fr. someone's head)* E. ‖ PASS. (of a horse) be shorn —W.ACC. *of its mane* S.*fr.*
4 spend the summer (in a place) X.

θερινός ή όν *adj.* **1** (of the fiery heat) **of summer** Pi.; (of the time, the season) X. Arist. Plb. ‖ NEUT.PL.SB. **summer season** Pl.
2 (of midday) **in summer** X.; (of the sun, solstice, position of sunrise and sunset) Hdt. Pl. Plb. Plu.
3 (quasi-advbl., of a person paying an annual visit) **in summer** Pl.
4 (of harbours) suitable for use in summer, **for summer** Plb.

—**θερινόν** *neut.adv.* **as in summer** —*ref. to a place echoing w. the sound of cicadas* Pl.

θερισμός οῦ *m.* [θερίζω] **1 reaping, harvesting** X.
2 harvest time Plb. NT.
3 crop to be harvested, **harvest** Call. NT.

θεριστής οῦ *m.* **reaper, harvester** (usu. ref. to a hired labourer) X. D. NT. Plu.

θερίστριον ου *n.* light summer garment, **summer outfit** Theoc.

θέρμα *f.*: see θέρμη

θερμαίνω *vb.* [θερμός] | aor. ἐθέρμηνα ‖ aor.pass. ἐθερμάνθην | **1** cause to be warm; (of persons or things) **warm, heat** —*water, the body, or sim.* Il. Hippon. Ar. Pl.; (of the sun) —*people, the earth, a frozen river* A. E. X.; (intr.) **create heat** Arist. ‖ MID. (of persons) feel warm (as one of the body's senses) Pl. Arist.; warm oneself (at a fire) NT. ‖ PASS. become or be made warm Od. Pl. X. Arist. Plu.
2 (of the flame of wine) **warm** —*a person* E.; (of a person) —*someone's guts* (W.DAT. *w. wine*) E.*Cyc.*; (fig.) —*one's guts* (*w. anger*) Ar.(mock-trag.)
3 (fig.) warm (w. feelings of pleasure or comfort); **warm, gladden** —*one's heart* (w. riches) A.; (of a newborn son) —*a father's mind* (W.DAT. *w. love*) Pi. ‖ PASS. be warmed —W.DAT. *by hope* S. —*by joy* (W.ACC.) *in one's heart*) E.

θέρμανσις εως *f.* **process of warming** Arist.

θερμαντικός ή όν *adj.* (of substances) **able to create heat** Pl. Arist.; (W.GEN. in sthg.) Pl. ‖ NEUT.SB. warmth (as a property) Arist. Plu.

θερμαντός ή όν *adj.* (of a substance) **able to be heated** Arist.

θερμασίᾱ ᾱς *f.* **warming** (of the body, by exercise or bathing) X. Arist.

θερμάστρη ης *Ion.f.* **furnace** Call.

θέρμη, also **θέρμα** (Pl. Men.), ης *f.* **1 heat** (of a fire) NT.
2 temperature (fr. a fever) Th. Pl. Men.; (fr. poisoning) Plu.
3 ‖ PL. **hot springs** (ref. to a specific location) X.

—**Θέρμη**, also **Θέρμα**, ης *f.* | acc. Θέρμαν (Aeschin.) | **Therme** or **Therma** (original name of Thessalonike) Hdt. Th. Aeschin.

θερμό-βουλος ον *adj.* [βουλή] hot-counselled, **rash, impulsive** Ar.(mock-trag.)

θερμό-νους ουν *adj.* [νόος] **with fevered mind** A.(dub.)

θερμόομαι *pass.contr.vb.* | only pf.inf. τεθερμῶσθαι | (of a situation, w. sexual connot.) **become heated** Ar.

Θερμοπύλαι ῶν *f.pl.* **Thermopylai** (strategic pass in N. Greece, site of a battle betw. Spartans and Persians in 480 BC) Simon. Hdt. Th. Att.orats. X. Plb. Plu.

θερμός ή (dial. ά) όν (also ός όν Hes. hHom.) *adj.* [θέρομαι] **1** naturally hot; (of the sun, its attributes) **hot** Emp. Hdt. S. E. Ar.; (of the stars) Parm.; (of fire) A. S.; (of fire as an exemplar of heat) Ar.; (of smoke, steam) Hes. hHom. AR.; (of water, esp. fr. springs) Pi. Hdt. S. X. +; (of winds) Hdt.; (of places or things, fr. exposure to the sun or other heat) Hdt. S. E. + ‖ NEUT.SB. heat Hdt. Pl. X. Plu. ‖ NEUT.PL.SB. hot regions Hdt.; hot springs (ref. to a specific location) X.
2 made hot; (of water) **warm, hot** Hom. hHom. A. Pi. Ar. Pl. +; (of food and drink) Simon. E.*Cyc.* Ar. +; (of things burnt or melted) Od. A. Hdt. E. + ‖ NEUT.SB. hot water Ar. X.
3 (of the body, its parts or organs) **warm, hot** A. Pi. S. X.; (of blood) Il. S. E. AR.; (of tears) Hom. Thgn. Pi. S.; (of sweat) Ar.; (of breath) B. E. AR.; (of a blush) AR.

θερμότης

4 made warm (by bodily contact); (of a bed recently occupied, a footprint recently imprinted) **warm** (W.ADV. still) Theoc.
5 (of persons, their bodies) **hot** (w. fever) Th. Plu.; (fr. fear) Pl.; (fr. exertion) Theoc. Plu.; (of sicknesses) marked by heat, **hot, feverish** Pi.
6 (of persons, their temperament and actions) **hot, hot-blooded, fired up** (fr. passionate eagerness or reckless impetuosity) A. S. Antipho Ar. +; **flushed** (w. ἀπό + GEN. fr. a victory) Plu. ‖ NEUT.SB. fire, ardour (in a person, quenched by old age) Plu.
7 (of passion) **burning** Theoc.; (fig., of Herakles' labours) **scorching, searing** S.
—**θερμῶς** adv. **in a heated manner** —ref. to speaking Pl.
θερμότης ητος f. **1 heat** (as a property) Pl. Arist. Plu.
2 **fervour** (assoc.w. anger) Arist.; (as a personality trait) Plu.
θερμουργός όν adj. [ἔργον] (of a person) acting in a rash or impulsive manner, **hot-headed** X.
θέρμω vb. | only pres. and impf. | ep.3sg.impf.mid. θέρμετο | **warm, heat** —water Od. Ar.(mock-ep.) ‖ IMPF.MID. (of water) become warm Hom.; (of a charioteer's back and shoulders, fr. the breath of horses behind him) Il.; (of the earth, a spring) Call. AR.
θέρομαι mid.vb. | fut.ptcpl. θερσόμενος | ep.aor.pass.subj. θερέω | **1** (of a person) **warm oneself** Od. Ar.; **become warm** Pl.
2 ‖ PASS. (of a person) be warmed —W.GEN. by a fire Od. —W.DAT. by the fire of love Call.epigr.
3 ‖ PASS. (of ships, a city) be burned —W.GEN. by fire Il.
—**θέρω** act.vb. | ep.impf. θέρον | (of the sun's rays) **burn** —a country AR.
θέρος εος (ους) n. | dial.gen. θέρευς (Theoc.) | ep.dat. θέρεϊ |
1 time of warmth, **summer** (sts. opp. only to winter, and so embracing spring and autumn) Hom. +
2 fruits of summer, **harvest, crop** Ar. D. Theoc. Plu.; (fig., ref. to the Sown Men) E.; (ref. to a shorn mane or beard) S.fr. Call.; (ref. to the consequences of a crime) A. Ar.
θέρσεισα (Aeol.fem.pres.ptcpl.): see θαρσέω
θέρσος Aeol.n.: see θάρσος
θές (athem.aor.imperatv.), **θέσαν** (ep.3pl.athem.aor.), **θέσθαι** (athem.aor.mid.inf.), **θέσθε, θέσθω** (2pl. and 3sg. athem.aor.mid.imperatv.): see τίθημι
θέσις εως f. [τίθημι] **1** (gener.) **setting** (of things) in place; **placing** (of recognition-tokens in a hiding-place, as etymology of the name Θησεύς) Plu.; (of cushions, on seats) Aeschin.; **laying** (of bricks and stones, by a builder) Pl.
2 (specif.) **casting** (of a vote) E.(cj.) | cf. τίθημι 3
3 **depositing** (of court dues) Ar.; (of a sum or item, as security) Lys. D. | cf. τίθημι 4
4 **payment** (of taxes) Pl. | cf. τίθημι 5
5 **laying down, grounding** (of arms) Pl. | cf. τίθημι 7
6 **laying down, making** (of laws) Isoc. Pl. X. D. Arist. Plu. | cf. τίθημι 11
7 **giving** (of a name, to persons or things) S.Ichn. Pl. D. | cf. τίθημι 12
8 **placing** (of counters in a board-game) Pl. | cf. τίθημι 14
9 **adoption** (of a child) Plb. | cf. τίθημι 16
10 **placing** (of things, in a certain order); **arrangement** (of lights, weapons) Plu.; (of words, in a song or speech) Pi. Pl.; **combination, sequence** (of letters, forming words) Pl.
11 **position, location** (for sthg. to occupy or be placed in) Pl. Arist. Plb. Plu.
12 geographical situation (esp. in relation to natural advantages); **position** (of a city, country, or sim.) Th. Plb. Plu.; **lie of the land** Arist.
13 **relative position** (of parts of the body to each other) Pl.; **orientation** (of a country, in relation to others) Plb. Plu.; **juxtaposition** (of pleasure and pain) Pl.
14 **position** (as a fundamental attribute of an entity) Arist.
15 position taken in a philosophical argument, **thesis, proposition** Pl. Arist.
θέσκελος ον adj. [reltd. θεός] (of deeds, objects) **wondrous, marvellous** Hom. Hes. AR.
—**θέσκελον** neut.adv. **wondrously** Il.
θέσμιος, dial. **τέθμιος**, ον (also ᾱ ον Call.) adj. [θεσμός]
1 established by religious custom; (of a festival) **sanctified by custom** Pi. Call.
2 ‖ NEUT.SB. (usu.pl.) established practice (in law and religion), custom, statute A. P. Hdt. E. Arist. Cal. AR.; rite (in the worship of a god) S. Call.
Θεσμοθετεῖον ου n. [Θεσμοθέτης] **Thesmotheteion** (building in which the Thesmothetai met) Arist.
Θεσμοθετέω contr.vb. **serve as a Thesmothetes** Att.orats.
Θεσμο-θέτης ου m. [θεσμός, τίθημι] **Thesmothetes** (one of six junior archons at Athens responsible for arranging and presiding over trials by jury) Ar. Att.orats. Arist. Plu.
θεσμοποιέω contr.vb. **make laws, legislate** E.
θεσμός, dial. **τεθμός** (Pi. Call.), οῦ m. [τίθημι] **1** perh., established location, **place** (W.GEN. of a bed) Od.
2 (freq.pl.) established law, **law, ordinance** Pi. Hdt. Ar. Plu.; (of the gods) A. Pi. S. Pl. X.; (of Drakon) And. Arist.; (of Solon) Sol. Arist. Plu.; (sg., ref. to a specific law) Lycurg.(law) D.(law)
3 **law, edict** (of a ruler or tyrant) S. Aeschin.(quot.epigr.) AR.
4 (gener.) **ordinance** (W.GEN. of a beacon-fire, i.e. the arrangements prescribed for its operation) A.; **ordained convention** (of composing a victory ode) Pi.; **rule** (governing its composition) Pi.
5 **established rite** or limit (W.GEN. of authority) S.; **right, privilege** (of a deity) Pi.fr.
6 **prescribed custom** or ritual E. Call. AR. Plu.
7 **foundation, institution** (of the Areopagus) A.; (of the Olympian and Isthmian games) Pi.
8 goods stored away, **treasure** Anacr.
Θεσμοφόρια ων n.pl. [Θεσμοφόρος] **Thesmophoria** (festival in honour of Demeter and Persephone, celebrated by women) Hdt. Ar. Att.orats. Men. Plu.
Θεσμοφοριάζω vb. **celebrate the Thesmophoria** X.
Θεσμοφόριον, also **Θεσμοφορεῖον**, ου n. sanctuary of Demeter Thesmophoros, **Thesmophorion** Ar. Plb.
Θεσμο-φόρος ον adj. [θεσμός, φέρω] **law-giving** (epith. of Demeter) Hdt. Call.; (of Persephone) Pi.fr. ‖ FEM.DU. or PL.SB. (ref. to Demeter and Persephone) **Lawgivers** Ar. Plu.
θεσμο-φύλαξ ακος m. **guardian of the laws** (a magistrate in Elis) Th.
θεσπέσιος ᾱ (Ion. η) ον (also ος ον E.) adj. [θεός, ἐνέπω]
1 associated with the speech of a god; (of oracles) **divinely uttered** Pi.fr.; (of the path of speech of a seer) **prophetic, oracular** A. E.; (of a tree, in a sanctuary of Apollo) E.
2 having the quality of divine speech; (of singers, speakers, songs, words) **divinely sounding, inspired** Hom. hHom. Lyr. Ar. Pl. Arist.
3 (of prayers) addressed to a god, **holy** Pi.
4 associated with gods; (of a threshold) **of the gods, sacred** Il.; (of a cave) Od.
5 (gener.) of a nature or quality associated with the gods; (of natural phenomena, personal attributes, objects, circumstances, or sim.) **miraculous, wondrous, awesome** Hom. Hes. Pi. B. Emp. Pl. +
6 (of Panic, the Graiai, Typhon's heads) **awesome** Il. Hes. Pi.

—**θεσπέσιον** neut.adv. miraculously AR.; **awesomely** AR. Theoc.; (phr.) θεσπέσιον ὡς or οἷον *to a miraculous degree* Hdt. Plu.
—**θεσπεσίη** adv. **by divine will** Il.
—**θεσπεσίηθεν** adv. **by divine agency** Emp.
—**θεσπεσίως** adv. **awesomely** Il.
θεσπι-δαής ές adj. [θέσπις, δαίω¹] (of fire) burning awesomely, **formidable, portentous** Hom.
θεσπιέπεια ᾱς fem.adj. [ἔπος] (of the Delphic rock) uttering oracles, **prophetic** S.
θεσπίζω vb. | fut.inf. θεσπιεῖν (Hdt.) | aor. ἐθέσπισα, dial.fem.ptcpl. θεσπίξᾱσα (Theoc.) | **1** (of an oracular god or priestess, a seer, or sim.) **prophesy** Hdt. S. E. —*sthg.* Hdt. Trag. AR. —W.ACC. + INF. *that sthg. will happen* A. E.; **make a prophecy** —W.INTERN.ACC. *of great folly* E.; **pronounce** —W.COGN.ACC. *a prophecy* Theoc. ‖ PASS. (of an outcome) be prophesied S.
2 declare in an oracle —W.ACC. + PTCPL. *that someone has been born* E.
3 command in an oracle —W.ACC. + INF. *that someone shd. do sthg.* E.
θέσπιος ον adj. **divinely inspired** Ar.
θέσπις ιος masc.fem.adj. [reltd. θεσπέσιος] **1** (of song, a singer, a voice) **divinely inspired, wondrous** Od. Hes. hHom. S.*Ichn.* E.
2 (of a storm) **god-sent, miraculous** hHom.
Θέσπις ιδος m. | acc. Θέσπιν | **Thespis** (late 6th C. BC, the traditional founder of tragedy) Ar. Plu.
θέσπισμα ατος n. [θεσπίζω] **divinely inspired message, prophecy** or **oracle** Hdt. S. E.
θεσπιῳδέω contr.vb. [θεσπιῳδός] **sing or chant in prophecy, prophesy** A. E. Ar.(mock-trag.)
θεσπι-ῳδός όν adj. [θέσπις, ἀοιδή] (of a priestess) **oracle-chanting, prophetic** E.; (of the navel of the earth, i.e. Delphi) E. ‖ MASC.FEM.SB. **chanter of oracles** A.
Θεσσαλοί, Att. **Θετταλοί**, ῶν m.pl. Thessalian men, **Thessalians** (as a population or military force) Lyr. A. Hdt. E. Th. +
—**Θεσσαλός**, Att. **Θετταλός**, ή (dial. ά) όν adj. **of or relating to Thessaly or the Thessalians**; (of persons) **Thessalian** Alcm. E. Pl. +; (of a witch) Ar.; (of the populace) E.; (of horses) S. Theoc.; (of a javelin, a feint in wrestling) E.; (of a cloak) B.
—**Θεσσαλίς**, Att. **Θετταλίς**, ίδος fem.adj. (of a woman) E.; (of nymphs) Call.; (of a sun-hat) S. ‖ PL.SB. **Thessalian women** (ref. to witches), **Thessalian** Pl.
—**Θεσσαλίᾱ**, Att. **Θετταλίᾱ**, ᾱς, Ion. **Θεσσαλίη** ης f. **land of the Thessalians, Thessaly** Pi. B. Hdt. E. Th. +
—**Θεσσαλιῶτις** ιδος f. | acc. Θεσσαλιῶτιν | **Thessaliotis** (a district of central and W. Thessaly) Hdt.
—**Θεσσαλικός**, Att. **Θετταλικός**, ή όν adj. **of or relating to Thessaly or the Thessalians**; (of cavalry) **Thessalian** Hdt. Plu.; (of a boy) Call.*epigr.*; (of mountains, plains, cities) Hdt. Pl. Plu.; (of a style of hospitality) X.; (of events, affairs) X. Call.; (of a kind of song) Theoc.
Θεσσαλονίκη, Att. **Θετταλονίκη**, ης f. **Thessalonike** (city in N. Greece, on the Thermaic gulf) Plb. NT. Plu.
—**Θεσσαλονῑκεύς** έως m. **man from Thessalonike, Thessalonikian** NT.
θέσσασθαι aor.mid.inf. | ep.3pl. θέσσαντο | **1 supplicate** —*a person* Hes.*fr.*
2 pray or **beg for** —*sthg.* Archil. AR. —*a land* (W.PREDIC.ADJ. *to be such and such*) Pi.
θεσφατη-λόγος ον adj. [θέσφατος, λέγω] **prophecy-telling** A.

θέσ-φατος ον adj. [θεός, φατός] **1 spoken by a god;** (of death) **foretold** A. S. ‖ NEUT.IMPERS. (w. ἐστί) **it is divinely decreed** or **foretold** Il. E.(dub.) —W.DAT. or ACC. + INF. *that someone shd. do sthg.* Od. hHom. Pi. E. Ar. AR. ‖ NEUT.SB. **divine decree** or **prophecy** Hom. Hes.*fr.* Pi. Trag. Ar. AR.
2 (gener., of a mist) **miraculous, wondrous** Od.
θετέος ᾱ ον vbl.adj. [τίθημι] (of a person) **to be placed** (in a class) Arist.; (of things) **to be reckoned** (as such and such) Arist.
θέτης ου m. **1 one who puts down security** (for a purchase); **mortgager** (W.GEN. of property) Is. | cf. τίθημι 4
2 giver (W.GEN. of a name) Pl. | cf. τίθημι 12
θετικός ή όν adj. (of laws) **relating to adoption** Arist. | cf. τίθημι 16
Θέτις ιδος (dial. ιος) f. | acc. Θέτιν | voc. Θέτι (also *metri grat.* Θέτῐ) | Ion.dat. Θέτῑ | **Thetis** (sea-nymph, daughter of Nereus, wife of Peleus and mother of Achilles) Hom. +
—**Θετίδειον** ου n. **sanctuary of Thetis, Thetideion** (in Thessaly) E. Plb. Plu.
θέτο (ep.3sg.athem.aor.mid.): see τίθημι
θετός ή όν (also ός όν E.) adj. [τίθημι] **1** (of persons) **adopted** Pi. Hdt. Pl. Plu.
2 (of a name) **added** (to an existing name) Plu.
3 (of an entity) having the attribute of position, **having a position** or **definable place** Arist.
4 (of Athena, as a ship's emblem) **made** or **mounted** E.(dub.)
Θεττ- (Att.): see Θεσσ-
Θεύγνις Ion.m.: see Θέογνις
θευμόριος η ον Ion.adj. [reltd. θεόμορος] **1** (of disease, ruin) **apportioned by the gods, god-sent** AR.
2 ‖ FEM.SB. app., **destiny** Call.*epigr.*
θευπροπίᾱ dial.f.: see θεοπροπίᾱ
θεύς dial.m.f.: see θεός
θεῶ (mid.imperatv.): see θεάομαι
θέω¹ contr.vb. —also **θείω** ep.vb. | dial.fem.ptcpl. θέοισα | ep.3sg.subj. θέῃσι | impf. ἔθεον, ep. θέον, 3sg. ἔθεε, ep. θέε, also contr. ἔθει | iteratv.impf. θέεσκον | fut. θεύσομαι | Only εε and εει contract in Att. |
1 (of persons or animals) **run** Hom. hHom. Hdt. E. Th. Ar. +
2 (specif., of athletes or persons envisaged as athletes) **run** (in a race) Il. +; (of a person being pursued) —W.PREP.PHR. *for one's life* Il.; (fig., of combatants) —W.PREP.PHR. *for oneselves, for all or nothing* (i.e. *fight for one's life*) Hdt.
3 (of a ship) **make speed** Hom. hHom. Call. AR.; (of sailors) Od. X. Men. AR.
4 (of objects) **move quickly**; (of a rolling stone) **run** Il.; (of a potter's wheel) **spin** Il.; (of a discus) **fly** Od.
5 (fig., of wickedness) **run** —W.ADVBL.PHR. *faster than death* Pl.; (of persons) —W.PREP.PHR. *close to death* Pl. —*into ruin, danger* AR. Plu. —*into sickness, injustice* Pl.
6 (of things not in motion) **extend**; (of a rim) **run** (around a shield) Il.; (of a vein) —W.PREP.PHR. *up the back* Il.; (of a pouch) —W. ἀμφί + ACC. *around the Gorgon's head* (so as to *contain it*) Hes.
θέω² (dial.athem.aor.subj.): see τίθημι
θεῴμην (mid.opt.): see θεάομαι
θεωρέω contr.vb. [θεωρός] **1 be a sightseer;** (of a traveller) **view, see, visit** —*much of the world* Hdt.
2 go as a spectator —W.PREP.PHR. *to a festival* Th. Ar.; (tr.) **attend** —*a festival, games* Hdt. Isoc.; (intr.) Th. Pl. Is.
3 be a spectator (in a theatre or at a show) And. D. Thphr.; (tr.) **watch** —*events in a play, the actors* And. Thphr.

θεώρημα   684

4 (in less formal ctxts.) **watch** —*a contest, contestants, performers, or sim.* Isoc. Pl. X.; (intr.) Hdt. Pl.
5 (gener.) **look at, view, observe** —*someone or sthg.* A. Th. Att.orats. Pl. + ‖ PASS. (of persons or things) be viewed Pl. X. +
6 (specif.) **go as an official delegate** (to a festival, shrine or oracle) Th.(treaty) Ar. X. —w. εἰς + ACC. *to a place, a festival* Th. Lys. Ar.; (of a person sent to observe the practices of another country) Pl.
7 **look at mentally, consider, contemplate** Pl. D. —*persons, their behaviour, circumstances, or sim.* Democr. Att.orats. Pl. + —w.INDIR.Q. *what (whether sthg., or sim.) is the case* Att.orats. Arist. ‖ PASS. (of things) be contemplated Pl.
8 (wkr.sens.) **see, notice, realise** —w.COMPL.CL. *that sthg. is the case* Plb. NT. —w.ACC.PTCPL. Arist.
9 **consider, view** —*someone or sthg.* (w. πρός + ACC. or ἐκ + GEN. *in relation to or in the light of sthg.*) Att.orats. —*sthg.* (w. παρά + ACC. *alongside sthg., for purpose of comparison*) Isoc. ‖ PASS. (of a person) be viewed —w. πρός + ACC. *in comparison w. someone* D.
10 (intr.) **speculate, theorise** Arist. —w. περί + GEN. *about sthg.* Arist. —w. ἐκ + GEN. *on the basis of sthg.* Pl. Arist.
11 (gener.) **experience** —*death* NT.; **spiritually perceive** —*Jesus or the Holy Spirit* NT.

θεώρημα ατος *n.* 1 that which is viewed, **spectacle, sight** (ref. to a public performance, monument, or sim.) D.
2 **spectacle, show** (ref. to a musical performance) Pl.
3 (philos.) that which entails (or is the product of) mental contemplation; **speculation, theory** Arist.; (math.) **theorem** Arist.
4 subject for investigation, **subject, topic** Arist. Plb.
5 **scheme, plan, principle** Plb.
6 ‖ PL. (collectv.) theoretical knowledge, scientific theory Plb. Plu.

θεώρησις εως *f.* **viewing** (of a tragic drama) Pl.

θεωρητήρια ων *n.pl.* places for spectators, **seating** Plu.

θεωρητικός ή όν *adj.* 1 (of a person) able or inclined to be a viewer, observant (w.GEN. of sthg.) Arist.
2 (of a person, life, branch of knowledge, thinking, or sim.) devoted to or entailing contemplation, **contemplative, speculative** Arist. Plu. ‖ NEUT.SB. faculty of contemplation or speculation Arist. Plu.

θεωρίᾱ ᾱς, Ion. **θεωρίη** ης, dial. **θεᾱρίᾱ** ᾱς (Pi.) *f.*
1 **sightseeing** (by a traveller or visitor to a place) Hdt. E. Th. Isoc. Arist.
2 **viewing** (of athletes, by spectators) Isoc.
3 capacity to view, **view, sight** (of sthg.) D. Arist.
4 **attendance** (at a festival) S. Th. Isoc. Pl. X. D. Arist.
5 (specif.) **official delegation, mission** (to a festival, shrine or oracle; sts. collectv.ref. to its members) Att.orats. Pl. X. Arist. Plb. Plu.
6 that which is viewed, **spectacle, sight** A. NT.
7 (specif.) public spectacle (at the theatre, games, or sim.), **spectacle, show** Pi.*fr.* Ar. Isoc. Pl. D. Arist. Plu.; (personif., as a goddess) **Showtime** Ar.
8 viewing with the mind, **consideration, contemplation, study** (sts. w.GEN. of sthg.) S.*satyr.fr.* Pl. Arist. Plb. Plu.
9 subject for consideration, **subject, topic** Arist.
10 theoretical investigation, **theorising, theory** Plb. Plu.

θεωρικός ή όν *adj.* (of shorn hair and robes, in neg.phr.) suited to one attending a festival, **festive** E. ‖ NEUT.SB. theoric fund (for subsidising attendance at Athenian theatrical festivals, prob. introduced in the mid-4th C. BC) Att.orats. Arist.; (pl.) payments from the theoric fund D. Plu.

θεωρίς ίδος *fem.adj.* 1 (of a ship) carrying an official delegation (to a festival), **of the delegates** Hct. Call. Plu.
2 ‖ SB. (w. ὁδός understd.) sacred journey (across the R. Acheron) A.(dub.)

θεωρός, dial. **θεᾱρός** (X.), οῦ *m.* [θέᾱ, ὁράω] 1 one who views a sight; **viewer, observer, spectator** (freq. w.GEN. of sthg.) A. E. Pl. Hyp. Arist. Plb.
2 **spectator** (w.GEN. at a festival) E.; (at games) Plu.
3 ‖ PL. (specif.) members of a delegation (sent by a state to represent it at a festival, to present offerings at a shrine, or to consult an oracle), official delegates Th. Lys. Pl. D. Plu.; (appos.w. ἄνδρες) S.; (sent to invite participation in a festival) Plb. | see also Ἰσθμιασταί
4 (sg., w. less formal connot.) **visitor to an oracle** S. E.; (appos.w. ἀνήρ) Thgn.
5 (w. semi-official connot., ref. to a visitor to another country) **observer** (of foreign practices) Pl.
6 ‖ PL. theoroi (body of magistrates at Mantinea and Tegea) Th. X.

θεώτερος *compar.adj.*: see under θεός

θῆαι (ep.2sg.athem.aor.mid.subj.): see τίθημι

Θηβᾱγενής, also **Θηβαιγενής** (E.), ές *adj.* [Θῆβαι; γένος, γίγνομαι] (of Herakles, Polyneikes) **born at Thebes** Hes. E.

Θῆβαι[1] ῶν (Ion. έων, dial. ᾶν) *f.pl.* Thebes (capital city of Boeotia, founded by Kadmos and famous for its seven gates) Hom. +

—**Θήβᾱζε**, ep. **Θήβᾱσδε** *adv.* **to Thebes** Il. Pl.
—**Θήβηθεν**, Boeot. **Θείβᾱθε(ν)** *adv.* **from Thebes** Ar. X.
—**Θήβησι(ν)** *adv.* **at Thebes** Lys. Isoc. Arist.
—**Θηβαῖος**[1] (also **Θηβάϊος** S., **Θηβᾶϊος** E.) ᾱ (Ion. η) ον *adj.* (of persons, the populace, city, land, chariots, or sim.) of or relating to Thebes, **Theban** Hom. Pi. Hdt. S. E. Th. + ‖ MASC.PL.SB. men of Thebes, Thebans (as a population or military force) Hdt. E. Th. Ar. +
—**Θηβαϊκός**[1] ή όν *adj.* (of Harmonia, wife of Kadmos) **Theban** Pl.; (of a war, 378–371 BC) Is.
—**Θηβαΐς**[1] ίδος *fem.adj.* (of territory) **Theban** Th.
Θῆβαι[2] ῶν (Ion. έων) *f.pl.* Thebes (capital city of Upper Egypt, mod. Luxor, famous for its hundred gates) Hom. A. Hdt. Pl.
—**Θηβαιεύς** έος Ion.*masc.adj.* (epith. of Zeus) of Thebes, **Theban** Hdt.
—**Θηβαῖος**[2] η ον Ion.*adj.* (of the province) **of Thebes** Hdt. ‖ MASC.PL.SB. men of Thebes, Thebans Hdt.
—**Θηβαϊκός**[2] ή όν *adj.* (of the province) **of Thebes** Hdt.
—**Θηβαΐς**[2] ίδος *f.* territory around Thebes, **Thebaid** Hdt.
Θήβη[1] ης, dial. **Θήβᾱ** ᾱς *f.* 1 Thebes (capital city of Boeotia) Hom. Hes. Thgn. Pi. S. E. + | see Θῆβαι[1]
2 **Thebe** (nymph assoc.w. Boeotian Thebes) Pi. B. Hdt. Call.
Θήβη[2] ης, Aeol. **Θήβᾱ**[2] ᾱς *f.* **Thebe** (city in the Troad) Il. Sapph. Hdt.

θηγάνη ης *f.* [θήγω] **whetstone** (for sharpening a blade or point) A. S.; (fig., ref. to an incentive to bloodshed) A.

θηγάνω *vb.* (fig., of Fate) **sharpen** —*Justice* A.(cj.)

θήγω, Lacon. **σάγω** *vb.* | fut. θήξω | aor. ἔθηξα, dial.ptcpl. θάξαις ‖ MID.: 3sg.aor.imperatv. θηξάσθω ‖ PASS.: pf.ptcpl. τεθηγμένος | 1 **sharpen, whet** —*a sword, knife* A. E.; (mid.) —*a spear* A. —*an axe* Call. ‖ PASS. (of a knife) be sharpened E.; (fig., of Justice) A.(dub.)
2 (of a wild boar) **whet** —*its tusks* Il. Hes. E. Ar. AR.; (of a poet, envisaged as a boar) —*his teeth* Ar.(mock-ep.)
3 (fig.) **whet, hone** —*men, their spirits* Pi. X.; (mid.) —*one's spirits* X. ‖ PASS. (of persons) be whetted Plu.
‖ PF.PASS.PTCPL.ADJ. (fig., of a person) whetted A. —(W.DAT.

or PREP.PHR. *w. anger*) A. Arist.(quot.); (of a tongue, temper, spirits, words) Trag. X.

θηέομαι *Ion.mid.contr.vb.*, **θηέσκετο** (3sg.iteratv.impf. mid.): see θεάομαι

θήῃς, θήῃ (ep.2sg. and 3sg.athem.aor.subj.): see τίθημι

θηήσαο, θηήσατο, θηήσαντο (ep.2sg., 3sg., 3pl.aor.mid.), **θηήσαιο, θηήσαιτο, θηήσαιντο** (ep.2sg., 3sg., 3pl.aor. mid.opt.), **θηήσομαι** (ep.fut.mid.): see θεάομαι

θηητήρ *ep.m.*, **θηητός** *ep.adj.*: see θεατής, θεατός

θήϊον *Aeol.n.*, **θήϊος** *Aeol.adj.*: see θεῖον, θεῖος¹

θηκαῖος η ον *Ion.adj.* (of a chamber) acting as a tomb, **for burial** Hdt.

θηκάμενος (aor.1 mid.ptcpl.), **θῆκαν** (ep.3pl.aor.1), **θήκατο** (ep.3sg.aor.1 mid.): see τίθημι

θήκη ης, *dial.* **θήκᾱ** ᾱς *f.* [τίθημι] **1** storage-container, **chest** (for household goods) X.; (W.GEN. of gold, treasure, or sim.) Hdt. E. Plu. | see also διαθήκη 3
2 tomb, grave A. Pi.*fr.* Hdt. S. Th. Pl. +; **coffin** Hdt. ‖ PL. arrangements for burial Pl.; modes of disposal (of corpses, incl. cremation) Th.
3 scabbard (for a sword) NT.

θηκτός ή όν *adj.* [θήγω] (of steel, swords) **sharpened** A. E.

θηλᾱ́ *dial.f.*: see θηλή

θηλάζω *vb.* [θηλή] **1** (of a mother) **breast-feed** —*a baby* Lys.; (intr.) NT. ‖ MID. (of a mother) **breast-feed** Pl.; (of a she-wolf) **give suck** Plu.
2 (of a baby) **suck** —*the breast* Theoc. NT. —*a she-wolf* Plu. ‖ PTCPL.ADJ. (of a piglet served as food) sucking Theoc. ‖ MASC.PL.PTCPL.SB. babies at the breast, sucklings NT.

θηλασμός οῦ *m.* breast-feeding Plu.

θήλεα (Ion.fem.adj.): see θῆλυς

θηλέω, *dial.* **θᾱλέω** *contr.vb.* [reltd. θάλλω] | ep.3pl.impf. θήλεον | dial.aor. θάλησα | **1** (of meadows) **bloom, be in full flower** Od.; (of vines) **flourish, grow luxuriantly** AR.
2 (fig., of a city) **blossom** —W.DAT. *w. athletic victories* Pi.; (of a victorious athlete) —*w. garlands of parsley* Pi.
3 (of milk) **be plentiful** Lyr.adesp.

θηλή ῆς, *dial.* **θηλᾱ́** ᾱς *f.* [reltd. θῆμαι] **1** teat (of an animal) Pi.*fr.* E.*Cyc.* Pl. Plu.
2 nipple (of a woman) E.*fr.*

θηλυ-γενής ές *adj.* [θῆλυς; γένος, γίγνομαι] **1** (of a group) consisting of women, **female** A. E.
2 (of dress) of the kind worn by women, **female** E.
3 (of a type of music) having the characteristics of women, **feminine** Pl.

θηλυδρίης εω *Ion.masc.adj.* (of a man) **womanish, effeminate** Hdt.

θηλυδρι-ώδης ες *adj.* [ὄζω] (of a song) redolent of femininity, **effeminate** Ar.

θηλυ-κρατής ές *adj.* [κράτος] (of passion) **overpowering a woman** A. [or perh. *giving power to a woman (over a man)*]

θηλύ-κτονος ον *adj.* [κτείνω] (of a war) with killing by women, **waged by murderous women** A.

θηλύ-μορφος ον *adj.* [μορφή] (of Dionysus) **of womanish appearance** E.

θηλύ-νους ουν *adj.* [νόος] (of a man) **of womanish mind** A.

θηλύνω *vb.* | aor. ἐθήλῡνα ‖ aor.pass. ἐθηλύνθην | **1** (of the tears of mothers, pines) feminise, **weaken, soften** —*sons going into battle* E.*fr.* ‖ PASS. (of a man) be softened —W.PREP.PHR. *by a woman* (W.ACC. *in speech*) S.; (of men's bodies, by sedentary occupations) X.
2 ‖ MID. (of a man) **behave in a womanly manner** Bion; (of a woman) **adopt a ladylike air** (of disdain) Theoc.

θηλύ-πους πουν, gen. ποδος *fem.adj.* [πούς] (of the feet of women and mares) **female** E.(dub.)

θῆλυς εια (Ion. εα) υ (also υς υ), gen. εος *adj.* [reltd. θηλή] **1** (of the sex) **female** Hdt. E. Pl. +
2 (of deities, humans, animals, birds, their offspring, or sim.) of the female sex, **female** Hom. + ‖ FEM.SB. (freq.pl.) female, woman A. Hdt. E. Ar. Pl. + ‖ NEUT.SB. femininity Pl. Arist. ‖ NEUT.PL.SB. females, women E.*Cyc.*
3 consisting of women; (of a crowd or group) **female, of women** E. Theoc.
4 characteristic of or appropriate to women (opp. men); (of the mind, strength, nature, a virtue) **female, of women** A. E. Pl. X.; (of sexual activity) Ar.; (of clothing) E.; (of rights) E.*fr.*; (of Kypris as a euphem.ref. to sex) **for women** Ar.
5 relating to specific women; (of shouting, lamentation, bloodshed) **female, of women** Od. A. E.
6 (pejor.) having qualities or characteristics seen as typically female; (of women or men, their mind or character) **womanish, weak** Trag. Ar.; (of a woman's hair) **soft** (W.DAT. through regular combing) E.; (of a young god's cheeks) **delicate** Call.; (of a young man, W.PREP.PHR. in complexion) Theoc.; (of quarters, in a house) **suited to female tastes** Plu. ‖ NEUT.SB. effeminacy, weakness (in men) E.(dub.) Plu.
7 (of a hereditary sickness) **emasculating** Hdt.
8 (w. positive connot., of dew, a breeze) **soft, gentle** Od. Hes. Call.; (of the water of the Nile) **nourishing** Call.
9 (gramm., of a word) of feminine gender, **feminine** Ar. Arist.

—**θηλύτερος** ᾱ (Ion. η) ον *adj.* (contrastv., of women, goddesses, animals) belonging to the female sex (opp. male), **female** Hom. Hes. hHom.; (of a hand) Call.
‖ FEM.PL.SB. women, womenfolk Hellenist.poet. ‖ NEUT.SB. female sex Parm.

θηλύ-σπορος ον *adj.* [σπορᾱ́] (of a family) **of female offspring** A.

θηλύτης ητος *f.* femininity (of girls) Plu.; effeminacy (of men) Plu. ‖ PL. displays of effeminacy Plu.

θηλυ-τόκος ον *adj.* (of animals) **giving birth to female offspring** Arist. Theoc.

θηλυ-φανής ές *adj.* [φαίνομαι] (of young men) **resembling girls** (in physical appearance) Plu.

θηλύ-φρων ον, gen. ονος *adj.* [φρήν] (of an assembly of women) **feminine-minded** Ar.

θῆμαι *ep.mid.vb.* | inf. θῆσθαι | aor.: 2sg. ἐθήσαο, 3sg. θήσατο, ptcpl. θησάμενος | **1** (of a baby) **suck** —*the breast* Il. Call. —(perh.) **milk** hHom.; (of shepherds, or perh. lambs) **draw** —*milk (fr. sheep)* Od.
2 (of a mother) **suckle** —*a baby* hHom.

θημών ῶνος *m.* [τίθημι] **heap** (W.GEN. of straw) Od.

θην *enclit.pcl.* (emphat., freq. iron.) **in fact, indeed, for sure** Hom. Archil.(cj.) A. Pi.*fr.* Hellenist.poet.

θηξάσθω (3sg.aor.mid.imperatv.), **θήξω** (fut.): see θήγω

θηοῖο (ep.2sg.mid.opt.): see θεάομαι

θηπέω *contr.vb.* [app.reltd. τέθηπα, see ταφεῖν] app. **deceive, fool** —*someone* Hippon.

θήρ, Aeol. **φήρ** (Il. Lyr.), ηρός *m.* | du. θῆρε ep.dat.pl. θήρεσσι | **1** wild (opp. domestic) animal, **beast** Hom. Hes. Lyr. Trag. Ar. X. +; (opp. sea-creatures, birds, dogs) Od. Hes. Alcm. Archil. Emp. S.; (specif., ref. to a lion, sts. appos.w. λέων or λέαινα) Il. Pi. E. Call.; (ref. to the Nemean lion) Pi. E. Call. Theoc.; (ref. to a bull) E.; (ref. to a boar or bull) S. Call.; (ref. to a hind) S.; (ref. to a bear) E.; (ref. to a sea-creature) Pi.

Θήρᾱ

Lyr.adesp. E.*fr.*(dub.) AR.; (ref. to a snake) Theoc.; (pl., ref. to vermin or rodents, killed by birds) Ar.
2 domestic (opp. wild) animal; **beast** (W.ADJ. *long-eared,* ref. to a donkey) Call.; (pl., W.ADJ. *not to be feared,* ref. to cattle) S.
3 (mythol.) **beast, creature** (ref. to a centaur) Il. Pi. S.; (ref. to a satyr) S.*Ichn.* E.*Cyc.* Telest.; (ref. to the Sphinx) A.; (ref. to Cerberus) S. E.; (ref. to a dragon) Call. AR.; (ref. to hybrid creations of Circe) AR.
4 (fig., ref. to dangerous persons) **brute, monster** E. Pl.
5 (fig., ref. to a person envisaged as a hunted animal) **beast, prey** A. E. Pl.

Θήρᾱ ᾱς, Ion. **Θήρη** ης *f.* Thera (southernmost island of the Cyclades, mod. Santorini) Pi. Hdt. Th. Arist. Call. AR.
—**Θήρᾱνδε** *adv.* **to Thera** Pi.
—**Θηραῖος** (also **Θήραιος** Pi.) ᾱ (Ion. η) ον *adj.* of or relating to Thera; (of a man) from Thera, **Theran** Hdt.; (of a colony) **at Thera** Call.; (of a prophecy) **uttered on Thera** Pi. ‖ MASC.PL.SB. men of Thera, Therans Hdt.

θήρᾱ ᾱς, Ion. **θήρη** ης *f.* [θηράω] **1** activity or instance of hunting; **hunting, hunt** (for animals, birds or fish) Hom. Hdt. E. Melanipp. Isoc. Pl. +
2 (fig.) **hunt, search** (W.GEN. for persons) S. Pl. X. Plu.; (for a bow) S.; (for truth, knowledge, or sim.) Pl.
3 object of hunting, **game, quarry, prey** Od. Trag. X. Plu.; (fig., ref. to a captured person) S.; (ref. to places to be captured) Plu.

θήρᾱμα ατος *n.* **1 hunt** (pictured on a tapestry) E.; (fig., W.GEN. for a person) E.(dub.)
2 (fig.) **prey, quarry** (ref. to a person) E. Plu.; (ref. to virtue) Arist.*lyr.*

θηράσιμος η ον *adj.* (fig., of a marriage, in neg.phr.) **for hunting down** (i.e. seeking after) A.

θηρᾱτέος ᾱ ον *vbl.adj.* (fig., of persons or things) **to be hunted down** (i.e. sought after) S. X.

θηρᾱτής οῦ *m.* | voc. θηρᾱτά | (ref. to Socrates) **hunter** (W.GEN. of sophisticated arguments) Ar.

θηρᾱτικός ή όν *adj.* **1** (of dogs, nets) suited to hunting, **hunting** Plu.
2 (of a procedure) **characteristic of good hunting** X.
3 ‖ NEUT.PL.SB. (fig.) techniques for the catching (W.GEN. of friends) X.

θηρᾱτός ή όν *adj.* (of things) **attainable** Plb.

θήρᾱτρον ου *n.* hunting-device, **net** or **snare** X.

θηράω *contr.vb.* [θήρ] | fut. θηράσω | aor. ἐθήρᾱσα | pf. τεθήρᾱκα ‖ PASS.: aor. ἐθηράθην | neut.impers.vbl.adj. θηρᾱτέον | **1** (act. and mid., of persons, sts. of animals) **hunt** —*animals* Carm.Pop. S. X. Men. —*sea-creatures* Ar.; (of animals) —*a person* S.; (intr.) E. X.
2 (aor.) capture by hunting, **catch** —*an animal* E. X.
3 (act. and mid.) **hunt down** —*fugitives, enemies* E. X. —*sacrificial offerings* (ref. to persons for sacrifice) S. —*an abduction* (meton. for an abducted person) E.; (of gods) —*an impious person* E.; (intr.) S. ‖ PASS. (of a person) be hunted E.
4 (aor., fig.) **capture** —*a city* A. ‖ MID. **catch** —*a person* S. E. ‖ PASS. (of persons) be caught —W.PREP.PHR. *by ruin* A.
5 ‖ MID. (fig.) **hunt for** —*the source of fire* A.; (wkr.sens.) **look for** —*one's spear* E.
6 (fig., act. and mid.) **hunt after** —*friends* X.; (of sophists) —*rich young men* X.; (w. sexual connot., of men or women) —*men, women* X. —*Aphrodite* (meton. for sex) E. ‖ PASS. (of a man) be hunted after —W.PREP.PHR. *by women* X.
7 (fig., act. and mid.) **hunt after, pursue, seek** —*a marriage* E. —*health, power, reputation, profit, safety, pity, or sim.* Hdt. S. E. Isoc. Plu.
8 (aor.mid., fig.) **hunt down, catch, acquire** —*the capacity to do sthg.* E.
9 (fig., act. and mid.) **be eager, endeavour** —W.INF. *to do sthg.* S. E.

θήρειος ον (also Ion. η ον AR.) *adj.* **1** of or relating to wild animals; (of an animal) **wild** E.*Cyc.*; (of the strength, meat, scent) **of wild animals** S. X. AR.; (of a physical form) **beast-like, bestial** Pl.
2 (of a design on a garment) depicting a beast (or beasts), **animal** A.

θήρευμα ατος *n.* [θηρεύω] **1** that which is caught by hunting; (fig., ref. to a good wife) **catch** E.
2 ‖ PL. hunting Pl.

θήρευσις εως *f.* **1 hunting** (of animals) Pl.
2 (fig.) **setting of traps** (W.GEN. for words, i.e. catching out verbal faults) Pl.

θηρευτής οῦ *m.* **1 hunter** Hdt Pl.; (appos.w. ἀνήρ) Il. Hes. AR.; (appos.w. κύων *hound*) Il. Thg. X.
2 (fig.) **hunter** (ref. to Eros, a robber) Pl.; (W.GEN. of boys) Aeschin.; (of wealthy youths, ref. to a sophist) Pl.

θηρευτικός ή όν *adj.* **1** (of persons, a life) **of the hunting kind** Pl. Arist.; (of hounds) Ar. Pl. X.
2 (of a class of activities) **related to hunting** Pl.; (of an art) **concerned with hunting** (W.GEN. of men) Pl. ‖ FEM.SB. art of hunting Pl. Arist.
3 (of talk) **about hunting** X.

θηρευτός ή όν *adj.* (of animals) **suitable for being hunted** Arist.

θηρεύω *vb.* [θήρ] | neut.impers.vbl.adj. θηρευτέον | **1 hunt** —*animals, birds* Pl.(mid.) X. Bion Plu. —*persons* (envisaged as *animals*) Hdt. Arist.; (intr.) Od. Hdt. Pl. ‖ PASS. (of animals) be hunted Hdt. Pl.
2 (aor.) capture by hunting, **catch** —*birds, fish, insects* Hdt. Pl.(also mid.); (intr.) **make a catch** Pl. Plu. ‖ PASS. (of animals, fish) be caught Hdt. Pl.
3 (aor.) **catch** —*a person* X.; (fig., of an arrow) Pi. ‖ MID. (fig., of a commander, envisaged as a hunter) **capture** —*a city or camp* Pl. ‖ PASS. be caught or trapped —W.DAT. *in fetters* A.
4 (fig., of a horse) **try to catch hold of** —*an elusive part of the bit* X. ‖ MID. (of the art of flattery) **try to catch** —*a person's folly* Pl.; (of a person) —*someone's voice* (*i.e. hear it*) Pl.
5 (fig.) **try to catch out** —*words or statements* (*i.e. the one speaking them*) Antipho And. Pl
6 (aor.) **catch, entrap** —*someone* (by verbal snares) Pl. NT.
7 (fig.) **hunt after** —*rich young men* (to exploit them) Aeschin.; (w. sexual connot.) —*a woman* E.*fr.*(mid.) —*Aphrodite* (meton. for sex) E.*Cyc.* —*desires* Ariphron; (intr., w. sexual connot.) **hunt one's prey** E.
8 (fig., fut.) **catch** —*someone* (W.DAT. by promises) Plb. ‖ AOR.PASS. (w. sexual connot., of men) be caught (by admirers) E.
9 (fig.) **hunt after, pursue, seek** —*gentle breezes* X. —*a marriage* A. E. —*friendship, goodwill, virtue, knowledge, the unattainable, or sim.* Pi. E.(also mid.) Isoc. Pl.(also mid.) X. Arist. +
10 (aor.) **catch, apprehend** —*a concept* Pl.; **track down** —*a person's date of birth* Plu. ‖ PF. have caught —*knowledge, beliefs* (opp. truth) Pl.

θηρητήρ ῆρος *Ion.m.* [θηράω] **hunter** (ref. to a person, bird of prey, dog, sts. appos.w. ἀνήρ *man*, αἰετός *eagle*, κύων *hound*, or κόρος *boy*) Il. Call.

—**θηρήτειρα** ης *Ion.f.* **huntress** (appos.w. κύων) Call.

θηρήτωρ ορος *Ion.m.* **hunter** (appos.w. ἀνήρ) Il.

Θηρίκλειος ον *adj.* [Θηρικλῆς *Therikles*] Theriklean (i.e. made by or assoc.w. Therikles, a Corinthian potter, 5th–4th C. BC) ‖ FEM.SB. Theriklean cup Men. Plu.

θηρίον ου *n.* [dimin. θήρ] **1** animal (usu. wild opp. domestic, incl. birds, fish, reptiles, insects); **animal, beast, creature** Od. Archil. Hdt. Ar. Att.orats. Pl. +; (opp. birds) hHom. Hdt.; (ref. to a satyr) S.*Ichn.*; (ref. to an elephant, used in battle) Plb. Plu.; (ref. to fire, in Egyptian belief) Hdt.
2 domestic animal (opp. wild beast); **animal** (ref. to a cat) Hdt.; (ref. to a dog) Theoc.; (ref. to a pig) Pl.
3 beast, creature (ref. to a supernatural, strange or imaginary being; or fig.ref. to a person, envisaged as having the attributes of a non-human being) Ar. Pl. X. Call. Plu.
4 (derog., ref. to a person, freq. in voc. address) **beast, brute, monster** Ar. Att.orats. Pl. Men. +; (fig.ref. to poverty) Men.

θηριόομαι *pass.contr.vb.* **1** (fig., of a person) **become beast-like** or **brutish** Pl.
2 (of sores) **become malignant, fester** Thphr.

θηριότης ητος *f.* **brutishness** (in a person) Arist.

θηριώδης ες *adj.* **1** (of places) **full of wild animals** Hdt. Plu.(quot.); (of a sea) **full of dangerous fish** (perh. sharks) Hdt.
2 ‖ NEUT.SB. condition of being an animal, animal state E.; animal species Pl.; wild strain (in a dog, opp. good pedigree) X.
3 having the characteristics of wild animals; (of human life, persons, their nature, soul, behaviour, feelings, or sim.) **animal-like, bestial, brutish** E. Pl. X. Aeschin. Arist. +; (of a person's appearance) Plb.; (of a crime) Arist.; (of musical or vocal sounds) Pl. Plu.; (of pleasure) Pl. ‖ NEUT.SB. animal quality, brutishness (of persons, their behaviour or state of life) E. Pl. Arist. Plu.; bestial part (of the soul, opp. the rational and humane part) Pl.
4 (of training for slaves) **of the kind suitable for animals** X.

—**θηριωδῶς** *adv.* in the manner of wild beasts, **brutishly** Isoc. Plb.

θηροβολέω *contr.vb.* [βάλλω] **shoot wild animals** —W.DAT. w. *arrows* S.

θηρο-κτόνος, Lacon. **σηροκτόνος**, ον *adj.* [κτείνω] (of slaughter) **beast-killing** E.; (epith. of Artemis) E.(dub.) Ar.

θηρο-μιγής ές *adj.* [μείγνυμι] (of howling and bellowing by defeated soldiers) **with a strain of animal-like sounds** Plu.

θηρο-σκόπος ον *adj.* [σκοπέω] (epith. of Artemis) **scouter of wild beasts** hHom. B.

θηρο-τρόφος ον *adj.* [τρέφω] (of a place) **nurturing wild beasts** E. AR.

—**θηρότροφος** ον *adj.* (of snakes, a dragon) **feeding on wild beasts** E. [or perh. θηροτρόφος *bestial*]

θηρο-φόνος ον (also η ον Thgn. Ar.) *adj.* (of hunters, hounds) **beast-slaying** E.; (of a javelin) Lycophronid.; (epith. of Artemis) Thgn. E. Ar.

θής θητός *m.* **1 hired labourer** Od. Hes. Hdt. Pl. Arist. Plu.
2 thete (member of the lowest of Solon's four classes of Athenian citizens, allowed to serve in the fleet but not to be a magistrate or hoplite) Th. Arist. Plu.
3 servant (in a temple) Call.

—**θῆσσα** ης *f.* **1** (appos.w. γυνή) **serving-woman** AR.
2 ‖ ADJ. (of food, a hearth) of a hired labourer E.

θησαίατο (ep.3pl.aor.mid.opt.): see θεάομαι

θησάμενος (aor.mid.ptcpl.), **θήσατο** (ep.3sg.aor.mid.): see θῆμαι

θησαυρίζω *vb.* [θησαυρός] | aor. ἐθησαύρισα ‖ pf.pass.ptcpl. τεθησαυρισμένος | put in storage (for safekeeping or later use); **store** —*a coffin* (W.PREP.PHR. *in a burial chamber*) Hdt. —*money* (*in a room or jar*) Hdt.; **store up** —*medical supplies* X. —W.COGN.ACC. *treasures* (W.DAT. *for oneself*) NT.; (intr.) **store up treasures** —W.DAT. *for oneself* NT. ‖ MID. **store up for oneself** —*reminders* (*ref. to written records*) Pl. —*vices* (*for a future occasion*) Isoc. ‖ PASS. (of weapons) be stored Plu.

θησαύρισμα ατος *n.* **1** stored item; **laid by quantity** (W.GEN. of wine) E. ‖ PL. stored relics (ref. to recognition-tokens) E.
2 (collectv.) **store, hoard** S. ‖ PL. stores (W.GEN. of gold) E.*fr.*

θησαυρισμός οῦ *m.* **laying up in store, storing up** (W.GEN. of useful and necessary items) Arist.

θησαυρο-ποιός όν *adj.* [ποιέω] (of a person) store-making, hoarding Pl.

θησαυρός οῦ *m.* **1** place where things are stored (for safekeeping); **storeroom, storehouse** Pl. X.; (fig., ref. to a cave sheltering the baby Hermes) S.*Ichn.*; (as the name of a dungeon) Plu.; (W.DAT. for arrows, fig.ref. to a quiver) A.; **box** (for treasure) NT.
2 storage place for valuables, **treasure-house, treasury** (of a city-state or king) Hdt. X. Plu.; (at a sanctuary, esp. at Delphi) Pi. Hdt. E. X. Plu.; (W.GEN. of the land of the Athenians, fig.ref. to the silver-mines at Laureion) A.; (of Zeus, fig.ref. to a funeral pyre struck by his lightning) E.
3 collection of valuables (stored, buried or otherwise concealed, freq.pl.), **hoard, cache, treasure** Hdt. Ar. Pl. X. D. Arist. +
4 (fig.) **storehouse** (W.GEN. of songs, evils) Pi. E.; (of wisdom, ref. to a person) Pl.; valuable resource, **store** (ref. to locks of hair held by a suppliant) S.; (ref. to an unburied corpse, as food for birds) S.
5 (fig.) **treasure-house** or **treasure** (ref. to a person, as a source of wealth) E. X.; (as a source of favours owed) Isoc.; (ref. to a brother) E.; (ref. to a restrained tongue, a sense of shame) Hes. Thgn.; (ref. to wisdom, the repute of one's parents) Pl. X.; (W.GEN. of prophecy) Pi.; (of the Muses, ref. to song) Tim.; (of the heart, as a repository of good intentions) NT.

θησέμεν (dial.fut.inf.), **θησέμεναι** (ep.fut.inf.), **θησεύμεσθα** (dial.1pl.fut.mid.): see τίθημι

Θησεύς έως (Ion. έος, ep. ῆος) *m.* | nom.pl. Θησέες | **Theseus** (son of Aigeus or Poseidon, mythol. king of Athens, husband of Phaidra, father of Hippolytos and slayer of the Minotaur) Il. + ‖ PL. men like Theseus (ref. to champions in philosophical debate) Pl.

—**Θησεία** ᾶς *f.* **Theseia** (a place at Delphi named after Theseus) Plu.

—**Θήσεια** ων *n.pl.* festival of Theseus, **Theseia** Ar. Plu.

—**Θησείδης** ου (dial. ᾱ) *m.* | du.nom. Θησείδᾱ | **1 son of Theseus** (ref. to Oinopion) Plu.(quot. Ion) ‖ DU. sons of Theseus (ref. to Akamas and Demophon) E.
2 ‖ PL. descendants of Theseus (ref. to the Athenians or their chiefs) S. E.

—**Θησεῖον** ου *n.* sanctuary of Theseus (at Athens), **Theseion** Th. Ar. Att.orats. Arist. Plu.

—**Θησηΐς** ΐδος, also contr. **Θησῇς** ῇδος (A.) *fem.adj.* **1** (of the land) **of Theseus** (i.e. Attica) A.
2 ‖ SB. Theseid (title of an epic poem) Arist. Plu.
3 ‖ SB. Thesean (name of a hairstyle) Plu.

θῆσθαι (mid.inf.): see θῆμαι

θήσομαι (fut.mid.): see τίθημι

θῆσσα *f.*: see under θής

θήσω (fut.): see τίθημι

θῆτα *indecl.n.* [Semit.loanwd.] **theta** (letter of the Greek alphabet) Ar. Pl.

θητείᾱ ᾱς *f.* [θητεύω] **hired labour** S. Isoc.

θήτέρᾳ (fem.dat.adj., w.art.), **θήτέρῃ** (Ion.): see ἕτερος

θητεύω *vb.* [θής] **be a hired labourer, work for hire** Od. Pl. —W.DAT. *for someone* Hom. E.*Cyc.* Pl. Arist. —W. παρά + DAT. *on someone's land* Hdt. E. Pl.

θητικός ή όν *adj.* **1** (of the life) **of a hired labourer** Arist.
2 (of a section of the populace) **consisting of hired labourers** Arist.
3 (of flatterers) having the characteristics of hired labourers, **servile** Arist.
4 (of behaviour, an activity or task) typical of or appropriate for hired labourers, **menial** Arist.
5 (specif., of the class) **of thetes, thetic** Arist.; (of the mass of such people) Pl. || NEUT.SB. tax-rating of the thetic class D.(law) Arist.

θιά *Boeot.f.*: see θεά

θιασεύω *vb.* **1** (of Dionysus) **lead a holy band** —W.DAT. *in dances* E.
2 (of an official host at Delphi) **unite** (W.ACC. a person) **in a holy band** —W.DAT. *w. Bacchic maenads* E.
3 || MID. (of a worshipper) **unite** (W.ACC. one's soul) **with a holy band** E.

θίασος ου *m.* | dial.acc.pl. θιάσως (Theoc.) | **1** group of celebrants (of a god, esp. Dionysus), **thiasos, holy band** Hdt. E. Ar. D. Theoc. Plu.; (ref. to a group of Erinyes, W.ADJ. *un-Bacchic*) E.; (ref. to a troupe of soldiers, in Bacchic ctxt.) E.; (consisting of the followers of Vice) X.
2 (gener.) **band** (of young girls dancing, men drinking) E.; (of Muses) Ar.; (of centaurs or satyrs) E. Pl.; (of Asiatic actors) Plu.
3 company (of symposiasts, in Sparta) Alcm. Critias
4 perh. **revelry** Plu.

θιασώτης ου, dial. **θιασώτᾱς** ᾱ *m.* member of a group of celebrants (of a god); **fellow celebrant** (of Dionysus or Iacchus) E. Ar.; (W.GEN. of Herakles) Is.; (of Eros) X.; (of no specific god) Arist.(dub.)

θιγγάνω *vb.* | fut. θίξομαι | aor.2 ἔθιγον, dial.inf. θιγέμεν, Lacon.inf. σιγῆν (Ar.) | **1** make physical contact (by hand); **touch** (usu. W.GEN. someone or sthg.) Trag. X. AR. Plu. —W.ACC. Mosch.
2 (of things) be in contact (w. other things); (of a flame) **touch** —W.GEN. *a flammable substance* Plu.; (of a lock of hair, in neg.phr.) —*the head* (fr. which it has been cut) Call.
3 touch (aggressively, injuriously or impiously); **lay hands on** —W.GEN. *a person or animal* E.; **touch** —W.GEN. *things not for touching* S.(cj.) —*sacred objects* Plu.; (of a polluted person, in a prohibition) —*the earth* E.
4 (w. sexual connot.) **touch, lay hands on** —W.GEN. *a woman, part of her body* Archil. B. E. Ar. Plu.; **violate** —W.GEN. *a bridal chamber, a marriage bed* A. E.
5 (of an arrow) make contact with, **strike** —W.GEN. *a person* S.; (of a javelin's tip, in neg.phr.) **touch** (someone) Plu.
6 come close enough to make contact; (of winged Eros) **touch** —W.ACC. *the tops of flowers* Alcm.; (of troops) **come within touching distance** —W.GEN. *of opposing troops* Plu.
7 touch, taste, partake of —W.GEN. *food* Arist. Plu.
8 have a connection (w. sthg. immaterial); (of an island) be **linked** —W.DAT. *to renowned achievements* (*of former rulers*) Pi.; (of a person) touch upon, **attain to** —W.DAT. *peace* Pi.
9 (fig., of bribery) **reach, take hold of** —W.GEN. *people* Plu.; (of a suspicion of blame) —*a person* Plu.

10 affect emotionally; (of a person, words, pain, or sim.) **touch** —*someone, the heart or mind* E. Plu. —W.PREP.PHR. (*someone*) *to the heart* A.
11 put one's hand (to sthg.); **touch upon** —W.DAT. *falsehood* Pi. —W.GEN. *evil words, villainy* S.; **take part** (in sthg.) S. —W.NEUT.ACC. *in sthg.* S. —W.GEN. *in contests* Pi. —*in a murder* Plu.; **participate** —W.DAT. *in a festival* Pi.
12 (of a writer) **touch upon** —W.GEN. *a topic* Arist.; (of a thinker) **grasp, apprehend** —W.GEN. *a concept or sim.* Arist.; (intr.) **apprehend** Arist.

θιγεῖν (aor.2 inf.), **θίξομαι** (fut.): see θιγγάνω

θιός *Boeot.m.f.*: see θεός

θίς θινός *m.* (also *f.* S. Call.) **1 accumulation of sand, beach, shore** (usu. W.GEN. of the sea) Hom. hHom. Hippon. B. S. E. +; (fig., W.GEN. of a person, ref. to his feelings, churned up as if by surf) Ar.
2 sand (in shallow water, i.e. shoal) Il.; (on the seabed) S.
3 heap (W.GEN. of sand, close to a shore, i.e. sand-bank) Plu.
4 sand-bar (at the mouth of a river) Plb. Plu.
5 heap (W.GEN. of sand, in the desert, i.e. sand-dune) Hdt.; **sand-dune** AR. Plu. || PL. sand-dunes or (collectv.) desert Plu.(quot.)
6 heap (W.GEN. of sand, ref. to a sand-cloud kicked up by horses) Plu.; **sand-cloud** (whipped up by a strong wind) Plu.
7 heap, pile (of bones, corpses) Od. A.; (of earth) Plu.

θλαστός ή όν *adj.* [θλάω] (of materials) **breakable** Arist.

θλάω *contr.vb.* | aor. ἔθλασα, ep. θλάσσα || pf.pass. τέθλασμαι | **break into pieces, smash, shatter** —*bones, armour* Hom. Hes. || PF.PASS. (of a boxer) have (W.ACC. one's ears) crushed —W.DAT. *by fists* Theoc.

θλίβω *vb.* | fut. θλίψω | aor. ἔθλιψα | pf. τέθλιφα || PASS.: aor. ἐθλίφθην | pf.ptcpl. τεθλιμμένος | **1 apply pressure** (so as to compress or constrict); **squeeze** —*snakes* (*in a ritual*) D.; (of ill-fitting armour) —*a person's arse* Ar.; (of a burden) **crush** —*a person's spine* Ar.; (intr., of a wrestler) **apply pressure** Arist. || PASS. (of a person, his neck) be hard pressed or crushed (by a burden) Ar. Plu.; (of a foot) be pinched (by a shoe) Plu.; (fig., of a person envisaged as a grape-seed) be squeezed Ar. | see also φλίβομαι
2 (of air pressure) **squeeze** or **compress** —*a mass of earth* Pl. || PASS. (of liquids) be put under pressure Pl. Plu.
3 (of a crowd) **press upon** —*a person* NT. || PASS. (of people in a crowd) be squashed Plu.; (of a person, by a child lying on him) Thphr.
4 (wkr.sens.) **press** —*someone's lips* (*in a kiss*) Theoc.
5 (of a constraint, in neg.phr.) **press upon** —*an island* (so as to prevent it fr. floating on the sea) Call. || PASS. (of land) perh., be confined (by the sea) Theoc. || PF.PASS.PTCPL.ADJ. (of a path) constricted NT.
6 (of troops) **press hard upon** —*the enemy* Plb. || PASS. (of troops, ships) be pressed hard or borne down upon (by the enemy) Plb. Plu.
7 (of a foreign king) **put pressure on** —*a people* (by stinting on his support) Plu.; (fig., of misfortunes) **crush** —*happiness* Arist. || PASS. (of persons) be hard pressed or in distress (because of war, shortages, or sim.) Arist. Plb. Plu.

θλῖψις εως *f.* **oppression, affliction, distress** NT.

θνᾱτογενής, θνᾱτός *dial.adjs.*: see θνητογενής, θνητός

θνῄσκω (or **θνήσκω**), dial. **θνᾴσκω** (or **θνάσκω**) *vb.* | fut. θανοῦμαι, inf. θανεῖσθαι, ep. θανέεσθαι || AOR.2: ἔθανον, ep. θάνον | ptcpl. θανών, dial.fem.gen. θανοίσᾱς | inf. θανεῖν, ep. θανέειν, dial. θανέμεν (Pi.) | dial.1pl.subj. θάνωμες || PF.: τέθνηκα, dial. τέθνᾱκα | 1pl. τέθναμεν, 3pl. τεθνᾱσι, also τεθνήκᾱσι, 3du. τέθνατον | imperatv. τέθναθι, 3sg. τεθνάτω

| ptcpl. τεθνεώς (freq. disyllab., fem. τεθνεῶσα), also τεθνηκώς (fem. τεθνηκυῖα), dial. τεθνᾱκώς (Pi.), ep. τεθνηώς (fem. τεθνηυῖα, gen. τεθνηῶτος, also τεθνηότος), also τεθνειώς (AR. Theoc., gen. τεθνειῶτος), dial.masc.acc.sg. τεθνᾱότα (Pi.) | inf. τεθνάναι, also τεθνηκέναι, Aeol. τεθνάκην, ep. τεθνάμεναι, also τεθνάμεν | subj. τεθνήκω | opt. τεθναίην | FUT.PF.: τεθνήξω, also τεθνήξομαι (Plu.), ptcpl. τεθνήξων (Ar.) | PLPF.: 3sg. ἐτεθνήκει, 3pl. ἐτεθνήκεσαν, also ἐτέθνασαν |
1 (of persons or animals) **die** Hom. + —W.DAT. or PREP.PHR. *at the hands of or through the agency of someone or sthg.* Hom. +
2 ‖ PF. **have died or be dead** Hom. +; (also pres.) S. E.
3 ‖ PF. (hyperbol.) **be dead** (through fear) Men. —W.DAT. *through fear* D.; (fig., of a speech) —*through the speaker's timidity* Aeschin.
4 ‖ PF. (fig., of a bowl) **have perished** (through breakage) Ar.
5 (fig., of suffering, loyalty, fame, rumours) **die away, perish** A. Pi. S. ‖ PF. (of a practice) **be dead** D.

θνητο-γενής, dial. **θνᾱτογενής**, ές *adj.* [θνητός; γένος, γίγνομαι] (of persons) born from mortal parents (opp. fr. a god), **mortal** S. E.

θνητο-ειδής ές *adj.* [εἶδος¹] (fig., of a lyre-string) having a mortal form or nature, **perishable** Pl.

θνητός ή όν (also ός όν E.), dial. **θνᾱτός** ά όν, Aeol. **θνᾱτος** ᾱ ον *adj.* [θνήσκω] **1** (of persons, the human race) subject to death, **mortal** Hom. +; (of bodies, limbs) Pi. Att.orats. Pl. X.; (of life) Pl.; (of animals) Pl. ‖ MASC. or FEM.SB. (freq.pl.) mortal man or woman Hom. + ‖ NEUT.SB. creature (sts.ref. to a human) Hdt. E. Pl.; mortal part (of a person) Pl. Theoc. Plu.; mortality Pl. Plu.
2 of or belonging to mortals (opp. gods); (of limbs, beauty, or sim.) **human** E. Isoc. Pl.; (of nature) Pl. Plb.; (of life, its end, a person's origin) Pi. Plu.; (of the mind and thoughts) Pi. Pl. Men. ‖ NEUT.SB. mortal affairs or life E. Pl. Men.
3 (of materials, sound) of or relating to human life (w.connot. of inferiority), **earthly** Pl.
4 (of actions) **fit for humans** (opp. gods) E.; (of punishment) **for mortals** E. ‖ NEUT.PL.SB. mortal thoughts Pi. S. E. Isoc. Arist.

θοάζω¹ *vb.* [θέω¹, θοός¹] **1** (of a bird) move quickly, **ply** —*its wings* E.
2 (of persons) **briskly perform** —*a service* E.
3 (of horses) deal rapidly with, **despatch** —*food* E.
4 (of a challenging situation) quicken, **spur on** —*a person* E.
5 (intr., of persons, Ares) move quickly, **rush, dart** E.; (of smoke) E.

θοάζω² *vb.* [reltd. θᾶκος, θάσσω] (of Zeus) **sit** (on a throne) A.; (of persons) —W.INTERN.ACC. *in a suppliant posture* S.; (fig.) —W.PREP.PHR. *on the peaks of wisdom* Emp.

θοάς άδος *fem.adj.* [θοός] (of the beam of the sun, envisaged as a charioteer) **swift** Pi.*fr.*

θοίνᾱ *dial.f.*: see θοίνη

θοινάζω *vb.* [θοίνη] **provide a feast** X.

θοίνᾱμα ατος *n.* [θοινάω] **feast** E.; (fig., for birds, ref. to an exposed child) E.

θοινᾱτήρ ῆρος *m.* **feast-giver** A.

θοινᾱτήριον ου *n.* (fig.) **feast** (for vultures, ref. to an impaled corpse) E.

θοινᾱτικός *adj.*: see θοινητικός

θοινᾱτωρ ορος *m.* one who partakes of a feast, **feaster, diner** E.

θοινάω *contr.vb.* [θοίνη] | aor. ἐθοίνησα (Hdt.) | fut.mid. θοινάσομαι (E.) | pf. τεθοίνᾱμαι (E.) ‖ PASS.: aor.inf.

θοινηθῆναι (Od.) | **1 provide a feast for, feast** —*friends* E. —*a person* (W.INTERN.ACC. + DAT. *at a meal, on flesh*) Hdt.
2 ‖ MID. (intr., of persons) **feast** E.; (tr.) **feast on** —*entrails* (fr. *a sacrifice*) E. —*persons* E.*Cyc.*; (fig., of an ulcer) —*flesh* Arist.(quot. E.)
3 ‖ PASS. be given a feast Od.

θοίνη ης, dial. **θοίνᾱ** ᾱς *f.* **1 meal, feast** (ref. to the food or the occasion at which it is eaten) Hes. Thgn. Lyr. A.*fr.* Hdt. E. +; (for the gods, ref. to sacrificial offerings) A.; (for birds and beasts, ref. to a corpse or an exposed child) E. Tim.; (ref. to a lion's prey) E.
2 (fig., ref. to a gratifying circumstance) **feast, treat** Pl. X.
3 (in fig.ctxt.) group of persons with whom one dines and associates, **company** Pl.

θοινητικός (v.l. **θοινᾱτικός**) ή όν *adj.* (of tableware) **for use at feasts** X.

θολερός ά όν *adj.* [θολός *mud*] **1** (of a brick) **made of mud** Theoc.
2 (of rivers, their flow) **muddy, turbid** Hdt. Th. Pl. Plb. Plu.
3 (fig., of the breathing of underwater creatures) in muddy water, **muddied** Pl.
4 (of air) **opaque, murky** Pl. Plu.
5 (fig., of words spoken in madness, envisaged as a torrent) **turbid** A.; (of a storm of madness) S.
6 (fig., of a family line) **muddied, lustreless** E.

θολίᾱ ᾱς *f.* [θόλος] a kind of conical hat, **sun-hat** Theoc.

θόλος ου *f.* **1** circular building with a conical roof (perh. an oven or grain store), **roundhouse, rotunda** Od.
2 Tholos, Rotunda (building used by the Prytaneis at Athens) And. Pl. D. Arist.

θολόω *contr.vb.* [θολός *mud*] **1** ‖ PASS. (of water) be made muddy Thgn.
2 (fig., of a person) make unclear and confused, **disturb** —*someone's heart* E.

θοός¹ ά (Ion. ή) όν *adj.* [θέω¹] **1** (of persons, esp. warriors) quick in movement, **swift, nimble, agile** Il. B.; (W.INF. in fighting) Il.; (of Ares) Il.; (of Hermes, a messenger or herald) Hes.*fr.* hHom. AR.; (of a nymph) Hes.; (of feet, knees, a hand) Il. Emp. AR. Mosch.
2 (of animals, esp. horses) **swift** hHom. Pi. B. S. E. Ar. +; (of a viper) E.; (of wings, their movement) A. E. AR.
3 (of ships) **swift** Hom. Hes. Archil. Eleg. Pi. S. +; (of a chariot) Il. Hes. hHom. Mimn. Ibyc. Pi. Call.; (of a wagon) AR.; (of missiles) Od. Call. AR.; (of oars) AR.; (of spinning-tops) Call.; (of a whip) Il.; (transf.epith., of the brilliance of a victory in a chariot-race) Pi.; (of a rowing-bench) S.
4 (of a requital) quickly performed, **swift** AR.; (quasi-advbl., of a meal being prepared) **with haste, quickly** Od.; (of a bride being conveyed) S.
5 (of night) perh., coming on quickly (w. hint of menace), **swift, sudden** Hom. Hes.
6 (of a wind or gale) **swift** E. Call. AR.; (of a flash of lightning) B.; (of a flame) AR.; (of river eddies) Call.; (of thoughts) Emp.
7 (of fighting, hunting, contests) **fast-moving, quick, lively** Pi. Hellenist.poet.
8 (of a rumour) **swift** A.; (fig., of a poet's tongue, compared to a javelin) Pi.
9 (of a shield, a barrier of shields) perh., easy to handle, **mobile** AR.

—**θοῶς** *adv.* | compar. θοώτερον (AR.) | **swiftly, quickly, speedily** Hom. Hes. A. B. AR. Theoc.

θοός² ή όν *Ion.adj.* [θοόω] **1** (of teeth, axes, pegs, or sim.) **sharp** AR.

θοόω

2 (of islands, perh. the Ekhinades) **pointed** Od.(dub.) [sts. interpr. as a proper name]

θοόω *contr.vb.* **sharpen** —*a stake* Od.

θορή ῆς *Ion.f.* [ἔθορον, see θρῴσκω] ejaculated seed, **semen** Hdt.

θόρνυμαι *mid.vb.* (of serpents) **copulate** Hdt.

θόρον (ep.aor.2): see θρῴσκω

θορός οῦ *m.* semen (of fish), **milt** Hdt.

θόρραξ *Aeol.m.*: see θώραξ

θορυβάζομαι *pass.vb.* [θόρυβος] **be troubled** —W.PREP.PHR. *about many things* NT.

θορυβέω *contr.vb.* **1** (of groups or crowds, such as political assemblies and juries) make a confused noise, **make a hubbub, kick up a din** Ar. Pl. Aeschin. D. Plu.; (of an individual, inside his house) **make a racket** Ar.; (gener., of drinkers, a populace, or sim.) **be rowdy** or **disorderly** X. Plu. **2** (specif., of listeners, as a group or individually) shout in disapproval or interruption, **heckle, barrack** Att.orats. Pl. X. Arist. —*a person* Plb. Plu.; (of a person) **provoke an outcry against** —*someone* Plu. || PASS. (of a person) be the target of a clamour of disapproval —W.PREP.PHR. *fr. people* S. Plu.; be bawled at —W.PREP.PHR. *by a person* Th.
3 shout in approval, **cheer, applaud** Ar. Att.orats. Pl. Plu. || PASS. (of a speech) be applauded Isoc.; (of an argument) be approved Arist.
4 sow confusion or **alarm** (in a country or among people) Th.; (of ships, among enemy ships) Th.; (of hounds, among fellow hounds) X.; (tr.) **throw** (W.ACC. a city) **into uproar** NT.
5 (gener., of persons, a circumstance or argument) **unsettle, disconcert, upset, fluster** —*a person* Ar. Pl. Arist. Men.; (of anxieties) **disturb** —*sleep* Theoc. || IMPERS. it troubles or alarms —*someone* (W.COMPL.CL. *that sthg. may happen*) Th. || PASS. (of individuals or groups) be thrown into confusion or turmoil, be disconcerted or flustered Hdt. Th. Pl. X. Aeschin. D. +; (of an animal) be startled (by hounds) X.

—**τεθορυβημένως** *pf.pass.ptcpl.adv.* **in a disorderly manner** —*ref. to an army retreating* X.

θορυβητικός ή όν *adj.* of the kind that makes an uproar || NEUT.SB. rowdy faction (in a sophist's audience) Ar.

θορυβο-ποιός όν *adj.* [ποιέω] (of persons) causing a disturbance, **rowdy, disruptive** Plu.

θόρυβος ου *m.* **1** confused noise (usu. among a group of persons), **uproar, clamour, rowdiness, din** Pi. Hdt. S. E. Th. Ar. +; (of persons voicing approval) Ar. Att.orats. Pl.; (voicing disapproval) E. Att.orats. Pl.; (derog., of musicians) Pratin.; (of inferior orators) Hyp.; (of donkeys, fig.ref. to inferior poets) Call.
2 state of confusion or disorderliness, **confusion, commotion, turmoil, mêlée** Hdt. E. Th. Lys. Ar. Pl. +

θορυβώδης ες *adj.* **1** (of a group of persons) **uproarious, rowdy, disorderly, boisterous** Pl. Plb. Plu.; (of an individual) Plb.
2 (of a mass of natural elements) **confused** Pl.; (of events or circumstances) **tumultuous** Plu.
3 (of actions or events) causing confusion or upset, **confusing, disturbing** X. Plu.

—**θορυβῶδες** *neut.adv.* | compar. θορυβωδέστερον | **tumultuously** —*ref. to persons gathering, crows cawing* Plu.

θοῦ (athem.aor.mid.imperatv.): see τίθημι

θουγάτηρ *Boeot.f.*: see θυγάτηρ

Θουκυδίδης ου *m.* **Thucydides** (c.455–400 BC, historian of the Peloponnesian War) Th. Arist. Plb. Plu.

Θούριοι ων *m.pl.* **Thurii** (a colony founded by Athens in 444/3 BC on the site of Sybaris in S. Italy) Th. And. Pl. Arist. Plb. Plu.

—**Θούριος** ᾱ ον *adj.* (of a person) **from Thurii** Pl. X. Men. Theoc. Plu.; (of ships) Th. X. || FEM.SB. Thurian territory Th. || MASC.PL.SB. men of Thurii, Thurians (as a population or military force) Th. Pl. Plu.

—**Θουριάς** άδος *fem.adj.* (of the region) **Thurian** Th.

—**Θουριακός** ή όν *adj.* (of oil flasks) **of Thurian type** Thphr.

Θουριο-μάντεις εων *m.pl.* [μάντις] **diviners from Thurii** (assoc.w. its foundation) Ar.

θούριος ᾱ ον *adj.* [θοῦρος] (epith. of Ares) **ferocious, furious** S. E.; (of commanders or warriors) Trag.; (of a temperament) Ar.; (of a bird of omen) A.; (fig., of arrows) A.; (of ships) E.

θοῦρος ον *adj.* [reltd. ἔθορον, see θρῴσκω] (epith. of Ares) rushing impetuously, **ferocious, furious** Il. Tyrt. E. Call.; (of a warrior, Herakles, Typhon) A.; (of a spear) E. AR.

—**θοῦρις** ιδος *fem.adj.* | acc. θοῦριν | (of a warrior's prowess) **furious, ferocious** Hom. Tyrt.; (of a shield, the aigis) Il.

θόωκος *ep.m.*: see θᾶκος

Θρᾴκιος *dial.adj.*, **Θρᾷσσα** *dial.f.*, **Θρᾴκη** *f.*, **Θράκιος** *adj.*, **Θρᾳκιστί** *dial.adv.*: see under Θρᾷξ

θρανεύομαι *pass.vb.* [θρᾶνος] | fut. θρανεύσομαι | (of a person's hide, in a threat) be stretched on the tanner's board, **be tanned** Ar.

θρᾱνίον ου *n.* [dimin. θρᾶνος] **bench** Ar.

θρᾱνίτης ου *m.* oarsman for the highest bank of oars (on a trireme), **thranite rower** Th. || ADJ. (of a squad of rowers) upper Ar.; (of a bench on a ship other than a trireme) Plb.

θρᾱνο-γράφος ου *m.* [γράφω] one who paints or writes on benches or beams, **writer of graffiti** Plb.

θρᾶνος ου *m.* [reltd. θρῆνυς] | dial.gen. θρᾱνω̃ | **1** beam (supporting a roof), **rafter** Alcm.
2 perh. **floor-board** S.*satyr.fr.*
3 stool, bench Ar.

Θρᾷξ Θρᾳκός, Ion. **Θρῇξ** Θρῃκός, also contr. **Θρῆξ** (or **Θρήξ**) Θρηκός, also **Θρέιξ** Θρέικος (Archil.), ep.Ion. **Θρηΐξ** Θρηΐκος (Call. AR.) *m.* **1** man from Thrace, **Thracian** Il. E. Ar. Pl. + || PL. Thracians (as a population or military force, freq.ref. to mercenaries) Il. Hippon. Hdt. Trag. Antipho Th. +
2 || ADJ. from or relating to Thrace or the Thracians; (of men, soldiers, the people, an army) Thracian Il. Archil. E. Antipho X. +; (of dogs) Archil.; (of a river, a mountain) E. Call.; (of bloodshed) E.; (of death) at the hands of a Thracian E.

—**Θρᾷσσα**, Att. **Θρᾷττα**, ης, dial. **Θρᾷισσα** ᾱς, Ion. **Θρῇισσα** (also contr. **Θρῇσσα** Trag.) ης *f.* | Ion.dat.pl. Θρῄσσησι (S.) | **1 Thracian girl** (ref. to a slave) Pl. Theoc.*epigr.* || ADJ. (of a slave-girl) Thracian Pl. Arist.
2 Thratta (as pers. name for a female slave) Ar. D.
3 Thracian woman (freeborn) Thphr. Theoc. || ADJ. (of a free woman) Thracian Plu.
4 || ADJ. (of winds) Thracian S.; (of Orpheus' lyre and writing-tablets) E.

—**Θρᾴκη**, Ion. **Θρῃίκη** (also contr. **Θρῄκη**), ης *f.* **Thrace** (region betw. Macedonia and the Black Sea) Il. +

—**Θρῄκηθεν** *Ion.adv.* **from Thrace** Il.

—**Θρῄκηνδε** *Ion.adv.* **towards Thrace** Od.

—**Θρᾳκιστί** *dial.adv.* **in the Thracian style** —*ref. to shaving one's head* Theoc.

—**Θρᾴκιος**, Ion. **Θρηΐκιος**, also **Θρεΐκιος** (Hippon.), also contr. **Θρῄκιος** (Anacr. Trag.), ep.Ion. **Θρηΐκιος** (AR.), dial.

Θρᾱίκιος (Pi.*fr.*), η (dial. ᾱ) ον *adj.* **1** (of persons, soldiers, the people, a goddess, animals) **Thracian** Il. Anacr. Hippon. Pi. Hdt. E. +; (of places, seas, the land, or sim.) Il. hHom. Pi.*fr.* Hdt. S. E. +; (of winds, esp. Boreas) Hes. Tyrt. Ibyc. A. E.*Cyc.* AR.; (of a custom) X.; (of words, i.e. in Thracian dialect) E. ‖ FEM.SB. Thrace AR.
2 (of weapons, shields, chariots) **made in Thrace** or **in the Thracian style** Il. E. Plu.
θρᾶξαι (aor.inf.): see θράσσω
θράσος *n.*: see θάρσος
Θρᾶσσα *f.*: see under Θρᾷξ
θράσσω, Att. **θράττω** *vb.* [reltd. ταράσσω, τρᾱχύς] | aor. ἔθρᾱξα, inf. θρᾶξαι | (of a person, a concern, or sim.) **trouble, disturb** —*a person, the mind* A. E. Pl.; (of time) —*prosperity* Pi.; (intr., of divine envy) **cause trouble** Pi. ‖ IMPERS. **it disturbs** —*someone* (sts. w. μή + SUBJ. *that sthg. may be the case*) Pl.
θρᾰσύ-βουλος ον *adj.* [θρασύς, βουλή] **bold in counsel** Arist.
θρᾰσύ-γυιος ον *adj.* [γυῖα] (of a victory in wrestling) involving bold use of one's limbs, **bold-limbed** Pi.
θρᾰσύ-δειλος ον *adj.* [δειλός] **cowardly in one's boldness** Arist.
θρᾰσυ-κάρδιος ον *adj.* [καρδίᾱ] **bold-hearted** Il. Hes. Anacr. B.
θρᾰσυ-μάχανος ον *dial.adj.* [μηχανή] (of Herakles, lions) **boldly resourceful** Pi.
θρᾰσύ-μαχος ον *adj.* [μάχη] **bold in battle** Arist.
θρᾰσυ-μέμνων ονος *masc.adj.* [perh. μένω] perh., boldly standing firm (in battle), **steadfast, stalwart** Hom. B.
θρᾰσυ-μήδης ες *adj.* [μήδομαι] **bold-thinking** Pi. B.
θρᾰσύ-μῡθος ον *adj.* [μῦθος] (of Hubris) **bold-talking** Pi.
θρᾰσύνω *vb.* | aor.mid. ἐθρασυνάμην ‖ aor.pass.inf. θρασυνθῆναι ‖ see also θαρσύνω | **1** (of delusion) **embolden** —*mortals* A.; (of sailors) **bolster up** —*lack of naval expertise* (W.DAT. w. *numerical supremacy*) Th.
2 ‖ PASS. (of a ship) **be made secure** —W.DAT. *in its moorings* A.
3 ‖ MID. **be confident, bold** or **courageous** A. Th. Ar. Pl. X. Arist. Plu.
4 boast about, **vaunt** —*sthg.* Plb. ‖ MID. **be boastful** Isoc. Plu.
5 ‖ MID. be overconfident, **be audacious, brazen** or **reckless** S. E. Ar. Att.orats. Pl. Plu.
θρᾰσύ-πονος ον *adj.* [πόνος] (of feats of strength) **achieved by bold exertion** Pi.
θρᾰσύς εῖα ύ *adj.* [θάρσος] **1** (of persons, deities, animals, their strength, heart, or sim.) **bold, brave, courageous** Hom. Pi. B. Hdt. Trag. Th. +
2 (wkr.sens., of persons) **confident** Th.; (of a hope) E. Th.; (of a dancer's feet) Ar. ‖ NEUT.SB. **boldness, confidence** Arist.; (W.INF. *to do sthg.*) Pi. S.
3 (of mythol. creatures, their hands) **bold, fierce** Hes. Pi.
4 (of fighting) **fierce** Hom. A.; (of slaughter) **pitiless** Pi.*fr.*
5 (of persons, their speech, actions, or sim.) overconfident, **audacious, brazen, reckless** Trag. Ar. Att.orats. Pl. X. +; (of the personif. Hellespont) Tim.; (of civil strife, a person's actions) A. Pl. ‖ NEUT.SB. **boldness** (of speech) A.
—**θρᾰσέως** *adv.* | compar. θρασύτερον, superl. θρασύτατα | **1 boldly** Th. Ar. X. D. Plb. Plu.
2 audaciously, brazenly Att.orats. Plb. Plu.
θρᾰσύ-σπλαγχνος ον *adj.* [σπλάγχνον] **bold-hearted, high-spirited** E.
—**θρᾰσυσπλάγχνως** *adv.* **bold-heartedly** A.

θρᾰσυστομέω *contr.vb.* [θρασύστομος] **speak arrogantly** Trag.
θρᾰσύ-στομος ον *adj.* [στόμα] **bold-mouthed** A.
θρᾰσύτης ητος *f.* **1 self-confidence** Pl.
2 boldness Arist. Plb. Plu.
3 overconfidence, audacity, rashness Th. Att.orats. Pl. X. Arist. +
Θρᾷττα Att.*f.*: see under Θρᾷξ
θραύματα των *n.pl.* [θραύω] **1 broken-off pieces, fragments** (W.GEN. *of wrecked ships*) A.
2 that which breaks (the heart), **shattering things** (W.INF. *to hear*) A.
θραυσ-άντυξ υγος *fem.adj.* (of a mishap) **shattering a chariot-rail** Ar.(mock-trag.)
θραύω *vb.* | dial.3pl. θραύοντι (Simon.) | aor. ἔθραυσα ‖ PASS.: aor. ἐθραύσθην | pf.ptcpl. τεθραυσμένος | **1 break in pieces, shatter** —*objects of wood or stone* Simon. Trag. Plb. —*chariot-axles, ships, oars* (through collision or sim.) Trag. Tim. —(fig.) *the chariot of one's prosperity* E.; (of charioteers, meton. for their chariots) —*others* (i.e. *their chariots*) S. ‖ PASS. (of objects of wood, stone or metal) **be shattered** Hdt. Trag. Plb.; (of winged souls, ships) get (W.ACC. *their wings, oars*) **broken** Pl. Plb.
2 (fig.) **break** —*the seal* (of one's mouth, i.e. *speak*) Tim.
3 (fig., of a speech) **shatter** —*someone's mind* Ar.
4 (of a wrecked charioteer) **tear to shreds** —*his flesh* (on rocks) E.; (fig., of Ares, envisaged as a storm-wind) —*the sails* (of the ship of state) E.
5 crush —*a military force* Plu. ‖ PASS. (of the wing of an army) **be broken** Plb.; (of a commander) **suffer a crushing blow** Plu.
6 ‖ PASS. (fig., of a person) **be shattered** —W.PREP.PHR. *by labours, worries* Plu. —W.ACC. *in one's resolution* Plu.; (of a person's confidence) Plu.
7 ‖ PF.PASS.PTCPL.SB. **the oppressed** or **downtrodden** NT.
8 (wkr.sens., of a collar) **damage** —*a hound's coat* X.
Θρεΐκιος Ion.*adj.*: see under Θρᾷξ
θρέμμα ατος *n.* [τρέφω] **1** that which is reared; **nursling** (ref. to a baby) S.; (W.GEN. of a concubine) Plu.; (of a man, ref. to the ward of a surrogate father) S.; (of a flock, ref. to a lamb) E.; (of Echidna, ref. to Cerberus) S.; (of the Nereids, ref. to a dolphin) Lyr.adesp.; (fig., of the Graces, ref. to a beloved person) Ar.
2 (gener.) reared or bred creature, **animal** S. Isoc. Pl. X.; living creature (animal or human), **creature** Pl.; (derog., ref. to a person) Trag. Ar. ‖ PL. **animals, cattle, livestock** Plb. NT. Plu.
3 product of breeding, **breed** (of racehorses, ref. to the horses themselves) X.
4 (periphr.) **object of rearing** (W.GEN. of babies or birds, i.e. *reared babies* or *birds*) Pl.
5 perh. **creation** (W.GEN. of the Hydra, ref. to its poison) S.
6 app., that which nourishes, **nourishment** Pl.
θρέξασκον (iteratv.aor.): see τρέχω
θρέομαι *mid.contr.vb.* [reltd. θρόος] | only Ion.1sg. θρεῦμαι (A., dub.; v.l. θρέομαι), ptcpl. θρεόμενος | (of women) cry out loudly or with anguish, **cry forth** —*their sufferings* or sim. A. E.
θρέπτειρα ᾱς *f.* [τρέφω] woman who feeds or rears; **nurse** (W.GEN. of children) E.
θρεπτέος ᾱ ον *vbl.adj.* (of youths) **to be brought up** (in a certain way) Pl.
θρεπτήριος ᾱ ον *adj.* **1** (of a breast) **providing nourishment** (for a baby) A.

θρεπτικός

2 (of an offering to a god) **in gratitude for one's nurture** A.
3 || NEUT.PL.SB. **items of nourishment, food** (W.GEN. for the stomach) S.

—**θρεπτήρια** ων *n.pl.* **debt of gratitude for upbringing, repayment for nurture** (to one's parents, fr. a child) Hes. AR.; (to a nurse, fr. a child or its mother) hHom.; (to one's city) Plu.

θρεπτικός ή όν *adj.* **1** (of the skill) **of rearing** (animals) Pl.; (of the name of it) Pl.
2 (of things) **concerned with nutrition, nutritive** Arist.

θρεπτός οῦ *m.* **nursling** (of the Nile, ref. to an Egyptian) Call.

θρέπτρα ων *n.pl.* **debt of gratitude for upbringing, repayment for nurture** (to parents, fr. a child) Il.

θρέττε *indecl.n.* [perh.imperatv., reltd. θρασύς] app. **courage** Ar.

θρεῦμαι *Ion.mid.vb.*: see θρέομαι

θρέφθην (ep.aor.pass.), **θρέψα** (ep.aor.), **θρέψω** (fut.): see τρέφω

Θρηΐκη (also **Θρήκη**) *Ion.f.*, **Θρηΐκιος** (also **Θρήκιος**) *Ion.adj.*: see under Θρᾷξ

Θρῆιξ (also **Θρηΐξ**) *Ion.m.*: see Θρᾷξ

Θρήϊσσα *Ion.f.*, **Θρήκηθεν**, **Θρήκηνδε** *Ion.advs.*: see under Θρᾷξ

θρηνέω *contr.vb.* [θρῆνος] **1** (of a mourner) **utter a dirge, lament, wail** Od. Hes.*fr.* A. E. Ar. Pl. + —W.INTERN.ACC. *w. a song of lament or sim.* Il. S. E. Plu. | see also θρυλέω 3
2 (tr.) **lament, bewail** —*persons, their death* Carm.Pop. S. E. Pl. Theoc. +; (of a nightingale) —*Itys* (W.INTERN.ACC. *in song*) Ar.
3 (gener.) **express sorrow** (over unfortunate persons, one's own or others' misfortunes); **lament, wail** S.(cj.) Pl. Men. + —W.INTERN.ACC. *w. incantations* (i.e. healing spells, W.PREP.PHR. *over sufferings*) S.; **bewail** —*a person* E. Plu. —*one's death, sufferings, or sim.* A. E. Isoc. Pl. —*another's sufferings* E. Isoc. Pl. —*a situation* D.; (mid.) —*a person* A. —*one's circumstances, one's marriage* S. E.

θρηνήματα των *n.pl.* **dirges, lamentations** E.

θρηνητήρ ῆρος *m.* —also **θρηνητής** οῦ *m.* **dirge-singer** A.

θρηνητικός ή όν *adj.* (of a person) **inclined to lamentation, mournful** Arist.

θρῆνος ου *m.* **1 dirge, lament** (for the dead) Il. Sapph. Pi. Hdt. Trag. Ar. +; (sung by a nightingale) hHom.; (fig., W.GEN. of an Erinys, the Gorgons) A. Pi.
2 (gener.) **expression of grief** (for persons, one's own or others' misfortunes), **lamentation, wailing** A. E. Pl. Plb. Plu.
3 (wkr.sens.) **mourning** (as a state of feeling, comparable to anger, longing, or sim.) Pl.

θρῆνυς υος *Ion.m.* [θρᾶνος] **1 wooden beam** (running horizontally as a brace betw. the sides of a ship, nr. its stern), **aft cross-beam** Il.
2 footstool Hom.

θρηνῳδέω *contr.vb.* [θρῆνος, ἀοιδή] **sing a lament for, mourn** —*someone* (about to die) E.

θρηνῴδης ες *adj.* **1** (of lamentation) **dirge-like** Tim.; (of a trumpet sound) Plu.
2 (of a kind of music) **suited to a dirge** Pl.
3 (of persons, their nature) **inclined to lamentation, mournful** Pl.

θρηνῳδία ᾶς *f.* **singing of dirges, lamentation** Pl.

Θρῄξ, Θρῆξ *Ion.m.*: see Θρᾷξ

θρησκεία ᾶς, Ion. **θρησκείη** ης *f.* **1 religious observance** (in Egypt) Hdt.

2 (collectv.) **system of religious observances, religion** (ref. to Judaism) NT.

θρησκεύω *vb.* **1 observe on religious grounds** —*a certain practice* Hdt.
2 practise religious observances Plu.

Θρῇσσα *Ion.f.*: see under Θρᾷξ

Θριαί ῶν *f.pl.* **Thriai** (nymphs assoc.w. divination, who reared Apollo) Call.

Θριαί ῶν *f.pl.* **prophetesses** (assoc.w. Apollo) Call.

θριαμβεύω *vb.* [θρίαμβος] | pf. τεθριάμβευκα | **1** (of a Roman general) **celebrate a triumph** Plb. Plu.; **celebrate** —W.COGN.ACC. *a second triumph* Plu.; (fig., of a political leader) **behave as if celebrating a triumph** Plu.
2 lead in triumph —*defeated enemies* Plu. || PASS. **be led in triumph** Plu.
3 || NEUT.PL.PF.PASS.PTCPL.SB. **exploits celebrated in a triumph** Plu.

θριαμβικός ή όν *adj.* **1 associated with a Roman triumph**; (of a procession, honours, robes) **triumphal** Plb. Plu.
2 (of a person) **of triumphal status** (i.e. who has celebrated a triumph) Plu.; (of a marriage alliance) **with a family of triumphal status** Plu.

θρίαμβος ου *m.* [prob.reltd. διθύραμβος] **1** (epith. of Dionysus) **thriambos** Lyr.adesp. Pratin. Plu.
2 Roman triumphal procession, triumph Plb. Plu.; (W.ADJ. *lesser*, ref. to an ovation) Plu.
3 (gener.) **victory procession** (of the Carthaginians) Plb.

Θριάσιος ᾱ (Ion. η) ον *adj.* [Θρία, also Θριώ, Thria or Thrio, Attic deme nr. Eleusis] **1** (of a plain betw. Athens and Eleusis) **Thriasian** Hdt. Th. Plu.; (of a gateway at Athens, also called Dipylon) Plu. || NEUT.SB. **Thriasian plain** Plu.
2 (of a man) **from Thria** D. Plu.

—**Θρίασι** *adv.* **at Thria** X. Is.

—**Θριῶζε** *adv.* **to Thria** Th.

θριγκός οῦ *m.* **1** (sg. and pl.) **topmost course of stones in a wall** (of a palace or temple), **cornice, coping** Od. E. AR. || PL. (meton. for the whole building) **corniced walls** E. Ar.(mock-trag.)
2 (sg.) **coping-stone** E.; (fig.) **finishing touch, culmination** (W.GEN. of a person's miseries) E.; (W.DAT. for a system of education, ref. to dialectic) Pl.
3 (fig., in sexual ctxt.) **cornice** (app.ref. to the female pubic bone) Archil.; (ref. to a man's arse) Ar.

θριγκόω *contr.vb.* **put a coping on, top off** —*the wall of an enclosure* (W.DAT. *w. the wood of a wild pear tree*) Od.; (fig.) —*a family's ruinous acts* (w. a culminating one) A. —*a house* (W.DAT. *w. disasters*) E.

θριγκώματα των *n.pl.* **coping** (of an altar) E.(cj.)

θρίδαξ ακος *f.* **lettuce** Hdt. Plu.

θρίζω *vb.* [reltd. θερίζω] (fig.) **mow down** —*a house* A.

Θρινακίη ης *Ion.f.* **1 Thrinacia** (island where Helios reared his cattle, later identified w. Sicily, sts. appos.w. νῆσος) Od. AR. | see Τρινακρία
2 || ADJ. (of the sea) **around Thrinacia** AR.

θρῖναξ ακος *f.* **toothed shovel** (used by farmers), **shovel** Ar.

θρίξ τριχός *f.* **1 single hair** (of a person or animal), **hair** Hdt. Pl. Arist. NT.; (exemplifying lack of breadth) X. Theoc.; (exemplifying lack of value) Ar. Pl
2 || PL. **hairs** (of the head) Anacr.; **locks of hair** (cut fr. the head) Il.
3 (collectv.sg.) **hair** (of the head) Archil. Trag. Plu.; (ref. to a shorn lock) Trag.; (on the chin or cheeks) A. E. Call. Plu.; (ref. to pubic hair) Ar.; (ref. to a quantity of human hair, as a marketable commodity) Plb.

4 | COLLECTV.PL. **hair** (of the head) Hom. Sapph. Hdt. B.*fr.* S. E. +; (on the body) Il. Hes.; (on the chin, ref. to a beard) Hdt.; (ref. to a beard and whiskers) E.*Cyc.*; (ref. to wigs) Plb.
5 (collectv.sg.) **hair, coat** (of a horse, hound, hare) E. X.
6 ‖ PL. **hairs** (of an animal's body, usu. of a specific part, such as head, mane, tail) Hom. Hes. Hdt. E. X. Plu.; (collectv.) hair (of sheep, i.e. wool) Hes.; (of swine, i.e. bristles) Od.; (of a camel) NT.; (sg. for pl.) hair (i.e. hairs, of a calf) E.
7 (fig., collectv.sg.) **hair** (W.GEN. of clothing) A.

θρῖον ου *n.* **1 fig-leaf** Ar. Men. Plu.; (fig., ref. to the foreskin) Ar.; (ref. to a locust's wing) Ar.
2 (as a wrapping for eatables) **fig-leaf** (W.GEN. of fat, i.e. stuffed w. it) Ar.; (of stale salt fish) Ar.; (fig., ref. to a cerebral hemisphere, fr. resemblance in shape) Ar.

θρῑπ-ήδεστος ον *adj.* [θρίψ; reltd. ἔδω] (of a wooden seal) **worm-eaten** Ar.

θρίψ θρῑπός *m.* small wood-boring pest; perh. **woodworm** Men. Plb.

θροέω *contr.vb.* [reltd. θρέομαι] | usu. pres. | 3sg.impf. ἐθρόει (S.*satyr.fr.*) | aor. ἐθρόησα (S.), dial. θρόησα (B.) |
1 make an articulate (sts. forceful or emotional) utterance; **cry aloud, call out** B. S. —W.ACC. or INTERN.ACC. sthg. A.(also mid.) E. —W.DIR.SP. *sthg.* A.
2 tell of, speak of —*sthg.* Trag.
3 call out —*someone* (i.e. her name) E.(cj.)
4 call —W.DBL.ACC. *someone by a certain name* S.*satyr.fr.*
5 (gener.) **speak** —W.DAT. *to someone* S.; **say** (sthg.) Trag. —W.ACC. or INTERN.ACC. *sthg.* S. E. —W.INDIR.Q. *what is the case* E.
6 ‖ PASS. be alarmed or afraid NT.

θρόμβος ου *m.* [perh. τρέφω] **1** congealed liquid; **lump** (W.GEN. of bitumen) Hdt.; **clot** (W.GEN. of blood) A. Pl.
2 drop (W.GEN. of blood) NT.

θρομβώδης ες *adj.* (of foam) **clotted** S.

θρόνα ων *n.pl.* **1 figured patterns** (perh. of flowers, woven into cloth) Il.
2 perh. **herbs** (used in love spells) Theoc.

θρόνος ου *m.* **1 seat, chair** Hom. hHom. A. Hdt. E. Critias +
2 seat (in a carriage or chariot) A. Hdt.
3 (gener.) **place to sit** E.
4 seat (assoc.w. those in authority, freq.pl. for sg.); **throne** (of a deity, esp. Zeus) Il. Pi. Licymn. Trag. Ar. Pl. +; (of a seated statue) Hdt.
5 seat (of the oracular priestess at Delphi, i.e. her tripod) A. Hdt. E.
6 chair (of a teacher) Pl.
7 throne (of a king) Pi. Hdt. Trag. X. +; (of nobles, officials, judges, or sim.) Hdt. NT. Plu.
8 seat of honour (in the underworld, awarded to the acknowledged master of an art) Ar.
9 (meton., usu.pl.) status as ruler, **sovereignty** (of a god or king) Hdt. Trag. NT.
10 (fig.) **seat of authority** (in the mind or soul, occupied by a feeling or guiding principle, such as confidence, ambition, avarice) A. Pl.

θρόνωσις εως *f.* **enthronement** (of a new initiate in the Corybantic mysteries) Pl.

θρόος ου, Att. **θροῦς** οῦ *m.* [θρέομαι] **1 sound** (of voices) Il. Pi.*fr.*; (W.GEN. of hymns) Pi.; (gener.) **sound, noise** AR.
2 clamour (of a crowd voicing approval) AR. Plu.
3 talk (of a disapproving or discontented kind), **murmuring, grumbling, outcry** Th. X.
4 report, news (W.GEN. of a calamity) X.; (gener.) **talk, rumour** Plb. Plu.

θρυαλλίς ίδος *f.* **lamp-wick** (made fr. a plant) Ar.; (fig., of the sun) Ar.

θρῡγανάω (v.l. **θρῡγονάω**) *contr.vb.* **scratch at** —*a door* Ar.

θρῡλέω *contr.vb.* —also **θρῡλημι** Aeol.vb. | pf.pass. τεθρύλημαι | **1** say repeatedly, **keep saying** —*sthg.* E. Ar. Pl. D. —W.COMPL.CL. *that sthg. is the case* Sapph. Arist. ‖ PASS. (of things) be said repeatedly Isoc. Arist.
2 speak about repeatedly, **keep talking about, constantly mention** —*sthg.* Isoc. D. Plb. Plu.; (intr.) **talk constantly, harp on** —W.PREP.PHR. *about sthg.* Plu. ‖ PASS. (of persons or things) be constantly talked about D. Arist. Plb. Plu.; (of a story) be constantly repeated Plb. Plu.
3 talk on —W.NEUT.ACC.ADV. *at length* Theoc. ‖ PF.PASS. (of talk) have been allowed to go on —W.ADV. *long enough* S.(v.l. θρηνέω)

θρυλίζω *vb.* (of a lyre played badly) **utter** —*discordant sounds* hHom.

θρῡλίσσομαι *pass.vb.* | ep.aor. θρῡλίχθην | (of a person's forehead) **be smashed in** Il.

θρυμματίς ίδος *f.* [θρύπτω] a kind of cake, **crumpet** Philox.Leuc.

θρύον ου *n.* a kind of plant (which grows beside water), **rush** Il. Call. Theoc.

θρυπτικός ή όν *adj.* [θρύπτω] **disposed to luxury** or **self-indulgence** X.

θρύπτω *vb.* | fut.mid. θρύψομαι | **1** break into pieces, **chop up** —*a person's hands and feet* A.; (of the Nile) **break up** —*the soil* Theoc. ‖ PASS. (of things) be broken up Pl. Plu.
2 (of the arrogance of success) **break down, undermine, weaken** —*strength of character* Plu. ‖ PASS. (of a person) be pampered Plu.; be enervated (by self-indulgence) Plu. —W.DAT. *by softness of lifestyle* X.; (of minds) be corrupted —W.DAT. *by pretentiousness* Plu.
3 (intr.) **behave with weakness** or **indulgence** (towards one's slaves) Pl. ‖ MID. (of slaves treated indulgently) become lax Pl.
4 put on an air of reluctance, **be coy** or **indifferent** Ar. Pl. X. Plu.

θρύψις εως *f.* **1 pampered lifestyle** X. Plu.
2 delicate condition, fragile health Plu.
3 weakness of character Plu.

θρώσκω (unless **θρῴσκω**) *vb.* | aor.2 ἔθορον, ep. θόρον |
1 leap, jump, spring —W.ADV. or PREP.PHR. *to or fr. a place* (such as *to the ground, into the sea, onto a ship, horse, ladder, onto or fr. a chariot, fr. a bed*) Hom. Hes. Lyr. E. AR. Mosch.; (of an animal) —*fr. its lair* Il.; (of a fish) —*through the waves* Il.
2 (of a competitor in the long-jump) **leap, jump** Stesich.
3 (w. aggressive connot., of warriors) **leap, spring** —W.PREP.PHR. *upon the enemy* Il.; (of a person) —*at someone* AR.; (of a lion) —*upon cattle, a sheepfold* Il. AR.; (of vultures) —*upon birds* Od.; (fig., of a sickness, perh. envisaged as an animal) **pounce** S.
4 (of a baby god) **spring** —W.PREP.PHR. *fr. the womb* hHom.; (of Athena) —*fr. the head of Zeus* AR.
5 (of a baby god) jump about, **frolic** —w. ἐπί + DAT. *in its mother's arms* E.
6 (of beans, caught by a wind) **leap, spring** —W.PREP.PHR. *fr. a winnowing-shovel* Il.; (of arrows) —*fr. a bow-string* Il.; (fig., of words, perh. envisaged as sparks, W.ADJ. *high in the air*) A.; (fig., of loveliness) **flit away** —W.PREP.PHR. *fr. a woman's face* Archil.
7 (of Erinyes, Bacchants) **come bounding along** —W.PREP.PHR. *close to someone* E.

θρωσμός   694

8 (of a person) move swiftly and nimbly, **spring along, speed on** (sts. W.DAT. or PREP.PHR. towards a place) Pi. B. S. Theoc.; (of a fawn) —W.ACC. *over a plain* E.; (of an oar, through the waves) S.
9 (of a man) **mount** (a woman, in sexual intercourse) A.
θρωσμός (or perh. **θρωσμός**) οῦ *m.* **rise** (W.GEN. of the ground, i.e. place where the ground rises) Il. AR.(sts.pl.)
θυγάτηρ, Boeot. **Θουγάτηρ**, τρός *f.* | also poet.gen. θυγατέρος (E., perh. Ar.), ep. θῡγατέρος | voc. θύγατερ | acc. θυγατέρα, ep. θῡγατέρα, also poet. θύγατρα | dat. θυγατρί, ep. θῡγατέρι, also poet. θυγατέρι (Pi.) || PL.: nom. θυγατέρες, ep. θῡγατέρες, also poet. θύγατρες | acc. θυγατέρας, ep. θῡγατέρας, also poet. θύγατρας | gen. θυγατέρων, also poet. θῡγατρῶν | dat. θυγατράσι, ep. θῡγατέρεσσι || dat.du. θυγατέροιν |
1 female child (of a specific parent), **daughter** Hom. +; (W.GEN. of a horse, ref. to a mule) Simon.; (fig., of the Muses, ref. to a song) Pi. || VOC. (as a familiar address by an older person) *my daughter* E. NT.
2 daughter (W.GEN. of a famous ancestor, ref. to a female descendant) NT.; (of Jerusalem, ref. to a woman born in and living there) NT.; (of Zion, ref. to the city of Jerusalem) NT.
θυγατριδῆ ῆς *f.* daughter of a daughter, **grand-daughter** Att.orats. Plu.
θυγατριδοῦς οῦ, Ion. **θυγατριδέος** έου *m.* son of a daughter, **grandson** Hdt. Att.orats. Men. Plu.
θυγάτριον ου *n.* [dimin. θυγάτηρ] **1** young or baby daughter, **little daughter** Ar. D. Men. NT. Plu.
2 (as an affectionate term for one's grown-up daughter) **little daughter** NT. || VOC. (as a familiar address by a father to a grown-up daughter) *dear daughter* Men.; (as an address to a woman fr. a male admirer) *babe* Ar.
θυείᾱ ᾱς *f.* [θύος] **mortar** (low wide vessel for grinding herbs or mixing and mashing foods) Ar.
—θυείδιον ου *n.* [dimin.] **mortar** Ar.
θύελλα ης *f.* [θυίω, reltd. ἄελλα] **1 storm-wind, gale, squall** Hom. Hes. Alc. Thgn. S. E. +; (fig., W.GEN. of ruin) A.
2 blast (of fire) Od. AR.
Θυέστης ου *m.* **Thyestes** (son of Pelops, brother of Atreus, father of Aigisthos) Hom. A. E. Pl. D. Arist. +
—Θυέστειος ᾱ ον *adj.* (of a ragged costume for a tragic actor) **belonging to Thyestes** Ar.
θυήεις εσσα εν *adj.* [θύος] **1** (of altars) **fragrant with burnt offerings** (of incense) Hom. Hes.
2 (of clothes) **fragrant** (as though w. incense) hHom.
θυηλή ῆς *f.* **1** (usu.pl.) part of a victim burnt in sacrifice, **burnt offering** Il. Ar. AR.
2 (fig., prob.pl.) **offering** (W.GEN. to Ares, ref. to the blood of a murdered enemy) S.
θυηπολέω contr.vb. [θυηπόλος] **1 perform a sacrifice** (to a god) A. E. || PASS. (of a city) be filled with sacrifices E.
2 (gener.) **perform rituals** (in mystery cults) Pl.
θυηπολίη ης *Ion.f.* **performance of a sacrifice** AR.
θυη-πόλος ου *m.f.* [θύος, πέλω] **1** one who performs a sacrifice, **sacrificial priest** E. Ar. Plu.; **sacrificial priestess** E.
2 || FEM.ADJ. (of a hand) ready to perform a sacrifice A.
θυη-φάγος ον *adj.* [φαγεῖν] (of a flame) **devouring sacrifices** A.
Θυιάδες ων *f.pl.* —also **Θυῖαι** ῶν (S., cj.) dial.f.pl. [θυίω] **Thyiads** (nymphs assoc.w. Dionysus) Alcm. S.
—Θυιάς άδος *f.* (gener.) woman in a frenzy of divine possession, **maenad** A. Tim.; (specif., ref. to a Bacchant) AR.
θυίω (sts. written **θύω**) *vb.* [reltd. θύνω] | only pres. and impf., unless aor. ἔθῡσα (Call.) | **1** (of winds) blow violently, **rage** Od. Hes.

2 (of the sea, waves, rivers) **seethe** Hom. Hes. Anacr.; (of a floor) —W.DAT. *w. blood* Od.
3 (of a murderous woman) **rage** A.; (of a warrior) —W.DAT. *w. his spear, destructive thoughts* Il.; (of a goddess) —*w. invincible might, labour pains* Pi.
4 (of a god, bees) **rush on** hHom.; (of a divine horse) Call.(dub.); (of speech) —W.PREP.PHR. *to the lips* AR.
5 (of a girl's heart) **flutter** —W.PREP.PHR. *within her breast* AR.
θῡλάκιον ου *n.* [dimin. θύλακος] **bag, sack** Hdt. Ar.
θύλακος ου *m.* **1 bag, sack** (for transporting or storing foodstuffs, esp. barley-grain) Hdt. Ar. X. Thphr.; (for money) Plu.; (stuffed to make an artist's dummy) Plb.
2 (fig., ref. to a person) **sack** (W.GEN. of arguments) Pl.
3 || PL. (derog.) **bags** (ref. to the baggy trousers of oriental men) E.*Cyc.* Ar.
θυλήματα των *n.pl.* [θύω¹] **sacrificial grain** (cakes or pellets of barley-grain treated w. wine, oil or honey, for scattering on sacrificial meats) Ar. Thphr. Men.
θῦμα, Lacon. **σῦμα**, ατος *n.* **1 sacrificial offering** (ref. to an animal or person) Pi.*fr.* Trag. Th. Ar. Isoc. Pl. +; (ref. to fruits or cakes) S. Th. Pl.
2 (sts.pl. for sg.) **sacrifice** (as an event) S. E. Pl. Call.; (fig., ref. to a murder) A. E.
θῡμαίνω *vb.* [θυμός] | iteratv.impf. θῡμαίνεσκον | aor. ἐθύμηνα | **1** (of monsters, bulls) **rage** Hes. Call. AR.; (of a child) —W.DAT. *w. hunger* Call.
2 (of gods) **be angry** —W.DAT. *w. someone* Ar.
θῡμ-αλγής ές *adj.* [ἄλγος] **1** (of words, actions, anger, fatigue, troubles, or sim.) causing pain to the heart, **painful, distressing** Hom. Hes. Hdt. Hellenist.poet.
2 (of a heart) **pained to the core** A.
θῡμάλωψ ωπος *m.* **half-burnt piece of charcoal** Ar.
θῡμᾱρέω dial.contr.vb. [θῡμᾱρής] **have pleasure** (fr. sthg.) Theoc.
θῡμ-ᾱρής ές, Ion. **θῡμήρης** ες *adj.* [θυμός, ἀραρίσκω] (of a wife, friends) **suited to one's heart, to one's liking, pleasing** Hom. Hes.*fr.* Mosch.; (of a livelihood) hHom.; (of a song, a banquet) Call.; (of a walking-stick, a mixture of hot and cold bath-water) Od. | see also θυμηδής 1
θῡμ-άρμενος η ον *ptcpl.adj.* (of an omen, a drink) **to one's liking, pleasing, welcome** B. Call.
Θύμβρη ης *Ion.f.* **Thymbra** (site nr. Troy, w. a sanctuary of Apollo) Il.
—Θυμβραῖος ᾱ ον *adj.* (epith. of Apollo) **Thymbraian** E.; (of his altar) E.
θυμβρ-επίδειπνος ον *adj.* [θύμβρα *savory* (*a bitter herb*), ἐπιδειπνέω] (of a stomach) eating savory additionally (to bread), **having savory as a relish** (i.e. an unappealing and unsubstantial one) Ar.
θυμβροφάγον *neut.adv.* [φαγεῖν] **in a savory-eating manner** —*ref. to giving a look* (*i.e. w. pursed lips, expressive of anger or hostility*) Ar.
θῡμέλη ης, dial. **θῡμέλᾱ** ᾱς *f.* [θύω¹] **1** place where burnt offerings are made, **altar** (in a sanctuary or public place) A. E.
2 (sts.pl. for sg.) place containing an altar, **sanctuary** E.
3 hearth or **altar** (in a house) E. || PL. hearths (W.GEN. of the Cyclopes, ref. to Mycenae) E.
4 perh., portable altar, **brazier** or **censer** E.
5 (specif.) altar (of Dionysus, in the orchestra of a theatre) Pratin.; (meton.) **theatre** or **stage** Plu.; app. **theatrical performance** (by an individual) Plu.
6 stage-like platform, **dais** (for a banquet) Plu.

θυμελικός ή (dial. ά) όν *adj.* (of persons, performances) associated with the theatre, **theatrical** Plu.; (of a contest) Lyr.adesp. ‖ MASC.PL.SB. actors Plu.

θῡμ-ηγερέων οντος *pres.ptcpl.adj.* [θυμός, ἀγείρω] **gathering one's breath** Od.

θυμηδέω *contr.vb.* [θυμηδής] **be content** Semon.

θῡμ-ηδής ές *adj.* [ἡδύς, ἥδομαι] **1** (of possessions) pleasing to the heart, **desirable, gratifying** Od.(dub., cj. θυμήρης) **2** (of things offered) **pleasing, welcome** A.(superl.); (of words, events, circumstances) AR.

θυμηδίη ης *Ion.f.* **pleasure, satisfaction** Call.

θυμήρης *Ion.adj.*: see θυμαρής

θυμίαμα, Ion. **θυμίημα**, ατος *n.* [θυμιάω] **1** (freq.pl.) spice which releases a fragrance when burned, **incense** (used esp. in religious rites) Hdt. S. Ar. Pl. +; (used for purification) Hdt. **2 spice** (used in embalming) Hdt.

θυμιατήριον, Ion. **θυμιητήριον**, ου *n.* **censer** (for burning incense) Hdt. Th. And. D.

θυμιατικός ή όν *adj.* (of substances) **resembling incense** Pl.

θυμιάω *contr.vb.* [θύμα] | Ion.aor. ἐθυμίησα ‖ Aeol.pf.pass. ptcpl. τεθυμιάμενος | **1 burn** (a substance) so as to produce smoke; **burn** —*incense or sim.* Pi.*fr.* Hdt.; (intr.) **burn incense** Men. NT. ‖ PASS. (of substances) be made to smoke like incense Hdt. Pl. ‖ IMPERS.PASS. incense is burned Men. **2** make (a place) smoke (w. incense); **fume** —*the entrance to a house* (W.DAT. *w. scents*) E.*fr.* ‖ PF.PASS.PTCPL.ADJ. (of altars) fumed (W.DAT. w. frankincense) Sapph.

θυμίδιον ου *n.* [dimin. θυμός] **little heart** Ar.

θυμίημα, θυμιητήριον *Ion.n.*: see θυμίαμα, θυμιατήριον

θυμικός ή όν *adj.* [θυμός] **1** (of persons) **passionate, hot-tempered** Arist. Plb. **2** (of strengths) **of spirit** (opp. body) Plb.

—**θυμικῶς** *adv.* | compar. θυμικώτερον | **passionately, angrily** Plb. Plu.

θυμίτης ου *masc.adj.* —also **θυμιτίδας** ᾱ *dial.masc.adj.* [θύμον] (of salt) **flavoured with thyme** Ar.

θυμοβορέω *contr.vb.* [θυμοβόρος] (fig.) **eat one's heart out** —W.DAT. *w. grief* Hes.(dub.)

θυμο-βόρος ον *adj.* [θυμός, βιβρώσκω] **1** (fig., of strife, worries) **heart-eating** Il. Alc. Thgn. **2** (of the Keres) **life-devouring** AR.

θυμο-δακής ές *adj.* [δάκνω] (of a speech) **heart-stinging** Od.

θυμο-ειδής ές *adj.* [εἶδος¹] **1** (of persons, their temperament or soul) **passionate, spirited** Pl. Arist. Plu. ‖ NEUT.SB. passion, spirit (as a quality of character) Pl. Plu. **2** (of horses, dogs) **high-spirited** Pl. X. Plu.

θυμόεις εσσα εν *adj.* [θύμον] (of a mountain range) **thyme-covered** Call.

θυμο-λέων οντος *masc.adj.* (of warriors) **lion-hearted** Hom. Hes. Ar.

θυμο-λιπής ές *adj.* [λείπω] with failing spirit, **faint-hearted** Call.

θυμό-μαντις εως *m.* [μάντις] **prophet prompted by the heart** (i.e. by human insight, opp. divine inspiration or omens) A.

θυμομαχέω *contr.vb.* [μάχομαι] **be angry** Plb. —W.DAT. or PREP.PHR. *at someone* NT. Plu. —W.PREP.PHR. *over sthg.* Plb. Plu.

θύμον ου *n.* **1** a kind of aromatic shrub; prob. **thyme** Ar. Men. **2** a variety of garlic, **garlic** Ar. Thphr.

θυμόομαι *mid.pass.contr.vb.* [θυμός] | fut. θυμώσομαι | aor. ἐθυμώθην, also ἐθυμωσάμην (E.) | pf. τεθύμωμαι |
1 be angry Hdt. Trag. Ar. Isoc. Pl. + —W.DAT. or PREP.PHR. *at someone* Hdt. Trag. Ar. Pl. + —W.DAT. *over sthg.* Hdt. E. Ar. —W.GEN. *over someone* E. —W.PREP.PHR. E. Call. **2** (of the heart) **be passionate** S. Pl. **3** (of horses) **be spirited** or **restive** S. X.; (of bulls) **be angry** Plu.; **put anger** —W.PREP.PHR. *into their horns* (i.e. be fighting mad) E.; (fig., of a poet) Call. ‖ PRES.PTCPL.SB. anger (W.GEN. of mind) E. Antipho Th.

θυμο-πληθής ές *adj.* [πλῆθος, πίμπλημι] (of delusion) **heart-filling** A.

θυμο-ραϊστής οῦ *masc.adj.* [ῥαίω] (of death, enemies) **life-destroying** Il.

θῡμός¹ οῦ, Aeol. **θῦμος**¹ ου *m.* **1 breath** (in the body, as an essential constituent of life and strength), **breath of life, vital spirit, life, strength** Hom. Hes. Tyrt. A. **2 mind** or **heart** (as the seat of consciousness and the emotions) Hom. + ‖ VOC. (as the object of self-address) my heart Archil. Thgn. Ibyc. Pi. E. Ar. + **3** (specif.) strength of mind, **spirit, courage, determination** Hom. +; arrogant attitude, **pride** S. **4 will, wish, inclination, desire** Hom. + **5** strong emotion, **passion** Thgn. Ibyc. E. X. D. + **6 anger, wrath, indignation, rage** Hom. + ‖ PL. outbursts of anger Pl. Arist. Plb.

θῦμός² οῦ *m.* **penis** Hippon.(cj.)

θυμοσοφικός ή όν *adj.* [θυμόσοφος] **gifted** Ar.

θυμό-σοφος ον *adj.* [σοφός] wise from one's own heart (opp. through teaching), **naturally clever, gifted** Ar. Plu.

θυμοφθορέω *contr.vb.* [θυμοφθόρος] **suffer agony of heart** S.

θυμο-φθόρος ον *adj.* [φθείρω] **1** (of drugs) **life-destroying, fatal** Od. AR.; (of a disease) Mimn.; (of a message) Il. **2** (of grief) **heart-breaking** Od.; (of poverty, labour, weariness) **soul-destroying, grievous** Od. Hes. Thgn.; (of infatuation) **mind-destroying** AR. **3** (of a person) **troublesome, malicious** Od.

θυμώδης ες *adj.* (of a person) full of passion or anger, **passionate, hot-tempered** Arist.

θύμωμα ατος *n.* [θυμόομαι] **instance of passionate anger, rage** A.

θυνέω *contr.vb.* [θύνω] (of persons, dolphins, the Keres, Strife and Havoc) **rush, dart** Hes.

θύννα *f.*: see θύννος

θυννάζω *vb.* [θύννος] (fig., of wasps) **harpoon** (persons) like tunnies Ar.

θύννεια ων *n.pl.* **tuna meat** Ar.

θύννος ου *m.* —also **θύννα** ης (Hippon.) *f.* **tuna, tunny** Semon. Hippon. A. Hdt.(oracle) Philox.Leuc. Theoc. +

θυννοσκοπέω *contr.vb.* watch for tunnies; (fig., of an embezzler) **keep a tunny-watch for** —*tribute* (arriving by sea) Ar.

θύνω *vb.* [reltd. θυίω] **1** (of warriors) **rush, storm, rage** Hom. **2** (wkr.sens., of persons) **dash** Il. AR.; (fig., of a hymn) **flit** —W.PREP.PHR. *fr. one theme to another* Pi.

θυο-δόκος ον *adj.* [θύος, δέχομαι] (of a shrine) receiving burnt offerings (of incense), **fragrant with incense** E.

θυόεις εσσα εν *adj.* **1** (of an altar, shrine, places assoc.w. a deity) rich in burnt offerings (of incense), **fragrant with incense** hHom. Pi.*fr.* E. Call. **2** (gener., of a cloud surrounding Zeus) **fragrant** Il.; (of saffron leaves) Mosch.; (of oil) **scented** Call.

θύον ου *n.* a kind of tree (giving off a sweet odour when burnt); prob. **citron** Od.

θῦον (ep.impf.): see θύω¹

θύος εος (ους) *n.* [θύω¹] | SG.: only nom.acc. || PL.: nom.acc. θύη, ep. θύεα | ep.gen. θυέων | ep.dat. θύεσσι, also θυέεσσι |
1 || PL. **burnt offerings** (consisting of incense, cakes, or sim.) Hom. Hes. Theoc.
2 || PL. **sacrifice or sacrificial offerings** (consisting of an animal or animals) A. E. AR. Theoc.*epigr.* || SG. (specif.) **sacrificial animal** Call.
3 (fig.) **sacrifice** (ref. to a murder) A.
4 offering (thrown into a fire, perh. ref. to the hair shorn fr. a victim) Call.

θυοσκέω *contr.vb.* [θυοσκόος] **make burnt offerings** A.

θυοσ-κόος ου *m.* [κοέω] **1** perh., one who inspects burnt offerings (or their smoke) for the purpose of divination; (gener.) examiner of sacrificial victims, **augur, diviner** Od. E.; (appos.w. μάντις *seer*, opp. sacrificing priest) Il.
2 (appos.w. μαινάς *maenad*) **performer of sacrificial rites** E.

θυόω *contr.vb.* | pf.pass.ptcpl. τεθυωμένος | **impart fragrance** || PF.PASS.PTCPL.ADJ. (of oil, clothing) **perfumed, scented** Il. hHom.; (of a sacred grove) Call.

θύρα ᾱς, Ion. **θύρη** ης *f.* | dial.gen.pl. θυρᾶν, ep. θυράων, Ion. θυρέων | **1 door** (of a building, room or enclosure) Hom. + || PL. **doors** (ref. to a pair of double doors, also pl. for sg.) Hom. +; (of a tent or wagon) X.; (fig., for the tongue, ref. to restraint in speech) Thgn.
2 || PL. **gates** (of a city) Plu.
3 trapdoor (in a floor) Hdt.
4 door panel (used to form a barricade) Hdt. Th.
5 || PL. **doors** (of a king, wealthy or important person, as the place at which petitioners apply, hangers-on wait, or sim.) Hdt. Ar. Pl. X. Arist. +; (fig., W.ADJ. *of poetry*, through which an aspiring poet seeks entry) Pl.
6 gateway (to the kingdom of God) NT.; (ref. to Jesus) NT.; (of faith, to the Gentiles) NT.
7 (prep.phr., fig.) ἐπὶ (ταῖς) θύραις **at one's very doors** (i.e. close at hand) D. NT.; **on the threshold** (W.GEN. *of a country*, i.e. very close to it) X.
8 (provbl.phrs.) ἐπὶ θύραις τὴν ὑδρίαν (*drop*) *a water-jar at the doorway* (i.e. slip up on the point of reaching one's goal) Arist.; οὐ θύρα ἀλλ' ἀμφόδῳ *not at the door but in the street* (i.e. at an early stage) Plb.; τίς ἂν θύρας ἁμάρτοι; *who could miss a door?* (i.e. who could fail to achieve a goal?) Arist.
9 entrance (of a cave or tomb) Od. E.*Cyc.* NT.; (fig., of an anus) Hippon.(pl.) Ar.; (of a vagina) E.*Cyc.* Ar.
10 raft (for use on water) Hdt.

—θύραζε *adv.* **1** (w.vbs. expressing or implying motion) **out through a door or opening, out of doors, outside, out** Hom. Hes. Thgn. E. Ar. AR.
2 (gener.) **out, forth** (fr. a place) Hom. hHom. Carm.Pop. Ar. Plu.
3 (ref. to location) **outdoors** E.(dub.) Ar. AR.; (fig.) **outside** —W.GEN. *the laws* E.

—θύραθεν *adv.* **1 from outside** (a house) E.
2 from an outside source (opp. fr. one's own inner resources) S.
3 (ref. to location) **outside** (a city) A.

—θύρᾱσι *adv.* (ref. to location) **outside** (a house) E. Ar.; (a city) S.

—θύρηθι *Ion.adv.* (w.vb. of motion) **out** (of the sea) Od.

—θύρηφι(ν) *Ion.adv.* (ref. to location) **out of doors** Od. Hes. hHom. Thgn.

θυραῖος ᾱ ον (also ος ον) *adj.* **1** (of persons) immediately outside the door (of a house), **at the door, outside** A. S.; (of gods, ref. esp. to Apollo Agyieus *God of the Street*) A.(cj.)
2 (of a person, his steps) **out of doors** S. E.
3 away from one's home, away, absent Trag.
4 (of a war) **away from one's homeland, abroad** A.
5 (of a plot) **from abroad, foreign** E.
6 (fig., of a thigh) **not inside a garment, exposed** Plu.(quot. S.)
7 (of a person) **not belonging to one's household, from outside, alien, unrelated** E.
8 (of prosperity, grief, thoughts, opinions, a helping hand) **belonging to someone else, of another or others** A. E. Plu.

θυρᾱ-μάχος ον *adj.* [μάχη] (of drunken brawls) **fought out of doors** Pratin.

θύρᾱσι *adv.*: see under θύρα

θυραυλέω *contr.vb.* [αὐλή, αὐλίζομαι] **1 live out of doors** (as a mark of hardihood) Pl. Arist.; (of troops) **camp out, bivouac** Isoc. Plu.
2 (gener., of a person) **be out of doors** (opp. indoors) X.

θυραωρός *ep.m.*: see θυρωρός

θυρεᾱφόροι *m.pl.*: see θυρεοφόροι

θυρεός οῦ *m.* **1** object used to block an entrance (to a cave), **door-stone** Od.
2 oval shield (assoc.w. Gauls, Thracians and others) Plb. Plu.; **oblong shield** (ref. to the Roman *scutum*) Plb. Plu.

θυρεοφορέω *contr.vb.* [θυρεοφόροι] (of Roman soldiers) **carry an oblong shield** Plb.

θυρεο-φόροι (perh. also **θυρεᾱφόροι**) ων *m.pl.* [φέρω] **shield-bearers** (soldiers armed w. an oval shield) Plb.; (armed w. the Roman *scutum*) Plu.

θύρετρα ων *n.pl.* [θύρα] **1 doors** (i.e. double doors) Hom. Pi. Parm. E. X. Call.
2 || SG. **doorway** (of the Roman Senate-House) Plb.

θύρη *Ion.f.*: see θύρα

θύρηθι, θύρηφι *Ion.advs.*: see under θύρα

θύριον ου *n.* [dimin. θύρα] **door or little door** Ar. Plu.

θυρίς ίδος *f.* **1 window** Carm.Pop. Praxill. Ar. Pl. Arist. Plb. +
2 small door (in Phalaris' bronze bull) Plb.

θυροκοπέω *contr.vb.* [θυροκότος] **batter in a door** Ar.

θυρο-κόπος ου *m.f.* [κόπτω] (pejor.) **knocker at doors** (for the purpose of begging or selling) A.

θυρόω *contr.vb.* **1 furnish with doors; furnish** —*temples* (W.DAT. w. *golden doors*) Ar.
2 (fig., of the creator god) **shutter** —*the eyes* (W.DAT. w. *eyelids*) X.
3 make a doorway (in a wall) Plu.

θυρσάζω *vb.* [θύρσος] | Lacon.fem.gen.pl.pres.ptcpl. θυρσαδδωᾶν | (of Bacchants) **wave the thyrsos** Ar.

θυρσο-μανής ές *adj.* [μαίνομαι] (perh. of dancing or sim.) **thyrsos-maddened** E.

θύρσος ου *m.* **fennel rod tipped with ivy leaves** (carried by Dionysus and Bacchants), **thyrsos** S.*Ichn.* E. Plu.

θυρσοφορέω *contr.vb.* [θυρσοφόρος] **be a thyrsos-carrier**; (tr.) of Dionysus **conduct with a thyrsos** —*groups of Bacchants* E.

θυρσο-φόρος ον *adj.* [φέρω] (of Dionysus, his followers) **thyrsos-bearing** Ion E.*Cyc.*

θυρώματα των *n.pl.* [θυρόω] **door and its fittings** (i.e. panels and posts), **door** Hdt. Th. Lys. Pl. D. Plu.

θυρών ῶνος *m.* [θύρα] **hallway, vestibule** (immediately inside an entrance) S. Plu.

θυρ-ωρός, ep. **θυραωρός**, οῦ *m* (*also f.* NT.) [οὖρος², ὁράω] **1** one who guards a doorway, **doorkeeper** (of a house) Sapph. Anacr. A. Hdt. Pl. X. +; (ref. to a guard-dog) Il.
2 warder (in a prison) Pl.
3 gatekeeper (of a sheepfold) NT.

θυσανόεις εσσα εν *ep.adj*. [θύσανοι, w. ῡ *metri grat.*] (of an aigis) **tasselled** Il.
θύσανοι ων *m.pl*. **1 tassels** (attached to clothing, an aigis, or sim.) Il. Hes. Hdt.
2 tufts (of the Golden Fleece) AR.; (collectv.sg.) Pi.
θυσανωτός ή όν *adj*. (of clothing) **tasselled** Hdt.
θύσθλα ων *n.pl*. objects carried by the nurses of the baby Dionysus; perh. **thyrsoi** Il.
θυσίᾱ ᾱς, Ion. **θυσίη** ης *f*. [θύω¹] **1** performance or occasion of a sacrifice (consisting of a burnt-offering, usu. of animals); (pl.) **sacrifice** hHom. A. Pi. B. Hdt. E. +; (w.GEN. of myrrh and frankincense) Emp.
2 mode of sacrificing (as practised by a particular race) Hdt.
3 (meton., ref. to a celebration of which sacrifices were a part) **festival** (sts. W.GEN. of a particular god) Scol. Pl. D. Plb. Plu. ‖ PL. (gener.) rites, ceremonies (as part of a festival) Plu.
4 (concr.) **sacrificial offering** E.(dub.) NT.
θυσιαστήριον ου *n*. **altar** (for the burning of incense or other offerings, in the temple at Jerusalem) NT.
θύσιμος ον *adj*. (of animals) suitable for sacrificing, **sacrificial** Hdt. Ar.
θῦσις εως *f*. [θύω] **raging** (of the soul) Pl.
θυστάς άδος *fem.adj*. [θύω¹] (of a ritual cry, prayers) accompanying a sacrifice, **sacrificial** A. S.
θυτήρ ῆρος *m*. one who performs a sacrifice (on a specific occasion), **sacrificer** A. S.
θυτήριον ου *n*. **sacrificial offering** E.
θύτης ου *m*. one who performs sacrifices, **sacrificial priest** Call. Plb. Plu.
θύω¹ *vb*. ‖ also ep. and dial. θύω ‖ dial.inf. θύεν (B.) ‖ impf. ἔθυον, ep. θῦον, also dial. ἔθυον ‖ iteratv.impf. θύεσκον ‖ fut. θύσω, dial. θῡσῶ ‖ aor. ἔθῡσα, ep. θῦσα ‖ pf. τέθῠκα ‖ MID.: fut. θύσομαι ‖ aor. ἐθῡσάμην ‖ MID.PASS.: pf. τέθῠμαι ‖ PASS.: fut. θύσομαι (Hdt., dub.) ‖ aor. ἐτύθην, ptcpl. τῠθείς, also neut. θῠθέν (Men., dub.) ‖ plpf. ἐτεθύμην ‖ neut.impers. vbl.adj. θυτέον ‖
1 make a burnt offering to the gods (of foodstuffs); **make an offering** (sts. W.DAT. to a god or the gods) Hom.; (tr.) **offer** —*parts of an animal, cakes, a liquid measure, or sim.* (sts. W.DAT. *to a god or the gods*) Od. Hippon. A. Hdt. E. Ar. +
2 perform a sacrifice (by killing an animal or animals); **sacrifice** (sts. W.DAT. to a god or the gods) Thgn. A. Hdt. E. Ar. Att.orats. + ‖ IMPERS.PASS. a sacrifice is performed Pi.*fr*. Ar.
3 (tr.) **sacrifice** —*a specified animal (ox, bull, pig, or sim.)* Pi. B. Hdt. Ar. Pl.(mid.); **offer** —*sacrificial victims* Hdt. Th. Ar. Att.orats. Pl. +; **perform** —W.COGN.ACC. *a sacrifice* E. Lys. Pl.(also mid.) + ‖ MID. (fig., of eagles) **make a sacrifice of** —*a hare* A. ‖ PASS. (of an animal, a victim) be sacrificed Antipho Ar. X. +
4 sacrifice —*a person* Trag. Ar. Isoc.; **perform a sacrifice** —W.INTERN.ACC. *of female slaughter* E. ‖ MID. (fig., of soldiers) **offer** —W.INTERN.ACC. *a sacrificial death* (W.DAT. *to War-cry*) Pi.*fr*. ‖ PASS. (of a person) be sacrificed A. E.; (fig., of lives, meton. for persons) be slaughtered (in battle) Tim.
5 (gener.) **make an offering** or **perform a sacrifice** (of unspecified nature, freq. W.DAT. to a god or the gods) Sapph. Hdt. Trag. Th. Ar. Att.orats. + —W.INTERN.ACC. *of the choicest offerings* (fr. *war-booty*) Pi.; **make** —W.COGN.ACC. *an offering or sacrifice* E.
6 burn (for the purpose of sacrifice) —W.INTERN.ACC. *purificatory fire* E. —(w. hendiadys) *a flame and purification* (*i.e. light a sacrificial flame and perform a rite of purification*) E.

7 ‖ MID. **perform a sacrifice** (before an undertaking, esp. a battle, to test the omens) Hdt. E. Th. Isoc. X. + —W.PREP.PHR. *in relation to someone or sthg*. Hdt. X. —W.INF. or INDIR.Q. *to determine whether to do sthg*. X.
8 make burnt offerings or **sacrifices** (in honour of a particular occasion); **celebrate** (w. offerings or sacrifices) —W.INTERN.ACC. *a festival, birth, wedding, the saving of a life, or sim.* Hdt. E. Ar. Pl. X. D. +; **perform** —W.ACC. *sacrifices in celebration of victory, good news* Isoc. Pl. X. D. —*sacrifices preliminary to battle* E.*fr*.; **offer** —W.DBL.ACC. *oxen, as a sacrifice in celebration of good news* Pl.
9 (gener.) **slaughter** —*animals* (*for food*) Hdt. Ar. Men. NT. —*a person* (*and eat him*) Emp. Hdt. ‖ PASS. (of a person) be slaughtered (and eaten) Hdt.
θύω² *vb*.: see θυίω
θυώδης ες *adj*. [θύος] (of a sanctuary, altars, their smoke, Olympos) redolent of incense, **fragrant** hHom. E. AR. Theoc.; (of frankincense) Emp.; (of a chamber, a person's body, textiles, oils) Od. hHom. AR.
θυώματα των *n.pl*. **1 aromatic spices** Heraclit. Hdt.
2 scented oils Semon.
Θυώνη ης, dial. **Θυώνᾱ** ᾱς *f*. **Thyone** (a title of Semele) hHom. Sapph. Pi.
θυ-ωρός οῦ *f*. [θύος; οὖρος², ὁράω] **table for offerings** Call.
θῶ (athem.aor.subj.), **θῶμαι** (athem.aor.mid.subj.): see τίθημι
θωή, Ion. **θωιή**, ῆς *f*. [perh. τίθημι] **penalty** Hom. Call.
θωκέω Ion.contr.*vb*.: see θᾱκέω
θωκόνδε Ion.*adv*., **θῶκος** Ion.*m*.: see θᾶκος
θῶμα Ion.*n*., **θωμάζω** Ion.*vb*.: see θαῦμα, θαυμάζω
θωμάσιος, **θωμαστός** Ion.*adjs*.: see θαυμάσιος, θαυμαστός
θῶμιγξ ιγγος *f*. **1 band, cord** (worn around the head by Babylonian women) Hdt.
2 bow-string A.
θωμίζομαι pass.*vb*. ‖ aor.ptcpl. θωμιχθείς **be flogged** —W.ACC. *on one's back* Anacr.
θωμός οῦ *m*. [τίθημι] **heap, pile** (of heather, straw, or sim.) A. Ar.
θωπείᾱ ᾱς *f*. [θωπεύω] **1** (usu. pejor.) **flattery, cajolery** E. Ar. Pl.
2 coaxing (of a horse) X.
θώπευμα ατος *n*. **1 piece of flattery** or **cajolery** (directed at a juror) Ar. ‖ PL. ways of pandering (to one's weaker nature) Pl.
2 ‖ PL. acts of affection (by children towards parents), endearments E.
—θωπευμάτια ων *n.pl*. [dimin.] **petty acts of flattery** Ar.
θωπευτικός ή όν *adj*. disposed to flattery ‖ NEUT.PL.SB. flattering behaviour Pl.
θωπεύω *vb*. [θώψ] **1 flatter, fawn on, cajole, wheedle** —*a person* S. E. Ar. Pl. Plu. —*the populace* Aeschin.; (intr.) **flatter, fawn** S. Ar. ‖ PASS. be flattered or fawned on Ar.
2 coax —*hounds, horses* X.
3 (fig.) treat with affectionate deference, **humour** —*one's country* (*envisaged as an angry parent*) Pl.
θωπικός ή όν *adj*. (of women) skilled in flattery, **ingratiating** Ar.
θώπτω *vb*. **flatter, fawn on** —*the person in command* A.
θωρᾱκεῖα (also **θωράκια** Plb.) ων *n.pl*. [θώρᾱξ] **parapets, breastworks** (on a wall) A.; (on a siege-engine) Plb.
θωρᾱκίζω *vb*. ‖ aor.mid. ἐθωρᾱκισάμην ‖ aor.pass. ἐθωρᾱκίσθην ‖ mid.pass.pf.ptcpl. τεθωρᾱκισμένος ‖ **1 equip** (W.ACC. soldiers, charioteers) **with a cuirass** X.; **equip** (W.ACC. horses) **with a breastplate** X.

θωράκιον

2 ‖ MID.PASS. (of a soldier or cavalryman) **put on a cuirass** X. ‖ PF.PTCPL.ADJ. (of soldiers, cavalrymen) wearing a cuirass Th. X. Plu.; (of horses) wearing a breastplate X.

θωράκιον ου *n.* **protective wall** (on the platform of a siege-engine) Plb.; **armoured carriage** (on an elephant's back) Plb.

θωρακῖται ῶν *m.pl.* soldiers wearing a cuirass, **cuirassiers** Plb.

θωρᾱκο-ποιός οῦ *m.* [ποιέω] **cuirass-maker** X.

θωρᾱκο-φόροι, Ion. **θωρηκοφόροι**, ων *m.pl.* [φέρω] soldiers wearing a cuirass, **cuirassiers** Hdt. X.

θώρᾱξ ᾱκος, Ion. **θώρηξ** ηκος, Aeol. **θόρρᾱξ** ᾱκος *m.*
1 protective clothing (of leather or metal) covering the chest, back and shoulders, **corslet, cuirass** Il. Hes. Stesich. Hdt. E. AR.; (made of linen) Alc. Hdt. X. Plu.; (made of chain mail) Hdt. Plb.; (made of two metal plates, worn by cavalry and hoplites) Tyrt. Th. Ar. X. D. +
2 breastplate (worn by a horse) Hdt.
3 (fig.) **breastplate** (of a city, ref. to an outer wall) Hdt.
4 part of the body covered by a cuirass or breastplate, **chest, trunk** E. Ar. Pl.

θωρῆκται ᾱων *ep.Ion.masc.pl.adj.* (of troops) wearing a cuirass, **cuirassed** Il. Hes.*fr.*

θωρήσσω *Ion.vb.* | ep.aor. θώρηξα ‖ MID.: fut. θωρήξομαι ‖ PASS.: ep.aor. θωρήχθην, dial.ptcpl. θωρᾱχθείς (Pi.) | **1** (of a commander) cause to put on armour, **get under arms** —*his troops* Il.
2 ‖ MID. and AOR.PASS. put on one's armour, **arm oneself** Hom. Hes. Ar. AR. Theoc.
3 ‖ MID. and AOR.PASS. **station oneself** —W.ADV. or PREP.PHR. *somewhere, w. someone* Il.
4 (fig., of wine) **fortify** —*a person* (*to face an enemy*) Thgn. ‖ MID. fortify oneself (w. wine), **get drunk** Thgn. Ar. ‖ PASS. be fortified (w. wine), be drunk Thgn. Pi.*fr.*

θώς θωός *m.* [perh.reltd. θῶσται] **jackal** Il. Hdt. Theoc.

θῶσθαι *dial.mid.inf.* [reltd. θοίνη] (of a person) **feast** A.*satyr.fr.*

θωστήρια ων *n.pl.* celebrations involving feasting, **festival** Alcm.

θώτερον (dial.nom.acc.neut.adj. w.art.): see ἕτερος

θωύσσω *vb.* | aor. ἐθώυξα | **1** make a loud cry; (of persons) **call out, shout** S. E. —*sthg.* E. Men. —W.INTERN.ACC. *w. a cry* S.
2 (specif., of a hunter) **cry haloo** E. —W.DAT. *to hounds* E.
3 (of a voice) **call out** —*a person* (*i.e. his name*) S.
4 (wkr.sens.) **give voice to** —*a message* A.
5 (of a gnat) **buzz** A.

θώψ θωπός *m.* **1 flatterer** Hdt.
2 ‖ ADJ. (of a speech) **fawning, ingratiating** Pl.

Ι ι

ἰά (neut.nom.acc.pl.): see ἰός¹

ἰά ᾶς, Ion. ἰή ῆς f. sound of a person speaking or shouting, voice Hdt.(oracle) Trag.; (of a reed-pipe) E.

ἴα ᾶς (Ion. ῆς, Aeol. ᾱς) fem.adj. | acc. ἴαν, ep.neut.dat. ἰῷ (Il.) ‖ for Aeol.fem. οὐδ' ἴα see οὐδείς | **1** (of a mother, parentage, honour, fate, language) **one and the same** (for several persons) Il. AR.; (of a portion of food) Od.; (of a pasture, for flocks) Theoc.

2 (of a night, day, life) **one, one only, single** Il.; (of a person, group, animal, thing) Il. Sapph. Alc. Corinn. AR. Mosch.

ἰαί interj. (as a shout of triumph) **iai!** Ar.

ἰαιβοῖ interj. [αἰβοῖ] (as an expression of disgust) **ugh!** Ar.

ἰαίνω vb. | aor. ἤνα, dial. ἴᾱνα ‖ PASS.: 3sg.impf. ἰαίνετο, also ἰαίνετο | aor. ἰάνθην, also ἰάνθην, 2sg.subj. ἰανθῇς, 3sg. ἰανθῇ | **1 make warm, heat** —*a cauldron* Od. ‖ PASS. (of water) be warmed Od.; (of frost, dew) AR.; (of wax) be softened (by warming) Od.; (fig., of Hera's forehead, meton. for her anger) Il.

2 (of persons, Love, gifts, or sim.) **warm, gladden** or **placate** —*the heart or spirit* Hom. hHom. Alcm. Pi. Hellenist.poet. ‖ PASS. (of a person, heart) be warmed or gladdened Hom. Archil. Thgn. Pi. B. Hellenist.poet.; (fig., of a seashore, by persons singing) AR.; (in neg.phr., of a house, by a spirit of vengeance) A.

Ἴακχος ου m. [reltd. ἰάχω] **Iacchus** (mystic name of Dionysus) Lyr.adesp. Carm.Pop. S. E. Ar. X. Plu.

—ἴακχος ου m. **1 Iacchic song** Hdt.; (appos.w. ᾠδή) E.Cyc.
2 (gener.) **wild song of lamentation** (for the dead) E.

—ἰακχάζω vb. shout the name of Iacchus, **give the Iacchic cry** (during the Athenian festival of Demeter) Hdt.

—Ἰακχεῖον ου n. **temple of Iacchus** (at Phaleron) Plu.

ἰάλεμος dial.m.: see ἰήλεμος

ἰάλλω vb. | ep.impf. ἴαλλον | ep.aor. ἴηλα | **1 send forth, let fly, shoot** —*an arrow* Il.

2 (fig.) **pelt, assail** —*someone* (W.DAT. w. *insults*) Od.
3 (intr., of personif. storm-winds) hurl oneself, **rush on** Hes.
4 throw on, **fasten** —*chains* (w. περί + DAT. *around someone's hands*) Il.
5 reach out (eagerly or purposefully) —*one's hands* (w. ἐπί + ACC. or DAT. *to food*) Hom.
6 send forth —*messengers, libation-bearers, or sim.* Thgn. A. AR.; (of the spirit of a murdered king) —*Justice* (W.PREDIC. SB. *as an ally, to his avengers*) A.

ἰαλτός ή όν adj. (of servants) **sent out** (fr. a house) A.

ἴαμα, Ion. ἴημα, ατος n. [ἰάομαι] **1 cure for a physical disorder, remedy, medicine** Hdt. S.*satyr.fr.* Th.; (gener.) **remedy, relief** (fr. a difficult situation) Pl. Plb. Plu.
2 remedial course of action, **treatment** (for insomnia) Pl.

ἰαμβεῖος ᾱ ον adj. [ἴαμβος] (of poetic metre) **iambic** Arist. ‖ NEUT.SB. iambic metre Arist.; iambic verse or line Critias Ar. Pl. D. Arist. Plu.

ἰαμβειο-φάγος ου m. [φαγεῖν] (pejor.ref. to an actor) iambic-chewer, **mumbler of** or **feeder on iambics** D.

ἰαμβίζω vb. **abuse, lampoon** (in iambic metre) —*a person* Arist.

ἰαμβικός ή όν adj. (of a poetic form) **iambic, lampooning** Arist.

ἰαμβοποιέω contr.vb. [ἰαμβοποιός] **write a lampoon** Arist.

ἰαμβο-ποιός οῦ m. [ποιέω] iambic poet, **lampoon-writer** Arist.

ἴαμβος ου m. **1** a kind of scurrilous and abusive monologue (esp. in iambic trimeter or trochaic tetrameter, oft. sung at festivals), **iambic composition, lampoon** Archil. Hdt. Pl. Arist. Call. +

2 metrical foot consisting of a short followed by a long syllable, **iambus** Pl.; (ref. to the rhythm, assoc.w. common speech) Arist.; (ref. to a specific line) **iambic verse** Ar. Arist.

ἰάνθην (aor.pass.): see ἰαίνω

ἰανο-γλέφαρος ον dial.adj. [perh. ἴον; βλέφαρον] (of young women) app. **dark-eyed** Alcm.

Ἰάνων (dial.gen.pl.): see Ἴωνες

ἰάομαι mid.contr.vb. | orig. ῐ-, later ῑ- (E. +) | imperatv. ἰῶ | fut. ἰάσομαι, Ion. ἰήσομαι | aor. ἰᾱσάμην, Ion. ἰησάμην ‖ PASS.: aor. ἰάθην | pf. ἴαμαι (NT.) | **1** treat medically (by drugs, ointments, surgery, incantations); **treat, care for** —*sick or injured persons* Il. Hdt. Pl. X. Arist. NT. —*diseases, infirmities* Pi. E. Lys. Pl. D. —*wounds* Hdt. E. X.; (intr.) **practise medicine** X.

2 heal, cure —*an injured or sick person* Hom. Ar. X. Plu. —*the body, part of it* Od. S. Pl. X. D. —*grief* Archil. Plu.; (of physical love) —*human nature* (seen as incomplete) Pl.; (fig., of Socrates, by his arguments) —*persons* (*of their distress*) Pl. ‖ PASS. (of a sick person) be healed NT.

3 remedy, rectify —*moral and intellectual failings, a desire* Thgn. Ar. Plb. Plu. —*injustice* E. Arist. Plu. —*a state of ignorance or doubt* E. —*political trouble, danger, hardships* Att.orats. Arist. Plu.; **repair, make good** —*financial or physical damage* Ar. Pl.; (provb.) **treat** —*evil* (W.DAT. w. *evil*) Hdt. Th. Plb. Plu.

Ἰάοναυ (dial.voc.): see Ἴων, under Ἴωνες

Ἰάονες dial.m.pl.: see Ἴωνες

Ἰαονίη Ion.f., Ἰαόνιος dial.adj.: see under Ἴωνες

ἰάπτω vb. | fut. ἰάψω | 2sg.aor.subj. ἰάψῃς (S.) ‖ 3sg.aor.pass. ἰάφθη (Theoc.) | **1 send forth vigorously; shoot** —*arrows* A.; **hurl** —*boulders* A.; (of Zeus) **fling** —*mortals* (W.PREDIC.ADJ. *to destruction*, W.PREP.PHR. *fr. their high hopes*) A.; (fig.) **pelt, assail** (someone) —W.DAT. w. *words* S. ‖ PASS. (of missiles) be thrown A.

2 (intr., of Io) **dash forth, rush, fly** A.
3 (fig.) **speed on** —*a dance* S.; **pour forth** —*praise* (over a dead man) A.
4 cause pain or damage; **destroy, smash** —*one's head* (i.e. *one's life, in battle*) A.; (of a helmsman) **harm** or **ruin** —*a*

ἰαρεῖον dial.n.: see ἱερεῖον
ἰαρός dial.adj.: see ἱερός
ἰαρό-φωνος ον adj. [app. ἱερός; φωνή] (of a young woman) app. **with divine voice** Alcm.
Ἰάς άδος fem.adj. [Ἴωνες] (of women, Muses, cities, ships, an army, customs, or sim.) **Ionian** Hdt. Th. Pl. Plu.
ἰᾶσι (3pl.): see ἵημι
ἴᾱσι (3pl.): see εἶμι
ἰάσιμος, Ion. **ἰήσιμος**, ον adj. [ἰάομαι] **1** (of sick persons, wounds) **curable** A. Antipho Pl.; (of grief, personif. as a goddess) **appeasable** E.
2 (fig., of a thief, criminal offences, wrong beliefs) **corrigible, remediable** Pl.
ἴασις εως, Ion. **ἴησις** ιος f. | ῐ- S. | **action or means of healing, remedy** (for an ailment) Archil. S.; (for sufferings) S.; (for love) Pl.; (for an unjust situation) Antipho Arist.; (ref. to logical argument) **cure** (for persons holding a mistaken theory) Arist.; **healing** (performed by Jesus, his disciples) NT.
Ἰασίων ωνος, also **Ἰάσιος** ου (Hes.) m. **Iasion or Iasios** (hero loved by Demeter) Od. Hes. Theoc.
ἴασπις ιδος f. [loanwd.] | acc. ἴασπιν | **a brightly coloured kind of chalcedony, jasper** Pl.
Ἰαστί adv. [Ἰάς] **1 in the Ionian mode** or **style** —ref. to playing music Carm.Pop. Pl.
2 in the Ionic dialect —ref. to speaking Call.
Ἰᾱσώ οῦς f. [ἰάομαι] **Iaso** (goddess of healing) Lyr.adesp. Ar.
Ἰάσων, Ion. **Ἰήσων**, ονος m. **1 Jason** (leader of the Argonauts) Hom. +
2 Iason (tyrant of Pherai, 4th C. BC) Isoc. X. Arist.
ἰᾱτήρ, Ion. **ἰητήρ**, ῆρος m. [ἰάομαι] **healer, physician** or **surgeon** Il.; (ref. to Asklepios) Il. hHom.; (gener.) **healer** (w.GEN. of diseases, physical ills) Od. Pi. S. Theoc.epigr.; (fig., ref. to the ruler of a disordered city) Pi.
ἰᾱτικός ή όν adj. of or relating to healing; (of lessons learned) **providing a remedy** (for political evils) Pl.
ἰᾱτορίᾱ ᾱς f. | ῐ- in S. | **art of healing** B. S.
ἰᾱτός ή (dial. ά) όν adj. | ῐ- Pi. | (of an unjust action, lack of restraint, the perils of life) **curable** Pi. Pl. Arist.
ἰᾱτρείᾱ ᾱς f. [ἰατρεύω] **1** that which treats or cures, **medical treatment** X. Arist. Plu.
2 remedy (for pain, an unfulfilled desire, a perceived disadvantage) Arist. Plu.; (ref. to relaxation or music, seen as analgesic or purgative) Arist.
ἰᾱτρεῖον ου n. [ἰατρός] **place of medical treatment, doctor's clinic** Pl. X. Aeschin. Plb.
ἰάτρευμα ατος n. [ἰατρεύω] **cure for a physical disorder, remedy** Arist.
ἰᾱτρευσις εως f. **medical treatment** Pl. Arist.
ἰᾱτρεύω vb. [ἰατρός] **give medical treatment, practise medicine** Pl. X. Arist. Plu.; (fig.) **cure** —a place (of political disorders) Plu. ‖ MID. **treat oneself** Pl. ‖ PASS. **receive medical treatment** Pl.; **be healed or cured** Pl.
ἰᾱτρικός, Ion. **ἰητρικός**, ή όν adj. **1** of or relating to a physician; (of persons) **medically skilled** Pl. X. Arist. Plu.; (of a mind, soul) Pl. Arist.
2 of or relating to treatment; (of assistance) **medical** Isoc.; (of instruments, cupping-glasses) Pl. Arist.; (of a treatise) Plb.; (of the art) Pl. X.; (of employment, an operation) X. Arist. ‖ FEM.SB. **medicine or surgery** Hdt. Pl. X. Arist. Plb. Plu. ‖ NEUT.PL.SB. **medical matters or duties** Pl. X.

voyage AR.; (of Love) **cause pain to, torture** —a lover Theoc. ‖ PASS. (of a person, a heart) **be wounded** B.fr. Theoc. Mosch.

ἰᾱτρό-μαντις εως m. [μάντις] **healer and seer** (ref. to Apollo, his son Apis) A.; (fig., ref. to punishment as a remedy) A.
ἰᾱτρός, Ion. **ἰητρός**, οῦ m. (also f.) [ἰάομαι] | ῐ- Emp. Men., sts. E. Ar. | **1** one who heals (by medicines, surgery or incantations), **physician** Hom. Sol. Emp. Hdt. Trag. +; (epith. of Apollo) Ar.; (as specialist, W.GEN. for the eyes, head or teeth) Hdt.
2 (fig., ref. to persons, festivities, hope, words) **healer** (W.GEN. of adverse circumstances, errors, or sim.) A. Pi. E. Antipho Th. Pl.
ἰᾱτρο-τέχνης ου m. [τέχνη] (pejor.) **medical theorist** (opp. practitioner) Ar.
ἰάτωρ ορος m.f. (ref. to a goddess) **healer** (W.GEN. of sufferings) Alcm.
ἰαύω vb. [reltd. ἄεσα] | usu. pres. or impf. | impf. ἴαυον, iteratv. ἰαύεσκον | aor. ἴαυσα | **1** (of persons, gods, animals) **pass** or **spend the night** (in rest or awake) Od. AR. Theoc. —w. ἐπί + DAT. at a place Il. —W.PREP.PHR. in someone's arms Hom. hHom. AR.; **pass, spend** —W.INTERN.ACC. nights, sleepless nights Hom. Ibyc.
2 sleep or **lie at rest** —W.DAT. on one's bed E. —W.ADV. peacefully E.(cj.)
3 sleep —W.COGN.ACC. a sleep (W.ADJ. unbroken, beneath one's shield, prenuptial; one's last, ref. to death) hHom. E. Call. Theoc.; (phr.) ἐννυχίαν τέρψιν ἰαύειν enjoy the pleasure of sleeping at night S.
ἰαχέω contr.vb.: see ἰάχω
ἰαχή ῆς, dial. **ἰαχά** ᾶς f. [ἰάχω] | ep. ῐᾰ-, Att. ῑᾱ- | **1 tumultuous shouting, roar, clamour** (of battle) Il. Hes. E.; **howling** (of the dead in Hades) Od.; (of hounds, lions fighting) Il. Hes.
2 cry of joy or **thanksgiving** (at an altar, a marriage) Thgn. Pi. E.; **shout** (by the leader of the Bacchants) E.; (of mockery) Lyr.adesp.; **wail, wailing** (of a mourner) A. E.
3 musical sound, voice, cry (of drums, auloi) hHom. Lyr.adesp. E.
ἴαχημα ατος n. [ἰαχέω] **hissing** (of the Gorgon's serpent heads) E.
ἰάχω ep.vb. [reltd. ἠχή] —also **ἰαχέω** contr.vb. | ep. ῐᾰ-, past tenses usu. ῐᾰ-; Att. ῑᾱ- (but E. sts. as ep.) | PRES.: ep.ptcpl. ἰάχων, 3sg. ἰαχεῖ (E.), also ἰαχεῖ (hHom., perh. E.), ep.Ion.3pl. ἰαχεῦσι (Call.). | IMPF.: ep. ἴαχον (perh. sts. as aor.), also ἴαχον (Il.), iteratv. ἰάχεσκον (Hes.), also ἴαχον (Ar., perh. E.) | FUT.: ἰαχήσω (E.) | AOR.: ἰάχησα (hHom. AR. Theoc.), ἰάχησα (E., perh. Ar.), 3sg.opt. ἰαχήσειε (Ar.) ‖ PASS.: 2sg.aor. ἰαχήθης (E.) |
1 (of warriors, singly or as a group) **give a loud shout in battle, raise a shout** Hom. Hes. AR.
2 make or **reflect a loud noise;** (of river banks, a wood) **resound** (w. the echo of shouting, the cries of animals) Il. hHom.; (of a bow-string) **sing out** Il.; (of a ship's bow-wave) **crash** Hom.; (of a fire) **roar** Il.; (of hot iron doused in water) **hiss** Od.; (of a struck shield, utensils in the forge of Hephaistos) **ring out** Hes. Call.
3 shout aloud, cry out (in alarm, pain, grief) Hom. hHom. AR. Theoc. —W.DIR.SP. sthg. E. AR.; (of the earth, at the birth of Athena) hHom.; (of a holy tree being felled) —W.COGN. ACC. w. a sad cry Call.
4 raise one's voice in a lament, **wail** Mosch. —W.COGN.ACC. a melody, the Linos dirge E. —W.DIR.SP. sthg. E.; (of a land, a house) **lament, grieve** E.
5 cry out, shout aloud (in joy, celebration) E.; **sing** —W.INTERN.ACC. a joyful song (in honour of a god) Sapph.;

sing to —w.ACC. *Apollo, Dionysus* Ar.; (of a crane in flight) **cry out** E.; (of shouts at the Panathenaia) **ring out** E. **6** (of a herald) **call out, proclaim** —W.DIR.SP. *sthg.* E.; (of Apollo) —*the words of an oracle* Ar.; (intr., of a miraculous timber of the Argo) **call out** AR. ‖ PASS. (of Helen) be proclaimed (W.PREDIC.SB. *as a betrayer*) E.

Ἰάων *dial.m.*: see Ἴων, under Ἴωνες

Ἴβηρες ων *m.pl.* **Iberians** (people of eastern Spain, as a population or military force) Hdt. Th. Pl. X. Arist. +; (sg.) Plb.

ἶβις ιος *Ion.f.* | acc. ἶβιν | nom.pl. ἴβιες, acc. ἴβῑς | **ibis** (sacred bird of Egypt) Hdt. Ar. Pl.

Ἴβυκος ου *m.* **Ibycus** (6th-C. BC lyric poet) Ar. Pl. Plu.

—Ἰβύκειος ᾱ ον *adj.* (of a poem) **by Ibycus** Pl.

ἴγδις ιος *Ion.f.* bowl (for grinding condiments or drugs), **mortar** Sol.

ἶγμαι (pf.mid.), ἰγμένος (pf.mid.ptcpl.): see ἱκνέομαι

ἰγνύᾱ ᾱς, Ion. ἰγνύη ης *f.* [1st el.app. ἐν; 2nd el.reltd. γόνυ] | dat.pl. ἰγνύῃσι (Theoc.), also ἰγνύσι (as if fr. ἰγνύς) (hHom., dub.) | hollow of the knee; (ref. to a part of the body wounded in battle) perh. **thigh** Il. Plu.; (of a lion) Theoc.; app. **knee** (sg. and pl.) hHom. Theoc.

Ἰδαῖος *adj.*: see under Ἴδη

ἰδάλιμος (or perh. εἰδάλιμος) ον *adj.* [ἶδος] (of the sun's heat) causing sweat, **sultry** Hes.

ἰδανός ή όν *adj.* [ἰδεῖν] (of the Graces) **good-looking, beautiful** Call.

ἰδέ¹ *ep.conj.* (sts. following τε) **and, also** Hom. Hes. hHom. AR.

ἰδέ² (Att.aor.2 imperatv.): see ἰδεῖν

ἴδε¹ (aor.2 imperatv.), ἴδε² (ep.3sg.aor.2): see ἰδεῖν

ἰδέᾱ ᾱς, Ion. ἰδέη ης *f.* [ἰδεῖν] **1** that which is seen, **visible aspect, appearance, form** (of a human body, esp. ref. to its beauty) Pi. And. Pl. Theoc.; (of animals, objects) Hdt.; (of an angel) NT.; (ref. to a person's physique, opp. colouring) Hdt. ‖ PL. mere appearances (opp. experience) Thgn. **2 configuration, shape** (of the earth, parts of it) Pl.; (of the sky) Ar. **3** characteristic structure or nature (of things, their appearance); **type, kind** Hdt.; (of an epidemic, war, armour) Th.; (of government) Pl. **4** characteristic style or organisation (of things); **kind** (of plans, Bacchic rites, hymns, inventions) Hdt. E. Ar.; (of murder, iniquity) Th.; **particular way** (of attacking a city, making alliances) Th.; **circumstances** (of someone's life) Isoc. **5** orderly arrangement of parts (in a written work), **literary form** Isoc. Arist. **6** (philos.) apprehended aspect (of an entity specified by a general term), **idea** (of sthg.) Pl. **7** (in Platonic philosophy, usu.pl.) ideal paradigm (opp. particular things or properties), **Form** or **Idea** Arist. | see also εἶδος¹ 8

ἰδεῖν, also ep. ἰδέειν, dial. ἰδέμεν (Pi.) *aor.2 inf.* [reltd. εἴδομαι, οἶδα] | 1sg. εἶδον, ep. ἴδον, 3sg. ἴδε | subj. ἴδω, ep. ἴδωμι | ptcpl. ἰδών | imperatv. ἴδε, Att. ἰδέ | iterativ. ἴδεσκον | dial.fut. ἰδησῶ (Theoc.) ‖ MID.: aor.2 εἰδόμην, ep. ἰδόμην, dial. εἰδόμᾱν, ἰδόμᾱν | Ion.3pl.opt. ἰδοίατο | imperatv. ἰδοῦ (or ἰδού, cf. interj. ἰδού) ‖ Other tenses are supplied by ὁράω. | The mid. (in sim. senses to act.) is freq. in poets. | **1** discern with the eye, **see, perceive** —*someone or sthg.* Hom. + **2** intentionally direct one's eyes at, **look at, observe** —*someone or sthg.* Hom. +; (intr.) **look** Hom. + —W.ADV. or PREP.PHR. *ahead, towards someone or sthg.* Hom. + **3 examine, investigate** —*someone or sthg.* Hom. + —W.INDIR.Q. *what (or whether sthg.) is the case* Hom. +

4 see, experience —*people, places* Hom. —*a benefit or joy* (fr. someone) Il. —*the day of one's homecoming, of one's slavery* Od. E.; **recognise** —*justice* S. **5 meet with, see** —*someone* Hom. Th. X. Men. **6 look out for, have an eye to** —*gain* A. **7** ‖ IMPERATV. (as interj., drawing attention, sts. addressed to more than one person) **see!, look!** S. E. Theoc. NT. | for mid.imperatv.interj. see ἰδού

ἴδη ης *f.* **1** land on which trees are growing, **wood, forest** Hdt. ‖ PL. trees Hdt. **2 timber** (for shipbuilding) Hdt.

Ἴδη ης, dial. Ἴδᾱ ᾱς *f.* **1 Ida** (mountain in Phrygia, sacred to Zeus) Il. +; (ref. to the surrounding area) Hdt. **2 Ida** (mountain in Crete) B. Ar.

—Ἴδηθεν *adv.* **from Ida** (in Phrygia) —*ref. to journeying, Zeus ruling or looking down* Il.

—Ἰδαῖος ᾱ ον *adj.* **1** of Ida (in Phrygia); (of the mountain, the land) **Idaean** S. E. Plb.; (of Zeus, other deities, persons or things) Il. E. AR. **2** of Ida (in Crete); (of the mountain, the cave where Zeus was born) **Idaean** Pi. Call. AR.; (of the Daktyloi, Kouretes) Lyr.adesp. AR. Plu.

ἰδίᾱ *dat.adv.*, ἰδίη *Ion.dat.adv.*: see under ἴδιος

ἰδιοβουλέω *Ion.contr.vb.* [ἴδιος, βουλή] **be self-willed** Hdt.

ἰδιο-γενής ές *adj.* [γένος, γίγνομαι] (of humans, opp. animals) mating with one's own kind, **not interbreeding** Pl.

ἰδιο-γνώμων ον, gen. ονος *adj.* obstinately holding one's own opinion, **opinionated** Arist.

ἰδιογονίᾱ ᾱς *f.* [γονή] practice of mating with one's own kind, **absence of interbreeding** Pl.

ἰδιο-θηρευτική ῆς *f.* **practice of hunting alone** Pl.

ἰδιοθηρίᾱ ᾱς *f.* [θηράω] **hunting alone** Pl.

ἰδιό-μορφος ον *adj.* [μορφή] (of imitation animal heads) **of peculiar form** Plu.

ἰδιόομαι *mid.contr.vb.* make one's own, **appropriate** —*land, houses, money* Pl.

ἰδιοπρᾱγέω *contr.vb.* [πράσσω] (of a soldier) **act on one's own initiative** Plb.

ἰδιοπρᾱγίᾱ ᾱς *f.* **pursuit of one's own interests** Pl.

ἴδιος ᾱ (Ion. η) ον (also ος ον Pl.) *adj.* [perh.reltd. ἕ *him, her*] | compar. ἰδιώτερος, superl. ἰδιώτατος | **1** of or relating to oneself, (of activities, possessions) **one's own, private** (opp. δημόσιος *public*) Od. +; (of a person) **in a private capacity** Pi. Pl. ‖ NEUT.PL.SB. private interests Th. + **2** (of possessions) **one's own, personal** (opp. shared) E. + **3** one's own, personal (opp. another's) Pi. + ‖ NEUT.PL.SB. personal possessions or interests Th. + **4** (of persons) in a class of one's own, **individual, distinctive** Hdt. +; (of a nation, a language) **separate, distinct** Hdt. + **5** (of persons) **personally attached** (W.GEN. to a ruler, a government) Arist. Plb. ‖ MASC.PL.SB. followers (of Christ) NT.

—ἰδίᾱ, Ion. ἰδίη *dat.adv.* **1** by oneself, privately, **personally** Hdt. +; (prep.phr.) κατ' ἰδίαν *privately, individually* Arist. Plb. NT. Plu. **2 separately** —W.GEN. *fr. sthg.* Ar.

—ἰδίως *adv.* in a personal or specific way, **personally, specifically, uniquely** Isoc. Pl. Arist. Plu.

ἰδιό-στολος ον *adj.* [στόλος] **1** (of a ship) **equipped privately** (opp. by the state) Plu. **2** (of a person) **setting out** or **voyaging independently** Plu.

ἰδιότης ητος *f.* **distinctive** or **specific character** or **quality** (of objects, places, ways of behaving) Pl. X. Plb.

ἰδιο-τρόφος ον *adj.* [τρέφω] **looking after individual animals** Pl.

ἰδίω *vb.* [ἴδος] | *aor.* ἴδισα | **sweat** (fr. emotion or hard work) Od. Ar.

ἰδίωμα ατος *n.* [ἰδιόομαι] **distinctive quality, characteristic** (of a country, government, writer's skill) Plb.

ἰδίωσις εως *f.* **individuation, separation** (of the feelings of pleasure and pain) Pl.

ἰδιωτείᾱ ᾱς *f.* [ἰδιωτεύω] status of private citizen, **private status** (opp. that of a ruler) Pl. X.; (pl., opp. position of authority) Pl.

ἰδιωτεύω *vb.* [ἰδιώτης] **1** be a private citizen, **have private status** Isoc. Pl. X. Aeschin. Arist. Plu.
2 (of a doctor) **have a private practice** Pl.; (fig., of a person) **be a layman** —W.GEN. *in virtue* Pl.
3 (of a country) **have no outside influence** X.

ἰδιώτης ου *m.* [ἴδιος] **1 private person, individual** (opp. the state) Th. Ar. Pl. X.
2 private citizen (without political office) Hdt. Th. Att.orats. Pl.; (pl., appos.w. ἄνδρες) Hdt. Th.; (appos.w. θεοί, ref. to the personal gods of Euripides) Ar.; (sg., appos.w. βίος, i.e. *life of a private citizen*) Pl.
3 person without influence or prominence, **common** or **ordinary person** Ar. Plu.; **private soldier** (opp. officer) X.
4 person without professional skills, **layman** (opp. orator, soldier, athlete, doctor, philosopher) Th. Isoc. Pl. X. D. Arist.; (opp. professional craftsman) Pl. Plu.; (opp. poet) Pl.; **person without skill** (W.GEN. in a specified art or activity) Pl. X.; person without skills, **ignoramus** Men.

ἰδιωτικός ή όν *adj.* **1** of a private kind (opp. public); (of food stores, a building, baths, meetings, disputes, trials) **private, personal** Hdt. Pl. Aeschin. Plb.; (of a trireme) **privately owned** D.; (of authority, a document) **non-official** Pl.
2 (of the life) of a private citizen X.; (of objects which are desirable) **to a citizen** (opp. to a ruler) X. || MASC.SB. private citizen Pl. X.
3 relating to an individual person (opp. more generally); (of a name) **referring to an individual** Isoc.; (of an omen) X.; (of a teacher or training) **of** or **for individuals** Pl.
4 (of an argument, speech, profession) lacking skill, **unskilled** Pl. Arist.; (of a question, language) **commonplace** Pl. Arist. || NEUT.SB. common or ordinary use (of language) Arist.

—**ἰδιωτικῶς** *adv.* **unskilfully** —*ref. to arguing, studying, training the body* Pl. X.; (w. ἔχειν) **be unskilled** (*in sthg.*) Pl.

ἴδμεν[1] (dial.1pl.pf.), **ἴδμεν**[2] and **ἴδμεναι** (ep.pf.infs.): see οἶδα

ἰδμοσύνη ης *f.* [reltd. οἶδα] **knowledge, skill** Hes.(pl.)

ἰδνόομαι *pass.contr.vb.* | *aor.* ἰδνώθην | **bend oneself double** (fr. pain) Hom.; (backwards, for an upwards throw) Od.; (of a snake, before biting) Il.

ἰδοίατο (Ion.3pl.aor.2 mid.opt.), **ἰδόμην** (ep.aor.2 mid.), **ἴδον** (ep.aor.2): see ἰδεῖν

ἶδος (also **εἶδος** Emp. Tim.) εος *n.* **1 sweltering heat** Hes. Call.; **heat** (as an element) Emp.
2 (app.periphr. w. ὑφαντός) **woven warmth** (*of clothing*) Tim.

ἰδού *mid.imperatv.interj.* [ἰδεῖν] | The wd. can be addressed to more than one person. | see also under ἤν[2] | **1** (exclam., in dialogue) **see, look** or **listen!** Pratin. Trag. +; (complying w. a request) **there, look!** S. E. Men.; (reacting to a previous speaker) **come on, you don't say!** Ar.; (w. another imperatv. vb.) **look!** S. E. Ar.; (in answer to a summons) **here I am!** Ar.; (also) ἰδοὺ ἐγώ NT.
2 (as a narrative introduction or link) **once ..., then ...** NT.

ἴδου or **ἰδοῦ** (aor.2 mid.imperatv.): see ἰδεῖν

ἰδρείᾱ ᾱς, Ion. **ἰδρείη** ης *f.* [ἴδρις] **knowledge, skill** Il. AR. Theoc.

ἴδρις ιος *masc.fem.adj.* [οἶδα] **1** having specialised knowledge or skill, **experienced, skilled** Od. Thgn.; (W.INF. at doing sthg.) Od.; (W.GEN. in work, fighting) Hes. Archil. Simon. A. Hellenist.poet.
2 having knowledge or **understanding** S.; (W.GEN. of sthg.) Semon. Pi. S. E.; (W.ACC. of nothing) S. || MASC.SB. provident one (ref. to an ant gathering corn) Hes.

ἰδρόω *contr.vb.*: see ἱδρώω

ἵδρῡμα (also **ἵδρυμα** Call.) ατος *n.* [ἱδρύω] that which has been established (as a sacred building or precinct); **foundation** (ref. to a temple) Plu.; **seat, shrine** (of a god) A. Hdt. E. Pl.; (ref. to a city) Call.; (ref. to a private or domestic shrine) Pl.; (fig., ref. to a person) **bulwark** (of a city) E.

ἵδρῡσις εως *f.* **1 founding, setting up** (of temples) Pl.; (of a city) Plu.
2 (milit.) **established position** Plu.

ἱδρύω *vb.* [reltd. ἕζομαι] | ep.imperatv. ἵδρυε (Il.) | ep.impf. ἵδρυον | aor. ἵδρυσα || MID.: fut. ἱδρύσομαι | aor. ἱδρυσάμην | pf. ἵδρυμαι || PASS.: aor. ἱδρύθην, also ἱδρύνθην || neut.impers.vbl.adj. ἱδρυτέον |
1 cause to sit down, **seat** —*persons* Hom. E. AR. Plu.(mid.) || PASS. (of soldiers, rowers, suppliants) take a seat Il. AR. || STATV.PF.PASS. (of suppliants, an oracular priestess) be seated A. Call. || NEUT.IMPERS.VBL.ADJ. (in neg.phr.) one must sit idle S.
2 (of a commander) **station, encamp** —*an army* Hdt. E.(mid.) Th. Plu. || PASS. (of a commander, an army) take up a position (somewhere) Hdt. Th. Plu. || STATV.PF.PASS. be settled or encamped Hdt. Th. Plu.
3 (act. and mid.) establish (persons or things, in a place); **establish, settle** —*persons* (W.PREP.PHR. *in a city*) Plu. —(W.PREDIC.SB. *as rulers of a land*) E. —*a person* (W.PREP.PHR. *in a house, on a throne*) E. —*conflict* (*among citizens*) A. || PASS. (of persons) come to be settled (somewhere) Th. Arist. Plu.; (of a sickness) —W.PREP.PHR. *in the head* Th. || STATV.PF.PASS. be established or settled (somewhere) Hdt. S. E. Th. +; (of Eros) —W.DAT. *in a person's soul* X.
4 || MID. establish (a place) as a habitation; **establish, set up** —*a city, a house* Hdt. Ar. Pl. + —*a tent* (*for a ritual banquet*) E.; (fig., of Eros) —*a dwelling* (W.PREP.PHR. *in men's characters and souls*) Pl. || STATV.PF.PASS. (of a city, a house, or sim.) be situated or stand (somewhere) A. Hdt. E. Pl. +
5 || MID. establish (a building or structure, for the gods); **establish, set up, found** —*a temple, shrine, oracle, altar* Hdt. E. Th. Isoc. Pl. + || PASS. (of a temple) be established Hdt. || STATV.PF.PASS. (of a temple or sim.) be situated or stand (somewhere) Hdt. Th. +
6 || MID. establish (an object, usu. in a specified place); **set up** —*a statue, deity or hero* (i.e. *their statue*)*, a tripod, or sim.* Hdt.(also act.) E. Ar. Pl. +; (fig.) —*a proposition or argument* Pl. || PASS. (of a trophy, tripods) be set up E. AR. || STATV.PF.PLPF.PASS. (of statues or sim.; of gods or heroes, ref. to their statues) stand (somewhere) Hdt. E. Ar. Isoc. +; (of a wife, envisaged as a statue; of an oracular voice) —W.PREP.PHR. *in a house* E.
7 (gener.) establish (someone or sthg.) on a firm basis; **set up, establish** —*a tyrant, a constitution* Plu. || MID. **establish, institute** —*laws* Lycurg. || PASS. (of religious rituals) become established Hdt. || STATV.PF.PASS. (of laws) be established Lycurg.; (fig., of a person, country, tyranny) —W.ADV.

securely, unsoundly Hdt. Arist. Plu.; (of a person's nature) be based —W.PREP.PHR. *on a firm character* Plu.

ἱδρώς ῶτος *m.* [reltd. ἰδίω] | acc. ἱδρῶτα, ep. ἱδρῶ | dat. ἱδρῶτι, ep. ἱδρῷ | **1 sweat** (resulting fr. work or emotion) Hom. +; (fig., ref. to hard work or its results) Ar. **2 plant resin** (used in incense), **resin** E.

ἱδρώω *vb.* —also **ἱδρόω** *contr.vb.* | masc.acc.sg.pres.ptcpl. ἱδρώοντα, fem.nom. ἱδρώουσα, fem.contr.nom.pl. ἱδρῶσαι | fut. ἱδρώσω | aor. ἵδρωσα | (of men, horses) **sweat** (fr. work or fighting) Hom. Ar. X. Plu.; (of a deer, fr. being hunted) ll.; (of statues, as a portent) AR.

ἰδυῖα (ep.fem.pf.ptcpl.): see οἶδα

ἴδω (aor.2 subj.), **ἴδωμι** (ep.), **ἰδών** (aor.2 ptcpl.): see ἰδεῖν

ἰέ *interj.*: see ἰή¹

ἴε (ep.3sg.impf.): see εἶμι

ἵει (imperatv., also ep.3sg.impf.), **ἵει** (3sg.impf.): see ἵημι

ἰείη (ep.3sg.opt.): see εἶμι

ἰείς (pres.ptcpl.), **ἵεις** (2sg.impf.), **ἱεῖσι** (Ion.3pl.pres.): see ἵημι

ἵεμαι (mid.pass.), **ἵεμεν** and **ἱέμεναι** (ep.infs.), **ἱέμην** (impf.mid.), **ἵεν** (ep.3pl.impf.), **ἱέναι** (inf.): see ἵημι

ἰέναι (inf.): see εἶμι

ἱεράκίσκος ου *m.* [dimin. ἱέρᾱξ] app., hooked instrument (used by thieves), **crowbar** Ar.

ἱέρᾱξ ᾱκος, Ion. **ἵρηξ** ηκος *m.* **hawk** (ref. to several species, and to the falcon) Hom. +; (assoc.w. Apollo) Ar.

ἱεράομαι, Ion. **ἱράομαι** *mid.contr.vb.* [ἱερός] | aor. ἱερᾱσάμην | **be priest** or **priestess** Th. —W.GEN. *of a god or gods* Hdt.

ἱερᾱ-πόλος ου *m.* [πέλω] **priest** Pi.*fr.*

ἱερᾱτείᾱ ᾱς *f.* [ἱερᾱτεύω] **priestly office, priesthood** Arist. NT.

ἱερᾱτεύω *vb.* [ἱερός] **hold the office of priest** NT.

ἱερᾱτικός ή όν *adj.* (of sacrifices) **performed by the priesthood** Arist. || FEM.SB. priestly office Pl.

ἱέρεια (also **ἱέρεα** or **ἱερέᾱ** Pi. E. Ar. Men.) ᾱς, Ion. **ἱερείη** (also **ἱερέη** Call.) ης *f.* **priestess** (oft. W.GEN. of a particular god or goddess) ll. +; (ref. to Erinyes) ἐνέρων ἱέρεαι *priestesses of those below* E.

ἱερεῖον (dial. **ἱαρεῖον**), ep.Ion. **ἱερήϊον**, Ion. **ἱρήϊον**, ου *n.* [ἱερεύω] animal for sacrifice, **victim** Hom. Hdt. Th. And. +

ἱερεύς έως (ep. ἧος), Ion. **ἱρεύς** έος *m.* [ἱερός] | Att.pl. ἱερῆς, Ion. ἱρέες | **1** one who performs holy rites, **sacrificer, priest** (usu. of a particular god) Hom. Hdt. +
2 (fig.) **priest** (W.GEN. of Ruin, ref. to a heaven-sent agent of death and suffering) A.; (of the dead, ref. to Death) E.; (of hogwash, ref. to Socrates) Ar.
3 sacrificer (of human victims) E.

ἱερεύω, Ion. **ἱρεύω** *vb.* | Ion.iteratv.impf. ἱρεύεσκον | ep.fut.inf. ἱερευσέμεν | 3sg.plpf.pass. ἵερευτο | **1 sacrifice** —*animals* (*to a god*) Hom. AR. —(*to the spirit of a dead man*) Od.
2 slaughter —*animals* (*for a feast*) Hom.; (also mid.) Od. AR. || PASS. (of a sheep) be slaughtered Il.

ἱερεώσυνα ων *n.pl.* [reltd. ἱερωσύνη] **priest's share** (of the meat fr. a sacrifice) Thphr.(cj.)

ἱερήϊον *ep.Ion.n.*: see ἱερεῖον

ἱερό-δακρυς υ, gen. υος *adj.* [δάκρυ] (of frankincense) **dropping holy tears** Melanipp.

ἱερό-δόκος ον *adj.* [δέχομαι] **receiving sacrifices** A.(dub.)

ἱερό-θυτος, dial. **ἱρόθυτος**, ον *adj.* [θύω¹] (of death in battle, smoke) offered to the gods, **sacrificial** Pi.*fr.* Ar.

ἱερο-καλλίνῑκος ον *adj.* (of gods and goddesses) **holy and victorious** Lyr.adesp.

ἱερο-κῆρυξ ῡκος *m.* **herald in attendance at holy rites, sacred herald** D.

ἱερομηνίᾱ ᾱς *f.* [μήν²] **holy time of the month** (or festival at that time), **sacred season** or **festival** Pi. Th. D.

ἱερομνημονέω *contr.vb.* [ἱερομνήμων] **1 serve as sacred recorder** Ar.
2 serve as magistrate (in Byzantium) Plb.

ἱερο-μνήμων ονος *m.* **sacred recorder** (a secretary sent by each Amphictyonic state to the Delphic Council) Aeschin. D. Arist.; (as title of a magistrate, in some cities) Arist.

ἱερόν *n.*: see under ἱερός

ἱεροποιέω *contr.vb.* [ἱεροποιός] **perform sacred rites, serve as a sacrificial officer** Antipho Pl. D. Arist.

ἱερο-ποιός οῦ *m.* official who performs sacred rites (at the temples of Delos, Mykonos and Eleusis), **sacrificial officer** Arist.; (magistrate w. similar functions, in Athens and other states) D. Arist.

ἱερο-πρεπής ές *adj.* [πρέπω] **appropriate to a religious function**; (of persons, the art of cooking) **reverent, with an air of sanctity** X. Men.

ἱερός ά όν (ep.Ion. ή όν, also ός όν), dial. **ἱαρός** ά όν, Ion. **ἱρός** ή όν, Aeol. **ἶρος** (also **ἵερος**) ᾱ ον *adj.* | dial.fem.acc. ἱρᾱ́ν (Mosch.), gen.pl. ἱρᾱ́ν (Pi.*fr.*) || sts. ἱερός, ἱαρός in dactylic verse | **1** divine or sacred by virtue of one's birth; (of the race of the immortals) **holy, sacred** Hes.; (of the offspring of Okeanos, ref. to sea-nymphs) AR.
2 (of a part of a deity's body) **holy** Hes. hHom.
3 (of a place or object) belonging to a god, **divine, sacred, holy** Od. Hes. Sol. Trag. Pl.
4 (of libations, a sacrifice) given to a god, **holy** Il. S.
5 (of a person, the body) **consecrated** (sts. W.GEN. to a god) E. Pl.
6 (of a place, esp. a temple) associated with cult or ritual, **sacred, holy** Il. hHom. Hdt. S. E. Th. +; (of the road to Delphi) Hdt.
7 (of objects, such as an altar, tripod, thyrsos, bowl, wreath, musical instrument, garment) used in ritual, **sacred, holy** Hom. Hes. Thgn. E.
8 (of objects) **sacred** (W.GEN. to a certain god or goddess) Ar. Pl.; (provbl.) ἱερὸν ποιῆσαι τὸν στέφανον *make the crown* (*of victory*) *sacred* (*i.e. share the honours, when a contest is drawn, by dedicating it to a god*) Plb.
9 (of things) relating to the gods (or their worship); (of a kind of writing, literary works) **religious, sacred** Hdt. X.; (of a legend) Hdt.; (of a song) Thgn.; (of a law, concerning the festival of Dionysus) D.; (of the trireme Paralos, sent to the festival at Delos) D.; (of a war, fought in defence of the rights or property of a god) Th. Ar.; (provbl., in neg.phr.) ἔστι ... οὐδὲν ἱερόν *it is not a matter to cause scruples or to fuss about* Theoc.
10 (of natural objects and phenomena) manifesting divine power; (of rivers or sim.) **numinous, holy** Hom. Hes. Trag. Pl. AR.; (of rain) S. E.; (of day, its light) Hom. Hes. AR.; (of night, its darkness) Il. Stesich. E. Ar.
11 (of skill in song) given by a god, **blessed** Hes.; (of grain, food) Il. Hes. Pl. Call.*epigr.*
12 not to be used for profane purposes; (of a chariot, pulled by divine horses) **inviolable, untouchable, sacred** Il.; (of cows, rams) Hdt.
13 (of places, esp. Ilion, Pylos, Thebes, Athens) under divine protection, **sacred, holy** Hom. +
14 (of a race or family) enjoying the favour of the gods (or owing its origin to them); (of the race of Sown Men) **holy, sacred** Pi.*fr.*; (of a light, W.DAT. for Thebes, fig.ref. to the

Ἱεροσόλυμα

Sown Men) E.; (of the Hyperboreans, the race of the Danaans) AR.

15 (of persons) receiving divine protection (in a specific role or office); (of kings, elders, sentinels, poets, or sim.) **under divine protection** Hom. Pi. S. Ar. Pl.; (periphr., of the strength or power, W.GEN. of a person under divine protection) Od. Hes.*fr.* hHom.; (provbl., of advice, app.ref. to that given under oath) **sacred** X.

16 ‖ FEM.SB. (w. γραμμή understd.) **sacred line** (in a board-game, app. fr. which the pieces were removed only by necessity) • (fig.) κινήσαις τὸν ἀπ' ἵρας ... λίθον *having moved one's piece from the sacred line* (i.e. *adopted a stratagem of last resort*) Alc. • (also, neut.sb.) φορά ... πεττῶν ἀφ' ἱεροῦ *removal of one's pieces from the sacred place* (ref. to *adopting an unusual or extreme proposal in an argument*) Pl.; (fig., w. ἄγκυρα understd.) **sacred anchor** (app. used only in an emergency) • ἡ βουλὴ ... τὴν ἱερὰν ἀφῆκε *the Senate let down the sacred anchor* (i.e. *passed an emergency law*) Plu.

17 (of a disease, ref. to epilepsy) **sacred** (w.connot. of being untouchable or incurable) Hdt. Pl. Call.

—**ἱερόν**, Ion. **ἱρόν**, οῦ *n*. **1** ‖ PL. **things belonging to the gods, religious possessions** (in a city) Th.

2 sacrificial offering Il. ‖ PL. **offerings** or **sacrificial victims** Hom. Hes. Semon. Eleg. Hdt. S. +; (ref. to the entrails) E.; **omens** (fr. a sacrifice) Hdt. X. Thphr.

3 ‖ PL. **sacred rites** Hdt. S. E. D. +

4 shrine or **temple** A. Hdt. E. Th. +

Ἱεροσόλυμα ων *n.pl.* —also **Ἱερουσαλήμ** *indecl.f.* **Jerusalem** (sts. ref. to its inhabitants) Plb. NT.

—**Ἱεροσολυμίτης** ου *m*. (usu.pl.) **inhabitant of Jerusalem** NT.

ἱεροσῡλέω *contr.vb.* [ἱερόσυλος] **rob a temple, commit sacrilege** Ar. Att.orats. Pl. X. +; (tr.) **sacrilegiously steal** —W.COGN.ACC. *sacred weapons, images, or sim.* Lycurg. D.; **sacrilegiously rob** —*temples* Plb.

ἱεροσῡλίᾱ ᾱς *f*. **temple-robbery, sacrilege** Att.orats. Pl. X. +

ἱερό-σῡλος ου *m*. [ἱερός, σῡλάω] **temple-robber** Ar. Att.orats. Pl. X. + ‖ VOC. **thief** or **rogue** Men.; (pl., w. θηρία) *you sacrilegious brutes* Men.

ἱερουργέω *contr.vb.* [ἔργον] **perform sacred rites** Plu. ‖ MID. **perform** —W.COGN.ACC. *sacred rites* Plu.

ἱερουργίᾱ ᾱς, Ion. **ἱρουργίη** ης *f*. **religious ceremony, sacred rite** Hdt. Pl. Plu.

ἱερο-φάντης ου, Ion. **ἱροφάντης** εω *m*. [φαίνω] —also **ἱεροφάντις** ιδος *f*. **one who gives instruction in the rites** (of worship), **hierophant** Hdt. Plu.; (ref. to the initiating priest at Eleusis) Att.orats. Plu.; (ref. to the *pontifex maximus*) Plu.

ἱεροφαντίᾱ ᾱς *f*. **function of a hierophant, hierophancy** Plu.

ἱεροφαντικός όν *adj*. **of** or **belonging to the** *pontifex maximus*; (of books) **pontifical** Plu.

ἱερόω *contr.vb.* [ἱερός] **hold sacred** —*the principles by which states are organised* Pl. ‖ MID. **consecrate oneself to, perform** —W.COGN.ACC. *the office of priest* Aeschin.(law) ‖ PASS. (of a people) **be consecrated** or **sanctified** Th.

ἱερωσύνη, Ion. **ἱρωσύνη**, ης *f*. [ἱερεύς] **office of priest, priesthood** Hdt. Att.orats. Pl. Arist. Plu.

ἵεσαν (3pl.impf.): see ἵημι

ἱζάνω, Aeol. **ἰσδάνω** *vb*. [ἵζω] **1 cause to sit down, seat** —*an assembly* Il.

2 (intr.) **sit down, take one's seat** AR.; (of soldiers) **take up position** Stesich.

3 be seated, sit Od. Sapph. AR.; (of birds) **perch** Ibyc.

4 (of soil) **settle, subside** Th.

5 (fig., of sleep) **settle** —W.PREP.PHR. *upon the eyes* Il.

ἵζω, dial. **ἵσδω** (Alcm.) *vb*. | impf. ἵζον, iteratv. ἵζεσκον | aor. εἷσα, ptcpl. ἕσᾱς (Od.), dial.inf. ἕσσαι (Pi.) ‖ MID.: fut. εἵσομαι (AR.) | aor. εἱσάμην, dial.3sg. ἕσσατο (Pi.), ep. ἐέσσατο (Od.), dial.3pl. ἕσσαντο (Pi.), ptcpl. peh. ἑσσάμενος (Th.) ‖ PASS.: aor.subj. ἑσθῶ (S.) |

1 cause to sit, seat —*a person* (W.PREP.PHR. *on a chair*) Hom. —*persons* (*on the ground*) AR. —*an assembly* (*for business*) Il.; **set** —*someone* (W.PREP.PHR. *on a ship*) Od.(mid.); **place** —*someone* (W.DAT. *in ambush*) Hes.; **lay** —*an ambush* Hom. ‖ PASS. (of a person) **sit down** S

2 place, appoint, set —*someone* (w. ἐπί + DAT. *over cattle, as a herdsman*) Od. —(W.PREDIC.SB. *as an umpire, a prophet*) Il. A. —(w. ἐς + ACC. *on a throne, as king*) Hdt.; **set down, settle** —*persons* (*in a new country*) Hom. AR.(mid.) ‖ MID. (intr., of a person) **settle** —W.ADV. *somewhere* AR.

3 establish, raise up —*a city* (*after a calamity*) Pi.; (fig.) **enthrone** —*a city* (W.PREP.PHR. *in a position of pride*) S. ‖ MID. (aor. or fut.) **set up, establish** —*a temple, sanctuary, altars, divine images* Pi. Hdt. Hellenist.poet. Plu. —*sacrifices* Th. —*the court of the Areopagus* E.; **enthrone** —*a goddess* (*by building a sanctuary to her*) Thgn.

4 (intr.) **sit, sit down** (sts. W.DAT. or PREP.PHR. *on a seat, in a place*) Hom. hHom. Thgn. Pi. Hdt. Trag. + —W.ACC. *at an altar* E.; (of Cyprian oil) **sit** —W.PREP.PHR. *upon a woman's hair* Alcm.; (of confidence) —W.ACC. *on the throne of one's heart* A.; (of a blush) —W.PREP.PHR. *on a person's cheeks and forehead* AR.; (of a swarm of diseases, objects in flight) **settle down** A. Pl.; (of persons) **take up a position in** —W.ACC. *a valley* E.; **lurk** —W.COGN.ACC. *in a thief's hiding-places* E. ‖ MID. **sit down, take one's position** Hom. Semon. A. Hdt. E. Ar. +; (of things) **lie** (in a certain position) X.

5 ‖ MID. **lie in ambush** Il.; (of an army, a fleet) **take up position** Hdt.

6 (of things) **sink** or **settle**; (fig., of a city) **sink, fall** —W.PREP.PHR. *into destruction* Pi. ‖ MID. (of earth) **settle, subside** Pl.

ἰή[1] (also **ἰέ**) *interj*. —also (as if reltd. ἵημι) **ἰή** (Call.) **1 ritual cry** (usu. invoking Apollo Paion, sts. ἰὴ ἰέ), **ie!** Carm.Pop. Pi.*fr.* Lyr.adesp. E.*fr.* Ar. Tim. Call. [perh. also ἴη ἴε AR.]

2 (as a cry of grief) **ie!** A. Ar.(quot. A.)

ἰή[2] Ion.*f*.: see ἰά

ἴῃ (3sg.subj.): see εἶμι

ἰήιος (also **ἰηήιος** E.) ον *adj*. [ἰή] **1** (epith. of Apollo Paion) **invoked with** *ie!* A. Tim.

2 (of a cry, a dirge) **mournful** E.; (of labour in childbirth) **prompting painful cries** S.

—**ἰήιε** *voc.interj*. (invoking Apollo Paion) **ie ie!** Carm.Pop. Pi.*fr.* S. Ar. Tim.; (invoking an emperor) Plu.(quot.)

—**Ἰήιος** ου *m*.; voc. Ἰήιε (Call.) | **Ieios** (name of Apollo Paion) Ar. Call.

ἴηλα (ep.aor.): see ἰάλλω

ἰηλεμίζω *vb*. [ἰήλεμος] | aor.inf. ἰηλεμίσαι | **lament for** —*dead Adonis, the sacred bull Apis* Call.

ἰηλεμίστρια ᾱς *f*. **dirge-singer, wailing-woman** A.

ἰήλεμος, dial. **ἰάλεμος**, ου *m*. [ἰή] **1 funeral song, lament, dirge** A. Pi.*fr.* E. AR. Theoc.

2 (mythol. poet, assoc.w. the dirge) **Ialemos** Pi.*fr.*

ἴημα Ion.*n*.: see ἴαμα

ἵημι *vb*. | PRES. (ῑ usu. in Att., sts. ῐ in Hom.): 2sg. ἵης, 3sg. ἵησι, 3pl. ἱᾶσι (Ion. ἱεῖσι) | imperatv. ἵει | inf. ἱέναι, ep. ἱέμεναι, also ἵεμεν | ptcpl. ἱείς | IMPF.: 2sg. ἵεις, 3sg. ἵει (ep. ἵει), 3pl. ἵεσαν, ep. ἵεσαν (Hes.), also ἵεν (Il. Pi.) | FUT.: ἥσω | AOR.: ἧκα, ep. ἕηκα, 3pl. ἧκαν | ATHEM.AOR.: 3pl. εἷσαν, inf. εἷναι, 3sg.subj. ᾗ, ep. ᾗσι | PF.: εἷκα ‖ MID.: pres. ἵεμαι | impf. ἱέμην | fut.

ἤσομαι | athem.aor. εἵμην, ep. ἕμην, 3pl. ἕντο ‖ PF.PASS.: εἶμαι (Ar.) ‖ see also εἴσομαι² |
1 impart motion (to a missile); **launch, let fly** —*an arrow, spear, discus, stone* Hom. Hes. Pi. S. E. Hellenist.poet.; (of Zeus) —*lightning* Ar.; (fig., of a poet) —*javelins, arrows that bring fame* (*ref. to his verses*) Pi.; (intr.) **make a throw** Hom. Pi.; **shoot** (w. a bow) Pi. Pl. X.; **aim** (w. a sword, an axe, a missile) E. X.; (fig., w. hostile words) —W.GEN. *at great souls* S. ‖ MID. **ply** —*a sword* E.
2 throw (a person); **cast, fling** —*a person, a severed head or arm* (W.ADV. or PREP.PHR. *in some direction*) Il. Hdt. —*someone, oneself* (W.PREP.PHR. *fr. a wall, a precipice, into a river*) S. E. Ar. X.; (of Zeus) —*an adversary* (*into Tartaros*) A.; (fig., of Eros) —*mortals* (*through every misfortune*) E.(cj.)
3 set in motion (an animal or object); **move, drive** —*flocks* (W.PREP.PHR. *to high ground*) E.; **launch** —*a ship* (*upon the sea*) E.Cyc.; **release, send on** —*one's hunting dogs* X.
4 set in motion (oneself, a part of one's body); (of a runner, a beetle) **get** (W.ACC. oneself) **moving** Ar.; (of an acrobatic dancer) **move** —*his legs, arms and head* (*simultaneously*) X.; (periphr., of a person) —*one's foot* (W.PREP.PHR. *to a place, i.e. make one's way there*) E. —(W.DAT. *in flight, i.e. flee on foot*) E.; **fling** —*one's arms* (W.PREP.PHR. *across a table*) E.; (wkr.sens.) **set** —*one's hand* (W.PREP.PHR. *to a task*) E. ‖ PASS. (of runners) be set off (by the starter) Ar.
5 (intr., of a charioteer, the driver of a carriage) set one's course, **aim** —W.PREP.PHR. *for a place* E.
6 let fall (W.ADV. to the ground) —*a sword, a person's foot* Hom. —*tears* Od.; (of an eagle) —*a snake* Il.; (of a person clinging to a tree) **let go, release** —*one's hands and feet* (W.INF. *so as to fall*) Od.; (wkr.sens.) **shed** —*tears* A.
7 emit (sounds); **project, pour forth** —*one's voice* Hom. Hes. Lyr. Hdt. S. E. +; **utter** —*speech* (*in a particular language or dialect*) Sol. A. Hdt. Th. AR. —*malicious talk, lamentations, prayers, curses* Thgn. Trag.; (of cymbals, lyre-strings) **give out** —*a din, a melody* E. Pl.
8 cause (rivers) to run; (of a god, a river) **pour forth** —*waters* Il. A. AR.; (fig., of a poisoned crown) —*a stream of fire* E.; (intr., of a river, a spring) pour forth one's waters, **flow** Od. Hes.
9 (of a person) **pour** —*wine* (*into a bowl*) Hes.
10 cause (someone) to go (somewhere); **despatch** —*a person* (*for a specified purpose*)*, a messenger* Hom. hHom. AR.
11 (of a god) cause to come forth, **bring forth** —*someone* (W.GEN. *out of a shrine*) Il. —*a serpent, giants* (W.ADV. *into the light of day*) Il. Hes.
12 (of a god) **send** —*a favouring wind* Hom. E. —*fire, a bird* (*as an omen*)*, a star* (*as a portent*)*, a deer* (*in someone's path*) Hom.
13 put forth (a natural element); (of a torch) **give off** —*a flame* Ar.; (of frankincense) —*a scent* Xenoph.; (of the eyes of Helios' offspring) —*golden rays* AR.; (of Typhon) **breathe forth** —*smoke* A.; (of Demeter) **bring forth** —*pasture* (W.DAT. *for flocks*) E.; (of the vine) —*grape-clusters* E.
14 place (in a specified position); **place, set, put** —*hairs* (W.PREP.PHR. *around a helmet crest*) Il. —*a horse* (*in trace-ropes*) Il. —*fire* (W.ADV. *underneath logs*) AR.; (of a deity) **make** (W.ACC. hair) **fall** (in thick curls) —W.PREP.PHR. *fr. someone's head* Od.; (of Zeus) **hang** —*anvils* (W.PREP.PHR. *to the feet of the suspended Hera, as torture*) Il.
15 ‖ MID. (of persons, gods, animals, birds, ships) **speed on, hasten** (sts. W.ADV. or PREP.PHR. *somewhere*) Hom. Hes. Pi. B. Hdt. S.; **hasten, aim** —W.GEN. *for a place* Hom.

16 ‖ MID. (of a spear) **fly** Il.; (of thread) **fall** (fr. the spinner's hand) —W.DAT. *to the ground* E.; (of dust) **swirl** —W.PREP.PHR. *around the backs of chariot-horses* E.; (of foam) **stream** —W.PREP.PHR. *down the legs* (*of warriors, likened to boars*) E.
17 ‖ MID. **be eager** —W.ADV. *for home, a city* Hom.
18 ‖ MID. **be eager** (to do sthg.) Hom. —W.INF. Hom. Hes. E. AR. —W.GEN. *for victory, war* Il. Hes. —*for a safe return home* Od. hHom. —*for a report* Mimn. —*for marriage* S.
ἵνα (aor.): see ἰαίνω
Ἰόνες ep.Ion.m.pl.: see Ἴωνες
Ἰη-παιήων ονος ep.m. [ἰή¹, Παιών] (name of Apollo, fr. the cry by which he is invoked) **Ie-Paieon** hHom. AR.; (ref. to a cry or hymn in his honour) hHom.
—**ἰηπαιωνίζω** vb. sing Ie-Paieon Ar.
ἵης (2sg.subj.): see εἶμι
ἱησάμην (Ion.aor.mid.): see ἰάομαι
ἵησθα, ἵησι (ep.2 and 3sg.subj.): see εἶμι
ἱήσιμος Ion.adj., **ἵησις** Ion.f.: see ἰάσιμος, ἴασις
Ἰησοῦς οῦ m. | acc. Ἰησοῦν | dat. Ἰησοῖ, also Ἰησοῦ | **1 Joshua** or **Jesus** (ref. to several persons) NT.
2 (usu. w.art. ὁ) **Jesus** (sts. w. Χριστός *Christ*) NT.
Ἰήσων Ion.m.: see Ἰάσων
ἰητήρ Ion.m., **ἰητρικός** Ion.adj., **ἰητρός** Ion.m.: see ἰᾱτήρ, ἰᾱτρικός, ἰᾱτρός
ἰθᾱ-γενής (or **ἰθαιγενής**) ές adj. [ἰθύς; γένος, γίγνομαι]
1 of legitimate birth; (of a child) **true-born** Od.; (of a person, ref. to nationality) A. Hdt.
2 (of mouths of the Nile) **original, natural** (opp. excavated) Hdt.
Ἰθάκη ης f. **Ithaca** (island off the W. coast of Greece, home of Odysseus) Hom. Hes.fr. hHom. E. Pl.
—**Ἰθάκηνδε** adv. **towards Ithaca** Od.
—**Ἰθάκησιος** ᾱ ον adj. (of a person) **of** or **from Ithaca** Hom. E.Cyc. Pl. ‖ MASC.PL.SB. men of Ithaca Od.
—**Ἴθακος** η ον adj. (of Odysseus) **Ithacan** E.Cyc.
ἰθαρός ά όν adj. **1** (of persons, their eyes) app. **cheerful, happy** Alc. Call.
2 (of knees) perh. **uncomplaining** (on a journey) Call.
ἰθέα (Ion.fem.), **ἰθεῖα** (fem.): see ἰθύς
ἰθέως adv.: see under ἰθύς
ἴθι (imperatv.): see εἶμι
ἴθματα των n.pl. [εἶμι] **1 steps** (of two goddesses) Il. hHom. | see also ἴχματα
2 feet (of a goddess) Call.
ἰθύ adv.: see under ἰθύς
ἰθυ-δίκης ου masc.adj. [ἰθύς, δίκη] (of persons) **straight-judging** Hes.
ἰθύ-θριξ τριχος masc.fem.adj. [θρίξ] (of Aithiopians) **straight-haired** Hdt.
ἰθυμαχίη ης Ion.f. [μάχομαι] conventional fighting, **open warfare** Hdt.
ἰθύντατα ep.superl.adv.: see under ἰθύς
ἰθυντήρ ῆρος m. [ἰθύνω] one who steers a straight course, **helmsman** AR.
ἰθυντήριος ᾱ ον adj. (of a god) **guiding, directing** S.Ichn.
ἰθύνω vb. [ἰθύς]; aor. ἴθῡνα; aor.pass. ἰθύνθην | **1** make straight; (of a woodworker, using a chalk-line) **check for straightness** —*timber* Od.
2 place in a straight line —*axes* Od.
3 (w. literal and moral connot., of Zeus) **make straight** —*a crooked man* Hes.; (w. moral connot.) —*the judgements of rulers* (W.DAT. *through justice*) Hes.; (of rulers) —*their own speech* Hes.

ἰθυπτίων

4 direct on a straight course; (of a god or goddess) **direct** —*a missile* (*to its target*) Il. ‖ MID. (of an archer) **aim** —*an arrow* (*at someone*) Od.; (of warriors) —*their spears* (W.GEN. *at each other*) Il.
5 **steer, drive** —*a chariot, its horses, a wagon, its mules* Il. Hes.(mid.); (intr., of a charioteer) AR. ‖ PASS. (of yoked horses) **be pulled into line** Il.
6 (of a helmsman) **guide in a straight line, steer** —*a ship* Hom.; (intr.) Od. AR.; (of the wind, a god w. his breath, a sea goddess) **direct, guide** —*a ship, its course* Od. hHom. AR. ‖ MID. (of a helmsman) **steer** Od.; (of sailors) **steer a course** AR. ‖ PASS. (of a boat) **be steered** —W.PREP.PHR. *by two paddles* Hdt.
7 (of kings) **direct, guide, govern** —*their people* Call.; (of helplessness) —*people's minds* Parm.; (of townspeople) **manage** —*festivals* D.(oracle); (of a judge, at a contest) **direct** —*the advantage* (W.DAT. *to someone, i.e. favour him*) Theoc.; (of a king) —W.INF. *that sthg. shd. be done* AR.
8 ‖ PASS. (euphem., of a malefactor) **be corrected** (i.e. punished) —W.DAT. *by death* Hdt.

ἰθυ-πτίων ωνος *masc.fem.ep.adj.* [πέτομαι] (of a javelin) **straight-flying** Il.

ἰθύς εῖα (Ion. έα) ύ *adj.* [reltd. εὐθύς] ‖ FEM.: Ion.acc. ἰθέαν, gen. ἰθέης, ep.Ion.acc. ἰθείην, gen. ἰθείης ‖ compar. ἰθύτερος, superl. ἰθύτατος ‖ 1 **extending in a straight line**; (of a furrow) **straight** Hes.; (of a road, a river channel) Hdt.
2 **straight** (opp. crooked or bent); (of a slave's head, in neg.phr.) **upright** Thgn.
3 (w. moral connot., of a judge) **straightforward, honest, forthright** Hdt.; (of a judgement) Il. Hes. hHom. Call. AR.; (of a person's thoughts or actions) Thgn.; (of Justice) **direct, unswerving** B.; (of a story) **true** Hdt.; (advbl.phr.) ἰθέῃ τέχνῃ *in actual fact, really* Hdt.

—**ἰθέα** ης *Ion.f.* **direct route**; (advbl.acc.) ἰθέαν *by a direct route, directly* (*ref. to sailing to a place*) Hdt.; (prep.phr.) ἐκ τῆς ἰθέης *openly* (*ref. to being hostile, making an attack, engaging in rebellion*) Hdt.

—**ἰθύς** (also ἰθύ) *adv.* 1 (ref. to motion or direction) **straight on, directly** Hom. Hes. Callin. Hippon. Parm. Hdt. +; (as prep.) **directly towards, straight for** —W.GEN. *a person or place* Hom. hHom. Hdt.
2 (ref. to location) **directly facing, face to face** (w. the enemy) Il. Tyrt.; (as prep.) —W.GEN. *w. an opponent* AR.; (also) πρὸς ἰθύ —W.DAT. *w. an opponent* Il.
3 **unswervingly** —*ref. to keeping to one's plan* Il.
4 **straightaway, immediately** Hdt.

—**ἰθέως** *adv.* **straightaway, immediately** Hdt.

—**ἰθύντατα** *ep.superl.adv.* **most straightly** or **honestly** —*ref. to pronouncing judgement* Il.

ἰθύς ύος *f.* ‖ only acc. ἰθύν ‖ 1 app., **direction** or **impulse** (of a person's intentions or thoughts); **initiative, undertaking, enterprise** Hom.; **inclination, will** Od. hHom.(dub.)
2 perh. **direction** or **aim** (of a spear) Il.(dub.)
3 app., **straight course**; (prep.phr.) ἀν' ἰθύν *straight on* Il.; *straight up* Od.

ἰθύ-φαλλος ου *m.* [ἰθύς, φαλλός] 1 **erect penis, ithyphallus, phallic pole** (carried in a fertility ritual, also ref. to the fertility god embodied in it) D.
2 ‖ PL. **Ithyphalloi** (ref. to gangs of drunken young Athenian men) D.

ἰθύω *vb.* ‖ aor. ἴθυσα ‖ 1 **direct one's course straight on**; (of persons, esp. warriors or troops) **press ahead, advance, hasten on** Il. Hdt. AR.; (of a lion, compared to a warrior) Il.; (of a dolphin) Pi.*fr.*; **make straight for** —W.GEN. *a place, battle* Il. hHom. AR.
2 (of fighting) **advance** —W.ADVBL.PHR. *this way and that* Il.
3 (app.tr., fig., of a poet, envisaged as a charioteer) **direct, steer** —*his tongue* B.
4 (of a person) **reach out** (w. his hand) —W.GEN. *for sthg.* Od.
5 **hasten** —W.INF. *to do sthg.* Od. AR.
6 **determine** —W.INF. *to make war* (*against someone*) Hdt.
7 **be eager** (to do sthg.) A. AR.; **be eager for, desire** —W.NEUT.ACC. *sthg.* AR.
8 (tr., of passionate feelings) **urge** —*someone* (*to a course of action*) Archil.

ἱκανός ή όν *adj.* [reltd. ἱκνέομαι] 1 (of persons) **sufficient** (in ability or number or other attribute), **sufficient, capable, competent** (freq. W.INF. *to do sthg.*) Hdt. Th. Att.orats. +; (of a god) **sufficient, enough** (to accomplish sthg.) S.; (of a person) ἱκανὸς εἶναι *have enough* (W.PTCPL. *being unfortunate, i.e. it is enough that one is unfortunate*) Is.
2 (of things, places) **sufficient** (in amount or size or other attribute), **sufficient, adequate** (sts. W.DAT. or PREP.PHR. *for someone or sthg.*, or W.INF. *for doing sthg.*) Hdt. E. Th. +; (prep.phr.) ἐφ' ἱκανόν *to a sufficient extent, satisfactorily* Plb.
3 ‖ NEUT.SB. **what is satisfactory** (W.DAT. *to someone, i.e. satisfies one's wishes*) Plb. NT.
4 ‖ NEUT.SB. (leg.) **security** or **bail** Plb. NT.

—**ἱκανῶς** *adv.* **sufficiently, adequately** Th. Att.orats. +; (w. ἔχειν, of things) *be sufficient or satisfactory* Th. Isoc. Pl. +

ἱκανότης ητος *f.* 1 quality of being sufficient, **sufficiency** Pl.
2 sufficiency in amount, **sufficient number** (W.GEN. of children) Pl.

ἱκάνω *vb.* [ἵκω] ‖ ep.inf. ἱκανέμεν ‖ impf. ἵκανον, ep. ἵκανον ‖ only pres. and impf. ‖ 1 **come, arrive** (freq. W.ADV. or PREP.PHR. *to or at a person or place*) Hom. hHom. A. Pi. B. S. +; **come to, approach, reach** —*a person or place* Hom.(also mid.) Hes. Sol. A. Pi. Parm. + —*a period of life* Od. ‖ PASS. (of a solution) **be found** AR.
2 (of cliffs, trees, veins, a horse's mane) **extend to, reach** —*a place* Hom.
3 (of mental and physical states, such as pain, grief, dread, amazement) **come upon, afflict, overpower** —*someone, the heart, a land* Hom. AR.; (of sleep, fate, need, old age) Hom.

Ἴκαρος ου *f.* **Ikaros** (Aegean island named fr. the fate of Icarus, son of Daedalus) hHom. A. Hdt. Th.

—**Ἰκάριος** ᾱ (Ion. η) ον *adj.* (of the Aegean Sea betw. Naxos and Caria) **Ikarian** Il. Hdt. S. Call ; (of the island) Theoc.

ἴκατιν *dial.num.adj.*: see εἴκοσι

ἴκελος η ον *adj.* [reltd. εἴκελος] (of persons, animals, things) **resembling, like** (W.DAT. *someone or sthg.*) Hom. Hes. Eleg. Lyr. Hdt. Ar. + ‖ NEUT.SB. **copy** or **likeness** (W.DAT. *of a woman, made by Hephaistos*) Hes.

ἱκέσθαι (aor.2 inf.): see ἱκνέομαι

ἱκεσία ᾱς, ep.Ion. **ἱκεσίη** ης *f.* [ἱκέτης] **action** or **prayer of supplication, supplication** E. AR. Plu.; (wkr.sens.) **entreaty** E.

ἱκέσιος ᾱ ον (also ος ον), ep.Ion. **ἱκέσιος** η ον *adj.* 1 **of** or **relating to supplication** (of a person, a group of persons) **suppliant** A. E.; (of prayers, appeals, hands, branches) **of a suppliant** S. E.; (of obligations) **to suppliants** E.
2 (epith. of Zeus, Themis, an Erinys) **suppliant-protecting** Trag. AR.

ἱκετᾱ-δόκος ον *adj.* [δέχομαι] (of a place) **receiving suppliants** A.

ἱκετείᾱ ᾱς *f.* [ἱκετεύω] **action** or **prayer of supplication, supplication** Th. Isoc. Pl. Aeschin. Plu.; (W.GEN. *to persons or gods*) Th. Lys. Pl.

ἱκέτευμα ατος *n.* **act** or **method of supplication** (ref. to holding a child in one's arms) Th. Plu.

ἱκετεύω vb. [ἱκέτης] | aor. ἱκέτευσα, ep. ἱκέτευσα
|| neut.impers.vbl.adj. ἱκετευτέον || The vb. connotes either formal supplication (which may entail clasping a person's knees, chin or hand, or a statue of a god), or more generally entreaty of a person or god. |
1 go or come as suppliant —W.PREP.PHR. *to a person* Il.; go or come (W.PREP.PHR. to a place) as suppliant of —W.ACC. *persons* Hes.
2 supplicate, entreat —*a person or god* Od. Pi.*fr.* E. Isoc. + —(W.INF. *to do sthg.*) Od. Hdt. S. E. Th. + —W.INF. or ACC. + INF. *that one may do sthg., that sthg. may be the case* B.*fr.* E. And. +; **pray to** —*a cabbage* Hippon.
3 (intr.) make a supplication or plea, **plead, beg, implore** Carm.Pop. Hdt. S. E. Th. Ar.(also mid.) +
4 plead or **beg for** —*sthg.* E.

ἱκετήριος ᾱ (Ion. η) ον *adj.* —also **ἱκτήριος** ᾱ ον (A. S.) *adj.*
1 (of a person) acting as a suppliant, **in suppliant posture** S. || NEUT.PL.SB. (periphr.) φωτῶν ἀθλίων ἱκτήρια *suppliant objects comprising hapless persons* (*i.e. hapless suppliants*) S.
2 (of offerings) **from suppliants** S.; (of branches) **held by suppliants** S. || FEM.SB. act of supplication Arist.(quot.) Plb. Plu.
3 || FEM.SB. olive branch (held by suppliants, and usu. wreathed in wool) A. Hdt. Ar. Din. Plu.; (fig., ref. to a child, a person's body) E. D.; (at Athens, placed on an altar in support of a petition to the Council or Assembly) Att.orats. Arist. Plu.; (sent as a token of surrender) Plu.

ἱκέτης ου (Ion. εω, ep. ᾱο), dial. **ἱκέτᾱς** ᾱ *m.* [reltd. ἵκω] | ep.gen.pl. ἱκετάων | one who comes in supplication, **suppliant** Hom. +

—**ἱκέτις** ιδος *f.* **suppliant** Alcm. Hdt. Trag. AR. Plu.

ἱκετήσιος ου *masc.adj.* (epith. of Zeus) **of suppliants** Od.

ἵκηαι (ep.2sg.aor.2 subj.): see ἱκνέομαι

ἱκμαίνομαι mid.vb. [ἱκμάς] **moisten, anoint** —*one's body* (W.DAT. *w. a lotion*) AR. || PASS. (of cheeks) become wet (w. tears) AR.

ἱκμαῖος (also **ἵκμιος** Call.) ου *masc.adj.* of or relating to moisture; (epith. of Zeus) **rain-bringing** Call. AR.

ἱκμάς άδος *f.* **1 moisture** (in soil, a region, living things) Il. Hdt. Ar. Pl. AR. NT.; (ref. to sweat fr. a corpse) Hdt.
2 (mock-philos.) **moisture** (W.GEN. of mental processes) Ar.

ἵκμενος η ον *ep.adj.* [prob.reltd. ἵκω, ἱκνέομαι] (of a wind) app. **favourable, fair** Hom.

ἵκμιος *masc.adj.*: see ἱκμαῖος

ἱκνέομαι mid.contr.vb. [ἵκω] | Ion.ptcpl. ἱκνεύμενος (Od., perh. Hdt.) | ep.Ion.1pl.impf. ἱκνεύμεσθα | fut. ἵξομαι | aor.2 ἱκόμην, ep. ἱκόμην, ep.2sg. ἵκεο, also ἵκευ, inf. ἱκέσθαι, ep.2sg.subj. ἵκηαι | 3sg.athem.aor. ἷκτο | pf. ἷγμαι, ptcpl. ἱγμένος |
1 (of persons or things) make one's way, **go** or **come** (freq. W.ADV. or PREP.PHR. to a person or place) Hom. + —W.ACC. Hom. +
2 arrive (freq. W.ADV. or PREP.PHR. at a place) Hom. +
3 come upon —W.DAT. *troops* (*being overpowered*) Il.; **reach** —W.ACC. *a person or place* Hom. +
4 arrive at, come to, reach —W.ACC. or PREP.PHR. *a period of life, an event or point in time* Hom. + —*dawn* (*i.e. survive until then*) Od.
5 (of mental and physical states, such as longing, grief, anger, fatigue, hunger) **come upon** —*persons, their hearts or limbs* Hom. +
6 (of an event) **come about, take place** Il.

7 (specif.) **go** or **come as a suppliant** Od. —W.ACC. *to persons or gods* Il. hHom. A. —W. ἐς + ACC. *to a person* Od.
8 supplicate, entreat —*persons, gods* S. E. Ar. —(W.INF. *to do sthg.*) E.; (intr.) make a supplication or plea, **plead, beg, implore** S. E. Tim.; (tr.) **plead** or **beg for** —*sthg.* E.
9 || IMPERS. it falls —w. ἐς + ACC. *to someone* (W.INF. *to do sthg.*) Hdt.; it is appropriate —W.ACC. + INF. (sts.understd.) *for someone to do sthg.* Hdt.

—**ἱκνούμενος**, Ion. **ἱκνεόμενος** (or **ἱκνεύμενος**), η ον *ptcpl.adj.* (of time, a day, a person's age) **fitting, appropriate** Hdt. D.(oracle) Arist.; (of expenditure) Th.; (of sthg. desired, in neg.phr.) Arist. || NEUT.SB. that which is appropriate Hdt.

—**ἱκνεομένως** (or **ἱκνευμένως**) *Ion.ptcpl.adv.* **fittingly, appropriately** Hdt.

ἴκρια ίων *n.pl.* | ep.gen.dat. ἱκριόφιν | **1** platform or decking (usu. at the stern, sts. the bow, of a ship); **half-deck** Hom. B. AR.
2 platform (for lake-dwellings) Hdt.
3 seating, benches (for spectators in a theatre) Ar. Plu.

ἱκταῖος ᾱ ον *adj.* [ἱκέτης] (epith. of Zeus) **of suppliants** A.

ἴκταρ *adv.* **1 close together, thick and fast** —*ref. to thunderbolts flying* Hes.
2 (prep.) **close to, beside** —W.GEN. *a place, a god* A.; (provbl., of minor misdeeds) οὐδ' ἴκταρ βάλλειν *not come even close* (*to the deeds of a tyrant*) Pl.

ἱκτήρ ῆρος *m.* [ἱκέτης] **1 suppliant** S. E.
2 (epith. of Zeus) **protector of suppliants** A.
3 || ADJ. (of olive branches) carried by suppliants, **suppliant** S. E.

ἱκτήριος *adj.*: see ἱκετήριος

ἰκτῖνος (also **ἴκτινος**) ου *m.* large bird of prey, **kite** (freq. characterised as rapacious) Semon. Thgn. Hdt. Ar. Pl. X.

ἴκτις ιδος *f.* a kind of animal; app. **marten** A.*satyr.fr.* Ar.

ἴκτο (3sg.athem.aor.mid.): see ἱκνέομαι

ἴκτωρ ορος *m.f.* [ἱκέτης] **suppliant** (W.GEN. of Zeus) A.

ἵκω vb. [reltd. ἱκνέομαι] | dial.1pl. ἵκομες (Ar.) | impf. ἷκον | dial.fut. ἵξω (Ar.), inf. ἱξέμεν | aor.2 ἷξον | **1** (of persons or things) make one's way, **go** or **come** (freq. W.ADV. or PREP.PHR. to a place) Hom. Hes. Pi. B. Ar. AR. Theoc.
2 (of persons) **come** —w. ἐπί + ACC. *to the height of manliness, to old age* Simon. Pi.*fr.*
3 (tr., of persons or things) **arrive at, reach** —*a person or place* Hom. Hes. hHom. Pi. AR.
4 (of anger, a need) **come upon** or **over** —*a person* Hom.

ἰλᾱ *dial.f.*: see ἴλη

ἰλαδόν (also perh. **εἰληδόν** Call.) *adv.* [ἴλη] **in crowds** —*ref. to persons or birds gathering together* Il. Hdt. Call. AR.; **in great amounts** —*ref. to acquiring misfortune* Hes.

ἵλαθι (dial.imperatv.): see ἵλημι

ἵλαμαι *mid.vb.* —also **ἱλάομαι** (also **ἱλέομαι**, also perh. **ἱλεάομαι**) *mid.contr.vb.* [reltd. ἱλάσκομαι, ἵλημι] | only pres.: 1sg. ἵλαμαι (hHom.), ἱλέωμαι (A., cj.) | 3pl. ἱλάονται (Il.), inf. ἱλάεσθαι (AR.), ptcpl. ἱλεούμενον (Pl.) |
1 propitiate, seek the favour of —*a god* (W.DAT. *w. sacrifices, song*) Il. hHom. —*a country* A. —W.DAT. *certain gods* Pl.
2 pay honours to —*a dead king* AR.
3 expiate, atone for —*a murder* (*by certain rites*) AR.

ἵλαος (also **ἵλᾱος**), Ion. **ἵλεος**, ον, Att. **ἵλεως** ων, Aeol. **ἰλλάεις** or **ἰλάεις** εν *adj.* [reltd. ἱλάσκομαι] | ATT.: acc. ἵλεων, dat. ἵλεῳ | nom.pl. ἵλεῳ, acc. ἵλεως, neut.nom.acc.pl. ἵλεα | **1** (esp. in prayers or wishes; of deities, their heart, ἱλαρός

mind, spirit, eye) **well-disposed, propitious, favourable** (sts. W.DAT. to persons) Il. Hes. hHom. Archil. Thgn. Lyr. +
2 (of persons, their mind or spirit) **gracious, kindly** Il. Archil. S. Pl. Arist. Call. Plu.
3 (of persons) **genial, cheerful** Pl.; (app. of the spirits of symposiasts) Alc.
4 (of a course, for a ship) **propitious** E.(cj.); (fig., of an objection made by a disputant) **propitiated** (i.e. satisfied) Pl.

ἱλαρός ά όν *adj.* [reltd. ἵλαος] (of persons, their disposition, conversation, or sim.) **cheerful, happy** Critias X. Thphr. Plu.; (of a sight) **joyful** Plu.
—**ἱλαρῶς** *adv.* **cheerfully** —*ref. to speaking, coping w. adversity* X. Plu.

ἱλαρότης ητος *f.* **joyfulness, cheerfulness** Plu.

ἰλ-άρχης ου *m.* [ἴλη, ἄρχω] commander of a troop of horsemen, **cavalry officer** Plb. Plu.

ἱλάσκομαι (sts. **ἱλάσκομαι**) *mid.vb.* [ἵλαος] | imperatv. ἱλάσκου (Men.), dial. ἱλάσκεο (Theoc.) | fut. ἱλάσομαι (Pl. Plu.), ep. ἱλάξομαι (AR.) || AOR.: ptcpl. ἱλασάμενος (Hdt. Plu.), ep. ἱλασσάμενος | imperatv. ἵλασο (Plu., oracle) | ep.subj. ἱλασόμεσθα, 2sg. ἱλάσσεαι, also ἱλάσηαι (AR.), 1pl. ἱλασόμεσθα | inf. ἱλάσασθαι (Plu.), ἱλάξασθαι (AR.) || PASS.: aor.imperatv. ἱλάσθητι (NT.) || see also ἵλαμαι, ἵλημι |
1 propitiate, seek the favour of —*gods, persons or things regarded as divine* (usu. w. offerings) Hom. Hes. Emp. Hdt. Isoc. X. + || PASS. (of God) be merciful —W.DAT. *to a sinner* NT.
2 win over —*a person* (W.DAT. *by bribes*) Hdt.; **placate, conciliate** —*a person, his anger* Plu.; (intr.) **seek favour** (fr. athletic victors, by one's poetry) Pi.; (fig.) **be propitiatory** (towards an objection made by a disputant) Pl.

ἱλασμός οῦ *m.* act of appeasement, **placatory rite** Plu.

ἵλατε (pl.imperatv.): see ἵλημι

ἱλεάομαι *mid.contr.vb.*: see ἵλαμαι

Ἱλείθυα Att.*f.*: see Εἰλείθυια

ἱλεόομαι *mid.contr.vb.*: see ἵλαμαι

ἱλεός οῦ *m.* [εἰλέω²] hole in the ground (as an animal's refuge), **hole, hiding-place** X.; (pejor., ref. to a house) **hovel** Theoc.

ἵλεος *Ion.adj.*, **ἵλεως** *Att.adj.*: see ἵλαος

ἴλη ης, dial. **ἴλᾱ** ᾱς *f.* [εἰλέω¹] **1 band, troop** (of men) Pi. Hdt.; **group** (of young women) Call.; **pride** (of lions) E.
2 (milit.) **troop, company** (of horsemen) X. Plb. Plu.; (of soldiers) S. X.; (of youths, at Sparta) X. Plu.

ἴληθι (imperatv.): see ἵλημι

ἱλήκω *vb.* [ἱλάσκομαι] | only 3sg.subj. ἱλήκησι, 2 and 3sg.opt. ἱλήκοι, ἱλήκοις | (of a god) **be gracious** Od. hHom. AR.

ἵλημι *vb.* | only imperatv. ἵληθι, dial. ἵλαθι (Call. AR.), Aeol. ἔλλᾱθι (B.), perh. ἔλλᾰθι (Simon.) | pl. ἔλλατε (Call.), ἵλατε (AR.) || IMPERATV. (in prayers to gods) be gracious or favourable Od. hHom. Simon. B. Call. AR.

Ἱλιάδαι *m.pl.*: see under Ἶλος

Ἰλιάς *fem.adj.*: see under Ἴλιος

ἰλιγγιάω *contr.vb.*, **ἴλιγγος** *m.*: see εἰλιγγιάω, εἴλιγγος

Ἴλιος ου *f.*—also **Ἴλιον** ου *n.* [Ἶλος] | ep.gen.dat. Ἰλιόφι | city of Ilos, **Ilios** or **Ilion** (ref. to Troy) Hom. +
—**Ἰλιόθεν** *adv.* **from Ilios** or **Ilion** Hom. E.
—**Ἰλιόθι** *adv.* **at Ilios** or **Ilion**; (only in phr.) Ἰλιόθι πρό *in front of Ilios or Ilion* Hom.
—**Ἰλιάς** άδος *fem.adj.* **1** (of the city, land, shore, heights, hearths) of Ilios or Ilion, **Ilian** A. Hdt. E.; (of a woman) E.; (epith. of Athena, as patron goddess of the city) Hdt. E.; (of battles) **at Ilios** Theoc. || PL.SB. women of Ilios E.
2 || SB. land of Ilios or Ilion (ref. to the Troad) Hdt.
3 || SB. Iliad (epic poem by Homer) Hdt. Pl. +; (fig., W.GEN. of troubles, ref. to a series of military calamities) D.

Ἰλιο-πόρος ον *adj.* (perh. of a goddess) **providing a passage to Ilios** Tim.

Ἰλισσός (also **Ἰλῑσός**) οῦ *m.* **Ilissos** (river in Attica) Hdt. Pl. AR.

ἰλλάεις *Aeol.adj.*: see ἵλαος

ἰλλάς άδος *f.* [εἰλέω²] cord made from twisted strands, **rope** Il.

ἴλλομαι *pass.vb.*: see under εἰλέω¹

ἰλλός ή όν *adj.* [εἰλέω²] having skew eyes, **cross-eyed, squinting** Ar.

Ἰλλυριοί ῶν *m.pl.* **Illyrians** (people of the west Balkans, as a population or military force) Hdt. Th. Ar. Isoc. + || SG. Illyrian man X. D. Plb. Plu.
—**Ἰλλυρικός** ή όν *adj.* of or relating to the Illyrians; (of the people) **Illyrian** Th.; (of the sea, off the west coast) Call.; (of a river, a mountain) AR.; (of a legion, troops) Plu.; (of a sword) Plu.
—**Ἰλλυρίς** ίδος *fem.adj.* (of a woman) **Illyrian** Plu.; (of cities, the language) Plb. || SB. Illyrian land, Illyria Plb.

ἴλλω *vb.*: see under εἰλέω²

Ἶλος ου *m.* **Ilos** (mythol. founder of Troy) Il. Hes.*fr.* Pi. Theoc.
—**Ἰλιάδαι** ῶν, Aeol. **Ἰλιάδαι** ων *m.pl.* descendants of Ilos, **Trojans** Sapph.; (appos.w. βασιλῆες *kings*) E.

ἰλυόεις εσσα εν *adj.* [ἰλύς] (of ground) **rich in mud, muddy** AR.

ἰλῡός *m.*: see εἰλῡός

ἰλῡς ύος *f.* | also gen. ἰλῦος (Il.) | **mud, slime** Il. Hdt. X. AR. Plb. Plu.

ἰλυσπάομαι *mid.contr.vb.* [εἰλύομαι, σπάω] (of limbless animals) crawl by wriggling, **wriggle, slither** Pl.

ἰλυώδης ες *adj.* (of a river) **muddy** Plu.(cj.)

ἱμαῖος ον *adj.* [ἱμάω] relating to drawing water || FEM.SB. (w. ἀοιδή understd.) song of a water-drawer Call.

ἱμάντινος η ον *adj.* [ἱμάς] (of tassels on cloaks) **made from thongs** Hdt.

ἱμαντώδης ες *adj.* (of the hair of proto-humans) **cord-like, stringy** Pl.

ἱμάς (also ep. **ἱμάς**) άντος *m.* | ep.sts. ῐ- | dat.pl. ἱμᾶσι, ep. ἱμᾶσι, ἱμάντεσσι | **1** (sg. and pl.) **strap, thong** (usu. of leather, used for attaching, binding, or sim.) Il. Hdt. Ar. X. +; (used to tie a person's hands or body) Il. E. NT. Plu.; (to strengthen a leather helmet) Il.; (perh. to make taut a chariot's bodywork) Il. Theoc.; (to string a bed or chair) Od. Hdt.
2 (specif.) **strap** (of a helmet) Il.; (of a shield) Od.; (of a shoe) X. Men. Theoc. NT.
3 strap, thong (on a door-bolt) Od.; (used to power a wood-drill) Od.
4 (usu.pl.) **strap, thong** (for a boxer's hands) Il. Pi. Pl. AR. Theoc.
5 strap, band (worn by Aphrodite as a love-charm) Il.
6 leash (for hunting hounds) X.; (W.ADJ. *for a dog*, fig.ref. to a tough and supple person) Ar.
7 thong (for a whip) Ar.; **whip, lash** (for flogging a person) D. Men. Plu.
8 || PL. halters (for securing horses) Il.; reins (for controlling horses) Il. Simon. S. E.
9 || PL. (naut.) sheets (for controlling a sail) AR.

ἱμάσθλη ης *f.* [ἱμάσσω] whip (for controlling horses) Hom.

ἱμάσσω *ep.vb.* [ἱμάς] | aor. ἵμασα, ptcpl. ἱμάσσας, subj. ἱμάσσω | **1** (of a driver) **whip, lash** —*horses, mules* Hom.; (of Zeus) **lash, flog** —*Hera, Typhon* Il. Hes.

2 (of Zeus, Hera) **lash, strike** —*the earth* (w. *thunderbolts, one's hand*) Il. hHom.

ἱματῐδάριον ου *n.* [dimin. ἱμάτιον] **cloaklet** Arist.(quot. Ar.)

ἱματίδιον ου *n.* [dimin. ἱμάτιον] **cloak** Ar.

ἱματίζω *vb.* | pf.pass.ptcpl. ἱματισμένος | **dress** (someone) || PF.PASS.PTCPL.ADJ. (of a person) **fully dressed** NT.

ἱμάτιον ου *n.* [dimin. εἷμα] **1 piece of cloth** Hdt.
2 long outer garment (worn by men and women, made fr. a single piece of cloth), **cloak, robe** Hdt. Ar. Att.orats. Pl. +; (ref. to the toga) Plu.
3 || PL. (gener.) articles of clothing, **clothes** Hippon. Hdt. Th. Ar. Att.orats. +

ἱματιουργικός ή όν *adj.* [ἔργον] **of or relating to making clothes** || FEM.SB. **art of clothes-making** Pl.

ἱματισμός οῦ *m.* [ἱματίζω] **set of clothes, outfit** Thphr. Plb. NT. Plu.

ἱμάω *contr.vb.* [ἱμάς] **draw up** —*a water-jar* (fr. *a well*) Men.

ἱμείρω, Aeol. **ἱμέρρω** *vb.* [ἵμερος] | impf. ἵμειρον || MID.: ep.3sg.aor.subj. ἱμείρεται, 3sg.aor.opt. ἱμείραιτο || PASS.: aor. (w.mid.sens.) ἱμέρθην (Hdt. AR.) | **1 have a strong desire or longing; desire** (sthg. *to happen*) S. —W.INF. *to do or see sthg.* Hes.fr. hHom. Sapph. Alc. Sol. A. +; (mid.) Hom. Hdt. S.; (also aor.pass.) Hdt.
2 desire, long for —W.GEN. *sthg.* Od. Mimn. A. B. Ar. Theoc. + —W.NEUT.PL.ACC. *certain things* S.; (mid.) —W.GEN. *money, marriage* Hdt. E.
3 long for, miss —W.GEN. *one's homeland, one's wife and children* Od.(mid.) Plb.
4 (w. sexual connot.) **have a passionate desire** —W.GEN. *for a person, a body, lovemaking* Hes. Sol. AR.; (mid.) —W.INF. *to make love w. someone* Il. || AOR.PASS. **be overcome with desire** AR. —W.GEN. *for someone's beauty* AR.

ἴμεν[1] (1pl.), **ἴμεν**[2] and **ἴμεναι** (ep.infs.): see εἷμι

ἱμερ-άμπυξ υκος *fem.adj.* [ἵμερος] (epith. of Aphrodite) **with a lovely headband** B.

ἱμερό-γυιος ον *adj.* [γυῖα] (of a woman) **with lovely limbs** B.

ἱμερόεις εσσα εν *adj.* **1** (of beauty, love, dance, music, marriage) **lovely, delightful** Hom. Hes. Thgn. Simon. AR. Bion; (of a child, a young woman, parts of the body) Hes. Pi.fr. AR. Mosch.; (of garments, fragrance) hHom.; (of experiences) Archil.
2 (of a city, an island, a grove) **lovely, beautiful** Hes.fr. hHom. Tyrt. B. Call.
3 (of a woman, a man) **desirable, captivating** Hom. hHom. Mosch.; (of a boy) Thgn. Theoc.; (of the god Wealth) **alluring** Thgn.
4 (of weeping) **expressing emotion, passionate** Od.; (of longing) Simon.

—**ἱμερόεν**, Aeol. **ἱμέροεν** *neut.adv.* **delightfully, ravishingly** —*ref. to playing music, laughing, smiling* Il. Hes. Sapph. AR.

ἵμερος, Aeol. **ἵμερος**, ου *m.* **1 desire** (for what one does not have); **desire, longing** (oft. W.GEN. for sthg.) Hom. Hes. Sapph. A. Ar. Pl. +
2 longing (for what one has lost); **longing** (W.GEN. for one's *former husband, parents and city*) Il.; (for *a dead person*) S. Plu.
3 desire (W.INF. *to do or see sthg.*) Sapph. Pi. Hdt. S. E.
4 overwhelming **wish or intention** (underlying action), **motive** A.; **wish, will** (of Zeus) A.
5 sexual **desire, desire, passion** (sts. W.GEN. for someone) Il. hHom. Archil. Sapph. Pi. Trag. +; (personif.) **Desire** Hes.
6 (wkr.sens.) **seductiveness, charm** (belonging to a face, a song) Alcm. Archil.

ἱμερό-φωνος, Aeol. **ἱμερόφωνος**, ον *adj.* [φωνή] (of birds, the Graces) **lovely-voiced** Sapph. Simon. Theoc.

ἱμέρρω *Aeol.vb.*: see ἱμείρω

ἱμερτός ή (dial. ᾱ) όν, Aeol. **ἵμερτος** ᾱ ον *adj.* [ἱμείρω] (of places) **desirable, delightful, lovely** Il. hHom. Alcm. Eleg. B. AR.; (of river waters) AR.; (of an ox) Mosch.; (of a face, its complexion, a head) hHom. Archil. Sapph. Theoc.epigr.; (of sexual union, a lover's embrace) Thgn. Pi. AR.; (of songs, the lyre, poetic skill) hHom. Sol. Pi.; (of fame) Pi.

ἱμονιά ᾶς *f.* [ἱμάω] **well-rope** (fig.ref. to a long turd) Ar.

ἱμονιο-στρόφος ου *m.* [στρέφω] **rope-winder, water-drawer** (as exemplifying one who sings work-songs) Ar.

ἵν (3sg.dat.pers.pron.), **ἴν** (enclit.): see ἕ

ἵνα *relatv.adv.* **1** (sts. in indir.qs.) **in which place or circumstance, where** Hom. +; (W.GEN. on earth, in fortune, or sim.) Hdt. +
2 to which place or circumstance, to where, where Od. +
3 (as conj., indicating purpose) **so that, in order that** —W.SUBJ. or OPT. *sthg. may or might be the case* Hom. +
4 (as conj., after vb. expressing a wish, request or command) **that** —W.SUBJ. *sthg. shd. be the case* NT.; (W.SUBJ., as periphr. for imperatv.) • ἵνα ἐπιθῇς τὰς χεῖρας αὐτῇ *lay your hands on her* NT.
5 (ellipt.) ἵνα τί; *for what purpose, why?* Ar. Pl. D.(v.l. διὰ τί)

Ἴναχος ου *m.* **Inakhos** (king and river god of Argos) Hes.fr. B. Hdt. Trag. Call.

—**Ἰνάχειος** (also **Ἰνάχιος** Call. Mosch.) ᾱ (Ion. η) ον *adj.* (of a child of Inakhos, ref. to Io, Isis) **Inakhian** A. Call.epigr. Mosch.; (of Argos) Call.

—**Ἰναχίδαι** ῶν *m.pl.* descendants of Inakhos, **Inakhians, Argives** E.

—**Ἰναχιώνη** ης *f.* daughter of Inakhos (ref. to Io) Call.

ἰνδάλλομαι *mid.vb.* | only pres. and impf. | **1** (of persons or things) **appear, come into view** (sts. W.DAT. to someone) Il. AR.
2 (of persons) **appear, seem** —W.INF. (sts.understd.) + PREDIC.ADJ. (*to be or look like*) *such and such* Od. hHom. Ar. —W.INF. *to be doing sthg.* Pl.; (of things) **look like, resemble** —W.DAT. *someone or sthg.* Pl. Theoc. —W.NOM. *sthg.* AR.
3 (of a person's heart) **picture, imagine** —W.DAT. *to itself* (W.INF. *that sthg. is the case*) Od.

Ἰνδός οῦ *m.* **Indus** (river of Asia) Hdt.

—**Ἰνδίᾱ** ᾱς *f.* **land of the Indus** (ref. to the regions bordering the river), **India** Plu.

—**Ἰνδοί** ῶν *m.pl.* **inhabitants of India, Indians** Hdt. X. +; (sg.) X. Plu.

—**Ἰνδαί** ῶν *f.pl.* **Indian women** A.(cj.)

—**Ἰνδικός** ή όν *adj.* **of or relating to India or the Indians**; (of the land) **Indian** Hdt.; (of gold) S.; (of a breed of dog) Hdt. X.; (of ants, envisaged as dogs) Call.; (of elephants) Plb.; (of the language) Plu. || FEM.SB. **India** Hdt. Plb. Plu.

ἰνίον ου *n.* [ἴς[2]] **tendon at the back of the neck, neck tendon** Il.; **nape of the neck** (as a vulnerable or tender part of the body) AR. Theoc. Plu.; (gener.) **back of the head** Plu.

ἴνις *m.f.* | only nom., and acc. ἴνιν | **offspring, child** (ref. to a son or daughter, usu. W.GEN. of someone) A. E. Call.; **cub** (of a lion) A. E.

Ἰνώ οῦς *f.* | acc. Ἰνώ, dat. Ἰνοῖ | **Ino** (daughter of Kadmos, transformed into the sea goddess Leukothea) Od. Hes. Lyr. Hdt. +

ἰνώδης ες *adj.* [ἴς[2]] (of part of a hound's forehead) **sinewy** X.

ἴξαλος ου *m.* (appos.w. αἴξ *goat*) perh. **he-goat** Il. [sts. interpr. as adj., perh. *wild* or *full-grown*]

ἰξέμεν (dial.fut.inf.): see ἵκω

ἰξευτάς ᾶ *dial.m.* [ἰξός 2] **bird-catcher, fowler** Bion
ἰξία ᾱς *f.* [ἰξός 1] **varicose vein** Plu.
ἴξις εως *f.* [ἱκνέομαι] action of arriving, **coming, arrival** (of the Achaeans at Troy) E.
Ἰξίων ονος *m.* **Ixion** (mythol. king of Thessaly, the first murderer of a kinsman, punished for attempted rape of Hera by crucifixion on a fiery wheel eternally revolving) A. Pi. E. AR. Plu. || PL. tragedies about Ixion Arist.
—**Ἰξιόνιος** η ον *Ion.adj.* (of the wife) **of Ixion** Il.
ἵξομαι (fut.mid.): see ἱκνέομαι
ἶξον (aor.2): see ἵκω
ἰξός οῦ *m.* **1 mistletoe** (as eaten by birds) Arist.
2 bird-lime (gluey substance for trapping birds, prepared fr. mistletoe) E.*Cyc.* Plu.
ἰξύς ύος *f.* | dat. ἰξυῖ | **waist** (of a woman) Od.; **flanks** (of a lion) Theoc. || PL. flanks (of women, deities) AR.
ἴξω (dial.fut.): see ἵκω
ἰο-βάκχεια ων *n.pl.* [ἰώ¹, Βάκχος] **festival of Bacchus** D.(oath)
ἰο-βλέφαρος ον *adj.* [ἴον, βλέφαρον] **violet-eyed**; (of the Graces, the Muses) **blue-eyed** or **dark-eyed** B.
ἰοβολέω *contr.vb.* [ἰός¹, βάλλω] (intr.) **shoot arrows** AR.
ἰό-δετος ον *adj.* [ἴον, δέω¹] (of garlands) **plaited with violets** Pi.*fr.*
ἰο-δνεφής ές *adj.* [δνόφος] (of wool) **violet-dark** Od.
ἰο-δόκος ον *adj.* [ἰός¹, δέχομαι] (of a quiver) **arrow-receiving, for arrows** Hom. Call.
—**ἰοδόκη** ης *f.* **quiver** AR.
ἰο-ειδής ές *adj.* [ἴον, εἶδος¹] **like the violet flower**; (of the sea) app. **deep blue** Hom. Hes.; (of a mountain spring) Hes.
ἰόεις εσσα εν *adj.* **violet-coloured**; (of iron) **dark** Il.
ἰο-θαλής ές *dial.adj.* [θάλλω] (of garlands) **blooming with violets** Philox.Leuc.
ἰοίην, ἴοιμι (opt.): see εἶμι
Ἰοκάστη ης, dial. **Ἰοκάστᾱ** ᾱς *f.* **Jocasta** (mother and wife of Oedipus) S. E. Arist.
ἰό-κολπος ον *adj.* [ἴον, κόλπος] (of a bride, goddess) **with violet-coloured waistband** or **robe** Sapph.
Ἰόλαος ου, Att. **Ἰόλεως** εω, dial. **Ἰόλᾱς** ᾱ *m.* **Iolaos** (companion of Herakles) Hes. Pi. E. Pl. Plb. Plu.
ἴομεν (ep.1pl.subj.): see εἶμι
ἰό-μωρος ον *adj.* [perh.reltd. ἰά; for 2nd el. cf. ἐγχεσίμωρος] (pejor., of the Argives) perh. **noisy** or **boastful** Il.
ἰόν (neut.ptcpl.): see εἶμι
ἴον ου *n.* flower with dark-blue or white petals, **violet** Od. hHom. Lyr. Hdt. Pl. D. +
ἰονθάς άδος *fem.adj.* [ἴονθος *facial hair*] (of the wild goat) **hairy, shaggy** Od.
Ἰόνιος *adj.*: see under Ἰώ
ἰόντων (3pl.imperatv.): see εἶμι
ἰο-πλόκαμος ον *adj.* [ἴον] (of demi-goddesses, the Muses) **with violet-dark locks, dark-haired** Lyr.adesp. Simon. Pi.
ἰό-πλοκος ον *adj.* [πλόκος] (of women, goddesses) **dark-haired** Alc. Pi. B.
ἰός¹ οῦ *m.* | also collectv.neut.pl. ἰά | **arrow** Hom. Hes. Alcm. B. Trag. Hellenist.poet.
ἰός² οῦ *m.* **venom, poison** (fr. serpents, the Lernaian Hydra) S. E. Hellenist.poet. Plu.; (fr. Erinyes) A.; (fr. bees, oxymor. W.ADJ. *blameless*, ref. to honey, fed to an infant by snakes) Pi.; (fig., ref. to malevolence) A.
ἰός³ οῦ *m.* [app.reltd. ἰός²] **rust** (on iron), **verdigris** (on copper) Thgn. Pl. Men. Theoc. Plb.; (fig., on tarnished honours) Plb.
ἰός *Boeot.possessv.pron.adj.*: see ἑός

ἰο-στέφανος ον *adj.* [ἴον] (of goddesses) **wreathed with violets** hHom. Sol. Thgn. B.; (of a woman) Simon.; (epith. of Athens, perh. as symbol of victory) Pi.*fr.* Ar.
ἰότης ητος, dial. **ἰότᾱς** ᾱτος *f.* | usu. dat. | **will, wish** or **plan** (usu. W.GEN. of a god or mortal) Hom. hHom. Alc. Stesich. AR.; (phr.) ἰότατι γάμων *for the sake of a wedding* (i.e. in honour of it) A.
ἰού, also **ἰοῦ** *interj.* cry of grief, joy or surprise (usu. repeated), **hey!, help!** Trag. Ar. Pl. D. Plu.
Ἰούδας ᾱ *m.* **Judah** (eponymous ancestor of one of the tribes of Israel) NT.
—**Ἰουδαῖος** ᾱ ον *adj.* (of a man) **of** or **belonging to the Judaean people** (esp. w.connot. of adhering to their rites and traditions), **Judaean, Jewish** NT. || MASC.SG.SB. **Jewish man, Jew** NT. Plu. || MASC.PL.SB. **Judaeans, Jews** Plb. NT. Plu.
—**Ἰουδαίᾱ** ᾱς *f.* **land of the Judaeans, Judaea** NT. Plu.
—**ἰουδαΐζω** *vb.* **practise Judaean** or **Jewish customs** Plu.
ἴουλος ου *m.* [reltd. οὖλος²] **1** (collectv.sg.) first hairs of a young man's beard, **down, whiskers** A. X. Call. Theoc.; (pl.) Od. Call. AR.
2 sheaf (of corn) Carm.Pop. [or perh. **bale** (*of wool*)] | cf. οὖλος⁴
ἰοῦσα (fem.ptcpl.): see εἶμι
ἰο-χέαιρα ᾱς *f.* [ἰός¹; χέω, or perh χείρ] | also ἰο- (Pi.) | (epith. of Artemis) perh. **arrow-shooter** Hom. Hes. hHom. Pi. [or perh. *she who has an arrow in her hand, arrow-holder*]
ἰπνο-πλάθος ου *Att.m.* [ἰπνός, πλάσσω] app. **oven-maker** Pl.
ἰπνός, Att. **ἰπνός**, οῦ *m.* **1** open-faced oven for baking and roasting food, **oven** Semon. Hdt.
2 place where the oven is, **kitchen** Ar.
3 portable lantern, **lamp** Ar.
ἰπόομαι *pass.contr.vb.* [ἶπος] (of Typhon) **be weighed down** —W.DAT. *by Aetna* A.; (fig., of persons) —w. *taxes* Ar.
ἶπος ου *f.* **heavy mass, weight** (ref. to Mt. Aetna, placed upon Typhon) Pi.
ἱππ-αγρέται ῶν *m.pl.* [ἵππος, ἀγρέτης or ἀγείρω] (in Sparta) selectors of the cavalry, **hippagretai** (three ephebes who led the royal guard of 300) X.
ἱππ-αγωγός όν *adj.* (of ships) **for transporting horses** Hdt. Th. D. || FEM.SB. **horse-transport** Th. Ar. D.
ἱππαδόν *adv.*: see ἱππηδόν
ἱππάζομαι *mid.vb.* **1 drive horses, drive a chariot** Il.
2 ride a horse, **ride** Hdt. Ar. X. Thpr. Plu.; **practise horsemanship** —W.COGN.ACC. X.; (of a pillaging army) **ride** —W.ACC. *across a country* Plu. || PASS. (of a horse) **be managed** or **controlled** Pl.
ἵππ-αιχμος ον *adj.* [αἰχμή] (of a people) **who fight on horseback** Pi.
ἱππ-αλεκτρυών όνος *m.* monster in the form of a horse and cockerel, **horse-cock** (ref. to a painted ship's emblem) Ar.(quot. A.); (fig.ref. to a strutting military officer) Ar.
ἱππαπαῖ *interj.* [reltd. ῥυππαπαῖ] **yo-neigh-ho** (as a rowing chant by horses) Ar.
ἱππάριον ου *n.* [dimin. ἵππος] horse of poor quality or in poor condition, **nag** X. Plu.
ἱππ-αρμοστής οῦ *m.* [ἵππος] (in Sparta) **cavalry commander** X.
ἱππαρχέω *contr.vb.* [ἵππαρχος] **be cavalry commander** (sts. W.GEN. of horses, cavalry, men) Hdt. Att.orats. X. Arist. || PASS. serve under a cavalry commander Arist.
ἱππ-άρχης ου *m.* [ἄρχω] **1 cavalry commander, hipparch** (in the armies of Macedonia, Sicily, or the Achaean League) Plb. Plu.
2 *magister equitum* (deputy to a Roman dictator) Plb.

ἱππαρχίᾱ ᾱς *f.* [ἵππαρχος] **1** office of hipparch, **cavalry command** X. Arist. Plb.
2 cavalry troop Plb. Plu.

ἱππαρχικός ή όν *adj.* of or relating to a hipparch; (of certain tasks) **of a cavalry commander** X. ‖ MASC.SB. (title of a treatise, w. λόγος understd.) On Being a Cavalry Commander X.

ἵππ-αρχος ου *m.* [ἄρχω] **1** (epith. of Poseidon) **ruler of horses** Pi.
2 commander of cavalry, hipparch (at Athens and in other states) Hdt. Th. Ar. Att.orats. Pl. X. +
3 *magister equitum* (deputy to a Roman dictator) Plu.

ἱππάς άδος *fem.adj.* **1** (of clothes) **for riding** Hdt.
2 ‖ SB. **knight class** (one of Solon's four classes of Athenian citizens) Arist.; **tax-rating of the knight class** Is. Arist. Plu.

ἱππασίᾱ ᾱς *f.* [ἱππάζομαι] **1 horse-riding** Ar. X.
2 skill or display of riding, horsemanship Plu.

ἱππάσιμος η ον (also ος ον) *adj.* **1** (of a country, terrain) **suitable for riding, easy to ride over** Hdt. X. Arist. Plb. Plu.
2 (fig., of a person) **easily ridden** (W.DAT. by flatterers) Plu.

ἱππαστής οῦ *masc.adj.* (of a horse) **suitable for riding** X.

ἱππαστικός ή όν *adj.* (of a person) **fond of riding** Plu.

ἱππάστρια ᾱς *fem.adj.* (of camels) **for riding** (i.e. dromedaries) Plu.

ἱππείᾱ ᾱς *f.* [ἱππεύω] **1** driving of horses, **chariot-racing** S.
2 riding of horses, **horse-riding** E. X.
3 cavalry service X.
4 (concr.) **cavalry** X.

ἵππειος ᾱ (Ion. η) ον *adj.* [ἵππος] **1** (of the hooves, hair, flanks, jaws) **of a horse** Il. Hes.*fr.* E.*fr.* Call.; (of the offspring, ref. to mules) S.
2 (of a helmet plume, a crest) **made of horsehair** Il. Theoc.
3 (of a yoke, harness, manger, drinking-trough, stables) **for a horse** or **horses** Hom. Pi. S.*fr.*; (of a taming charm) Pi.
4 (of a chariot) **horse-drawn** Hes. E. Call.; (of hunting) **on horseback** E.

ἵππερος ου *m.* **horse-fever** (ref. to an imaginary disease suffered by a keen horseman) Ar.

ἵππευμα ατος *n.* [ἱππεύω] journey with horses; **horseback pursuit** (of fugitives) E.; **chariot journey** (of the goddess Night) Ar.(quot. E.)

ἱππεύς έως (ep. ῆος) *m.* [ἵππος] | PL.: nom. ἱππεῖς, Att. ἱππῆς, Ion. ἱππέες, ep. ἱππῆες | acc. ἱππέας, also ἱππεῖς (Plb. +), ep. ἱππῆας | gen. ἱππέων, ep. ἱππήων, Aeol. ἱππήων | dat. ἱππεῦσι, ep. ἱππήεσσι |
1 warrior who fights from a chariot, chariot-fighter Hom.
2 one who drives a chariot, charioteer (in war) Il.; (in a race) Il.
3 (gener.) **horseman, cavalryman** A. Hdt. E. Th. + ‖ PL. **cavalry** Hes. Sapph. Hdt. E. Th. +
4 ‖ PL. (specif.) **cavalrymen, knights** (ref. to an elite group, forming the Athenian cavalry) Th. And. Ar. +; (ref. to the Spartan royal bodyguard) Hdt.
5 ‖ PL. **cavalrymen, knights** (ref. to an aristocratic class in several early Greek societies) Arist.; (sg., ref. to a member of such a class, in Solon's Athenian constitution) Arist.

ἱππευτής οῦ, dial. **ἱππευτᾱς** ᾶ *m.* **1** ‖ PL. riders, horsemen (appos.w. Νομάδες *Numidians*, Τρῶες *Trojans*) Pi. B.
2 ‖ SG.ADJ. (of an army of Amazons) **horse-riding** E.

ἱππεύω *vb.* **1** ride a horse (on a specific occasion), **ride** E.*fr.*
2 have the custom or skill of riding horses, **be a horseman, ride** Hdt.(also mid.) Isoc. Pl. X. Plu.
3 (of a horse) **carry a rider, be ridden** X.
4 (fig., of the West Wind) **ride along** E.; (of the mad Herakles) **charge** E.
5 serve in the cavalry Lys. Pl. X. Arist. Plu.
6 drive a team of horses Ar.; (of Dawn, the sun) E.

ἱππ-ηγός όν *adj.* [ἄγω] (of a ship) **for transporting horses** Plb. ‖ FEM.PL.SB. horse-transport ships Plb. Plu.

ἱππηδόν (also cj. **ἱππαδόν**) *adv.* **1** like horses —*ref. to women being dragged by their hair* (envisaged as manes) A.
2 as if on a horse —*ref. to riding a giant beetle* Ar.

ἱππηλάσιος η ον Ion.*adj.* [ἱππηλάτης] (of a passageway) **suitable for driving chariots** Il.

ἱππηλατέω *contr.vb.* **be a cavalryman** or **charioteer** Ar.

ἱππ-ηλάτης ου, dial. **ἱππηλάτᾱς** ᾱ *m.* [ἐλαύνω] | ep.nom. ἱππηλάτα | one who drives horses; (ref. to a warrior) **horseman** Hom.; (ref. to a driver) **charioteer** E.; (appos.w. λεώς) *chariot-driving host* (i.e. cavalry and charioteers) A.

ἱππ-ήλατος ον *adj.* **1** (in neg.phr., of an island, ref. to its terrain) **suitable for driving chariots** Od. [or perh. *for riding horses*]
2 (of a land) **famed for horses** Theoc.

ἱππ-ημολγός όν *adj.* [ἀμέλγω] (of Scythians, Cimmerians) **mare-milking** Hes.*fr.* Call. ‖ MASC.PL.SB. (as the name of a people) Mare-milkers Il.

ἱππι-άναξ ακτος *m.* **lord of horsemen** (ref. to a Persian commander) A.

ἱππικός ή όν *adj.* **1** of or relating to horses; (of the lungs, breath, neighing, galloping, ways of behaving) **of horses** Trag.; (of stables, mangers, yokes, trappings, or sim.) **for horses** A. E. Arist.; (of matters, talk) **concerning horses** Pl. X.; (of a chariot) **horse-drawn** S.; (fig., of an affliction; cf. ἵππερος) **equine** Ar.
2 (in competitive ctxts.) of or relating to horses or chariots; (of races) **for horses** or **chariots** Hdt. And. Pl. X. D. Plu.; (of the wreckage fr. a collision) **of horses and chariots** S.; (of a rail) **of a chariot** S. ‖ NEUT.PL.SB. horses and chariots S.
3 relating to or consisting of horsemen; (of a throng, section of an army, force) **of cavalry** E. Th. D.; (of a section of the state) **serving in the cavalry** Arist.; (of clothing, a cuirass) **horseman's** or **cavalryman's** Ar. Plu. ‖ NEUT.SG.SB. cavalry Hdt. E. Th. X. +; (pl.) Plb.
4 relating to horse-riding; (of persons) **used to** or **skilled at riding** Pl. X.; (of women, w. sexual connot.) Ar. ‖ MASC.SB. one skilled with horses Pl. Arist. ‖ FEM.SB. horsemanship (as an activity or skill) S.*satyr.fr.* Lys. Ar. Isoc. Pl. X. +
5 ‖ NEUT.SG.SB. (as a measurement) hippikon (horse-course distance, equiv. to 4 stades) Plu.
6 (at Rome, of a person) **of equestrian rank** Plu.; (of the rank) **equestrian** Plu. ‖ MASC.PL.SB. *Equites* Plu.

—**ἱππικώτατα** *superl.adv.* with best horsemanship, **like the perfect cavalryman** —*ref. to facing danger* X.

ἵππιος, Aeol. **ἴππιος**, ᾱ ον *adj.* **1** (of the strength, cheeks) **of horses** A. Pi.; (of helmet plumes) **of horsehair** Alc.
2 (of contests, a double lap, a path) **for horses** Pi. E.
3 (of a melody) **to honour horsemen** Pi.
4 (of Hippolyte, queen of the Amazons) **horse-riding** E.
5 (epith. of Poseidon) **god of horses** Archil. A. B. E. Ar. Plu.; (of Athena) Pi. S.
6 (of Argos) **horse-rearing** Pi. B. E. Call.

ἱππιο-χαίτης ου *masc.adj.* [χαίτη] (of a helmet-crest) **of horsehair** Il.

ἱππιο-χάρμης ου *m.* [χάρμη] **1** warrior who fights from a chariot, **chariot-fighter** Hom. Hes.*fr.*
2 app. **cavalryman** A.

3 ‖ ADJ. (of the tumultuous clashes) of cavalry (or chariot) fighting A.

ἱππο-βάμων ον, gen. ονος *dial.adj.* [βῆμα, βαίνω] **1** (of a people) going on horseback, **horse-riding** A.; (fig., of Euripides' words) **galloping** Ar.
2 (of camels, Centaurs) **moving like horses** A. S.

ἱππο-βάτης ου, dial. **ἱπποβάτας** ᾱ *m.* [βαίνω] **1 horseman** A.
2 ‖ ADJ. (of a band of Centaurs) prob., **moving like horses** E.

ἱππο-βότης ου (Ion. εω) *m.* —also perh. **ἱπποβώτᾱς** ᾱ *dial.m.* [βόσκω] **1 breeder of horses** (ref. to Atreus) E.(cj.)
2 ‖ PL. (ref. to a social class at Chalcis) **cavalrymen** Hdt. Plu. | cf. ἱππεύς 5

ἱππό-βοτος, Aeol. **ἱππόβοτος**, ον *adj.* (of Argos) **horse-pasturing, where horses may graze** Hom. Hes.*fr.* B. E. Theocr.; (of other regions) Hom. hHom. E.; (of a meadow) Sapph.

ἱππο-βουκόλος ου *m.* **horse-herder** E.

ἱππό-δαμος ον *adj.* [δαμάζω] (epith. of numerous heroes) **horse-taming** Hom. Hes. hHom. Ibyc. Pi.; (of the Dioscuri) Simon.; (of the Trojans) Il.; (of the Greeks) Pi.*fr.* | see also ἱππόμαχος

ἱππο-δάσεια είης *Ion.fem.adj.* [δασύς] (of a helmet) **with horsehair crest** Hom.

ἱππό-δεσμα ων *n.pl.* [δεσμός] horse-bands, **harness** E. [or perh. *reins*]

ἱππο-δέτης ου *masc.adj.* [δέω¹] (of a strap) **for tethering horses** S.

ἱππο-δίνητος ον *adj.* [δινέω] (of the Syracusans) causing chariots to whirl (around the racecourse), **with whirling chariots** B.

ἱππο-διώκτᾱς ᾱ *dial.m.* [διώκω] **driver of horses** (perh.ref. to a trainer) Theocr.

ἱπποδρομίᾱ ᾱς *f.* [ἱππόδρομος] **horse-race** or **chariot-race** Pi. Th. Ar. Pl. X. +

ἱπποδρόμιος ον *adj.* (epith. of Poseidon) **lord of horse-racing** Pi.

ἱππο-δρόμος ου *m.* [δραμεῖν] **light-cavalryman** Hdt.

ἱππό-δρομος ου *m.* [δρόμος] **1** ground that can be traversed by a chariot, **chariot track** Il.; (pl., ref. to the course of the sun) E.
2 racecourse (for chariots), **hippodrome** Pl. X. Aeschin. D. Plb. Plu.

ἱππόθεν *adv.* **from the horse** (i.e. the Trojan Horse) —*ref. to warriors emerging* Od.

ἱππο-θόρος ον *adj.* [θρῴσκω] (of a male donkey) who mates with a mare, **mare-mounting** Anacr.

ἱππο-κάνθαρος ου *m.* giant beetle (ridden as a horse), **horse-beetle** Ar.

ἱππο-κέλευθος ον *adj.* making one's way with horses; (epith. of Poseidon) **horse-driving** Stesich.; (of Patroklos) Il.

ἱππο-κένταυρος ου *m.* **horse-centaur** (having the body of a horse and the head of a human) Pl. X.

ἱπποκομέω *contr.vb.* [ἱππoκόμος] **care for horses**; **groom** —*an animal* (*as if it were a horse*) Ar.

ἱππο-κόμος ου *m.* [κομέω] **1** servant who cares for horses, **groom** Pl. Plb. Plu.
2 servant who attends on a cavalryman, **groom** Hdt. X. Plu.

ἱππό-κομος ον *adj.* [κόμη] (of a helmet) **with horsehair crest** Il. Stesich. S. Theocr.

ἱππο-κορυστής έω *Ion.m.* equipper of chariots, **charioteer** Il. Hes.*fr.*

ἱπποκρατέω *contr.vb.* [κράτος] **be superior in cavalry** D. Plb. Plu. —W.GEN. *to the enemy* Plb. ‖ PASS. be inferior in cavalry Th. Plu.

Ἱπποκράτης ους (Ion. εος) *m.* **1 Hippocrates** (of Cos, 5th-C. BC physician) Pl. Arist. Plu.
2 Hippocrates (of Chios, 5th-C. BC mathematician and astronomer) Arist. Plu.

ἱπποκρατίᾱ ᾱς *f.* [ἱπποκρατέω] **cavalry victory** X.

ἱππό-κρημνος ον *adj.* [κρημνός] (of Aeschylus' words) huge cliff-like, **monstrously mountainous** Ar.

ἱππό-κροτος ον *adj.* [κρότος] (of a road, the ground, a race-track) **resounding with hoof-beats** Pi. E.

ἱππόλοφος *adj.*: see ὑψίλοφος

Ἱππολύτη ης, dial. **Ἱππολύτᾱ** ᾱς *f.* **Hippolyte** (Amazon queen) Pi. Isoc. AR. Plu.

Ἱππόλυτος ου *m.* **Hippolytos** (son of Theseus and Hippolyte) E. Pl. X. Plu.

ἱππο-μανής ές *adj.* [μαίνομαι] **1** (of a meadow) perh., where horses run wild, **abounding in horses** S.
2 ‖ NEUT.SB. a kind of plant of which horses are fond; perh., thorn-apple Theocr.

ἱππομαχέω *contr.vb.* [ἱππόμαχος] **fight on horseback** or **as cavalry** Th. X. Plu.

ἱππομαχίᾱ ᾱς *f.* **cavalry fight** Th. Pl. X. Plb. Plu.

ἱππό-μαχος ου *masc.adj.* [μάχομαι] (of a people) **who fight on horseback** Mimn.; **who fight from chariots** Il.(dub., v.l. ἱππόδαμος)

ἱππό-μητις ιος *dial.masc.adj.* [μῆτις] **skilled in riding** Pi.

ἱππό-μορφος ον *adj.* [μορφή] (of a soul) with the form of a horse, **horse-like** Pl.

ἱππό-νῑκος ον *adj.* [νίκη] **victorious in the chariot-race** B.

ἱππο-νώμᾱς ᾱ *dial.m.* [νωμάω] one who guides horses, **horseman** or **charioteer** E. Ar.; (appos.w. βοτήρ, i.e. *mounted herdsman*) S.

ἱππο-πείρης εω *Ion.m.* [πεῖρα] **experienced horseman** Anacr.

ἱππο-πόλος ον *adj.* [πέλω] occupying oneself with horses; (of the Thracians) **horse-herding** Il.

ἱππό-πορνος ου *f.* [πόρνη] (derog.ref. to a woman) **great whore** Men.

ἵππος ου *m.f.* | gen.dat.du. ἵπποιν, ep. ἵπποιιν | **1 horse** or **mare** (used w. war-chariots and for riding, not for draught labour) Hom. +; (fig., W.GEN. of the sea, ref. to a ship) Od.
2 ‖ DU. and PL. (usu.fem.) **pair** or **team** (of chariot horses) Il. +; (meton.) chariot Hom. ‖ COLLECTV.PL. **chariot force** (opp. foot-soldiers) Hom.
3 (collectv.sg.fem.) **chariot force** Il.; **cavalry** A. Hdt. Th. X. Plb. Plu.
4 horse (ref. to the Trojan Horse) Od. +
5 horse (app.ref. to an instrument of torture) Plu.
6 (W.ADJ. ποτάμιος) *river-horse*, **hippopotamus** Hdt.

ἱππο-σόας ᾱ *dial.masc.adj.* —also **ἱπποσόα** ᾱς *dial.fem.adj.* [σεύω] (of persons) **horse-driving** Pi.; (epith. of Artemis, the personif. beam of the sun) Pi.

ἱππό-στασις εως *f.* [στάσις] building for keeping horses, **stable** Plb.; (for the sun-god's horses, in the west) E.; (in the east) E.*fr.*

ἱπποσύνη ης, dial. **ἱπποσύνᾱ** ᾱς *f.* **1** skill in driving war-chariots, **horsemanship** Hom.; (also pl.) Il. Plu.(quot.poet.)
2 (collectv.sg.) **cavalry, horse** Hdt.(oracle)
3 app. **riding** E.

ἱππότης ου (Ion. εω), dial. **ἱππότᾱς** ᾱ *m.* | ep.nom. ἱππότα | driver or rider of horses, **horseman** Hom. Hes. Alcm. Hdt. S. E. +; (appos.w. *people, a crowd, an army*) Pi. Trag. Plu.

ἱππο-τοξότης ου *m.* **mounted archer** (in the Persian, Thracian or Armenian army) Hdt. Th. X. Plu.; (pl., as a force in the Athenian army) Th. Lys. X.; (fig., ref. to a hawk or falcon) Ar.

ἱπποτροφέω *contr.vb.* [ἱπποτρόφος] **breed** or **rear horses** Att.orats. X. Arist.
ἱπποτροφία ᾱς *f.* (sg. and pl.) **breeding** or **rearing of horses** Pi. Th. Pl. +
ἱππο-τρόφος ον *adj.* [ἵππος, τρέφω] **1** (of places) where horses are reared, **horse-rearing** Hes. Lyr. X. Mosch.
2 ‖ MASC.SB. (ref. to a person) horse-breeder Pi. X. D. Plu.
ἱππ-ουρις ιδος *fem.adj.* [οὐρά] | acc. ἵππουριν | having a horse's tail; (of helmets) **with horsehair crest** Hom.
ἱπποφορβία ᾱς *f.* [ἱπποφορβός] **horse-herding** Pl.
ἱπποφόρβιον ου *n.* **1** group of horses feeding together, **herd of horses** Hdt. X. Plb. Plu.
2 place where horses feed, **horse-pasture** E.
ἱππο-φορβός οῦ *m.* [ἵππος, φέρβω] one who provides food for horses, **horse-keeper, horse-herder** Pl. X.
ἱππο-χάρμας ᾱ *dial.masc.adj.* [χάρμη] (of a king, an army) **fighting on horseback** or **in chariots** Pi.
ἱππώδης ες *adj.* (of a horse's head) **characteristically horse-like** (in appearance) X.
ἱππ-ώκης ες, gen. εος *adj.* [ὠκύς] (of the sun) **with swift chariot** B.
ἱππών ῶνος *m.* **1** building for horses, **stable** or **stall** X.
2 staging-post X.
Ἱππῶναξ ακτος *m.* **Hipponax** (of Ephesus, 6th-C. BC poet, mainly of iambic verse) Hippon. Ar. Call. Theoc.*epigr.*
ἱππωνέω *contr.vb.* [ἵππος, ὠνέομαι] **buy horses** X.
ἱππωνία ᾱς *f.* **buying of horses** X.
ἵπταμαι *mid.vb.* [reltd. πέτομαι] | 3sg.impf. ἵπτατο (Plu.), also app.aor. (Theoc.) | (of a bird) **fly** Mosch. Plu.; (of a person) **leap** (to one's death) Theoc.(cj.)
ἵπτομαι *ep.mid.vb.* [reltd. ἶπος] | fut. ἴψομαι | 2sg.aor. ἴψαο | (of a god) bring one's weight against, **bear hard upon, harm** —*an army* Il.; (of a commander) —*his own troops* Il.
ἱράομαι *Ion.mid.contr.vb.*: see ἱεράομαι
ἱρεύς *Ion.m.*, **ἱρεύω** *Ion.vb.*, **ἱρήιον** *Ion.n.*: see ἱερεύς, ἱερεύω, ἱερεῖον
ἱρήν *dial.m.*: see εἴρην
ἱρήνα *dial.f.*: see εἰρήνη
ἵρηξ *Ion.m.*: see ἱέραξ
ἱρινό-μικτος ον *adj.* [ἴρινος, μεικτός] (of unguents) **mixed with iris oil** Philox.Leuc.
ἴρινος η ον *adj.* [Ἶρις *iris* (*the plant*)] (of unguents) **made from the root of the iris** Plb.
Ἶρις ιδος *f.* | voc. Ἶρι, acc. Ἶριν | **Iris** (winged goddess, messenger of the gods) Il. Hes. hHom. Alc. E. Ar. +
—**ἶρις** ιδος *f.* **rainbow** (sts. seen as a portent) Il. Pl.
ἱρόθυτος *dial.adj.*: see ἱερόθυτος
ἱρόν *Ion.n.*: see ἱερόν, under ἱερός
ἱροργίη *Ion.f.*: see ἱερουργία
ἱρός *Ion.adj.*, **ἶρος** *Aeol.adj.*: see ἱερός
ἱροφάντης *Ion.m.*: see ἱεροφάντης
ἱρωστί *Ion.adv.* [ἱερός] **as prescribed by ritual** —*ref. to cutting up meat* Semon.
ἱρωσύνη *Ion.f.*: see ἱερωσύνη
ἴς[1] *f.* | usu. nom., sts. acc. (always elided) ἶν' | see also ἶφι |
1 bodily power, strength (of a person) Hom.
2 strength realised in an effort, **power, force** Hom.
3 (periphr.) **strength** (W.GEN. of a person, his might) Hom. Hes. Stesich.(cj.) • ἲς Τηλεμάχοιο *mighty Telemachus* Od.
4 strength, force (of a wind) Hom. Hes. Theoc.; (periphr., W.GEN. of a river) Il. Pi.*fr.*
ἴς[2] ἰνός *f.* [perh.reltd. ἴς[1]] | acc. ἶνα | ep.dat.pl. ἴνεσι | **1 tendon** (at the back of an ox's neck) Il.
2 ‖ PL. (gener.) tendons or sinews (of a person or animal) Il.

Archil. Ar. AR. Theoc.; (W.GEN. of Troy, fig.ref. to its warriors) Pi.
3 ‖ PL. fibrous matter (in the blood), **fibrin** Pl.
ἰσ-άγγελος ον *adj.* [ἴσος, ἄγγελος] (of a person, resurrected fr. death) **like an angel** NT.
ἰσ-άδελφος ον *adj.* [ἀδελφός] (of a friend) **like a brother** E.
ἰσάζω, ep. **ἰσάζω** *vb.* | 3sg.iteratv.impf.mid. ἰσάσκετο ‖ PASS.: aor.inf. ἰσασθῆναι | pf.ptcpl. ἰσασμένος | **1 make equal, equalise** —*an object and a weight* (in the scales, i.e. balance them against each other) Il. —*citizens' properties, things that are unequal* Arist.; (intr.) **create equality** Arist.
2 (intr., of persons or things) **be equal** (to each other) Pl. Arist. Plb. —W.DAT. *to each other* Arist.; (of a person) —*to the gods* AR.
3 ‖ MID. (of a woman) make or consider oneself equal, **compare oneself** —W.DAT. *to a goddess* Il.
4 ‖ PASS. (of persons, things, numbers) be made equal Arist.; (of living creatures) —W.DAT. *to gods* Pl.; (of things) —w. πρός + ACC. *to other things* Arist.
5 ‖ PASS. (of both jaws of a horse, in responding to the reins) **be worked equally** X.
ἰσ-αθάνατος ον *adj.* (of the fruit of Virtue) **as good as immortal** Arist.*lyr.*
Ἰσαῖος ου *m.* **Isaeus** (Athenian orator, c.420–340s BC) Plu.
ἰσαῖος η ον *Ion.adj.* [ἴσος] (prep.phr., ref. to casting lots) ἐπ' ἰσαίῃ *at equal odds* Call.
ἴσαις and **ἴσαισθα** (dial.2sg.): see ἴσαμι
ἰσαίτερος (Att.compar.adj.), **ἰσαίτατος** (superl.): see ἴσος
ἰσάκις *adv.* **an equal number of times** (W.DAT. as sthg. else) Arist.; (adjl.phr., of a number) ἴσος ἰσάκις *formed by multiplying equal factors* (*i.e. square*) Pl. Arist.
ἴσαμι *Aeol.vb.* [app. by analogy w. ἴσαντι, dial.3pl. of οἶδα] | 2sg. ἴσαις, also ἴσαισθα (cj.), 3sg. ἴσατι, 1pl. ἴσαμεν | dat.sg.ptcpl. ἰσάντι | **be aware of, know about** —*sthg.* Pi. Theoc. —*someone* (i.e. his nature) Theoc.; **know** —W.COMPL.CL. *that sthg. is the case* Theoc.(cj.)
ἴσαν[1] (ep.3pl.impf.): see εἶμι
ἴσαν[2] (ep.3pl.plpf.): see οἶδα
ἰσ-άνεμος ον *adj.* [ἴσος] (of Achilles) **swift as the wind** (W.DAT. on his feet) E.
ἰσάντι (Aeol.dat.ptcpl.): see ἴσαμι
ἴσαντι (dial.3pl.pf.): see οἶδα
ἰσ-άργυρος ον *adj.* (of purple dye) **equal to silver** (in value, i.e. worth its weight in silver) A.
ἰσ-άριθμος ον *adj.* [ἀριθμός] (of things) **equal in number** (W.DAT. to other countable things) Pl. Arist. Plu.; (hyperbol., of souls, an army of Titans, W.DAT. to the stars) Pl. Call.
ἴσᾱσι (3pl.pf.): see οἶδα
ἰσάσκετο (3sg.iteratv.impf.mid.): see ἰσάζω
ἴσᾱτι (dial.3sg.): see ἴσαμι
ἰσαχῶς *adv.* [ἴσος] **in a similar number of ways** Arist.
ἰσδάνω *Aeol.vb.*: see ἱζάνω
ἴσδω *dial.vb.*: see ἵζω
ἰσ-ήβᾱς ᾱ *dial.masc.adj.* [ἥβη] (of persons) **of the same age** Tim.
ἰσηγορίᾱ ᾱς, Ion. **ἰσηγορίη** ης *f.* [ἀγορεύω] (usu. in political ctxt.) **equal right of speech** Hdt. Att.orats. X. Plb.
ἰσ-ῆλιξ ικος *masc.adj.* (of Eros) **of the same age** (W.DAT. as the gods) X.
ἰσημερίᾱ ᾱς *f.* [ἡμέρᾱ] time at which day is equal (w. night), **equinox** Pl. Arist. Plb. Plu.
ἰσημερινός ή όν *adj.* (of a sunset) **at the equinox** Plb.
ἰσ-ήρετμος ον *adj.* [ἐρετμόν] with an equal number of oars; (of ships) **equal in number** (W.DAT. to another fleet) E.

ἰσ-ήρης ες *adj.* [ἀραρίσκω] (of votes) **equal, tied** E.
ἴσθι¹ (imperatv.): see εἰμί
ἴσθι² (pf.imperatv.): see οἶδα
ἰσθμιάζω *vb.* [Ἴσθμιος] **compete in the Isthmian games** A.*satyr.fr.*
Ἰσθμιασταί ῶν *m.pl.* Visitors to the Isthmian games, **Isthmiasts** (title of a satyr play, also called Θεωροί) A.
ἴσθμιον ου *n.* [ἰσθμός] **necklace** Od.
Ἰσθμιό-νῑκος ου, dial. **Ἰσθμιονίκᾱς** ᾱ *m.* [Ἴσθμιος, νίκη] **victor in the Isthmian games** B.
Ἴσθμιος *adj.*: see under Ἰσθμός
ἰσθμός οῦ *m.* **neck of land** (betw. two seas), **isthmus** A. Hdt. Th. X. +; (fig., ref. to the human neck) Pl.; (ref. to the crotch) Ar.
Ἰσθμός οῦ *m.* (*f.* Pi.) **Isthmos** (of Corinth, w. a sanctuary of Poseidon where biennial games were held) Pi. B. Hdt. E. Th. +
—**Ἰσθμοῖ** *adv.* **on the Isthmos** or **at the Isthmian games** Timocr. Pi. Th. Lys. Pl. Plu.
—**Ἴσθμιος** ᾱ ον (also ος ον) *adj.* **of or relating to the Isthmos**; (of the land, the road leading to it, the sacred grove) **of the Isthmos, Isthmian** Pi. B. S. E.; (of a contest there, a victory, the victor's wreath) Pi. AR.; (epith. of Poseidon) Pi.; (of Sinis) E.
—**Ἰσθμιάς** άδος *fem.adj.* (of a victory) **Isthmian** Pi. Call.; (of the truce observed during the games) Th. ‖ PL.SB. Isthmian festivals Pi.
—**Ἴσθμια** ων *n.pl.* **Isthmian games** Pi. Th. Ar. +
ἰσθμ-ώδης ες *adj.* [ἰσθμός] (of a place) **like an isthmus** Th.
Ἶσις ιδος (Ion. ιος) *f.* | Ion.acc. Ἶσιν, dat. Ἶσῑ | **Isis** (Egyptian goddess, sts. identified w. Demeter) Hdt. Pl. Call.*epigr.* Plu.
ἴσκω *vb.* [reltd. ἐίσκω] | impf. ἴσκον | **1 make** (W.ACC. one's voice, lies) **like** —W.DAT. *another's voice, the truth* Od.
2 wrongly consider (someone) to be like (someone else); **mistake** —*someone* (W.DAT. *for another*) Il.
3 (after dir.sp.) app. **imagine, suppose** (that what one has said is true) Od.
4 (after dir.sp., app. through misunderstanding of sense 3) **speak** (in certain words) AR. —W.ACC. *many such words* Theoc.
5 call, name —*an island* (W.PREDIC.ACC. *such and such*) AR.
ἴσμεν (1pl.pf.): see οἶδα
Ἰσμηνός (also Ἰσμῆνός) οῦ *m.* **Ismenos** (river in Boeotia) Pi. Trag. Call. AR.
—**Ἰσμήνιος** (or Ἰσμήνιος) ᾱ ον *adj.* (of a hill outside Thebes) **Ismenian** E.; (of Apollo, whose temple was on the hill) Hdt. Plu.; (of the temple) Pi.
ἰσο-βασιλεύς έως *m.* [ἴσος] **equal to a king** (ref. to a court favourite) Plu.
ἰσογονίᾱ ᾱς *f.* [γονή] **equality of birth** (of free-born Athenians) Pl.
ἰσο-γώνιος ον *adj.* [γωνίᾱ] (of similar quadrilaterals) having equal angles, **equi-angular** Arist.
ἰσο-δαίμων, dial. **ἰσοδαίμων**, ον, gen. ονος *adj.* **1** (of a Persian king, kingship) **equal to a god, godlike** A. Ariphron
2 (of a man praised in song) **equal in fortune** (W.DAT. to kings) Pi.
ἰσο-δίαιτος ον *adj.* [δίαιτα] (of rich Spartans) **having a similar lifestyle** (w. πρός + ACC. to the masses) Th.
ἰσό-δρομος ον *adj.* [δρόμος] (of the orbit of Venus and Mercury) **on the same course** (i.e. having the same period, W.DAT. as the sun) Pl.
ἰσοδυναμέω *contr.vb.* [δύναμις] (of two things) **have equal power** or **authority** Plb. (of one thing) —w. πρός + ACC. *w. another* Plb.

ἰσό-θεος, dial. **ἰσόθεος**, ον *adj.* [θεός] **1** (of a hero, a king) **equal to the gods, godlike** Hom. A. B. E. Isoc. AR.; (of persons worthy of respect, or thinking themselves so) Pl. ‖ MASC.PL.SB. **demigods** S.
2 (of honours given to persons or heroes) **as if to a god, divine** Lycurg. Plb. Plu.; (of power, reputation) **godlike, glorious** E. Isoc. Pl.
ἰσο-κέφαλοι ων *masc.fem.pl.adj.* [κεφαλή] (of Siamese twins) perh. **with identical heads** Ibyc.
ἰσο-κίνδῡνος ον *adj.* (of peoples) **running the same risks** (as their opponents) Th.
ἰσό-κληρος ον *adj.* [κλῆρος] (of Spartans) **having an equal allotment** (of property) Plu.
ἰσο-κρατής ές *adj.* [κράτος] (of women) **having equal power** (W.DAT. w. men) Hdt.
Ἰσοκράτης ους *m.* **Isocrates** (Athenian orator, 436–338 BC) Isoc. Pl. D. Arist. Plu.
ἰσοκρατίη ης *Ion.f.* [ἰσοκρατής] **rule of equals** Hdt.
ἰσό-κρῑθος ον *adj.* [κριθαί] (of a measure of wine) **equal to barley** (in price) Plb.
ἰσό-κυκλος ον *adj.* [κύκλος] (of a kind of fish) **perfectly round** Philox.Leuc.
ἰσολογίᾱ ᾱς *f.* [λέγω] **right to speak on equal terms** Plb.
ἰσο-μάτωρ ορος *dial.masc.fem.adj.* [μήτηρ] (of a lamb) **as large as its mother** Theoc.
ἰσο-μεγέθης ες *adj.* [μέγεθος] (of jars) **equal in size** (to each other) Plb.; (of an animal, W.DAT. to a hare) X.
ἰσο-μέτρητος ον *adj.* [μετρητός] **measured equal** (to sthg. else); (of a statue, for dedication at Delphi) app., **having the same size** (as the dedicator), **lifesize** Pl. Plu.
ἰσο-μέτωπος ον *adj.* [μέτωπον] (of cavalry) **having an equal front, keeping in line** (W.DAT. w. the foot-soldiers) X.
ἰσο-μήκης ες *adj.* [μῆκος] **of equal length**; (of numbers) **with one common factor** (opp. two) Pl.
ἰσομοιρέω *contr.vb.* [ἰσόμοιρος] **1** (of persons) **have an equal share** X. D. —W.GEN. *of spoils, property, misfortunes* (sts. W.DAT. or πρός + ACC. *w. others*) Th. X. Is. D.; (of persons, cities) **share and share alike** —w. πρός + ACC. *w. each other* Isoc.
2 (of different political skills) **have an equal place** (in a democracy) Th.
ἰσομοιρίᾱ ᾱς, Ion. **ἰσομοιρίη** ης *f.* **equal share** (of land) Sol. Th.; (of sufferings, honours, political rights and privileges) Th. X. Plu.
ἰσό-μοιρος ον *adj.* [μοῖρα] (of persons or things) **sharing equally** (usu. W.GEN. in sthg.) S. X. Is.
ἰσό-μορος ον *ep.adj.* [μόρος] **having an equal portion**; (of Poseidon) **equal** (to Zeus) Il.
ἰσ-όνειρος ον *dial.adj.* (of the feebleness of mortals) **dream-like** A.
ἰσό-νεκυς υος *masc.fem.adj.* [νέκυς] (of Elektra and Orestes) **as good as dead** E.
ἰσονομέομαι *mid.contr.vb.* [ἰσόνομος] **have equal rights** —w. μετά + GEN. *w. others* Th.
ἰσονομίᾱ ᾱς, Ion. **ἰσονομίη** ης *f.* **1 equality of laws** or **of persons before the laws, isonomy** (ref. to the rule of the multitude, opp. tyranny or monarchy) Hdt.; (opp. moderate aristocracy or oligarchic cliques) Th.
2 equality of rights, equality (betw. persons in society, men and women) Isoc. Pl. Plu.
ἰσονομικός ή όν *adj.* (of a person) **devoted to political equality** Pl.
ἰσό-νομος, dial. **ἰσόνομος**, ον *adj.* [νόμος] (of Athens) **granting equal rights** (for all, opp. tyranny) Scol.; (of a constitutional oligarchy, opp. democracy or oligarchy) Th.

ἰσό-παις παιδος *masc.fem.adj.* [παῖς¹] (of the strength of old men) **like a child** A.

ἰσο-παλής, dial. **ἰσοπαλής,** ές *adj.* —also **ἰσόπαλος** ον (X.) *adj.* [πάλη] **1** (of combatants) equal in a struggle, **evenly matched** Hdt.; **equal** (in numbers, W.DAT. to the enemy) Th.; (W.GEN. to each other) X.; (of animals, as prizes in a wager) **equal in value** Theoc.
2 (of a spherical body) **equally poised** or **weighted** (in every direction) Parm. Pl.; (of dangers) **equal** (to others) Th.

ἰσό-πεδος, dial. **ἰσόπεδος,** ον *adj.* [πέδον] **1** having the same surface; (of a trap, placed in a hole) **level** (w. the ground) X.; (of earth, piled into a trench, W.DAT. w. the ground) Hdt.; (of a blocked-up entrance, W.DAT. w. the side of a mound) Plu.
2 (of a road) having an even surface, **flat, level** X. ‖ NEUT.SB. flat or level ground Il. X.

ἰσο-πλατής ές *adj.* [πλάτος] (of watchtowers) **equal in breadth** (W.DAT. to the structure on which they stand) Th.

ἰσό-πλευρος ον *adj.* [πλευρᾱ́] **1** (of a military formation) **with equal sides** X.; (of the plan of a military camp) **square** Plb.
2 (of numbers) **square** Pl.; (of triangles, quadrilaterals composed fr. them) **equilateral** Pl. Arist.

ἰσο-πληθής ές *adj.* [πλῆθος] (of opposing cavalry) **equal in number** X.; (of infantry, W.DAT. to the enemy's) Th.

ἰσοπολῑτείᾱ ᾱς *f.* [πολῑτεύω] **equality of civic rights** (granted to resident communities or individuals) Plb. Plu.

ἰσό-πρεσβυς υ *adj.* [πρέσβυς] (of the marrow that maintains the body) **like that of an old man** A.

ἰσορροπέω *contr.vb.* [ἰσόρροπος] **1** (of parts of the body, pleasure and pain) **be evenly balanced** (against each other) Pl.; (of one consideration) —W.DAT. *against another* Plb.
2 (of a constitution) **maintain a balance** (betw. different elements) Plb. Plu.; (of space, envisaged as a receptacle for emerging matter) Pl.
3 (of a commander) **be a match for, be equal to** —W.DAT. *an emergency* Plu.

ἰσορροπίᾱ ᾱς *f.* **balance, equipoise** (of the spherical earth) Pl.

ἰσό-ρροπος ον *adj.* [ῥοπή] **1** having an even balance (betw. different or opposing elements); (of the cosmos, a physical object, human body, life) **evenly balanced** Pl. X.; (of a battle, the fortune of war, a military situation) A. E. Th. Arist. Plb. Plu.
2 evenly balanced (against other things); (of body and soul, physical forces) **evenly balanced** (against each other) Pl.; (of royal power, against that of magistrates) Plu.; (of a people) **evenly matched** (W.DAT. against another) Hdt.
3 (of an honour) **equivalent** (to people's deserts) Arist.; (of personal authority) **equal, adequate** (W.DAT. or πρός + ACC. to a responsibility) Plu.
4 (of words of praise) **equalled** (i.e. justified, W.GEN. by achievements) Th.

—**ἰσόρροπα** *neut.pl.adv.* **equally** Tim.

—**ἰσορρόπως** *adv.* **in a balanced way, evenly** Pl. Plu.

ἴσος, ep. **ἶσος,** η (dial. ᾱ) ον *adj.* ǀ Att.compar. ἰσαίτερος, superl. ἰσαίτατος ǀ —also **ἐίση** ης *ep.fem.adj.* **1** (of persons or things) **equal** (in size, strength, amount or number, sts. W.DAT. to someone or sthg.) Hom. +; (w.dat.pers. in place of the thing compared) • οὐ μὲν σοί ποτε ἶσον ἔχω γέρας *I never have a prize equal to you* (i.e. to yours) Il.
2 equal, similar or **comparable** (in appearance, nature, attributes, sts. W.DAT. to someone or sthg.) Hom. +

3 (of things that are divided or shared) **equal** Hom. +; (of a meal) **shared equally** Hom. Hes.*fr.* ‖ FEM.SB. equal portion, fair share Hom. ‖ NEUT.SG.SB. equal share E. + ‖ NEUT.PL.SB. equal shares Il. +
4 (of the outcome of war) **evenly balanced, equal** (for both sides) Il.
5 (of ships) **well-balanced** Hom. hHom.; (of shields) Il.; (of a person's intellect) Od.
6 (in political ctxt., of persons) having equality (of rights), **equal** Th. Arist.; (of a constitution) based on equality of rights, **egalitarian** Th. Aeschin.; (of freedom of speech) **conducive to equality** E. ‖ NEUT.PL.SB. equal rights, equality X. D.
7 (of persons, judges, listeners, their conduct) **fair** S. E. Pl. X. D. Plb. ‖ NEUT.PL.SB. fair reward S.
8 ‖ FEM.SB. (in treaties and negotiations) fairness Th.; (prep.phrs.) ἐπὶ (or ἐπ') ἴσῃ *on fair terms* Hdt. Th.; ἐπὶ τοῖς ἴσοις Th. X. Plu.; ἐπ' ἴσοις Plu.
9 (prep.phrs.) ἐπ' ἴσης *on an equal basis, in equal measure, equally* Hdt. S. Plb. Plu.; (also) ἀπὸ τῆς ἴσης Th.; ἀπ' ἴσης D. Plu.; ἐξ ἴσης Pl.; ἐξ ἴσου Hdt. Trag. Th. +; ἐκ τοῦ ἴσου Th. X.; ἐν ἴσῳ Th.; ἐπ' ἴσον Plb.; ἐπ' ἴσον *to an equal extent* Plb.; (also) ἐπὶ ἶσα, κατὰ ἶσα Il.; ἐν ἴσῳ *at an even pace* X.

—**ἶσον,** ep. **ἶσον** *neut.sg.adv.* —also **ἶσα,** ep. **ἶσα** *neut.pl.adv.* in an equal manner or to an equal extent, **equally, comparably, similarly** (sts. W.DAT. to someone or sthg.) Hom. +

—**ἴσως,** dial. **ἴσως** *adv.* **1** in an equal manner or to an equal extent, **equally** Sapph. Thgn. Pl.
2 equally, fairly, equitably D. Arist. Plb.
3 perhaps Alc. Hdt. Trag. + ǀ see also τάχα 3

—**ἰσαίτατα** *Att.superl.adv.* **in the most equal manner** Pl. Arist.

ἰσο-σκελής ές *adj.* [σκέλος] with equal legs; (of triangles) **isosceles** Pl. Arist. Plu.; (of numbers) divisible into equal parts, **even** Pl.

ἰσο-στάσιος ον *adj.* [ἵστημι] (of gold) **having equal weight** (to sthg.) Pl.

ἰσο-ταχής ές *adj.* [τάχος] (of two processes) **having the same speed** Plb.

—**ἰσοταχῶς** *adv.* **at the same speed** Plb.

ἰσοτέλεια ᾱς *f.* [ἰσοτελής] **equal terms** (for foreigners as for citizens, in respect of military service or mine-working) X.

ἰσο-τέλεστος ον *adj.* [τελέω] (of death) **bringing an end for all alike** S.

ἰσο-τελής ές *adj.* [τέλος] (of non-citizens, at Athens) **with the same financial rights** (as citizens) D. Arist.

ἰσότης ητος *f.* **1** condition of being equal, **equality** (of things, circumstances) Pl. Arist. Plb. Plu.
2 (math.) **equality** (of ratios, in a geometrical progression) Pl. Arist.
3 (in political ctxt.) **equality** (of status or rights, betw. persons) Isoc. Pl. Arist. Plb. Plu.
4 (personif., as a controlling principle) **Equality** E.

ἰσοτῑμίᾱ ᾱς *f.* [ἰσότῑμος] **equal prestige** (of citizens and rulers) X.

ἰσό-τῑμος ον *adj.* [τῑμή] (of persons) **equal in honour** or **prestige** Plu.

ἰσο-τράπεζος ον *dial.adj.* [τράπεζα] (of a fish) **as big as a table** Philox.Leuc.

ἰσοτρῑβής *adj.*: see ἰστοτρῑβής

ἰσο-τύραννος ον *adj.* (of the Spartan ephorate) **equivalent to a tyranny, despotic** Arist.

ἰσο-υψής ές adj. [ὕψος] (of houses) **of equal height** (to each other) Plb.; (of men, a scaling-ladder) **at the same height** (w.dat. as sthg.) Plb.

ἰσο-φαρίζω ep.vb. [app.reltd. φέρω; cf. ἀντιφερίζω] be the equal of, **match, rival** —w.dat. *someone* (sts. w.acc. *in courage, deeds, or sim.*) Il. Hes. Simon. AR. Theoc.

ἰσο-φόρος, ep. **ἰσοφόρος**, ον adj. [φέρω] (of two oxen) bearing an equal load, **equal in strength** Od.; (of a person's legs, w.dat. to his shoulders) X.

ἰσο-χειλής ές adj. [χεῖλος] (of grains of malt floating in a bowl of wine) **level with the brim** X.

ἰσοψηφίᾱ ᾶς *f.* [ἰσόψηφος] **equal right to vote** Plu.

ἰσό-ψηφος ον adj. [ψῆφος] **1** (leg., of a defendant) **receiving equal votes** (for condemnation and acquittal) A.; (of a verdict) **with the votes equally divided** A.
2 (of persons, allied states) **having an equal vote** (w. others) Th. Aeschin.; (of allied people, w.dat. w. citizens) Plu.
3 (of a city) **with equal voting rights** (for all citizens) E.
4 (of the power of a council of elders, at Sparta) **equal in decision-making** (w.dat. to the power of the two kings) Pl. Plu.

ἰσό-ψῡχος ον adj. [ψῡχή] (of the power of Helen and Clytemnestra) app. **like-minded** A.

ἰσόω, ep. **ἰσόω** contr.vb. [ἶσος] **1 make equal** —*the fortunes (of oneself and another, by sharing in the other's ill fortune)* E.; (of an athlete) **match** —*the outcome of a race* (w.dat. *to his physical appearance, i.e. make it a splendid one*) S.
2 ∥ mid. (of a horse-rider) **make** (w.acc. the reins) **equal** (in length) X.; (of the Fates) **use in the same way** (as one another) —*their hands and claws* Hes.; (of a person, calculating food supplies) **balance** —*days and nights (against each other, by providing proportionately more as the days grow longer)* Hes.
3 ∥ mid. **consider oneself equal** —w.dat. *to someone* AR. —(w.prep.phr. *in misery*) Od.
4 ∥ pass. **be or be considered as equal** (to another) Pl. —w.dat. *to another, the gods* S.
5 ∥ pass. (of a person's troubles) **be made equal** —w.dat. *to another's* Ar.(cj.); (of an entity) **become equal** (in its parts) Pl.

ἴστε (2pl.pf.), **ἰστέον** (neut.impers.vbl.adj.): see οἶδα

ἰστεών ῶνος *m.* [ἱστός] **weaving-room** Men.

ἵστημι vb. | The tr. usages are given first: act. (pres., impf., fut., aor.1), mid. (mainly aor.1), and pass. For the intr. usages see ἵσταμαι below. | pres.: 2sg. ἵστης, 3sg. ἵστησι, Ion. ἱστᾷ, 1pl. ἵσταμεν, 2pl. ἵστατε, 3pl. ἱστᾶσι | imperatv. ἵστη, 3sg. ἱστάτω, 2pl. ἵστατε | subj. ἱστῶ | opt. ἱσταίην | inf. ἱστάναι | ptcpl. ἱστάς | impf.: ἵστην, 3sg. ἵστη, Ion. ἵστα, 1pl. ἵσταμεν, 2pl. ἵστατε, 3pl. ἵστασαν, dial. ἵσταν (B.) | iteratv. ἵστασκον | fut.: στήσω, dial. στάσω (Theoc.) | aor.1: ἔστησα, ep. στῆσα, dial. ἔστασα, also στᾶσα, 3pl. ἔστησαν, ep. στῆσαν, also ἔστασαν | imperatv. στῆσον, 3sg. στησάτω | subj. στήσω | inf. στῆσαι | ptcpl. στήσας ∥ mid.: ἵσταμαι | fut. στήσομαι | aor.1 ἐστησάμην, dial. ἐστᾱσάμην, ep. στησάμην ∥ pass.: fut. σταθήσομαι | aor. ἐστάθην ∥ neut.impers.vbl.adj. στατέον |

1 cause (someone or sthg.) **to stand or be placed; stand, station, place** —*persons or things* (sts. w.prep.phr. or predic.adj. *in a certain position, place or condition*) Hom. +
2 (sts.mid.) **set up** —*a mast, a web* Od. Hes. —*a statue, trophy, monument, or sim.* Hdt. + —*city walls* Th. —*a person* (w.predic.adj. *in bronze, i.e. a statue of him*) D. ∥ pass. (of monuments, trophies) **be set up** Th. Att.orats.

3 set up, establish —*a person* (w.prep.phr. *in a place*) S.; (fig.) —*a colony* (*on its feet*) Pi.; (sts.mid.) **appoint** —*a ruler, someone* (*as ruler*), *or sim.* Alc. ⊦dt. S. + ∥ pass. (of an official) **be appointed** Hdt.
4 (sts.mid.) **set up, establish, institute** —*choruses, festivals, rites, or sim.* Pi. B. Hdt. + ∥ pass. (of a market) **be held** Hdt.
5 (of a river) **raise up, create** —*a wave* Il.; (of winds) —*a cloud of dust* Il.; (sts.mid., of persons) **stir up, cause** —*fighting, strife, war* Hom. Hes. B. Hdt.
6 raise —*a cry, a shout* A. E. Ar. | pass. (of a cry) **be raised** S.
7 build up —*anger* (*in oneself*) S.; **create** —*a recovery of breath* (i.e. *gain fresh vigour*) Pi.
8 bring to a standstill, halt, stop (sts. w.prep.phr. at a certain place) —*horses, ships, troops, other things in motion* Hom. + —*a handmill* Od. —*one's narrative* Plb.
9 put in a fixed or settled condition; (of a dead man) **set** —*his eyes* (*in a stare*) Pl.; (of a person) **compose** —*one's face* (*in a serious expression*) X.; **settle** —*a crowd* (w.predic.adj. *to stillness*) E.
10 place in the scales, weigh out —*an amount of gold, a ransom* Il. —*a sum of money* (w.dat. *for someone, i.e. pay it to him*) NT.; **weigh** —*an object or commodity* (sts. w. σταθμῷ or ζυγῷ *in the scales*) Hdt. Ar. Pl. X Thphr.; (intr.) Lys. Pl. X.

—**ἵσταμαι** mid.vb.| imperatv. ἵστω, also ἵστασο, ep. ἵστao, 3sg. ἱστάσθω, 2pl. ἵστασθε, sub. ἱστῶμαι, opt. ἱσταίμην, inf. ἵστασθαι, ptcpl. ἱστάμενος | impf. ἱστάμην | fut. στήσομαι, dial. στάσομαι ∥ act. athem.aor.: ἔστην, ep. στῆν, dial. ἔστᾱν, also στᾶν, 3pl. ἔστησαν, ep. ἔσταν, also στάν | iteratv. στάσκον | imperatv. στῆθι, dial. στάθι, 3sg. στήτω, 2pl. στῆτε | subj. στῶ, 2 and 3sg. στῇς, στῇ, ep. στήῃς, στήῃ, 1pl. στῶμεν, ep. στέωμεν (disyllab.), also στείομεν | opt. σταίην, 3pl. σταῖεν, ep. σταίησαν | inf. στῆναι, ep. στήμεναι, dial. στᾶμεν (Pi.) | ptcpl. στάς ∥ stativ.pf.: ἕστηκα, dial. ἕστᾱκα, 1pl. ἕσταμεν, 2pl. ἕστατε, also ἑστήκατε (NT.), 3pl. ἑστᾶσι, also ἑστήκᾱσι, 3du. ἕστατον | imperatv. ἕσταθι, 3sg. ἑστάτω, 2pl. ἕστατε, 2du. ἕστατον | subj. ἑστήκω, also ἑστῶ | inf. ἑστάναι, ep. ἑστάμεν, also ἑστάμεναι | ptcpl. ἑστηκώς, also ἑστώς, Ion. ἑστεώς, ep. ἑστηώς (Hes. Call. AR.), also (as if fr. ἑσταώς) ep.gen. ἑσταότος, nom.pl. ἑσταότες (Hom. Call.) ∥ stativ.plpf.: 3sg. εἱστήκει, ep. ἑστήκει, also ἑστήκειν, Ion. ἑστήκεε, dial. ἑστάκη (Call.), 1pl. ἕσταμεν, 3pl. ἕστασαν, also εἱστήκεσαν (X.) ∥ stativ.fut.pf.: ἑστήξω, also mid. ἑστήξομαι (Arist.) ∥ pass. (w.mid.sens.): aor. ἐστάθην, ep.3pl. ἔσταθεν, dial. στάθεν (Pi.), imperatv. στάθητι, pl. στάθητε |

1 take up a position, come and stand, stand (freq. w.adv. or prep.phr. in a certain place) Hom. +
2 (of persons or things) **be in a standing position, stand** (freq. w.adv. or prep.phr. in a certain place) Hom. +
3 rise to a standing position, stand up Hom. +; (of hair, through fear) —w.predic.adj. *on end* Il. A. Pl.; (of a horse) **rear** —w.predic.adj. *straight up* Hdt.; (of dust, a wave) **rise** Il.
4 (of warriors) **make a stand, stand firm** Il. Sol.
5 ∥ stativ.pf., plpf. and fut.pf.act. (of persons or things) **be in a standing or fixed position, stand, be** (freq. w.adv. or prep.phr. in a certain place) Hom. +; (of persons) **be in a standing posture, stand** Hom. −; **be still or idle** (opp. active) Hom. +; (of warriors) **have taken a stand, stand firm** Il.
6 (fig., of cities) **stand firm** (in loyalty) X.
7 (of a person, in the form of a statue) **be set up, stand** Pl. Arist. ∥ stativ.pf.act. (of pillars, statues, trophies, or sim.) **have been set up, stand** Hom. −; (of walls) **be standing** (opp. *have collapsed*) Th.

8 (of persons or things) come to a standstill, **stop, halt** Hom. +; (of a person) **stop, cease** —W.PTCPL. *doing sthg.* D.; (of a state of affairs) **come to an end** D. ‖ STATV.PF.ACT. (of moving things) have come to a stop, **be stationary** Pl.; (of a state of affairs) **be at an end** D.
9 (of persons or things) **stand** (in a certain condition); (of an outcome) **stand** —W.PREP.PHR. *on a razor's edge* Il. Thgn. ‖ STATV.PF.ACT. (of persons) **stand, be** —W.ADV. *somewhere, i.e. well or badly off* (W.GEN. *in respect of fortune or calamity*) S.; (of a war) **have turned out** —W.ADV. *badly* Hdt. ‖ NEUT.PL.PF.ACT.PTCPL.SB. **things as they stand, existing circumstances** Hdt. S.
10 (of a person) adopt a stance, **behave, act** —W.ADV. or PREP.PHR. *in a certain way* Plb.
11 be placed (in a certain role); **be appointed** —W. ἐς + ACC. *to an office* Hdt.
12 ‖ STATV.PF.ACT. (of things) **be in a fixed or settled condition**; (of a state of fear) **be established** S.; (of anguish) **be immovable** —W.DAT. *for someone* S. ‖ PF.PTCPL.ADJ. (of conditions or circumstances, a time of life) **stable, settled** Pl. Arist.; (of reasoning, the functioning of an object) **well-based, sound** Plb.
13 (of events) come about; (of fighting) **be set on foot, arise, begin** Il. ‖ STATV.PF.ACT. (of fighting) **be afoot** Il.
14 (of a star) take up a position, **appear** —W.ADV. *in heaven* Il.; (of a month, fr. the equivalence of moon and month, i.e. orig. w.connot. of the moon appearing) **begin** Od. Hes. Th.; (as a way of reckoning the date within the early part of the month) ἱσταμένου τοῦ μηνὸς ἐνάτῃ (or sim.) *ninth day from the beginning of the month* Hes. Hdt. Att.orats. Arist. Plu.; (gener., of spring) **come on, appear, begin** Od. Hes.; (of midday) Pl. ‖ STATV.PF.ACT. (of a month) **have begun or come round** Il.

ἱστιάω Ion.contr.vb.: see ἑστιάω
ἱστίη Ion.f.: see ἑστία
ἱστιητόριον ου Ion.n. [ἑστιάτωρ] **banqueting-hall** Hdt.
ἱστιοδρομέω contr.vb. [ἱστίον, δραμεῖν] (of ships) **proceed under sail** Plb.
ἱστίον ου n. [ἱστός] that which belongs to the mast; **sail** (of a ship) Hom. +; (collectv.pl., ref. to one sail) Hom.
ἱστιο-ρράφος ου m. [ῥάπτω] (pejor.) **sail-stitcher** (ref. to a person dressed in rags of sail-cloth) Ar.
ἱστο-βοεύς ῆος ep.m. [ἱστός, βοῦς] **plough-pole** (connecting the plough-tree to the yoke) Hes. AR.
ἱστο-δόκη ης f. [δέχομαι] **mast-crutch** (at the stern of a ship, on which the mast rests when lowered) Il. hHom. AR.
ἴστον (2du.pf. and 2du.pf.imperatv.): see οἶδα
ἱστο-πέδη ης, Aeol. **ἱστοπέδα** ᾶς f. app., beam to which the lower end of the mast is secured, **mast support** Od. Alc. | cf. μεσόδμη
ἱστορέω contr.vb. [ἵστωρ] **1** seek information by inquiring, **inquire, ask** Hdt. S. E. Plb. —W.COGN.ACC. *a question* S. —W.NEUT.INTERN.ACC. *sthg., nothing, more* S. E. —W.INDIR.Q. *what* (or *why sthg.*) *is the case* Hdt. ‖ NEUT.PL.PF.PASS.PTCPL.SB. **results of inquiries** Hdt.
2 inquire about —someone or sthg. Trag. Plb. —W.ACC. + INDIR.Q. *someone, where he lives* S.
3 inquire of, question, ask —someone Hdt. —(W.INDIR.Q. *what or whether sthg. is the case*) Hdt. E. —(W.DIR.Q.) E. —(W.NEUT.INTERN.ACC. *sthg.*) E. —(W.NEUT.ACC. *about sthg.*) S. E. ‖ PASS. **be questioned** S. E. —W.INDIR.Q. *whether sthg. is the case* Hdt.
4 seek information by observation, **examine, observe** —*a place* Plu. —*someone's intellectual abilities* Plu.
5 learn by inquiry or observation, **know about** —*someone or sthg.* A.; (of a ray of the sun) —*someone* (W.PREDIC.PTCPL. *as being alive*) A.; (intr., in neg.phr.) **know, be aware** S.
6 (specif., of a historian or the reader of a historical narrative) **learn, discover** —*sthg.* Plb. —W.INDIR.Q. or COMPL.CL. *what* (or *that sthg.*) *is the case* Plb.
7 (of an informant or writer, esp. a historian) **record, report** Plb. Plu. —*events, facts* Plb. Plu. —W.COMPL.CL. or ACC. + INF. *that sthg. is the case* Plb. Plu. ‖ PASS. (of facts, events) **be recorded or reported** Plb. Plu.

ἱστορίᾱ ᾱς, Ion. **ἱστορίη** ης f. **1 inquiry, investigation** Hdt. E.fr. Pl.
2 knowledge obtained by inquiry, **information, knowledge** (sts. W.GEN. *about sthg.*) Isoc. Pl. Aeschin. D. Call. Plu.
3 written account of one's inquiries, **historical narrative, history** Arist. Plb. Plu.; (gener.) **story** Call.

ἱστορικός ή όν adj. **1** based on inquiry or investigation; (of imitative behaviour) **informed, scientific** Pl.; (of persons) **well-informed** (sts. W.GEN. *about sthg.*) Arist. Plu.
2 (of persons) **interested in historical inquiry** Plu. ‖ MASC.SB. **writer of historical narrative, historian** Arist. Plu.
3 (of narratives) **historical** Plb. Plu.

ἱστοριο-γράφος ου m. [γράφω] **writer of historical narrative, historian** Plb.
ἱστός οῦ, Aeol. **ἴστος** ου m. [ἵστημι] **1 mast** (of a ship) Hom. hHom. Lyr.adesp. Hdt. E. +
2 mast-like object (erected on land), **mast, pole** Hdt.
3 upright beam of a loom; (gener., sts.pl. for sg.) **loom** Hom. Hes. Pi. E. Pl. +
4 (meton.) thread being woven (on the loom), **web** Hom. Hes. Sapph. Pl. +
5 web (W.GEN. *of a spider*) B.fr.
6 piece, length (W.GEN. *of sail-cloth*) Plb.

ἱστό-τονος ον adj. [τείνω] **1** (of weft-threads, being woven) **stretched tight on the loom** Ar.
2 (of a κερκίς *pin-beater*) app., that makes tight the weft-threads, **web-tightening** E.fr.

ἱστο-τριβής ές adj. [τρίβω] (derog., of Cassandra) perh. **toiling away at the loom** (like a faithful wife or drudge) A.(dub.) [cj. ἰσοτριβής **wearing down** (W.GEN. *rowing benches*) **equally** (w. another)]

ἱστουργέω contr.vb. [ἔργον] **work at the loom** S.
ἱστουργίᾱ ᾱς f. **weaving** Pl.
Ἴστρος ου m. **Istros** (river, mod. Danube) Hes. Pi. Hdt. S. Th. +
—**Ἴστριος** ᾱ ον adj. (of the land) of the Istros, **Istrian** Pi.
—**Ἰστρίη** ης Ion.f. **Istria** (city on the NW. coast of the Black Sea, at the river-mouth) Hdt.
—**Ἰστρινηός** ή όν Ion.adj. —also **Ἰστριανίς** ίδος fem.adj. (of a woman) **from Istria** Hdt. S.fr.
ἴστω (2sg.mid.imperatv.): see ἵσταμαι
ἴστω (3sg.pf.imperatv.): see οἶδα
ἵστωρ (also **ἴστωρ**) ορος m.f. [οἶδα] **1** app., one who knows; **arbitrator, judge** (of a dispute) Il.
2 (of a god, a person) **witness** (to sthg.) Lycurg.(oath) AR.
3 ‖ ADJ. having knowledge, **aware** (W.GEN. *of sthg.*) S. E.; **knowledgeable, wise** Hes.; (W.GEN. *about sthg.*) Pl.; (of the Muses, Amazons, heroes) **skilled, expert** (W.GEN. *in sthg.*) hHom. B. AR.

ἰσχάδιον ου n. [dimin. ἰσχάς] **dried fig** Ar.
ἰσχαδόπωλις ιδος f. [ἰσχάς, πωλέω] **fig-seller** Ar.
ἰσχαλέος η ον ep.adj. [reltd. ἰσχνός] (of an onion) **dried** Od.
ἰσχανάω ep.contr.vb. [ἰσχάνω] | always w.diect. | 2sg. ἰσχανάᾳς, 3pl. ἰσχανόωσι | iteratv.impf. ἰσχανάασκον ‖ see

ἰσχάνω also ἰχανάω | **1** keep from action, **hold back, restrain** —*a warrior* Il.; **detain** —*a guest* Od. ‖ MID. (of persons, warriors) **hold oneself back** Hom. AR. ‖ PASS. (of troops) be held in check (by the enemy) Il.
2 (of embankments) **stand against, withstand** —*a flood* Il.
ἰσχάνω ep.vb. [ἴσχω] **1** (of fetters) **hold fast, restrain** —*someone* hHom.; (of cold) **keep** —*someone* (W.GEN. *fr. the fields*) Hes.; (of a person, fear, awe of the gods) **hold back, check** —*persons, their speech* Il. hHom. AR.
2 (of warriors) **hold back, withstand** (the enemy) Il.; (of raised ground) —*a flood* Il.
3 have, hold —*feelings* (about someone) AR.
ἰσχάς άδος *f.* [reltd. ἰσχνός] **dried fig** Hippon. Ar. Call.*epigr.* Theoc.
ἰσχίον ου *n.* **1 hip-joint** (of a person) Hom.
2 (usu.pl.) **haunch** or **hip** (of a person or animal) Il. Hdt. Pl. X. Call. Theoc.
3 perh. **small of the back** Plu.
ἰσχναίνω vb. [ἰσχνός] | aor. ἴσχνᾱνα, Ion. ἴσχνηνα | **1** (of embalmers) **dry out** —*a corpse* Hdt.; (of Erinyes) **drain dry** —*a living person* (by drinking his blood) A.
2 (of a doctor) cause to lose weight, **thin down** —*his patients* Pl.; (app.intr., of parts of the body) **become thin** Arist.
3 (medic.) reduce (a swelling); (fig.) **reduce, calm** —*a swelling rage* A. —*the swollen art of tragedy* Ar. —*a deranged mind* E.
ἰσχνασίᾱ ᾱς *f.* **thinning** (of the body, to regain health) Arist.
ἰσχνός ή (dial. ά) όν adj. **1** (of radishes, herb-leaves) **dry, withered** Ar.
2 (of persons, their build) **thin, lean, wiry** Ar. Pl. Arist. Theoc. Plu.; (of dogs) Pl.
—**ἰσχνῶς** adv. **simply, plainly** —*ref. to speaking* Plb.
ἰσχνό-φωνος ov adj. [φωνή] having a thin or weak voice; **with a speech impediment** Hdt.
ἰσχομένως pass.ptcpl.adv.: see under ἴσχω
ἰσχυρίζομαι mid.vb. [ἰσχυρός] | fut. ἰσχυριοῦμαι | aor. ἰσχυρισάμην ‖ neut.impers.vbl.adj. ἰσχυριστέον | **1** (of the weapons of cavalrymen) **gain strength, be reinforced** —W.PREP.PHR. *by their horses* (i.e. due to their speed) X.
2 (of a person) **exert one's strength** Pl. —W.PREP.PHR. *against someone* Arist.
3 feel strong or **confident** Antipho Aeschin.
4 strongly affirm, confidently assert, maintain —*a proposition* Th. Pl. —W.ACC. + INF. or COMPL.CL. *that sthg. is the case* Th. Pl. X. Is. D. Plu.; **make a confident statement, insist** Th. —W.PREP.PHR. *on sthg.* Pl. D.
5 lay stress, insist or **rely** —W.DAT. *on the law, justice, an argument, will, or sim.* Heraclit. Att.orats. Plu.
ἰσχυρικός ή όν adj. (of a person) **of a strong** or **stubborn kind** Pl.
ἰσχυρο-γνώμων ov, gen. ovoς adj. **holding strongly to an opinion, stubborn-minded** Arist.
ἰσχυροποιέω contr.vb. **emphasise, stress** —*a point* (in an argument) Plb.
ἰσχυρός ά (Ion. ή) όν adj. [ἰσχῡς] **1** having physical strength; (of persons) **strong, powerful** B. S. Lys. Ar. Pl. D. +; (of an animal) Hdt.; (of a plant) X.
2 strong in fighting-power; (of troops, military formations) **strong, powerful** Hdt. Th. X. +
3 (of weapons) **strong, powerful** Alc. X.; (of a military action) Th.; (of a battle) **hard-fought** Hdt. Th. +; (prep.phr.) κατὰ τὸ ἰσχυρόν *by force* Hdt.
4 having power or influence; (of a god) **strong, powerful** A. Ar.; (of persons) Lys. X. D. +; (of a people, a city) Hdt. E.; (of a plurality of children, opp. one) Hdt.; (of the situation of a state, group or individual) Th.; (of a person) **strong enough, able** (W.INF. to do sthg.) Plu.
5 (of natural elements) powerful in operation or effect; (of torrents, whirlpools) **powerful** Hdt.; (of earthquakes) Th.; (of wine) X.
6 (of buildings, objects) strongly made (so as to resist destruction or breakage), **strong** Hdt. Ar. X. +; (of skulls) Hdt.; (of a ram's horn) Plu.
7 (of places) providing strong defence against an enemy (through either natural features or fortifications), **strong** Hdt. Th. X. +; (of a wall) Hdt. Th. ‖ NEUT.SB. (sg. and pl.) secure or defensive position (occupied by an army in the field) X. ‖ NEUT.PL.SB. defensive strength (W.GEN. of a city) Aeschin.
8 (of land) **hard, rugged** A.
9 (of abstr. things) powerful in operation or effect; (of compulsion) **strong, powerful** Hdt. Antipho; (of oaths, arguments, proofs, or sim.) Hdt. Th. Att.orats. +
10 strong to the point of severity; (of a law, judgement, remedy, punishment, or sim.) **strong, strict, severe** Hdt. Att.orats. +; (of a rout of the enemy) **utter** X.
11 (of physical afflictions) extreme in degree; (of a cough, a convulsion) **violent** Th.; (of a fever) **high** Th.; (of ulceration) **heavy** Th.
12 (of a famine) **intense, severe** Hdt. Th. NT.; (of cold weather) Hdt. X.
13 (of emotions) strongly felt or displayed; (of desires) **strong, powerful** Pl. X.; (of enmity, friendship, anger, or sim.) Hdt. Pl. +; (of laughter) Pl.
—**ἰσχυρῶς** adv. | compar. ἰσχυρότερον, also ἰσχυροτέρως (Heraclit. Hdt.) | superl. ἰσχυρότατα | **1 strongly, powerfully** Heraclit. Hdt. Th. +
2 to a strong degree, **strongly, greatly, exceedingly** X. Aeschin. Plb. Plu.; (modifying an adj.) Hdt. X. ‖ SUPERL. (in an answer) **most certainly** X.
ἰσχῡς ύος *f.* | acc. ἰσχύν, also ἰσχύν (Pi.) | **1 physical strength, strength** (of persons, animals, birds) Hes. Sol. Pi. B. Hdt. Trag. +
2 strength, might, power (of gods) Trag.
3 strength (of the earth, i.e. of the natural world) S.; (of a beacon-flame, ref. to its capacity to travel far) A.; (of frost) X.; **force** (of a river's current) Hdt.
4 strength (W.GEN. of ground, ref. to a military position protected by natural features or fortifications) Th.
5 strength, power (of persons, cities or countries, in military resources or political influence) A. Hdt. E. Th. +
6 (concr.) **military forces** (ref. to troops) X.
7 brute force, force (sts. opp. guile, persuasion, law) Trag. Th. +
8 (gener.) **strength, power, potency** (of soil, increased by fertilisation) X.; (of a drop of the Gorgon's blood) E.; (of speech) A.; (of belief) Parm.; (of hope) Th.; (of a person's natural abilities) Th.
ἰσχύω vb. | fut. ἰσχύσω | aor. ἴσχυσα | pf. ἴσχυκα | **1** (of persons, animals, their bodies) **have physical strength, be strong** S. Antipho Ar. X. D. NT.
2 (of persons) **be powerful** A. E. Th. Ar. Att.orats. +; (of the populace) X. Aeschin.; (of rulers, cities) **be strong** or **powerful** (esp. in military or financial resources) Th. Att.orats. +

3 (of persons or circumstances) **have influence** —w. παρά + DAT. w. someone Th. Aeschin. D. Plu.; **be strong enough, be able** —W.INF. to do sthg. D. NT. Plu.
4 (of an oath, argument, a principle, skill, the laws, or sim.) **have force, be valid** or **effective** Trag. Th. Att.orats. Pl. +
5 (of counters on an abacus) **be worth, be equivalent to** —W.ACC. a specified amount Plb.

ἴσχω vb. [reltd. ἔχω] | only pres. and impf. | ep.inf. ἰσχέμεναι, ἰσχέμεν, dial. ἴσχεν (B.) | impf. ἶσχον, ep. ἴσχον | **1 have, hold** (in one's hands) —a weapon, an object Hom. S. E.; (fig., W.PREP.PHR. in one's hands) —one's family and country (i.e. their fate) AR.
2 take into one's possession, capture —a place, someone's armour Hdt.; **keep in one's possession, hold, occupy** —a conquered region, a city Hdt. Th.
3 obtain (as one's wife), **marry** —a woman Hdt.; **have** —a woman (W.PREDIC.SB. as wife) S.
4 (of a woman) **get, conceive** —a child Hdt.
5 (gener.) **have as one's own, have, possess** —a material object, an attribute or sthg. non-material (such as intelligence, a name, pain, grief) Pi. S. Th. Pl. AR. Theoc.epigr. —a god (W.PREDIC.SB. as one's protector) S.
6 acquire (an attribute or state of mind); **get** —a beard Hdt. —the temper of an octopus Thgn.; **take** —courage S. E.; **show** —pity, forgiveness, concern Hdt. S.
7 keep —one's body (W.PREDIC.ADJ. pure of food) E.
8 (periphr., w. abstr. object) **have** —fear, understanding, memory, forgetfulness, or sim. (i.e. be afraid, understand, remember, forget) S.
9 (of things) **have as an accompaniment or consequence**; (of prosperity) **entail, involve, invite** —jealousy Pi.; (of the critical moment) —decision S.; (of a disease) **admit of** —easy recovery Pl.
10 (of fear, a fate) **have hold of** —someone Hdt. S.; (of a fragrant odour) **surround** —persons (smeared w. a scented substance) Hdt.
11 hold under constraint or restraint; (of fastenings) **constrain, restrain** —someone hHom.; (of pens) **hold fast, keep in** —calves Od.; (wkr.sens., of a person) **keep, detain** —someone (in one's house) Od.
12 hold back, stop, halt, withstand —a warrior, his might Il.; (of a woman) —suitors Od.; (of a fox) —the swoop of an eagle Pi.; (of high ground, walls) —a flood Il.; (of a hill) —a rolling rock Hes.; (of an ox's hide, a barrier of stones) —the wind Hes.; (intr., of warriors) **hold one's ground** Il.; (of a cliff) **stand firm** (against winds and waves) Il.; (of an object) **hold up** (under a weight placed on it) Hdt. || IMPERATV. hold out!, stand firm! A. || MID. (of a ship) **hold firm** —W.PREP.PHR. in its bolts AR.
13 (of persons, gods, feelings or circumstances) **restrain, stop, hinder** —persons, animals (fr. doing sthg.) Il. Thgn. B. Hdt. E. Ar. —(W.GEN. fr. fighting, running) Il. Call. —(W.INF. or μή + INF. fr. doing sthg.) Thgn. E. Ar. AR.; **check, stop** —an army's progress X.; (intr.) **put a check** —W.GEN. on flow, motion Pl. || IMPERS.PASS. there is a hindrance X.
14 hold back, check, restrain —oneself Hdt. —one's passion, might, laughter Il. Hes. B. AR. —one's speech S. E. —one's hands Ar. —one's heart (w. ἀπό + GEN. fr. wrongdoing) Thgn.; (fig.) —streams of tears, the wings of one's lamentation S.; **hold off** —one's spear E. —one's sword (W.GEN. fr. someone) E. || IMPERATV. (intr.) hold off!, stop! S.Ichn. E. || MID. **hold oneself back, refrain** —W.GEN. fr. sthg. Od.; **cease** —W.GEN. fr. sthg. Od.; (of a river, fr. flowing) Il.; (of a man) **hold back** (fr. doing

sthg.) Od. hHom. Call. AR. || IMPERATV. **stop** (doing sthg.) Hom. AR.
15 (of a charioteer) **keep** —one's horses (W.ADV. close to someone) Il.
16 (of sailors) **keep on course, steer** —a ship B.; (intr.) **put in** (at a place) AR. —W.PREP.PHR. at a place Th.
17 (intr.) **have the means or power, be able** —W.INF. to do sthg. AR.
18 (intr.) **be** —W.ADV. in a certain condition Th. Pl. —(W.GEN. in respect of sthg.) AR.
—**ἰσχομένως** pass.ptcpl.adv. **with checks** or **hindrances** —ref. to advancing Pl.

ἰσωνία ᾱς f. [ἴσος, ὠνή] **price equal to that of purchase, cost price** Ar.

ἰσ-ώνυμος ον adj. [ὄνομα] (of a child) **with the same name** (W.GEN. as its grandfather) Pi.

ἴσως adv.: see under ἴσος

Ἰταλίᾱ ᾱς, Ion. **Ἰταλίη** ης f. | also Ἰ- metri grat. | **Italy** (usu. ref. only to mod. Calabria and Sicily) Hdt. S. Th. +
—**Ἰταλός** οῦ m. **Italos** (mythol. king, after whom Italy was supposedly named) Th. Arist.
—**Ἰταλοί** ῶν m.pl. **people of Italy, Italians** Arist. Plb. Plu. || SG. **Italian man** Plu.
—**Ἰταλικός** ή όν adj. **of or relating to Italy**; (of persons or things) **Italian** Pl. Plb. NT. Plu. || MASC.PL.SB. **Italian men** (ref. to the followers of Pythagoras) Arist.
—**Ἰταλιῶται** ῶν (Ion. έων) m.pl. **Greek inhabitants of Italy, Italiots** Hdt. Th. Arist. Plb. Plu.
—**Ἰταλιῶτις** ιδος fem.adj. (of ships) **Italiot** Th.

ἰταμός ή όν adj. [ἰέναι, see εἶμι] **1 vigorous in motion**; (of birds of prey) **aggressive** Ar.(quot. A.)
2 vigorous in action; (of persons) **bold, forceful** Plu.; (of a style of warfare) Plu.; (of assistance) **vigorous** Plu. || NEUT.SB. **boldness** (in action) Pl.
3 (pejor., of persons) **headstrong, impetuous, reckless** Men. Plu. || NEUT.SB. **impetuosity** Pl.
4 (of a person's face, Eros' forehead) **bold** or **shameless** Mosch. Plu.; (of vice) **reckless** D. || NEUT.SB. **boldness** or **shamelessness** (of a person's looks) Plu.
—**ἰταμῶς** adv. | compar. ἰταμώτερον | **1 boldly, aggressively** Plu.
2 impetuously, recklessly Pl. D. Men. Plu.

ἰταμότης ητος f. **boldness** or **recklessness** Pl. Plb. Plu.

ἴτε (2pl.indic. and 2pl.imperatv.): see εἶμι

ἰτέᾱ ᾱς, Ion. **ἰτέη**, ep. **ἰτείη** (AR.), ης f. [reltd. ἴτυς] **1 willow tree, willow** Hom. AR.; (ref. to its timber) Hdt.
2 shield with a willow frame (or perh. a wickerwork facing), **shield** (sts. described as bronze-covered) E.

ἰτέϊνος η ον adj. (of magicians' rods) **made of willow** Hdt.; (of shields) **made of wicker** Theoc.

ἰτέον (neut.impers.vbl.adj.), **ἴτην** (ep.3du.impf.): see εἶμι

ἴτης ου masc.adj. [reltd. ἰταμός] (of persons) **impetuous** Ar. Pl.

ἰτητέον (neut.impers.vbl.adj.): see εἶμι

ἰτητικός ή όν adj. | superl. ἰτητικώτατος | (of a high-spirited nature) **habitually impetuous** Arist.

ἴτον (3du.): see εἶμι

ἴτριον ου n. **a kind of cake** (app. made w. honey and sesame), **wafer-cake** Sol. Anacr. Ar.

ἴττω (Boeot.3sg.pf.imperatv.): see οἶδα

ἴτυς υος f. [reltd. ἰτέᾱ] **1 rim of a wheel** (or perh. one of its jointed sections), **wheel-rim** or **felloe** Il.

2 rim (of a shield) Hes. Hdt. E. X. Plb.; (gener.) **shield** Carm.Pop. E.

Ἴτυς υος *m.* | acc.sts. Ἴτῦν *metri grat.* | **Itys** (killed by his mother Prokne; his name assoc.w. the nightingale's cry) Trag. Th. Ar.

ἴτω (3sg.imperatv.), **ἴτων** and **ἴτωσαν** (3pl.imperatv.): see εἶμι

Ἴτων ωνος *f.* **Iton** (town in southern Thessaly) Il.

—Ἰτωνία ᾱς *f.* —also **Ἰτωνιάς** άδος (Call.), **Ἰτωνίς** ίδος (AR. Plu.) *f.* | Ἰ- AR. | **Itonia** (epith. of Athena) Pi.*fr.* B.*fr.* Call. AR. Plb. Plu.

ἰυγή ῆς *f.* [ἰύζω] **shouting, shrieking** Hdt.(oracle) S. Tim.

ἰυγμός, ep. **ἰϋγμός**, οῦ *m.* **shouting** (of a group of people, in celebration) Il.; (in lamentation) A. E.

ἴυγξ, dial. **ἴϋγξ**, υγγος *f.* [perh.reltd. ἰύζω] **1** small bird with a hissing cry (assoc.w. magical power), **wryneck** Arist.; (tied to a revolving wheel as a love-charm) Pi.; **magic wheel, love-charm** Pi. X. Theoc.
2 attractive power, **charm** (of a woman) Ar.; (gener.) **desire, yearning** (for lost comrades) A.

ἰύζω, dial. **ἰΰζω** *vb.* [perh.reltd. ἰού] | aor. ἴυξα (Pi.) | (of a group of people) **shout, yell** (to frighten animals) Hom.; (of persons, a group) **cry out** (in pain or sorrow) A. Pi. S. Call. —W.COGN.ACC. *a mournful cry* A.

ἰϋκτής οῦ *m.* | only ep.nom. ἰϋκτά | one who cries out or sings, **clear-voiced singer** Theoc.

ἴφθιμος η (dial. ᾱ) ον (also ος ον) *adj.* (of gods, warriors, their spirits, parts of their bodies) **strong, mighty, great** Hom. Hes. hHom. AR.; (of men, kings) Hes. Thgn. Theoc.; (of animals, a river) Il. hHom.; (of women) **noble** Hom. AR. Theoc.

ἶφι *ep.adv.* [ἴς¹] **by might** or **with force** —*ref. to ruling, fighting* Hom. Hes.*fr.* —*ref. to persons or animals being killed (opp. dying naturally)* Il. Hes.

Ἰφιγένεια ᾱς *f.* —also **Ἰφιγόνη** ης (E.) *f.* **Iphigeneia** (daughter of Agamemnon and Clytemnestra) A. Pi. Hdt. E. Arist.

Ἰφικρατίδες ων *f.pl.* [Ἰφικράτης *Iphikrates*, 4th-C. BC Athenian commander] a kind of light shoe (orig. for military use), **Iphikratids** Thphr.(cj.)

ἴφιος η ον *ep.adj.* [ἶφι] (of sheep) **vigorous** or **healthy, sturdy, fat** Hom. Hes.*fr.* hHom.

ἰχαίνω *vb.* [reltd. ἰχανάω] **long, desire** —W.INF. *to do sthg.* Call.

ἰχανάω *ep.contr.vb.* | 3sg. (w.diect.) ἰχανάᾳ | ptcpl. (w.diect.) ἰχανόων, fem. ἰχανόωσα || see also ἰσχανάω | **be eager, long** —W.GEN. *for sthg.* w.INF. *to do sthg.* Il.

ἰχθυάω *ep.contr.vb.* [ἰχθύς] | 3sg. (w.diect.) ἰχθυάᾳ | iteratv.impf. (w.diect.) ἰχθυάασκον | (of persons) **hunt for fish** (fr. the shore), **fish** Od.; (of Scylla) —W.ACC. *for dolphins and dogfish* Od.

ἰχθυβολεύς έως *m.* [ἰχθυβόλος] **fish-catcher, fisherman** Call.

ἰχθυ-βόλος ον *adj.* [βάλλω] (of Poseidon's trident) **fish-spearing** A.

ἰχθύδια ων *n.pl.* [dimin. ἰχθύς] small fishes (caught for food), **fishes** Men. NT. Plu.

ἰχθυηρός ά όν *adj.* (of cutting-boards) **for fish** Ar.

ἰχθυο-ειδής ές *adj.* [εἶδος¹] (of plated body-armour) **like fish-scales** Hdt.

ἰχθυόεις εσσα εν *adj.* (of the sea, its depths, a river) **teeming with fish** Hom. hHom. Eleg. Hdt.(quot.epigr.) Ar.

ἰχθυο-λύμης ου *m.* [λύμη] **fish-destroyer**; (pejor.ref. to a person) **voracious fish-eater** Ar.

ἰχθυο-πώλιον ου *n.* [πωλέω] place where fish are sold, **fish-shop** Thphr.

ἰχθυο-στεφής ές *adj.* [στέφω] (of the bosom of Amphitrite, ref. to the sea) **fish-wreathed** Tim.

ἰχθυο-τρόφος ον *adj.* [τρέφω] (of ponds) **for fish-breeding** Plu.

ἰχθῦς ύος *m.* | acc. ἰχθύν, also ἰχθῦν, ἰχθύα (Theoc.) || PL.: nom. ἰχθύες, acc. ἰχθῦς, also ἰχθύας (Od. Theoc. +) | (sg. and pl.) **fish** Hom. +

ἰχθυώδης ες *adj.* (of a lake) **teeming with fish** Hdt.

ἴχματα των *n.pl.* [perh. οἴχομαι] **movements, gait** (W.GEN. of feet and legs) Il.(dub., v.l. ἴθματα, also ἴχνια)

ἰχνεία ᾱς *f.* [ἰχνεύω] action of a hound in hunting, **casting about** (for a scent) X.

ἰχνεύμων ονος *m.* a kind of small Egyptian carnivore (related to the mongoose), **ichneumon** Plu.

ἴχνευσις εως *f.* tracking action (of a hunting hound), **tracking** X.

ἰχνευτής οῦ *m.* **tracker, hunter** (ref. to the ichneumon) Hdt. S.*Ichn.* || PL. Trackers (ref. to satyrs searching for the cattle of Apollo stolen by Hermes, title of a satyr play) S.

ἰχνεύω *vb.* [ἴχνος] **1** (of a person) **track down** —*wild animals* (W.DAT. *w. hounds*) E.*Cyc.*; (of hounds) AR.; (intr.) **follow the tracks, be on the scent** Pl. X. || PASS. (of a hare) **be tracked down** X.
2 track down, search for —*a person* S. X. —*a voting-token* Ar.; (fig.) —*the good, the nature of beauty, an argument* Pl. —*a crime* S.; (intr.) **search, follow the scent** Ar. Pl.
3 (of a wrestler) **follow in the footsteps of, emulate** —*his ancestors* Pi.

ἴχνια ων *n.pl.* [dimin. ἴχνος] **1 footprints, tracks, trail** (of persons or animals) Hom. hHom. X. Hellenist.poet.; (collectv.sg.) Pl.(mock-ep.) Call. | see also ἴχματα
2 traces, influences (W.GEN. of a law-code) Call.

ἴχνος εος (ους) *n.* [perh. οἴχομαι] **1 footprint** (of a person, animal or bird) Hes. E. Ar.
2 track left by footprints, **track, trail** (of persons or animals) Trag. Pl. X. Plu. || PL. tracks, traces Od. Sol. S. Pl. X. Plu.
3 (fig.) **track, trail, path** (of oar-blades, in the sea) A.; (of past crimes, previous speeches) A. S.; (of thoughts, arguments, conduct) A. E. Pl. Plu.; (of suspicion, murder, as leading to someone) Antipho
4 visible sign, **trace, mark** (of lashes or knuckles, on the body) Pl. Aeschin.
5 surviving sign, **trace, evidence** (W.GEN. of walls) E.; (of a meteorite) Plu.; (of a conspiracy) Arist.; (of past practices, ancestral virtue, or sim.) Isoc. Lycurg. Plb. Plu.
6 footstep E. Call.; (also periphr., W.GEN. ποδός *of a foot*) E.; (concr.) **foot** E. AR. || PL. feet Call. AR.
7 || PL. (fig.) footsteps (of an ancestor, trodden in by a descendant, as a guide to comparable achievements) Pi.

ἰχνοσκοπέω *contr.vb.* **investigate footprints** A.; **look for tracks** (of stolen cattle) S.*Ichn.*

ἰχώρ ῶρος *m.* | acc. ἰχῶρα, ep. ἰχῶ | **1** liquid in the veins of the gods, **ichor** Il. AR.
2 (medic.) fluid from body tissues, **pus** A. Plu.; watery part of the blood or bile, **serum** or **lymph** Pl.

ἴψ ἰπός *m.* small wood-boring pest; perh. **woodworm** Od.

ἴψαο (ep.2sg.aor.mid.), **ἴψομαι** (fut.mid.): see ἵπτομαι

ἴψοι *Aeol.adv.*: see ὑψοῦ, under ὕψι

ἰώ¹ *interj.* | sts. ἰώ | (in cries and appeals, esp. to gods, or in expressions of grief) **ah!, oh!** Trag. Ar. Tim. Men.; (as a hunter's cry to his hounds) **ho!** X.

ἰώ² *Boeot.1sg.pers.pron.*: see ἐγώ
Ἰώ Ἰοῦς *f.* | voc. Ἰοῖ | acc. Ἰώ, also Ἰοῦν (Hdt.) | **Io** (daughter of Inakhos, seduced by Zeus, transformed into a heifer guarded by Argus, then pursued by a gadfly through Europe and Asia to Egypt, where she bore Epaphos) B. Hdt. Trag. Plb. Mosch.
—**Ἰόνιος** ᾱ (Ion. η) ον *adj.* (of a sea, SW. of Greece, traditionally named after Io) **Ionian** A. Pi. Hdt. E. Th. AR. + || MASC.SB. Ionian Sea Th. Arist. Plu.
ἰῶ (mid.imperatv.): see ἰάομαι
ἰῷ (ep.neut.dat.adj.): see ἴα
ἴω (1sg.subj.): see εἶμι
ἰώγα *Boeot.1sg.pers.pron.*: see ἔγωγε, under ἐγώ
ἰωγή ῆς *Ion.f.* [perh.reltd. ἄγνῡμι] sheltered place, **shelter** (fr. the wind) Od.
ἰωή ῆς, dial. **ἰωά** ᾶς *f.* **1** loud or shrill cry (of persons), **shout, shouting** Il. Hes. A.(dub.) S. AR.; continuous shrill sound, **noise** (of a lyre, the wind, fire) Hom. hHom. AR.
2 smoke (seen fr. afar, as indicator of a funeral pyre) Call.(cj.)
ἰωκή ῆς *f.* [app.reltd. ἵημι] | acc. ἰῶκα | app., forward rush or pursuit (of an army), **onslaught** or **rout** Il.; (personif.) **Rout** Il.
ἴωμεν (1pl.subj.), **ἰών** (ptcpl.): see εἶμι
Ἴων¹ ωνος *m.* **1 Ion** (ancestor of the Ionians, son of Xouthos and Creusa, later regarded as son of Apollo and Creusa) Hdt. E. Pl. Arist. Plu.
2 Ion (of Chios, 5th-C. BC poet and prose author) Ar. Isoc. Plu.
ἰώνγα, also ἰώνει *Boeot.1sg.pers.pron.*: see ἔγωγε, under ἐγώ

Ἴωνες, dial. **Ἰάονες** (also ep.Ion. **Ἰήονες** Call.), ων *m.pl.* | also dial.gen. **Ἰάνων** (A.) | **Ionians** (Greek inhabitants of Ionia, also sts. ref. to all Greeks) Il. hHom. Ibyc. A. +
—**Ἴων²** ωνος, dial. **Ἰάων** (also **Ἰάων** A.) ονος *m.* | dial.voc. Ἰάοναῦ (Ar.) | **Ionian man** Ar. || ADJ. (of the people) Ionian Pi.*fr.*; (of a man, ref. to Homer) Theoc.; (of warfare) A.; (of the language) Tim.
—**Ἰωνίς** ίδος *fem.adj.* (of women, cities) **Ionian** X. Plu.
—**Ἰωνίᾱ** ᾱς, Ion. **Ἰωνίη** (also **Ἰαονίη** Sol.) ης *f.* **Ionia** (land on the west coast of Asia Minor, approx. fr. Smyrna to Miletos, together w. its offshore islands) Sol. A. Hdt. +; (assoc.w. sexually deviant behaviour) Ar.
—**Ἰαόνιος** ᾱ ον *dial.adj.* **1** (of the territory) **Ionian** A.; (of Salamis) Plu.(oracle)
2 (of musical strains, ref. to lamentation) **Ionian** A.
—**Ἰωνικός** ή όν *adj.* **1** of or relating to the Ionians or Ionia; (of persons, the people) **Ionian** Hdt. Ar. Men. Plu.; (of cities) X.; (of a war, ref. to military engagements in 413 BC) Th.
2 (of the script, a word) **Ionian** or **Ionic** Hdt. Ar.
3 typical of the Ionians; (of a way of life described by Homer) **Ionian** Pl.; (of a melody, w.connot. of softness or effeminacy) Ar.; (of an extravagant lifestyle) Plu.
—**Ἰωνικῶς** *adv.* **in the Ionian fashion** (i.e. softly, luxuriously or effeminately) —*ref. to speaking, dressing, cavorting* Ar.
ἰωνιά ᾶς *f.* [ἴον] **bed** or **patch of violets** Ar.
ἰωνο-κάμπτᾱς ᾱ *dial.m.* [κάμπτω 12] **bender of Ionian melodies** Tim.
ἰῶτα *indecl.n.* [Semit.loanwd.] **iota** (letter of the Greek alphabet) Pl.; (as the smallest written letter, exemplifying what is smallest of its kind) NT.
ἰωχμός οῦ *m.* [reltd. ἰωκή] **onset, charge** (of combatants) Hes.; **tumult, mêlée** (of battle) Il.; (gener.) **battle, war** Theoc.